GLOSSÁRIO
Vade Mecum

- ADMINISTRAÇÃO PÚBLICA
- CIÊNCIAS CONTÁBEIS
- DIREITO
- ECONOMIA
- MEIO AMBIENTE

14.000 Termos e Definições

Paulo Cesar Fulgencio

GLOSSÁRIO

Vade Mecum

- ADMINISTRAÇÃO PÚBLICA
- CIÊNCIAS CONTÁBEIS
- DIREITO
- ECONOMIA
- MEIO AMBIENTE

14.000 Termos e Definições

Mauad X

Direitos desta edição reservados à
MAUAD Editora Ltda.
Rua Joaquim Silva, 98, 5º andar
Lapa — Rio de Janeiro — RJ — CEP: 20241-110
Tel.: (21) 3479.7422 — Fax: (21) 3479.7400
www.mauad.com.br

Projeto Gráfico:
Nucleo de Arte/Mauad Editora

Revisão:
Sandra Pássaro

Esta obra foi concluída pelo autor em julho de 2006.

CIP-BRASIL. CATALOGAÇÃO-NA-FONTE
SINDICATO NACIONAL DOS EDITORES DE LIVROS, RJ.

F973g
Fulgencio, Paulo Cesar
Glossário Vade Mecum : administração pública, ciências contábeis, direito, economia, meio ambiente : 14.000 termos e definições / Paulo Cesar Fulgencio. - Rio de Janeiro : Mauad X, 2007.

Inclui bibliografia

ISBN 978-85-7478-218-8

1. Administração pública - Terminologia. 2. Contabilidade - Terminologia. 3. Direito - Terminologia. 4. Economia - Terminologia. 5. Meio ambiente - Terminologia. I. Título.

07-1384. CDD: 350
CDU: 35

À minha mulher, Cecília, à minha filha, Mariana, e ao meu neto, Matheus, que merecem todo o meu carinho e agradecimento, por terem, em várias oportunidades, me estimulado, opinando e contribuindo positivamente para a realização deste Glossário.

AGRADECIMENTOS

Ao amigo Roberto Mauro Moore Junior, pela inestimável colaboração na revisão de redação das definições e pelas sugestões sempre enriquecedoras.

Aos servidores do Tribunal de Contas do Estado do Rio de Janeiro, sempre competentes, hábeis, prestativos e colaboradores.

Em 2003, por solicitação da Secretaria Geral de Planejamento do Tribunal de Contas do Estado do Rio de Janeiro (TCE-RJ) e recomendação da Presidência da instituição, o advogado Paulo Cesar Fulgencio lançou, pelo TCE-RJ, um *Glossário* nas áreas de Administração Pública, Ciências Contábeis, Direito, Economia e Meio Ambiente, com mais de 3.300 expressões.

A edição teve tamanho sucesso, com a solicitação de volumes por parte de professores, estudantes e profissionais liberais, que rapidamente se esgotou.

Quatro anos se passaram e agora a Mauad Editora apresenta aos profissionais dessas áreas, professores, estudantes e à sociedade em geral este *Glossário - Vade Mecum*, que, originado naquele valioso trabalho do autor, chega às livrarias com mais de 14.000 termos e definições também em Administração Pública, Ciências Contábeis, Direito, Economia e Meio Ambiente.

Revisto, atualizado e em muito ampliado, este novo *Glossário* vem facilitar o dia-a-dia de todos aqueles que, em curto tempo, precisam compreender o significado de expressões e termos técnicos em áreas que muitas vezes se utilizam de uma linguagem de especial complexidade. Além de inovar, ao reunir em um só volume informações de cinco diferentes áreas, o autor, com o seu trabalho árduo, minucioso e preciso, usa uma linguagem objetiva e direta nas definições, procurando levar ao leitor um esclarecimento de qualidade.

Inúmeras definições usadas pelo autor são fruto de sua experiência e do seu próprio trabalho técnico no Tribunal de Contas do Estado do Rio de Janeiro, que ao longo dos anos vem publicando diversas obras de Paulo Cesar Fulgencio na área de Administração Pública. Com formação também em Economia e Contabilidade, o autor ainda buscou o melhor esclarecimento em numerosas fontes de inegável qualidade - com consultas desde a profissionais dessas áreas a variadas obras, leis, revistas e jornais técnicos. E, como ele sempre salienta, por melhor ou mais abrangente que seja, um Glossário sempre estará sujeito ao dinamismo das leis, da própria língua ou dos costumes em geral. Tendo sido concluído em julho de 2006, este *Glossário - Vade Mecum* é uma obra de referência e de consulta indispensável por todos os que atuam nas áreas que abrange.

Os Editores

Maio de 2007

PREFÁCIO

Este trabalho, concluído em julho de 2006, representa uma rica fonte para especialistas de diferentes ramos profissionais e do conhecimento. Ao folheá-lo, o leitor pode ter a sensação do inesgotável e do hiperbólico, tamanho o volume de termos e definições.

Numa Língua considerada rica e até difícil no que concerne a diversos aspectos de sua estrutura, das mais simples unidades morfológicas à sintaxe mais complexa, nunca é demais um catálogo que dê precisão a significados, às vezes conflitantes, de palavras e expressões. Afinal, estas, não raras vezes, são usadas ou de forma equivocada, ou mesmo em contextos inadequados, seja em trabalhos teóricos da Academia, seja no noticiário dos jornais.

A verdade é que o pior dos significados tem a ver com a presunção. Muitas vezes, lê-se o que se julga entender, sendo freqüentes, por exemplo, interpretações que acabam não contemplando a totalidade de um significado. Bem sabemos que, para determinadas situações, não basta o entendimento de sinônimos ou antônimos, sendo necessários também a diacronia de uma expressão e o contexto em que é utilizada.

Reforça essa tese a necessidade, sempre constante, do aprimoramento técnico dos fazeres, por exemplo, da Administração Pública. Num mundo em que a comunicação é imediata e as trocas econômicas e culturais entre países e regiões são intensificadas, todo tipo de aperfeiçoamento é uma demanda sempre presente.

Perseverança na busca do conhecimento é o que não falta a Paulo Cesar Fulgencio. Sua personalidade intelectual traz as características que lhe conferem o gosto pela minúcia e pela precisão, sempre atento também às repercussões semânticas dependendo do contexto. O hiperbólico deste Glossário contrasta com a simplicidade e a discrição do autor. Sempre comedido, Paulo Cesar Fulgencio mostra com este trabalho a eloqüência de sua maneira metódica de adquirir e difundir conhecimento.

Nesse sentido, este Glossário tem um significado não escrito em forma de verbete, mas subjacente à sua materialização como ferramenta destinada ao grande público. Poder-se-ia conceituá-lo como o caminho (e a busca) do saber inesgotável. Diferentemente do olhar da presunção e da pretensão, o volume não se encerra como se abarcasse todos os significados existentes.

Assim como a própria Língua e a vida em sociedade, este tipo de trabalho traz o elemento da dinâmica, da transformação, dos acréscimos, das descobertas. Ele é assim agora. Amanhã será ele mesmo e outro. Um Glossário, como qualquer livro, tem sua última página. Porém, sua natureza não é a da finitude – e sim a do que vai demandar futuras edições.

JOSÉ GOMES GRACIOSA

Presidente do Tribunal de Contas do Estado do Rio de Janeiro

Rio de Janeiro, setembro de 2006

APRESENTAÇÃO

A presente edição representa significativa ampliação e aprofundamento do Glossário TCE-RJ publicado em novembro de 2003, quando o Presidente do Tribunal de Contas do Estado do Rio de Janeiro, Conselheiro José Gomes Graciosa, indicou à Secretaria Geral de Planejamento a necessidade de elaboração de um trabalho que permitisse a consulta rápida de verbetes, termos e conceitos inerentes à atuação daquela Corte de Contas.

Como naquela ocasião, Paulo Cesar Fulgencio, Assessor da Secretaria Geral de Planejamento, apresenta, agora, um minucioso e abrangente trabalho, concluído em julho de 2006, que, apesar de não possuir a pretensão de esgotar entendimentos, proporciona uma indispensável fonte de consultas concernente à Administração Pública, às Ciências Contábeis, ao Direito, à Economia e ao Meio Ambiente. Esta obra, por suas características, servirá de fundamento para a atuação não só dos integrantes do Sistema Tribunal de Contas, como de toda a Administração Pública, dos profissionais que dominam determinada área, mas desejam aprofundar conhecimento e técnica em outras, dos estudantes e da sociedade em geral, desejosos de esclarecimentos concebidos sob o signo da objetividade e da praticidade, sem, contudo, abrir mão do rigor da informação correta e de um conteúdo abrangente.

Nesta edição, foram definidos 14.000 termos, com o propósito de oferecer ao consulente a possibilidade de dirimir rapidamente suas dúvidas, reservando a trabalhos especializados o aprofundamento das respectivas questões conceituais.

Todavia, há de se mencionar que, pela própria dinâmica das matérias abrangidas, o Glossário, que em sua versão original contava com pouco mais de 3.300 termos e definições, tende a ser ampliado e continuamente aprimorado, o que, certamente, renovará o orgulho do TCE-RJ em apresentar as futuras versões, cada vez mais completas e atuais deste **Glossário**, agora adequadamente intitulado ***Vade Mecum***.

HORÁCIO DE ALMEIDA AMARAL

Secretário-Geral de Planejamento do TCE-RJ

Rio de Janeiro, setembro de 2006

A

A CONTENTO — Diz-se de tudo que se fez satisfatoriamente, ou que se concluiu segundo os próprios desejos anteriormente manifestados.

A CONTRARIO SENSU — [Latim]. Expressão que significa em sentido contrário. Pela razão contrária. Argumento de interpretação que considera válido ou permitido ao contrário do que tiver sido proibido ou limitado.

À FÉ — Locução utilizada em documentos para significar que o que neles se expressa concerne à verdade e que a pessoa que o firma assim o declara à sua fé, isto é, sob sua honra, sob sua palavra, ou sob sua garantia.

A FORTIORI — [Latim]. Expressão que significa por mais forte razão, por maior razão. Quando um dispositivo legal, por razões que se acrescem às nele previstas, deve ser aplicado extensivamente. Usa-se como técnica de raciocínio.

A LATERE — [Latim]. Expressão que significa de lado. Ao lado. Argumentação não ligada necessariamente ao fato principal, mas que se acrescenta em reforço.

À LIDE — O mesmo que *ad litem*. Expressão forense que significa na demanda; na lide.

A LIMINE — [Latim]. Expressão que significa desde o início; desde o começo. Sem maior exame.

A NON DOMINO — [Latim]. Expressão que significa sem título de domínio ou de propriedade; de não-proprietário; de quem não é proprietário.

À ORDEM — Cláusula cambiária pela qual, embora o título seja nominativo, pode ser transferido mediante processo.

A POSTERIORI — [Latim]. Expressão que significa de trás para diante; método que conclui pelos efeitos e conseqüências. Julgar a *posteriori* é julgar pela experiência. Argumentar a *posteriori* é argumentar passando do efeito à causa. Para depois. Que vem depois. Critério de verificação após a ocorrência do evento. Como técnica de argumentação, indica a conclusão extraída a partir dos efeitos. Opõe-se à argumentação *a priori*.

A PRIORI — [Latim]. Expressão que significa de frente para trás; anteriormente à experiência; método que conclui pelas causas e princípios. Do precedente. De antemão. Como técnica de argumentação, indica a conclusão a partir de hipóteses, sem a verificação das conseqüências ou resultados anteriores. Diz-se de raciocínio que se fundamenta em hipótese não provada. Opõe-se à argumentação *a posteriori*.

A QUO — [Latim]. Expressão que significa do qual. Do juiz ou tribunal de instância inferior de onde provém o processo; dia ou termo inicial de um prazo. Ponto de partida. Juízo *a quo* é aquele de cuja decisão se recorre. Diz-se, ainda, do termo ou princípio sobre o qual se fundamenta uma conclusão.

A RADICE — [Latim]. Expressão que significa desde a raiz; pela raiz.

A ROGO — É a assinatura que alguém coloca em um documento a pedido de quem não sabe ou não pode assinar o seu nome.

A TERMO — Tipo de negócio em que a entrega do objeto e o pagamento são feitos em data futura, mas com preço ajustado no momento da realização do mesmo.

A VERO DOMINO — [Latim]. Expressão que significa pelo verdadeiro dono.

AA1000 (*ACCOUNTABILITY* 1000) — É um processo de sistematização do envolvimento de *Stakeholder* (acionista) que legitima a empresa como socialmente responsável, tornando as informações que leva a público mais confiáveis e possibilitando ainda o gerenciamento de riscos potenciais em relação a cada *Stakeholder* e a melhoria do relacionamento da empresa com seus diferentes públicos. Não se trata de uma certificação, mas, sim, de um padrão.

AB ACTIS — [Latim]. Expressão que significa dos atos; dos autos; que pertence aos autos.

AB AETERNO — [Latim]. Expressão que significa desde a eternidade; há muito tempo.

AB ALTO — [Latim]. Expressão que significa por alto, por presunção, por suspeita, ou por aproximação. O que é feito ou afirmado superficialmente, sem minúcias.

AB ANTIQUO — [Latim]. Expressão que significa de há muito tempo.

AB INITIO — [Latim]. Expressão que significa de início, desde o começo. É usada nas sentenças quando anulam o processo, desde o seu começo, ou petição inicial para reforçar a determinação do decisório judicial.

AB INTEGRO — [Latim]. Expressão que significa não alterado; inteiramente; fielmente; por inteiro, completamente mantido.

AB INTESTATO — [Latim]. Expressão que significa sem deixar testamento. Diz-se da pessoa que faleceu sem deixar testamento.

AB IRATO — [Latim]. Expressão que significa sob a ação da ira. Ato que é praticado sob o impulso de uma ira ou irreflexão, num momento de cólera. Diz-se de crime cometido, cuja pena pode ser atenuada ou reduzida se a ira for originada de ato injusto praticado pela vítima. Ato praticado *ab irato* pode ser anulado se nele se verificar vício da vontade: testamento *ab irato*.

AB OVO — [Latim]. Expressão que significa desde o ovo; desde o começo. Desde a inicial; desde a petição.

ABAIXO-ASSINADOS — Documento de cunho coletivo que contém manifestação de protesto, de solidariedade, pedido ou reivindicação, firmado por um grande número de pessoas. Quando se refere à pessoa que assina um documento (por exemplo, uma petição, não se usa hífen: "abaixo assinado": Plural: "Abaixo-assinados").

ABALO DE CRÉDITO — Perda da confiança na capacidade, real ou presumida, de satisfação de crédito. Dúvida lançada sobre a capacidade de alguém poder saldar seus compromissos.

ABALO SÍSMICO — Movimentos naturais da crosta terrestre, que se propagam por meio de vibrações. Podem ser percebidos diretamente pelas pessoas ou por meio de instrumentos especiais chamados *sismógrafos*. Anualmente são registrados cerca de 1 (um) milhão de abalos sísmicos no mundo, dos quais cerca de 5.000 são percebidos pelo ser humano e 20 a 30 são de efeitos danosos. A intensidade dos terremotos é bastante variável, e os fatores que nela mais influem são: a magnitude da energia liberada, a distância do epicentro, a profundidade do hipocentro e as características das rochas. Assim, quanto maior a distância, menor a intensidade, e quanto mais resistentes as rochas, menores os danos causados. A intensidade pode variar desde a imperceptível pelo ser humano até aquela cujos efeitos podem destruir cidades inteiras, como os famosos terremotos ocorridos em Lisboa (1755), São Francisco (1906), Tóquio (1923) e Manágua (1972). Atualmente, a escala mais utilizada para medir a intensidade dos abalos sísmicos é a Escala de Mercalli, que mede os danos provocados por terremotos. Os danos podem ser humanos, materiais ou ambientais (geológicos). Nos primeiros casos, podem ocorrer mortes, ferimentos, desmoronamentos de casas e edifícios, ruptura de tubulações de água, gás ou esgoto, incêndios etc. No caso dos danos ambientais, os efeitos no relevo são geralmente pequenos (embora em alguns casos possam ser de grandes proporções). Normalmente são do tipo deslizamento, desmoronamento, formação de fendas no solo etc. (Ver: Escala de Richter.)

ABALROAMENTO — Choque de veículos automotores. Colisão entre aeronaves, no ar, ou em manobras terrestres. Colisão de embarcações em movimento, ou uma delas estacionada.

ABANDONATÁRIO — Aquele que toma posse de coisa abandonada; ocupador. Aquele em cujo favor se opera o abandono liberatório.

ABANDONO — 1) Renúncia ou desistência de um direito. 2) Causa de extinção da propriedade.

ABANDONO ALFANDEGÁRIO — Diz-se do que é feito pelo dono de mercadoria importada, geralmente acobertado no anonimato ou na falsa identidade, a fim de escapar aos ônus sobrevindos da não legalização. Quando se tem um produto de importação abandonado, o cálculo do imposto é o preço da arrematação e o arrematante é o contribuinte desse imposto.

ABANDONO ASSECURATÓRIO — É o ato pelo qual o segurado, nos casos determinados pela lei ou expressamente ajustados, abandona e cede ao segurador todos os seus direitos sobre os objetos segurados, para obter deste o pagamento integral da quantia estipulada no seguro, em vez da simples indenização pelos prejuízos realmente sofridos.

ABANDONO DA CAUSA — É a falta de manifestação do autor, no processo, quanto aos atos e diligências que lhe competirem, por mais de trinta dias, dando o ensejo à extinção do processo. Sua renúncia à causa é presumida. A força maior ressalva a cominação legal apontada. A pena deixará de ser aplicada se o ato de responsabilidade do autor não tiver relevância para o andamento do processo. Se o autor der causa, por três vezes, à extinção do processo por não promover atos e diligências que lhe competirem, não poderá intentar nova ação que tenha o mesmo objeto contra o réu, ficando-lhe ressalvada, entretanto, a possibilidade de alegar em defesa o seu direito.

ABANDONO DA COISA — Ato pelo qual alguém, voluntariamente, abdica da posse e propriedade de uma coisa, por não a querer mais.

ABANDONO DA FAMÍLIA — Ato pelo qual a pessoa a quem cabe essa obrigação deixa de prover à subsistência do cônjuge, dos filhos, menores ou inválidos - obrigações alimentícias, de moradia, educação, assistenciais e outras, ou de socorrer descendente ou ascendente, gravemente enfermo. Sem justa causa, é crime. Enseja perda do Poder Familiar.

ABANDONO DA HERANÇA — É quando o herdeiro se recusa a receber a herança a que faz jus, deixando então os encargos a tal respeito sob a responsabilidade dos credores e sucessores hereditários. A renúncia deve constar, expressamente, de escritura pública ou termo judicial.

ABANDONO DA POSSE — O abandono é uma das causas da perda da posse das coisas. O Código Civil, em seu art. 1.223, dispõe: Perde-se a posse ao cessar, embora contra a vontade do possuidor, o poder sobre o bem ao qual se refere o art. 1.196.

ABANDONO DE ANIMAIS — Renúncia ao direito de propriedade ou perda voluntária da posse. Conseqüência: os animais tornam-se *res nullius* e podem ser apreendidos e apropriados. Introdução de animais em propriedade alheia é delito previsto art. 64 do Código Penal.

ABANDONO DE CARGO PÚBLICO — Abandono de cargo público por mais de 30 dias consecutivos, sem justificação, ou 45 intercalados, que enseja demissão. Pode ocasionar, também, crime contra a Administração Pública.

ABANDONO DE EMPREGO — Consiste no descumprimento ininterrupto e definitivo da obrigação de trabalhar sem justificativa. É caracterizado pela ausência, sem justificativa, do empregado ao local de trabalho, por período superior a 30 dias. O abandono de emprego enseja a rescisão do contrato de trabalho por justa causa (CLT, art. 482, I.). (Ver: Abandono de serviço.)

ABANDONO DE INCAPAZ — Consiste em deixar de cumprir os deveres de vigiar e cuidar dos filhos menores ou incapazes com qualquer idade sob os seus cuidados, guarda, vigilância ou autoridade (pais ou responsáveis). O mesmo que abandono de pessoa e abandono de menor. A lei penal qualifica tal fato de crime.

ABANDONO DE INSTÂNCIA — Dá-se quando o autor renuncia, por vontade própria, a prosseguir o procedimento por ele iniciado.

ABANDONO DE LAR — É caracterizado o abandono do lar quando o marido ou a mulher deixa o lar, sem autorização judicial, com o intuito de não mais regressar. Quando ela deixa a habitação conjugal e a esta recusa voltar, é causa extintiva da obrigação de o marido sustentar a mulher. Em tal caso, pode o juiz, conforme as circunstâncias, ordenar, em proveito do marido e dos filhos, o seqüestro temporário de parte dos rendimentos particulares da mulher. Se o marido é quem abandonou, pode a mulher pedir que ele continue a lhe prestar assistência, a si e a seus filhos. Tanto as pessoas legalmente casadas quanto as pessoas que simplesmente moram juntas precisam de autorização judicial para poder deixar o lar. O abandono de lar é um dos motivos que o outro pode alegar para ingressar com pedido de separação. A ação correta para os que não são legalmente casados é a "Cautelar Inominada". Para os que são casados, Separação de Corpos e/ou Afastamento Temporário do Lar. O abandono do lar só se caracteriza após um ano.

ABANDONO DE PROCESSO — Ocorre quando o processo fica paralisado por mais de um ano, em virtude de negligência de ambas as partes ou por mais de 30 dias, por negligência do autor.

ABANDONO DE SERVIÇO — Caracteriza-se por atos de indisciplina, insubordinação ou desídia, sem que haja intenção manifesta, por parte do empregado, de abandonar, em definitivo, o emprego. Exemplo: quando o empregado, por ato de indisciplina, abandona o serviço sem justificativa, em meio à jornada de trabalho, retornando posteriormente. Justa causa para a rescisão do contrato de trabalho, pelo empregador. Não se confunde com o abandono de emprego, porque neste o empregado abandona o emprego definitivamente. (Ver: Abandono de emprego.)

ABANDONO DO ÁLVEO — Trata-se de aquisição por acessão, quando o curso de um rio é modificado e o álveo abandonado passa à posse dos proprietários ribeirinhos das duas margens.

ABANDONO DO ESTABELECIMENTO — Dá-se quando o comerciante fecha o seu estabelecimento e abandona os atos negociais sem motivo razoável. É uma das características da falência.

ABANDONO DO IMÓVEL LOCADO — Saída clandestina, pelo inquilino, do imóvel locado. Durante a locação, o inquilino pode devolver o imóvel, desde que pague multa. No caso de abandono, continuará responsável pelos aluguéis em atraso. Quando o imóvel é abandonado após o início da ação de despejo, o locador pode requerer imissão na posse.

ABANDONO DO RECÉM-NASCIDO — Crime previsto no art. 134 do CP. Consiste em deixar exposto ou abandonado o recém-nascido, para ocultar desonra própria.

ABANDONO INTELECTUAL — Crime contra a assistência familiar. Consiste em deixar de prover, injustamente, à instrução primária de filho em idade escolar.

ABANDONO MATERIAL — É o crime decorrente da falta de assistência ou de fornecimento de recursos à subsistência da pessoa ou das pessoas a que se deva manter e alimentar. Possui o mesmo sentido de abandono pecuniário, o abandono caracterizado pelo não pagamento de despesas de alimentação ou não suprimento do numerário necessário a fazer face a toda despesa com a manutenção de outrem a que se tem o dever de sustentar ou manter.

ABANDONO MORAL — É o crime resultante da negligência ou da falta de cuidado com que se conduz o marido ou esposa, o pai ou mãe, curador(a) ou tutor(a), na direção das pessoas que estão sob sua vigilância, possibilitando que se orientem na prática de atos contrários à moral e aos bons costumes.

ABANDONO PECUNIÁRIO — Ver Abandono Material.

ABARCAMENTO — Ato pelo qual uma pessoa ou uma corporação (sociedade comercial, sindicato, empresa etc.), por meios artificiais e fraudulentos, acumula em seu poder gêneros, mercadorias ou valores negociáveis de qualquer espécie, em tal proporção, que possa estabelecer um preço de venda segundo seus interesses, sem atender às leis de procura e oferta e sem levar em conta a extorsão que esteja promovendo. (Ver: Açambarcamento.)

ABASTECIMENTO — Atividade logística relacionada com o fornecimento de recursos materiais necessários a uma determinada operação. Compreende ações como estimativa de necessidades, padronização de itens de suprimento, aquisição, recepção e verificação do material adquirido, estocagem, distribuição e controle de níveis de estoque e do consumo dos diferentes itens de suprimento.

ABASTECIMENTO INTERRUPTÍVEL — É o abastecimento de fluido sujeito a interrupção a critério da companhia distribuidora ou de acordo com condições estabelecidas em contrato.

ABATIMENTO — O mesmo que dedução, subtração, diminuição, deságio.

ABDICAÇÃO — Renúncia, recusa, desistência. Abdicar de um direito. Ato pelo qual uma pessoa declara renunciar a uma função pública, de que se acha investido. Demissão voluntária do poder pelo monarca que o exerce.

ABDICATIO TUTELAE — [Latim]. Expressão que significa renúncia da tutela. Renúncia, desistir da tutela nos casos previstos em lei. A tutela testamentária, a legítima e a dativa obrigam seu desempenho.

ABDUÇÃO — Ato ou efeito de abduzir. (Ver: Abduzir.)

ABDUZIR — Desviar de um ponto; afastar. Seqüestrar. (Ver: Abdução.)

ABERRAÇÃO GENÉTICA — Alteração produzida por poluentes tóxicos ou radioativos nos cromossomos das células germinativas de seres vivos, inclusive do ser humano, responsáveis pela transmissão de anomalias à descendência (progênie).

ABERRATIO CRIMINIS — [Latim]. Expressão que significa erro do crime.

ABERRATIO DELICTI — [Latim]. Expressão que significa erro do criminoso quanto à pessoa da vítima. O erro se dá quanto o agente se engana na escolha da pessoa da vítima, trocando-a involuntariamente por outra. É o *Error in persona*. O mesmo que *aberratio ictus*.

ABERRATIO FINIS LEGIS — [Latim]. Expressão que significa afastamento; desvio da finalidade da lei.

ABERRATIO ICUTS — [Latim]. Expressão que significa aberração no ataque ou desvio do golpe. Resulta do ato praticado por alguém que, pretendendo ofender a outrem, atinge um terceiro não visado. É, assim, o delito cuja prática resultou contrariamente às intenções do agente, porquanto, embora conseqüente de ânimo, indiretamente doloso quanto ao atingido, se revela direto quanto à intenção que o motivou. O mesmo que *aberratio delicti*.

ABERRATIO PERSANAE — [Latim]. Expressão empregada quando há um erro em relação a uma pessoa praticado pelo agente ao interpretar falsamente a realidade. Isto é, o agente atinge pessoa diversa da que pretendia atingir.

ABERTURA DE CAPITAL — É o processo pela qual a propriedade de uma empresa fechada é transferida, total ou parcialmente, para um grande número de pessoas que desejam dela participar e que não mantêm, necessariamente, relações entre si e o grupo controlador. É a democratização do capital social de uma empresa que tem suas ações distribuídas entre um determinado número de acionistas.

ABERTURA DE CRÉDITO — Contrato pelo qual dinheiro, mercadorias ou outros valores são colocados, durante certo tempo, em estabelecimento de crédito ou casa comercial, à disposição de pessoa que se obriga ao seu total reembolso, ou parcelado, acrescido de despesas dentro de um prazo preestabelecido. Abertura de crédito pode ser verbal ou por meio de testemunhas. Se há promessa de garantia e esta não se efetiva, o creditado nada pode exigir. Em escrituração contábil, significa creditar uma conta, geralmente de pessoa, por uma quantia que, quase sempre, vai servir de elemento de prestação de contas, ou de amortização ou recuperação. Abrir um crédito é iniciar, às vezes, uma conta com um crédito que depois deve ser contraposto, total ou parcialmente, por débitos. (Ver: Crédito Adicional, Abertura de.)

ABERTURA DE CRÉDITO ESPECIAL — Ver Crédito Adicional, Abertura de.

ABERTURA DE FALÊNCIA — Ver Falência, Abertura de.

ABERTURA DE HOSTILIDADES — Declaração de estado de guerra e início de hostilidades entre dois ou mais países.

ABERTURA DE INVENTÁRIO — Ainda que sejam capazes as partes, instaurar-se-á o inventário do patrimônio hereditário, o qual, com a partilha, deve ser requerido no prazo de 30 dias a contar da abertura da sucessão e encerrado nos seis meses seguintes. Esse prazo, por motivo justo, sendo requerido pelo inventariante, pode ser dilatado pelo juiz.

ABERTURA DE PRAZO — Determinação do momento em que começam a correr prazos para o exercício de um direito, cumprimento de uma obrigação ou execução de algum ato jurídico. Quem detiver a posse e administração do espólio deverá requerer o inventário e a partilha no prazo do art. 983 do CPC, instruindo o requerimento com a certidão de óbito do autor da herança.

ABERTURA DE SUCESSÃO — A abertura de sucessão ocorre após a morte daquele cujos bens serão objeto de inventário e partilha. Distinguem-se desta abertura de sucessão o requerimento de inventário e a partilha, a contar de 30 dias da abertura de sucessão a ser ultimada nos seis meses seguintes no caso de ausentes.

ABERTURA DE TESTAMENTO — Ato que revela o testamento cerrado, pelo juiz, na forma da lei.

ABERTURA DE VISTA — Ato do serventuário colocando os autos à disposição da parte para sua ciência ou pronunciamento.

ABERTURA POLÍTICA — Expressão usada para designar o processo de transição do Regime Militar de 1964 para uma ordem democrática, ocorrido no Brasil entre meados da década de 70 e o ano de 1985. O processo de transição democrática é longo e ocorre com avanços e recuos. Já em 1974, o governo do general Geisel permite a propaganda eleitoral gratuita no rádio e na TV, e o partido de oposição, o Movimento Democrático Brasileiro (MDB), ganha as eleições. Os militares contrários ao restabelecimento da democracia, conhecidos como "linha dura", reagem. Aumentam os casos de tortura nos cárceres militares. Em 1977, prevendo nova vitória da oposição na eleição seguinte, Geisel fecha o Congresso Nacional, cassa parlamentares e decreta o "pacote de abril". As novas medidas alteram as regras eleitorais para beneficiar a Aliança Renovadora Nacional (Arena), o partido oficial, e garantir maioria parlamentar para o governo. Em 1978 são proibidas greves em setores considerados estratégicos para a segurança nacional, como o de energia. Em contrapartida, acaba a censura prévia a publicações e espetáculos, e são revogados os atos institucionais que deram sustentação à legislação excepcional militar. O bom desempenho da oposição nas eleições acelera a abertura política. Em 1979, o general João Baptista Figueiredo assume a Presidência da República até 1985. Sanciona a Lei da Anistia e promove a volta do pluripartidarismo.

ABIGEATO — Furto de animais, estejam estes nos seus currais ou potreiros, ou estejam soltos no campo, desde que sejam considerados animais domésticos ou mansos. A captura de animais selvagens não é abigeato.

ABIGEATÓRIO — Ladrão de animais de quaisquer espécies. Ladrão de cavalos.

ABIN (AGÊNCIA BRASILEIRA DE INTELIGÊNCIA) — É o órgão de assessoramento direto ao presidente da República que, na posição de órgão central do Sistema Brasileiro de Inteligência, tem a seu cargo planejar, executar, coordenar, supervisionar e controlar as atividades de inteligência do País obedecidas a Política Nacional de Inteligência e as diretrizes traçadas pelos escalões superiores, em restrita observância aos preceitos constitucionais, à ética e aos direitos e às garantias individuais. A ABIN desenvolve atividades de inteligência voltadas para a defesa do Estado Democrático de Direito, da sociedade, da eficácia do poder público e da soberania nacional. Vincula-se ao Gabinete de Segurança Institucional da Presidência da República (GSI/PR), órgão para onde são encaminhadas as informações e análises formalizadas em documentos de inteligência, para posterior repasse ao presidente da República, a quem cabe orientar o uso dos conhecimentos como subsídio à ação governamental.

ABIÓTICO — Lugar ou processo sem seres vivos. É caracterizado pela ausência da vida. Que não tem ou não pertence à vida. Diz-se dos fatores químicos ou físicos naturais. Os fatores químicos incluem elementos inorgânicos básicos, como cálcio (Ca), oxigênio (O), carbono (C), fósforo (P), magnésio (Mg), entre outros, e compostos, como a água (H_2O), o gás carbônico (CO_2) etc. Os fatores físicos incluem umidade, vento, corrente marinha, temperatura, pressão, luminosidade, energia, velocidade, estado energético, momento, massa, amplitude, freqüência etc.

ABJUDICAÇÃO — É o ato de extrair coisa do detentor ilegítimo para entregá-la ao legítimo possuidor.

ABJUDICAR — Do latim *abjudicare*. Entrar ou reintegrar-se na posse de coisa, por via judicial, que outro ilegitimamente detinha. Ação peculiar ao juiz de Direito de julgar que um bem não pertence a alguém, transferindo-o para outra pessoa.

ABLAÇÃO — É a redução do equivalente em água da cobertura de neve ou gelo. São processos combinados (tais como fusão, sublimação, evaporação, vento e avalanches) que eliminam a neve ou o gelo de uma geleira ou de um campo de neve. Também utilizado para exprimir a quantidade (de neve ou gelo) perdida por esses processos.

ABNT (ASSOCIAÇÃO BRASILEIRA DE NORMAS TÉCNICAS) — Sociedade civil sem fins lucrativos, fundada em 1940. Atua como Fórum Nacional de Normalização e é credenciada pelo CONMETRO - Conselho Nacional de Metrologia, Normalização e Qualidade Industrial na elaboração de normas técnicas para atividades de cunho científico, comercial e industrial e para incentivar a padronização de medidas no país. Abrange especificações, métodos de ensaio, de execução de serviços e obras, códigos de segurança e terminologia. Suas determinações são adotadas pelos governos federal, estaduais e municipais nas compras e contratos de serviços. A ABNT representa no Brasil as entidades de normalização internacional ISO – *International Organization for Standardization* e IEC – *International Eletrotechnical Comission*. Compete à ABNT, através do Certificado de Registro de Empresa, a Certificação do Sistema de Garantia da Qualidade de uma empresa em relação aos requisitos de uma das normas ABNT da série NBR ISO 9000. (Ver: Sociedades Civis e Sociedades Comerciais // Sociedade simples // Sociedade empresária.)

ABOLIÇÃO DO CRIME — Ver *Abolitio criminis.*

ABOLITIO CRIMINIS — [Latim]. Expressão que significa abolição do crime. No Direito Penal, é a extinção da figura penal pela superveniência de lei que não mais a considera delituosa. Significa que se lei posterior deixar de considerar crime um fato, cessam a execução e os efeitos penais de uma sentença condenatória. Entrando em vigor a lei nova, deve ser reconhecida e declarada a *abolitio criminis,* na primeira e na segunda instâncias.

ABONO — 1) É a gratificação paga além dos vencimentos ou salário, concedida a servidores públicos e a outras classes de trabalhadores, por força de lei ou espontaneamente. 2) É o reconhecimento da autenticidade de uma assinatura aposta num documento, no caso, abono de firma. 3) Ato pelo qual alguém, expressamente, se responsabiliza por outro pelo fiel cumprimento de uma obrigação, pelo pagamento de uma dívida ou execução de um serviço.

ABONO DE FÉRIAS — Ver Férias, Abono de.

ABORDAGEM — Estudo prévio de uma situação ou processo.

ABORDAGEM INTEGRADA DO DESENVOLVIMENTO — Abordagem desenvolvida pelo Banco Mundial para coordenar todos os atores no processo de desenvolvimento, com vistas à implementação de um quadro coerente de reformas macroeconômicas, estruturais e sociais, na ótica da redução da pobreza.

ABORDAGEM SISTÊMICA — É o método de observação das coisas e dos fenômenos, que considera as relações e não apenas as entidades. É a visão mais completa, que explora as relações de interdependência entre atores e variáveis.

ABORTO — É o ato da interrupção da gravidez com ou sem a expulsão do feto. O aborto pode ser: provocado pela gestante ou com o seu consentimento; provocado por terceiro com o consentimento ou não da gestante; aborto necessário; aborto no caso de gravidez resultante de estupro. A legislação brasileira permite o aborto apenas em casos especiais e mediante autorização judicial. (Ver: Aborto Eugênico.)

ABORTO EUGÊNICO — Também conhecido como aborto terapêutico, é a interrupção provocada da gestação, quando há suspeita de que o nascituro apresenta doença ou anomalia grave. A realização de aborto em gestante cujo feto apresenta anencefalia (feto desprovido de cérebro) e, em conseqüência, é inteiramente incapaz de existir por si só, ou seja, cientificamente sem vida, é de uma justiça evidente, no entanto é ilegal, já que nosso ordenamento jurídico ainda não admite essa hipótese de aborto. Somente poderá ser realizado com autorização judicial.

ABORTO INSEGURO — É assim definida pela Organização Mundial de Saúde a interrupção provocada de uma gravidez em condições de insegurança para a saúde física ou psíquica da mulher. Diz-se do aborto clandestino e algumas práticas tradicionais para interrupção da gravidez não desejada. O aborto inseguro é uma das principais causas de morte materna e de elevadas taxas de mobilidade e infertilidade entre as mulheres em idade fértil, com impacto negativo na saúde pública, desenvolvimento e capacitação. A prevenção e a redução do recurso ao aborto inseguro devem ser alguns dos objetivos dos programas de saúde sexual e reprodutiva, por vezes designados também de Planejamento Familiar.

ABORTO TERAPÊUTICO — Ver Aborto Eugênico.

ABRASÃO — 1) Consiste na perda de peso, devido ao uso e à circulação, das moedas de metal precioso. 2) Processo em que as superfícies terrestres são erodidas pelos materiais em trânsito nas ondas e correntes marinhas (abrasão marinha), geleiras (abrasão glacial) e ventos (abrasão eólica), curso d´água (abrasão pluvial).

ABRASIVO — São substâncias capazes de arrancar, por atrito, por choque, nas raspagens ou desgaste, partículas de outros corpos. Os mais utilizados na indústria são: diamante, quartzo, sílex e granada.

ABREVIATURA — Cifra ou sinal que substitui a palavra ou a expressão, representando-a por algumas de suas letras ou sílabas. Redução normatizada na forma de muitas palavras para facilitar seu uso, principalmente na escrita. Exemplos: *p.* ou *pág.* (página), *V. S.ª* (Vossa Senhoria), *U* (urânio), *ha* (hectare ou hectares). O uso de abreviaturas é proibido por lei nos autos e termos do processo.

ABRIGADO — Situação de uma pessoa afetada por dano ou ameaça de dano em sua habitação e que, após realizada a triagem socioeconômica e definida a necessidade, é encaminhada a um abrigo.

ABRIGO — Local ou instalação que proporciona hospedagem a pessoas necessitadas.

ABRIGO TEMPORÁRIO — Abrigo organizado numa instalação fixa e adaptada para esta finalidade, por um período determinado.

ABRIR CRÉDITO — Autorizar despesa pública; dar autorização para que uma pessoa efetue o levantamento da quantia em dinheiro ou mercadoria.

AB-ROGAÇÃO — É a revogação total de uma lei, de um decreto, de um regulamento ou regra, por outra. É ainda a ação de cassar, revogar, tornar nulo ou sem efeito um ato anterior.

AB-ROGADO — Inteiramente revogado ou anulado.

AB-ROGAR — Pôr em desuso; anular; suprimir; revogar; derrogar. Fazer cessar a existência ou a obrigatoriedade de uma lei em sua totalidade: "ab-rogando a lei antiga...".

AB-ROGATÓRIO — Que tem força ou poder para anular ou revogar ato ou lei anterior.

ABSENS — [Latim]. Expressão que significa ausente.

ABSENTE REO — [Latim]. Expressão que significa na ausência do réu.

ABSENTEÍSMO OU ABSENTISMO — Ver Servidor Público – Absenteísmo ou Absentismo.

ABSENTEÍSTA — Refere-se ao proprietário agrícola que passa a maior parte do tempo fora de sua propriedade; e do trabalhador que tem faltas reiteradas no trabalho, sem motivo justificado. O mesmo que absenteísmo.

ABSOLUTAMENTE CAPAZ — É o indivíduo com autoridade para exercer todos os atos assecuratórios de sua pessoa e de seus bens e praticar todos os demais atos jurídicos decorrentes de seus direitos.

ABSOLUTAMENTE INCAPAZ — É o indivíduo impedido de exercer pessoalmente os atos de sua vida civil de que resultem direitos e obrigações.

ABSOLUTISMO — Livre, solto, desembaraçado. É uma forma de exercício do poder político na qual o governante atua conforme seu arbítrio, sem se ater às leis ou à vontade popular. O absolutismo não se confunde com o despotismo ou despotia. No absolutismo o governante visa ao bem comum, embora sem permitir que o povo tenha qualquer participação em suas decisões, ao passo que no despotismo, o governante visa apenas ao seu próprio benefício, em detrimento da sociedade. (Ver: Despotismo.)

ABSOLUTO — Refere-se àquilo que existe em si e por si, independentemente de qualquer outra realidade. Designa ainda aquilo que uma coisa é, independentemente dos pontos de vista dos sujeitos particulares.

ABSOLUTÓRIA — Diz-se de sentença que absolve.

ABSOLVIÇÃO — É o ato judicial que declara o réu inocente ou meramente isento de sanção.

ABSOLVIÇÃO ANÔMALA — Ocorre quando o juiz, embora reconhecendo a existência do crime, deixa de aplicar a pena.

ABSOLVIÇÃO ANTECIPADA — Ver Absolvição Sumária.

ABSOLVIÇÃO DA CAUSA — Ocorre na perempção da ação. (Ver: Perempção.)

ABSOLVIÇÃO DA INSTÂNCIA — Instituto processual que identificava a liberação do réu da demanda a que estava submetido, o que não obstava, contudo, a propositura de nova ação, sobre o mesmo objeto, pelo autor. A expressão Absolvição da instância foi substituída, pelo Código de Processo Civil de 1973 em vigor, pela expressão extinção do processo sem julgamento do mérito, qual seja, a liberação do demandado dos efeitos do processo.

ABSOLVIÇÃO SUMÁRIA — É a absolvição antecipada que ocorre na fase inicial nos crimes de competência do Tribunal do Júri, quando o juiz deixa de oferecer pronúncia por reconhecer que o réu ou agiu em legítima defesa, ou em estado de necessidade, ou no exercício regular de direito, ou mesmo em estrito cumprimento de seu dever legal, ou, ainda, se ficar provado que era inimputável. (Ver: Inimputável.)

ABSOLVIDO — Aquele que foi isento de penalidade.

ABSORÇÃO — É o processo de separação de misturas em seus componentes, possível graças à absorção mais rápida de alguns desses componentes. Processo pelo qual uma substância absorve em si própria uma outra substância.

ABSTENÇÃO — Do verbo abster, privar-se de, evitar. Ação ou efeito de abster-se de votar. Não comparecimento à eleição. Renúncia ou não exercício de um direito ou obrigação pela qual alguém se compromete a não praticar determinado ato, originando a abstenção do ato. Repúdio tácito da herança, pelo qual ela se torna jacente. Na Câmara dos Deputados, é a possibilidade de o parlamentar escusar-se de tomar parte na votação, registrando simplesmente abstenção no sistema eletrônico de votação do Plenário. Equivale a um voto em branco. Não tem efeito sobre o resultado final da votação e é computado exclusivamente no quórum de presença exigido para a validação da deliberação.

ABSTENÇÃO DE ATO — Obrigação de não fazer, também denominada obrigação negativa. Se obrigado a praticar o ato, cabe ao credor exigir que o desfaça, sob pena de perdas e danos.

ABSTENÇÃO DO JUIZ — Diz-se quando o juiz se declara suspeito ou impedido de funcionar no feito por razões de ordem íntima ou pessoal. Não cabe abstenção a pretexto de lacuna ou obscuridade da lei.

ABSTENÇÃO DO ÓRGÃO DO MINISTÉRIO PÚBLICO — Ato pelo qual o promotor, o curador ou outro órgão do Ministério Público se dá por impedido.

ABSTENTO — Pessoa que desiste de herança.

ABSTRAÇÃO — 1) É a norma que respeita um número indeterminado de casos ou uma categoria mais ou menos ampla de situações e não situações concretas ou individualizadas. 2) É o princípio dos títulos de crédito através do qual se torna desnecessária a verificação do negócio jurídico que originou o título; a duplicata não possui esta característica, pois fica vinculada ao negócio mercantil que lhe deu origem. Autonomia e abstração não devem ser confundidas: a primeira torna as obrigações assumidas no título independentes, enquanto que a segunda decorre pelo fato de os direitos representados no título serem abstratos, não tendo vínculo com a causa concreta motivadora do nascimento desse.

ABSTRATO — Produto da mente; simbólico.

ABSURDO — É absurdo quando não tem valor de verdade; quando não tem sentido. No dia-a-dia, uma frase é absurda quando é evidentemente falsa; quando não faz sentido proferi-la porque é inútil, apesar de ter literalmente sentido, dado que tem valor de verdade.

ABUSO — Excesso, mau uso do poder, exorbitância do mandato, arbítrio, violação ou omissão do dever funcional.

ABUSO CULPOSO — Quando há, inicialmente, uma atitude lícita do agente.

ABUSO DA CONDIÇÃO DE SÓCIO — Diz-se da falta de zelo no exercício de suas funções na sociedade. Poderá ser responsabilizado pelas perdas e danos causados.

ABUSO DA FIRMA — Uso indevido da firma (ou razão social) pelo sócio-gerente. Verifica-se o abuso quando ultrapassado o limite do abjeto social. Cabe ação de perdas e danos, sem prejuízo de responsabilidade criminal, contra o sócio que usar indevidamente da firma social ou que dela abusar.

ABUSO DA SITUAÇÃO DE ORDEM — Crime que consiste em abusar da inexperiência, simplicidade ou inferioridade mental de outrem, em proveito próprio ou alheio. O mesmo que indução.

ABUSO DE AUTORIDADE — Abuso de poder conferido a alguém, seja poder público (administrativo), seja poder privado (poder familiar, poder conjugal). É o uso imoderado ou exorbitante de poder por parte de alguém que se encontre investido em cargo público, excedendo os limites de sua atribuição definidos e determinados em lei. Prática de atos, no exercício de suas atribuições, que transcende, injustamente, os limites destas, em prejuízo de outrem. São pressupostos para caracterização do abuso de autoridade quando ocorrem os seguintes elementos: a) que o fato incriminado constitua crime; b) que o tenha praticado um servidor público ou pessoa investida de autoridade pública; c) que haja sido cometido no exercício de sua função; d) que não se verifique motivo legítimo que o justifique.

ABUSO DE CONFIANÇA — É a prática de atos excedentes aos autorizados ou outorgados em mandamento escrito ou verbal. Abusar alguém da confiança que outrem nele deposite e assim auferir vantagem ilícita. Praticar atos não autorizados pelo mandante, vindo a prejudicá-lo; infidelidade do empregado. O abuso de confiança constitui agravante no crime de furto e outros delitos contra o patrimônio, e se comunica a eventuais co-autores. Na Administração Pública, é o que se dá no peculato.

ABUSO DE CRÉDITO — Dá-se quando uma pessoa ou comerciante usa, com exorbitância, seu crédito, contraindo dívidas superiores às suas possibilidades financeiras.

ABUSO DE DIREITO — É o exercício anormal do direito, sem motivo legítimo, sem justa causa, unicamente com o intuito de prejudicar, lesar outrem. A doutrina do abuso do direito salienta que os direitos não são absolutos, mas limitados em sua extensão e submetidos a pressupostos quanto ao seu exercício. Quando um titular de determinado direito não obedece a tais limites, age, em verdade, sem direito. Cessa o direito quando começa o abuso, pois um único ato não pode ser, ao mesmo tempo, conforme o direito e contrário ao direito. O ato praticado com abuso é objetivamente lícito, mas subjetivamente injusto, assim caracterizado: a) exercício que transcende a necessidade determinada por sua destinação individual; b) exercício sem utilidade para o titular; c) exercício com dano para outrem.

ABUSO DE DIREITO DE DEMANDA — Abuso cometido por quem, por temeridade, negligência, emulação ou má-fé causa prejuízos injustos a outrem. Dá-se também quando o réu opõe resistência injustificável ao andamento da lide. Uso exorbitante de um direito, com lesão ao direito patrimonial ou do direito de outrem, e responsabilidade moral do agente. O mesmo que lide temerária.

ABUSO DE FUNÇÃO — Ocorre quando o funcionário se excede em suas funções, indo além dos limites das mesmas.

ABUSO DE INCAPAZ — Consiste em tirar proveito de necessidade, paixão, alienação ou debilidade mental de outra pessoa, induzindo-a à prática de ato suscetível de produzir efeito jurídico, em prejuízo de incapaz ou de terceiros. Crime que se pratica mais facilmente com menor, sendo autor o responsável por ele ou com sua conivência, pois, não sendo assim, os atos do incapaz não produziriam efeitos jurídicos. Tais atos são, porém, possíveis com aparente licitude: quando o trabalhador, menor, assina recibos superiores à remuneração que recebe, os quais são aceitos, sem discussão, na Justiça do Trabalho (salvo os de quitação geral). Trata-se de crime formal, já que basta para caracterizá-lo a iminência do dano.

ABUSO DE LEGÍTIMA DEFESA — Dá-se quando o ofendido se excede, culposamente, nos meios que emprega em sua legitima defesa.

ABUSO DE LIBERDADE DE IMPRENSA — É o chamado crime de imprensa, para o qual existe a lei especial nº 5.250, de 1967.

ABUSO DE PODER — Exorbitância dos poderes conferidos. Excesso de mandato. Exercícios de atos não outorgados ou não expressos no mandato ou na procuração. Prática de atos que excedem as atribuições conferidas em lei ou que escapam à alçada funcional. Arbitrariedade. Os prejuízos decorrentes do abuso de poder, quando praticados por autoridade pública, devidos aos prejudicados, devem ser ressarcidos pela Fazenda Pública.

ABUSO DE RESPONSABILIDADE DE FAVOR — Comete esse delito quem expede ou aceita duplicata, com a respectiva fatura, que não corresponda à venda efetiva de bens ou real prestação de serviços. É a chamada duplicata simulada.

ABUSO DO PÁTRIO PODER — Pelo novo Código Civil o Pátrio Poder passou a denominar-se Poder Familiar. (Ver: Abuso do Poder Familiar.)

ABUSO DO PODER ECONÔMICO — 1) É o uso ilimitado do poder econômico, em detrimento do alheio. 2) Uso abusivo do poder econômico, em prejuízo da economia popular ou nacional, com açambarcamento de mercadorias, manobras especulativas irregulares, formação de cartéis, monopólios, trustes etc, para eliminar a concorrência e auferir lucros demasiados.

ABUSO DO PODER FAMILIAR — Pelo novo Código Civil o Pátrio Poder passou a denominar-se Poder Familiar. O abuso do Poder Familiar dá-se quando o pai ou a mãe exorbitam de seus direitos, ou deles se omitem, prejudicando os bens ou interesses dos filhos. Por requerimento de um parente, o juiz ou o Ministério Público pode suspender, temporariamente, o poder familiar. Também o perdem os pais condenados por sentença irrecorrível em crime apenado com mais de 2 anos de prisão. Perdem o poder familiar por ato judicial: a) o pai ou mãe que castigar, de modo brutal e imoderado, o filho, caso em que podem ser incursos no art. 136 do CP; b) os pais que deixarem o filho em abandono (abandono material e abandono intelectual); c) os pais que cometerem atos atentatórios à moral e aos bons costumes (corrupção de menores). O Estatuto da Criança e do Adolescente também aponta outras causas para a perda do poder familiar, perda que não isenta os pais de continuarem a prover o sustento dos filhos. (Ver: Pátrio Poder // Poder Familiar.)

ABUSO ESCUSÁVEL — Diz-se quando o abuso não é intencional

ABUSO SEXUAL — Violência sexual que pode se manifestar dentro ou fora da família da vítima. Manifesta-se pelo exercício arbitrário do poder para obter satisfação sexual. Na maioria dos casos, o abuso é cometido no próprio lar, mas também acontece em abrigos, unidades de privação de liberdade e até mesmo na rua. Esse tipo de violência se caracteriza pelo rompimento dos limites da intimidade pessoal sem o consentimento da vítima. Tem inerente uma relação de poder da pessoa agressora, geralmente mais velha, de quem a vítima depende intelectual ou economicamente. (Ver: Exploração sexual // Violência sexual.)

AÇAMBARCAMENTO — Prática comercial que consiste em reter ou açambarcar matérias-primas, bens de capital ou gêneros de primeira necessidade, com o objetivo de provocar uma elevação nos preços, dominar o mercado ou eliminar concorrentes. As leis do Brasil consideram crime, visto que o açambarcamento prejudica a livre concorrência e o interesse coletivo. Ele pode ser feito por uma só pessoa, por várias (físicas ou jurídicas) ou uma associação. (Ver: Abarcamento.)

AÇAMBARCAR — O mesmo que monopolizar. (Ver: Açambarcamento).

ACANTONAMENTO — Construção ou grupo de construções não militares, particulares ou públicas, utilizadas para alojar, temporariamente, organizações militares.

AÇÃO — 1) Na Administração: execução do plano, em suas diversas etapas, compreendendo: o *Planejamento*; *a Organização*; o *Comando;* a *Coordenação; o Controle*. 2) Na Justiça: direito subjetivo de uma pessoa (física ou jurídica) de demandar ou pleitear em juízo, perante os tribunais, o que lhe pertence ou o que lhe é devido. O mesmo que processo. Designa o ato pelo qual o representante do Ministério Público ou o particular vai perante a Justiça pedir que se aplique a sanção legal contra o agente infrator; um preceito instituído na lei penal. Dessa forma, conforme a ação venha a pedir que se aplique a lei, para a garantia de um direito civil ou penal, ela recebe o nome de ação civil ou ação penal. (Ver: Ação civil // Ação penal.) 3) No capital da empresa: documento que representa uma fração do capital de uma sociedade anônima. Existem vários tipos de ações, sendo que as principais são as Ações Preferenciais e as Ações Ordinárias.

AÇÃO "*DIFFAMARI*" — É a que assiste ao prejudicado por editorial divulgado na imprensa que abale o seu crédito, para obter do responsável por sua publicação a indenização dos danos morais e materiais que dele resultarem. Antigamente, a ação de difamação, também chamada de lei *diffamari*, tinha por escopo obrigar o difamante a provar a difamação, para que, não o fazendo, fosse condenado a perpétuo silêncio. A ação se justifica perante a prova do prejuízo. É, assim, uma das modalidades da ação de indenização, fundada na prática de ato ilícito.

AÇÃO ACESSÓRIA — É a ação que se liga à ação principal, e cujo objetivo não esgota a pretensão do autor. Ocorre conexão entre elas. Determina o estatuto processual que a ação acessória será proposta perante o juiz competente para a ação principal e, portanto, aplica-se aqui o brocardo *accessorium sequitur principale*. Em qualquer caso, haja ou não sido proposta a ação principal, o foro e o juízo competentes serão os mesmos para ambas. A ação acessória pode ser voluntária ou obrigatória. A voluntária depende da vontade do autor, pois a ação principal dela independe, p. ex., no caso do arresto ou do seqüestro. A obrigatória, contudo, precede, necessariamente, a ação principal.

AÇÃO ACIDENTÁRIA — Nessa ação, que tem rito ordinário, o autor deverá juntar, na inicial, prova de que esgotou a via administrativa na Previdência Social, conforme os termos da regulamentação dada ao artigo 15 da Lei nº 6.367, de 1976. (Ver: Ação de acidente do trabalho.)

AÇÃO AFIRMATIVA — Ação que consiste em dar tratamento preferencial a membros de grupos desfavorecidos. Em alguns países, a ação afirmativa é usada com muita freqüência no ensino e no emprego.

AÇÃO ANULATÓRIA — É a ação que tem por objetivo a extinção de ato, negócio jurídico ou contrato em razão da incapacidade relativa do agente ou por vício resultante de erro, dolo, coação, simulação, ou fraude. Distingue-se da ação de nulidade quanto ao objeto: o de anulação corresponde ao ato anulável. (Ver: Nulidade, Ação de.)

AÇÃO AO PORTADOR — Desde 1990 o Brasil não tem mais ações ao portador, como forma de coibir o uso desses papéis na lavagem de dinheiro e na evasão fiscal. Esse tipo de ação não trazia o nome do seu proprietário. Portanto, pertencia a quem a tivesse em seu poder, permitindo ao portador (pessoa que possuía o papel) ser proprietário de uma fração de determinada empresa sem ser identificado.

AÇÃO APROPRIATÓRIA — É aquela que promove o dono do solo, de boa-fé, contra terceiro de boa-fé, ou o dono de má-fé contra terceiro de má-fé, que tenha plantado, semeado ou edificado sem a sua permissão, quando então ele pleiteia apropriar-se de sementes, plantas ou edificações mediante indenização pelo justo valor. (Ver: Boa-fé // Má-fé.)

AÇÃO AQUISITIVA — Dá-se quando o proprietário de terreno vago em zona urbana pretende adquirir, por indenização arbitrada, do proprietário de prédio contíguo, metade da parede deste para colocar aí seu travejamento. Pode ser também intentada por proprietário de prédio urbano ou rural contra o dono do imóvel confinante para, com indenização prévia, obter meação no tapume divisório feito pelo segundo.

AÇÃO CAMBIAL — Ver Ação Cambiária.

AÇÃO CAMBIÁRIA — Baseia-se em título cambial vencido, protestado ou não, que é cobrado: nota promissória, letra de câmbio, cheque, duplicata etc. É de natureza executória; seu autor é o credor, também denominado tomador. No caso de concurso de credores, um deles pode representar os demais; havendo vários devedores, pode o credor pedir o recebimento do que lhe é devido de um ou de vários devedores, no total do débito ou parcial. O título deve instruir a petição inicial, se for possível; o foro competente é o domicílio do réu. Para opor embargos à execução, o devedor dispõe de instrumentos nos arts. 741 e 745 do Código de Processo Civil. O protesto do título só é obrigatório na ação cambiária regressiva para descaracterizar a responsabilidade dos co-obrigados. Também se diz Execução cambiária ou cambial.

AÇÃO CAUTELAR — É o procedimento judicial que tem a finalidade de, temporária e provisoriamente, assegurar um direito, a fim de que o processo possa conseguir resultado útil. Não dá razão a ninguém, pois qualquer das partes poderá ganhar o processo subseqüente, chamado de "principal". O Código de Processo Civil a denomina de medida cautelar, capitulando-a entre os processos acessórios. Sob o título genérico de medidas cautelares, o Código as especifica em preparatórias e preventivas, sendo a designação reveladora da oportunidade em que a medida se pede ou se impõe: se antes da ação principal, é preparatória; se no correr da ação principal, é preventiva. A ação cautelar vem durante a lide pedida por uma das partes para evitar que a parte, em face de atos do litigante contrário, possa ser prejudicada em seus direitos. Tende a impedir que embaraço ou ato violento da parte contrária, praticado contra direito ou contra a própria pessoa, venha a realizar-se.

AÇÃO CAUTELAR PREPARATÓRIA — Ver Ação cautelar.

AÇÃO CAUTELAR PREVENTIVA — Ver Ação cautelar.

AÇÃO CHEIA — Ação cujos direitos - dividendos, bonificação, subscrição - ainda não foram exercidos. (Ver: Ação vazia.)

AÇÃO CÍVEL — É a que abrange o Direito Civil. Ação usada para garantir um direito ou o cumprimento de uma obrigação civil, diferente de Ação Penal que trata de procedimento judicial que visa à aplicação da Lei Penal contra o que nela é definido como crime ou contravenção. É a ação pela qual o ofendido, ou o seu representante legal, ou os seus herdeiros requerem ao juízo civil contra o autor do delito ou o responsável civil, com a finalidade de pleitear a condenação pelo crime (civil) e ainda fazer jus a uma indenização, pelo dano que ocorreu em seu patrimônio. (Ver: Ação Penal // Obrigação Civil.)

AÇÃO CÍVEL ORIGINÁRIA — É o procedimento judicial usado para garantir um direito ou o cumprimento de uma obrigação civil (diferente de Ação penal). É a ação cível que se inicia nos tribunais e não nos juízos monocráticos, como as demais ações cíveis. Tem natureza funcional a competência para processar e julgar a ação cível originária, como se prevê na Constituição ao atribuir ao Supremo Tribunal Federal a competência para processar e julgar o litígio entre Estados estrangeiros ou organismos internacionais e a União, Estados e Distrito Federal, inclusive entre os órgãos da administração indireta. A competência funcional, nos casos da ação cível originária, funda-se na qualidade da parte ou na matéria de litígio. (Ver: Juízos Monocráticos.)

AÇÃO CÍVICO-SOCIAL (*ACISO*) — Conjunto de atividades desenvolvidas, temporariamente, em determinada área, pelas Organizações Militares das Forças Armadas, nos diversos níveis de comando, com o aproveitamento dos seus recursos em pessoal, material e técnicos disponíveis. Tem como finalidade cooperar com as comunidades na solução de seus problemas mais prementes e promover o fortalecimento dos padrões cívicos e do espírito comunitário dos cidadãos.

AÇÃO CIVIL — É o mesmo que Ação Cível. Ação que se utiliza para a promoção da garantia ou defesa de um direito de ordem civil, em cujos institutos jurídicos encontra amparo. Em tal caso, tem sentido mais restrito, desde que a ação civil também compreenda o pedido de indenização por infrações às leis penais.

AÇÃO CIVIL PÚBLICA — É o instrumento processual disciplinado pela Lei nº 7.347, de 1985, pelo Estatuto da Criança e do Adolescente e pelo Código de Defesa do Consumidor, que prevêem a responsabilização - daí ser também denominada Ação Civil de responsabilidade - do infrator por danos causados ao meio ambiente, ao consumidor, a bens e direitos de valor artístico, estéticos, históricos, turísticos e paisagísticos e qualquer outro interesse difuso ou coletivo. As ações civis públicas serão propostas no foro do lugar da ocorrência do dano, cujo juízo terá competência funcional para o processamento e julgamento da demanda. Terá por objeto ou a condenação em dinheiro ou o cumprimento de obrigação de fazer ou não fazer. A par da ação principal, poderão as pessoas legitimadas propor também ação cautelar, para prevenir dano iminente. São entes legitimados à propositura de ação civil pública: Ministério Público (MP); União; Estados; Municípios; autarquias; empresas públicas; fundações; sociedades de economia mista; e associações interessadas, pré-constituídas há pelo menos um ano. Ocorrendo desistência infundada ou abandono da ação por quaisquer das partes legitimadas - exceto o MP, que não pode ficar inerte no feito, uma vez que uma de suas atribuições básicas é justamente a de impulsionar a causa - faculta-se ao representante do Ministério Público assumir a titularidade ativa, em substituição ao titular originário, prosseguindo com a demanda. Na área trabalhista, são exemplos as ações que visam garantir segurança ou ambiente adequado no trabalho.

AÇÃO CIVIL PÚBLICA DE RESPONSABILIDADE — Ver Ação Civil Pública.

AÇÃO COLETIVA — É aquela voltada para a tutela dos interesses coletivos e difusos. (Ver: Direitos difusos.)

AÇÃO COLETIVA TRABALHISTA — Trata de direitos e interesses de grupos ou categorias; objetiva obter decisão da Justiça do Trabalho para criar ou modificar condições de trabalho. Pode ser interposta pelos trabalhadores ou pelos empresários. As ações coletivas são conhecidas como dissídios coletivos.

AÇÃO COM PRECEITO COMINATÓRIO — Ação em que o autor pede ao juiz que proíba ou determine a prática de determinado ato, sob alguma condição como tempo, modo, quantidade etc., sob pena de multa ou outra pena prevista em lei, contrato, ou na petição inicial.

AÇÃO COM VALOR NOMINAL — São ações em que o valor é declarado no estatuto social da sociedade anônima e que figura em seus certificados representativos. O valor deve ser igual para todas as ações da companhia. (Ver: Ação sem valor nominal.)

AÇÃO COMINATÓRIA — É o procedimento judicial que visa à condenação do réu a fazer ou não fazer alguma coisa, sob pena de pagar multa diária.

AÇÃO COMPENSATÓRIA — Compete ao curador ou tutor contra o menor ou curatelado, para dele receber, após a extinção da curatela ou tutela, o pagamento das despesas que fez em benefício do menor ou interdito, assim como da remuneração a que tem direito por sua administração.

AÇÃO COMPULSÓRIA — Ação movida por proprietário, inquilino ou morador de um prédio contra quem ocupa propriedade vizinha da qual faz mau uso. Visa fazer cessar a falta de segurança, abuso contra o sossego e a saúde. O mesmo que ação de dano infecto.

AÇÃO COMUNITÁRIA — Conjunto de procedimentos sistematizados, efetuados por agentes sociais (população) de determinada localidade, com o apoio de agentes externos ou técnicos (técnicos, docentes, estudantes), em busca do bem comum.

AÇÃO CONDENATÓRIA — Ação que compete ao autor a quem se concede título executivo para condenar o réu ou reclamado a pagar, dar, fazer ou abster-se de fazer algo, quando não cumpre voluntariamente a obrigação.

AÇÃO CONEXA — É a ação que se promove, simultânea e cumuladamente, com outra ação, desde que tenda a fins diversos e que exista, entre ambas, uma certa relação jurídica de analogia ou identidade, de modo que mostre a imperiosa necessidade de um julgamento único.

AÇÃO CONFESSÓRIA — Ação que compete ao proprietário de prédio dominante contra o do prédio serviente para fazer valer a servidão, sob pena de multa. Também se usa quando o filho ou seus herdeiros pleiteiam o reconhecimento de sua legitimação (investigação de paternidade ou de maternidade). Pode propô-la o enfiteuta contra o senhorio direto. Também cabe ao nu-proprietário para lhe serem reconhecidas e declaradas as servidões ativas da enfiteuse. (Ver: Enfiteuse.)

AÇÃO CONSIGNATÓRIA — Ver Ação de Consignação de Pagamento.

AÇÃO CONSTITUTIVA — É ação de conhecimento. É o procedimento judicial que tem por finalidade criar, modificar ou extinguir um estado ou relação jurídica, por exemplo, a anulação de um ou mais atos jurídicos. A sentença pode ter efeito de retroação (*ex tunc)* e de irretroatividade (*ex nunc*).

AÇÃO CORRETIVA — Ação para eliminar a causa de uma não conformidade encontrada ou outras situações não desejáveis.

AÇÃO CORRETIVA — Mudança que se introduz em um processo objetivando restabelecer ou alcançar um estado de conformidade com a padronização existente ou com o plano de metas que se pretende atingir. É o procedimento administrativo adotado caso a meta padrão não tenha sido atingida. Envolve os seguintes procedimentos: relato de anomalia, remoção do sintoma, análise da anomalia e revisão diária.

AÇÃO CRIMINAL — Ver Ação penal.

AÇÃO CUMULADA — É a ação judicial que é proposta e processada em conjunto ou simultaneamente com outra.

AÇÃO DE ACIDENTE DO TRABALHO — Ação que busca obter indenização por acidente do trabalho resultante de culpa do empregador. Cabível nessa ação a reparação civil do dano moral pelo experimento do dano pelo empregado. A indenização procura reparar a inabilitação ou incapacidade para o trabalho, podendo ser em forma de pensão mensal, por tempo determinado ou alongando-se por toda a vida, ou ainda em valor definido (dano material sofrido).

AÇÃO DE ALIMENTOS — Ação especial em que, por força de lei, se obriga uma pessoa a prestar alimentos a outra. A palavra alimentos designa, além da subsistência material, auxílio para educação, formação intelectual e saúde física e mental. Esse direito é recíproco entre pais e filhos, podendo ser exigido uns dos outros, e estendendo-se aos ascendentes. O juiz deve fixar os alimentos de acordo com as necessidades do requerente e os recursos do reclamado, podendo ser solicitada exoneração, redução ou agravação do encargo, conforme mude a situação financeira de quem os supre ou os recebe. Sendo obrigação personalíssima, não se pode renunciar ao direito a alimentos; ela se transmite aos herdeiros do devedor, pela Lei nº 6.515, de 1977 (Lei do Divórcio) que, nesse ponto, revoga o art. 402 do antigo Código Civil, conforme o disposto no art. 1.700 do Código Civil atual. Cônjuges separados judicialmente contribuirão na proporção de seus recursos para a manutenção dos filhos. Os alimentos podem ser: provisionais, quando fixados precariamente até o julgamento da ação principal, e definitivo, quando fixados por sentença transitada em julgado. A sonegação de alimentos, tanto provisionais quanto definitivos, leva o sonegador à prisão civil. Se insistir em negá-los, pode ser incurso nas penas do art. 244 do Código Penal (abandono material). O foro competente para a ação de alimentos é o do domicílio ou residência do alimentando (aquele que deve prestar alimentos), e o processo corre em segredo de Justiça. (Ver: Ação de alimentos vitalícios // Ação de alimentos provisionais.)

AÇÃO DE ALIMENTOS DEFINITIVOS — Ver Ação de alimentos vitalícios.

AÇÃO DE ALIMENTOS PROVISIONAIS — Segundo a regra processual, é a que se intenta dentro de outra ação, como processo acessório, ou preventivamente até que se julgue a ação principal já intentada ou a ser intentada. (Ver: Alimentos // Ação de alimentos vitalícios // Ação de alimentos.)

AÇÃO DE ALIMENTOS VITALÍCIOS — Também qualificada de definitivos, é a que se propõe em caráter autônomo para a exigência do cumprimento da obrigação, que se firma num preceito legal, sem dependência de qualquer outra ação. (Ver: Alimentos // Ação de alimentos // Ação de alimentos provisionais.)

AÇÃO DE ANULAÇÃO — É o remédio jurídico de que se utiliza alguém para anular ato jurídico que lhe traga prejuízo, ou que não tenha sido formulado segundo os princípios de direito. Tem sempre o objetivo de anular atos jurídicos que não se tenham composto consoante as regras de direito ou que foram praticados em contravenção a obrigações contraídas. Basta que o ato se mostre fundado em vício ou defeito para que seja passível de anulação. Os atos são anuláveis quando o consentimento em que se fundaram emanou de erro substancial. O dolo, a coação, a simulação, a fraude contra credores, a incapacidade relativa do agente, são elementos que fundamentam legalmente a ação de anulação do ato ou contrato jurídico.

AÇÃO DE COMISSO — É a ação em que se pede seja aplicada à parte infiel ou descumpridora de obrigação contratual a pena de perda da coisa sobre a qual incidia a obrigação. Aplica-se a denominação nos casos de contratos de aforamento ou enfiteuse.

AÇÃO DE COMODATO — É a ação judicial que o comodante promove contra o comodatário, para conseguir deste a restituição da coisa emprestada nas mesmas condições em que lhe foi entregue e para lhe exigir perdas e danos, quando seja o caso.

AÇÃO DE CONHECIMENTO — É o meio judicial que tem como finalidade o reconhecimento do direito do autor, por meio de sentença.

AÇÃO DE DANO — É o meio judicial que compete à pessoa prejudicada contra aquele que por ação ou omissão voluntária, negligência, imperícia ou imprudência lhe violar direito ou lhe causar prejuízo ou dano, para que seja obrigado a repará-lo. Restituição, ressarcimento, indenização, são formas de reparação de coisa que foi objeto de dano.

AÇÃO DE DANO INFECTO — Também denominada ação compulsória, é a ação preventiva utilizada pelo possuidor que tenha fundado receio de que a ruína ou demolição ou vício de construção do prédio vizinho ao seu venha causar-lhe prejuízos, para obter, por sentença, do proprietário do prédio vizinho, caução que garanta a indenização de danos futuros. Em realidade, a ação de dano infecto trata-se de uma medida preventiva. Ação sumaríssima que visa a coibir o uso nocivo da propriedade.

AÇÃO DE DEMARCAÇÃO — Aquela mediante a qual o proprietário do terreno pode obrigar os proprietários dos terrenos confinantes a fixar novos limites entre eles ou aviventar os já apagados.

AÇÃO DE DEPÓSITO — É o meio judicial que objetiva a restituição da coisa depositada através de contrato escrito em que tenha sido assumido tal encargo.

AÇÃO DE DESAPROPRIAÇÃO — Ação que o órgão do Poder Executivo, que decretou a expropriação por utilidade pública, propõe contra o titular da propriedade, para fim de ser imitido na posse desta e indenizado o expropriado pelo preço que o autor oferece, ou, no caso de contestação, pelo que decretar o juiz, após a avaliação judicial. (Ver: Expropriar.)

AÇÃO DE DIFAMAÇÃO — Ver Ação *Diffamari.*

AÇÃO DE DISCRIMINAÇÃO DE TERRAS — Aquela mediante a qual a União, o Estado ou o Município pleiteia a descrição, a medição e a separação de suas terras das do domínio particular.

AÇÃO DE DIVISÃO — É a ação que extingue um estado de indivisão, seja de imóvel, seja de um conjunto de bens.

AÇÃO DE ESBULHO — Ação na qual o autor pede a devolução da posse de bem móvel ou imóvel perdida por ato violento, clandestino ou precário.

AÇÃO DE ESTADO — Aquela em que se busca reconhecer, reivindicar, garantir, defender o estado civil da pessoa ou, então, a situação jurídica da pessoa nas relações de família. São exemplos: ação de investigação de paternidade, de nulidade ou anulação de casamento, de paternidade, de cidadania, de separação, de divórcio etc. Também se diz ação prejudicial. Exige a intervenção do Ministério Público, cuja falta de intimação resultará em nulidade do processo. Esse procedimento será obrigatoriamente ordinário e os parentes poderão ser testemunhas. A sentença faz coisa julgada em relação a terceiros. Terá lugar igualmente a tentativa de conciliação.

AÇÃO DE EVICÇÃO — É a ação através da qual aquele que adquiriu um bem e vem a perdê-lo, no todo ou em parte, em decorrência de sentença que atribui a sua propriedade a outrem exige do seu alienante o preço pago, indenizações por eventuais perdas e danos, e as despesas que tenha realizado com a ação. (Ver: Evicção.)

AÇÃO DE FORÇA ESPOLIATIVA — Ver Ação de Reintegração de Posse.

AÇÃO DE FORÇA TURBATIVA — Ver Manutenção de Posse, Ação de.

AÇÃO DE FRUIÇÃO — É a ação emitida por uma sociedade anônima, em substituição àquelas que já foram totalmente amortizadas, antes do prazo normal de liquidação ou de remissão. São ações de posse e propriedade dos fundadores da companhia, já amortizadas, em que o titular recebeu, antecipadamente, o valor contábil que elas representam. Não são objetos de negociação. A Lei nº 6.404, de 1976 (Lei das S.A.), não define ou prevê normas para ações de fruição.

AÇÃO DE INTERDITO DE MANUTENÇÃO DE POSSE — Ver Manutenção de Posse, Ação de.

AÇÃO DE LAUDÊMIO — Ação que compete ao senhorio direto e é impetrada quando há a transferência, por venda ou dação em pagamento, do imóvel aforado ou do domínio útil, para receber do alienado o laudêmio fixado no título de aforamento. (Ver: Laudêmio.)

AÇÃO DE MANDATO — É a ação pela qual o mandante pede ao mandatário que preste contas do mandato, ou restitua coisas que tenha recebido em razão do mandato, ou indenização por danos a ele causados.

AÇÃO DE OFÍCIO — Faculdade da Administração Pública de adotar decisões executórias e levá-las a termo por coação, com uso da força contra o particular.

AÇÃO DE OUTORGA COMPULSÓRIA — O mesmo que ação de adjudicação.

AÇÃO DE PETIÇÃO DE HERANÇA — Ver Herança, Ação de petição de.

AÇÃO DE REPETIÇÃO — Ver Ação de enriquecimento ilícito.

AÇÃO DE REPETIÇÃO DE INDÉBITO — Ver Ação de repetição.

AÇÃO DE RESTITUIÇÃO — Ação que tem por objetivo o pedido de restituição de coisas alheias ao patrimônio do falido, mas que se encontrem em poder dele.

AÇÃO DE SIMULAÇÃO — Proposta por prejudicados por atos simulados; do credor contra devedor que alienou, simuladamente, bens do próprio patrimônio em detrimento de garantias dadas ao credor, para que tal ato seja declarado insubsistente quanto aos efeitos jurídicos da transmissão. Também os representantes públicos podem pedir a nulidade do ato.

AÇÃO DECLARATÓRIA — É aquela que visa à declaração judicial da existência ou inexistência de relação jurídica, ou à declaração da autenticidade ou falsidade de documento. Mediante simples declaração, sem força executória, o juiz pode proclamar a existência ou inexistência de uma relação jurídica, ou a falsidade ou autenticidade de um documento. A declaração não dá direito de execução, porque sentença de mera declaração não encerra condenação. É ação de conhecimento prevenindo litígios.

AÇÃO DECLARATÓRIA DE CONSTITUCIONALIDADE — Ver ADC (Ação Declaratória de Constitucionalidade).

AÇÃO DECLARATÓRIA INCIDENTAL — É a ação que serve para pedir que se julgue uma questão prejudicial referida no processo. (Ver: Questão prejudicial.)

AÇÃO DEMARCATÓRIA — É o procedimento judicial que compete ao proprietário ou condômino de um imóvel contra os possuidores dos prédios confinantes, a fim de que sejam fixados os rumos novos ou aviventados os já existentes.

AÇÃO DEMOLITÓRIA — Ver Nunciação de obra nova – Ação demolitória.

AÇÃO DESCABIDA — Ver Ação vexatória.

AÇÃO DIRETA — Situação em que se considera justificado o recurso à força com o fim de preservar ou realizar o próprio direito.

AÇÃO DIRETA DE INCONSTITUCIONALIDADE — Ver ADIn (Ação Direta de Inconstitucionalidade).

AÇÃO DISCRIMINATÓRIA — Ver Ação de discriminação de terras.

AÇÃO DOURADA — Ver Ação *Golden Share.*

AÇÃO DÚPLICE — É uma ação cumulativa em que as partes são, concomitantemente, autor e réu. É aquela que pode reconhecer direito a favor do réu. Tome-se, para ilustrar, o pedido de demarcação dos limites entre prédios confinantes. Qualquer dos titulares dos imóveis limítrofes tem legitimidade e interesse para formular tal pedido, na medida em que não mais seja possível identificar a linha divisória entre os imóveis. Um dos sujeitos envolvidos na controvérsia provocará o Poder Judiciário pleiteando a fixação dos limites, qualificando-se como autor na relação processual. O outro sujeito, citado, integrará a relação processual na qualidade de réu. Mas, ao formular sua defesa e fornecer elementos de cognição ao juiz para que este sinalize corretamente os limites, estará também obtendo tutela jurisdicional (entendida esta como provimento favorável conferido àquele que tem razão) a uma sua pretensão.

AÇÃO ENDOSSÁVEL — Ação nominativa que pode ser transferida no Livro de Registro de Ações Nominativas, a partir do endosso da própria cautela.

AÇÃO ESCRITURAL — Ação nominativa sem a emissão de certificados, mantida em conta de depósito de seu titular, na instituição depositária que for designada. É uma ação que circula no mercado de capitais sem a emissão de certificado físico. É escriturada por um banco autorizado pela Comissão de Valores Mobiliários, o qual é o depositário das ações da empresa e processa os pagamentos e transferências por meio da emissão de extratos bancários ao término de todo mês em que for movimentada e, ainda que não haja movimentação, ao menos uma vez por ano.

AÇÃO ESPECÍFICA — Ação *Golden Share* detida pelo Estado numa empresa pública ou numa associada de economia mista, objeto de uma privatização total ou parcial, que confere àquele direitos particulares e implica, pelo seu conteúdo, disposições estatutárias especiais. (Ver: Ação *Golden Share*.)

AÇÃO EXECUTIVA — Ação de rito processual expedido, exercida diante da existência de dívida líquida e certa, decorrente do próprio título ou obrigação com esse prestígio, em virtude de preceito legal. Objetiva a realização do julgado, através da citação do réu para que pague a dívida reclamada, ou ofereça bens à penhora.

AÇÃO FALIMENTAR — Ver Falência.

AÇÃO FISCAL — É a ação através da qual a Fazenda Pública Federal, Estadual ou Municipal busca receber crédito tributário.

AÇÃO FUNGÍVEL — É a ação que se encontra em custódia em uma instituição financeira, que fica obrigada a devolver ao depositante a quantidade de ações recebidas com as modificações resultantes de alterações no capital social ou no número das ações da companhia emissora, independentemente do número de ordem das ações ou dos certificados recebidos em depósito.

AÇÃO *GOLDEN SHARE* — Ação "dourada" é uma classe especial, que detém o direito do controle da sociedade. (Ver: Ação Específica.)

AÇÃO INCIDENTAL — Também denominada ação incidente, é aquela proposta no curso de outra ação, já em andamento, e com ela passa a caminhar, dentro do mesmo processo para decidir questões prejudiciais em atenção ao pedido feito por uma das partes. Exemplo: exibição de documentos com vistas a comprovar o direito discutido na ação principal.

AÇÃO INOMINADA — É aquela que não se titulariza nem pelo procedimento nem pelo pedido. É um tipo de ação que não possui título determinado pela lei, ao contrário do que acontece com a ação nominada. A ação de usucapião e a ação direta de inconstitucionalidade (Adin) são bons exemplos de ações nominadas.

AÇÃO JUDICIAL — É o direito que têm as pessoas (físicas ou jurídicas) de demandar ou pleitear em juízo, perante os Tribunais de Justiça, o que lhes pertence ou o que lhes é devido. Indica precisamente o exercício da ação. Ou melhor, serve para expressar o ato diante do qual o titular de um direito vem perante a Justiça para formular a demanda. O mesmo que processo judicial; demanda.

AÇÃO LISTADA EM BOLSA — São ações de empresas que satisfazem aos requisitos das Bolsas de Valores para efeito de negociação de seus títulos em pregão, podendo ser ali negociadas.

AÇÃO MISTA — É aquela pela qual se exerce um direito real e um direito pessoal.

AÇÃO MONITÓRIA — É a ação própria para reclamar pagamento em dinheiro, ou entrega de coisa móvel ou fungível, com base em prova escrita, sem eficácia de título executivo; aquilo que é suscetível de substituição por bem da mesma espécie, quantidade ou qualidade.

AÇÃO NÃO ORÇAMENTÁRIA — É aquela que contribui para a consecução do objetivo do programa de governo e que não demanda recursos orçamentários.

AÇÃO NOMINATIVA — Ação que identifica o nome de seu proprietário, que é registrado no Livro de Registro de Ações Nominativas da Sociedade Anônima, permitindo a ele ser proprietário de uma fração do capital da empresa.

AÇÃO NOXAL — O mesmo que ação de perdas e danos.

AÇÃO OBJETO — É o valor mobiliário emitido por companhia aberta, admitida a negociação no pregão de uma Bolsa de Valores, no mercado de opções.

AÇÃO OBRIGATÓRIA — Ver Ação Acessória.

AÇÃO ORDINÁRIA — Assim se denomina a ação quando é rituada pelo processo ordinário, isto é, o procedimento comum a todas as ações que não tiverem, em virtude de princípio legal, rito próprio ou especial. Segundo o Código de Processo Civil, toda ação que não tiver rito especial estabelecido por lei, terá por norma o processo ordinário. O processo ordinário começará sempre pela citação ao réu, seguindo-se a sua contestação.

AÇÃO ORDINÁRIA (ON) — Ação que confere ao seu titular o direito de voto em assembléia e proporciona participação nos resultados econômicos de uma sociedade anônima. Entretanto, na distribuição dos dividendos da empresa, seus proprietários só recebem sua parcela correspondente depois que os proprietários das ações preferenciais tenham recebido as suas.

AÇÃO ORIGINÁRIA — É a ação que tem origem no próprio órgão, ou seja, não chega a ele como recurso contra decisão proferida em grau inferior de jurisdição. Exemplo: é originária a Ação Cível que começa no Supremo Tribunal Federal, por tratar de: litígio entre Estados estrangeiros ou organismos internacionais e a União, Estados e Distrito Federal; conflitos entre a União, Estados e Distrito Federal, inclusive entre os órgãos da administração indireta federal. No Tribunal Superior do Trabalho, são ações originárias os Mandados de Segurança contra atos do presidente ou de qualquer membro do Tribunal; os Embargos opostos a suas decisões; as Ações Rescisórias, que buscam anular decisões já transitadas em julgado e os Dissídios Coletivos de categorias profissionais ou econômicas que tenham base nacional.

AÇÃO PAULIANA — Ver Ação revocatória.

AÇÃO PENAL – FORO PRIVILEGIADO — Privilégio especial destinado apenas às autoridades que não podem ser julgadas em instâncias inferiores, conforme definido nas Constituições Federal e Estaduais. Exemplo: são processados e julgados originariamente no STF: o presidente da República; o vice-presidente da República; os membros do Congresso Nacional (deputados federais e senadores); os ministros do STF (em crimes de responsabilidade); o procurador-geral da República; os ministros de Estado; o presidente do Banco Central; comandantes da Marinha, Exército e Aeronáutica; membros dos Tribunais Superiores; membros do Tribunal de Contas da União; e chefes de missão diplomática de caráter permanente. (Ver: Ação Penal.)

AÇÃO PENAL OU CRIMINAL — Procedimento judicial que visa à aplicação da lei penal ao agente ou agentes de ato ou omissão, nela definidos como crime ou contravenção. Pode ser privada, quando promovida pela pessoa que foi ofendida, ou Ação Penal Pública, de titularidade do Ministério Público, quando incondicionada, com a finalidade de processar e julgar os autores de delitos penais. A atuação correspondente ao direito à jurisdição, que se exercita perante os órgãos da justiça criminal. Os crimes de homicídio são de ação pública. Os crimes sexuais são de ação privada. A ação penal se extingue pela morte do criminoso, pelo perdão da parte ofendida ou pela prescrição. No Supremo Tribunal Federal são iniciadas Ações penais contra autoridades que contam com foro privilegiado, ou seja, não podem ser julgadas em instâncias inferiores. O Supremo também julga recursos em outras ações penais. (Ver: Ação Penal - Foro Privilegiado.)

AÇÃO PENAL PRIVADA — É a ação penal promovida mediante queixa da pessoa que foi ofendida ou de quem tenha qualidade para representá-la, para obter a punição de responsável pela prática de ato considerado na lei como crime, como, por exemplo, crimes contra os costumes, sexuais, adultério, calúnia, difamação etc.

AÇÃO PENAL PÚBLICA — Ação Penal de iniciativa do Estado, através do Ministério Público. Nos casos de crimes de homicídio, por exemplo, cabe ao Ministério Público propor a ação.

AÇÃO PENAL PÚBLICA CONDICIONADA — É aquela que o órgão oficial depende, para a propositura da representação da vítima ou da requisição do ministro da Justiça, de como dispuser a lei.

AÇÃO PENAL PÚBLICA INCONDICIONADA — É a ação promovida pelo Ministério Público sem que haja manifestação da vontade da vítima ou qualquer pessoa.

AÇÃO PETITÓRIA — É aquela em que se pretende o reconhecimento ou a garantia do direito de propriedade, ou de qualquer direito real.

AÇÃO POPULAR — Modalidade de ação de assento constitucional que permite a qualquer cidadão, na defesa de um interesse coletivo, promover a anulação ou a correção de atos lesivos ao patrimônio público, à moralidade administrativa, ao meio ambiente e ao patrimônio histórico e cultural, ficando o autor popular, salvo comprovada má-fé, isento de custas judiciais e do ônus da sucumbência. Não pode ser proposta pelo Ministério Público nem por pessoas jurídicas.

AÇÃO POSSESSÓRIA — Procedimento judicial próprio para defesa da posse provada. Corre em proteção do possuidor da coisa contra os atos de violência ou de esbulho. (Ver: Esbulho.)

AÇÃO PREFERENCIAL (PN) — Tipo de ação que não dá direito ao acionista de participar da administração da empresa. Para compensar, confere a seu titular o direito de prioridade no recebimento de dividendos antes dos outros acionistas que detêm ordinárias. Além disso, o valor do dividendo da preferencial deve ser no mínimo 10% superior ao da ordinária e, em caso de dissolução da sociedade anônima, no reembolso do capital. Normalmente, esse tipo de ação não confere a seu detentor o direito de voto em assembléias gerais, salvo em situações especiais: a) quando a empresa deixa de pagar dividendos por três anos consecutivos; b) até que a empresa volte a pagar dividendos; e c) quando estiver em votação alteração dos direitos dos preferencialistas.

AÇÃO PREJUDICIAL — Ver Ação de Estado.

AÇÃO PREVENTIVA DE BLOQUEIO — Procedimento judicial de ação tomada para que o mesmo problema não ocorra outra vez devido à mesma causa.

AÇÃO PRINCIPAL — É a ação em que se discute o mérito da causa, sendo precedida por uma ação acessória, destinada a prevenir dano irreparável. Contém a pretensão, ou o pedido principal do autor.

AÇÃO *QUANTI MINORIS* — Trata de redução do preço ou indenização por bem adquirido com defeitos ocultos ou vícios na coisa vendida.

AÇÃO REAL — Ação destinada à defesa de direitos reais ou sobre coisa móvel ou imóvel. Tem como objetivo um direito de propriedade ou um direito real sobre coisa alheia.

AÇÃO RECURSÓRIA — O mesmo que ação regressiva.

AÇÃO REDIBITÓRIA — Ação para rescindir contrato de compra e venda com a devolução da coisa adquirida e o recebimento do preço pago em razão de vício ou defeito que o torna impróprio para o uso destinado, ou lhe diminui o valor.

AÇÃO REGRESSIVA — Também denominada recursória, é a ação do titular de um direito (direito de regresso) contra o responsável indireto por dano sofrido no caso do avalista e do fiador, para receber do responsável direto o que pagou em razão do aval ou da fiança; e ainda ação que tem a vítima de ato lesivo praticado por preposto ou por servidor público, contra o patrão ou preponente, ou a entidade pública; finalmente, ação com a qual a entidade pública (União, Estados, Distrito Federal e Município) pede a condenação de agente público seu a reembolsá-la por indenização que tenha pago em razão de ato ilícito praticado pelo seu agente.

AÇÃO REIPERSECUTÓRIA — Ação que pleiteia a restituição de bens que estejam fora do patrimônio do autor, ou em poder de terceiros. Trata-se de ação que tende a pedir a restituição daquilo que é nosso ou do que nos é devido e se acha fora do nosso patrimônio.

AÇÃO REIVINDICATÓRIA — Procedimento judicial fundado na propriedade, através do qual o proprietário exerce o direito de reaver coisa móvel ou imóvel de quem dela tenha indevidamente se apossado. São pressupostos da ação: a prova do domínio da coisa, fundado em justo título, e prova de que a posse do réu é injusta. Objeto da ação é coisa móvel ou imóvel, sempre corpórea. (Ver: Coisas corpóreas.)

AÇÃO RESCISÓRIA DE SENTENÇA — É a ação que pede a anulação de uma sentença ou acórdão transitados em julgado (de que não cabe mais recurso) e sua substituição por outra, que reapreciará a espécie objeto da ação anterior, quando é alegado que aquela foi proferida com vício ou ilegalidade, ou seja, houve algum erro, irregularidade ou violação de literal dispositivo de lei. A ação rescisória tem caráter excepcional, e cabe apenas contra sentença que já não pode mais ser alcançada por recurso ordinário ou extraordinário. O prazo para a sua interposição é de dois anos.

AÇÃO REVISIONAL — Pedido que tramita na Justiça para que o valor do aluguel seja igualado ao valor de mercado, para cima ou para baixo. A revisão do aluguel não pode ser pedida quando já existe um prazo acertado de desocupação do imóvel.

AÇÃO REVOCATÓRIA OU PAULIANA — É a ação pela qual o credor quirografário pede a anulação da venda fraudulenta a terceiro, feita pelo seu devedor insolvente, a título oneroso ou gratuito. (Ver: Contrato oneroso // Contrato gratuito.)

AÇÃO SEM VALOR NOMINAL — Ação para a qual não se convenciona valor de emissão, prevalecendo o preço de mercado por ocasião do lançamento. (Ver: Ação com Valor Nominal.)

AÇÃO SIMULATÓRIA — Ação em que os credores visam ao reconhecimento do verdadeiro estado do patrimônio do devedor.

AÇÃO SOCIAL — É qualquer atividade realizada por empresas ou pessoas para atender as comunidades em suas diversas formas (conselhos comunitários, organizações não governamentais, associações comunitárias etc), em áreas como assistência social, alimentação, saúde, educação, cultura, meio ambiente e desenvolvimento comunitário. De forma mais ampla, pode ser conceituada como todo esforço organizado visando alterar as instituições estabelecidas. A ação social seria a conduta humana, pública ou não, a que o agente atribui um significado subjetivo. Tem como ponto de partida a natureza da própria ação: toda a ação é dirigida para a consecução de objetivos.

AÇÃO SOCIAL OBRIGATÓRIA — É aquela executada por mandamento legal, de caráter universal, a exemplo das contribuições ao Sebrae, Sesi, Sesc, Sest, Senai, Senac, Senat e Senar, do cumprimento de normas trabalhistas (periculosidade e outras), da concessão de vale-transporte e do salário-família.

AÇÃO TRABALHISTA — É a invocação do poder jurisdicional do Estado para fazer valer um direito que se julga ter, decorrente das relações de trabalho. Meio processual pelo qual se pode reclamar à Justiça o reconhecimento, a declaração, a atribuição ou efetivação de um direito, ou, ainda, a punição.

AÇÃO VAZIA — Ação de uma sociedade anônima cujos direitos - dividendo, bonificação e subscrição - já foram exercidos. (Ver: Ação cheia.)

AÇÃO VEXATÓRIA — É a denominação dada à lide temerária, isto é, a ação descabida, que caracteriza a litigância de má-fé, com o objetivo exclusivo de perturbar a outra parte, constituindo-se, portanto, em abuso de direito.

AÇÃO VOLUNTÁRIA — Ver Ação Acessória.

AÇÃO, CONDIÇÕES DA — São requisitos necessários à propositura da ação, indicadores da viabilidade da mesma. São as seguintes as condições da ação: legitimidade para a causa, interesse de agir e possibilidade jurídica do pedido.

AÇÃO-OBJETO — Ação sobre a qual se refere uma opção negociada no pregão de uma Bolsa de Valores.

ACAREAÇÃO — De acarear, confrontar. De cara, colocar pessoas frente a frente, cara a cara, quando houver divergência de depoimento. Técnica de se apurar a verdade no depoimento das testemunhas e das partes, quando houver divergências ou contradições, e que consiste em colocar uns na presença de outros, até se concluir pelas alegações e afirmações verdadeiras. A acareação pode ser invocada no processo civil ou no criminal, e pode ocorrer entre as testemunhas e entre estas e as partes. Depois de tomar o depoimento, o juiz marca os pontos divergentes, e é feita a acareação, apenas sobre esses pontos. Não será novo depoimento. Só é feito entre duas pessoas por vez.

ACASO — Caso fortuito. Imprevisível ou incerto. Casualidade. À sorte, sem premeditação.

ACAUTELAR — Ato de defender-se ou prevenir-se.

ACC (ADIANTAMENTO DE CONTRATO DE CÂMBIO) — Ver Adiantamento de Contrato de Câmbio.

ACCESSIO TEMPORIS — [Latim]. Expressão que significa acréscimo de tempo ou prazo permitido por lei ou previsto em contrato, acessão de tempo. É, por exemplo, a possibilidade de o inquilino, nas locações comerciais, completar o prazo mínimo legal de cinco anos de locação para ter o direito de propor a ação renovatória da locação sem que tal prazo seja contínuo, somando-se os prazos dos vários contratos, mesmo que haja um pequeno intervalo entre eles.

ACCESSORIUM SUI PRINCIPALIS NATURAM SEQUITUR — [Latim]. Expressão que significa o acessório, sempre acompanha a natureza do seu principal.

ACCOUNTABILITY — Termo em inglês que significa capacidade de prestar contas, e que no mercado financeiro representa a legitimidade e confiança que uma instituição financeira goza junto ao público ou aos seus acionistas. Significa transparência, retorno para as partes interessadas e cumprimento da lei e dos códigos de caráter voluntário.

***ACCOUNTABILITY* 1000** — Ver AA 1000.

ACE (ACORDO DE COMPLEMENTAÇÃO ECONÔMICA) — Constitui, a exemplo do Adiantamento de Contrato de Câmbio (ACC), a antecipação parcial ou total por conta do preço em moeda nacional da moeda estrangeira comprada a termo. Pode ser concedido a qualquer tempo após a entrega dos documentos da exportação ao banco e até o vencimento da obrigação do importador para com o exportador. (Ver: Adiantamento de Contrato de Câmbio.)

ACEDER — Consentir, anuir a; aquiescer; conformar-se com; concordar em alguma coisa; juntar, ajuntar, acrescer, adicionar.

ACEIRO — Abertura de áreas florestais limpas de vegetação, feita pelo ser humano, com a finalidade de limitar incêndios. Pode preexistir ou ser aberto durante o combate a um incêndio florestal.

ACEITAÇÃO — Acolhimento, ou consentimento no acordo. Assentimento de uma proposta ou proposição. Evento que caracteriza a decisão do contratante ou comprador de reconhecer materiais, equipamentos, obras, serviços, sistemas ou subsistemas fornecidos ou executados pelo contratado ou vendedor como compatíveis com as especificações ajustadas no respectivo contrato ou documento equivalente.

ACEITAÇÃO DA HERANÇA — Ver Herança, Aceitação da.

ACEITANTE — É a pessoa que, aceitando a proposta de outrem, para firmar um contrato, estipular uma obrigação ou fazer um negócio, dá o consentimento ou exprime a sua aceitação.

ACEITE — Declaração expressa (apondo assinatura), em título de crédito, pela qual o sacado (ou terceiro) se compromete a liquidar o seu valor na data do vencimento. Compromisso de pagar a quantia expressa em letra de câmbio, nota promissória ou duplicata de fatura, na data de seu vencimento.

ACEITE CAMBIAL — Contrato através do qual o "sacado" em uma letra de câmbio se compromete a pagar o valor inscrito na letra de câmbio em uma determinada data futura.

ACEITE COMERCIAL — É o contrato através do qual uma empresa concorda em pagar uma certa quantia acordada entre as partes em uma determinada data futura.

ACERVO — É o conjunto de bens que integram um patrimônio. Em bibliografia, conjunto de livros e obras que integram uma biblioteca.

ACESSÃO — Direito que tem o proprietário de acrescer, aos seus bens, tudo o que se incorpora, natural, artificialmente ou por ação mista a estes. Exemplos: a) natural: formação de ilhas, avulsão, aluvião, abandono de álveo etc.; b) artificial: quando por efeito exclusivo de fato ou ação do ser humano: plantações, terraplenagem etc.; c) mista: quando se dá simultaneamente por fato natural e por ação do ser humano.

ACESSÃO FÍSICA — Modo especial de adquirir algo, por meio da incorporação da coisa acessória à principal. Em relação a imóvel, tudo aquilo que o ser humano incorpora ao solo, de onde não pode ser deslocado sem destruição ou dano.

ACESSÓRIO — É aquele que se confere a uma coisa cuja existência depende da existência de uma coisa principal.

Acessória, aquela cuja existência supõe a da principal. Os acessórios podem ser naturais ou por destino. (Ver: Acessório por destino // Acessórios Naturais // Coisa Principal.)

ACESSÓRIOS NATURAIS — São aqueles que, por sua própria natureza, prendem-se ao principal. Exemplo: os frutos de uma árvore. (Ver: Acessório // Acessórios por Destino // Coisa Principal.)

ACESSÓRIOS POR DESTINO — São aqueles que se unem ao principal em face de sua utilização. Exemplo: os instrumentos de uma lavoura. (Ver: Acessório // Acessórios Naturais // Coisa Principal.)

ACHÁDEGO — Recompensa devida pelo dono de coisa perdida àquele que a encontra e devolve.

ACHADOS — No uso normal do termo, é uma conclusão a que se chega através de investigação judicial ou outra forma de investigação. Em auditoria, o termo é utilizado para descrever o resultado da comparação entre um critério e uma situação real, controle ou circunstância aos quais este critério foi aplicado.

ACIDENTALIDADE — É o aumento de preços decorrentes de fatores anormais, inesperados, como a quebra de uma safra de café devido à geada, quebra de safra devido à seca etc.

ACIDENTE — 1) Evento definido ou seqüência de eventos fortuitos e não planejados, que dão origem a uma conseqüência específica e indesejada, em termos de danos humanos, materiais ou ambientais. 2) Acontecimento imprevisto e involuntário, não caracterizado por negligência, imprudência ou imperícia, do qual resulta um dano causado ao bem ou pessoa.

ACIDENTE AERONÁUTICO — Toda ocorrência relacionada com a operação de uma aeronave, entre o período em que uma pessoa nela embarca com a intenção de realizar um vôo, até o momento em que todas as pessoas tenham dela desembarcado e, durante o qual, pelo menos ocorra uma destas situações: a) qualquer pessoa que sofra lesão grave ou morra como resultado de estar na aeronave, em contato direto com qualquer de suas partes, incluindo aquelas que dela tenham se desprendido; b) dano ou falha estrutural na aeronave afetando o desempenho ou as características de vôo; c) a aeronave seja considerada desaparecida ou o local onde se encontre seja absolutamente inacessível.

ACIDENTE DE RELEVO — Denominação usada para qualquer forma de relevo que ofereça contrastes com outras que lhe estão próximas. Quando os desnivelamentos são fortes e constantes, costuma-se denominar a paisagem assim descrita de Região Acidentada, Relevo Acidentado ou Terreno Acidentado.

ACIDENTE DE TRABALHO — É aquele que ocorre pelo exercício do trabalho a serviço da empresa, ou ainda pelo exercício do trabalho de segurados especiais, provocando lesão corporal ou perturbação funcional, permanente ou temporária, que causa a morte, a perda ou a redução da capacidade para o trabalho. É matéria do âmbito da Justiça comum (estadual) e não da Justiça do Trabalho. Envolve decisões relacionadas com seguros e indenizações. Tem implicações legais e provoca sindicância, na qual é importante que se defina claramente se houve ou não imprudência ou transgressão de norma de segurança estabelecida, por parte do acidentado.

ACIDENTE DE TRÂNSITO — Acidente envolvendo veículo, normalmente automotor. É uma causa muito importante de morbi-mortalidade nas estatísticas nosológicas.

ACIDENTE GEOGRÁFICO — Ver Acidente do relevo.

ACIDENTE GEOLÓGICO — Acidente relacionado com a ocorrência de um fenômeno geológico (terremoto, erupção vulcânica, escorregamento de solo ou outro), que pode ser causa de danos ou prejuízos, caracterizando um desastre.

ACIDENTE IN ITINERE — [Latim]. Expressão que significa acidente no itinerário. Aquele ocorrido no trajeto que o empregado utiliza para ir e voltar do trabalho.

ACIDENTE NATURAL — Fenômeno da natureza, inesperado, de difícil prevenção, que na maioria dos casos independe das intervenções do ser humano, tais como: escorregamento de terra, vendaval, inundação.

ACIDENTE NUCLEAR — Escapamento acidental de irradiação que pode ocorrer em instalações nucleares civis e que excede os níveis de segurança estabelecidos internacionalmente.

ACIDENTE PESSOAL — Significa a lesão corporal, fatal ou não, causada involuntariamente, provocada por acidente exclusivo e diretamente externo, súbito e violento, que por si só, e independente de toda e qualquer outra causa, tenha como conseqüência direta a morte ou invalidez permanente total ou parcial, ou torne necessário tratamento médico.

ACIDENTE TECNOLÓGICO — Ocorrência gerada por atividades desenvolvidas pelo ser humano, sendo que a maioria dos casos é previsível, podendo ser administrada através de conceitos básicos de gerenciamento de riscos, atuando tanto na probabilidade de ocorrências de um evento indesejável quanto em suas conseqüências; esses acidentes podem ser causados por: incêndio, explosão, vazamento de substâncias químicas (inflamáveis /corrosivas /tóxicas), naufrágio.

ACIDENTES DE TRAJETO — São os acidentes ocorridos no trajeto entre a residência e o local de trabalho do segurado e vice-versa.

ACIDENTES DEVIDOS A DOENÇAS DO TRABALHO — São os acidentes ocasionados por qualquer tipo de doença profissional peculiar a determinado ramo de atividade constante da tabela da Previdência Social.

ACIDENTES TÍPICOS — São os acidentes decorrentes da característica da atividade profissional desempenhada pelo acidentado.

ÁCIDO RIBONUCLÉICO — Ver RNA.

ACIONAR — Propor ação contra uma pessoa, em defesa de um direito ameaçado de violência ou já atingido por ela, ou para exigir o cumprimento de uma obrigação assumida.

ACIONÁRIO (COMANDO) — Poder exercido pelo acionista ou grupo majoritário.

ACIONISTA — Aquele que possui ações de uma sociedade anônima. Há dois tipos de acionista: o majoritário e o minoritário.

ACIONISTA CONTROLADOR — Pessoa, física ou jurídica, ou o grupo de pessoas vinculadas por acordo de voto, ou sob controle comum, que: a) é titular de direitos de sócio que lhe assegurem, de modo permanente, a maioria dos votos nas deliberações da assembléia geral e o poder de eleger a maioria dos administradores e b) usa efetivamente seu poder para dirigir as atividades sociais e orientar o seu funcionamento.

ACIONISTA MAJORITÁRIO — Aquele que detém uma quantidade tal de ações com direito a voto que lhe permite manter o controle acionário de uma sociedade anônima. Em geral, possui pelo menos metade mais uma das ações de uma empresa e, portanto, retém o controle da mesma. Em casos especiais, o termo se aplica também ao acionista que, embora não possua mais da metade das ações de uma empresa, é o acionista individual que detém uma porcentagem relativa maior entre os acionistas da mesma empresa.

ACIONISTA MINORITÁRIO — Aquele que é detentor de uma quantidade não expressiva de ações com direito a voto. É o indivíduo que não detém o controle da empresa. É o caso do que possui ações ordinárias (ON), com direito a voto, mas em quantidade insuficiente para ser o controlador. É também o caso do que detém ações preferenciais (PN), qualquer que seja a quantidade, porque este acionista não tem direito a voto.

ACLAMAÇÃO — Escolha coletiva de alguém para certo cargo ou função, por meio de aprovações verbais ou manifestadas por qualquer outra forma inequívoca. Modo pelo qual, numa assembléia, se aprova certa proposta ou outro ato. Demonstração de aprovação por meio de aplauso ou outra expressão sonora. (Ver: Votação.)

ACLARAÇÃO — Aditamento que se faz a um contrato ou texto legal, para esclarecimento de artigos ou cláusulas.

ACLIMATAÇÃO — Ação ou efeito de aclimar, habituar a um novo clima. Adaptações fisiológicas ou de comportamento de um organismo a mudanças de fatores no ambiente. Quando a adaptação se refere apenas a uma única variável ambiental, usa-se aclimatação.

ACLIVE — Disposto em subida; íngreme. Ladeira (considerada de baixo para cima). (Ver: Declive.)

AÇÕES — Títulos que indicam a participação do possuidor na propriedade de uma determinada sociedade anônima e lhe dão direito a parte dos lucros. O tipo e o número de ações adquiridas definem os direitos e a extensão da participação na propriedade. Em relação aos direitos que conferem, as ações se dividem em dois tipos: ordinárias e preferenciais. O poder de um acionista de influir na administração ou de receber dividendos, ou as duas coisas, está relacionado à soma de dinheiro investida na empresa e, portanto, ao número e tipo de ações que possui. (Ver: Ação ordinária // Ação preferencial.)

AÇÕES *BLUE CHIPS* — Ver Ações de Primeira Linha.

AÇÕES CONEXAS — São ações que têm o mesmo objeto ou causa de pedir ou o mesmo fundamento jurídico.

AÇÕES DE CONHECIMENTO — São as que provocam uma providência jurisdicional que reclama, para sua prolação, um processo regular de conhecimento, por meio do qual o juiz tenha pleno conhecimento do conflito de interesses, a fim de que possa proferir uma decisão pela qual extraia da lei a regra concreta aplicável à espécie.

AÇÕES DE PRIMEIRA LINHA — Jargão do mercado financeiro utilizado para classificar ações de maior liquidez – aquelas que são mais negociadas. São ações de empresas tradicionais e de grande porte, com grande liquidez e procura no mercado. As ações de primeira linha também são conhecidas como *Blue Chips*.

AÇÕES DE SEGUNDA LINHA — São ações de empresas de grande e médio portes, com liquidez e procura no mercado de ações. Entretanto, embora as ações sejam de empresas de boa qualidade, são um pouco menos líquidas, portanto, de maior risco. Normalmente, sobem e caem antes das *Blue Chips*.

AÇÕES DE TERCEIRA LINHA — Ações de empresas de pequeno porte, com baixa liquidez e pouca procura no mercado. São papéis que não despertam muito interesse nos investidores, porque são considerados investimentos arriscados.

AÇÕES EM CIRCULAÇÃO (*FREE FLOAT*) — Quantidade de ações de uma empresa disponível para negociação livre em mercado de capitais, ou seja, são todas as ações de emissão da companhia, exceto aquelas: a) de titularidade do acionista controlador, de seu cônjuge, companheiro(a) e dependentes incluídos na declaração anual de imposto de renda; b) em tesouraria; c) de titularidade de controladas e coligadas da companhia, assim como de outras sociedades que com qualquer dessas integrem um mesmo grupo de fato ou de direito; d) de titularidade de controladas e coligadas do acionista controlador, assim como de outras sociedades que com qualquer dessas integrem um mesmo grupo de fato ou de direito; e e) preferenciais de classe especial que tenham por fim garantir direitos políticos diferenciados, intransferíveis e de propriedade exclusiva do ente desestatizante.

AÇÕES EM TESOURARIA — São ações próprias que a empresa mantém em seu poder.

AÇÕES ESTRATÉGICAS — São medidas que objetivam a exploração de oportunidades, potencialmente geradoras de resultados, para se atingir os objetivos.

AÇÕES ORÇAMENTÁRIAS — São as ações que dependem da utilização de recursos do orçamento. Na Administração Pública, são os projetos e as atividades.

AÇÕES, CLASSIFICAÇÃO DAS — A tutela jurisdicional se manifesta por meio de decisão, ou por meio de atos de execução, ou por meio de medidas preventivas ou cautelares. Sob a forma de decisão, pressupõe um processo de conhecimento. O processo de execução reclama atos executórios que realizem praticamente a sentença proferida em ação de conhecimento. A tutela jurisdicional preventiva ou processo cautelar visa acautelar interesses das partes em perigo pela demora da providência jurisdicional de conhecimento ou de execução. (Ver: Ações de Conhecimento.)

AÇÕES, TERMO DE — Lote de ações negociado pelas partes, fixando um preço para liquidação físico-financeira em prazo futuro determinado – em geral, 30, 60 ou 90 dias após a data de realização do negócio.

ACOMODAÇÃO — Adequação, instalação, adaptação. Modificação do organismo em função das pressões exercidas pelo meio.

ACOMPANHAMENTO — Monitoramento da evolução de um processo com base na aferição de indicadores. Serve de instrumento para avaliação, atividade essencial à gestão estratégica de políticas, planos, programas e projetos.

ACOMPANHAMENTO DA EXECUÇÃO ORÇAMENTÁRIA — Ver Execução Orçamentária, Acompanhamento da.

ACOMPANHAMENTO FÍSICO-FINANCEIRO — Acompanhamento que confronta a execução física de programa de trabalho, ao nível de projetos e atividades, com os correspondentes recursos orçamentários e financeiros aplicados.

ACONTECIMENTO — Ocorrência ou mudança. Algo que sucede num determinado ponto do espaço e durante um certo período de tempo.

ACOPLADO — Situação na qual dois processos são conectados ou são interdependentes.

ACÓRDÃO — Decisão coletiva proferida por um Tribunal. Designação dos julgamentos proferidos por Tribunal, nos feitos de sua competência originária ou recursal, por um dos seus órgãos colegiados. Peça escrita que contém o resultado de julgamento proferido por um colegiado, isto é, por um grupo de juízes, ministros ou conselheiros de Tribunal de Contas. Compõe-se de três partes: relatório (exposição geral sobre o assunto julgado); voto (fundamentação da decisão tomada) e dispositivo (a decisão propriamente dita). Diz-se acórdão porque a decisão resulta de uma concordância (total ou parcial) entre os membros do colegiado. Da decisão cabe recurso, porém, somente, depois de o acórdão ser publicado no Diário Oficial. Nos casos de dissídios coletivos, os acórdãos são também chamados de sentença normativa. Embora cada vez mais a lei delegue ao relator poderes para julgar isoladamente, tais atos não são acórdãos, e sim decisões.

ACORDAR — Determinar, resolver uniformemente ou de comum acordo uma questão aventada. Decidir por pluralidade de votos alguma coisa submetida à apreciação de um colégio ou de uma instituição.

ACORDO — São as condições ajustadas entre duas ou mais partes, por vontade das mesmas, no intuito de fazer uma combinação, um ajuste ou um pacto para cessar uma pendência ou demanda. No Direito Diplomático, é um convênio assinado entre dois ou mais países. Ajuste entre as partes em litígio, encerrando a lide. Consenso.

ACORDO COLETIVO DE TRABALHO — Contrato de caráter normativo firmado entre um sindicato de empregados e uma ou mais empresas da correspondente categoria econômica.

ACORDO DE ASSISTÊNCIA — Decisão do Fundo Monetário Internacional através da qual é assegurada a um membro a possibilidade de fazer aquisições (saques) até determinado montante e durante um período de tempo específico, normalmente um ou dois anos, desde que esse membro respeite os termos estabelecidos no acordo.

ACORDO DE COMPLEMENTAÇÃO ECONÔMICA — Ver ACE.

ACORDO DE COOPERAÇÃO — Forma de colaboração entre organizações que não implica constituição de nova entidade. Inclui acordos técnicos, financeiros, pesquisas, cooperativas ou parcerias, estas consideradas como a forma mais evoluída de cooperação.

ACORDO DE LIDERANÇAS — Consenso entre líderes numa Casa Legislativa a respeito de matérias em tramitação e de outros tópicos de interesse comum. Documento em que se formaliza esse consenso. (Ver: Líder.)

ACORDO DE RECOMPRA — Acordo através do qual o emissor de um título se compromete a recomprá-lo por um preço estabelecido no ato da venda, antes da data de vencimento do título. Nas operações de venda de títulos públicos de curto prazo, em geral o governo opta por esse tipo de acordo, garantindo a recompra dos papéis a um preço mais elevado que o de emissão.

ACORDO DE RECONHECIMENTO MÚTUO — Acordo formal entre duas partes em que é assegurada a aceitação mútua com respeito às características dos sistemas normativos de cada uma das partes nos termos estabelecidos no acordo.

ACORDO ENTRE AS PARTES — É o procedimento adotado em todas as fases do processo trabalhista em que existe a possibilidade de acordo. Neste caso, mesmo que apresentados os cálculos, as partes podem compor um valor que seja interessante para ambas nos limites da lei.

ACORDO GERAL SOBRE O COMÉRCIO E OS SERVIÇOS (GATT) — Acordo assinado em 1947, ao qual foram aderindo diversos países, totalizando 122. Com sede em Genebra (Suíça), estabelecia um conjunto de regras de conduta para as relações comerciais e era um fórum para as negociações multilaterais sobre problemas do comércio internacional. Realizava "*rounds*" (negociações) sobre comércio mundial. Os primeiros "*rounds*" trataram de questões relacionadas com a redução de tarifas, mas depois passaram a incluir outras áreas como medidas não tarifárias e *antidumping*. A última negociação foi realizada no Uruguai (Uruguai round), em 1994, que conduziu à criação da Organização Mundial do Comércio, que substituiu o GATT a partir de 1995. (Ver: OMC.)

ACORDO INTERNACIONAL - ESTADOS PARTICIPANTES — São os países que ratificaram um acordo internacional e estão, por isso, legalmente obrigados a agir de acordo com as suas cláusulas.

ACORDO OU TRATADO PARA SE EVITAR A DUPLA TRIBUTAÇÃO — Acordo internacional que visa proteger os investimentos realizados num dado país da duplicação do pagamento de impostos sobre os rendimentos aí auferidos relativamente à tributação efetuada sobre as mesmas fontes de rendimento no país de origem do investimento. No contexto da globalização e da internacionalização das economias, as Convenções para evitar a dupla tributação e a evasão fiscais revestem um fator crucial no desenvolvimento dos fluxos econômicos internacionais. Este acordo inclui regras que definem residência e fonte, bem como limites sobre o imposto de renda descontado na fonte. Normalmente, também inclui cláusulas que prevêem a cooperação, para evitar a elisão, especialmente por meio da troca de informações.

ACORDO VERBAL — É o acordo firmado oralmente entre a partes em litígio, encerrando a lide.

ACORDOS GLOBAIS - RATIFICAÇÃO — Expressa o envolvimento do País com a implementação de acordos firmados pela comunidade internacional, através dos órgãos de governança global.

ACRASIA — Falta de força de vontade. Estado em que um agente, crendo saber o que é o melhor a fazer e desejando fazê-lo, age de uma forma que contraria a sua crença ou o seu desejo.

ACRE — Medida de superfície agrária, utilizada em países como a Inglaterra e Estados Unidos, equivalente a 4.000 metros quadrados ou a 0,4 hectare. (Ver: Alqueire // Hectare.)

ACRÉSCIMO DE QUANTIDADE CONTRATADA — Ver Contrato Administrativo - Acréscimo ou supressão.

ACTIO — [Latim]. Expressão que significa ação.

ACTIO JUDICATI — [Latim]. Expressão que significa ação julgada. Ação que tem por fundamento a coisa julgada. Ação para fazer cumprir a sentença condenatória tramitada em julgado.

ACTIVITY BASED COSTING — Também denominado método ABC, é uma técnica de contabilidade analítica criada no final dos anos 80 do século XX. Permite determinar quais os custos indiretos a imputar a um produto ou serviço consoante o tipo de atividade a que se refere. Os sistemas tradicionais de contabilidade analítica repartem proporcionalmente os custos indiretos segundo critérios como o número de horas de trabalho manual, o número de horas por máquina ou a área ocupada por cada centro de custo. Segundo o método ABC, os critérios de repartição desses custos diferem conforme o tipo de atividade.

ACTUM EST — [Latim]. Expressão que significa está terminado.

ACTUS LEGITIMUS — [Latim]. Expressão que significa ato legítimo.

ACULTURAÇÃO — Consiste na modificação da conduta de um indivíduo ou de um grupo, ocasionada pela absorção de traços culturais próprios de um grupo diferente, após contactos diretos e prolongados.

ACUMULAÇÃO DE PENAS — Dá-se, na hipótese de concurso, material (mais de uma ação ou omissão), ou formal (uma só ação ou omissão), quando o agente pratica dois ou mais crimes, idênticos ou não. Tratando-se de concurso formal, as penas só se aplicam cumulativamente se a ação ou omissão é dolosa e os crimes concorrentes resultam de desígnios autônomos.

ACUSAÇÃO — É a atuação funcional do promotor de Justiça, ou de advogado contratado pela parte ofendida, visando obter a condenação do réu no Tribunal do Júri. (Ver: Acusar no plenário de julgamento.)

ACUSADO — Ver Réu.

ACUSADOR PARTICULAR — Advogado contratado pelo ofendido para servir como auxiliar do Ministério Público nos crimes de ação pública em que for interessado.

ACUSAR NO PLENÁRIO DE JULGAMENTO — É expor oralmente a pretensão punitiva contida no libelo e aduzir os argumentos que lhe demonstrem a procedência. (Ver: Acusação // Libelo.)

***AD ARBITRIUM* —** [Latim]. Expressão que significa com arbítrio; segundo a vontade de alguém; conforme o arbítrio.

***AD ARGUMENTANDUM* —** [Latim]. Expressão que significa para argumentar.

***AD BREVE* —** [Latim]. Expressão que significa por pouco tempo.

***AD CAUSAM* —** [Latim]. Expressão que significa para a causa; na causa.

***AD CAUSAM PERTINENTI* —** [Latim]: Expressão que significa relativo à causa.

***AD CAUTELAM* —** [Latim]. Expressão que significa por cautela; por preocupação; por segurança. Diz-se de ato praticado a fim de prevenir algum inconveniente.

***AD CORPUS* —** [Latim]. Expressão que significa por corpo. Por inteiro. Na venda de um imóvel, é um acordo sobre o preço, considerando a casa um todo e não a sua metragem.

***AD DIEM* —** [Latim]. Expressão que significa até o dia; dia em que termina o prazo.

***AD EFFECTUM* —** [Latim]. Expressão que significa para o efeito.

***AD EXCLUDENDUM* —** [Latim]. Expressão que significa para excluir; eliminar.

***AD EXEMPLUM* —** [Latim]. Expressão que significa para exemplo; para que sirva de exemplo, no sentido de tornar as coisas mais claras.

***AD EXTRA* —** [Latim]. Expressão que significa por fora; para fora; exteriormente.

***AD EXTREMUM* —** [Latim]. Expressão que significa até o extremo. Até o fim.

***AD FIDEM* —** [Latim]. Expressão que significa com fidelidade.

***AD FINEM* —** [Latim]: Expressão que significa até o fim.

***AD HOC* —** [Latim]. Expressão que significa para isto; para isso; para esse caso; para este fim específico para um determinado ato. Investido em função provisória, para um fim especial como acontece com pessoas que ocupam cargos transitoriamente ou foram nomeadas *ad hoc*, isto é, para cumprir determinada função transitoriamente (defensor *ad hoc*, nomeado para um ato de defesa).

***AD HONOREM* —** [Latim]. Expressão que significa por honra. Diz-se do que é feito de graça, sem interesse lucrativo.

***AD HUNC MODO* —** [Latim]. Expressão que significa assim; desta forma.

***AD ID* —** [Latim]. Expressão que significa para isto.

***AD INSTAR* —** [Latim]. Expressão que significa à semelhança.

***AD JUDICIA* —** [Latim]. Expressão que significa para fins judiciais. Procuração *ad judicia*. Indica a cláusula que se comete em um mandato judicial. A cláusula *ad judicia* implica a concessão de mandato judicial para o foro em geral. O atual CPC não utiliza a palavra *ad judicia,* mas procuração geral para o foro. Não autoriza a prática de atos para os quais a lei exija poderes expressos.

***AD LIBITUM* —** [Latim]. Expressão que significa à escolha, à vontade.

AD LITEM — Ver: À lide.

***AD LITTERAM* —** [Latim]. Expressão que significa literalmente.

***AD LITTERIS ET VERBIS* —** [Latim]. Expressão que significa letra por letra; palavra por palavra.

***AD NUTUM* —** [Latim]. Expressão que significa condição unilateral de revogação ou anulação de ato. É usada para indicar que o ato que se junta pode ser revogado pela vontade da pessoa que o praticou, independentemente de qualquer outra formalidade ou condição. Qualquer ato ou contrato que possa ser desfeito pelo simples arbítrio de uma das partes, mesmo sem audiência de outra, se diz resolvido "*ad nutum*". Todos os cargos públicos em comissão ou de confiança são de demissão *ad nutum*.

***AD QUEM* —** [Latim]. Expressão que significa para quem. Tribunal de instância superior ou juiz para quem se encaminha o processo; dia ou termo final de contagem de um prazo. Ponto de chegada. Juízo *ad quem* é aquele para ao qual se recorre.

***AD REFERENDUM* —** [Latim]. Expressão que significa para apreciação posterior; para aprovação. Atividade ou ação da competência de uma autoridade ou órgão da administração praticada por outrem através de delegação de competência, e que só se torna eficaz depois de homologada pelo delegante.

***AD RETRO* —** [Latim]. Expressão que significa atrás. Cláusula de retrovenda. Diz-se do pacto em que o vendedor tem o direito de reaver a coisa vendida mediante a restituição do preço e despesas acessórias, dentro de prazo determinado.

***AD SENSUM* —** [Latim]. Expressão que significa pelo sentido.

***AD SIMILIA* —** [Latim]. Expressão que significa por semelhança.

***AD TEMPUS* —** [Latim]. Expressão que significa a tempo; oportunamente; conforme as circunstâncias. De modo temporário; por algum tempo.

***AD USUM* —** [Latim]. Expressão que significa segundo o uso, conforme o uso.

***AD VALOREM* —** [Latim]. Expressão que significa pelo valor; conforme o valor. Um tributo *ad valorem* é aquele cuja base de cálculo é o valor do bem tributado, conforme o valor. Contrasta com o tributo específico, arrecadado conforme uma dada quantia por unidade de mercadoria.

***AD VERBUM* —** [Latim]. Expressão que significa palavra por palavra.

***AD VOLUNTATEM* —** [Latim]. Expressão que significa conforme a vontade, segundo a vontade.

ADAPTABILIDADE — É um sistema que pode apresentar uma extensa rede de conexões, mas ser flexível, plástico e adaptável às possíveis mudanças ambientais; ser eficiente para sobreviver; a idéia de complexidade pode ser associada à de adaptabilidade.

ADAPTAÇÃO — 1) Equilíbrio entre assimilação e acomodação. 2) Ajustamento de um organismo ou população ao meio ambiente. O organismo será tanto mais adaptado quanto maior for a sua descendência. É a forma de comportamento que se modifica face às mudanças, mantendo suas estruturas e variáveis essenciais dentro de limites de estabilidade.

ADC (AÇÃO DECLARATÓRIA DE CONSTITUCIONALIDADE) — É a ação que tem por finalidade confirmar a constitucionalidade de uma lei ou ato normativo federal. O objetivo da ADC é garantir que a constitucionalidade da lei ou ato normativo não seja questionada por outras ações. É um dos instrumentos do que os juristas chamam de "controle concentrado de inconstitucionalidade das leis". A própria norma é colocada à prova. O oposto disso seria o "controle difuso", em que a constitucionalidade de uma lei é confirmada em ações entre pessoas (e não contra leis), em que a validade da norma é questionada para, se for o caso, ser aplicada ou não a uma situação de fato. Uma outra forma de controle concentrado é a Ação Direta de Inconstitucionalidade. Somente podem propor uma ADC: presidente da República; Mesa da Câmara dos Deputados; Mesa do Senado Federal; procurador-geral da República. Não pode haver intervenção de terceiros no processo e, uma vez proposta a ação, não se admite desistência. O julgamento da Ação Declaratória de Constitucionalidade (ADC) é competência privativa do Supremo Tribunal Federal (STF). Se julgada improcedente, o STF declarará a inconstitucionalidade da norma ou do ato. Uma vez proclamada a constitucionalidade em uma Ação Declaratória de Constitucionalidade (ADC), será julgada improcedente eventual Ação Direta de Inconstitucionalidade (ADIn) contra a mesma lei ou ato normativo. Contra a decisão que declarar a constitucionalidade em ADC não cabe recurso de qualquer espécie. Cabem apenas Embargos Declaratórios. (Ver: ADIn.)

***ADDENDA* —** [Latim]. Expressão que significa que se deve juntar. O que se deve acrescentar.

ADENSAMENTO — O mesmo que densificação. Tornar denso. Incentivar a ocupação de pessoas ou negócios.

ADEPÇÃO — Tomada de posse de um benefício ou vantagem.

ADEPTO — Aquele que adere a uma seita, doutrina, opinião, movimento, grupo etc.; admirador.

ADEQUAÇÃO AO USO — É um aspecto da definição da qualidade, significando também ausência de defeitos.

ADESÃO — É o ato pelo qual um Estado soberano formaliza a participação em um tratado ou em uma convenção internacional.

ADÉSPOTA — Terreno que não está sob domínio ou posse.

ADIANTAMENTO — 1) É um processamento especial da despesa pública, através do qual se coloca o numerário à disposição de um funcionário ou servidor, a fim de dar-lhe condições de realizar gastos. 2) Antecipações ou pagamentos próprios ou de terceiros, feitos antes que as obrigações estejam vencidas.

ADIANTAMENTO DA LEGÍTIMA — Doação de bens feita pelos pais aos filhos, que a lei considera pagamento antecipado da legítima.

ADIANTAMENTO DE CONTRATO DE CÂMBIO (ACC) — Operação de crédito realizada pelos bancos comerciais, através da carteira de câmbio, com exportadores. Trata-se de uma forma de financiamento utilizada por empresas exportadoras, através da qual elas recebem recursos antecipados, que são utilizados no financiamento da produção. Nesse tipo de contrato, o banco concede ao exportador uma antecipação, parcial ou total, dos reais (R$) equivalentes à quantia em moeda estrangeira comprada a termo desses exportadores, pelo banco. (Ver: ACE // Adiantamento sobre Cambiais entregues.)

ADIANTAMENTO SOBRE CAMBIAIS ENTREGUES (ACE) — Conceito semelhante ao do Adiantamento de Contrato de Crédito (ACC). A diferença é que a antecipação de capital ocorre quando a mercadoria já está pronta e embarcada, podendo ser solicitada em até 60 dias após o embarque. (Ver: ACE // Adiantamento de Contrato de Câmbio.)

ADICIONAL DA REMUNERAÇÃO — Valor acrescido à remuneração do empregado, em decorrência de determinadas peculiaridades de seu trabalho.

ADICIONAL DE INSALUBRIDADE — Valor que obrigatoriamente é acrescido à remuneração do empregado, em face das condições insalubres nas quais desempenha sua função. Terão direito ao adicional, entre 10 e 40% do salário mínimo, aqueles que trabalham em ambiente que pode causar danos à saúde. A existência desse dano e o grau de intensidade, que serve para o cálculo adicional, são avaliados por peritos.

ADICIONAL DE PERICULOSIDADE — Valor que obrigatoriamente é acrescido à remuneração do empregado, em face de danos que possam surgir à sua saúde decorrentes de sua função. Terão direito ao adicional de 30% do valor do salário, aqueles que trabalham com combustíveis, explosivos, inflamáveis ou eletricidade.

ADICIONAL NOTURNO — Valor acrescido à remuneração do empregado que realiza trabalho noturno. Terá direito ao adicional de pelo menos 20%, o empregado que trabalha em horário noturno, assim considerado das 22h às 05h. Para o trabalhador rural, o adicional é de 25% (na agricultura, o horário noturno é das 21h às 05h e na pecuária, das 20h às 4h).

ADICIONALIDADE — Termo utilizado nos projetos para a redução das emissões de gases do efeito estufa mediante a conservação de florestas; refere-se aos efeitos benéficos adicionais da conservação, no sentido de evitar novas emissões do dióxido de carbono e de outros gases.

ADIDO — Membro de corpo diplomático de graduação menor, que serve nas embaixadas, consulados, como auxiliar, sob as ordens do respectivo titular.

ADIMPLEMENTO DA OBRIGAÇÃO — Cumprimento da obrigação, acarretando sua extinção. Exemplos: compensação, novação, pagamento, comissão, remissão.

ADIMPLENTE — Aquele que cumpre obrigação assumida. (Ver: Inadimplente.)

ADIn (AÇÃO DIRETA DE INCONSTITUCIONALIDADE) — Ação que tem por finalidade principal a declaração de inconstitucionalidade de lei ou ato normativo federal, estadual ou municipal, ou seja, contraria a Constituição Federal e Estadual. Em outras palavras, é a contestação direta da própria norma em tese. A ADIn é um dos instrumentos daquilo que os juristas chamam de "controle concentrado de constitucionalidade das leis", da análise de situações concretas. A Constituição Federal de 1988 e as Constituições dos Estados ampliaram o rol dos que possuem a titularidade para propositura dessa ação. Será proposta perante o Supremo Tribunal Federal quando se tratar de inconstitucionalidade de lei ou ato normativo federal ou estadual perante a Constituição Federal, ou será proposta perante os Tribunais de Justiça dos Estados quando se tratar de inconstitucionalidade de lei ou ato normativo estadual ou municipal perante as Constituições Estaduais. Na esfera federal somente podem propor essa ação: presidente da República; Mesa do Senado Federal; Mesa da Câmara dos Deputados; Mesa da Assembléia Legislativa ou da Câmara Legislativa do Distrito Federal, governador de Estado ou do Distrito Federal; procurador-geral da República; Conselho Federal da Ordem dos Advogados do Brasil; Partido político com representação no Congresso Nacional; Confederação sindical ou entidade de classe no âmbito nacional. Se julgada improcedente, a Corte declarará a constitucionalidade da lei ou do ato normativo. Uma vez proclamada a inconstitucionalidade em ADIn, será improcedente a Ação Declaratória de Constitucionalidade contra a mesma norma. Contra a decisão que declara a inconstitucionalidade em ADIn não cabe recurso de qualquer espécie. Cabe apenas Embargos Declaratórios. A decisão que declarar a inconstitucionalidade de uma lei ou ato normativo tem eficácia genérica, válida contra todos e obrigatória. A lei também diz que se gera o efeito vinculante em relação aos órgãos do Poder Judiciário e à Administração Pública Federal, Estadual e Municipal, que não podem contrariar a decisão. A decisão em ADIn ocorrem efeitos retroativos, ou seja, quando a lei, ou ato normativo, é declarada inconstitucional, perde o efeito desde o início de sua vigência. A decisão em ADIn passa a surtir efeitos imediatamente, salvo disposição em contrário do próprio Tribunal, ou seja, a Corte poderá restringir os efeitos da declaração de inconstitucionalidade ou decidir que ela só tenha eficácia a partir do trânsito em julgado ou um outro momento a ser fixado, quando a segurança jurídica ou excepcional interesse social estiverem em jogo. Quando houver pedido de medida cautelar em ADIn, só poderá haver concessão pela maioria absoluta dos membros que compõem a Corte. Somente em casos de excepcional urgência, a cautelar poderá ser deferida sem que sejam ouvidas as autoridades de quem emanou a lei ou ato normativo. (Ver: ADC // Maioria absoluta.)

ADITAMENTO — É o acréscimo de informação a um documento com a finalidade de complementação ou esclarecimento. Exemplos: o acréscimo de novas cláusulas, ou modificações das existentes, a um texto de contrato; aditamento do pedido pelo autor, antes da citação; aditamento da queixa. (Ver: Contrato Administrativo - Termo aditivo // Denúncia, Aditamento da // Petição inicial, Aditamento à.)

ADITAMENTO DA DENÚNCIA — Ver Denúncia, Aditamento da.

ADITIVIDADE — Propriedade dos sistemas lineares, pela qual o efeito total pode ser obtido pela soma dos efeitos parciais.

ADITIVO — Que se adita; adicional. O que se adicionou intencionalmente para modificar determinadas características do principal. (Ver: Contrato administrativo - Termo aditivo.)

ADIUDICATIO — [Latim]. Expressão que significa adição.

ADJUDICAÇÃO — 1) No processo licitatório, é ato da autoridade competente ou delegada, que elege licitante vencedor, para fornecimento de material, ou execução de obras e serviços, objeto da licitação. O contrato será celebrado somente após a adjudicação e/ou homologação. 2) Processo através do qual se passa uma procuração a uma terceira parte, um agente fiduciário, dando-se amplos direitos de liquidar seus ativos para satisfazer as reivindicações de credores. 3) Ato judicial do processo de execução pelo qual a propriedade de uma coisa penhorada ou de seus rendimentos é transferida de uma pessoa ou empresa para seu credor por falta de pagamento. 4) Ato judicial em que o credor recebe a coisa penhorada em pagamento de seu crédito. Só cabe se na praça ou leilão não houve nenhum licitante. Difere de arrematação, pelo fato de que nesta a transferência se faz depois do leilão determinado pela autoridade judiciária competente. A adjudicação pode se referir tanto a bens quanto a rendimentos. (Ver: Arrematação // Licitação pública - Adjudicação.)

ADJUDICAÇÃO COMPULSÓRIA — Ato decorrente de decisão judicial sobre bens compromissados e quitados, em casos de impugnação ou dúvida sobre o respectivo registro. Ex.: Cabe ao compromissário de terreno comprado à prestação, cujo pagamento foi integralizado, mover ação contra o promitente que se recusa a dar escritura definitiva para que lhe outorgue, ou seja, em caso contrário, o lote adjudicado ao adquirente por via judicial.

ADJUDICAÇÃO, AÇÃO DE — Na ação de adjudicação, o autor pede ao juiz que declare que a propriedade de uma coisa lhe seja transferida. A sentença concessiva substitui o título que é recusado.

ADJUDICAR — Arrogar a si; atribuir-se; arrogar-se. (Ver: Adjudicação.)

ADJUNÇÃO — É o exercício de atribuições específicas de professor ou especialista de educação junto a escolas, outros órgãos ou entidades de ensino não integrantes da rede pública.

ADLIC — É uma modalidade de operação financeira, com duração de um dia, em que se aplica dinheiro a uma taxa estabelecida em comum acordo com as partes.

ADMINÍCULO — Elemento de prova indireta apenas para complementar outra. Principal prova ou meio de prova indireta.

ADMINISTRAÇÃO — Do latim *ad* (direção, tendência para) e *minister* (subordinação ou obediência), designa o desempenho de tarefas de direção dos assuntos de um grupo.

ADMINISTRAÇÃO (GERÊNCIA) — São os atos de administração praticados pelos agentes públicos, com maior ou menor autonomia funcional, segundo a competência do órgão em que atuam e atribuições dos respectivos cargos e funções, nos termos da lei. Os agentes públicos - como criaturas da lei - só podem atuar (administrar) no estrito cumprimento do que as normas legais estabelecem (só podem fazer o que a lei manda), diferentemente do que ocorre com os cidadãos e entes privados - como entes titulados com direitos fundamentais pela lei -, que podem fazer tudo o que a lei não proíbe.

ADMINISTRAÇÃO (PODER EXECUTIVO) — É a forma apropriada de designar a estrutura do Poder Executivo que se envolve na implementação de políticas públicas e na produção de resultados de interesse da sociedade. Empregado nessa acepção, o termo não inclui os demais Poderes do Estado. Seu uso como sinônimo de Governo deve ser considerado impróprio, visto que o termo *Governo* deve ser usado para designar a atuação integrada dos vários Poderes em que se organiza o Estado. Como forma de expressar o período de tempo que alguém governou, o termo *Administração* é muito mais apropriado do que o termo *Governo*.

ADMINISTRAÇÃO ATIVA — Estratégia para se administrar um fundo de investimento, na qual o gestor compra e vende ações tentando obter uma rentabilidade que supere a do índice estabelecido como referência.

ADMINISTRAÇÃO DE ATIVOS — É a administração dos papéis presentes nos fundos de investimento. O administrador analisa os ativos financeiros e, em função da rentabilidade e do risco de cada um, escolhe os mais adequados ao perfil do fundo e ao horizonte temporal do investidor.

ADMINISTRAÇÃO DE CARTEIRA — Tarefa delegada a sociedades corretoras e a bancos de investimentos, por procuração, para decidir sobre movimentações no mercado financeiro de uma carteira de títulos e valores mobiliários.

ADMINISTRAÇÃO DOS BENS DOS MENORES — Aos pais compete a administração dos bens dos menores, enquanto eles estiverem sob o poder familiar. Quando órfãos, aos tutores, que ficam obrigados à prestação de contas de sua administração, nos períodos determinados pela lei civil; quando interditados, aos curadores. (Ver: Poder familiar.)

ADMINISTRAÇÃO FINANCEIRA — Conjunto de ações realizadas para gerenciar as finanças públicas ou privadas.

ADMINISTRAÇÃO PASSIVA — Estratégia para se administrar um fundo de investimento, na qual o gestor do fundo investe em ações buscando acompanhar o índice previamente definido (*benchmark*). Desse modo, o retorno do fundo será correspondente a, aproximadamente, o retorno do índice escolhido.

ADMINISTRAÇÃO PÚBLICA — Conjunto de todos os órgãos públicos instituídos legalmente para a realização dos objetivos constitucionais do governo, seja na esfera federal, seja na estadual ou na municipal, através da prestação de serviços, execução de investimentos, implementação de programas sociais e regulação de atividades de toda natureza em benefício do interesse público. É integrado pelos servidores públicos e deve atuar segundo os princípios de legalidade, impessoalidade, moralidade, publicidade e razoabilidade. Difere do conceito de governo, pois, ao contrário deste, não desenvolve atividade política, e sim atos administrativos, visando a execução instrumental da ação governamental. Recebe também a designação de Poder Executivo, quando se busca dar significado à responsabilidade constitucional para execução da ação governamental. A Administração Pública é classificada em Administração Pública Direta e Indireta.

ADMINISTRAÇÃO PÚBLICA DIRETA — Estrutura administrativa do ente público, incluídos os fundos e excluídas as autarquias, empresas públicas, sociedades de economia mista e fundações. É o conjunto de órgãos sem personalidade jurídica própria e que se integram à estrutura administrativa de qualquer dos poderes dos entes da Federação (União, Estados, Distrito Federal e Municípios). Não possuem patrimônio e não se auto-administram e suas despesas são realizadas diretamente através do orçamento da esfera de governo que integram, como, por exemplo, secretarias, departamentos, seções, setores e coordenadorias. (Ver: Administração Pública // Administração Pública Indireta.)

ADMINISTRAÇÃO PÚBLICA INDIRETA — São os órgãos dotados de personalidade jurídica própria, pública ou privada, que, embora vinculados à administração direta, dela se destacam por terem sido criados para a consecução descentralizada de um objetivo específico do ente público, como as autarquias, as fundações públicas, as empresas públicas e as sociedades de economia mista. As entidades compreendidas na administração indireta vinculam-se ao Ministério ou Secretaria em cuja área de competência estiver enquadrada sua principal atividade. Estão, ainda, vinculadas indiretamente à esfera governamental que integram, possuem patrimônio e se auto-administram, segundo a legislação da entidade que as criou, e suas despesas são realizadas através de orçamento próprio. Na prática, os créditos orçamentários para a administração indireta constam do orçamento da esfera de governo a que se vinculam e seus orçamentos são previamente aprovados por decreto do chefe do Poder Executivo. (Ver: Administração Pública // Administração Pública Direta.)

ADMINISTRAÇÃO, PRÁTICAS DE — Ver Práticas de administração.

ADMINISTRAÇÃO, SETE DOENÇAS MORTAIS DA — Segundo Deming, especialista em qualidade, a maioria das empresas ocidentais padece das seguintes "doenças mortais": as doenças que as incapacitam - a) falta de constância de propósito; b) ênfase nos lucros em curto prazo; c) avaliação de desempenho, classificação por mérito ou revisão anual; d) mobilidade da administração; mudança de emprego; e) administração somente pelo uso de números visíveis, com pouca ou nenhuma consideração aos números desconhecidos ou impossíveis de conhecer. Além dessas, Deming acrescenta as seguintes "doenças" especificamente para as empresas norte-americanas: f) custo excessivo com assistência médica; g) custos excessivos de garantia, alimentados pelos advogados que conseguem subsistir só com a taxa que recebem.

ADMINISTRADOR DE CARTEIRA — É o profissional de mercado responsável pela gestão, administração e controle de uma carteira diversificada de títulos (portfólio).

ADMINISTRADOR DE CONTA — É o técnico na área de administração de carteira de uma instituição financeira que detém o poder decisório sobre movimentações de uma ou várias carteiras ou contas de clientes.

ADMINISTRADOR JUDICIAL — É aquele nomeado pelo juiz quando é decretada a falência ou deferido o processamento da recuperação judicial que assumirá atribuições administrativas na condução do processo sob a fiscalização do juiz e pelo comitê de credores. O administrador judicial deve ser um profissional idôneo, preferencialmente advogado, economista, administrador de empresas ou contador, ou pessoa jurídica especializada. Na recuperação judicial, a função principal do administrador judicial é a de fiscalizar as atividades do devedor e o cumprimento do plano de recuperação judicial deferida pelo juiz, haja vista que, em tal situação, não há, necessariamente, o afastamento do devedor de suas atividades. Já na falência, as atribuições do administrador judicial aumentam, pois nesse caso há o afastamento do falido da administração de seus bens, passando aquele a representar a massa falida do devedor. Pela atividade desempenhada, o administrador judicial faz jus a uma remuneração a ser fixada pelo juiz, que estipulará o valor e a forma de pagamento da mesma, observados a capacidade de pagamento do devedor, o grau de complexidade do trabalho e os valores praticados no mercado para o desempenho de atividades semelhantes. Tal remuneração, contudo, não poderá exceder a 5% (cinco por cento) do valor devido aos credores submetidos à recuperação judicial ou do valor de venda dos bens na falência; e será paga pelo devedor ou pela massa falida. (Lei nº 11.101, de 09.02.2005 / Lei de Falência e Recuperação – LFR.)

ADMINISTRADOR PÚBLICO — Pessoa com autoridade para gerir negócios públicos.

ADMINISTRAR — Significa planejar, dirigir, organizar, coordenar e controlar organizações e/ou tarefas, tendo como objetivo maior produtividade e/ou lucratividade. Para se chegar a isto, o administrador avalia os objetivos organizacionais e desenvolve as estratégias necessárias para alcançá-los. Este profissional, no entanto, não tem apenas função teórica; ele é responsável pela implantação de tudo o que planejou e, portanto, vem a ser aquele que define os programas e métodos de trabalho, avaliando os resultados e corrigindo os setores e procedimentos que estiverem com problemas.

ADMISSIBILIDADE — Análise dos pressupostos de constitucionalidade e juridicidade e de adequação financeira e orçamentária.

ADMISSÍVEL — Diz-se daquilo que merece apoio legal e que, por isso, deve ser admitido.

ADMONIÇÃO — Repreensão, advertência, aviso. Originariamente, repreensão eclesiástica, ou admonitória. Na terminologia forense, admonição é a repreensão ou advertência feita pelo juiz a pessoas malcomportadas durante a audiência. Com efeito, cabe ao juiz, no exercício de seu poder de polícia, admoestar (daí, admonitório) as partes, advogados, testemunhas e, mesmo, serventuários que não se conduzirem condignamente no processo. No plano do Direito Penal, mais especificamente no Processo Penal, fala-se em audiência admonitória quando o réu, beneficiado pela suspensão condicional da pena, é advertido em audiência pelo juiz da condenação sobre as conseqüências da prática de nova infração penal.

ADN — Ver DNA.

ADOÇÃO — 1) Na linguagem jurídica tem o sentido de admissão. Admitir a prática de determinada forma para a execução de um ato, ou aceitação de uma prova para regular a execução de uma medida. Ato jurídico, solene, pelo qual uma pessoa maior de 18 anos, independentemente de estado civil, adota como filho uma criança ou adolescente com menos idade, observada a diferença mínima de idade entre elas definida na legislação, que atualmente é de 16 anos. A adoção atribui a condição de filho ao adotado, com os mesmos direitos e deveres, inclusive sucessórios, desligando-o de qualquer vínculo com pais e parentes, salvo os impedimentos matrimoniais. O adotando deve contar com, no máximo, 18 anos à data do pedido, salvo se já estiver sob a guarda ou tutela do adotante. Segundo a Lei Federal 8.069, de 1990 - Estatuto da Criança e do Adolescente (ECA) -, filhos adotivos têm os mesmos direitos de filhos naturais. A adoção é irrevogável e só pode ocorrer por decisão judicial. Pela lei, o fato de uma família ser pobre não é motivo para que os pais tenham que abrir mão de seu direito de criar os filhos. O ECA também prevê um período de convivência da criança com a família adotiva. Outro passo a ser destacado é que a criança deve ser sempre ouvida. A adoção por ambos os cônjuges ou companheiros poderá ser formalizada, desde que um deles tenha completado 18 anos de idade, comprovada a estabilidade da família e mantida a diferença de 16 anos entre adotantes e adotado. A adoção de brasileiros por estrangeiros só deve acontecer em caráter excepcional. O ECA está de acordo com a Convenção das Nações Unidas sobre Direitos das Crianças que afirma que a adoção só deve ser permitida caso atenda aos interesses da criança, com autorização final das autoridades competentes. 2) Decisão tomada por um indivíduo de tornar-se usuário regular de um produto.

ADOLESCÊNCIA — Segundo o Estatuto da Criança e do Adolescente (ECA), a adolescência começa aos 12 e vai até os 18 anos, quando acontecem diversas mudanças físicas, psicológicas e comportamentais. Alguns psicólogos dividem a adolescência em quatro fases: pré-adolescência (10 a 12 anos), primeira adolescência (13 a 15 anos), média adolescência (16 a 18 anos) e última adolescência (19 a 21 anos). Como, biologicamente, é difícil precisar quando começa e termina a adolescência, o ECA optou pelo critério etário que não implica juízo sobre maturidade, capacidade ou discernimento.

ADOLESCENTE — Ver Adolescência.

ADOLESCENTE EM CONFLITO COM A LEI — Pessoa de idade acima de 12 e abaixo de 18 anos que pratica ato infracional. Substitui o termo "menor infrator", buscando definir a situação em que o adolescente se encontra, em vez de desqualificá-lo e marginalizá-lo. (Ver: Inimputável // Instituição de privação de liberdade.)

ADOTANTE — 1) Público alvo de uma intervenção social que se beneficiará dos resultados de uma prática adotada. 2) É o indivíduo que adotará os produtos sociais ofertados. 3) Pessoa maior de 18 anos que adota como filho uma criança ou adolescente. (Ver: Adoção.)

ADOTANTE PRIMÁRIO — Aquele que o programa deseja que, efetivamente, adote novas práticas sociais.

ADOTANTE SECUNDÁRIO — Aquele que influencia, diretamente, a população adotante primária (promotores sociais, familiares, pessoas influentes na comunidade).

ADOTANTE TERCIÁRIO — Responsável pela tomada de decisões; responsável pela criação de um ambiente estrutural favorável; fontes de apoio financeiro e outros que possam contribuir para o sucesso do programa.

ADOTANTES IMEDIATOS — São consumidores que estão em busca de novos produtos, sendo geralmente líderes de opinião.

ADQUIRENTE — Pessoa que adquire, para si ou para terceiros, determinados direitos. Por exemplo: aquisição de um bem imóvel por meio de contrato de compra e venda.

ADR — Ver *American Depositary Receipts.*

ADR RATIO — Expressa a relação existente entre os ADRs e as ações no país de origem. No Brasil, alguns bancos adotam a relação de 1(ADR) para 500 (ações preferenciais - PN). (Ver: *American Depositary Receipt.*)

ADROGATIO — [Latim]. Expressão que significa arrogação; atribuição.

ADSORÇÃO — É a aquisição e retenção de uma substância na superfície de outra.

ADUANA — É o mesmo que alfândega. Local em que são fiscalizados e, se for o caso, tributados os produtos que entram ou saem de um país.

ADUBO ORGÂNICO — Resíduo animal ou vegetal que se mistura ao solo para fertilizá-lo.

ADULTERAÇÃO — Mudança e/ou alteração de modo irregular, com a finalidade de tornar irreconhecível a situação anterior.

ADULTERINO — Proveniente de união entre duas pessoas de sexo oposto, ambas (ou pelo menos uma delas) casadas com outro cônjuge; filho adulterino, proveniente de adultério. O antigo Código Civil, que impedia o reconhecimento de filhos incestuosos e os adulterinos, foi expressamente revogado pela Lei nº 7.841, de 1989.

ADULTÉRIO — A palavra Adultério derivou da expressão latina *ad alterum torum,* que significa, literalmente, *na cama de outro(a),* que designava a prática da infidelidade conjugal e com o tempo se estendeu ao sentido de fraudar ou falsificar do verbo "adulterar". O adultério, como "ato de se relacionar com terceiro na constância do casamento", é considerado uma grave violação dos deveres conjugais por quase todas as civilizações de quase toda a história. Nos tempos atuais, esta violação ainda é punível severamente, inclusive com pena de morte, em algumas partes do mundo, e em outras, principalmente na civilização ocidental mais brandamente, está em vias de se tornar mera reprovação, embora ainda se constitua em causa eficiente para o divórcio ou dissolução do casamento. No Brasil, a Lei nº 11.106, de 20.3.2005, revogou o art. 240 do Código Penal, de 1940, desaparecendo com isso o crime de adultério, que tinha por objeto jurídico a tutela penal, a organização jurídica da família e do casamento. A modificação atualizou o Código Penal de modo a colocá-lo em consonância com as recentes disposições trazidas pelo novo Código Civil (Lei nº 10.406, de 10.1.2002), e, sobretudo, pelos costumes, fontes primárias da Ciência e do Direito. O casamento e a família encontram outras formas de proteção no ordenamento jurídico, a exemplo do que ocorre no art. 1566, inc. I, do novo Código Civil, que determina o dever de fidelidade recíproca entre os cônjuges. O novo Código Civil aceita o adultério como motivo de dissolução do casamento, embora sejam freqüentes pedidos de indenizações por danos morais em processos cíveis. O adultério é motivo para separação. Os adúlteros poderão casar-se, o que não ocorria antes do novo Código.

ADUTORA — Tubulação normalmente sem derivações que liga a captação ao tratamento da água, ou o tratamento à rede de distribuição.

ADVECÇÃO — Movimentos laterais de massa de material do manto terrestre. Esse mecanismo foi proposto para explicar as movimentações transcorrentes, por meio de falhas transformantes, verificadas ao longo das cadeias mesoceânicas.

ADVERTÊNCIA — Ver Servidor público - Repreensão.

ADVOCACIA — *Munus,* ofício público. Profissão liberal, exercida por pessoa devidamente habilitada por diploma e exigências da Ordem dos Advogados do Brasil, que patrocina ou pleiteia direitos de terceiros em juízo ou fora dele, mediante cobrança de honorários.

ADVOCACIA ADMINISTRATIVA — Servidor Público - Advocacia Administrativa.

ADVOCACIA-GERAL DA UNIÃO — Instituição que representa os interesses da União em questões judiciais e extrajudiciais. Presta ainda assessoria jurídica e consultoria ao Poder Executivo da União. Os membros da carreira são advogados da União, procuradores da Fazenda Nacional e assistentes jurídicos. O chefe da instituição é o Advogado-Geral da União.

ADVOCACY — Não significa advocacia, e sim suscitar temas em fóruns públicos e oferecer informação para um amplo leque de formadores de opinião e responsáveis pela tomada de decisões. O objetivo é gerar entendimento do assunto. O trabalho de *advocacy* pode compreender o *lobby,* que é tentar convencer uma audiência definida, normalmente parlamentares, a apoiar determinados aspectos doutrinários e linhas de ação.

ADVOGADO — Do latim *advocatu, de ad,* para junto, e *vocatus,* chamado, invocado, ou seja, aquele que é chamado para ajudar. É o bacharel em Direito devidamente inscrito na OAB, apto a atuar em juízo. Sua função é orientar e patrocinar aqueles que têm direitos ou interesses jurídicos. (Ver: Bacharel em Direito.)

ADVOGADO CONSTITUÍDO — Aquele que é contratado por alguém para defender seus interesses em atividades privativas de advocacia.

ADVOGADO DATIVO OU ASSISTENTE JUDICIÁRIO — É o advogado nomeado pelo juiz para propor ou contestar ação civil, mediante pedido formal da parte interessada que não possui condições de pagar as custas do processo ou os honorários do advogado. Na esfera penal, é o nomeado ao acusado que não tem defensor, ou, tendo-o, este não comparecer a qualquer ato do processo. (Ver: Defensor dativo // Dativo.)

ADVOGADO MILITANTE — Profissional que está exercendo sua profissão, que está em atividade profissional.

ADVOGADO-GERAL DA UNIÃO — Ver Advocacia-Geral da União.

AERAÇÃO — É a reoxigenação da água com ajuda do ar. Ato ou efeito de arejar; renovação de ar; passagem forçada de ar, através de uma solução, de um banho ou de outro sistema, com o objetivo de aumentar-lhe o teor de oxigênio ou expulsar gases indesejáveis.

AERÓBICO — É o organismo que pode viver e crescer somente na presença de oxigênio. Pertencente ou induzido por organismos aeróbicos.

AEROBIOSE — Condição de vida em presença do oxigênio livre.

AEROFOTOGRAMETRIA — Fotogrametria aérea. Levantamento topográfico aéreo. Processo de mapeamento por fotos aéreas oblíquas ou verticais em relação ao solo que permitem obter medidas e confeccionar mapas mais precisos e detalhados da superfície terrestre. A combinação de fotos aéreas de determinada região com certas medições de apoio realizadas em terra oferece uma visão tridimensional do terreno a ser analisado.

AEROSSOL — Qualquer nuvem de partículas muito pequenas, em suspensão no ar ou num gás; as partículas podem ser líquidas, como as que constituem o nevoeiro, ou sólidas, como as de poeira.

AEROVIA — Espaço aéreo controlado, em forma de corredor, cujo eixo de simetria passa na vertical de dois pontos, com ou sem auxílio de rádio, determinado no solo ou na água e cujas dimensões laterais e verticais são fixadas pela organização competente.

AFASTAMENTO TEMPORÁRIO DO LAR OU DA MORADA DO CASAL — O pedido de afastamento serve para que, como o próprio nome diz, um dos cônjuges possa se afastar do lar. O pedido é uma medida cautelar. Semelhante ao de Separação de Corpos, com algumas diferenças de cunho jurídico. (Ver: Separação de Corpos.)

AFEIÇÃO — Afeto, simpatia profunda.

AFEIDOMIA OU AFIDOMIA — Caráter da pessoa que distribui ou esbanja os próprios bens, sem promover nenhuma reserva.

AFERIÇÃO — Conjunto de operações que estabelece, em condições específicas, a correspondência entre os valores indicados por um instrumento de medir, ou por um sistema de medição ou por uma medida materializada e os valores verdadeiros convencionais da grandeza medida. Procedimento metrológico em que se verifica e registra a relação entre o valor observado e o correspondente valor fornecido por um padrão apropriado de mesma natureza, rastreado a padrões reconhecidos por órgão oficial.

AFERIR — Avaliar ou julgar comparando.

AFETAÇÃO — É a atribuição a um bem público ou privado de sua destinação específica. É a característica de bem público de uso comum do povo ou de uso especial; impede sua alienação e sua destinação para outro fim. Meios explícitos: a) Lei - desapropriação por lei; b) Ato administrativo - desapropriação por decreto, construção de um memorial; c) Registro de loteamento. Meio implícito: dá-se quando o poder público passa a utilizar um bem para certa finalidade, sem manifestação formal, pois é uma conduta que mostra o uso do bem. Ex.: um terreno de um loteamento que está destinado à construção de uma escola não pode ter outro uso, como praça, *play-ground* etc. (Ver: Desafetação.)

AFETADO — Qualquer pessoa que tenha sido atingida ou prejudicada por evento (deslocado, desabrigado, ferido etc.).

AFETIVIDADE — Ver afeto.

AFETO — É o conjunto de fenômenos psíquicos que se manifestam sob a forma de emoções, sentimentos e paixões, acompanhados sempre da impressão de dor ou prazer, de satisfação ou insatisfação, de agrado ou desagrado, de alegria ou tristeza.

AFFIDAVIT — [Latim]. Expressão que significa afirmação ou confirmação; declaração jurada (Direito Tributário).

AFFIRMANS PROBAT — [Latim]. Expressão que significa "quem afirma, prova".

AFINIDADE — 1) Semelhança ou coincidência de gostos ou de sentimentos. 2) Parentesco que se forma, com o casamento, entre cada um dos cônjuges e os parentes do consorte. Exemplo: os irmãos da mulher são parentes (cunhados), por afinidade, do marido. Cada cônjuge é ligado aos parentes do outro pela afinidade.

AFLIÇÃO — Desespero intenso. Sentimento de significativa perda, pesar.

AFLORAMENTO — Parte de um maciço ou camada de rocha, ou de minério, que chega à superfície do solo de forma natural ou pela ação do ser humano.

AFLUENTE OU TRIBUTÁRIO — Qualquer curso d'água que deságua em outro maior, ou num lago, ou lagoa.

AFOGAMENTO — É a asfixia mecânica causada pela penetração de líquido (qualquer líquido) nos pulmões.

AFOITO — Corajoso, sem medo, ousado.

AFORAMENTO — Relação perpétua, definida em lei, que pode ser estabelecida tanto por contrato quanto por determinação de última vontade, pela qual o proprietário do imóvel transfere a alguém o domínio útil deste, devendo o adquirente pagar uma pensão anual ao transmitente, a qual é denominada de foro. (Ver: Laudêmio // Enfiteuse.)

AFORISMO — Máxima; brocardo; adágio; enunciado que, de maneira concisa, apresenta um pensamento com sentido, que se aceita como verdade jurídica. Não se confunde com axioma.

AFTER MARKET — Sistema eletrônico de negociação disponível para os clientes de corretoras associadas à BOVESPA. Permite a negociação de ações no horário das 19 às 22 horas. A Bolsa determina valores por operação e limites de oscilação para as ações negociadas neste período.

AGE — Ver Assembléia Geral Extraordinária.

AGÊNCIA BRASILEIRA DE COOPERAÇÃO (ABC) — Órgão do Ministério das Relações Exteriores responsável pelas atividades de cooperação técnica com outros países.

AGÊNCIA BRASILEIRA DE INTELIGÊNCIA — Ver ABIN.

AGÊNCIA DE EMPREGO — 1) Organização especializada em promover o recrutamento de empregados para todos os níveis de emprego. 2) Departamentos vinculados às Secretarias Estaduais e Municipais de Trabalho.

AGÊNCIA DE FOMENTO — Instrumento de apoio a organizações empresariais para financiamento de capital fixo e de giro, prestação de garantias, realização de operações especiais de investimento, prestação de serviços de assessoria e consultoria financeira, estímulo à produção regional e assistência à implementação de projetos de desenvolvimento industrial. Deve ser constituída sob a forma de sociedade anônima de capital fechado e estar sob o controle do ente da Federação, sendo que cada unidade só pode constituir uma agência. De sua denominação social deve constar a expressão "Agência de Fomento" acrescida da indicação do ente da Federação Controladora. É vedada a sua transformação em qualquer outro tipo de instituição integrante do Sistema Financeiro Nacional. Sob supervisão do Banco Central (BACEN), as agências integram o Sistema Financeiro Nacional.

AGÊNCIA DE TRANSFERÊNCIA DE TECNOLOGIA — Organização responsável pela aplicação do conhecimento científico e tecnológico disponível nos centros de excelência, com a finalidade de suprir as necessidades do setor produtivo para o aumento da produtividade e da competitividade.

AGÊNCIA FINANCEIRA — É a dependência de instituições financeiras autorizadas a funcionar pelo Banco Central do Brasil, destinada à prática das atividades para as quais a instituição esteja regularmente habilitada.

AGÊNCIA INTERNACIONAL — Órgão ou instituição internacional, normalmente de cooperação, ou articulador de cooperação internacional.

AGÊNCIA MULTILATERAL DE GARANTIA DE INVESTIMENTOS (AMGI) — Instituição do grupo do Banco Mundial, criada em 1988, que tem como objetivo encorajar o investimento direto externo nos países em desenvolvimento, para melhorar o nível de vida das populações e reduzir a pobreza. Dá garantias de longo prazo aos investidores por perdas causadas por riscos não comerciais e promove a criação/reforço de capacidades e serviços de aconselhamento para ajudar os países pobres a atrair o investimento externo.

AGÊNCIA NACIONAL DE ÁGUAS — Ver ANA.

AGÊNCIA NACIONAL DE ENERGIA ELÉTRICA — Ver ANEEL.

AGÊNCIA NACIONAL DE SAÚDE SUPLEMENTAR — Ver ANS.

AGÊNCIA NACIONAL DE TELECOMUNICAÇÕES — Ver ANATEL.

AGÊNCIA NACIONAL DE VIGILÂNCIA SANITÁRIA — Ver ANVISA.

AGÊNCIA NACIONAL DO PETRÓLEO — Ver ANP

AGÊNCIAS MULTILATERAIS DE DESENVOLVIMENTO — São instituições constituídas pelos governos nacionais, regionais ou mundiais, que atuam como bancos de desenvolvimento; o BIRD (Banco Mundial ou Internacional de Reconstrução e Desenvolvimento) e o BID (Banco Interamericano de Desenvolvimento) são exemplos de agências multilaterais.

AGÊNCIAS REGULADORAS — São autarquias, criadas por lei, sob regime especial (maior autonomia em relação à administração direta, caráter final de suas decisões, estabilidade de seus dirigentes etc.). Essas agências têm por finalidade promover a regulamentação, a contratação e a fiscalização de segmentos da atividade econômica, em razão de transferências, para a área privada (mediante concessões, permissões e autorizações), da prestação de serviços públicos típicos e da extinção ou diminuição, em algumas áreas, do monopólio estatal. Possuem autonomia administrativa e financeira, capacidade para expedir atos normativos, exercer o poder de polícia e, ainda, competência para elaborar normas próprias sobre licitações e contratos. Desfrutam, ainda, de independência em suas decisões (não podem ser revistas por autoridades a que se subordinam), exercendo, assim, funções quase-legislativas e quase-judiciais e de mediação e arbitragem. (Ex.: Agência Nacional: de Petróleo - ANP; de Energia Elétrica - ANAEEL; de Comunicações - ANATEL.)

AGENDA 21 — Documento aprovado pela comunidade internacional, durante a Conferência Mundial do Meio Ambiente realizada no Rio de Janeiro em 1992 (Rio–92), que contém compromissos para a mudança do padrão de desenvolvimento no século XXI. Resgata o termo "Agenda" no seu sentido de intenções, desígnio, desejo de mudanças para um modelo de civilização em que predomine o equilíbrio ambiental e a justiça social entre as nações. Além de um documento assinado entre os governos de 170 países presentes à Rio–92, a Agenda 21 é um processo de planejamento participativo que analisa a situação atual de um país, estado, município e/ou região, e planeja o futuro de forma sustentável. Esse processo de planejamento deve envolver todos os atores sociais na discussão dos principais problemas e na formação de parcerias e compromissos para a sua solução a curto, médio e longo prazos.

AGENDA 21 LOCAL — Processo participativo multissetorial de construção de um programa de ação estratégico dirigido às questões prioritárias para o desenvolvimento sustentável local. Como tal, deve aglutinar os vários grupos sociais na programação de uma série de atividades no nível local, que impliquem mudanças no atual padrão de desenvolvimento, integrando as dimensões socioeconômicas, político-institucionais, culturais e ambientais da sustentabilidade. Pode ser entendida em diversos níveis, como, por exemplo, no estado, num município, num bairro ou numa escola.

AGENTE — Aquele que age; aquele a quem é atribuída a ação. Pessoa que está à frente de cargos ou desempenha funções como representante do Estado: agente diplomático, agente consular, intermediário de negócios, agente de seguro. Sujeito ativo da infração penal.

AGENTE AGROQUÍMICO — Substância de uso em agricultura, tal como fertilizante, adubo, corretivo, fungicida, pesticida ou outra, usada para melhorar a produtividade e a qualidade das culturas.

AGENTE AUTÔNOMO DE INVESTIMENTO — É a pessoa que se dedica à colocação de títulos, valores e serviços financeiros junto ao público. Deve ser credenciada pelo Banco Central do Brasil e vinculada a uma instituição financeira.

AGENTE BIOLÓGICO DE CONTROLE — Aquele que contém agente microbiano vivo de ocorrência natural, bem como aquele resultante de técnicas que impliquem introdução direta, num organismo, de material hereditário, desde que não envolvam a utilização de moléculas de ácido desoxiribonucléico (ADN) e/ou de ácido ribonucléico (ARN) recombinante ou Organismo Geneticamente Modificado (OGM).

AGENTE DIPLOMÁTICO — É o servidor incumbido de representar, permanentemente, o seu Estado junto ao Estado em que atua.

AGENTE ECONÔMICO — São indivíduos, grupos de indivíduos ou organismos que constituem, do ponto de vista dos movimentos econômicos, os centros de decisão e de ações fundamentais.

AGENTE FIDUCIÁRIO — Criado pela lei nº 6.404, de 1976 (a "Lei das S/A"), é qualquer empresa credenciada pelo Banco Central para, entre outras funções, promover a execução extrajudicial de empréstimos hipotecários vinculados ao SFH.

AGENTE FINANCEIRO — Instituição pública ou privada que faz parte do Sistema Financeiro Nacional. Sua função é coletar, intermediar e aplicar recursos financeiros seus ou de outros, com autorização do Banco Central do Brasil.

AGENTE FISCAL — Assim é chamado o servidor público com a incumbência de fiscalizar e promover a arrecadação das rendas públicas, oriundas das tributações. É também chamado de Inspetor Fiscal e/ou Auditor Tributário.

AGENTE MULTIPLICADOR — Pessoa que participa de processo de formação e assume o desafio de repassar o que aprendeu para outros.

AGENTE NBQ OU AGENTE QBR — Elemento de natureza nuclear, biológica ou química, passível de ser liberado em acidentes ou em desastres tecnológicos ou, ainda, de ser empregado em ações militares. (Ver: Guerra NBQ.)

AGENTE PÚBLICO — É todo aquele que exerce, ainda que transitoriamente, por eleição, nomeação, designação, contratação ou qualquer outra forma de investidura ou vínculo, mandato, cargo, emprego ou função nos órgãos ou entidades da Administração Pública de qualquer dos Poderes ou esferas de governo.

AGENTE PÚBLICO - OBRIGAÇÃO — Os agentes públicos são obrigados a velar pela estrita observância dos princípios de legalidade, impessoalidade, moralidade e publicidade no trato dos assuntos que lhe são afetos.

AGENTE REPRESENTANTE DE CLIENTE — Nome dado ao representante registrado de um ou vários investidores.

AGENTE TÓXICO — Qualquer substância capaz de produzir efeito nocivo a um organismo vivo, desde danos funcionais até sua morte. Qualquer substância que seja potencialmente tóxica.

AGENTES DE DESENVOLVIMENTO — São os diversos organismos públicos e privados que promovem ações de fomento em áreas de atuação afins ou complementares àquelas que são objeto de ação da Financiadora de Estudos e Projetos/FINEP: agências de fomento nacionais e internacionais, bancos de desenvolvimento, fundações de amparo à pesquisa, sistema CNI, IEL, sistema SEBRAE, organizações setoriais de apoio técnico, gerencial ou comercial, instituições financeiras e gestores de fundos de investimento, sindicatos e associações de classe.

AGENTES POLÍTICOS — São os componentes do Governo, nos seus primeiros escalões, investidos em cargos, funções, mandatos ou comissões, por nomeação, eleição, designação ou delegação para o exercício de atribuições constitucionais. Esses agentes atuam com plena liberdade funcional, desempenhando suas atribuições com prerrogativas e responsabilidades próprias, estabelecidas na Constituição e em leis especiais. Não são servidores públicos, nem se sujeitam ao regime jurídico único estabelecido pela Constituição de 1988. Há normas específicas para sua escolha, investidura, conduta e processo por crimes funcionais e de responsabilidade, que lhes são privativas. A Lei nº 8.429, de 2 de junho de 1992, dispõe sobre as sanções aplicáveis aos agentes políticos nos casos de enriquecimento ilícito no exercício do mandato, cargo, emprego ou função na Administração Pública. (Ver: Subsídio a agente político.)

AGER PUBLICUS — [Latim]. Expressão que significa terras de domínio público.

ÁGIO — É a diferença obtida nas operações de câmbio ou de troca entre moedas; ou diferença que se obtém na negociação de papéis de crédito em moeda estrangeira pelo dinheiro do país. Se essa diferença for positiva, existe ágio; se for negativa, deságio. Quando o ágio ultrapassa os limites estabelecidos em lei, tornando-se elemento de trocas clandestinas, os lucros ilícitos são denominados de agiotagem e o beneficiário desses é o agiota.

ÁGIO DE SUBSCRIÇÃO — É o ganho obtido na colocação de ações da própria companhia por valor superior ao nominal ou, no caso de ações sem valor nominal, por valor superior ao que foi destinado à formação do capital social.

AGIOTA — É aquele que empresta dinheiro a juros excessivos em operações ilegais, com o objetivo de obter grandes lucros. No Brasil, somente instituições financeiras podem emprestar dinheiro.

AGIOTAGEM — É a ação do agiota. Especulações ilícitas, que levam à extorsão de lucros imoderados. O agiota se enriquece aproveitando-se de situações desesperadas, para emprestar a juros que a vítima não poderá pagar sem cair cada vez mais sob seu domínio. É o chantagista dos negócios.

AGIR COMO *DEALER* — Diz-se que uma instituição financeira está agindo como *dealer* quando, em operações de *open-market,* compra títulos para a sua carteira própria revendendo a clientes, e ganhando, assim, na diferença de preços.

AGLOMERADO SUBNORMAL — É o conjunto constituído por unidades habitacionais (barracos, casas etc.), ocupando ou tendo ocupado terrenos de propriedade alheia (pública ou particular), dispostas, em geral, de forma desordenada e densa, e carentes, em sua maioria, de serviços públicos essenciais. O que caracteriza um aglomerado subnormal é a ocupação desordenada e, quando de sua implantação, sem posse da terra ou título de propriedade.

AGO — Ver Assembléia Geral Ordinária.

AGRAVADO — Decisão ou despacho. Ofendido. É a parte recorrida no recurso de agravo. Sujeito passivo do recurso de agravo, por oposição ao agravante. Relativo ao ato processual contra o qual é interposto agravo. O juiz *a quo* ou aquele de cuja decisão se recorre (agravo).

AGRAVAMENTO DE RISCO — É uma circunstância posterior à contratação do seguro, que aumenta a probabilidade de ocorrência de sinistro, independentemente ou não da vontade do segurado. A opinião que a seguradora tem sobre a gravidade do risco determina a sua aceitação ou recusa, bem como o montante do prêmio. No decurso de um contrato, toda a modificação - que possa ter incidência sobre esta opinião - deve ser declarada à seguradora, a fim de lhe permitir adaptar o contrato à nova estimativa que faz do risco.

AGRAVANTE — Circunstância acidental que, além da reincidência, contribui para maior gravidade do delito, e que sempre majora a pena, quando não constitui ou qualifica o crime. É a parte que, inconformada com a decisão ou o despacho do juiz, interpõe recurso de agravo.

AGRAVAR — Impetrar o recurso de agravo. Aumentar a gravidade de qualquer acontecimento, com a prática de atos ou circunstâncias que modifiquem a normalidade do fato ou ato.

AGRAVO — Em matéria processual é o recurso no qual se pede a uma instância superior a correção ou modificação de decisões interlocutórias (as que não extinguem o processo) ou contra despacho de juiz ou membro de Tribunal agindo singularmente, ou seja, aquelas tomadas no curso do processo para resolver questões incidentes, e que, justamente por serem proferidas durante o processo, não se confundem com as sentenças, estas impugnáveis por via de apelação. A expressão agravo é genérica, abrangendo duas espécies: agravo retido nos autos e agravo de instrumento. O Agravo normalmente não tem efeito suspensivo. A lei nº 11.187, de 2005, determina que os agravos (recursos de decisões judiciais interpostos no meio do processo) só serão julgados no momento da apelação, salvo em casos de possível lesão irreparável. A racionalização dos agravos é uma etapa importante para garantir a agilidade processual e evitar recursos protelatórios. (Ver: Apelação // Agravo de instrumento // Agravo retido.)

AGRAVO DE INSTRUMENTO — Trata-se de espécie do gênero agravo. É instrumento porque se formam outros autos, outros documentos, extraídos do processo principal em que foi proferida a decisão impugnada. No agravo de instrumento, tão logo interposto o recurso, este processa-se mediante formação do respectivo instrumento em autos apartados, com imediata subida ao Tribunal. Após o pedido de informação, o juiz, se quiser, poderá reformar a decisão. (Ver: Agravo.)

AGRAVO DE PETIÇÃO — Recurso que, embora suprimido no processo civil, continua a existir no processo trabalhista. Cabe das decisões prolatadas no processo de execução, devendo ser interposto no prazo de oito dias, sem efeito suspensivo, cabendo, entretanto, o sobrestamento do feito, se considerado conveniente. Trata-se de um recurso apropriado contra qualquer decisão na execução, após julgamento dos embargos de execução. O agravo exige pagamento de custas dentro de cinco dias, contados do recebimento da notificação.

AGRAVO EM EXECUÇÃO — Recurso previsto na Lei de Execução Penal (Lei nº 7.210, de 1984), cabível contra decisões proferidas em sede de execução e em algumas das hipóteses do art. 581 do Código de Processo Penal.

AGRAVO REGIMENTAL — Espécie de recurso disciplinado no próprio regimento do Tribunal que o adota, daí a denominação. Caberá agravo regimental de decisão do presidente, dos vice-presidentes ou do relator que causar prejuízo ao direito da parte. No âmbito do STF, caberá agravo regimental de decisão do presidente do Tribunal, de presidente de turma ou do relator que causar prejuízo ao direito da parte. A interposição do agravo regimental não terá efeito suspensivo.

AGRAVO RETIDO — Agravo que pode, a requerimento do agravante, permanecer retido nos autos, a fim de que dele conheça o Tribunal, preliminarmente, por ocasião do julgamento da apelação. A parte deverá pedir expressamente, nas razões ou nas contra-razões da apelação, sua apreciação pelo Tribunal; se não o fizer, reputar-se-á renunciado o agravo.

AGRAVO, CARACTERÍSTICAS DO — a) É o recurso contra decisões interlocutórias; b) não obsta ao andamento do processo, nem interfere na eficácia da decisão agravada, ressalvado o disposto no art. 558 da lei 8.038, de 1990; c) deve, sempre, subir ao juízo *ad quem*, salvo quando deserto; d) não esgota o ofício do juiz quanto à decisão agravada, de vez que lhe será dado proferir novo ato decisório, para manter ou reformar a interlocutória que provocou o recurso.

AGRAVO, MINUTA DO — Petição do agravo de instrumento expondo as razões pelas quais se interpõe o recurso de agravo, pedindo reforma da decisão que causou o gravame. Deverá ser instruída, obrigatoriamente, com cópias da decisão agravada, da certidão da respectiva intimação e das procurações outorgadas aos advogados do agravante e do agravado, e, facultativamente, com outras peças que o agravante entender úteis.

AGREGAÇÃO DE VALOR — Processo através do qual um determinado material sofre uma transformação que lhe dá características favoráveis do ponto de vista econômico e/ou social e/ou ambiental. Como exemplo, pode-se citar a transformação do grão de soja em farelo de soja. O valor comercial do farelo é maior do que o valor do grão.

AGREGADO FAMILIAR — Conjunto de pessoas que constitui uma família e que vive sob o mesmo teto e/ou em economia comum.

AGRESSÃO — Reação inconsciente com excesso de raiva, ódio, ímpeto, perversidade ou extrema frieza. Implica a agressividade que é um sentimento decorrente do acúmulo de práticas frustradoras desencadeando conduta hostil.

AGRESSIVIDADE — 1) É o comportamento caracterizado pelo ato de atacar ou marchar à frente, opondo-se à recusa ao combate ou fugir às dificuldades. 2) Disposição para o desencadeamento de condutas hostis, destrutivas, fixada e alimentada pelo acúmulo de experiências frustradoras. 3) Capacidade de um organismo patógeno causar uma doença grave em outro organismo em curto espaço de tempo.

AGRESTE — Área nordestina situada entre o litoral úmido e o sertão semi-árido, a qual ocupa longa faixa que se estende do Rio Grande do Norte aos planaltos da Bahia. No Planalto Borborema, em seus trechos mais elevados, há maior condensação da umidade e, conseqüentemente, formação de chuvas orográficas, originando os brejos.

AGRIBUSINESS — Ver Agronegócio.

AGRICULTURA — Atividade produtiva integrante do setor primário da economia. Caracteriza-se pela produção de bens alimentícios e matérias-primas decorrentes do cultivo de plantas e da criação de animais. Na produção agrícola devem-se considerar três fatores: a terra, o trabalho e o capital. A agricultura pode ser intensiva ou extensiva. (Ver: Agricultura Extensiva // Agricultura Intensiva.)

AGRICULTURA ALTERNATIVA — Métodos agrícolas que normalmente dispensam o uso de fertilizantes ou pesticidas químicos, visando à conservação do solo, bem como a preservação da fauna e da flora. Também conhecida como ecológica, a agricultura alternativa utiliza a policultura, de acordo com o tipo de solo e as condições climáticas.

AGRICULTURA BIOLÓGICA — Conjunto de técnicas de cultura e de métodos de criação de animais, cujo objetivo é preservar a qualidade biológica dos produtos agrícolas e respeitar o equilíbrio natural. Baseia-se na busca de espécies resistentes, com fertilização basicamente orgânica, manejo do solo não-agressivo e uso de biocidas naturais.

AGRICULTURA EXTENSIVA — Agricultura praticada nas grandes extensões dos países em desenvolvimento, onde há terra e falta de mão-de-obra, não sendo prioridade a produtividade por área, mas, sim, o volume da produção.

AGRICULTURA FAMILIAR — Atividade agrícola cuja propriedade e a maior parte do trabalho vêm de indivíduos que mantêm entre si laços de sangue ou de casamento.

AGRICULTURA INTENSIVA — É aquela em que há predomínio de investimentos de capital: dinheiro empregado em salários, máquinas e produtos químicos (fertilizantes e agrotóxicos). Concentra-se em rendimento por unidade de área, sendo utilizada principalmente nos países desenvolvidos.

AGRICULTURA ITINERANTE — Sistema empírico de cultivo do solo – muito comum nas regiões tropicais – que se caracteriza pelo abandono da área quando o solo dá mostras de esgotamento. O lavrador, ao escolher nova área inexplorada, realiza o desmatamento e a queimada da mata e posteriormente instala a lavoura.

AGRICULTURA ORGÂNICA — Cultivo agrícola sem uso de agentes químicos sintéticos.

AGRICULTURA SUSTENTÁVEL — Método agrícola que incorpora técnicas de conservação do solo e de energia, manejo integrado de pragas e consumo mínimo de recursos ambientais e insumos, para evitar a degradação do ambiente e assegurar a qualidade dos alimentos produzidos.

AGRIMENSURA — Arte de medir a superfície dos terrenos e transladá-la ao papel.

AGROECOSSISTEMA — Sistemas ecológicos naturais transformados em espaços agrários utilizados para produção agrícola ou pecuária, segundo diferentes tipos e níveis de manejo. Em muitos casos funcionam como sistemas monoespecíficos para monoculturas, gerando uma série de problemas ambientais.

AGROFLORESTAL — Sistema de cultivo que integra culturas de espécies herbáceas e arbóreas.

AGROFLORESTAS — Sistemas produtivos nos quais a produção de bem(ns) florestal(is) está associada à produção de alimentos para o ser humano. São constituídas numa determinada área, por várias espécies perenes, envolvendo espécies arborescentes madeiráveis (para uso local ou abastecimento de indústrias do setor florestal), espécies frutíferas, condimentares, medicinais, melíferas, café, cacau, espécies de uso múltiplo etc.

AGRONEGÓCIO (*AGRIBUSINESS*) — Qualquer atividade de negócios relacionada com a produção, preparo e comercialização de produtos agropecuários.

AGROPÓLOS — *Clusters* (conglomerados) de atividades agrícolas. Região geográfica que reúne um complexo de empresas e outras instituições relacionadas a agronegócios. Local onde a agropecuária e a agroindústria caracterizam-se como atividades predominantes, utilizando-se de práticas intensivas dos conhecimentos científicos e tecnológicos. (Ver: *Clusters*.)

AGROQUÍMICOS — Agentes químicos sintéticos usados na agricultura.

AGROSSILVICULTURA — Consórcio da silvicultura com outra(s) atividade(s) agrícola(s). São povoamentos permanentes de aspecto florestal, biodiversificados, manejados pelo ser humano de forma sustentada e intensiva, para gerar um conjunto de produtos úteis para fins de subsistência e/ou de comercialização.

AGROSSILVIPASTORIL — Uso integrado de áreas rurais com cultivo, pastagem e florestas, segundo a vocação ambiental.

AGROSSISTEMA — Sistema ecológico natural, adaptado ao campo, utilizado para produção agrícola ou pecuária, segundo diferentes tipos e níveis de manejo, sem afetar o equilíbrio geológico, atmosférico e biológico.

AGROVILA — Núcleo de povoamento, com serviços integrados de comunidade, planejado e construído para residência de famílias de agricultores fixados em assentamentos rurais.

ÁGUA — Composto químico com duas partes de hidrogênio e uma de oxigênio (H_2O), encontrado nos estados sólido (gelo, neve), líquido (nuvens, mares, lagos, rios) e gasoso (vapor d'água). Componente líquido essencial para o desenvolvimento e sustentação da vida, possui um grande poder de dissolução de muitas substâncias químicas. É considerado solvente universal.

ÁGUA ABSORVIDA — Água mantida mecanicamente entre as partículas do solo e submetida apenas à ação da gravidade. Suas propriedades físicas são sensivelmente diferentes das da água "absorvida" ou "livre", nas mesmas condições de temperatura e pressão.

ÁGUA ALCALINA — Água com pH superior a 7 (sete). (Ver: pH.)

ÁGUA DE LASTRO — É a água utilizada em navios de carga como contrapeso para que as embarcações mantenham a estabilidade e a integridade estrutural. É transportada de um país ao outro, e pode disseminar espécies "alienígenas" potencialmente perigosas e daninhas.

ÁGUA DESTILADA — Água obtida pela condensação de vapores d'água, em aparelhos destiladores.

ÁGUA DOCE — Água que contém muito pouco sal (menos de 0,05 por cento), em comparação com a água salobra (que tem entre 0,05 e 3 por cento), como a dos rios, lagos e lagoas. Água, nem salgada, nem amarga, cuja composição química a torna apropriada ao consumo (pelo fraco teor em matéria sólida dissolvida).

ÁGUA DURA — Ver água pesada.

ÁGUA FLUVIAL — Água dos rios.

ÁGUA MINERAL — Diz-se das águas que emanam de fontes, portando, em solução, sais minerais e gases (CO_2).

ÁGUA PESADA — Água que contém grande proporção de moléculas, como o isótopo de deutério de hidrogênio, em vez do hidrogênio comum (escrito como D_2O ou HDO). Tais moléculas são encontradas em quantidades muito pequenas na água comum. A água pesada, também chamada de óxido de deutério, é usada como um moderador em alguns reatores nucleares.

ÁGUA PLUVIAL — A que procede imediatamente das chuvas.

ÁGUA POLUÍDA — Água imprópria para o consumo e para abrigar formas de vida mais exigentes. (Ver: Poluição.)

ÁGUA POTÁVEL — É aquela cuja qualidade a torna adequada ao consumo humano.

ÁGUA PURA — Água isenta de substâncias orgânicas e de organismos vivos.

ÁGUA SALGADA — Água que contém concentrações significativas de sal (acima de 3 por cento ou, aproximadamente, 25 g/kg).

ÁGUA SALOBRA — Água que contém sais em concentrações menores do que na água do mar e maiores do que na água doce. A concentração da quantidade total de sais dissolvidos está compreendida entre 1.000 e 10.000 mg/litro.

ÁGUA SERVIDA — Termo geral aplicado ao vazamento de água de um reservatório ou para o efluente de um sistema de esgoto residencial ou municipal.

ÁGUA SERVIDA *IN NATURA* — Aquela que não passou por purificação ou tratamento. É também chamada por técnicos de lixo aquoso civil ou industrial.

ÁGUA TRATADA — Água submetida a um processo de tratamento, com o objetivo de torná-la adequada ao uso específico.

ÁGUA, COBRANÇA PELO USO DA — Instituída pela Lei Federal n.º 9.433, de 1977, baseada no princípio usuário-pagador, a cobrança pelo uso da água atinge os usuários da água bruta, tanto aquele que capta a água para diversos usos quanto ao que usa a água como diluidor de seus efluentes. A cobrança pelo uso da água pelo usuário tem como objetivos principais: reconhecer a água como bem econômico; incentivar a racionalização do seu uso e obter recursos financeiros, os quais serão de aplicação proprietária na bacia hidrográfica de onde foram gerados, colaborando-se diretamente para a melhoria ambiental da região.

AGUACEIRO — Chuva, não raro intensa e de curta duração, que cai de nuvens. Os temporais são caracterizados pelo inesperado de seu início e fim e, geralmente, por grandes e rápidas variações de intensidade.

AGUADA — Bebedouro natural. Fonte, rio, lagoa, cacimba, poço ou qualquer coleção de água existente numa propriedade agrícola.

ÁGUA-MARINHA — Pedra semipreciosa azul, constituída pelo minério berilo. O berilo é um silicato de alumínio e de berílio que forma cristais hexagonais nos pegmatitos.

AGUAPÉ — Planta aquática flutuante originária da América do Sul.

ÁGUAS DE REUSO — É a utilização da água por mais de uma vez, depois de um tratamento adequado. O reuso planejado da água faz parte de um programa global encabeçado pela Organização das Nações Unidas e pela Organização Mundial da Saúde. Esse programa pretende alcançar três importantes elementos: proteção da saúde pública, manutenção da integridade dos ecossistemas e uso sustentado da água. A água de reuso é produzida dentro das Estações de Tratamento de Esgoto e pode ser utilizada para inúmeros fins, como geração de energia, refrigeração de equipamentos, em diversos processos industriais, em Prefeituras e entidades que usam a água para fins não-potáveis. É uma alternativa do presente para garantir o futuro.

ÁGUAS INTERESTADUAIS — Termo aplicado a rios e vertentes ou bacias de captação que se situam dentro de dois ou mais limites políticos estaduais.

ÁGUAS INTERIORES — Todas as águas do lado interno (na direção da terra) da linha de base do mar territorial de um estado costeiro.

ÁGUAS JURISDICIONAIS BRASILEIRAS — O termo refere-se a todas as águas sob jurisdição brasileira, ou seja, às águas sobre as quais o País exerce soberania ou direitos exclusivos de soberania para fins econômicos e ambientais. No caso das áreas marítimas, a expressão engloba as águas compreendidas entre a costa e as linhas de base retas, a partir de onde se mede o mar territorial (isto é, as águas das baías e enseadas, dos portos e dos estuários), o mar territorial, a zona contígua, a plataforma continental e a zona econômica exclusiva. (Ver: Mar Territorial.)

ÁGUAS PÚBLICAS — Águas que, pertencendo ao Estado, não são suscetíveis de apropriação pelos particulares.

ÁGUAS PÚBLICAS DE USO COMUM — São os mares territoriais, nos mesmos incluídos os golfos, baías, enseadas e portos; as correntes, canais, lagos e lagoas navegáveis ou flutuáveis; as correntes de que se façam essas águas; as fontes e reservatórios públicos; as nascentes quando forem de tal modo consideráveis que, por si só, constituam o *caput fluminis*; os braços de quaisquer correntes públicas, desde que os mesmos influam na navegabilidade.

ÁGUAS PÚBLICAS DOMINICAIS — São todas as águas situadas em terrenos que também o sejam, quando as mesmas não forem do domínio público de uso comum, ou não forem comuns.

ÁGUAS RESIDUAIS — Combinação dos líquidos e resíduos arrastados pela água, provenientes de casas, edifícios comerciais e fábricas, junto a qualquer água subterrânea, superficial ou pluvial que possa estar presente. As quatro fontes de água residual são: águas domésticas ou urbanas; águas residuais industriais: águas de uso agrícola e águas pluviais.

ÁGUAS TERRITORIAIS — Águas marítimas, fluviais e lacustres internas de um Estado e mais seu mar territorial. (Ver: Mar Territorial.)

AI-5 — Ver Ato Institucional nº 5.

AIDÉTICO — Expressão com grande carga discriminatória, equivocadamente utilizada para identificar tanto as pessoas cuja testagem de HIV teve resultado positivo quanto aquelas que já apresentam sintomas das doenças associadas à Aids. A terminologia correta é, no primeiro caso, pessoa soropositiva ou HIV positiva. No segundo caso, pessoa doente de Aids. (Ver: Saúde - Aids.)

AJUDA AOS REFUGIADOS, REPATRIADOS E DESLOCADOS — Ajuda humanitária destinada a fomentar a auto-suficiência mínima entre a fase de emergência e o estabelecimento definitivo das populações. Ajuda ao regresso ao local de origem (repatriamento) e reencontro de famílias separadas.

AJUDA DE CUSTO — Adiantamento em dinheiro que as empresas privadas, a Administração Pública ou o governo fazem a seus servidores, titulares de cargo ou a militares, além de seus vencimentos, para provimento de despesas necessárias e extraordinárias com viagens a serviço, mudança, instalação, estada etc. Não integra os vencimentos dos servidores públicos. Também na Justiça do Trabalho, tanto a ajuda de custo quanto as diárias de viagens que não excedam a 50% do salário do empregado não são incluídas nos salários.

AJUDA DE EMERGÊNCIA — Ajuda destinada às vítimas de catástrofes naturais ou de circunstâncias excepcionais que têm efeitos idênticos. É habitualmente canalizada através de organizações internacionais e por organização não-governamental e inclui desde medicamentos a abrigos, roupas, alimentos e outros apoios essenciais às populações afetadas. Há, também, serviços bilaterais de cooperação que, por vezes, são deslocados para as áreas de catástrofe.

AJUDA HUMANITÁRIA — Ajuda destinada a situações de exceção que põem em causa a vida das populações. Procura resolver situações de curto prazo resultantes de catástrofes, quer naturais, quer provocadas pelo ser humano. Inclui ajuda alimentar, de emergência e aos refugiados.

AJUDA INTERNACIONAL — Ajuda oportuna proveniente de organismos internacionais ou de outros países definida em função das reais necessidades do país afetado.

AJUDA INTERNACIONAL CONDICIONADA — Ajuda que é acordada com a condição de os serviços, bens ou equipamentos serem adquiridos no país doador.

AJUDA INTERNACIONAL NÃO CONDICIONADA — Ajuda fornecida sem precondições de aquisição dos serviços, bens ou equipamentos. O receptor pode, livremente, adquiri-los onde quiser.

AJUDA INTERNACIONAL PARCIALMENTE CONDICIONADA — Ajuda em que os bens e serviços associados devem ser adquiridos no país doador ou num grupo restrito de outros países que inclui, sobretudo, países em desenvolvimento.

AJUDA MULTILATERAL — Fundos públicos internacionais colocados à disposição de organismos multilaterais que os utilizam em atividades de desenvolvimento e/ou em países beneficiários.

AJUDA MÚTUA — Auxílio recíproco. Pode ser espontâneo ou assistemático, porém é mais eficiente quando resultante de um esforço cooperativo acertado, em benefício dos participantes.

AJUDA PRÓPRIA — Utilização dos recursos próprios dos indivíduos, grupos ou comunidades, com a finalidade de atingir objetivos definidos, como os de interesse coletivo.

AJUIZAMENTO — Propositura de uma ação. Ato de levar a juízo o Tribunal. Também busca uma decisão, julgamento.

AJUIZAR — Formar juízo ou conceito acerca de julgar, avaliar; pôr a juízo; levar a juízo (numa demanda); tornar em objeto de processo ou de mando judicial.

AJUSTANTE — Ver: Convenente.

AJUSTE — Instrumento através do qual um órgão público delega a outro a execução de projetos e atividades constantes de seus programas de trabalho. O ajuste é utilizado somente quando forem partes, entre si, os próprios órgãos dos poderes do ente, por intermédio de suas unidades orçamentárias ou gestoras intervenientes. (Ver: Ente da Federação.)

AJUSTE DE PRIVATIZAÇÃO — Pelo acordo do Governo Federal com o Fundo Monetário Internacional (FMI), significa que os créditos líquidos, oriundos da privatização de estatais (de todas as esferas de governo), não podem ser considerados no cálculo das Necessidades de Financiamento do Setor Público (NFSP), uma vez que não representam esforço fiscal do governo e sociedade. Exemplo: se alguma empresa é privatizada e o recurso de sua venda é depositado na conta corrente de um Estado, o valor total desse depósito deve ser abatido (ajustado) do saldo da referida conta, não deixando, dessa forma, que o Estado obtenha superávits nominais e primários decorrentes dessa privatização. As receitas com privatização diminuem a dívida líquida, mas não alteram os resultados fiscais. Trata-se de um acordo com um organismo internacional, não sujeito às regras da Lei de Responsabilidade Fiscal (L.C. nº 101, de 2000). (Ver: Financiamento do Setor Público, Necessidades de (NFSP).)

AJUSTE DIÁRIO — Mecanismo por meio do qual as posições mantidas pelos clientes, nos mercados futuros, são acertadas financeiramente todos os dias, conforme apresentem ganho ou perda em relação ao preço de ajuste do dia anterior.

AJUSTE FISCAL — É o conjunto de medidas que têm por objetivo melhorar a qualidade das receitas e despesas do governo, possibilitando a obtenção de superávits orçamentários no longo prazo.

AJUSTE METODOLÓGICO — Representa o aumento da dívida decorrente do impacto da variação da taxa de câmbio sobre a dívida externa líquida e a dívida interna indexada ao câmbio. Esse ajuste é calculado pela diferença entre a variação da dívida e o resultado nominal. A principal razão desse ajuste é a variação do câmbio para o detentor do título indexado e não significa incremento real na sua renda, ou seja, o impacto sobre a demanda tende a ser neutro.

ALADI (ASSOCIAÇÃO LATINO-AMERICANA DE INTEGRAÇÃO) — É um organismo intergovernamental que promove a expansão da integração da região, objetivando garantir seu desenvolvimento econômico e social e tendo como meta final a criação de um mercado comum. A ALADI é o maior grupo latino-americano cuja meta é a integração e é formada por 12 países-membros: Argentina, Bolívia, Brasil, Chile, Colômbia, Cuba, Equador, México, Paraguai, Peru, Uruguai e Venezuela.

ALAGADIÇO — Terreno sujeito a inundações por parte de rios ou de marés. Conforme a sua posição em relação ao mar ou aos rios, os terrenos alagadiços são encharcados apenas periodicamente e, durante certo período, podem transformar-se em área seca.

ALAGAMENTO — Água acumulada no leito das ruas e no perímetro urbano por fortes precipitações pluviométricas, em cidades com sistemas de drenagem deficientes.

ALAVANCAGEM — 1) Nível de utilização de recursos de terceiros para aumentar as possibilidades de lucro da empresa, aumentando, conseqüentemente, o grau de endividamento. Quanto mais alavancada, mais endividada está a empresa e, portanto, há mais risco de problemas financeiros. 2) Termo utilizado no mercado financeiro para designar a obtenção de recursos para a realização de determinadas operações. Trata-se de uma estratégia na qual o investidor pretende aumentar as possibilidades de rendimentos através de empréstimos ou operações do mercado de derivativos. No caso de operações de crédito, a alavancagem acorre através de empréstimo de terceiros para aumentar as possibilidades de lucro. Conseqüentemente, esta operação também aumenta o grau de risco da operação. Quanto maior é o grau de endividamento de uma empresa, maior é sua alavancagem. (Ver: Derivativos.)

ALBERGADO — Pessoa hospedada em albergue. (Ver: Albergue.)

ALBERGUE — Abrigo. Instalação construída com a finalidade específica de proporcionar hospedagem a pessoas desabrigadas. Também considerado centro de convalescentes.

ALCA (ASSOCIAÇÃO DE LIVRE COMÉRCIO DAS AMÉRICAS) — É uma proposta de união comercial entre países das Américas. Vem sendo negociada desde meados dos anos 90 do século XX. A ALCA pretende ser o maior bloco econômico do planeta, reunindo os 34 países do continente americano – que somam um Produto Interno Bruto de quase US$ 11 trilhões e mais de 808 milhões de habitantes. Para se ter uma idéia da dimensão deste acordo, a União Européia, que demorou quase 30 anos para entrar em vigor, conta com metade da população e cerca de US$ 2 trilhões a menos de PIB. Somente Cuba, por rejeição dos EUA, está de fora das negociações deste tratado.

ALÇADA — É o limite da jurisdição, de competência de juízo ou Tribunal para conhecer ou para julgar causas, de acordo com o seu valor, constante da petição, respeitada a que for cometida à jurisdição privativa. O crime contra a vida, por exemplo, é da alçada do júri. (Ver: Tribunal de Alçada.)

ALCANCE — Ato ou efeito de alcançar os responsáveis por apropriação, extravio, desvio ou falta verificada na prestação de contas, de dinheiro ou valores confiados à guarda de alguém em razão de cargo, múnus ou função; desfalque, apropriação indébita de dinheiro e/ou outros valores patrimoniais de terceiros.

ALCANCE DA AVALIAÇÃO — Focalização de uma avaliação em termos de questões a serem respondidas, limitações e o que ela deve ou não analisar. Dito de outra forma, é o âmbito da avaliação.

ÁLCOOL ETÍLICO — Líquido incolor, volátil, inflamável, solúvel em água, com cheiro e sabor característicos. Composto orgânico, obtido através da fermentação de substâncias amiláceas ou açucaradas como a sacarose existente no caldo da cana, e também mediante processos sintéticos.

ALCOOLEMIA — Presença de álcool no sangue.

ALCOOLISMO — Ver Saúde – Alcoolismo.

ÁLEA — Cláusula de um contrato cujo cumprimento prende-se a um acontecimento futuro, resultante da sorte, do acaso.

ALEATÓRIO — Atributo de um processo inteiramente governado pelo acaso; errático. Acontecimento futuro e incerto do qual, conforme o caso, decorrem vantagens ou prejuízos para as partes que contratam.

ALEGAÇÃO — Termo que na linguagem jurídica pode significar: a asserção, a afirmativa de uma das partes contendoras, em relação a certos fatos, ou o argumento, as razões em apoio de alguma coisa. Exposição escrita, o arrazoado articulado ou defesa apresentada pelos advogados das partes nas ações que patrocinam. Razões de fato ou de direito produzidas em Juízo pelos litigantes; arrazoado, alegado.

ALEGAÇÕES FINAIS — A última manifestação das partes, com exposição de fundamentos de fato e de direito, com a finalidade de convencer o juiz a decidir de acordo com a sua pretensão.

ALEIVOSIA — Perfídia, deslealdade.

ALEIVOSO — Traidor, hipócrita, desleal.

ALERGIA — Em sentido figurado, aversão, repulsão, antipatia. (Ver: Saúde - Alergia.)

ALERTA — Cuidado emergencial para uma possível reação imediata. Estado de vigilância.

ALFA — É um estimador (variável matemática que estima) da rentabilidade de um fundo que independe do comportamento do mercado de ações, representado pelo IBA - Índice Brasileiro de Ações.

ALFANUMÉRICO — Refere-se ao conjunto que contém ambos caracteres: letras e números, além de geralmente também incluir outros caracteres de pontuação.

AL-FATAH — Movimento pela Libertação da Palestina. Sob a liderança de Yasser Arafat, o Al-Fatah se tornou a mais forte e mais organizada facção palestina. As autoridades israelenses têm acusado o movimento de ataques terroristas contra Israel desde o início da nova Intifada. As Brigadas dos Mártires de Al-Aqsa, responsáveis por vários atentados em Israel, são os mais radicais membros da organização.

ALGORITMO — Disposição particular que se dá a uma série de cálculos numéricos. Método de cálculo utilizado para um conjunto de problemas semelhantes, em que se definem regras formais para a obtenção de resultados. Regras matemáticas simples e repetitivas para resolver problemas.

ALIANÇA — É a ligação entre atores sociais que poderiam atuar isoladamente ou, até mesmo, de forma concorrente, mas que decidem atuar conjuntamente para ampliar as ações no mercado social (fazer mais e melhor).

ALIANÇAS ESTRATÉGICAS — São associações entre várias empresas que juntam recursos, competência e meios para desenvolver uma atividade específica ou criar sinergias de grupo. Para conquistar um novo mercado (geográfico ou setorial), adquirir novas competências ou ganhar dimensão crítica, as empresas têm, em regra, três opções: a fusão ou a aquisição; a internacionalização; e a celebração de alianças estratégicas com um ou vários parceiros. As alianças tanto podem efetuar-se entre empresas que atuam em ramos de atividade diferentes quanto entre concorrentes. Distinguem-se das *joint-ventures*, em que os parceiros partilham a propriedade de uma nova empresa.

ÁLIBI — Do latim *alibi*, em outro lugar. Alegação de fato comprobatório da inocência de alguém que seja suspeito da prática de crime. É a comprovação da presença de uma pessoa em local diferente daquele em que se supunha que ela estivesse, para efeito de escusa de ato criminoso. Assim, uma pessoa acusada de haver praticado um crime em determinado local pode apresentar testemunhas e provas de que se encontrava, no momento do mesmo, em outro local, pondo por terra a acusação feita e evitando que a Justiça cometa um engano, com a condenação de um inocente.

ALICIAMENTO — Ação ou efeito de aliciar, com promessa enganosa, pessoas para fins escusos, ou contrários à lei e/ou à moral.

ALICIAMENTO DE ELEITOR — Eleição - Aliciamento de eleitor.

ALIENAÇÃO — 1) É todo e qualquer ato que tem o efeito de transferir o domínio de uma coisa, seja por venda, por troca ou doação. 2) Venda, por investidor não-residente a residentes, de participação societária (ações ou quotas) detida em empresa receptora brasileira. Na Administração Pública, a alienação está sujeita a regras especiais. (Ver: Alienação de bens públicos.)

ALIENAÇÃO DE BENS PÚBLICOS — A alienação de bens públicos é a transferência do domínio de um bem do ente governamental para qualquer pessoa, física ou jurídica, e subordina-se sempre à existência de um interesse público devidamente justificado. São cinco as formas de alienação de bens pelo Poder Público: venda; dação em pagamento; doação; permuta; investidura. Está sujeita à prévia autorização legislativa quando se tratar da alienação de bens imóveis. Nas demais situações, os bens devem ser alienados obrigatoriamente através da modalidade de licitação leilão. Quanto aos bens de uso comum do povo e aos bens de uso especial, é vedada sua alienação, sob qualquer forma, enquanto guardarem essa qualidade. A alienação, todavia, poderá ocorrer se a Câmara Municipal autorizar por lei a sua desafetação, isto é, a retirada da qualidade e sua transformação em bens alienáveis. A receita decorrente da alienação de bens e direitos é classificada como de capital e aplicada em despesa de capital, vedado seu uso em despesas correntes, salvo se destinada ao regime de previdência social.

ALIENAÇÃO DE BENS PÚBLICOS - DAÇÃO EM PAGAMENTO — Ato de transferência de um bem em pagamento de um débito ou uma obrigação. Depende sempre de avaliação prévia e, se se tratar de bem imóvel, também de autorização legislativa. A licitação é dispensada, por tornar-se inviável.

ALIENAÇÃO DE BENS PÚBLICOS - DOAÇÃO — Ato de transferência de um bem, mediante autorização legal e avaliação prévia (dispensada também a licitação), do Poder Público para o particular, a título gratuito ou oneroso.

ALIENAÇÃO DE BENS PÚBLICOS - INVESTIDURA — Entende-se como tal a alienação aos proprietários de imóveis lindeiros (vizinhos), por preço nunca inferior ao da avaliação, de área remanescente ou resultante de obra pública, desde que se torne inaproveitável isoladamente. Além da avaliação, depende de autorização legislativa; a licitação, mais uma vez, é dispensada pela legislação.

ALIENAÇÃO DE BENS PÚBLICOS - PERMUTA — Ocorre quando há interesse do Poder Público na realização de negócio com particular ou outra entidade pública. Exige que os valores dos bens envolvidos sejam compatíveis. Depende de avaliação prévia e autorização legislativa, porém a licitação está dispensada pela Lei nº 8.666, de 1993.

ALIENAÇÃO DE BENS PÚBLICOS - VENDA — Tratando-se de bem imóvel, será sempre precedida de autorização e de licitação, na modalidade de concorrência, conforme determina a Lei nº 8.666, de 1993. Não cumpridos esses requisitos, poderá ser decretada a nulidade da transação. Tratando-se de bem móvel, a mesma legislação exige que se proceda à licitação, dispensada, porém, a autorização legislativa. Em ambos os casos, é forçoso realizar a correspondente avaliação.

ALIENAÇÃO FIDUCIÁRIA — É a transferência feita pelo devedor ao credor da propriedade resolúvel e da posse indireta de um bem móvel infungível, como garantia do seu débito, até o adimplemento da obrigação principal (pagamento da dívida garantida). É um negócio jurídico composto de duas relações jurídicas: uma obrigacional, expressando o débito contraído, e outra real, representada pela garantia, isto é, o fiduciante aliena o bem ao fiduciário que o recebe, não para tê-lo como próprio, mas com o fim de restituí-lo ao fiduciante após o pagamento da dívida. (Ver: Bem infungível // Propriedade resolúvel.)

ALIENAÇÃO MENTAL — Perda, permanente ou temporária, do uso normal das faculdades mentais em conseqüência de distúrbio mental, nos casos de loucura, delírios e outros de incapacidades mentais.

ALIENADO — É o indivíduo que, em virtude de uma doença mental, está incapacitado de ter um comportamento normal em seu grupo social, terminando por lhe ser estranho. Diz-se também daquele que vive sem contato com os processos à sua volta, preocupado apenas com si mesmo.

ALIENAR — Tornar alheio; transferir a propriedade, o domínio. (Ver: Alienação.)

ALIENI JURIS — [Latim]. Expressão que significa de direito alheio.

ALIMENTAÇÃO ESCOLAR — Ver Educação - PNAE.

ALIMENTADO — Ver Alimentário.

ALIMENTANDO — O mesmo que alimentante.

ALIMENTANTE — É o que presta alimentos a outrem, por obrigação legal ou por decisão judicial. Pessoa responsável a fornecer a outra, incapaz de manter-se por conta própria, alimentação, habitação, vestuário, e, em se tratando de menor, educação. O mesmo que alimentando.

ALIMENTÁRIO — É o que recebe alimentos do obrigado a prestá-los. Pessoa que não possui meios de subsistência e que é sustentada por outrem.

ALIMENTOS — São bens necessários à sobrevivência material do alimentário, envolvendo o seu sustento. Sob o ponto de vista jurídico, não significa gênero alimentício para consumo via oral. São os meios indispensáveis que podem os parentes, os cônjuges ou companheiros pedir uns aos outros para viver de modo compatível com a sua condição social, inclusive para atender às necessidades de moradia, assistência médica, vestuário, cultura, lazer, educação etc. Os alimentos devem ser fixados na proporção das necessidades do reclamante e dos recursos da pessoa obrigada. Devem ser os indispensáveis à subsistência, quando a situação de necessidade resultar de culpa de quem os pleiteia. São devidos os alimentos quando quem os pretende não tem bens suficientes, nem pode prover, pelo seu trabalho, à própria mantença, e aquele, de quem se reclamam, pode fornecê-los, sem desfalque do necessário ao seu sustento. O direito à prestação de alimentos é recíproco entre pais e filhos, e extensivo a todos os ascendentes, recaindo a obrigação nos mais próximos em grau, uns em falta de outros. (Ver: Ação de alimentos.)

ALÍNEA — Parte de uma norma jurídica, representada por letra, resultante do desdobramento dos incisos. (Ver: Técnica de elaboração de leis e decretos.)

ALINHAMENTO — É a consistência entre planos, processos, ações, informações e decisões para apoiar as estratégias, objetivos e metas globais da organização. O alinhamento eficaz requer o entendimento das estratégias e metas e a utilização de indicadores e informações complementares para possibilitar o planejamento, monitoramento, análise e melhoria nos setores de trabalho, principais processos e na organização como um todo. Segundo Henri Fayol (1841/1925 - em *Administração Industrielle et general*, de 1916), é o princípio da unidade de produção.

ALÍQUOTA — É o percentual com que um tributo incide sobre o valor da coisa tributada. Fixado em lei, este percentual se aplica sobre a base de cálculo do fato gerador, determinando-se, assim, a importância devida ao fisco. Pode ser: a) um valor monetário fixo ou b) uma fração da base de cálculo. Pode ser ainda: proporcional invariável; proporcional progressiva ou proporcional regressiva. No direito civil, designa o quinhão do herdeiro, sua "parte alíquota".

ALÍQUOTA DE IMPOSTOS — Relação percentual entre o valor do imposto e o valor tributado; soma em dinheiro a ser paga por uma unidade de imposto; elemento constituinte do imposto; percentual a ser aplicado sobre um determinado valor líquido tributável (base de cálculo), dando como resultado o valor do imposto a ser pago.

ALITERAÇÃO — Figura de construção de uma frase. É a repetição de consoantes da mesma natureza, ou de natureza semelhante. Exemplo: A<u>ch</u>o que a <u>ch</u>uva ajuda.

ALIUNDE — [Latim]. Expressão que significa em algum lugar; de outro lugar.

ALÍVIO — Sensação de desafogo, desopressão. Desfazimento de tensão ou de dúvida por confirmação do esperado. Cessação de situação penosa. Mudança de uma sensação ruim para uma sensação prazerosa.

ALMOEDA — É o mesmo que leilão judicial; venda em praça pública.

ALMOXARIFADO — Unidade ou instalação destinada à recepção, guarda, controle e distribuição do material necessário ao funcionamento de um dado estabelecimento ou sistema.

ALMOXARIFE — É o responsável pelo almoxarifado.

ALOCAÇÃO DE ATIVOS OU *ASSET ALLOCATION* — Trata-se da alocação de recursos utilizada pelos profissionais do mercado financeiro para fazer referência à escolha de ativos para a sua carteira administrada. É o ato do administrador do fundo de selecionar, entre os diversos tipos de ativos, aqueles que farão parte da carteira do fundo e em que percentual de participação.

ALOCAÇÃO DE RECURSOS — Instrumento básico de formulação e implementação de políticas públicas. Procedimento essencial para que o planejamento não se revista de um caráter meramente ficcional. Diz respeito às decisões quanto à utilização dos recursos (ou seja, "para onde vão"), especialmente na aquisição e combinação dos diversos insumos necessários à prestação de serviços. É o processo pelo qual recursos são distribuídos entre usos alternativos, que podem ser finais (programas ou atividades-fim) ou intermediários (os diversos insumos necessários à produção do serviço final). Em resumo, é destinar recursos orçamentários e/ou financeiros a um fim específico ou a um órgão ou entidade.

ALOCAR RECURSOS — Ver Alocação de recursos.

ALODIAL — Diz-se da terra que não está sujeita ao pagamento de foro ou laudêmio.

ALODIALIDADE — Característica da propriedade imóvel desvinculada de quaisquer ônus.

ALONGAMENTO DE DÍVIDA — Termo usado para explicar o processo através do qual através da emissão de novos títulos de dívida de prazo mais longo uma empresa, instituição financeira ou entidade governamental consegue aumentar o prazo médio de vencimento da sua dívida. Em geral usado em referência ao processo de administração do estoque de títulos da dívida pública, em que o governo emite novos títulos de dívida cujo prazo de vencimento é maior. (Ver: Amortização da Dívida.)

ALOPATRIA — Isolamento geográfico entre populações de uma mesma espécie, de modo que se interrompa o fluxo gênico entre elas. Como conseqüência, pode dar-se o isolamento reprodutivo entre essas populações, assim possibilitando a formação de nova espécie. (Ver: Especiação Alopátrica.)

ALOPÁTRICA — Raça cujas características a tornam adaptada a um determinado ambiente.

ALQUEIRE — Unidade de medida agrária variável de região para região. No Estado de São Paulo e Paraná, o alqueire equivale a 24.200 m² (alqueire paulista), correspondendo a 2,42 hectares; em Minas Gerais, Rio de Janeiro e Goiás, a 48.400 m² (alqueire goiano), correspondendo a 4,84 hectares. (Ver: Acre // Hectare.)

ALQUILARIA — Contrato de aluguel de animais.

ALTA — 1) No mercado de ações em geral, ou de uma determinada ação, pela predominância da procura, ocorre uma elevação nos preços dos papéis. Quando a tendência de alta é geral, ela se reflete por uma elevação do índice bursátil. 2) Ato médico que determina o término de uma modalidade de assistência prestada a um determinado paciente, por motivo de cura, melhoria, transferência de hospitalização, óbito ou por outros motivos.

ALTA ATMOSFERA — Para o Direito Internacional Público, é a parte da atmosfera que fica além do espaço territorial aéreo de um Estado, considerando-se livre à navegação aérea e equiparando-se ao alto-mar ou mar livre. (Ver: Atmosfera.)

ALTA DIREÇÃO — Abrange os executivos ou líderes de escalões superiores, que compartilham a responsabilidade principal pelo desempenho e pelos resultados da organização.

ALTA TENSÃO — É a tensão elétrica maior ou igual a 69.000 Volts (69kV). Geralmente, estas tensões são utilizadas para o transporte de energia elétrica do centro gerador para o centro consumidor.

ALTAS LATITUDES — Faixa de latitude localizada, aproximadamente, de 60 a 90 graus ao Norte e ao Sul. Também chamada de região polar.

ALTERAÇÃO AMBIENTAL — Qualquer alteração das propriedades físicas, químicas e biológicas do meio ambiente, causada por forma de matéria ou energia resultante das atividades humanas ou de fenômenos naturais.

ALTERAÇÃO CONTRATUAL — Modificação que se faz no texto de um contrato ou em qualquer de suas cláusulas.

ALTERAÇÕES ORÇAMENTÁRIAS — São alterações realizadas no orçamento anual através de créditos adicionais, abertos pelo Poder Executivo, com autorização do Poder Legislativo correspondente, para atender despesas não previstas no orçamento. Os créditos adicionais classificam-se em suplementares, especiais e extraordinários. (Ver: Créditos suplementares // Créditos especiais // Créditos extraordinários.)

ALTERIDADE DA NORMA JURÍDICA — Vínculo jurídico entre duas ou mais pessoas, sendo este vínculo denominado relação jurídica.

ALTIMETRIA — Parte da geodésia que trata da medição das altitudes.

ALTÍMETRO — Instrumento usado para determinar a altitude de um objeto a partir de um nível fixo. Normalmente os meteorologistas medem a altitude a partir da pressão do nível do mar.

ALTITUDE — Distância vertical de um ponto na superfície do planeta Terra até uma superfície de referência, geralmente o nível médio dos mares.

ALTITUDE DA SEDE — É a distância vertical entre um nível de referência, geralmente o nível médio do mar, e o ponto onde se encontra a sede do município.

ALTO COMISSARIADO DAS NAÇÕES UNIDAS PARA OS REFUGIADOS (ACNUR) — Criado em 1951 pela Assembléia Geral das Nações Unidas, iniciou as suas atividades no ano seguinte. As Nações Unidas atribuíram ao ACNUR o mandato de conduzir e coordenar a ação internacional para a proteção dos refugiados e procura de soluções para os problemas a eles relacionados. A principal missão do ACNUR é procurar assegurar os direitos e o bem-estar dos refugiados. Empenha-se em garantir que qualquer pessoa possa, em caso de necessidade, se beneficiar do direito de asilo noutro país e possa, caso o deseje, regressar ao seu país de origem. O Comitê Executivo do ACNUR e a Assembléia Geral das Nações Unidas autorizaram igualmente a Organização a intervir em benefício de outros grupos de pessoas. Nestes grupos incluem-se os apátridas, as pessoas cuja nacionalidade é controversa e, em certos casos, as pessoas deslocadas dentro do seu próprio país. Na sua ação em benefício dos refugiados e pessoas deslocadas, o ACNUR promove igualmente os propósitos e princípios da Carta das Nações Unidas: manutenção da paz e segurança internacionais; desenvolvimento de relações amistosas entre as Nações; e encorajamento do respeito pelos direitos humanos e pelas liberdades fundamentais.

ALTO-MAR — Mar situado além da Zona Econômica Exclusiva, aberto à navegação internacional e livre de direitos de soberania. Parte do mar não incluída na Zona Econômica Exclusiva, no Mar Territorial ou em águas arquipelágicas de um Estado Arquipelágico.

ALTRUÍSMO — "Amor ao próximo"; significa filantropia e caridade; nos estudos de economia e sociedade, é considerada prática altruísta toda ação humana realizada sem motivação pecuniária. (Ver: Voluntariado.)

ALTURA — Distância vertical de um nível ou objeto considerado como ponto, a uma referência especificada.

ALUCINAÇÃO — É a percepção real de um objeto que não existe, ou seja, são percepções sem um estímulo externo. Diz-se que a percepção é real, tendo em vista a convicção inabalável da pessoa que alucina em relação ao objeto alucinado. Sendo a percepção da alucinação de origem interna, emancipada de todas as variáveis que podem acompanhar os estímulos ambientais (iluminação, acuidade sensorial etc.), um objeto alucinado muitas vezes é percebido mais nitidamente que os objetos reais de fato. As alucinações são muito comuns nas psicoses, delírios cocaínicos, alcoólicos, esquizofrenias, crises epilépticas etc.

ALUCINÓGENO — Substância tóxica que, consumida, provoca alucinações.

ALUDE — 1) Grande massa de neve que se desprende da montanha e despenca encosta abaixo. Massa de neve e gelo que cai rapidamente montanha abaixo, carregando freqüentemente rochas e sedimentos de vários tipos. 2) Desmoronamento rápido e violento de uma encosta, em função da erosão, embebição e queda de aderência das camadas. Fenômeno de deslocamento brusco de material sólido, por arrasto, sobre uma encosta.

ALUGUEL - AÇÃO RENOVATÓRIA — Ação que se destina à renovação do contrato de locação comercial nas condições anteriores, ou conforme as que sejam fixadas judicialmente.

ALUGUEL - FIANÇA LOCATÍCIA — Ver Fiança locatícia.

ALUGUEL - GARANTIAS LOCATÍCIAS — Garantias que asseguram o fiel adimplemento das obrigações derivadas dos contratos de locação de imóveis urbanos. Rege a matéria a Lei do Inquilinato (Lei n° 8.245, de 1991). No contrato de locação, pode o locador exigir do locatário as seguintes modalidades de garantia: a) caução; b) fiança; c) seguro de fiança locatícia. É vedada, sob pena de nulidade, mais de uma das modalidades de garantia num mesmo contrato de locação.

ALUGUEL — Pagamento feito ao locador, em contrapartida ao uso do bem ou da coisa por determinado período estipulado por contrato. Seu valor está relacionado com a época de celebração do contrato, sua duração, período de reajustes e eventuais pagamentos antecipados. O mesmo que locação. (Ver: Locação.)

ALUGUEL DE TÍTULO — Operação através da qual duas partes fazem um mútuo de ativos financeiros, com prazo de duração determinado, sendo que o tomador do empréstimo deve pagar um prêmio. O tomador do empréstimo pode utilizar os títulos como lastro em garantia de outra operação. Nas operações de mútuo a posse do ativo é transferida ao tomador, que por sua vez se compromete a pagar-lhe em propriedade idêntica na mesma quantidade e qualidade. Esse tipo de operação pode envolver pessoas físicas ou jurídicas, integrantes ou não do Sistema Financeiro Nacional.

ALUGUEL PENA — Importância que o locatário está obrigado a pagar quando, terminado o prazo para desocupação do imóvel locado, nele permanecer indevidamente.

ALUGUEL, ABATIMENTO NO — Em casos de reparos no imóvel, o inquilino poderá pedir abatimento proporcional no aluguel, se os reparos urgentes que o prédio locado necessita durarem mais de dez dias. Poderá rescindir o contrato se esses reparos durarem mais de 30 dias e tolherem o uso regular do imóvel.

ALUGUEL, REAJUSTE DE — Ato pelo qual as partes fixam, de comum acordo, novo valor para o aluguel, bem como inserem ou modificam cláusula de reajuste. Se não houver acordo, o locador ou o locatário, após três anos de vigência do contrato ou do acordo realizado, poderão pedir revisão judicial do aluguel, a fim de ajustá-lo ao preço de mercado.

ALUGUEL, REVISÃO DE — Ver Aluguel, Reajuste de.

ALUVIÃO — Também se diz aluviais e alúvio. São acréscimos que sucessiva e imperdivelmente se formaram para parte do mar e das correntes, aquém do ponto a que chega a preamar média, ou do ponto médio das enchentes ordinárias, bem como parte do álveo que se descobrir pelo afastamento das águas. Os acréscimos que por aluvião, ou artificialmente, se produzirem nas águas públicas ou dominicais são públicos dominicais, se não estiverem destinados ao uso comum, ou se por algum título legítimo não forem do domínio particular. A esses acréscimos, com referência aos terrenos reservados, será tolerado o uso desses terrenos pelos ribeirinhos, principalmente os pequenos proprietários, que os cultivem, sempre que o mesmo não colidir por qualquer forma com o interesse público.

ALVARÁ — É termo usado em Juízo e na Administração Pública. Em ambos os casos tem-se uma autorização ou aprovação de determinado ato, estado ou direito. O primeiro é expedido por juiz de Direito, e o segundo, por autoridade administrativa. Pode significar também uma ordem, como ocorre com o alvará de soltura, no qual a autoridade judicial manda que o preso seja libertado.

ALVARÁ DE CONSTRUÇÃO — Concessão fornecida pelo Poder Público Municipal, em forma de documento, para que possam ser iniciadas obras de construção, reconstrução ou reforma de uma edificação, depois do que é chamado projeto legal ou anteprojeto, de acordo com as exigências da legislação para edificações.

ALVARÁ DE HABITAÇÃO — O mesmo que "habite-se". Concessão fornecida pelo poder público municipal, em forma de documento, para que a edificação recém-construída ou reformada possa ser ocupada e posta em uso. O alvará é fornecido, após vistoria, ao imóvel que atenda às exigências contidas na legislação de segurança do Corpo de Bombeiros e às normas de instalações elétricas, hidráulicas e sanitárias ditadas pelos respectivos órgãos responsáveis.

ALVARÁ DE OCUPAÇÃO — O mesmo que "habite-se". (Ver: Alvará de habitação.)

ALVARÁ DE SOLTURA — Ordem judicial que determina que uma pessoa que se encontra presa, quando cumprida ou extinta a pena, seja posta, imediatamente, em liberdade. Mandado expedido por juiz ou Tribunal, para que um indivíduo que se encontra preso, e a quem foi concedido *habeas corpus*, seja posto em liberdade.

ÁLVEO — É a superfície que as águas cobrem sem transbordar para o solo natural e ordinariamente enxuto.

AMÁSIO — É o concubino ou a concubina (Amásia). (Ver: Concubinato.)

AMAZÔNIA LEGAL — Região do território brasileiro integrada, à época da sua declaração, pelos estados do Acre, Amazonas, Pará, Mato Grosso, Goiás (na sua porção ao norte do paralelo 13º S) e Maranhão, na porção oeste do meridiano 44º W. Dela faz parte, atualmente, o estado de Tocantins, desmembrado de Goiás. A Amazônia Legal corresponde a grande parte da Região Norte do Brasil e foi instituída com o objetivo de definir a delimitação geográfica da região política captadora de incentivos fiscais com o propósito de promoção do seu desenvolvimento regional.

AMBIÇÃO — Sentimento de cobiça ou aspiração decorrente de demasiada valorização aos bens materiais, poder, riqueza, glória, posição social e a tudo que possa satisfazer o amor-próprio.

AMBIENTALISMO — Filosofia de vida que preconiza a defesa, necessária e urgente, do ambiente natural e dos sistemas de suporte à vida (rios, lagos, oceanos, solos, florestas e atmosfera), ou da biosfera de uma forma geral.

AMBIENTALISTA — Termo criado para traduzir *environmentalist*, para nomear a pessoa interessada ou preocupada com os problemas ambientais e a qualidade do meio ambiente ou engajada em movimento de defesa do meio ambiente. Também usado para designar o especialista em ecologia humana.

AMBIENTE — 1) Conjunto de todas as condições físico-químicas externas que cercam e influenciam um indivíduo e afetam seu crescimento e desenvolvimento. Tudo aquilo que faz parte do meio em que um ser vivo existe. A soma de todas as condições e influências que afetam o desenvolvimento da vida dos organismos. 2) Somatório de todas as condições naturais, operacionais e outras, que afetam a operação do equipamento ou de seus componentes. 3) Somatório de todas as condições e influências que determinam a conduta de um sistema físico.

AMBIENTE ANTRÓPICO — Ambiente pertencente ou relativo ao ser humano.

AMBIENTE DE CONTROLE — Ações e atitudes da administração superior, em relação às questões de controle dos sistemas de valores por ela planejados. O ambiente de controle tem uma influência marcante na eficácia de um sistema.

AMBIENTE DE PRAIA — Em termos geológico e geomorfológicos, é a faixa que compreende as áreas de influência máxima das ondas, as porções territoriais emersas próximas a elas e as áreas submersas que sofrem influência das ondas.

AMBIENTE FÍSICO E NATURAL — Engloba o subsolo, as águas, a geologia e o relevo, os tipos e aptidões do solo, os corpos de água, o regime hidrológico, os ecossistemas, a vegetação e a fauna.

AMBIENTE INOVADOR — É o espaço relacional em que o processo de aprendizagem coletiva se faz por interprodução e transferência de *know how*, imitação de práticas gerenciais de sucesso comprovado e implementação de inovações tecnológicas. (Ver: *know how.*)

AMBIENTE OCUPACIONAL — Corresponde aos locais ou recintos abertos ou fechados onde se desenvolvem atividades laborativas específicas e próprias desses locais.

AMBIENTES SAUDÁVEIS — No conceito de habitação, incorporam o saneamento básico, espaços físicos limpos e estruturalmente adequados e redes de apoio para obter recintos psicossociais sadios e seguros, isentos de violência (abuso físico, verbal e emocional).

AMBIGÜIDADE — Coexistência de mais de um significado ou interpretação. É ambígua quando uma frase exprime mais de uma proposição.

ÂMBITO DA AUDITORIA — Ver Auditoria, Âmbito da.

ÂMBITO ESTRATÉGICO — É o ambiente de viabilização e cálculo de uma política. Agentes e processos relacionados com o emprego dos meios disponíveis para viabilizar os objetivos e propósitos de uma política, plano, programa ou projeto.

ÂMBITO OPERACIONAL — Ambiente de implementação de ações ou atividades para execução de uma política, plano, programa ou projeto.

ÂMBITO POLÍTICO/NORMATIVO — Ambiente de decisão e regulação de uma política. Agentes e processos relacionados com a definição de objetivos, prioridades, alocação de recursos e estabelecimento de normas e convenções para regular as atividades necessárias à consecução de uma política, plano, programa ou projeto.

AMEAÇA — 1) Em Direito (Civil e Penal) é a imposição feita à vítima por meio de palavra ou gesto suficiente para intimidá-la, viciando, assim, sua livre manifestação de vontade. 2) Situações adversas criadas por fatores externos, fora do espaço de governabilidade de dirigentes de organizações ou de executores de políticas, planos, programas ou projetos. 3) Evento adverso provocador de desastre, quando ainda potencial. Estimativa da ocorrência e magnitude de um evento adverso expressa em termos de probabilidade estatística de concretização do evento (ou acidente) e da provável magnitude de sua manifestação.

AMEBÍASE — Ver Saúde - Ambíase.

AMÉRICA LATINA — Compreende todos os países do continente americano que falam espanhol, português ou francês, bem como outros idiomas derivados do latim. Compreende a totalidade da América do Sul (apesar de regiões como o Suriname e a Guiana britânica não terem o português, o espanhol ou o francês como línguas oficiais) e da América Central. Da América do Norte, apenas o México é considerado como parte da América Latina. Os países restantes, Canadá e Estados Unidos, são países de colonização primariamente anglo-saxônica (o Quebeque, província do Canadá, foi colonizado originalmente pelos franceses, e os estados do sudoeste dos EUA, pelos espanhóis). Assim, a América Latina engloba 33 países: Antígua e Barbuda, Argentina, Bahamas, Barbados, Belize, Bolívia, Brasil, Chile, Colômbia, Costa Rica, Cuba, Dominica, Equador, El Salvador, Granada, Guatemala, Guiana, Haiti, Honduras, Jamaica, México, Nicarágua, Panamá, Paraguai, Peru, República Dominicana, Suriname, Saint Kitts, Santa Lúcia, São Vicente e Granadinas, Trinidad e Tobago, Uruguai e Venezuela. Ainda na América Latina existem mais 11 territórios que não são independentes e, portanto, não podem ser considerados países. Ao contrário do que se pode pensar do uso do termo, embora partilhe laços e heranças comuns, a chamada América Latina não é uma região unida. Na verdade, seus povos diferem em mais aspectos do que se assemelham, pouco se conhecem entre si e alguns nutrem graves rivalidades.

***AMERICAN DEPOSITARY RECEIPTS* (ADR)** — Certificados que representam ações de companhias sediadas fora dos Estados Unidos. São emitidos por bancos norte-americanos. Várias empresas brasileiras usam as ADRs como mecanismo para captar recursos no exterior fugindo das altas taxas de juros dos empréstimos em seu próprio país. São certificados representativos de ações ou outros valores mobiliários que representam direitos e ações emitidos no exterior por instituição denominada "Depositária", com lastro em valores mobiliários de emissão de empresas brasileiras depositados em custódia específica no Brasil.

***AMERICAN OPTION* (OPÇÃO AMERICANA)** — Opção que pode ser exercida em qualquer data até seu vencimento (*expiration date*), inclusive.

AMERICAN PETROLEUM INSTITUTE — Ver API.

AMERICAN SOCIETY FOR QUALITY — Ver ASQ.

AMERICAN STOCK EXCHANGE — Ver AMEX.

AMEX (*AMERICAN STOCK EXCHANGE*) — A segunda maior bolsa de valores nos Estados Unidos (a primeira é a Bolsa de Nova York), transacionando cerca de 10% de todas as ações negociadas no país.

AMICUS CURIAE — [Latim]. Expressão que significa amigos da Corte, do Tribunal, representando o terceiro no processo que é convocado pelo juiz para prestar informações ou esclarecer questões técnicas, inclusive jurídicas, que interessam à causa.

AMIZADE — Senso de simpatia mútua entre duas ou mais pessoas entre si. Há a amizade íntima e a racional. Na amizade íntima, há concessão automática, por confiança mútua, do espaço íntimo. A boa-fé, a lealdade, o companheirismo e o compartilhar contínuo são características da amizade íntima. A amizade racional é unilateral e incondicional. A simpatia dirigida, na amizade racional, independe de reciprocidade.

AMIZADE ÍNTIMA — Sentimento de afeição extremada, manifestado na convivência constante, numa certa unidade de pensamento e comunhão de interesses, pontos de vista etc. Constitui motivo de suspeição para juiz, escrivão, perito, testemunha etc.

AMOR COGNITIVO — Gerador energético social da força harmônica pela paz social. O amor cognitivo refere-se ao social. Ou seja, é o amor de uma coletividade, de um grupo coeso ou da humanidade como integrador das paixões natural e cultural com a solidariedade incondicional. É o gerador energético da força harmônica social no sentido do reequilíbrio geral. E refere-se às consciências sociais.

AMORFO — Que não tem forma determinada.

AMOR-PRÓPRIO — Sentimento de dignidade pessoal e de suas exigências morais e sociais. Surge por influência dos padrões socioculturais interiorizados.

AMORTIZAÇÃO — Reembolso, normalmente em parcelas, de uma dívida contraída junto a uma pessoa jurídica de direito público ou privado; redução gradual de uma dívida (até a sua total extinção) mediante prestações periódicas e sucessivas previamente ajustadas entre o credor e o devedor. (Ver: Alongamento da dívida.)

AMORTIZAÇÃO DA DÍVIDA — Ver: Amortização.

AMORTIZAÇÃO DE EMPRÉSTIMO — Fonte de receita de um banco que corresponde à amortização, inclusive dos valores relativos à correção monetária, de empréstimos concedidos.

AMORTIZAÇÃO EXTRAORDINÁRIA — Pagamento efetuado antes do prazo previsto. Nos contratos imobiliários, deve corresponder a pelo menos 10% do valor do saldo devedor.

AMORTIZAÇÕES DA CONTA GRÁFICA — Pagamento das "obrigações a pagar" gravadas com garantias de privatizações.

AMORTIZAÇÕES LÍQUIDAS — Resultado entre as amortizações incorridas a pagar e a receber.

AMOSTRA — É um subconjunto de elementos pertencentes a uma população. A informação recolhida para uma amostra é depois generalizada a toda a população. Nem sempre as amostras refletem a estrutura da população da qual foram retiradas ou são representativas dessas populações, podendo levar nesses casos a inferências erradas ou a desvios dos resultados. As amostras podem ser aleatórias ou não-aleatórias.

AMOSTRA ALEATÓRIA — É aquela amostra para a formação da qual existiu um procedimento de seleção dos elementos ou grupo de elementos de um modo tal que dá a cada elemento da população uma probabilidade de inclusão na amostra calculável e diferente de zero. Neste tipo de amostra, cada elemento da população tem uma probabilidade conhecida de ser escolhido.

AMOSTRA BASE — Amostras obtidas por meio dos procedimentos de multiplicação da amostra inicial ou diretamente dos procedimentos de coleta, quando seu tamanho é adequado para evitar ou diminuir a ocorrência de perdas de variação.

AMOSTRA ESTATÍSTICA — Uma amostra estatística consiste de um conjunto de indivíduos retirados de uma população a fim de que o estudo estatístico dessa amostra possa fornecer informações cruciais sobre a população. Na verdade, trata-se de um conceito bem simples, usado no dia-a-dia. Como exemplo, pode-se citar o exame de sangue, pois, para se saber as propriedades de todo o sangue (população), retira-se apenas uma pequena amostra.

AMOSTRA NÃO-ALEATÓRIA — É aquela amostra para a formação da qual existiu um procedimento de seleção dos elementos da população que permite a escolha dos indivíduos a incluir na amostra segundo determinado critério mais ou menos subjetivo. Nesta forma de amostragem, não se conhece a probabilidade de determinado elemento ser selecionado.

AMOSTRA POR CONGLOMERADO — Amostra na qual cada unidade de amostragem é um grupo ou conglomerado de elementos.

AMOSTRAGEM — Seleção de uma amostra em determinado universo, de acordo com método apropriado, e estudo dos elementos que a compõem, com vistas a emitir previsões reais próximas da realidade. É o exame de itens selecionados com o objetivo de inferir características ao conjunto.

AMOTINAÇÃO — Reação com desordem, rebeldia e tumulto. Levantamento em motim, espécie de sedição (perturbação da ordem pública). (Ver: Sedição.)

AMPARO PREVIDENCIÁRIO — Ver Rendas mensais vitalícias.

AMPAROS ASSISTENCIAIS — Tal qual as rendas mensais vitalícias, os amparos assistenciais, com valor fixo de um salário mínimo, são garantidos pela Previdência Social à pessoa portadora de deficiência ou idosa, que comprove não possuir meios de prover a própria manutenção e nem de tê-la provida por sua família.

AMPÈRE — Unidade de medida de resistência da corrente elétrica produzida por um circuito de 1 volt através de uma resistência de 1 ohm. A medida da velocidade do fluxo de elétrons através de um dado ponto em um condutor elétrico, tal como uma linha de transmissão.

AMPLA DEFESA — Princípio de direito que assegura a todos a mais ampla oportunidade de se defender de qualquer acusação, inclusive com a admissão do contraditório.

AMPLITUDE — Medida de variabilidade num grupo de dados. É calculada subtraindo-se o menor valor do grupo do maior valor do mesmo grupo.

AMPLITUDE ECOLÓGICA — Faixa de tolerância de uma espécie às condições do ambiente (temperatura, salinidade, umidade, pressão barométrica altitudinal). Decorre daí que a amplitude ecológica pode variar indefinidamente, conforme as diferentes situações concretas.

AMPLITUDE TÉRMICA — Diferença entre a média ou as extremas das temperaturas mais altas (máximas) e a média ou as extremas das temperaturas mais baixas (mínimas).

AMPULHETA — Era o relógio de bordo de um navio. No seu interior era colocada a areia (casca de ovo moída ou pó de prata ou de estanho) que passava de uma ampola para a outra, através de um orifício. A ampulheta era feita de modo que a passagem da areia demorasse um tempo determinado. Havia ampulhetas de uma, duas ou mesmo quatro horas, mas a mais utilizada era a de meia hora.

ANA (AGÊNCIA NACIONAL DE ÁGUAS) — Autarquia criada pela Lei n.° 9.984, de 2000, com sede e foro no Distrito Federal, sob regime especial, com autonomia administrativa e financeira, vinculada ao Ministério do Meio Ambiente, com a finalidade de implementar, em sua esfera de atribuições, a Política Nacional de Recursos Hídricos, integrando o Sistema Nacional de Gerenciamento de Recursos Hídricos e a articulação do planejamento nacional, regional, estadual e dos setores usuários referentes aos recursos hídricos.

ANA (AVISO DE NEGOCIAÇÃO DE AÇÕES) — Aviso enviado quinzenalmente pela própria Bolsa de Valores aos investidores que têm seu nome no pregão. Através dele o investidor obtém informações precisas e seguras sobre as operações de compra e venda de suas ações. O ANA vale como comprovante.

ANAERÓBICO — Ou anaeróbio. Condição na qual não existe disponível qualquer forma de oxigênio. Organismos que não requerem ar ou oxigênio livre para manter a vida; aqueles que vivem na total ausência do oxigênio livre são os anaeróbios estritos ou obrigatórios; os que vivem tanto na ausência quanto na presença de oxigênio livre são anaeróbios facultativos.

ANAERÓBIO — Ver Anaeróbico.

ANÁFORA — Figura de construção de uma frase. É a repetição de uma palavra a espaços regulares durante o texto. Exemplo: <u>Poucos</u> são os recursos, <u>pouco</u> o dinheiro, <u>pouca</u> a sorte, <u>pouco</u> o resultado.

ANAIS — Registros de eventos, atividades, fatos históricos, oficiais, científicos ou pessoais, organizados anual ou periodicamente.

ANALFABETISMO TECNOLÓGICO — Consiste na incapacidade do indivíduo de lidar com as novas tecnologias, com seus produtos e de atender aos novos requisitos do trabalho.

ANALFABETO FUNCIONAL — Ver Educação - Analfabeto Funcional.

ANALISADOR DE CÓDIGO — *Software* que percorre um trecho de código, uma rotina ou um programa, com a finalidade de coletar métricas de complexidade ou de elaborar um grafo ou outra descrição da lógica do código percorrido.

ANÁLISE — Determinação das partes constituintes de um todo buscando conhecer sua natureza e/ou avaliar seus aspectos técnicos para posterior parecer. No processo de *marketing* é a investigação das condições do mercado em que a empresa se insere ou pretende estar inserida.

ANÁLISE AMBIENTAL — 1) Exame detalhado de um sistema ambiental, por meio do estudo da qualidade de seus fatores, componentes ou elementos, assim como dos processos e interações que nele possam ocorrer, com a finalidade de entender sua natureza e determinar suas características essenciais. 2) Processo ou método utilizado para detectar, mediante análise, um composto químico ou tipos de compostos que se encontram em uma amostra ambiental. Quando a substância se encontra presente em concentrações inferiores a uma parte por um milhão, denomina-se análise de resíduos.

ANÁLISE CONTÁBIL — É a análise que se fundamenta em normas, métodos e procedimentos indicados pela técnica e ciência da contabilidade. Existem vários sistemas de análise contábil: perícias, demonstrações, verificações de balanços por análises próprias etc.

ANÁLISE CRÍTICA — É a avaliação profunda e global de um projeto, produto, serviço, processo ou informação com relação a requisitos, objetivando a identificação de problemas e a proposição de soluções.

ANÁLISE DE ANOMALIA — É a busca sumária e rápida da causa imediata de uma anomalia. Deve ser feita na área de trabalho usando o Diagrama de Causa e Efeito, com a participação de supervisores, líderes e operadores.

ANÁLISE DE BALANÇO — Tem por fim observar e confrontar os elementos patrimoniais de uma empresa (ativos e passivos), visando o conhecimento minucioso de sua saúde financeira e econômica atual, e delinear o comportamento administrativo futuro.

ANÁLISE DE CICLO DE VIDA (ACV) — Metodologia de avaliação de impacto ambiental de uma atividade econômica. Procura qualificar e quantificar todos os impactos ambientais de produtos e serviços, desde a aquisição de matéria-prima até o uso e descarte final, sendo composta basicamente de quatro etapas principais, segundo as sistemáticas de uso: a) definição do escopo e objetivo; b) inventário do ciclo de vida; c) avaliação de impactos do ciclo de vida; d) interpretação de resultados.

ANÁLISE DE CUSTO-BENEFÍCIO — Método de comparação de alternativas de custos e benefícios para empreendimentos de qualquer natureza, examinadas em termos monetários, buscando determinar a linha de ação mais favorável.

ANÁLISE DE CUSTO-EFICÁCIA — Método de comparação de alternativas de custo e eficácia para empreendimentos de qualquer natureza, examinadas em termos de custos monetários e grau de atingimento dos objetivos definidos.

ANÁLISE DE EFICIÊNCIA — Sistema de avaliação para conseguir a realização de um determinado trabalho de forma correta, com custo e tempo menores. É a proporção do custo total (dinheiro) e recursos escassos (tempo) que pode ser relacionada com o benefício atualmente realizado. É a relação entre os recursos utilizados e os resultados obtidos em determinada atividade. (Ver: Produção eficiente.)

ANÁLISE DE FALHA HUMANA — Método que identifica as causas e os efeitos dos erros humanos observados ou em potencial. Identifica também as condições de equipamentos ou de projetos que podem provocar erros humanos.

ANÁLISE DE FREQÜÊNCIA — Processo envolvido na interpretação de séries antigas de eventos em termos de probabilidades futuras de ocorrência.

ANÁLISE DE GESTÃO — Análise que visa a uma avaliação do desempenho durante um período de governo.

ANÁLISE DE INDICADORES — Análise do desempenho com base no resultado de alguns indicadores, que podem ser agrupados como: indicadores de atividade, de estrutura de capital, de liquidez e de rentabilidade. Em geral, esses indicadores são calculados com base nos dados disponíveis no balanço patrimonial e no demonstrativo de resultado.

ANÁLISE DE PROCESSO — É o método para identificar o relacionamento entre as principais causas e seus efeitos. Pode ser utilizada para identificar a causa fundamental de um problema, para se determinarem padrões de valores ótimos para as causas, de modo a se obterem os melhores efeitos, para reduzir a dispersão etc. Consiste em partir de um resultado e procurar a causa fundamental entre várias que compõem o processo.

ANÁLISE DE REGRESSÃO — É a ferramenta estatística que processa as informações contidas nos dados, de forma a gerar um modelo que represente o relacionamento existente entre as diversas variáveis de um processo, permitindo a determinação quantitativa das causas mais influentes no problema ou para o alcance de uma meta.

ANÁLISE DE RISCO — 1) Avaliação contínua e sistemática dos riscos do negócio, que podem advir do desenvolvimento de novos projetos, da entrada de empresas nos novos mercados, da relação com clientes específicos. 2) Revisão sistemática de todos os riscos de um negócio, envolvendo a análise da incerteza decorrente de fatores como o desenvolvimento de novos projetos, a entrada em novos mercados ou a interação com um determinado grupo de clientes a quem sejam concedidas condições de crédito. 3) Avaliação minuciosa dos diversos aspectos da carteira de crédito de uma Instituição Financeira com o objetivo de determinar o seu risco.

ANÁLISE DE SENSIBILIDADE — É a tentativa de apurar o grau de variação dos resultados de um projeto em face de alterações em variáveis relevantes que determinam a sua viabilidade.

ANÁLISE DE SENSITIVIDADE — Análise dos efeitos que a mudança de algumas variáveis podem ter sobre a projeção de resultado, de forma a medir o grau de variação destes resultados em relação às mudanças destas variáveis. Assim, uma empresa pode usar a análise de sensitividade para estimar, por exemplo, o impacto do maior/menor crescimento da economia no seu faturamento anual. Também conhecida como análise de sensibilidade.

ANÁLISE DE TÍTULOS — É um pré-requisito para as decisões sobre carteiras de títulos. Ela fornece os valores das variáveis relevantes para o processo de administração de carteira.

ANÁLISE DE VALOR — Metodologia de gestão criada nos anos 50 do século XX que consiste em decompor um produto ou serviço nas suas funções principais e, em seguida, delinear as soluções organizacionais mais apropriadas para reduzir os custos de produção. Implica uma análise detalhada do valor criado pela empresa por meio da distribuição dos custos totais de um produto ou serviço pelas suas diferentes etapas: concepção, fabrico, venda, distribuição e serviço aos clientes. Este conceito deu origem às noções de cadeia de valor, de valor acrescentado do produto ou serviço e de *shareholder value* (valor para o acionista).

ANÁLISE DE VARIÂNCIA — Técnica estatística que permite, no gerenciamento de processos, comparar vários grupos de interesse, mantendo um controle dos erros que podem ser cometidos no estabelecimento das conclusões.

ANÁLISE DE VENDABILIDADE — É a avaliação da vendabilidade de produtos com base em um estudo do comportamento, da percepção e das opiniões do cliente, considerando ainda as diferenças entre produtos concorrentes.

ANÁLISE DE VIABILIDADE — Avaliação das possibilidades de sucesso de um projeto, através de um exame cuidadoso das características e variáveis que possam afetar o sucesso deste projeto. A análise de viabilidade é usada para ajudar uma empresa no processo decisório, em geral referente à implementação ou não de um negócio/projeto.

ANÁLISE DE VULNERABILIDADE — Estudo que busca avaliar a abrangência espacial dos efeitos de um acidente potencial. Esses efeitos são expressos, qualitativa ou quantitativamente, em termos dos danos causados ao ambiente social ou natural, e para a sua estimativa são normalmente utilizados modelos matemáticos e probabilísticos.

ANÁLISE DO PONTO DE EQUILÍBRIO — Técnica que permite determinar o volume de vendas da empresa para o qual as receitas se igualam aos custos operacionais totais. O ponto de equilíbrio pode ser determinado tanto em termos de unidade de produto quanto em termos monetários.

ANÁLISE ECONÔMICA — É a aplicação à realidade econômica do método científico de decomposição em elementos mais facilmente compreensíveis que o todo, visando a inseri-los em um esquema explicativo.

ANÁLISE ECONÔMICA (DO BALANÇO) — É a análise que procura estudar o resultado da empresa, através de seus componentes e da diferença entre eles. É uma análise dos lucros ou das perdas em função dos demais elementos que compõem o capital das empresas. É, também, chamada, com maior propriedade, de análise residual, que procura estudar a rentabilidade do capital e examinar se, de fato, a empresa vem atingindo os seus propósitos dentro de suas possibilidades.

ANÁLISE FINANCEIRA — Uma das metodologias usadas pelos analistas para verificar a situação de uma empresa. Esta metodologia se baseia na análise dos demonstrativos financeiros (balanço patrimonial, demonstrativo de resultado e demonstração de origens e recursos) de uma empresa, com o objetivo de determinar a sua posição financeira atual, assim como o seu desempenho futuro.

ANÁLISE FINANCEIRA (DO BALANÇO) — É a análise que observa o comportamento dos valores que dizem respeito ao numerário e ao crédito na empresa (quer do crédito recebido, quer do cedido). Esta análise inclui como base perspícua examinar a capacidade de crédito e de liquidez, observando, entretanto, outros elementos. Este tipo de análise é preferido pelos bancos quando examinam as possibilidades de negócios com seus clientes.

ANÁLISE FUNDAMENTALISTA — Projeção do comportamento das ações a partir do estudo das características particulares de cada empresa. Utilizam-se demonstrações financeiras divulgadas pela empresa, assim como informações setoriais e macroeconômicas para fundamentar recomendações sobre quais papéis devem ser comprados ou vendidos.

ANÁLISE GRAFISTA — Ver Análise técnica.

ANÁLISE HORIZONTAL — É a análise que compara duas demonstrações ou conjuntos de dados de períodos diferentes, geralmente consecutivos, conta por conta, ou por grupo de contas, apontando as variações percentuais ocorridas entre um período e outro. Mostra os caminhos percorridos pela empresa e as possíveis tendências.

ANÁLISE INCREMENTAL (ORÇAMENTÁRIA E/OU ECONÔMICA) — Método de análise orçamentária e/ou econômica que consiste em dividir os recursos disponíveis em pequenos incrementos e considerar qual dos usos alternativos de cada incremento proporcionaria maior retorno. O conceito de utilidade marginal indica que a comparação de valores incrementais é significativa e necessária somente às margens ou próximo delas.

ANÁLISE MARGINAL — Através da análise marginal é possível comparar os custos incorridos com os benefícios obtidos de algumas estratégias financeiras, o que possibilita que a empresa analise melhor sua estratégia na tentativa de maximizar a sua lucratividade.

ANÁLISE MERCADOLÓGICA — Consiste na coleta e análise de informação sobre mercados específicos potenciais para novos produtos. Pode ser quantitativa ou qualitativa. A análise quantitativa é a única que permite conclusões estatísticas.

ANÁLISE MULTIVARIADA — É a ferramenta estatística que processa as informações de modo a simplificar a estrutura dos dados e a sintetizar as informações quando o número de variáveis envolvidas é muito grande, facilitando o entendimento do relacionamento existente entre as variáveis do processo. É utilizada na Pesquisa de Mercado.

ANÁLISE PATRIMONIAL (DO BALANÇO) — A análise patrimonial tem por objeto reconhecer os superinvestimentos e subinvestimentos, estudando as aplicações de capitais e as suas origens dentro dos limites considerados ideais para a sua realização. Segundo alguns estudiosos, é a que analisa todos os componentes do patrimônio ativo, passivo e diferencial. Através da análise dos investimentos no patrimônio é que se estuda o emprego do capital das empresas com relação ao lucro, observando se existiu excesso ou falta de aplicação. Por isso, este tipo de análise observa os investimentos em: imobilizações técnicas, bens de venda, bens de crédito, bens numerários e crédito de funcionamento. A análise dos financiamentos patrimoniais nas empresas estuda as origens ou fontes de alimentação dos investimentos, observando, também, se estes foram operados em medidas ou limites exatos. Estuda os financiamentos de capital de terceiros.

ANÁLISE PRELIMINAR DE RISCOS — Método de estudos de riscos executado durante a fase de concepção ou de desenvolvimento de um sistema, com a finalidade de prever riscos que poderão ocorrer na sua fase operacional. Também define o estudo preliminar de riscos potenciais em uma determinada região geográfica.

ANÁLISE QUALITATIVA — Em geral, é uma análise que avalia fatores importantes que não se podem mensurar com precisão. Em finanças, essa análise é mais voltada para os aspectos como experiência, caráter, qualidade geral da administração, moral dos funcionários e *status* de relações trabalhistas do que para as efetivas informações financeiras de uma companhia.

ANÁLISE QUANTITATIVA — Análise que envolve valores mensuráveis. Em finanças, são diversos os fatores quantitativos a serem considerados, como, por exemplo: o valor dos ativos, o custo do capital, os padrões históricos e projetados das vendas, custos e rentabilidade, além de uma ampla gama de considerações nas áreas de economia, mercado financeiro, valores mobiliários etc. Embora diferentes, os fatores quantitativos e qualitativos devem se combinar, a fim de se obterem avaliações financeiras corretas e seguras sobre o objeto da análise.

ANÁLISE RESIDUAL — Ver Análise econômica (do Balanço).

ANÁLISE TÉCNICA — Também denominada Análise Gráfica, é uma metodologia que se baseia no comportamento de ações listadas em bolsa ou outros ativos no passado e procura avaliar as possibilidades de flutuações futuras. Em geral, este tipo de análise é usado para se projetar o desempenho de curto prazo de uma ação, enquanto a análise fundamentalista é mais usada para períodos mais longos.

ANÁLISE VERTICAL — Avalia a estrutura de cada conta; mostra sua real importância no conjunto do qual faz parte. Não aponta variações e sim a importância, ou seja, a participação percentual de cada item em relação ao total do Ativo ou do Passivo, no caso do balanço patrimonial, ou em relação à receita bruta, no caso de demonstração de resultados.

ANALISTA DE MERCADO DE CAPITAIS — É o profissional de formação universitária que aplica determinada metodologia no estudo de empresas, setores, situações conjunturais e demais aspectos que afetam o mercado de capitais.

ANALOGIA — 1) Revela idéia de proporção, de correspondência, de semelhança. 2) Forma de auto-integração da lei. Operação lógica mediante a qual se suprem as omissões da lei, aplicando a apreciação de uma dada relação jurídica às normas de direito objetivo disciplinadoras de casos semelhantes. Aplicar ao caso omisso a norma reguladora de qualquer caso análogo. (Ver: Argumento por analogia // Raciocínio por analogia.)

ANALOGIA JURÍDICA (*JURIS*) — Ocorre quando, para o caso omitido, se deduz do espírito e do sistema do ordenamento jurídico considerado em seu conjunto. Ocorre quando se aplica a espécie não prevista em lei, e com a qual não há norma que apresenta caracteres semelhantes, a um princípio geral de direito. A *analogia juris* serve para resolver o caso que não foi previsto por qualquer preceito legal, forçando o aplicador a recorrer ao espírito do sistema, na sua totalidade, ou aos princípios gerais de direito.

ANALOGIA LEGAL (*LEGIS*) — Essa forma de analogia é empregada quando o caso não previsto é regulado por um preceito legal que rege um semelhante. Compreende uma argumentação trabalhada sobre textos da norma penal, quando se verifica a insuficiência de sua redação. A *analogia legis* diz respeito à falta de um artigo de lei e, aí, se invoca o preceito que disciplina caso semelhante.

ANALÓGICO — Contínuo; áudio ou vídeo representado por sinais continuamente variáveis. No processo analógico, os sinais de áudio e de vídeo são gravados e reproduzidos sem o uso de códigos ou algoritmos. (Ver: Digital.)

ANARQUISMO — Doutrina política que prega a abolição do Estado como ponto de partida para a construção de uma sociedade alternativa, onde as relações entre os indivíduos sejam livres, igualitárias e desprovidas de qualquer coerção. Assim, os indivíduos agiriam com inteira liberdade e independência, formando grupos autônomos livres de todas as forças de coação por parte do Estado e das instituições políticas e sociais. A doutrina anarquista considera o poder ou qualquer forma de domínio como um mal, devendo a sociedade funcionar sem governo, mediante a cooperação espontânea de todos os indivíduos para a organização social e a realização dos serviços públicos.

ANATEL (AGÊNCIA NACIONAL DE TELECOMUNICAÇÕES) — Entidade integrante da Administração Pública Federal indireta, com sede no Distrito Federal, submetida a regime autárquico especial e vinculada ao Ministério das Comunicações, com a função de órgão regulador das telecomunicações.

ANATOCISMO — Incidência de juros sobre juros acrescidos ao saldo devedor, em razão de não terem sido pagos. Os juros obtidos, por meio desta prática, são somados ao principal da dívida e serão a base para o cálculo da nova contabilização de juros. A legislação pátria permite apenas acumular juros sobre o capital.

ÂNCORA CAMBIAL — Recurso utilizado pelo governo para brecar a cotação de uma moeda em relação ao dólar, por exemplo. Isso acontece ao se fixar o valor da moeda na taxa cambial. Este foi o instrumento utilizado pela equipe econômica brasileira até 1999, quando US$1 passou a valer R$1,21, taxa definida para a conversão. O objetivo era segurar a inflação. (Ver: Ataque Especulativo.)

ANDAMENTO DA CAUSA — Acompanhamento do processo em obediência à lei processual, da instrução ao julgamento. O autor não pode deixar de provocar o andamento da causa por mais de 30 dias, sob pena de extinção do processo. Sem julgamento do mérito.

ANDAMENTO PROCESSUAL — Desenvolvimento normal e regular do processo.

ANDROGINIA — Do grego *andros*, macho; *gine*, fêmea. Existência, no mesmo indivíduo, de caracteres sexuais femininos e masculinos, com predominância destes. Hermafroditismo.

ANEEL (AGÊNCIA NACIONAL DE ENERGIA ELÉTRICA) — É uma autarquia sob regime especial, vinculada ao Ministério das Minas e Energia, com sede e foro no Distrito Federal, tendo por finalidade regular e fiscalizar a produção, transmissão, distribuição e comercialização de energia elétrica, de acordo com a legislação e em conformidade com as diretrizes e políticas do Governo Federal. (Ver: Operadora Nacional do Sistema Elétrico.)

ANEMÔMETRO — Instrumento utilizado para medir a velocidade do vento ou a velocidade e a direção do vento.

ANENCEFALIA — Ver: Aborto Eugênico.

ANEXAÇÃO — 1) É a juntada definitiva de um processo a outro, passando ambos a constituírem um só documento. 2) Reunião, incorporação de proposições semelhantes em apenas uma proposição. 3) Reunião, em um só corpo, de órgãos circunscricionais administrativos ou judiciários; em plano mais restrito, como anexação de comarca, de cartórios; ou mais amplo, como anexação de um estado, um município etc.

ANEXAR — Juntar algo a uma coisa considerada como principal: anexar outras cláusulas ao contrato.

ANEXO DE METAS FISCAIS — Ver: Metas Fiscais.

ANEXO DE POLÍTICA FISCAL — Ver: Política Fiscal.

ANEXO DE RISCOS FISCAIS — Ver: Riscos Fiscais.

ANEXOS — Denominação dada às peças que acompanham o orçamento (PPA, LDO, e LOA), o balanço ou uma conta; são geralmente as demonstrações analíticas de fatos que servem de meio de esclarecimento para fins diversos. Usa-se, também, para designar toda explicação de um fato patrimonial. Usa-se, ainda, para indicar peças que acompanham o processo principal, a lei ou decreto.

ANEXOS PREVISTOS NA LRF - OBRIGATORIEDADE DE ELABORAÇÃO — Todos os municípios, sem exceção, estão obrigados a elaborar Anexo de Política Fiscal do Plano Plurianual, o Anexo de Metas Fiscais e o Anexo de Riscos Fiscais da Lei de Diretrizes Orçamentárias e o Anexo de que trata o inciso I do art. 5º da Lei Complementar nº 101, de 4 de maio de 2000 (Lei de Responsabilidade Fiscal-LRF). O art. 63, inciso III da LRF, facultou aos municípios com população inferior a 50.000 habitantes optar por elaborar os Anexos a partir do quinto exercício seguinte ao ano da sua publicação, portanto, a partir de 2005.

ANFITRIÃO — É aquele que recebe os convidados; dono da casa; em eventos organizacionais, é, quase sempre, a autoridade maior da empresa, presente ao encontro. É país que recebe representantes de outros países. É chefe de governo que recebe outro chefe de governo ou seu representante.

ANGÚSTIA — É o sentimento complexo que envolve desde um sofrimento psíquico por tristeza e melancolia passageiras e até por sentimentos prolongados de apreensão e preocupação por ameaças e perdas futuras. A angústia pode surgir também por crença imaginativa, sem o correspondente real. As suas origens podem estar na insegurança por privação e frustração, na rejeição, fracasso, incerteza e na perda ou ameaça grave aos valores de subsistência.

ÂNIMO — Estado do organismo que se inicia com sensação de vigor, boa disposição física e psíquica pronta para a atividade.

ANIMOSIDADE — Aversão persistente. Má vontade.

ANIMUS — Expressão latina que, traduzida por ânimo, serve para mostrar o elemento intencional, que se leva em conta em um certo número de situações jurídicas, para determinar a natureza exata destas últimas. A qualidade da intenção é sempre designada pelo acréscimo de outro vocábulo, que assim completa o sentido da expressão. Ex.: *animus nocendi* (vontade de prejudicar); *animus infringendi* (intenção de infringir).

ANISTIA — É o esquecimento do ato criminal. Forma de extinção da punibilidade. Exclui o crime, apagando a infração penal. Ocorre quando o Poder Público declara impuníveis os que incorreram em delitos, anulando as condenações. Trata-se de medida de caráter coletivo, beneficiando pessoas condenadas criminalmente, isentando-as de pena e tornando sem efeito as sanções aplicadas. Em matéria penal, a concessão da anistia tem efeito *ex tunc* sobre o crime, desconstituindo a própria coisa julgada. Em outras palavras, percebe-se que a anistia anula a sentença penal condenatória irrecorrível e, com isto, se o anistiado cometer novo crime, não será considerado reincidente. Entretanto, a anistia não impede a *actio civilis ex delicto* ou ação civil de reparação de dano, pois alcança tão-somente os efeitos penais da sentença. Depois de concedida, a anistia não pode ser revogada, em face do disposto no Art. 5º, XXXVI e XL, da Constituição Federal. Havendo inquérito policial, a anistia enseja o arquivamento do procedimento investigatório. Não se confunde com o perdão ou o indulto, que se inspiram no valor subjetivo do condenado, como indivíduo. (Ver: Remissão.)

ANISTIA FISCAL — Considerada uma das hipóteses de exclusão do crédito tributário, objetiva dispensar o contribuinte do pagamento das infrações advindas do descumprimento da obrigação tributária. Diferentemente da remissão, que atinge o perdão da dívida extinguindo-a total ou parcialmente, a anistia alcança apenas o perdão da falta cometida pelo infrator e o perdão das multas incidentes pela falta de pagamento dos tributos ou apenas sobre alguns deles. A anistia poderá também alcançar valores definidos por limite e destinados a certas regiões ou outras condições estabelecidas pela lei específica que a instituiu. A anistia fiscal abrange exclusivamente as infrações cometidas anteriormente à vigência da lei que a concede, não se aplicando: a) aos atos qualificados em lei como crimes ou contravenções e aos que, mesmo sem essa qualificação, sejam praticados com dolo, fraude ou simulação pelo sujeito passivo ou por terceiro em benefício daquele; b) salvo disposição em contrário, às infrações resultantes de conluio entre duas ou mais pessoas naturais ou jurídicas. A anistia pode ser concedida em caráter geral ou limitadamente.

ANO AGRÁRIO — Período destinado à colheita da cultura principal explorada pelo agricultor.

ANO CIVIL — É o período compreendido entre 1º de janeiro e 31 de dezembro.

ANO DE CRIAÇÃO — Significa o ano no qual o município foi criado legalmente por meio da Lei de Criação, Decreto ou Ordem, com memorial descritivo, diferente, portanto, do ano de emancipação política.

ANO FINANCEIRO — a) O mesmo que Exercício Financeiro. Período correspondente à execução orçamentária. b) Período durante o qual as empresas elaboram as suas contas, mas que, para efeitos contábeis, pode não corresponder ao ano civil.

ANO FISCAL — Período de vigência de um orçamento, que no Brasil corresponde a um ano.

ANO HIDROLÓGICO — Período contínuo de 12 meses escolhido de tal modo que as precipitações totais são escoadas neste mesmo período. O armazenamento nesse ano fica, assim, reduzido ao mínimo.

ANO MÉDIO — Ano para o qual determinado parâmetro observado é aproximadamente igual ao correspondente valor calculado como média das observações de um período suficientemente longo. A série em que se baseia o ano médio ou normal deve ser especificada em cada caso.

ANO-LUZ — É a unidade de longitude utilizada em Astronomia correspondente à distância percorrida pela luz em um ano, no vácuo. Para calcular o valor de um ano-luz em quilômetros, é necessário saber que a velocidade da luz no vacuo é de 299.792,458 quilômetros por segundo (km/s) e que o tempo utilizado na definição é o chamado Ano Gregoriano, com 365,2425 dias, que é um calendário solar, baseado na translação do planeta Terra ao redor do Sol. Assim temos que o ano-luz vale 9.460.536.207.068,016 km (aproximadamente, 9,46 biliões de quilômetros); ou também 63.241 unidades astronômicas. (Ver: Calendário Gregoriano // Velocidade da Luz.)

ANOMALIA — O que se desvia da norma ou da regra. Qualquer desvio das condições normais de operação. É tudo que for diferente do usual ou anormal, exigindo ação (ou atuação) corretiva.

ANOMIA — Vocábulo grego que dá origem ao termo anomia, que significa "sem normas", o que permite entendê-la como uma situação de desregramento social, em que a ação dos indivíduos não mais é pautada por normas claras e compartilhadas. Sem lei, sem regras, condição de desintegração.

ANÔNIMO — De autoria desconhecida. Aquele que omite o nome naquilo que escreve.

ANP (AGÊNCIA NACIONAL DO PETRÓLEO) — É uma autarquia sob regime especial, vinculada ao Ministério das Minas e Energia, com a função de promover a regulação, a contratação e a fiscalização das atividades econômicas integrantes da indústria do petróleo, de acordo com o estabelecido na Lei nº 9.478, de 06.08.1997, regulamentada pelo Decreto nº 2.455, de 14.01.1998, nas diretrizes emanadas do Conselho Nacional de Política Energética (CNPE) e em conformidade com os interesses do País. A ANP tem, entre suas principais atribuições, efetuar os cálculos dos índices de distribuição, aos estados e municípios, dos recursos do *royalties* do petróleo. (Ver: Petróleo ou Gás Natural - Participações Governamentais na Exploração e Produção.)

ANS (AGÊNCIA NACIONAL DE SAÚDE SUPLEMENTAR) — É uma autarquia sob regime especial, vinculada ao Ministério da Saúde, com sede e foro na cidade do Rio de Janeiro - RJ e atuação em todo o território nacional, com a função de regulação, normatização, controle e fiscalização das atividades que garantam a assistência suplementar à saúde.

ÂNSIA — Sensação correspondente ao alarme de um possível enfrentamento, de uma provável fuga ou esquiva com a previsão de ameaças em hora incerta. Leva à ansiedade. (Ver: Ansiedade.)

ANSIEDADE — Sentimento misto de medo e raiva provocado por crença. O medo por crer que o pior possa acontecer se reveza com a raiva desse possível acontecimento, aumentando essa conexão mista de emoções, paulatinamente, com a conseqüente inquietação até a hora do enfrentamento pressentido. A ânsia prolongada leva à ansiedade acrescentando mais medo à raiva, com tendência à fuga ou esquiva na hora do enfrentamento, se houver. É o oposto ao sentimento de expectativa que aguarda uma situação de ocorrência incerta, mas provavelmente agradável. (Ver: Ânsia.)

ANTE ACTA — [Latim]. Expressão que significa antes do ato. Isto é, preliminarmente.

ANTECEDENTES — Diz-se também vida pregressa, os atos ou fatos da vida de uma pessoa que revelam tendências, modo de ser, sob o aspecto de moral e costumes.

ANTECIPAÇÃO — Ato realizado antes do tempo determinado, fixado por lei ou pelo acordo entre as partes.

ANTECIPAÇÃO DA TUTELA — Decisão na qual o juiz adianta, no tempo, os efeitos da tutela definitiva, total ou parcialmente. A recente alteração do dispositivo legal que prevê a antecipação da tutela visa facultar ao juiz, de ofício, a fixação de multa diária em caso de descumprimento de sentenças condenatórias nas obrigações de fazer e não fazer, bem como requisitar força policial ante a sua necessidade. (Ver: Tutela.)

ANTECIPAÇÃO DE LEGÍTIMA — É o ato *inter vivos*, ou de última vontade, em que o pai ou mãe viúvos, doam, de modo especial, certos bens aos filhos herdeiros.

ANTECIPAÇÃO DE RECEITA ORÇAMENTÁRIA — Ver Operação de Crédito por Antecipação de Receita Orçamentária.

ANTECONTRATO — É o contrato provisório, o qual antecede a celebração do contrato definitivo. É o mesmo que pré-contrato.

ANTENUPCIAL — Ver Pacto antenupcial.

ANTEPROJETO — 1) Rascunho, versão preliminar de um plano ou projeto. 2) Primeira versão ou versão preliminar de uma proposição, que deve ser ainda discutida e ajustada antes de ser apresentada em plenário. 3) Redação provisória de contrato, estatuto ou qualquer documento para discussão e deliberação, antes de ser aprovado. (Ver: Projeto.)

ANTERIORIDADE — Diz-se daquilo que vem antes. Princípio legal segundo o qual uma lei tem de ser anterior aos fatos e situações a que se refere e pretende regular.

ANTERIORIDADE DA LEI — Ver Lei, Anterioridade da.

ANTERIORIDADE TRIBUTÁRIA — Princípio que veda a cobrança de um tributo ou de seu aumento no mesmo exercício financeiro em que haja sido publicada a lei que o instituiu ou aumentou.

ANTICICLONE — Massa de ar de alta pressão. Área de pressão que diverge os ventos numa rotação oposta à rotação do planeta Terra. Move-se no sentido horário no Hemisfério Norte e no sentido anti-horário no Hemisfério Sul. Também conhecida como área de alta pressão. É o oposto de uma área de baixa pressão ou ciclone.

ANTICRESE — É o uso de uma coisa em vez de outra. É o contrato pelo qual o devedor - conservando ou não a posse do imóvel - atribuiu ao credor, a título de garantia da dívida, os frutos e rendimentos oriundos do imóvel. Trata-se de um direito real de garantia, podendo o credor, denominado anticresista, usufruir ou alugar o bem a terceiros e perceber os frutos ou rendimentos do imóvel e, conforme o caso, reter este, até o cumprimento da obrigação. É a utilização da anticrese como garantia de cumprimento da obrigação.

ANTÍFRASE OU IRONIA — É uma figura de pensamento. Expressão de uma idéia pelo seu contrário. Exemplo: A humanidade perderia um grande gênio se ele morresse.

ANTIGÜIDADE — Tempo de serviço do servidor público civil ou militar ou do empregado para efeito de graduação ou inatividade.

ANTIJURÍDICO — Ato contrário ao Direito.

ANTINOMIA — Conflito entre duas normas jurídicas, cuja solução não se acha prevista na ordem jurídica.

ANTIPATIA — Juízo ou disposição repulsiva a coisas ou pessoas.

ANTÍTESE — É uma figura de pensamento. Confronto de idéias opostas entre si. Exemplo: Ora temos esperança, ora nos damos ao desespero.

ANTONOMÁSIA — Figura de palavra. Consiste em substituir o nome próprio da pessoa por uma característica pela qual esta se tornou notória. Exemplo: O Aleijadinho deixou esculpida na pedra a história de uma época.

ANTRÓPICO — Relativo à humanidade, à sociedade humana, à ação do ser humano sobre a natureza. Termo de criação recente, empregado por alguns autores para qualificar: um dos setores do meio ambiente, o meio antrópico, compreendendo os fatores sociais, econômicos e culturais; um dos subsistemas do sistema ambiental, o subsistema antrópico.

ANTROPOGÊNICO — Em sentido restrito, diz-se dos impactos no meio ambiente, gerados por ação humana.

ANTROPOGEOGRAFIA — Estudo científico do ser humano, de sua história e sua cultura, em função dos fatores condicionantes do meio geográfico em que vive.

ANTROPOLOGIA — Ciência que reúne várias disciplinas cujas finalidades comuns são descrever o ser humano e analisá-lo com base nas características biológicas (Antropologia Física) e culturais (Antropologia Cultural) dos grupos em que se distribui, dando ênfase, através das épocas, às diferenças e variações entre esses grupos. Para a Ciência Jurídica, a Antropologia é importante para o estudo de critérios para a identificação dos indivíduos.

ANUALIDADE DO ORÇAMENTO — Princípio orçamentário que estabelece a periodicidade de um ano para as estimativas da receita e fixação da despesa. A vigência do orçamento púbico é de um exercício financeiro, que coincide com o ano civil (art. 34 da Lei Federal nº 4320, de 1964).

ANUÊNCIA — Ato de concordar, aceitar, consentir. Consentimento ou aprovação, concordância.

ANUIDADE — Tarifa paga pelos clientes anualmente, como se fosse uma renovação do contrato entre cliente e instituição.

ANULABILIDADE — O negócio anulável, não obstante estar ferido de um vício, é tratado como válido. Os efeitos jurídicos produzem-se ficando, contudo, à mercê das partes, que têm o direito de anular o negócio, podendo destruir retroativamente os efeitos jurídicos já produzidos. A anulabilidade decorre dos seguintes fatores: incapacidade do agente e vícios da vontade.

ANULAÇÃO — É a perda de validade ou de efeito jurídico de ato ou contrato por infração de cláusula ou conteúdo; ato ou decisão, de caráter judicial ou administrativo, que, reconhecendo a existência de vício ou defeito em ato ou negócio jurídico, diante da solicitação de quem tenha interesse na sua eficácia jurídica, vem declará-lo inválido ou desfeito. A anulação do ato jurídico torna sem efeito e inexistente toda sua eficácia jurídica, seja perante os próprios agentes que o compuseram, seja em relação a terceiros que possam ter interesse nele. A anulação do ato jurídico decorre da sentença emanada de autoridade judiciária.

ANULAÇÃO DA LICITAÇÃO — Ver Licitação Pública - Revogação e anulação.

ANULAÇÃO DE CASAMENTO, AÇÃO DE — Ver Casamento, Ação anulatória.

ANULAÇÃO DE DESPESA — Ver Despesa, Anulação de.

ANULAÇÃO DE EMPENHO — Anulação parcial ou global do empenho, revertendo-se o valor para a dotação correspondente.

ANULAÇÃO DO DESTAQUE OU PROVISÃO — Ato da Administração Pública de tornar sem efeito crédito concedido pelo destaque ou provisão. Poderá ser total ou parcial. Somente poderá ser efetuada pela unidade responsável pela descentralização e em situações especiais.

ANULAÇÃO DO EMPENHO — Cancelamento total ou parcial de importância empenhada pelo órgão público. (Ver: Empenho.)

ANVERSO — Parte oposta ao verso. Frente de um título ou documento.

ANVISA (AGÊNCIA NACIONAL DE VIGILÂNCIA SANITÁRIA) — É uma autarquia sob regime especial, vinculada ao Ministério da Saúde, que tem por finalidade institucional promover a proteção da saúde da população por intermédio do controle sanitário da produção e da comercialização de produtos e serviços submetidos à vigilância sanitária, inclusive dos ambientes, dos processos, dos insumos e das tecnologias a eles relacionados. Além disso, a Agência exerce o controle de portos, aeroportos e fronteiras e a interlocução junto ao Ministério das Relações Exteriores e instituições estrangeiras para tratar de assuntos internacionais na área de vigilância sanitária.

APARTE — É a interrupção breve e oportuna de um orador com o propósito de levantar indagações ou esclarecimentos sobre o assunto em debate. (Ver: Intervenção // Pronunciamento.)

APARTHEID — Política de segregação estabelecida na África do Sul até 1991, baseada no desenvolvimento separado das raças. Esse regime foi condenado por todos os países membros da ONU, que votou, contra ele, um embargo sobre as armas em 1977 e, a partir de 1985, sanções econômicas em diversas ocasiões.

APATIA — Insensibilidade e indiferença. Leva ao isolamento e impassibilidade.

APÁTRIDA (OU HEIMATLOS) — É a pessoa sem nacionalidade, sem pátria. Ocorre quando uma pessoa, devido às circunstâncias do nascimento, não se vincula a nenhum Estado, por não se encaixar em nenhum dos critérios determinantes da nacionalidade. A Convenção das Nações Unidas de 1953 assegura que o país que abriga o apátrida resguarde a ele os direitos humanos fundamentais (Declaração Universal dos Direitos do Homem).

APEGO — Afeição tenaz a objeto ou pessoa.

APELAÇÃO — É pedir reparação a uma autoridade, a fim de que se restabeleça uma situação ou se faça justiça.

APELAÇÃO - EM MATÉRIA PROCESSUAL CIVIL — É o recurso que se interpõe de decisão terminativa ou definitiva em matéria de natureza civil, a fim de pleitear a reforma, total ou parcial, da sentença com a qual a parte não se conformou. Deve ser interposta por petição dirigida ao juiz que apreciou a causa, embora vá ser examinada pelo Tribunal. Deve conter os nomes e a qualificação das partes, os fundamentos de fato e de direito e o pedido de nova decisão. É através da apelação que o ordenamento jurídico concede o direito a um novo julgamento (reexame do processo), podendo-se rediscutir tanto a matéria de fato quanto de direito. Para a interposição da apelação, é preciso que haja interesse em recorrer (busca-se, dentro do processo, situação jurídica mais favorável do que a proporcionada pela decisão recorrida). Em regra, a apelação tem o chamado efeito "suspensivo", isto é, suspende a eficácia da sentença recorrida, impedindo que a mesma seja executada. O prazo para interposição da apelação é de 15 dias. Os recursos – inclusive de apelação – são sempre remédios voluntários, ou seja, sua interposição é um ato de vontade. Logo, as hipóteses em que a lei exige o reexame pelo Tribunal, independente da vontade das partes (o chamado "reexame necessário"), não têm a natureza de recurso. (Ver: Reexame necessário.)

APELAÇÃO - EM MATÉRIA PROCESSUAL PENAL — É o recurso que se interpõe pela parte que se julga prejudicada em matéria de natureza criminal contra a sentença definitiva de condenação ou absolvição proferida por juiz singular. É contra as decisões definitivas, ou com força de definitivas, proferidas por juiz singular nos casos não previstos nos recursos em sentido estrito. Das decisões do Tribunal do Júri, cabe apelação quando: a) ocorrer nulidade posterior à pronúncia; b) for a sentença do juiz-presidente contrária à lei expressa ou à decisão dos jurados; c) houver erro ou injustiça no tocante à aplicação da pena ou da medida de segurança; d) for a decisão dos jurados manifestamente contrária à prova dos autos.

APELADO — É a parte contra quem se apela. A parte que figura como recorrida na apelação. Aquele que obteve sentença favorável, de que se apelou.

APELANTE — É a parte que apela. Quem interpõe a apelação. É a parte envolvida no processo ou terceiro prejudicado, que obteve sentença desfavorável e ingressou com recurso de apelação sobre a mesma.

APELAR — Ver Apelação.

APELIDO — É o nome de família, o sobrenome.

APENAR — É a decisão de aplicar, impor pena; punir; condenar.

APÊNDICE — Parte anexa ou complementar a uma obra. Matéria suplementar, que não constitui parte essencial da obra, mas que é acrescentada, ao fim do volume, compreendendo notas do autor, citações, ilustrações, gráficos, tabelas ou mapas, correspondências, documentos e legislação de interesse, bem como complementação do texto do autor, considerada importante para melhor compreensão da obra em seu conjunto ou em parte. A inserção desses elementos em apêndice evita que seja sobrecarregado o corpo da obra.

APENHAMENTO — É o mesmo que penhora.

APENSAÇÃO — Medida que reúne, em circunstâncias especiais, autos conexos, com os quais o processo passa a tramitar junto, mantendo-se, porém, os números das folhas do principal e os das folhas do apensado. Difere da juntada, em que os documentos passam a integrar o processo, adotando a numeração seqüencial deste. É anexar aos autos uma petição, ou autos de outra ação; o contrário de juntar, que é inserir dentro dos autos petição ou documento. Instrumento regimental de uma Casa Legislativa que permite a tramitação conjunta de proposições da mesma espécie que disponham sobre matéria idêntica ou correlata.

APENSAMENTO — Ver Apensação.

APENSAR — Ver Apensação.

APERFEIÇOAMENTO — Ação de melhorar, de aperfeiçoar.

API (*AMERICA'N PETROLEUM INSTITUTE*) — Medida numérica da densidade do petróleo bruto; quanto menor o grau API, mais frações pesadas ele possui.

ÁPICE — O alto. Extremidade de alguma coisa. Vértice. Cume.

APLICAÇÃO — Ver Aplicações.

APLICAÇÃO DE CAPITAL — Ver Capital, Aplicação de.

APLICAÇÃO DE RECURSOS — Destino dado aos recursos durante um período. São as aquisições e despesas realizadas com a utilização de recursos financeiros conseguidos.

APLICAÇÃO DE RECURSOS REPASSADOS PELOS ESTADOS E MUNICÍPIOS - FISCALIZAÇÃO — Compete ao Tribunal de Contas fiscalizar a aplicação de quaisquer recursos repassados pelos estados e municípios, mediante convênio, acordo, ajuste ou outros instrumentos congêneres.

APLICAÇÃO DE RESULTADOS (*APPROPRIATION ACCOUNT*) — É a utilização, em caso de lucro, dos resultados que podem ser retidos sob a forma de reservas - legais, estatutárias, contratuais e livres - ou distribuídos sob a forma de dividendos ou repartidos pelos trabalhadores ou mantidos em resultados transitados.

APLICAÇÕES — Investimento ou uso de um recurso para comprar algo ou pagar obrigação. Em doutrina, o termo equivale a destino do capital, significando onde se realizou um investimento. Utilização de poupança na compra de títulos, com a finalidade de auferir rendimentos.

APLICAÇÕES DIRETAS — Aplicações dos créditos orçamentários realizadas diretamente pela unidade orçamentária detentora de crédito orçamentário, ou mediante descentralização a outras entidades integrantes dos Orçamentos Fiscal e da Seguridade Social, no âmbito da mesma esfera de governo.

APLICATIVO — O mesmo que programa de computador.

APLICÁVEL — Dá o sentido exato da justeza e da acomodação de um texto legal, ou de uma regra, ao caso jurídico em espécie.

APÓGRAFO — Reprodução de um instrumento original, traslado.

APOIO COMUNITÁRIO — Participação indispensável, ativa, consciente e organizada dos indivíduos e dos grupos que constituem uma comunidade.

APÓLICE — 1) Designa o papel (instrumento) em que se inscreveu uma promessa de pagamento, a ser satisfeita por quem o emitiu, materializando, assim, a própria obrigação de que é título legítimo o certificado escrito. 2) Título representativo da dívida pública, de obrigação civil e/ou mercantil. 3) Certificado escrito de uma obrigação mercantil. 4) Ação de sociedades anônimas. 5) Documento emitido pela companhia de seguro com os dados da cobertura de risco do segurado que formaliza o contrato de seguro.

APOLOGIA — Discurso ou escrito para justificar, defender ou louvar; forma literária de que se serviram alguns Santos Padres para defender a religião cristã contra os seus inimigos; louvor; justificação.

APOLOGIA DE CRIME — Crime contra a paz pública, consistente em fazer, publicamente, elogio a fato criminoso ou a autor de crime.

APONTAMENTO DE TÍTULO — Apresentação de um título de crédito ou documento de dívida ao Cartório de Protesto.

APOSENTADORIA — Direito que possuem os empregados sob regime da Consolidação das Leis do Trabalho (celetista) e os servidores públicos filiados ao sistema próprio previdenciário de se desobrigarem de suas atividades laborais depois de determinado tempo definido na legislação específica ou contrato, se previdência privada. A aposentadoria pode ser compulsória ou voluntária, por tempo de serviço ou, ainda, por motivo de invalidez. Concedida a aposentadoria, o empregado ou servidor terá direito ao recebimento de quantias mensais, calculadas de acordo com critérios legal ou contratualmente definidos. Os pagamentos mensais vitalícios são efetuados pela Previdência Social, se celetista, ou pelo regime próprio de previdência, se servidor, por motivo de tempo acumulado de serviço, idade avançada e incapacidade para o trabalho. (Ver: Servidor Público - Aposentadoria.)

APOSENTADORIA ESPECIAL — É o benefício concedido ao segurado da Previdência Social ou servidor público pertencente ao regime próprio de previdência, que tenha trabalhado em condições prejudiciais à saúde ou à integridade física, de acordo e na forma da legislação própria. A caracterização e a comprovação do tempo de atividade sob condições especiais obedecerão ao disposto na legislação em vigor na época da prestação do serviço. As regras de conversão de tempo de atividade sob condições especiais em tempo de atividade comum constantes aplicam-se ao trabalho prestado em qualquer período. A perda da qualidade de segurado não será considerada para concessão de aposentadoria especial, segundo dispõe a Lei nº 10.666, de 2003.

APOSENTADORIA INTEGRAL — É assegurada aposentadoria no regime geral de previdência social, nos termos da lei, aos 35 anos de contribuição, se homem, e 30 anos de contribuição, se mulher. Para o professor que comprove exclusivamente tempo de efetivo exercício das funções de magistério na educação infantil, no ensino fundamental e médio, o tempo de contribuição é reduzido em cinco anos, podendo, se homem, aposentar-se aos 30 anos de contribuição e se mulher, aos 25 anos de contribuição. Segundo disposições da lei 10.666, de 08 de maio de 2003, não será considerada a perda da qualidade de segurado para concessão da aposentadoria por tempo de contribuição. Terá, entretanto, o trabalhador, que cumprir um prazo mínimo de contribuição à Previdência Social, sendo que os inscritos a partir de 25 de julho de 1991 devem comprovar, pelo menos, 180 contribuições mensais. Os segurados afiliados ao Regime Geral de Previdência Social antes desta data devem observar a tabela progressiva de contribuições.

APOSENTADORIA POR IDADE — É o benefício concedido ao segurado da Previdência Social que alcança o limite de idade de 65 anos, se homem, ou de 60 anos, se mulher, exceto no caso de trabalhadores rurais, para os quais esses limites são de 60 e 55 anos, respectivamente. Se o empregado já cumpriu o período de carência, ao completar 70 anos de idade, se do sexo masculino, ou 65, se do sexo feminino, a empresa pode requerer sua aposentadoria, sendo esta compulsória.

APOSENTADORIA POR INVALIDEZ — É o benefício concedido ao segurado da Previdência Social atingido pelo risco social com incapacidade total e definitiva para o trabalho. Tem direito a aposentadoria por invalidez o segurado que, estando ou não em gozo de auxílio-doença, é considerado incapaz, não reabilitável para o exercício que lhe garanta a subsistência. A aposentadoria por invalidez é cancelada se o aposentado voltar à atividade, ao contrário dos outros tipos de aposentadorias, que são vitalícios. A carência exigida para obtenção de aposentadoria por invalidez é de 12 meses, exceto nos casos de incapacidade em decorrência de acidente ou quando o segurado que após afiliar-se ao RGPS for acometido de alguma das doenças ou afecções listadas pela Previdência. Não tem direito à aposentadoria por invalidez quem, ao se filiar à Previdência Social, já tiver doença ou lesão que geraria o benefício, a não ser quando a incapacidade resultar no agravamento da enfermidade.

APOSENTADORIA POR TEMPO DE CONTRIBUIÇÃO — Também conhecida por aposentadoria por tempo de serviço, é o benefício concedido ao segurado da Previdência Social que atender a requisitos de contribuição. Pode ser integral ou proporcional. Para ter direito à aposentadoria integral, o trabalhador homem deve comprovar pelo menos 35 anos de contribuição e a trabalhadora mulher, 30 anos. Para requerer a aposentadoria proporcional, o trabalhador tem que combinar dois requisitos: tempo de contribuição e a idade mínima.

APOSENTADORIA POR TEMPO DE SERVIÇO — Ver Aposentadoria por tempo de contribuição.

APOSENTADORIA POR VELHICE — Ver Aposentadoria por idade.

APOSENTADORIA PROPORCIONAL — Podem requerer aposentadoria proporcional os segurados da Previdência Social: se homem, aos 53 anos de idade e 30 anos de contribuição (mais um adicional de 40% sobre o tempo que faltava em 16 de dezembro de 1998 para completar 30 anos de contribuição); se mulher, aos 48 anos de idade e 25 de contribuição (mais um adicional de 40% sobre o tempo que faltava em 16 de dezembro de 1998 para completar 25 anos de contribuição). A renda mensal do benefício será de 70% do salário de benefício, mais 5% a cada ano completo de contribuição posterior ao tempo mínimo exigido. Acréscimo de tempo de contribuição: o tempo de trabalho exercido até 5 de março de 1997 com efetiva exposição do trabalhador a agentes nocivos químicos, físicos, biológicos ou associação de agentes (listados nos Decretos 53.831, de 1964 e 83.080, de 1979) e até 28 de maio de 1998 (listados nos Decretos 2.172, de 1997 e 3.048, de 1999) será somado, depois da conversão, ao tempo de trabalho em atividade comum, desde que o segurado tenha completado até àquelas datas pelo menos 20% do tempo necessário para o benefício requerido, observada a tabela de conversão.

APOSENTADORIAS E REFORMAS, PAGAMENTOS DE — Conta na qual são registradas as despesas da Administração Pública com pagamento de inativos civis, militares reformados e pagamento aos segurados do plano de benefícios da Previdência Social.

APOSTA — Jargão utilizado pelos profissionais do mercado financeiro. Significa decisão de investimento baseada em expectativas de ganho ou retorno, porém com certo grau de incerteza.

APÓSTROFE — É uma figura de pensamento. Interpelação emotiva de pessoas ou coisas personificadas.

APPROPRIATION ACCOUNT — Ver Aplicação de Resultados.

APRAZAMENTO — Designação do momento para a realização de qualquer ato.

APRAZAR — Marcar ou determinar prazo para se fazer alguma coisa. Concordar, ajustar antes para se fazer depois. Combinar lugar como ponto de encontro.

APRECIAÇÃO — 1) Análise; exame; conceito; julgamento; opinião. 2) Exame de matéria pelo Plenário, envolvendo discussão e votação, a partir de parecer, de natureza opinativa, ou relatório, de natureza descritiva, emitidos pelas comissões pertinentes.

APRECIAÇÃO CONCLUSIVA — Poder conferido a uma dada comissão, pelo qual esta pode deliberar sobre matérias submetidas à apreciação da Câmara dos Deputados, dispensada a manifestação do Plenário. A competência para decidir se o projeto terá tramitação conclusiva é da Mesa Diretora, observadas as normas do Regimento Interno. No Senado Federal, esse poder conferido às comissões é chamado "Terminativo".

APRECIAÇÃO CONCLUSIVA DE COMISSÃO — Exame, pelas comissões da Casa Legislativa, de proposições que, nos casos previstos no Regimento Interno, não necessitam ir a Plenário para aprovação. (Ver: Comissão.)

APRECIAÇÃO DE NECESSIDADES — Instrumento que permite extrair informação sobre as diversas necessidades das populações e sua hierarquização, tendo em conta as suas opiniões.

APRECIAÇÃO PRELIMINAR — Fase de apreciação de uma proposição em Plenário de uma Casa Legislativa na qual são examinados apenas os aspectos de admissibilidade jurídica (constitucionalidade e juridicidade) ou financeiro-orçamentária de uma proposição. Ocorre, em geral, quando há recurso específico contra parecer terminativo de comissão sobre qualquer desses aspectos.

APRECIAÇÃO PRÉVIA — Exame crítico do relatório de identificação que escolhe e hierarquiza as diferentes soluções do ponto de vista da pertinência, viabilidade técnica, financeira e institucional e rentabilidade socioeconômica. Apreciação global da pertinência, viabilidade e sustentabilidade provável de uma ação para promoção de desenvolvimento antes que a decisão de financiamento seja tomada. Nas agências e bancos de desenvolvimento, o objetivo desta apreciação prévia é fornecer os elementos necessários para decidir se a ação representa uma utilização adequada dos recursos da organização.

APRECIAR — 1) Avaliar; julgar; estimar; considerar. 2) Admirar; tornar-se grato; reconhecer as qualidades de alguma coisa ou de alguém.

APREENSÃO — 1) Fixação na memória de elementos óbvios recentes. Assimilação. 2) É a ação e efeito de se tirar de alguém ou tomar de outrem coisa que se encontrava em seu poder, ou de apoderar-se da coisa que se encontrava em abandono. Ato de retirar pessoa ou coisa do poder de alguém que injustamente a detenha, mediante autorização de órgão competente. Exemplos: a busca e apreensão de pessoa ou coisa, a apreensão judicial de títulos ou de mercadorias. É uma medida que sucede à busca, desde que encontrada a coisa processada. Pode haver apreensão sem busca, desde que o acusado entregue, espontaneamente, a coisa ou objeto referente à materialidade do delito. A Lei admite a busca (pessoal ou domiciliar). Pode ser feita até na parte do inquérito, pelo delegado de polícia, e judicialmente em qualquer fase do processo, até na fase de execução penal.

APREGOAÇÃO — É o ato de apregoar a compra ou venda de ações, mencionando-se o papel, tipo, a quantidade de títulos e o preço pelo qual se pretende fechar o negócio executado por um operador, representante de sociedade corretora, na sala de negociações (pregão).

APRENDIZ — Figura presente no Estatuto da Criança e do Adolescente (Lei nº 8.069, de 1999, capítulo V) que permite o trabalho da criança ou adolescente desde que esteja presente a formação técnico-profissional ministrada segundo as diretrizes e bases da legislação em vigor, com a garantia de acesso e freqüência obrigatória ao ensino regular.

APRENDIZADO — Métodos utilizados para questionar, avaliar e melhorar e/ou inovar as práticas de gestão e os respectivos padrões de trabalho.

APRENDIZAGEM — Processo pelo qual se incorpora conhecimento ou se adquire a capacidade de realizar, cada vez melhor, o que não se sabia fazer antes; processo de mudança de ótica sobre algo (segunda ordem); processo de mudança tática, sem mudança estratégica ou de visão (primeira ordem).

APRENDIZAGEM OPERACIONAL — É o processo de implementar uma teoria e observar resultados positivos.

APRENDIZAGEM ORGANIZACIONAL — É encarada como um processo social de interação entre indivíduos que, embora nem sempre de forma consciente ou intencional, resulta na criação de novo conhecimento. Aquisição e assimilação de novas bases de conhecimento para adaptação, geração e aperfeiçoamento do processo de produção da organização.

APRESTOS — Preparação imediata; providências necessárias, a serem tomadas prontamente.

APROPRIAÇÃO — 1) Procedimento pelo qual alguém traz para seu patrimônio coisa alheia ou sem dono.

2) Reconhecimento da ocorrência da despesa e/ou da receita, independentemente da entrada ou saída de caixa.

APROPRIAÇÃO INDÉBITA — Crime contra o patrimônio, que consiste no ato de apropriar-se de coisa alheia móvel, de quem tem a posse ou a detenção.

APROPRIAÇÃO INDÉBITA PREVIDENCIÁRIA — Deixar de repassar à Previdência Social as contribuições recolhidas dos contribuintes.

APROVAÇÃO — 1) Ato ou efeito de acatar, aceitar, concordar. 2) É o ato administrativo em que o poder público verifica a legalidade e o mérito de outro ato, ou de situações e realizações materiais de seus próprios órgãos, de outra entidade ou de particulares, dependentes de seu controle, e consente na sua execução ou manutenção. 3) Tomada de decisão favorável à proposição, que encerra a fase deliberativa no âmbito do Poder Legislativo. Tomada de decisão favorável de comissão técnica legislativa, relativamente ao parecer nela produzido sobre determinada proposição. (Ver: Rejeição.)

APROVEITAMENTO EFICIENTE — Aquele recomendável para o local, numa dada época, observada a tendência econômica ou vocação de uso nas circunvizinhanças, dentre os diversos permitidos pela legislação pertinente.

APROVEITAMENTO MÚLTIPLO — É o aproveitamento do recurso, projetado, construído e operado para atender a mais de uma finalidade.

APROVISIONAMENTO — Método de apoio ao abastecimento, pelo qual se relacionam os itens de material, determinam-se as quantidades necessárias e se adquire o que foi estabelecido, para atendimento, durante um determinado período, às ações a serem desenvolvidas.

APTIDÃO — O mesmo que adaptado (estar adaptado). Em ecologia e ginecologia, é a capacidade de o indivíduo prosperar e reproduzir-se indefinidamente num tipo particular de ambiente.

APTIDÃO EMPREENDEDORA — Capacidade de transformar idéias em inovações. Habilidade para empreender ou criar novos negócios e projetos.

APTIDÃO GENÉTICA — É a contribuição dos genes do indivíduo para a próxima geração, com relação à contribuição de outros indivíduos da população. É um processo de seleção natural que tende a favorecer os genótipos com maior aptidão genética. Em geral, isso é estimado pelo número de descendentes criados.

APUD — [Latim]. Expressão que significa junto de; em. Utilizada para assinalar as citações feitas em obras que não são de autoria da pessoa cuja locução, sentença ou texto se faz referência.

APURAÇÃO DE FATOS — Realização de uma investigação com vistas à descoberta de fatos.

AQUECIMENTO GLOBAL — Fenômeno causado, segundo alguns cientistas, por uma mudança no efeito estufa, que estaria aumentando a temperatura do planeta Terra, devido às emissões excessivas de gases tóxicos, como o dióxido de carbono. O aquecimento global vem gerando uma série de graves conseqüências, tais como a elevação do nível dos oceanos; o derretimento de geleiras, glaciares e calotas polares; mudanças nos regimes de chuvas e ventos; intensificação do processo de desertificação e perda de áreas agricultáveis. Pode também tornar mais intensos fenômenos extremos, tais como: furacões, tufões, ciclones, tempestades tropicais e inundações. (Ver: Efeito estufa.)

AQÜESTOS — É a denominação que se dá aos bens adquiridos por qualquer dos cônjuges na vigência da sociedade conjugal. Estes bens passam a incorporar a comunhão, quando o casamento for com comunhão de bens.

AQÜICULTURA — Cultivo ou a criação de organismos aquáticos – algas, moluscos, crustáceos, peixes e outros – que têm na água doce ou salgada o seu normal ou mais freqüente meio de vida, para alimentação humana e finalidades industriais ou experimentais. Do ponto de vista biológico, a aqüicultura pode ser considerada como a tentativa do ser humano, através da manipulação e da introdução de energia num ecossistema aquático, de controlar as taxas de natalidade, crescimento e mortalidade, visando a obter maior taxa de extração, no menor tempo possível, do animal explorado. A aqüicultura passou a ser, então, uma das fontes econômicas e ecológicas para a obtenção e produção de alimentos.

AQÜÍFERO — Meio geológico de formação porosa (camada ou estrato), de rocha permeável, areia ou cascalho, capaz de armazenar e fornecer quantidades significativas de água.

AQÜÍFERO ARTESIANO — Formação geológica completamente saturada de água, limitada no seu topo e na sua base por uma formação ou camada impermeável. A água nela armazenada está submetida a uma pressão superior à atmosférica, permitindo, portanto, elevá-la a poços acima do limite superior do aqüífero confinado.

AQÜÍFERO GUARANI — É o maior manancial de água doce subterrânea transfronteiriço do mundo. Está localizado na região centro-leste da América do Sul, entre 12º e 35º de latitude sul e entre 47º e 65º de longitude oeste e ocupa uma área de 1,2 milhões de km², estendendo-se pelo Brasil (840.000l km²), Paraguai (58.500 km²), Uruguai (58.500 km²) e Argentina (255.000 km²). Sua maior ocorrência se dá em território brasileiro (2/3 da área total), abrangendo os estados de Goiás, Mato Grosso do Sul, Minas Gerais, São Paulo, Paraná, Santa Catarina e Rio Grande do Sul. Esse reservatório de proporções gigantescas de água subterrânea é formado por derrames de basalto ocorridos nos Períodos Triássico, Jurássico e Cretáceo Inferior (entre 200 e 132 milhões de anos). É constituído pelos sedimentos arenosos da Formação Pirambóia na Base (Formação Buena Vista na Argentina e Uruguai) e arenitos Botucatu no topo (Missiones no Paraguai, Tacuarembó no Uruguai e na Argentina). A espessura total do aqüífero varia de valores superiores a 800 metros até a ausência completa de espessura em áreas internas da bacia. Considerando uma espessura média aqüífera de 250 metros e porosidade efetiva de 15%, estima-se que as reservas permanentes do aqüífero (água acumulada ao longo do tempo) sejam da ordem de 45.000 km³. O Aqüífero Guarani constitui-se em uma importante reserva estratégica para o abastecimento da população, para o desenvolvimento das atividades econômicas e do lazer. Sua recarga natural anual (principalmente pelas chuvas) é de 160 km³/ano, sendo que, desta, 40 km³/ano constituem o potencial explotável sem riscos para o sistema aqüífero. As águas em geral são de boa qualidade para o abastecimento público e outros usos, sendo que, em sua porção confinada, os poços têm cerca de 1.500 m de profundidade e podem produzir vazões superiores a 700 m³/h, podendo fornecer até 43 trilhões de metros cúbicos de água por ano, o suficiente para abastecer uma população de 500 milhões de habitantes.

AQUISIÇÃO — É o ato ou fato pelo qual se opera a transferência do domínio ou propriedade de uma coisa, móvel ou imóvel, ou a sua posse, ou a transferência de um direito para uma pessoa, que assim se torna proprietária dela, ou titular desse direito. Pode ser originária, quando independe de ato de antigo titular, ou derivada, quando existe a transferência do antigo para o novo titular.

AQUISIÇÃO DE ATIVOS — São despesas decorrentes de saneamento financeiro de empresas (públicas e privadas) e sociedades de economia mista, de acordo com a legislação em vigor e cláusulas contratuais.

AQUISIÇÃO DE BENS PARA O PATRIMÔNIO PÚBLICO — São formas de aquisição de bens pelo Poder Público: adjudicação; compra; dação em pagamento; desapropriação; doação; herança jacente; permuta; parcela de empreendimento.

AQUISIÇÃO DE BENS PARA O PATRIMÔNIO PÚBLICO - ADJUDICAÇÃO — Corresponde à determinação, dada por sentença judicial, de que um bem particular seja incorporado ao patrimônio público, pelas razões que originaram a demanda. Pode ser, por exemplo, para quitação de qualquer débito para com a Administração Pública.

AQUISIÇÃO DE BENS PARA O PATRIMÔNIO PÚBLICO - COMPRA — Na Administração Pública, nenhuma compra será feita sem a adequada caracterização de seu objeto e indicação dos recursos orçamentários, sob pena de nulidade do ato e responsabilidade de quem lhe tiver dado causa, nos termos dos arts. 15 e 16, § 4º, inciso I, da Lei de Responsabilidade Fiscal. Dá-se por meio de licitação, conforme dispõe a Lei nº 8.666, de 1993, com as alterações da Lei nº 8.883, de 1994, e de outras leis posteriores. Para que ocorra, é necessária a existência de dotação orçamentária para a cobertura da despesa por meio dos empenhos prévios.

AQUISIÇÃO DE BENS PARA O PATRIMÔNIO PÚBLICO - DAÇÃO EM PAGAMENTO — Na Administração Pública, consiste no fato de determinada pessoa, física ou jurídica, ao estar em débito para com o Poder Público, efetuar o pagamento por meio da transferência de um bem para o domínio deste último, que o recebe e o integra ao patrimônio. Esclareça-se, entretanto, que a dação em pagamento não extingue débitos tributários, conforme dispõe o Código Tributário Nacional.

AQUISIÇÃO DE BENS PARA O PATRIMÔNIO PÚBLICO - DESAPROPRIAÇÃO — É o procedimento pelo qual o Poder Público, fundamentado no interesse público, retira compulsoriamente um bem do patrimônio privado e o transfere ao domínio público, mediante justa e prévia indenização em dinheiro, conforme determina a Constituição Federal em seu art. 5º, inciso XXIV, salvo exceções que a própria Constituição prevê. A desapropriação será sempre motivada, ou seja, alicerçada na necessidade pública, na utilidade pública ou no interesse social, conforme dispõem as leis pertinentes.

AQUISIÇÃO DE BENS PARA O PATRIMÔNIO PÚBLICO - DOAÇÃO — Conceitua-se como a transferência voluntária de bens, por particulares, ao Poder Público. A doação pode ser: gratuita - quando não há exigência a ser cumprida por parte da Administração ao aceitar o bem doado; onerosa - quando envolve um ônus, ou seja, o cumprimento de alguma restrição ou encargo pela Administração. Neste caso, a aceitação da doação dependerá de lei autorizativa.

AQUISIÇÃO DE BENS PARA O PATRIMÔNIO PÚBLICO - HERANÇA JACENTE — É também uma forma de aquisição, pelo Poder Público, de um bem. Ocorre quando algum munícipe falece sem deixar herdeiros; o município é chamado como sucessor para receber a herança jacente.

AQUISIÇÃO DE BENS PARA O PATRIMÔNIO PÚBLICO - PARCELA DE EMPREENDIMENTO — Decorre da legislação que impõe ao loteador a obrigação de transferir ao patrimônio público uma parcela do empreendimento para construção das vias públicas e para utilização por outros serviços públicos.

AQUISIÇÃO DE BENS PARA O PATRIMÔNIO PÚBLICO - PERMUTA — Na Administração Pública, pode ocorrer quando o Poder Público envolvido efetua uma transação com alguém em que este transfere um bem para o primeiro, que, por sua vez, faz o mesmo em relação ao particular.

AQUISIÇÃO DE BENS PARA REVENDA (ADMINISTRAÇÃO PÚBLICA - DESAPROPRIAÇÃO) — São assim registradas as despesas públicas com aquisição de bens destinados a venda futura.

AQUISIÇÃO DE IMÓVEIS (ADMINISTRAÇÃO PÚBLICA) — São assim registradas as despesas públicas com a compra de imóveis considerados necessários à realização de obras ou para sua pronta utilização.

AQUISIÇÃO DE TÍTULOS DE CRÉDITO (ADMINISTRAÇÃO PÚBLICA) — São assim registradas as despesas públicas com a compra de títulos de crédito não representativos de quotas de capital de empresas.

AQUISIÇÃO DE TÍTULOS REPRESENTATIVOS DE CAPITAL JÁ INTEGRALIZADO (ADMINISTRAÇÃO PÚBLICA) — Aquisição de ações ou quotas de qualquer tipo de sociedade, desde que tais títulos não representem constituição ou aumento de capital.

AQUISIÇÃO VERTICAL — É a fusão de duas empresas que produzem bens de dois diferentes estágios da produção. Normalmente entre uma empresa e sua fornecedora, em que a primeira passa a controlar mais etapas da produção do bem final.

AQUISIÇÕES DO GOVERNO — São despesas com bens e serviços pelos governos federal, estadual e local.

AR — É a mistura de gases que compõem a atmosfera do planeta Terra. Os gases principais que compõem o ar são: nitrogênio, oxigênio, vapor de água, dióxido de carbono, argônio, neônio e pequenas quantidades de outros gases raros. Para todos os fins práticos de combustão, o ar pode ser considerado como composto, em volume, de oxigênio (O_2) 20,9%; nitrogênio (N_2) 79,1%; e, em peso, de oxigênio (O_2) 23,15%; nitrogênio (N_2) 76,85%. A densidade absoluta do ar a 15,5ºC e ao nível do mar é de 1,22 kg/m^3.

AR LÍQUIDO — É o produto que se obtém levando o ar, em três fases sucessivas, até 200 atmosferas, distendendo-se em seguida. O frio que dai resulta arrefece o ar que chega à compressão. A massa gasosa é então comprimida alternada e sucessivamente, resfriando-se gradualmente, até que uma parte dela se liquefaz. É apresentado sob forma de líquido transparente, levemente azulado. Sua densidade é de 0,870, seu ponto de ebulição situa-se entre -192 graus e -182 graus. O ar líquido, que contém duas vezes mais oxigênio que o ar atmosférico, é usado comercialmente para congelar outras substâncias e é empregado como fonte de oxigênio, nitrogênio, argônio e outros gases porque esses, quando aquecido o tubo que os contém, jorram separadamente, cada um a uma determinada temperatura.

AR MEDICINAL — É o ar utilizado em determinados tratamentos e aplicações, em que são necessárias atmosferas puras, isentas de poeiras e microorganismos. O Ar Medicinal é obtido através da mistura do oxigênio com o nitrogênio, na proporção de 21% de oxigênio (O_2) e 79% de nitrogênio (N_2), com grau de pureza mínima de 99,5%. Sua composição atende aos padrões recomendados por normas nacionais e internacionais, em um nível de qualidade adequado para uso medicinal. O sistema de suprimento é composto por dois tanques criogênicos. Um deles para armazenar o oxigênio líquido (a -183ºC), outro para o nitrogênio líquido (a -196ºC), mais o Misturador de Ar Medicinal, equipado com dois analisadores de O_2, que garantem a máxima segurança da composição da mistura, e uma Central Reserva de Ar Medicinal em cilindros.

AR PURO — É o gás que rodeia o planeta Terra, chamado atmosfera terrestre. A composição do ar seco, em volume, ao nível do mar é: nitrogênio 78,08%, oxigênio 20,95%, argônio 0,93%, dióxido de carbono 0,03%, neônio 0,018%, hélio 0,0005%, criptônio 0,0001% e xenônio 0,00001%. Já em massa, é: 75,6% de nitrogênio, 23,1%

de oxigênio, 1,29% de argônio e 0,048% de dióxido de carbono. Além de vapor de água, o ar contém em certas regiões compostos de enxofre, peróxido de hidrogênio, hidrocarbonetos e partículas suspensas.

ARBITRAGEM — 1) Processo decisório de conflito de interesses, em que os litigantes escolhem, de comum acordo, um árbitro ou mediador, comprometendo-se a acatar o parecer deste. É uma forma para solucionar litígios, entre pessoas capazes de contratar, em relação a direitos patrimoniais disponíveis. A arbitragem poderá ser de direito ou de eqüidade, a critério das partes. Poderão as partes escolher, livremente, as regras de direito que serão aplicadas na arbitragem, desde que não haja violação aos bons costumes e à ordem pública. Poderão, também, as partes convencionar que a arbitragem se realize com base nos princípios gerais de direito, nos usos e costumes e nas regras internacionais de comércio. 2) Operação em que o investidor procura ganhar sobre a diferença entre o preço de um ativo em determinado mercado geográfico e o preço desse mesmo ativo em outro mercado. Essa estratégia, chamada de arbitragem, garante que, sempre que um dos preços (futuro ou à vista) perder a sintonia com o valor justo do mercado, a rápida atuação dos investidores faça com que retorne à paridade. A concretização dessas operações permite aos arbitragistas obterem grandes lucros, contudo essas tendem a diminuir à medida que os mercados são mais perfeitos, a qualidade é maior e a sua integração é superior.

ARBITRAGEM CAMBIAL — É a operação de compra de uma quantidade de moeda local e na venda de outra quantidade de moeda estrangeira, de tal forma que, aplicando-se a paridade entre elas, obtenha-se equivalência.

ARBITRAGEM DE OFERTAS FINAIS — Espécie de arbitragem em que o árbitro deve restringir-se a optar pela proposta apresentada, em caráter definitivo, por uma das partes.

ARBITRAGEM EXPEDITA — Recebe esta denominação quando for nomeado apenas um árbitro para julgar a matéria em controvérsia.

ARBITRAGEM FISCAL — É o processo no qual um contribuinte utiliza sofisticados esquemas tributários com o propósito de atuar fora do sistema fiscal de dois diferentes países e assim obter um benefício fiscal como resultado.

ARBITRAGEM INTERNACIONAL — Decisão de litígio entre dois Estados, conforme convenções internacionais ou regras livremente estabelecidas para a sua efetuação.

ARBITRAL — Feito por árbitros, que diz respeito à decisão de árbitros.

ARBITRAMENTO — 1) Avaliação ou julgamento de uma coisa, feito por árbitro ou perito, para determinar seu valor. Funciona como meio extraordinário de prova. 2) Determinação de um valor estimativo para situações que não têm critérios bem definidos para a avaliação. 3) Em matéria processual civil, tem-se a liquidação da sentença por arbitramento. É uma das formas de se fazer a liquidação da sentença quando esta não determinar o valor ou não individuar o objeto da condenação. Utiliza-se a liquidação por arbitramento quando: determinado pela sentença ou convencionado pelas partes; o exigir a natureza do objeto da liquidação. 4) Tomada de decisão ou posição entre alternativas tecnicamente controversas ou que decorrem de aspectos subjetivos. 5) Análise a que é submetida a mercadoria entregue quanto ao tipo, qualidade e especificações, realizada por árbitros credenciados pelas Bolsas de Futuros.

ARBITRAR — Determinar, declarar, decidir como árbitro em uma questão.

ARBITRÁRIO — É o ato ou fato que contém uma deliberação fundada no arbítrio ou vontade de alguém, a qual se manifesta contrariando um princípio de lei ou uma regra preestabelecida.

ARCO-ÍRIS — Arco luminoso que exibe todas as cores do espectro visível de luz (vermelho, laranja, amarelo, verde, azul, azul claro e violeta). É criado por refração, pelo reflexo total e pela dispersão da luz. É visível quando o Sol brilha e o ar contém água vaporizada ou pingos de chuva, o que ocorre durante ou imediatamente após uma chuva. O arco sempre é visto no céu do lado oposto em que está o Sol.

ÁREA — Medida de superfície utilizada para determinar uma extensão.

ÁREA ARBORIZADA — Área que contém vegetação de porte e dotada de atributos naturais antropizados ou ainda de valores paisagísticos, que tem como funções ambientais contribuir para a permeabilidade dos solos, a recarga de aqüíferos, o controle das erosões e dos alagamentos, o conforto climático, sonoro e visual, a qualidade do ar e a imagem ambiental da Cidade e servir para o lazer e a recreação da população.

ÁREA COMPROMETIDA — Espaço correspondente ao assentamento urbano, incluindo todas as formas de ocupação residencial e não-residencial, urbanas e não-urbanas, a infra-estrutura viária, os espaços livres institucionalizados como unidades de conservação, aqueles afetados por restrições de segurança e também as superfícies inacessíveis à ocupação, como lagos e encostas íngremes.

ÁREA COMUM — É a área total destinada à utilização comum dos seus proprietários ou titulares de direito.

ÁREA CRÍTICA DE POLUIÇÃO — Zona de grande concentração industrial e bastante edificada, onde são encontradas, em grande quantidade, substâncias como o dióxido de carbono, monóxido de carbono e óxidos fotoquímicos.

ÁREA DE INFLUÊNCIA — Área externa de um dado território, sobre o qual exerce influência de ordem ecológica e/ou socioeconômica, podendo trazer alterações nos processos ecossistêmicos.

ÁREA DE LIVRE COMÉRCIO — Também denominada zona franca, são áreas geograficamente limitadas, onde o governo central beneficia investimentos com a isenção de uma série de custos (impostos, taxas) e/ou direitos (trabalhistas; importação, exportação), de modo a atrair e promover o comércio internacional. No entanto, uma zona desse tipo não é um regime territorial e sim um regime aduaneiro. Os lugares preferidos são limites internacionais, portos e aeroportos. Assim como os nomes, também as legislações das ALC variam de país para país. A primeira ALC moderna foi criada na Irlanda em 1960 (Shannon), embora os EUA já tivessem legislação a esse respeito desde 1934 (existem no país mais de 200 FTZ). No resto do mundo havia, em 1970, dez; em 1995, 70; em 2003, mais de 100. Geralmente é possível instalar-se nessas zonas vários tipos de serviços: centros regionais de distribuição de mercadorias e prestação de serviços; fábricas (zonas de processamento de exportação); formação ou aquisição de companhias locais ou, em outros centros, *offshore* (*Shell companies*); criação de entidade financeira *offshore*. O princípio aduaneiro é que toda mercadoria paga impostos somente quando entra no território nacional onde a aduana está situada, mas nem sempre essa limitação é obedecida. No início da década de 1990, o Brasil criou várias áreas de livre comércio, sem a conotação financeira *offshore*, todas localizadas na região Amazônica, mas não tiveram grande sucesso.

ÁREA DE LIVRE COMÉRCIO DA ASEAN — A Área de Livre Comércio da ASEAN (Association of Southeast Asian Nations) tem por finalidade precípua a redução de tarifas e a revisão das práticas comerciais intrablocos entre os países que fazem parte da referida associação. O acordo multilateral que deu origem à Área de Livre Comércio da ASEAN foi assinado em 1992, sendo esta associação composta por dez países: Brunei, Camboja, Indonésia, Laos, Malásia, Mianmar, Filipinas, Cingapura, Tailândia e Vietnã. (Ver: ASEAN.)

ÁREA DE OCUPAÇÃO INTENSIVA (AOI) — É a parte da cidade onde a concentração de pessoas e negócios deve ocorrer prioritariamente.

ÁREA DE OCUPAÇÃO RAREFEITA (AOR) — É a parte da cidade onde deve haver baixíssima densificação e um maior cuidado com a natureza.

ÁREA DE PRESERVAÇÃO PERMANENTE — Área protegida, coberta ou não por vegetação nativa, com a função ambiental de preservar os recursos hídricos, a paisagem, a estabilidade geológica, a biodiversidade, o fluxo gênico de fauna e flora, proteger o solo e assegurar o bem-estar das populações humanas. Consideram-se de preservação permanente as florestas e demais formas de vegetação natural, enumeradas pelo art. 2º da Lei Federal nº 4771, 1965.

ÁREA DE PROTEÇÃO AMBIENTAL (APA) — Categoria de área, integrante do Sistema Nacional de Unidades de Conservação (SNUC), geralmente extensa, com um certo grau de ocupação humana, dotada de atributos abióticos, bióticos, estéticos ou culturais, especialmente importantes para o desenvolvimento sustentável e o bem-estar das populações humanas, e que tem como objetivos básicos proteger a diversidade biológica, disciplinar o processo de ocupação e assegurar a sustentabilidade do uso dos recursos naturais. A implantação das APAs federais é de competência do Ibama, a das estaduais compete à Secretaria do Meio Ambiente respectiva. As APAs terão sempre um zoneamento ecológico-econômico.

ÁREA DE PROTEÇÃO AMBIENTAL E RECUPERAÇÃO URBANA — Área de domínio público ou privado que apresenta as características descritas na definição de APA e depende de ação do Poder Público para a regulação do uso e ocupação do solo e restauração de suas condições ecológicas e urbanas.

ÁREA DE PROTEÇÃO DO AMBIENTE CULTURAL (APAC) — Área de domínio público ou privado que apresenta relevante interesse cultural e características paisagísticas notáveis, cuja ocupação deve ser compatível com a valorização e proteção de sua paisagem e do seu ambiente urbano e com a preservação e recuperação de seus conjuntos urbanos.

ÁREA DEGRADADA — Área onde ocorrem alterações negativas das suas propriedades físicas, tais como na sua estrutura ou grau de compacidade, perda de matéria devido à erosão, e alteração de características químicas devido a processos como a salinização, lixiviação, deposição ácida e a introdução de poluentes.

ÁREA NATURAL SOB PROTEÇÃO — São aquelas protegidas como forma de manutenção da biodiversidade, para pesquisas científicas e para a manutenção de ecossistemas.

ÁREA PRIVATIVA — Área de um imóvel sobre a qual o proprietário tem domínio total, delimitada pela superfície externa das paredes.

ÁREA PROTEGIDA — Corresponde à unidade de conservação que constitui espaço territorial, incluindo as águas jurisdicionais, com características naturais relevantes, legalmente instituída pelo Poder Público, com objetivos de conservação e limites definidos, sob regime especial de administração, ao qual se aplicam garantias adequadas de proteção. Zona especial de um país onde, a fim de conservar a fauna, a flora e os modos de vida tradicionais, não é permitida a prática de determinadas atividades como a caça, a pesca, o abate de árvores, o campismo selvagem, indústrias etc. Parques nacionais, parques naturais e reservas naturais são exemplos de áreas protegidas.

ÁREA PÚBLICA — Área destinada às vias de circulação, à implantação de equipamentos urbanos e comunitários, bem como a espaços livres de uso público.

ÁREA URBANA — Região de um município que conta com melhoramentos mantidos pela Prefeitura.

ÁREA VERDE — Logradouro público com cobertura vegetal de porte arbustivo-arbóreo, não impermeabilizável, visando a contribuir para a melhoria da qualidade de vida urbana, permitindo-se seu uso para atividades de lazer.

ÁREAS CONFRONTANTES — São áreas vizinhas de uma determinada área objeto. As áreas confrontantes podem ser demarcadas por linhas imaginárias ou não, ou ainda ser determinadas por ocorrências físicas ou geográficas existentes.

ÁREAS DE CONSERVAÇÃO — Áreas de relevância ambiental, dotadas de diversidade biológica, de sítios naturais raros, singulares, de notável beleza cênica, com funções de proteção dos mananciais de abastecimento de água ou dos ecossistemas notáveis, manutenção da qualidade dos recursos hídricos, conservação de espécies vegetais relevantes e da fauna específica, controle de erosão, equilíbrio climático, cuja importância se deve ao seu valor ecológico, sociocultural ou à sua significância para a melhoria da qualidade urbano-ambiental.

ÁREAS DE CONTENÇÃO AO CRESCIMENTO URBANO (ACCRUs) — São áreas onde, ao contrário das Áreas de Ocupação Prioritárias (AUOPs), não se quer incentivar a ocupação, ou porque os equipamentos urbanos e comunitários já estão com sua capacidade de uso saturada, ou porque as condições ambientais não são favoráveis (como, por exemplo, as áreas de risco).

ÁREAS DE INTERESSE AMBIENTAL — São os espaços físicos que, pelas suas características, devam ter a sua ocupação e utilização reguladas, no sentido de conservar o patrimônio ambiental do município, natural ou cultural.

ÁREAS DE REVITALIZAÇÃO — São espaços da cidade que apresentam valores significativos. Por esta razão merecem medidas que resgatem e valorizem suas peculiaridades, dando-lhes nova vida, de forma que mais pessoas tenham acesso e possam usufruir delas.

ÁREAS MARÍTIMAS SOB JURISDIÇÃO NACIONAL — Expressão que engloba as áreas compreendidas entre a costa e as linhas de base retas, a partir de onde se mede o mar territorial (isto é, as águas das baías e enseadas, dos portos e dos estuários), o mar territorial, a zona contígua, a plataforma continental e a zona econômica exclusiva, tal como definidas na Lei nº 8.617, de 04.01.1993, e na Convenção das Nações Unidas sobre o Direito do Mar.

ÁREAS NATURAIS TOMBADAS — São áreas ou monumentos naturais cuja conservação é de interesse público, por seu valor ambiental, arqueológico, geológico, histórico, turístico ou paisagístico. Podem ser instituídas em terras públicas ou privadas.

ÁREAS SOB PROTEÇÃO ESPECIAL (ASPE) — São áreas ou bens assim definidos pelas autoridades competentes, em terras de domínio público ou privado, cuja conservação é considerada prioritária para a manutenção da qualidade do meio ambiente, do equilíbrio e da preservação da biota nativa. Podem ser definidas por resolução da autoridade ambiental federal, estadual ou municipal. Essa mesma autoridade é responsável pela coordenação das ações necessárias à sua implantação e conservação. As ASPEs se caracterizam como uma primeira medida de proteção de áreas ou bens que, após estudos mais aprofundados, podem ser incluídos em outras categorias de conservação mais restritivas.

ARENITO — Nome pelo qual se designam as rochas compostas de pequenos grãos de quartzo, feldspato ou calcário, unidos por um cimento geralmente quartzoso ou calcário.

ARESTO — Decisão de um Tribunal a respeito de um caso submetido a sua apreciação. Tem o mesmo significado de acórdão.

ARGÜIÇÃO DE DESCUMPRIMENTO DE PRECEITO FUNDAMENTAL — Proposta perante o Supremo Tribunal Federal, que tem por objetivo evitar ou reparar lesão a preceito fundamental, resultante de ato do Poder Público. Lei nº 9.882, de 1999 e Constituição Federal, art. 102, § 1º.

ARGÜIÇÃO DE INCONSTITUCIONALIDADE — Também chamada de incidente de inconstitucionalidade, é o procedimento mediante o qual as pessoas ou entidades elencadas no art. 103 da Constituição Federal impugnam atos ou legislação de natureza normativa que contrariam os preceitos da Carta Magna. (Ver ADIn – Ação Direta de Inconstitucionalidade.)

ARGÜIÇÃO DE RELEVÂNCIA — Incidente processual, na fase de admissibilidade do recurso extraordinário, visando que seja julgado pelo STF, desde que alegado haver o acórdão em causa decidido relevante questão federal.

ARGÜIÇÃO DE SUSPEIÇÃO — Processo para afastar do caso um juiz, membro do Ministério Público ou servidor da Justiça, do qual se desconfie de estar sendo parcial em um caso, por ter motivo para estar interessado nele. Caso seja declarado suspeito, seus atos no processo são anulados e há novo sorteio para distribuição a outro relator. Aplica-se, também, a qualquer órgão deliberativo.

ARGÜIÇÃO DO USUCAPIÃO — Defesa da posse longeva e pacífica em alegações nas ações dominiais pelo Requerido.

ARGÜIR — Significa extrair de um fato ou princípio a conseqüência que dele emana.

ARGUMENTAÇÃO — Apresentação de idéias ou formulação de conceitos para defender um objetivo.

ARGUMENTO — Designa o raciocínio, seja escrito ou oral, por meio do qual se quer tirar a conseqüência de uma ou mais proposições, isto é, em virtude do qual se procura provar, mostrar ou evidenciar a veracidade, procedência ou exatidão da afirmação feita. É uma consideração destinada a estabelecer ou negar uma tese.

ARGUMENTO POR ANALOGIA — Consiste em comparar duas coisas semelhantes em muitos aspectos para concluir que elas também são semelhantes em relação a um aspecto específico. (Ver: Analogia // Raciocínio por analogia.)

ARGUMENTO SÓLIDO — Diz-se daquele que é válido e todas as suas premissas são verdadeiras.

ÁRIDA — Diz-se da região que apresenta precipitações muito baixas, menores que 250 mm de chuvas por ano. Nas regiões áridas, a evaporação é maior do que a precipitação e, em conseqüência, as chuvas são insuficientes para proporcionar a formação de uma cobertura vegetal contínua e para permitir o cultivo de plantas anuais sem irrigação.

ARISTOCRACIA — É a classe social que desfruta de *status* privilegiado, transmitido de geração para geração de forma hereditária. Embora referências aos aristocratas possam ser encontradas desde as antigas Grécia e Roma, a aristocracia se consolidou durante as monarquias absolutistas, entre os anos de 1400 e 1789, quando eclodiu a Revolução Francesa, derrubando a monarquia. Com o declínio das monarquias e o surgimento do capitalismo industrial, a aristocracia foi perdendo espaço e, hoje, representa um grupo muito reduzido de descendentes de monarcas e suas famílias. Na Inglaterra, a aristocracia é composta pela Corte da Rainha Elisabeth e representada na Casa dos Lordes. No Brasil, ainda é possível encontrar resquícios da aristocracia na família dos Orleans e Bragança, descendentes do Imperador D. Pedro I.

ARMA NUCLEAR — Engenho cujo efeito destruidor resulta da energia liberada pela fissão ou fusão do átomo.

ARMAS NACIONAIS — Ver Símbolos Nacionais – Armas Nacionais.

ARMAZÉM ALFANDEGADO — 1) Um tipo de armazenagem na qual as companhias colocam os produtos no armazém sem a necessidade de pagar taxas ou tarifas aduaneiras. Necessita de aprovação do governo e fica permanentemente sob leis e garantias de funcionamento. 2) Local reservado para armazenagem e custódia de mercadorias importadas que estão sujeitas às taxas alfandegárias: até que elas sejam quitadas, os produtos devem ficar retidos ou ser enviados para o país de origem.

ARMAZÉM GERAL — Estabelecimento que tem por finalidade guardar e conservar mercadorias depositadas por terceiros e sobre as quais são emitidos representativos.

ARMAZÉM REGULADOR — Depósito feito pelo poder público para guardar mercadorias que necessitam de regularização do governo, destinadas a manter o equilíbrio entre a oferta e a procura e a manutenção do preço.

ARMISTÍCIO — Convenção feita entre litigantes com o intuito de suspender, provisoriamente, a hostilidade existente entre eles, durante um certo tempo. É o instante anterior ao tratado de paz.

ARO — Ver Operação de Crédito por Antecipação de Receita Orçamentária – ARO.

ARQUIPÉLAGO — Diz-se do agrupamento de ilhas que se encontram concentradas em certas áreas dos oceanos. É um termo mais de caráter geográfico, interessando, no entanto, à geologia e à geomorfologia. Como exemplos de arquipélagos podemos citar o das Antilhas, Indo-Malaio, Fernando de Noronha etc. Na foz dos rios deltaicos, também se formam os arquipélagos de natureza sedimentar.

ARQUITETURA BIOCLIMÁTICA — É o estudo que visa harmonizar as construções ao clima e características locais, pensando no ser humano que habitará ou trabalhará nelas, e também tirar partida da energia solar, através de correntes convectivas naturais e de microclimas criados por vegetação apropriada.

ARQUIVAMENTO — 1) É o ato de recolher ao arquivo; último ato praticado no processo. 2) Conservação, manutenção, guarda de papéis, documentos, registros, processos. 3) Suspensão do andamento de um processo, inquérito ou procedimento. O arquivamento ocorrerá se o processo ficar parado por mais de um ano ou o autor não promover os atos e diligências necessários por 30 dias. O juiz mandará retirar os autos de circulação no cartório. (Ver: Anais // Desarquivamento.)

ARRANJO PRODUTIVO LOCAL — Aglomeração de empresas definida por critérios simultaneamente regionais e setoriais. A ação de fomento em arranjos produtivos locais busca a construção de economias externas a cada empresa e internas à aglomeração.

ARRAS — É o mesmo que sinal; quantia em dinheiro ou coisa fungível dada por um dos contraentes ao outro para garantir a obrigatoriedade do contrato firmado. As partes podem estipular o direito de se arrepender, não obstante as arras dadas. Em caso tal, se o arrependido for o que as deu, perdê-las-á em proveito do outro; se o que as recebeu, restituí-las-á em dobro.

ARRAZOADOS — São alegações escritas ou orais nas quais as partes expendem sua argumentação durante o processo.

ARREBATAMENTO — Fúria súbita, ira. Exaltação. Arroubo.

ARRECADAÇÃO DA RECEITA – ACOMPANHAMENTO — Ver Receita, Arrecadação da – Acompanhamento.

ARRECADAÇÃO DA RECEITA — Ver Receita, Arrecadação da.

ARRECADAÇÃO DE BENS — Medida judicial que visa salvaguardar a situação dos bens de devedor insolvente, de herança jacente e de ausentes. Trata-se de medida que pode ser levada a efeito em feriados, dado o seu caráter de urgência. Se for o caso de arrecadação de bem de falecido ou ausente, o foro competente é o do último domicílio no Brasil.

ARRECADAÇÃO, QUEDA DE — É a diferença negativa entre a receita de um momento e uma anterior.

ARREMATAÇÃO — É o fechamento da compra e venda de qualquer bem, produto ou mercadoria, mediante hasta pública ou leilão. (Ver: Arrematação judicial.)

ARREMATAÇÃO JUDICIAL — Ato do processo de execução por quantia certa contra devedor solvente, pelo qual os bens deste são alienados em praça ou leilão. Transferência forçada de domínio, na qual um licitante adquire bens, através de leilão em processos de execução, mediante maior lance em praça ou hasta pública, precedido o leilão de licitação com publicação de editais, regulados por lei. (Ver: Hasta Pública.)

ARREMATANTE — Aquele que adquire bem vendido em leilão ou hasta pública. (Ver: Hasta Pública.)

ARRENDAMENTO — Contrato pelo qual o proprietário de um imóvel passa para uma pessoa ou empresa (o arrendatário) o direito de uso e exploração do mesmo durante certo tempo, em troca de determinada soma paga geralmente em dinheiro, mas, também, em produto ou trabalho.

ARRENDAMENTO MERCANTIL OU "*LEASING*" — O arrendamento mercantil (*Leasing*) baseia-se na cessão, para o uso, de um bem de terceiros, mediante o pagamento de uma quota, com opção, no fim do contrato, de o arrendatário adquirir o bem pelo valor residual fixado.

ARRENDAMENTO RESIDENCIAL — É a operação realizada no âmbito do Programa de Arrendamento Residencial, que tem por objeto o arrendamento com opção de compra de bens imóveis adquiridos para esse fim específico.

ARREPENDIMENTO — Sentimento de refazer-se, mudar de conduta, ou recuperar-se por admitir o erro e o mau comportamento e por admissão sincera e consciente da culpa.

ARREPENDIMENTO EFICAZ — É o arrependimento do agente que ocorre depois de empregada a atividade suficiente para a consumação do delito, impedindo que o resultado se produza.

ARRESTAR — Fazer ou decretar arresto, isto é, a apreensão judicial de bens do devedor, como meio preventivo de garantir ao credor a cobrança de seu crédito, até ser decidida a questão.

ARRESTO — Medida acautelatória dos direitos do credor, para não ter prejuízo na eventualidade de ser vencedor em ação contra o proprietário do bem que possa ser subtraído de sua disponibilidade, assim evitando seja ocultado, danificado, dilapidado ou alienado. Consiste na apreensão judicial de bens do devedor com a finalidade de garantir a solvabilidade deste. Este procedimento é utilizado quando o oficial de Justiça não encontra o devedor para nomear bens à penhora. O arresto incide em tantos bens quantos forem suficientes para cobrir o montante do débito, e nisto difere do seqüestro, que incide sobre um bem determinado, o objeto do litígio.

ARRIMAR — Apoiar; encostar; escorar.

ARRIMO — Amparo, auxílio. (Ver: Arrimo de família.)

ARRIMO DE FAMÍLIA — Pessoa que tem a responsabilidade para com os familiares de prover o sustento destes.

ARROBA — 1) A palavra arroba corresponde a uma unidade de medida de peso de produtos agropecuários equivalente a 15 kg. 2) Dá-se o nome de "arroba" ao símbolo @ que significa "*at*" (em). Nos endereços de *e-mail*, o símbolo @ separa o nome do usuário, que é escolhido pela própria pessoa, do nome de domínio, que é o endereço do provedor de *e-mail*.

ARROGÂNCIA — Sentimento de poder absoluto, ou altivez e prepotência com misto de orgulho exagerado e insolência que leva o arrogante a implementar a sua intenção a qualquer custo. Sentimento de posse, domínio, ou de dono da verdade.

ARROJO — Ousadia com riscos perigosos.

ARROLADO — Pessoa constante de lista ou relação processual fornecida pelo arrolante para que indique ou esclareça determinado fato.

ARROLAMENTO DE BENS — Arrolar significa "pôr em uma lista", "fazer uma relação de", portanto, arrolar bens significa fazer uma lista de bens. No aspecto familiar, o arrolamento serve para evitar que os bens sejam extraviados ou dissipados, antes de serem partilhados (divididos), no caso de uma separação ou divórcio, por exemplo. É uma medida cautelar.

ARROLAMENTO JUDICIAL — Em direito processual civil, diz-se da forma de inventário, mais rápida e menos onerosa, em que todos os herdeiros são maiores, capazes e concordam em fazer a partilha amigável dos bens deixados por alguém, em virtude de falecimento.

ARROLANTE — Aquele que em um processo fornece o rol de várias coisas ou de pessoas, descrevendo-as e distinguindo-as entre si e de outras.

ARROMBAMENTO — Rompimento de resistência oferecida para se entrar em algum lugar, ou ter acesso a algum bem guardado para ser penhorado ou apreendido, ou preso.

ARROMBAMENTO NA EXECUÇÃO DA PENHORA DE BENS — Providência judicial, a requerimento do oficial de Justiça, no caso de o devedor fechar as portas da casa, com o fim de obstar a penhora de seus bens.

ARTE — Linguagem e expressão estética; trabalho intuitivo; meio de expressão cultural.

ARTEFATO — São todas as coisas criadas pelas pessoas, como as mesas, os livros, os filmes, os quadros e os computadores. Distinguem-se das coisas naturais, como as ondas do mar, as nuvens e as árvores.

ARTESIANO — Aqüífero cuja água subterrânea se encontra confinada por camadas impermeáveis, ou seja, não tem contato direto com a superfície topográfica; confinado; contrário de freático. Artesiano é o aqüífero, não o poço; por analogia, seriam os canos da rede de abastecimento, sendo a caixa de água o freático.

ARTICULADO — Elemento estrutural da lei que constitui o cerne, a razão de ser desta, por se constituir dos artigos que formalizam a matéria versada. Constam do articulado as Partes (Geral e Especial), Livros, Títulos, Capítulos, Seções, Subseções e artigos, divididos estes em parágrafos, itens (ou incisos) e alíneas (ou letras).

ARTÍFICE — Pessoa especializada em arte ou ofício manual.

ARTIGO — Elemento estrutural da lei que consiste em sua unidade básica. Divide-se em parágrafos, itens (ou incisos) e alíneas (ou letras). A numeração dos artigos será ordinal até o 9º (nono), passando a cardinal (dez), a seguir. (Ver: Técnica de elaboração de leis e decretos.)

ASCENDENTE — Diz-se daquele do qual se descende, do qual se originam as partes que formam a linha reta ascendente. O ascendente é o consangüíneo.

ASEAN (ASSOCIAÇÃO DAS NAÇÕES DO SUDESTE ASIÁTICO) — A ASEAN é uma associação de países do sudeste asiático criada em 1967, composta por dez países: Brunei, Camboja, Indonésia, Laos, Malásia, Mianmar, Filipinas, Cingapura, Tailândia e Vietnã. Ela visa ao desenvolvimento econômico, social e cultural da região, por meio de programas de cooperação mútua. Em seu âmbito foi criada, em 1992, a Área de Livre Comércio da ASEAN, com a finalidade de promover a integração econômica dos países que dela fazem parte. (Ver: Área de Livre Comércio da ASEAN.)

ASFALTO — Material aglutinante sólido ou semi-sólido, variando do preto ao marrom escuro, que se liquefaz gradualmente quando aquecido e no qual os constituintes predominantes são betumes. Estes ocorrem na natureza em forma sólida ou semi-sólida; são obtidos pela refinação do petróleo, ou são combinações de um tipo com outro, petróleo ou derivados deste. (Ver: CBUQ.)

ASILO — 1) Casa de assistência social onde são recolhidas, para sustento ou também para educação, pessoas pobres e desamparadas. 2) Lugar onde ficam isentos da execução das leis os que a ele se recolhem. 3) Consentimento por um Estado, em caráter temporário ou permanente, de internação a refugiados e perseguidos políticos de outro Estado, em acordo com a Declaração de Direitos Humanos - Nações Unidas - 1948.

ASILO DIPLOMÁTICO — Asilo garantido por um Estado a pessoas internadas em sua Embaixada ou missão diplomática.

ASPERSÃO — Irrigação por meio de gotas de água.

ASQ (*AMERICAN SOCIETY FOR QUALITY*) — Entidade norte-americana que congrega profissionais interessados na engenharia da qualidade e na gestão da qualidade. Oferece diversas certificações profissionais, entre as quais a de engenheiro da qualidade (*Certified Quality Engineer - CQE*), engenheiro de confiabilidade (*Certified Reliability Engineer - CRE*), auditor da qualidade (*Certified Quality Auditor - CQA*), administrador da qualidade (Certified Quality Manager - CQM) e engenheiro da qualidade em *software* (*Certified Software Quality Engineer - CSQE*). No Brasil, os exames para certificação são aplicados pela Associação Brasileira de Controle da Qualidade - ABCQ.

ASSALARIADO — Aquele que recebe salário.

ASSALTANTE — O que assalta, com uso ou não de violência, para cometer roubo. Aquele que sozinho ou em grupo acomete pessoa de improviso, em lugar ermo, mão armada para roubar, ou para isso invade a propriedade alheia.

ASSALTAR — Atacar de repente; investir com ímpeto e de súbito. Cometer à traição. Praticar, geralmente à mão armada, roubo.

ASSALTO — Investida impetuosa; arremetida; ataque súbito e violento para roubar, seqüestrar etc.

ASSASSINAR — Cometer assassínio ou homicídio. Tirar a vida de outra pessoa, praticando homicídio. Matar alguém.

ASSÉDIO MORAL — É a exposição dos trabalhadores e trabalhadoras a situações humilhantes e constrangedoras, repetitivas e prolongadas durante a jornada de trabalho e no exercício de suas funções, sendo mais comuns em relações hierárquicas autoritárias e assimétricas, em que predominam condutas negativas, relações desumanas e aéticas de longa duração, de um ou mais chefes dirigida a um ou mais subordinado(s), desestabilizando a relação da vítima com o ambiente de trabalho e a organização, forçando-a a desistir do emprego. Caracteriza-se pela degradação deliberada das condições de trabalho em que prevalecem atitudes e condutas negativas dos chefes em relação a seus subordinados, constituindo uma experiência subjetiva que acarreta prejuízos práticos e emocionais para o trabalhador e a organização.

ASSÉDIO SEXUAL — Ato de constranger alguém com o intuito de obter vantagem ou favorecimento sexual, prevalecendo-se o agente da sua condição de superior hierárquico ou ascendência inerente ao exercício de emprego, cargo ou função. O assédio sexual caracteriza-se por alguma ameaça, insinuação de ameaça ou hostilidade contra o subordinado, com fundamento em sexismo. Exemplos clássicos são as condições impostas para uma promoção que envolvam favores sexuais, ou a ameaça de demissão caso o empregado recuse o flerte do superior. Geralmente a vítima do assédio sexual é a mulher, embora nada garanta que ele também não possa ser praticado contra homens, homossexuais ou não. Do mesmo modo, o agressor pode ser homem (mais comum) ou mulher.

ASSEMBLÉIA CONSTITUINTE — Corpo de legisladores com a função precípua de redigir ou alterar a Constituição. É o Congresso Nacional investido na missão de elaborar e promulgar uma Constituição.

ASSEMBLÉIA GERAL — Reunião (de entidade de classe, do condomínio etc.) na qual, mediante uma pauta previamente estabelecida, são discutidos assuntos gerais de interesse (das classes, dos condôminos etc.) e sob a presidência de uma pessoa escolhida pelos presentes.

ASSEMBLÉIA GERAL EXTRAORDINÁRIA (AGE) — Reunião dos acionistas, convocada e instalada na forma da lei e dos estatutos, a fim de deliberar sobre qualquer matéria de interesse capital do social. Sua convocação não é obrigatória, dependendo das necessidades específicas da empresa.

ASSEMBLÉIA GERAL ORDINÁRIA (AGO) — Convocada obrigatoriamente pela diretoria de uma sociedade anônima para verificação de resultados, leitura, discussão e votação dos relatórios de diretoria e eleição do conselho fiscal. Deve ser realizada até quatro meses após o encerramento do exercício social.

ASSEMBLÉIA LEGISLATIVA — É a instituição que representa o Poder Legislativo no âmbito estadual e é integrada pelos deputados estaduais. Representa um dos três poderes (Legislativo, Executivo e Judiciário). Compete às Assembléias Legislativas fiscalizar os atos do governador de estado, aprovar a lei anual de orçamento e legislar matérias de sua competência, previstas na Constituição Federal e nas Constituições Estaduais. As atribuições precípuas de elaborar leis são restritas ao território em que exercem a sua jurisdição.

ASSENTADA — Termo que antecede o depoimento de testemunha, parte, perito etc.

ASSENTAMENTO — Ato de assentar ruralistas sem terra em terrenos desapropriados.

ASSENTAMENTO HUMANO — Qualquer forma de ocupação organizada do solo, quer urbana ou rural, em que o ser humano vive em comunidade. É a ocupação, organização, equipamento e utilização do espaço para adaptá-lo às necessidades humanas de produção e habitação.

ASSENTAMENTO RURAL — Área de terras de tamanho limitado, subdividida em lotes ou parcelas rurais, destinada a assentar famílias de produtores rurais sem terra ou com pouca terra, de acordo com projeto de viabilidade econômica social, conforme a capacidade de uso dos solos, as possibilidades mercadológicas regionais e o potencial da força de trabalho das famílias assentadas.

ASSENTAMENTO URBANO — Fixação de determinada população em uma cidade.

***ASSET* (ATIVO)** — Ver Ativo.

ASSET ALLOCATION — Ver Alocação de ativos.

ASSET MANAGEMENT — Ver Conta de Gerenciamento.

ASSET VALUE — Ver Ativo Total.

***ASSETS* (ATIVOS)** — Ver Ativo.

ASSIDUIDADE — Dever trabalhista do empregado, cujo descumprimento implica justa causa para ser despedido.

ASSIMILAÇÃO — Incorporação do conjunto de relações de uma experiência no processo de conhecimento ou no ciclo de organização interior no processo evolutivo do indivíduo.

ASSINATURA A ROGO — Assinatura feita por terceiro em documento, a pedido daquele que não pode assinar, ou por deficiência física ou por ser analfabeto.

ASSINATURA DE UM TRATADO, ACORDO OU CONVENÇÃO — Representa a promessa de um Estado de aderir aos princípios e normas especificados no documento, sem criar o dever legal de agir de acordo com eles. Assinar é o primeiro passo que os países dão no sentido da ratificação, para, assim, tornarem-se Estados participantes de um acordo. A assinatura presidencial de um acordo deve ser ratificada pelo Parlamento, para que o acordo se torne legalmente obrigatório.

ASSINATURA DIGITAL — Código utilizado para verificar a integridade de um texto ou mensagem. Também pode ser utilizado para verificar se o remetente de uma mensagem é mesmo quem diz ser.

ASSISTÊNCIA — 1) Na terminologia jurídica processual, assistência significa auxílio, intervenção de alguém numa causa, para a defesa de interesses de pessoa que esteja sob sua guarda ou de seus próprios interesses. Quando a assistência é essencial à integração da capacidade processual do incapaz, diz-se legal. Assim, a assistência aos relativamente incapazes é dada pelo curador, pelo pai ou pelo tutor. A assistência não se confunde com o litisconsórcio porque, enquanto aquela indica auxílio, complemento, este implica a lide na qualidade de parte. 2) Ramo dos seguros que compreende a assistência a pessoas em dificuldades no decurso de deslocações ou ausências do domicílio ou do local de residência permanente ou a assistência a pessoas em dificuldades.

ASSISTÊNCIA JUDICIÁRIA GRATUITA — É o benefício prestado às pessoas desprovidas de recursos para custear o processo. É promovida através da Defensoria Pública, incumbida da orientação jurídica e defesa, em todos os graus, daqueles necessitados que comprovarem insuficiência de recursos. Gozam desse benefício os necessitados nacionais ou estrangeiros residentes no País que precisarem recorrer à Justiça penal, civil, militar ou do trabalho. Considera-se necessitado, para os fins legais, todo aquele cuja situação econômica não lhe permita pagar as custas do processo e os honorários de advogado, sem prejuízo do sustento próprio ou de sua família. Também as pessoas jurídicas podem obter o benefício.

ASSISTÊNCIA SOCIAL — É a prestação de serviço gratuito de natureza variada aos membros da comunidade, visando atender necessidades daqueles que não dispõem de recursos suficientes. Segundo a Lei Orgânica da Assistência Social (LOAS), a assistência social tem por objetivos: a proteção à família, à maternidade, à infância, à adolescência e à velhice; o amparo às crianças e adolescentes carentes; a promoção da integração ao mercado de trabalho; a habilitação e reabilitação das pessoas portadoras de deficiência e a promoção de sua integração à vida comunitária.

ASSISTENTE DE ACUSAÇÃO — Auxiliar do Ministério Público na ação penal pública, indicado pelo ofendido ou seu representante legal.

ASSISTENTE JUDICIÁRIO — É o advogado nomeado pelo juiz para propor ou contestar ação civil, mediante pedido formal da parte interessada.

ASSISTENTE TÉCNICO — Profissional legalmente habilitado, indicado e contratado pela parte para orientá-la, assistir aos trabalhos periciais em todas as fases da perícia e, quando necessário, emitir seu parecer técnico. Perito indicado pela parte para atuar junto ao perito nomeado pelo juiz, apresentando laudo separado ou subscrevendo o laudo oficial.

ASSOCIAÇÃO — Possui o mesmo sentido da palavra sociedade, porém designa uma entidade sem fins lucrativos. É toda agremiação ou união de pessoas com um objetivo determinado, podendo ser beneficente, científico, político, desportivo, recreativo, artístico, literário, ativista, social, entre outros. É forma característica de entidades do Terceiro Setor. O novo Código Civil trouxe importantes inovações no tocante às entidades organizadas com fins não-econômicos que compõem o terceiro setor. Destaca-se, dentre as inovações, a supressão da sociedade civil sem fins lucrativos. Esta deixa de existir juridicamente, passando o novo Código Civil a disciplinar apenas dois tipos de entidades com fins não-econômicos: a associação e a fundação, elencando para cada uma exigências estatutárias distintas no tocante à sua constituição, funcionamento e extinção. Segundo as disposições da lei civil, a associação diferencia-se da fundação, dentre outros aspectos como o modo de administração e a forma de extinção, por constituir-se em uma reunião de pessoas com o intuito não-lucrativo, independentemente de prévia dotação patrimonial. Para a sua criação, é necessário que as pessoas interessadas em se associar realizem, na forma da lei, uma assembléia geral, na qual deve ser aprovado o estatuto, bem como feita a eleição de seus dirigentes. Depois de lavrada a ata da assembléia de constituição e feito o registro do estatuto no Cartório de Registro Civil das Pessoas Jurídicas, a associação adquire personalidade jurídica de direito privado. O escopo associativo, ao contrário da fundação, não tem caráter permanente, podendo ser alterado por iniciativa dos associados, conforme as normas estatutárias e legais. O estatuto da associação deverá seguir as exigências legais previstas no artigo 54 do Código Civil, sob pena de nulidade. (Ver: Fundação // Sociedade e Associação – Distinção.)

ASSOCIAÇÃO BIÓTICA — Conjunto de plantas e animais que tem as mesmas exigências ecológicas e que inclui uma ou mais espécies dominantes, o que lhes confere um caráter definido.

ASSOCIAÇÃO BRASILEIRA DE NORMAS TÉCNICAS — Ver ABNT.

ASSOCIAÇÃO E SOCIEDADE – DISTINÇÃO — Ver Sociedade e Associação – Distinção.

ASSOCIAÇÃO INTERNACIONAL PARA O DESENVOLVIMENTO (AID) — Instituição membro do grupo do Banco Mundial, criada em 1960, que se dedica a apoiar os países mais pobres do mundo, concedendo empréstimos em condições mais favoráveis que o BIRD. O seu objetivo central é a redução da pobreza. Faz estudos analíticos e presta serviços de coordenação da assistência. Desde os anos 80 do século XX também apóia os programas de ajustamento estrutural.

ASSOCIATIVISMO — Formas de organização da sociedade civil de caráter público não-estatal e sem fins lucrativos. O movimento teve avanço nos anos 60 e 70 do século XX, incorporando três características básicas: agir paralelamente ao Estado, não ter fins lucrativos e ser internacionalista. O termo é usado nos estudos sobre democracia desde que o pensador francês *Alexis de Tocqueville*, na obra "Democracia na América", mostrou a estreita relação entre democracia e existência de formas associativas livres e autogovernadas. (Ver: Associação.)

ASSOMBRO — Sentimento misto de medo, perplexidade e admiração.

ASSOREAMENTO — Processo de acumulação de sedimentos e/ou detritos transportados por via hídrica, em locais onde a deposição do material é mais rápida do que a capacidade de remoção natural pelos agentes de seu transporte. É um fator grave na origem das enchentes e inundações, pois o assoreamento diminui a capacidade de escoamento das águas dos rios.

ASSUNÇÃO DE DÍVIDA — Obrigação assumida por um terceiro de pagar o débito do devedor, mediante expresso consentimento do credor.

ASSUNÇÃO DE OBRIGAÇÃO NO ÚLTIMO ANO DO MANDATO OU LEGISLATURA — Ver Último Ano do Mandato ou Legislatura, Assunção de Obrigação no.

ASTENOSFERA — Zona do manto terrestre que pode estar envolvida nos movimentos de compensação isostática e de tectônica de placas. A astenosfera localiza-se no interior da litosfera rígida, entre 70 e 700 km, possui mais de 600 km de espessura e exibe alta atenuação de energia sísmica (zona de baixa velocidade), por se apresentar parcialmente em estado de fusão.

ASTERÓIDE — Fragmento de planetesimais (ou talvez agregado de fragmentos). A maioria dos asteróides orbita ao redor do Sol em uma região entre Marte e Júpiter, no chamado Cinturão de Asteróides. Também existem muitos outros que apresentam órbitas diferentes que cruzam a órbita da Terra, os chamados NEA (*Near Earth Asteroids*), ou NEO, que significa "asteróides (ou objetos) próximos da Terra". O maior asteróide conhecido é Ceres, com diâmetro de, aproximadamente, 1000 km. Os menores têm tamanhos de partículas de poeira.

ASTREINTE — Termo utilizado em processo civil para indicar a penalidade imposta ao devedor na execução de obrigações de fazer ou não fazer, consistente numa prestação periódica, que vai sendo acrescida enquanto o montante global do débito não é pago. É a imposição pecuniária proferida em razão de tanto por dia de atraso (ou qualquer unidade de tempo, conforme as circunstâncias), destinada a obter do devedor o cumprimento de uma obrigação de fazer pela ameaça de uma pena suscetível de aumentar indefinidamente.

***AT THE MONEY* (NO PREÇO)** — Diz-se da opção de compra de ações cujo preço de exercício é próximo ao preço do ativo subjacente no mercado à vista. (Ver: Ativo Subjacente.)

ATA — 1) Registro escrito no qual se relata o que se passou numa sessão, assembléia, convenção, congresso. A ata é assinada pelos envolvidos ou pela pessoa que a presidiu. 2) Registro escrito de uma obrigação contraída por alguém.

ATA CIRCUNSTANCIADA — Instrumento no qual são registradas todas as ocorrências de uma reunião.

ATAQUE ESPECULATIVO — Venda ostensiva de moedas feita por investidores que pretendem forçar o governo a promover uma desvalorização. Foi o que aconteceu no Brasil no início de 1999, quando o governo adotou o câmbio livre. (Ver: Âncora Cambial.)

ATENÇÃO — Vigilância consciente para atuar. Concentração vigilante num processo em curso ou numa atividade em andamento.

ATENDIMENTO DIRETO AO CIDADÃO — Serviços de atendimentos prestados diretamente à população em educação, esporte, cultura, assistência social e saúde.

ATENDIMENTO DOMICILIAR — Serviços de atendimento prestados às pessoas em seu próprio lar por profissionais ou por indivíduos da própria comunidade, a fim de suprir as suas necessidades.

ATENTADO — 1) Modificação ilícita no objeto do litígio, de modo a prejudicar o *ex adverso.* Conforme previsão das normas processuais, comete atentado a parte que no curso do processo viola penhora, arresto, seqüestro ou imissão na posse; prossegue em obra embargada ou pratica outra qualquer inovação ilegal no estado de fato. 2) Qualquer ação delituosa ou contra pessoa, bens e direitos, instituições nacionais, ou contra a ordem pública, a segurança do Estado, incluindo-se atentados terroristas. (Ver: Atentado, Ação de.)

ATENTADO VIOLENTO AO PUDOR — Ato ilícito consistente em constranger alguém, mediante violência ou grave ameaça, para praticar ou permitir que se pratique ato libidinoso diverso da conjunção carnal. É crime previsto no art. 214 do Código Penal Brasileiro, que se diferencia do estupro, por envolver ato sexual diverso da cópula (também denominada conjunção carnal ou sexo vaginal) ou ainda, quando a vítima é um homem. Isto é, no Brasil, a definição legal para um homem que tenha sido vítima de violência sexual ou uma mulher que tenha sido forçada a praticar sexo oral, anal etc. é atentado violento ao pudor e não estupro.

ATENTADO, AÇÃO DE — Cautelar que se propõe contra a parte que comete atentado no decorrer do processo, autuando-se esta petição em separado e sendo a ação de atentado processada e julgada pelo juiz da causa principal, mesmo estando esta no tribunal. Julgado procedente o pedido, restabelece-se o estado anterior, suspende-se a causa principal e proíbe-se o réu de falar nos autos até a purgação do atentado. O réu poderá, ainda, por sentença, ser condenado a pagar os danos sofridos pela parte contrária. (Ver: Atentado.)

ATENTATÓRIO — Considera-se atentatório à dignidade da Justiça o ato do devedor que: I – frauda a execução; II – se opõe maliciosamente à execução, empregando ardis e meios artificiosos; III – resiste injustificadamente às ordens judiciais; IV – não indica ao juiz onde se encontram os bens sujeitos à execução.

ATENUAÇÃO — É a diminuição da pena que será imposta ao infrator ou criminoso, em virtude de certas circunstâncias que vêm, legalmente, enfraquecer a severidade da punição.

ATENUANTE — Circunstância prevista por lei, que diminui o grau de responsabilidade do réu, e, conseqüentemente, da pena.

ATERRO CONTROLADO — Aterro para lixo residencial urbano, onde os resíduos são depositados recebendo depois uma camada de terra por cima. Freqüentemente são antigos lixões que passaram por algum processo de tratamento, mas que não têm o controle de um aterro sanitário. Medida paliativa, em que são adotadas técnicas para tentar reduzir os impactos ao meio ambiente e à saúde. Na impossibilidade de se proceder à reciclagem do lixo, pela compostagem acelerada ou pela compostagem a céu aberto, as normas sanitárias e ambientais recomendam a adoção de aterro sanitário e não do aterro controlado. (Ver: Aterro Sanitário // Lixão ou Vazadouros.)

ATERRO ENERGÉTICO — Forma peculiar de aterro sanitário em que são tecnicamente instalados drenos para captar e reunir o gás produzido pela decomposição da matéria orgânica (processo anaeróbio). O gás assim produzido pode ser aproveitado para múltiplos usos, como forma de energia alternativa. O aterro energético deve obedecer a especificações técnicas apropriadas, inclusive para seu correto aproveitamento. (Ver: Aterro Sanitário.)

ATERRO SANITÁRIO — Aterro para lixo domiciliar urbano com pré-requisitos de ordem sanitária e ambiental. Deve ser construído de acordo com técnicas definidas, como: que o lixo depositado seja compactado em camadas; impermeabilização do solo para que o chorume não atinja os lençóis freáticos, contaminando as águas; sistema de drenagem para chorume, que deve ser retirado do aterro sanitário e depositado em lagoa próxima que tenha essa finalidade específica, vedada ao público; sistema de drenagem de tubos para os gases, principalmente o gás carbônico, o gás metano e o gás sulfídrico, pois, se isso não for feito, o terreno fica sujeito a explosões e deslizamentos ou, ainda, a incêndios, em decorrência da queima de gases. (Ver: Aterro Controlado // Aterro Sanitário // Lixão ou Vazadouros.)

ATESTADO — É o documento em que se fez atestação, isto é, em que se afirma a veracidade de certo fato ou a existência de certa obrigação. É proibida a exigência de atestado de gravidez e de esterilização, e outras práticas discriminatórias para efeito de admissão ou de permanência da relação jurídica de trabalho. (Ver: Declaração.)

ATIPICIDADE — Qualidade de uma conduta cujo caráter não se enquadra na definição legal de uma infração penal.

ATIVIDADE — 1) É um instrumento de programação do orçamento público para alcançar o objetivo de um programa, envolvendo um conjunto de operações que se realizam em caráter contínuo e permanente, das quais resulta um produto necessário à manutenção da ação do governo, com resultados que geralmente podem ser medidos quantitativa ou qualitativamente. Cada administração tem a liberdade de definir os títulos de suas atividades. Ex.: 6351 – Produção e Distribuição de Periódicos para a Educação Infantil. 2) Ações ou trabalhos feitos com vistas à produção de realizações específicas. A atividade mobiliza recursos tais como fundos, assistência técnica e outros tipos de meios. Trabalho ou ação específica que envolve recursos humanos, materiais e técnicos. 3) Menor divisão do trabalho, isto é, a ação exercida pelo executor para realizar uma tarefa. Um conjunto de atividades constitui uma tarefa. (Ver: Programa // Subatividade // Tarefa.)

ATIVIDADE AGRÍCOLA — Produção, processamento e comercialização dos produtos, subprodutos e derivados, serviços e insumos agrícolas, pecuários, pesqueiros e florestais; compreende processos físicos, químicos e biológicos, em que os recursos naturais envolvidos devem ser utilizados e gerenciados, subordinando-se às normas e princípios de interesse público, de forma que seja cumprida a função social e econômica da propriedade.

ATIVIDADE ECONÔMICA — Conjunto de atos pelos quais as pessoas satisfazem as suas necessidades, através da produção e troca de bens e/ou serviços.

ATIVIDADE FINANCEIRA DO ESTADO — A atividade financeira do Estado desenvolve-se em três campos: a receita - obtenção de recursos; a gestão - administração e conservação do patrimônio público; e a despesa - emprego dos recursos para viabilizar os fins do Estado (fins políticos), ou seja, todo o dispêndio previsto no orçamento para atender uma finalidade de interesse público.

ATIVIDADE INSALUBRE — Atividade que por suas características é considerada, pelo Ministério do Trabalho, prejudicial à saúde do empregado.

ATIVIDADE LOGÍSTICA — Atividade relacionada com o planejamento e execução de ações referentes à administração de recursos materiais e à prestação de serviços. Compreende, juntamente com as atividades de administração de pessoal, as de governo e as de segurança da área conflagrada, o grande conjunto das "atividades administrativas".

ATIVIDADE POLUIDORA — Qualquer atividade utilizadora de recursos ambientais capaz, atual ou potencialmente, de causar poluição ou degradação ambiental. É eminentemente antrópica, ou seja, decorre das atividades humanas.

ATIVIDADES DE CIÊNCIA E TECNOLOGIA (C&T) — Qualquer trabalho relacionado com a geração, o avanço, a difusão e a aplicação de conhecimento científico e técnico em todos os campos da atividade humana. Constituem atividades de ciência e tecnologia: a pesquisa básica, científica, aplicada ou tecnológica; o desenvolvimento experimental de produto ou processo; a administração da pesquisa científica e tecnológica; os eventos técnicos e científicos; a educação e o treinamento em ciência e tecnologia; e os serviços de apoio à pesquisa.

ATIVIDADES DE INTERFERÊNCIA AMBIENTAL — São as atividades que causam impacto no ambiente e precisam de um maior cuidado; por isso, seu funcionamento só pode ser totalmente liberado em algumas zonas.

ATIVIDADES INÓCUAS — São atividades que não causam dano ao meio ambiente; podem ser realizadas em qualquer lugar da Área de Ocupação Intensiva (AOI), mas em algumas zonas há controle quanto à área que vão ocupar (porte).

ATIVIDADES-FIM — São ações de operacionalização das funções básicas de governo, aí compreendidas a manutenção da cidade e o atendimento direto ao cidadão.

ATIVIDADES-MEIO — São ações relacionadas à administração do órgão de modo a viabilizar, junto à população, o cumprimento das funções básicas de governo. Incluem-se, entre outras, a informática, o processo legislativo (Câmara de Vereadores) e a fiscalização financeira (Tribunal de Contas), compreendendo despesas de natureza administrativa.

ATIVISMO — É a atividade de militância política nos diversos movimentos sociais.

ATIVISTA — Ver militante.

ATIVO — Termo básico nos sistemas contábeis, utilizado para expressar o conjunto de bens, valores, créditos, direitos e assemelhados que forma o patrimônio de uma empresa, de uma pessoa, de um governo ou instituição, num determinado momento, avaliado pelos respectivos custos. No sistema brasileiro, este conceito possui vários desdobramentos, legalmente caracterizados pelas leis nºs 4.320, de 1964, e 6.404, de 1976, e normas complementares.

ATIVO AMBIENTAL — São bens e direitos destinados ao controle, preservação, proteção e recuperação do meio ambiente. Trata-se da provisão para perda de potencial de serviço dos ativos em função de causas ambientais. São bens ambientais de uma organização: os mananciais de água, as encostas, as reservas, as áreas de proteção ambiental etc.

ATIVO BRUTO — Ativo líquido acrescido das deduções ou depreciações.

ATIVO CIRCULANTE — São disponibilidades de caixa e bancos, recursos a receber, antecipações de despesa, bem como outros bens e direitos pendentes ou em circulação, realizáveis até o término do exercício seguinte ao do balanço patrimonial encerrado. São os ativos com maior grau de liquidez na composição do balanço patrimonial de uma empresa. São os bens mais fáceis de serem convertidos em dinheiro, segundo vocabulário usado na contabilidade.

ATIVO COMPENSADO — Classificação contábil de contas do balanço patrimonial, que compreende os valores em poder de terceiros ou recebidos de terceiros e os valores nominais emitidos, contabilizados em contas de compensação apenas para efeito de registro e controle, não alterando o patrimônio quando do seu registro, mas com possibilidade de modificá-lo no futuro. Tem contrapartida no Passivo Compensado.

ATIVO DE LIQUIDAÇÃO — Ativo utilizado para cancelar (descarregar) obrigações de liquidação conforme especificado nas regras, regulamentos ou práticas comuns de um sistema de pagamento.

ATIVO DIFERIDO — Expressão copiada de modelo norte-americano para significar os valores das aplicações em despesas que participarão da formação do resultado de diversos exercícios, inclusive juros pagos ou creditados a acionistas durante o período de organização ou precedente às operações sociais. É composto de valores de despesas amortizáveis e que se transferem para outros exercícios. Neste grupo incluem-se as Despesas Gerais de Organização, Despesas Gerais de Reorganização, Despesas Gerais de Planos de Investimentos (quando amortizáveis) etc.

ATIVO FINANCEIRO — 1) Ativo caracterizado por direitos decorrentes de obrigações assumidas por agentes econômicos normalmente negociados no mercado financeiro. Compreendem principalmente títulos públicos, certificados de depósitos bancários (CDBs), debêntures e outros. 2) Todo e qualquer título representativo de parte patrimonial ou dívida: ações, dinheiro, letra de câmbio etc. 3) Categoria de ativo empregada nos Balanços Patrimoniais das entidades do setor público regidas pela Lei Federal nº 4.320, de 1964, que compreende os créditos e valores realizáveis independentemente de autorização orçamentária e os valores numerários. É composto pelos grupos de contas: do Disponível - dinheiro em caixa, saldos bancários etc.; Vinculado - valores numerários depositados em contas bancárias cuja movimentação obedece a disposições legais, regulamentares e contratuais; Realizável - créditos financeiros da Administração Pública junto às diversas pessoas físicas e jurídicas.

ATIVO FIXO — O mesmo que Ativo permanente.

ATIVO IMOBILIZADO — Grupo do Ativo presente nos Balanços Patrimoniais que encerra os valores não transformáveis em dinheiro que servem para muitos atos de produção ou uso, alguns desgastando-se ou esgotando-se, outros permanecendo inalteráveis, porém exigindo conservação. As contas que participam de tal grupo são as de Bens Móveis, Terrenos, Bosques, Jazidas, Prédios, Veículos, Máquinas, Instalações, Aviamentos, Despesas de Instalação etc.

ATIVO INTANGÍVEL (*INTANGIBLE ASSETS*) — Marcas e patentes que a empresa possui.

ATIVO LÍQUIDO — É a diferença positiva entre o ativo e o passivo.

ATIVO OPERACIONAL — São ativos totais, divididos em circulante e não-circulante. Representam todas as aplicações feitas pelos administradores podendo ser classificadas em aumento da riqueza e para uso na atividade.

ATIVO PATRIMONIAL — Conjunto de valores, bens e créditos que pertence a um órgão ou entidade pública, cuja mobilização ou alienação dependa de autorização legislativa.

ATIVO PERMANENTE — É o mesmo que Ativo fixo. Categoria de Ativo que se acha presente tanto nos Balanços Patrimoniais das empresas do setor privado quanto nos das entidades do setor público, e que se refere, em sentido geral, ao conjunto de bens e direitos possuídos que não se tem intenção de vender em curto prazo, tais como prédios, máquinas, equipamentos etc. No setor privado, esse tipo de Ativo abrange os Investimentos, os Imobilizados e as Inversões de Caráter Diferido. No setor público, compreende os bens, créditos e valores cuja mobilização ou alienação dependa de autorização legislativa, tais como bens móveis e imóveis, bens de natureza industrial ou militar e créditos a longo prazo. Exemplo: dívida ativa.

ATIVO REAL — Denominação atribuída, nos Balanços do setor público, à soma do Ativo Financeiro com o Ativo Permanente.

ATIVO REALIZÁVEL — Conjunto de valores que expressa investimentos cuja transformação em dinheiro é relativamente fácil; é a forma intermediária entre os valores numerários e as imobilizações. Divide-se em Curto e Longo Prazo, de acordo com o tempo em que os valores podem se transformar em dinheiro.

ATIVO REALIZÁVEL A CURTO PRAZO — Ativo Realizável que reúne valores que podem se transformar em dinheiro em prazo inferior a um ano.

ATIVO REALIZÁVEL A LONGO PRAZO — Valores realizáveis após o término do exercício seguinte ao do balanço patrimonial encerrado e que podem se transformar em dinheiro em prazo superior a um ano.

ATIVO SUBJACENTE — Também chamado de *underlying* ou ativo objeto. Diz-se do ativo, financeiro ou não, sobre o qual se faz um contrato derivativo. A variação do preço do ativo subjacente vai determinar os ganhos ou perdas dos contratantes do derivativo. Por exemplo: em um contrato de opção de venda de soja, o ativo subjacente é a soja e o derivativo é a opção. (Ver: Contrato de derivativos.)

ATIVO-OBJETO — Valor mobiliário a que se refere uma opção. Instrumento ou ativo designado que pode ser entregue para um contrato de opções. Por exemplo: o ativo pode ser referenciado em ações, *commodities*, moedas, índices (Ex.: Ibovespa), instrumentos financeiros (taxa de câmbio, taxa de juros) ou contratos futuros (no caso de uma opção sobre contrato futuro), entre outros.

ATIVOS - DISTRIBUIÇÃO NORMAL — É a distribuição de probabilidade mais usada em finanças para modelar retornos de ativos financeiros. Também é conhecida como distribuição *gaussiana* em referência ao matemático alemão Carl F. Gauss ou, ainda, como *Bell Curve* (Curva do Sino), devido ao seu formato semelhante ao de um sino.

ATIVOS DERIVATIVOS — Ativos financeiros cujos valores e características de negociação estão amarrados aos ativos que lhes servem de referência. A palavra derivativo vem do fato de que o preço do ativo é derivado de um outro. Ex.: Opção de Telebrás: o preço desta opção é derivado do ativo "ação da Telebrás". Há três tipos de derivativos: futuro, opções e *swaps*.

ATIVOS DERIVATIVOS DE OPÇÕES — Termo muito usado no mercado de *commodities* e mercado futuro de ações. (Ver: Ativos derivativos.)

ATIVOS DERIVATIVOS FUTUROS — Operações derivativas que representam uma aposta no valor de um determinado ativo (taxa de câmbio, produto mineral ou agrícola, taxa de juros, bônus etc.) em um determinado tempo futuro. Num contrato de futuro, o contratado obriga-se a negociar o ativo a um preço específico e em uma data específica no futuro. Os valores do contrato variam de acordo com os valores do bem negociado. Esses contratos são usados por investidores para apostarem na direção a ser tomada pelos diversos fatores que influenciam no preço do ativo contemplado pelo contrato de futuro.

ATIVOS DERIVATIVOS *SWAPS* (TROCA, PERMUTA) — Contrato que permite trocar, em uma data futura predeterminada, um investimento por outro. Dessa forma, é possível fazer um *swap* de ações por opções, por exemplo.

ATIVOS NÃO FINANCEIROS — Compreendem os ativos fixos e os ativos circulantes. Os primeiros participam de vários ciclos de produção, enquanto os últimos são consumidos ou transformados num ciclo específico de produção ou de distribuição.

ATLAS — Conjunto de mapas agrupados num livro.

ATM (*AUTOMATIC TELLER MACHINE*) — Denominação usada para designar os caixas eletrônicos. Outro termo utilizado é "terminais de auto-atendimento", uma vez que esses equipamentos possuem uma variedade de funções, como realizar consultas gerais, pagamentos, aplicações e resgates, troca de senhas, emissão de cheque avulso e retirada de dinheiro.

ATMOSFERA — É a camada de ar e gases que envolve o planeta Terra, elemento fundamental do sistema integrado de organização da vida no planeta. É dividida em vários estratos, mas pode-se dizer que a atmosfera propriamente dita situa-se numa faixa a 800 km do solo. A atmosfera do planeta Terra é composta de 78% de nitrogênio, 21% de oxigênio, 9% de argônio, 0,035% de dióxido de carbono e quantidades mínimas de outros gases. Denominação dada também à unidade de pressão que equivale a 101,3 kPa ao nível do mar. Termo que também designa ambiente externo e ventilado, quando se referir ao local de descarga de produtos de combustão ou gases.

ATMOSFERA PADRÃO — Definida pela *International Civil Aeronautical Organization* (ICAO) como a temperatura média do mar quando esta se encontra em torno de 15 graus Celsius. O padrão de pressão é de 1.013,25 milibares, ou 29,92 polegadas de mercúrio, e a variação da temperatura é de 0,65 graus Celsius numa área entre 100 metros até 11 quilômetros na atmosfera. Atmosfera ideal, a partir da qual se pode ter uma idéia bem razoável das irregularidades aparentes de temperatura, pressão e densidade ou massa específica da atmosfera real, até o nível de 20 mil metros.

ATMOSFERA TERRITORIAL — No Direito Público e Internacional Público, é o espaço aéreo superposto a todo território real e às águas inferiores e territoriais de um país. O mesmo que espaço aéreo territorial.

ATO — É a manifestação de vontade, escrita, verbal ou por gesto, de uma pessoa física ou jurídica e que produza efeitos, ou seja, um acontecimento, um fato.

ATO ADMINISTRATIVO — Ato de manifestação unilateral de vontade da Administração Pública que, agindo nessa qualidade, tenha por fim imediato adquirir, resguardar, transferir, modificar, extinguir e declarar direitos, ou impor obrigações aos administradores ou a si própria. São atos administrativos: as portarias, as resoluções, as circulares, as ordens de serviço, os provimentos, as instruções etc. Quando revestido de todos os seus requisitos formais e materiais, o ato administrativo se diz eficaz. Todavia, pode apresentar vícios ou defeitos, cuja gravidade enseja a seguinte classificação para os atos malformados: a) inexistência, b) nulidade, c) anulabilidade, d) irregularidade. 2) Acontecimento que ocorre na empresa e que não provoca alteração no patrimônio. (Ver: Administrativo, Ação contra.)

ATO ADMINISTRATIVO - COMPETÊNCIA — É o conjunto de poderes funcionais conferidos por lei ao órgão público para o desempenho de atividades nela previstas.

ATO ADMINISTRATIVO - CONDIÇÃO — Necessária para que a lei possa ser aplicada. Pressupõe um imperativo hipotético, cuja concretização depende da realização de certos atos voluntários ou mesmo fatos.

ATO ADMINISTRATIVO - CONTEÚDO — Ver Ato Administrativo - Objeto.

ATO ADMINISTRATIVO - ELEMENTOS — Para que um ato administrativo exista, é preciso que reúna todos os elementos de objeto e forma. (Ver: Ato Administrativo - Pressupostos.)

ATO ADMINISTRATIVO - FINALIDADE — É o objetivo a ser atingido, sempre de interesse público. Não será considerado ato administrativo aquele que não atender ao interesse público.

ATO ADMINISTRATIVO - FORMA — É o modo como se apresenta: através de escrita (decreto), de gestos (guarda de trânsito) ou de palavras (ordem verbal a subordinado).

ATO ADMINISTRATIVO - FORMALIDADE — É o rito estabelecido pela lei para regular a manifestação da vontade da pessoa coletiva. (Ex.: ato de demissão de servidor precedido de prévia defesa). Toda formalidade, desde que prescrita pela lei, tem que ser observada, sob pena de invalidação do ato. Não ocorre no caso de formalidades meramente burocráticas.

ATO ADMINISTRATIVO - MOTIVO — É a razão, ou razões, de direito ou de fato que influi no tipo de decisão a ser adotada pelo órgão público. O motivo antecede e fundamenta o ato.

ATO ADMINISTRATIVO - OBJETO — Ou conteúdo do ato, é o resultado que se deseja obter com a expedição do ato ou a produção dos efeitos jurídicos no caso concreto (ex.: nomeação de servidores, exoneração etc.).

ATO ADMINISTRATIVO - PRESSUPOSTOS — Além dos elementos que o constituem, o ato administrativo exige, para a sua validade, o atendimento aos pressupostos de competência, formalidade, finalidade e motivo.

ATO ADMINISTRATIVO ANULÁVEL — É aquele em que a vontade do agente se mostra violada por erro, dolo, coação ou simulação, vigorando até que, eventualmente, seja promovida a declaração de sua invalidade. (Ver: Ato Nulo ou Anulável.)

ATO ADMINISTRATIVO CONTÁBIL — É o registro contábil.

ATO ADMINISTRATIVO DE CARÁTER GERAL — Ver Circular.

ATO ADMINISTRATIVO EFICAZ — É aquele ato que está apto a produzir seus efeitos, ou seja, é um ato que, além de perfeito e válido, não está sujeito a termo, condição ou encargos, ou, se existentes, foram observados.

ATO ADMINISTRATIVO INEXISTENTE — É aquele cuja existência é mera aparência; por exemplo, o ato praticado por usurpador de função pública.

ATO ADMINISTRATIVO IRREGULAR — É aquele que deixou de observar requisito não essencial.

ATO ADMINISTRATIVO NULO — É aquele que apresenta vícios insanáveis de legitimidade, relativos aos requisitos de validade. (Ver: Ato Nulo ou Anulável.)

ATO ADMINISTRATIVO PERFEITO — É aquele ato que reúne todos os elementos que o constituem e observa os seus pressupostos.

ATO ADMINISTRATIVO VÁLIDO — É aquele ato que é expedido de acordo com a norma jurídica competente, isto é, editado conforme a lei, o regulamento ou conforme a própria Constituição.

ATO ADMINISTRATIVO, AÇÃO CONTRA — É a do administrado contra a Administração, quando tem seu direito subjetivo ferido por ato administrativo ilegal. Pode ser mandado de segurança, ação popular, ação de nulidade de patente de invenção e de marca de indústria e comércio, ação de desapropriação indireta etc. (Ver: Ato administrativo. // Ver: Ato Nulo ou Anulável.)

ATO ANULÁVEL — Ver Ato Nulo ou Anulável.

ATO CULPOSO — É todo ato praticado quando o indivíduo não prevê o resultado (não há dolo, houve apenas imprudência ou negligência - culpa).

ATO DE COMÉRCIO — É todo ato praticado pelo comerciante no exercício de sua profissão, ou aquele que, embora praticado por pessoa não comerciante, seja reputado como mercante por determinação legal.

ATO DE GOVERNO — Aquele que emana de autoridade governamental, no exercício de suas funções.

ATO DISCRICIONÁRIO — Ver Atos administrativos discricionários.

ATO DOLOSO — É o ato praticado no intuito de prejudicar outrem. É o ato intencional, mediante ação ou omissão, com características de dolo, no qual fica demonstrado que o agente que o praticou quis o resultado ou assumiu o risco de produzi-lo.

ATO ILÍCITO — É todo ato contrário ao ordenamento jurídico; que viola disposição de lei civil, penal ou de qualquer outro ramo do Direito. É toda ação ou omissão voluntária, negligência ou imprudência que violar direito ou causar prejuízo a alguém, acarretando, para quem a praticou, a obrigação de reparar o dano.

ATO INFRACIONAL — Ato condenável, de desrespeito às leis, à ordem pública, aos direitos dos cidadãos ou ao patrimônio, cometido por crianças e adolescentes. Só há ato infracional se àquela conduta corresponder uma hipótese legal que determine sanções ao seu autor. No caso de ato infracional cometido por criança (até 12 anos), aplicam-se as medidas de proteção. Nesse caso, o órgão responsável pelo atendimento é o Conselho Tutelar. Já o ato infracional cometido por adolescente deve ser apurado pela Delegacia da Criança e do Adolescente, à qual cabe encaminhar o caso ao promotor de Justiça que poderá arquivar os autos, conceder a remissão da infração ou representar o adolescente ao Juizado da Infância e da Juventude (art. 180 do Estatuto da Criança e do Adolescente - ECA). Segundo o ECA (art. 103), o ato infracional é a conduta da criança e do adolescente que pode ser descrita como crime ou contravenção penal. Se o infrator for pessoa com mais de 18 anos, o termo adotado é crime ou delito. (Ver: Crime ou delito.)

ATO INSTITUCIONAL (AI) — São atos legislativos do Poder Executivo Revolucionário. São institucionais porque constituem um dispositivo jurídico que institui uma nova ordem, mas que permanece paralelo ao dispositivo constitucional enquanto não é a este integrado por uma reforma ou emenda da Constituição.

ATO INSTITUCIONAL Nº 5 (AI-5) — Promulgado em 13/12/1968, estabeleceu o Poder do presidente da República para decretar o recesso do Congresso Nacional e das Assembléias Legislativas, decretar intervenção nos Estados e Municípios, e decretar a suspensão dos direitos políticos e ações administrativas.

ATO INVÁLIDO — 1) É o ato jurídico que não se apresenta com as condições legais de validade. É o ato ou contrato nulo. 2) Um argumento é inválido quando é possível que as suas premissas sejam verdadeiras e a sua conclusão, falsa.

ATO JURÍDICO — É todo ato lícito que tenha o objetivo imediato de adquirir, resguardar, transferir, modificar ou extinguir direitos. A validade do ato jurídico requer agente capaz, objeto lícito e forma prescrita ou não de defesa em lei. Entre o ato comum e o ato jurídico, a diferença é que o ato jurídico revela sempre a manifestação da vontade da pessoa ou de várias pessoas para a consecução de certo fim, ou objetivo, que vem produzir certo efeito de direito.

ATO JURÍDICO PERFEITO — Manifestação de vontade que tem por fim alcançar um efeito jurídico. Diz-se perfeito porque é concluído com a observância das leis aplicáveis.

ATO JURÍDICO SIMPLES — É o fato jurídico voluntário cujos efeitos jurídicos, embora possam ser concordantes com a vontade dos seus autores, não são determinados pelo conteúdo da sua vontade, mas direta e imperativamente pela lei.

ATO LÍCITO — É todo ato realizado em conformidade com a ordem jurídica, como, por exemplo, o casamento, a doação, o mútuo.

ATO NULO OU ANULÁVEL — Principais conseqüências de um ato ser tachado pelo novo Código Civil de nulo, em vez de anulável, são: enquanto o ato nulo não prescreve, o ato anulável prescreve em prazos maiores ou menores segundo o vício que os inquina (arts. 169/178 e 179); o ato nulo pode ser alegado por qualquer interessado, pelo Ministério Público e pelo juiz, de ofício, enquanto que o ato anulável só pode ser alegado pelos interessados (arts. 168/177); o ato nulo não se confirma enquanto que o ato anulável é passível de confirmação (art. 169/177).

ATO TERRORISTA - AMEAÇAS E PRÁTICAS CONSIDERADAS — Organismos internacionais consideram como ato terrorista, mesmo que sob ameaça, a prática de: a) atentados à vida de uma pessoa que possam causar morte; b) atentados à integridade física de uma pessoa; c) seqüestro ou tomada de reféns; d) danos maciços em instalações governamentais ou públicas, nos sistemas de transporte, nas infra-estruturas, incluindo os sistemas informatizados, em plataformas fixas situadas na plataforma continental, em locais públicos ou em propriedades privadas, susceptíveis de pôr vidas humanas em perigo ou provocar prejuízos econômicos consideráveis; e) captura de aeronaves e de navios, ou de outros meios de transporte coletivos ou de mercadorias; f) fabricação, posse, aquisição, transporte, fornecimento ou utilização de armas de fogo, de explosivos, de armas nucleares, biológicas ou químicas, assim como investigação e desenvolvimento de armas biológicas e químicas; g) libertação de substâncias perigosas ou provocação de incêndios, inundações ou explosões que tenham como efeito pôr em perigo vidas humanas; h) perturbação ou interrupção da distribuição de água, eletricidade ou de qualquer outro recurso natural fundamental que tenha como efeito pôr em perigo vidas humanas. Inclui-se, ainda, como ato terrorista: i) direção de um grupo terrorista; j) participação nas atividades de um grupo terrorista, através da prestação de informações, do fornecimento ou meios materiais, ou de qualquer forma de financiamento das suas atividades, com o conhecimento de que essa participação contribui para as atividades criminosas desse grupo. (Ver: Ato terrorista // Grupo terrorista.)

ATO TERRORISTA — É o ato intencional que, dada a sua natureza ou o seu contexto, possa causar sérios danos a um país ou a uma organização internacional, definido como infração na legislação nacional e cometido com o intuito de: I) intimidar gravemente uma população; II) obrigar indevidamente autoridades públicas ou uma organização internacional a praticar ou a abster-se de praticar qualquer ato; ou III) desestabilizar gravemente ou destruir as estruturas políticas, constitucionais, econômicas ou sociais fundamentais de um país ou de uma organização internacional. (Ver: Ato terrorista - Ameaças e práticas consideradas // Grupo terrorista.)

ATOL — Ilha ou conjunto de ilhas rochosas calcárias dispostas em anel, encerrando uma laguna interna - com profundidade de 30 a 100 m, de forma, em geral, circular. As estruturas rochosas são compostas principalmente de calcários de corais e algas, com até mais de 1000 metros de espessura, apoiados muitas vezes sobre vulcões submarinos parcialmente erodidos. A largura do anel rochoso varia de 50 a 500 m, e a sua altura em relação ao nível do mar não é superior a 3 m. Há atóis com 1 a 10 km, até no máximo 80 km de diâmetro.

ATOMICIDADE — Expressão utilizada para definir a característica do mercado de concorrência perfeita que está associada à multiplicidade de vendedores e compradores de pequena dimensão existentes no mercado, do lado da oferta e do lado da procura. Sendo múltiplos, os agentes contribuem coletivamente para a formação dos preços, não existindo o poder individual de fixá-los. Dada a inexistência de poder de mercado, resta às empresas o controle dos custos dos fatores de produção, e aos consumidores a ponderação da utilidade, ou grau de satisfação, do bem ou serviço a adquirir. Em palavras mais simples, há concorrência no mercado sempre que houver vários vendedores e compradores - isto é, a atomicidade - de maneira que nenhum deles, isoladamente, possa influenciar o comportamento dos demais.

ATÔMICO — Referente ao átomo; estrutura formada basicamente por prótons e nêutrons; a expressão nuclear designa o núcleo do átomo.

ÁTOMO — Menor partícula da matéria indivisível por meios químicos. É o conjunto que se representa classicamente sob a forma de um núcleo em torno do qual gravitam elétrons. É constituído de um núcleo interno denso formado por partículas positivas denominadas prótons e outras neutras, denominadas nêutrons, em torno do qual orbitam cargas elétricas negativas denominadas elétrons. Os átomos são eletricamente neutros.

ATORES NÃO-GOVERNAMENTAIS — Pessoas ou grupos privados que atuam independentemente das autoridades.

ATOS ADMINISTRATIVOS DE AUTORIDADE — Ver Atos Administrativos de Império ou de Autoridade.

ATOS ADMINISTRATIVOS DE EXPEDIENTE — São todos aqueles que se destinam a dar andamento aos processos e papéis que tramitam pelas repartições públicas, preparando-os para a decisão de mérito a ser proferida pela autoridade competente. São atos da rotina interna, sem caráter vinculante e sem forma especial, geralmente praticados por servidores sem competência decisória. Daí porque os agentes designados para responder pelo expediente só estão autorizados a dar continuidade ao serviço interno da repartição, pois não dispõem de competência legal para expedir atos de império, nem atos de gestão, e muito menos para praticar atos com fundamento político (promulgação ou veto a projeto de lei), ou vincular a Administração em outorgas e contratos com administrados, nomear ou exonerar servidores e demais atos que onerem o orçamento ou criem encargos ou direitos para os particulares ou servidores.

ATOS ADMINISTRATIVOS DE GESTÃO — São os que a Administração Pública pratica sem usar de sua supremacia sobre os destinatários (administrados ou servidores). É o que ocorre nos atos puramente de administração dos bens e serviços públicos e nos negociais com os particulares, que não exigem coerção sobre os interessados. Esses atos serão sempre de administração, mas nem sempre administrativos típicos, principalmente quando bilaterais, de alienação, oneração ou aquisição de bens, que se igualam aos do direito privado, apenas antecedidos de formalidades administrativas para a sua realização (autorização legislativa, licitação, avaliação etc.). Tais atos, desde que praticados regularmente, tornam-se vinculantes, geram direitos subjetivos e permanecem imodificáveis pela Administração, salvo quando precários por sua própria natureza.

ATOS ADMINISTRATIVOS DE IMPÉRIO OU DE AUTORIDADE — São todos aqueles que a Administração Pública pratica usando de sua supremacia sobre os administrados ou servidores e lhes impõe obrigatório atendimento. É o que ocorre nas desapropriações, nas interdições de atividade, nas ordens estatutárias. Tais atos podem ser gerais ou individuais, internos ou externos, mas sempre unilaterais, expressando a vontade onipotente do Estado e o seu poder de coerção. São, normalmente, atos revogáveis e modificáveis a critério da Administração que os expediu. Com essa conceituação não se revive a vetusta e abandonada teoria da dupla personalidade do Estado, que ora atuaria como pessoa pública, expedindo atos de império, ora agiria como pessoa privada, praticando atos de gestão. Absolutamente, não. O Estado só atua com personalidade de direito público, mas, se em certos atos impõe a sua autoridade tomando-os coativos para os seus destinatários, em outros, os seus efeitos são facultativos ou dependentes de solicitação do interessado, ou não vinculantes para a Administração e administrados. Nesse sentido se torna conveniente e até mesmo necessária a distinção entre atos de império, atos de gestão e atos de expediente, para bem diferençarmos os seus efeitos jurídicos e conseqüências práticas.

ATOS ADMINISTRATIVOS DISCRICIONÁRIOS — São os que a Administração Pública pode praticar com liberdade de escolha de seu conteúdo, de seu destinatário, de sua conveniência, de sua oportunidade e do modo de sua realização. A rigor, a discricionariedade não se manifesta no ato em si, mas, sim, no poder de a Administração praticá-lo pela maneira e nas condições que repute mais convenientes ao interesse público. Nos Atos Discricionários, a justificativa será dispensável, bastando a conformação do ato com o interesse público.

ATOS ADMINISTRATIVOS ESPECIAIS — Ver Atos Administrativos Individuais ou Especiais.

ATOS ADMINISTRATIVOS EXTERNOS — São todos aqueles que alcançam os administrados, os contratantes e, em certos casos, os próprios servidores, provendo sobre seus direitos, obrigações, negócios ou conduta perante a Administração. Tais atos, pela sua destinação, só entram em vigor ou execução depois de divulgados pelo órgão oficial, dado o interesse do público no seu conhecimento. Consideram-se, ainda, atos externos, todas as providências administrativas que, embora não atingindo diretamente o administrado, devam produzir efeitos fora da repartição que as adotou, como também as que onerem a despesa ou o patrimônio público, porque não podem permanecer unicamente na intimidade da Administração, quando repercutem nos interesses gerais da coletividade. A publicidade de tais atos é princípio de legitimidade e moralidade administrativa, que se impõe tanto à Administração direta quanto à indireta, porque ambas geram bens e dinheiros públicos cuja guarda e aplicação todos devem conhecer e controlar.

ATOS ADMINISTRATIVOS GERAIS OU REGULAMENTARES — São aqueles expedidos sem destinatários determinados, com finalidade normativa, alcançando todos os sujeitos que se encontrem na mesma situação de fato abrangida por seus preceitos. São atos de comando abstrato e impessoal, semelhantes aos da lei, e, por isso mesmo, revogáveis a qualquer tempo pela Administração, mas inatacáveis por via judicial, a não ser pela representação de inconstitucionalidade. Somente quando os preceitos abstratos dos atos gerais são convertidos pela Administração em providências concretas e específicas de execução, é que se tornam impugnáveis por quem se sentir lesado pela atuação administrativa. Exemplos desses atos: os regulamentos, as instruções normativas e as circulares ordinatórias de serviços. A característica dos atos gerais é que eles prevalecem sobre os atos individuais, ainda que provindos da mesma autoridade. Assim, um decreto individual não pode contrariar um decreto geral ou regulamentar em vigor. Isto porque o ato normativo tem preeminência sobre o ato específico. Os atos gerais, quando de efeitos externos, dependem de publicação no órgão oficial para entrar em vigor e produzir os seus resultados jurídicos, pois os destinatários só ficam sujeitos às suas imposições após essa divulgação.

ATOS ADMINISTRATIVOS INDIVIDUAIS OU ESPECIAIS — São todos aqueles que se dirigem a destinatários certos, criando-lhes situação jurídica particular. O mesmo ato pode abranger um ou vários sujeitos, desde que sejam individualizados. Tais atos, quando de efeitos externos, entram em vigência pela publicação no órgão oficial, e, se de efeitos internos ou restritos a seus destinatários, admitem comunicação direta para início de sua operatividade ou execução. São atos individuais os decretos de desapropriação, de nomeação, de exoneração, assim como as outorgas de licença, permissão e autorização, e outros mais que conferem um direito ou impõem um encargo a determinado administrado ou servidor. Os atos individuais normalmente geram direitos subjetivos para seus destinatários, como também lhes criam encargos administrativos pessoais. Quando geram direitos adquiridos, tornam-se irrevogáveis, como já reconheceu o Supremo Tribunal Federal e o declarou na Súmula 473. Nos demais casos, podem ser revogados ou modificados conforme exija o interesse público, desde que a Administração indenize o prejudicado, se for o caso. Esses atos, por proverem situações específicas e concretas, admitem anulação pela própria Administração, ou pelas vias judiciais comuns (ações ordinárias) ou especiais (mandado de segurança e ação popular), se praticados ilegalmente ou com lesão ao patrimônio público.

ATOS ADMINISTRATIVOS ORDINATÓRIOS — São os que visam disciplinar o funcionamento da Administração e a conduta funcional de seus agentes. São provimentos, determinações ou esclarecimentos destinados aos servidores públicos a fim de orientá-los no desempenho de suas atribuições. Tais atos emanam do poder hierárquico, razão pela qual podem ser expedidos por qualquer chefe de serviço aos seus subordinados, desde que o faça nos limites de sua competência regimental.

ATOS ADMINISTRATIVOS REGRADOS — Ver Atos Administrativos Vinculados (ou Regrados).

ATOS ADMINISTRATIVOS REGULAMENTARES — Ver Atos Administrativos Gerais ou Regulamentares.

ATOS ADMINISTRATIVOS VINCULADOS (OU REGRADOS) — São aqueles para os quais a lei estabelece os requisitos e condições de sua realização. Nessa categoria de atos, as imposições legais absorvem, quase que por completo, a liberdade do administrador, uma vez que a sua ação fica adstrita aos pressupostos estabelecidos pela norma legal, para a validade da atividade administrativa. Desatendido qualquer requisito, compromete-se a eficácia do ato praticado, tornando-se passível de anulação pela própria Administração, ou pelo Judiciário, se assim o requerer o interessado. Tanto nos atos vinculados quanto nos que resultam da faculdade discricionária do Poder Público, o administrador terá de decidir sobre a conveniência de sua prática, escolhendo a melhor oportunidade e atendendo a todas as circunstâncias que conduzam a atividade administrativa ao seu verdadeiro e único objetivo – o bem comum. Poderá assim a Administração Pública atuar com liberdade, embora reduzida, nos claros da lei ou do regulamento. O que não lhe é lícito é desatender às imposições legais ou regulamentares que regram o ato e bitolam a sua prática. Tratando-se de atos vinculados ou regrados, impõe-se à Administração o dever de motivá-lo, no sentido de evidenciar a conformação de sua prática com as exigências e requisitos legais que constituem pressupostos necessários de sua existência e validade. Nos Atos Vinculados, o administrador público justifica a sua ação administrativa, indicando os fatos que ensejam o ato e os preceitos jurídicos que autorizam a sua prática.

ATOS DE IMPROBIDADE ADMINISTRATIVA – DENÚNCIA — Procedimento permitido a qualquer pessoa que poderá representar à autoridade administrativa competente para que seja instaurada investigação sobre atos de irregularidades administrativas praticados pelo agente público. A representação conterá a qualificação do representante, as informações sobre o fato e sua autoria e a indicação das provas de que tenha conhecimento. Atendidos os requisitos da representação, a autoridade determinará a imediata apuração dos fatos, e a comissão processante dará conhecimento ao Ministério Público e ao Tribunal de Contas da existência de procedimento administrativo para apurar a prática de ato de improbidade. Havendo indícios de responsabilidade, a comissão representará ao Ministério Público ou à Procuradoria do órgão para que requeira ao juízo competente a decretação do seqüestro dos bens do agente ou terceiro que tenha enriquecido ilicitamente ou causado dano ao patrimônio público. A ação principal de rito ordinário será proposta pelo Ministério Público ou pela pessoa jurídica interessada, dentro de 30 dias da efetivação da medida cautelar, e a sentença que julgar procedente ação civil de reparação de dano ou decretar a perda dos bens havidos ilicitamente determinará o pagamento ou a reversão dos bens em favor da pessoa jurídica prejudicada. Constitui crime a representação por ato de improbidade contra agente público ou terceiro beneficiário, quando o autor da denúncia o sabe inocente. Pena: detenção de 6 a 10 meses e multa. Além da sanção penal, o denunciante está sujeito a indenizar o denunciado pelos danos materiais, morais ou à imagem que houver provocado.

ATOS DE IMPROBIDADE ADMINISTRATIVA – PRESCRIÇÃO — As ações podem ser propostas: a) até 5 anos após o término do exercício de mandato, de cargo em comissão ou de função de confiança; b) dentro do prazo prescricional previsto em lei específica para faltas disciplinares puníveis com demissão a bem do serviço público, nos casos de exercício de cargo efetivo ou emprego.

ATOS DE IMPROBIDADE ADMINISTRATIVA – PUNIÇÕES — Está o agente público responsável pelo ato de impropriedade, independentemente das sanções penais, cíveis e administrativas previstas na legislação específica, sujeito a: perda dos bens ou valores acrescidos ilicitamente ao patrimônio; ressarcimento integral do dano, perda da função pública, suspensão dos direitos políticos de três até dez anos; pagamento de multa civil de até três vezes o valor do acréscimo patrimonial; duas vezes o valor do dano, de até 100 vezes o valor da remuneração percebida pelo agente; e proibição de contratar com o Poder Público ou receber benefícios ou incentivos fiscais ou creditícios pelo prazo de três até dez anos. A perda da função pública e a suspensão dos direitos políticos só se efetivam com o trânsito em julgado da sentença condenatória, mas a autoridade judicial ou administrativa competente poderá determinar o afastamento do agente público, sem prejuízo da remuneração, quando a medida se fizer necessária à instrução processual. A aplicação das sanções previstas na Lei nº 8.429, de 2 de junho de 1992, independe da efetiva ocorrência de dano ao patrimônio público e da aprovação ou rejeição das contas pelo órgão de controle interno ou pelo Tribunal de Contas competente.

ATOS DE IMPROBIDADE ADMINISTRATIVA QUE ATENTAM CONTRA OS PRINCÍPIOS DA ADMINISTRAÇÃO PÚBLICA — É qualquer ação ou omissão do agente público que viole os deveres de honestidade, imparcialidade, legalidade e lealdade às instituições. Lei nº 8.429, de 2 de junho de 1992. (Ver: Atos de Improbidade Administrativa – Punições.)

ATOS DE IMPROBIDADE ADMINISTRATIVA QUE CAUSAM PREJUÍZO AO ERÁRIO — É qualquer ação ou omissão do agente público que enseje perda patrimonial, desvio, apropriação, mau tratamento ou dilapidação dos bens ou haveres das entidades da Administração Pública. Lei nº 8.429, de 2 de junho de 1992. (Ver: Atos de Improbidade Administrativa – Punições.)

ATOS DE IMPROBIDADE ADMINISTRATIVA QUE IMPORTAM ENRIQUECIMENTO ILÍCITO — São atos praticados pelo agente público objetivando auferir qualquer tipo de vantagem patrimonial indevida em razão do exercício de cargo, mandato, função, emprego ou atividade. Lei nº 8.429, de 2 de junho de 1992. (Ver: Atos de Improbidade Administrativa – Punições.)

ATOS REGRADOS — Ver Atos vinculados.

ATOS/OMISSÕES — Controvérsia que corresponde à distinção entre fazer algo e permitir que algo aconteça – por exemplo, entre matar e deixar morrer. Muitos deontologistas (aqueles que defendem os princípios, fundamentos e sistema da moral) consideram esta distinção moralmente relevante e pensam, por exemplo, que em geral é mais grave matar que deixar morrer. Os utilitaristas (aqueles que defendem como fundamento das ações humanas a busca do prazer individual) defendem que a distinção não tem uma importância moral fundamental. Pensam que se as conseqüências de matar forem as mesmas que as de deixar morrer, matar não é pior (nem melhor) que deixar morrer. Por extensão, o termo pode ser aplicado, por exemplo, a roubar ou deixar roubar.

ATRAÇÃO — Aproximação por simpatia e emoção. A atração física é sexualidade, alegria no convívio e prazer em estar junto. A atração psíquica é o estar bem por identidade de idéias, pensamentos, conhecimentos, propósitos, entendimento e compreensão.

ATRAVESSADOR — Aquele que adquire grande quantidade de mercadorias destinadas ao consumo e as detém para forçar a alta dos preços e, com isto, auferir grandes lucros. O mesmo que açambarcador.

ATREVIMENTO — Afrontamento com audácia e despudor.

ATRIBUIÇÃO — Faculdade conferida, por lei, à pessoa investida em cargo ou função pública. É a prerrogativa, privilégio, competência. É tido, também, no sentido de concessão.

ATRIBUIÇÃO / IMPUTAÇÃO — Confirmação de uma relação causal entre as mudanças observadas (ou que se espera observar) e uma ação específica. A atribuição refere-se à responsabilidade da mudança por parte da ação avaliada. Representa a parte dos efeitos observados que é atribuível a uma intervenção específica ou à ação de um ou mais parceiros. Pressupõe que se tenha em consideração outras intervenções, fatores exógenos (antecipados ou não) e choques externos.

ATRIBUTO — O que é próprio ou particular a um ser. Qualidade. Condição.

ATUAÇÃO CORRETIVA — Ver Ação Corretiva.

ATUÁRIA — Ver Ciências Atuariais.

ATUARIAIS — Ver Ciências Atuariais.

ATUÁRIO — É o profissional em Ciências Atuariais que fiscaliza e orienta as atividades técnicas de empresas de seguro, capitalização e investimento. O atuário é um matemático especialista em seguros e pensões. O atuário tem um perfil que o torna capaz de desenvolver planos de seguro de vida e previdência, além de outros planos que cubram danos ou perdas patrimoniais, calculando probabilidades de eventos, avaliando riscos, fixando prêmios, indenizações, benefícios e reservas técnicas. No mercado econômico-financeiro, promove pesquisas e estabelece planos e políticas de investimento e amortização. (Ver: Ciências atuariais.)

AUDÁCIA — Impulso de ânimo para situações que exigem coragem ou arrojo.

AUDIÊNCIA — 1) Oitiva. Ato de receber alguém a fim de ouvir o que este tem a dizer acerca de determinado assunto. 2) Sessão em que o magistrado atende ou ouve as partes, determinando medidas acerca das mesmas questões. 3) Sessão solene por determinação de juízes ou tribunais, para a realização de atos processuais; julgamento. 4) No âmbito legislativo, reunião com tais propósitos.

AUDIÊNCIA ADMONITÓRIA — Ver Admonição.

AUDIÊNCIA DE CONCILIAÇÃO E INSTRUÇÃO (TST) — Ver Conciliação e Instrução, Audiência de.

AUDIÊNCIA DE INSTRUÇÃO E JULGAMENTO — Ato processual público, solene, substancial do processo, presidido pelo juiz, no qual se instrui, discute e decide a causa. Momento culminante do processo de conhecimento quando, em reunião pública e solene do juiz com as partes, produzem-se ou completam-se as provas, enseja-se a conciliação e é proferida a sentença.

AUDIÊNCIA PÚBLICA — 1) É uma reunião promovida pelos Poderes Executivo e Legislativo, aberta ao público, na qual se procura dar esclarecimentos e permitir efetiva participação popular com o oferecimento de sugestões e críticas. 2) Procedimento de consulta à sociedade, ou a grupos sociais interessados em determinado problema ambiental ou que estejam potencialmente afetados por um projeto. Pode ser solicitada por entidade civil, pelo Ministério Público ou por grupo de cidadãos interessados. A audiência pública faz parte dos procedimentos, como canal de participação da comunidade nas decisões sobre o meio ambiente em nível local. 3) Sessão marcada por uma autoridade administrativa para atender a toda e qualquer pessoa que tenha algum pedido a fazer, alguma pretensão a resolver ou alguma queixa a dar. 4) Na Câmara dos Deputados, é a reunião realizada por comissão técnica, a pedido de deputado dela integrante ou de entidade interessada, com o objetivo de instruir matéria legislativa em tramitação, bem como tratar de assunto de interesse público relevante relativo à área de atuação da comissão. O requerimento para convocação de audiência pública deve ser encaminhado ao presidente da Comissão. Cabe ao plenário deliberar se o aprova ou rejeita.

AUDITOR — 1) Profissional idôneo, dotado de capacidades e conhecimentos técnicos específicos, que realiza o seu trabalho com observância de princípios, métodos e técnicas geralmente aceitas. 2) No contexto do setor público, é o servidor de órgão investido de poderes de fiscalização, que examina os gastos de recursos públicos, com vistas a determinar se estes foram despendidos em consonância com as normas legais e nos propósitos definidos pelo Poder Legislativo quando de sua alocação. Profissional idôneo, dotado de capacidades e conhecimentos técnicos específicos, que realiza o seu trabalho com observância de princípios, métodos e técnicas geralmente aceitos. 3) Nome dado ao juiz togado na Justiça Militar.

AUDITOR – RESSALVA EM PARECER — Observação, de natureza restritiva, que exime de responsabilidade o auditor em relação a certo fato, quer porque discorda do que foi registrado, quer porque não lhe foi possível examinar, quer porque discrepa em relação às normas e leis. Recusa opinar sobre certo fato, conta ou evento, em relação a demonstrações contábeis ou opinião contrária aos mesmos eventos.

AUDITOR EXTERNO — Auditor que não é empregado ou dependente da empresa ou entidade na qual executa os trabalhos de auditoria.

AUDITOR FINANCEIRO — Profissional responsável por fiscalizar as operações financeiras da empresa (pública ou privada) ou instituição. Na auditoria é feita uma análise minuciosa da contabilidade, cujo objetivo é conhecer a saúde financeira da empresa ou instituição avaliada.

AUDITOR INTERNO — Auditor empregado da empresa ou seu dependente econômico.

AUDITORIA – ÁREA DE VERIFICAÇÃO — Área determinada pelo campo da auditoria e pelo seu âmbito, quando considerados em conjunto. A área de verificação delimita de modo muito preciso os temas da auditoria, em função, por um lado, da entidade a fiscalizar e, por outro, da natureza da auditoria preconizada.

AUDITORIA — Exame das operações, atividades e sistemas de determinada entidade, com vistas a verificar se são executados ou funcionam em conformidade com determinados objetivos, orçamentos, regras e normas. Atividade administrativa própria do Poder Público ou contratada de empresas especializadas, visando comprovar a legalidade e legitimidade e avaliar resultados quanto à economicidade, eficiência e eficácia da gestão orçamentária, financeira e patrimonial dos órgãos da Administração Pública, bem como da aplicação de recursos públicos por entidades privadas. Busca também oferecer subsídios para o aperfeiçoamento dos procedimentos administrativos e controles internos dos diversos órgãos.

AUDITORIA - PARECER COM RESSALVA — Opinião dada pelo auditor, com relação a seus exames, evidenciando restrições a itens específicos da matéria examinada; quando a ressalva for de tal importância que impeça uma opinião global, deve se dar o parecer com negativa de opinião.

AUDITORIA - PLANO GLOBAL — Documento com os seguintes objetivos: a) expor os objetivos gerais da auditoria; b) definir a estratégia global e o campo da auditoria; c) documentar, de maneira concreta, as opções importantes tomadas para realizar a auditoria. O plano global de auditoria e as suas posteriores alterações deverão ser aprovados pela autoridade credenciada da instituição fiscalizadora.

AUDITORIA - SUPORTE LÓGICO (*SOFTWARE*) — Conjunto de programas informáticos aplicados ao campo da auditoria, que permite ao auditor tratar os dados informatizados, tais como: a) totalização; b) classificação; c) estratificação; d) amostra aleatória ou estatística; e) substituição; f) comparação entre o conteúdo de vários arquivos; e g) amostra baseada em critérios.

AUDITORIA AMBIENTAL — Instrumento de política ambiental que consiste na avaliação documentada e sistemática das instalações e das práticas operacionais e de manutenção de uma atividade poluidora, com o objetivo de verificar: a obediência aos padrões de controle e qualidade ambiental; os riscos de poluição acidental e a eficiência das respectivas medidas preventivas; o desempenho dos gerentes e operários nas ações referentes ao controle ambiental; a pertinência dos programas de gestão ambiental interna ao empreendimento.

AUDITORIA CONTÁBIL — Auditoria relativa ao plano da organização, dos procedimentos e documentos referentes à salvaguarda dos ativos e à fidedignidade das contas. Esta auditoria é, conseqüentemente, concebida com a finalidade de fornecer uma garantia razoável de que: a) as operações e o acesso aos ativos se efetuem em conformidade com as autorizações; b) as operações sejam registradas quando necessário; c) a contabilização dos ativos seja comparada com a existência física a intervalos razoáveis e que sejam tomadas as medidas adequadas relativamente a todas as diferenças não justificadas.

AUDITORIA DA QUALIDADE — É o exame sistemático e independente para verificar se as atividades e resultados obtidos satisfazem o planejamento da qualidade; se este planejamento está eficazmente implantado e é adequado para atender aos objetivos da organização. A auditoria da qualidade se aplica essencialmente, mas não está limitada, a um sistema da qualidade ou aos seus elementos, a processos, a produtos ou a serviços. Tais auditorias são chamadas freqüentemente de "auditoria do sistema da qualidade", "auditoria da qualidade do processo", "auditoria da qualidade do produto", "auditoria da qualidade do serviço". As auditorias da qualidade são executadas por pessoas que não têm responsabilidades diretas nas áreas a serem auditadas, mas que, de preferência, trabalham em cooperação com o pessoal dessas áreas. Um dos objetivos de uma auditoria da qualidade é avaliar a necessidade de melhoria ou de ação corretiva. Não se deve confundir a auditoria com atividades de "supervisão" ou "inspeção", executadas com o propósito de controle do processo ou aceitação do produto. As auditorias da qualidade podem ser realizadas com propósitos internos ou externos à organização.

AUDITORIA DE BALANÇO — Auditoria de exercício encerrado que se realiza para a verificação da exatidão dos saldos apresentados por um balanço.

AUDITORIA DE GESTÃO — Objetiva emitir opinião com vistas a certificar a regularidade das contas, verificar a execução de contratos, convênios, acordos ou ajustes, a probidade na aplicação dos dinheiros públicos e na guarda ou administração de valores e outros bens públicos ou a ela confiados.

AUDITORIA DE OTIMIZAÇÃO DE RECURSOS — Tem como objetivo a avaliação do sistema de informação e controles da administração, inclusive as funções de revisão e avaliação de auditoria interna, de modo a assegurar que a eficácia e a eficiência sejam devidamente consideradas.

AUDITORIA DE PROJETO — Processo para determinar se o desempenho está de acordo com o plano. Consiste em comparar o que foi obtido *versus* o que foi planejado.

AUDITORIA DE SISTEMAS — Tipo de auditoria através da qual os auditores recorrem ao estudo dos sistemas e, em especial, ao estudo do controle interno da entidade fiscalizada e à identificação dos eventuais pontos fortes e/ou deficiências.

AUDITORIA DO PLANEJAMENTO ESTRATÉGICO — Auditoria que consiste em verificar se são atingidos os grandes objetivos (habitualmente a longo prazo) da entidade e se são respeitadas as políticas e estratégias em matéria de aquisição, utilização e alienação dos recursos.

AUDITORIA ESPECIAL — Verificação contábil de auditoria com a finalidade de observar um acontecimento de natureza especial, como, por exemplo, um desfalque, um desgoverno de uma diretoria etc. As auditorias especiais têm sempre um objeto certo e não se confundem com as gerais ou normais que se processam buscando uma verificação de natureza ampla, sem visar a um fato determinado.

AUDITORIA EXTERNA — Auditoria realizada por um organismo externo e independente da entidade fiscalizada, visando sempre a penetrar nas empresas ou nos órgãos públicos com a independência necessária para pesquisar, tendo por objetivo, por um lado, emitir um parecer sobre as contas e a situação financeira, a legalidade e regularidade das operações e/ou sobre a gestão e, por outro lado, elaborar os relatórios correspondentes.

AUDITORIA FINANCEIRA — Análise das contas, da situação financeira e da legalidade e regularidade das operações, com vistas a emitir ou não um parecer. Esta auditoria inclui: A) análise das contas e da situação financeira da entidade fiscalizada, com vistas a verificar se: a) todas as operações foram corretamente autorizadas, liquidadas, ordenadas, pagas e registradas; b) foram tomadas medidas apropriadas com vistas a registrar com exatidão e a proteger todos os ativos, por exemplo: tesouraria, investimento, inventário dos valores imobiliários existentes; B) análise da legalidade e regularidade, com vistas a verificar se: a) todas as operações registradas estão em conformidade com a legislação geral e específica em vigor; b) todas as despesas e receitas são, respectivamente, efetuadas e arrecadadas com observância dos limites financeiros e ao período autorizados; c) todos os direitos e obrigações são apurados e geridos segundo as normas aplicáveis.

AUDITORIA INTERNA — Serviço ou departamento de uma entidade incumbido pela direção de efetuar verificações e de avaliar os sistemas e procedimentos da entidade com vistas a minimizar as probabilidades de fraudes, erros ou práticas ineficazes. A auditoria interna deve ser independente no seio da organização e prestar contas diretamente à direção superior. No setor público, é a que é efetuada através dos órgãos de controle interno, consistindo no exame analítico e pericial prévio, concomitante e subseqüente, a legalidade dos atos da administração orçamentária, financeira e patrimonial, bem como da regularidade dos atos praticados na instituição por pessoas físicas e jurídicas integrantes ou participantes do sistema.

AUDITORIA OPERACIONAL — Auditoria que incide em todos os níveis de gestão sob o ponto de vista da economia, eficiência e eficácia, nas suas fases de programação, execução e supervisão.

AUDITORIA SOCIAL — Auditoria que avalia o impacto social e o comportamento ético de uma organização em relação aos seus objetivos e dos seus interessados. Mede os seguintes aspectos das atividades de uma organização: como os funcionários e outros interessados vêem a organização; como a organização cumpre os próprios objetivos; como a organização trabalha de acordo com suas próprias declarações de valores.

AUDITORIA, ÂMBITO DA — Tendo sido definido o campo da auditoria, o âmbito da auditoria tem por finalidade determinar a amplitude e exaustão dos processos de auditoria preconizados, o que inclui uma limitação racional dos trabalhos a executar, de modo a tornar aceitável para o auditor o risco de serem errôneas as suas conclusões de auditoria.

AUDITORIA, MANUAL DE — Publicação que descreve os princípios, métodos e técnicas de auditoria, bem como as normas de auditoria a serem observadas pelos auditores. O manual constitui um instrumento indispensável e uma abordagem coordenada e harmonizada dos auditores de uma mesma instituição de auditoria.

AUDITORIA, NORMAS DE — Regras que o auditor deve observar em relação aos objetivos a atingir, aos procedimentos e técnicas de auditoria utilizados, ao relatório que deve elaborar e à qualidade do trabalho.

AUDITORIA, PROCEDIMENTOS DE — É o conjunto de investigações técnicas que objetiva reunir conhecimento e provas que possibilitem ao auditor formar opinião sobre as demonstrações contábeis examinadas.

AUDITORIA, PROGRAMA DE — Fixa os procedimentos a serem seguidos, os objetivos a serem alcançados em cada campo ou área de exame e pode determinar a profundidade ou extensão do que se vai verificar.

AUDITORIA, RELATÓRIO DE — Apresentação dos resultados dos exames da escrita contábil da empresa, acompanhados do Certificado de Auditoria.

AUDITORIA, SUPERVISÃO DA — Atividade de direção e controle em todas as fases da auditoria para adequar as atividades, os procedimentos e os exames aos objetivos a atingir.

AUDITORIA, TAREFA DE — Análise de um tema claramente selecionado no programa de auditoria, com vistas a alcançar determinados objetivos de auditoria.

AUDITORIA, TÉCNICA DE — Análise de um elemento selecionado com vistas a determinar se um objetivo específico de auditoria é ou não alcançado.

AUFERIR — Colher, obter, retirar, tirar.

AUMENTO DE CAPITAL - COLOCAÇÃO DIRETA — Ver Capital, Aumento de - Colocação Direta.

AUMENTO DE CAPITAL - COLOCAÇÃO INDIRETA — Ver Capital, Aumento de - Colocação Indireta.

AUMENTO DE DESPESA TOTAL COM PESSOAL NO ÚLTIMO ANO DO MANDATO OU LEGISLATURA — Ver Último Ano do Mandato ou Legislatura, Aumento de Despesa Total com Pessoal no.

AUMENTO DO CAPITAL — Ver Capital, Aumento do.

AUMENTO DO VALOR NOMINAL — Alteração do valor nominal da ação em conseqüência de reservas ao capital de uma empresa sem emissão de novas ações.

AUMENTO PERMANENTE DE RECEITA — Ver Receita, Aumento Permanente de.

AUMENTO VEGETATIVO DA RECEITA — Ver Receita, Aumento vegetativo da.

AURORA BOREAL — A aurora polar foi um fenômeno observado, em tempos passados, nos céus das regiões polares boreais, o que lhe deu o nome de "Aurora Boreal". Com o desenvolvimento e o aperfeiçoamento dos métodos de observação, verificou-se que essas luminosidades ocorrem também nas regiões do pólo sul, sendo então chamadas de "Auroras Austrais".

AURORAS POLARES — Fenômeno observado nas noites polares, quando a escuridão do céu é, às vezes, interrompida por brilhantes luzes multicoloridas que apresentam um movimento, como se fossem cortinas luminosas agitadas por estranhos ventos. O estudo desses fenômenos permitiu identificá-los como uma radiação luminosa visível, emitida por átomos e moléculas existentes na ionosfera. Tais átomos ou moléculas são bombardeados por elétrons provindos do sol, e essa excitação provoca a sua ionização, ou mesmo o rompimento de moléculas, dando origem a outros tantos átomos ou moléculas ionizadas. Os íons formados emitem radiação eletromagnética numa ampla faixa espectral, que vai do ultravioleta ao infravermelho. Essa radiação resulta da relaxação dos elétrons de átomos/moléculas excitados, que retornam a níveis de menor energia, ou da captura de elétrons livres pelos íons já formados. O efeito luminoso mais comum nas auroras polares é o de cor verde-clara, que decorre de emissão por átomos de oxigênio. Por vezes ocorrem belas emissões cor-de-rosa, feitas por átomos de nitrogênio. O aspecto de cortina movediça dessas auroras se deve a variações no campo magnético do planeta Terra, que é o responsável pela orientação do fluxo de elétrons provindo do Sol.

AUSÊNCIA — É o instituto que visa nomear uma outra pessoa (curador) para cuidar dos interesses e dos bens do ausente. Para que uma pessoa seja declarada ausente, em ação judicial própria para isso, é necessário que a mesma: a) não esteja presente por longo período; b) não dê notícias; c) existência de bens e c) falta de um procurador.

AUSTERIDADE FISCAL — Prática de política fiscal que busca equilibrar as contas públicas, adotando medidas de caráter contracionista, como a geração de superávit primário.

AUSTRAL — Referente ao lado de onde sopra o vento sul. Relacionado ao hemisfério e ao pólo com este nome. Fala-se também de mares e terras compreendidas entre o Círculo Polar Antártico e o Trópico de Capricórnio.

AUTARQUIA — É entidade da Administração Pública indireta, criada por lei (jamais por decreto ou resolução), com personalidade jurídica de direito público, patrimônio e receita próprios, para executar atividades típicas da Administração Pública que requeiram, para seu melhor funcionamento, gestão administrativa e financeira descentralizada. É entidade autônoma da Administração Pública indireta, mas não são autonomias. Autonomia não se confunde com autarquia porque, enquanto aquela tem o poder de legislar para si mesma, esta apenas se auto-administra, segundo a legislação da entidade que a criou. Autarquia envolve um conceito administrativo, mas autonomia envolve um conceito político. Por isso, as autarquias estão sob o controle de entidade estatal a que pertencem, ao passo que as autonomias, como, por exemplo, o município, permanecem livres de tal controle, estando vinculadas apenas aos Estados-membros e à União. Sendo dotada de personalidade pública, a Autarquia está imune à tributação e desfruta de prazos processuais especiais para contestar e recorrer, bem como conta com foro judicial privilegiado. Os servidores das autarquias não se confundem com os servidores públicos, devendo ser denominados servidores autárquicos, sendo, contudo, equiparados aos servidores públicos para efeitos penais. Os orçamentos das autarquias obedecem às disposições da Lei nº 4.320, de 1964. Na prática, os créditos orçamentários para autarquias constam do orçamento da esfera de governo a que se vinculam apenas como transferências intragovernamentais (3211 - Transferências Operacionais ou 3212 - Subvenções Econômicas) e seus orçamentos propriamente ditos são aprovados por decreto do Poder Executivo no início de cada exercício financeiro, dentro dos limites dos referidos créditos. Estão sujeitas à licitação nos termos da Lei nº 8.666, de 1993.

AUTARQUIA DE REGIME ESPECIAL — É aquela a que a lei instituidora confere privilégios específicos e aumenta a sua autonomia, comparativamente com as autarquias comuns. São autarquias de regime especial, entre outras: Banco Central do Brasil (Lei nº 4559, de 1964), Comissão Nacional de Energia Nuclear (Lei nº 4118, de 1962) e Universidade de São Paulo (Decreto-Lei nº 13.855, de 1944) etc.

AUTENTICAÇÃO — 1) Medida de certificação da origem do documento reproduzido ou copiado através de meio reprográfico e, conseqüentemente, para a produção de provas como se documento original fosse. Todo documento reproduzido ou copiado através de meio reprográfico deve ser autenticado em um Tabelionato de Notas. Somente em caráter excepcional, ocorrendo a impugnação da autenticidade da cópia ou reprodução, na esfera judicial, a parte que apresentou a prova reprográfica autenticada deverá apresentar o documento original. 2) Processo de identificação de um indivíduo, geralmente com base em um nome de usuário e senha. Em sistemas de segurança, autenticação é diferente de autorização, que é o processo de fornecer aos indivíduos acesso a objetos do sistema com base em sua identidade. A autenticação apenas assegura que o indivíduo é quem ele diz ser, mas não informa nada sobre seus direitos de acesso.

AUTO — Todo termo ou toda narração circunstanciada de qualquer diligência judicial ou administrativa, escrita por tabelião ou escrivão, e por estes autenticada, mostrando-se, assim, as várias peças ou assentos de um processo, lavrados para prova, registro ou evidência de uma ocorrência. No plural, autos designam as peças pertencentes ao processo judicial ou administrativo, tendo o mesmo sentido que processo, constituindo-se da petição, documentos, articulados, termos de diligências, de audiências, certidões, sentenças etc.

AUTO DE CORPO DE DELITO — Ver Corpo de Delito, Auto de.

AUTO DE INFRAÇÃO — É um dos instrumentos por meio do qual se inicia o processo para apurar infração às normas de poder de polícia.

AUTO DE PARTILHA — Termo no qual se discriminam os bens da herança e seus respectivos herdeiros, formalizando a partilha mediante homologação judicial.

AUTO DE PENHORA — Termo processual destinado a registrar todas as diligências promovidas, na efetuação da penhora de bens, pelo oficial de Justiça. Trata-se de peça essencial no processo de execução. Considerar-se-á feita a penhora mediante a apreensão e o depósito dos bens, lavrando-se um só auto se as diligências forem concluídas no mesmo dia. Havendo mais de uma penhora, lavrar-se-á para cada qual um auto.

AUTO DE PRISÃO EM FLAGRANTE DELITO — Termo lavrado por autoridade competente, para relatar as circunstâncias da efetuação da prisão de pessoa apanhada em flagrante delito. A elaboração do auto de prisão deve conter os seguintes itens: a) designação do local e da hora em que ocorreu o ato ilícito e a indicação deste; b) menção do condutor, pessoa que efetuou a prisão e que levou o criminoso até a autoridade policial, e das testemunhas que confirmem a asserção do primeiro; c) assinatura do preso ou, quando analfabeto, de alguém por ele, a seu rogo, e de duas testemunhas.

AUTO FISCAL — Instrumento lavrado por autoridade fiscal contra o contribuinte, quando este houver infringido as normas fiscais.

AUTO-ACUSAÇÃO FALSA — É um dos crimes praticados contra a administração da Justiça. Consiste em acusar-se, perante a autoridade, de crime inexistente ou praticado por outrem.

AUTO-AVALIAÇÃO — Avaliação efetuada por quem tem a responsabilidade de conceber e implementar uma ação.

AUTOCALIBRAÇÃO — É a calibração de um sistema auto-organizado; auto-ajuste.

AUTOCÍDIO — O mesmo que suicídio, autoquiria, propricídio. Destruir o indivíduo a si mesmo, matar-se.

AUTOCOMPOSIÇÃO — Forma de solução de conflitos coletivos, mediante a qual os envolvidos decidem a controvérsia diretamente, ou com intervenção destituída de poder decisório de terceiros.

AUTOCONTRATO — Nome dado tecnicamente ao negócio jurídico efetuado por pessoa que exercita mandato e que ao mesmo tempo possui interesses como credor e devedor.

AUTOCONTROLE — Estágio do controle da qualidade no qual um operador possui os meios de saber qual é o desempenho real e qual é o desempenho visado, bem como os meios de alterar o desempenho, de acordo com os padrões existentes, no caso de o desempenho real não estar em conformidade com o desempenho visado.

AUTOCORRELAÇÃO — Mede a correlação de uma variável consigo mesma ao longo do tempo.

AUTODESENVOLVIMENTO — Conceito segundo o qual cada pessoa deve ser a maior responsável pela busca de oportunidades de crescimento próprio humano e profissional. Melhor entendido em conjunto com educação continuada.

AUTO-ENGANO — Crença infundada. Ilusão. Engano a si próprio.

AUTO-ESTIMA — Dar valor a si mesmo. Cuidado e importância dedicada a si próprio no sentido de habilitar-se melhor, ou atingir a polivalência eficaz. Ato de estimar-se.

AUTO-EXECUTABILIDADE — Atributo da norma jurídica cuja eficácia independe de norma regulamentadora.

AUTOFALÊNCIA — Ato do comerciante, que se acha em insolvência, de requerer a declaração da própria falência.

AUTOFILIA — Apaixonado por si próprio. Narcisismo.

AUTOGESTÃO — Modelo administrativo em que as decisões e o controle da empresa são exercidos pelos trabalhadores; é a participação direta e coletiva na tomada de decisões e no poder da empresa.

AUTÓGRAFO — Instrumento formal consubstanciador do texto definitivamente aprovado pelo Congresso Nacional e em condições de ser encaminhado à sanção presidencial. Equivale a uma cópia autêntica da aprovação parlamentar do projeto de lei.

AUTOMAÇÃO — Sistema automático de controle, pelo qual os mecanismos verificam seu próprio funcionamento, efetuando medições e introduzindo correções, sem a interferência do ser humano. É a utilização de máquinas em substituição da mão-de-obra: robótica, tecnologias de informação, computadores e telecomunicações.

AUTOMAÇÃO INDUSTRIAL — Ver Automação.

AUTOMATIC TELLER MACHINE — Ver ATM.

AUTOMÁTICO — Refere-se a um processo ou recurso/dispositivo que, sob condições específicas, funciona sem a intervenção de um operador humano.

AUTONOMIA — Agir com liberdade, por si só. Faculdade de autogovernar-se nas relações de interdependência. Resposta própria, que mantém a identidade das entidades; não é o mesmo que independência. Prerrogativa conferida à União, aos Estados, ao Distrito Federal e aos Municípios de criarem suas próprias leis, desde que nos limites estabelecidos pela Constituição Federal.

AUTONOMIA ADMINISTRATIVA MUNICIPAL — É a capacidade do município para cuidar, por meios próprios, ou mediante contratos com terceiros, da execução de serviços públicos de interesse local e, ainda, da admissão e atividades de seu pessoal.

AUTONOMIA DA VONTADE — Princípio do Direito Civil pelo qual todos podem agir conforme seus interesses, desde que estes não conflitem com a ordem jurídica.

AUTONOMIA FINANCEIRA — Competência atribuída às entidades com personalidade jurídica de Direito Público ou Privado, vinculadas ao setor público (autarquias, fundações, fundos fiscais, empresas e serviços autônomos), para arrecadar e gerir os recursos financeiros que arrecadar ou que lhe forem destinados.

AUTONOMIA FINANCEIRA MUNICIPAL — É a capacidade do município para decretar seus próprios tributos, arrecadar e aplicar suas rendas e as receitas que lhe são transferidas por outros entes da Federação, observada a legislação pertinente.

AUTONOMIA POLÍTICA MUNICIPAL — É a capacidade do município para organizar seu próprio governo, estabelecendo, portanto, a estrutura e as competências do Poder Legislativo, inclusive a organização das funções legislativas e fiscalizadoras da Câmara Municipal.

AUTÔNOMO — Diz-se daquela pessoa que trabalha por conta própria ou sem vínculo empregatício.

AUTO-ORGANIZAÇÃO — Capacidade de um sistema de mudar sua organização interna por seus próprios meios, sem hegemonia ou determinação de nenhum agente interno ou externo.

AUTOPIEDADE — Compaixão por si. Condoer-se, compadecer-se, ter dó de si mesmo.

AUTÓPSIA — A própria etimologia da palavra nos dá o sentido desta: *Auto,* em si próprio, na própria pessoa; *psia*, exame. Autópsia nada mais é que o exame feito pela pessoa nela mesma, portanto, pessoa viva. O Código de Processo Penal usa erroneamente a palavra autópsia para designar o exame pericial feito no cadáver para se descobrir a *causa mortis*, quando o correto seria necropsia. (Ver: Necropsia.)

AUTOR — 1) Criador; aquele que produz; gera; faz nascer algo. 2) Parte que toma a iniciativa de provocar a atividade jurisdicional, por via de propositura da ação, obtendo ou não o reconhecimento do seu direito (pretensão) pleiteado, na sentença. Na esfera penal, é o agente do crime ou da contravenção. 3) No âmbito legislativo, o parlamentar que apresenta uma proposição, uma medida etc.

AUTOR DA AÇÃO — É aquele que move uma causa em juízo, uma ação. Postulante; requerente. (Ver: Postulante.)

AUTOR DA HERANÇA — Ver Herança, Autor da.

AUTOR DO CRIME — Pessoa que praticou um ato criminoso.

AUTOR RECONVINDO — É o autor da ação principal e o réu da reconvenção. (Ver: Reconvenção.)

AUTO-REGULAÇÃO — Por auto-regulação entende-se basicamente a normatização e fiscalização, por parte dos próprios membros do mercado organizados em instituições ou associações privadas, de suas atividades, com vistas à manutenção de elevados padrões éticos. Assim, em vez de haver uma intervenção direta do Estado, sob a forma de regulação, nos negócios dos participantes do mercado, estes se autopoliciam no cumprimento dos deveres legais e dos padrões éticos consensualmente aceitos. No mercado de capitais, tradicionalmente, as entidades tipicamente auto-reguladoras são as Bolsas de Valores.

AUTORIDADE — Inerente ao exercício do poder; poder público legítimo, com função administrativa, da qual emana o direito de ordenar, de se fazer obedecer. Poder legal que opera efeitos jurídicos; a coisa a ser julgada, a sentença etc.

AUTORIDADE ADMINISTRATIVA — É a pessoa que tem o poder de mando ou comando em um departamento público, onde se executam atos de interesse coletivo ou do Estado.

AUTORIDADE COATORA — É a autoridade à qual é atribuída, na ação de mandado de segurança, a responsabilidade pela prática de determinado ato que o interessado (impetrante) entende ilegal e prejudicial a seus interesses.

AUTORIDADE JUDICIÁRIA — Todo membro do Poder Judiciário.

AUTORIDADE NACIONAL PALESTINA (ANP) — Ou Autoridade Palestina, é a organização oficial que administra a Cisjordânia e a Faixa de Gaza. Foi criada a partir de um acordo firmado em 1993 entre a OLP (Organização pela Libertação da Palestina) e Israel. Na primeira eleição para o legislativo e executivo da ANP, realizada em janeiro de 1996, Yasser Arafat foi eleito presidente. O acordo previa um mandato de cinco anos, que expiraria em 1999, quando então Israel e palestinos voltariam a negociar o *status* das áreas palestinas - o que não aconteceu, com a deterioração das relações entre os dois lados.

AUTORIDADE POLICIAL — Membro do Poder Executivo que tem como função zelar pela ordem e segurança pública.

AUTORITARISMO — É o regime político em que o poder é exercido por um indivíduo ou segmento social, de forma a dispensar e atropelar as regras democráticas. No autoritarismo, as garantias individuais são suspensas. A imprensa é censurada e, em alguns casos, as constituições são reescritas ao sabor dos detentores do poder.

AUTORIZAÇÃO — Ato unilateral pelo qual a administração, discricionariamente, faculta o exercício de atividade material, tendo, como regra, caráter precário.

AUTORIZAÇÃO AMBIENTAL OU FLORESTAL — Ato administrativo que aprova a localização e autoriza a instalação e operação e/ou implementação de empreendimento, atividade ou obra, de acordo com as especificações constantes dos requerimentos, cadastros, planos, programas e/ou projetos aprovados, incluindo as medidas de controle ambiental e demais condicionantes; estabelece condições, restrições e medidas de controle ambiental ou florestal de empreendimentos ou atividades específicas; tem prazo de validade estabelecido de acordo com a natureza do empreendimento.

AUTORIZAÇÃO ORÇAMENTÁRIA — São as despesas a ser executadas no exercício, contidas na lei do Orçamento aprovado pelo Legislativo para cada exercício financeiro.

AUTOS — Disposição ordenada dos atos, termos e arrazoados que formam um conjunto de peças escritas que materializam o processo. A par dos autos principais, formam-se os autos suplementares, que constituem a duplicata daqueles, sendo sua finalidade obviar o extravio dos autos originais.

AUTOS PROCESSUAIS — Ver Autos.

AUTO-SEMELHANÇA — Partes de um sistema que guardam semelhança com o todo.

AUTO-SERVIÇO (*SELF-SERVICE*) — Característica do estabelecimento comercial no qual o cliente escolhe e adquire informação, produto ou serviço sem ajuda de um funcionário da empresa.

AUTO-SUSTENTABILIDADE — Manutenção de algo sem interferências externas; capacidade de sustentar-se às próprias custas.

AUTO-SUSTENTAÇÃO — Capacidade da empresa de manter-se no mercado de modo competitivo.

AUTOTUTELA — Fiscalização exercida pela Administração sobre seus bens e atos, para efeito de bom uso desses.

AUTUAÇÃO — Assim se diz do ato inicial, pelo qual se começa o processo, seja judicial ou administrativo. Desse modo, ajuizada a ação, pelo despacho dado na petição inicial, o processo começa a se formar pela autuação dela, com os documentos que leva junto. A forma material desta autuação consiste em se dar uma capa à primeira peça processual apresentada, com as indicações relativas à ação, nomes do autor e réu, data de sua apresentação etc.

AUTUAR — Lavrar um auto contra alguém; reunir em forma de processo (a petição e documentos apresentados em juízo); processar.

AUXILIAR DE ACUSAÇÃO — É o advogado que serve de assistente do Ministério Público na ação penal pública, defendendo os interesses do ofendido ou, se falecido, do cônjuge, ascendente, descendente, irmão ou do respectivo representante legal.

AUXILIAR DE JUSTIÇA — Pessoa que exerce cargo ou função de escrivão, oficial de Justiça, perito, depositário, administrador ou intérprete.

AUXÍLIO FINANCEIRO — Ajuda concedida pela União, Estados ou Municípios para fins diversos, geralmente com objetivos sociais. São despesas decorrentes da Lei de Orçamento destinadas a atender entidades privadas legalmente constituídas e sem fins lucrativos. São também aquelas que, constantes no orçamento, são transferências voluntárias aos estados e municípios e dos estados aos respectivos municípios.

AUXÍLIO-ACIDENTE — É o benefício pago ao segurado da Previdência Social quando, após a consolidação das lesões decorrentes de acidente de qualquer natureza, resultar seqüela definitiva. Esse benefício não é pago ao empregado doméstico, contribuinte individual e o facultativo. Podem receber esse benefício os demais segurados que tenham recebido auxílio-doença e que, embora tenham recuperado a capacidade de trabalho, permaneçam com seqüelas do acidente que afetem o desempenho de suas atividades. Não é exigida carência mínima para recebimento do benefício, sendo, entretanto, exigida a qualidade de segurado e prova da impossibilidade de continuar desempenhando suas atividade. Essa prova será obtida por meio de exame da perícia médica da Previdência Social. Esse benefício pode ser acumulado com outros benefícios previdenciários, vez que possui caráter indenizatório, deixando, entretanto, de ser pago quando o trabalhador se aposentar.

AUXÍLIO-DOENÇA — É o benefício concedido ao segurado da Previdência Social impedido de trabalho por doença ou acidente por mais de 15 dias consecutivos, por motivo de doença ou acidente. Para trabalhadores com carteira assinada, os primeiros 15 dias de afastamento são pagos pelo empregador, e a Previdência Social pagará a partir do 16º dia de afastamento do trabalho. O contribuinte individual (empresário, profissionais liberais, trabalhadores por conta própria e outros), desde que requeira o benefício, receberá da Previdência Social todo o período da doença ou do acidente.

AUXÍLIO-RECLUSÃO — É o benefício devido pela Previdência Social ao(s) dependente(s) do segurado de baixa renda recolhido à prisão. Esse benefício será pago desde que o segurado não esteja recebendo qualquer salário da empresa nem esteja em gozo de auxílio-doença ou aposentadoria. Não se exige carência para que os dependentes do segurado tenham direito ao benefício, sendo exigido, entretanto, que o preso seja segurado da Previdência Social. Com a morte do segurado, o auxílio-reclusão será convertido em pensão por morte. Quando o dependente que receber o auxílio-reclusão for emancipado ou completar a maioridade civil, deixará de receber o auxílio, cessando também o benefício com a morte do dependente ou com o fim de invalidez de dependente maior de idade. O benefício também deixará de ser pago quando o segurado fugir do estabelecimento prisional, for posto em liberdade condicional ou houver progressão do regime de cumprimento de pena para a prisão albergue e, finalmente, com a extinção da pena.

AUXÍLIOS DE PRESTAÇÃO CONTINUADA — Tipos de provisões classificados pela Previdência Social em auxílio-doença, auxílio-acidente e auxílio-reclusão.

AVAL — Ato pelo qual uma terceira pessoa, distinta do sacado, do sacador e dos endossantes, garante o pagamento de um título na data de seu vencimento.

AVAL EM BRANCO — Espécie de aval que não indica a pessoa a quem garante, constando apenas a assinatura do avalista e considerando-se prestado ao sacador ou emitente do título.

AVAL EM PRETO — Espécie de aval em que se indica a pessoa em favor da qual é dado.

AVALANCHE — Grande massa de neve, gelo, solo ou rocha, ou uma mistura desses materiais, em queda ou deslizando rapidamente sob a força da gravidade. As velocidades podem, às vezes, exceder a 500 km/h. As avalanches podem ser classificadas como um tipo de escorregamento e distinguidas pelo tipo de material mobilizado: avalanches de neve e gelo e avalanches com mistura de neve, gelo, solo, rocha e fragmentos. (Ver: Alude.)

AVALIAÇÃO — 1) É o meio através do qual se verifica a eficácia na execução dos programas, comparando os resultados obtidos com as metas previstas e o grau de racionalidade na utilização dos recursos correspondentes. 2) Apreciação, julgamento com base em indicadores; processo essencial de gestão estratégica, com base na aferição de indicadores de eficácia ou de desempenho de um processo. 3) No processo de marketing, é o controle sobre os processos de fabricação e comercialização, e a interpretação dos resultados obtidos com a finalidade de racionalizar futuros processos de marketing. 4) Controle e interpretação de resultados sobre processos utilizados por uma organização com a finalidade de corrigi-los e/ou redirecioná-los.

AVALIAÇÃO AMBIENTAL — Expressão utilizada com o mesmo significado da avaliação de impacto ambiental, em decorrência de terminologia adotada por algumas agências internacionais de cooperação técnica e econômica, correspondendo, às vezes, a um conceito amplo que inclui outras formas de avaliação, como a análise de risco, a auditoria ambiental e outros procedimentos de gestão. É um processo integrado de investigação e avaliação das condições atuais e das tendências, empregando investigação, vigilância, monitorização, coleta, comparação e avaliação das informações e revisão. Os resultados obtidos devem ser difundidos e devem embasar o processo decisório político.

AVALIAÇÃO AMBIENTAL ESTRATÉGICA — Procedimento sistemático e contínuo de avaliação da qualidade do meio ambiente e das conseqüências ambientais decorrentes de visões e intenções alternativas de desenvolvimento, incorporadas em iniciativas tais como: a formulação de Políticas, Planos e Programas (PPP), de modo a assegurar a integração efetiva dos aspectos biofísicos, econômicos, sociais e políticos de planejamento e tomada de decisão.

AVALIAÇÃO ATUARIAL — Estudo através do qual se avaliam dados pessoais, biométricos e econômicos dos participantes de um plano de previdência complementar, e se determinam quais os recursos necessários para que os benefícios futuros devidos aos participantes sejam honrados. (Ver: Cálculo atuarial.)

AVALIAÇÃO DA CONFORMIDADE — Processo sistematizado, com regras predefinidas, devidamente acompanhado e avaliado de forma a propiciar adequado grau de confiança de que um produto, processo ou serviço, ou ainda um profissional, atenda a requisitos preestabelecidos em normas ou regulamentos.

AVALIAÇÃO DE CONJUNTO(S) — Avaliação de um conjunto de atividades, projetos ou programas inter-relacionados.

AVALIAÇÃO DE CONTROLES — Procedimento que visa a colocar em prova a eficiência dos controles de uma empresa. Quanto menos controle, mais profundas devem ser as verificações.

AVALIAÇÃO DE DANOS — Método de exame sistemático de um equipamento, sistema, instalação, comunidade ou área geográfica, com o objetivo de definir e quantificar os danos humanos, materiais e ambientais, e os prejuízos econômicos e sociais provocados por um determinado desastre.

AVALIAÇÃO DE DESEMPENHO — É um processo sistemático de apreciação do desempenho do servidor no cargo ou função e de seu comportamento funcional, constituindo-se instrumento para o aperfeiçoamento da política de pessoal.

AVALIAÇÃO DE IMPACTO — Processo de avaliação sistemático dos impactos ecológicos, econômicos e sociais que podem advir da implantação de atividades antrópicas (projetos, planos e programas) e de monitoramento e controle desses efeitos pelo poder público e pela sociedade.

AVALIAÇÃO DE IMPACTO AMBIENTAL (AIA) — Ver Avaliação ambiental.

AVALIAÇÃO DE IMPACTO SOCIAL — 1) É o processo que, a partir de uma lógica de transformação social estratégica, possibilita medir o real valor de um investimento social, tendo como fundamento a promoção de políticas públicas já existentes para o desenvolvimento social e econômico. 2) É um processo integral de demonstração de resultados, composto de diferentes níveis de análise com o intuito de medir, efetivamente, o valor (lucro social) e impacto gerado por um instrumento social. Sem avaliação de impacto, o social continua sendo visto como gasto e não como investimento.

AVALIAÇÃO DE PROCESSOS — É a atividade integrante do Gerenciamento da Rotina do Trabalho do dia-a-dia, conduzida para verificar se cada processo da empresa é capaz de alcançar o nível de qualidade estabelecido no projeto. É uma forma eficiente de verificação do cumprimento dos padrões e de identificação de problemas.

AVALIAÇÃO DE PROGRAMA — Avaliação de um conjunto estruturado para atingir objetivos específicos à escala de um setor, país, região ou global.

AVALIAÇÃO DE PROGRAMA SETORIAL — Avaliação de uma série de programas, os quais contribuem para alcançar determinado objetivo de desenvolvimento. Um setor inclui atividades de desenvolvimento habitualmente agrupadas numa perspectiva de ação pública, como a saúde, a educação, a agricultura, os transportes etc.

AVALIAÇÃO DE PROJETO — Avaliação individual concebida para atingir objetivos específicos com recursos e um plano de trabalho determinados, muitas vezes no quadro de um programa mais abrangente. A análise custo-benefício é um dos principais instrumentos da avaliação para os projetos que apresentam benefícios mensuráveis. Quando os benefícios não podem ser quantificados, a análise custo-eficácia é a abordagem mais adequada.

AVALIAÇÃO DE RISCO — É a avaliação de efeitos adversos que possam atingir a empresa no mercado competitivo.

AVALIAÇÃO *EX-ANTE* — É o exame crítico antes do início do projeto, que analisa a relevância e a viabilidade técnica, financeira, institucional e social da(s) alternativa(s) de intervenção selecionada.

AVALIAÇÃO *EX-POST* — É aquela que ocorre quando transcorrido um período de tempo suficiente para que os benefícios e impactos se manifestem e possam ser aferidos. Ela verifica em que medida os objetivos ou efeitos imediatos e globais (impacto) foram alcançados e são devidos ou não à intervenção.

AVALIAÇÃO JUDICIAL — É a fixação do valor pecuniário de coisas, direitos e obrigações, feita por perito judicial nomeado pelo juiz.

AVALIAÇÃO PARTICIPATIVA — Método de avaliação segundo o qual os representantes detentores de interesse (incluindo os beneficiários) trabalham em conjunto para conceber e conduzir uma avaliação e dela retirar conclusões.

AVALIAÇÃO TECNOLÓGICA — É o processo de análise sistemática, prospectiva e avaliação de impactos econômicos e sociais decorrentes da adoção de tecnologias ou da introdução de inovações; antecipação dos efeitos socioeconômicos ou ambientais resultantes da adoção de uma tecnologia ou de uma inovação, para informação à sociedade e para instruir suas decisões; avaliação dos custos sociais da adoção de uma tecnologia (ambientais, nas oportunidades de trabalho, nas mudanças de hábitos sociais); análise de custo/benefício de projetos de desenvolvimento tecnológico para atendimento de demandas econômicas e de necessidades sociais; apreciação de tecnologias para previsão de suas conseqüências e comparação com alternativas para instruir processos decisórios.

AVALIADOR — É o perito, a pessoa ou organismo ao qual se comete a missão de realizar uma avaliação, isto é, dar preço justo e certo ou melhor apreciação a determinado bem ou coisa.

AVALIAR — Fazer a apreciação; ajuizar.

AVANÇO DE CONHECIMENTO — É a agregação de novos dados, experiências e conhecimentos ao conjunto da cultura científica e tecnológica da humanidade.

AVANÇO TECNOLÓGICO — Ver Desenvolvimento Tecnológico.

AVAREZA — Sentimento de mesquinhez. Paixão mórbida por dinheiro.

AVARIA — 1) Termo empregado em Direito para designar os danos às mercadorias e bens. 2) Qualquer modificação nas condições de projeto de material que implique redução de eficácia ou eficiência na sua operação.

AVERBAÇÃO — 1) Ato pelo qual se faz constar em documento anterior fato que modifica ou acresce o conteúdo deste. 2) Registro de fato jurídico/administrativo, aposto em documento público, para surtir determinados efeitos. 3) Anotação feita por autoridade em um documento, garantindo autenticidade e validade a uma alteração. 4) Ato de fazer constar no Registro (Transcrição, Inscrição e Matrícula) todas as ocorrências que por qualquer modo o alterem, com o objetivo de informar, modificar ou restringir os registros, quer em relação à coisa, quer em relação às pessoas envolvidas. Ex.: averbação de construção (coisa), averbação de casamento (pessoas). 5) Documento utilizado pelo segurado para informar à seguradora sobre verbas e objetos a garantir nas apólices abertas. Muito utilizado no seguro de transportes.

AVERSÃO — Sensação de repelência, nojo ou repugnância, podendo suscitar medo, raiva ou ódio.

AVERSÃO AO RISCO — Em economia representa a escolha de ativos empreendida por um agente econômico sem o risco de perda de capital ou incerteza de rendimento. A aversão ao risco pode ser expressa de formas diversas: a) escolha de apenas ativos seguros; ou b) diversificação da carteira de títulos através de fundos geridos por instituições financeiras especializadas.

AVICULTURA — Atividades de criação de aves em geral, tanto para produção de carne (avicultura de corte) quanto para produção de ovos (avicultura de postura), produção de aves de um dia ou produção de matrizes para reprodução.

AVISO — Ato administrativo pelo qual ministros de Estado e secretários de Estado se comunicam entre si ou com outras autoridades. Sua finalidade é transmitir instruções, pedir informações, não podendo, em hipótese alguma, revogar ou alterar a legislação existente, nem promover interpretação de lei ou de regulamento cuja execução estiver afeta exclusivamente ao Judiciário.

AVISO DE NEGOCIAÇÃO DE AÇÕES — Ver ANA.

AVISO DE SINISTRO — É a comunicação da ocorrência de um sinistro que o segurado é obrigado a fazer ao segurador, assim que tenha o seu conhecimento.

AVISO PRÉVIO — 1) Comunicação que um dos contratantes faz ao outro de que deseja, embora sem justa causa, rescindir o contrato, perdurando este, contudo, durante um certo prazo. 2) Comunicação que uma das partes contratantes faz à outra, sem justa causa, no contrato de trabalho por prazo indeterminado, de que este deixará de vigorar após determinado período, contado a partir da comunicação. 3) Quantia que o empregador, quando é ele a rescindir o contrato de trabalho, paga ao empregado. (Ver: Contrato de trabalho, Verbas rescisórias em.)

AVIVENTAÇÃO DE RUMOS APAGADOS — Aviventar significa avivar, dar vida. Aviventação ou avivamento de rumos apagados é restabelecer os rumos que assinalam os limites de dois imóveis confinantes.

AVOCAR — Chamar a si, atribuir-se, chamar o juiz a seu juízo a causa que corre em outro. Diz-se "O juiz avocou o processo à sua comarca".

AVOCATÓRIA — Diz-se do ato processual pelo qual o juiz avoca, chama ao seu juízo todas as causas sob sua jurisdição. Por intermédio da carta avocatória, o magistrado avoca, por provocação da parte ou de ofício, ao seu juízo prevento todas as causas conexas. Avocante é o juiz que chama, que avoca; deprecado é o juiz a quem se dirige a avocação. (Ver: Carta Avocatória.)

AVULSÃO — Modo de aquisição originário da propriedade imóvel, que ocorre quando, por força natural violenta, uma porção de terra se destacar de um prédio e se juntar a um outro.

AVULSO — Exemplar das proposições, pareceres, relatórios etc., publicado oficialmente pelas Casas Legislativas (Câmara e Senado). É uma das formas de dar conhecimento oficial ao parlamentar sobre determinada matéria.

AXIOLOGIA — Da palavra grega *axios*, que significa o que é precioso, digno de ser estimado e que, portanto, se preocupa com a definição do mundo do "dever ser". Estudo e lógica dos valores.

AXIOMA — Premissa ou proposição evidente por si mesma; que não necessita de demonstração. Máxima; sentença; verdade que não exige demonstração (é porque é e pronto). Princípio assumido como "verdadeiro" ou válido, sem demonstração.

B

B2C — Ver *Business to consumers*.

BACEN — Ver Banco Central do Brasil.

BACHAREL EM CIÊNCIAS ECONÔMICAS — É o profissional que exerce as funções de economia e finanças, com formação superior em Ciências Econômicas.

BACHAREL EM DIREITO — Título a que faz jus aquele que conclui o curso de bacharelado de uma Faculdade de Direito, requisito essencial para inscrição nos quadros da Ordem dos Advogados do Brasil. (Ver: Advogado.)

BACIA — Depressão de forma variada ou conjunto de terras pouco inclinadas, podendo ser ocupada ou não por rios e lagos. Esta forma de relevo se opõe aos maciços, cadeias de montanhas, planaltos e outras. O termo bacia pode ser tomado em geologia e geografia com várias acepções, como: bacia estrutural, bacia fluvial ou hidrográfica etc.

BACIA AMAZÔNICA — Área abrangida pelos estados do Acre, Pará, Amazonas, Roraima, Rondônia e Mato Grosso, além das regiões situadas ao Norte do paralelo de 13°S, nos estados de Tocantins e Goiás, e a Oeste do meridiano de 44°W, no estado do Maranhão.

BACIA HIDROGRÁFICA — Conjunto de terras drenadas por um rio principal e seus formadores; as bacias hidrográficas são formadas por cabeceiras ou nascentes, divisores de água, cursos d'água principais, afluentes, subafluentes etc., numa hierarquização de canais afluentes até chegar ao rio principal. Em todas as bacias hidrográficas deve existir uma hierarquização na rede hídrica e a água se escoa normalmente dos pontos mais altos para os mais baixos. No Brasil, as bacias são reunidas em regiões hidrográficas definidas pelo Instituto Brasileiro de Geografia e Estatística (IBGE) e pelo Conselho Nacional de Recursos Hídricos, para facilitar o planejamento ambiental e o uso racional desses recursos.

BACIA SEDIMENTAR — Depressão de caráter regional, geralmente muito extensa, de forma circular ou elíptica, preenchida por sedimentos transportados de terrenos circunvizinhos mais elevados.

BAÍA — Reentrância da costa, porém menor que a de um golfo, pela qual um mar penetra no interior das terras. A porção do mar que avança dentro dessa reentrância do litoral é menor que a verificada nos golfos e, além do mais, existe um estreitamento na entrada da baía.

BAIRROS — São subdivisões urbanas legalmente estabelecidas através de leis ordinárias das Câmaras Municipais e sancionadas pelo prefeito.

BAIXA DOS AUTOS — Expressão simbólica significando a volta dos autos do grau superior para o juízo originário, após julgamento do último recurso cabível e interposto ou medida administrativa após solução da lide. Transitar o feito, descendo de hierarquia: do juízo a cartório ou a juízo inferior; do tribunal ao juízo ou tribunal de inferior instância.

BAIXA NA CULPA — Ato de eliminar o nome do culpado do respectivo rol, em cumprimento da sentença judiciária que o absolveu.

BAIXA NA DISTRIBUIÇÃO — Ato pelo qual o distribuidor, com ordem do juiz, declara sem efeito a distribuição da ação que havia feito para determinado cartório. O art. 257 do CPC diz: "Será cancelada a distribuição do feito que, em trinta (30) dias, não for preparado no cartório em que deu entrada."

BAIXA TENSÃO — Toda tensão inferior a 69.000 Volts (69kV). Geralmente, essas tensões são utilizadas para a distribuição da energia elétrica.

BAIXADA — Depressão do terreno ou planície entre montanhas e o mar. Área deprimida em relação aos terrenos contíguos. Geralmente se designam assim as zonas próximas ao mar; algumas vezes usa-se o termo como sinônimo de planície.

BAIXA-MAR — Nível mais baixo de uma maré vazante. Chama-se também maré vazia.

BAIXAR OS AUTOS — Na linguagem jurídica, significa o ato pelo qual se anula um registro de título ou, em outro ofício público, qualquer ato anteriormente promovido. É o cancelamento.

BALANÇA COMERCIAL — Mostra a relação de uma economia com outras economias no mundo, através do saldo das importações e exportações do país, em um determinado período. O indicador é constituído pela diferença entre exportação e importação, ou seja, pelo saldo comercial. Quando as exportações são maiores que as importações, registra-se um superávit na balança. O contrário significa déficit.

BALANÇA DE CAPITAL — Conta estatística que recapitula a movimentação do ativo e do passivo, ocorrida entre um país e o resto do mundo, no decurso de um determinado período.

BALANÇA DE SERVIÇOS — A balança de serviços particularmente relaciona-se com as transações nos campos de transporte, seguros, turismo e rendimento de investimentos. Em sentido geral, a balança comercial e a balança de serviços, muitas vezes, são chamadas balança comercial.

BALANCEADOS — Estão neste segmento os fundos regulamentados pelo Banco Central ou pela CVM (Comissão de Valores Mobiliários) da Bolsa de Valores que buscam retorno no longo prazo através de investimento em diversas classes de ativos (renda fixa, ações e câmbio, por exemplo).

BALANCETE (CONTABILIDADE) — É o resumo contábil, em determinado momento, de todas as contas financeiras e patrimoniais que espelham a movimentação ou a dinâmica do estabelecido para um determinado período ou exercício. É Integrado por todas as contas, com seus respectivos saldos.

BALANCETE TRIMESTRAL — É um demonstrativo contábil obrigatório dos valores do ativo, passivo e patrimônio líquido de uma empresa, divulgado trimestralmente para as Bolsas de Valores, CVM (Comissão de Valores Mobiliários) e Bacen (Banco Central). Balanço parcial das principais contas de uma empresa.

BALANÇO (ADMINISTRAÇÃO PÚBLICA) — Demonstrativo contábil que apresenta, num dado momento, a situação orçamentária, financeira e patrimonial do ente público, seus fundos e suas entidades, exceto daquelas organizadas sob a forma de empresas estatais. Os Balanços são regidos pela Lei nº 4.320, de 1964, cujos artigos 101 a 106 indicam a exigência de quatro tipos de demonstrações dos *Resultados Gerais do Exercício* (Balanço), quais sejam: Balanço Orçamentário, Balanço Financeiro, Balanço Patrimonial e Demonstração das Variações Patrimoniais. Devem ser publicados em diário oficial e enviados à apreciação do Poder Legislativo dentro de prazos estabelecidos pelas Constituições Federal, Estadual ou Lei Orgânica do Município. No caso das sociedades por ações, de economia mista e empresas públicas, as normas básicas sobre balanços acham-se contidas na Lei nº 6.404, de 1976.

BALANÇO (EMPRESAS PRIVADAS) — Informações econômico-financeiras que uma empresa apresenta ao mercado com determinada periodicidade. Entram nesta lista bens, créditos, dívidas e compromissos da companhia. Quem negocia ações na Bolsa de Valores é obrigado a publicar o balanço para que sirva de referência a investidores na hora de decidir comprar papéis daquela empresa.

BALANÇO ANUAL — Balanço realizado no fim de um ano ou exercício. É o demonstrativo contábil do estado patrimonial, demonstrando o ativo e passivo, compreendendo todos os bens, créditos e débitos, e da situação econômico-financeira de uma empresa ou da Administração Pública, sempre referente ao fim de um exercício social. Para as empresas, a Lei nº 11.101, de 09.02.2005 (Lei de Falência e Recuperação - LFR), define como crime falimentar a inexistência dos documentos de escrituração contábil obrigatórios, entre os quais se incluem os balanços patrimonial e de resultado econômico.

BALANÇO CONSOLIDADO — Balanço que resulta da reunião de balanços de empresas do mesmo grupo econômico, mas independentes em suas atividades, possuindo cada uma vida própria. É utilizado para representar o patrimônio global de um grupo de empresas ou de uma empresa matriz que domina outras empresas. Segundo o diploma legal das Sociedades por Ações e a Comissão de Valores Mobiliários, esta função é obrigatória para todas as empresas abertas. (Ver: Contas Públicas, Consolidação das.)

BALANÇO DE PAGAMENTOS — É o registro contábil consolidado de todas as transações de um país com outros países realizadas durante o ano ou determinado período de tempo. Pelo Balanço de Pagamentos, conhece-se de que forma pode-se dividir o fluxo de câmbio de um país durante o ano entre as contas comerciais, o serviço da dívida, gastos com fretes e fluxo de capitais, como empréstimos e investimentos diretos. Divide-se em três categorias de transações: balança comercial, balança de serviços e balança de capitais, monetários e físicos.

BALANÇO DE PAGAMENTOS (RESUMO CONTÁBIL) — No Brasil, o resumo contábil, expresso em unidades monetárias, no caso o dólar norte-americano, das transações ocorridas entre o país e o resto do mundo é constituído de duas grandes contas: - saldo em transações correntes (transações de bens ou serviços realizadas por brasileiros com o exterior); - saldo de capitais, que reflete o fluxo de moedas entre o país e o restante do mundo (exemplo: Empréstimos, Investimentos, Amortizações).

BALANÇO DE PAGAMENTOS, ESTRUTURA DO — A estrutura do Balanço de Pagamentos é a seguinte: a) saldo da Balança Comercial: é a diferença entre o volume de exportações e o volume de importações de produtos realizados por um país em um determinado período; b) saldo do Balanço de Serviços: refere-se ao pagamento de juros ao exterior, frete, conta turismo, rendas de capital, entre outras; c) transferências unilaterais: transferência de valores das pessoas e instituições entre o Brasil e outros países, sem a necessidade de pagamento posterior; d) saldo em transações correntes: soma do saldo da Balança Comercial com o saldo do balanço de serviços e as transferências unilaterais; e) conta de capital; f) erros e Omissões; g) resultado.

BALANÇO DE TRANSAÇÕES CORRENTES — É o resultado agregado da balança comercial (exportações menos importações), do balanço de serviços (juros, fretes, lucros, viagens internacionais etc.) e das transferências unilaterais.

BALANÇO FINANCEIRO PÚBLICO — Peça contábil que demonstra a receita e a despesa orçamentárias - da Administração direta e dos Órgãos da Administração Indireta -, bem como os recebimentos e os pagamentos de natureza extra-orçamentária, conjugados com os saldos em espécie provenientes do exercício anterior e os que se transferem para o exercício seguinte. Visa demonstrar o confronto da movimentação de tesouraria e bancos com os pagamentos realizados para apurar o déficit ou superávit financeiro.

BALANÇO GERAL — Conjunto de documentos oficiais emitido pela contabilidade, dividido em relatórios, demonstrativos e pareceres.

BALANÇO ORÇAMENTÁRIO — Demonstrativo contábil do ente público que sintetiza as receitas previstas e despesas fixadas no orçamento anual em confronto com as realizadas, evidenciando, ainda, as diferenças globais entre elas. O resultado poderá indicar alguma das situações a seguir: receita prevista > (maior) receita arrecadada = (igual) insuficiência de arrecadação; receita prevista < (menor) receita arrecadada = excesso de arrecadação; despesa prevista > despesa realizada = economia de despesas; despesa prevista < despesa realizada = excesso de despesas, não possível legalmente; receita prevista = despesa fixada = equilíbrio orçamentário (na elaboração); receita arrecadada = despesa realizada = equilíbrio orçamentário (na execução); receita arrecadada > despesa realizada = superávit; receita arrecadada < despesa realizada = déficit.

BALANÇO PATRIMONIAL — 1) Demonstração que detalha e expressa (pelo custo) as inversões de uma instituição num determinado momento e as fontes de financiamento (recursos próprios e recursos de terceiros) que deram origem a tais aplicações, de maneira a expressar a situação estática dos seus bens, direitos e obrigações. 2) Demonstrativo contábil do ativo, do passivo e do patrimônio líquido de uma empresa. Tem como objetivo demonstrar a situação econômico-financeira da empresa, segundo as normas contábeis.

BALANÇO SOCIAL — É o documento pelo qual as empresas e demais entidades apresentam dados que permitam identificar o perfil da sua atuação social durante o exercício, a qualidade de suas relações com os empregados, o cumprimento das cláusulas sociais, a participação dos empregados nos resultados econômicos e as possibilidades de desenvolvimento pessoal, bem como a forma de interação das empresas e demais entidades com a comunidade e sua relação com o meio ambiente.

BALANÇOS — Parte do prédio que não tenha apoio no solo, localizada sobre recuos e passeios, como as sacadas e marquises.

BALCÃO DE NEGÓCIOS — Serviço de orientação sobre procedimentos gerenciais, abertura de empresas, estatuto da microempresa, registro especial no âmbito federal e estadual, registro de marcas e patentes, busca de anterioridade, aditivos e baixas de empresas, normas técnicas e outras informações oferecido a empresários.

BALNEABILIDADE — Medida das condições sanitárias de uma praia que indica sua classificação perante as condições de uso para banhos e recreação. A qualificação das praias atende às determinações do Padrão de Balneabilidade do Conselho Nacional de Meio Ambiente (CONAMA).

BANCADA PARLAMENTAR — Agrupamento organizado dos parlamentares de uma mesma representação partidária, região ou grupo de interesses. Informalmente, costuma-se chamar de bancada o grupo de parlamentares de uma determinada região ou estado, no Senado ou na Câmara dos Deputados (bancada mineira, bancada nordestina etc.), ou que represente determinados interesses (bancada ruralista, bancada evangélica). O termo também é empregado para designar a representação partidária. Cada bancada é dirigida por um líder, que traça as linhas de atuação de seus membros, estabelecendo a tática a ser empregada nas lides parlamentares. Por analogia, as Assembléias Legislativas Estaduais e as Câmaras Municipais organizam bancadas. Atualmente, no Brasil, as bancadas se orientam em duas direções: governista e oposição. (Ver: Bancada Partidária // Partido.)

BANCADA PARTIDÁRIA — Conjunto de parlamentares que integra determinado partido político. Os deputados podem agrupar-se em bancada informal, para representar e defender interesse social, profissional, religioso ou cultural (bancada dos servidores públicos, bancada ruralista, bancada evangélica, bancada feminina etc.). (Ver: Bancada Parlamentar.)

BANCARROTA — Quebra, insolvência fraudulenta do comerciante.

BANCO - ESTABELECIMENTO BANCÁRIO — Do germânico *banc* ou *panc*, assento que ficava atrás do balcão no qual atuavam os cambistas e os emprestadores de dinheiro. Daí a denominação que hoje damos aos estabelecimentos de crédito para transações financeiras. É a instituição financeira que, obrigatoriamente, assume a forma de sociedade anônima, destinada a servir como intermediária das operações financeiras que se travam na realidade econômica, tanto na condição de depositária de numerário quanto na de ofertante de créditos e prestadora de serviços destinados a assegurar a rentabilidade do capital a ela confiado. Por desempenharem estas funções de captação e administração de recursos, orientação de investidores e repasse de créditos, os bancos são considerados os catalisadores do desenvolvimento nacional.

BANCO CENTRAL (BC) — É uma espécie de banco dos bancos e do próprio governo. Tem ainda o papel de guardião da moeda e da estabilidade financeira do país. É o que, na teoria, faz a política monetária, o que controla o volume de dinheiro em circulação. Os da Alemanha e dos Estados Unidos são exemplos de independência: atuam sem dar qualquer satisfação ao governo ou aos ministros da Fazenda. Quando pressentem que há risco de inflação, que há excesso de dinheiro em circulação, aumentam as taxas de juros. Com isso, impedem a velocidade excessiva na circulação de dinheiro, reduzem a atividade econômica e impedem a inflação. Os bancos centrais podem impor depósitos compulsórios aos bancos comerciais - parte do dinheiro em poder dos bancos é, assim, depositado no BC, o que enxuga a liquidez do mercado. O BC é obrigado a identificar crises e risco de quebra em bancos privados. Enfim, é o xerife do mercado financeiro. No Brasil, foi criado pela Lei nº 4.595, de 31 de dezembro de 1964, para substituir a antiga Superintendência da Moeda e do Crédito - SUMOC. (Ver: Banco Central do Brasil.)

BANCO CENTRAL DO BRASIL — Autarquia federal integrante do Sistema Financeiro Nacional do Brasil, criada pela Lei nº 4.595, de 31 de dezembro de 1964, funcionando como autoridade monetária, como banco do governo federal e como "banco dos bancos". Executa a política monetária do Governo, administra as reservas internacionais do País e fiscaliza o Sistema Financeiro Nacional. Sua finalidade básica é assegurar a estabilidade da moeda, o controle da oferta de moeda e a regulação do crédito no país. A competência da União para emitir moeda é exercida exclusivamente pelo Banco Central, sendo vedado a este conceder, direta ou indiretamente, empréstimos ao Tesouro Nacional e a qualquer órgão ou entidade que não seja instituição financeira. O Banco Central poderá comprar e vender títulos de emissão do Tesouro Nacional, com o objetivo de regular a oferta de moeda ou a taxa de juros. As disponibilidades de caixa da União serão depositadas no Banco Central. Suas funções principais são: a) emissão e controle de papel moeda (cédulas e moedas); b) controle das operações de *Open Market,* executando a compra e venda de títulos tanto para executar Política Monetária quanto para o refinanciamento da dívida imobiliária do Tesouro Nacional; c) realizar operações de redesconto e outros tipos de empréstimos às Instituições Financeiras e receber e controlar os depósitos compulsórios voluntários dos bancos; d) atuar como o depositário das Reservas Internacionais do país; e) autorizar o funcionamento, fiscalizar e aplicar as penalidades previstas a Instituições financeiras. A organização, funcionamento e atribuições do Banco Central do Brasil estão previstos na Constituição Federal de 1988, através de lei complementar. As atividades do Banco Central são regulamentadas pelo Conselho Monetário Nacional (CMN)

BANCO CENTRAL EUROPEU (BCE) — O BCE foi instituído em 30 de junho de 1998 e, desde 1º de janeiro de 1999, tem por missão assegurar a execução da política monetária européia definida pelo Sistema Europeu de Bancos Centrais. Os órgãos de decisão do BCE (o Conselho do BCE e a Comissão Executiva) dirigem o Sistema Europeu de Bancos Centrais (SEBC), que tem a seu cargo a gestão da massa monetária, a condução das operações cambiais, a detenção e a gestão das reservas cambiais oficiais dos Estados-membros e a promoção do bom funcionamento dos sistemas de pagamento.

BANCO COMERCIAL — Instituição financeira, pública ou privada, cuja carteira é voltada à intermediação do crédito de curto e médio prazos. A captação de depósitos à vista, livremente movimentáveis, é atividade típica do banco comercial. Oferece produtos bancários por meio dos quais capta recursos de agentes econômicos (pessoas físicas e jurídicas) poupadoras ou superavitárias e os empresta a agentes que necessitam de recursos para movimentar suas atividades. Deve ser constituído sob a forma de sociedade anônima e na sua denominação social constar a expressão "Banco".

BANCO COOPERATIVO — Banco comercial ou banco múltiplo constituído, obrigatoriamente, com carteira comercial. Diferencia-se dos demais por ter como acionistas controladores cooperativas centrais de crédito, as quais devem deter, no mínimo, 51% das ações com direito a voto. Deve fazer constar, obrigatoriamente, de sua denominação a expressão "Banco Cooperativo".

BANCO CUSTODIANTE — É responsável pela emissão, cancelamento, venda, recompra, resgate e reavaliação dos ADRs, recolhimento e distribuição de direitos aos detentores de ADRs e controle das operações de câmbio associadas ao programa de ADRs. (Ver: *American Depositary Receipts* - ADR.)

BANCO DE DADOS — Conjunto de todos os dados relativos a um setor de aplicação num dispositivo de acesso direto. É útil para subsidiar informes. É o acervo de informações e dados coletados de pesquisa, planilhas, relatórios e publicações, reunidos em arquivo manual ou eletrônico para uso da organização em estudos e tomada de decisões.

BANCO DE DESENVOLVIMENTO ESTADUAL — Instituição financeira pública, não federal, que tem como objetivo precípuo proporcionar o suprimento oportuno e adequado dos recursos necessários ao financiamento, a médio e longo prazos, de programas e projetos que visem a promover o desenvolvimento econômico e social do respectivo estado onde tenha sede, cabendo-lhe apoiar prioritariamente o setor privado. Excepcionalmente, quando o empreendimento visar benefícios de interesse comum, o banco pode assistir a programas e projetos desenvolvidos fora do respectivo estado, devendo a assistência efetivar-se através de consórcio com o banco de desenvolvimento local. Deve ser constituído sob a forma de sociedade anônima, com sede na capital do estado que detiver seu controle acionário, devendo adotar, obrigatória e privativamente, em sua denominação social, a expressão "banco de desenvolvimento", seguida do nome do estado em que tenha sede. Constitui entidade distinta o Banco Nacional de Desenvolvimento Econômico e Social - BNDES, empresa pública federal criada pela Lei nº 1.628, de 20/06/1952, como principal instrumento de execução da política de investimento do governo federal e que tem por objetivo primordial apoiar programas, projetos, obras e serviços que se relacionem com o desenvolvimento econômico e social do País.

BANCO DE EMISSÃO — É aquele que goza do privilégio de emitir notas ou bilhetes, com a promessa de pagamento à vista ao portador, em moeda metálica, da soma declarada. O Banco do Brasil foi criado em 1808 como banco emissor, mantendo tal condição até sua liquidação em 1829. Ao ressurgir em 1851, por iniciativa de Irineu Evangelista de Souza, também conhecido como Barão de Mauá, logo se fundiu com o antigo Banco Comercial, ressurgindo a capacidade emissora, que manteve até 1866. Tal capacidade só foi recuperada pelo Banco do Brasil em 1889, quando instaurado o regime de poliemissão. Quando da criação da Superintendência da Moeda e do Crédito, deixou ele de desempenhar as funções de banco de emissão, embora podendo solicitar à União que fizesse tal operação para o fim de financiar o redesconto de títulos. Desde 31 de dezembro de 1964, compete ao Banco Central, exclusivamente, o desempenho dessas atribuições. Nos EUA, a poliemissão de moeda foi considerada responsável pela falência de inúmeros bancos, razão por que se criou o Sistema Federal de Reserva. Este é o conjunto de Bancos Federais de Reserva detentores, nas respectivas bases territoriais, de competência para emitir papel, redescontar títulos dos bancos comerciais do Distrito e centralizar as reservas impostas aos bancos membros. Bancos Federais de Reserva são sociedades anônimas ou "*corporations*", tendo por exclusivos acionistas os bancos comerciais dos respectivos distritos, mantidos pela contribuição de 6% (seis por cento) dos capitais e reservas dos bancos membros. Além das competências para emissão de papéis, operam com os bancos comerciais, com os demais Bancos de Reserva e o governo, bem como, para centralizar as reservas mínimas impostas aos bancos membros, foi-lhes reconhecida a possibilidade de, diretamente, em caráter emergencial, emprestarem diretamente à indústria, por prazo não superior a cinco anos.

BANCO DE FONTES — É o somatório dos recursos resultantes de cancelamento nas dotações da proposta orçamentária e que serão utilizados para o atendimento das emendas ao orçamento aprovadas pelo Congresso Nacional.

BANCO DE GENES — Base física na qual o germoplasma é conservado. Geralmente são centros ou instituições públicas e privadas que conservam as coleções de germoplasma sob a forma de sementes, explantes ou plantas a campo. Informalmente, banco de genes e banco de germoplasma se equivalem em sentido.

BANCO DE GERMOPLASMA — Expressão genérica usada para designar uma área de preservação biológica com grande diversidade de espécies e densidade vegetal. Por extensão, qualquer área reservada para multiplicação de plantas a partir de um banco de sementes ou de mudas (hortos). Em sentido amplo, o mesmo que banco genético.

BANCO DE INVESTIMENTO — Nome dado a instituição financeira privada que tem por principal atividade a intermediação de recursos voltados aos investimentos das empresas. É especializado em operações de participação societária de caráter temporário, de financiamento da atividade produtiva para suprimento de capital fixo e de giro e de administração de recursos de terceiros. Atua na captação e empréstimo de recursos de médio e longo prazos, bem como em operações relacionadas aos mercados de ações e títulos privados, como a colocação de ações e a distribuição de debêntures. Deve ser constituído sob a forma de sociedade anônima e adotar, obrigatoriamente, em sua denominação social, a expressão "banco de investimento".

BANCO DEPOSITÁRIO — Banco baseado nos Estados Unidos, responsável por todos os serviços de emissão e transferência de ações para um programa de DR (*Depositary Receipts*). É responsável por todo o serviço aos acionistas, seu cadastro, controle e também pelo pagamento de dividendos em dólares.

BANCO DO RÉU — Denominação dada ao lugar em que se senta o réu, quando tem de ser julgado pelo Tribunal do Júri. Por analogia, diz-se do ato pelo qual a pessoa é levada a julgamento: conduzi-la ao banco dos réus.

BANCO EUROPEU DE INVESTIMENTO (BEI) — Instituição financeira da União Européia, tem como principal tarefa contribuir para a integração, desenvolvimento equilibrado e coesão econômica e social dos Estados-membros. Além disso, o Banco tem como co-reponsabilidade implementar as componentes financeiras dos acordos concluídos no âmbito da ajuda pública para o desenvolvimento da União Européia e das políticas de cooperação.

BANCO GENÉTICO — Ver Banco de germoplasma.

BANCO INTERAMERICANO DE DESENVOLVIMENTO (BIAD) — Banco regional de desenvolvimento, estabelecido em 1959 pela Organização dos Estados Americanos, com o objetivo de acelerar o desenvolvimento econômico e a integração da América Latina. Tem sede em Washington (EUA). Concede empréstimos a longo prazo e assistência técnica para a realização de projetos de desenvolvimento econômico, social e institucional na América Latina e Caraíbas.

BANCO INTERNACIONAL DE RECONSTRUÇÃO E DESENVOLVIMENTO — Ver BIRD.

BANCO LIQUIDANTE — É a entidade que mantém contas financeiras utilizadas para liquidar obrigações de pagamento relacionadas com operações de valores mobiliários. O banco liquidante pode ser um banco comercial, o próprio sistema de liquidação ou um banco central.

BANCO MÚLTIPLO — É a instituição financeira privada ou pública que realiza as operações ativas, passivas e acessórias das diversas instituições financeiras, por intermédio das seguintes carteiras: comercial, de investimento e/ou de desenvolvimento, de crédito imobiliário, de arrendamento mercantil e de crédito, financiamento e investimento. Essas operações estão sujeitas às mesmas normas legais e regulamentares aplicáveis às instituições singulares correspondentes às suas carteiras. A carteira de desenvolvimento somente poderá ser operada por banco público. O banco múltiplo deve ser constituído com, no mínimo, duas carteiras, sendo uma delas, obrigatoriamente, comercial ou de investimento, e ser organizado sob a forma de sociedade anônima. Na sua denominação social deve constar a expressão "banco".

BANCO MUNDIAL — Ver BIRD.

BANCO NACIONAL DA HABITAÇÃO — Ver BNH.

BANCO NACIONAL DE DESENVOLVIMENTO ECONÔMICO E SOCIAL — Ver BNDES.

BANCOS DE DADOS OU BASES DE DADOS — São conjuntos de dados com uma estrutura regular que organizam informação.

BANCOS DE DESENVOLVIMENTO MULTILATERAL — Bancos multilaterais vocacionados para a problemática do desenvolvimento. Destaca-se o grupo do Banco Mundial.

BANCOS *OFFSHORE* — Literalmente bancos que operam em centros financeiros *offshore* servindo para a realização de operações transnacionais e com pouca ou nenhuma atuação local. Existem diversas categorias de bancos *offshore*: a) agências de grandes bancos internacionais, que utilizam o instrumento para empréstimos interbancários; b) escritórios de *booking* (registro) de transações de curta duração de grandes bancos internacionais (*booking offices*); c) subsidiárias de bancos internacionais (bancos subsidiários); d) bancos de fachada (*shell banks*) ou bancos paralelos (*parallel banks*). (Ver: *Offshore.*)

BANCOS PARALELOS (*PARALLEL-OWNED BANKING STRUCTURES*) — São bancos licenciados em diferentes jurisdições que, sem serem parte de um mesmo grupo financeiro (de acordo com os órgãos de supervisão bancária), têm o(s) mesmo(s) proprietário(s), conseqüentemente podendo compartilhar do mesmo gerenciamento e interligação de negócios. O(s) proprietário(s) pode ser um indivíduo, uma família, um grupo de acionistas privados, uma companhia de tipo *holding* ou qualquer outra entidade. Os supervisores dos bancos paralelos podem desconhecer as interligações entre esses bancos; isso porque os bancos paralelos não são membros de um grupo bancário definido, sujeito à supervisão bancária consolidada. O BIS não inclui nessa categoria os bancos subsidiários de grandes corporações, quando elas não têm no financeiro a principal atividade. Dois casos famosos de bancos paralelos vinculados a operações de lavagem de dinheiro foram o do Banco Ambrosiano (com sede em Milão) em 1982, e o BCCI (com sede em Luxembourg) em 1991. (Ver: BIS // Holding.)

BANCOS SUBSIDIÁRIOS (*BOOKING SUBSIDIARIES*) — São subsidiárias estabelecidas por bancos em jurisdição estrangeira (centros financeiros *offshore*, paraísos fiscais) e utilizadas sobretudo para operações de *private banking* ou relações fiduciárias. O propósito de criar uma subsidiária é segregar o risco operacional e legal de suas operações daquele da matriz do banco. Esse tipo de agência tem existência legalmente separada da matriz e geralmente faz uso do segredo bancário permitido pelo país ou território especial onde se situa para justificar o não acesso da matriz a sua contabilidade, o que também livra a matriz de ser legalmente responsável pelas operações da subsidiária. (Ver: *Offshore.*)

BANCOS SUBTERRÂNEOS — Metáfora que se refere a sistemas tradicionais de empréstimos e transações financeiras que operam principalmente através de redes de confiança (parentesco, étnicas, comunitárias) para transferir valores de um lugar a outro sem que haja movimento físico de dinheiro. O sistema é muito similar aos atuais fluxos financeiros internacionais transmitidos via rede de telecomunicações. Também apresentam grande similaridade com o mercado financeiro *offshore,* pois as operações agem sem controle dos sistemas nacionais de regulação financeira, porém articuladas à economia formal e a serviços financeiros regulamentados através de redes e registros (*booking)* para a transmissão dos valores. Constituem uma importante fonte de financiamento para setores da população que não têm acesso às instituições financeiras formais; os custos são baixos e operam 24 horas durante todo o ano, além de não pagar nenhum tipo de taxa ou imposto aos governos. Têm sido um meio para repatriar valores e comprar ouro, financiar comunidades de imigrantes, mas também, de forma similar ao sistema financeiro internacional, são usados por esquemas de contrabando, corrupção e tráfico de drogas. Na Índia, o sistema é denominado de *Hawala* ou *Hundi* e, apesar de ilegal no país, calcula-se que cerca de 50% da economia funcionam através dele para movimentar fundos. (Ver: *Offshore.*)

BANDA CAMBIAL — É a banda ou limite determinado pelo governo para a flutuação do real frente ao dólar. O sistema brasileiro foi adotado em março de 1995.

BANDEIRA — 1) Símbolo, feito de pano, distintivo de uma nação, agremiação esportiva, social ou política. 2) Idéia, lema ou divisa que orienta um partido, um grupo ou uma pessoa. 3) É a instituição que autoriza o emissor a gerar cartões com a sua marca e que coloca estabelecimentos no mundo inteiro à disposição do portador para utilização deste cartão. Ex.: Visa, MasterCard e American Express.

BANDEIRA NACIONAL — Ver Símbolos Nacionais - Bandeira Nacional.

BANDEIRAS DE CONVENIÊNCIA — É a bandeira sob a qual um barco se registra para obter uma regulação marítima mais branda e/ou taxas e impostos mais baixos. Neste caso, o barco usa a bandeira do país mesmo não tendo nenhum tipo de conexão com este.

BANDO — Grupo de desocupados e malfeitores. A formação de bando ou quadrilha é crime punido com pena de reclusão de um a três anos e a pena é aplicada em dobro se houver uso de arma.

BANIMENTO — Saída forçada de alguém do território de um Estado, a título de punição. Ato de expulsar alguém de sua pátria. No Brasil essa pena é inadmissível.

BANQUISA — Termo genérico que designa uma região coberta de gelos marinhos, que não sejam banquisas costeiras (gelo fixo), sem levar em conta suas formas ou distribuição. Cinturão extenso de gelo à deriva, o qual, na Antártica, circunda o Continente Antártico e, nas regiões árticas, ocupa todo o Mar Polar Ártico.

BARGANHA COLETIVA — É o nome dado ao processo de decidir o preço entre grupos organizados de compradores e vendedores. Tal acontece quando um sindicato negocia com uma associação patronal ou mesmo um único empregador. O contrário da barganha coletiva é, naturalmente, a barganha individual, na qual cada comprador ou vendedor isolado faz seus próprios contratos referentes a preços e outras condições em que se efetuará a transação.

BARÓGRAFO — Barômetro com registro automático da pressão atmosférica. Esse registro é feito sob a forma de um traçado contínuo.

BARÔMETRO — É o instrumento para medir a pressão atmosférica utilizado na previsão do tempo, na medição de elevações etc. O de mercúrio utiliza uma coluna de mercúrio suportada pela pressão atmosférica. O tipo aneróide é mecânico e desempenha o mesmo papel.

BARRA — Bancos ou montículos de areia, cascalhos ou outros sedimentos inconsolidados, total ou parcialmente submersos, acumulados por ação de correntes e/ou ondas em curso fluvial ou em entradas de estuários. Em geral, não estão unidos a ilhas ou continentes.

BARRA DOS TRIBUNAIS — Divisão, em forma de gradil, que separa o juiz do público, na sala de audiências. É, extensivamente, denominação dada ao lugar, na sala de audiências, reservado à realização das inquirições de testemunhas e onde os advogados fazem suas petições ao juiz. Usa-se a expressão levar às barras dos tribunais para significar que se quer ou se pretende levar a pessoa até a presença do juiz para ser julgada por ato que se diz ou se pensa delituoso.

BARRAGEM — É a construção para regular o curso de rios, usada para prevenir enchentes, aproveitar a força das águas para gerar energia, para irrigação ou para fins turísticos. Sua construção pode trazer problemas ambientais, como no caso de grandes hidrelétricas, por submergir terras férteis, muitas vezes cobertas por importantes florestas, e/ou por desalojar populações que vivem na área.

BARREIRA ECOLÓGICA — São formações que isolam uma espécie das outras. Define os limites biogeográficos de expansão das espécies; o termo tem sido aplicado, em estudos ambientais, para designar tanto os obstáculos naturais quanto o resultado de algumas ações humanas que tendem a isolar ou dividir um ou mais sistemas ambientais, impedindo assim as migrações, trocas e interações. Por exemplo, a abertura de uma rodovia pode se constituir, ao atravessar uma floresta ou um pântano, em uma barreira ecológica.

BARREIRA SANITÁRIA — Mecanismo legal utilizado por autoridades governamentais de um país ou região que impede ou restringe a circulação de organismos vivos, parte deles ou de seus derivados. Este me canismo tem por objetivo evitar ou prevenir riscos de contaminação e disseminação de pragas e doenças ou a introdução de espécies que possam ameaçar a saúde de seres humanos, animais e vegetais que vivam nestes locais ou comprometer o equilíbrio ecológico da região. Normalmente, este termo é usado no caso de animais e seus derivados, e o termo barreira fitossanitária para vegetais e seus derivados. O termo genérico mais usado é barreira de biossegurança.

BARREIRAS COMERCIAIS — São instrumentos que os países usam para proteger seu mercado interno. Ou seja, proteger as empresas nacionais contra a concorrência externa. São materializadas através de cotas, taxas, tarifas, depósitos, licenças de importação, impostos etc.

BARREIRO — Fosso cavado em terreno argiloso para conservar água, por algum tempo. Lugar donde se extrai barro para construção de casas de taipa ou fabricação de tijolos ou telhas. Eflorescência salino-salitrosa procurada pelo gado e animais silvestres, que lambem a terra para absorver o sal.

BARRIL (BBL) — Medida padrão para petróleo e seus derivados. Um barril é igual a 35 galões imperiais, 42 galões americanos, ou 159 litros.

BARRIL DE PETRÓLEO (BOE) — BOE é a unidade utilizada para comparar (converter) em equivalência térmica uma quantidade de energia em barris de petróleo.

BASE — 1) É a diferença entre o preço futuro e o preço à vista de uma *commodity*, em função de custos de frete, capacidade de estocagem, taxas de juro, qualidade, expectativa de preços etc. 2) É a parte do prédio onde se assenta sua estrutura. 3) Local de onde são desencadeadas ou apoiadas operações. Organização dotada de instalações materiais apropriadas, convenientemente localizadas e guarnecidas, que se destina a apoiar as equipes em operação.

BASE ALIADA — Conjunto de parlamentares que compõe as bancadas dos partidos que apóiam os governos federal, estadual e municipal, atuando, respectivamente, no Congresso Nacional (Câmara dos Deputados e Senado federal), Assembléias Legislativas e Câmara de Vereadores.

BASE DA PIRÂMIDE SOCIAL — Designação socioeconômica dos quatro bilhões de indivíduos que vivem em países em desenvolvimento cuja renda anual per capita é inferior a US$ 1.500, que se tornaram alvo de empresas e organizações não só para atendimento de suas necessidades de consumo, mas também como uma oportunidade de negócios. As estratégias de BOP (*Botton of the Pyramid*) enfocam soluções ganha-ganha para os atores (empresas e consumidores), com o objetivo de promover oportunidades de negócios e ao mesmo tempo o desenvolvimento socioeconômico das populações mais carentes através da oferta de produtos e serviços adequados sob o ponto de vista cultural e ecológico.

BASE DE CÁLCULO — Valor sobre o qual incide o tributo. Grandeza econômica ou numérica necessária para se obter o valor de um recebimento (impostos e taxas) ou de aplicação de recursos obrigatórios (educação, saúde, pessoal etc.).

BASE DE CONHECIMENTO — 1) Acervo de informações, experiências e conhecimento utilizado como a principal fonte de recursos para o desenvolvimento da empresa. 2) Informação organizada e sistematizada, que facilita o armazenamento de inteligência a fim de gerenciar conhecimento.

BASE DE DADOS — Coleção de informações sobre acessos, que inclui descritores e os estados dos descritores associados.

BASE DE INFORMAÇÃO — Acervo de informações disponibilizado em bibliotecas e bancos de dados para setores específicos.

BASE DE NEGÓCIO JURÍDICO — Representação mental de uma das partes de um contrato, conhecida e admitida pela outra, sobre a existência ou o aparecimento de certas circunstâncias que condicionariam a vontade negocial e que autoriza a revisão do contrato.

BASE DE SONDAGEM — Diz respeito a listas, mapas ou qualquer outro tipo de registro da população de onde será retirada a amostra.

BASE ELEITORAL — Reduto onde o candidato obtém a maioria dos votos necessários para a sua eleição.

BASE GENÉTICA — Total da variação genética presente em uma população. Em princípio, quanto maior for a amplitude da variação genética, maior será a capacidade da população de fazer frente a flutuações ambientais, em benefício de sua perpetuação.

BASE LOGÍSTICA — Área de concentração de meios logísticos necessários ao apoio de conjunto a uma operação.

BASE MONETÁRIA — É o passivo monetário do Banco Central, também conhecido como emissão primária de moeda. Inclui o total de cédulas e moedas em circulação e os recursos da conta "Reservas Bancárias". Ela é divulgada em dois conceitos pelo Banco Central do Brasil: num conceito mais restrito, por convenção, corresponde ao total de papel-moeda em circulação somado às reservas bancárias, e, num conceito mais amplo, corresponde ao total da base restrita mais os depósitos compulsórios em espécie e títulos federais (tanto do BACEN quanto do Tesouro) fora do Banco Central. É a principal variável de política monetária, refletindo o resultado líquido de todas as operações ativas e passivas do Banco Central. Deve-se ressaltar a diferença entre fabricação e emissão de moedas. (Ver: Emissão de Moedas // Fabricação de Moedas.)

BASE MONETÁRIA AMPLIADA — O conceito amplo de base monetária foi introduzido no Plano Real com o pressuposto de que agregados mais amplos sejam melhor correlacionados com os preços na economia brasileira, visto que mais perfeitamente captam a substitutibilidade entre a moeda, em seu conceito mais restrito, e os demais ativos financeiros. Inclui, além da base restrita, os principais passivos do Banco Central e do Tesouro Nacional (compulsórios e títulos federais).

BASE TECNOLÓGICA — 1) Conjunto das áreas de tecnologia avançada (informática, biotecnologia, química fina, novos materiais, mecânica de precisão etc.), cujo processo ou produto resulte da pesquisa científica. 2) Conhecimento científico, domínio de técnicas complexas e trabalho de alta qualificação técnica.

BASE TERRITORIAL — Limite geográfico de atuação de uma entidade.

BASE TRIBUTÁRIA — É a extensão das hipóteses de incidência que um país escolhe para tributar. Tanto podem ser transações econômicas quanto relações de propriedades.

***BASIS POINTS* (PONTOS-BASE)** — Convenção utilizada, sobretudo no mercado de renda fixa, é uma escala no qual 100 pontos-base representam um por cento. Dadas as relativamente pequenas variações que normalmente ocorrem no rendimento dos títulos de renda fixa, estas variações são normalmente expressas em termos de pontos-base, em vez de pontos percentuais. Uma queda de rendimento de 12,55% para 12,52% pode ser mais facilmente visualizada como uma queda de 3 pontos-base do que como uma redução de 0,03 pontos percentuais.

BASTARDO — Era o nome dado ao filho proveniente do incesto e do adultério. Esta distinção foi abolida pela Constituição Federal de 1988, que proíbe designações discriminatórias relativas à filiação.

BATER (CONTABILIDADE) — Gíria contábil que significa a coincidência entre valores ou programações apuradas através de levantamentos de fontes diferentes.

BATISTÉRIO — Certidão de batismo expedida pela paróquia correspondente, e que faz prova do nascimento, idade e filiação de pessoas nascidas antes da instituição do registro civil. Figura de direito canônico comprobatória do batismo.

BBC (BÔNUS DO BANCO CENTRAL DO BRASIL) — Título de responsabilidade do Banco Central do Brasil, emitido para fins de política monetária, exclusivamente sob a forma escritural, no SELIC (Sistema Especial de Liquidação e Custódia), administrado pelo Banco Central. Título de rentabilidade prefixada ou de rentabilidade pós-fixada definida pela taxa SELIC.

BDR (*BRAZILIAN DEPOSITARY RECEPTS*) — São certificados de depósitos de valores mobiliários emitidos no Brasil por uma instituição "Depositária" e/ou "Emissora", com lastro em valores mobiliários (em princípio, ações) emitidos por uma pessoa jurídica estrangeira (em princípio, uma sociedade aberta, com os títulos negociados em Bolsa de Valores estrangeira), no exterior, os quais devem permanecer custodiados em uma entidade habilitada para tanto ("Custodiante") enquanto em vigor os certificados correspondentes.

BECA — Vestimenta usada pelo advogado, professor universitário, funcionário judicial e formando de terceiro grau, no ato da colação.

BEDEL — Termo específico da área da Justiça que se deslocou para a designação de funcionário subalterno das universidades. Antigamente, era o oficial de Justiça que conduzia a Juízo, "debaixo de vara", a testemunha ou o indiciado recalcitrante.

BELIGERÂNCIA — Situação em que se encontram países que estão em guerra. Direito de declarar e mover guerra com tropas e armas, observados princípios e leis internacionais.

BEM COMUM — Conjunto de situações capazes de realizar e assegurar o bem-estar social.

BEM DE FAMÍLIA — É o imóvel residencial próprio do casal, ou da entidade familiar. Instituto jurídico que concede ao chefe de família destinar um determinado prédio urbano, ou rústico, para o domicílio exclusivo desta, com garantia de sua impenhorabilidade e inalienabilidade, que vigorarão enquanto os cônjuges viverem, e, na sua falta, até que os filhos completem a maioridade. Durante esse período, o prédio fica isento de execução por qualquer tipo de dívida civil, comercial, fiscal, previdenciária ou de outra natureza, contraída pelos cônjuges ou pelos pais ou filhos que sejam seus proprietários e nele residam, salvo as que provierem de impostos relativos ao mesmo. O imóvel deve ter escritura pública, transcrita no registro de imóveis. A impenhorabilidade compreende o imóvel sobre o qual se assentam a construção, as plantações, as benfeitorias de qualquer natureza e todos os equipamentos, inclusive os de uso profissional, ou móveis que guarnecem a casa, desde que quitados. Quando a residência familiar constituir-se em imóvel rural, a impenhorabilidade restringir-se-á à sede de moradia, com os respectivos bens móveis, e, nos casos do Art. 5º, XXVI, da Constituição Federal, à área limitada como pequena propriedade rural.

BEM DE GIFFEN — É o bem cuja demanda diminui quando seu preço cai. Geralmente é um bem de utilidade inferior com grande peso nos gastos dos consumidores (exemplo: passagem de ônibus).

BEM ECONÔMICO — Expressão utilizada em economia para definir algo que está apto a satisfazer necessidades, isto é, algo que é útil. Existem algumas classificações de bens e serviços, a saber: a) bens consumíveis e duradouros, com base no critério do uso e da destruição - nos primeiros, o seu uso implica a sua destruição, enquanto que nos segundos isso já não sucede; b) bens diretos e indiretos, por referência ao critério da imediata, no caso dos primeiros, ou mediata, no caso dos segundos, satisfação das necessidades; c) bens substituíveis e complementares; e d) bens de produção conjunta, associada a subprodutos.

BEM EXCLUDENTE — Aqueles bens ou serviços que são passíveis de cobrança pelo seu uso ou fornecimento.

BEM GRAVADO — Bem sobre o qual recai, por disposição de lei, de testamento, ou em virtude de convenção, ônus ou encargo (hipoteca, anticrese, inalienabilidade).

BEM INFERIOR — É aquele cuja quantidade demandada diminui, tudo o mais mantido constante, quando a renda aumenta.

BEM INTANGÍVEL — Bem não identificado materialmente (ex.: fundo de comércio, marcas e patentes).

BEM JURÍDICO — Diz-se da coisa, material (valor econômico) ou imaterial (interesse moral), que constitua ou possa constituir objeto de direito.

BEM NÃO FUNGÍVEL — Ver Bem infugível.

BEM NORMAL — É um bem para o qual, tudo o mais mantido constante, um aumento na renda provoca um aumento na quantidade demandada.

BEM PÚBLICO — Tanto pode ser tomado no sentido de coisa integrada ao domínio público, significando *res nullius*, quanto pode significar todo benefício ou utilidade que se promove para o bem-estar da coletividade, isto é, para seu sossego, para sua tranqüilidade e para a sua segurança. (Ver: Bens Públicos.)

BEM PÚBLICO PURO — Expressão utilizada para definir bens cuja utilização é indivisível, na medida em que o seu gozo não diminui com a intensidade subjetiva do seu uso, não pode ser excluído e não pode ser rejeitado. Sempre que o bem não seja indivisível, mas reúna as características da impossibilidade de exclusão e da não rejeitabilidade, fala-se em bem público puro, bem coletivo ou recurso comum. As áreas de conservação *in situ* são exemplos destes bens públicos mais puros. Discute-se, na atualidade, sobre a forma de financiamento destes bens - na verdade, os preços destes são difíceis de apurar e a análise custo-benefício apresenta-se como um instrumento falível.

BEM REPRODUZÍVEL — São mercadorias cuja qualidade pode aumentar pela atividade industrial cuja produção é encorajada pela concorrência e não é contrariada por nenhum obstáculo.

BEM TANGÍVEL — Bem identificado materialmente (ex.: imóveis, equipamentos, matérias-primas).

BEM TOMBADO — São bens móveis e imóveis existentes no país, cuja conservação seja de interesse público, quer por sua vinculação a fatos memoráveis da História do Brasil, quer por seu excepcional valor arqueológico ou etnográfico, bibliográfico ou artístico.

BEM TUTELADO — Na criação de uma Área de Proteção do Ambiente Cultural, entende-se por bem tutelado todos os bens situados dentro dos limites do sítio protegido, cujas competência, forma, motivo e finalidade de proteção sejam por restrição total ou parcial, segundo critérios estabelecidos pela legislação.

BEM VAGO — Diz-se da coisa abandonada ou sem dono conhecido.

BEM-ESTAR — Condição física e psicológica que caracteriza o equilíbrio das atividades orgânicas e um correto ajustamento do indivíduo ao seu meio ambiente (*habitat*).

BEM-ESTAR JURÍDICO — Situação de normalidade em que os três Poderes do Estado desempenham harmonicamente sua tarefa, e assim estão aptos a assegurar ao indivíduo os seus direitos e a exigir de todos o cumprimento da lei.

BEM-ESTAR PÚBLICO — Comodidade, tranqüilidade e segurança coletivas que o Estado se obriga a assegurar e proteger em favor da coletividade.

BEM-ESTAR SOCIAL — É o bem comum, o bem da maioria, expresso sob todas as formas de satisfação das necessidades coletivas. Nele se incluem as exigências naturais e espirituais dos indivíduos coletivamente considerados: são as necessidades vitais da comunidade, dos grupos, das classes que compõem a sociedade.

***BENCHMARK* (PONTO DE REFERÊNCIA OU TERMO DE COMPARAÇÃO)** — Indicador usado para comparar a rentabilidade entre investimentos, títulos, taxa de juros etc., de tal modo a saber se os demais itens a serem comparados se encontram acima ou abaixo em relação ao que é proposto como referência.

BENCHMARKING — É um processo gerencial para avaliar, medir e comparar produtos, serviços, processos e funções de empresas identificadas como "melhores da classe", com a finalidade de melhorar a organização, através da comparação com os concorrentes. O objetivo do "*benchmarking*" é o de conhecer e, se possível, incorporar o que os outros estão fazendo de melhor. Além disso, visa desenvolver objetivos, produtos e processos, estabelecendo prioridades e metas. Tipos de *Benchmarking*: Interno, quando se comparam atividades semelhantes dentro da mesma organização; Competitivo, quando se comparam atividades semelhantes com os concorrentes; Funcional, quando se comparam atividades semelhantes conduzidas dentro de empresas de ramos diferentes.

BENEFICIÁRIO — 1) Na linguagem jurídica, designa o herdeiro, que aceitou a herança em benefício do inventário. 2) Pessoa física ou jurídica a quem o segurado reconhece o direito de receber a quantia correspondente a determinada indenização derivada da apólice do seguro. Em princípio, o segurado é o beneficiário do seguro, mas também há casos em que ele indica um beneficiário (plano de previdência privada e seguros de vida, em que o risco coberto é a morte do próprio segurado). 3) Em uma operação com títulos, pessoa à qual o título foi emitido ou a favor de quem o título é transferido. 4) É quem recebe benefício, qualquer que seja sua natureza.

BENEFÍCIO DA CESSÃO — Direito conferido ao credor cessionário de sub-rogar-se nos direitos ao devedor que tenha crédito sobre terceiro, a fim de agir contra este.

BENEFÍCIO DA DIVISÃO — É um dos direitos relativos aos efeitos da fiança em que cada fiador (co-fiador) responde unicamente pela parte que, em proporção, lhe couber no pagamento da dívida.

BENEFÍCIO DA REMIÇÃO — Direito conferido ao devedor de liberar bens submetidos à execução.

BENEFÍCIO DE EXCUSSÃO OU DE ORDEM — Figura paralela à do Direito Civil específico e de idêntica denominação, que assegura ao sócio não sofrer execução sobre seus bens pessoais, por dívida da sociedade, senão depois de executados todos os bens sociais. É um dos direitos previstos nos efeitos da fiança em que o fiador demandado pelo pagamento da dívida, até a contestação da lide, pode exigir que sejam primeiro excutidos os bens do devedor. O fiador, que alegar o benefício de ordem, deve nomear bens do devedor, sitos no mesmo município, livres e desembargados, quantos bastem para solver o débito; o benefício de ordem não aproveita ao fiador se ele o renunciou expressamente ou se se obrigou como principal pagador, ou devedor solidário ou, ainda, se o devedor for insolvente, ou falido.

BENEFÍCIO DE ORDEM — Ver Benefício de exclusão.

BENEFÍCIO DE RESTITUIÇÃO — Proteção legal anulatória de negócios jurídicos lesivos a menores, interditos e algumas entidades.

BENEFÍCIO DE SUB-ROGAÇÃO — É um dos direitos relativos aos efeitos da fiança em que o fiador que paga integralmente a dívida fica sub-rogado nos direitos do credor, podendo demandar a cada um dos outros fiadores pela respectiva quota.

BENEFÍCIOS — 1) É o proveito, a vantagem, ou a proteção, decorrente de lei ou conseqüente da liberalidade, ou renúncia de outrem, que é obtida pelo beneficiado ou beneficiário, pessoa a favor de quem o benefício se proveu. 2) Dividendos, bonificações e/ou direitos de subscrição distribuídos por uma empresa a seus acionistas. 3) Direito consagrado em lei, principalmente de cunho previdenciário, atribuído ao servidor ou seu dependente, em razão de fato motivador ou do preenchimento de determinados requisitos. 4) É o valor a ser pago ao beneficiário, por ocorrência do fato gerador, relativo ao plano inscrito pelo titular. 5) Prestações pecuniárias pagas pela Previdência Social aos segurados ou aos seus dependentes de forma que atendam à cobertura dos eventos de doença, invalidez, morte e idade avançada; à proteção à maternidade, especialmente à gestante; ao salário-família e ao auxílio-reclusão para os dependentes dos segurados de baixa renda; e à pensão por morte do segurado, homem ou mulher, ao cônjuge ou companheiro e dependentes.

BENEFÍCIOS DA PREVIDÊNCIA — Ver Previdência, Benefícios da.

BENEFÍCIOS DECORRENTES DE ACIDENTES DE TRABALHO — Ver Previdência - Benefícios Decorrentes de Acidentes de Trabalho.

BENEFÍCIOS SOCIAIS — Conjunto das melhorias auferidas por uma comunidade em decorrência da implantação de uma indústria, ainda que o empreendimento não esteja voltado para tais objetivos. Entre os benefícios sociais, estão o aumento de oportunidades de emprego, o incremento às atividades comerciais e de lazer, o saneamento básico e a abertura de estradas.

BENEFICIUM JURIS — [Latim]. Expressão que significa benefício de direito.

BENEFICIUM LEGIS — [Latim]. Expressão que significa benefício da lei.

BENEPLÁCITO — Licença, permissão, consentimento. Aprovação de ato de outra pessoa.

BENEVOLÊNCIA — Qualidade do que é benevolente. Boa vontade para com alguém; estima e afeto. Ato de boa-vontade, condescendência ou complacência para com alguém.

BENFEITORIAS — São obras ou serviços que se realizem num bem com o intuito de aproveitá-lo, conservá-lo, melhorá-lo ou embelezá-lo, nele incorporados permanentemente pelo ser humano, e que não podem ser retirados, sem destruição, fratura ou dano. São citadas às vezes como construção. Podem ser classificadas em três tipos: a) necessárias, b) úteis, c) voluptuárias. Quanto à sua reprodução, em imóveis rurais, as benfeitorias podem ser classificadas em não-reprodutivas e reprodutivas.

BENFEITORIAS NÃO-REPRODUTIVAS — São as que, por se acharem aderidas ao chão, não são negociáveis e nem rentáveis separadamente das terras.

BENFEITORIAS NECESSÁRIAS — São as que têm por fim conservar a coisa ou evitar que se deteriore.

BENFEITORIAS REPRODUTIVAS — São as culturas comerciais ou domésticas implantadas no terreno, cuja remoção implica perda total ou parcial, compreendendo culturas permanentes, florestas e pastagens cultivadas e que, embora não negociáveis separadamente do solo, poderão ter cotação em separado, para base de negócios de propriedades rurais.

BENFEITORIAS ÚTEIS — São as que aumentam o valor dos imóveis ou facilitam o seu uso, embora dispensáveis.

BENFEITORIAS VOLUPTUÁRIAS — São as de mero deleite ou recreio, que não aumentam o uso habitual da coisa, ainda que a tornem mais agradável ou sejam de elevado valor.

BENS — 1) São coisas capazes de satisfazer as necessidades materiais humanas e suscetíveis de avaliação econômica. Tudo aquilo que tem utilidade, com ou sem valor econômico. O ar, por exemplo, é um bem livre, mas o minério de ferro é um bem econômico, porque é escasso e depende do trabalho humano para ser obtido. Os bens econômicos se dividem em cinco grupos principais. São eles: bens de capital ou de produção (máquinas e equipamentos); bens de consumo (brinquedos, um par de sapatos - aqueles que podem ser comprados pelas pessoas depois de um processo de produção ou industrialização); bens de consumo durável (máquina de lavar roupa, móvel - que só são trocados após períodos longos de uso); bens de consumo semidurável (carro, roupa - os que precisam ser trocados periodicamente); bens de consumo não-durável (alimentos). 2) No conceito jurídico, é tudo aquilo que é de propriedade de uma pessoa física ou jurídica. Podem ser classificados como tangíveis (podem ser tocados) ou intangíveis ou imateriais (não podem ser tocados, como, por exemplo, direitos, patentes, prestígio etc.).

BENS AFETADOS — Ver Afetação de Bens.

BENS ARRESTADOS — É expressão usada na linguagem forense para indicar os bens que foram apreendidos em virtude de um mandado de arresto, indicando, assim, a especial condição em que se encontram em juízo, à disposição e sob vigilância da Justiça, até que se ultime a pendência ou a controvérsia que justificou a concessão da medida.

BENS COMPLEMENTARES — Expressão utilizada em economia para definir bens cuja utilização em conjunto é que satisfaz a necessidade a estes inerentes (Exemplo: gasolina e automóvel, DVD e respectivo leitor).

BENS COMUNS — Que não são suscetíveis de uma apropriação por parte da pessoa, a fim de que os particularize em proveito ou utilidade própria. Serão os bens comuns a todos (*communia omnium*), de uso público: água, ar etc. O termo designa os bens que são possuídos em comunhão: têm dois ou mais titulares, pertencem a todos eles em comunidade.

BENS CORPÓREOS — Aqueles perceptíveis pelos sentidos, portanto, de existência material. (Ver: Bens // Bens incorpóreos.)

BENS DE CAPITAL — Ver Capital, Bens de.

BENS DE CONSUMO — São bens que têm por fim serem consumidos e que não geram outros bens.

BENS DE CONSUMO DURÁVEIS — São os produtos que se compram no comércio e duram por um bom período, como automóveis, eletrodomésticos etc. Os não-duráveis são os que duram pouco, como alimentos, bebidas etc.

BENS DE MÉRITO — Expressão utilizada em economia para definir bens de satisfação imperativa ou aconselhável (exemplo: escolaridade básica, vacinação, habitação social), pelos quais o Estado assume a produção e fornecimento. Normalmente, os bens de mérito estão associados aos bens públicos, por produzirem externalidades positivas. Inversamente, a teoria econômica faz referência aos bens não meritórios (ou *merit bads*, por contraposição aos *merit goods*) sempre que o Estado limite ou proíba a satisfação de necessidades (exemplo: o consumo do tabaco).

BENS DE PRODUÇÃO — Muitas vezes o termo é usado como sinônimo de bens de capital, mas em alguns casos é usado para denominar, além dos bens de capital, os bens intermediários e as matérias-primas.

BENS DE PRODUÇÃO ASSOCIADA — Expressão utilizada em economia para definir bens que podem não resultar necessariamente do mesmo processo produtivo (Exemplo: queijo e leite em pó).

BENS DE PRODUÇÃO CONJUNTA — Expressão utilizada em economia para definir bens que resultam necessariamente do mesmo processo produtivo (exemplo: óleo de soja e farelo de soja).

BENS DE RESERVA — São os bens que não entram na partilha por existir alguma pendência acerca da destinação destes. Ex.: os bens de suposto filho do de *cujus* são reservados até que transite em julgado a ação de investigação de paternidade *post mortem*.

BENS DE USO COMUM DO POVO — Denominados também de bens de domínio público, são todos os bens destinados ao uso da comunidade, quer individual ou coletivamente. Esses bens apresentam as seguintes características: não permanecem contabilizados após a entrega ao domínio público; não são inventariados ou avaliados; não podem ser alienados; são impenhoráveis e imprescritíveis; o uso pode ser oneroso ou gratuito; estão excluídos do patrimônio da instituição. Exemplos: mares, baías, enseadas, rios, praias, lagos, ilhas, ruas, praças, avenidas, canais, fontes etc.

BENS DE USO ESPECIAL — Denominados também de bens do patrimônio administrativo ou bens patrimoniais indispensáveis, são os destinados à execução dos serviços públicos, como os edifícios ou terrenos utilizados pelas repartições ou estabelecimentos públicos, bem como os móveis e materiais indispensáveis ao seu funcionamento. Esses bens apresentam as seguintes características: são contabilizados; são inventariados e avaliados; são inalienáveis quando empregados no serviço público - nos demais casos são alienáveis, mas sempre nos casos e na forma que a lei estabelecer; estão incluídos no patrimônio da instituição.

BENS DOMINIAIS OU DOMINICAIS — São os bens sobre os quais o Estado exerce domínio. Bens que constituem o patrimônio da União, dos Estados, dos Municípios, mas não afetados a uma destinação pública específica. Denominados também de bens do patrimônio disponível, são os que integram o domínio público com características diferentes, pois podem ser utilizados em qualquer fim, ou mesmo alienados se a administração julgar conveniente. Esses bens apresentam as seguintes características: estão sujeitos à contabilização; são inventariados e avaliados; podem ser alienados nos casos e na forma que a lei estabelecer; estão incluídos no patrimônio da instituição; podem produzir renda. Por extensão, também se designam pela mesma expressão os bens móveis, sobre os quais também incidem os direitos de seu proprietário, direitos que são diretos e direitos que são úteis, tal como ocorre nos imóveis.

BENS DOMINICAIS — Ver Bens Dominiais.

BENS E SERVIÇOS — São produtos da atividade econômica, elementos constitutivos da produção.

BENS ECONÔMICOS — São bens escassos, com custo de oportunidade e possuem preço no mercado.

BENS FINAIS — São bens que não vão ser transformados ou incorporados a outros bens. Eles já estão prontos para o uso.

BENS FUNGÍVEIS — Aqueles imóveis que podem ser substituídos por outros da mesma espécie, qualidade e quantidade. Ex.: o dinheiro.

BENS GRAVADOS POR ÔNUS — Bens dos quais o proprietário não tem a plena disponibilidade, em face de imposição legal ou de cláusula livremente pactuada com terceiro.

BENS IMATERIAIS — Ver Bem intangível.

BENS IMÓVEIS — São os bens fixos, que não podem se transportar de um lugar para o outro. São bens imóveis o solo e tudo o que se lhe incorporar natural ou artificialmente. Por ficção legal, também são considerados imóveis os direitos reais sobre imóveis e suas ações e o direito à sucessão aberta (ex.: lotes, casa, apartamento etc.).

BENS IMPENHORÁVEIS — São aqueles legalmente isentos de penhora em execuções judiciais. Neles se incluem não apenas os bens inalienáveis, como também os que, sendo alienáveis, são impenhoráveis.

BENS INCOMUNICÁVEIS — Bens pertencentes a um dos cônjuges e que são excluídos do regime de comunhão universal, mantendo-se no domínio particular do consorte.

BENS INCORPÓREOS — Aqueles de existência imaterial, de caráter abstrato. (Ver: Bens // Bens Corpóreos.)

BENS INDIVISÍVEIS — São indivisíveis os bens que não se podem partir sem alteração na sua substância e os que, embora naturalmente divisíveis, se consideram indivisíveis por lei, ou vontade das partes.

BENS INDIVISOS — Ver Bens Indivisíveis.

BENS INFUNGÍVEIS — Aqueles que são insubstituíveis por outros da mesma espécie.

BENS INTELECTUAIS — Aqueles que não são materiais, promanam apenas da inteligência e se integram ao patrimônio, como direitos do autor.

BENS INTERMEDIÁRIOS — São aqueles bens que são absorvidos na produção de outros, como o açúcar nas balas, os componentes na televisão etc.

BENS LIVRES — São bens não escassos, sem custo de oportunidade e não estão sob um sistema de preços.

BENS MATERIAIS — São aqueles que possuem corpo, matéria e reconhecidos pela sua tangibilidade. (Ver: Bem tangível.)

BENS MÓVEIS — São os bens suscetíveis de movimento próprio (animados) ou de remoção por força alheia, sem alteração da substância ou destinação econômico-social. Para ficção legal, também são considerados móveis as energias que possuam valor econômico, os direitos reais sobre objetos móveis e as ações correspondentes e os direitos pessoais de caráter patrimonial e as ações respectivas.

BENS PRIVADOS — São os produzidos e possuídos privadamente. Exemplo: os automóveis, aparelhos de televisão etc.

BENS PROFETÍCIOS — São os bens adquiridos por herança provinda do pai ou de outros descendentes do sexo masculino.

BENS PÚBLICOS — São aqueles do domínio nacional pertencentes à União, aos Estados ou aos Municípios. São os bens que formam o conjunto de coisas corpóreas ou incorpóreas, imóveis, móveis e semoventes, créditos, direitos e ações, sobre as quais o ente público exerce o direito de soberania em favor da coletividade ou o direito de propriedade privada, quer eles pertençam às entidades estatais, autárquicas ou paraestatais. Nos termos do Código Civil, os bens públicos classificam-se em bens de uso comum do povo, bens de uso especial e bens dominiais. Todos os outros são particulares, seja qual for a pessoa a que pertencerem. Os bens públicos são inalienáveis, impenhoráveis e imprescritíveis.

BENS PÚBLICOS INTERNACIONAIS — Bens cujos benefícios não podem ser facilmente confinados a um consumidor, ou seja, são bens cujos benefícios são universais em termos de países, pessoas e gerações. Consideram-se atualmente três categorias: a) bens públicos tradicionais – ar, oceanos e florestas – que são sobre-utilizados; b) bens públicos produzidos pelo homem – liberdade de expressão, abolição da escravatura e condenação da tortura –, que tendem a ser subutilizados; e, c) bens resultantes de políticas globais, tais como estabilidade financeira, que dependem dos esforços conjuntos de todos os países. Esses bens tendem a ser subfornecidos devido à ausência de condições de envolvimento político em todos os lugares.

BENS REMOTOS — Os que se acham distantes ou fora da jurisdição do juiz.

BENS SEMOVENTES — São os bens constituídos por animais selvagens, domesticados ou domésticos.

BENS SUBSTITUÍVEIS (SUBSTITUTOS OU SUCEDÂNEOS) — Ver Bens substitutos.

BENS SUBSTITUTOS — Dois bens para os quais, tudo o mais mantido constante, um aumento no preço de um deles aumenta a demanda pelo outro. São bens cuja utilidade pode ser obtida da mesma forma e intensidade pelo uso de outro bem (exemplo: manteiga e margarina).

BENS VACANTES — São bens deixados pelo *de cujus* que não possui herdeiros, ou caracterizados pelo não comparecimento ou não conhecimento da identidade destes. Se praticadas todas as diligências legais não aparecem herdeiros, a herança declarada vacante passa ao domínio público. Os Bens vacantes não se confundem com os Bens vagos, porque aqueles possuem dono conhecido, estes não. Serão declarados vacantes os bens da herança jacente, se, praticadas todas as diligências legais, não aparecerem herdeiros. (Ver: Herança jacente.)

BENS VAGOS — Não se confundem com os Bens Vacantes, porque nestes há proprietário, sem que sejam conhecidos os herdeiros. A coisa achada abandonada é bem vago, não sendo admissível assim considerar a coisa perdida que ainda interesse ao seu dono. Sendo o abandono uma das causas de perda da propriedade imóvel, o imóvel abandonado arrecadar-se-á como bem vago e passará ao domínio do estado ou do Distrito Federal, se se achar nas respectivas circunscrições: a) dez anos depois, quando se tratar de imóvel localizado em zona urbana; b) três anos depois, quando se tratar de imóvel localizado em zona rural

BIBLIOTECA GENÔMICA — Coleção de clones moleculares que contém, pelo menos, uma cópia de cada seqüência de ADN no genoma. (Ver: DNA.)

BICAMERAL — Diz-se das Casas Legislativas compostas por duas câmaras: a câmara alta, ou Senado, e a câmara baixa, ou Câmara dos Deputados.

BICAMERALISMO — Sistema congressual ou parlamentar cujas funções legislativas são desempenhadas por dois corpos de representantes, geralmente Câmara e Senado.

BID — Preço de compra de um ativo no mercado acionário.

BID (BANCO INTERAMERICANO DE DESENVOLVIMENTO) — Órgão internacional de ajuda a países subdesenvolvidos e em desenvolvimento na América Latina e no Caribe. A organização foi criada em 1959 e está sediada em Washington, nos Estados Unidos. Subscrita inicialmente pelas nações americanas, conta desde 1974 com 12 nações fora do hemisfério, entre elas a Grã-Bretanha. Seus principais acionistas são Estados Unidos, Canadá, Brasil, Argentina e México. É a principal fonte de financiamento multilateral para projetos de desenvolvimento econômico, social e institucional na América Latina e no Caribe. Contam-se entre eles programas de reforma setorial e de política e apoio ao investimento público e privado. O Banco provê empréstimos e assistência técnica utilizando capital fornecido por seus países membros, bem como recursos obtidos nos mercados mundiais de capital mediante emissão de obrigações. O Banco também participa de um número importante de acordos de co-financiamento com outras organizações multilaterais, bilaterais e privadas.

BIÊNIO — 1) Refere-se a dois anos. 2) Vantagem pecuniária atribuída ao professor pelo exercício da docência, incorporada ao vencimento de 2 (dois) em 2 (dois) anos.

BIGAMIA — Estado ou condição de bígamo. Consiste no crime em que o indivíduo tem ciência de que ainda subsiste validamente o seu casamento anterior, e contrai novo matrimônio, abusando da confiança e boa-fé da vítima.

BIG-BANG — 1) Expressão que surgiu na Bolsa de Valores de Londres quando esta eliminou parte das suas políticas restritivas (27 de outubro de 1986). Desde esta data este termo é utilizado cada vez que uma Bolsa atualiza regras anteriores. 2) É uma teoria que se propõe a explicar a origem e evolução do universo. Os seus autores são Alexander Friedmann e Georges Lemaître. O emergir do cosmos ocorreu provavelmente há 14 milhões de anos e terá consistido numa violenta explosão. O *big-bang* é uma teoria associada à origem do Universo e não à do Sistema Solar em particular.

BILATERAL — Qualidade do negócio jurídico em que as partes contraem direitos e obrigações recíprocas.

BIMETALISMO — Sistema monetário baseado no emprego de dois metais como aferidores de valores; em geral, ouro e prata.

BIOACUMULAÇÃO — Processo pelo qual um elemento químico tóxico torna-se mais concentrado ao entrar na cadeia alimentar. Ocorre freqüentemente com os metais pesados: como são poluentes não-metabolizados pelos seres vivos, os metais pesados são absorvidos, por exemplo, por larvas de peixe. Os predadores que se alimentam das larvas contaminadas acabam acumulando o poluente e contaminando, por sua vez, seus próprios predadores. O mesmo ocorre em outros níveis da cadeia alimentar.

BIOCENOSE — O mesmo que comunidade. É um grupamento de seres vivos reunidos pela atração não recíproca exercida sobre eles pelos diversos fatores do meio; este grupamento caracteriza-se por determinada composição específica, pela existência de fenômenos de interdependência, e ocupa um espaço chamado biótopo. É o mesmo que comunidade biótica e associação, ou seja, conjunto equilibrado de animais e de plantas de uma comunidade. Atualmente existe uma tendência para substituir este termo por "Biocenosis".

BIOCLIMA — Relação entre o clima e os organismos vivos. Área geográfica homogênea, caracterizada por um regime climático dominante que provoca uma resposta estrutural da vegetação (harmonia clima/solo/vegetação).

BIODEGRADAÇÃO — Processo de decomposição de uma substância, no ambiente físico, através de sistemas biológicos. As substâncias biodegradáveis não tendem a se acumular no ambiente.

BIODEGRADÁVEL — Qualidade inerente às substâncias que, por processos biológicos naturais, podem ser decompostas por ação de microorganismos.

BIODETERIORAÇÃO — Alteração de uma ou mais propriedades de um material, como resultado da ação de organismos vivos.

BIODIESEL — Combustível para motores a combustão interna com ignição por compressão que possa substituir parcial ou totalmente o óleo diesel de origem fóssil. O biodiesel pode ser produzido a partir de diversas espécies vegetais: mamona, dendê, abacate, babaçu, mandioca, girassol, soja e outras. É um combustível biodegradável, derivado de fontes renováveis, ou seja, contribui para a redução das emissões de gases do efeito estufa na atmosfera. Pode ser utilizado em adição ao diesel derivado do petróleo, sendo que existem planos para a introdução da sua mistura a 2% no diesel comum brasileiro, chamada B2. Na Alemanha já existem carros circulando com B100, ou seja, biodiesel puro. Os processos para a produção do biodiesel são: craqueamento, esterificação e transesterificação, sendo o último mais utilizado. A transesterificação pode ocorrer com a utilização do etanol (álcool comum) ou do metanol para reagir com os óleos vegetais. Deste processo também resulta a glicerina, que pode ser utilizada pela indústria de cosméticos, principalmente de sabonetes.

BIODIGESTOR — É o emprego de organismos vivos para determinar o efeito biológico de certas substâncias, fatores ou condições. Tanque protegido do contato com o ar atmosférico, no qual a matéria orgânica contida nos efluentes é metabolizada por bactérias anaeróbias (que se desenvolvem em ambiente sem oxigênio). Neste processo, os subprodutos obtidos são o gás (biogás), uma parte sólida que decanta no fundo do tanque (biofertilizante), e uma parte líquida que corresponde ao efluente mineralizado (tratado). Este efluente pode ser utilizado para produção de microalgas que podem servir de insumo para piscicultura em sistemas de policultivo. Este processo de tratamento de efluentes por biodigestor e produção de subprodutos com valor agregado é um exemplo de Biossistema Integrado.

BIODIREITO — É o ramo do Direito que trata especialmente das relações jurídicas referentes à natureza jurídica do embrião, eutanásia, aborto, transplante de órgãos e tecidos entre seres vivos ou mortos, eugenia, genoma humano, manipulação e controle genético, com o fundamento constitucional da dignidade da pessoa humana.

BIODIVERSIDADE — Compreende a diversidade das espécies vivas existentes no planeta, bem como os ecossistemas e processos ecológicos de que fazem parte; relacionado à diversidade de espécies, está o patrimônio genético que elas representam; a diversidade genética é relevante fator para a adaptação e a sobrevivência das espécies do planeta Terra.

BIOENGENHARIA — Método que emprega processos químicos ou genéticos na produção de drogas ou alimentos.

BIOFERTILIZANTE — Ver Biodigestor.

BIOGÁS — Gás resultante da decomposição anaeróbica de biomassa (resíduos agrícolas, florestais, lixo), que pode ser usado como combustível devido ao seu alto teor de metano. (Ver: Biodigestor.)

BIOINDICADORES — São espécies animais ou vegetais que indicam precocemente a existência de modificações bióticas (orgânicas) e abióticas (físico/químicas) de um ambiente. São organismos que ajudam a detectar diversos tipos de modificações ambientais antes que se agravem e ainda a determinar qual o tipo de poluição que pode afetar um ecossistema. (Ver: Ecossistema.)

BIOINDÚSTRIA — Indústria que tem como objetivo a produção de organismos vivos (como enzimas).

BIOLOGIA — Ciência que estuda os seres vivos e suas relações, a fim de conhecer as leis peculiares à matéria viva. Inclui a origem, a classificação, a estrutura, a atividades e a distribuição.

BIOLOGIA CRIMINAL — É a ciência que estuda os aspectos genéticos da pessoa do delinqüente, os quais abrangem os aspectos anatômicos, fisiológicos, patológicos e a bioquímica do criminoso.

BIOLOGIA ESPACIAL — Estudo da vida como ela possa apresentar-se no espaço.

BIOMA — Amplo conjunto de ecossistemas terrestres, caracterizados por tipos fisionômicos semelhantes de vegetação com diferentes tipos climáticos. São grandes ecossistemas que compreendem várias comunidades bióticas em diferentes estágios de evolução, em vasta extensão geográfica. Por necessidade ecológica, os biomas apresentam intensa e extensa interação edáfica e climática, definindo assim as condições ambientais características. É a unidade ecológica imediatamente superior ao ecossistema. Há biomas terrestres e aquáticos. Os grandes biomas brasileiros são a Floresta Amazônica, a Floresta Atlântica, o Pantanal Mato-Grossense, o Cerrado, a Caatinga, o Domínio das Araucárias, as Pradarias e os ecossistemas litorâneos.

BIOMA AMAZÔNIA — Clima equatorial, terras baixas e florestas tropicais e equatoriais úmidas. Estende-se além do território brasileiro. Em território brasileiro, os ecossistemas amazônicos ocupam uma superfície de 3,6 milhões de quilômetros quadrados, abrangendo os estados do Acre, Amapá, Amazonas, Pará, Rondônia, Roraima e pequena parte dos estados do Maranhão, Tocantins e Mato Grosso. A Amazônia é reconhecida como a maior floresta tropical existente no planeta Terra, correspondendo a 1/3 das reservas de florestas tropicais úmidas e o maior banco genético do planeta. Contém 1/5 da disponibilidade mundial de água doce.

BIOMA CAATINGA — Clima semi-árido com drenagens intermitentes. Conhecido como sertão nordestino, tem uma área de aproximadamente 736.836 mil quilômetros quadrados, 6,83% do território brasileiro, está distribuído pelos estados de Piauí, Ceará, Rio Grande do Norte, Paraíba, Pernambuco, Sergipe, Alagoas, Bahia, oeste do Maranhão e pequena parte do norte de Minas Gerais. É o principal ecossistema existente na Região Nordeste. Apesar de estar localizado em área de clima semi-árido, apresenta riqueza biológica e endemismo (nativo de uma localidade específica). A ocorrência de secas estacionais e periódicas estabelece regimes intermitentes aos rios e deixa a vegetação sem folhas. A folhagem das plantas volta a brotar e fica verde nos curtos períodos de chuvas. (Ver: Savana.)

BIOMA CAMPOS SULINOS — Clima temperado, úmido e subúmido, terras baixas e colinas arredondadas cobertas por pradarias nas encostas e matas subtropicais de galeria nos vales. Estende-se por mais de 200 mil quilômetros quadrados, a sudeste do Rio Grande do Sul. De maneira genérica, os campos da região Sul do Brasil são denominados "pampas", termo de origem indígena para "região plana". Esta denominação, no entanto, corresponde somente a um dos tipos de campo, mais encontrado ao sul do Uruguai e na Argentina. Outros tipos conhecidos como campos do alto da serra são encontrados em áreas de transição com o domínio de araucárias. Em outras áreas encontram-se ainda, campos de fisionomia semelhantes a savanas. (Ver: Savana.)

BIOMA CERRADO — Clima tropical e vegetação de campos, com árvores isoladas, de troncos retorcidos e folhas encerradas e matas ciliares ao longo dos cursos d'água. Está distribuído, principalmente, pelo Planalto Central Brasileiro, nos estados de Goiás, Tocantins, Mato Grosso, Mato Grosso do Sul, parte de Minas Gerais, Bahia e Distrito Federal, somando 1,9 milhões de quilômetros quadrados. Existem manchas periféricas ou ecótonos, que são transições com os biomas Amazônia, Floresta Atlântica e Caatinga. (Ver: Mata ciliar // Ecótono.)

BIOMA COSTA BRASILEIRA — Abriga um mosaico de ecossistemas de alta relevância ambiental. Ao longo do litoral brasileiro podem ser encontrados manguezais, restingas, dunas, praias, ilhas, costões rochosos, baías, brejos, falésias, estuários, recifes de corais e outros ambientes importantes do ponto de vista ecológico, todos apresentando diferentes espécies animais e vegetais. Isso se deve, basicamente, às diferenças climáticas e geológicas da costa brasileira. Além do mais, na zona costeira encontram-se as maiores presenças residuais de Floresta Atlântica. Ali a vegetação possui uma biodiversidade superior no que diz respeito à variedade de espécies vegetais. Também os manguezais, de expressiva ocorrência na zona costeira, cumprem funções essenciais na reprodução biótica da vida marinha.

BIOMA FLORESTA ATLÂNTICA — Clima tropical com influência do Oceano Atlântico e floresta tropical úmida. O domínio da Floresta Atlântica estende-se por 1,2 milhão de quilômetros quadrados ao longo da costa brasileira, do Rio Grande do Norte ao Rio Grande do Sul, avançando para o interior, principalmente nos estados de São Paulo, Paraná e Santa Catarina, considerada como a quinta área mais ameaçada e rica em espécies endêmicas do mundo. Em termos gerais, o domínio da Floresta Atlântica pode ser visto como um mosaico diversificado de ecossistemas, apresentando estruturas e composições florísticas diferenciadas, em função de diferenças de solo, relevo e características climáticas existentes na ampla área de ocorrência: cerca de 7,3% de sua cobertura florestal original. Levantamentos apontam a existência de 1.361 espécies da fauna brasileira, com 261 espécies de mamíferos, 620 de aves, 200 de répteis e 280 de anfíbios, sendo que 567 espécies só ocorrem neste bioma. Possui, ainda, cerca de 20 mil espécies de plantas vasculares, das quais oito mil delas também só ocorrem na Floresta Atlântica. No sul da Bahia, foi identificada a maior diversidade botânica do mundo para plantas lenhosas, ou seja, foram registradas 454 espécies em um único hectare. Dentro do domínio da Floresta Atlântica destaca-se como ecossistema ameaçado a Floresta com Araucária, localizada nos planaltos de altitudes úmidas da Região Sul, distribuindo-se por cerca de 400 mil quilômetros quadrados. Em terrenos de maiores altitudes, estende-se de modo disperso até o estado de Minas Gerais. (Ver: Espécie endêmica.)

BIOMA PANTANAL — Como área de transição, a região do Pantanal ostenta um mosaico de ecossistemas terrestres, com afinidades, sobretudo, com os Cerrados e, em parte, com a Floresta Amazônica, além de ecossistemas aquáticos e semi-aquáticos, interdependentes em maior ou menor grau. Os planaltos e as terras altas da bacia superior são formados por áreas escarpadas e testemunhos de planaltos erodidos, conhecidos localmente como serras. Considerado como a maior planície de inundação contínua do planeta Terra, sua localização geográfica é de particular relevância, uma vez que representa o elo entre o Cerrado, no Brasil Central, o Chaco, na Bolívia, e a região Amazônica, ao Norte.

BIOMASSA — Quantidade de matéria orgânica existente em determinada área e que pode ser expressa em peso, volume, área ou número. A biomassa pode ser medida em peso ou unidades calóricas, a partir da cadeia alimentar, numa determinada área e em sua máxima disponibilidade em determinada época do ano. Constata-se que a biomassa compreende os produtores e os consumidores primários e secundários, dos vegetais aos animais, tendo o Sol como fonte primeira de energia. A biomassa é fonte de energias alternativas.

BIOMONITORAMENTO — Determinação da integridade de um sistema biológico para avaliar sua degradação por qualquer impacto induzido pela sociedade humana.

BIONTE — Qualquer ser vivo, superior ou inferior, integrante de uma população ou de uma comunidade.

BIORREGIÃO — É um espaço geográfico que abriga integralmente um ou vários ecossistemas. Caracteriza-se por sua topografia, cobertura vegetal, cultura e história humanas, sendo assim identificável por comunidades locais, governos e cientistas.

BIOSFERA — Conjunto de seres vivos sobre o planeta Terra, constituindo uma complexa rede de processos ecológicos e ecossistemas que determinam a diversidade de espécies e organismos; seus limites vão até onde haja alguma forma de vida, podendo atingir as profundezas dos mares, as altas camadas atmosféricas e o subsolo.

BIOTA — É o conjunto de componentes vivos (bióticos) de um ecossistema. Conjunto de fauna e flora, de água ou de terra, de qualquer área ou região, que não considera os elementos do meio ambiente.

BIOTECNIA — Arte e técnica de adaptar os organismos vivos às necessidades dos homens.

BIOTECNOLOGIA — Uso da atividade bioquímica de organismos vivos, principalmente microorganismos, para processos industriais de qualquer natureza, inclusive aqueles que utilizam técnicas de engenharia genética para a construção de novas linhagens de organismos, com novas aplicações.

BIÓTICO — Relativo ao bioma ou biota, ou seja, ao conjunto de seres animais e vegetais de uma região. (Ver: Genótipo.)

BIOTIPO — Grupo de indivíduos que tem o mesmo genótipo.

BIÓTOPO — Do grego *bios*, vida, e *topos*, lugar. Lugar onde há vida. É o componente físico do ecossistema. Microhabitat (ou lugar), substrato, microclima e situação exata de uma espécie dentro de uma comunidade. Exemplos: a) biótopo de certa erva de mata pode ser, na sombra profunda, enraizada em solo fofo com bastante húmus; b) biótopo de certa bromeliácea pode ser epífita sobre galho superior de árvore onde há bastante luz.

BIRD (BANCO INTERNACIONAL DE RECONSTRUÇÃO E DESENVOLVIMENTO) — Instituição financeira ligada à ONU. Também conhecido como Banco Mundial, o BIRD foi criado em 1944 para ajudar na recuperação dos países europeus cuja economia havia sido aniquilada pela II Guerra Mundial. Atualmente, o BIRD tem como objetivos principais ajudar os países subdesenvolvidos e em desenvolvimento no combate à pobreza e melhoria nas condições de vida. O Banco Mundial é uma organização de direito privado, da propriedade de mais de 180 países, todos acionistas, cuja participação varia em função das suas contribuições ao banco. As contribuições de cada país-membro ao capital do Bird, assim como o direito ao voto, são estabelecidas proporcionalmente à participação do país no comércio internacional. O maior acionista do Bird é o governo dos Estados Unidos, que tem poder de veto sobre as decisões da organização. A atuação no Brasil é regida pela Estratégia de Assistência ao país, que inclui assistência em cinco áreas: redução direcionada da pobreza, ajuste fiscal sustentável, retomada do crescimento, crescente efetividade do desenvolvimento e melhor administração dos ativos ambientais.

BIRRA — Zanga, manha, choro de raiva ou raiva sem direção. É um misto de rebeldia e revolta, passivas.

BIS — [Latim]. Expressão que significa duas vezes. Outra vez, mais uma vez, repetição.

BIS — Ver Banco para Pagamentos Internacionais.

BIS IN IDEM — [Latim]: Expressão que significa duas vezes a mesma coisa; repetição. Diz-se, por exemplo, do imposto repetido sobre a mesma coisa, ou matéria já tributada. (Ver: Bitributação.)

BITRIBUTAÇÃO — Ocorrência de dois tributos sobre o mesmo fato gerador. Diz-se quando duas autoridades diferentes, igualmente competentes, mas exorbitando uma delas das atribuições que lhe são conferidas, decretam impostos que incidem, seja sob o mesmo título ou sob nome diferente, sobre a mesma matéria tributável, isto é, ato ou objeto. Na bitributação há uma competência privativa, conferida ao poder que está autorizado a cobrar determinado imposto, e outra arbitrária, decorrente da tributação, que se faz excedente e contrariamente ao que se institui na Constituição. Não se confunde com o *bis in idem*. A bitributação é vedada pela Constituição Federal. O *bis in idem*, embora imposto injusto e antieconômico, não é proibido por lei. (Ver: *Bis in idem*.)

BLECAUTE — Do inglês *black-out*, é a ausência do suprimento de energia elétrica em uma grande área metropolitana por um longo período de tempo, quer por alguma pane, quer por medida de segurança, como durante ataques aéreos sobre cidades durante guerras.

BLOCK-TRADE — Negociação de um grande lote de ações em poder da empresa ou de um acionista através da bolsa de valores, normalmente sob a forma de leilão.

BLOCO — Subdivisão das áreas de exploração e produção de petróleo e gás. Os blocos são geralmente definidos em termos de latitude e longitude, em intervalos de um grau (1º).

BLOCO PARLAMENTAR — Combinação temporária de partidos ou elementos políticos numa Casa Legislativa, que agem conjuntamente para alcançar um objetivo comum.

BLOCOS ECONÔMICOS — São blocos criados com o objetivo principal de facilitar o comércio entre os países membros, adotando medidas, dentre as quais podem-se destacar: a) redução ou isenção de impostos ou de tarifas alfandegárias; b) facilitação de procedimentos burocráticos; c) facilitação do tráfego de mercadorias e serviços. Em tese, o comércio entre os países constituintes de um bloco econômico aumenta e gera crescimento econômico para todos eles. Geralmente esses blocos são formados por países vizinhos ou que possuam afinidades culturais ou comerciais. A globalização acarreta, como tendência comercial natural, a formação de blocos econômicos. Esta é a nova tendência mundial, pois cada vez mais o comércio entre blocos econômicos cresce. Economistas afirmam que ficar de fora de um bloco econômico é viver isolado do mundo comercial.

BLOQUEIO ECONÔMICO — Sanção imposta a um Estado, consistente em impedir o movimento ou a circulação de mercadorias a ele destinadas ou por ele produzidas.

BLUE CHIPS — Ver Ações *Blue Chips*.

BM&F (BOLSA DE MERCADORIAS E FUTUROS) — Ver Bolsa de Mercadorias e Futuros (BM&F).

BNDES (BANCO NACIONAL DE DESENVOLVIMENTO ECONÔMICO E SOCIAL) — Empresa pública federal, com estatuto aprovado pelo Decreto nº 4.418, de 11 de outubro de 2002, à qual compete a implementação de políticas de investimentos econômicos e sociais de longo prazo. Dotado de personalidade jurídica de direito privado e patrimônio próprio, o BNDES tem sede e foro em Brasília, Distrito Federal, embora funcione, de fato, no Rio de Janeiro, e atuação em todo o território nacional, podendo instalar e manter, no País e no exterior, escritórios, representações ou agências. Está sujeito à supervisão do ministro do Desenvolvimento, Indústria e Comércio Exterior. É o principal instrumento de execução da política de investimento do Governo Federal e tem por objetivo primordial apoiar programas, projetos, obras e serviços que se relacionem com o desenvolvimento econômico e social do País. Exerce suas atividades visando a estimular a iniciativa privada, sem prejuízo de apoio a empreendimentos de interesse nacional a cargo do setor público. Suas principais atividades são: estudar os problemas de desenvolvimento econômico global e examinar projetos específicos, visando impulsionar o setor econômico do país; fortalecer o setor empresarial nacional; atenuar os desequilíbrios regionais; promover o desenvolvimento integrado das atividades agrícolas, industriais e de serviços; e promover o crescimento e a diversificação das exportações, aos quais concede aporte de recursos.

BNH (BANCO NACIONAL DA HABITAÇÃO) — Absorvido pela Caixa Econômica Federal, o BNH gerenciava recursos próprios do Sistema Financeiro da Habitação (SFH), fundos e créditos vinculados, e tinha unidade monetária própria, a Unidade Padrão de Capital (UPC).

BOA GESTÃO DOS ASSUNTOS PÚBLICOS — Forma de exercício do poder num país caracterizada por aspectos como a eficiência, a transparência, a prestação de contas, a participação da sociedade civil e o Estado de direito, que revelam a determinação do governo em utilizar os recursos disponíveis em prol do desenvolvimento econômico e social.

BOA-FÉ — É a intenção pura, isenta de dolo ou engano, com que a pessoa realiza o negócio na conformidade do direito, conseqüentemente, protegida pelos preceitos legais. Convicção de alguém que acredita estar agindo de acordo com a lei, na prática ou omissão de determinado ato. (Ver: Má-fé // Má-intenção.)

BÓCIO ENDÊMICO — Ver Saúde - Bócio endêmico.

BOÇOROCA — Palavra que provém do tupi-guarani e pode significar: *ibi* (terra) e *çoroc* (rasgada) – terra rasgada; *mbaê* (coisa) e *çoroc* – coisa rasgada; *mboi* (cobra) e *çoroci* (sulco ou rasgão) – sulco em forma de cobra. (Ver: Voçoroca.)

BÓIA-FRIA — É a denominação dada ao trabalhador agrícola que não tem emprego de caráter permanente (com um mesmo empregador), vive em condições muito precárias na periferia de cidades pequenas ou médias e trabalha por curtos períodos de tempo em vários estabelecimentos rurais, sendo contratado por intermediários. Não tem carteira assinada e nem vínculo formal com o empregador ("gato") ou o proprietário rural.

BOLCHEVISMO — É a denominação dada à doutrina e tática político-revolucionária adotadas por Lênin, após a cisão do Partido Social Democrata da Rússia, em 1903. Mais tarde, o Partido *Bolchevique* passou a chamar-se Partido Comunista, em oposição ao Partido "*Menchevic*", minoritário. No entanto, o termo *bolchevismo* continua a ser usado para designar o marxismo-leninismo.

BOLHA — Jargão de mercado usado nos casos em que a cotação de um ativo subiu de maneira acentuada sem uma razão aparente ou fundamentos confiáveis. Nesses casos, em geral os investidores tendem a agir de maneira irracional até que a bolha estoure, o que pode levar a cotação do ativo a reverter rapidamente a tendência anterior.

BOLHAS ESPECULATIVAS — Situação em que preços altos são sustentados sem estimativa consistente, e sim por um entusiasmo dos investidores.

BOLSA — É um mercado, organizado muito regularmente, comportando a existência de um local onde compradores e vendedores se reúnem a horas fixadas, mas apresentando a particularidade de que as mercadorias negociais não se acham presentes, senão sob a forma de amostra ou de títulos representativos.

BOLSA DE MERCADORIAS & FUTUROS (BM&F) — Constituída sob a forma de associação civil, sem finalidade lucrativa, tem por objetivo efetuar o registro, a compensação e a liquidação, física e financeira, das operações realizadas em pregão ou em sistema eletrônico. Para tanto, deve desenvolver, organizar e operacionalizar um mercado de derivativos livre e transparente, que proporcione aos agentes econômicos a oportunidade de efetuarem operações de *hedging* contra as flutuações de preço de *commodities* agropecuárias, índices, taxas de juro, moedas e metais, bem como de todo e qualquer instrumento ou variável macroeconômica cuja incerteza de preço no futuro possa influenciar negativamente suas atividades. Mercado onde se compram e vendem mercadorias *(commodities)*. Entre estes produtos, incluem-se o café, o cacau, o açúcar, os cereais, os vegetais, o algodão, a borracha e os metais. Este mercado não só possibilita que as mercadorias sejam compradas a pronto pagamento "*spot*", como inclui também o mercado de futuros, onde se acordam preços para determinadas mercadorias no futuro, evitando assim as oscilações dos preços. O princípio desse mercado é o produtor vender contratos de sua mercadoria para entrega futura ao consumidor, garantido, assim, tanto ao produtor quanto ao consumidor, o preço da mercadoria, podendo planejar suas atividades. Quem recorre a esses mercados geralmente tem um objetivo: proteger-se de flutuações nos preços dos produtos ou mercadorias. No Brasil, tem sede e foro na cidade de São Paulo. (Ver: *Commodity*.)

BOLSA DE MERCADORIAS E FUTUROS DE SÃO PAULO (BM&F/SP) — Ver Bolsa de Mercadorias e Futuros.

BOLSA DE NEGÓCIOS — Serviço de promoção de negócios que busca a aproximação de compradores e fornecedores de produtos, serviços, resíduos e oportunidades de negociação entre empresas nacionais e internacionais.

BOLSA DE VALORES — As bolsas de valores não são instituições financeiras, mas associações civis sem fins lucrativos, constituídas pelas corretoras de valores para fornecer a infra-estrutura do mercado de ações e títulos. Embora autônomas, operam sob supervisão da Comissão de Valores Mobiliários do Ministério da Fazenda, fiscalizando os respectivos membros e as operações nelas realizadas. Em síntese, é o local especialmente criado e mantido para negociação de valores mobiliários (debêntures e ações) em mercado livre e aberto, organizado pelas corretoras.

BOLSA EM ALTA — Diz-se que a Bolsa está em alta, quando o último índice do dia considerado é superior ao índice de fechamento do pregão do dia anterior.

BOLSA EM BAIXA — Diz-se que a Bolsa está em baixa, quando o último índice do dia considerado é inferior ao índice de fechamento do pregão do dia anterior.

BOLSA ESTÁVEL — Diz-se que a Bolsa está estável, quando o último índice do dia considerado é igual ao índice de fechamento do pregão do dia anterior.

BOLSA-FAMÍLIA — Ver Programa Bolsa-família.

BOLSISTA — Pessoa a quem foi concedido um subsídio, uma bolsa, para estudo, missão científica ou literária.

BOM-SENSO — Discernimento entre o verdadeiro e o falso. Senso de distinção do melhor numa situação duvidosa. Aplicação correta do raciocínio. Uso correto da razão nas decisões.

***BONA FIDE* —** [Latim]. Expressão que significa boa-fé; de boa-fé. Enganar-se; proceder de *bona fé*.

BONA PUBLICA **—** [Latim]. Expressão que significa bens públicos.

BONI MORES **—** [Latim]. Expressão que significa bons costumes.

BONIFICAÇÃO — Espécie de prêmio que o acionista recebe da empresa, sob a forma de ação, em função de bons resultados. É a distribuição gratuita de novas ações aos acionistas (na proporção da quantidade de ações possuídas por cada acionista), decorrente do aumento de capital ou da reavaliação do ativo da empresa. O termo ainda se refere aos títulos da dívida pública emitidos em série ao portador, com vencimento em data predeterminada, usados pelo governo para adiantar receitas e pagar débitos fiscais.

BONIFICAÇÃO EM AÇÕES (FILHOTES) — Ver Bonificação.

BONIFICAÇÃO EM DINHEIRO — Distribuição aos acionistas, além dos dividendos, de valor em dinheiro referente a reservas até então não incorporadas.

BÔNUS — 1) Gratificação dada aos funcionários de uma empresa após um determinado período (normalmente um ano) que costuma ser proporcional aos resultados obtidos naquele período. 2) O termo vale ainda para ações distribuídas gratuitamente aos sócios quando a empresa aumenta seu capital. 3) Também se refere aos títulos da dívida pública emitidos em série ao portador e com vencimento em data predeterminada, usados pelo governo para antecipar receitas e pagar débitos fiscais. 4) Obrigações de renda fixa, similares às notas promissórias, que são emitidas por empresas, bancos ou governos. Um bônus é um certificado de dívida no qual o emissor se compromete a pagar um montante específico de juros em intervalos predeterminados durante um período de tempo, além de pagar também o montante da emissão na data de vencimento. Como o bônus é um instrumento de dívida (renda fixa), o comprador é um credor da empresa e não um acionista, como no caso do comprador de ações. 5) Desconto progressivo que reduz o preço do seguro daqueles segurados que apresentarem, por certo período de tempo, redução de risco.

BÔNUS (BOND) - CERTICADO DE DÍVIDA — Obrigações de renda fixa, similares às notas promissórias, que são emitidas por empresas, bancos ou governos. É um certificado de dívida no qual o emissor se compromete a pagar um montante específico de juros em intervalos predeterminados durante um período de tempo, além de pagar, também, o montante da emissão na data de vencimento. Sendo o bônus um instrumento de dívida (renda fixa), o comprador é um credor da empresa e não um acionista.

BÔNUS / EUROBÔNUS — São títulos que os bancos emitem através de instituições no exterior, que serão utilizados como "*funding*" para operações de empréstimos no Brasil. Esses títulos têm prazos de três a oito anos, taxas fixas ou flutuantes e com ágio ou deságio, dependendo da demanda do mercado.

BÔNUS DE SUBSCRIÇÃO — Título negociável que dá direito à subscrição de novas ações, emitido por uma empresa, dentro do limite de aumento de capital autorizado em seu estatuto. Os títulos negociáveis conferem ao titular o direito de comprar ações desta mesma empresa dentro de um prazo estabelecido, por um preço predeterminado. Ou seja, garante ao acionista o direito de subscrever ações. Caso o acionista não efetue a compra da ação no período estipulado, perderá seu direito e não terá restituição do valor pago pelo bônus. O bônus, portanto, é um direito, com prazo de expiração como uma opção. (Ver: Riscos e Rentabilidades.)

BÔNUS DO BANCO CENTRAL DO BRASIL (BBC) — Ver BBC (Bônus do Banco Central do Brasil).

BÔNUS SOBERANO — São bônus emitidos por um país com garantias de um governo central.

BOOK BUILDING **—** Método de colocação de ações fora do mercado em proveito de empresas financeiras ou industriais.

BOOKING OFFICES **—** São escritórios e agências de bancos estrangeiros que não apresentam quadro administrativo e diretivo na jurisdição onde estão localizados e licenciados. São representantes ou agentes para um ou mais bancos que colocam uma "placa" de identificação, sem que exista nenhum tipo de operação bancária de origem local. Centros financeiros *offshore* e paraísos fiscais têm se caracterizado por esse tipo de serviço. O benefício para a matriz do banco de estabelecer esse tipo de escritório ou agência é fazer negócios de não-residentes em jurisdição estrangeira, evitando restrições legais a esses negócios na jurisdição onde se localiza a matriz do banco. Existem também escritórios e agências que são controladas por uma terceira jurisdição, que não é nem a da matriz do banco, nem a do lugar onde o escritório ou agência é licenciado. Essa terceira jurisdição é usualmente os Estados Unidos, no caso de bancos europeus e outros bancos estrangeiros, e, inversamente, a Europa para bancos com sede nos EUA. As Bahamas e as ilhas Cayman são os lugares preferidos (seguidos por outras localidades do Caribe) por bancos norte-americanos, ou por bancos europeus (ocidental) com operações nos Estados Unidos, devido ao fato de estarem no mesmo fuso horário. O fuso horário é importante para depósitos "*overnight*" (de um dia para o outro) nessas jurisdições, uma das formas de driblar a lei norte-americana que proíbe o pagamento de juros a depositantes em contas correntes comerciais em seu próprio território mas não coloca restrição para pagamento de juros sobre depósitos feitos no estrangeiro durante uma noite.

BOOM **—** 1) É o período da vida econômica caracterizado por grande procura. 2) Fase no mercado de ações em que o volume de transações ultrapassa, acentuadamente, os níveis médios em determinado período, com expressivo aumento das cotações. (Ver: *Offshore.*)

BORDERÔ — Palavra de origem francesa utilizada na terminologia bancária brasileira para designar a relação de títulos de crédito que o cliente leva ao banco para realizar uma operação de desconto ou cobrança, entre outras.

BOREAL — Época de temperatura baixa e seca, conforme estudos realizados no Hemisfério Norte, com base em mudanças na vegetação. Corresponde ao intervalo de tempo subseqüente ao último estágio glacial, isto é, entre 9.700 e 7.750 a.C. (antes de Cristo).

BORRADOR — Livro comercial destinado a receber, em forma de rascunho, os lançamentos que serão, posteriormente, escriturados no Diário. O Borrador não é um livro obrigatório, constituindo, apenas, um instrumento de anotação perfeita dos lançamentos que serão feitos no Diário propriamente dito. Alguns autores usam o termo Costaneira, em vez de Borrador. O conteúdo de cada lançamento no Borrador é o mesmo do Diário: a) os títulos devedor e credor da operação; b) o histórico de cada operação, mencionando-se o documento que a fundamenta; c) o valor da operação.

BOSQUE — Vegetação arbórea esparsa, mais espaçada do que uma floresta, que não forma um dossel contínuo.

BOTÂNICA — Ciência que tem por objeto o conhecimento dos vegetais, a descrição dos seus caracteres e sua classificação. Ramo da biologia dedicado às plantas.

BRAÇA — Antiga medida de comprimento. Era sobretudo usada no comprimento das amarras e das linhas de prumo. A braça marítima entre nós tinha oito palmos, cerca de 1,76m. A que hoje ainda se usa tem duas jardas, ou seja, cerca de 1,83m.

BRADIES **—** Ver *Brady Bonds.*

BRADY BONDS **—** Títulos de renda fixa emitidos a partir de 1994 por países emergentes, inclusive o Brasil, para a renegociação de suas respectivas dívidas externas. O nome "brady" vem de Nicholas Brady, secretário do Tesouro americano e idealizador desse processo. O mecanismo de renegociação de títulos das dívidas incluiu a recompra da dívida antiga com desconto pelo país devedor ou a troca do endividamento anterior por novos bônus garantidos parcialmente por títulos do Tesouro norte-americano. São contabilizados como parte da dívida externa.

***BRAINSTORMING* (TEMPESTADE DE IDÉIAS) —** É o procedimento utilizado para auxiliar um grupo a criar o máximo de idéias no menor tempo possível. O "*brainstorming*" pode ser utilizado das seguintes formas: *Brainstorming* Não-Estruturado, *Brainstorming* Estruturado e *Brainstorming* Estruturado e Programado. No *Brainstorming* Não-Estruturado, os participantes do grupo dão suas idéias à medida que elas surgem em suas mentes. Este procedimento tem a vantagem de criar uma atmosfera mais espontânea entre os integrantes do grupo. Por outro lado, pode favorecer o risco de dominação por parte dos participantes mais extrovertidos. No *Brainstorming* Estruturado, todas as pessoas devem dar uma idéia a cada rodada ou "passar" até que chegue a próxima vez. Este procedimento estabelece uma atmosfera de certa pressão sobre o grupo, podendo gerar eventuais dificuldades durante os trabalhos. No *Brainstorming* Estruturado e Programado, marca-se a reunião com conhecimento prévio dos temas a serem analisados e solicita-se que cada participante leve, por escrito, suas sugestões.

***BRAND* —** Marca, nome, sinal, símbolo e desenho que identificam um produto, logotipo.

BRASIGUAIOS — São camponeses, sem-terra, arrendatários, posseiros e proprietários de terras que ultrapassam a fronteira com o Paraguai e se estabelecem em áreas agrícolas na região do rio Alto Paraná. Segundo estimativa do Ministério da Justiça, perto de 400 mil brasileiros residiam no Paraguai em 2003.

BRASIL, REPÚBLICA FEDERATIVA DO - DIVISÕES POLÍTICAS — As 27 unidades da federação são agrupadas, para fins estatísticos e, em alguns casos, de orientação da atuação federal, em cinco grandes regiões: Centro-Oeste, Nordeste, Norte, Sudeste e Sul. Cada estado, bem como o Distrito Federal, tem seus próprios órgãos executivos (na figura do governador), legislativos (Assembléia Legislativa unicameral) e judiciários (tribunais estaduais). Apenas aos estados cabem subdividir-se em municípios, que variam em número, atualmente, entre 15 (Roraima) e 853 (Minas Gerais). As menores unidades autônomas da Federação dispõem apenas do poder Executivo, exercido pelo prefeito, e Legislativo, sediado na Câmara Municipal. Esta última é uma entidade com uma história secular na Península Ibérica e áreas por ela colonizadas.

BRASIL, REPÚBLICA FEDERATIVA DO — É o maior e mais populoso país da América Latina e o quinto maior em área e população do mundo. Sua área total é de 8.514.876,599 km², localiza-se na parte central e nordeste da América do Sul. Suas fronteiras ao Norte são com a Venezuela, a Guiana, o Suriname e com o departamento ultramarino francês da Guiana Francesa; tem Leste e Sudeste no Oceano Atlântico. Ao Sul, faz fronteira com o Uruguai; a Sudoeste, com a Argentina e o Paraguai; a Oeste, com a Bolívia e o Peru, e a Noroeste, com a Colômbia. Os únicos países sul-americanos que não fazem fronteira com o Brasil são o Chile e o Equador. Bem além do território continental, o Brasil também possui alguns pequenos grupos de ilhas no Oceano Atlântico: Penedos de São Pedro e São Paulo, Fernando de Noronha, e Trindade e Martim Vaz. Há também um complexo de pequenas ilhas e corais chamado Atol das Rocas.

BRASIL, REPÚBLICA FEDERATIVA DO – MEIO AMBIENTE — O Brasil é o país de maior biodiversidade do planeta. Foi o primeiro signatário da Convenção sobre a Diversidade Biológica (CDB), e é considerado megabiodiverso – país que reúne ao menos 70% das espécies vegetais e animais do planeta – pela *Conservation International* (CI). A biodiversidade pode ser qualificada pela diversidade em ecossistemas, em espécies biológicas, em endemismos e em patrimônio genético. Devido a sua dimensão continental e à grande variação geomorfológica e climática, o Brasil abriga sete biomas, 49 ecorregiões, já classificadas, e incalculáveis ecossistemas. Os cinco maiores biomas são: Amazônia, Mata Atlântica, Pantanal, Pampas e Sertão. A biota terrestre possui a flora mais rica do mundo, com até 56.000 espécies de plantas superiores já descritas; mais de 3.000 espécies de peixes de água doce; 517 espécies de anfíbios; 1.677 espécies de aves; e 518 espécies de mamíferos; pode ter até 10 milhões de insetos. Abriga, também, a maior rede hidrográfica existente.

BRASIL, REPÚBLICA FEDERATIVA DO - POLÍTICA — De acordo com a Constituição de 1988, o Brasil é uma República Federativa Presidencialista, de inspiração estadunidense quanto à forma do Estado. No entanto, o sistema legal brasileiro segue a tradição romano-germânica. O Poder Executivo é exercido pelo presidente, que acumula as funções de chefe de Estado e chefe de Governo, eleito quadrienalmente pelo sistema majoritário. Concomitantemente às eleições presidenciais, vota-se para o Congresso Nacional, sede do Poder Legislativo, dividido em duas casas parlamentares: a Câmara dos Deputados, os quais têm mandato de quatro anos, e o Senado Federal, cujos membros possuem mandatos de oito anos e elegem-se em um terço e dois terços alternadamente a cada quatro anos. Embora o peso de cada voto individual seja o mesmo no sufrágio para o Executivo, o mesmo não ocorre com o Legislativo. Por um lado, há três senadores representando cada Unidade da Federação (atualmente 27 UF). Por outro, a se considerar o modelo federativo clássico, a representação do povo pelos deputados deveria ser consoante à população de cada UF; seu número é, entretanto, limitado a no mínimo oito e no máximo 70. De qualquer forma, adota-se o sistema majoritário para a eleição dos senadores e o proporcional para os deputados. Finalmente, há o Poder Judiciário, cuja instância máxima é o Supremo Tribunal Federal, responsável por interpretar a Constituição Federal e composto de 11 ministros indicados pelo presidente sob referendo do Senado, dentre indivíduos de renomado saber jurídico. A composição dos ministros do STF não é completamente renovada a cada mandato presidencial: o presidente somente indica um novo ministro quando um deles se aposenta ou vem a falecer. (Ver: Eleição – Sistema Majoritário // Eleição – Sistema Proporcional.)

BRASILEIRO NATO — É a pessoa nascida no território brasileiro, ainda que de pais estrangeiros, desde que estes não estejam a serviço de seu país, ou nascida no estrangeiro, de pai brasileiro ou mãe brasileira, desde que qualquer deles esteja a serviço da República Federativa do Brasil, ou, ainda, nascida no estrangeiro, de pai brasileiro ou mãe brasileira, desde que venha a residir na República Federativa do Brasil e opte, em qualquer tempo, pela nacionalidade brasileira.

BRASILEIRO NATURALIZADO — É a pessoa que, na forma da lei, adquire a nacionalidade brasileira; exigem-se aos originários de países de língua portuguesa residência apenas por um ano ininterrupto e idoneidade moral; o estrangeiro de países de outras línguas, para requerer a nacionalidade brasileira, deve estar residindo há mais de 15 anos ininterruptos no País e não ter condenação penal.

***BRAZILIAN DEPOSITARY RECEPTS* (BDR) —** Ver BDR.

***BREAK-EVEN POINT* —** É um modo simples e eficaz de medir a rentabilidade (ou prejuízo) de uma empresa ou de uma operação financeira. Permite igualmente fazer simulações alterando as variáveis de cálculo. O objetivo desta análise é a determinação do *break-even point* (ponto morto das vendas), no qual o valor das receitas da empresa (lucro de vendas) é igual aos seus custos totais (somatório dos custos fixos e variáveis). Logo, este será o ponto de equilíbrio em que a empresa nem perde nem ganha dinheiro. Acima do *break-even point* a empresa terá lucros, e abaixo dele terá prejuízos. Outro conceito relevante é o da margem de contribuição (ponto em que as receitas igualam os custos variáveis).

BRECHA NAS LEIS FISCAIS — Ver Leis Fiscais, Brecha nas.

BRETTON WOODS — Referência à Conferência internacional realizada em Bretton Woods (New Hampshire, EUA) em julho de 1944, no contexto da fragilidade da economia européia e do *boom* da economia norte-americana no pós-Segunda Guerra, e que consagrou o dólar como a única moeda realmente conversível, numa taxa fixa em relação ao ouro. A conferência também ficou conhecida como Conferência Monetária e Financeira das Nações Unidas. É considerada um marco na história recente do sistema monetário internacional porque estabeleceu pela primeira vez um conjunto de regras e uma administração coletiva para garantir o acesso de estados nacionais a créditos temporários para equilibrar a balança de pagamentos. No entanto, em 1971 (Governo Richard Nixon nos EUA) foi proclamado o fim da convertibilidade ao ouro e, em 1973, oficializado o câmbio flutuante. Do acordo de *Bretton Woods* nasceu o Banco Mundial (*World Bank*) e o Fundo Monetário Internacional (*International Monetary Fund*), que começaram suas operações em 1946 e 1947, respectivamente.

BREVI MANU — [Latim]. Expressão que significa de pronto.

BRIEFING — 1) Resumo de uma discussão; são os pontos a discutir. Geralmente, é aquilo que o cliente transmite, como expressão do trabalho que necessita, ao contato ou, diretamente, a um grupo da agência. 2) Passagem de informações e de instruções de modo ordenado, fornecida para o correto desenvolvimento de uma entrevista. De maneira geral, o *briefing* é um documento que o profissional de *marketing* transmite a quem vai realizar uma campanha publicitária promocional, de relações públicas ou uma pesquisa de mercado. 3) Conjunto de instruções, diretrizes ou informações transmitidas, de forma resumida e por escrito.

BRIGADA DE MÁRTIRES AL-AQSA — Ala do Al-Fatah, grupo responsável por 70% dos atentados terroristas contra israelenses. Criada depois do fracasso das negociações de paz, tem como líder Marwan Barghouti. Seu efetivo é de cerca de 1.000 homens.

BRISA — Vento brando que sopra com regularidade nas regiões tropicais e durante o verão nas regiões temperadas. A brisa é particularmente perceptível no litoral, por efeito de diferenças de temperatura entre a terra e o mar. A altura em que se faz sentir a brisa não ultrapassa 1.500 m.

BRUTALIZAR — Agir violentamente contra alguém; seviciar, estuprar, violentar.

BTN (BÔNUS DO TESOURO NACIONAL) — Este título não existe mais. O Governo emitia as BTNs para captar recursos no mercado financeiro visando a execução e o financiamento das suas dívidas.

BURACO DA CAMADA DE OZÔNIO — Abertura resultante da redução da camada de ozônio na estratosfera, constatada entre setembro e novembro de 1989 na Antártida e que tem sido motivo de alarme. Essa camada é essencial à preservação da vida no planeta, porque filtra os raios ultravioletas do Sol, mortíferos às células. Observações recentes mostram que o buraco tem se estendido até o extremo sul da América do Sul e à Nova Zelândia.

BURACO NEGRO — É um objeto com tanta massa concentrada nele que seu campo gravitacional é incrivelmente forte. Como conseqüência disso, nada, nem mesmo a luz, consegue escapar de sua superfície. Uma das maneiras pela qual acreditamos que os buracos negros se formam é quando estrelas de massa muito grande explodem ou colapsam no final de suas vidas. O buraco negro seria a região central residual que sobrevive após uma estrela supermassiva ter explodido, como uma supernova. Os buracos negros exercem um tremendo puxão gravitacional sobre todos os corpos (mesmo estrelas) que passam próximo a ele. Estes corpos são atraídos para o seu interior de um modo definitivo, não conseguindo mais sair desta região após ter cruzado o chamado horizonte de eventos. (Ver: Velocidade da Luz.)

BURGO — 1) Povoação antiga, normalmente fundada junto a um castelo ou mosteiro, e habitada sobretudo por mercadores ou pequenos proprietários - os burgueses. 2) Denominação empregada por alguns países europeus, notadamente a Inglaterra, para os municípios.

BURGUESIA — É assim definida por Karl Marx: "*Burguesia significa a classe dos modernos capitalistas proprietários dos meios sociais de produção e empregadores de mão-de-obra*". Na idade média, era o conjunto de pessoas que morava nos burgos (cidade).

BURLA — Fraude, ludibrio, engano doloso. Cognatos — burlador; burlante e burlão, que ou quem comete burla.

BUROCRACIA — É considerada como um princípio de técnica e de organização administrativa. São assim considerados as leis e os regulamentos, não simplesmente como medidas de proteção aos indivíduos, de salvaguarda de seus direitos e de sua liberdade, mas como instrumentos graças aos quais se executa a vontade da autoridade superior. A necessidade de limitar o poder de decisão dos subordinados impõe-se a toda organização. Designa a classe dos servidores públicos, estendendo-se às organizações particulares de estrutura complexa. Em sentido depreciativo, significa a influência indébita exercida pelo excesso de exigências desnecessárias e de formalidades sem importância.

BUROCRATA — Membro ou aquele que pratica a burocracia.

BUROCRÁTICO — Relativo à burocracia ou aos burocratas.

BURSÁTIL — Relativo à bolsa, de valores ou mercadorias.

BUSCA — 1) Procura minuciosa, investigação cuidadosa, revista, exame. 2) Conjunto de operações que tem por objetivo encontrar pessoas, aeronaves e outros elementos desaparecidos, em circunstâncias de acidentes ou de desastres.

BUSCA E APREENSÃO (DIREITO PROCESSUAL CIVIL) — Procedimento cautelar específico, destinado à busca e apreensão de pessoas ou coisas, para retirá-las do poder de quem as detenha ilegalmente, a fim de que as mesmas sejam guardadas até que o juiz decida a quem devem ser entregues em definitivo.

BUSCA E APREENSÃO (DIREITO PROCESSUAL PENAL) — É o meio de prova que consiste na apreensão de pessoas ou objetos cuja natureza contribua para elucidação de crime. A busca pode ser realizada em pessoas ou em coisas.

BUSCA E APREENSÃO DE MENORES — É uma medida cautelar. Serve para aqueles casos em que, por exemplo, um dos cônjuges se afasta do lar com o menor sem o consentimento do outro ou quando esteja em discussão a guarda provisória dos filhos, tendo que ser feito o pedido, ao juiz, por um dos pais.

BUSINESS — Negócios.

BUSINESS PLAN — Ver Plano de Negócios.

BUSINESS TO BUSINESS — Comércio eletrônico feito diretamente entre empresas, via Internet, com redução de custos e conseqüente maior margem nas vendas e menor custo nas compras.

BUSINESS TO CONSUMERS — Comércio eletrônico efetuado diretamente entre a empresa produtora e o consumidor final. Em geral, o consumidor adquire os produtos a preço mais competitivo, pois evita o "atravessador".

BÚSSOLA — Conhecida também como agulha de marear ou de navegar. Instrumento destinado a indicar a direção de referência horizontal com relação ao planeta Terra.

BUTANO (C_4H_{10}) — Gás liqüefeito de petróleo, obtido pelo processamento do gás natural e também no processo de refino do petróleo.

BUTANO COMERCIAL — Gás liqüefeito de petróleo consistindo predominantemente de butanos e/ou butilenos (hidrocarbonetos C_4).

BUTANO-AR, PROPANO-AR — Butano ou propano comercial misturado com ar e fornecido como gás de cidade ou como parte dele, ou, ainda, como *stand by* de gás natural (GN).

BUTIM — Despojo do inimigo, na guerra, de que o vencedor se apropria, em pilhagem ou saque. O direito internacional moderno distingue o butim do saque, para considerar este como modo indireto de apropriação das coisas do inimigo, e concentrar naquele os objetos apresados que sejam úteis para a guerra, tais como armas, combustíveis, meios de transporte.

BUTTON — Emblema usado na lapela, durante campanhas eleitorais, publicitárias etc.

***BUY-BACK* (DIREITO DE RECOMPRA)** — É o direito que o acionista possui de recomprar as ações da empresa, emitidas em função de sua capitalização, a um preço que no futuro lhe garanta uma boa taxa de retorno.

BUYER'S CREDIT — Modalidade de financiamento de uma importação em que o crédito é concedido por um terceiro, ou seja, outro que não o exportador ou o fabricante do bem no exterior, normalmente um banco.

***BY-PASS* (DESVIO)** — Arranjo de tubulação com válvula de controle que conduz fluído, contornando, ao invés de atravessar, todo um trecho de uma tubulação.

C

CABALA — 1) Em direito eleitoral, é o aliciamento ardiloso de eleitores (compra de votos). 2) Em hebraico, a palavra "cabala" significa receber. É uma sabedoria judaica que, por muitos séculos, foi mantida como um conhecimento hermético. É definida como aquela capaz de proporcionar as ferramentas de que a pessoa precisa para alcançar a felicidade, a plenitude, e para trazer a luz do Criador para a sua vida. É a maneira de adquirir a paz e a alegria que cada pessoa quer e merece no próprio âmago do seu ser.

CABEÇA — Pessoa que chefia um grupo. (Ver: *Caput*.)

CABEÇA DE COMARCA — Cidade, sede de uma comarca, onde se localiza o foro.

CABEÇA-DE-CASAL — Cônjuge incumbido da administração dos bens do casal. A expressão designa, também, o cônjuge supérstite que, por investidura judicial, venha a ser nomeado inventariante dos bens deixados pelo cônjuge falecido.

CABECEIRA OU NASCENTE — É o local onde nasce o rio, ou curso d'água. Nem sempre é um ponto bem definido, constituindo às vezes toda uma área. Isso se nota, por exemplo, na dificuldade em determinar onde nasce o rio principal, como é o caso da definição das cabeceiras do Rio Amazonas.

CABECEL — É a pessoa escolhida entre os proprietários de prédio aforado, para responder à ação movida pelo senhorio direto. Enfiteuses e subenfiteuses estão proibidas, subordinando-se as existentes, até sua extinção, às normas do Código Civil de 1916 e leis vigentes à época. (Ver: Enfiteuse.)

CABINE DE VOTAÇÃO — Espaço separado, pequeno, indevassável de uma sala, onde o eleitor marca o seu voto em sigilo.

CABO — Na topografia costeira assim se denomina a parte saliente da costa, de regular altitude, que avança em direção ao mar.

CABO ELEITORAL — Ver Eleição - Cabo eleitoral.

CACIMBA — Poço cavado até um lençol de água. Escavação em baixadas úmidas ou no leito de um rio, na qual a água se acumula como num poço.

CAD (*COMPUTER AIDED DESIGN*) — É o projeto assistido por computador. No Brasil tem-se empregado a expressão Computação Gráfica em substituição ao termo mais preciso Gráficos Interativos por Computador. O desenvolvimento destes ambientes gráficos interativos propiciou o aparecimento de programas aplicativos voltados à solução de problemas de Engenharia, tipo CAD, CAM e CAE.

CADASTRO — Registro particular ou público que tem por fim o controle e a consulta sobre coisas, pessoas ou fatos.

CADASTRO BANCÁRIO — Registro com informações minuciosas dos bancos sobre bens patrimoniais, financeiros, e ainda, morais, das pessoas físicas e jurídicas.

CADASTRO DE CLIENTES — É o conjunto de dados de informações gerais sobre a qualificação dos clientes de qualquer entidade, pública ou privada.

CADASTRO DE CONTRIBUINTES DE IMPOSTOS — Cadastro contendo dados dos contribuintes de um imposto sujeitos à fiscalização e/ou controle dos órgãos Federal, Estadual e Municipal.

CADASTRO DE CONVÊNIO — Procedimento adotado pela Administração Pública para acompanhamento de convênios por ela formalizados, bem como suas eventuais alterações através de aditivos.

CADASTRO DE EMITENTES DE CHEQUE SEM FUNDO (CCF) — Cadastro mantido pelo Banco Central com dados dos emitentes de cheques sem fundos. Esse cadastro é operacionalizado pelo Banco do Brasil a fim de prestar informações às pessoas que tenham sido lesadas por golpes de cheques sem fundos ou roubados. A inclusão no CCF dar-se-á, principalmente, nos casos em que ocorre a devolução dos cheques por algum dos motivos seguintes: por cheque sem fundos (motivo 12), por conta encerrada (motivo 13) e por prática espúria (motivo 14). Qualquer pessoa pode saber se está incluída ou não no CCF, bastando consultar o Banco Central ou o banco do qual é cliente. A consulta ao cadastro é livre de qualquer tarifa. (Ver: Compensação bancária.)

CADASTRO DE FORNECEDORES — Cadastramento dos prestadores de serviços e/ou fornecedores de bens ou material ao serviço público. Representa um banco de dados que permite à Administração Pública a obtenção de informações parciais (outras exigências específicas e peculiares ao objeto serão feitas quando da licitação) sobre a situação jurídica, técnica, financeira e fiscal dos interessados em participar de licitações, de forma a simplificar e agilizar sua tramitação.

CADASTRO DE INSTITUIÇÕES FINANCEIRAS (CADINF) — Cadastro contendo dados das instituições financeiras sujeitas à fiscalização ou controle do Banco Central do Brasil.

CADASTRO DE LOGRADOURO — É o levantamento e codificação de todas as vias públicas além da infra-estrutura dos logradouros por face de quadra.

CADASTRO DESCRITIVO — Documento analítico das informações necessárias para análise do projeto ou atividade.

CADASTRO ESPECÍFICO DO INSS — Ver CEI.

CADASTRO GERAL DE CONTRIBUINTES DO MINISTÉRIO DA FAZENDA — Ver CGC/MF.

CADASTRO IMOBILIÁRIO — Registro das unidades prediais e territoriais existentes na cidade e que estão sujeitas a impostos.

CADÁVER — Nome que se dá ao corpo de pessoa privado de vida, morta. A lei penal exige o respeito aos mortos, punindo a destruição, subtração ou ocultação de cadáver com reclusão de um a três anos e multa; e o vilipêndio a cadáver com detenção de um a três anos e multa. A inumação ou exumação de cadáver, em desrespeito às normas legais, é punida com prisão simples de um mês a um ano ou multa.

CADE (CONSELHO ADMINISTRATIVO DE DEFESA ECONÔMICA) — Órgão do governo criado em 10 de setembro de 1965 com a finalidade de defender a livre concorrência, encarregando-se da vigilância, prevenção e repressão aos abusos de poder econômico, como, por exemplo, a formação de cartéis ou monopólios, o que viria a prejudicar o consumidor. O CADE foi reformulado e reforçado pela Lei nº 8.884, de 1994, e hoje tem representado um papel importante, especialmente diante da integração brasileira aos mercados mundiais e da vinda maciça de capital de investimento para o Brasil, em muitos casos para a aquisição de empresas já existentes, ou viabilizando fusões de empresas brasileiras e estrangeiras.

CADEIA — Edifício público onde, provisoriamente, se prendem delinqüentes e contraventores ou indivíduos suspeitos de crime.

CADEIA ALIMENTAR — Ou cadeia trófica; níveis de alimentação encontrados em todas as comunidades de seres vivos, em que seres de um nível se alimentam dos membros do nível abaixo e são consumidos pelo nível acima. Em geral, cada nível é representado por diversas espécies; teia ou rede alimentar; conjunto das intrincadas relações alimentares entre populações de um mesmo ecossistema. As cadeias alimentares também podem ser estabelecidas por matéria orgânica morta fora da comunidade, consumida e transformada em detritos que, por sua vez, igualmente servem de alimento. Todos os seres vivos que não forem consumidos caem ao solo ao morrer e são transformados em minerais pela ação dos microorganismos, fechando, assim, a cadeia. (ver Rede Alimentar ou trófica.)

CADEIA CAUSAL — Sucessão de acontecimentos relacionados entre si como causa e efeito.

CADEIA DE COMANDO — Conduto por meio do qual as ordens e comunicação do escalão superior vão aos escalões subordinados. As ordens circulam em sentido descendente, e a informação dos resultados atingidos, que permite o controle, em sentido ascendente.

CADEIA DE NEGÓCIOS — A viabilização de empresas socialmente responsáveis está diretamente relacionada à qualidade dos vínculos criados com redes de fornecedores e clientes. Estes dois públicos são estratégicos para a criação de valor econômico com valor social. A promoção da responsabilidade social na cadeia de negócios envolve estabelecer relações objetivas com fornecedores e clientes em torno de objetivos de negócio e de desenvolvimento social que levam em conta valores relevantes para as empresas e a sociedade. A qualidade das relações entre parceiros não apenas impacta os níveis de satisfação de diferentes públicos, como também influencia a reputação do empreendimento.

CADEIA DE RESULTADOS — Seqüência de relações de causa-efeito que leva a atingir os seus objetivos. A cadeia de resultados começa pela disponibilização dos recursos e continua pelas atividades e seus produtos. Conduz aos efeitos e impactos e culmina numa assimilação dos ensinamentos. Em algumas agências de ajuda, o público alvo faz parte da cadeia de resultados.

CADEIA DE VALOR — É o modelo organizacional que corresponde a um conjunto de atividades desenvolvidas pela empresa, que vão desde a Pesquisa e Desenvolvimento de um produto até ao serviço de pós-venda. Uma empresa deve avaliar a sua atividade e aferir qual é a sua eficácia e eficiência dentro da cadeia de valor. Considera-se a existência de cinco categorias genéricas primárias numa organização: logística interna, operações, logística externa, marketing e vendas, e serviço ao cliente.

CADEIA PRODUTIVA — É o conjunto de atividades econômicas que se articulam progressivamente desde o início da elaboração de um produto (inclui as matérias-primas, máquinas e equipamentos, produtos intermediários) até o produto final e se encerra com a distribuição e comercialização.

CADEIA TRÓFICA — Ver Cadeia Alimentar.

CADERNETA DE POUPANÇA — Depósito em dinheiro que acumula juros e correção monetária, cujos recursos são destinados ao financiamento da construção e da compra de imóveis. Sobre o rendimento da poupança não incide o Imposto de Renda.

CADIN (CADASTRO INFORMATIVO DE CRÉDITOS NÃO QUITADOS DO SETOR PÚBLICO FEDERAL) — É um cadastro que contém os nomes das pessoas físicas e jurídicas responsáveis por obrigações pecuniárias vencidas e não pagas a órgãos e entidades da Administração Pública Federal, direta e indireta; ou que estejam com a inscrição do CPF (Cadastro de Pessoas Físicas) suspensa ou cancelada; ou, ainda, que sejam declaradas inaptas perante o Cadastro Nacional de Pessoas Jurídicas - CNPJ.

CADUCAR — Ficar sem efeito ou sem valor, não surtir mais efeito, seja porque não se usou o direito que se tinha, seja porque se renunciou a ele, seja porque se deixou de cumprir ato subseqüente, que era da regra.

CADUCIDADE — Desaparecimento de um direito em face da inércia ou da renúncia por parte de seu titular. A prescrição torna caduca a ação; a decadência torna caduco o direito material. A caducidade pode se originar de ato, fato, transcurso de prazo ou decisão judicial. (Ver: Decadência // Prescrição // Preclusão // Perempção.)

CAIXA 2 — Expressão que define o dinheiro não registrado que entra em uma empresa e que, por isso, pode ser utilizado sem que sobre ele incidam impostos. É usado o sofisma de "recursos não contabilizados". Esta prática é enquadrada judicialmente como crime por sonegação de impostos.

CAIXA DE CORREIO — Ver Companhia *Offshore.*

CAIXA DE REGISTRO E LIQUIDAÇÃO — Empresa responsável pelo registro, liquidação e compensação das negociações à vista, a termo e a futuro realizadas em Bolsa. Recebe depósitos e margens garantidas das operações a termo e a futuro efetuadas pelos membros da Bolsa. Emite certificados para desdobramento, conversão, reconversão e transferência de ações negociadas ou a serem negociadas.

CAIXA ECONÔMICA FEDERAL (CEF) — Fundada em 1861 pelo imperador d. Pedro II, a Caixa, além de banco comercial, é a instituição que mais financia a construção e compra de imóveis. Ela também administra desde 1990 o Fundo de Garantia do Tempo de Serviço (FGTS).

CAIXA PRETA — Termo genérico usado para descrever um dispositivo não específico que transforma grandezas de maneira oculta, garantindo direitos de propriedades industriais e intelectuais.

CAIXA ÚNICO — Ver Princípio de Unidade de Caixa.

CALADO — Expressão do transporte marítimo, que significa a profundidade em que cada navio está submerso na água. Tecnicamente é à distância da lâmina d'água até a quilha do navio. Quilha é a peça longitudinal que fecha a ossada da embarcação. É o fundo do navio.

CALAMIDADE PÚBLICA — Evento infeliz ou desgraça que transtorna a vida normal de uma região, estado, município, cidade, distrito, vila ou bairro ou parte dela, de tal forma que o poder público fica na contingência de tomar medidas que assegurem o sossego público e a proteção dos habitantes da zona por ela atingida. Situação anormal, provocada por fatores adversos, provocando o caos na comunidade pelo não-atendimento de suas necessidades básicas. (Ver: Estado de calamidade pública.)

CÁLCULO ATUARIAL — Cálculo de probabilidade que permite, de acordo com o risco e o prêmio, determinar o valor do benefício.

CALENDÁRIO CIVIL — Tempo que cada povo considera como o ano. (Ver: Calendário Gregoriano.)

CALENDÁRIO GREGORIANO — É o calendário utilizado na maior parte dos países ocidentais. Foi promulgado pelo papa Gregório XIII em 24 de fevereiro de 1582 para substituir o Calendário Juliano. Depois do decreto, o papa Gregório XIII reuniu um grupo de especialistas para reformar o Calendário Juliano e, passados cinco anos de estudos, foi elaborado o Calendário Gregoriano, que foi sendo implementado lentamente em várias nações. Oficialmente, o primeiro dia deste calendário foi 15 de outubro de 1582. O Calendário Gregoriano é o que atualmente usamos e distingue-se do Juliano porque: a) omitiram-se dez dias (5 a 14 de outubro de 1582); b) corrigiu-se a medição do ano solar, estimando-se que este durava 365 dias solares, 5 horas, 49 minutos e 12 segundos, o equivalente a 365.2424999 dias solares; c) acostumou-se a começar cada ano novo em 1 de janeiro; d) poucos anos seculares se consideram bissextos, só aqueles que sejam divisíveis por 400. Deste modo, evita-se o defasamento de um dia em cada quatro anos. O ano bissexto ocorre a cada quatro anos após o último ano bissexto. O primeiro ano bissexto do séc. XXI foi 2004.

CALIBRAÇÃO — Conjunto de operações que estabelece a relação entre os valores indicados por um instrumento de medição. Ajusta a exatidão do aparelho, medida pelo seu erro, reduzindo-o a valores aceitáveis. Ajuste de instrumentos de medida de acordo com padrões oficiais; ajuste de processos.

CALL — 1) Opção que pode ser exercida pelo devedor numa operação de empréstimo com lançamento de títulos no exterior. 2) Parcela não liberada do preço de uma ação. Isto pode acontecer quando a pessoa que subscreve ações paga somente parte do valor de emissão daquelas, pagando o restante após o rateio, quando as ações lhe forem atribuídas em definitivo.

CALMA — Emoção natural que exprime o equilíbrio emocional.

CALOR — Modalidade de energia que é transmitida de um corpo para outro quando entre eles existe diferença de temperatura.

CALOR ESPECÍFICO — Calor necessário para elevar em um grau (1º) a temperatura de uma unidade de massa de uma substância.

CALOR LATENTE — Calor fornecido ou cedido por uma substância, quando seu estado físico é mudado, sem a alteração de sua temperatura.

CALOTA GLACIAL — Grande massa de geleira com até 2 a 3 km de espessura, ligada à glaciação continental ou de latitude, formada em regiões polares. No Pleistoceno (período quaternário que ocorreu entre 1,8 milhão a 11.000 anos atrás) existiram calotas glaciais importantes, tais como Laurentidiana (América do Norte), Fenoscandiana (Norte da Europa) e Alpina (região dos Alpes). Atualmente, calotas glaciais recobrem a Antártida e a Groelândia.

CALOTA INSULAR — Calota de gelo cobrindo parte importante de uma ilha. Designação usada para distingui-la da calota continental e geleira de vale.

CALÚNIA — É a imputação falsa e maliciosa feita a alguém de crime que não cometeu. A conduta é imputar, atribuir, afirmar fato cometido por alguém, definido como crime pela legislação em vigor. Protege-se no crime de calúnia a honra objetiva do ofendido, já que a calúnia vem para lhe trazer o (potencial, pelo menos) descrédito social.

CAM (*COMPUTER AIDED MANUFACTURING*) — É a fabricação assistida por computador. No Brasil tem-se empregado a expressão Computação Gráfica em substituição ao termo mais preciso Gráficos Interativos por Computador. O desenvolvimento destes ambientes gráficos interativos propiciou o aparecimento de programas aplicativos voltados à solução de problemas de Engenharia, tipo CAD, CAM e CAE.

CAMADA DE INVERSÃO — Faixa da atmosfera (particularmente, da troposfera) que, por circunstâncias especiais e locais, num determinado momento apresenta o seu perfil de temperatura invertido em relação ao normal, isto é, com a temperatura aumentando com a altitude. Pode começar no nível do solo ou a partir de uma certa altitude. A base da camada de inversão bloqueia a dispersão de poluentes para cima e por esta razão é um amplificador da poluição atmosférica em grandes cidades com características topográficas de depressão, como São Paulo (Brasil), Los Angeles (EUA) e Santiago (Chile); eventualmente essas cidades têm que recorrer até ao bloqueio do tráfego para que o ar não se torne irrespirável. É um fenômeno mais freqüente no inverno e no interior.

CAMADA DE OZÔNIO — Também chamada de ozonosfera, é uma camada da atmosfera terrestre na qual se concentra a maior parte do ozônio atmosférico. Situa-se entre 10 e 50 km da superfície terrestre, na qual a concentração de ozônio é relativamente alta. A concentração máxima geralmente ocorre entre 20 e 25 km. Nesta camada, a maior parte da radiação ultravioleta solar, nociva aos seres vivos, é absorvida pelas moléculas de ozônio. É também chamada de escudo de ozônio ou camada protetora de ozônio.

CÂMARA ALTA — Nos regimes bicamerais é o mesmo que Senado. (Ver: Bicameral.)

CÂMARA BAIXA — Nos regimes bicamerais é o mesmo que Câmara dos Deputados. (Ver: Bicameral.)

CÂMARA DE COMÉRCIO — Corporação de comerciantes e industriais, instituída, sob os auspícios dos poderes públicos, para servir como órgão de defesa dos interesses comerciais e industriais de determinada região, ao mesmo tempo que se coloca como órgão representativo da classe junto aos mesmos poderes.

CÂMARA DE COMPENSAÇÃO — Organização que reúne vários bancos de uma localidade com o objetivo de liquidar os débitos entre eles, compensando todos os cheques emitidos contra cada um, mas apresentados para cobrança em qualquer um dos outros.

CÂMARA DE LIQUIDAÇÃO — Entidade através da qual os contratos futuros são controlados, garantidos e liquidados.

CÂMARA DOS DEPUTADOS - CONTAGEM DE PRAZOS — Os prazos regimentais, salvo disposição em contrário, assinalados em dias ou sessões são computados respectivamente como dias corridos ou por sessões ordinárias da Câmara dos Deputados efetivamente realizadas. Os prazos ficam suspensos durante os períodos de recesso do Congresso Nacional, resguardadas as exceções. (Ver: Congresso Nacional.)

CÂMARA DOS DEPUTADOS — Órgão integrante do Poder Legislativo Federal, cujos membros são eleitos pelos estados e Distrito Federal, segundo o sistema de representação proporcional. Os deputados federais, que compõem a Câmara, recebem do povo uma espécie de procuração para representá-lo, na defesa de seus interesses (do povo) junto ao Poder Legislativo Federal. A Câmara Federal é um dos órgãos do Congresso, composto por 513 deputados federais, sendo o outro o Senado Federal, composto por 81 senadores. (Ver: Congresso Nacional // Poder Legislativo Federal.)

CÂMARA LEGISLATIVA — Designação dada a toda assembléia de legisladores, compreendida pelo parlamento, pelas cortes ou por quaisquer outras organizações que integrem o Poder Legislativo. No Brasil, integrando o Poder Legislativo, Câmara dos Deputados e Senado Federal entendem-se como Câmaras Legislativas.

CÂMARA LEGISLATIVA, PRESIDENTE DE — É o chefe da organização, que exerce funções também executivas, além de ser o presidente nato de suas reuniões ou assembléias deliberativas, competindo-lhe ainda ser o representante da corporação em suas relações externas.

CÂMARA MUNICIPAL — Composta por seus vereadores, eleitos por voto direto dos habitantes do município, com a função de legislar sobre interesses de ordem geral. Não pratica atos de gestão ou administração, peculiares ao poder executivo municipal. No Brasil são, atualmente, 5.562 Câmaras Municipais - uma em cada município - compostas por 51.831 vereadores. (Ver: Vereador.)

CÂMARA MUNICIPAL – CRIME DE RESPONSABILIDADE — Constitui crime de responsabilidade: Do prefeito - efetuar repasse ao Legislativo que supere os limites de 8%,7%,6% ou 5% (percentual conforme o número de habitantes do município); não enviar o repasse até o dia 20 de cada mês, ou enviar repasse a menor. Do presidente da Câmara - gastar mais de 70% de sua receita com folha de pagamento, incluído o gasto com vereadores. Art. 29-A, §3º da CF. (Ver: Câmara Municipal - Despesa com Pessoal.)

CÂMARA MUNICIPAL - DESPESA COM PESSOAL — A Câmara Municipal não poderá gastar mais de 70% (setenta por cento) de sua receita (repasse do executivo) com folha de pagamento, incluído o gasto com subsídio de seus vereadores. Além do limite de 70% calculado sobre o exercício anterior, a despesa com pessoal da Câmara não poderá exceder a 6% (seis por cento) da Receita Corrente Liquida do Município arrecadada nos últimos 12 (doze) meses, conforme dispõe a LC nº 101 - Lei de Responsabilidade Fiscal. Não confundir últimos 12 meses como último exercício. Ex.: as despesas de pessoal do mês de setembro levam em conta as realizadas no mês de setembro do exercício anterior até agosto do exercício corrente.

CÂMARA MUNICIPAL - LIMITE DA DESPESA — O total das despesas do Legislativo Municipal, incluídos os subsídios dos vereadores e excluídos os gastos com inativos, está limitado, em cada exercício, ao percentual calculado sobre o somatório da receita tributária constituída da arrecadação de impostos, taxas e Contribuição de Melhorias (não incluem as receitas de: contribuições, patrimonial, agropecuária, industrial e de serviços) e das transferências constitucionais (obrigatórias de impostos previstos no § 5º do art. 153 e nos arts. 158 e 159 da CF) efetivamente realizadas pelo município no exercício anterior, e não sobre os 12 meses imediatamente anteriores. Não se incluem, ainda, outras transferências, tais como convênios (SUS, merenda escolar, salário-educação etc.), *royalties* e os recursos recebidos do FUNDEF. Portanto, sobre o somatório daquelas receitas efetivamente realizadas no exercício anterior (§ 5º do art. 153 e nos arts. 158 e 159 da CF), deve ser aplicado o percentual máximo correspondente a 8%, 7%, 6% ou 5%, de acordo com a faixa de habitantes do município que varia, respectivamente, até 100.000 habitantes; de 100.001 a 300.000; 300.001 a 500.000, e acima de 500.000 habitantes, segundo informação do IBGE (art. 29-A da C.F.). As transferências provenientes do FPM, ICMS, IPI/exportação e ICMS/desoneração de exportação que ingressam no município correspondem, na realidade, a 85% do seu valor, tendo em vista a retenção compulsória de 15% ao FUNDEF. O cálculo do limite da despesa do Legislativo deve ser efetuado utilizando o valor correspondente a 100%. (Ver: Educação - FUNDEF.)

CÂMARA MUNICIPAL - LIMITE DE DESPESA PARA O SEU FUNCIONAMENTO — A Emenda Constitucional nº 25, de 25.02.2000, impôs ao Legislativo Municipal limites de despesas para o seu funcionamento. Dependendo do número de habitantes do município, a Câmara respectiva poderá gastar, no máximo, com a sua manutenção, de 5% a 8% do somatório da receita tributária e das transferências constitucionais federal e estadual efetivamente realizadas no exercício anterior. Da aplicação dos recursos repassados pelo Poder Executivo para o funcionamento da Câmara (de 5% a 8%, dependendo do número de habitantes), no máximo 70% poderão ser despendidos com pessoal (incluído o subsídio dos vereadores e excluídos os gastos com inativos), observando-se, concomitantemente, o limite de 6% estabelecido na LRF.

CÂMARA MUNICIPAL - RECEITAS — As Câmaras Municipais não possuem receitas próprias, portanto, dependem de transferências de recursos do Poder Executivo Municipal correspondente, observados os limites de despesas previstos na Emenda Constitucional Federal nº 25, de 24.02.2000. (Ver: Câmara Municipal - Limite da Despesa - Receita Tributária do Exercício Anterior.)

CÂMARA MUNICIPAL - REMUNERAÇÃO DO VEREADOR — Conforme dispõe o inciso VI do art. 29 da Constituição Federal, alterado pelo art. 1º da Emenda Constitucional Federal nº 25, de 24/02/2000, a remuneração do vereador é fixada pelas respectivas Câmaras Municipais em cada legislatura para a subseqüente, observados os critérios estabelecidos na Lei Orgânica do Município e os limites máximos de 20%, 30%, 40%, 50%, 60%, 75% dos subsídios dos deputados estaduais correspondentes à faixa de habitantes do município que varia, respectivamente, até 10.000 habitantes; 10.001 a 50.000; 50.001 a 100.000; 100.001 a 300.000; 300.001 a 500.000, e acima de 500.000 habitantes, segundo informação do IBGE. No estado do Rio de Janeiro, o Conselho Superior de Administração do Tribunal de Contas do Estado decidiu que para limite do cálculo da remuneração dos vereadores, deverão ser consideradas, anualmente, 15 (quinze) parcelas recebidas pelos deputados estaduais/RJ, assim distribuídos: 12 meses = janeiro a dezembro; 01 mês = 13º salário; 02 meses = ajuda de custo sessões ordinárias. (Ver: Remuneração dos deputados estaduais.)

CÂMARA MUNICIPAL - TRANSFERÊNCIAS DE RECURSOS DO EXECUTIVO — Estão limitadas ao previsto na Emenda Constitucional Federal nº 25, de 24.02.2000. (Ver: Câmara Municipal - Limite da Despesa // Câmara Municipal - Crime de Responsabilidade.)

CÂMARA MUNICIPAL, FUNÇÕES DA — No sistema democrático brasileiro, a Câmara Municipal é um órgão colegiado e independente na matéria pela qual decide as questões de sua competência, respeitados os princípios e os preceitos constitucionais. A posição e o papel das Câmaras Municipais podem ser assim definidos: Posição - conceito formal, que diz respeito às funções legais, às atribuições que são reservadas à Câmara pela lei; Papel - tem a ver com a atuação, o comportamento da instituição no jogo do sistema político e governamental. No que se refere à posição, as funções básicas exercidas pela Câmara Municipal são: Função legislativa: consiste em elaborar as leis sobre matérias de sua competência exclusivas do município, listadas em cada uma das leis orgânicas municipais, com base no disposto na Constituição Federal; Função fiscalizadora: tem por objetivo o exercício do controle externo da Administração Municipal, principalmente quanto à execução orçamentária e ao julgamento das contas de gestão, após análise e parecer prévio do Conselho ou Tribunal de Contas, apresentadas anualmente pelo prefeito. O controle externo é exercido com o auxílio do Conselho ou Tribunal de Contas. Função administrativa: restringe-se ao seu funcionamento e à sua organização interna, ou seja, à estruturação organizacional, à organização de seu quadro de pessoal, à direção de seus serviços auxiliares e, principalmente, à elaboração de seu Regimento Interno.

CÂMARAS — O Tribunal de Justiça atua em órgãos plenário - o Órgão Especial - e fracionários. Estes dividem-se em Grupos e Câmaras. Estas são compostas por quatro desembargadores, dos quais apenas três participam do julgamento, sendo presididas pelo de mais idade.

CÂMARAS DE FÉRIAS — São Câmaras criadas em Tribunais de Justiça de diversos estados, objetivando atender aos processos que ingressam no Tribunal durante os períodos de recessos, nos meses de janeiro e julho.

CÂMARAS DE LIQUIDAÇÃO E CUSTÓDIA — Equivalentes às câmaras de compensação bancárias, são entidades responsáveis pelo registro, liquidação e compensação das transações realizadas nas bolsas com títulos de emissão das empresas.

CÂMARAS E PRESTADORES DE SERVIÇOS DE COMPENSAÇÃO — São instituições que operam qualquer um dos sistemas integrantes do sistema de pagamentos, cujo funcionamento resulte em movimentações interbancárias e envolva pelo menos três participantes diretos para fins de liquidação, dentre instituições financeiras ou demais instituições autorizadas a funcionar pelo Banco Central do Brasil. As câmaras de compensação são pessoas jurídicas que exercem, em caráter principal, as atividades de compensação e de liquidação, e os prestadores de serviços, por sua vez, são pessoas jurídicas que exercem, em caráter acessório, essas mesmas atividades. As câmaras e os prestadores de serviços de compensação e de liquidação têm sua atuação regulamentada pela Lei nº 10.214, de 27 de março de 2001, e pela Resolução Bacen nº 2.882, de 30 de agosto de 2001, e seu funcionamento disciplinado pela Circular Bacen nº 3.057, de 31 de agosto de 2001.

CAMBIAL (CÂMBIO) — O que se refere a câmbio; título cambial, ação cambial, taxa cambial. Chama-se cambial à própria letra de câmbio sacada de país a país.

CÂMBIO — O câmbio exprime a relação de troca entre moedas de diferentes países, transação comum nas operações de comércio exterior (exportação e importação) e de transferências de capital, por qualquer motivo, seja investimento ou gastos com turismo. As cotações relativas das moedas são definidas por diversos fatores, dependendo basicamente da oferta e da procura por uma moeda. O nível de desenvolvimento econômico do país contribui para a definição de sua taxa de câmbio, bem como o nível de investimentos estrangeiros que recebe, seu nível de relação comercial com os demais países, sua situação fiscal, seu nível de juros, entre outros fatores. Países mais fortes economicamente, mais sólidos, tendem a ter moedas com maior aceitação internacional. (Ver: Operação de câmbio.)

CÂMBIO COMERCIAL — É a cotação do dólar usada para o fechamento dos contratos de exportação e importação. O câmbio comercial também registra as operações de empréstimos de empresas no exterior, investimentos estrangeiros diretos, as entradas e saídas dos investimentos estrangeiros em renda fixa e nas bolsas de valores.

CÂMBIO FIXO — É o sistema de câmbio em que o Banco Central de um país estabelece um valor fixo para a paridade entre a moeda local e o dólar, ou outra moeda estrangeira.

CÂMBIO FLUTUANTE — É o sistema em que as operações de compra e venda de moedas funcionam no mercado formal sem controle sistemático do governo. Neste caso, o valor das moedas estrangeiras flutua de acordo com o interesse e com a oferta e a procura no mercado. É uma das modalidades do mercado de câmbio (livre e flutuante) regulamentadas e fiscalizadas pelo Banco Central. Também é conhecido, impropriamente, como "turismo". Nesse mercado podem ser realizadas operações relativas à compra e venda de moeda estrangeira para o turismo internacional e diversas transferências não relacionadas ao turismo (como, por exemplo, contribuições a entidades associativas, doações, heranças, aposentadorias e pensões, manutenção de residentes e tratamento de saúde). Em regra, não há limite de valor para as operações do mercado flutuante. (Ver: Operação de câmbio flutuante.)

CÂMBIO LIQUIDADO — Evento relacionado a contrato de câmbio registrado e cuja obrigação de entrega das moedas estrangeira e nacional foi satisfeita.

CÂMBIO LIVRE OU COMERCIAL — É uma das modalidades do mercado de câmbio (livre e flutuante) regulamentadas e fiscalizadas pelo Banco Central. O mercado livre é também conhecido como "comercial". Nesse mercado podem ser realizadas as operações decorrentes de comércio exterior (exportação e importação) relacionadas às atividades dos governos federal, estadual e municipal; relativas aos investimentos estrangeiros no País e aos empréstimos a residentes sujeitos a registro no Banco Central; e referentes aos pagamentos e recebimentos de serviços.

CÂMBIO NEGRO — Ver Câmbio paralelo.

CÂMBIO PARALELO — É o sistema em que as operações de compra e venda de moedas funcionam paralelamente ao mercado formal. É o mercado de câmbio no qual se realizam as operações de câmbio entre pessoas não autorizadas pelo Banco Central do Brasil. Esta atividade, também conhecida como mercado paralelo, mercado negro ou câmbio negro, é ilegal. Sendo assim, todos os negócios realizados no mercado paralelo, bem como a posse de moeda estrangeira, sem origem justificada, são ilegais e sujeitam a pessoa às penas previstas em lei. (Ver: Operação de Câmbio Paralelo.)

CAMPANHA — Conjunto de operações ajustadas a um determinado objetivo, planejadas e executadas por uma determinada instituição, em proveito de uma comunidade definida.

CAMPANHA ELEITORAL — Ver Eleição - Campanha Eleitoral.

CAMPO PETROLÍFERO SUBMARINO — São campos petrolíferos, de idades variando entre o Mesozóico Superior e Cenozóico (Terciário), e se estendem das áreas continentais para as plataformas continentais adjacentes. Os maiores campos são: região do Golfo do México, Califórnia, Venezuela, Mar do Norte e Golfo Pérsico. No Brasil, o exemplo mais importante de campos petrolíferos submarinos encontra-se na Bacia de Campos (RJ), além das bacias Sergipe-Alagoas e Potiguar (RN).

CANAL DE TENDÊNCIA — Termo utilizado em análise técnica para definir, no gráfico de ações, quando se pode traçar uma reta aproximadamente paralela à linha de tendência por dois máximos (no caso de alta) ou dois mínimos (no caso de baixa). Em geral, o canal de tendência sugere um movimento futuro provável da ação.

CANCELAMENTO — Interrupção, por ordem de autoridade competente, de uma operação, procedimento ou campanha emergencial.

CANCELAMENTO DE PROTESTO — Ato de cancelar o protesto mediante pagamento do título pelo devedor, entregando-o ao oficial do cartório. Com o cancelamento, as certidões expedidas contra o devedor ficarão inutilizadas.

CANDIDATO — Aspirante a emprego, cargo, honraria; aquele que pede que o elejam para um cargo.

CÂNIONS — Desgaste do relevo por intermédio da passagem de um rio naquele local por muito tempo.

CÂNON — Regra, disciplina. Usa-se, também, canône. Regra eclesiástica sobre dogma ou disciplina, elaborada nos concílios ou pelo próprio papa. O conjunto sistematizado dos cânones forma o Direito Canônico, inerente à Igreja Católica.

CAOS — Relativo à teoria da complexidade, desordem, alta entropia, imprevisibilidade, manifestações de fenômenos complexos; símbolo do movimento que vem crescendo rapidamente e que está provocando uma nova revolução no pensamento científico; enunciado de problemas que desafia a abordagem disciplinar da ciência; superação dos padrões reducionistas e da abordagem analítica das disciplinas científicas em termos de suas partes constitutivas; irregularidade; limite de complexidade e capacidade evolutiva.

CAPABILITY MATURITY MODEL — Ver CMM.

CAPACIDADE — 1) Volume que pode ser acumulado num reservatório. 2) Quantidade de líquido que uma estrutura pode deixar escoar. 3) Conjunto de habilidades de uma pessoa ou organização para executar determinadas atividades e obter resultados que atendam aos requisitos especificados. As habilidades são adquiridas com a aplicação dos conhecimentos, os quais têm origem nas diversas fontes de informações, como livros, cursos, palestras e também no treinamento no trabalho.

CAPACIDADE ASSIMILATIVA — Limite quantitativo de um sistema para assimilar e processar substâncias ou mistura de substâncias nele introduzidas, sem causar desequilíbrio ou perturbação relevante nas suas funções básicas. A capacidade assimilativa não é estática, mudando de acordo com as condições do momento e com as substâncias introduzidas.

CAPACIDADE CIVIL — É a capacidade de exercer pessoalmente atos jurídicos. Aptidão ou autoridade legal de que se acha investida a pessoa para praticar atos da vida civil, isto é, poder livremente dispor da sua vontade para contratar, adquirir direitos, aceitar obrigações etc., com validade jurídica. A capacidade civil pode ser plena ou relativa. A capacidade civil advém aos 18 anos, embora possa vir antes, nos casos de emancipação após os 16 anos.

CAPACIDADE DE DIREITO — Aptidão conferida a uma pessoa, pela lei, para ser titular de direitos.

CAPACIDADE DE ENDIVIDAMENTO — Em economia empresarial, é a aptidão que uma empresa demonstra para captar recursos tendo por base a sua estrutura financeira. No plano da análise financeira especificamente, convencionou-se que uma empresa que apresente a relação capital próprio/ativo permanente menor (<) 0,5 se encontra no limite de sua capacidade de endividamento.

CAPACIDADE DE EXERCÍCIO DE DIREITOS — Aptidão de um indivíduo para praticar atos jurídicos, livremente por si próprio ou por meio de representação voluntária.

CAPACIDADE DE FATO — Aquela que permite o exercício de direitos pelo próprio titular. Confunde-se com o autodiscernimento ou consciência dos próprios atos. Trata-se, portanto, de uma aptidão que não depende de determinação legal, sendo mero atributo da personalidade moral.

CAPACIDADE DE FINANCIAMENTO — É a denominação dada ao saldo da conta de capital de um agente, quando este figura como aplicação, ou seja, no ativo.

CAPACIDADE DE GOZO DE DIREITOS — Aptidão de um indivíduo para poder ser titular de um círculo maior ou menor de direitos e obrigações resultantes de uma relação jurídica.

CAPACIDADE DE PRODUÇÃO — Volume de bens e/ou serviços que uma empresa pode produzir durante jornada de trabalho predeterminada.

CAPACIDADE ECONÔMICO-FINANCEIRA — Ver Situação Econômico-Financeira.

CAPACIDADE EMPRESARIAL — É a competência para organizar, coordenar, decidir, controlar e dirigir um negócio com sucesso.

CAPACIDADE GERENCIAL — É a competência para organizar ações, decidir sobre rumos, controlar e coordenar as atividades dos recursos humanos de uma empresa.

CAPACIDADE INSTALADA — É o potencial de produção de determinado setor da economia. Condição potencial de produção de uma empresa com base nos recursos de que dispõe (equipamentos, mão-de-obra, conhecimentos, estoque etc.). Dizer que a indústria está trabalhando com 79,04% da sua capacidade é o mesmo que dizer que está com 20,96% de sua capacidade de produção ociosa.

CAPACIDADE JURÍDICA — É a possibilidade de as pessoas serem sujeitos ativos ou passivos de relações jurídicas, quando a lei não o proíba. (capacidade de gozo de direitos). É aquela que possibilita a pessoa a adquirir e exercer direitos, e contrair obrigações.

CAPACIDADE MÁXIMA DE TRAÇÃO — Máximo peso que a unidade de tração é capaz de tracionar, indicado pelo fabricante, baseado em condições sobre suas limitações de geração e multiplicação de momento de força e resistência dos elementos que compõem a transmissão.

CAPACIDADE OCIOSA — Diferença entre o volume efetivo de produção e o que seria possível produzir com a capacidade instalada da empresa. Deste modo, a capacidade ociosa representa o quanto a empresa poderia estar produzindo a mais para atingir sua capacidade de produção.

CAPACIDADE ORGANIZACIONAL — É a competência para a ordenação e sistematização das atividades de uma organização.

CAPACIDADE PLENA — É aquela atribuída a todas as pessoas aptas a exercer direitos, isto é, as que completam 18 anos.

CAPACIDADE POSTULATÓRIA — Termo amplamente utilizado na linguagem jurídica, exprime o sentido de "estar apto" à realização de um dado evento previsto na lei. A capacidade postulatória, assim, é apenas uma das muitas manifestações de capacidade legal, que no caso é exigida daquele que pretende postular a defesa de direitos em juízo - daí porque se chama de capacidade para postular, ou capacidade postulatória, ou aptidão para postular direitos em juízo.

CAPACIDADE PROCESSUAL — É a qualidade da pessoa capaz de participar de uma relação processual em seu nome ou em nome de terceiro. Toda pessoa que se acha no exercício dos seus direitos tem capacidade para estar em juízo.

CAPACIDADE TOTAL — É a condição em que uma organização opera utilizando todos os recursos de que dispõe.

CAPACITAÇÃO — É a formação específica que habilita a pessoa a exercer determinada atividade. Termo considerado polêmico e considerado mecanicista por algumas instituições.

CAPACITAÇÃO (EMPODERAMENTO) — Processo de conquistar ou possuir controle sobre si mesmo, sobre a ideologia e os recursos que determinam poder. Concessão de um sentimento de auto-realização ou autoridade a um indivíduo, grupo de indivíduos ou organização. Atualmente consideram-se três níveis de capacitação: *enhacement* (capacitação do próprio indivíduo por recursos externos); *empowerment* (capacidade que o indivíduo tem de aproveitar o recurso externo rompendo com a dependência e criando a sua própria autonomia); *empowerment development* (capacidade que o indivíduo tem de sair da primeira fase de autonomia para uma fase mais avançada de capacidade para aumentar a sua qualidade de vida em todos os níveis, ou, dito de outra forma, o seu índice de desenvolvimento humano). (Ver: Empoderamento.)

CAPACITAÇÃO DE PESSOAL — É o procedimento de educação e treinamento que visa conferir um conjunto de conhecimentos e habilidades a um indivíduo, de modo que o mesmo possa exercer uma determinada função.

CAPACITAÇÃO EMPRESARIAL — É o conjunto de ações para preparar dirigentes e empresários do setor industrial para que melhor possam conduzir seus negócios.

CAPACITAÇÃO PROFISSIONAL — Conjunto de atividades que visam à preparação do indivíduo para desenvolver tarefas relacionadas ao trabalho, possibilitando-lhe maiores chances de entrada no mercado.

CAPACITAÇÃO TECNOLÓGICA — É a aquisição da capacidade de inovar, principalmente através do domínio das tecnologias em uso. Estágio anterior ao processo de inovação. O processo de capacitação tecnológica inclui a compra de tecnologia de origem externa em condições de absorção efetiva. Qualificação dos recursos humanos com a finalidade de permitir a utilização de conhecimentos e informações técnicas que favoreçam o processo de inovação tecnológica da empresa. Condição básica para a interação entre empresas e Centros de Pesquisa e Desenvolvimento.

CAPATAZIA — É o serviço utilizado geralmente em portos e estações/terminais ferroviários, onde profissionais autônomos, ligados a sindicatos, ou de empresas particulares executam o trabalho de carregamento/descarregamento, movimentação e armazenagem de cargas.

CAPELANIA PENITENCIÁRIA — Órgão que se encarrega de prestar assistência religiosa nos presídios; seu chefe é o capelão.

CAPITAIS BRASILEIROS NO EXTERIOR — Ver CBE.

CAPITAIS ESTRANGEIROS — São assim considerados os bens, as máquinas e os equipamentos entrados no Brasil sem dispêndio inicial de divisas, destinados à produção de bens ou serviços, bem como os recursos financeiros ou monetários, introduzidos no País, para aplicação em atividades econômicas, desde que, em ambas as hipóteses, pertençam a pessoas físicas ou jurídicas residentes, domiciliadas ou com sede no exterior.

CAPITAIS ESTRANGEIROS NO PAÍS, CENSO DE — O Censo de capitais estrangeiros no país é realizado quinzenalmente pelo Banco Central com o objetivo de captar informações que permitam uma análise completa da situação, movimentos e resultados dos capitais estrangeiros no País, com vistas a subsidiar a definição de políticas globais e setoriais do governo brasileiro.

CAPITAL — É a soma de todos os recursos, bens e valores mobilizados para a constituição de uma empresa. É o dinheiro investido em atividades em que existe possibilidade de perdas. Normalmente, esses investimentos são feitos por empresas ou instituições privadas. O capital também pode ser definido como todos os meios de produção que foram criados pelo trabalho e que são utilizados para a produção de outros bens. Assim, o capital de uma empresa ou de uma sociedade, por exemplo, é constituído pelo conjunto de seus recursos produtivos que foram criados pelo trabalho humano. Os recursos naturais, como a terra, por exemplo, não são considerados capital. O conceito de capital abrange somente os meios de produção social, ou seja, aqueles utilizados em atividades que se inserem na divisão do trabalho.

CAPITAL ABERTO — É o capital de uma sociedade anônima representado por ações que podem ser negociadas nas Bolsas de Valores. Estas ações, por sua vez, são divididas entre vários acionistas. (Ver: Companhia de capital aberto // Companhia de capital fechado.)

CAPITAL AUTORIZADO — Limite estatutário de competência da assembléia geral de acionistas, ou do conselho de administração de uma empresa, para aumentar, independentemente de reforma estatutária, o capital social.

CAPITAL CIRCULANTE — É a parte do capital destinada às despesas operacionais de uma empresa com matérias-primas, salários, materiais auxiliares, combustíveis, energia elétrica e com estoques de mercadorias. Nesse sentido, é também chamado de capital de giro. Do ponto de vista da concepção marxista, é a parte do capital não fixa, isto é, aquela que não é destinada à compra de equipamentos, máquinas e instalações. Do ponto de vista financeiro, pode ser considerada aquela parte do capital que é financiada com créditos de longo prazo. A magnitude do capital circulante de uma empresa é um indicador do seu grau de liquidez no mercado. É também definido como a diferença entre Ativo e Passivo Circulantes de uma empresa. A maioria das empresas precisa operar com um certo montante de capital circulante, mas a quantidade exata depende do setor de atuação. Por exemplo, empresas com fluxos de caixa muito previsíveis, como as de eletricidade, podem operar com um capital circulante negativo. Contudo, a maioria das empresas precisa manter níveis positivos desse capital.

CAPITAL CONTAMINADO — É o capital pertencente a investidor não-residente que, por critérios internos ou interpretações da Lei, não foi reconhecido para fins de registro como investimento externo direto.

CAPITAL DE DESENVOLVIMENTO — É o capital de risco *later stage* investido dois ou três anos depois de o negócio ter se tornado maduro e necessita de fundos extras para se expandir.

CAPITAL DE GIRO — O mesmo que capital circulante.

CAPITAL DE GIRO ASSOCIADO AO INVESTIMENTO — É um recurso destinado para cobrir as despesas que a empresa terá com os novos investimentos financiados, ou seja, se a empresa financiou uma máquina de produção, ela irá necessitar de matéria-prima para produzir - neste caso, será financiado o capital de giro.

CAPITAL DE GIRO LÍQUIDO — É o capital de curto prazo que a empresa efetivamente tem disponível, sem o compromisso com os passivos de curto prazo. Corresponde ao ativo circulante menos o passivo circulante de uma empresa.

CAPITAL DE PRODUÇÃO — São mercadorias produzidas pelo ser humano e utilizadas como insumos na produção de outras mercadorias. O capital de produção inclui estoques e bens em operação, equipamentos físicos e a terra, mas não os bens de consumo duráveis, os recursos naturais e o trabalho.

CAPITAL DE RECUPERAÇÃO — É o capital fornecido a empresas em dificuldades quando o capitalista de risco vê uma oportunidade de lucrar ou fazer a empresa dar lucro. Alguns capitalistas de risco contratam especialistas em falências para identificar e gerir esses investimentos.

CAPITAL DE RISCO — É o capital investido em atividades ou investimentos, nos quais existe a possibilidade de perdas e, ao mesmo tempo, a possibilidade de ganhos superiores aos habituais.

CAPITAL DE SUBSTITUIÇÃO — São fundos fornecidos para permitir que um acionista possa vender parte ou toda a sua parcela de capital.

CAPITAL DE TERCEIROS — Valor dos recursos de terceiros utilizados para a manutenção da atividade de uma empresa.

CAPITAL EMITIDO — É a fração do capital de uma empresa colocada à disposição dos acionistas para subscrição. Este pode ou não ser realizado ou subscrito. Quando o capital subscrito for superior ao capital emitido, tem de se proceder a um rateio para a atribuição dos títulos.

CAPITAL EMPREENDEDOR — Ver Capital de Risco ou Capital Empreendedor.

CAPITAL ESPECULATIVO — Diz-se do capital que só procura obter vantagens de uma determinada situação, não trazendo benefícios para a economia ou setor no qual se acha investido. Encontra-se, principalmente, no mercado financeiro.

CAPITAL ESTATUTÁRIO — Ver capital autorizado.

CAPITAL ESTRUTURAL — Processos, estruturas, sistemas de informação, patentes e outros conhecimentos explícitos, que são bens/ativos da organização.

CAPITAL EXTERNO — Capital de origem estrangeira. (Ver: Investimento Estrangeiro.)

CAPITAL FINANCEIRO — Representa o conjunto de todos os quantitativos monetários que são aplicados num negócio (em resultado de uma renúncia ao consumo presente), tendo em vista o seu estabelecimento ou expansão. No caso da formação ou expansão de uma unidade empresarial, o capital financeiro pode assumir várias formas, como as ações preferenciais ou as ações ordinárias.

CAPITAL FÍSICO — Representa a habilidade física do indivíduo de utilizar com eficiência as matérias-primas disponíveis, com o objetivo de potencializar a produção.

CAPITAL FIXO — São bens representados por imóveis, máquinas e equipamentos.

CAPITAL GARANTIDO — Modalidade de fundo de renda variável que protege o investimento inicial no caso de uma variação negativa do Índice Ibovespa. A rentabilidade do fundo de capital garantido é positiva, se a rentabilidade do Índice Ibovespa também for positiva. Mas se o Índice Ibovespa cair, o investidor tem assegurado que receberá no vencimento da aplicação a mesma quantia inicialmente investida.

CAPITAL HUMANO — É o conjunto dos investimentos destinados à formação educacional e profissional de determinada população. O índice de crescimento do capital humano é um dos indicadores do desenvolvimento econômico. É representado pela informação adquirida para que seja reproduzida no processo produtivo. A educação é uma das principais fontes de capital humano. O termo é usado também para designar as aptidões e habilidades pessoais que permitem ao indivíduo auferir uma renda. Esse capital deriva de aptidões naturais ou adquiridas no processo de aprendizagem. Nesse sentido, o conceito de capital humano corresponde ao de capacidade de trabalho.

CAPITAL INICIAL — Ver *Love Money.*

CAPITAL INTELECTUAL — É o valor agregado aos produtos da organização por meio de informação e conhecimento. É composto pelas habilidades e conhecimentos das pessoas, pela tecnologia, pelos processos ou pelas características específicas de uma organização. Os dados trabalhados transformam-se em informação. A análise da informação produz o conhecimento. O conhecimento utilizado, de maneira organizada, como forma de incrementar o acervo de experiências e a cultura da organização, constitui-se em capital intelectual. Vai além das habilidades físicas do indivíduo ou do seu grau de acesso à informação. É caracterizado pelas formas como essas habilidades físicas e humanas e, principalmente, as informações são utilizadas e aplicadas, gerando assim conhecimento e saber.

CAPITAL INTENSIVO — É a forma de produção em que a proporção do capital empregado é significativamente elevada em relação aos demais insumos ou fatores de produção, particularmente em relação ao custo de fator trabalho.

CAPITAL PÚBLICO — É aquele pertencente ao domínio público, sendo aplicado em negócios e serviços de interesse coletivo e para a manutenção da própria sociedade.

CAPITAL SEMENTE — São recursos investidos no estágio pré-operacional da empresa para a elaboração de plano de negócios, construção de protótipo, desenvolvimento de pesquisa de mercado e contratação de executivos.

CAPITAL SOCIAL — 1) É a força, a imagem e a legitimidade que uma organização pública ou privada soma ao longo de sua existência, graças a sua trajetória e à marca que construiu. O capital social é o maior patrimônio de uma organização e, quando colocado a serviço de uma causa, tem grande potencial de alcançar seus objetivos, mobilizando recursos técnicos, financeiros e humanos. 2) Conjunto de interações locais que permitem a perseguição de um projeto coletivo de pequeno âmbito.

CAPITAL SUBSCRITO — Montante total de recursos, financeiros ou materiais, que os sócios se comprometem a aplicar (investir) na empresa.

CAPITAL SUBSCRITO A INTEGRALIZAR — É a parcela de subscrição que o acionista deverá pagar, de acordo com determinação do órgão que autorizou o aumento de capital de uma sociedade.

CAPITAL SUBSCRITO E REALIZADO — Montante de capital social acrescido da parcela de subscrição paga pelo acionista.

CAPITAL SUBSTITUIÇÃO — São fundos fornecidos para permitir que um acionista possa vender parte ou toda a sua parcela de capital.

CAPITAL SUOR *(SWEAT EQUITY)* — É a percentagem extra do capital de uma empresa que é reservada para a equipe de gestão. As ações adicionais são vistas como uma motivação e refletem o fato de que é o trabalho duro dos gestores que pode fazer a iniciativa ter sucesso.

CAPITAL, APLICAÇÃO DE — É o emprego direto ou indireto de valores com finalidade de obter lucro. As aplicações de capital figuram no ativo e as contas que as encerram possuem saldos devedores. É o mesmo que investimento de capital.

CAPITAL, AUMENTO DE - COLOCAÇÃO DIRETA — Aumento de capital pretendido pela empresa. Só pode ser realizado mediante a subscrição de ações pelos atuais acionistas, diretamente na empresa.

CAPITAL, AUMENTO DE - COLOCAÇÃO INDIRETA — É a operação pela qual uma instituição financeira ou um grupo delas, reunidas em um consórcio de subscrição, adquire, por subscrição, a totalidade das ações provenientes de uma nova emissão, para posterior colocação no mercado secundário.

CAPITAL, AUMENTO DO — O aumento do capital social pode ser realizado através da entrada de novos sócios, através de entradas dos antigos acionistas ou por incorporação de reservas. Os antigos sócios devem ter sempre o direito de opção na subscrição do novo capital. Considera-se por norma as seguintes formas de aumento de capital: entradas em dinheiro ou outros valores; transformação de dívidas em capital; incorporação de reservas reais e atualização dos valores do ativo.

CAPITAL, BENS DE — São os bens que servem para a produção de outros bens.

CAPITAL, CHAMADA DE — Subscrição particular ou pública de ações novas pelo valor nominal ou outro valor, com ou sem ágio, para aumentar o capital de uma empresa.

CAPITAL, CUSTO DE — É definido como a taxa de retorno que uma empresa deve obter em seus investimentos para manter seu valor de mercado inalterado. O valor da empresa pode ser definido como o valor atual dos lucros esperados. Mantendo o risco constante, projetos com retornos acima do custo de capital devem aumentar o valor da empresa e vice-versa. Caso se tenha uma taxa de retorno superior ao custo de capital, é de se esperar que o valor de mercado seja superior ao valor patrimonial. Caso não seja, isso pode indicar que a empresa está desvalorizada e representa uma boa oportunidade de compra.

CAPITAL, DEMOCRATIZAÇÃO DO — É o processo pelo qual a propriedade de uma empresa fechada transfere-se, total ou parcialmente, para um grande número de pessoas que desejam dela participar e que não mantêm, necessariamente, relações entre si, com o grupo controlador ou com a própria companhia.

CAPITAL, ESTRUTURA DE — É a combinação de diversas modalidades de capital de terceiros e capital próprio por uma empresa. Conhecida também como estrutura financeira.

CAPITAL, GANHO DE — 1) Lucro obtido por meio da especulação com capital, incluindo compra e venda de ações, juros de investimentos financeiros, aluguéis, venda de imóveis e outras modalidades. 2) Diferença positiva entre o valor de venda dos bens e direitos e seu respectivo custo de aquisição.

CAPITAL, INVESTIMENTO DE — Despesa que, direta ou indiretamente, irá produzir uma utilidade à empresa ou à entidade e que expressa um valor de consumo no ato da sua verificação, ou seja, um elemento que não voltará a prestar outro ato semelhante; quando a despesa se destina a muitos anos, é plurianual, e então pode ser caracterizada como um investimento durável ou como uma imobilização técnica; o mesmo que custo.

CAPITALISMO — Sistema econômico baseado na propriedade privada dos meios de produção e sua utilização com fins lucrativos. Por extensão, regime fundamentado na dissociação entre os proprietários dos meios de produção, que os utilizam com o objetivo de lucro, e os trabalhadores, que efetivamente realizam a produção mediante o pagamento de um salário que remunera seu trabalho. É um sistema de operação de uma economia que se caracteriza pela convivência entre a liberdade de iniciativa pessoal e a livre concorrência entre empresas, com pouca intervenção do Estado. Sistema econômico que se baseia na supremacia do capital sobre o trabalho. O surgimento do capitalismo foi propiciado pela convergência de várias circunstâncias históricas, e coincidiu com o início da revolução industrial. O capitalismo nasceu sob o signo do liberalismo que inaugurava uma total liberdade da iniciativa privada no processo produtivo e excluía dele qualquer intervenção do Estado. Como sistema econômico, o capitalismo não tinha uma ética. Regulava-se exclusivamente pelas indicações do mercado e neste, pelo mecanismo da formação dos preços, que obedecia à lei da oferta e da procura. Pouco a pouco, o capitalismo evoluiu para novas formas, as quais podem ser agrupadas sob o nome de Neocapitalismo. Entre os fatores que agiram nessa evolução, devem-se assinalar a organização crescente das forças sindicais e a difusão do catolicismo social. O capitalismo passou a admitir a intervenção do Estado, como responsável pelo bem comum, para impedir a concorrência violenta e prevenir as crises econômicas e aceita novas formas de relações humanas na empresa, daí resultando, inclusive, maior produtividade.

CAPITALISTA DE RISCO — É o empresário que presta financiamento a outro empresário e desempenha papel ativo nas atividades da empresa, às vezes ocupando um cargo de diretoria.

CAPITALIZAÇÃO — Aumento do patrimônio de uma empresa com a injeção de dinheiro novo. Acontece, basicamente, de duas formas: pela emissão de ações ou títulos (que são vendidos, e o dinheiro resultante é incorporado ao capital da empresa) ou pela venda de parte da companhia a um novo sócio. Aplicação, reinversão ou reaplicação dos resultados ao patrimônio de uma empresa.

CAPITALIZAÇÃO BOLSISTA — É o valor da empresa calculado com base na sua cotação, servindo assim de indicativo da sua dimensão. O seu valor é apurado através do produto do número de ações pela cotação da empresa. Este é um indicador importante para a entrada ou a exclusão de empresas de determinados índices.

CAPITALIZAÇÃO DE JUROS — Acréscimo dos juros cobrados ao capital inicial e ao saldo devedor, provocando o cálculo de juro sobre juro, chamado juro composto ou capitalizado.

CAPITIS DEMINUTIO — [Latim]. Expressão que significa redução da capacidade civil; perda de direitos civis.

CAPÍTULO — É a parte de uma norma jurídica, formada pelo conjunto de seções. (Ver: Técnica de elaboração de leis e decretos.)

CAPTAÇÃO — Obtenção de recursos para aplicação a curto, médio ou longo prazo.

CAPTAÇÃO DE CLIENTELA — É o ato de atrair clientes com métodos capciosos, direta ou indiretamente, para o exercício da profissão. Essa prática é proibida ao advogado.

CAPTAÇÃO DE RECURSOS — É a atividade que cuida da administração do passivo do investimento e do relacionamento com o cliente. Consiste em acolher ordens de aplicação de recursos de clientes investidores, responsabilizando-se pelo repasse ao administrador de recursos. Inversamente, transfere recursos do administrador para o cliente investidor quando este deseja efetuar um resgate.

CAPTAÇÃO DE RENDA — Toda a atividade empreendida pela atividade econômica no sentido de monopolização dos mercados em que está inserida. A monopolização de um mercado permite às empresas com poder de mercado a obtenção de renda econômica e aos restantes, a perda ordinária ou extraordinária (pela perda absoluta de bem-estar) do seu excedente.

CAPTURA/PRISÃO — Ato de apreender ou prender uma pessoa por suposto cometimento de um crime ou pela determinação de uma autoridade.

CAPUT — Termo latino, significando cabeça. Refere-se à primeira parte, ou à parte mais alta de um artigo de lei. É a parte do artigo que contém o fundamento deste. Após o *caput*, sucedem-se os parágrafos, itens e alíneas. (Ver: Técnica de elaboração de leis e decretos.)

CARACTERÍSTICA — É qualquer propriedade distinta de um item, de um processo, de um produto ou de um serviço que possa ser diferenciada quantitativamente ou qualitativamente.

CARACTERÍSTICA DO PRODUTO — É a propriedade que um produto ou serviço possui cujo objetivo é o de atender a certas necessidades dos clientes.

CARACTERÍSTICAS DA QUALIDADE — São itens que devem ser medidos no produto para verificar se a qualidade exigida está sendo cumprida.

CARACTERÍSTICAS DO AGRAVO — Ver Agravo, Características do.

CARACTERÍSTICAS JURÍDICAS DO USO — Ver Uso, Características Jurídicas do.

CARACTERIZAÇÃO — Caracteriza-se algo quando se destaca alguma propriedade importante desse algo. Descrição e registro de características morfológicas, citogenéticas, bioquímicas e molecular do indivíduo, as quais são pouco influenciadas pelo ambiente, em sua expressão.

CARÁTER — É o termo que designa o aspecto da personalidade responsável pela forma habitual e constante de agir peculiar a cada indivíduo; esta qualidade é inerente somente a uma pessoa, pois é o conjunto dos traços particulares, o modo de ser desta: sua índole, sua natureza e temperamento. O conjunto das qualidades, boas ou más, de um indivíduo lhe determina a conduta e a concepção moral: seu gênio, humor, temperamento, este sendo resultado de progressiva adaptação constitucional do sujeito às condições ambientais, familiares, pedagógicas e sociais.

CARATERIZAÇÃO ECOLÓGICA — É a descrição dos componentes e processos importantes que integram um ecossistema e o entendimento de suas relações funcionais.

CARBONO — É o elemento químico que tem a mais ampla aplicação dentre todos os elementos e entra na composição de todos os compostos orgânicos. Não se funde e é quimicamente inativo a baixas temperaturas; a temperaturas mais elevadas, queima e absorve oxigênio.

CARBONO 14 — Isótopo radioativo do carbono com peso atômico 14, produzido pelo bombardeamento de átomos de nitrogênio 14, por raios cósmicos. Hoje em dia, é intensamente utilizado na determinação da idade de substâncias carbonosas ou carbonáticas de idade inferior a cerca de 30.000 anos. A meia-vida deste elemento radioativo é de 5700 ± 30 anos. (Ver: Isótopo.)

CÁRCERE PRIVADO — Crime contra a pessoa consistente em privar alguém de sua liberdade.

CARÊNCIA — 1) Necessidade por falta, ausência, ou por insuficiência. 2) Prazo previsto contratualmente, durante o qual não há exigência de pagamento da parcela do principal da dívida, ou seja, amortização. Normalmente, durante a carência o mutuário paga apenas a parcela de juros. 3) Período de tempo em que o investidor está impedido ou sofrerá alguma penalização, se resgatar os seus investimentos em um fundo de investimento. 4) É o lapso, contado a partir da data de início de vigência, durante o qual o participante e os beneficiários de um plano de previdência ou seguro não terão direito à percepção dos benefícios contratados.

CARÊNCIA DA AÇÃO — É a ausência do direito de agir, decorrente da falta de pressuposto processual ou de condição da ação. É a legitimidade do exercício da ação. O direito de ação se subordina a certas condições, em falta das quais, de qualquer delas, quem o exercita será declarado carente dele, dispensando o órgão jurisdicional de decidir o mérito de sua pretensão. Para exercer o direito de ação, a parte deve atender a determinados pressupostos processuais: a) legitimidade para a causa, isto é, o autor e o réu devem ser os sujeitos do direito discutido na ação; b) interesse de agir, ou seja, a necessidade do uso da via judicial; c) possibilidade jurídica do pedido, o que significa não ser o pedido contrário à ordem jurídica vigente. Se a parte não atende à exigência legal, ocorre a carência da ação, extinguindo-se o processo. Há que distinguir, por outro lado, entre carência da ação e improcedência da ação. Se a parte não preenche os requisitos exigidos na legislação, não há sequer direito de ação, havendo carência deste. Entretanto, se a parte atende a tais requisitos, mas não tem sua pretensão acolhida na decisão do mérito, vale dizer, a sentença lhe é desfavorável, ocorre a improcedência da ação. A Lei nº 11.277, de 8.2.2006, em vigor a partir de 9.5.2005, deu aos juízes poderes para decidir rapidamente os conflitos sobre os quais já há entendimento consolidado no mesmo juízo. Pela nova norma, quando a matéria controvertida for unicamente de direito e no juízo já houver sido proferida sentença de total improcedência em outros casos idênticos, poderá ser dispensada a citação e proferida sentença, reproduzindo-se o teor da anteriormente prolatada.

CARÊNCIA DO DIREITO DE AÇÃO — Ver Carência da Ação.

CARÊNCIA NUTRICIONAL — Ver Saúde - Carência nutricional.

CARGA ASSINALADA — Carga de natureza perigosa (explosivo, inflamáveis, líquidos corrosivos e materiais similares), que exige cuidados especiais para manuseio, armazenagem e arrumação. É assinalada por meio de rótulos ou marcações de diferentes cores, estabelecidos em regulamentos específicos.

CARGA DE RETIRADA DE AUTOS PROCESSUAIS — Ônus imposto aos advogados na retirada de autos do cartório, tornando-os responsáveis por estes. Em cada cartório existe um livro de carga que formula tais retiradas.

CARGA GENÉTICA — Conjunto de genes letais ou subletais causadores de anormalidade em uma população.

CARGA ORGÂNICA — É a quantidade de oxigênio necessária à oxidação bioquímica da massa de matéria orgânica que é lançada ao corpo receptor na unidade de tempo. Geralmente, é expressa em toneladas de DBO (Demanda Bioquímica de Oxigênio) por dia.

CARGA TRIBUTÁRIA — É o esforço fiscal do governo. Totalidade de tributos que incide sobre os contribuintes. O montante de impostos arrecadados no país. Em geral se analisa a carga tributária de um país em relação ao seu PIB (Produto Interno Bruto). No Brasil, a arrecadação de impostos já ultrapassa um terço das riquezas produzidas no país, tendo alcançado 36,91% do PIB em 2004 e 38,94% em 2005, índices muitos superiores aos de países com economia comparável à do Brasil. Para se dar uma idéia do avanço do Estado sobre a renda da sociedade, quando as contas nacionais começaram a ser contabilizadas, em 1947, o total de impostos arrecadados equivaleu a 13,8% do PIB. A carga tributária de 38,94% de 2005 significa que os brasileiros trabalharam 142 dias, ou seja, 4 meses e 22 dias só para financiar o Governo. Em 1980 correspondeu a 90 dias. A partilha da carga tributária foi a seguinte: a União arrecadou 68,45% e ficou com 57,6%; os estados arrecadaram 26% e ficaram com 25,2%; os municípios arrecadaram 5,6% e ficaram com 17,2% (a diferença negativa dos municípios foi suprida pelas transferências dos saldos positivos da União e estados).

CARGO — É o posto de trabalho ou encargo que é confiado a uma pessoa em estabelecimento público ou privado.

CARGO DE CONFIANÇA — Atividade cujo titular pode ser afastado imotivadamente; por exemplo, gerentes de bancos, ministros de Estado. Na Administração Pública também é conhecido por Cargo em Comissão (CC): é o cargo público ocupado sem a realização de concurso público, apenas por nomeação. Os CC's podem assumir, por exemplo, em Secretarias Públicas, naqueles cargos aos quais não é obrigatório o concurso público. A cada troca de governo, seja Municipal, Estadual ou Federal (como no caso do Brasil), tais funções, incorporadas por servidores de confiança da administração vigente, sofrem um remanejo e novos nomeados tomam seus lugares.

CARGO EFETIVO — É a ocupação funcional criada em lei, integrante de carreira ou cargo isolado, cuja investidura depende de aprovação em Concurso Público.

CARGO EM COMISSÃO — É a ocupação funcional criada em lei, de livre nomeação e exoneração, podendo ser de recrutamento amplo ou limitado; cargo ocupado por pessoa da confiança dos agentes políticos ou dos dirigentes do alto nível, não se exigindo Concurso Público para ocupá-lo. Na Administração Pública também é conhecido por Cargo de Confiança (CC).

CARGO ISOLADO — Cargo efetivo que não se integra em carreira e corresponde a certa e determinada função.

CARGO PÚBLICO — É o conjunto de atribuições e responsabilidades cometidas a um servidor, com as seguintes características essenciais: criação por lei, denominação própria, número certo, pagamento pelos cofres públicos, direitos e deveres de natureza estatutária estabelecidos em lei, e provimento em caráter efetivo ou em comissão.

CARGO PÚBLICO - SINECURA — Emprego que exige pouco ou nenhum trabalho de quem o exerce. Cargo público concedido por nepotismo, em troca de favores políticos.

CARGO PÚBLICO - SINECURISMO — Forma corrupta de governo que se apóia no nepotismo, ou seja, na concessão de empregos públicos desnecessários a indivíduos despreparados.

CARGO PÚBLICO, VACÂNCIA DE — Situação do cargo público sem titular.

CARGO TÉCNICO — É a ocupação funcional, de provimento efetivo ou em comissão, para o exercício do qual é exigida habilitação profissional e conhecimentos específicos, ligados a determinada área de atuação.

CARGO VITALÍCIO — Aquele de provimento assim declarado em lei e que é ou pode ser exercido pelo servidor público enquanto não completar 70 (setenta) anos de idade. Tramita no Congresso Nacional uma Proposta de Emenda Constitucional (PEC) ampliando para 75 anos o limite de idade.

CARIDADE — Significa benevolência, complacência, compaixão; para os cristãos, é uma das virtudes teologais (fé, esperança e caridade); o termo é combatido por parte dos ativistas do Terceiro Setor por representar antigas práticas clientelistas e de reprodução da pobreza, tais como a esmola.

CARIMBO — Forma com que o mercado passou a denominar os aumentos de capital, via aumento do valor nominal das ações.

CARNÊ-LEÃO — Recolhimento mensal obrigatório de imposto de renda sobre rendimentos que uma pessoa física recebe de outra (ex.: gratificações) ou rendimentos no exterior com os quais não mantenha qualquer tipo de vínculo empregatício. A falta de vínculo faz com que o recebedor seja o responsável pelo recolhimento que deve ser feito mensalmente através do DARF. Assim como o imposto de renda, o carnê-leão só é devido no caso desses rendimentos ultrapassarem o piso fixado pela Receita Federal. Para rendimentos acima do piso, são aplicadas as mesmas alíquotas que no IRRF. No caso de vínculo empregatício, o empregador é o responsável por esse recolhimento, estando isento do carnê-leão, uma vez que os rendimentos já são tributados na fonte. Atualmente é calculado com base nos valores da tabela progressiva mensal constante em Instrução Normativa da Secretaria da Receita Federal (SRF).

CARONA — Diz-se quando uma pessoa beneficia-se de um bem, mas se recusa a pagar por ele.

CARREATA — Deslocamento em fila na via de veículos automotores em sinal de regozijo, de reivindicação, de protesto cívico ou de uma classe.

CARREIRA — Conjunto de cargos de provimento efetivo, subdividido em níveis e referências, identificação e grau de complexidade e responsabilidade. É o agrupamento de classes da mesma profissão escalonadas segundo a hierarquia de serviço, por acesso privativo dos titulares dos cargos que a integram. O conjunto de carreiras e de cargos isolados constitui o quadro permanente do serviço dos diversos poderes e órgãos públicos. As carreiras se iniciam e terminam nos respectivos quadros. (Ver: Classe.)

CARREIRA POLÍTICA — Ver Eleição - Carreira política.

CARRIED INTEREST — Ações ou opções sobre ações da empresa em que se investe cedidas ao capitalista de risco como parte do acordo de financiamento.

CARTA — Documento ou escrito judicial, ou oficial, por meio do qual se pede a execução de certos atos, fazem-se avisos, contratos, notificações, ou intimações, impõem-se deveres ou obrigações, ou, ainda, atribuem-se ou reconhecem-se direitos. Em Direito Internacional, escrito solene destinado a consignar os direitos ou a enunciar grandes princípios. Assim como um tratado, uma carta tem um valor impositivo.

CARTA ABERTA — A que se publica na imprensa para conhecimento público de fatos controversos.

CARTA AVALIATÓRIA — Destinada a proceder a avaliação de bens no juízo deprecado.

CARTA AVOCATÓRIA — Ordem escrita emanada de autoridade superior à que lhe é hierarquicamente inferior e a ela subordinada, para que envie à sua presença autos de processo que se encontram em seu poder, já julgados ou para julgamento, a fim de que a autoridade avocante, segundo os princípios firmados na lei, que autoriza o avocamento, tome conhecimento do que neles se contém e delibere como for de direito e razão. A carta avocatória é, assim, instrumento do ato de requisição de processo.

CARTA BRANCA — Autorização dada para uma pessoa para que ela possa agir com plenos poderes.

CARTA DE ABONO — Meio pelo qual se garante a solvabilidade de uma pessoa até um certo limite.

CARTA DE ADJUDICAÇÃO — É o documento judicial pelo qual o credor, na execução, se adjudica o bem penhorado. É um título de propriedade expedido a favor do exeqüente, ou de qualquer credor, em concurso, de preferência, ou rateio, após realização deste, ou da praça ou leilão, e antes de assinado o auto de arrematação.

CARTA DE ARREMATAÇÃO — É o documento judicial mediante o qual o próprio credor ou terceiros adquirem, no processo executório, bens penhorados, sejam estes móveis, imóveis ou semoventes. Valerá o maior lance em primeira praça ou o maior preço, sem limite mínimo, na segunda. Cabe a carta de arrematação também na alienação de bens em inventário.

CARTA DE CITAÇÃO — Meio que serve para citar alguém por via postal.

CARTA DE CRÉDITO — Documento pelo qual a pessoa torna-se responsável pela quantia entregue ao creditado. Documento de crédito negociável, pelo qual se concede crédito em moeda a uma pessoa ou empresa. Nas operações de comércio exterior, a carta de crédito é emitida em moeda estrangeira e encaminhada para pagamento através de um banco no país do exportador. Existem três tipos de cartas de crédito: a) confirmada (conta com garantia de uma terceira instituição), b) transferível (permite a transferência de direitos) e c) irrevogável (não pode ser modificada sem concordância das partes). Na importação brasileira, é aquela que confere maiores garantias ao exportador estrangeiro, na medida em que ele condiciona o embarque da mercadoria para o Brasil ao prévio recebimento de um documento de garantia, através do qual um banco autorizado a operar no Brasil garante o integral pagamento da transação, desde que obedecidas algumas condições e cláusulas de embarque.

CARTA DE EXECUÇÃO PROVISÓRIA — Documento judicial que permite ao exeqüente promover a execução provisória da sentença. O art. 521 do CPC diz que, sendo a apelação recebida apenas no efeito devolutivo, o apelado pode promover, desde logo, a execução provisória da sentença, extraindo a respectiva carta. O art. 590 do CPC contém os requisitos da carta, que são: I - autuação; II - petição inicial e procuração das partes; III - contestação; IV - sentença exeqüenda; V - despacho do recebimento do recurso.

CARTA DE GUIA — O mesmo que carta de sentença no Cível. Aquela que o juiz criminal, logo que transita em julgado a sua decisão condenatória, faz acompanhar o réu, pondo-o à disposição do diretor do estabelecimento em que ele deve cumprir a pena. Diz-se também daquela pela qual o beneficiado por livramento condicional é mandado pôr em liberdade.

CARTA DE HOMOLOGAÇÃO DE SENTENÇA ESTRANGEIRA — Título expedido pelo Supremo Tribunal Federal, após processo regular, a fim de que a sentença estrangeira possa ser executada no Brasil.

CARTA DE ORDEM — Diz-se daquela pela qual o juiz requisita de outro, de categoria inferior, e de seu subordinado, fora da circunscrição jurisdicional do deprecante e na do deprecado, contanto que da mesma Justiça e do mesmo estado, a realização de certo ato ou diligência, cujo prazo de cumprimento é prefixado. Tem como requisitos essenciais: a indicação dos juízes de origem e de cumprimento do ato; o inteiro teor da petição, do despacho judicial e do instrumento do mandato conferido ao advogado; a menção do ato processual, que lhe constitui o objeto; o encerramento com a assinatura do juiz.

CARTA DE REMIÇÃO — Título de propriedade expedido a favor do executado que, até a assinatura do auto de arrematação ou até que seja publicada a sentença de adjudicação, libera todos os bens penhorados, ou um deles, oferecendo preço igual ao da avaliação, se não houve licitante, ou de maior lanço feito.

CARTA DE SENTENÇA — Título hábil para execução da sentença condenatória que passou em julgado, extraído regularmente dos autos da ação em que foi ela proferida. É coletânea de peças extraídas do processo para a realização da execução provisória. Retirada pelo escrivão e assinada pelo juiz, a carta de sentença deve conter: a) autuação; b) petição inicial e procuração das partes; c) contestação; d) sentença exeqüenda; e) despacho do recebimento do recurso. As peças extraídas do processo, o qual habilita a parte a executar provisoriamente a sentença, são formadas porque os autos principais subirão à instância superior para conhecimento do recurso da parte vencida, recurso este que não é dotado de efeito suspensivo.

CARTA MAGNA — Designativo utilizado com freqüência como sinônimo de Constituição.

CARTA NÁUTICA — Carta que representa trechos de mar e rios ligados a trechos da costa, ilustrada por sondagem, pontos observáveis do mar e demais dados úteis aos navegantes.

CARTA PATENTE — Documento que formaliza o privilégio de invenção, de modelo industrial ou de desenho industrial, feito pelo Instituto Nacional de Propriedade Industrial.

CARTA PRECATÓRIA — Carta especial em que um juiz se dirige ao titular de outra jurisdição que não a sua, de igual ou superior categoria, pedindo o cumprimento de determinado ato, no lugar ou sob jurisdição deste, dentro do território nacional. A carta pode ser: a) citatória, quando pede a citação de alguém; b) executória, se por seu meio se promove um executivo ou execução de sentença; c) inquiritória, quando se pede a inquirição de testemunhas; d) instrutória, quando pede diligência para a prática de qualquer ato necessário à instrução duma causa; e) avaliatória, quando depreca a avaliação de certos bens situados em outra comarca; f) de vênia, meio pelo qual um juiz requer de outro o cumprimento de determinado ato, nos autos de processo de competência deste, na mesma jurisdição de ambos (comarcas onde existem mais de uma Vara). A precatória, ordinariamente, é expedida por carta, mas, quando a parte o preferir, por telegrama, radiograma, telefone e fax, ou em mãos do procurador. (Ver: Citação por Carta Precatória.)

CARTA REMISSÓRIA — A que um juiz envia a outro, juntamente com autos, ou para lhe pedir que devolva autos em seu poder.

CARTA ROGATÓRIA — É um pedido feito por autoridade judicial estrangeira para requisição de atos que devam ser praticados em outro território estrangeiro, como citação, interrogatório de testemunhas, prestação de informações, entre outras. É o ato processual pelo qual um juiz de determinado país solicita a juiz de outro país o cumprimento, no território deste, de providências judiciais. No Brasil, recebida a carta rogatória, esta deve, primeiramente, receber o *exequatur* do Supremo Tribunal Federal (STF) autorizando o seu cumprimento. As Cartas Rogatórias, em sua maioria, chegam ao STF por via diplomática, encaminhadas pelo Ministério da Justiça ou pelo Ministério das Relações Exteriores. Contudo, elas também podem ser diretamente requeridas pela parte interessada que tenha aberto o processo no tribunal estrangeiro.

CARTA SINDICAL — Diploma concedido pelo Ministério do Trabalho para reconhecer juridicamente uma entidade sindical. Só são válidas as emitidas até 5 de outubro de 1988, data da promulgação da Constituição brasileira. (Ver: Certidão de Registro Sindical.)

CARTA TESTEMUNHÁVEL — É o recurso cabível, em matéria penal, contra decisão que denega recurso, ou que, embora o admitindo, obste a sua expedição e seguimento para o juízo de instância superior. É cabível contra decisão que denegar ou não der seguimento a: recurso em sentido estrito, protesto por novo júri, conversão da apelação em protesto por novo júri do pedido de justificação e do agravo em execução. Deve ser instruída com peças extraídas do processo correspondentes à instância inferior. O processo da carta testemunhável na instância superior seguirá o processo do recurso denegado e não terá efeito suspensivo.

CARTÃO *CO-BRAND/CO-BRANDS* — Ou marcas compartilhadas. São cartões que associam marcas de empresas com interesses estratégicos em comum. O cartão normalmente agrega serviços e benefícios adicionais, além dos oferecidos na versão convencional (seja Doméstico, Classic Internacional ou Gold). Normalmente, esses benefícios estão sendo atrelados ao nível de utilização do serviço. Ou seja, o usuário vai acumulando pontos através da utilização do cartão, revertendo, a *posteriori*, prêmios ou benefícios na aquisição de produtos da marca representada pelo cartão.

CARTÃO DE AFINIDADE — São cartões que agregam clientes com afinidades semelhantes e apresentam a marca de uma instituição sem fins lucrativos (ex.: profissão, clubes, associações diversas, ONG's etc.). Normalmente, parte da receita da anuidade cobrada dos clientes é revertida para o grupo de afinidades, representando uma fonte adicional de recursos, além de uma boa exposição do nome. Esses aspectos são os principais elementos de atração destes grupos pelo programa.

CARTÃO DE DÉBITO — Esse cartão substitui a um baixo custo as transações efetuadas com cheque, acessando diretamente a conta corrente. Possui risco de inadimplência zero, uma vez que todas as transações são autorizadas. É sinônimo de segurança para o comerciante, que diminui a circulação de moeda, e para o portador, pela segurança de não ter que carregar dinheiro. O Cartão de Débito oferece agilidade e comodidade, evidenciando a imagem da instituição financeira.

CARTÃO DE IDENTIFICAÇÃO DO CONTRIBUINTE — Ver CIC.

CARTÃO *PRIVATE LABEL* — Cartão bastante popular entre os consumidores de baixa renda. Em geral, seu uso se dá exclusivamente numa determinada rede de lojas ou *shopping*, o que garante ao varejista a fidelização de seus clientes usuários e um incremento em seu volume de vendas sem risco de inadimplência. Para o usuário, oferece crédito pré-aprovado, eliminando burocracias na realização de cada compra, garantindo rapidez e agilidade.

CARTÃO *SMART CARD* — Cartão inteligente, cujo valor ou informação pode ser abastecido e usado de acordo com as necessidades. No entanto, não é utilizado apenas como meio de pagamento. O produto concentra inúmeras outras possibilidades de usos, desde a identificação de funcionários, pagamentos de tarifas de transportes e benefícios sociais até dados sobre o seu portador, inclusive sobre seus hábitos de consumo. No Brasil, assim como no mundo, é uma experiência recente e encontra-se em fase de testes. O que definirá o sucesso dos *Smart Cards* em todo o mundo será o nível de confiabilidade, segurança, tecnologia e viabilidade mercadológica.

CARTEIRA — Termo utilizado para descrever um grupo de investimentos do investidor ou um grupo que compõe o fundo de investimento. A carteira pode ser composta de vários instrumentos financeiros, tais como ações, títulos de renda fixa etc.

CARTEIRA ADMINISTRADA — Expressão que designa um portfólio de investimentos sob a responsabilidade de um gestor, a quem cabe a escolha das aplicações (ações, títulos e outros ativos e valores) de acordo com os níveis de remuneração e risco desejados. A carteira pode ser formada por recursos de um único investidor ou de um grupo deles, caso dos fundos de investimento.

CARTEIRA ATIVA — É o conjunto das operações de crédito ou com característica de crédito (operações de arrendamento mercantil, outros créditos e repasses interfinanceiros) contabilizadas no balancete patrimonial da instituição financeira, representando direitos de futuros recebimentos de operações vencidas e a vencer.

CARTEIRA DE AÇÕES — Conjunto de ações de diferentes empresas, de propriedade de pessoas físicas ou jurídicas.

CARTEIRA DE AÇÕES OU TÍTULOS — Ver Carteira de Títulos // Carteira de Ações.

CARTEIRA DE CRÉDITO — É a somatória da Carteira Ativa e dos créditos baixados como prejuízo.

CARTEIRA DE INVESTIMENTOS — É o conjunto de ativos financeiros pertencentes a uma pessoa ou empresa. A carteira de um investidor é o conjunto de todos os tipos de investimentos que ele possui. A carteira de um operador de bolsas de valores ou de um fundo de investimento é o conjunto de todos os títulos, papéis ou valores que são objeto de negociação.

CARTEIRA DE TÍTULOS — É o conjunto de títulos de renda fixa e variável, de propriedade de pessoas físicas ou jurídicas.

CARTEIRA DE TÍTULOS PÚBLICOS FEDERAIS DAS EMPRESAS — São as disponibilidades de caixa das empresas estatais aplicadas no extramercado, em títulos ou outras aplicações financeiras.

CARTEIRA DO FUNDO DE INVESTIMENTO — É o conjunto de todos os títulos, papéis e obrigações do fundo. O administrador do fundo administra essa carteira, através da compra e venda.

CARTEIRA DO INVESTIDOR — Ver Carteira de investimentos.

CARTEIRA HIPOTECÁRIA — Linha de crédito habitacional criada pelo presidente Getúlio Vargas em 1936; hoje possui regras de financiamento, prazo de pagamento e taxas de juro definidas pelas instituições financeiras.

CARTEL — O termo é usado normalmente para definir grupos empresariais que se unem para controlar a oferta de determinado produto e obter preços mais altos. Para isso, impedem que novas empresas atuem no setor. Quando isso acontece, eles passam a praticar preços artificialmente baixos, até que o novo concorrente não consiga mais vender seus produtos e acabe saindo do mercado. O cartel de empresas menores é uma medida de defesa ante um grande competidor ou visa a uma racionalização da produção tendente a conseguir preços competitivos.

CARTOGRAFIA — Ciência e arte da representação gráfica da superfície do planeta Terra, em parte ou no seu todo, de acordo com a escala. Trata também da representação de todos os fenômenos ocorridos no paneta Terra ou com ela relacionados. A cartografia moderna utiliza como fonte de dados a fotografia aérea. Hoje não se concebe mais cartografia sem aerofotogrametria. Os levantamentos terrestres são feitos para fornecer dados de apoio às fotografias aéreas.

CARTÓRIO — É a repartição onde funcionam os tabelionatos, os ofícios de notas, as escrivanias da Justiça, os registros públicos, e se mantêm os respectivos arquivos.

CARTÓRIO DE REGISTRO DE IMÓVEIS — Também intitulado de Serventia Registrária, é o local onde se oficializam os atos de "registros" e "averbações", regularizam-se, consignam-se, declaram-se, estabelecem-se e anotam-se documentos. Responsabiliza-se pelo arquivamento de todos os documentos apresentados à serventia, que, por determinação legal, ficam arquivados.

CARTÓRIO DE TÍTULOS E NOTAS — Entidade privada com reconhecimento público que guarda títulos e documentos, faz registros públicos e lavra (redige) contratos.

CARTÓRIO EXTRAJUDICIAL — É o local onde são praticados os atos extrajudiciais, como escrituras, testamentos públicos, registros imobiliários de pessoas físicas, expedição de certidões etc. da jurisdição.

CARTÓRIO OU VARA JUDICIAL — Ver Vara Judicial.

CARTULARIDADE — É a característica pela qual o crédito incorpora-se ao documento, ou seja, materializa-se no título; assim, por exemplo, o direito de crédito de um cheque está incorporado nele próprio - portanto, basta apresentá-lo no banco sacado para exercer o direito.

CASA DA MOEDA — Instituição que fabrica moedas e imprime cédulas no Brasil sob determinação do Banco Central. Ela detém ainda o monopólio sobre a impressão de passaportes e selos postais.

CASA LEGISLATIVA — Denominação genérica atribuída à Câmara dos Deputados, às Assembléias Legislativas Estaduais e Câmaras de Vereadores. Também pode ser usada em referência ao Senado Federal.

CASAMENTO - OCULTAÇÃO DE IMPEDIMENTO — Crime contra a instituição familiar, consistente em contrair casamento, induzindo o outro contraente a erro ou ocultando-lhe impedimento, que não seja casamento anterior (Ver: Bigamia.)

CASAMENTO — Ou matrimônio. A definição exata varia historicamente e entre as culturas, mas, de um modo geral, é uma união socialmente sancionada entre um homem e uma mulher que têm como propósito constituir família (com ou sem filhos) mediante comunhão de vida. Juridicamente, a principal conseqüência do casamento é a situação dos bens passados, presentes e futuros dos nubentes, que receberão tratamento diferenciado a partir do Regime de Bens adotado pelo casal. No Brasil, o casamento é regulamentado pelo Código Civil. Ele é necessariamente monogâmico, e só pode ser realizado entre um homem e uma mulher, a idade mínima dos noivos é de 16 anos (casando entre 16 e 18 anos, o menor automaticamente é emancipado). É um contrato bilateral e solene realizado entre um homem e uma mulher com o intuito de constituir família com uma completa comunhão de vida. A pessoa maior de 60 anos só pode se casar no regime de separação de bens. (Ver: Regime de bens.)

CASAMENTO DE OPÇÕES — É a compra ou venda, por um mesmo aplicador, de igual número de opções de compra e de venda sobre a mesma ação-objeto, com idênticos preços de exercício e datas de vencimento.

CASAMENTO PUTATIVO — É aquele que foi celebrado quando uma ou ambas as partes desconheciam a existência de um impedimento. Exemplo: quando alguém contrair segundas núpcias pensando que o primeiro cônjuge faleceu. O casamento putativo é nulo ou anulável, mas, se gerar filhos, os mesmos não serão prejudicados. Para que ocorra a putatividade do casamento, a doutrina majoritária ensina que basta que exista boa-fé por parte dos nubentes no momento da celebração do casamento. A boa-fé se conserva até o instante em que um dos consortes descobre que o matrimônio não poderia ter sido celebrado, porquanto inquinado do vício de nulidade ou de anulabilidade. A ignorância, em que se baseia a boa-fé, decorre de um erro de fato ou de um erro de direito. (Ver: Putativo // Boa-fé // Má-fé.)

CASAMENTO, AÇÃO ANULATÓRIA DE — É o procedimento judicial que compete a qualquer dos cônjuges, ou a quem tenha legítimo interesse moral ou econômico na causa, em que se advoga a declaração de nulidade do casamento contraído ao arrepio da lei ou perante autoridade não-competente. Segue o rito ordinário; tem a intervenção do promotor de Justiça, por se tratar de ação de Estado. De rito ordinário, é ação de Estado, intervindo o Ministério Público.

CASAS-LARES — Residências, em sistema participativo, cedidas por instituições públicas ou privadas, destinadas à permanência de pessoas sem família e detentoras de renda insuficiente para a sua manutenção.

CASE — Fato acontecido que serve para exemplo.

CASH — Dinheiro contado à vista; pagamento em dinheiro.

CASH BASIS — Venda a dinheiro.

CASH DISCOUNT — Desconto para pagamento à vista.

CASH EARNINGS — Soma do resultado líquido corrigido com as amortizações e provisões do exercício.

CASH FLOW — 1) É o fluxo de caixa, as previsões e o registro do movimento de entrada e saída de dinheiro de uma empresa, órgão governamental ou mesmo de uma família. É um importante indicador da capacidade de autofinanciamento da empresa. O *cash flow* bruto corresponde aos resultados operacionais acrescidos das amortizações e das provisões. O *cash flow* líquido é o somatório dos resultados líquidos com as amortizações e provisões.

CASH SALE — Pagamento à vista.

CASH WITH ORDER — Pagamento feito na ordem da compra.

CASH YIELD — É o indicador que mede o retorno financeiro anual de uma ação.

CASO — 1) Situação específica na qual se aplica uma teoria ou uma lei ou se verificam resultados da aplicação de uma lei. 2) Aquela pessoa do grupo populacional em estudo que apresenta a enfermidade específica, alteração na saúde ou condição objeto do estudo.

CASO ANÁLOGO — Aqueles que, por sua semelhança ou paridade, são resolvidos extensivamente ou por analogia.

CASO DE FORÇA MAIOR — Todo o acontecimento natural ou ação humana que, embora previsível, não se pode evitar (inevitabilidade).

CASO FORTUITO — É o acontecimento imprevisto e independente da vontade humana, cujos efeitos não são possíveis de impedir. São, por exemplo, a tempestade, o furacão, a queda de raio, a inundação etc, ou seja, não é controlado pelo ser humano.

CASO JULGADO — Ver Coisa julgada.

CASSAÇÃO — É o ato pelo qual se suspende o exercício de determinados direitos civis ou políticos ou o exercício do mandato em um cargo eletivo.

CASSAÇÃO DE MANDATO LEGISLATIVO — Processo de anulação do mandato de cargos legislativos. De modo geral, o que motiva a cassação de mandato é a quebra do decoro parlamentar, ou seja, o comportamento inadequado conforme cada código de ética parlamentar. Os requerimentos de cassação são apresentados pelos partidos políticos à comissão de ética, que analisa o pedido e envia parecer ao presidente da Casa. Caso a comissão de ética apresente um relatório que recomende a cassação de mandato, compete ao presidente marcar a sessão plenária que, por meio do voto secreto dos parlamentares, aprovará, ou não, a perda do mandato.

CASSAR — Em Direito Público, é o ato de anular ou retirar uma autorização ou licença dada anteriormente. É o cancelamento da permissão anterior para que o estabelecimento ou a sociedade funcionasse, ou para que a pessoa possa continuar a praticar atos que antes se permitiam e que foram suspensos.

CASUALIDADE — À sorte, sem premeditação. Diz-se de um conjunto de circunstâncias que dependem do acaso, por serem fortuitas, imprevistas.

CASUÍSMO — 1) É a designação dada às opiniões, propostas ou decisões relativas a casos particulares e não às normas gerais que se aplicam às diversas situações. 2) Uso de artifícios ou argumentos falsos e sutis na discussão e análise de qualquer caso.

CASUÍSTA — É aquele que pratica o casuísmo.

CASUS ADVERSI — [Latim]. Expressão que significa caso adverso; motivo adverso.

CATACRESE — Figura de palavra. Tipo de figura em que se dá o mesmo mecanismo da metáfora, mas uma metáfora que, de tão usual, não provoca mais a noção de desvio. Exemplo: Enterrei um alfinete na mão. (O sentido próprio de enterrar seria: introduzir na terra. Por similaridade, aqui designa o ato de introduzir (um alfinete) na mão.)

CATALISADOR — É a substância que, por sua presença, modifica a velocidade de uma reação química, sem sofrer alteração durante o processo.

CATÁLISE — É o processo ou agente que facilita ou potencializa o desenvolvimento de um processo; conceito emprestado por analogia com substâncias que aumentam a velocidade ou facilitam reações químicas (catalizador).

CATÁSTROFE — Grande desgraça, acontecimento funesto e lastimoso. Desastre de grandes proporções, envolvendo alto número de vítimas e/ou danos severos.

CATCH BALL — São procedimentos assim denominados pelos japoneses pelas suas repetidas idas e vindas. Negociações verticais e horizontais conduzidas para que as metas e as medidas sejam viabilizadas. O mesmo que ajuste.

CATEGORIA FUNCIONAL — É o conjunto de atividades desdobráveis em classe e identificado pela natureza e pelo grau de conhecimentos exigíveis ao servidor para o seu desempenho.

CATEGORIA PROFISSIONAL — Representação sindical dos empregados.

CATEGORIA PROFISSIONAL DIFERENCIADA — Representação sindical com base na profissão exercida.

CATEGORIAS ECONÔMICAS — É a classificação das receitas e despesas públicas em operações correntes ou de capital, objetivando propiciar elementos para uma avaliação do efeito econômico das transações do setor público. São originadas da classificação das transações governamentais de natureza orçamentária, compreendendo: 1 - Operações correntes: 1.a – receitas correntes; 1.b – despesas correntes. 2 – Operações de capital: 2.a – receitas de capital; 2.b – despesas de capital.

CATEGORIAS ECONÔMICAS — Ver Despesa Pública – Categorias Econômicas.

CATEGÓRICO — Ver Imperativo Categórico.

CAUÇÃO — Depósito em dinheiro, carta de fiança, seguro garantia e títulos públicos ou privados, para garantir, junto ao credor, o cumprimento de obrigação assumida. (ver Caução Judicial.)

CAUÇÃO FIDEJUSSÓRIA — É a obrigação acessória assumida por terceira pessoa, que se responsabiliza, total ou parcialmente, pelo cumprimento da obrigação do devedor, caso este não a cumpra ou não possa cumpri-la; abonação, caução fidejussória, fiadoria, fiador, fidejussória. (Ver: Caução judicial // Caução Real.)

CAUÇÃO JUDICIAL — Garantia do adimplemento da obrigação, consistente na apresentação de bens suficientes em juízo (caução real), ou nomeação de fiador idôneo (caução fidejussória). A caução é a contracautela por excelência. Toda vez que medida cautelar possa causar prejuízo, a garantia contra este prejuízo é feita mediante caução. Na qualidade de contracautela, a caução pode ser prestada de pleno, independentemente de maiores formalidades, mediante ordem judicial, de ofício ou a requerimento da parte. O juiz não pode exigir que a caução seja prestada em dinheiro. (Ver: Caução fidejussória // Caução Real.)

CAUÇÃO REAL — Consiste na entrega de valores (dinheiro, jóias etc.), feita pelo acusado, ou terceiro em seu favor, para que possa defender-se em liberdade, nos casos previstos em lei. (Ver: Caução judicial // Caução fidejussória.)

CAUSA — Aquilo ou aquele que determina a existência. Pleito judicial; demanda, ação; causa criminal. Em matéria penal, é a ação ou omissão sem a qual o resultado da atividade criminosa não teria ocorrido.

CAUSA AGENDI — [Latim]. Expressão que significa causa de agir; motivo de agir.

CAUSA COGNITA — [Latim]. Expressão que significa causa conhecida.

CAUSA DE PEDIR — É o fundamento, motivo ou origem do pedido, ou a pretensão do autor acerca da prestação jurisdicional pertinente.

CAUSA FUNDAMENTAL — É o agente principal que afeta as características da qualidade ou os resultados de um processo (efeito). Pode existir mais de uma causa tida como fundamental, dependendo do efeito considerado.

CAUSA MORTIS — [Latim]. Expressão que significa causa da morte. Diz-se da causa determinante da morte de alguém. No contexto tributário, diz-se quando a transferência de valores e bens ocorre em decorrência do falecimento de seu proprietário.

CAUSA PETENDI — [Latim]. Expressão que significa causa de pedir. Fundamento do pedido. Fato que serve para fundamentar uma ação. Isto é, os motivos do por quê se pede.

CAUSA SINE QUA NON — [Latim]. Expressão que significa causa sem a qual a coisa (ato) não pode ser feita. Causa indispensável.

CAUSA/EFEITO — São os dois originados de uma relação causal. Nascem daquilo que está sob alguma relação. Numa relação de tipo causal, um dado acontecimento, ocorrência ou mudança causa outro acontecimento, ocorrência ou mudança que daquele é efeito. Ambos os acontecimentos são relacionados, sendo um a causa e o outro o efeito. (Ver: Casualidade.)

CAUSALIDADE — Resposta direta a uma ação; relação causa/efeito. É o tipo de relação que tem lugar quando um dado acontecimento origina, produz, determina ou faz produzir um outro acontecimento. Nestes casos, diz-se que a relação entre ambos os acontecimentos é uma relação de causalidade. (Ver: Causa/efeito.)

CAUSAS ALEATÓRIAS — Ver Causas Comuns.

CAUSAS ASSINALÁVEIS — Ver Causas Especiais.

CAUSAS COMUNS (OU ALEATÓRIAS) — São as inerentes a um processo e provocam uma variação natural, ou usual, nos seus resultados. (Ver: Causas Especiais.)

CAUSAS DE EXCLUSÃO DA ILICITUDE — Circunstâncias que retiram ao fato que ocasionou determinado dano a sua ilicitude e excluem a responsabilidade civil.

CAUSAS ESPECIAIS (OU ASSINALÁVEIS) — São as que aparecem esporadicamente fazendo com que os resultados de um processo apresentem uma variação diferente da usual. (Ver: Causas Comuns.)

CAUTELA — Certificado que materializa a existência de um determinado número de ações; também chamada título múltiplo.

CAUTELARES (PRISÕES) — Ver Prisões cautelares.

CAUTIO DAMNO INFECTO — [Latim]. Expressão que significa caução de dano temido (provável). O termo jurídico mais usado é infecto. Caução do proprietário de prédio em favor do vizinho como garantia de que não será molestado.

CAVALO-FORÇA — Medida de potência. Unidade dinâmica equivalente a uma força, que, num segundo de tempo, levanta a um metro de altura 75 quilogramas (75 kgm/s); corresponde a 0,986 vezes o cavalo-força inglês, equivalente a 76 kgm/s. O cavalo-força representa-se pela abreviatura CV (HP em inglês, *de horse-power)*; cavalo-vapor.

CAVALO-VAPOR — Corresponde à unidade de potência igual a 33.000 pés-libra por minuto, equivalentes a 745,7 watts. O termo surgiu a partir de 1769, quando o escocês James Watt inventou a primeira máquina a vapor que podia mover rodas. Naquele tempo usavam-se cavalos para retirar água das minas. Watt queria indicar aos mineiros quantos cavalos podia sua máquina a vapor substituir. Assim ele verificou que um cavalo muito forte podia elevar uma carga de 75 kg a um metro cada segundo, fazendo um trabalho de 75 kgm por segundo. A unidade de potência do sistema métrico é o quilogrâmetro por segundo (kgm/s), que corresponde ao trabalho de 1 Kgm realizado em cada segundo. Na prática usa-se freqüentemente outra unidade, o cavalo-vapor (abreviadamente, cavalo ou *cv)*. Muitos usam a abreviatura HP, do inglês *"horsepower"*. Assim, o motor de um automóvel pode ser de 100 cavalos-vapor. (Ver: Watt.)

CBE (CAPITAIS BRASILEIROS NO EXTERIOR) — Cadastro de realização anual, objetiva levantar dados e informações sobre os ativos pertencentes a pessoas físicas e jurídicas, residentes ou com sede no Brasil que possuam bens e valores no exterior, em 31 de dezembro do ano anterior.

CBLC (COMPANHIA BRASILEIRA DE LIQUIDAÇÃO E CUSTÓDIA) — Sociedade anônima que presta serviços de compensação e liquidação física e financeira de operações realizadas nos mercados à vista e a prazo da Bovespa e de outros mercados, bem como a operacionalização dos sistemas de custódia de títulos e valores mobiliários em geral.

CBO (CLASSIFICAÇÃO BRASILEIRA DE OCUPAÇÕES) — É a ordenação das várias categorias ocupacionais, tendo em vista a analogia dos conteúdos de trabalho e as condições exigidas para o seu desempenho. É aplicável a qualquer agrupamento classificatório de realidades do trabalho, enquanto que a ocupação é o agrupamento de tarefas, operações e outras manifestações que constituem as obrigações atribuídas a um trabalhador e que resultam na produção de bens e serviços. As Categorias Ocupacionais que compõem a estrutura da CBO são: Grandes Grupos, Subgrupos, Grupos de Base e Ocupações.

C-BOND (*FRONT-LOADED INTEREST REDUCTION WITH CAPITALIZATION BOND*) — Principal título da dívida externa brasileira, negociado no mercado internacional. São usualmente chamados de Bradies. Atualmente é o mais líquido instrumento de dívida externa dentre todos os mercados emergentes. Foi emitido como parte da renegociação da dívida brasileira em 1994 (Plano Brady) e tem vencimento em 2014. Teve prazo de carência (não pagamento de parcelas de principal) até 2004, quando passou a pagar amortizações semestrais, e uma escala crescente de taxa de juros até 2001, quando foram fixados em 8%. O nome *"Capitalization Bom'* - Bônus de Capitalização - vem do fato de que parte dos juros nos primeiros seis anos são capitalizados. O C-Bond não tem garantia de principal ou juros.

CBUQ (CONCRETO BETUMINOSO USINADO A QUENTE) — É um revestimento resultante da mistura a quente (em temperaturas de 120º a 150º), de agregado mineral, material de enchimento (cimento) e asfalto, devidamente dosada e homogeneizada em usina apropriada. Tal mistura, espalhada e comprimida a quente, oferece boa impermeabilidade e resistência aos desgastes no pavimento, sendo sua aplicação com vibro acabadora e rolada com rolo pneumático, e o acabamento final de alisamento com rolo *tander* de chapa metálica. (Ver: Asfalto.)

CC — Abreviatura de Código Civil.

CC5 — É a abreviatura do documento normativo Carta-Circular 5, editada pelo Banco Central em 1969. O nome permanece sendo utilizado pelo mercado até hoje, apesar de a referida Carta Circular ter sido revogada em 1996, pela Circular 2.677, que atualmente regula esse tipo de operação. As chamadas operações "CC5" podem ser descritas como pagamentos/recebimentos em moeda nacional entre residentes no País e residentes no exterior mediante débitos/créditos em conta em moeda nacional mantida no País pelo não residente. As principais características dessas contas são: está liberada a movimentação de recursos desde que o depositante e o favorecido sejam sempre identificados; é permitida a transferência de saldos dessas contas para o exterior, desde que os bancos encaminhem ao BC os respectivos extratos de conta, juntamente com os comprovantes de venda de câmbio que originaram os saldos remetidos. Em momentos de crise, grande parte dos recursos sai por essas contas.

CCEX (COMITÊ DE CRÉDITO ÀS EXPORTAÇÕES) — Colegiado instituído pelo Governo com atribuição de decidir sobre questões relativas ao Programa de Financiamento às Exportações - PROEX.

CCF — Ver Cadastro de emitentes de cheques sem fundos.

CCJ — 1) É uma linha de crédito do FMI para prevenir desequilíbrios do balanço de pagamentos em virtude de contágio. 2) Comissão de Constituição e Justiça. 3) Corte Caribenha de Justiça /Caricom.

CDB (CERTIFICADO DE DEPÓSITO BANCÁRIO) — Títulos de renda fixa resgatável em prazo predeterminado (em geral, 60, 90 ou 180 dias) emitidos por bancos de investimento e comerciais, representativos de depósitos a prazo contratado que pode variar de um dia a 12 meses, ao final do qual é paga a remuneração correspondente. É um documento que comprova que seu proprietário tem um depósito bancário na instituição financeira emissora. Pode ser comprado e vendido e rende juros tanto a uma taxa fixa (pré) quanto variável (pós), dependendo da forma como foi negociado.

CDC (CRÉDITO DIRETO AO CONSUMIDOR) — Trata-se do financiamento pessoal concedido pelas próprias vendedoras ou por financeiras, para aquisição de qualquer bem de consumo ou serviço. O consumidor passa a desfrutar imediatamente de um bem que será pago com sua renda futura. Os cartões de crédito também são uma forma de crédito direto ao consumidor.

CDI (CERTIFICADO DE DEPÓSITO INTERBANCÁRIOS) — Certificado de depósitos feitos entre os bancos. É um título de renda fixa que representa operações de crédito entre bancos. Serve para lastrear as trocas de reservas financeiras entre as instituições bancárias. É usado pelos bancos para aplicação dos seus recursos excedentes ou para manutenção da posição de liquidez. Um banco emite um CDI, vende este papel no mercado, e com isso consegue levantar dinheiro para as suas necessidades. A taxa do CDI é divulgada diariamente, para operações de um dia ou por prazos maiores (30, 60 ou mais dias), regra geral como taxa anualizada. Instituições como a CETIP (Central de Custódia e Liquidação de Títulos Privados) e ANBID (Associação Nacional de Bancos de Investimentos) fazem apuração diária das médias dessas taxas e as divulgam ao mercado como parâmetro das taxas praticadas.

CEAS — Ver Certificado de Entidade Beneficente de Assistência Social.

CEDENTE — É o titular de um direito que o transfere a outrem, passando-lhe o domínio da coisa ou o gozo do direito cedido.

CEDENTE-FATURIZADO — É um contrato atípico (não tem legislação específica), mas se utiliza de instituto típico, como a cessão de crédito, em que o faturizado (cliente da empresa de *factoring*) cede ou vende os títulos oriundos de suas operações mercantis para o faturizador (empresa de *factoring*).

CÉDULA — 1) Papel moeda. 2) Papel contendo os nomes de candidatos a cargos eletivos.

CÉDULA DE CRÉDITO INDUSTRIAL — Título de crédito consistente numa promessa de pagamento em dinheiro, com garantia real, cedularmente constituída, e destinada ao financiamento concedido por instituição financeira à pessoa física ou jurídica que se dedique à atividade industrial.

CÉDULA HIPOTECÁRIA — Título de crédito que caracteriza uma promessa de pagamento com uma garantia real de hipoteca. É um instrumento hábil para a representação de créditos hipotecários.

CÉDULA PIGNORÁTICA DE DEBÊNTURES — São cédulas garantidas pelo penhor de debêntures, que conferirão aos seus titulares direito de crédito contra o emitente, pelo valor nominal e os juros nelas estipulados. Apenas as instituições financeiras autorizadas pelo Banco Central do Brasil a efetuar esse tipo de operação poderão emitir cédulas garantidas.

CEFET (CENTROS FEDERAIS DE EDUCAÇÃO TECNOLÓGICA) — São os responsáveis pela educação tecnológica integrando os processos de formação tecnológica, desde a formação de nível médio à de nível superior de terceiro e quarto graus.

CEI (CADASTRO ESPECÍFICO DO INSS) — Matrícula no INSS necessária para diversas atividades de contribuintes da Previdência Social, desobrigados de inscrição no CNPJ (Cadastro Nacional de Pessoa Jurídica). Este cadastro é utilizado, entre outras, para obras de construção, condomínios, empregadores domésticos.

CEI (COMUNIDADE DOS ESTADOS INDEPENDENTES) — A CEI é uma organização criada em 1991, que integra 12 das 15 repúblicas que formavam a URSS. Ficam de fora apenas os três Estados bálticos: Estônia, Letônia e Lituâni. Sediada em Minsk, capital da Belarus, organiza-se em uma confederação de Estados, preservando a soberania de cada um. Sua estrutura abriga dois conselhos: um formado pelos chefes de Estado, e outro pelos chefes de Governo, que se encontram de três em três meses. No ato de criação, a comunidade prevê a centralização das Forças Armadas e o uso de uma moeda comum: o rublo. Na prática, porém, as ex-repúblicas não chegam a um consenso sobre integração político-econômica. Somente em 1997 todos os membros, exceto a Geórgia, assinaram um acordo para estabelecer uma união alfandegária e dobrar o comércio interno.

CELERIDADE — Velocidade, ligeireza, rapidez.

CELETISTA — O que tem contrato de trabalho regido pela CLT. Termo designativo do trabalhador submetido à Consolidação das Leis do Trabalho ou, simplesmente, CLT. Os servidores públicos celetistas ficam sob a égide da Justiça do Trabalho (CF, Art. 114), ao contrário dos servidores estatutários.

CELIBATO — Condição do indivíduo adulto que ainda não se casou; estado de pessoa que se mantém solteira. É uma condição imposta pela Igreja Católica aos seus sacerdotes.

CÉLIBE — É o estado da pessoa que não se casou. Celibatário é o homem ou a mulher que vive, espontaneamente, em solidão, sem se casar.

CELULOSE — Substância obtida pela dissolução e desidratação do principal componente da parede da célula vegetal, mediante processos mecânicos e químicos, e destinada a servir de matéria-prima para a produção do papel, papelão, plástico etc.

CENÁRIO — É uma situação com limites e condições estabelecidas que permite considerar elementos de um sistema como se realmente funcionassem da maneira descrita, não testando as hipóteses, mas permitindo o exame dos possíveis resultados, caso as hipóteses fossem verdadeiras.

CENÁRIO DE *STRESS* — São simulações que objetivam a verificação da capacidade de uma instituição suportar perdas não esperadas, devido a alterações em variáveis, tais como taxa de juros, taxa de câmbio etc.

CENÁRIO ECONÔMICO — Tendências de médio e longo prazos da economia, estimadas através de análise das principais variáveis e expectativas econômicas.

CENSO — É um processo de obter informação sobre a totalidade dos membros de uma dada população (não tem de ser, necessariamente, uma população humana). Não é o mesmo que uma sondagem, em que a informação é apenas obtida a partir de uma amostra da população. Os censos são também de importância essencial para o funcionamento democrático de uma sociedade (no sufrágio eleitoral). No Brasil, o responsável pelo censo da população é o IBGE (Instituto Brasileiro de Geografia e Estatística). Senso (com "s") refere-se à faculdade de apreciar, julgar, discernir, entender, sentir. (Ver: Senso.)

CENSOR — Agente público incumbido de exercer controle sobre atividades públicas, de censurar obras literárias ou artísticas ou de impor censura aos meios de comunicação de massa como jornais, rádio, televisão. No Brasil, esteve em plena atividade durante a revolução de 1964; atualmente, a censura está abolida, dando-se ampla liberdade (com responsabilidade) de expressão.

CENSURA — 1) Exame crítico de obra literária ou artística. 2) Repreensão. 3) Ato do corpo legislativo de reprimenda e condenação de atos praticados por ocupante de cargo público. 4) É a pena disciplinar aplicada a servidores da Justiça, militares, servidores públicos; admoestação enérgica, reprimenda, advertência. 5) Órgão ao qual incumbe a função de censurar, de controlar publicações e espetáculos em defesa dos bons costumes e da moralidade pública.

CENTÍMETRO (cm) — É uma unidade de comprimento (ou distância) igual a 10^{-2} metro. É uma das unidades de base do sistema CGS de unidades e não faz parte do SI. O centímetro é de uso popular corrente: ele permite representar de maneira simples as dimensões de escala humana (inferiores ao metro). No domínio científico, prefere-se o metro (unidade de base do sistema internacional) ou o milímetro (muito utilizado em mecânica) para representar os comprimentos dessa ordem de grandeza. O centímetro permite definir: a) uma unidade de área, o centímetro quadrado (cm^2): um centímetro quadrado é a área de um quadrado de 1 cm de lado; ele vale um décimo-milésimo do metro quadrado: $1\ cm^2 = 10^{-2 \times 2}\ m^2 = 10^{-4}\ m^2 = 0{,}000\ 1\ m^2$ // $1\ m^2 = 10^{2 \times 2}\ cm^2 = 10^4\ cm^2 = 10\ 000\ cm^2$; b) uma unidade de volume, o centímetro cúbico (cm^3): um centímetro cúbico é o volume de um cubo com uma aresta de 1 cm; ele vale um milionésimo de metro cúbico, e um milésimo de litro: $1\ cm^3 = 10^{-2 \times 3}\ m^3 = 10^{-6}\ m^3 = 0{,}000\ 001\ m^3$ // $1\ m^3 = 10^{2 \times 3}\ cm^3 = 10^6\ cm^3 = 1\ 000\ 000\ cm^3$ // $1\ cm^3 = 10^{-3}\ L = 0{,}001\ L$ // $1L = 10^3\ cm^3 = 1\ 000\ cm^3$. (Ver: Sistema CGS de unidades.)

CENTRAL HIDROELÉTRICA — Instalação na qual a energia potencial e cinética da água é transformada em energia elétrica.

CENTRAL HIDROELÉTRICA A FIO DE ÁGUA — Central hidroelétrica num curso de água, sem represa reguladora de volume significativo.

CENTRAL HIDROELÉTRICA DE REPRESA — Central hidroelétrica cuja alimentação pode ser regulada graças a uma represa.

CENTRAL MAREMOTRIZ — Central hidroelétrica que utiliza o desnível entre o mar e uma bacia do qual está separado, criado pelo efeito das marés.

CENTRAL METEOROLÓGICA — Órgão que coleta, registra e interpreta os dados meteorológicos de uma determinada área; recebe, outrossim, informações meteorológicas de outras estações, integrando-as com as existentes.

CENTRAL NUCLEAR — Instalação na qual a energia libertada a partir de combustível nuclear é convertida em energia elétrica.

CENTRALIDADE — Espaços multifuncionais, para onde convergem e onde se articulam os principais fluxos estruturadores do ambiente urbano, sejam sociais, econômicos ou culturais.

CENTRO DA CIDADE — Espaço simbólico e material das principais relações de centralidade do município, tradicionalmente vinculado às atividades governamentais, manifestações culturais e cívicas, à atividade econômica, em especial o comércio e serviços diversificados, e ao lazer e turismo.

CENTRO DE DESENVOLVIMENTO DE PEQUENAS EMPRESAS — Ver Incubadora.

CENTRO DE DIVERSIDADE — Região geográfica onde se concentra um número elevado de espécies de um gênero ou de gêneros de uma família, contrastando com sua menor freqüência em outras regiões.

CENTRO DE INOVAÇÃO — Organização que abriga e promove a geração de empreendimentos inovadores e desenvolve atividades para a capacitação tecnológica e gerencial das empresas numa região.

CENTRO DE PESQUISA E DESENVOLVIMENTO (P&D) — Organização que abriga laboratórios para o desenvolvimento de atividades de pesquisa e desenvolvimento.

CENTRO DE PROCESSAMENTO — Conjunto de equipamentos compostos, basicamente, dos computadores eletrônicos, com a finalidade de executar serviços de registros, memorizações, cálculos, listagens e demonstrações, largamente empregado, atualmente.

CENTRO DE SAÚDE — Ver Saúde, Centro de.

CENTRO DE TECNOLOGIA — É a organização que congrega atividades para o desenvolvimento de conhecimentos e de tecnologia.

CENTRO FINANCEIRO — Área de uma metrópole onde estão concentradas as instituições financeiras. É o coração do setor financeiro e comercial de uma cidade. Geralmente, a área do centro financeiro de uma cidade é pequena, em comparação com o tamanho total da cidade/região metropolitana. O centro financeiro geralmente abriga os arranha-céus mais altos de uma cidade, e possui as maiores taxas de densidade populacional de uma região metropolitana.

CENTRO HISTÓRICO — Compreende os espaços ocupados pelo conjunto urbanístico-arquitetônico reconhecido em razão do seu grande valor histórico-cultural. É o coração da cidade e concentra instituições importantes, como a sede dos governos estadual e/ou municipal. Por reunir uma grande variedade de atividades e negócios, atrai interesses dos mais diversos, que ultrapassam os do seu próprio limite. No Plano Diretor de Desenvolvimento Urbano e Ambiental (PDDUA), é considerado uma das Áreas Especiais de Revitalização.

CENTRO INTERNACIONAL PARA A RESOLUÇÃO DE DESAVENÇAS RELATIVOS A INVESTIMENTOS (CIADI) — Organização internacional, criada em 1966, no quadro do Grupo do Banco Mundial, que tem como objetivo promover a conciliação e arbitragem nas disputas entre os investidores estrangeiros e os países de acolhimento do investimento.

CENTROS DE CONVIVÊNCIA — Locais destinados à permanência diurna de pessoas, normalmente do idoso, onde são desenvolvidas atividades físicas, laborativas, recreativas, culturais, associativas e de educação para a cidadania.

CENTROS DE CUIDADOS DIURNO (HOSPITAL-DIA E CENTRO-DIA) — Locais destinados à permanência diurna de pessoas, normalmente do idoso dependente ou que possua deficiência temporária e necessite de assistência médica ou de assistência multiprofissional.

CENTROS FINANCEIROS *OFFSHORE* - FUNÇÕES — Têm várias funções no mundo contemporâneo: a) centros financeiros onde fundos em moeda estrangeira de não-residentes são depositados para depois serem canalizados, através de intermediários financeiros *offshore*, aos tomadores de empréstimo, também não-residentes; b) fuga do controle e regulamentos dos estados de origem do investidor (individual ou institucional); c) parte de redes de operações financeiras protegidas pelo anonimato; d) parte de redes financeiras de lavagem de dinheiro. Em resumo, as vantagens dos CFOs: a) domicílio de companhias internacionais (financeiras ou não) que criam *holdings* e subsidiárias em lugares onde existam benefícios fiscais, vantagens cambiais e anonimato; b) lugares onde é possível às companhias explorar com maior liberdade de ação do que no país de origem os mercados internacionais de capital e dinheiro; c) paraísos fiscais para lucros e poupança internacionais, além de serem "bacias" de liquidez para investidores internacionais num ambiente tributário neutro. Se em passado recente os CFOs se limitavam a servir o mercado bancário e financeiro, atualmente a *expansão* dos meios de telecomunicação tem provocado a extensão do princípio "*offshore*" para outras áreas como jogos de azar, pornografia e compras *on-line* de bens de consumo individual. (Ver: Centros financeiros *offshore*.)

CENTROS FINANCEIROS *OFFSHORE* (CFO) — Embora a maioria dos paraísos fiscais seja de Centros Financeiros *Offshore* (CFO), os termos não são sinônimos. Os paraísos fiscais são definidos por ofertar imposto para não residentes com alíquotas baixas ou mínimas, e podem ou não oferecer uma variedade de outros serviços financeiros. De fato, um CFO sedia um centro funcional de serviços financeiros, incluindo agências ou subsidiárias dos principais bancos internacionais. Estados e microEstados que sediam paraísos fiscais e CFOs não gostam de ambos os termos, preferindo serem denominados Centros Financeiros Internacionais. (Ver: Centros financeiros *offshore* - funções.)

CEPTICISMO — Atitude de descrença ou de dúvida; atitude crítica; desconfiança; na ciência é sistemático, isto é, imperativo ético da ciência que determina que os julgamentos científicos somente podem ser emitidos a partir da verificação de evidências. Propensão à dúvida. Estado de quem duvida de tudo. Descrença.

CERCEAMENTO DE DEFESA — Obstáculo que o juiz, ou qualquer outra autoridade, opõe à parte, para que esta tenha dificuldade na realização de sua defesa. Dá-se por coação no curso do processo, ou por exercício arbitrário ou abuso de poder.

CERCEAR — Restringir; tornar menor; diminuir.

CERTEZA — Conhecimento exato, qualidade do que é certo, preciso, verdadeiro.

CERTEZA JURÍDICA — Diz-se do direito que deve ser tal que se possam conhecer com bastante aproximação as suas prescrições, isto é, aquilo que as normas proíbem ou autorizam, bem como as conseqüências legais da sua não acatação.

CERTIDÃO — Documento fornecido por oficial público, escrivão ou serventuário ou servidor público competente, no qual se reproduz, textualmente e de forma autenticada, escrito original, assento extraído de livro de registro, notas públicas, peças judiciais. A certidão pode ser: em breve relatório, quando transcreve, em resumo, pontos do ato escrito; integral, de inteiro teor ou *verbum ad verbum,* quando reproduz, fielmente, todo o texto do ato; negativa, quando atesta a não-existência de fato ou ato que interessa à parte ou prova a inexistência de débito ou de ações na Justiça; parcial, quando transcreve apenas parte do ato ou documento; de partilha, título que substitui o formal de partilha quando o quinhão não excede a importância de cinco vezes o salário mínimo vigente na sede do juízo - neste caso, será transcrita na certidão a sentença da partilha transitada em julgado.

CERTIDÃO DE BREVE RELATO — Ver Certidão de Objeto e Fé.

CERTIDÃO DE CASAMENTO — Documento registrado em cartório, feito na época da celebração do casamento, que serve para provar o casamento efetuado no Brasil.

CERTIDÃO DE CASAMENTO AVERBADA — Procedimento adotado pelo juiz ao homologar a separação e o divórcio, que consiste em expedir um mandado ao Cartório do Registro Civil onde os ex-cônjuges casaram-se. A sentença homologatória deste juiz será averbada ao casamento, sendo expedida uma nova certidão de casamento, constando a separação ou o divórcio. Este é o documento hábil para comprovar o novo estado civil de separado judicialmente ou divorciado.(Ver: Divórcio // Nome de casada // Separação judicial.)

CERTIDÃO DE ÓBITO — Documento que, comprova a morte de uma pessoa. É indispensável ao sepultamento.

CERTIDÃO DE OBJETO E FÉ — Também denominada de certidão de breve relato, é a expressão de jargão forense que denomina a certidão emitida por cartório judicial a pedido de parte interessada, que traz o resumo dos fatos relevantes de um processo, bem como seu trâmite atualizado.

CERTIDÃO DE REGISTRO SINDICAL — Documento emitido pela Coordenação-Geral de Registro Sindical da Secretaria de Relações do Trabalho, que certifica o registro no Cadastro Nacional de Entidades Sindicais - CNES. A partir da Constituição Federal de 1988, substitui a carta sindical.

CERTIDÃO NEGATIVA — É aquela cujo teor declara não haver registro de algum ato ou fato, como existência de dívida.

CERTIDÃO POSITIVA — É aquela cujo teor declara haver registro de algum ato ou fato, como existência de dívida.

CERTIFICAÇÃO — 1) Procedimento de verificação e produção de atestado formal da presença de requisitos mínimos estabelecidos quanto às qualificações de pessoal, processos, procedimentos, ou itens, de acordo com necessidades específicas aplicáveis à empresa, efetuado por especialistas. 2) Expressão numérica ou qualitativa dos resultados de avaliação, geralmente fornecida sob a forma de laudos ou relatórios expedidos por instituições especializadas. Pode ser certificação de segunda ou terceira parte.

CERTIFICAÇÃO AMBIENTAL — É o procedimento de verificação e produção de atestado que indica o grau de consciência ambiental de uma organização refletido na qualidade de determinado produto, processo, sistema ou serviço. Faz-se através da aplicação do selo verde e garante a observância às exigências, instruções, normas técnicas e legislação vigentes para o tipo de atividade e região específicas. A certificação ambiental começou a ocupar um espaço crescente na organização e planejamento das atividades industriais, tornando-se um fator de referência da qualidade do produto para o mercado. O crescimento da consciência ambiental do consumidor fez com que ele exigisse, além de um produto de qualidade, um produto que no seu ciclo de vida respeitasse o meio ambiente. A certificação ambiental é a garantia da qualidade do produto para o consumidor que compartilha de preocupações com o meio ambiente. Assim, a certificação ambiental pode ser vista como uma necessidade expressa pelo consumidor de conhecer melhor os dados sobre o produto que está adquirindo. Portanto, a certificação ambiental ou a aplicação do selo verde é um atestado de conformidade ambiental do produto, processo, sistema ou serviço. A certificação ambiental garante o cumprimento e observância a todo um conjunto de exigências, instruções, normas técnicas e legislação vigentes promulgadas por autoridades e órgãos governamentais, comissões ou empresas para o tipo de atividade e região.

CERTIFICAÇÃO DE QUALIDADE — Atestado que comprova o atendimento das normas da série ISO 9000.

CERTIFICADO — 1) O que está contido em certidão. 2) Documento de conclusão de curso. 3) Documento concedido a pessoa ou entidade para homenageá-la e/ou atestar valores positivos. 4) Certificado de garantia de produtos e serviços. 5) Documento que comprova a existência e a posse de determinada quantidade de ações. 6) Ato administrativo de natureza enunciativa ou de esclarecimento, através do qual a Administração comprova a freqüência e ou aproveitamento de participantes em cursos, estágios, seminários e outras atividades similares relacionadas com programas, projetos e atividades de desenvolvimento de recursos humanos.

CERTIFICADO DA DÍVIDA PÚBLICA (CDP) — Título de responsabilidade do Tesouro Nacional, emitido com a finalidade exclusiva de quitação de dívida junto ao Instituto Nacional do Seguro Social - INSS. Emitido exclusivamente sob a forma escritural na Central de Custódia e de Liquidação Financeira de Títulos (CETIP). Título de rentabilidade pós-fixada pela variação da TR.

CERTIFICADO DE CONFORMAÇÃO — É o documento assinado por autoridade competente que atesta a conformidade do produto ou serviço com as especificações exigidas, contratos assinados ou regulamentações pertinentes.

CERTIFICADO DE DEPÓSITO — Título representativo das ações depositadas em uma instituição financeira. Algumas empresas do Mercosul são negociadas nas Bolsas de Valores brasileiras através desse mecanismo.

CERTIFICADO DE DEPÓSITO A PRAZO FIXO — São promessas de pagamento futuro das importâncias depositadas e constituem exigibilidades das instituições que as emitem. São autorizados a receber esse tipo de depósito os bancos comerciais e os bancos de investimento. Podem ser transferidos mediante endosso pelo depositante.

CERTIFICADO DE DEPÓSITO BANCÁRIO — Ver CDB.

CERTIFICADO DE DEPÓSITO INTERBACÁRIO OU INTERFINANCEIRO — Ver CDI.

CERTIFICADO DE DESDOBRO — Comprovante do desdobramento de um certificado de ações em vários outros.

CERTIFICADO DE ENTIDADE BENEFICENTE DE ASSISTÊNCIA SOCIAL (CEAS) — É o documento expedido pelo Conselho Nacional de Assistência Social (CNAS) reconhecendo que a instituição sem fins lucrativos atua na área beneficente de assistência social. O CEAS habilita a entidade a comprovar sua condição de filantrópica perante a sociedade civil e o governo, sendo necessário à instrução de pedidos de benefícios concedidos pelo Poder Público Federal, Estadual e Municipal, permitindo-lhe, ainda, receber subvenções e firmar convênios com esses Poderes. Os benefícios são a isenção de contribuições sociais e a imunidade tributária. As isenções de contribuições sempre dependem de lei específica que as conceda; já a imunidade de impostos decorre da própria Constituição Federal, e é prevista no art. 150, inc. VI, alínea c. (Ver: Sociedades Civis e Sociedades Comerciais // Sociedade simples // Sociedade empresarial.)

CERTIFICADO DE FUNDOS DE INVESTIMENTO — Título nominativo ou nominativo endossável que representa participação num fundo mútuo ou fiscal de investimento.

CERTIFICADO DE ORIGEM — É o documento que atesta oficialmente a origem da mercadoria do país exportador.

CERTIFICADO DE PRIVATIZAÇÃO (CDP) — Título de responsabilidade do Tesouro Nacional, emitido com a finalidade exclusiva de quitação de dívidas junto ao Instituto Nacional do Seguro Social - INSS. Emitido exclusivamente sob a forma escritural na CETIP. Título de rentabilidade pós-fixada pela variação da TR.

CERTIFICADO DE RECEBÍVEIS IMOBILIÁRIOS (CRI) — São papéis emitidos por empresas securitizadoras e lastreados em contratos de financiamento de imóveis. O risco desses papéis é o de inadimplência dos contratos em que são lastreados. Por regulamentação da CVM (Comissão de Valores Mobiliários), só podem ser objeto de oferta pública CRIs com valor nominal a partir de R$ 300 mil, o que torna esses papéis inacessíveis aos pequenos investidores. Esses valores mínimos podem ser alterados a qualquer momento.

CERTIFICADO DE REGULARIDADE DO FGTS — Ver CRF.

CERTIFICADO DO TESOURO NACIONAL (CTN) — Título de responsabilidade do Tesouro Nacional, emitido diretamente para mutuários do crédito agrícola, com a finalidade exclusiva de servir como garantia do principal na novação das referidas dívidas, junto às instituições financeiras. Emitido exclusivamente sob a forma escritural na CETIP. Título de rentabilidade pós-fixada pela variação do IGP-M.

CERTIFICADO FINANCEIRO DO TESOURO (CFT) — Título de responsabilidade do Tesouro Nacional, emitido para a realização de operações financeiras definidas em lei, exclusivamente sob a forma escritural, na CETIP. Título de rentabilidade pós-fixada (exceção do CFT-F), possuindo diversas séries, cada qual com índice de atualização próprio (IGP-M, Dólar, TR etc.).

CERTIFICADOS DE DEPÓSITOS NEGOCIÁVEL — Ver *Warrants*.

CÉSIO 137 — Isótopo radiativo de césio, usado em pesquisa e tratamento médico. O césio 137 é um subproduto da fissão nuclear e de explosão de bombas atômicas. É um elemento químico com aparência de um pó azul brilhante, com alto grau de radioatividade. No Brasil, este elemento causou mortes em Goiânia em 1987, num acidente considerado um dos maiores do mundo envolvendo esta substância. (Ver: Isótopo.)

CESSAÇÃO DE INSTÂNCIA — Encerramento da lide em face de transação ou desistência homologadas judicialmente.

CESSÃO — Contrato oneroso ou gratuito pelo qual o cedente transfere, ao cessionário, créditos ou direitos.

CESSÃO COM CO-OBRIGAÇÃO — Cessão de crédito em que a Instituição Financeira cedente garante o pagamento das operações no caso de elas entrarem em atraso. Nas cessões com co-obrigação, a cedente deve informar à Central de Risco de Crédito as operações de créditos individualizadas e a cessionária informará pelo total. Nas cessões sem co-obrigação, apenas a cessionária informará à Central de Risco de Crédito.

CESSÃO DE CONTRATO — Cessão integral dos direitos e obrigações por parte de um dos contratantes, em contrato já formalizado, mas ainda não executado.

CESSÃO DE CRÉDITO — 1) Ato realizado através de instrumento público ou particular, transcrito em registro público, em que o credor transfere ou cede a outrem o direito sobre o seu crédito. 2) Operação em que uma Instituição Financeira (cedente) cede (vende) parte de sua carteira de crédito para outra Instituição Financeira (cessionária). As operações cedidas deixam de fazer parte do ativo da cedente e passam a compor o ativo da cessionária.

CESSÃO DE DIREITOS — Contrato oneroso ou gratuito pelo qual o cedente transfere ao cessionário créditos ou direitos. Seus requisitos são, basicamente, a capacidade de contratar das partes e o instrumento de contrato respectivo. Titular de um direito que o transfere a outrem é chamado de cedente.

CESSÃO DE RECEITAS FUTURAS — Forma de garantia em que o importador cede as receitas que advirão da utilização do bem que importou (venda, aluguel etc.). Esses recursos permanecerão em conta vinculada em banco no exterior (*"escrow account"*) até a liquidação.

CESSÃO DE USO — Constitui a transferência gratuita da posse de um bem público de uma entidade ou órgão para outra entidade ou órgão público, de forma que o cessionário o utilize segundo sua normal destinação, por tempo certo ou indeterminado. A cessão de uso é ato administrativo interno, que não opera a transferência de propriedade, assemelhando-se ao comodato de Direito Privado. Pode dispensar a autorização legislativa, quando se der entre órgãos da mesma entidade (por exemplo: Secretarias de um mesmo município), fazendo-se por simples termos de cessão e anotação cadastral. A autorização legislativa será, porém, necessária, quando a cessão se der entre entidades diferentes. É também termo decorrente de ato discricionário da Administração Pública, através do qual o ente da Federação cede, mediante remuneração ou imposição de encargos, o uso de seu imóvel, pelo prazo máximo de dez anos, a pessoa jurídica de direito privado de relevante valor social, podendo ser, a critério do chefe do executivo, gratuito e sem limitação de prazo se feito à Administração direta ou indireta. (Ver: Ente da Federação.)

CESSÃO FIDUCIÁRIA — Modalidade de garantia em que o devedor cede ao credor os direitos creditórios que detém em face de contrato de alienação de bem imóvel, até que se dê a liquidação total da dívida.

CESSÃO *PRO SOLUTO* — É quando o faturizador adquire os títulos do faturizado, através de cessão de crédito, na operação de fomento mercantil, assumindo a responsabilidade (risco) pela solvência do sacado-devedor.

CESSÃO *PRO SOLVENDO* — Quando a responsabilidade do sacado-devedor é assumida, por escrito, pelo faturizado, em face dos títulos cedidos por meio de cessão de crédito na operação de fomento mercantil.

CESSIONÁRIO — Pessoa a quem se cedeu um direito ou um crédito.

CESSIONÁRIO-FATURIZADOR — É a empresa de *factoring* que, através da cessão de crédito da operação de fomento mercantil, adquire os títulos do cedente-faturizado.

CESTA BÁSICA — Conjunto de bens que satisfaz as necessidades básicas de uma família de trabalhadores.

CESTA DE MOEDAS — Recurso usado como índice de variação de ativos financeiros para evitar variações bruscas de uma única moeda. Na prática, estabelece-se um conjunto de moedas de diferentes países (geralmente desenvolvidos) que entram na cesta. Determina-se, então, uma média ponderada para cada uma delas e o resultado é uma espécie de moeda internacional que corresponde aos direitos de saque no Fundo Monetário Internacional (FMI). A medida foi adotada pela primeira vez em 1971, com a desvalorização do dólar americano.

***CETERIS PARIBUS* —** [Latim]. Expressão que significa iguais às demais coisas. Isto é, sem que haja modificações de outras características. Manutenção das condições presentes; quando as condições se mantêm.

CETIP (CENTRAL DE CUSTÓDIA E DE LIQUIDAÇÃO FINANCEIRA DE TÍTULOS) — Empresa sem fins lucrativos, criada pela ANDIMA (Associação Nacional das Instituições do Mercado Aberto), em março de 1986, para dar mais agilidade e segurança às operações realizadas com títulos privados. Posteriormente, passou a garantir, custodiar e liquidar operações envolvendo também títulos públicos, incluindo títulos estaduais e municipais que ficaram de fora das regras de refinanciamento da dívida estadual. Atualmente, a CETIP possui a custódia dos Créditos Securitizados da União, os títulos da Dívida Agrícola (Lei nº 9.138, de 29/11/1995), os Títulos da Dívida Agrária – TDA, os Certificados Financeiros do Tesouro - CFT, os Certificados da Dívida Pública - CDP e Títulos Privados, tais como: CDB´s e debêntures. A CETIP constitui-se em um mercado de balcão organizado para registro e negociação de valores mobiliários de renda fixa. Oferece o suporte necessário a toda a cadeia de operações, prestando serviços integrados de custódia; negociação *on-line*; registro de negócios; e liquidação financeira. São participantes da associação: bancos, corretoras, distribuidoras, demais instituições financeiras, empresas de *leasing*, fundos de investimento e pessoas jurídicas não-financeiras, tais como seguradoras e fundos de pensão. Na CETIP ficam garantidas as operações, pois quem compra tem certeza da validade do título e quem vende tem certeza de recebimento do valor. Abrange também a liquidação financeira das transações realizadas na Bolsa de São Paulo (Bovespa) e Bolsa de Mercadorias e de Futuros (BM&F).

CF — Abreviatura de Constituição Federal.

CFC (CLOROFLUORCARBONO) — Composto químico gasoso, cuja molécula é composta dos átomos dos elementos cloro, flúor e carbono, dos quais vêm suas iniciais. Constitui um gás de alto poder refrigerante, por isso foi muito usado na indústria (geladeiras e condicionadores de ar). Também constitui um dos principais componentes na produção de espumas, como as caixinhas de sanduíches em lanchonetes. Originariamente, era utilizado em larga escala como um gás propelente de recipientes aerossóis; este uso está praticamente banido pelos seus comprovados efeitos danosos à camada de ozônio. No final do século XX, surgiram diversos programas em todo o mundo para banimento total do uso de CFCs, quando começaram a ser fabricadas geladeiras e outros dispositivos refrigeradores que não utilizam CFCs.

CFT (CERTIFICADO FINANCEIRO DO TESOURO) — Título de responsabilidade do Tesouro Nacional, emitido para a realização de operações financeiras definidas em lei, exclusivamente sob a forma escritural, na CETIP. Título de rentabilidade pós-fixada (à exceção do CFT-F), possuindo diversas séries, cada qual com índice de atualização próprio (IGP–M, Dólar, TR etc.).

CGC/MF (CADASTRO GERAL DE CONTRIBUINTES DO MINISTÉRIO DA FAZENDA) — Cadastro substituído pelo CNPJ (Cadastro Nacional da Pessoa Jurídica), da Receita Federal. (Ver: CNPJ.)

CHAMADA DE BÔNUS — Resgate de bônus pelo emitente, mediante o pagamento antes do vencimento.

CHAMADA DE CAPITAL — Ver Capital, Chamada de.

CHAMADA DE MARGEM — É a exigência de fundos ou garantias adicionais, após marcação, a preços de mercado, de uma operação de empréstimo de títulos, se o valor de mercado da garantia subjacente cai abaixo de certo nível em relação ao ativo que foi objeto de empréstimo. De maneira similar, se o valor dos ativos em garantia, após sua avaliação, exceder a margem acordada, poderia ser exigida a devolução de parte das garantias.

CHAMAMENTO À AUTORIA — Antiga denominação da atual Denunciação da Lide, empregada pelo Código de Processo Civil (CPC) de 1939, revogado em 1973, pelo estatuto vigente. (Ver: Denunciação da lide.)

CHAMAMENTO AO PROCESSO — 1) É o meio processual civil invocado para fazer com que o devedor ou o fiador, não acionado na inicial, responda judicialmente pelo débito. Significa um dos casos em que se pode dar a intervenção de terceiros no decurso do litígio. O chamamento ao processo dá-se: do devedor, na ação em que o fiador for réu; dos outros fiadores, quando para a ação for citado apenas um deles; de todos os devedores solidários, quando o credor exigir de um ou de alguns deles, parcial ou totalmente, a dívida comum. 2) É o meio adotado pelo Tribunal de Contas, na jurisdição própria e privativa, que determina, conforme o caso em matérias sujeitas a sua competência, através da citação, notificação ou comunicação do responsável ou interessado.

CHANTAGEM — Expressão derivada do francês *chatage* que significa extorsão, de favores, dinheiro ou vantagens, a alguém, ameaçando revelar fatos ou ato que a vítima não deseja que sejam descobertos.

CHAPADA — É a denominação usada no Brasil para as superfícies superiores a dez hectares, com declividade inferior a 10% (aproximadamente 6 graus), terminadas de forma abrupta, e a mais de 600 metros de altitude que aparecem na Região Centro-Oeste do Brasil. Do ponto de vista geomorfológico, a chapada é, na realidade, um planalto sedimentar, pois trata-se de um acamamento estratificado que, em certos pontos, está nas mesmas cotas da superfície de erosão, talhadas em rochas pré-cambrianas.

CHECK-LIST — Lista de conferência, lista de ordenação. Método simples e empírico, geralmente utilizado para checar uma lista ou relação de procedimentos padronizados, conferindo a presença ou ausência de um determinado recurso ou sinal correspondente a uma operação (em um painel). O mesmo que relação de checagem.

CHEFE DE ESTADO — O mais alto representante público de um estado-nação, federação ou confederação. Pode ser representado pelo presidente do país ou pelo monarca. Possui função moral e tradicional, de legitimidade do Estado e exercício de poderes, funções e deveres atribuídos a ele pela Constituição do país.

CHEFE DE GOVERNO — É o chefe do Poder Executivo. Em sistemas parlamentaristas, o chefe de governo é o primeiro-ministro, o qual pode ser destituído a qualquer momento pelo Parlamento, por um voto de desconfiança. No presidencialismo, esse cargo é ocupado pelo presidente do país. O chefe de governo exerce as funções executivas estipuladas pela Constituição do país. Geralmente nomeia os componentes do gabinete, que o auxiliam no governo.

CHEQUE — É o título de crédito pagável à vista. O cheque deve conter: a denominação "cheque" inscrita no contexto do título e expressa na língua em que este é redigido; a ordem incondicional de pagar quantia determinada; o nome do banco ou da instituição financeira que deve pagar (sacado); a indicação do lugar de pagamento; a indicação da data e do lugar de emissão; a assinatura do emitente (sacador) ou de seu mandatário com poderes especiais. A assinatura do emitente ou a de seu mandatário com poderes especiais pode ser constituída, na forma de legislação específica, por chancela mecânica ou processo equivalente.

CHEQUE ADMINISTRATIVO — É aquele sacado pelo banco contra um de seus estabelecimentos. Sacador e sacado se identificam no cheque administrativo. O cheque administrativo somente pode ser emitido nominalmente. Uma das espécies mais conhecidas de cheque administrativo, que possui algumas particularidades, é o cheque de viajante (*traveller's check*). Trata-se de uma ordem de pagamento à vista que um banco emite contra qualquer um de seus estabelecimentos e que deve ser firmado pelo credor em dois momentos distintos: na aquisição e na liquidação. Destina-se a conferir maior segurança aos viajantes, que não precisam transportar dinheiro. Pode ou não estar vinculado a um contrato de câmbio.

CHEQUE CRUZADO — É aquele que se destina a possibilitar, a qualquer momento, a identificação da pessoa em favor de quem foi liquidado. Resulta na aposição, pelo emitente, ou pelo portador, no anverso do título, de dois traços transversais, no interior dos quais poderá, ou não, ser designado um determinado banco. Na falta de qualquer designação, ou sendo esta genérica, ter-se-á cruzamentos em branco, ou geral; em havendo a menção de um específico banco, ter-se-á cruzamento em preto, ou especial. Um cheque com cruzamento em branco somente poderá ser pago a um banco ou a um cliente do sacado mediante crédito em conta. O cheque com cruzamento especial somente poderá ser pago ao banco cujo nome conste do cruzamento ou, sendo este também o sacado, um cliente seu, mediante depósito em conta.

CHEQUE LIQUIDADO — É o cheque que foi pago pelo banco sacado.

CHEQUE PARA SE LEVAR EM CONTA — Tem o mesmo objetivo que o cheque cruzado. Destinam-se, ambos, a possibilitar a identificação da pessoa de quem o cheque foi liquidado. Um cheque com a cláusula "para ser creditado em conta", inserida pelo emitente ou pelo portador, não pode ser pago em dinheiro. Sua liquidação será feita somente por lançamento contábil por parte do sacado. Não será possível ao sacado pagar o cheque diretamente. Como acontece com o cruzamento, a cláusula específica para levar em conta gera efeitos somente perante o sacado, que está obrigado a observar as normas de liquidação pertinentes. Um cheque para se levar em conta sem suficiente provisão de fundo pode ser pago em dinheiro, diretamente ao seu credor, por qualquer devedor do título. Um cheque com a cláusula "para ser creditado em conta" emitido na forma nominativa prescinde de endosso quando depositado em conta-corrente do favorecido.

CHEQUE PÓS-DATADO — É lançar data posterior à da verdadeira emissão. (Ver: Cheque pré-datado.)

CHEQUE PRÉ-DATADO — O nome correto é cheque pós-datado, isto porque a antedata significa o oposto do que se quer indicar. Pré-datar é colocar data anterior à que o cheque foi emitido. Lançar data posterior à da verdadeira emissão é pós-datar. Trata-se, na verdade, de um financiamento informal utilizado pelo mercado, traduzindo-se em instrumento ágil e apropriado à documentação de crédito, que poderá servir de título negociável, para fins de desconto bancário ou cessão na operação de *factoring*, tanto assinado por pessoa física quanto por pessoa jurídica, bastando apenas (para operação de *factoring*) ser oriundo de operação mercantil do faturizado.

CHEQUE PRESCRITO — É o cheque que foi apresentado após o prazo de prescrição (seis meses após o prazo de apresentação). Nessa situação, o beneficiário perde o direito de execução, sendo possível apenas ação comum na Justiça, para reaver o seu crédito. (Ver: Cheque, Prescrição do.)

CHEQUE SEM FUNDOS — Título emitido pelo correntista sem suficiente provisão para o pagamento. O cheque sem fundos constitui crime de estelionato.

CHEQUE VISADO — É aquele em que o banco sacado lança declaração de suficiência de fundos, a pedido do emitente ou do portador legitimado. Somente o cheque nominativo ainda não endossado comporta esta certificação. O visamento não comporta o aceite, posto que não vincula o banco ao pagamento do título independentemente da existência de provisão de fundos. A única obrigação que lhe compete em virtude do visamento é a prevista no art. 7º,§ 1º da Lei nº 7.357, de 1985: o sacado deve reservar, da conta-corrente do sacador, em benefício do credor, quantia equivalente ao valor do cheque, durante o prazo de apresentação.

CHEQUE, PAGAMENTO DO — O cheque deve ser apresentado no prazo de 30 dias da emissão se for cheque da mesma praça e em 60 se for de praça distinta. Um cheque não apresentado durante o prazo legal pode ser pago pelo sacado, desde que não se encontre prescrito e haja suficiente provisão de fundos em seu poder. A inobservância do prazo de apresentação, portanto, não constitui o título de crédito como ordem de pagamento à vista, mas pode importar em conseqüências ao credor como prevê o art. 47,II, e seu § 3º da Lei nº 7.357, de 1985. (Ver: Cheque, Prescrição do.)

CHEQUE, PRESCRIÇÃO DO — Prescreve em seis meses, contados da expiração do prazo de apresentação, a ação de execução por falta de pagamento do cheque. Deve-se considerar como lugar de emissão ou de pagamento a cidade designada no cheque. O cheque deve ser apresentado para pagamento a contar do dia da emissão, no prazo de 30 dias, quando emitido na mesma praça ou em 60 se for em praça distinta. (Ver: Cheque prescrito.)

CHEQUES DE VIAGEM — 1) São documentos emitidos e vendidos ao viajante por instituição financeira e recebidos pelo comércio como se fosse dinheiro. 2) Documento emitido após o registro do desembaraço das mercadorias pelo AFTN (Auditor Fiscal do Tesouro Nacional).

CHEQUES, MODALIDADES DE — A Lei nº 7.357, de 1985, lei dos cheques, prevê as seguintes modalidades de cheques: a) cheque visado; b) cheque administrativo; c) cheque cruzado; d) cheque para se levar em conta.

CHERNOBYL — Localidade da Ucrânia, ao norte da cidade de Kiev, onde ocorreram duas enormes explosões no interior dos quatro reatores da estação de energia nuclear, em 26 de abril de 1986. Os ventos transportaram parte do material radiativo resultante da explosão para a Europa Oriental e Ocidental, a 2.000 quilômetros de distância.

CHINESE WALL — 1) É o conjunto de procedimentos e políticas internas da instituição que visa estabelecer uma barreira à comunicação entre diferentes indivíduos ou setores de uma mesma empresa, de modo a assegurar o cumprimento de legislação vigente sobre segregação da administração de recursos de terceiros das demais atividades da instituição. 2) Termo usado para designar a separação física e administrativa entre a tesouraria do banco e a gestora de fundos (*asset management*). Esta separação é exigida pelo Banco Central para evitar possíveis conflitos de interesses entre o banco e a administração dos recursos de terceiros.

CHORUME — Resíduo líquido proveniente de resíduos sólidos (lixo), particularmente quando dispostos no solo, como, por exemplo, nos aterros sanitários. Resulta principalmente da água de chuva que infiltra, e da decomposição biológica da parte orgânica dos resíduos sólidos. É altamente poluidor. (Ver: Vinhoto.)

CHUVA ÁCIDA — É assim chamada por resultar da combinação entre óxidos de enxofre (SO_x) e óxidos de nitrogênio (NO_x), liberados pela combustão de combustíveis fósseis emitidos, por exemplo, pelas chaminés das indústrias (especialmente o carvão) e escapamentos de automóveis com a umidade do ar, resultando na formação de ácidos nítrico, nitroso, sulfúrico e sulfuroso. As gotas contaminadas (pH mais baixo) por poluentes atmosféricos penetram no solo, envenenando-o, o que causa a morte de florestas. Também contaminam rios, lagos e corroem elementos como mármore, ameaçando patrimônios artísticos e arquitetônicos. A chuva ácida pode cair longe das fontes de poluição, já que o vento carrega os poluentes atmosféricos.

CHUVA OROGRÁFICA — Tipo de chuva oriunda do movimento ascendente diurno das massas de ar, freqüente nas montanhas.

CIBERNÉTICA — Em sua origem grega, relaciona-se com o ato de controlar ou governar. Ciência que estuda os processos de comunicação e controle entre máquinas e dos complexos Homem/máquina. Teoria da comunicação e do controle de sistemas.

CIC (CARTÃO DE IDENTIFICAÇÃO DO CONTRIBUINTE) — É o cartão personalizado (espécie de carteira de identidade) expedido pelo Ministério da Fazenda com o número da inscrição no CNPJ (Cadastro Nacional de Pessoa Jurídica) para todas as pessoas jurídicas e no CPF (Cadastro de Pessoa Física) para todas as pessoas físicas.

CICLO BIOLÓGICO — Conjunto de etapas por que passa um determinado ser vivo, do nascimento à morte; biociclo.

CICLO CLIMÁTICO — Ritmos verdadeiros ou supostos nas longas séries de observações de elementos climáticos.

CICLO DA ÁGUA — Também denominado ciclo hidrológico das águas, é o processo da circulação das águas da terra, que inclui os fenômenos de evaporação, precipitação, transporte, escoamento superficial, infiltração, retenção e percolação. Sucessão de fases percorridas pela água ao passar da atmosfera à terra, e vice-versa: evaporação do solo, do mar e das águas continentais; condensação para formar nuvens; precipitação, acumulação no solo ou nas massas de água; escoamento direto ou retardado para o mar e a evaporação.

CICLO DE VIDA — Período que compreende todos os acontecimentos entre o nascimento e a morte de um organismo.

CICLO DO NITROGÊNIO — O nitrogênio constitui 78% da atmosfera do planeta Terra, mas só pode ser aproveitado como fonte de energia para os seres vivos depois de transformado em nitrato pela ação de bactérias. Os nitratos, solúveis em água, são captados pelas raízes das plantas, que, por sua vez, o repassam aos animais. Outras bactérias transformam parte do nitrato que não é consumido pelas plantas novamente em gás nitrogênio, completando o ciclo.

CICLO DO PROJETO — Conjunto de fases pelas quais passa um projeto desde a programação até à avaliação final. Em regra, existem as seguintes fases: programação, identificação, instrução, financiamento, execução e avaliação.

CICLO ECONÔMICO — É o padrão, mais ou menos regular, de expansão (retomada) e contração (recessão) da atividade econômica em torno da trajetória do crescimento tendencial.

CICLO HIDROLÓGICO — Ver Ciclo da Água.

CICLO ORÇAMENTÁRIO — Na Administração Pública, constitui-se em uma série de passos (processos) articulados entre si, que se repetem em períodos prefixados, através dos quais orçamentos sucessivos são preparados, votados, executados, avaliados e as contas aprovadas, num processo de contínua realimentação. Em geral, o ciclo orçamentário é referido pela literatura técnica como abrangendo quatro fases. São elas: *elaboração e apresentação, autorização legislativa, programação* e execução, *avaliação e controle*.

CICLONE — É o nome genérico para ventos circulares, como tufão, furacão, tornado e *willy-willy*. Caracteriza-se por uma tempestade violenta que ocorre em regiões tropicais ou subtropicais, produzida por grandes massas de ar em alta velocidade de rotação. Evidencia-se quando ventos superam os 50 km/h. Resulta em convergência de ventos, os quais se movem no sentido horário no Hemisfério Sul e no sentido anti-horário no Hemisfério Norte. Também conhecido como área de baixa pressão; é o oposto de uma área de alta pressão, ou anticiclone. Tipos: Frontais, Orográficos, Superiores, Termais, Tropicais, Extratropicais ou vendavais muito intensos.

CICLONES EXTRATROPICAIS OU VENDAVAIS MUITO INTENSOS — Os ciclones tropicais, que no Hemisfério Norte têm uma rota de formato parabólico e, quando originados em Cabo Verde, em função do efeito Coriolis, seguem uma derrota curva, inicialmente na direção noroeste e, ao atingirem latitudes médias, infletem para nordeste, acabam por se converter em ciclones extratropicais, atingindo a Europa e a Sibéria. No Hemisfério Sul, as trajetórias encurvam-se para sudoeste e depois para sudeste e, pelas mesmas causas, os ciclones tropicais podem ser continuados por ciclones extratropicais de menor intensidade.

CICLONES FRONTAIS — São os que se formam ao longo das frentes.

CICLONES OROGRÁFICOS — Formam-se sobre as áreas montanhosas; predominam a sotavento das montanhas e cordilheiras e são sempre mais intensos no outono e inverno.

CICLONES SUPERIORES — Desenvolvem-se em níveis elevados (troposfera superior) e propagam-se para os níveis inferiores até a superfície; ocorrem com mais freqüência e intensidade no outono e inverno.

CICLONES TERMAIS — São muito mais intensos e cobrem maiores áreas no verão, desaparecendo quase que por completo no inverno; ocorrem pelo aquecimento de certas regiões livres de atividades frontais.

CICLONES TROPICAIS — Sistema de baixa pressão de núcleo quente, que se desenvolve sobre águas tropicais e, às vezes, subtropicais. Possui circulação organizada ao redor de seu centro. Dependendo da intensidade dos ventos em superfície, o sistema pode ser classificado como distúrbio tropical, depressão tropical, tempestade tropical ou furacão.Ocorrem no verão, sobre as latitudes tropicais marítimas, onde as temperaturas mais baixas ficam entre 27ºC e 28ºC, em média; ocorrem em todos os oceanos, exceto no Atlântico Sul e Pacífico Sul a "este" de 140ºW e recebem diferentes denominações regionais, como é o caso de "furacão" (*hurricane*), para os que se formam sobre o Atlântico Norte; "tufão" (*typhoon*), no Pacífico Norte; "baguio", nas Filipinas; "*willy-willy*", na Austrália; "ciclone", no Oceano Índico; "*El Cordonazo de San Francisco*", na costa oeste do México.

CIDADANIA — Qualidade ou estado de cidadão. A origem da palavra cidadania vem do latim "*civitas*", que quer dizer cidade. A palavra cidadania foi usada na Roma antiga para indicar a situação política de uma pessoa e os direitos que essa pessoa tinha ou podia exercer. A cidadania expressa a qualidade das pessoas que possuem direitos civis e políticos resguardados pelo Estado. Assim, o vínculo de cidadania estabelece direitos e obrigações da pessoa com o Estado, facultando aos cidadãos prerrogativas para o desempenho de atividades políticas e a possibilidade de participar ativamente da vida e do governo de seu povo. Quem não tem cidadania está marginalizado ou excluído da vida social e da tomada de decisões, ficando numa posição de inferioridade dentro do grupo social. A nacionalidade é pressuposto da cidadania, embora não se confunda com esta.

CIDADANIA CORPORATIVA — A Cidadania Corporativa busca desenvolver valores, crenças, tradições e a cultura organizacional em todos os funcionários da empresa nos diversos níveis hierárquicos, estimulando o orgulho e fortalecendo seu vínculo com a empresa. A estrutura contextual proporciona a todos os funcionários uma noção clara do contexto em que a empresa está inserida, seus negócios, clientes e fornecedores, concorrentes, melhores práticas do mercado e como estão os resultados da empresa. Oferece também uma visão geral da estrutura da empresa para que todos possam compreender qual a importância do seu papel dentro da organização.

CIDADANIA EMPRESARIAL — É a expressão da responsabilidade social de uma empresa em sua relação com a comunidade em que está inserida. As ações de cidadania empresarial são as iniciativas promovidas por empresas privadas com o objetivo de apoiar a melhoria da educação, saúde, direitos humanos ou as demais áreas sociais. A cidadania empresarial começou a ganhar força no Brasil no início dos anos 90 do século XX.

CIDADÃO — Indivíduo membro de uma comunidade ou sociedade, jurídica e politicamente organizada, que goza efetivamente de seus direitos e deveres, tendo o amparo legal do Estado. O Estado fica incumbido de exercer suas obrigações negativas, assim chamadas porque a declaração desses direitos significa que o Estado não deve fazer nada que os possa lesar. Ser cidadão é possuir direito individual e liberdade pública. Os direitos individuais são distinguidos em direitos relativos à igualdade civil, à liberdade civil e à liberdade política. Os cidadãos também têm direitos sociais, que são as obrigações positivas do Estado, ou seja, o que o Estado deve fazer para que os indivíduos desenvolvam plenamente suas capacidades físicas, morais e intelectuais. Os direitos sociais são normas de ação, que o Estado deve promover, assegurar e melhorar, no âmbito da Saúde Pública, da Educação, da Assistência Social, da Previdência, da Habitação Popular, do Trabalho, do Lazer. Enfim, uma série de serviços públicos necessários a toda a sociedade, mas que apenas uma parte dela tem condições de usufruir.

CIDADE — Complexo demográfico formado, social e economicamente, por uma importante concentração populacional não-agrícola, isto é, dedicada a atividades de caráter mercantil, industrial, financeiro e cultural. 2) Sede de município, independentemente do número de seus habitantes. (Ver: Município.)

CIDADE (MEIO URBANO) — É a malha edificada sobre o meio físico, como palco para as práticas urbanas.

CIDADE DA TRANSIÇÃO — É a denominação dada pelo Plano Diretor de Desenvolvimento Urbano e Ambiental (PDDUA) a uma zona intermediária entre a parte mais populosa da cidade e a linha dos morros do município. Deve manter sua característica residencial e ter sua densidade controlada, conservando sua paisagem natural.

CIDADE INFORMAL — É o espaço da cidade ocupado informalmente, à revelia das legislações urbanísticas existentes no restante da cidade.

CIDADE JARDIM — É a denominação dada pelo Plano Diretor de Desenvolvimento Urbano e Ambiental (PDDUA) a bairros com baixa densidade, que devem manter suas características residenciais, com predominância de casas e circundados por áreas verdes.

CIDADE MISCIGENADA — Mistura. Conceito de cidade em que as diferentes atividades da vida cotidiana, desde que compatíveis, convivem próximas umas das outras, propiciando a redução dos deslocamentos das pessoas.

CIDADE RURURBANA — É a denominação dada pelo Plano Diretor de Desenvolvimento Urbano e Ambiental (PDDUA) e é caracterizada pela presença de grande patrimônio natural, de criação de animais, de sítios de subsistência ou lazer, misturados a esparsas áreas de habitação popular. Nela existem, também, núcleos mais ocupados e com características de cidade intensiva. Dada a predominância de valores naturais a preservar, seu uso deve ser incentivado para o lazer, o turismo ecológico e atividades primárias.

CIDADE XADREZ — É a denominação dada pelo Plano Diretor de Desenvolvimento Urbano e Ambiental (PDDUA) e recebe este nome porque nela serão fortalecidas ligações viárias nos sentidos norte/sul e leste/oeste, que formam justamente uma trama viária xadrez. Nestas áreas são incentivados Corredores de Centralidade que possibilitem o surgimento de novos "centros", dando estímulos para que ali se instale uma grande variedade de atividades comerciais, de serviços e de lazer, dando suporte ao uso residencial do próprio corredor e do entorno.

CIDADE-SATÉLITE — É uma designação usada para se referir a centros urbanos surgidos nos subúrbios de uma grande cidade, tipicamente para servir de moradia aos trabalhadores. Assim, o centro da grande cidade, onde os terrenos são mais caros, ficará destinado ao comércio, e a periferia, para a habitação. Com a expansão, esses núcleos urbanos periféricos vão constituindo autênticas cidades, pouquíssimo industrializadas e com comércio muito básico e surge daí esta distinção. Um exemplo, no Brasil, são as cidades-satélites tão comuns no Distrito Federal, como as de Brasília: Samambaia, Ceilândia, Taguatinga, Águas Claras, Gama, Sobradinho, Planaltina, Guará, Brazlândia, entre outras. O artigo 32 da Constituição brasileira veda a divisão do Distrito Federal em municípios, e por este motivo é usada a expressão cidade-satélite para designar as regiões administrativas do entorno do Plano Piloto de Brasília. Vale salientar que em outras cidades algumas regiões administrativas seriam municípios autônomos. Por exemplo, algumas satélites do Distrito Federal encontram-se a mais de 25 quilômetros do Plano Piloto.

CIDE – DISTRIBUIÇÃO DOS RECURSOS — A distribuição dos 29% aos estados e ao Distrito Federal observará os seguintes critérios: a) 40% (quarenta por cento) proporcionalmente à extensão da malha viária federal e estadual pavimentada existente em cada estado e no Distrito Federal, conforme dados estatísticos elaborados pelo Departamento Nacional de Infra-Estrutura de Transportes – DNIT; b) 30% (trinta por cento) proporcionalmente ao consumo, em cada estado e no Distrito Federal, dos combustíveis a que a CIDE se aplica, conforme estatísticas elaboradas pela Agência Nacional do Petróleo – ANP; c) 20% (vinte por cento) proporcionalmente à população apurada pela Fundação Instituto Brasileiro de Geografia e Estatística – IBGE; d) 10% (dez por cento) distribuídos em parcelas iguais entre os estados e o Distrito Federal. Do montante dos recursos que cabe a cada estado, 25% serão destinados aos seus municípios. Enquanto não for sancionada a lei federal a que se refere o art. 159, § 4º, da Constituição Federal, a distribuição aos municípios observará os seguintes critérios: a) 50% (cinqüenta por cento) proporcionalmente aos mesmos critérios previstos na regulamentação da distribuição dos recursos do Fundo de Participação dos Municípios, ou seja, levando-se em conta o inverso da renda *per capita*; b) 50% (cinqüenta por cento) proporcionalmente à população apurada pela Fundação Instituto Brasileiro de Geografia e Estatística – IBGE. Os recursos serão distribuídos pela União aos estados e ao Distrito Federal, trimestralmente, até o 8º (oitavo) dia útil do mês subseqüente ao do encerramento de cada trimestre, mediante crédito em conta vinculada aberta para essa finalidade. Também os municípios deverão abrir uma conta vinculada que identifique os recursos recebidos. (Ver: CIDE – Contribuição Social de Intervenção no Domínio Econômico.)

CIDE (CONTRIBUIÇÃO SOCIAL DE INTERVENÇÃO NO DOMÍNIO ECONÔMICO) — É um tributo previsto constitucionalmente, de competência exclusiva da União. A Lei Federal nº 10.336, de 19 de dezembro de 2001, instituiu a incidência do CIDE sobre a importação e a comercialização de petróleo e seus derivados, gás natural e seus derivados e álcool etílico combustível. Por força do art. 159, III da Constituição Federal e art. 93 do Ato das Disposições Transitórias da Constituição Federal incluídos na EC nº 42, aprovada em 19 de dezembro de 2003, foi editada a Lei 10.866, de 4 de maio de 2004, que acresceu os arts. 1º-A e 1º-B à Lei nº 10.336, de 19 de dezembro de 2001, com o objetivo de regulamentar a partilha com os estados, o Distrito Federal e os municípios da arrecadação da CIDE, nela destacando que a União entregará aos estados e ao Distrito Federal, para ser aplicado, obrigatoriamente, no financiamento de programas de infra-estrutura de transportes, o percentual a que se refere o art. 159, III, da Constituição Federal, calculado sobre a arrecadação da contribuição da CIDE, inclusive os respectivos adicionais, juros e multas moratórias cobrados, administrativa ou judicialmente. Com a Emenda Constitucional nº 44, de 30.06.2004, o percentual referido no art. 159, III, é de 29%. Do montante dos recursos que cabe a cada estado, 25% serão destinados aos seus municípios para serem aplicados no financiamento de programas de infra-estrutura de transportes. (Ver: CIDE – Distribuição dos recursos.)

CIÊNCIA — Conhecimento lúcido, na ocasião certa, do que é preciso saber. É o estar ciente do que ocorre. Entendimento claro e correto das situações interna e externa relativas. Estar a par do acontecimento. Conjunto da sabedoria humana. Conhecimento especial sobre a natureza, sobre o ser humano e sobre a sociedade; atividade do cientista: "ciência é o que os cientistas fazem"; conhecimentos validados pelos pares (cientistas); acervo de conhecimentos científicos; busca sistemática de descrições da realidade (explicações plausíveis de como as coisas ocorrem na natureza); reconstruções racionais do funcionamento da natureza e das coisas, apoiadas na investigação das relações fenomenológicas e no diálogo do cientista com a realidade; construção simbólica da realidade com base em determinações éticas e procedimentos definidos pela comunidade científica internacional; forma especial de pensar, interagir e descrever a natureza; forma especial de socialização de indivíduos dedicados à investigação da natureza, da sociedade e do ser humano.

CIÊNCIA AO PLENÁRIO — Fato que o Plenário deva tomar conhecimento, sem necessidade, naquele momento, de decisão sobre o assunto tratado.

CIÊNCIAS ATUARIAIS — É a ciência que aplica técnicas específicas à administração de seguros e fundos de pensão. (Ver: Atuário.)

CIÊNCIAS SOCIAIS — É uma das principais divisões do conhecimento humano. Conjunto de matérias que estuda o ser humano em relação com o seu meio físico, cultural e social. Embora muitos cientistas sociais em geral tentem modelar suas disciplinas conforme as ciências naturais, aspirando a atingir um nível semelhante de consenso, seus esforços nesse sentido continuam a ser frustrados devido à imperfeição de suas ferramentas conceituais em relação à complexidade de sua matéria de estudo e ao campo limitado que existe para experimentos controlados.

CIENTE — Que tem ciência ou conhecimento de alguma coisa; sabedor, assinatura que se apõe a documentos para comprovar que se tomou conhecimento de seu conteúdo.

CIENTOMETRIA — Estudo dos indicadores quantitativos das atividades e da produção científica; estudo dos insumos e resultados das atividades de pesquisa científica; métodos e técnicas de avaliação quantitativa das atividades científicas e de produção do conhecimento.

CIF — Cláusula de estilo de contratos de compra e venda. Corresponde à sigla formada pelas iniciais das palavras inglesas: *Cost, Insurance and Freight* - "Custo, Seguro e Frete". De acordo com essa cláusula, o preço inclui: o custo da mercadoria; o transporte; o carregamento e quaisquer outras despesas ocorridas até a entrega da mercadoria a bordo do navio no porto de embarque; e, ainda, o frete até o cais do porto de destino, bem como o seguro marítimo sobre a mercadoria. Em síntese, no valor da venda indicado pelo vendedor está incluído o custo da mercadoria, o seguro e o frete até o destino final indicado pelo comprador. A cláusula é utilizada mesmo quando o transporte da mercadoria é realizado pelos demais meios e não apenas o marítimo. Entretanto, entende-se que o correto é utilizar o termo *CIP - Carriage and Insurance Paide to* (Transporte e Seguro Pagos até) para os casos de transporte rodoviário, ferroviário ou aéreo. (Ver: FOB.)

CIFRA — Montante das operações comerciais. Importância ou número total.

CIGATERA — Quadro clínico que normalmente ocorre após os *tsunamis*, caracterizado por náuseas, vômitos, diarréias e outros distúrbios gastrointestinais e provocado pela absorção de toxinas de animais marítimos, como peixes e crustáceos. (Ver: *Tsunamis.*)

CIMEIRA — Expressão utilizada em Portugal para definir conferência entre chefes de Estado ou líderes de organizações.

CIMO — A parte de cima; parte superior das coisas; cume.

CINTURÃO SÍSMICO — A atividade sísmica é mais intensa nas áreas de grandes falhas geológicas e nas bordas das placas tectônicas do que no interior das mesmas. As regiões instáveis desenham estreitas faixas ao redor do planeta. Uma das faixas desenvolve-se no Hemisfério Norte começando na embocadura do rio Tejo (Lisboa-Portugal) e prolonga-se ao longo da bacia do Mediterrâneo até atingir a Anatólia e a Armênia, quando se bifurca em dois ramos. O ramo norte prossegue pelo Cáucaso, Turquestão Russo, Turquestão Chinês, atingindo o lago de Baikal, e o ramo sul prossegue pelas bordas exteriores do planalto do Iran, atinge o Himalaia e depois as ilhas de Java, Molucas e Nova Guiné, prosseguindo por arquipélagos do Oceano Pacífico, como os de Salomão, Fidji, Samoa e Sandwich, atingindo a Venezuela e depois, pelas Antilhas, Cabo Verde e Açores, retorna a Portugal. A outra faixa contorna o Oceano Pacífico, ao longo dos Andes, prosseguindo pelo litoral oeste da América Central e da América do Norte até o Alasca, e daí pelas Alentas e pela Península de Kamchatba e pela costa asiática desce do Japão à Nova Zelândia e leste da Austrália. Ocorrem também abalos sísmicos ao longo da imensa fratura da África Central que se inicia no lago Zambeze, prolonga-se pela Etiópia, pelo delta do Nilo e pela Península do Sinai até atingir o Mar Morto. Ocorrem também terremotos na Islândia (na extremidade norte da Dorsal Atlântica) e nos Pirineus.

CINTURÃO VERDE — Faixa de terra, usualmente de alguns quilômetros, no entorno de áreas urbanas, preservada substancialmente como espaço aberto de densa vegetação. Seu objetivo é prevenir expansão excessiva das cidades e processos de conurbação, trazendo ar fresco e espaço rural não degradado para o mais perto possível dos moradores das cidades.

CINTURÃO VULCÂNICO — Denominação dada à série de vulcões que aparece ao longo das zonas continentais, banhadas pelo Oceano Pacífico e na área sul do Hemisfério Norte, de um modo geral, com o mesmo traçado das faixas sísmicas.

CIP - *CARRIAGE AND INSURANCE PAIDE TO* (TRANSPORTE E SEGURO PAGOS ATÉ...) — Cláusula de contrato de compra e venda indicando que o frete é pago pelo vendedor até o destino convencionado, acrescido do pagamento do seguro até o destino. Este termo pode ser utilizado independentemente da forma de transporte.

CIPA (COMISSÃO INTERNA DE PREVENÇÃO DE ACIDENTES) — Organismo criado dentro de uma empresa, por determinação legal, a fim de aplicar e fiscalizar o cumprimento das leis e normas inerentes à prevenção de acidentes de trabalho. É composta de representantes da classe patronal e dos empregados de uma empresa, com a finalidade de programar e fiscalizar as atividades de segurança contra acidentes.

CIRCA MERITA — [Latim]. Expressão que significa respeito dos méritos.

CIRCUIT-BREAK — Artifício de segurança acionado nas bolsas de valores para interromper o pregão quando a variação do preço de um ativo ou do índice de ações atinge um limite predeterminado, tanto de alta quanto de baixa. O objetivo é evitar que causas localizadas gerem pânico entre os investidores. Este mecanismo não impede a alta ou baixa das ações e outros ativos, mas força que os movimentos acompanhem decisões conscientes sobre observações mais concretas, reduzindo o efeito do fator emocional, sempre muito presente nas bolsas. Na Bovespa isso acontece quando o índice Bovespa (ibovespa) tem alta ou queda de 10%. Soa-se então uma sirene que pára as negociações durante meia hora. O sistema volta a funcionar se a alta ou a queda persistirem.

CIRCUITO ECONÔMICO — É a representação esquemática dos fluxos reais e monetários entre os vários agentes econômicos: Famílias, Empresas e Estado. As famílias fornecem às empresas terra, trabalho e capital (fluxos reais) em troca de rendas, salários e juros (fluxos monetários) no mercado de fatores. As empresas fornecem bens e serviços (fluxo real) em troca de quantitativos monetários despendidos pelas famílias (fluxo monetário) no mercado de produtos. Já o Estado recebe das famílias e das empresas impostos (fluxo monetário), despende recursos monetários (fluxo monetário) na aquisição de bens produzidos pelas empresas (fluxo real) e remunera (fluxos monetários) os fatores de produção fornecidos pelas famílias (fluxos reais). Todo o rendimento não gasto na aquisição de bens e serviços nem na remuneração dos fatores é poupado, o que está na base do capital financeiro, que permite o investimento empresarial. Numa economia aberta faria sentido ainda incluir o sujeito Exterior que estabeleceria fluxos com as empresas em termos de exportações e importações.

CIRCULAÇÃO URBANA — É o conjunto dos deslocamentos de pessoas e cargas na rede viária da cidade.

CIRCULAR — Ato administrativo de caráter geral, uniforme, endereçado a todos os órgãos que tenham a mesma condição, a mesma função e que pertençam à mesma categoria, tendo caráter obrigatório somente para com os subordinados a uma autoridade e nenhuma influência exercem sobre os tribunais. Não se confundem com os Avisos porque estes são privativos de ministros e secretários de Estado, nem com a instrução, porque possui um âmbito mais vasto do que esta.

CIRCUNSCRIÇÃO — 1) Divisão circular. Divisão de caráter administrativo, destinada a delimitar o alcance territorial das atribuições de um Órgão Público. 2) É a divisão que delimita a área de atuação de um tribunal ou de uma vara de Justiça. 3) É a delimitação territorial para efeitos de divisão administrativa de trabalho, definindo a área de atuação de agentes públicos.

CIRCUNSTÂNCIA — Particularidade que acompanha um fato; acidente; caso; condição; requisito; motivo; pormenor; estado de coisas; situação num certo momento.

CIRCUNSTÂNCIAS AGRAVANTES — Assim se diz dos fatos que cercam a realização de um crime ou contravenção, em virtude dos quais a lei manda que se aplique pena mais severa. Desse modo, as circunstâncias agravantes podem decorrer da qualidade do criminoso, que, por seus antecedentes, se mostre um indivíduo nocivo à sociedade, ou como incidentes, que cercaram o crime, em virtude dos quais se evidencia a maior crueldade ou nocividade do criminoso. (Ver: Circunstâncias Atenuantes.)

CIRCUNSTÂNCIAS ATENUANTES — Ao contrário das agravantes, são as que requerem maior benignidade para o criminoso, em atenção a seus antecedentes ou circunstâncias em que o próprio crime se realizou. (Ver: Circunstâncias Agravantes.)

CIRCUNSTÂNCIAS DIRIMENTES — Elementos evidenciados na pessoa do criminoso ou na prática do crime, com força para inculpar o agente.

CISÃO — 1) Procedimento inverso ao processo de fusão. Constitui-se na divisão de uma empresa em unidades independentes que recebem o patrimônio da empresa original. Como conseqüência, os produtos comercializados pelas novas unidades, suas identidades e os mercados em que atuam tornam-se distintos. 2) Operação pela qual a empresa transfere parcelas do seu patrimônio para uma ou mais sociedades, constituídas para esse fim ou já existentes, extinguindo-se a empresa cindida, se houver versão de todo o seu patrimônio, ou dividindo-se o seu capital, se parcial versão. O mesmo que cisão societária. (Ver: Fusão.)

CISÃO SOCIETÁRIA — Ver Cisão.

CITAÇÃO — 1) Ato processual escrito pelo qual o réu ou o interessado é chamado a juízo, por ordem da autoridade competente, para, querendo, defender-se da ação contra ele proposta. É o chamamento a juízo de alguém, para reagir contra a postulação de alguém. A citação tem lugar no começo da causa e pode ser pessoal, por edital ou com hora certa. Pode ser feita por: a) por mandado, se o réu ou interessado estiver no território sujeito à jurisdição do juiz que a ordenou; b) por precatória, se estiver fora da jurisdição do magistrado processante; c) por rogatória, se a citação tiver de ser feita em outro país, e d) por edital, se o réu estiver em local inacessível ou se a pessoa que tiver de ser citada for incerta. 2) Intimação judicial, por mandado de juiz competente, de qualquer pessoa a juízo para que seja ouvida em negócio de seu interesse, segundo a lei. 3) Chamamento do responsável ou interessado, por decisão do Plenário do Tribunal de Contas, para apresentar razões de defesa ou recolher débito apurado, quando determinada em decisão preliminar ou para interpor recurso, quando determinada em decisão definitiva, em que as contas forem julgadas irregulares, o Tribunal condenar o responsável ao pagamento da dívida apurada e/ou aplicação de multa. 4) Referência ao autor ou aos seus trabalhos, com relação a informações obtidas de outros trabalhos científicos. (Ver: Intimação.)

CITAÇÃO COM HORA CERTA — Pode ocorrer quando o réu estiver se ocultando para não ser citado. O oficial de Justiça marcará com familiares ou vizinhos a hora em que voltará para fazer a citação.

CITAÇÃO FICTA — Também designada citação presumida, é a citação feita pela imprensa (edital) ou pelo oficial de Justiça com hora certa.

CITAÇÃO NA EXECUÇÃO — É o ato processual que dá início à execução, quando o devedor é chamado para defender-se, sendo-lhe oferecida uma última oportunidade para cumprir a prestação devida.

CITAÇÃO PELO CORREIO — É o ato que ocorre através de carta citatória registrada e expedida com aviso de recebimento para que, com a anexação deste aviso aos autos, fique comprovado o recebimento da citação pelo destinatário.

CITAÇÃO PESSOAL — Forma de citação na qual o réu é citado pessoalmente ou na pessoa de seu representante legal.

CITAÇÃO POR CARTA DE ORDEM — É a ordem do tribunal dirigida a juiz que lhe seja subordinado para que este determine o cumprimento de uma citação.

CITAÇÃO POR CARTA PRECATÓRIA — É o ato citatório que ocorre quando o réu ou interessado mora em outra comarca e deva ser comunicado para defender-se em juízo. O juiz do processo, por não ter jurisdição na comarca onde a citação deve ser efetuada, depreca ao juiz da comarca onde a citação deve ser feita para que a providencie. O instrumento deste pedido feito por um juiz a outro da mesma categoria funcional é a carta precatória. (Ver: Deprecar.)

CITAÇÃO POR CARTA ROGATÓRIA — É o ato processual solicitado por juiz brasileiro, por via diplomática, a uma autoridade judiciária estrangeira, quando o réu ou interessado esteja no exterior. Dá-se o mesmo nome para pedidos de juízes estrangeiros a juízes brasileiros.

CITAÇÃO POR EDITAL — É aquela feita através de aviso ou anúncio publicado na imprensa oficial ou particular e afixado na sede do juízo, ou divulgado pelo rádio, no caso de ser o réu desconhecido ou incerto, de se encontrar em local ignorado, incerto ou inacessível ou, ainda, nos casos expressamente indicados em lei.

CITAÇÃO POR MANDADO — É aquela feita pelo próprio oficial de Justiça, não dispondo a lei de outro modo, no território da circunscrição judiciária em que o juiz ordenador da diligência citatória exerce a jurisdição ou no de comarca contígua, quando fácil a comunicação e próximo o lugar onde resida o citando ou onde possa ser encontrado.

CITAÇÃO POR OFICIAL DE JUSTIÇA — É aquela feita por ordem do juiz, que manda entregar-lhe o mandado, quando vedada ou frustrada a citação pelo correio, para que procure o réu e cite-o, onde o encontrar, ou proceda à citação através de pessoa da sua família ou do vizinho, no caso de não encontrar o citando porque este se escondeu para não ser citado.

CITAÇÃO POSTAL — Ver Citação pelo correio.

CITAÇÃO PRESUMIDA — Ver Citação Ficta.

CITATIO — [Latim]. Expressão que significa citação.

CITY-GATE — Estação de medição que pode dispor de regulagem de pressão, na qual uma rede de distribuição recebe gás de uma companhia transportadora ou de um sistema de transmissão. Refere-se ao ponto de entrega ou transferência, no qual o gás passa de uma linha principal de transmissão para um sistema de distribuição local sem, necessariamente, troca de propriedade.

CIÚME — Inquietação mental causada por suspeita de rivalidade no amor ou noutra aspiração; emulação; inveja. Sentimento de defesa do domínio, posse e de exclusividade ao segundo e de ataque, repulsa ou ódio ao terceiro. A probabilidade de perda da coisa ou pessoa, objeto da paixão, em favor do terceiro elemento, produz o sentimento de ciúme. O estado psíquico de tortura de origem e natureza sentimental provocado pelo ciúme dura do intervalo da propensão para a reação até a solução do impasse. Nesse período há uma mistura de raiva, de medo e de ansiedade tendendo, progressivamente, ao inconformismo, suspeita, apreensão, mágoa, angústia e irritação, podendo terminar em ódio, rejeição, revolta e sentimento de traído, preterido, de passado para trás, ou de medo e raiva do estado aversivo do traído.

CIÚME PATOLÓGICO — Relação a três, real ou imaginária. A desconfiança e a suspeita são excessivas. A obsessão de posse exclusiva e de propriedade intocável aumenta o ódio e repulsa contra o terceiro imaginário e também contra a pessoa, objeto da paixão doentia. Há a crença e o receio intenso e demasiada apreensão de ser rejeitado e preterido por outro. A essa crença segue o medo de desestruturar-se, de perder a identidade e o sentido de viver. Daí, nessa circunstância, possibilita-se a psicose, o crime passional e o suicídio.

CÍVEL — Jurisdição do Tribunal em que se litigam as causa cíveis; via de regra, o juízo cível versa sobre interesses patrimoniais privados.

CIVIL — Que se diz respeito às relações entre os cidadãos. Referente às inter-relações entre os cidadãos de uma sociedade. Estas relações são estabelecidas por meio de normas prescritas pelo Código Civil.

CIVILIDADE — Conjunto de formalidades observadas entre si pelos cidadãos em sinal de respeito mútuo e consideração.

CLÃ — Grupo de indivíduos que compartilham uma mesma origem e capacidades físicas e místicas semelhantes. Algumas vezes tem o sentido de "Linhagem" ou "Estirpe".

CLAMOR PÚBLICO — Manifestação coletiva de revelação de um fato que está sendo cometido ou que acaba de sê-lo.

CLARIFICAR — Esclarecer; tornar claro; clarear; tornar límpido.

CLASSE — É o agrupamento de cargos da mesma profissão e com idênticas atribuições, responsabilidades e vencimentos. As classes constituem os degraus de acesso na carreira. (Ver: Carreira.)

CLASSE — Ordem segundo a qual se dividem, distribuem ou arrumam seres ou coisas. Conjunto de qualidades naturais que contribuem para o valor dos resultados alcançados por alguém. É o conjunto de cargos de igual denominação e mesmas atribuições, para cujo exercício se exige o mesmo nível de escolaridade. É o agrupamento de pessoas que exercem uma mesma atividade produtiva ou a mesma profissão. No sentido marxista, cujo uso se universalizou nas ciências humanas, é uma abstração no sentido mais estrito da palavra: é um conjunto de seres unidos tão-somente pela comunidade de condições econômicas - e eventualmente pelas condições secundárias daí derivadas, como a ideologia -, sem levar em conta no mais mínimo que seja todos os demais traços, por exemplo tipológicos, raciais, psicológicos, que perfazem o ser humano concreto e que não são determinados pela sua condição econômica. Que um ser humano seja, por exemplo, corajoso ou covarde, leal ou desleal, fisicamente forte ou indefeso, sentimental ou frio, capaz ou inepto, perceptivo ou grosseiro, e todos os outros fatores que determinam da maneira mais direta e flagrante a sua conduta real - tudo isto, não sendo determinado por sua condição econômica, fica fora do conceito de "classe".

CLASSE DE ÁGUAS — Classificação da qualidade da água dos rios, mares e outros corpos d'água. No Brasil, a Resolução 20, de 1986, do CONAMA - Conselho Nacional do Meio Ambiente, define cinco classes para as águas doces, e determina que tipo de uso pode se fazer da água, em cada caso (de consumo humano à navegação). No caso de águas salobras (com 0,5 a 30% de salinidade) e salinas (salinidade acima de 30% de salinidade) a Resolução estabelece duas classes para cada uma.

CLASSE SOCIAL — Diz respeito a cada um dos grandes grupos diferenciados que compõem a sociedade. Os critérios para definir-se um grupo social como classe são motivos de divergências. De modo geral, nessa caracterização privilegiam-se fatores socioeconômicos tais como riqueza, apropriação dos meios de produção, posição no sistema de produção, profissão, nível de consumo e origem dos rendimentos, entre outros. Atualmente, a estratificação das classes sociais segue a convenção baixa, média e alta, sendo que os primeiros designam o estrato da população com pouca capacidade financeira, tipicamente com dificuldades econômicas, e o último com grande margem financeira; a classe média é, portanto, o estrato considerado mais comum e mais numeroso que, embora não sofra de dificuldades, não vive propriamente com grande margem financeira. A classe média no Brasil seria composta de famílias com renda mensal de 1.800 até 10.000 reais.

CLASSIFICAÇÃO — Ato, ação ou efeito de classificar, ou de distribuir em classes

CLASSIFICAÇÃO BRASILEIRA DE OCUPAÇÕES — Ver CBO.

CLASSIFICAÇÃO DAS AÇÕES — Ver Ações, Classificação das.

CLASSIFICAÇÃO DAS CONTAS PÚBLICAS — Agrupamento das contas públicas segundo a extensão e compreensão dos respectivos termos. Extensão de um termo é o conjunto dos indivíduos ou objetos designados por ele; compreensão desse mesmo termo é o conjunto das qualidades que ele significa, segundo a lógica formal. Qualquer sistema de classificação, independentemente do seu âmbito de atuação (receita ou despesa), constitui instrumento de planejamento, tomada de decisões, comunicação e controle. (Ver: Classificação Orçamentária. // Receita Pública, Classificação Econômica da. // Despesa Pública, Classificação Econômica da.)

CLASSIFICAÇÃO DAS DESPESAS — Ver Despesas, Classificação das.

CLASSIFICAÇÃO DAS SENTENÇAS — Ver Sentenças, Classificação das.

CLASSIFICAÇÃO DAS UNIDADES FITOECOLÓGICAS — Para essa classificação, consideram-se as variadas passagens, formadas pelas diferentes compartimentações topográfico-climáticas na estrutura geológica, bem como a ação antrópica a partir das quais foram geradas as atuais unidades fitoecológicas do Estado.

CLASSIFICAÇÃO DE RISCO DA OPERAÇÃO — Determina a perda mínima esperada para uma operação de crédito. É uma medida da qualidade da operação, tendo em vista seu risco de crédito. Constitui um dos principais parâmetros para determinar a provisão da operação.

CLASSIFICAÇÃO DE RISCO INCONSISTENTE — São operações de crédito que apresentam características incompatíveis ou discrepantes com a classificação de risco a elas atribuídas.

CLASSIFICAÇÃO ECONÔMICA DA DESPESA PÚBLICA — Ver Despesa Pública, Classificação Econômica da.

CLASSIFICAÇÃO ECONÔMICA DA RECEITA PÚBLICA — Ver Receita Pública, Classificação Econômica da.

CLASSIFICAÇÃO FUNCIONAL — Codificação obrigatória e padronizada para a União, Estados e Municípios que discrimina a despesa por funções conforme estabelece o inciso I do § 1º do art. 2º e § 2º do art. 8º da Lei n.º 4.320, de 1964. (Ver: Classificação funcional-programática.)

CLASSIFICAÇÃO FUNCIONAL-PROGRAMÁTICA — Agrupamento das ações do governo em grandes áreas de sua atuação, para fins de planejamento, programação e orçamentação. Compreende as funções, representando o maior nível de agregação das ações do governo, desdobrando-se em Programas, pelos quais se estabelecem produtos finais, que concorrem à solução dos problemas da sociedade. Podem desdobrar-se em Subprogramas, quando necessário, para maior especificação dos produtos finais. Programas e/ou subprogramas desdobram-se em Projetos e Atividades, que possibilitam alcançar seus produtos e objetivos. Ex.: 08.42.024 (Função: Educação; Programa: Ensino Fundamental; Subprograma: Informática). Na realidade, a funcional-programática representa a junção de quatro classificações: a) Classificação institucional; b) Classificação funcional; c) Classificação programática; d) Classificação das despesas.

CLASSIFICAÇÃO INSTITUCIONAL — É a classificação orçamentária utilizada na Administração Pública que evidencia a distribuição dos recursos orçamentários pelos órgãos e unidades orçamentárias responsáveis pela execução de determinada parcela do orçamento, constante das dotações nele consignadas. A finalidade básica desta classificação é a atribuição de responsabilidade pelo gasto público. (Ver: Classificação funcional-programática.)

CLASSIFICAÇÃO ORÇAMENTÁRIA — Organização do Orçamento Público segundo critérios que possibilitam a compreensão geral das funções deste instrumento, propiciando informações para a administração, a gerência e a tomada de decisões. No modelo orçamentário brasileiro, são observadas as seguintes classificações: da Despesa – classificação institucional, classificação funcional-programática e de natureza da despesa; da Receita – classificação por categorias econômicas e por grupo de fontes.

CLASSIFICAÇÃO PROGRAMÁTICA — Codificação, cujo padrão é definido por cada ente público, destinada a identificar os objetivos executivos para os quais as despesas estão programadas (programa, projeto, atividade e operação especial). (Ver: Classificação funcional-programática.)

CLÁUSULA — Dispositivo convencional contido num contrato, tratado, convênio, ou ato escrito, privado ou público, a que obedecem as partes estipulantes; condição particular num contrato, título ou documento, exemplo "à ordem", "por procuração", "valor recebido", "valor em conta" etc.

CLÁUSULA À ORDEM — Cláusula que, lançada num título de crédito, significa que este enseja transferência ou endosso.

CLÁUSULA ACESSÓRIA — Aquela que complementa o contrato, sendo que a sua inexistência não lhe tira o efeito.

CLÁUSULA *AD JUDICIA* — Cláusula que, constando do instrumento de mandato (procuração), autoriza o advogado a praticar todos os atos do processo, sem necessidade de menção específica de cada um, com exceção de caso previsto em lei. Deve-se grafar *judicia*, com "c", nunca, como às vezes se faz, erradamente, com "t": *juditia*.

CLÁUSULA ADICIONAL — Cláusula suplementar adicionada a um contrato, estabelecendo novas condições contratuais.

CLÁUSULA ARBITRAL OU CLÁUSULA COMPROMISSÓRIA — Espécie do gênero convenção de arbitragem. É acordo antecipado que elege a arbitragem como meio para resolver eventual controvérsia surgida entre partes contratantes. A cláusula, em geral, é inserida no contrato que, para a validade da opção, deverá versar sobre direitos patrimoniais disponíveis. Por essa cláusula as partes restrigem à esfera privada o julgamento de um conflito surgido entre elas.

CLÁUSULA CHEIA — Assim denominado pela doutrina, caracteriza a cláusula considerada eficaz, por conter as informações mínimas necessárias para dar início ao procedimento arbitral. Pode se referir ao regulamento de uma administradora de procedimentos, caso em que o regulamento será seguido.

CLÁUSULA COMINATÓRIA — É aquela pelo qual se convenciona uma pena ou que há ameaça de sanção para o estipulante que não cumprir a sua obrigação contratual.

CLÁUSULA COMISSÓRIA — É aquela cuja inobservância, quando expressa num contrato, importa na sua nulidade. O mesmo que pacto comissório e cláusula de caducidade.

CLÁUSULA COMPROMISSÁRIA – O mesmo que Cláusula compromissória. (Ver: Cláusula Arbitral.)

CLÁUSULA COMPROMISSÓRIA — Ver Cláusula Arbitral.

CLÁUSULA CONDICIONAL — A que subordina o efeito de ato jurídico a evento futuro e incerto.

CLÁUSULA DE BARREIRA — Ver Eleição - Cláusula de barreira.

CLÁUSULA DE ESCALA MÓVEL — Nos contratos, a que estabelece revisão de pagamentos a serem efetuados de acordo com as variações do preço de determinadas mercadorias, dos serviços, dos índices do custo de vida, dos salários etc.

CLÁUSULA DE ESTILO — A que é usada de forma constante em negócios da mesma espécie ou natureza, e aceita, tacitamente, pelas partes, mesmo não sendo formulada textualmente.

CLÁUSULA DE IMPENHORABILIDADE — Cláusula contratual de natureza restritiva, que impossibilita a execução sobre o bem alienado, por parte dos credores, contra o adquirente.

CLÁUSULA DE INALIENABILIDADE — Cláusula de instrumento de declaração de vontade pela qual o transferente de um bem exige, ao beneficiário, não alienar tal bem a terceiro.

CLÁUSULA DE INCOMUNICABILIDADE DE BENS — Cláusula de testamento ou de doação pela qual os bens herdados ou doados não se comunicam em razão do casamento do beneficiário, mesmo que tal matrimônio estabeleça o regime de comunhão universal de bens.

CLÁUSULA DE INDIVISÃO — Cláusula testamentária, ou de contrato de doação, que veda aos legatários ou donatários, dividirem os bens com que foram aquinhoados (repartdos em quinhões). (Ver: Quinhão.)

CLÁUSULA DE MELHOR COMPRADOR — Cláusula peculiar ao contrato de compra e venda, pela qual se estipula que o contrato pode ser rescindido pelo vendedor se, dentro de certo prazo, aparecer outro comprador que ofereça maior vantagem. Esta cláusula não é admitida na venda de imóveis.

CLÁUSULA DE NÃO INDENIZAR — Cláusula contratual em que as partes excluem a indenização por perdas e danos, devendo, em nome da autonomia da vontade, ser considerada válida, desde que não haja norma cogente em contrário.

CLÁUSULA DE REVERSÃO — Cláusula do contrato de doação pela qual a coisa doada deve reverter ao doador, se este sobreviver ao donatário.

CLÁUSULA ESSENCIAL — Diz-se daquela que constitui a essência do contrato e sem a qual ele não existe.

CLÁUSULA EXORBITANTE — No Direito Administrativo, compreende as prerrogativas da Administração que, assim, exorbitam do Direito Privado.

CLÁUSULA ÍRRITA — Cláusula contratual que conflita com a lei com outra disposição do próprio contrato.

CLÁUSULA LEONINA — Cláusula contratual que atribui a uma das partes vantagens injustificadamente maiores do que as conferidas à outra parte (Ver: Contrato leonino.)

CLÁUSULA PATOLÓGICA — Assim denominada pela doutrina, caracteriza a cláusula arbitral que pode não ter eficácia, por apresentar redação ambígua, confusa, que não explica a vontade das partes, ou que pode colocar a vontade das partes em contradição.

CLÁUSULA PENAL — Cláusula acessória em que se estipula uma pena ou multa para o contratante que descumprir a obrigação principal.

CLÁUSULA PENAL MORATÓRIA — Pacto acessório que se convenciona pena para o caso de simples mora. Ao credor assistirá, então, o direito de demandar cumulativamente a pena convencional e a prestação principal.

CLÁUSULA PENAL NÃO PURA — Expressão utilizada para designar aquela contida em contrato em que, além da multa, os contratantes estipulam a ressarcibilidade de dano eventual.

CLÁUSULA PENAL PURA — Expressão utilizada para designar aquela contida em pacto acessório com o qual os contratantes convencionam uma quantia que, a título de multa, deverá ser paga, sem fazer qualquer alusão ao dever de indenizar, possibilitando que o dano eventual seja liquidado à parte. Com isso o dano e seu ressarcimento reger-se-ão pelas normas ordinárias.

CLÁUSULA PÉTREA — Norma constitucional imutável ou intangível, tendo eficácia absoluta, pois contra ela nem mesmo há o que emendar, ou seja, não podendo ser alterado nem mesmo por via de Emenda à Constituição. O objetivo é impedir inovações em assuntos cruciais para a cidadania ou o próprio Estado. Daí conter uma força paralisante total de toda a legislação que, explícita ou implicitamente, vier a contrariá-la. O art. 60, parágrafo 4º da Constituição Federal Brasileira, traz um exemplo de cláusula pétrea: "Não será objeto de deliberação a proposta de emenda tendente a abolir: I – a forma federativa de Estado; II – o voto direto, secreto, universal e periódico; III – a separação dos Poderes; IV – os direitos e garantias individuais." São inoperantes as leis que por ventura as limitarem ou que com elas conflitarem. (Ver: Limitações materiais.)

CLÁUSULA POTESTATIVA PURA — Cláusula contratual em que existe absoluta ausência de consentimento de uma das partes, predominando, exclusivamente, a vontade da outra. Um exemplo clássico de cláusula potestativa pura é a de um contrato de locação de imóvel em que eventuais prorrogações ficam ao arbítrio exclusivo de uma das partes.

CLÁUSULA *REBUS SIC STANTIBUS* — Cláusula contratual em que as partes estipulam que o cumprimento do contrato fica subordinado à não modificação, no futuro, dos pressupostos e circunstâncias que ensejaram o pacto.

CLÁUSULA RESOLUTÓRIA — Cláusula em que se convenciona que a inexecução da obrigação, por parte de um dos contratantes, determina a rescisão do contrato. É sempre subentendida nos contratos bilaterais.

CLÁUSULA TESTAMENTÁRIA — Cláusula do testamento que inclui, precisamente, a última vontade do testador a respeito da disposição de seus bens.

CLÁUSULA VAZIA — Assim denominada pela doutrina, caracteriza a cláusula arbitral que pode não ter eficácia, posto que somente menciona a opção pela arbitragem sem as informações necessárias ao início do procedimento. Se uma das partes ficar relutante, a arbitragem só se inicia após a interferência do poder estatal.

CLÁUSULAS NORMATIVAS — Condições estabelecidas em acordos e convenções coletivas que regulam as relações de trabalho e se aplicam aos contratos individuais.

CLÁUSULAS OBRIGACIONAIS — Condições estabelecidas em acordos e convenções coletivas que regulam direitos e obrigações dos sujeitos contratantes.

***CLEARING HOUSE* OU CÂMARA DE COMPENSAÇÃO** — Sistema que compatibiliza as posições compradas com as vendidas, de forma a garantir o fiel cumprimento de obrigações contratuais assumidas em mercados organizados. Pode ser uma estrutura interna ou externa, adjunta à bolsa. A *clearing* é responsável pelo registro de todas as operações realizadas, acompanhamento das posições mantidas, compensação financeira dos fluxos e liquidação dos contratos.

CLEMÊNCIA — Virtude que modera o rigor da Justiça; bondade; disposição para perdoar; compaixão; misericórdia.

CLEPTOMANIA — Forma de obsessão motora que consiste em impulso irresistível e súbito para o furto de objetos, de pouco valor ou de nenhuma utilidade, que estejam ao alcance do agente, sem que neles tenha um real interesse. Mania de furtar, de fundo psicopatológico. O mesmo que clopomania.

CLÉRIGO — Indivíduo que tem todas as ordens sacras, ou algumas delas; aquele que pertence à classe eclesiástica; indivíduos que estudam para seguir carreira religiosa. Sacerdote cristão.

CLIENTE — É toda pessoa ou organização que é afetada pelo processo econômico, ou seja, que adquire ou utiliza um produto ou serviço. No contexto do Sistema de Informações de Crédito é representado por pessoa física ou jurídica que obtém o empréstimo, aval ou fiança junto às Instituições Financeiras.

CLIENTELISMO — Ver Eleição - Clientelismo.

CLIMA — Estado da atmosfera expresso principalmente por meio de temperaturas, chuvas, insolação, nebulosidade etc. Os climas dependem fortemente da posição em latitude do local considerado e do aspecto do substrato.

Assim, fala-se de climas polares, temperados, tropicais, subtropicais, desérticos etc. As relações entre os climas e a ecologia são evidentes: recursos agrícolas, fauna e flora, erosão, hidrologia, consumo de energia, dispersão atmosférica de poluentes, condições sanitárias, contaminação radioativa. Algumas características climáticas podem aumentar consideravelmente a exposição aos poluentes, ao favorecer a formação fotoquímica de produtos nocivos.

CLIMA EQUATORIAL — Ocorre na Amazônia, ao norte de Mato Grosso e a oeste do Maranhão, e está sob a ação das massas de ar equatorial continental e equatorial atlântica, de ar quente e geralmente úmido. Suas principais características são temperaturas médias elevadas (de 25ºC a 27ºC), chuvas durante todo o ano – com índices próximos de 2 mil milímetros anuais – e reduzida amplitude térmica, não ultrapassando 3ºC. No inverno, essa região pode sofrer influência da massa polar atlântica, que atinge a Amazônia ocidental, ocasionando um fenômeno denominado friagem, ou seja, súbito rebaixamento da temperatura.

CLIMA NO BRASIL — A grande extensão territorial e as diferenças de relevo, altitude e dinâmica das massas de ar e das correntes marítimas, entre outros fatores, fazem com que o País tenha grande diversidade climática. Cortado no extremo norte pela linha do Equador e ao sul pelo trópico de Capricórnio, praticamente todo o Brasil se situa nas zonas de baixas latitudes (zona intertropical), nas quais predominam os climas quentes e úmidos, com média de temperatura de 20ºC. A amplitude térmica – diferença entre as médias anuais de temperaturas máximas e mínimas – é menor nas proximidades do Equador e vai ficando maior na medida em que a latitude aumenta. Uma das classificações mais usadas para os tipos de clima do Brasil se baseia na origem, na natureza e na movimentação das massas de ar. No Brasil existem massas equatoriais, tropicais e polares. Segundo essa classificação, os tipos de clima presentes no país são equatorial, tropical, tropical de altitude, tropical atlântico ou tropical úmido, subtropical e semi-árido.

CLIMA ORGANIZACIONAL — É o conjunto das observações compartilhadas pelos membros de uma organização com relação ao trabalho, ao ambiente físico profissional, às relações interpessoais e às normas formais que afetam o trabalho.

CLIMA SEMI-ÁRIDO — Típico do interior do Nordeste, na região conhecida como Polígono das Secas, corresponde a quase todo o sertão nordestino e aos vales médio e inferior do rio São Francisco. Sofre influência da massa tropical atlântica, que, ao chegar à região, já se apresenta com pouca umidade. Caracteriza-se por temperaturas elevadas (média de 27ºC) e chuvas escassas, em torno de 700 milímetros anuais, e irregulares, concentradas nos quatro primeiros meses do ano. Há períodos em que a massa equatorial atlântica (superúmida) chega ao litoral norte da Região Nordeste e atinge o sertão, causando chuva intensa nos meses de fevereiro, março e abril. O fenômeno meteorológico *El Niño* também interfere na intensidade da seca nordestina. (Ver: *El Niño* // Polígono das Secas.)

CLIMA SUBTROPICAL — Ocorre nas latitudes abaixo do trópico de Capricórnio: abrange o sul do Estado de São Paulo e a maior parte do Paraná, de Santa Catarina e do Rio Grande do Sul. É influenciado pela massa polar atlântica, que determina uma temperatura média de 18ºC e amplitude térmica elevada (10ºC). As chuvas são pouco intensas, mil milímetros anuais, mas bem distribuídas durante o ano. Há geadas com freqüência e eventuais nevadas. Apresenta estações do ano relativamente bem marcadas. O verão é muito quente, e a temperatura pode ultrapassar os 30ºC. O inverno, bastante frio, apresenta temperaturas inferiores a 0ºC. A primavera e o outono têm temperatura média entre 12ºC e 18ºC.

CLIMA TROPICAL — Abrange todo o Brasil central, a porção oriental do Maranhão, grande parte do Piauí e a porção ocidental da Bahia e de Minas Gerais. Também é encontrado no extremo norte do país, em Roraima. Caracteriza-se por temperatura elevada (de 18ºC a 28ºC), com amplitude térmica de 5ºC a 7ºC, e estações bem definidas – uma chuvosa e outra seca. A estação de chuva é o verão, quando a massa equatorial continental está sobre a região. No inverno, com o deslocamento dessa massa e a ação da massa tropical continental, diminui a umidade e, então, ocorre a estação seca. Apresenta alto índice pluviométrico, em torno de 1,5 mil milímetros anuais.

CLIMA TROPICAL ATLÂNTICO — Também chamado tropical úmido, estende-se pela faixa litorânea do Rio Grande do Norte ao Paraná. Sofre a ação direta da massa tropical atlântica, que, por ser quente e úmida, provoca chuvas intensas. Possui variação de temperatura entre 18ºC e 26ºC e amplitude térmica maior na medida em que se avança em direção ao Sul. No Nordeste, a maior concentração de chuva se dá no inverno. No Sudeste, no verão. O índice pluviométrico médio é alto, de 2 mil milímetros anuais, o que está associado ao relevo, com presença de planaltos e serras voltadas para o Atlântico.

CLIMA TROPICAL DE ALTITUDE — É encontrado nas partes mais elevadas, acima de 800 metros, do planalto Atlântico do Sudeste. Abrange principalmente trechos dos estados de São Paulo, Minas Gerais, Rio de Janeiro e Espírito Santo. Recebe a influência da massa de ar tropical atlântica, que provoca chuvas no período de verão. Apresenta temperatura amena, entre 18ºC e 22ºC, e amplitude térmica anual entre 7ºC e 9ºC. No inverno, as geadas ocorrem com certa freqüência, em virtude da ação das frentes frias originadas do choque entre a massa tropical e polar.

CLIMA, ELEMENTOS DO — São a temperatura, a precipitação, o vento. Estes elementos ajudam a caracterizar o clima de uma região. (Ver: Clima.)

CLIMATOLOGIA — Estuda a evolução dos processos físicos que ocorrem na atmosfera.

***CLIPPING* —** Recorte de jornal, ou conjunto de recortes recebidos por um interessado, através de serviço de apuração, seleção e coleção de noticiários, artigos, matérias, editoriais etc. Relatório periódico de informações de interesse da organização coletadas na mídia.

CLONAGEM — Produção de clones. Replicação de um genoma de forma idêntica, logo sem reprodução pelo ato sexual. O organismo criado (clone) é uma cópia genética do organismo do qual o genoma foi retirado. O clone conterá somente os cromossomos da célula original, e portanto será idêntico a esta.

CLONAR — Ver Clonagem.

CLONE — Grupo de indivíduos produzidos por reprodução assexuada a partir de um único indivíduo. Todos os indivíduos de um clone têm o mesmo genótipo. (Ver: Genótipo.)

CLOROFLUORCARBONATOS — Substâncias ou compostos químicos usados na indústria e nos ambientes domésticos, cujo uso excessivo e universal pode ser uma das causas da aceleração da redução da camada de ozônio, provocando danos ao meio ambiente. (Ver: CFC.)

CLOROFLUORCARBONO — Ver CFC.

CLT — Ver Consolidação das Leis do Trabalho.

CLUBE — Expressão comumente empregada para qualificar associações de fins culturais, recreativos, políticos ou desportivos. Em terminologia comercial, pode ser aplicado para designar sociedade com objetivo de venda de mercadorias, bens móveis e imóveis, ou quaisquer outros produtos por meio de sorteios. Neste caso, não é uma entidade sem fins lucrativos, portanto pertence ao Segundo Setor da sociedade.

CLUBE DE INVESTIMENTOS — Grupo de pessoas físicas (máximo de 150) que aplica recursos de uma carteira diversificada de ações. No clube somente pessoas físicas são admitidas. O clube pode ou não ter como gestor um dos cotistas do clube, sendo que a administração deve ser em parceria com uma instituição Administradora autorizada, seja um banco de investimentos, uma corretora ou uma distribuidora. De acordo com a Comissão de Valores Mobiliários (CVM), cabe às bolsas de valores a função de registrar, regulamentar e fiscalizar os clubes de investimentos. Os clubes são isentos de CPMF (Contribuição Provisória sobre Movimentação Financeira) na compra e venda de ações.

CLUBE DE PARIS — Instituição informal sem existência jurídica reconhecida, cujas reuniões ocorrem em Paris e que tem como finalidade renegociar a dívida governamental de países em dificuldades financeiras. A maior parte de seus membros são países integrantes da Organização para Cooperação e Desenvolvimento Econômico - OCDE. É formado pelos dez países mais ricos do mundo e que detêm as maiores cotas de participação no Fundo Monetário Internacional. É no âmbito do Clube de Paris que são negociadas e renegociadas as dívidas de governo para governo (sem envolver bancos privados).

CLUBE DE ROMA — Associação internacional fundada em Roma em 1968, constituída por empresários e cientistas de ramos muitos diversos, que procura demonstrar a estreita inter-relação entre população mundial, industrialização e desenvolvimento. A principal publicação do grupo - *Limites do crescimento* - até hoje provoca discussões. Atualmente está sediado na Alemanha e tem como missão estabelecer instrumentos para a ação política, com vistas a uma definição universal de qualidade de vida.

***CLUSTER* (AGLOMERAÇÃO COMPETITIVA)** — 1) Pólo consolidado pela interação entre empresas de determinado setor econômico que apresentam possibilidade de crescimento contínuo superior àquele das aglomerações econômicas comuns. O *cluster* apresenta alto potencial de beneficiamento através de maior atração de capital; redução do "*lead time*", custos, e riscos; maior qualidade e flexibilidade de mão-de-obra; aumento do dinamismo empresarial e da qualidade de vida da região. 2) Aglomerado produtivo.

***CLUSTER* TECNOLÓGICO** — Pólo consolidado pela interação entre empresas de tecnologia intensiva.

CMAS — Ver Conselho Municipal de Assistência Social.

CMDUA — Ver Conselho Municipal de Desenvolvimento Urbano Ambiental (CMDUA).

CMN — Ver Conselho Monetário Nacional.

CNAE — Ver Código Nacional de Atividades Econômicas.

CNAS — Ver Conselho Nacional de Assistência Social.

CNBV (COMISSÃO NACIONAL DE BOLSAS DE VALORES) — É uma associação civil sem fins lucrativos, que tem por objetivos: representar os interesses das bolsas de valores do País perante as autoridades administrativas (monetárias e reguladoras do mercado) e judiciárias; colaborar com os poderes públicos, como órgão técnico e consultivo; coordenar as atividades das Bolsas de Valores associadas, uniformizando, quando for o caso, as normas de operação; propiciar contato e intercâmbio social e comercial entre os membros das Bolsas, visando maior integração dos serviços que são executados; promover, difundir e estimular as atividades bolsísticas junto a empresários, jovens e educadores, através de seminários, conferências e literatura especializada.

CND (CERTIDÃO NEGATIVA DE DÉBITO) — É o documento de prova de inexistência de débito para com as contribuições destinadas à Seguridade Social, para que as empresas e equiparados se habilitem à prática de determinados atos previstos em lei. A certidão de inexistência de débito é fornecida pelo INSS em relação às contribuições previdenciárias das empresas e trabalhadores, sobre a comercialização da produção rural e as decorrentes de espetáculos desportivos (clubes de futebol profissional) e pela Secretaria da Receita Federal em relação às contribuições das empresas sobre a receita/faturamento e o lucro, e às incidentes sobre a receita de concursos de prognósticos. O prazo de validade da CND é de 60 dias contados da data de sua emissão.

CNEN (COMISSÃO NACIONAL DE ENERGIA NUCLEAR) — A CNEN é uma autarquia federal criada em 10 de outubro de 1956 e vinculada ao Ministério de Ciência e Tecnologia. A União tem o monopólio da mineração de elementos radioativos, da produção e do comércio de materiais nucleares, sendo esse monopólio exercido pela CNEN. Como órgão superior de planejamento, orientação, supervisão e fiscalização, estabelece normas e regulamentos em radioproteção e licencia, fiscaliza e controla a atividade nuclear no Brasil. A CNEN desenvolve ainda pesquisas na utilização de técnicas nucleares em benefício da sociedade. A missão da CNEN de garantir o uso seguro e pacífico da energia nuclear, desenvolver e disponibilizar tecnologias nuclear e correlatas, visando ao bem-estar da população", traduz a preocupação com a segurança e o desenvolvimento do setor, orientando sua atuação pelas expectativas da sociedade, beneficiária dos serviços e produtos.

CNPJ (CADASTRO NACIONAL DE PESSOA JURÍDICA) — É o cadastro administrado pela Receita Federal que registra as informações cadastrais de pessoas jurídicas e de algumas entidades não caracterizadas como tais. O CNPJ foi criado em substituição ao CGC/MF (Cadastro Geral de Contribuintes do Ministério da Fazenda). Nenhuma pessoa jurídica pode funcionar sem o número de sua inscrição no CNPJ. 2) Nas eleições, para efeito bancário, é atribuído um CNPJ a cada candidato e a cada comissão financeira ou partido político, para controle das receitas e despesas da campanha e posterior prestação de contas à Justiça Eleitoral. O CNPJ é cancelado automaticamente até 31 de dezembro do ano em que ocorrer a eleição.

CNPq (CONSELHO NACIONAL DE DESENVOLVIMENTO CIENTÍFICO E TECNOLÓGICO) — Criado pela Lei nº 1.310, de 15 de janeiro de 1951, é uma Fundação, vinculada ao Ministério da Ciência e Tecnologia (MCT), responsável pelo desenvolvimento científico e tecnológico, bem como pela manutenção, formação e ampliação da base técnico-científica nacional; agente estratégico do sistema de CT&I - Ciência, Tecnologia e Informação; agência de fomento ao desenvolvimento de C&T - Ciência e Tecnologia; e formação de recursos humanos para as atividades técnico-científicas; dispõe de uma grande variedade de instrumentos e programas de fomento à C&T.

COABITAÇÃO — Convivência legítima sob o mesmo teto; diz-se da vida em comum de homem e mulher, a efetivação do congresso sexual, no sentido estrito. É uma das obrigações impostas pelo matrimônio e da qual decorrem efeitos jurídicos.

COAÇÃO — Constrangimento à força. Pressão física ou moral exercida sobre a pessoa, os bens ou a honra de um contratante, visando obrigá-lo ou induzi-lo a efetivar um negócio jurídico; situação da pessoa coata (que sofreu coação); ato ilegal de autoridade que venha a ameaçar ou violar direito líquido e certo. Aplicação efetiva de uma sanção pelo poder competente segundo os processos legais contra o violador da norma. Na linguagem jurídica corresponde a um dos defeitos dos atos jurídicos que podem para viciar a manifestação da vontade. Nesse caso a coação deve ser tal, que incuta ao paciente fundado temor de dano à sua pessoa, à sua família, ou a seus bens, iminente e igual, pelo menos, ao receável do ato extorquido. Em matéria penal tem-se a figura da coação irresistível na execução do fato típico em que apenas o autor da coação é punível. Também está previsto o tipo penal "coação no curso do processo" como sendo um crime contra a administração da justiça. A coação ilegal na liberdade de ir e vir das pessoas é motivo para a impetração de *"habeas corpus"*.

COAF (CONSELHO DE CONTROLE DE ATIVIDADES FINANCEIRAS) — Criada pelo governo brasileiro em novembro de 1998 para o combate à lavagem de dinheiro no país. Criou obrigações para instituições bancárias e financeiras de identificar clientes; manter cadastros atualizados; registrar qualquer transação acima de determinado valor; e comunicar a proposta ou a realização de operação suspeita. Está vinculado ao Ministério da Fazenda e é composto por servidores públicos escolhidos dos seguintes órgãos: Banco Central do Brasil; Comissão de Valores Mobiliários; Superintendência de Seguros Privados; Procuradoria Geral da Fazenda Nacional; Secretaria da Receita Federal; Agência Brasileira de Inteligência; Departamento da Polícia Federal; Ministério das Relações Exteriores.

COALIZÃO — Ver Coligação.

COATOR — Designa a pessoa que exerce a coação.

CO-AUTOR — Aquele que, com outrem, demanda alguém em juízo; acionante. O que, conjuntamente com outro ou outros indivíduos, concorre, efetivamente, para a prática do delito. O co-autor pode ser: material, ou intelectual ou moral. (Ver: Co-autoria // Cúmplice.)

CO-AUTORIA — Verifica-se quando mais de uma pessoa realiza atividade para caracterizar o tipo penal, cada qual chamada de co-autora. Também denominada co-delinqüência ou co-participação. (Ver: Co-autor.)

COBERTURA — 1) Depósito da totalidade dos títulos referentes a posições em operações de venda nos mercados a termo, a futuro ou de opções. 2) É o parâmetro estabelecido para a ocorrência de determinado evento protegido e que vai gerar um benefício ao contratante ou a seu beneficiário. 3) Oferta sistematizada de serviços básicos que satisfaçam às necessidades de uma população (água e esgoto, saneamento básico, transportes etc.). 4) Proteção conferida por um contrato de seguro ou de resseguro.

COBERTURA (*HEDGE*) — Posição assumida por um investidor como forma de proteger a sua aplicação em caso de uma alteração dos preços. Esta medida consiste na adoção de posições simétricas em mercados diferentes sobre o mesmo produto, por exemplo, estar comprador no mercado acionista e vendedor no mercado de futuros. Esta cobertura do risco normalmente nunca é realizada na sua totalidade, pois os investidores assumem sempre um determinado nível de risco, mesmo que seja reduzido.

COBERTURA CAMBIAL — Valor passível de pagamento ao exterior em conseqüência de importação realizada por pessoa física ou jurídica domiciliada no País.

COBERTURA DE JUROS BRUTA — Ver Indicador de cobertura de juros bruta.

COBERTURA DE JUROS LÍQUIDA — Ver Indicador de cobertura de juros líquida.

COBERTURA DE RISCO — Termo usado na indústria de seguro que se refere à garantia que o segurado possui de que receberá pagamento de indenização pela ocorrência de eventos aleatórios distintos da sobrevivência.

COBERTURA MORTA — Consiste na cobertura do solo com uma camada de 10 a 12 cm de palha de carnaúba, bagaço de cana, capim seco, serragem ou qualquer outro material semelhante. Essa cobertura protege o solo da ação direta dos raios solares, do vento e das pancadas de chuva, além de propiciar o controle das ervas daninhas, o aumento do teor de matéria orgânica e de minerais do solo, o aumento da infiltração da água e a melhoria da estrutura do solo.

COBERTURA ORÇAMENTÁRIA — Dotação orçamentária suficiente para atender despesas públicas, proveniente de lei orçamentária ou de créditos adicionais.

COBERTURA POR SOBREVIVÊNCIA — Termo usado na indústria de seguros que se refere à garantia que o segurado tem de que irá receber o pagamento de indenização pela sobrevivência do segurado durante o período de diferimento contratado.

COBIÇA — Desejo veemente de conseguir alguma coisa. Ambição; ganância; avidez; cupidez.

COBRANÇA JUDICIAL — Ação de cobrança do débito através de procedimento jurídico.

COBRANÇA PELO USO DA ÁGUA — Ver Água, Cobrança pelo Uso da.

COBRANÇA, AÇÃO DE — Ação de cobrança é aquela movida pelo credor para haver do devedor o crédito que lhe é devido. Pode seguir o rito comum, se a lei não impõe o especial: procedimento sumário na cobrança de honorários dos profissionais liberais.

COCAÍNA — Ver Entorpecente - Cocaína.

CODICILO — Pequeno código ou pequeno escrito. Declaração de última vontade, pela qual a pessoa que a escreve, data e assina, sendo capaz de testar, estabelece disposições para o seu enterro, legados de móveis, roupas ou jóias de pequeno valor, de seu uso pessoal, e nomeia ou substitui testamenteiros. As despesas funerárias, haja ou não herdeiros legítimos, sairão do monte da herança; as de sufrágio por alma do finado só obrigarão a herança quando ordenadas em testamento ou codicilo. O codicilo, se fechado, será aberto do mesmo modo que o testamento cerrado.

CODIFICAÇÃO — Processo de criação, introdução, aplicação de código incorporado a uma mensagem; relativo à criptografia; método de proteção contra erros produzidos pelo ruído em sinais eletrônicos; método de introdução de redundância em sinais eletrônicos. Tradução de idéias ou emoções em mensagens pelo uso de códigos. É a identificação utilizada para o tipo e classe das ações negociadas no pregão da Bolsa de Valores. A decodificação é a leitura do código.

CÓDIGO — 1) Norma, regra, lei. 2) Denominação que se dá ao conjunto de leis compostas pela autoridade competente, normalmente pelo Poder Legislativo, enfeixadas num só corpo e destinadas a reger a matéria, que faz parte, ou que é objeto de um ramo do direito Positivo. Por exemplo: Código Civil, Código Penal, Código Comercial etc. 3) Conjunto metódico e sistemático de regras e preceitos. 4) Conjunto de dígitos utilizados para individualizar órgãos, instituições, classificações, fontes de recursos etc. 5) Sistema de signos composto de elementos e regras de combinação. (Exemplo: alfabeto, código Morse, Língua Portuguesa.)

CÓDIGO CIVIL — É o conjunto das normas jurídicas organizadas sistematicamente referentes aos direitos e obrigações de ordem privada concernentes às pessoas, aos bens e às suas relações. O Código contém uma Parte Geral com três livros (Pessoas, Bens e Fatos Jurídicos) e uma Parte Especial, com cinco livros (Direito das Obrigações, Direito de Empresa, Direito das Coisas, Direito de Família e Direito das Sucessões). Lei nº 10.406, de 10 de janeiro de 2002. (Ver: Código Civil, Novo.)

CÓDIGO CIVIL, NOVO — É assim denominada a Lei nº 10.406, de 10.1.2002 que, depois de 26 anos de discussão, foi aprovada pelo Congresso Nacional em agosto de

2001 e sancionada pelo Presidente da República, para vigorar a partir de janeiro de 2003. A Lei nº 10.406 revogou a Lei nº 3.071, de 1º de janeiro de 1916 (Código Civil antigo) e a Parte Primeira do Código Comercial, Lei nº 556, de 25 de junho de 1850. As principais mudanças introduzidas pelo novo Código Civil foram: O conceito de família ficou mais amplo. Mãe ou pai solteiros e os filhos formarão uma família, assim como a união estável - quando o casal vive junto mesmo sem casamento. A lei anterior garantia direitos aos companheiros que convivessem por mais de cinco anos. A partir de 2003, bastam dois anos. A nova lei igualou direitos e deveres de homens e mulheres. Foi eliminado do texto legal o termo "homem", usado como referência, substituído por "pessoa". Terá o mesmo valor do casamento civil a união informal de pessoas solteiras, divorciadas, viúvas. O casamento religioso também passou a ser reconhecido pela lei. As duas partes do casal têm o comando da família, e o homem poderá adotar o sobrenome da mulher. Casar-se e separar-se várias vezes ficou mais fácil. Mas há o risco de sair mais caro, e não apenas para quem se separa: em caso de morte do ex-cônjuge responsável pelo pagamento da pensão alimentícia devida a ex-cônjuges ou filhos de casamentos anteriores, a obrigação de pagar passou a ser dos herdeiros do cônjuge sobrevivente. O direito de fiscalizar e orientar a educação dos filhos passou a ser do pai e da mãe. Da mesma forma, em caso de separação, a mulher não tem mais prioridade na guarda dos filhos: o pai também terá os mesmos direitos. A maioridade civil passou de 21 para 18 anos, o que possibilita ao jovem abrir conta em banco, assinar contratos, casar, viajar para o exterior. A maioridade civil ficou igual à da capacidade penal (pode ser preso, julgado e responsabilizado por um crime), que é de 18 anos. A idade legal para ser emancipado caiu de 18 para 16 anos, idade em que a lei eleitoral já permite votar - mas para tirar carteira de motorista persiste a necessidade de ser maior de 18. O novo código eliminou ainda um símbolo de atraso: todos os filhos - adotivos, nascidos dentro ou fora do casamento - têm direitos iguais. Pelo código antigo, filhos adotivos e nascidos fora do casamento não tinham direito à herança integral. E a expressão "filho legítimo" deixou de existir. Além disso, filhos concebidos após a morte do pai, por meios artificiais, têm os mesmos direitos que os outros. Sobre o exame de paternidade (DNA), o novo código adotou o que estava em prática nos tribunais: o homem que se recusar a fazê-lo confirmará a paternidade.

CÓDIGO COMERCIAL — Estabelece normas sobre as relações comerciais. É regido pela Lei nº 556, de 25 de junho de 1850 (um mil oitocentos e cinqüenta). Em face do Novo Código Civil (Lei nº 10.406, de 10 de janeiro de 2002), que derrogou a 1ª parte do Código Comercial, este passou a ser aplicável apenas em relação ao comércio marítimo.

CÓDIGO DE ÁGUAS — Dispõe sobre normas referentes a: águas em geral e sua propriedade; aproveitamento das águas; forças hidráulicas - regulamentação da indústria hidrelétrica. Decreto nº 24.643, de 10 de junho de 1934.

CÓDIGO DE BUSTAMANTE — Codificação do Direito Internacional Privado, elaborada por ocasião da Sexta Conferência Internacional de Direito Privado, reunida em Havana em 1928, graças ao projeto do Chanceler Sanchez y Bustamante - daí sua denominação - e adotado por quase todos os Estados das Américas com exceção dos EUA, do México, da Colômbia, da Argentina, do Uruguai e do Paraguai. Foi ratificado pelo Brasil com ressalva dos arts. 52 e 53.

CÓDIGO DE COMPROMISSO SOCIAL — Ver Código de ética.

CÓDIGO DE CONDUTA — Manual elaborado pela Diretoria de acordo com os princípios e políticas definidos pelo Conselho de Administração, visando orientar administradores e funcionários na sua forma de conduta profissional cotidiana. O Código de conduta deve também definir responsabilidades sociais e ambientais.

CÓDIGO DE DEFESA BANCÁRIO — Regras estabelecidas pelo CMN (Conselho Monetário Nacional) sobre os procedimentos a serem observados pelas instituições financeiras e demais instituições autorizadas a funcionar pelo Banco Central, na contratação de operações e na prestação de serviços aos seus clientes e ao público em geral.

CÓDIGO DE DEFESA DO CONSUMIDOR — Ver Código de proteção e defesa do consumidor.

CÓDIGO DE ÉTICA OU DE COMPROMISSO SOCIAL — É um instrumento de realização da visão e da missão da empresa, que orienta suas ações e explicita sua postura social a todos com quem mantém relações.

CÓDIGO DE HAMURABI — Codificação das leis sumero-babilônicas que consagrou o princípio da lei do talião, sintetizado na expressão "olho por olho, dente por dente". Foi empreendida pelo rei Hamurabi (1728 - 1688 a.C.), que vigorou por mais de mil anos junto a inúmeros povos da Antigüidade Oriental. Esculpida numa pedra de diorito negro com 2,22 metros, contém 282 disposições sobre os diversos ramos do Direito. Pensava-se que tal código era a mais antiga legislação codificada da Historia, mas hoje se sabe que houve codificações ainda mais remotas, como as dos reis Ur-Nammu - 2050-2030 a.C. - e Lipit-Ishtar - 1875-1865 a.C.

CÓDIGO DE MENORES — Era assim denominada a Lei nº 6.697, de 10 de outubro de 1979, que dispunha da "proteção e vigilância aos menores em situação irregular". A antiga lei reguladora das questões relativas às pessoas menores de 18 anos de idade, legislação de caráter repressivo e correcional, foi revogada e substituída pelo Estatuto da Criança e do Adolescente (ECA) - Lei federal nº 8.069, de 13 de julho de 1990. Por desconhecimento da atual legislação, muitos ainda se referem ao antigo Código inspirado na doutrina da situação irregular, pela qual o Estado se preocupa com as crianças e adolescentes que apresentassem uma situação irregular derivada da própria conduta (infrações), da conduta familiar (maus-tratos) ou da sociedade (abandono). O atual Estatuto da Criança e do Adolescente (ECA) baseia-se na doutrina da proteção integral, que considera crianças e adolescentes como cidadãos em condição peculiar de desenvolvimento com direitos internacionalmente reconhecidos.

CÓDIGO DE NAPOLEÃO — Codificação inspirada pelo próprio Napoleão Bonaparte, que a encomendou a uma comissão de catorze brilhantes juristas sob a direção de Portalis. Começou a vigorar em 1804, estando, até hoje, em vigor. Sua orientação individualista fê-la importante veículo de desenvolvimento do capitalismo.

CÓDIGO DE NATUREZA DE OPERAÇÃO — É o código que identifica a operação de câmbio, trazendo informações quanto à sua classificação, finalidade, cliente, pagador/recebedor no exterior e existência ou não de aval do Governo Brasileiro.

CÓDIGO DE OBRAS — Conjunto de normas municipais para construções prediais na área urbana. Dispõe sobre as formas de ocupação dos lotes, coeficientes de aproveitamento do terreno, altura das edificações, condições de iluminação e ventilação, entre outras questões.

CÓDIGO DE POSTURAS — Conjunto de normas municipais de convívio e formas de utilização de espaços públicos e privados nas cidades, visando preservar o interesse coletivo acima dos direitos individuais. Dispõe sobre a utilização das calçadas, funcionamento do comércio e indústria, controle de ruídos, entre outras questões.

CÓDIGO DE PROCESSO CIVIL (CPC) — Sistema de normas que regulam o processo de conhecimento (Livro I), de execução (Livro II), cautelar (Livro III) e os procedimentos especiais (Livro IV). Aplica-se a todas as causas o procedimento comum, salvo disposição em contrário do CPC ou de lei especial. Lei nº 5.869, de 11 de janeiro de 1973. Ao longo dos anos, a Lei nº 5.869, de 1973, tem sido atualizada por novas leis.

CÓDIGO DE PROCESSO PENAL — Sistema de normas jurídicas que regulamentam a jurisdição penal. Decreto-Lei nº 3.689, de 3 de outubro de 1941. Ao longo dos anos, o Decreto-Lei 3.689, de 1941, tem sido atualizado por novas leis.

CÓDIGO DE PROPRIEDADE INDUSTRIAL — Regula direitos e obrigações relativos à propriedade industrial. Trata de patentes, invenções, modelos de utilidades patenteáveis. Lei nº 9.279, de 14 de maio de 1996.

CÓDIGO DE PROTEÇÃO E DEFESA DO CONSUMIDOR — É a Lei Federal nº 8.078, de 11.9.1990, que trata das relações dos produtores, vendedores, prestadores de serviço e comerciantes com o consumidor em geral, definindo direitos e obrigações de uns e outros. As regras de proteção do Código de Proteção e Defesa do Consumidor são aplicáveis aos contratos firmados entre as instituições financeiras e os usuários de seus serviços.

CÓDIGO DE TRÂNSITO BRASILEIRO (CTB) — Dispõe sobre as normas que regulam o trânsito de qualquer natureza nas vias terrestres do território nacional, abertas à circulação. Lei nº 9.503, de 23 de setembro de 1997.

CÓDIGO DE VIGILÂNCIA SANITÁRIA — Conjunto de normas municipais referentes à saúde pública. Dispõe sobre as condições higiênicas de estabelecimentos comerciais, condições de armazenamento e conservação de alimentos em estabelecimentos comerciais ou feiras livres, e mesmo normas de conduta dos cidadãos relativas à disposição do lixo.

CÓDIGO ELEITORAL — Sistema de normas destinadas a assegurar a organização e o exercício de direitos políticos, precipuamente os de votar e ser votado. Sua execução é feita através da expedição de instruções do Tribunal Superior Eleitoral. Lei nº 4.737, de 15 de julho de 1965.

CÓDIGO FLORESTAL — Dispõe sobre normas referentes a florestas existentes no território nacional e as demais formas de vegetação, reconhecidas de utilidade às terras que revestem. Lei nº 4.771, de 15 de setembro de 1965.

CÓDIGO GENÉTICO — É a relação entre a seqüência de bases no DNA (ADN) e a seqüência correspondente de aminoácidos, na proteína. Ele é equivalente a uma língua e é constituído basicamente por um dicionário de palavras, a tabela do código genético e por uma gramática, correspondente às propriedades do código que estabelece como a mensagem codificada no material genético é traduzida em uma seqüência de aminoácidos na cadeia polipeptídica. O código genético forma os modelos hereditários dos seres vivos. É nele que está toda a informação que rege a seqüência dos aminoácidos codificada pelo encadeamento de nucleotídeos. Estes são compostos de desoxirribose, fosfato e uma base orgânica, do tipo citosina, adenina, guanina ou timina.

CÓDIGO JUSTINIANEU — Outra denominação dada ao célebre *Corpus Juris Civilis*, compilação do Direito Romano ordenada pelo imperador Justiniano e editada entre os anos 528 e 565 d.C. É formado por quatro partes: *Institutas, Digesto, Novelas* e *Código.*

CÓDIGO NACIONAL DE ATIVIDADES ECONÔMICAS — É o resultado de trabalho coordenado pelo IBGE com participação de diversas entidades públicas e privadas envolvidas com cadastros e informações de agentes econômicos. Especifica o segmento econômico em que uma pessoa jurídica atua.

CÓDIGO PENAL — É o instrumento jurídico básico da legislação penal brasileira. Caracteriza os crimes, suas penas, os efeitos da condenação e tipifica os crimes dos funcionários (servidores) públicos contra a Administração Pública. As penas são: Privativas de liberdade; Restritivas de direito e de Multa. Decreto-Lei nº 2.848, de 7 de dezembro de 1940. Ao longo dos anos, o Decreto-Lei nº 2.848, de 1940, tem sido atualizado por novas leis.

CÓDIGO TRIBUTÁRIO MUNICIPAL — É a lei municipal que regula e disciplina, com fundamento na Constituição Federal, Código Tributário Nacional, Leis Complementares e Lei Orgânica do Município, os direitos e obrigações referentes a tributos de competência municipal e às rendas deles derivadas que integram a receita do município.

CÓDIGO TRIBUTÁRIO NACIONAL (CTN) — É assim denominada a Lei nº 5.172, de 25 de outubro de 1966, que regula o sistema tributário nacional e estabelece as normas gerais de direito tributário aplicáveis à União, aos Estados, ao Distrito Federal e aos Municípios. Encontra-se desatualizado no que se refere à conceituação dos tributos vigentes, mas contém os princípios gerais para administração tributária.

COEFICIENTE CONSTRUTIVO — É o índice que define a quantidade de área que pode ser construída sobre cada lote, considerando a cidade existente e o seu crescimento.

COEFICIENTE DE APROVEITAMENTO BÁSICO — Define o potencial construtivo de um lote ou terreno, adotado como referência básica para cada zona, conforme estabelecido no Plano Diretor.

COEFICIENTE DE APROVEITAMENTO MÁXIMO — Define o limite máximo acima do potencial construtivo estabelecido, que poderá ser autorizado pelo Poder Público, mediante contrapartida do beneficiário, por meio dos instrumentos de política urbana definidos no Plano Diretor de Desenvolvimento Urbano e Ambiental (PDDUA).

COEFICIENTE DE EQUIPARAÇÃO SALARIAL — Mecanismo através do qual o valor de uma prestação de financiamento é vinculado à variação do salário do financiado, e que é utilizado nos financiamentos imobiliários no âmbito do Sistema Financeiro da Habitação (SFH).

COEFICIENTE DE GINI — É uma forma de medição da distribuição de rendimento numa sociedade e representa a distância entre a Curva de Lorenz e a curva da igualdade absoluta. (Ver: Índice de Gini.)

COEFICIENTE DE LIQUIDEZ — É o indicador que se utiliza para análise ou estudo da situação econômica ou financeira da entidade em um determinado momento. O coeficiente mede a capacidade de pagamento das obrigações (passivo) com as disponibilidades monetárias (ativo), explicitando a capacidade da entidade saldar ou não seus compromissos.

COEFICIENTE DE PARIDADE — Relação entre os preços unitários apropriados exclusivamente a partir de dados de mercado, visando à composição de modelos cuja representatividade, restrita ao local pesquisado, é função de exame estatístico específico.

COEFICIENTE DELTA — É o coeficiente que mede a sensibilidade do preço de uma opção em relação a uma variação de preços do seu ativo subjacente. (Ver: Ativo Subjacente.)

COEFICIENTE GAMA — É o coeficiente que mede a variação do delta de uma opção à medida que varia o preço da opção. Em termos um pouco mais técnicos, representa a derivada segunda do preço da opção em relação ao preço do ativo.

COERÇÃO — Violência física, emprego da força. Poder de justiça que obriga alguém a fazer ou abster-se de fazer determinada coisa ou cumprir um dever. Força que o Estado imprime à norma legal, para torná-la obrigatória. Poder imanente da lei; o seu elemento essencial.

COERCIBILIDADE — Susceptibilidade de aplicação coativa de sanções, se a norma for violada.

COERCIVO — Capaz de exercer coerção; que reprime; que impõe pena.

COERÊNCIA — Traduz-se na inexistência de efeitos que são contrários aos resultados ou objetivos pretendidos.

COFINS (CONTRIBUIÇÃO SOCIAL PARA FINANCIAMENTO DA SEGURIDADE SOCIAL) — Instituída pela Lei Complementar nº 70, de 30 de dezembro de 1991, é um tributo cobrado pela União para atender programas sociais do Governo Federal. Sua alíquota, que era de 2%, foi aumentada para 3% em fevereiro de 1999, incidindo sobre o faturamento mensal, assim considerada a receita bruta das vendas de mercadorias e de serviço de qualquer natureza. A Lei 10.833, de 29 de dezembro de 2003, alterou a forma de cálculo da COFINS para as empresas que apuram o Imposto de Renda pelo Lucro Real, tornando-a não-cumulativa e majorando a sua alíquota para 7,6%. Antes, o tributo incidia sobre todas as fases da produção. A não cumulatividade significa que o imposto incidente sobre as operações de compra poderá ser aproveitado nas operações de vendas. Assim, o imposto incide, na prática, somente sobre o valor agregado a bens e serviços. A COFINS é devida pelas pessoas jurídicas de direito privado em geral, inclusive as pessoas a elas equiparadas pela legislação do Imposto de Renda, exceto as microempresas e as empresas de pequeno porte submetidas ao regime do SIMPLES (Lei nº 9.317, de 1996). Não se aplica a não cumulatividade às pessoas imunes a impostos, órgãos públicos, às autarquias, e fundações públicas federais, estaduais e municipais e às sociedades cooperativas.

COGENTE — Do latim *cogente* que significa racionalmente necessário. (Ver: Norma cogente.)

CO-GESTÃO — Compartilhamento, entre órgãos envolvidos nos processos de gerenciamento de um espaço ou de administração de um bem, das decisões administrativas e de planejamento operacional das ações elencadas em consenso, dentro de diretrizes estabelecidas legalmente entre as partes.

COGNATOS — Habilitado, que ou aquele que se habilitou; habilitando, que ou aquele que pretende habilitar-se.

COGNIÇÃO — 1) Aquisição de um conhecimento. 2) Conhecimento, percepção. 3) Fase processual duma demanda, em que o juiz toma conhecimento do pedido, da defesa, das provas, e a decide, em contraposição à fase executória. 4) Conjunto dos processos mentais que incluem o pensamento, a percepção, a capacidade de classificação de reconhecimento etc. A cognição afeta a linguagem e a comunicação, de forma que é importante observar o discurso para compreendermos os problemas existentes no inconsciente.

COGNIÇÃO IMEDIATA — Conhecimento direto ou comunicação não formal.

COGNIÇÃO MEDIATA — Comunicação formal da vítima ou de qualquer do povo, por representação, por requisição judicial ou do Ministério Público.

COGNITA CAUSA — [Latim]. Expressão que significa após o exame dos fatos. Com conhecimento de causa.

COIBIR — Impedir a continuação de; fazer parar; reprimir; conter; privar-se.

COISA — É tudo aquilo que existe na natureza, objetiva ou subjetivamente suscetível de ser ou não percebida pelos sentidos e utilizada pelo ser humano; constitui objeto de direito. De um modo geral, é tudo aquilo que não é pessoa. Também são coisas os direitos, as ações ou fatos humanos.

COISA ABANDONADA — Bem material rejeitado, expressamente, pelo seu proprietário.

COISA ACESSÓRIA — É aquela cuja existência supõe a da principal. Em regra, a coisa acessória segue a principal.

COISA COMUM — Aquela que não pode ser apropriada individualmente, pertencendo à coletividade, embora possa ser fruída pelo particular, se houver concessão do Poder Público.

COISA FUNGÍVEL — Coisa móvel que pode ser substituída por outra da mesma espécie, qualidade e quantidade.

COISA INFUNGÍVEL — Equivalente a coisas não fungíveis. Coisa móvel que não pode ser substituída por outra da mesma espécie, qualidade e quantidade.

COISA JULGADA — Decisão judiciária definitiva ou com força de definitiva, a que não cabe mais nenhum recurso, tornando-se por isso irretratável. O mesmo que caso julgado.

COISA JULGADA ADMINISTRATIVA — É a irretratabilidade do ato decisório administrativo junto à própria Administração, dela não cabendo mais recursos administrativos, salvo via judicial. O ato decisório administrativo não se confunde e nem tem alcance da coisa julgada pelo judiciário.

COISA JULGADA FORMAL — Consiste no fenômeno da imutabilidade da sentença pela preclusão dos prazos para recursos. É a impugnabilidade da sentença no processo em que foi proferida. Ocorre a coisa julgada formal quando a sentença não mais está sujeita a recurso ordinário ou extraordinário (LICC art. 6º, parágrafo 3º), quer porque dela não se recorreu, quer porque se recorreu em desacordo com os requisitos de admissibilidade dos recursos ou com os princípios fundamentais dos recursos, quer, ainda, porque foram esgotados todos os meios recursais de que dispunham as partes e interessados naquele processo. Para a coisa julgada formal leva-se em conta, principalmente, a impugnabilidade da sentença, vale dizer o momento em que se forma a coisa julgada.

COISA JULGADA MATERIAL — É o impedimento de ser a lide novamente discutida em outro processo, ou no mesmo, por estar a questão definitivamente julgada. É a eficácia, que torna imutável e indiscutível a sentença, não mais sujeita a recurso ordinário ou extraordinário.

COISA LITIGIOSA — Aquela que está sendo objeto de apreciação judicial numa lide. (Ver: Lide.)

COISA PRINCIPAL — É aquela que, para existir, não depende da existência de outra. Principal é a coisa que existe sobre si, abstrata ou concretamente. (Ver: Acessório // Acessórios Naturais // Acessórios Naturais.)

COISA PÚBLICA — É toda aquela que se acha compreendida no patrimônio do Estado ou de outra entidade de direito público ou se destina ao uso comum do povo ou a satisfazer as suas necessidades, utilidades ou interesses.

COISAS CONSUMÍVEIS — São os bens móveis, cujo uso importa destruição imediata da própria substância, sendo também considerados tais os destinados à alienação.

COISAS CORPÓREAS — São as coisas físicas, isto é, aquelas que podem ser apreendidas pelos sentidos. Diz-se coisa tudo aquilo que pode ser objeto de relações jurídicas. Está, tipicamente, nesse caso o objeto dos chamados direitos reais, máximo do direito de propriedade, que o direito real por excelência. (Ver: Coisas Incorpóreas.)

COISAS DIVISÍVEIS — São aquelas que podem ser fracionadas sem alteração de sua substância, diminuição de seu valor ou prejuízo àqueles que as utilizam.

COISAS FORA DO COMÉRCIO — De acordo com o art. 69 do Código Civil de 1916, coisas fora do comércio são aquelas insuscetíveis de apropriação e as legalmente inalienáveis. Tal conceito prevalece, porém, o Novo Código Civil não regulou a matéria.

COISAS INCORPÓREAS — Não são mais do que valores da natureza que não podem ser apreendidos pelos sentidos. São concebidos apenas pelo espírito, entre os quais compreendemos fundamentalmente os bens intelectuais, tais como: obras literárias, científicas, artísticas etc., sobre as quais incidem os "direitos de autor". O objeto de tais direitos é a respectiva obra na sua forma ideal e não as coisas materiais que constituem a sua corporização exterior, como o livro, o filme etc. (Ver: Coisas Corpóreas.)

COISAS NÃO FUNGÍVEIS — Ver coisa infungível.

COISAS SINGULARES — Diz-se das coisas simples ou compostas, materiais ou imateriais, que, mesmo reunidas, se consideram de *per se*, independentemente das demais.

COITO — Diz-se da conjunção carnal.

COLABORAÇÃO — Ato de cooperar ou trabalhar em conjunto.

COLABORADORES — São todos aqueles que estão envolvidos na execução das atividades de uma organização como empregados, servidores, prestadores de serviço e funcionários terceirizados.

COLAÇÃO — Restituição, ao monte partível dos bens doados pelos sucedidos aos sucessores, a fim de se obter a igualdade dos quinhões hereditários; ato pelo qual o herdeiro, filho ou outro descendente traz à mesma massa comum dos bens da herança do pai ou da mãe ou de ambos, ou outro descendente, o que recebeu do casal em vida de qualquer deles, para se dividir com os mais bens da herança entre todos os filhos ou outros descendentes do inventariado. (Ver: Quinhão.)

COLATERAL — 1) Grau de parentesco originário de um tronco comum, indicando os parentes que não procedem em linha reta (ascendência ou descendência), mas em linha lateral, transversal. Daí a expressão colateral. Como exemplo de parentesco colateral, temos o parentesco entre primos. 2) Valor fornecido, em títulos ou dinheiro, para servir como garantia de empréstimo de títulos.

COLÉGIO DE LÍDERES — Órgão constituído pelos líderes da maioria, da minoria, das bancadas e dos blocos parlamentares.

COLÉGIO ELEITORAL — É um órgão formado por um conjunto de eleitores com o poder de um corpo deliberativo para eleger alguém a um posto particular. De maneira geral, esses eleitores representam uma organização ou entidade diferente, com cada organização ou entidade representada por um número determinado de eleitores ou com votos ponderados de uma maneira particular. Algumas vezes, no entanto, os eleitores são simplesmente pessoas importantes cuja sabedoria, espera-se, resultará em uma escolha melhor do que a de um corpo eleitoral mais amplo. Assim, um colégio eleitoral pode ser um órgão, por exemplo, pelo qual um sistema de eleição visa a manter uma proporção equilibrada de votos de uma população de acordo com sua região. Evita-se, assim, que um determinado candidato faça campanha eleitoral apenas nas regiões mais populosas e com poder de voto expressivo. O caso mais comum de colégio eleitoral é o sistema de eleição presidencial dos EUA. Cada estado daquele país é um colégio eleitoral, e o poder de voto de cada um deles é decidido de acordo com o seu número de deputados e senadores. A população de cada estado vota em seu candidato favorito e aquele mais votado ganha o voto de todos os deputados e senadores. É uma eleição indireta.

COLENDO — Expressão da técnica empregada na forma de tratamento das câmaras e turmas de um tribunal.

CÓLERA — Impulso violento contra o que nos ofende, fere, ou indigna. Ferocidade dos animais. (Ver: Saúde – Cólera.)

COLETA DE LIXO — Serviço de coleta e remoção do lixo predial (residencial, comercial, industrial, hospitalar) para seu destino final: vazadouros, aterros, usinas de reciclagem, de incineração etc.

COLETA SELETIVA — Recolhimento diferenciado de materiais descartados, previamente selecionados nas fontes geradoras, com o objetivo de encaminhá-los para reciclagem, compostagem, reuso, tratamento e outras destinações alternativas, como aterros e incineração. São considerados materiais recicláveis: Metal: latas de alimentos e bebidas, tampinhas, arames, pregos, fios, objetos de alumínio, bronze, ferro, chumbo e zinco; Vidro: garrafas, potes, jarros, vidros de conserva, vidros de produtos de limpeza, frascos em geral; Papel: jornais, listas telefônicas, folhetos, revistas, folhas de rascunho, cadernos, papéis de embrulho, caixas de papelão, caixas de leite e sucos; Plásticos: garrafas, tubos de creme, frascos, baldes, bacias, brinquedos, saquinhos de leite.

COLIFORME FECAL — Bactéria do grupo *coli* encontrada no intestino de homens e animais, comumente utilizada como indicador da contaminação por matéria orgânica de origem animal.

COLIFORMES — Inclui todos os bacilos aeróbicos ou anaeróbicos facultativos, gram-negativos, não esporulados, que fermentam a lactose com produção de gás, dentro de 48 horas, a 35°C; pertencem a este grupo: *Escherichia coli; Enterobacter aerogenese; Enterobacter cloacae; Citrobacter freundii; Klebsiella pneumoniae.*

COLIGAÇÃO — Aliança de diversas pessoas ou organizações que visa a um fim comum. (Ver: Eleição – Coligação partidária.)

COLIGAÇÃO PARTIDÁRIA — Ver Eleição – Coligação partidária.

COLIMETRIA — Processo de determinação da quantidade do grupo *coli*, o que é realizado tendo em vista o seu número mais provável em certo volume de água.

COLMATAÇÃO — Processo que consiste em provocar uma deposição de silte (material sedimentar) sobre terras que geralmente são fertilizadas por tal deposição. Também conhecido nos Estados Unidos pelo termo *Warping* (método de promover deposição).

COLONIZAÇÃO — Povoamento e aproveitamento econômico de uma região feito principalmente através da agricultura.

COLUSÃO — Acordo fraudulento entre duas ou mais pessoas, simulando litígio, para fraudar a uma terceira.

COMANDO — É a hierarquia, estabelecendo os níveis de autoridade e responsabilidade.

COMARCA — Designa o território, a circunscrição territorial compreendida pelos limites em que se encerra a jurisdição de um ou mais juízes.

COMARCAS VINCULADAS — São aquelas constituídas pelo município cuja comarca ainda não estiver implantada, permanecendo, enquanto nessa condição, vinculado a uma comarca implantada.

COMBATE ÀS CARÊNCIAS NUTRICIONAIS — Ver Saúde - Programa de combate às carências nutricionais.

COMBINAÇÃO DE OPÇÕES — Compra ou venda de duas ou mais séries de opções sobre a mesma ação-objeto, porém com preços de exercício e/ou datas de vencimento diferentes.

COMBURENTE — Aquilo que alimenta a combustão. Oxigênio. Um dos componentes do tetraedro do fogo, juntamente com o combustível, o calor e a reação em cadeia.

COMBUSTÃO — Combinação, geralmente rápida, entre duas substâncias, combustível e comburente, que libera uma grande quantidade de calor e, não obrigatoriamente, de chama.

COMBUSTÃO ESPONTÂNEA — Processo em que o combustível absorve o comburente (oxigênio do ar ou de substância doadora de oxigênio) e gera calor, que ultrapassa o ponto de ignição e o corpo se inflama sem necessidade de ocorrência de chama ou faísca.

COMBUSTÍVEL — É a substância que queimará sob condições controláveis, fornecendo calor numa forma utilizável.

COMBUSTÍVEL FLORESTAL — Material orgânico disponível no meio ambiente que pode entrar em ignição e queimar-se.

COMBUSTÍVEL FÓSSIL — Materiais combustíveis derivados de formações orgânicas fossilizadas, encontrados em determinadas formações geológicas muito antigas, gerados sob condições ambientais especiais. Carvão mineral, linhito, turfa, gás natural e petróleo são combustíveis fósseis.

COMBUSTÍVEL NUCLEAR — Materiais físseis enriquecidos em uma composição tal que, quando colocados em um reator nuclear, permitirão uma reação de fissão em cadeia auto-sustentada, produzindo calor de maneira controlada para uso do processo.

COMDEC (COMISSÃO MUNICIPAL DE DEFESA CIVIL) — É uma organização aberta que reúne o potencial de uma comunidade municipal em torno de seu líder, a fim de fazer frente a um evento adverso. É a defesa organizada onde se aplicam racionalmente os meios disponíveis para fazer frente aos fenômenos anormais e adversos (inundação, desabamento, incêndio, vendaval etc.), com o objetivo de minimizar as conseqüências danosas que possam causar à comunidade.

COMERCIAL — 1) Que visa sucesso e lucro imediatos, sem exigir do público esforço intelectual. 2) Designação genérica que se dá ao anúncio de rádio ou televisão.

COMERCIALIZAÇÃO DE TECNOLOGIA — Direito de utilização de *know how* ou de conhecimento tecnológico efetivado através de compra e venda.

COMERCIANTE DE FATO — Aquele que, fazendo do comércio sua profissão habitual, não se acha regularmente inscrito, nesta qualidade, nos órgãos competentes.

COMÉRCIO — Baseia-se na troca voluntária de produtos. As trocas podem ter lugar entre dois parceiros (comércio bilateral) ou entre mais do que dois parceiros (comércio multilateral). Na sua forma original, o comércio fazia-se por troca direta de produtos de valor reconhecido como diferente pelos dois parceiros; cada um valorizaria mais o produto do outro. Os comerciantes modernos costumam negociar com o uso de um meio de troca indireta, o dinheiro. É raro fazer-se troca direta hoje em dia, principalmente nos países industrializados. Como conseqüência, hoje podemos separar a compra da venda. A invenção do dinheiro (e subseqüentemente do crédito, papel-moeda e dinheiro não-físico) contribuiu grandemente para a simplificação e promoção do desenvolvimento do comércio.

COMÉRCIO DE EMISSÕES — Mecanismo previsto pelo Protocolo de *Kyoto*, pelo qual países com compromissos em relação à emissão de gases podem trocar o limite de emissão com outros países. Tem como objetivo tornar mais flexível a política de redução de emissões e melhorar a eficiência econômica das operações de redução de emissões. (Ver:Redução certificada de emissões.)

COMÉRCIO ELETRÔNICO (*E-COMMERCE*) — É a comercialização de produtos e serviços utilizando-se a internet, à qual estão interligados tanto consumidor como fornecedor dos produtos ou serviços por meio de computadores.

COMÉRCIO INTERNACIONAL — É a troca de bens e serviços através de fronteiras internacionais ou territórios. Na maioria dos países, ele representa uma grande parcela do PIB. O comércio internacional esteve presente através de grande parte da história da humanidade, mas a sua importância econômica, social e política se tornou crescente nos últimos séculos. O avanço industrial, dos transportes, a globalização, o surgimento das corporações multinacionais e o *outsourcing* tiveram grande impacto no incremento desse comércio. O aumento do comércio internacional é normalmente relacionado com o fenômeno da globalização. O comércio internacional é uma disciplina da teoria econômica, que, juntamente com o estudo do sistema financeiro internacional, forma a disciplina da economia internacional. (Ver: *Outsourcing*.)

COMÉRCIO JUSTO — Também denominado comércio responsável, solidário, é uma alternativa ao comércio convencional. É uma alternativa mais justa e mais solidária de sustentabilidade social, ambiental, econômica e cultural. Promove justiça social e econômica, desenvolvimento sustentável, respeito pelas pessoas e pelo meio ambiente, através do aumento da consciência dos consumidores, da educação, da informação e da ação política. O comércio justo e solidário é uma relação paritária entre todos os sujeitos envolvidos na cadeia de comercialização: produtores, trabalhadores, importadores e consumidores. O principal objetivo do comércio justo e solidário é melhorar as condições de vida dos produtores através do aumento do acesso ao mercado e da promoção de oportunidades de desenvolvimento para os mais desfavorecidos. O Comércio Justo surge como uma alternativa de combate aos efeitos negativos da globalização. É uma iniciativa em que a produção e o comércio se encontram a serviço das pessoas. Prova que os lucros, os direitos dos trabalhadores e o respeito pelo meio ambiente não são objetivos incompatíveis.

COMÉRCIO JUSTO E SOLIDÁRIO — Ver Comércio justo.

COMÉRCIO RESPONSÁVEL — Ver Comércio justo.

COMETA — Corpo celeste formado por gelo, gás e poeira que, proveniente da Nuvem de Oort, gira à volta do Sol, descrevendo uma órbita muito excêntrica.

COMINAÇÃO — Exigência de pena ou castigo por falta de cumprimento de contrato, preceito, ordem ou mandato judicial.

COMINAR — Ameaçar com pena ou castigo no caso de infração ou falta de cumprimento de contrato, ou de preceito, ordem, mandato etc.; impor, prescrever.

COMISSÃO — 1) Cada um dos grupos em que se dividem os membros das Casas Legislativas, a fim de estudar e dar pareceres sobre as proposições. 2) Local onde funciona a comissão. 3) Grupo de pessoas com funções especiais ou incumbidas de tratar de determinados assuntos. 4) Percentagem do valor de uma transação como forma de remuneração do intermediário. Um exemplo são as comissões dos corretores de Bolsa, de seguros, venda de imóveis etc.

COMISSÃO CONJUNTA — Aquela formada por membros das duas Casas Legislativas (Câmara e Senado).

COMISSÃO DE COMPROMISSO — Comissão comumente cobrada pelos credores externos sobre o valor não desembolsado do empréstimo por culpa do tomador.

COMISSÃO DE CONCILIAÇÃO PRÉVIA — A Lei Federal nº 9.958, de 12.1.2000, autoriza a instituição de comissões paritárias (igual número de representantes: empregado e empregador) nas empresas e ou sindicatos, com representantes dos empregados e empregadores, para tentar conciliar os conflitos que ocorram durante ao após o término do contrato, antes da causa ser levada à Justiça do Trabalho. O empregado nunca pode ser obrigado a fazer o acordo, mas se o fizer, o termo será lavrado à homologação do juiz e aquelas questões serão consideradas já solucionadas, passíveis de execução judicial caso seja descumprido o acordo.

COMISSÃO DE CONSTITUIÇÃO E JUSTIÇA — Comissão Parlamentar encarregada da análise dos aspectos constitucionais, legais, jurídicos, regimentais ou de técnica legislativa.

COMISSÃO DE FISCALIZAÇÃO FINANCEIRA E CONTROLE — Comissão permanente da Câmara de Deputados, composta de deputados federais, que tem como objetivo a tomada de contas do presidente da República, apreciação de planos e programas de desenvolvimento nacional ou regional, de representações do Tribunal de Contas, solicitando sustação de contrato impugnado ou outras providências a cargo do Congresso Nacional, requisição de informações, relatórios, balanços e inspeções sobre as contas ou autorizações de despesas de órgãos e acompanhamento e fiscalização contábil, financeira, orçamentária, operacional e patrimonial da União e das entidades da administração direta e indireta, em articulação com a Comissão Mista Permanente de Orçamento.

COMISSÃO DE ORÇAMENTO — Nome comumente conferido às comissões permanentes de parlamentares para apreciação e fiscalização de matérias orçamentárias, financeiras, patrimoniais e contábeis, no âmbito dos Legislativos Estaduais e Municipais, nos termos do art. 166 da Constituição Federal.

COMISSÃO DE REPASSE — Percentual aplicado sobre o saldo devedor, devido a credor nacional (operação interna), em contrato cuja origem dos recursos é externa. A forma do cálculo é semelhante à de juros, com taxas variáveis.

COMISSÃO DE REPRESENTAÇÃO — Aquela constituída para estar presente a atos em nome da instituição.

COMISSÃO DE VALORES MOBILIÁRIOS (CVM) — Entidade autárquica em regime especial, vinculada ao Ministério da Fazenda, com personalidade jurídica e patrimônio próprios, dotada de autoridade administrativa independente, ausência de subordinação hierárquica, mandato fixo e estabilidade de seus dirigentes, e autonomia financeira e orçamentária. Tem por competência: a) regulamentar, com observância da política definida pelo Conselho Monetário Nacional, as matérias expressamente previstas na Lei nº 6.385, de 1976, e na lei de sociedades por ações; b) administrar os registros instituídos por esta Lei; c) fiscalizar permanentemente as atividades e os serviços do mercado de valores mobiliários, de que trata o art. 1º, bem como a veiculação de informações relativas ao mercado, às pessoas que dele participem e aos valores nele negociados; d) propor ao Conselho Monetário Nacional a eventual fixação de limites máximos de preço, comissões, emolumentos e quaisquer outras vantagens cobradas pelos intermediários do mercado; e) fiscalizar e inspecionar as companhias abertas, dando prioridade às que não apresentem lucro em balanço ou às que deixem de pagar o dividendo mínimo obrigatório.

COMISSÃO ECONÔMICA PARA A AMÉRICA LATINA E CARIBE (CEPAL) — Comissão criada em 1948 pelo Conselho Econômico e Social, com sede em Santiago do Chile. É uma das cinco comissões regionais das Nações Unidas. Inicialmente tinha como objetivo contribuir para o desenvolvimento econômico da América Latina, coordenar as atividades conducentes à promoção e reforço das relações econômicas dos países entre si e com as outras regiões do mundo. Posteriormente, o seu trabalho ampliou-se para os países do Caribe e incluiu o objetivo de promoção do desenvolvimento social.

COMISSÃO ESPECIAL — Comissão Parlamentar de caráter temporário, criada para examinar e dar parecer sobre alguma das seguintes espécies de proposições: propostas de emendas à Constituição; projetos de código; projetos que envolvam matéria de competência de mais de três comissões de mérito; denúncia oferecida contra o Presidente da República por crime de responsabilidade ou projeto de alteração do Regimento Interno. Algumas comissões especiais são criadas também, na prática, para estudar determinados assuntos e apresentar projetos sobre eles.

COMISSÃO EUROPÉIA (CE) — É uma instituição da União Européia, que dispõe de poderes de iniciativa, de execução, de gestão e de controle. É a guardiã dos Tratados e representa o interesse comunitário. É composta por um órgão colegiado de 20 membros independentes (dois membros para cada um dos seguintes países: Alemanha, Espanha, França, Itália e Reino Unido; um membro para cada um dos restantes países). A Comissão é nomeada, de comum acordo, pelos Estados membros, por um período de cinco anos, e é sujeita a uma votação de investidura do Parlamento Europeu, perante o qual é responsável. O órgão colegiado dos membros da Comissão é assistido por uma administração composta por direções-gerais e serviços especializados, cujo pessoal se encontra distribuído essencialmente entre Bruxelas e Luxemburgo.

COMISSÃO EXTERNA — Comissão Parlamentar temporária que atua fora da Câmara dos Deputados para representá-la nos atos a que tenha sido convidada ou a que tenha de assistir. Pode ser constituída por ato do presidente, de ofício ou a requerimento de qualquer deputado, salvo se importarem em ônus para a Casa, quando sua constituição depende de deliberação do Plenário.

COMISSÃO GERAL — Comissão Parlamentar formada quando, por proposta conjunta de líderes, a sessão plenária da Câmara dos Deputados se transforma, em comissão geral, com a finalidade de debater matéria relevante, discutir projeto de lei de iniciativa popular e para comparecimento de ministro de Estado.

COMISSÃO INTERNA DE PREVENÇÃO DE ACIDENTES — Ver CIPA.

COMISSÃO MISTA — Comissão Parlamentar integrada por deputados e senadores, constituída para tratar de matéria pertinente à competência do Congresso Nacional. Pode ter caráter permanente ou temporário.

COMISSÃO MISTA DE ORÇAMENTO — Comissão Mista Permanente de Planos, Orçamentos Públicos e Fiscalização (CMPOF), composta por 84 membros titulares, sendo 63 deputados e 21 senadores, que examina e emite parecer sobre as leis orçamentárias (PPA, LDO e LOA) e suas propostas de emendas, os planos e programas nacionais, regionais e setoriais previstos na Constituição, bem como exerce o acompanhamento e a fiscalização orçamentária. A Comissão funciona conforme dispõem as Resoluções nºs 2 e 3, de 1995, do Congresso Nacional. (Ver: PPA // LDO // LOA.)

COMISSÃO MUNICIPAL DE DEFESA DO CONSUMIDOR — Comissão municipal composta por entidades civis de consumidores, associação de fornecedores e sindicatos de categoria econômica, para o atendimento de queixas sobre problemas de relação de consumo, de serviços públicos, entre outros. Lei Federal nº 8.078, de 11.9.1990.

COMISSÃO NACIONAL DE BOLSAS DE VALORES (CNBV) — Associação civil sem fins lucrativos, que tem a função de representar os interesses das bolsas de valores do País perante as autoridades monetárias e reguladoras do mercado.

COMISSÃO NACIONAL DE ENERGIA NUCLEAR — Ver CNEN.

COMISSÃO PARLAMENTAR — Órgão integrado por parlamentares, tendo composição partidária proporcional à da Casa Legislativa, tanto quanto possível. Pode ter caráter permanente ou temporário e assume relevantes funções no processo de elaboração das leis e de fiscalização e controle dos atos do Poder Executivo.

COMISSÃO PARLAMENTAR DE INQUÉRITO — Ver CPI.

COMISSÃO PERMANENTE — Aquela que subsiste ao término de uma legislatura, com atribuição de analisar o mérito das proposições, segundo sua especialidade.

COMISSÃO REPRESENTATIVA — De natureza diversa das demais comissões, tem como função representar o Congresso Nacional no recesso parlamentar. Seus membros serão eleitos por ambas as Casas - Câmara dos Deputados e Senado - e sua atuação limitada ao período de recesso para o qual foram eleitos. Mesmo em caso de convocação extraordinária, a Comissão é eleita para o exame das demais matérias. (Ver: Sessão legislativa extraordinária.)

COMISSÃO TEMPORÁRIA — Comissão Parlamentar criada com finalidade específica e/ou com prazo estipulado de funcionamento, extinguindo-se com a conclusão de seus trabalhos ou com o término da Legislatura.

COMISSÁRIO — Em sentido amplo, toda pessoa a quem se atribui uma missão. No plano jurídico, o termo designa o delegado de polícia, o comerciante que, embora atuando em seu próprio nome, o faz na execução de negócios alheios. Neste caso, o comissário não se responsabiliza pela solvência daqueles com quem contratou em favor do comitente, a menos que a comissão contenha a cláusula *del credere*. No direito falimentar, antes da Lei nº 11.101, de 9.2.2005 (Lei de Falência e Recuperação - LFR), o comissário era o credor escolhido pelo juiz para gerir a concordata do devedor. Transformada a concordata em falência, o comissário passava a atuar como síndico. As atribuições do comissário durante a concordata faziam jus a uma remuneração arbitrada pelo juiz. (Ver: Administrador Judicial.)

COMISSO — Forma de extinção da enfiteuse, contra o foreiro que deixou, por três anos consecutivos, de pagar as pensões. (Ver: Enfiteuse.)

COMISSÕES ESPECIAIS OU TEMPORÁRIAS — No legislativo são comissões compostas exclusivamente para o estudo de um assunto determinado, dissolvendo-se quando este teve solução. São designadas para fins específicos e expiram ao formular suas conclusões.

COMISSÕES PERMANENTES — Comissão Parlamentar que subsiste ao término de uma legislatura, com atribuição de analisar o mérito das proposições, segundo sua especialidade. As comissões permanentes da Câmara dos Deputados são: a) Agricultura, Pecuária, Abastecimento e Desenvolvimento Rural - CAPADR; b) Amazônia, Integração Nacional e Desenvolvimento Regional - CAINDR; c) Ciência e Tecnologia, Comunicação e Informática - CCTCI; d) Constituição e Justiça e de Cidadania - CCJC; e) Defesa do Consumidor - CDC; f) Desenvolvimento Econômico, Indústria e Comércio - CDEIC; g) Desenvolvimento Urbano - CDU; h) Direitos Humanos e Minorias - CDHM; i) Educação e Cultura - CEC; j) Finanças e Tributação - CFT; l) Fiscalização Financeira e Controle - CFFC; m) Legislação Participativa - CLP; n) Meio Ambiente e Desenvolvimento Sustentável - CMADS; o) Minas e Energia - CME; p) Relações Exteriores e de Defesa Nacional - CREDN; q) Segurança Pública e Combate ao Crime Organizado - CSPCCO; r) Seguridade Social e Família - CSSF; s) Trabalho, Administração e Serviço Público - CTASP; t) Turismo e Desporto - CTD; u) Turismo e Desporto - CTD; v) Viação e Transportes - CVT.

COMISSÕES TEMÁTICAS — Integrantes da estrutura institucional da Casa Legislativa, são especializadas em determinadas matérias, atuando, então, na análise do mérito de projetos de lei dos seus respectivos campos temáticos.

COMITÊ DE APOIO À RELATORIA — Comitê Parlamentar constituído no âmbito da Comissão Mista de Planos, Orçamentos Públicos e Fiscalização (CMO), para apoio aos relatores-setoriais e ao relator-geral do projeto de lei orçamentária. Podem ser criados até cinco comitês, sob a coordenação do relator-geral, com o mínimo de três e o máximo de sete integrantes cada. Dentre os cinco comitês permitidos, há a obrigatoriedade da constituição dos seguintes: Comitê de Avaliação da Receita Orçamentária; Comitê de Avaliação das Emendas; Comitê de Avaliação das Informações enviadas pelo Tribunal de Contas da União. Cada comitê terá sua atribuição e número de integrantes fixados em ato da Comissão, sendo seus membros designados pelo relator-geral.

COMITÊ DE CRÉDITO ÀS EXPORTAÇÕES — Ver CCEX.

COMITÊ DE POLÍTICA MONETÁRIA (COPOM) — Ver COPOM.

COMITENTE — Pessoa que encarrega uma outra de comprar, vender ou praticar qualquer ato, sob suas ordens e por sua conta, mediante certa remuneração a que se dá o nome de comissão.

***COMMERCIAL INVOICE* (FATURA COMERCIAL)** — Documento emitido pelo exportador, em formulário próprio, de preferência em inglês ou no idioma do país importador, observada a legislação do país. Esse documento representa a operação comercial em si e sua finalidade é formalizar a transferência da propriedade da mercadoria para o comprador, devendo, por isso, mencionar as principais características da venda: dados do exportador e importador, descrição da mercadoria, preço, condições de venda, forma de pagamento etc.

COMMERCIAL PAPER — Nota promissória emitida por uma empresa no mercado externo para captação de recursos a curto prazo, gerando, portanto, uma dívida de curto prazo. Normalmente emitida por empresas de grande porte e reduzido risco de crédito, são papéis prefixados, emitidos com lastro nas previsões de faturamento das empresas. Estes papéis são vendidos diretamente pelas empresas aos investidores, mas também podem ser emitidos via corretora. É um meio de as empresas obterem recursos a um custo menor que os juros bancários. Constitui-se em um importante mecanismo de financiamento para as companhias de capital aberto. (Ver: Nota promissória.)

COMMODITY — Palavra geralmente utilizada no plural - *commodities*. Palavra inglesa que significa mercadoria, mas no mercado financeiro é utilizada para indicar um tipo de produto, geralmente agrícola ou mineral, de grande importância econômica internacional e de baixo valor agregado, amplamente negociado entre importadores e exportadores. Existem bolsas de valores específicas para negociar *commodities*. São exemplos de *commodities*: café, algodão, soja, cobre, petróleo etc. Diz-se, dentro do contexto das aplicações financeiras, dos negócios fechados tendo por base o preço (presente ou futuro) de comercialização de mercadorias diversas, também representadas por produtos primários largamente comercializados, normalmente através das Bolsas de Mercadorias & Futuros. Há, ainda, os fundos de *commodities*. Nas relações comerciais internacionais, o termo designa um tipo particular de mercadoria em estado bruto ou produto primário de importância comercial. (Ver: Bolsa de Mercadorias & Futuros.)

COMODANTE — É aquele que entrega a coisa infungível. (Ver: Comodato.)

COMODATÁRIO — É aquele que usa a coisa infungível. (Ver: Comodato.)

COMODATO — É uma forma de empréstimo a título gratuito de coisa não fungível (bens que não podem ser substituídos por outros da mesma espécie, qualidade e quantidade) ou um imóvel a qual deve ser restituída no tempo convencionado. É um contrato unilateral gratuito e restrito, porque não exige a contraprestação do comodatário. O comodato se não fosse temporário, seria locação. O comodatário é possuidor de boa-fé, e, se realizar benfeitorias na coisa recebida em comodato, ao término do contrato, ao devolver a coisa ao comodante fará jus à indenização das benfeitorias úteis e necessárias, bem como de levantar as voluptuárias se não danificar a coisa. Em outras palavras, é um empréstimo gratuito de coisas não-fungíveis que se realiza com a tradição do objeto. O comodato se distingue do mútuo principalmente porque, neste, transfere-se o domínio da coisa ao mutuário, naquele ocorre apenas a transferência da posse; o comodato é sempre gratuito, o mútuo é oneroso; no comodato, a restituição sempre será da coisa emprestada, sem substituição; no mútuo, a restituição é de coisa equivalente em qualidade e quantidade.

COMODATO, RESPONSÁVEL PELO — O comodato é um contrato no interesse exclusivo do devedor comodatário. Sendo gratuito, o comodante credor faz um favor ao comodatário devedor, cedendo-lhe o uso da coisa. A responsabilidade do comodatário é determinada por este fato. Se duas ou mais pessoas recebem simultaneamente a mesma coisa em comodato, ficarão solidariamente responsáveis. O que se justifica pela gratuidade essencial a esse contrato. Em conseqüência qualquer delas pode ser acionada, ainda que se prove que o dano foi causado por um só, contra o qual o demandado terá ação regressiva.

COMORIÊNCIA — Simultaneidade da morte de duas ou mais pessoas presumível toda vez que se torna impossível determinar, para o efeito de sucessão, a ordem em que ocorreram os perecimentos. Pode ser de fato e presumida. A comoriência é de fato quando há provas concludentes e irrefutáveis da concomitância das mortes; e presumida, quando não há prova de que um morreu antes do outro e, então, presume-se que o perecimento foi simultâneo. A conseqüência é não se estabelecer sucessão entre comorientes.

COMORIÊNCIA DE FATO — Ver Comoriência.

COMORIÊNCIA PRESUMIDA — Ver Comoriência.

COMPAIXÃO — Sentimento misto de pesar, dó, piedade e solidariedade.

COMPANHEIRA — Mulher livre que vive exclusivamente, como se casada fosse, com homem solteiro, viúvo ou divorciado, sob mesmo teto e sob a sua dependência econômica, na maioria dos casos. Esse tipo de união tem merecido, nos últimos tempos, melhor consideração dos legisladores, garantindo-se direitos à companheira em diversas circunstâncias.

COMPANHEIRISMO — Camaradagem. Procedimento cordial, afetuoso e leal.

COMPANHIA — Sociedade, comercial ou industrial, constituída por acionistas; empresa mercantil. O mesmo que Sociedade Anônima. (Ver: Sociedade Anônima.)

COMPANHIA ABERTA — Ver Companhia de capital aberto.

COMPANHIA BRASILEIRA DE LIQUIDAÇÃO E CUSTÓDIA — Ver CBLC.

COMPANHIA COM AÇÕES COTADAS NA BOLSA — Ver Sociedade anônima de capital aberto.

COMPANHIA DE CAPITAL ABERTO — Empresa que tem suas ações registradas na Comissão de Valores Mobiliários (CVM) e distribuídas entre um determinado número de acionistas e que podem ser negociadas em Bolsas de Valores ou no mercado de balcão.

COMPANHIA DE CAPITAL FECHADO — Empresa com capital de propriedade restrita, cujas ações não podem ser negociadas em Bolsas de Valores ou no mercado de balcão.

COMPANHIA HIPOTECÁRIA — Instituição que tem por objetivos, entre outros: conceder financiamentos destinados à produção, reforma ou comercialização de imóveis residenciais ou comerciais e lotes urbanos; repassar recursos destinados ao financiamento da produção ou da aquisição de imóveis residenciais. Deve ser constituída sob a forma de sociedade anônima e na sua denominação social deve constar a expressão "companhia hipotecária".

COMPANHIA *HOLDING* — Termo usado para denotar a empresa que possui, como atividade principal, a participação acionária em uma ou mais empresas. A maior fonte de receita destas empresas são dividendos provenientes das empresas nas quais a companhia *holding* tem participações. É bastante comum a criação desse tipo de companhia por motivos fiscais. (Ver: Companhia subsidiária.)

COMPANHIA *OFFSHORE* OU CAIXA DE CORREIO (*LETTER BOX COMPANY; SHELL COMPANY*) — É uma corporação localizada num paraíso fiscal que não tem muito mais do que o endereço postal, condição suficiente para auferir de benefícios fiscais. A política atual de controle da lavagem de dinheiro, como as patrocinadas pela FATF (*Financial Action Task Force*) e pelo FINCEN (*Financial Crimes Enforcement Network*), tem colocado na "lista negra" o paraíso fiscal que permite a prática. Embora vários deles tenham desistido, novos paraísos fiscais surgem com a opção.

COMPANHIA SECURITIZADORA — Companhia de natureza não-financeira cuja principal atividade é a compra e securitização de créditos imobiliários, assim como a emissão e colocação de Certificados Recebíveis Imobiliários (CRI) no mercado financeiro. Também é possível securitizar outros títulos de crédito, como debêntures, por exemplo, sendo que a captação de recursos é feita junto aos chamados investidores institucionais.

COMPANHIA SUBSIDIÁRIA — É uma companhia cuja propriedade é 50% ou mais pertencente a uma outra companhia, a qual é sua matriz. (Ver: Companhia *holding*.)

COMPANHIAS MONOPOLISTAS — São companhias que recebem o privilégio exclusivo do comércio numa determinada região, ou, então, de um determinado produto com o objetivo de obterem o controle do mercado.

COMPATIBILIZAR — É procedimento que consiste em colocar num mesmo nível medidas de igual alcance relativas a diferentes tipos de normalização e aprovadas por órgãos competentes, de maneira que se tornem equivalentes e permitam que bens e serviços as utilizem para o mesmo fim.

COMPELAÇÃO — É a citação criminal ou o chamamento para comparecer a juízo criminal. (Ver: Citação.)

COMPELIR — É o chamamento da pessoa a juízo para responder pela acusação que lhe é feita.

COMPENSAÇÃO — 1) É a extinção das obrigações que se opera pelo encontro de dois créditos recíprocos entre as mesmas partes. Sendo os créditos de mesmo valor, ambos desaparecem integralmente. Sendo os valores diferentes, do maior deduz-se a importância correspondente ao menor, subsistindo a diferença da dívida. No plano jurídico a compensação só é admissível quando operada com crédito do embargante que se revista das mesmas características do título do embargado, o que vale dizer que não é possível admitir-se compensação de dívida líquida e certa por crédito ilíquido ou pendente de apuração judicial. 2) É um acordo para compensar posições ou obrigações por parte dos participantes ou sócios de uma negociação. A compensação reduz um grande número de posições ou obrigações individuais a um número menor. A compensação pode adotar diversas formas com distintos graus de exigibilidade legal em caso de inadimplência de alguma das partes.

COMPENSAÇÃO BANCÁRIA — Executado pelo Banco do Brasil, o Serviço de Compensação de Cheques e Outros Papéis (SCCOP) tem suas atividades reguladas pelo Banco Central. A compensação é processada em duas sessões, na primeira os bancos trocam documentos, enquanto na segunda são devolvidos os documentos impugnados pelos destinatários. O motivo que gerou a devolução do documento (ex. falta de fundos, irregularidade no preenchimento, apresentação indevida etc.) deve sempre ser indicado no documento, de forma a possibilitar averiguação. (Ver: Cadastro de emitentes de cheque sem fundo.)

COMPENSAÇÃO BILATERAL — Acordo entre duas partes para compensar suas obrigações bilaterais. As obrigações cobertas pelo acordo podem surgir de contratos financeiros, transferências ou de ambos.

COMPENSAÇÃO DE CRÉDITO ORÇAMENTÁRIO — Ver Crédito Orçamentário, Compensação de.

COMPENSAÇÃO DE ENCERRAMENTO (*CLOSEOUT-NETTING*) — Forma especial de compensação realizada logo após alguns eventos predefinidos tais como uma inadimplência. A compensação de encerramento tem o propósito de reduzir as exposições em contratos abertos se uma das partes reúne certas condições definidas em contrato (por exemplo, se está sujeita a procedimentos de insolvência) antes da data da liquidação (também é denominada compensação de inadimplência, compensação de contratos em aberto ou compensação de contratos de substituição).

COMPENSAÇÃO ELETRÔNICA — Abrange todos os documentos que transitam pelo SCCOP - Serviço e Compensação de Cheques e Outros Papéis, executado pelo Banco do Brasil, com a diferença que substitui o fluxo de papéis por informações eletrônicas, nas duas etapas da compensação (ou seja, tanto na troca como na devolução).

COMPENSAÇÃO MULTILATERAL — Procedimento que se caracteriza pela apuração da soma dos resultados bilaterais devedores e credores de cada participante em relação aos demais. O resultado da compensação multilateral também corresponde ao resultado de cada participante em relação à câmara ou ao prestador de serviços de compensação e de liquidação que assuma a posição de parte contratante para fins de liquidação das obrigações realizadas por seu intermédio.

COMPENSAÇÃO POR NOVAÇÃO — Os acordos de compensação por novação estabelecem disposições para que os compromissos contratuais individuais futuros (por exemplo, contratos de moeda estrangeira) sejam cancelados (descarregados) no momento de sua confirmação e sejam substituídos por novas obrigações que fazem parte de um acordo único. Os montantes vencidos sob o contrato cancelado se agregarão aos saldos correntes que vencem entre as partes, em cada moeda, para cada data-valor futura.

COMPENSAÇÃO PRIVADA DE CRÉDITOS — Prática vedada pelo Decreto-Lei nº 9025, de 1946, que consiste na quitação de débitos e créditos, entre residentes e não-residentes no País, sem movimentação cambial, por meio de simples lançamentos contábeis.

COMPETÊNCIA — Faculdade concedida por lei a um servidor, juiz ou Tribunal para apreciar e julgar certos pleitos ou questões. Delimitação da jurisdição e da área de atuação de cada juiz. É a possibilidade concreta de algum juiz julgar certa causa. Qualidade de quem é capaz de apreciar e resolver certo assunto, fazer determinada coisa. Capacidade legal; competência legislativa capacidade; habilidade; aptidão; idoneidade. Mobilização de conhecimentos, habilidades (fazer) e atitudes (querer) necessários ao desempenho de atividades ou funções, segundo padrões de qualidade e produtividade requeridos pela natureza do trabalho.

COMPETÊNCIA ADMINISTRATIVA — Indica a soma de poderes que as leis e regulamentos outorgam às autoridades administrativas para que possam desenvolver as ações de administração e gerência dos negócios públicos. A competência administrativa atua num plano de hierarquia, segundo as regras legalmente instituídas, pelo qual são traçados os limites jurisdicionais de cada autoridade, seja em relação à matéria, seja mesmo em relação ao território.

COMPETÊNCIA MUNICIPAL PARA INSTITUIR IMPOSTOS — Ver Impostos de Competência Municipal.

COMPETÊNCIA ORIGINÁRIA DOS TRIBUNAIS — Competência de um órgão judiciário para conhecer, antes de qualquer outro, determinada lide, independentemente de distribuição. Em regra o processo inicia no Primeiro Grau de jurisdição, porém existem casos em que a lei estabelece que o processo deve ter início perante os órgãos jurisdicionais superiores, em razão de determinadas circunstâncias, como a qualidade e função das pessoas, a natureza do processo etc.

COMPETÊNCIA PROFISSIONAL — Aptidão essencial ao exercício da profissão.

COMPETÊNCIA RECURSAL — É a competência para admitir o recurso, no Primeiro Grau, do juiz prolator da decisão, e, no Segundo Grau, do órgão julgador coletivo ou colegiado para conhecer ou não da matéria posta *sub examen*.

COMPETÊNCIA TRIBUTÁRIA — Capacidade atribuída ao ente público - União, Estados e Municípios - para instituir, arrecadar e administrar tributos. É disciplinada e limitada pela Constituição Federal. (Ver: Tributos.)

COMPETENTE — Aquele que tem competência legal, suficiente, idôneo, apto. Aquele a quem foi atribuída competência.

COMPETIÇÃO — Processo pelo qual mais de um concorrente disputa o uso de recursos finitos; disputa de posições no mercado; disputa esportiva; evento caracterizado pela concorrência.

COMPETIÇÃO MERCADOLÓGICA — Concorrência interempresarial pela disputa de determinado mercado.

COMPETITIVIDADE — No sentido estrito significa a capacidade de competir. Capacidade de adaptação às características do mercado e da conjuntura econômica que possibilite a uma organização expandir regularmente sua participação no mercado. É definir e colocar em prática estratégias de concorrência que tornem possível a ampliação ou manutenção de sua participação no mercado, conferindo-lhe solidez. A competitividade tem substituído a palavra "desenvolvimento" nos documentos de política econômica, sobretudo as industrial e tecnológica. Tem sido interpretada como a capacidade que os produtos gerados internamente têm de competir com seus similares produzidos no exterior, tanto no que se refere à importação como à exportação. No curto prazo, a competitividade se traduz em preços, e é influenciada sobretudo pelas políticas cambial, fiscal e monetária que se refletem no preço e pelo crescimento econômico, já que este gera modernização. No longo prazo, ela reflete a qualidade e a confiabilidade dos produtos, em geral expressas no prestígio da marca e na política de inovação da empresa. A política de inovação é eficaz e decisiva para a competitividade apenas no longo prazo. (Ver: Desenvolvimento.)

COMPETITIVIDADE DAS NAÇÕES — Grau de produção de bens e serviços de um determinado país, adequado tanto às exigências dos mercados internacionais quanto à manutenção e expansão das oportunidades internas de emprego. Contribuem para o aumento dessa competitividade o potencial de inovação tecnológica das empresas, a capacidade produtiva do aparelho industrial e a qualidade de gestão e organização do trabalho.

COMPLACÊNCIA — Benevolência; condescendência; benignidade.

COMPLEMENTARIDADE — É a capacidade de completar ou complementar; qualidade de uma relação entre duas partes, que formam sinergia ou se completam; em processos complexos, produz resultados maiores que as somas das partes; relativo ao ato de completar ou de formar um todo.

COMPLEXIDADE — Medida sistêmica. Propriedade dos processos caóticos. Informação, diversidade, multiplicidade de conexões; alta conectividade.

COMPLIANCE — O termo tem origem no verbo *to comply*, que significa agir de acordo com uma regra, um pedido ou um comando. No mercado financeiro, por exemplo, é um conjunto de regras e instruções de controles internos e certificações de qualidade e ética profissional a que são obrigadas as instituições financeiras, para garantir o cumprimento das exigências legais e regulamentares relacionadas às suas atividades. A obrigatoriedade de procedimentos é determinada pelo Banco Central.

COMPONENTE AMBIENTAL — Na análise ambiental usam-se, com freqüência, os termos componente ou elemento para designar uma das partes que constituem o meio ambiente ou um ecossistema.

COMPONENTES — São partes que compõem um conjunto.

COMPORTAMENTO — É o conjunto de reações de um sistema dinâmico em face das interações e realimentações propiciadas pelo meio onde está inserido o indivíduo. Exemplos: comportamento social, comportamento humano; comportamento animal, comportamento atmosférico etc.

COMPORTAMENTO DINÂMICO — É o comportamento de um sistema ao longo do tempo.

COMPOSIÇÃO — Acordo. Conciliação de partes litigantes.

COMPOSIÇÃO DA LIDE — Solução, decisão da lide formulada pelo magistrado. É resolver o conflito segundo a ordem jurídica, restabelecendo-a, pela atuação do direito objetivo, que o regula (pela atuação da vontade da lei ao caso concreto). (Ver: Lide.)

COMPOSIÇÃO DE TAXAS — É a operação cuja taxa efetiva do mês resulte da combinação entre dois ou mais indexadores não pré-fixados.

COMPOSSE — É a situação em que duas ou mais pessoas exercem, simultaneamente, poderes possessórios sobre a mesma coisa. A COMPOSSE está prevista no art. 1.199, do Código Civil, tendo a seguinte redação: "Se duas ou mais pessoas possuírem coisa indivisa, poderá cada uma exercer sobre ela atos possessórios, contanto que não excluam os dos outros compossuidores." A composse ocorre com adquirentes de coisa comum (condomínio), com marido e mulher no regime de comunhão de bens ou com co-herdeiros antes da partilha (art. 80, inciso II, CC). Sendo assim, qualquer deles poderá usar os remédios possessórios que se fizerem necessários, tal como acontece com o condomínio (art. 1.314, CC). A composse pode ser dividida ainda em composse *pro diviso* e composse *pro indiviso*. Não se pode confundir COMPOSSE, que é o exercício concomitante sobre o mesmo bem, com concorrência de posse, que é o desdobramento da posse em direta ou indireta.

COMPOSSE *PRO DIVISO* — Diz-se composse *pro diviso* quando a posse é exercida sobre parte determinada da coisa.

COMPOSSE *PRO INDIVISO* — Diz-se composse *pro indiviso* quando a posse é exercida sobre coisa na qual sua parte não é determinada.

COMPOSTAGEM — Método de tratamento dos resíduos sólidos (lixo), pela fermentação da matéria orgânica contida nos mesmos, conseguindo-se a sua estabilização, sob a forma de um adubo denominado "composto". Na compostagem normalmente sobram cerca de 50% de resíduos, os quais devem ser adequadamente dispostos. (Ver: Lixo.)

COMPOSTO ORGÂNICO — É um produto homogêneo obtido através de processo biológico pelo qual a matéria orgânica existente nos resíduos é convertida em outra, mais estável, pela ação principalmente de microorganismos já presentes no próprio resíduo ou adicionado por meios de inoculantes. (Ver: Biodigestor.)

COMPRA — Toda aquisição remunerada de bens, materiais e/ou serviços para fornecimento de uma só vez ou parceladamente.

COMPRA A FUTURO — Tipo de operação em que não interessa ao investidor, a princípio, a posse dos títulos, mas tão-somente os resultados provenientes das diferenças de preços. Assim, basta que o aplicador acompanhe atentamente essas variações para encerrar definitivamente a posição, através de uma operação inversa (venda a futuro). Existe também a possibilidade de substituir esta operação por outra (encerrando-se a posição de compra através de uma venda a futuro e simultaneamente comprando para outro prazo de vencimento a futuro ou mesmo à vista).

COMPRA DE CÂMBIO — É o negócio realizado entre uma pessoa física ou jurídica (cliente) com uma instituição autorizada e/ou credenciada a operar em câmbio pelo Banco Central do Brasil (instituição). A instituição entrega ao cliente a moeda nacional pelo valor equivalente à moeda estrangeira adquirida.

COMPRA E VENDA — Ver Contrato de Compra e Venda.

COMPRA E VENDA A CONTENTO — É o contrato de compra e venda dotado de cláusula que estabelece a não-realização do negócio se a coisa alienada não satisfizer o comprador.

COMPRA EM MARGEM — Aquisição de ações à vista, com recursos obtidos pelo investidor por meio de um financiamento com uma sociedade corretora que opere em Bolsa. É uma modalidade de operação da Conta Margem. (Ver: Conta margem.)

COMPREENDER — Perceber; entender. Conhecer as intenções de. Conter em si; abranger; incluir.

COMPREENSÃO — Entendimento de sucessivos confrontos para exclusões do não-ser das apreensões diversas, por si mesmas. A compreensão de um conceito, um fato, fenômeno ou idéia, por exemplo, é a inclusão dos seus elementos faltantes, ignorados ou esquecidos como propriedades, caracteres, qualidades, atributos pertinentes e parâmetros inerentes para integrar ou completar a sua real identidade ou o seu verdadeiro sentido dentro do seu contexto, com exclusão dos impróprios, intrusos e não pertinentes.

COMPROMETIMENTO DE RENDA — Percentual máximo de sua renda que o pretendente a um financiamento pode comprometer mensalmente na prestação.

COMPROMISSO — Obrigação firme, estipulada num contrato ou acordo similar e suportada pela abertura de créditos ou afetação de fundos públicos. Para essa obrigação o governo ou o organismo público compromete-se a fornecer, ao beneficiário, os recursos de um montante específico, no âmbito de condições financeiras específicas e destinadas a fins específicos.

COMPROMISSO ARBITRAL — Espécie do gênero Convenção de arbitragem. É o acordo que ratifica a cláusula compromissória ou indica a arbitragem para a solução do conflito, porém, em momento posterior à contratação. O compromisso tem vários efeitos. Um dos principais efeitos é que ele delimita a área de decisão pelo árbitro.

COMPROMISSO PARTICULAR DE COMPRA E VENDA — É o contrato entre duas partes em que o vendedor se compromete a vender seu bem (imóvel ou móvel) e o comprador se compromete a comprá-lo nas condições acertadas. É também chamado contrato de compra e venda ou promessa de compra e venda.

COMPROMISSÓRIA — Ver Cláusula Compromissária.

COMPROMISSOS FINANCEIROS — São as obrigações a pagar. Com referência à dívida pública são os provenientes do seu refinanciamento, incluindo aquelas gravadas com garantias de privatizações e de emissão de debêntures.

COMPROMISSOS GLOBAIS — São compromissos com a proteção ambiental e a melhoria da qualidade de vida no planeta Terra.

COMPROPRIEDADE — Característica de um bem que o torna pertencente a várias pessoas.

COMPROR — É uma operação de financiamento de compras, sendo que a iniciativa parte do comprador e nele se concentra o risco de crédito. Consiste no financiamento a clientes de um banco para suas compras junto aos fornecedores. O risco da operação concentra-se no comprador, não existindo regresso contra o fornecedor (vendedor).

COMPROVAÇÃO DE RENDA — Exigência da instituição financeira de que o pretendente a financiamento comprove com documentos (contra-cheque, carteira de trabalho, declaração do Imposto de Renda) que ganha o suficiente para arcar com as prestações.

COMPULSÃO — Impulso irresistível para um certo comportamento ou conduta, embora indesejável, censurado ou reconhecidamente irracional.

COMPUTER AIDED SOFTWARE ENGINEERING — Ver CASE.

COMUNHÃO — Característica de um bem que o torna pertencente a várias pessoas. A comunhão de um bem resulta de sua indivisão.

COMUNHÃO PARCIAL DE BENS — Regime de bens entre os cônjuges em que entram na comunhão os bens estipulados no art. 1.660 do Código Civil, sendo excluídos aqueles enumerados no art. 1.659.

COMUNHÃO *PRO DIVISO* — Comunhão em que cada condômino é dono de uma parcela do todo, como ocorre nos condomínios edilícios (condomínio em edifício).

COMUNHÃO UNIVERSAL DE BENS — Regime de bens entre os cônjuges em que ocorre a comunicação de todos os bens presentes e futuros de cada cônjuge, assim como suas dividas, com as exceções dos arts. 1.668 e segs. do Código Civil.

COMUNICABILIDADE — Diz-se, entre outros significados, da inclusão de bens na comunhão dos mesmos, que passam a pertencer a mais de uma pessoa.

COMUNICAÇÃO — 1) Ação ou efeito de comunicar. Participação, aviso ou informação de um fato ocorrido ou por ocorrer. 2) É o fenômeno pelo qual um emissor (empresa) influencia ou esclarece um receptor (público) e vice-versa. Além desses dois elementos - emissor e receptor - a comunicação conta ainda com alguns outros elementos básicos: mensagem, código e veículo. Em uma empresa, destacam-se dois tipos de comunicação: interna, responsável pelas informações necessárias ao funcionamento da empresa; externa, que permite o relacionamento entre empresa e sociedade e a integração da empresa nessa sociedade. 3) É o ato pelo qual o Plenário do Tribunal de Contas determina ao responsável, com força coercitiva, o cumprimento de diligência ou apresentação de justificativas para saneamento do processo, bem como lhe comunica as decisões plenárias, inclusive o acolhimento ou rejeição dos fundamentos da defesa ou das razões de justificativas.

COMUNICAÇÃO PROCESSUAL — É uma fase fundamental, pois envolve pessoas que praticam atos processuais a fim de solucionar a lide. Como participam muitas pessoas na relação processual e o Estado é quem assume a titularidade da ação, deve haver atos de comunicação entre eles. Atualmente a comunicação processual divide-se em: Citação e Intimação.

COMUNIDADE — É a qualidade ou estado do que é comum; comunhão; agrupamento humano cujos participantes possuem interesses comuns e estão efetivamente identificados entre si. É oposta, geralmente, à idéia de sociedade, na medida em que lhe são atribuídas as características de homogeneidade, afetividade e consenso, enquanto à sociedade são atribuídas as propriedades de heterogeneidade, interdependência e racionalidade, além de luta e hostilidade.

COMUNIDADE BIÓTICA OU COMUNIDADE BIOLÓGICA — É um conjunto de organismos, em um ecossistema, cuja composição e aspecto são determinados pelas propriedades do ambiente e pelas relações de uns organismos com os outros. É o componente biológico de um ecossistema.

COMUNIDADE BRITÂNICA — Comunidade criada em 1926, com sede em Londres, entre o Reino Unido e as suas 48 colônias, as suas dependências e as da Austrália e a Nova Zelândia. Tem objetivos de natureza política servindo para manter as relações de Estado entre o Reino Unido e as suas antigas colônias.

COMUNIDADE CIENTÍFICA — Organização política e social não homogênea dos cientistas; corporação científica; conjunto das sociedades científicas; ambiente de socialização dos cientistas; rede de conexão e comunicação dos cientistas.

COMUNIDADE DOS PAÍSES DE LÍNGUA PORTUGUESA (CPLP) — Comunidade de países de língua oficial portuguesa, constituída a 17 de julho de 1996, por decisão da Conferência dos Chefes de Estado e de Governo de Angola, Brasil, Cabo Verde, Guiné-Bissau, Moçambique, Portugal e São Tomé e Príncipe. Institucionalizou-se, dessa forma, uma Comunidade de mais de 240 milhões de falantes de língua portuguesa, tornando-se, assim, a força multilateral privilegiada para o aprofundamento da amizade mútua, da concertação político-diplomática e empresarial e da cooperação entre os seus sete Estados-membros. Timor Leste, que tinha *status* de membro observador da CPLP, a partir de maio de 2002 passou a ser membro de pleno direito.

COMUNIDADE ECONÔMICA EUROPÉIA (CEE) — Instituída em 1957, com a assinatura do Tratado de Roma por seis países fundadores: Alemanha, Bélgica, França, Itália, Luxemburgo, Holanda. O principal objetivo era a criação de um mercado comum onde mercadorias, pessoas, serviços e capital circulassem livremente. Originalmente denominada CEE, passou a designar-se simplesmente Comunidade Européia (CE) com a assinatura do Tratado de Maastricht, em 7 de fevereiro de 1992. Desde o seu início a CEE revelou grande abertura, tendo-se registrado a primeira ampliação em 1973, com a entrada da Grã-Bretanha, Irlanda e Dinamarca, e em seguida Grécia em 1981, e Portugal e Espanha em 1985. Em janeiro de 1995, com a adesão de Áustria, Finlândia e Suécia, passaram a integrar 15 membros. Com a ratificação do Tratado de Maastricht a CEE transforma-se em União Européia (EU). (Ver: União Européia.)

COMUNIDADE LOCAL — Grupo humano inserido ou adjacente à unidade de manejo florestal, que se distingue da comunidade tradicional.

COMUNISMO — Qualquer sistema econômico e social baseado na propriedade coletiva; sistema social, político e econômico desenvolvido teoricamente por Karl Marx e proposto pelos partidos comunistas como etapa posterior ao socialismo; qualquer doutrina social, política e econômica que proponha alguma forma de propriedade coletiva dos meios de produção; política ou doutrina dos partidos comunistas; o conjunto dos comunistas, suas organizações, seu programa e sua atuação política.

COMUTAÇÃO DA PENA — É a troca de uma condenação mais grave por uma mais leve. Permutar uma pena mais grave por outra mais branda não se confunde com os institutos do perdão, do indulto e da graça, nos quais se libera toda a pena.

COMUTAR — Ver Comutação da Pena.

CONAMA — Ver Conselho Nacional do Meio Ambiente.

CONANDA — Ver Conselho Nacional dos Direitos da Criança e do Adolescente.

CONCEITO — Significação de uma palavra ou idéia. É uma entidade psíquica abstrata e universal que serve para designar uma categoria ou classe de entidades, eventos ou relações. Um conceito é o elemento de uma proposição como uma palavra é o elemento de uma sentença. Já conceitos são abstratos porque omitem as diferenças entre as coisas em sua extensão, tratando-as como se fossem idênticas. Conceitos são universais ao se aplicarem igualmente a todas as coisas em sua extensão.

CONCENTRAÇÃO — 1) Convergência e fixação dos pensamentos num só assunto, idéia, matéria ou ponto. 2) Ato de escolha, pelo devedor, nas obrigações alternativas, da coisa a ser dada ao credor, se houver determinação expressa a respeito.

CONCENTRAÇÃO DE RENDA — Expressa o grau de concentração na distribuição de renda da população. O índice (ou coeficiente) de Gini é uma das medidas mais utilizadas para a mensuração do grau de concentração de uma determinada distribuição. (Ver: Índice Gini.)

CONCENTRAÇÃO DOS ATOS PROCESSUAIS — Princípio peculiar ao processo do trabalho pelo qual a maior parte dos atos processuais trabalhistas se concentra na audiência inicial.

CONCENTRAÇÃO NO MERCADO — Expressão utilizada para definir todas as formas de coligações (monopólios ou em oligopólios) empresariais que tornem possível a obtenção de lucro médio elevado.

CONCEPÇÃO — Percepção; compreensão; conceito; faculdade de entender.

CONCERTAR — Ajustar; combinar; contratar; dispor em ordem; compor; ornar; estar conforme.

CONCERTO — Nome dado, primitivamente, a qualquer composição destinada a um conjunto de vozes ou de instrumentos. Hoje em dia, obra de caráter brilhante para um instrumento solista (às vezes mais de um) com acompanhamento orquestral. Não confundir con**c**erto com con**s**erto, que significa reparo, remendo, restauração.

CONCESSA VENIA — [Latim]. Expressão que significa com a devida licença; com a devida permissão.

CONCESSÃO — Refere-se a uma autorização concedida ao operador pelo governo, titular do serviço, durante um período determinado e sob certas condições estabelecidas pelo titular, que permitem ao operador conduzir as atividades de exploração e/ou desenvolvimento. O Contrato de Concessão garante ao operador direitos especificados em lei. (Ver: Contrato de concessão.)

CONCESSÃO DE CONTRAGARANTIA — Contrapartida, da entidade que receber a garantia, de valor igual ou superior.

CONCESSÃO DE DIREITO REAL DE USO — Significa dar o direito, a terceiros, de utilização de uma área pública. É a concessão em caráter de direito real resolúvel, outorgada após lei autorizativa, podendo ser remunerada ou gratuita, haver imposição de encargos e, ainda, por tempo certo ou indeterminado, para fins específicos de urbanização, industrialização, edificação, cultivo de terra ou outra utilização de interesse social, devendo o contrato ou o termo ser levado ao registro imobiliário competente, observando-se o que determina o Decreto-lei nº 271, de 1967, que criou esse instituto. Há casos em que a Lei nº 8.666, de 1993, dispensa a concorrência, quando, por exemplo, a concessão de direito real de uso recair sobre bens imóveis construídos e destinados ou efetivamente utilizados no âmbito de programas habitacionais de interesse social, por órgãos ou entidades da Administração Pública efetivamente criados para esse fim (art. 17, I, "f").

CONCESSÃO DE EMPRÉSTIMOS — É a concessão de qualquer empréstimo, inclusive bolsas de estudos reembolsáveis.

CONCESSÃO DE GARANTIA — Compromisso de adimplência de obrigação financeira ou contratual assumido por ente da Federação ou entidade a ele vinculada.

CONCESSÃO DE OBRA PÚBLICA — Ver Contrato de Concessão de Obra Pública.

CONCESSÃO DE SERVIÇO PÚBLICO — É a delegação de sua prestação, feita pelo poder concedente, mediante licitação, na modalidade de concorrência, à pessoa jurídica ou consórcio de empresas que demonstre capacidade para seu desempenho, por sua conta e risco e por prazo determinado. O poder concedente publicará, previamente ao edital de licitação, ato justificando a conveniência da outorga de concessão caracterizando seu objeto, área e prazo. A concessão de serviço público será formalizada mediante contrato, que deverá observar os termos da legislação, das normas pertinentes e do edital de licitação. As concessões sujeitar-se-ão à fiscalização pelo poder concedente responsável pela delegação. (Ver: Poder Concedente // Contrato de Concessão de Serviço Público.)

CONCESSÃO DE SERVIÇO PÚBLICO PRECEDIDA DA EXECUÇÃO DE OBRA PÚBLICA — É a construção, total ou parcial, conservação, reforma, ampliação ou melhoramento de quaisquer obras de interesse público, delegada pelo poder concedente, mediante licitação, na modalidade de concorrência, à pessoa jurídica ou consórcio de empresas que demonstre capacidade para a sua realização, por sua conta e risco, de forma que o investimento da concessionária seja remunerado e amortizado mediante a exploração do serviço ou da obra por prazo determinado. O poder concedente publicará, previamente ao edital de licitação, ato justificando a conveniência da outorga de concessão, caracterizando seu objeto, área e prazo. A concessão de serviço público será formalizada mediante contrato, que deverá observar os termos da legislação, das normas pertinentes e do edital de licitação. As concessões sujeitar-se-ão à fiscalização pelo poder concedente responsável pela delegação. (Ver: Poder Concedente.)

CONCESSÃO DE USO — Como direito resolúvel (subordinado a uma condição) ou concessão de direito real de uso, é representado por contrato, de obrigatório registro no Registro Geral de Imóveis, através do qual o ente público, mediante remuneração ou imposição de encargos, permite a utilização de seus terrenos, por tempo certo ou indeterminado para fins específicos de urbanização, industrialização, edificação e cultivo da terra ou outra utilização social, observadas a autorização do chefe do Poder Executivo e a prévia concorrência pública, dispensada esta, inclusive a remuneração e os encargos, nos casos de outorga à Administração Direta e Indireta e Fundações instituídas pelo Poder Público. (Ver: Contrato de Concessão de Uso.)

CONCESSÃO DE USO ESPECIAL PARA FINS DE MORADIA — Direito de uso em relação ao bem objeto da posse, concedido àquele que possuiu como seu, por cinco anos, ininterruptamente e sem oposição, até 250 metros quadrados de imóvel público, situado em área urbana, utilizando-o para sua moradia ou de sua família, desde que não seja proprietário ou concessionário, a qualquer título, de outro imóvel urbano ou rural.

CONCHAVO — A etimologia do termo sugere a idéia do movimento da chave introduzida na fechadura. O conchavo denota as maquinações de bastidores. Pelo fato mesmo de se processarem na penumbra, há conchavos que favorecem as mais sórdidas barganhas de interesses e de poder. Comprometem a confiança e a lealdade indispensáveis a uma autêntica vida democrática e permitem a formação de facções cujas lutas secretas ameaçam permanentemente a tranqüilidade aparente das instituições.

CONCILIAÇÃO — Cessão integral por trocas de conseqüências desejáveis ou concessão mútua parcial de vontades, desejos ou intenções conflitantes. É o ato ou efeito de conciliar(-se). Composição amigável do litígio mediante proposta formulada de ofício pelo juiz ou por sugestão de uma das partes. Por determinação constitucional e legal, cabe aos juízes primeiro tentar conciliar as partes, só passando à fase de instrução e julgamento depois que isso se revela inviável. Em matéria processual civil, antes de iniciar a instrução de processo que verse sobre direitos patrimoniais privados, o juiz tenta, de ofício, conciliar as partes. O termo de conciliação, assinado pelas partes e homologado pelo juiz, tem valor de sentença. No âmbito das relações de trabalho, é o ato processual consistente na harmonização formal dos interesses conflitantes na ação trabalhista, mediante proposta do juiz espontaneamente aceita pelas partes e a conciliação e julgamento, pela Justiça do Trabalho, dos dissídios individuais e coletivos entre trabalhadores e empregadores.

CONCILIAÇÃO E INSTRUÇÃO, AUDIÊNCIA DE — Primeira etapa do processo de dissídio coletivo, quando as partes se reúnem, sob a presidência de um juiz, nos TRTs, ou de um ministro, no TST, para se tentar uma composição relativa ao conflito que motivou a ação. Não sendo aceita pelas partes, procede-se à escolha do relator, por sorteio, e o processo vai a julgamento. (Ver: Dissídio.)

CONCILIAÇÃO PRÉVIA, COMISSÃO DE — Ver Comissão de conciliação prévia.

CONCILIADOR — Pessoa que procura promover um acordo entre as partes. É um auxiliar da Justiça recrutado sem remuneração, de preferência entre os bacharéis em Direito.

CONCLUSÃO — É a proposição que um argumento procura estabelecer.

CONCLUSÕES DE UMA AVALIAÇÃO — Síntese dos fatores de sucesso e de fracasso de uma ação avaliada, com uma atenção especial nos resultados e impacto, esperados ou não, e mais genericamente nos outros pontos fortes e fracos. Uma conclusão ancora-se em dados e em análises elaboradas a partir de uma cadeia transparente de argumentos. As conclusões fazem sobressair os fatores de sucesso e de fracasso de uma situação avaliada, dando uma atenção particular aos resultados e impactos, esperados ou não, e de uma forma mais geral a quaisquer outros pontos fortes e fracos. Uma conclusão remete para os dados e para as análises elaboradas através de uma cadeia transparente de argumentos.

CONCLUSOS — Em Direito se diz conclusa a causa quando finda a discussão das provas entre as partes litigantes, e só lhes resta ouvirem a decisão ou sentença do juiz. É o ato pelo qual a causa se sujeita ao conhecimento do juiz. É o estado do processo que é remetido pelos serventuários ao juiz para que este despache ou profira sentença. Fazer os autos conclusos ao juiz é colocá-los em condição de receber a palavra do magistrado.

CONCORDÂNCIA — É a tendência de um processo para atingir seu limite.

CONCORDATA — Recurso jurídico que deixou de existir com a entrada em vigor da Lei nº 11.101, de 9.2.2005 (Lei de Falência e Recuperação - LFR). A concordata era o recurso jurídico que o Decreto-lei nº 7.661, de 1945 (antiga Lei de Falência), concedia à empresa insolvente (que não tinha condições momentâneas de saldar seus compromissos nos prazos contratuais) para evitar ou suspender temporariamente a declaração de sua falência. Permitia que a empresa continuasse com suas atividades, ficando obrigada a liquidar suas dívidas dentro de um prazo estabelecido judicialmente. A concordata podia ser preventiva, antes da declaração da falência, ou suspensiva, após a declaração de falência. (Ver: Recuperação Judicial // Recuperação Extra Judicial.)

CONCORDATA PREVENTIVA — Com a entrada em vigor da nova Lei de Falência e Recuperação, esse procedimento legal deixou de existir. (Ver: Falência // Recuperação Judicial.)

CONCORDATA SUSPENSIVA — Com a entrada em vigor da nova Lei de Falência e Recuperação, esse procedimento legal deixou de existir. (Ver: Falência // Recuperação Judicial.)

CONCORRÊNCIA — 1) É a evidência de direitos iguais sobre a mesma relação jurídica, opostos por pessoas diferentes. 2) Competição econômica. Disputa pelos mesmos mercados ou recursos.

CONCORRÊNCIA DESLEAL — Crime consistente em se utilizar meios incorretos para modificar a relação normal de competição. Trata-se de oferta de produto ou serviço a preços artificialmente baixos, o que normalmente somente é possível mediante a redução de custos pelo desrespeito das regras do jogo, como no caso do contrabando. Há diferenças entre concorrência desleal, preço predatório e *dumping*.

CONCORRÊNCIA IMPERFEITA — Expressão utilizada para definir todos os tipos de mercado que não reúnem, individual ou cumulativamente, as características da concorrência perfeita: a) quando o mercado não é atomístico, o preço é susceptível de ser manipulado, existindo poder de mercado (como no monopólio e no oligopólio); b) quando o mercado não é livre, existem barreiras à entrada e à saída (como no monopólio e no oligopólio); c) quando o mercado não é fluído, é porque não é exclusivo para um determinado tipo de bem. (Ver: Atomicidade // Monopólio // Oligopólio.)

CONCORRÊNCIA MONOPOLÍSTICA — Expressão utilizada para definir o tipo de mercado não fluído, independentemente da sua atomicidade e liberdade. Este tipo de mercado é similar ao da concorrência perfeita, salvo no aspecto da falta de fluidez ou na diferenciação dos produtos (assim, um bem pode ter vários mercados. Ex.: no mercado dos refrigerantes, em que existem mercados próprios para cada uma das marcas conhecidas). A diferenciação de produtos tem como efeito a criação de custos de venda, que constituem verdadeiras barreiras à entrada de novas empresas, permitindo, assim, a existência de poder de mercado. (Ver: Atomicidade // Fluidez.)

CONCORRÊNCIA PERFEITA — Estrutura de mercado caracterizada por um grande número de concorrentes, perfeita informação, inexistência de barreiras à entrada e à saída e homogeneidade de produtos. Os participantes do mercado não têm influência sobre a formação dos preços. Tipo de mercado que reúne três características: atomicidade, liberdade e fluidez, e que constitui o modelo econômico para o qual os sujeitos intervenientes no mercado (no papel de empresas e consumidores) tendem pela maximização da sua liberdade de escolha individual. (Ver: Atomicidade // Fluidez.)

CONCORRÊNCIA PÚBLICA — Ver Licitação Pública – Concorrência.

CONCRETO — Material resultante da mistura dosada, proporcionalmente, de um aglomerante (cimento), agregados miúdos (areia e outros), agregados graúdos (pedra britada) e água. Quando o aglomerante for betume, os agregados podem ser misturados a quente ou a frio e o concreto é denominado betuminoso. (Ver: CBUC.)

CONCUBINATO — União permanente e de fato entre homem e mulher; trata-se de uma sociedade doméstica de fato que se reveste da *affectio societatis*. Pela norma do atual Código Civil, concubinato fica sendo a relação não eventual entre homem e mulher proibidos de se casarem.

CONCUBINATO, AÇÃO DE — O STF, pela nova legislação, garante que comprovada a existência de sociedade de fato entre os concubinos é cabível a sua dissolução judicial, com a partilha do patrimônio adquirido pelo esforço comum à união estável.

CONCURSO — Na Administração Pública é a modalidade de licitação entre quaisquer interessados, para a escolha de trabalho técnico ou artístico, mediante a instituição de prêmio aos vencedores. (Ver: Concurso público.)

CONCURSO DE AÇÕES — Existência de duas ou mais espécies de ações de que pode se utilizar a parte para uma finalidade determinada.

CONCURSO DE AGENTES — É a participação, de qualquer forma, no crime, de mais de uma pessoa.

CONCURSO DE CREDORES — Ocorre quando as dívidas do devedor excedem o valor dos seus bens.

CONCURSO DE CRIMES — É a prática de mais de uma ação ou omissão delituosa, por uma só pessoa.

CONCURSO FORMAL — É a prática pelo agente criminoso, mediante uma só ação ou omissão, de dois ou mais crimes, idênticos ou não. Na sistemática do Código Penal aplica-se-lhe a mais grave das penas cabíveis ou, se iguais, somente uma delas, mas aumentada, em qualquer caso, de um sexto até metade. As penas aplicam-se, entretanto, cumulativamente, se a ação ou omissão é dolosa e os crimes concorrentes resultam de desígnios autônomos.

CONCURSO MATERIAL — É a prática pelo agente criminoso, mediante mais de uma ação ou omissão, de dois ou mais crimes, idênticos ou não. Nesse caso, aplicam-se cumulativamente as penas privativas de liberdade em que haja incorrido. Na situação de aplicação cumulativa de penas de reclusão e de detenção, executa-se primeiro aquela.

CONCURSO PÚBLICO — É um procedimento administrativo, aberto a todo e qualquer interessado que preencha os requisitos estabelecidos em lei, destinado à seleção de pessoal, mediante a aferição do conhecimento, da aptidão e da experiência dos candidatos, por critérios objetivos previamente estabelecidos no edital de abertura, de maneira a possibilitar uma classificação de todos os aprovados.

CONCUSSÃO — Extorsão ou exigência de vantagem indevida feita por autoridade para a prática ou omissão de ato relacionado com o cargo de que é investida. É um dos crimes praticados por servidor ou agentes públicos contra a administração em geral consistente em exigir, para si ou para outrem, direta ou indiretamente, ainda que fora da função ou antes de assumi-la, mas em razão dela, vantagem indevida. A pena prevista é de reclusão, de dois a oito anos, e multa.

CONDENAÇÃO — É a responsabilidade ou imputabilidade de um delito ou uma contravenção atribuída às pessoas, em virtude do que lhe é imposta uma pena, como reparação ao mal praticado.

CONDENAR — Declarar culpado; castigar; rejeitar; censurar; forçar; obrigar; reprovar.

CONDENSAR — Efeito de tornar mais denso, espesso ou grosseiro.

CONDESCENDÊNCIA — De condescender. Ato de condescender; qualidade de quem é condescendente; complacência; transigência.

CONDESCENDÊNCIA CRIMINOSA — Tolerância, permissão não expressa, tácita, quase um estímulo para a prática de ato criminoso. É um dos crimes praticados por servidor público contra a administração em geral. Consiste em deixar o servidor, por indulgência, de responsabilizar subordinado que cometeu infração no exercício do cargo ou, quando lhe falte competência, não levar o fato ao conhecimento da autoridade competente.

CONDESCENDENTE — Que condescende ou transige.

CONDESCENDER — Ceder espontaneamente; anuir ao desejo ou pedido de alguém; transigir.

CONDIÇÃO — É uma das modalidades dos atos jurídicos que, por vontade exclusiva das partes, subordina o efeito do ato a evento futuro e incerto.

CONDIÇÃO CAPTATÓRIA — A que estipula benefício a uma das partes contratantes.

CONDIÇÃO IMPRÓPRIA — A que não tem a mesma natureza do ato jurídico a que se vincula.

CONDIÇÃO NECESSÁRIA — É a conseqüente de uma condicional. Ex.: Dizer que G é uma condição necessária de F é dizer que todos os F são G.

CONDIÇÃO NECESSÁRIA E SUFICIENTE — É a condição do equilíbrio. Ex.: G é uma condição necessária e suficiente de F quando todos os G são F e todos os F são G.

CONDIÇÃO NEGATIVA — A que subordina a eficácia do ato jurídico à não-ocorrência de evento futuro.

CONDIÇÃO PERPLEXA — Condição condraditória que provoca a impossibilidade do ato.

CONDIÇÃO RESOLUTIVA — Aquela que extingue o direito a que ela se propõe. É a que subordina a ineficácia do negócio a um evento futuro e incerto. Assim sendo, enquanto ela não se realiza, vigora o ato negocial, podendo exercer-se desde o momento deste o direito por ele estabelecido, mas, verificada a condição, para todos os efeitos extingue-se o direito a que ela se opõe.

CONDIÇÃO SUFICIENTE — É a antecedente de uma condicional. Ex.: Dizer que G é uma condição suficiente para F é dizer que todos os G são F.

CONDIÇÃO SUSPENSIVA — Aquela que suspende os efeitos do ato jurídico durante o período em que determinado evento não ocorre.

CONDICIONAL — É o ato ou contrato que é ordenado ou subordinado a uma condição; que exprime circunstância de condição. Ex.: Uma frase da forma "Se P, Q". Estas frases só são falsas, na lógica clássica, se a primeira for verdadeira e a segunda falsa.

CONDICIONALIDADE — Relação de interdependência. Relação que condiciona. Conjunto de condições que o doador impõe ao receptor para poder receber ajuda. Conjunto de condições impostas pelo Fundo Monetário Internacional ao país-membro para que este faça uso de recursos do Fundo. Normalmente é objeto de negociações.

CONDIÇÕES DA AÇÃO — Ver Ação, Condições da.

CONDIÇÕES DE OCUPAÇÃO — Refere-se a condições, tais como as atividades e empreendimentos que se assentam ou se implantam sobre um determinado território, estabelecendo interferências e intervenções sobre os elementos físicos e bióticos, definindo formas de manejo à conservação dos recursos naturais.

CONDIÇÕES DE TRABALHO — Refere-se às seguintes características: a) Ambientais e b) Organizacionais da empresa. a.a) Ruído, temperatura, luminosidade, vibração, toxicologia do ar, disposição e adequação de instalações e equipamentos. b.a) Divisão de trabalho, número e duração de intervalos, características ou ausência de instruções, conhecimento ou ignorância dos resultados das tarefas, compatibilidade entre tarefa e remuneração.

CONDIÇÕES GERAIS — É o conjunto de cláusulas e condições que regem um determinado contrato, aos quais se adere no momento da contratação e que fazem parte integrante do contrato.

CONDITIO JURIS — [Latim]. Expressão que significa condição de direito. Condição, circunstância ou formalidade indispensável para a validade de um ato jurídico. Pressuposto essencial.

CONDITIO POTESTATIVA — [Latim]. Expressão que significa condição potestativa; condição que depende no todo ou em parte da vontade de um dos contratantes.

CONDITIO SINE QUA NON — [Latim]. Expressão que significa condição sem a qual não; requisito essencial.

CONDOMÍNIO — Domínio exercido juntamente com outrem sobre partes ideais de uma coisa indivisa, que deve ser regido por legislação própria. Condomínio é também a maneira usual de se referir à taxa ou encargo de condomínio. A taxa de condomínio resulta do rateio das despesas comuns - uma divisão de acordo com as proporções, ou cota, de cada imóvel -, como a água e a energia elétrica utilizadas nas áreas comuns, o salário dos funcionários e a manutenção de elevadores. O atual Código Civil estabelece que a multa por atraso no pagamento do condomínio, que era de 20%, não pode ir além de 2%. Cria também a nova figura do comportamento anti-social, que impõe multa a esse tipo de morador de até dez vezes o valor do condomínio. E mais: o proprietário de apartamento no prédio pode alugar a vaga de seu carro a uma pessoa que nele não resida.

CONDUÇÃO DEBAIXO DE VARA — Também denominada condução sob vara, significa compelir alguém, coercitivamente, a cumprir uma determinação de autoridade pública. No processo penal, a testemunha que, regularmente intimada, não comparecer em juízo será trazida por oficial de Justiça, por determinação judicial. A expressão deriva do fato de que, antigamente, quando uma pessoa se recusava a comparecer em juízo, atendendo à convocação judicial, era levada pelo oficial de Justiça que, auxiliado pela força pública, ia tocando o faltoso com um bastão, uma varinha, para que todos soubessem que ali estava um mau cidadão.

CONDUÇÃO SOB VARA — Ver Condução debaixo de vara.

CONDUTA — Comportamento humano dirigido a um fim, que produz modificação no mundo exterior. Os elementos da conduta são: vontade, atuação, conduta corporal externa e finalidade pretendida. Na linguagem jurídica em geral significa o comportamento em harmonia ou desarmonia com a lei, a moral e os bons costumes.

CONDUTIVIDADE HIDRÁULICA — Propriedade de um meio poroso, combinada à do fluido que se escoa nesse meio saturado, a qual determina a relação entre descarga específica e o gradiente hidráulico que a origina.

CONE SUL — Região situada ao sul do Continente Americano. Engloba os países do Chile, Argentina, Uruguai, Paraguai e parte do Brasil, tomando a forma de um cone.

CONECTIVIDADE — Grau de conexão; possibilidades de conectar. Propriedade de redes. Diversidade e multiplicidade de conexão entre as partes de um sistema ou entre nós de uma rede.

CONEXÃO DE CRIMES — Dependência que os fatos que marcam as infrações têm entre si.

CONEXÃO PROCESSUAL — É um vínculo, um nexo, um elo entre duas ou mais ações, de tal maneira relacionadas entre si, acarretando a reunião de processos para que um mesmo juiz ou órgão profira decisão, e, às vezes, até no mesmo processo. Na conexão exige-se apenas que a causa de pedir seja comum nas duas ações, ao passo que na continência é necessário, também, que as partes sejam as mesmas, e que o objeto das duas coincida parcialmente, isto é, que o de uma abranja o da outra. A conexão exige menos do que a continência, mas exige um elemento que também é essencial nesta (mesma causa de pedir). A conclusão é que a continência é um caso especial de conexão; esta está para aquela na relação de gênero e espécie; a continência é espécie do gênero conexão. Determina o CPC, no art. 105, que, havendo conexão ou continência, o juiz, de ofício ou a requerimento de qualquer das partes, pode ordenar a reunião de ações propostas em separado, a fim de que sejam decididas simultaneamente.

CONEXÕES — Relações, associações, ligações e analogias entre coisas diferentes, paradigmas divergentes ou entre dois sistemas contraditórios que possam conviver e contribuir para o crescimento duma única totalidade comum, sem mútua exclusão ou ruptura. As conexões podem ser tanto objetivas, subjetivas quanto ambas. Quando elas ocorrem entre elementos reais concretos são objetivas. Quando entre elementos ideais dizemos conexões subjetivas; e quando há a relação entre o sujeito e o objeto, ou vice-versa, considerando os elementos que se interagem, apenas *conexões*.

CONFAZ (CONSELHO NACIONAL DE POLÍTICA FAZENDÁRIA) — Conselho que congrega todos os secretários da Fazenda das Unidades Federadas, os ministros da Fazenda e do Planejamento e outras autoridades federais da área econômica.

CONFEDERAÇÃO — Ente formado pela união de Estados independentes, ligados apenas por um interesse comum de ordem externa, e desprovido dos elementos próprios da ontologia estatal: povo, território, soberania. 2) Aliança, liga, associação, agrupamento de nações, grupos ou instituições para um fim comum. 3) Associação sindical de grau superior e que reúne pelo menos três federações. 4)

Denominação dada aos Estados sulistas que lutaram contra os do norte na Guerra Civil norte-americana.

CONFERÊNCIA DAS NAÇÕES UNIDAS PARA O COMÉRCIO E O DESENVOLVIMENTO — Estabelecido em 1964 como corpo intergovernamental permanente, é o principal órgão da Assembléia Geral das Nações Unidas para tratar das questões do comércio, investimento e desenvolvimento. Conhecida como a porta-voz dos países em desenvolvimento no sistema das Nações Unidas, procura maximizar o comércio, os investimentos e as oportunidades de desenvolvimento dos países em desenvolvimento e apoiar os seus esforços de integração na economia global, numa base mais eqüitativa.

CONFERÊNCIA DE AÇÕES OU QUOTAS NO PAÍS — É a integralização de capital subscrito, mediante dação, para empresa receptora brasileira de participação societária (ações ou quotas) detida por investidor não residente em outra empresa receptora brasileira.

CONFERÊNCIA DO MILÊNIO — Conferência promovida pelas Nações Unidas, em setembro de 2000, na qual foram definidos os objetivos de desenvolvimento até 2015. Durante a Conferência do Milênio, 191 países - a maioria dos quais representados na conferência por seus chefes de Estado ou Governo - subscreveram a Declaração do Milênio, que estabeleceu um conjunto de objetivos para o desenvolvimento e a erradicação da pobreza no mundo, as chamadas Metas de Desenvolvimento do Milênio ou MDMs (*Millennium Development Goals* - MDGs). As oito metas fixadas pela Conferência do Milênio são: 1) a erradicação da pobreza e da fome; 2) a universalização do acesso à educação primária; 3) a promoção da igualdade entre os gêneros; 4) a redução da mortalidade infantil; 5) a melhoria da saúde materna; 6) o combate à AIDS, malária e outras doenças; 7) a promoção da sustentabilidade ambiental; 8) o desenvolvimento de parcerias para o desenvolvimento.

CONFESSO — O que afirma a veracidade de um ato, de uma relação ou de uma situação de fato ou de direito; reconhecimento de confissão que se presume se o interessado, intimado, não comparece em Juízo ou, comparecendo, recusa-se a depor.

CONFIABILIDADE — Medida de confiança. Capacidade de um produto ou serviço desempenhar, sem falhas, uma função requerida sob determinadas condições por um dado período de tempo. Termo também utilizado como característica de confiabilidade, significando uma probabilidade ou taxa de sucesso.

CONFIANÇA — Acolhimento de proposições no sentido de questioná-las, duvidá-las ou criticá-las para se poder acreditar. Firmeza e segurança íntima de procedimento. Expectativa e esperança firme. Acolhimento de propostas para questionamentos no passo da sua aceitação, credibilidade e boa-fé.

CONFIDENCIALIDADE — Qualidade do que é confidencial; qualidade ou condição do que é secreto, confidencial; utilizado habitualmente do segredo em política, nos negócios ou em matérias consideradas reservadas.

CONFIDENCIALIDADE DA INFORMAÇÃO — É um dos aspectos relacionados à segurança das informações que trata das garantias necessárias para que a informação seja acessada somente pelas pessoas que estejam autorizadas.

CONFIGURAÇÃO — É a relação entre versões de um objeto composto, ou seja, configuração é uma instância do sistema composta da união de uma versão específica de cada objeto componente. Arranjo de um sistema computacional ou de seus componentes como definidos pelo seu número, natureza e interconexão de suas partes constituintes.

CONFINANTE — Denominação jurídica que se dá ao dono do prédio que confina ou vizinha com outro.

CONFISCO — 1) É o ato de apreensão, autorizado pelo juiz, dos instrumentos e do produto do crime. 2) Ato pelo qual se apreendem e se adjudicam ao fisco bens pertencentes a outrem por ato administrativo ou por sentença judiciária, fundado em lei. 3) É o ato da autoridade legítima que priva um particular da propriedade de um bem, cujo uso pode comprometer o bem público ou a segurança nacional. Nesse sentido é uma medida de segurança patrimonial que atinge as coisas, não as pessoas. Assim, o juiz pode mandar confiscar, por exemplo, uma máquina de fabricação de notas falsas ou as armas de quem é surpreendido com elas sem permissão para o seu porte.

CONFISCO CAMBIAL — Apropriação de parte da receita em moeda estrangeira, auferida das exportações.

CONFISSÃO — É a admissão de um fato. É o meio pelo qual alguém declara ser verdadeiro o fato que lhe é imputado ou contra si alegado, ou ainda aquele que era só de seu conhecimento. Há confissão quando a parte admite a verdade de um fato contrário ao seu interesse e favorável ao adversário. Meio de prova judicial ou extrajudicial. Diz-se que a confissão é ficta, presumida ou tácita quando deriva do silêncio ou da omissão da parte.

CONFISSÃO EXTRAJUDICIAL — Aquela feita fora do local onde se desenrola o processo.

CONFISSÃO FICTA — É a confissão que, embora não manifestada expressamente, se revela tacitamente pelo modo de proceder do confitente. Ocorre, p. ex., quando a parte que deve prestar depoimento não comparece, aceitando, tacitamente, os fatos contra si imputados.

CONFISSÃO FICTÍCIA — Ver *Ficta cofessio*.

CONFISSÃO JUDICIAL — Aquela que é feita perante o juiz, no curso do processo.

CONFISSÃO PRESUMIDA — Confissão não expressa; tacitamente se convence o juiz dos fatos alegados, seja pelo silêncio ou pela dedução.

CONFISSÃO TÁCITA — O mesmo que confissão presumida. Dá-se também o nome de confissão ficta.

CONFLAGRAÇÃO — Sinistro, incêndio que se alastra com grande rapidez.

CONFLITO — 1) Oposição. Conjunto de interesses em desarmonia. Situação de delicada e penosa escolha - ter que optar, não querendo, por uma de duas ou mais possibilidades de difícil definição. A situação de conflito é uma luta interior que em não havendo informações determinantes boas, pensamentos decisórios bons, não há como encontrar juízo deliberatório eficaz. Decorrerá, então, hesitação maior, dúvida emocional e o impasse. Escolhendo um, pode ocorrer sentimento de perda em relação ao que ficar. Ocorre também situação conflitiva nas relações interpessoais em que duas ou mais pessoas concorrem em favor de reforços, motivações e interesses diversos perseverando na conquista da prevalência das suas vontades, desejos e intenções pessoais e gerando, sobretudo, impasses não só para as partes, como também para o todo. Assim, tanto as situações de conflito intrapessoal quanto as de interpessoal requerem o concurso da administração de conflitos e da estruturação de código de ética, de disciplina e da convenção orgânica da relação saudável. 2) Processo ou estado no qual duas ou mais partes disputam algo que não pode ser partilhado. Tendências em oposição.

CONFLITO BÉLICO — Luta armada entre nações ou partidos. Compreende, basicamente, as guerras regulares, irregulares, externas e internas.

CONFLITO COLETIVO — Controvérsia entre um grupo de trabalhadores e um ou mais empregadores.

CONFLITO DE COMPETÊNCIA — Incidente processual para decidir qual o órgão ou juiz competente para julgar um determinado litígio. Ocorre quando duas ou mais autoridades judiciárias se julgam competentes ou incompetentes para apreciar um processo, ou quando há controvérsia entre as autoridades sobre a reunião ou separação de processos. Na legislação processual civil já revogada, o atual conflito de competência denominava-se conflito de jurisdição. O conflito é positivo quando tais órgãos invocam sua competência para julgar o caso, ou negativo, quando negam tal competência. Quando o magistrado (ministro, desembargador, juiz, auditor etc.) verificar sua incompetência (*"ratione materiae", "ratione loci"* ou *"ratione personae"*) deverá, *"sponte sua"*, declarar-se por incompetente, por despacho fundamentado nos autos. Se o juiz não se der por incompetente, a exceção de incompetência poderá ser oposta pelo Ministério Público ou acusada, logo após o oferecimento da denúncia. Da decisão que acatar a exceção de incompetência caberá recurso em sentido estrito. Da decisão que rejeitar exceção de incompetência não cabe recurso, mas a questão poderá ser apreciada quando de eventual recurso para a segunda instância. Se dois juízes se derem por competentes para julgar um feito, estabelecer-se-á um conflito positivo de competência. Se dois juízes se derem por incompetentes para julgar um feito, estabelecer-se-á um conflito negativo de competência.

CONFLITO DE JURISDIÇÃO — Ver Conflito de Competência.

CONFLITO DE LEIS — Ver Leis, Conflito de.

CONFLITO NEGATIVO DE COMPETÊNCIA — Ver Conflito de competência.

CONFLITO POSITIVO DE COMPETÊNCIA — Ver Conflito de competência.

CONFLITOS DE INTERESSES — 1) Existe quando à intensidade do interesse de uma pessoa por determinado bem se opõe a intensidade do interesse de outra pessoa pelo mesmo bem, donde a atitude de uma tendente à exclusão da outra quanto a este. 2) Quando alguém não é independente em relação à matéria em discussão e pode influenciar ou tomar decisões motivadas por interesses distintos daqueles da organização.

CONFLITOS ENTRE TRABALHADORES E EMPREGADORES — Ver Trabalhadores e Empregadores, Conflitos entre // Conciliação prévia, Comissão de.

CONFLUÊNCIA — Junção, ou ponto de junção, de dois ou mais dados analisados.

CONFORMIDADE — Qualidade do que é conforme ou de quem se conforma. É um estado de concordância entre a qualidade real produzida e a qualidade alvo (desejada ou planejada).

CONFORMIDADE CONTÁBIL — Registro promovido pelo órgão de contabilidade, certificando a legalidade do fato praticado e a sua adequada classificação contábil.

CONFORMIDADE FISCAL — Termo que vem adquirindo um novo uso. Significa o pagamento do imposto devido sem envolver-se em elisão ou evasão fiscal. Cumprimento fiscal, neste contexto, é usado como um teste das intenções da pessoa antes de realizar a transação, perguntando-se se o contribuinte está buscando obedecer à legislação referente à transação. Em caso positivo, então a intenção da pessoa era agir licitamente. Se ela estiver tentando cumprir a legislação escrita, mas não o seu sentido real, isto é (*i. e.*), o objetivo ou o espírito da lei (e isto é normalmente possível de determinar a partir da forma como a transação é realizada), então pode ser presumido que a intenção era infringir a lei, e o ônus da prova recai sobre a pessoa. Este teste é usado em conexão com o princípio geral antielisão para determinar se este princípio deveria ser aplicado para uma transação ou não. Uma pessoa que tenha usado um motivo apropriado é chamada de "cumpridor fiscal". (Ver: *id est, i. e.)*

CONFRONTAÇÃO — Conferência frente a frente. Comparação para saber das semelhanças, contrastes e pontos comuns. Questionamento para obter respostas que esclareçam dúvidas. Acareação do réu com testemunha, com o co-réu ou com a vítima do delito. Ato de confrontar; colocar cópia ou peça judicial em confronto com o original para conferi-la com este. No plural, indica os limites de um imóvel com outro; lados pelos quais ele confina com o imóvel contíguo. (Ver: Acareação.)

CONFRONTO — Ver confrontação.

CONGELAMENTO DE PREÇOS — Manutenção, mediante lei, por período determinado ou não, dos preços vigentes na ocasião da medida. Assim, o mesmo produto, vendido a preços diferentes por vários comerciantes, terá seus preços estabilizados no momento em que se encontrarem.

CONGÊNITO — Diz-se das características existentes desde o nascimento.

CONGLOMERADO FINANCEIRO — É o conjunto de instituições financeiras que possuem entre si algum tipo de controle ou participação societária. O código do conglomerado é atribuído pelo Banco Central do Brasil.

CONGRESSO — Reunião, encontro.

CONGRESSO NACIONAL - COMPETÊNCIA EXCLUSIVA — Há casos que são de competência exclusiva do Congresso Nacional, sem depender da sanção do presidente da República, como: resolver definitivamente sobre os tratados celebrados pelo presidente da República; autorizar o presidente da República a declara guerra e a fazer a paz; a permitir que forças estrangeiras transitem pelo território nacional ou nele permaneçam temporariamente; autorizar o presidente e o vice-presidente da República a se ausentarem do País; aprovar ou suspender a intervenção ou o estado de sítio; aprovar a incorporação ou desmembramento de áreas de Estados; mudar temporariamente a sua sede; fixar, de uma para outra legislatura, a ajuda de custo dos membros do Congresso Nacional, bem como o subsídio destes e os do presidente e do vice-presidente da República; julgar as contas do presidente da República.

CONGRESSO NACIONAL - CONVOCAÇÃO EXTRAORDINÁRIA — Funcionamento do Congresso Nacional em período diverso daquele previsto constitucionalmente. Pode ocorrer nas seguintes situações: a) decretação de estado de defesa ou de intervenção federal; pedido de autorização para a decretação de estado de sítio e para o compromisso e a posse do presidente e do vice-presidente da República, hipóteses em que a convocação será feita pelo presidente do Senado Federal; b) caso de urgência ou interesse público relevante, em que a convocação poderá ser feita pelo presidente da República, pelos presidentes da Câmara dos Deputados e do Senado Federal ou a requerimento da maioria absoluta dos membros de ambas as Casas. Durante a convocação extraordinária, o Congresso Nacional deliberará somente sobre a matéria para a qual foi convocado. Havendo medidas provisórias, elas serão incluídas automaticamente na pauta. A Emenda Constitucional nº 50, de 14.2.2006, vedou o pagamento aos parlamentares de parcela indenizatória em razão da convocação extraordinária.

CONGRESSO NACIONAL — É o órgão público que exerce o Poder Legislativo no Brasil. Compõe-se da Câmara dos Deputados (513 representantes das comunidades) e do Senado Federal (81 representantes dos 26 Estados-membros e do Distrito Federal), atuando congregados, agregados. Os deputados federais são eleitos observando-se o sistema proporcional; os Senadores obedecendo ao sistema majoritário. O Congresso Nacional representa, dentre os três poderes, o Poder Legislativo. Cabe ao Congresso inaugurar a sessão legislativa, elaborar o regimento comum, receber o compromisso do presidente da República, deliberar sobre vetos. Compete ao Congresso Nacional, com a sanção do presidente da República, dispor, mediante lei, sobre todas as matérias de competência da União. Há casos que são de competência exclusiva do Congresso Nacional, sem depender da sanção do presidente da República. Cabe ainda ao Congresso definir a legislação de abrangência nacional, aprovar o orçamento do governo e fiscalizar as contas e as ações do Executivo. Os temas são discutidos primeiro nas comissões que elaboram pareceres sobre os projetos. A fase seguinte de tramitação é a votação em plenário (conjunto de todos os parlamentares). O art. 57 da Constituição Federal, com redação dada pela Emenda Constitucional nº 50, de 14.2.2006, dispõe que o Congresso Nacional reunir-se-á, anualmente, na Capital Federal, de 2 de fevereiro a 17 de julho e de 1º de agosto a 22 de dezembro. (Ver: Congresso Nacional - Competência exclusiva // Câmara dos Deputados // Senado // Eleição - Sistema majoritário // Eleição - Sistema proporcional // Poder Legislativo Federal.)

CONHECIMENTO — 1) Saber como, com o quê, com quem, qual, quanto, quando, onde, para quem, por que e para que se faz, é, está, tem, acontece e existe. Conhecimento, então, é acúmulo de respostas e soluções eficientes e eficazes para serem utilizadas nas devidas ocasiões. 2) Decisão do Plenário do Tribunal de Contas quando os atos, contratos e inspeções realizadas não apresentarem irregularidades ou ilegalidades.

CONHECIMENTO CIENTÍFICO — É a competência que se adquire através da pesquisa ou investigação científica, seguindo as etapas da metodologia científica.

CONHECIMENTO INOVADOR — É aquele usado para questionar as ações repetitivas em uma empresa, para criar novas soluções, novos produtos e novos processos.

CONHECIMENTO TÁCITO — Está profundamente enraizado nas ações e experiências de um indivíduo, bem como nos ideais, valores ou emoções que ele(a) abraça. O conhecimento tácito pode ser dividido em duas dimensões. A primeira é a dimensão técnica, que engloba o tipo de capacidades informais e difíceis de definir capturadas no termo *know-how*. A outra dimensão é a cognitiva. Esta consiste em esquemas, modelos mentais, crenças e percepções de tal forma embrenhadas que as tomamos como certas. Esta dimensão reflete a nossa imagem da realidade (o que é) e a nossa visão do futuro (o que deveria ser).

CONHECIMENTO TÉCNICO — É o conhecimento pertinente aos diversos ramos da atividade humana: direito, engenharia, medicina, pedagogia etc.

CONHECIMENTO TECNOLÓGICO — É o entendimento, por parte da sociedade, das melhores formas de produzir bens e serviços.

CONHECIMENTO, COM DETERMINAÇÃO — Decisão do Plenário do Tribunal de Contas quando os atos, contratos e inspeções realizadas apresentarem falhas ou impropriedades de caráter formal, determinando ao jurisdicionado adotar medidas para seu saneamento.

CONIVÊNCIA — É o ato de ajudar, de algum modo, para a ocorrência de um ato ilícito.

CONJETURA — É a circunstância que se encontra ligada ao fato ou tem alguma conexão com ele, em virtude do que se forma o juízo a respeito do mesmo fato.

CÔNJUGE — Cada uma das pessoas unidas pelo casamento em relação a outra; marido ou mulher.

CÔNJUGE VARÃO — Marido em relação à mulher. Esposo.

CÔNJUGE VIRAGO — Mulher em relação ao marido. Esposa.

CONJUNÇÃO CARNAL — Diz-se do ato sexual.

CONJUNTO — É uma coleção de elementos. Não interessa a ordem e quantas vezes os elementos estão listados na coleção. Em contraste, uma coleção de elementos na qual a multiplicidade, mas não a ordem, é relevante é chamada multiconjunto.

CONJUNTO HABITACIONAL — Classificam-se em conjuntos habitacionais todas as edificações que ocupam mais de um lote e que apresentem espaços e instalações de utilização comum.

CONJUNTO HABITACIONAL HORIZONTAL — É a tipologia de ocupação do solo caracterizada por grupos de casas ou de filas de casas (*villages*), geralmente organizados em condomínio.

CONJUNTO HABITACIONAL VERTICAL — É a tipologia de ocupação do solo caracterizada por grupo de edifícios de apartamentos organizado em forma de condomínio. Pode ser divido em até quatro pavimentos e com cinco pavimentos ou mais.

CONJUNTURA ECONÔMICA — É o conjunto de elementos que expressam os fluxos e refluxos dos principais recursos da economia num determinado momento. As avaliações da conjuntura econômica requerem a séria consideração de um vasto número de variáveis, em complexas relações, tais como: volumes de produção, evolução de estoques, índices de desemprego por setores, taxas de juros, evolução da dívida pública, carga fiscal, níveis de investimentos públicos e privados, taxa de formação de capital, situação da balança comercial, renda nacional, coeficientes de abertura da economia, índices de preços, entre outros. A análise conjunta desses indicadores e de sua evolução ou oscilação num período de tempo propicia a elaboração de diagnósticos da realidade e visões informadas das tendências para o futuro, instruindo e instrumentalizando a formulação de políticas econômicas mais efetivas.

CONLUIO — Refere-se a uma tentativa, por parte de duas ou mais pessoas, de violar os direitos legais das pessoas ou de obter um objeto proibido por lei. Implica a existência de qualquer tipo de fraude, do emprego de meios fraudulentos ou de meios legais para atingir objetivos contrários à lei.

CONSANGÜINIDADE — Pessoas que têm ligações de parentesco por pertencerem ao mesmo tronco familiar, se vinculam no mesmo tronco ancestral. São os descendentes. Quando uma descende diretamente da outra fala-se em linha reta, e em colateral, quando a descendência vem apenas de um tronco comum. A linha reta pode ser descendente (avô-pai-filho) ou ascendente (filho-pai-avô). Para se saber o grau de parentesco é preciso remontar ao tronco comum.

CONSCIÊNCIA — É ciência, lucidez e o dar-se conta no aqui e agora, querendo, do que ocorre em verdade no inconsciente, subconsciente e consciente nas conexões subjeto/objeto/ser ideal/ser real, no sentido deliberatório para o posicionamento interativo.

CONSCIÊNCIA SOCIAL — Refere-se à consciência da unidade social coesa. Toda unidade social coesa, desde o par coeso seja casal de namorados ou sociedade empresarial, cidade, nação até a humanidade, tem – necessariamente, em situações de relevância – elementos nas posições de liderança e poder cuja unidade funcione como cabeça pensante do organismo. Logo, a consciência da organização social reside primordialmente no seu órgão administrativo. A essa consciência que deve estender a todos os seus membros, desde o menor ao maior, diz-se consciência social. Se há sempre referendo e unanimidade plebiscitária de votos, diz-se que a coesão e consciência dessa unidade social são íntegras.

CONSCIENTE — Estado psíquico quando presentes os atributos do pensamento no processo conclusivo ou decisório no sentido do triunfo sensato.

CONSELHEIRO — Membro do Conselho do Tribunal de Contas dos Estados e Municípios e de quaisquer outros Conselhos.

CONSELHO ADMINISTRATIVO DE DEFESA ECONÔMICA — Ver CADE.

CONSELHO CONSULTIVO — Assim como o conselho fiscal, tem a função de analisar as contas apresentadas, porém sua função é apenas consultiva, atuando no processo decisório.

CONSELHO DA MAGISTRATURA — É o órgão superior do Tribunal de Justiça, composto do presidente e do vice-presidente do Tribunal de Justiça e de mais 6 (seis) desembargadores, com atribuições fixadas pela Corte Superior. Entre as competências do Conselho estão as seguintes: julgar, em grau de recurso, ato ou decisão do corregedor-geral, recurso de pena disciplinar aplicada pelo corregedor-geral de Justiça ou juiz, recursos de decisões sobre percepção de custas e emolumentos, dúvidas cartorárias, reclamações sobre excesso de prazo etc.

CONSELHO DA REPÚBLICA — Órgão superior de consulta do presidente da República, criado pela Constituição Federal de 1988. São matérias de sua competência: intervenção federal, estado de defesa e estado de sítio; e as questões relevantes para a estabilidade das instituições democráticas.

CONSELHO DA UNIÃO EUROPÉIA — O Conselho da União (Conselho de Ministros ou Conselho) é a principal instituição decisória da União Européia. O Conselho reúne os ministros dos Estados-membros responsáveis pelas matérias inscritas na ordem de trabalhos: negócios estrangeiros, agricultura, indústria, transportes etc. O fato de existirem diferentes formações ministeriais em função das questões abordadas não interfere no princípio da unicidade de representação desta instituição. Cada país da União Européia exerce, rotativamente, a presidência durante seis meses. As suas decisões são preparadas pelo Comitê dos Representantes Permanentes dos Estados membros (COREPER), assistido por grupos de trabalho compostos por funcionários das administrações nacionais. Após a entrada em vigor do Tratado de Amsterdã, o secretário-geral passou a ser o alto representante para a Política Externa e de Segurança Comum, com a assistência de um secretário-geral adjunto, nomeado pelo Conselho por unanimidade e encarregado da gestão do Secretariado-Geral do Conselho. Além disso, a votação por maioria qualificada no Conselho passa a ser aplicada à maior parte das novas disposições (medidas de incentivo em matéria social e de emprego, saúde pública, medidas de luta contra a fraude) e à adoção do programa-quadro em matéria de investigação. (Ver: União Européia.)

CONSELHO DE ADMINISTRAÇÃO — É o órgão de deliberação colegiada cujos membros são eleitos pelos acionistas responsáveis pela orientação geral dos negócios. Tem como função a nomeação, fiscalização, destituição de diretores e a convocação de assembléia geral da empresa.

CONSELHO DE ALIMENTAÇÃO ESCOLAR MUNICIPAL (CAE) — Ver Educação - Conselho de Alimentação Escolar Municipal (CAE).

CONSELHO DE DEFESA AMBIENTAL — Órgão competente previsto na Constituição Federal para propor os critérios e condições de utilização de áreas indispensáveis à segurança do território nacional e opinar sobre seu efetivo uso, especialmente na faixa de fronteira e nas relacionadas com a preservação e exploração dos recursos naturais de qualquer tipo.

CONSELHO DE ÉTICA E DECORO PARLAMENTAR — Na Câmara dos Deputados é o órgão encarregado do procedimento disciplinar destinado à aplicação de penalidades, nos casos de descumprimento das normas relativas ao decoro parlamentar. Cabe ao Conselho, entre outras atribuições, zelar pela observância dos preceitos éticos, cuidando da preservação da dignidade parlamentar.

CONSELHO DE GESTÃO FISCAL — Previsto no art. 67 da Lei de Responsabilidade Fiscal (LRF), ainda depende de lei específica para sua constituição e funcionamento. Terá por objetivos acompanhar a política e a operacionalidade da gestão fiscal conforme definidos nos incisos I, II e III do citado artigo. (Ver: Gestão Fiscal - Responsabilidade.)

CONSELHO DE SAÚDE — Ver Saúde, Conselho de.

CONSELHO DE SENTENÇA — É o órgão integrante do Tribunal do Júri e composto de sete jurados, com a incumbência de apreciar a matéria de fato. O Tribunal do Júri ou Tribunal Popular é formado por um juiz de carreira, obrigatoriamente bacharel em Direito, e por 21 jurados ou juízes leigos, sorteados dentre os cidadãos do município. Destes 21 jurados sairá o Conselho de Sentença, que, apesar de tal denominação, não tem competência para a lavratura da sentença, pois isso é atribuição do juiz presidente. (Ver: Júri.)

CONSELHO DELIBERATIVO DO FUNDO DE AMPARO AO TRABALHADOR) — Ver CODEFAT.

CONSELHO ESCOLAR — Ver Educação - Conselho escolar.

CONSELHO FISCAL — Grupo de pessoas externas à empresa com conhecimento das práticas legais e ilibada reputação, escolhidas pelos acionistas para fiscalizar a situação contábil e financeira da empresa, conferir todas as contas e emitir parecer para aprovação ou não em assembléia geral. O conselho fiscal possui, no mínimo, três membros efetivos e três suplentes não ligados à Empresa.

CONSELHO MONETÁRIO NACIONAL (CMN) — O CMN é um órgão normativo responsável pela fixação das diretrizes das políticas Monetária, Cambial e Creditícia do País, de forma a compatibilizá-las com as metas econômicas do Governo Federal. Seu órgão executor é o Banco Central. Atualmente o CMN é composto pelo presidente do Banco Central e pelo ministro da Fazenda (presidente), pelo ministro do Planejamento e Orçamento e pelo presidente do Banco Central do Brasil (BACEN). Ao CMN, órgão deliberativo máximo do Sistema Financeiro Nacional, subordinado ao Ministério da Fazenda, compete: estabelecer as diretrizes gerais das políticas monetária, cambial e creditícia; regular as condições de constituição, funcionamento e fiscalização das instituições financeiras e disciplinar os instrumentos de política monetária e cambial. Os serviços de secretaria do CMN são exercidos pelo BACEN. Junto ao CMN funciona a Comissão Técnica da Moeda e do Crédito (COMOC), composta pelo presidente do BACEN, na qualidade de coordenador, pelo presidente da Comissão de Valores Mobiliários (CVM), pelo secretário executivo do Ministério do Planejamento e Orçamento, pelo secretário executivo do Ministério da Fazenda, pelo secretário de Política Econômica do Ministério da Fazenda, pelo secretário do Tesouro Nacional do Ministério da Fazenda e por quatro diretores do BACEN, indicados por seu presidente. Está previsto o funcionamento também junto ao CMN de comissões consultivas de normas e organização do sistema financeiro, de mercado de valores mobiliários e de futuros, de crédito rural, de crédito industrial, de crédito habitacional e para saneamento e infra-estrutura urbana, de endividamento público e de política monetária e cambial.

CONSELHO MUNICIPAL DE ASSISTÊNCIA SOCIAL (CMAS) — É uma instância cuja composição é paritária entre governo e sociedade civil, tendo como objetivo principal assessorar a Administração Pública no estabelecimento, acompanhamento, controle e avaliação da política municipal de assistência social. (Ver: Conselho paritário // Sociedade Civil.)

CONSELHO MUNICIPAL DE DESENVOLVIMENTO ECONÔMICO — Conselho Municipal que tem como objetivo formular políticas para qualquer que seja a atividade econômica do município.

CONSELHO MUNICIPAL DE DESENVOLVIMENTO URBANO AMBIENTAL (CMDUA) — É o fórum que assegura a participação da sociedade nas questões ligadas ao ordenamento da cidade em nível global. Deve ser formulador de políticas, planos e projetos, além de zelar pela aplicação do Plano Diretor de Desenvolvimento Urbano e Ambiental (PDDUA) e sugerir modificações na lei, sempre que necessário.

CONSELHO MUNICIPAL DE POLÍTICA SETORIAL — Órgão colegiado formado por representantes do setor governamental e/ou da sociedade civil que tem como função formular políticas públicas setoriais nas áreas de Saúde, Transporte, Educação, entre outras, possibilitando a descentralização administrativa no governo municipal. (Ver: Sociedade Civil.)

CONSELHO NACIONAL DE ASSISTÊNCIA SOCIAL (CNAS) — É um órgão superior de deliberação colegiada vinculado ao Ministério da Assistência e Promoção Social, instituído pela Lei Orgânica da Assistência Social - LOAS (Lei nº 8.742, de 7 de dezembro de 1993). O Conselho Nacional de Assistência Social (CNAS) é composto por 18 (dezoito) membros e respectivos suplentes. São 9 (nove) representantes governamentais, incluindo 1 (um) representante dos Estados e 1 (um) dos Municípios; e 9 (nove) representantes da sociedade civil, dentre representantes dos usuários ou de organizações de usuários, das entidades e organizações de assistência social e dos trabalhadores do setor de assistência social. As entidades da sociedade civil são eleitas para o Conselho, em pleito fiscalizado pelo Ministério Público Federal, e indicam os nomes das pessoas físicas que serão nomeadas pelo ministro da Assistência e Promoção Social para representá-las no Colegiado. As eleições dos representantes da sociedade civil para o Conselho Nacional de Assistência Social (CNAS) são regulamentadas pelo Decreto nº 1.817 de 12 de fevereiro de 1996, publicado no *Diário Oficial* em 13 de fevereiro de 1996. Os membros do Conselho Nacional de Assistência Social (CNAS) e seus suplentes têm mandato de 2 (dois) anos, permitida uma única recondução por igual período. (Ver: Sociedade Civil.)

CONSELHO NACIONAL DE DESENVOLVIMENTO CIENTÍFICO E TECNOLÓGICO) — Ver CNPq.

CONSELHO NACIONAL DE EDUCAÇÃO — Ver Educação, Conselho Nacional de.

CONSELHO NACIONAL DE POLÍTICA FAZENDÁRIA — Ver CONFAZ.

CONSELHO NACIONAL DE RECURSOS HÍDRICOS (CNRH) — Órgão máximo da política nacional de recursos hídricos; colegiado que tem funções deliberativas e consultivas; constituído por 30 membros, sob a presidência do ministro do Meio Ambiente, assim distribuídos: 13 representantes do Governo Federal (Ministérios de Agricultura, Pecuária e Abastecimento; Ciência e Tecnologia; Fazenda; Desenvolvimento, Indústria e Comércio Exterior; Justiça; Defesas (Comando da Marinha); Meio Ambiente; Planejamento, Orçamento e Gestão; Relações Exteriores; Saúde; Transportes; Integração Nacional e Secretaria Especial de Desenvolvimento Urbano da Presidência da República); um representante de cada uma das seguintes instituições: Agência Nacional de Águas; Agência Nacional de Energia Elétrica; entidades de ensino e pesquisa, e organizações não-governamentais; um representante dos conselhos estaduais de recursos hídricos de cada região do País; cinco representantes de usuários de recursos hídricos (irrigantes, serviços de água e esgoto, geração de energia elétrica, indústrias, setor hidroviário e pescadores e atividades de lazer e turismo); e um representante de comitês, consórcios e associações intermunicipais de bacias hidrográficas.

CONSELHO NACIONAL DO MEIO AMBIENTE (CONAMA) — Criado pela Lei de Política Nacional do Meio Ambiente (Lei nº 6938, de 31.8.1981), teve sua composição, organização, competência e funcionamento estabelecidos pelo Poder Executivo através do Decreto nº 88.351, de 1.6.1983 e modificados pelo Decreto nº 91.305, de 3.6.85. O CONAMA é o Órgão Superior do Sistema Nacional do Meio Ambiente (SISNAMA) com função de assistir ao presidente da República na Formulação de Diretrizes de Política Nacional do Meio Ambiente (Lei nº 6.938, de 1981). Após a vigência do Decreto nº 91.305, de 1985, o CONAMA é composto por 71 membros: o ministro de Estado do Desenvolvimento Urbano e Meio Ambiente, que preside; 28 representantes de 18 Ministérios; o secretário da SEMA, seu secretário executivo, representantes dos governos dos Estados, Territórios e Distrito Federal; os presidentes das Confederações Nacionais dos Trabalhadores no Comércio, na Indústria e na Agricultura; os presidentes das Confederações Nacionais do Comércio, da Indústria e da Agricultura, os presidentes da ABES e da FBCN; os presidentes de duas associações civis de defesa do meio ambiente; representantes de cinco entidades da sociedade civil ligadas à preservação da qualidade ambiental, sendo uma de cada região geográfica do País. O CONAMA constitui-se do Plenário, de Câmaras Técnicas, formadas por membros conselheiros, com poder deliberativo, das Comissões Especiais, para assessoramento ao Plenário, e da Secretaria Executiva. As competências do CONAMA incluem o estabelecimento de todas as normas técnicas e administrativas para a regulamentação e a implementação da Política Nacional do Meio Ambiente e a decisão, em grau de recurso das ações de controle ambiental da SEMA. (Ver: Sociedade Civil.)

CONSELHO NACIONAL DOS DIREITOS DA CRIANÇA E DO ADOLESCENTE (CONANDA) — Criado pela Lei Federal nº 8.242, de 12 dezembro de 1991, o CONANDA é um órgão no qual sociedade e governo, de forma paritária – formado por dez representantes do governo e dez representantes de organizações não-governamentais –, formulam políticas públicas e decidem sobre aplicação de recursos destinados ao cumprimento do Estatuto da Criança e do Adolescente. Alguns dos representantes governamentais são: Ministérios da Justiça, Educação, Saúde, Trabalho, Cultura, Planejamento, Fazenda e da Casa Civil da Presidência da República. A Pastoral da Criança e o Movimento Nacional dos Meninos e Meninas de Rua são alguns dos representantes da sociedade civil no Conselho. A Presidência do CONANDA é eleita por colegiado conforme seu regimento interno.(Ver: Sociedade Civil.)

CONSELHO PARITÁRIO — Conselho que tem igual número de representantes do setor governamental e da sociedade civil. No caso dos Conselhos de Saúde, considera-se paritário quando, conforme exigido pelo SUS, tem o mesmo número de representantes da sociedade civil, ou usuários, do setor governamental e dos prestadores de serviços. (Ver: Sociedade Civil.)

CONSELHO PENITENCIÁRIO — É o órgão consultivo e fiscalizador da execução da pena e incumbido de opinar sobre a concessão de livramento condicional ao réu condenado à pena de reclusão ou de detenção superior a três anos, ou nos casos de pedido de graça, indulto ou anistia. É integrado por membros nomeados pelo governador do Estado e do Distrito Federal, dentre professores e profissionais da área do Direito Penal, Processual Penal, Penitenciário e ciências correlatas, bem como por representantes da comunidade.

CONSELHO TUTELAR — É um órgão municipal, permanente e autônomo, não jurisdicional, composto por cinco membros da sociedade e do Poder Judiciário eleitos pela comunidade, encarregado de zelar pelo cumprimento dos direitos das crianças e dos adolescentes, definidos no Estatuto da Criança e do Adolescente (Lei Federal nº 8.069, de 13.7.1990). O Conselho Tutelar deve ser acionado pela população para proceder ao encaminhamento urgente de soluções, podendo para isso requisitar serviços públicos e fazer denúncias aos órgãos responsáveis. Deve ser um órgão de atuação permanente que faça parte do cotidiano da comunidade. Cada município deve definir em lei municipal quantos Conselhos Tutelares terá, se os conselheiros serão remunerados e a forma de participação da comunidade na escolha. O mandato é de três anos.

CONSELHOS DE MEIO AMBIENTE — Instituições organizadas, de caráter oficial, destinadas à defesa do meio ambiente, sua preservação e incremento, envolvendo necessariamente a participação da comunidade.

CONSELHOS DE POLÍTICAS PÚBLICAS — São criados por lei e compostos por representantes da sociedade civil e Governo, com o intuito de deliberar e realizar o controle sobre determinadas políticas públicas, como saúde, criança e adolescente, meio ambiente, assistência social, educação, desenvolvimento agrário etc. De acordo com a Lei nº 9.790, de 1999 - que instituiu a título da Organização da Sociedade Civil de Interesse Público (OSCIP) –, tais Conselhos devem ser consultados antes da celebração dos Termos de Parceria e também devem participar da Comissão de Avaliação dos resultados. (Ver: OSCIP // Sociedade Civil.)

CONSELHOS MUNICIPAIS - CRIAÇÃO — O ato de criação de Conselhos Municipais, bem como sua composição, organização, estrutura e competência, deverão ser estabelecidos por lei. O Poder Executivo nomeará os conselheiros indicados pelos órgãos e entidades. Seus membros devem exercer mandatos preestabelecidos no texto da lei de criação, considerados como serviço público relevante, sem remuneração de qualquer espécie, inclusive de caráter indenizatório, sequer gratuidade nos serviços públicos.

CONSELHOS MUNICIPAIS — São órgãos independentes que tratam das questões locais dentro do Município. Com base na legislação existente, pode-se definir um Conselho como o órgão ou instância colegiada - normalmente, de caráter permanente e deliberativo - integrante da estrutura básica da Secretaria ou Departamento do Município, com composição, organização e competências fixadas em lei. Tem por finalidade ajudar, cooperar com o Poder Público (prefeituras) na administração das ações e dos recursos do Município. Normalmente, metades dos seus membros são representantes de associações. O êxito dos Conselhos depende em grande parte da qualidade das associações de bom nível, que certamente enviará para os conselhos, representantes capazes de participar com eficiência e contribuir para o bom desempenho do órgão, dentro do Município. Os Conselhos Municipais consubstanciam a participação da sociedade organizada na administração, propiciando o controle social.

CONSELHOS MUNICIPAIS E ESTADUAIS DOS DIREITOS DA CRIANÇA E DO ADOLESCENTE — Órgãos deliberativos e controladores das ações para a atenção da infância e adolescência. Os conselhos estaduais são compostos por representantes do governo e da sociedade civil do Estado ligadas à infância e têm poderes para garantir que as políticas públicas do Estado não negligenciem a promoção e defesa dos direitos da população infanto-juvenil local. Já os conselhos municipais são compostos por representantes do governo e da sociedade civil da cidade ligadas à infância. Além de traçar as diretrizes das políticas, cabe aos conselheiros acompanhar e avaliar programas sócio-educativos e de proteção de meninos e meninas. Os conselhos também devem interferir sempre que identificarem desvios, abusos e omissões nas entidades, governamentais ou não, que atuam na área da infância e da juventude. Por exemplo, caso o governo não defina orçamento para os conselhos tutelares, os conselheiros podem apontar ao Ministério Público que a lei não está sendo cumprida. (Ver: Sociedade Civil.)

CONSENSO — Concordância de idéias ou de opiniões válidas continuamente.

CONSENSUS OMNIUIM — [Latim]. Expressão que significa consenso geral.

CONSENTIMENTO — É a manifestação da vontade, séria e definitiva, em virtude da qual a pessoa, concordando com os desejos de outrem, vincula-se à obrigação ou obrigações do ato jurídico ou ao contrato firmado entre eles.

CONSENTIMENTO DO LESADO — Consentimento do titular do direito à prática de determinado ato que, sem esse consentimento, constituiria uma violação.

CONSEQÜÊNCIA — O que é produzido por; o que é efeito de; o que é seqüência de. Resultado de uma seqüência de eventos acidentais, ou seja, o dano causado às pessoas ou ao meio ambiente, em decorrência de um acidente. Resultado imediato de uma seqüência de eventos acidentais como o fogo, a perda econômica etc., que são os resultados finais.

CONSEQÜENTE — Ocorre após uma condicional. Ex.: A segunda frase que ocorre numa condicional da forma "Se P, Q".

CONSERTO — Ver Concerto.

CONSERVAÇÃO — 1) Ato de conservar, através de intervenções técnicas e científicas, periódicas ou permanentes, que visam conter as deteriorações. 2) Princípio envolvido nos sistemas fechados nos quais os processos não geram nada além do que os recursos existentes, mas apenas os transformam (energia, massa, dinheiro entre outros); que envolve quantidades invariantes; manutenção; preservação. 3) Conjunto de operações destinadas a dar aos usuários da obra as condições de conforto e segurança previstas no projeto.

CONSERVAÇÃO DA NATUREZA — Manejo humano da natureza, compreendendo a manutenção, a utilização sustentável, a restauração e a recuperação do ambiente natural, para que possa produzir o maior benefício, em bases sustentáveis, às atuais gerações, mantendo seu potencial de satisfazer as necessidades e aspirações das gerações futuras, e garantindo a sobrevivência dos seres vivos em geral. Não é sinônimo de preservação porque está voltada para o uso humano da natureza, em bases sustentáveis, enquanto a preservação visa à proteção a longo prazo das espécies, *habitats* e ecossistemas.

CONSERVAÇÃO DO SOLO — Conjunto de métodos de manejo do solo que, em função de sua capacidade de uso e utilizados adequadamente, estabelecem a preservação do solo e a recuperação das áreas degradadas.

CONSERVAÇÃO *EX SITU* — Ação de conservar a variação genética das espécies fora de suas comunidades naturais. Desdobra-se em várias modalidades, entre as quais conservação *in vitro*, em coleções a campo, em câmaras frias e em nitrogênio líquido. Acredita-se que o material genético mantido sob estas condições, longe de seu meio natural, esteja menos sujeito à ação de forças seletivas e, portanto, leva desvantagem sob o ponto de vista de adaptação, se reintroduzido em seu *habitat* natural. Essa teoria, muito aceita na literatura recente, ainda carece de confirmação experimental convincente.

CONSERVADOR — Característica daquele que aprecia as coisas, situações e crenças de maneira tradicionalista. Antiquado. Cuidadoso. Não progressista. Membro de partido conservador.

CONSIDERAÇÃO — Atendimento com respeito, estima e importância dada à pessoa.

CONSIDERANDO — Elemento estrutural da lei ou do ato que constitui a exposição de motivos desta, sua justificativa. Antecedem ao articulado. É empregado para indicar os motivos ou razões em que se funda a sentença judicial ou decisão administrativa.

CONSIGNAÇÃO — Prática utilizada no comércio, pela qual o comerciante coloca à disposição no ponto de venda para pronta entrega produtos de fabricantes/terceiros, sem que faça a aquisição dos mesmos. Só irá adquirir, se vender. Com isto, não precisa desembolsar antecipadamente na aquisição dos mesmos.

CONSIGNAÇÃO DE PAGAMENTO, AÇÃO DE — Também denominada ação consignatória, é aquela pela qual o autor, nos casos e formas legais, faz citar a parte interessada para, em lugar, dia e hora designados, receber ou mandar receber o pagamento ou a coisa que lhe é devida, sob pena de ser feito o seu depósito judicial, com o fim de extinguir a obrigação. É o depósito do valor do crédito tributário, feito em juízo, para garantir o direito do contribuinte.

CONSIGNAÇÃO EM FOLHA DE PAGAMENTO — Ver Desconto em folha de pagamento.

CONSIGNAÇÃO EM PAGAMENTO — Ver Pagamento por consignação.

CONSIGNAR — Afirmar, declarar, estabelecer; entregar (mercadorias) para serem negociadas por terceiros.

CONSIGNATÁRIO — Assim é chamado o comerciante que recebe a mercadoria de outra pessoa, para vendê-la por conta dele e segundo suas instruções.

CONSISTÊNCIA — Duas ou mais proposições são consistentes quando podem ser todas verdadeiras. A consistência não implica a verdade: do fato de duas proposições poderem logicamente ser ambas verdadeiras não se segue que são realmente ambas verdadeiras.

CONSOLADOR — Que, ou o que consola, alivia, suaviza.

CONSOLIDAÇÃO — É a reelaboração de material legislativo preexistente dotado de nova redação e de unificação num só diploma legislativo. Ao contrário de um código, a consolidação não inova, apenas agrega, uniformizando.

CONSOLIDAÇÃO DA DEMOCRACIA — Diz respeito a intervenções que: a) promovam a ajuda ao processo eleitoral e sua supervisão; b) levem ao reforço dos sistemas judiciários; c) fomentem a boa gestão dos assuntos públicos (corresponde às atividades que favorecem a responsabilização, a eficiência e a eficácia do setor público), bem como uma administração eficaz do aparelho administrativo; d) promovam os Direitos Humanos.

CONSOLIDAÇÃO DAS CONTAS PÚBLICAS — Ver Contas Públicas, Consolidação das.

CONSOLIDAÇÃO DAS LEIS DO TRABALHO (CLT) — É a combinação de todas as leis referentes ao mercado de trabalho em uma só lei e que regem as relações individuais e coletivas de trabalho entre empregados e empregadores. O código, promulgado em 1º de maio de 1943, mediante o Decreto-Lei nº 5.452, reúne toda a legislação trabalhista elaborada após a Revolução de 1930. A CLT sofreu, ao longo de seus anos de vigência, uma série de alterações que não lhe modificaram, no entanto, o substrato básico.

CONSOLIDAÇÃO/CONSTRUÇÃO DA PAZ — Atividades que se desenvolvem na seqüência do conflito e que se centram nas causas que lhe estão subjacente. Pressupõem a colaboração entre os diversos atores da cooperação e dos intervenientes no conflito em prol da boa gestão dos assuntos públicos, Estado de direito, democratização e respeito pelos Direitos Humanos. Exemplo: remoção de minas, reconstrução de serviços administrativos, sanitários, educativos, inserção profissional dos ex-combatentes etc., afetadas pelo conflito. Significa medidas de identificação e de apoio e estruturas que solidificarão a paz e criarão confiança e interação entre os antigos inimigos, no sentido de evitar o reacender do conflito. Muitas vezes envolve a organização de eleições, supervisionadas ou conduzidas pelas Nações Unidas, a reabilitação das infra-estruturas físicas e as instituições como escolas e hospitais, e a reconstrução econômica.

CONSÓRCIO — 1) É um grupo, com número delimitado de pessoas físicas e/ou jurídicas, que tem por finalidade facultar a seus participantes a aquisição de bens ou serviços, através de autofinanciamento. A formação dos grupos e a administração do consórcio são feitas pela Administradora de Consórcios, autorizada pelo Banco Central do Brasil para exercer esta atividade. 2) É uma associação transitória entre sociedades empresárias para executar determinado empreendimento. O consórcio não tem personalidade jurídica, e cada uma das consorciadas responde por suas obrigações, sem presunção de solidariedade. A falência de uma consorciada não se estende às demais. O contrato de consórcio e suas alterações serão arquivados no Registro de Comércio do lugar de sua sede, devendo a certidão de arquivamento ser publicada. São definidos na Lei nº 6.404, de 1976. 3) Tipo de sistema de produção agrícola que consiste no cultivo simultâneo de duas ou mais culturas numa mesma área. Utiliza-se uma cultura principal intercalada com a(s) secundária(s).

CONSÓRCIO ADMINISTRATIVO — Acordo celebrado entre pessoas jurídicas de direito público da mesma espécie ou nível federativo (por exemplo, duas universidades estaduais, ou dois municípios) a fim de realização de objetivos de interesse comum. Difere-se do convênio administrativo pelo fato de este ser celebrado entre entes estatais de espécies diferentes (por exemplo, União e determinado estado da federação, ou União e determinado município). (Ver: Convênio Administrativo.)

CONSÓRCIO DE EMPRESAS — É o conjunto de pequenas empresas organizadas de forma contratual que se unem para viabilizar soluções econômicas e sociais e investimentos planejados.

CONSÓRCIO IMOBILIÁRIO MUNICIPAL — É procedimento por meio do qual o proprietário de uma área a transfere ao Poder Público Municipal e, após a realização das obras, recebe, como pagamento, unidades imobiliárias devidamente urbanizadas ou edificadas, sendo que o valor das unidades imobiliárias a serem entregues ao proprietário será correspondente ao valor do imóvel antes da execução das obras. É uma forma de viabilização de planos de urbanização ou edificação e, também, busca solucionar o problema habitacional do município, sem desembolso de recursos financeiros, por parte do Poder Público Municipal, na aquisição de áreas.

CONSÓRCIO INTERMUNICIPAL — Acordo formado entre duas ou mais prefeituras visando à execução de programas, projetos, obras, serviços ou consultorias de interesse mútuo. (Ver: Cooperação intermunicipal.)

CONSTANTE — É um valor fixo que pode ou não ser especificado. Esta definição é utilizada em oposição à de variável, que não é fixa. (Ver: Variável.)

CONSTERNAÇÃO — Dor, aflição e pesar profundo. Desamparo, desolação e desalento. Tristeza profunda, ânimo abatido.

CONSTITUCIONALIDADE — Qualidade daquilo que é constitucional, ou seja, está em conformidade com a Constituição.

CONSTITUIÇÃO — Ato de constituir, de estabelecer, de firmar, organização, estatuto, formação; carta constitucional, carta magna; conjunto de normas reguladoras de uma instituição, corporação etc. É um complexo de normas escritas, através das quais são organizados e disciplinados os poderes públicos e assegurados os direitos individuais. É a lei fundamental e suprema de um Estado, na qual se acham expressas, orgânica e sistematicamente, as bases de sua estrutura, tais como: forma de governo, formação dos poderes públicos, órgãos da administração do Estado, distribuição e limites de sua competência, direitos e deveres fundamentais do cidadão e outros aspectos e determinações relativos à manutenção e defesa do Estado. A primeira Constituição escrita de que se tem notícia surgiu na Inglaterra, com a Magna Carta, em 1215. O Brasil, depois da independência, teve as seguintes constituições: a de 1824, a de 1891, 1934, 1937, 1946, 1967 e 1988.

CONSTITUIÇÃO DE 1824 — Primeira Constituição do país, outorgada por dom Pedro I. Mantém os princípios do liberalismo moderado. Principais medidas - Fortalecimento do poder pessoal do imperador com a criação do Poder Moderador acima dos poderes Executivo, Legislativo e Judiciário. As províncias passam a ser governadas por presidentes nomeados pelo imperador. Eleições indiretas e censitárias, com o voto restrito aos homens livres e proprietários e condicionado ao seu nível de renda. Reformas - Ato Adicional de 1834, que cria as Assembléias Legislativas provinciais. Legislação eleitoral de 1881, que torna diretas as eleições legislativas, acabando com os níveis tradicionais de eleitor de paróquia (votava no eleitor de província) e eleitor de província (votava nos candidatos às assembléias legislativas): todo cidadão com direito de voto passa a votar diretamente nos candidatos às Assembléias Provinciais e à do Império.

CONSTITUIÇÃO DE 1891 — Promulgada pelo Congresso Constituinte, que também elege Deodoro da Fonseca presidente da República. Tem orientação liberal, inspirada na tradição republicana dos Estados Unidos. Principais medidas: estabelece o presidencialismo, confere maior autonomia aos estados da federação e garante a liberdade partidária. Institui eleições diretas para a Câmara, o Senado e a Presidência da República, com mandato de quatro anos. O voto é universal e não-secreto para homens acima de 21 anos e vetado a mulheres, analfabetos, soldados e religiosos. Determina a separação oficial entre o Estado e a Igreja Católica e elimina o Poder Moderador.

CONSTITUIÇÃO DE 1934 — Promulgada pela Assembléia Constituinte, encerra o período de governo provisório do presidente Getúlio Vargas, elegendo-o para um mandato regular de quatro anos. Reproduz basicamente o modelo liberal da primeira constituição republicana, com alguns avanços políticos e sociais. Principais medidas - Confere maior poder ao governo federal. Estabelece o voto obrigatório e secreto a partir dos 18 anos e o direito de voto às mulheres, já instituídos pelo Código Eleitoral de 1932. Prevê a criação da Justiça Eleitoral e da Justiça do Trabalho.

CONSTITUIÇÃO DE 1937 — Outorgada por Getúlio Vargas, é inspirada nos modelos fascistas europeus. Institucionaliza o regime ditatorial do Estado Novo. Principais medidas - Institui a pena de morte, suprime a liberdade partidária e anula a independência dos poderes e a autonomia federativa. Permite a suspensão de imunidade parlamentar, a prisão e o exílio de opositores. Estabelece eleição indireta para presidente da República, com mandato de seis anos.

CONSTITUIÇÃO DE 1946 — Promulgada durante o governo Dutra, reflete a derrota do nazi-fascismo na II Guerra Mundial e a queda do Estado Novo. Principais medidas - Restabelece os direitos individuais, extinguindo a censura à imprensa e a pena de morte. Devolve a independência dos três poderes, a autonomia dos estados e municípios e a eleição direta para presidente da República, com mandato de cinco anos. Reformas - Em 1961 sofre importante reforma com a adoção do parlamentarismo, posteriormente anulada pelo plebiscito de 1963, que restaura o regime presidencialista.

CONSTITUIÇÃO DE 1967 — Promulgada pelo Congresso Nacional durante o governo Castelo Branco. Institucionaliza a ditadura do Regime Militar de 1964. Principais medidas - Mantém o bipartidarismo criado pelo Ato Adicional nº 2 e estabelece eleições indiretas para presidente da República, com mandato de quatro anos. Reformas - Emenda Constitucional nº 1, de 1969, outorgada pela Junta Militar. Incorpora nas suas Disposições Transitórias os dispositivos do Ato Institucional nº 5 (AI-5), de 1968, permitindo que o presidente, entre outras coisas, feche o Congresso, casse mandatos e suspenda direitos políticos. Dá aos governos militares completa liberdade de legislar em matéria política, eleitoral, econômica e tributária. Na prática, o Executivo substitui o Legislativo e o Judiciário. No período da abertura política, várias outras emendas preparam o restabelecimento de liberdades e instituições democráticas.

CONSTITUIÇÃO DE 1988 — É promulgada durante o governo José Sarney. A carta de 1988 consolida valores democráticos e avança na definição e na proteção dos direitos sociais, coletivos e individuais. Mantém o Estado brasileiro como república presidencialista e federativa, e inova com a incorporação das emendas populares como instrumento de ação política direta da sociedade civil organizada. Independentemente das controvérsias de cunho político, a Constituição de 1988 continuou restringindo o conceito de empresa nacional e criou novas garantias constitucionais aos cidadãos e às liberdades constitucionais, como o mandado de injunção e o *habeas data*. A Carta qualificou como crimes inafiançáveis a tortura e as ações armadas contra o Estado democrático e a ordem constitucional, criando assim dispositivos constitucionais para bloquear golpes de qualquer natureza. Determinou a eleição direta do presidente da República, dos governadores dos Estados e prefeitos, além de prever as responsabilidades fiscais. A nova Constituição ampliou os poderes do Congresso Nacional, tornando o Brasil um país mais democrático. (Ver: Sociedade Civil.)

CONSTITUIÇÃO DE GARANTIAS — Ver Garantias, Constituição de.

CONSTITUINTE — Membro da Assembléia Nacional Constituinte. Que tem atribuições constituídas pelo povo ou pelo Governo para elaborar, redigir ou reformar a Constituição.

CONSTITUTO POSSESSÓRIO — Convenção na qual as partes estabelecem que o alienante da coisa, em vez de entregá-la, efetivamente, ao comprador, permanece com ela em seu poder (*in nomine alieno*), ocorrendo, então, uma tradição fictícia (*traditio ficta*).

CONSTRANGIMENTO — Aperto, coação, desagrado. Obrigar, forçar alguém ao que não quer. Em caso de acanhamento, timidez, embaraço, refere-se ao medo da crítica que faz o constrangido recuar-se. A ilusão ou crença de encontrar-se como centro das atenções o constrange.

CONSTRANGIMENTO ILEGAL — Crime contra a liberdade individual consistente em constranger alguém, mediante violência ou grave ameaça, ou depois de lhe haver reduzido, por qualquer outro meio, a capacidade de resistência, a não fazer o que a lei permite, ou a fazer o que ela não manda.

CONSTRUTIVISMO — Corrente da educação que leva o aluno a participar ativamente do próprio aprendizado, mediante a experimentação, a pesquisa, o trabalho em grupo, o estímulo ao desafio, o desenvolvimento do raciocínio e a busca constante. Os conhecimentos não são dados prontos, mas trabalhados e vivenciados pelo aluno, que é estimulado a assumir uma postura ativa na busca do conhecimento. O Construtivismo enfatiza a importância do erro, não como um tropeço, mas como um trampolim na rota da aprendizagem. O ensino é sempre inovador e se reconstrói a partir das demandas, do ritmo e das características próprias de cada aluno.

CONSUETUDINÁRIO — Diz-se daquilo que se refere ao costume.

CÔNSUL — É a pessoa do serviço exterior de um Estado responsável, em país estrangeiro, pela proteção dos interesses dos indivíduos e empresas nacionais daquele Estado.

CONSULTA — Modalidade de assistência na qual elementos da equipe de nível superior interagem com o usuário para fins de exame, diagnóstico, tratamento e orientação.

CONSULTOR — É aquele que dá pareceres acerca de assuntos de sua especialidade. É o profissional designado para atuar numa área especializada.

CONSULTOR *AD HOC* — Especialista contratado para avaliar projetos ou atividades específicas. Membro da comunidade técnico-científica sem mandato definido.

CONSULTORIA — 1) Cargo ou função de consultor. 2) Corpo de consultores de uma empresa. 3) Serviços temporários de assessoramento prestados por pessoas físicas ou jurídicas, envolvendo conhecimentos técnicos especializados, pressupondo vínculo transitório entre as partes. 4) No âmbito legislativo, órgão encarregado de redigir proposições, fazer pesquisa e dar assessoria técnica aos parlamentares.

CONSULTORIA POLÍTICA — Atividade muitas vezes vista como sinônimo de marketing político. Isto porque um consultor político exerce papel semelhante ao do publicitário, quando a questão é valorizar a imagem do político. A diferença entre as duas funções está nas técnicas e métodos utilizados. O consultor contextualiza o político, considerando sempre as especificidades do ambiente e as do eleitorado. O marqueteiro tem uma dinâmica de propaganda mais geral, enquanto o consultor relativiza cada situação. O consultor, por ter o título de cientista político, é mais provido de teorias, que lhe dão uma visão mais abrangente do jogo político, fazendo com que tenha condições de articular, junto com o político, a oratória apropriada. Alguns candidatos contratam os trabalhos desses dois profissionais, para poder reunir mais condições de garantir a vitória com maior tecnologia. (Ver: Eleição - Marketing Político.)

CONSUMIDOR — 1) Aquele que consome. 2) É toda pessoa física ou jurídica que adquire ou utiliza produto ou serviço para uso próprio. Equipara-se a consumidor a coletividade de pessoas, ainda que indetermináveis, que haja intervindo nas relações de consumo. Código de Defesa do Consumidor - Lei nº 8.078, de 1990.

CONSUMISMO — É o ato de consumir produtos ou serviços, muitas vezes, sem consciência. Há várias discussões a respeito do tema, entre elas o tipo de papel que a propaganda e publicidade exercem nas pessoas, induzindo-as ao consumo, mesmo que não necessitem de um produto comprado, sendo assim, fruto do capitalismo. Muitas vezes as pessoas consumistas são induzidas a consumir determinado produto sem necessitar do mesmo, apenas pela propaganda ou pela publicidade que há sobre o produto.

CONSUMMATUM EST — [Latim]. Expressão que significa tudo está consumado.

CONSUMO — Em economia é aquisição presente de bens, tendo em vista a satisfação das necessidades a que um sujeito se propõe.

CONSUMO CONSCIENTE — É o consumo que considera o seu impacto e conseqüências na sustentabilidade do meio ambiente, da qualidade de vida e da sociedade.

CONTA — É nome técnico dado aos componentes patrimoniais (bens, direitos, obrigações e patrimônio líquido) e os elementos de resultado (despesas e receitas).

CONTA CAPITAL — São as aplicações de moeda, créditos e títulos de um país no exterior e vice-versa. No Banco Central é a conta que registra, entre outras transações, os investimentos diretos de empresas estrangeiras no Brasil, as saídas de recursos de empresas nacionais que se estabelecem no exterior, o pagamento de parte ou da totalidade das dívidas externas e a entrada ou saída de capital de curto prazo, o chamado capital especulativo. Os investimentos estrangeiros diretos são considerados a melhor fonte para financiar o déficit em transações correntes, pois são recursos que permanecem no País por um longo período.

CONTA DE GERENCIAMENTO OU *ASSET MANAGEMENT* — Conta junto a uma corretora, banco ou instituição de poupança em que se combinam serviços bancários - como emissão de cheques, cartões de crédito e débito, serviços de corretagem como compra de títulos e empréstimos de margem - e a conveniência de registrar todas as operações financeiras em um extrato mensal.

CONTA DE RESULTADO — É aquela que decorre da venda de bens, da prestação de serviços e outras entradas aumentativas da situação líquida empresarial e também os desembolsos necessários à obtenção de novas receitas.

CONTA DE SERVIÇOS — Conta de governo que registra os gastos sobre a dívida com contratação de fretes e seguros e as remessas de lucros e dividendos das empresas brasileiras. Registra, também, as receitas e despesas com viagens internacionais.

CONTA GRÁFICA — Constitui-se na contabilização da transferência de ativos e posterior operação de acerto de preços. Realiza-se através desta conta a compensação entre o saldo devedor do valor a ser pago à vista e os montantes efetivamente transferidos pelo Tesouro Estadual ao Tesouro Nacional.

CONTA MARGEM — Consiste na abertura de um crédito, por parte da sociedade corretora, permitindo ao cliente adquirir, com este capital, um número maior de ações do que ele normalmente poderia comprar com seu próprio capital. (Ver: Compra em margem.)

CONTA MÓVEL — Ver Fundos Fiduciários Móveis.

CONTA RESERVAS BANCÁRIAS — É a conta mantida pelos bancos comerciais, bancos múltiplos com carteira comercial, bancos de investimento e caixas econômicas no Banco Central do Brasil. A conta Reservas Bancárias é utilizada para processar diariamente a movimentação financeira das mencionadas instituições, inclusive para fins de cumprimento do recolhimento compulsório.

CONTA RETIFICADORA — É aquela que serve para estabelecer a conciliação ou ajuste entre outras contas de uma mesma família de contas; conta que serve de elemento para o acerto de outras contas; conta de retificação ou ajuste. Exemplo: a conta de depreciação acumulada tem a natureza credora, contudo é classificada no ativo permanente imobilizado, ajustando as contas de móveis e utensílios, equipamentos, veículos etc. que possuem a natureza devedora. Desta forma o leitor do relatório contábil identificará o valor histórico com saldo devedor, a depreciação acumulada com o valor credor, logo a diferença será igual ao valor residual, ou seja, o valor que falta contabilizar referente ao desgaste daquele bem.

CONTA TURISMO — Conta do governo que mostra os gastos de brasileiros em viagens internacionais e as receitas obtidas pelo País quando estrangeiros visitam o Brasil.

CONTABILIDADE — Atividade técnico-legal, de natureza administrativa, por meio da qual são realizadas a classificação, o registro e a análise das transações de natureza econômico-financeiras realizadas por uma pessoa jurídica, de direito público ou privado, de modo a possibilitar a permanente avaliação de sua situação. Numa conceituação mais ampla, classifica-se como um conjunto de conhecimentos ordenados que visam registrar os fatos administrativos nos livros legais, de acordo com normas estabelecidas, controlando o patrimônio e gerando os relatórios necessários para os múltiplos usuários na tomada de decisão e no planejamento da entidade. (Ver: Serviço de Contabilidade.)

CONTABILIDADE AMBIENTAL — Ramo da contabilidade dedicada a encontrar formas de introduzir valores para os recursos naturais dentro da contabilidade dos governos e das empresas.

CONTABILIDADE ANALÍTICA — Contabilização pormenorizada de atos e fatos da gestão orçamentária, financeira e patrimonial praticados pelas unidades gestoras.

CONTABILIDADE FISCAL — É a contabilidade de uma empresa realizada sob as regras da Receita Federal/Estadual.

CONTABILIDADE GERAL OU INCORPORADA — Incorpora todos os balancetes e balanços consolidados.

CONTABILIDADE PÚBLICA — Ramo da contabilidade aplicada que cuida das práticas contábeis empregadas no registro das transações orçamentárias, patrimoniais e financeiras dos órgãos e entidades com personalidade jurídica de direito público (União, Estados, Distrito Federal, Municípios e Autarquias) e de entidades públicas com personalidade de direito privado que sejam mantidas com recursos do erário (fundações, empresas públicas e sociedade de economia mista). A contabilidade pública, com a aplicação de normas de escrituração contábil (Código de Contabilidade Pública de 1922; Lei nº 4.320, de 1964 e Decreto-Lei nº 200, de 1967), registra a previsão, realização das receitas, a fixação das despesas e as alterações introduzidas no orçamento. Controla as operações de créditos, exerce a fiscalização interna, acompanhando passo a passo a execução orçamentária, a fim de que ela se processe em conformidade com as normas gerais do direito financeiro. Compara a previsão e a execução orçamentárias, ressaltando as diferenças. Mostra a situação financeira do Tesouro. Aponta, em seus relatórios finais, o resultado da execução orçamentária e seus reflexos econômico-financeiros. Revela as variações patrimoniais resultantes ou não da execução orçamentária. Evidencia as obrigações, os direitos e os bens da entidade.

CONTABILIDADE SINTÉTICA — É a agregação dos valores analíticos.

CONTAGEM RECÍPROCA DE TEMPO — É a possibilidade de, para efeito de aposentadoria, incluir na contagem, o tempo de serviço prestado à Administração Pública e de contribuição na atividade privada, rural ou urbana.

CONTAMINAÇÃO — A ação ou efeito de corromper ou infectar por contato. Termo usado, muitas vezes, como sinônimo de poluição, porém, quase sempre empregado em relação direta a efeitos sobre a saúde do ser humano. Introdução de um agente indesejável (contaminantes químicos, radioativos, microorganismos) em um meio; transmissão de males, vícios ou doenças, no contato ou por vias indiretas, por organismos transmissores; ex.: contaminação do ar, do solo, da água e de organismos.

CONTAMINAÇÃO ATMOSFÉRICA — Qualquer tipo de impureza do ar, em particular a originada pelas emanações de gases tóxicos de indústrias, do tráfego terrestre, marítimo ou aéreo.

CONTAMINAÇÃO RADIOATIVA — Deposição de material radioativo em qualquer lugar onde sua presença pode ser nociva, tanto para as medições de radioatividade como ao ser humano e ao ambiente.

CONTAMINANTE — Ver Poluente.

CONTAMINAR — Processo de tornar o ambiente ou uma substância impura ou prejudicial por adição de outra substância; contaminantes são substâncias indesejáveis.

CONTAS A PAGAR — Título de conta que designa o montante de valores a serem pagos a terceiros.

CONTAS A RECEBER — Título de conta que designa o montante de valores a serem recebidos de terceiros.

CONTAS DE COMPENSAÇÃO — São os registros de atos administrativos referentes a bens, valores, obrigações e direitos que possam vir a alterar o patrimônio no futuro.

CONTAS DE GESTÃO - PARECER PRÉVIO — Ver Contas de Gestão, Prestação de.

CONTAS DE GESTÃO, PRESTAÇÃO DE — São contas de administração financeira prestadas anualmente pelo chefe do Poder Executivo Estadual, nas quais serão incluídas as dos presidentes dos órgãos dos Poderes Legislativo e Judiciário e a do chefe do Ministério Público; e dos chefes do Poder Executivo dos municípios, nas quais serão incluídas a do presidente do Poder Legislativo, na forma prevista nos arts. 56 e 57 da Lei Complementar nº 101, de 4.5.2000 - LRF. Compete ao Tribunal de Contas emitir parecer prévio - favorável ou contrário à aprovação das contas pelo respectivo Poder Legislativo. O Parecer técnico do Tribunal somente poderá ser rejeitado pela respectiva Casa Legislativa mediante voto de dois terços dos seus membros. O Parecer Prévio do Tribunal de Contas não exime os ordenadores de despesas e demais responsáveis pela guarda e movimentação de bens e valores, de eventuais responsabilidades que venham a ser apuradas em processos de Prestação ou Tomada de Contas, sendo, nestes casos, julgados pelo próprio Tribunal de Contas.

CONTAS ESPECIAL, CONVERSÃO EM TOMADA DE — Procedimento imediato adotado pelo Plenário do Tribunal de Contas em processo de fiscalização de sua competência (inspeções e auditorias), se configurada a ocorrência de desfalque, desvio de bens ou outra irregularidade de que resulte dano ao erário. A partir da conversão, o processo seguirá o rito de julgamento de contas.

CONTAS ILIQUIDÁVEIS — As contas serão consideradas iliquidáveis pelo Tribunal de Contas (não confundir consideradas como julgadas) quando caso fortuito ou de força maior, comprovadamente alheio à vontade do responsável, tornar materialmente impossível o julgamento de mérito. (Ver: Trancamento das Contas.)

CONTAS IRREGULARES - APLICAÇÃO DE MULTA — Ver Contas julgadas Irregulares - Aplicação de Multa.

CONTAS IRREGULARES — Ver Contas Julgadas Irregulares.

CONTAS IRREGULARES COM DÉBITO — Ver Contas Julgadas Irregulares - com Débito.

CONTAS JULGADAS IRREGULARES - APLICAÇÃO DE MULTA — Quando julgar as contas irregulares, não havendo débito, mas comprovada a ocorrência de grave infração à norma legal ou regulamentar de natureza contábil, financeira, orçamentária, operacional ou patrimonial, o Plenário do Tribunal de Contas poderá aplicar ao responsável a multa prevista em sua lei orgânica e, ainda, outras penalidades previstas na legislação vigente. (Ver: Irregularidade.)

CONTAS JULGADAS IRREGULARES - COM DÉBITO — Quando julgar as contas irregulares, havendo débito, o Plenário do Tribunal de Contas condenará o responsável ao pagamento da dívida atualizada monetariamente, acrescida de juros de mora, podendo, ainda, aplicar-lhe multa até 100% do débito apurado. O responsável será notificado para, no prazo estabelecido no Regimento Interno, efetuar e comprovar o recolhimento da dívida e da multa. O Tribunal de Contas poderá, ainda, aplicar ao responsável outras penalidades previstas na legislação vigente. (Ver: Imputação de débito.)

CONTAS JULGADAS IRREGULARES — O Plenário do Tribunal de Contas julgará irregulares as contas do responsável quando comprovada: a) grave infração à norma legal ou regulamentar de natureza contábil, financeira, orçamentária, operacional ou patrimonial; b) injustificável dano ao erário, decorrente de ato ilegal, ilegítimo ou antieconômico; c) desfalque, desvio de dinheiros, bens e valores públicos; d) descumprimento de determinação de que o responsável tenha tido ciência, feita em processo de prestação de contas ou tomada de contas anterior.

CONTAS JULGADAS REGULARES — O Plenário do Tribunal de Contas julgará as contas regulares quando elas expressarem, de forma clara e objetiva, a exatidão dos demonstrativos contábeis, a legalidade e a legitimidade dos atos do responsável. Quando julgar as contas regulares, o Tribunal de Contas dará quitação plena ao responsável.

CONTAS JULGADAS REGULARES, COM RESSALVA — O Plenário do Tribunal de Contas julgará as contas regulares com ressalva quando elas evidenciarem impropriedade ou qualquer outra falta de natureza formal ou, ainda, a prática de ato ilegal, ilegítimo ou antieconômico que não seja de natureza grave e não represente injustificado dano ao erário. Quando julgar as contas regulares com ressalva, o Tribunal de Contas dará quitação ao responsável e lhe determinará, ou a quem lhe haja sucedido, a adoção de medidas necessárias à correção das impropriedades ou faltas identificadas, de modo a prevenir a ocorrência de outras semelhantes. Na reincidência, a conta seguinte será julgada irregular.

CONTAS NACIONAIS — Representação quantificada da economia de um país, descrevendo as operações econômicas efetuadas pelos diversos agentes econômicos.

CONTAS PÚBLICAS - CLASSIFICAÇÃO — Ver Classificação das Contas Públicas.

CONTAS PÚBLICAS — Total de receitas e despesas de todas as esferas do poder. Entram nesta conta o Produto Interno Bruto (PIB), a renda nacional, o consumo, os gastos do governo, os impostos recebidos pelo Tesouro, as transações com o exterior e o capital consolidado. Os valores são apresentados em termos correntes e, também, corrigidos pela inflação acumulada no período do cálculo. (Ver: Classificação das contas públicas.)

CONTAS PÚBLICAS, CONSOLIDAÇÃO DAS — É o processo de agregar os saldos das contas e/ou dos grupos de contas de mesma natureza, eliminando eventuais saldos em duplicidade, provenientes, principalmente, das operações intragovernamentais.

CONTAS REGULARES — Ver Contas Julgadas Regulares.

CONTAS REGULARES, COM RESSALVA — Ver Contas Julgadas Regulares, com Ressalva.

CONTAS, DECISÃO DEFINITIVA EM PRESTAÇÃO DE — É a decisão pela qual o Plenário do Tribunal de Contas julga as contas regulares, regulares com ressalvas ou irregulares.

CONTAS, DECISÃO PRELIMINAR EM PRESTAÇÃO DE — É a decisão pela qual o Plenário do Tribunal de Contas, antes de pronunciar-se quanto ao mérito das contas, resolve sobrestar o julgamento, determinar diligências ou ordenar a citação ou a notificação dos responsáveis necessárias ao saneamento do processo.

CONTAS, DECISÃO PROVISÓRIA EM PRESTAÇÃO DE — É provisória a decisão pela qual o Plenário do Tribunal de Contas ordena o "Trancamento das Contas" que, por motivo de força maior, tornar materialmente impossível o seu julgamento, forem consideradas iliquidáveis. (Ver: Contas Iliquidáveis // Trancamento das Contas.)

CONTAS, JULGAMENTO DAS — Exercício do poder jurisdicional, atribuído a certas instituições de fiscalização, visando apreciar e decidir sobre a legalidade e regularidade das contas prestadas por pessoas responsáveis pela gestão de recursos públicos. Compete ao Tribunal de Contas o julgamento das contas dos administradores e demais responsáveis por dinheiro, bens e valores públicos da administração direta e indireta, incluídas as fundações e sociedades instituídas e mantidas pelo Poder Público Estadual e Municipal, e as contas daqueles que derem causa a perda, extravio ou outra irregularidade de que resulte prejuízo ao erário.

CONTAS, OBRIGAÇÃO DE PRESTAR — Obrigação imposta a uma pessoa ou a uma entidade sujeita à fiscalização de demonstrar que geriu ou fiscalizou os recursos que lhe foram confiados em conformidade com as condições em que esses recursos lhe foram entregues.

CONTAS, PRESTAÇÃO DE — Obrigação decorrente de disposições legais que consiste na apresentação, por pessoas responsáveis pela gestão de recursos públicos, de documentos e demonstrativos que expressem a situação financeira e patrimonial, bem como o resultado das operações realizadas sob a sua responsabilidade. Compete ao respectivo Tribunal de Contas, o julgamento da prestação das contas dos administradores e demais responsáveis por dinheiro, bens e valores de todas as unidades dos Poderes Públicos e das entidades da administração indireta, incluídas as fundações e sociedades por eles instituídas e mantidas, inclusive os fundos e as contas daqueles que derem causa a perda, extravio ou outra irregularidade de que resulte dano ao erário.

CONTAS, TOMADA DE — Ação desempenhada pelo órgão competente para apurar a responsabilidade de pessoa física, órgão ou entidade que deixar de prestar contas e das que derem causa a perda, extravio ou outra irregularidade de que resulte, ou possa resultar, dano ao erário, devidamente quantificado. Compreende os atos e fatos de gestão orçamentária (recursos gráficos), financeira (recursos de caixa) e patrimonial (uso e guarda de bens e valores públicos) sob a responsabilidade de um ou mais agentes responsáveis, num determinado exercício ou período de gestão, com determinação de responsabilidades ativas (desvios) e passivas (omissões). (Ver: Prestação de Contas // Tomada de Contas Especial.)

CONTAS, TOMADA ESPECIAL DE — É uma ação determinada por um Tribunal de Contas ou autoridade competente ao órgão central do controle interno ou equivalente para adotar providências, em caráter de urgência, nos casos previstos na legislação em vigor – omissão no dever de prestar contas; da não comprovação da aplicação dos recursos repassados pela União aos Estados e Municípios e pelo Estado aos respectivos municípios; da ocorrência de desfalque ou desvio de dinheiros, bens ou valores públicos ou, ainda, da prática de qualquer ato ilegal, ilegítimo ou antieconômico, bem como nos caos de concessão de quaisquer benefícios fiscais ou de renúncia de receitas – para apuração dos fatos, identificação dos responsáveis e quantificação pecuniária do dano. (Ver: Prestação de Contas // Tomada de Contas // Conversão em Tomada de Contas Especial.)

CONTAS, TRANCAMENTO DAS — O Tribunal de Contas ordenará, em decisão provisória do Plenário, o Trancamento das Contas que forem consideradas iliquidáveis e o conseqüente arquivamento do processo. Dentro do prazo de 5 (cinco) anos da decisão pelo trancamento das contas, o

Tribunal de Contas, à vista de novos elementos que considere suficientes, poderá autorizar o desarquivamento do processo e determinar que se ultime a respectiva prestação de contas ou tomada de contas. (Ver: Contas Iliquidáveis.)

CONTAS, TRIBUNAL DE — Criado pelo Decreto 966-A, de 7.11.1890, e adotado pelas sucessivas Constituições Brasileiras e já sob a denominação de Tribunal de Contas da União, pela Emenda Constitucional nº 1, de 17.10.1969, e pela atual Constituição, é um órgão especializado, de natureza eminentemente técnica, predisposto a fiscalizar, entre outros, os Atos e Contratos (que impliquem receitas ou despesas) e contas praticados e prestadas, celebradas e prestadas pela Administração Pública. As competências do Tribunal de Contas da União estão discriminadas nos arts. 71, 72 e 74 da C.F.; similarmente, essas competências podem ser exercidas, no que couber, pelos Tribunais de Contas dos Estados e Distrito Federal e pelos Tribunais e Conselhos de Contas dos Municípios (art. 75 da C.F.).

CONTAS, TRIBUNAL DE - ESTADO DO RIO DE JANEIRO - COMPETÊNCIA — A competência do TCE/RJ é exercida por força do disposto no art. 75 da Constituição Federal; com o estabelecido nos arts. 79 e 123, e nos arts. 124, 125, 127 §§1°,2°, 132, 133, 309 § 3° e 348 da Constituição do Estado do Rio de Janeiro; da Lei Complementar Federal nº 101 (Lei de Responsabilidade Fiscal) e da Lei Complementar Estadual nº 63, de 1.8.1990 (Lei Orgânica do TCE/RJ).

CONTATO — Situação de confronto comunicativo interpessoal. É direto quando há a possibilidade do toque físico ou psíquico. É chamado indireto quando mediativo, intermediado, ou quando feito por meios de comunicação. Preliminar do encontro ou desencontro.

CONTEMPLAÇÃO — Componente da meditação profunda. Possibilita a integração da vibração, admiração e apreciação. Aceitação por observação demorada e absorta.

CONTENCIOSO — Que há em contenção ou litígio; duvidoso; incerto; repartição de questões não resolvidas. É todo ato que possa ser objeto de contestação ou de disputa, opondo-se, por isso, ao sentido de voluntário, em que não há contestação nem disputa, ou ao gracioso, em que não se admite contenda.

CONTENCIOSO ADMINISTRATIVO — Assim se designa o órgão da Administração Pública a que se atribui o encargo de decidir, sob o ponto de vista de ordem pública e tendo em face a utilidade comum, toda matéria obscura ou controversa ou todos os litígios havidos com o poder administrativo.

CONTENCIOSOS COMERCIAIS — Ações que questionam o comportamento comercial de um parceiro.

CONTENTAMENTO — Sentimento de satisfação, alegria repetida.

CONTESTAÇÃO — É a primeira defesa do réu, feita de modo direto com a exposição das razões de fato e de direito com que se impugna as pretensões do autor, indicando-se a negação ou refutação ao pedido formulado contra si. A contestação não se confunde nem com a exceção nem com a reconvenção. Enquanto a exceção vem a ser a defesa do réu limitada à argüição de impedimento, suspeição ou incompetência relativa, a reconvenção é um contra-ataque do réu contra o próprio autor, no mesmo juízo e no mesmo processo. A contestação apresenta requisitos formais e requisitos substanciais. Prazos para a Contestação: no processo comum (ordinário), o prazo é de 15 dias e a petição é obrigatoriamente escrita; no processo sumário, o prazo é a audiência, defesa escrita ou oral. A contestação tem de ser especificada, abrangendo todos os fatos alegados pelo autor, com referência a cada um deles. Na petição escrita, dirigida ao juiz da causa, o réu deve alegar toda a matéria de defesa, expondo as razões de fato e de direito com que impugna o pedido do autor e especificando as provas que pretende produzir. (Ver: Reconvenção.)

CONTEXTO — Entorno, contorno, externo/interno; que confere significação; ambiente de algo.

CONTINÊNCIA — Ver Conexão.

CONTINÊNCIA DE CAUSAS — É espécie do gênero conexão. Relação que existe entre duas ações como identidade de partes e de causa de pedir, de modo que o objeto de uma abranja o da outra, por ser mais amplo. (Ver: Conexão.)

CONTINENTE — Considerável espaço de terra que se pode percorrer sem ter de atravessar mares. É cada uma das cinco grandes divisões do Planeta Terra: Europa, Ásia, África, América e Oceania.

CONTINGENCIAMENTO — Procedimento utilizado pelo Poder Executivo e que consiste no retardamento e, não raro, na inexecução de parte da programação de despesa prevista na lei orçamentária. Considerando que o ordenamento jurídico brasileiro à lei orçamentária tem mantido o seu caráter autorizativo, na questão da despesa, o Poder Executivo Federal tem se valido desse expediente para consecução de metas de ajustes fiscal, sob o pretexto de adequar a execução da despesa ao fluxo de caixa do Tesouro.

CONTINUIDADE — Princípio segundo o qual o exercício orçamentário deve apoiar-se nos resultados anteriores e levar em conta as expectativas futuras.

CONTRA JUS — [Latim]. Expressão que significa contra o direito.

CONTRA LEGEM — [Latim]. Expressão que significa contra lei.

CONTRABANDO — Crime praticado pelo particular contra o Estado, consistente na importação ou exportação de mercadoria, cujo ingresso é proibido no país ou sem observar as exigências legais para a efetivação. Não se confunde com o descaminho. (Ver: Descaminho.)

CONTRACHEQUE — É o documento emitido por entidades públicas ou privadas no qual se especifica o ordenado bruto do servidor ou empregado, com as respectivas deduções (de imposto por pagar, descontos para institutos de aposentadorias e pensões etc.) ou acréscimos (salário-família, auxílio enfermidade, gratificações etc.), e mediante o qual se acha ele autorizado a receber o que lhe é devido.

CONTRACONTESTAÇÃO — Refutação fundamentada que o advogado do autor opõe à contestação do defensor do réu. Réplica do autor da ação.

CONTRADIÇÃO — Incoerência entre afirmação ou afirmações atuais e anteriores, entre palavras e ações. Desacordo. Duas proposições são contraditórias quando não podem ser ambas verdadeiras nem podem ser ambas falsas, isto é, quando são a negação uma da outra.

CONTRADITA — É o ato pelo qual uma das partes, por si ou por seu advogado, procura contrariar, refutar ou fazer objeção contra a veracidade de tudo o que tenha sido alegado por uma pessoa, seja parte ou não. É a Impugnação de testemunha, pelo qual, por ato do procurador da parte contra a qual ela foi arrolada, impugna a nomeação desta por incapacidade, impedimento ou suspeição (por ser amigo íntimo, parente, inimigo figadal ou ter qualquer outro interesse na decisão). A contradita é argüida antes da tomada do depoimento da testemunha. Se a testemunha negar os fatos que lhe são imputados, a parte poderá provar a contradita com documentos ou testemunhas, estas até três, apresentadas no ato e inquiridas em separado. Provados ou confessados os fatos, o juiz dispensará a testemunha ou lhe tomará o depoimento. Sendo a testemunha dispensada em face do acolhimento da contradita, poderá o advogado da parte que a arrolou pedir que seja consignado o seu protesto na ata de audiência. Tal protesto pode ser levado a efeito também pelo indeferimento da contradita.

CONTRADITÓRIO — Princípio constitucional que assegura a toda pessoa o direito de ampla defesa da acusação ou para proteção do seu direito. Princípio que permite igualdade das partes perante o Judiciário. Elemento fundamental do processo que impõe a ciência bilateral dos atos nele desenvolvidos e termos dele constantes para possibilitar às partes contraditá-los.

CONTRA-EXEMPLO — Exemplo que nega uma afirmação. Ex.: Um contra-exemplo a "Todo o F é G" é um F que não seja G. Só há contra-exemplos em afirmações universais.

CONTRAFAÇÃO — Reprodução ou falsificação fraudulenta de documento, ato ou coisa. É regulada na lei de direitos autorais como a reprodução não autorizada. Contrafações muito comuns na atualidade são as reproduções de livros mediante cópias xerográficas, para fins de comércio, assim como a já famosa pirataria de vídeo. No campo da propriedade industrial, a contrafação é a violação do uso exclusivo de marca de fábrica ou de comércio.

CONTRAFÉ — Cópia da petição inicial entregue ao réu pelo oficial de Justiça por ocasião da citação ou de outros atos processuais (notificação, intimação). Cópia autêntica do mandado.

CONTRAFEITO — Falsificado; imitado por contrafação; que não está à vontade.

CONTRAMEDIDA — É a ação preventiva tomada em curtíssimo prazo para eliminar definitivamente uma anomalia.

CONTRAMINUTA — Razões escritas aduzidas pelo agravado em processo ou petição do agravo requerido pela parte contrária.

CONTRAN (CONSELHO NACIONAL DE TRÂNSITO) — É o órgão máximo normativo e consultivo do Sistema Nacional de Trânsito, com sede no Distrito Federal. Tem por competência, entre outras atividades, estabelecer as normas regulamentares às diretrizes da Política Nacional de Trânsito; coordenar os órgãos do Sistema Nacional de Trânsito, objetivando a integração de suas atividades; criar Câmaras Temáticas; estabelecer seu regimento interno; zelar pela uniformidade e cumprimento das normas do Código e nas resoluções complementares; estabelecer e normatizar os procedimentos para a imposição, a arrecadação e a compensação das multas por infrações; responder às consultas que lhe forem formuladas, relativas à aplicação da legislação de trânsito; normatizar os procedimentos sobre a aprendizagem, habilitação, expedição de documentos de condutores e registro e licenciamento de veículos. Código de Trânsito Brasileiro, Lei nº 9.503, de 1997.

CONTRAPARTE CENTRAL — É uma entidade que atua como comprador para todo vendedor e como vendedor para todo comprador para uma série específica de contratos, por exemplo, aqueles que se executam em uma bolsa ou bolsas particulares.

CONTRAPARTIDA — Recursos que o devedor se compromete, contratualmente, a aplicar em um determinado projeto. A cobertura de contrapartida pode efetivar-se por meio de outro empréstimo, receita própria ou dotação orçamentária.

CONTRAPRESTAÇÃO — Cumprimento da obrigação por uma das partes do contrato bilateral, em relação ao implemento da do outro contratante.

CONTRAPROPOSTA — Resposta ao proponente do contrato, apresentando adições, restrições e modificações, o que importa em nova proposta.

CONTRAPROTESTO — Medida autônoma tomada por aquele contra quem é formulado o protesto, com o fim de atenuar ou tornar sem efeito a providência do protestante, assim se resguardando de eventual ação principal sobre a questão.

CONTRARIEDADE — É a peça escrita ou oral reduzida a termo, em que a parte se contrapõe a algum ato ou a alguma prova.

CONTRATAÇÃO DE OPERAÇÃO DE CRÉDITO SEM AUTORIZAÇÃO LEGISLATIVA — Tipifica crime do agente público ordenar, autorizar ou realizar operação de crédito, interno ou externo, sem prévia autorização legislativa. Pena: reclusão de um a dois anos. Incide na mesma pena quem ordena, autoriza ou realiza operação de crédito, interno ou externo: I - com inobservância de limite, condição ou montante estabelecido em lei ou em resolução do Senado Federal; II - quando o montante da dívida consolidada ultrapassa o limite máximo autorizado por lei. A pena será aumentada da terça parte quando os autores dos crimes forem ocupantes de cargos em comissão ou de função de direção ou assessoramento de órgão da administração direta, sociedade de economia mista, empresa pública ou fundação instituída pelo poder público. Lei nº 10.028, de 2000 que acrescentou artigos ao Código Penal.

CONTRATAÇÃO POR TEMPO DETERMINADO — Ver Despesa com Pessoal - Contratação por Tempo Determinado.

CONTRATO — É o acordo ou ajuste de vontades entre duas ou mais pessoas, sobre objeto lícito e possível, com o fim de adquirir, resguardar, modificar ou extinguir direitos. O contrato ocorre quando os contratantes, reciprocamente, ou um deles, assume a obrigação de dar, fazer ou não fazer alguma coisa. O concurso de vontades é pressuposto do contrato. É celebrado através de documento formal (ou não), entre as duas vontades, com interesses próprios e não comuns, estabelecendo uma relação entre as partes nele envolvidas. Observar que o acordo é entre duas vontades e não entre duas pessoas. Portanto, pode ser celebrado entre mais de duas pessoas, desde que satisfeitas duas vontades. Quando as obrigações que se formam no contrato são recíprocas, este é bilateral; quando são pertinentes somente a uma das partes, se diz unilateral. Para que o contrato seja válido, é preciso que seu objeto seja lícito e possível, e as partes contratantes sejam capazes, isto é, estejam legalmente aptas para contratar. (Ver: Negócios jurídicos.)

CONTRATO - OBLAÇÃO — Aceitação de oferta contratual; ato pelo qual o oblato aceita uma policitação ou oferta de contrato.

CONTRATO - OBLATO — Aquele que aceita uma oferta de contrato.

CONTRATO A TERMO — É um contrato derivativo, onde uma das partes se compromete a comprar da outra um dado ativo, a um dado preço, numa determinada data futura. Diferentemente dos contratos futuros, nos contratos a termo não existe mecanismo de ajuste diário, fato este que eleva o risco de o termo não ser honrado por uma das partes. Normalmente, são negociados em balcão.

CONTRATO ACESSÓRIO — Expressão utilizada para designar o contrato que pressupõe a existência de outro, do qual depende e, geralmente, serve de garantia.

CONTRATO ADMINISTRATIVO — A legislação define Contrato Administrativo como ajuste que a Administração Pública, agindo nessa qualidade, firma com particular ou outra entidade administrativa, para consecução dos objetivos de interesse público, nas condições estabelecidas pela própria Administração. Os contratos administrativos regulam-se por suas cláusulas, pelas normas da Lei de Licitações e pelos preceitos de direito público. Na falta desses dispositivos, são regidos por princípios da teoria geral dos contratos e as disposições de direito privado. Os contratos celebrados entre a Administração e o particular são diferentes daqueles firmados entre particulares. Isso ocorre em razão da superioridade do interesse público sobre o privado e da impossibilidade de a Administração dispor do interesse público. Nos contratos administrativos, a Administração pode, por exemplo, modificar ou rescindir unilateralmente o contrato e impor sanções ao particular. No contrato administrativo prevalece o interesse da coletividade sobre o particular. Essa superioridade, no entanto, não permite que a Administração, ao impor sua vontade, ignore os direitos do particular que com ela contrata. A Administração tem o dever de zelar pela justiça.

CONTRATO ADMINISTRATIVO - ACOMPANHAMENTO E FISCALIZAÇÃO — A execução do contrato deve ser acompanhada e fiscalizada por representante da Administração, de preferência do setor que solicitou o bem ou serviço. A Administração deve manter, desde o início até o final do contrato, profissional ou equipe de fiscalização habilitada, com experiência técnica necessária ao acompanhamento e controle do serviço que está sendo executado. Os fiscais podem ser servidores da própria Administração ou contratados especialmente para esse fim. A Lei nº 8.666, de 1993, exige que o representante da Administração registre em livro apropriado as ocorrências relacionadas com a execução do contrato, determinando o que for necessário à regularização das faltas, falhas ou defeitos observados, devidamente assinadas pelas partes contratantes. As decisões e providências que não forem de competência do representante deverão ser solicitadas ao seu superior, em tempo hábil, para adoção das medidas que entender convenientes. São de responsabilidade do contratado os danos causados diretamente à Administração ou a terceiros, decorrentes de sua culpa ou dolo na execução do contrato. O acompanhamento e a fiscalização do contrato pela Administração não excluem ou reduzem essa responsabilidade.

CONTRATO ADMINISTRATIVO - ACRÉSCIMO OU SUPRESSÃO — A Lei nº 8.666, de 1993, em seu art. 65, permite que a Administração altere o contrato quando necessários acréscimos ou supressões nas compras, obras ou serviços, desde que respeitados os seguintes limites: a) para compras, obras ou serviços - acréscimo ou supressões de até 25% do valor atualizado do contrato; b) para reforma de edificação ou de equipamento - acréscimo até o limite de 50% do valor atualizado do contrato. Nenhum acréscimo ou supressão poderá exceder os limites estabelecidos. Acima desses percentuais, somente são permitidas supressões e desde que resultantes de acordo entre as partes (incluído pela Lei nº 9.648, de 1998). Diante da necessidade de se acrescentar ou suprimir quantidade de algum item do contrato, a Administração deve considerar o valor inicial atualizado do item para calcular o acréscimo ou a supressão pretendida. Os acréscimos ou supressões somente podem ocorrer após a assinatura do contrato ou da emissão do instrumento equivalente: nota de empenho, carta-contrato, autorização de compra e ordem de execução. Tanto as alterações contratuais quantitativas quanto as unilaterais qualitativas estão sujeitas aos limites preestabelecidos no art. 65 da Lei nº 8.666, de 1993. (Ver: Contrato Administrativo - Alterações.)

CONTRATO ADMINISTRATIVO - ALTERAÇÕES — Nos casos previstos no art. 65 da Lei nº 8.666, de 1993, o contrato firmado entre as partes pode ser alterado desde que haja interesse da Administração e para atender ao interesse público. Para que as alterações sejam consideradas válidas, devem ser justificadas por escrito e previamente autorizadas pela autoridade competente para celebrar o contrato. As alterações podem ser unilaterais, quando feitas só pela Administração, ou por acordo entre a Administração e o contratado. A alteração unilateral pode ocorrer nas seguintes situações: a) alteração qualitativa - quando a Administração necessitar modificar o projeto ou as especificações para melhor adequação técnica aos seus objetivos; b) alteração quantitativa - quando for necessária a modificação do valor do contrato em razão de acréscimo ou diminuição nos quantitativos do seu objeto. Essa modificação está restrita aos limites permitidos no art. 65, § 1º, da Lei nº 8.666, de 1993. A alteração por acordo entre as partes pode ocorrer nas seguintes situações: a) quando for conveniente substituir a garantia efetuada para execução do contrato; b) quando for necessária a modificação: - do regime de execução da obra ou serviço ou do fornecimento, pela constatação técnica que os termos originais do contrato não se aplicam mais; - da forma de pagamento, por imposição de circunstâncias que surgiram após a assinatura do contrato, devendo ser mantido seu valor inicial atualizado; c) para restabelecer a relação inicialmente pactuada, objetivando a manutenção do equilíbrio econômico-financeiro inicial do contrato. As alterações contratuais previstas em lei só podem ser formalizadas por meio de termo aditivo. Estão dispensados de termo aditivo, podendo ser registrados por simples apostila: a variação do valor contratual decorrente de reajuste previsto no contrato; atualizações, compensações ou penalidades financeiras decorrentes das condições de pagamento; empenho de dotações orçamentárias suplementares até o limite do seu valor corrigido. (Ver: Contrato Administrativo - Acréscimo ou Supressão // Contrato Administrativo - Apostila.)

CONTRATO ADMINISTRATIVO - APOSTILA — Apostila é a anotação ou registro administrativo que pode ser: a) feita no termo de contrato ou nos demais instrumentos hábeis que a substituem, normalmente no verso da última página do contrato; b) juntada por meio de outro documento ao termo de contrato ou aos demais instrumentos hábeis. A apostila pode ser utilizada nos seguintes casos: a) variação do valor contratual decorrente de reajuste previsto no contrato; b) compensações ou penalizações financeiras decorrentes das condições de pagamento; c) empenho de dotações orçamentárias suplementares até o limite do seu valor corrigido. As situações descritas não caracterizam alterações contratuais. Por isso, não necessitam ser formalizadas mediante termo aditivo, bastando apenas o registro por apostila.

CONTRATO ADMINISTRATIVO - ATESTAÇÃO DO RECEBIMENTO DO OBJETO — O ato de atestar o recebimento do objeto do contrato se concretiza com a declaração e assinatura do responsável no verso da nota fiscal/fatura ou documento equivalente. A atestação caberá ao servidor do órgão ou entidade contratante, ou ao fiscal da obra ou serviços ou a outra pessoa designada pela Administração para esse fim. Ao atestar o recebimento do objeto, o responsável deverá verificar se o material foi entregue ou a obra ou o serviço foram realizados de acordo com o contrato. É exigida a atestação do recebimento dos materiais ou serviços, nos comprovantes de pagamentos efetuados.

CONTRATO ADMINISTRATIVO - COMPENSAÇÃO FINANCEIRA — Em um Contrato a compensação financeira é admitida nos casos de eventuais atrasos de pagamento pela Administração, desde que o contratado não tenha concorrido de alguma forma para o atraso. É devida desde a data-limite fixada em contrato para o pagamento até a data correspondente ao efetivo pagamento da parcela. Os encargos moratórios devidos em razão do atraso no pagamento poderão ser calculados com a utilização de fórmula constante do contrato. Usualmente é adotada a seguinte fórmula: EM = N x VP x I, onde: EM = encargos moratórios; N = número de dias entre a data prevista para o pagamento e a do efetivo pagamento; VP = valor da parcela a ser paga; I = índice de compensação financeira, assim apurado: I = (TX / 100) / 365 dias; TX =

percentual da taxa anual a ser definido previamente no edital de licitação e no contrato. Por ser a entrega imediata aquela com prazo de entrega até 30 (trinta) dias da data prevista para apresentação da proposta, deve ser dispensada a compensação financeira correspondente ao período compreendido entre a data do adimplemento e a data prevista para o pagamento.

CONTRATO ADMINISTRATIVO - CONDIÇÕES DE IMPORTAÇÃO, DATA E TAXA DE CÂMBIO PARA CONVERSÃO — Nos contratos administrativos que abrangem importação, devem estar definidos de modo preciso as condições de importação, a data em que ocorrerá o pagamento, a moeda e a taxa de câmbio para conversão. Por exemplo, deve estar definido que o pagamento feito a contratado brasileiro será efetuado em moeda nacional, à taxa de câmbio vigente no dia útil imediatamente anterior à data do efetivo pagamento.

CONTRATO ADMINISTRATIVO - CONDIÇÕES DE PAGAMENTO — No Contrato Administrativo é necessário que se estabeleça e defina claramente: a) os critérios de pagamento; b) a data-base para pagamento; c) a periodicidade do reajustamento de preços; d) o critério de compensação financeira entre a data de adimplemento das obrigações e a do efetivo pagamento. Os prazos de pagamento indicados no termo de contrato deverão ser cumpridos rigorosamente, sob pena de a Administração ter que compensar financeiramente os valores devidos. Se for o caso, a Administração terá de apurar a responsabilidade de quem deu causa ao atraso. Em atendimento ao disposto no § 3º do art. 196 da Constituição Federal, nos contratos de execução continuada ou parcelada deve-se incluir no contrato a obrigatoriedade da apresentação, por parte do contratado, no ato da efetivação de cada pagamento, de documentação relativa à regularidade para com o sistema da Seguridade Social (INSS) e, ainda, se julgar relevante, a regularidade com as fazendas públicas Federal, Estadual e Municipal e com o FGTS. A Administração Pública contratante responde solidariamente com a contratada pelos encargos sociais resultantes da execução do contrato.

CONTRATO ADMINISTRATIVO - CRONOGRAMA DE DESEMBOLSO — A Lei nº 8.666, de 1993, estabelece a obrigatoriedade de cláusula contratual prevendo, nas condições de pagamento, cronograma de desembolso máximo por período, conforme a disponibilidade de recursos financeiros. Para obras de engenharia, esse cronograma é usualmente chamado na prática administrativa de cronograma físico-financeiro. (Ver: Cronograma Físico-financeiro.)

CONTRATO ADMINISTRATIVO - DURAÇÃO OU PRAZO DE VIGÊNCIA — Entende-se por duração ou prazo de vigência o período em que os contratos firmados produzem direitos e obrigações para as partes contratantes. A vigência é cláusula obrigatória e deve constar de todo contrato, que só terá validade e eficácia depois de assinado pelas partes contratantes e publicado seu texto na imprensa oficial. A lei estabelece que os contratos têm sua vigência limitada aos respectivos créditos orçamentários, em observância ao princípio da anualidade do orçamento. Assim, os contratos vigoram até 31 de dezembro do exercício financeiro em que foi formalizado, independentemente de seu início. Em alguns casos, os contratos podem ultrapassar a vigência dos respectivos créditos orçamentários. A lei admite as seguintes exceções: a) projetos cujos produtos estejam contemplados nas metas estabelecidas no Plano Plurianual que podem ser prorrogados, se houver interesse da Administração e previsão no ato convocatório; b) serviços a serem executados de forma contínua que poderão ter a sua duração prorrogada por até 60 (sessenta) meses; c) aluguel de equipamentos e utilização de programas de informática, que podem ser prorrogados pelo prazo de até 48 (quarenta e oito) meses. (Ver: Contrato Administrativo - Prorrogações.)

CONTRATO ADMINISTRATIVO - EM LICITAÇÃO PÚBLICA — A Lei de Licitações considera contrato todo e qualquer ajuste celebrado entre órgãos ou entidade da Administração Pública e particulares, por meio do qual se estabelece acordo de vontades, para formação de vínculo e estipulação de obrigações recíprocas. Depois de concluída a licitação, ou os procedimentos de dispensa ou inexigibilidade, a Administração adotará as providências para celebração do respectivo contrato. No contrato devem estar estabelecidas com clareza e precisão as cláusulas com os direitos, obrigações e responsabilidades da Administração e o particular. Essas disposições devem estar em harmonia com o ato convocatório da licitação, com os termos da proposta do contratado e do ato que autorizou a contratação sem licitação. O contrato não pode ser celebrado com pessoas estranhas ao procedimento de contratação direta ou de licitação, sob pena de ser declarada a nulidade da licitação e/ou do contrato que somente pode ser celebrado se houver efetiva disponibilidade de recursos orçamentários no exercício financeiro correspondente. (Ver: Contrato administrativo, Formalização do - Licitação pública.)

CONTRATO ADMINISTRATIVO - ENCARGOS SOCIAIS — Por força de Lei, a Administração Pública contratante responde solidariamente com a contratada pelos encargos sociais resultantes da execução do contrato. Por isso é prudente considerar, como exigência obrigatória, a apresentação da documentação relativa à regularidade com a Seguridade Social (INSS) e com o Fundo de Garantia por Tempo de Serviço (FGTS) a cada pagamento a ser efetivado ao contratado, principalmente nos contratos de execução continuada ou parcelada.

CONTRATO ADMINISTRATIVO - EQUILÍBRIO ECONÔMICO-FINANCEIRO — O equilíbrio econômico-financeiro consiste na manutenção das condições de pagamento estabelecidas inicialmente no contrato, a fim de que se mantenha estável a relação entre as obrigações do contratado e a retribuição da Administração, para a justa remuneração da obra, serviço ou fornecimento. Nas hipóteses expressamente previstas em lei, é possível à Administração, mediante acordo com o contratado, restabelecer o equilíbrio econômico-financeiro do contrato. O reequilíbrio econômico-financeiro do contrato se justifica nas seguintes ocorrências: a) fato imprevisível, ou previsível, porém de conseqüências incalculáveis, retardadores ou impeditivos da execução do que foi contratado; b) caso de força maior, caso fortuito ou fato príncipe, configurando álea econômica (probabilidade de perda concomitante à probabilidade de lucro) extraordinária e extracontratual. Para que possa ser autorizado e concedido o reequilíbrio econômico e financeiro do contrato, normalmente pedido pelo contratado, a Administração tem que verificar: a) os custos dos itens constantes da proposta contratada com a planilha de custo que acompanha o pedido de reequilíbrio. O contratado, ao encaminhar à Administração pedido de reequilíbrio, deve demonstrar quais os itens da planilha de custos estão economicamente defasados, inclusive com a taxa de administração, e que estão ocasionando o desequilíbrio do contrato; b) a ocorrência de fato imprevisível ou previsível, porém de conseqüências incalculáveis, que justifique as modificações do contrato para mais ou para menos. O reequilíbrio econômico-financeiro de que se trata não está vinculado a qualquer índice. Ocorre quando for necessário o restabelecimento da relação econômica que as partes pactuaram inicialmente. Feito o reequilíbrio econômico-financeiro, inicia-se novo prazo para contagem de reajuste ou repactuação futura. Significa dizer que o prazo começa a contar por inteiro para o próximo procedimento de reajuste ou repactuação cabível.

CONTRATO ADMINISTRATIVO - EXECUÇÃO — Em um contrato tanto a Administração quanto o contratado devem cumprir fielmente as regras contratuais e as normas da Lei de Licitações e Contratos Administrativos. O não-cumprimento dessas disposições, total ou parcial, pode levar à rescisão do contrato, respondendo o culpado pelas conseqüências.

CONTRATO ADMINISTRATIVO – FORMA DE FORNECIMENTO — É a forma pela qual as compras objeto do contrato serão fornecidas, que pode ser integral ou parcelada. Será integral quando o objeto adquirido for entregue em sua totalidade. Exemplo: aquisição de 10 computadores para entrega de uma só vez. A forma de fornecimento será parcelada quando o bem adquirido for entregue em parcela. Exemplo: aquisição de água para entrega mensal em quantidades determinadas. Outras informações relevantes devem estar previstas no contrato, dentre as quais, local, data, tipos de embalagem e condições de entrega do objeto. (Ver: Contrato Administrativo – Regimes de Execução.)

CONTRATO ADMINISTRATIVO – FORO — Foro é o local do território onde pode ser ajuizada ação para solução de conflitos entre as partes contratantes. A Lei de Licitações e Contratos Administrativos estabeleceu que, em regra, o foro competente para julgar questões decorrentes da execução de contratos administrativos será o da Administração.

CONTRATO ADMINISTRATIVO – GARANTIA CONTRATUAL — Nas contratações de obras, serviços e fornecimentos a Administração pode exigir a prestação de garantia contratual, para assegurar a execução do contrato e evitar prejuízos ao patrimônio público. A exigência de garantia é uma faculdade atribuída à Administração, que deve avaliar sua necessidade de acordo com a complexidade do objeto do contrato. Caso seja verificada a necessidade da prestação de garantia contratual, o contratado pode optar por uma das seguintes modalidades: a) caução em dinheiro; b) caução em títulos da dívida pública; c) seguro-garantia; d) fiança bancária. A garantia só será exigida se estiver previsto o ato convocatório e será devolvido depois de executado o objeto do contrato. O valor da garantia não pode exceder a 5% (cinco por cento) do valor total do contrato, exceto quanto a fornecimentos, obras e serviços de grande vulto, ou seja, atualmente de valor superior a R$ 37.500.000,00, quando o valor da garantia pode ser elevado para 10% (dez por cento). No caso de garantia prestada em dinheiro, a devolução será feita depois de devidamente atualizada. Por isso, sugere-se que o valor correspondente seja depositado em caderneta de poupança.

CONTRATO ADMINISTRATIVO – IMPEDIMENTO DO CONTRATADO — O contratado pode ficar impedido de contratar com Administração Pública se, dentre outros motivos: a) falhar na execução do contrato; b) fraudar a execução do contrato; c) comportar-se de modo inidôneo; d) cometer fraude fiscal. Além das penalidades citadas, o contratado fica sujeito às demais sanções civis e penais previstas em lei. Na modalidade pregão, o licitante ficará impedido de licitar e contratar com a União, Estados, Distrito Federal ou Municípios e será descredenciado do Sistema de Cadastramento Unificado Financeiro (SICAF), ou nos sistemas de cadastramento de fornecedores semelhantes, pelo prazo de até 5 (cinco) anos: a) deixar de celebrar o contrato ao ser convocado dentro do prazo de validade da sua proposta; b) deixar de entregar documentação exigida para o certame ou apresentar documentação falsa; c) ensejar o retardamento da execução do objeto do contrato; d) não mantiver a proposta; e) falhar na execução do contrato ou fraudar a execução; f) comportar-se de modo inidôneo ou cometer fraude fiscal. Essas penalidades não excluem as multas previstas no edital e no contrato e as demais cominações legais, em especial as estabelecidas na Lei nº 8.666, de 1993.

CONTRATO ADMINISTRATIVO – INDICAÇÃO DO CRÉDITO/DESPESA — No Contrato Administrativo deve constar a indicação do crédito pelo qual deve correr a despesa, quanto à classificação funcional (programa de trabalho) e natureza da despesa. Exemplo: A despesa com a prestação dos serviços, no exercício em curso, no montante de R$_______(__________), está vinculada à nota de empenho tipo ___/___, à Natureza de Despesa X.X.XX.XX - _______, e à Atividade, Projeto ou Operação Especial XX.XXX.XXXX.XXXX.XXXX - _______ do orçamento vigente.

CONTRATO ADMINISTRATIVO – LEGISLAÇÃO APLICÁVEL — Os contratos regulam-se por suas cláusulas, pelas normas da Lei de Licitações (Lei nº 8.666, de 21.6.1993) e pelos preceitos de direito público. Nos casos em que a legislação for omissa, os contratos serão regidos supletivamente por princípios da teoria geral dos contratos e as disposições de direito privado.

CONTRATO ADMINISTRATIVO – MANUTENÇÃO DAS CONDIÇÕES DE HABILITAÇÃO E QUALIFICAÇÃO — A Administração deve exigir, para celebração do contrato e durante toda sua execução, que o contratado mantenha obrigatoriamente todas as condições de habilitação e qualificação exigidas na licitação.

CONTRATO ADMINISTRATIVO – OBJETO — O objeto do contrato conterá a descrição da obra, do serviço ou do fornecimento do bem contratado. A partir do objeto são definidas as demais condições contratuais.

CONTRATO ADMINISTRATIVO – OBRIGAÇÃO DA CONTRATANTE — É obrigação da Administração, dentre outras obrigações específicas para execução do objeto contratado: a) impedir que terceiros estranhos ao contrato executem a obra, prestem os serviços ou forneçam o objeto licitado, ressalvados os casos de subcontratação admitidos no ato convocatório e no contrato; b) prestar as informações e os esclarecimentos que venham a ser solicitados pelo contratado; c) solicitar a reparação do objeto do contrato que esteja em desacordo com a especificação ou apresentar defeito; d) efetuar o pagamento no prazo previsto no contrato.

CONTRATO ADMINISTRATIVO – OBRIGAÇÃO DO CONTRATADO — É obrigação do contratado, dentre outras obrigações específicas para execução do objeto contratado: a) responder, em relação aos seus empregados, por todas as despesas decorrentes da execução do objeto, tais como: salários, seguros de acidentes, taxas, impostos, contribuições, indenizações, distribuição de vales-refeição, vales-transporte e outras exigências fiscais, sociais ou trabalhistas; b) responder por quaisquer danos causados diretamente à Administração ou a terceiros, decorrentes de sua culpa ou dolo na execução do contrato. A fiscalização ou o acompanhamento do contrato pela Administração não exclui ou reduz a responsabilidade do contratado; c) manter os seus empregados devidamente identificados, devendo substituí-los imediatamente caso sejam considerados inconvenientes à boa ordem e às normas disciplinares da Administração; d) arcar com a despesa decorrente de qualquer infração, seja ela qual for, desde que praticada por seus empregados nas instalações da Administração; e) comunicar à Administração, por escrito, qualquer anormalidade de caráter urgente; f) prestar à Administração os esclarecimentos que julgar necessários para boa execução do contrato. (Ver: Contrato Administrativo – Responsabilidade do Contratado // Contrato Administrativo – Observância pelo Contratado.)

CONTRATO ADMINISTRATIVO – OBSERVÂNCIA PELO CONTRATADO — Durante a vigência do contrato, o contratado deve observar que: a) é proibida a contratação de serviços pertencentes ao quadro de pessoal da Administração; b) é proibida a veiculação de publicidade acerca da contratação, salvo se houver prévia autorização da Administração; c) é vedada a subcontratação de outra empresa para a execução da obra, prestação dos serviços ou fornecimento de bens, salvo se previamente admitida no ato convocatório até o limite aceito pela Administração. (Ver: Contrato Administrativo - Obrigação do Contratado // Contrato Administrativo - Responsabilidade do Contratado.)

CONTRATO ADMINISTRATIVO - PAGAMENTOS — É obrigação da Administração efetuar os pagamentos de despesas que realizar nos prazos indicados no termo do contrato ou instrumentos equivalentes. Os pagamentos somente podem ser liquidados e efetuados em favor do contratado depois de concluído o objeto do contrato, isto é: a) executados a obra ou o serviço - que podem ser por etapas; b) fornecido o bem - que pode incluir a instalação e/ou montagem do equipamento. O prazo para pagamento parcelado terá início a partir da data final do período de execução/fornecimento de cada parcela. Para efetuar o pagamento da despesa é obrigatória a apresentação da primeira via da nota/fatura. Será efetivado mediante ordem bancária creditada em conta-corrente no prazo determinado no contrato, a contar da data da protocolização dos documentos em local previamente definido pela Administração. A execução de cada etapa da obra ou do serviço somente pode ser paga depois de concluída e aprovada pela autoridade competente os trabalhos relativos às etapas anteriores. É vedada a realização de pagamento antecipado. Os valores correspondentes a multas ou indenizações devidas pelo contratado, nos termos definidos no contrato, poderão ser deduzidos do montante a pagar. (Ver: Cronograma físico-financeiro.)

CONTRATO ADMINISTRATIVO - PRAZOS — Os prazos de início de etapas de execução, de conclusão e de entrega do objeto devem estar previstos expressamente no contrato.

CONTRATO ADMINISTRATIVO - PREÇO — O Contrato deve definir, em cláusula própria, os preços a serem pagos pelo serviço, obra ou fornecimento. O valor deve ser igual àquele obtido na licitação ou no procedimento de dispensa ou de inexigibilidade. Todos os valores devem ser cotados em algarismo e, no que couber, por extenso. Todos os valores utilizados nas contratações serão expressos em moeda corrente nacional (Real), ressalvados os casos de contratações internacionais. Os preços podem ser assim discriminados: a) por unidade - valor unitário; b) pelo total do item - corresponde à multiplicação do preço unitário pela quantidade de objetos; c) por preço global - valor total da proposta, incluindo o somatório de todos os itens.

CONTRATO ADMINISTRATIVO - PRORROGAÇÕES — As prorrogações de contratos deverão estar devidamente justificadas em processo administrativo. Os prazos de início de etapas de execução, de conclusão e de entrega do objeto do contrato podem ser prorrogados, desde que mantidas as demais cláusulas do contrato e preservado o equilíbrio econômico-financeiro. São motivos para prorrogações de prazos: a) modificação do projeto ou das especificações, pela Administração; b) superveniência de fato excepcional ou imprevisível estranho à vontade das partes, que altere fundamentalmente as condições de execução do contrato; c) interrupção da execução do contrato ou diminuição do ritmo de trabalho por ordem e no interesse da Administração; d) aumento das quantidades inicialmente previstas no contrato, nos limites previstos pela Lei; e) impedimento de execução do contrato por fato ou ato de terceiro reconhecido em documento contemporâneo à sua ocorrência; f) omissão ou atraso de providências a cargo da Administração nos pagamentos previstos no ato convocatório que resulte em impedimento ou retardamento na execução do contrato, sem prejuízo das sanções legais aplicáveis aos responsáveis. A prorrogação de prazos de vigência de contrato ocorrerá se: a) constar sua previsão no contrato; b) houver interesse da Administração e da empresa contratada; for comprovado que o contratado mantém as condições iniciais de habilitação; d) for constatada em pesquisa que os preços contratados permanecem vantajosos para a Administração; e) estiver justificada e motivada por escrito, em processo correspondente; f) estiver previamente autorizada pela autoridade competente. As prorrogações dos contratos só podem ocorrer se não houver interrupção do prazo, ainda que este tenha ocorrido por um dia apenas. A lei veda a assinatura de contrato com prazo de vigência indeterminado. (Ver: Contrato Administrativo - Acréscimo ou Supressão.)

CONTRATO ADMINISTRATIVO - PUBLICIDADE — É condição indispensável para eficácia legal do contrato a publicidade resumida de seu termo e de aditamentos na imprensa oficial (extratos), qualquer que seja o valor envolvido, ainda que se trate de contrato sem ônus (exemplo: contrato de permissão de uso). A publicidade dos extratos será providenciada pela Administração. O extrato deve conter, de forma clara e sucinta, os dados mais importantes referentes ao contrato assinado. O extrato deve conter, basicamente, os seguintes elementos: a) espécie; b) resumo do objeto do contrato; c) modalidade de licitação ou, se for o caso, o fundamento legal da dispensa desta ou de sua inexigibilidade; d) crédito pelo qual correrá a despesa; e) número de data do empenho da despesa; f) valor do contrato; g) valor a ser pago no exercício corrente e em cada um dos subseqüentes, se for o caso; h) prazo de vigência; i) data e assinatura do contrato.

CONTRATO ADMINISTRATIVO - PUBLICIDADE - PRAZOS — Em convite, tomada de preços e concorrência, o extrato do contrato será encaminhado pela Administração até o quinto dia útil do mês seguinte ao da assinatura do termo. A imprensa oficial, depois de recebido o extrato, tem 20 dias para efetivar a publicação. No pregão, a publicação do extrato deve ocorrer no prazo de até 20 dias da data da assinatura do contrato. Segundo a legislação do Pregão, a não-publicação do extrato do contrato na imprensa oficial, no prazo de 20 dias, sujeitará o servidor responsável à sanção administrativa. Em casos específicos de contratação direta (art. 26 da Lei nº 8.666, de 1993), a lei determina que haja publicação do ato de ratificação de dispensa ou de inexigibilidade, para que essas contratações tenham eficácia, antes da contratação. Não é necessária a publicação do extrato do contrato decorrente para que não haja duas publicações seguidas a respeito do mesmo assunto.

CONTRATO ADMINISTRATIVO - REAJUSTE DE PREÇOS — É admitida cláusula com previsão de reajuste de preços e correção monetária em contratos com prazo de duração igual ou superior a um ano. O reajuste de preço contratual é contado a partir da data-limite para apresentação da proposta ou do orçamento a que essa se referir. A legislação admite, para reajustar os contratos, a utilização de índices de preços gerais, setoriais ou que reflitam a variação dos custos de produção ou dos insumos utilizados. Esses índices devem estar previamente estabelecidos no contrato. De acordo com a legislação, são nulos de pleno direito quaisquer expedientes que, na apuração do índice, produzam efeitos financeiros equivalentes aos de reajuste de periodicidade inferior a anual.

CONTRATO ADMINISTRATIVO - RECEBIMENTO DO OBJETO - COMPRAS E LOCAÇÃO DE EQUIPAMENTOS — No caso de compras e locação equipamentos, depois de executado o contrato, o seu objeto será recebido: provisoriamente - para efeitos de posterior verificação da conformidade do material com a especificação; definitivamente - após a verificação da qualidade e quantidade do material e conseqüente aceitação. O recebimento do objeto será feito mediante termo circunstanciado no caso de aquisição de equipamentos de grande vulto, ou seja, atualmente de valor superior a R$ 37.500.000,00. Para as demais aquisições, o recebimento será feito mediante recibo. O recebimento de material de valor superior ao limite estabelecido para a modalidade convite (atualmente, R$ 80.000,00) deve ser confiado a uma comissão de, no mínimo, três membros. Se o termo circunstanciado não for lavrado ou a verificação da conformidade não for realizada nos prazos fixados, esses procedimentos serão considerados realizados, desde que o contratado comunique à Administração, com antecedência mínima de 15 dias, a exaustão do prazo.

CONTRATO ADMINISTRATIVO – RECEBIMENTO DO OBJETO – OBRAS E SERVIÇOS — No caso de obras e serviços, depois de executado o contrato, o seu objeto será recebido: provisoriamente - pelo responsável por seu acompanhamento e fiscalização, mediante termo circunstanciado assinado pelas partes, em até 15 dias da comunicação escrita do contratado de término da execução; definitivamente – por servidor ou comissão designada pela autoridade competente, após o término do prazo de observação ou vistoria que comprove a adequação do objeto aos termos contratuais. O prazo de observação não poderá ser superior a 90 dias, salvo em casos excepcionais, devidamente justificados e previstos no ato convocatório e no contrato. Pode ser dispensado o recebimento provisório de obras e serviços de até R$ 80.000,00 (valor atual), desde que não estejam incluídos aparelhos, equipamentos e instalações sujeitos à verificação de funcionamento e produtividade. O recebimento definitivo do objeto será feito mediante termo circunstanciado assinado pelas partes. Se o termo circunstanciado não for lavrado ou a vistoria que comprove a adequação do objeto aos termos contratuais não for realizada nos prazos fixados, esses procedimentos serão considerados realizados, desde que o contratado comunique à Administração, com antecedência mínima de 15 dias, a exaustão do prazo.

CONTRATO ADMINISTRATIVO – RECEBIMENTO DO OBJETO – RESPONSABILIDADE DO CONTRATADO — O recebimento provisório ou definitivo do objeto não exclui a responsabilidade civil do contratado pela solidez e segurança da obra ou serviços. Também não exclui a responsabilidade ético-profissional pela perfeita execução do contrato, dentro dos limites estabelecidos pela lei ou pelo contrato. O contratado é obrigado a reparar, corrigir, remover, reconstruir ou substituir, às suas expensas, no todo ou em parte, o objeto em que se verificarem vícios, defeitos ou incorreções resultantes da execução ou de materiais empregados, mesmo após ter sido recebido definitivamente o objeto do contrato. Deve-se fazer constar expressamente de todos os editais de licitação e respectivas minutas de contrato elaboradas, cláusula que trate do recebimento definitivo do objeto do contrato (art. 40, inciso XVI, e art. 55, da Lei nº 8.666, de 1993).

CONTRATO ADMINISTRATIVO – REGIMES DE EXECUÇÃO — É a forma pela qual a obra ou serviço objeto do contrato será executada, que pode ser direta ou indireta. É direta quando a Administração executa o objeto, com utilização dos seus próprios meios. Exemplo: o órgão dispõe, em seu quadro de pessoal, de marceneiro que faz reparos em móveis do órgão. A execução é indireta quando a Administração contrata com terceiros. Exemplo: contratação de empresa para fazer limpeza do prédio do órgão. A execução indireta se faz pelos seguintes regimes de execução: tarefa, empreitada integral, empreitada por preço global e empreitada por preço unitário.(Ver: Contrato Administrativo – Forma de Fornecimento.)

CONTRATO ADMINISTRATIVO – REPACTUAÇÃO — A repactuação é uma forma de negociação entre a Administração e o contratado, que visa à adequação dos preços contratuais aos novos preços de mercado. Somente os contratos que tenham por objeto a prestação de serviços de natureza contínua podem ser repactuados. É necessária, ainda, a existência de cláusula admitindo a repactuação, que pode ser para aumentar ou diminuir o valor do contrato. Para repactuação de preços deve ser apresentada demonstração analítica da variação dos componentes dos custos do contrato, devidamente justificada. A repactuação não está vinculada a qualquer índice. A repactuação que vise a aumento de despesa não é permitida antes de decorrido, pelo menos, um ano da vigência do contrato.

CONTRATO ADMINISTRATIVO – RESCISÃO CONTRATUAL — A inexecução total ou parcial do contrato pode acarretar a sua rescisão, com as conseqüências contratuais e as previstas em lei ou regulamento, conforme disposto nos arts. 77 a 80 da Lei nº 8.666, de 1993. A rescisão contratual pode ser: a) unilateral ou administrativa – quando a Administração, diante de situações de descumprimento de cláusulas contratuais por parte do contratado, lentidão, atraso, paralisação ou por motivos de interesse público, decide por ato administrativo unilateral e motivado rescindir o contrato; b) amigável – por acordo formalizado no processo entre a Administração e o contratado, desde que haja conveniência para a Administração; c) judicial – quando a rescisão é discutida em instância judicial e se dá conforme os termos de sentença transitada em julgado. A rescisão administrativa ou amigável será precedida de autorização escrita e fundamentada da autoridade competente. Os casos de rescisão contratual serão formalmente motivados nos autos do processo, assegurado o contraditório e a ampla defesa, no prazo de 5 (cinco) dias úteis. Quando a rescisão ocorrer, com base nos incisos XII a XVII do art. 78 da Lei nº 8.666, de 1993, sem que haja culpa do contratado, este será ressarcido dos prejuízos regularmente comprovados, tendo ainda direito a, principalmente: a) devolução de garantia; b) pagamento devido pela execução do contrato até a data da rescisão; c) pagamento do custo da desmobilização. É necessário lavrar termo de encerramento, decorrente de rescisão, assinado pelas partes.

CONTRATO ADMINISTRATIVO – RESCISÃO CONTRATUAL – DIREITOS DA ADMINISTRAÇÃO — No caso de rescisão unilateral são assegurados à Administração os seguintes direitos, sem prejuízo das sanções aplicáveis ao contratado: a) assumir de imediato o objeto do contrato, no estado e no local em que se encontrar; b) ocupar e utilizar o local, instalações, equipamentos, material e pessoal empregados na execução do contrato, necessários à sua continuidade; c) executar a garantia do contrato; d) reter os créditos decorrentes do contrato até o limite dos prejuízos causados à Administração pelo contratado. A Administração pode dar continuidade à obra ou ao serviço por execução direta ou indireta nas duas primeiras hipóteses.

CONTRATO ADMINISTRATIVO – RESPONSABILIDADE DO CONTRATADO — Em um Contrato Administrativo o contratado deve responsabilizar-se pelos encargos, em especial: a) fiscais, comerciais, previdenciários e obrigações sociais previstos na legislação social e trabalhista em vigor, obrigando-se a saldá-los na época própria, uma vez que os seus empregados não manterão nenhum vínculo empregatício com o órgão licitador; b) de possível demanda trabalhista, civil ou penal, relacionadas à execução do contrato; c) de providências e obrigações estabelecidas na legislação específica de acidente de trabalho. A inadimplência relativa a esses encargos não transfere à Administração a responsabilidade por seus pagamentos nem onera o objeto do contrato ou restringe a regularização e o uso das obras e edificações, inclusive perante o registro de imóveis, razão pela qual o contratado deve renunciar expressamente e contratualmente a qualquer vínculo de solidariedade, ativa ou passiva, para com a Administração. (Ver: Contrato Administrativo – Encargos Sociais // Contrato Administrativo – Obrigação do Contratado // Contrato Administrativo – Observância pelo Contratado.)

CONTRATO ADMINISTRATIVO – SANÇÕES ADMINISTRATIVAS — A Administração pode prever no contrato a aplicação de multa por atraso injustificado na sua execução. Deverão estar especificados claramente no contrato quanto à cobrança de multas: a) as condições de valores; b) os percentuais e a base de cálculo; c) o prazo para recolhimento, após ciência oficial. Exemplo: A multa será de 0,05% do valor do contrato, por dia de atraso, com percentual máximo de 10% por ocorrência. Deve ser evitado o uso das expressões "de até 0,05%" ou "de até

10%" para impedir discricionariedade da Administração no momento da aplicação da multa. A aplicação de multa não impede a Administração de rescindir o contrato e de aplicar simultaneamente ao contratado advertência ou suspensão temporária ou declaração de inidoneidade. Se a garantia prestada for inferior ao valor da multa, o contratado, além de perder o valor da garantia, responderá pela diferença, que será descontada dos pagamentos eventualmente devidos pela Administração ou, quando for o caso, cobrado judicialmente. Para validade da aplicação das penalidades, é indispensável que seja assegurado ao contratado o direito da ampla defesa e do contraditório, no prazo de 5 (cinco) dias úteis. As penalidades deverão estar motivadas em processo administrativo. (Ver: Contrato Administrativo - Sanções Administrativas - Inexecução do Objeto // Contrato Administrativo - Impedimento do Contratado.)

CONTRATO ADMINISTRATIVO - SANÇÕES ADMINISTRATIVAS - INEXECUÇÃO DO OBJETO — Pela inexecução total ou parcial do objeto licitado, podem ser aplicadas ao contratado as sanções a seguir: a) advertência; b) multa, de acordo com o prazo previsto no contrato; c) suspensão temporária de participar de licitação e impedimento de contratar com a Administração, pelo prazo de até dois anos; d) declaração de inidoneidade para licitar ou contratar com a Administração Pública enquanto perdurarem os motivos determinantes da punição ou até que seja promovida a reabilitação perante a própria autoridade que aplicou a penalidade. A reabilitação será concedida sempre que o contratado ressarcir a Administração pelos prejuízos resultantes e depois de decorrido o prazo da suspensão temporária, se aplicada. (Ver: Contrato Administrativo - Sanções Administrativas // Contrato Administrativo - Impedimento do Contratado.)

CONTRATO ADMINISTRATIVO - SEGURO DE PESSOAS E BENS — Ver Seguro de pessoas e bens.

CONTRATO ADMINISTRATIVO - SERVIÇOS DE NATUREZA CONTINUADA — São serviços auxiliares e necessários à Administração, no desempenho de suas atribuições, que se interrompidos podem comprometer a continuidade de suas atividades e cuja contratação deva estender-se por mais de um exercício financeiro. A Administração deve definir em processo próprio quais são seus serviços contínuos, pois o que é contínuo para determinado órgão ou entidade pode não ser para outros. São exemplos de serviços de natureza contínua: vigilância, limpeza e conservação, manutenção elétrica e manutenção de elevadores. O prazo de contrato para prestação de serviços contínuos pode ser estabelecido para um determinado período e prorrogado por iguais e sucessivos períodos, a fim de obter preços e condições mais vantajosos para a Administração até o limite de 60 (sessenta) meses. A vigência dos contratos de natureza contínua não coincide com o ano civil. A duração desses contratos pode ultrapassar o exercício financeiro em que foi firmado. Em caráter excepcional, devidamente justificado e mediante autorização da autoridade superior da Administração, o prazo de 60 meses pode ser estendido por mais 12 (doze) meses.

CONTRATO ADMINISTRATIVO - SUBCONTRATAÇÃO — A subcontratação ocorre quando o contratado entrega parte da obra, serviço ou fornecimento a terceiro estranho ao contrato, para que execute em seu nome parcela do objeto contratado. O contratado pode subcontratar parte da obra, serviços ou fornecimento, desde que dentro dos limites permitidos pela Administração no ato convocatório e no contrato. Se efetivada sem autorização, constitui motivo para rescisão contratual. É vedada a subcontratação total do objeto. A subcontratação não libera o contratado de suas responsabilidades contratuais e legais.

CONTRATO ADMINISTRATIVO - TERMO ADITIVO — Consiste no instrumento elaborado com a finalidade de alterar itens de contratos, convênios, ajustes ou acordos firmados pela Administração Pública, alterando-o em algum aspecto, acrescentando ou excluindo uma ou algumas de suas cláusulas. Não tem existência autônoma, só devendo ser celebrado na vigência dos contratos, convênios ou acordos que modificar e dele só precisam constar as cláusulas alteradas ou incluídas.

CONTRATO ADMINISTRATIVO - VINCULAÇÃO DO CONTRATO — O contrato fica vinculado, obrigatoriamente, à proposta do contratado e aos termos da licitação realizada, ou aos termos do ato de dispensa ou inexigibilidade de licitação.

CONTRATO ADMINISTRATIVO VERBAL — O contrato verbal constitui exceção somente permitida para pequenas compras de pronto pagamento, cujo valor seja igual ou inferior a 5% (cinco por cento) do limite estabelecido no art. 23, inciso II, alínea "a", da Lei nº 8.666, de 1993, ou seja, para compras que não ultrapassem, atualmente, a R$ 4.000,00. Essas compras são efetuadas, geralmente, por suprimento de fundos. Nos demais casos, é nulo e não tem efeito o contrato verbal com a Administração. (Ver: Suprimento de Fundos.)

CONTRATO ADMINISTRATIVO, ELABORAÇÃO DO - CLÁUSULAS NECESSÁRIAS — Conforme dispõe o art. 55 da Lei nº 8.666, de 1993, são cláusulas necessárias ou essenciais ao contrato: a) o objeto detalhado, de acordo com as especificações técnicas, modelo, marca, quantidade e outros elementos característicos, e em conformidade com o ato convocatório respectivo; b) o regime de execução ou a forma de fornecimento; c) o preço e as condições de pagamento; d) os critérios, data-base e periodicidade do reajuste de preços; e) o critério de compensação financeira entre a data do adimplemento das obrigações e a do efetivo pagamento; f) os prazos de início de etapas de execução, de conclusão, de entrega, de observação e de recebimento definitivo, conforme o caso; g) o crédito pelo qual correrá a despesa, com a indicação da classificação funcional programática e da categoria econômica; h) as garantias oferecidas para assegurar a execução plena do contrato, quando exigidas no ato convocatório; i) os direitos e as responsabilidades das partes; j) as penalidades cabíveis e os valores de multas; l) o reconhecimento dos direitos da Administração em casos de rescisão administrativa; m) as condições de impostação, a data de câmbio para conversão, quando for o caso; n) a vinculação ao ato convocatório, ou ao termo que dispensou ou considerou a licitação inexigível, e a proposta do contratado; o) a legislação aplicável à execução do contrato e especialmente aos casos omissos; p) a obrigação do contratado de manter as obrigações assumidas e as condições de habilitação e qualificação exigidas na licitação, durante toda a execução do contrato; q) o foro competente para solução de divergências entre as partes contratantes. Outros dados considerados pela Administração importantes em razão da peculiaridade do objeto devem constar do termo contratual a fim de garantir a perfeita execução do objeto e resguardar os direitos e deveres das partes, evitando problemas durante a execução do contrato. (Ver: Contrato Administrativo, Elaboração do.)

CONTRATO ADMINISTRATIVO, ELABORAÇÃO DO — O conteúdo do contrato é dividido em cláusulas, nas quais estarão enumeradas as condições para sua execução. São exemplos de cláusulas contratuais as que estabelecem o objeto, os direitos, obrigações, responsabilidades das partes e as pecualidades da execução do objeto. As cláusulas do contrato devem estar em harmonia com os termos da licitação e da proposta a que estiver vinculado. Todo contrato administrativo elaborado pela Administração Pública deve conter, além das cláusulas necessárias ou essenciais, as seguintes informações: a) nome do órgão ou entidade da Administração e de seu representante; b) nome do particular que executará o objeto do contrato e de seu representante; c) finalidade ou objetivo do contrato; d) ato que autorizou a lavratura do contrato; e) número do processo da licitação, da dispensa ou da inexigibilidade; f) sujeição dos contratantes às normas da Lei nº 8.666, de 1993; g) submissão dos contratantes às cláusulas contratuais. (Ver: Contrato Administrativo, Elaboração do - Cláusulas Necessárias.)

CONTRATO ADMINISTRATIVO, FORMALIZAÇÃO DO - LICITAÇÃO PÚBLICA — O contrato administrativo deve ser formalizado por escrito, de acordo com as exigências da Lei nº 8.666, de 1993. Nos seguintes casos, a contratação deve ser formalizada obrigatoriamente por meio de termo de contrato: a) licitações realizadas nas modalidades tomada de preços, concorrência e pregão; b) dispensa ou inexigibilidade de licitação, cujo valor esteja compreendido nos limites das modalidades tomada de preços e concorrência; c) contratações de qualquer valor das quais resultem obrigações futuras, por exemplo, entrega futura ou parcelada do objeto e assistência técnica. Nos demais casos, o termo de contrato é facultativo, podendo ser substituído pelos seguintes instrumentos: a) carta-contrato; b) nota de empenho de despesa; c) autorização de compras, ou; d) ordem de execução de serviço. A Administração também pode dispensar o termo de contrato nas compras com entrega imediata e integral dos bens adquiridos, das quais não resultem obrigações futuras, inclusive assistência técnica, independentemente do valor e da modalidade realizada. Nessas hipóteses, é facultada a substituição do contrato pelos instrumentos descritos anteriormente. A Lei de Licitações exige que os contratos e suas modificações sejam elaborados pelos órgãos ou entidades da Administração que realizam a contratação. Nos casos em que os contratos tiverem por objeto direitos reais sobre imóveis, ou seja, compra e venda, ou doação de bens imóveis, esses devem ser formalizados por instrumento lavrado em cartório de notas. (Ver: Contrato Administrativo - Em licitação pública.)

CONTRATO ADMINISTRATIVO, NULIDADE DO — A nulidade ocorre quando é verificada ilegalidade no contrato. A declaração de nulidade do contrato administrativo torna o contrato inexistente e invalida seus passados e futuros. A Administração tem o dever de indenizar o contratante pelo que ele tiver executado e por outros prejuízos devidamente comprovados até o momento em que a nulidade for declarada. Não cabe indenização quando for comprovada a responsabilidade do contratado por esses prejuízos.

CONTRATO ALEATÓRIO — Expressão utilizada para designar o contrato em que ao menos uma contraprestação é incerta, por depender de caso futuro.

CONTRATO ANULÁVEL — Aquele que, viciado por incapacidade da parte, erro, dolo, coação, simulação ou fraude, tem eficácia até o momento de sua anulacão.

CONTRATO ATÍPICO — Aquele que não está catalogado em um tipo legal expressamente previsto, embora de licitude inquestionável.

CONTRATO BENÉFICO — Aquele em que apenas uma das partes promete ou transfere direitos à outra, não assumindo esta qualquer obrigação em contrapartida. Também denominado contrato a título gratuito, encontra exemplos na doação, no usufruto e na fiança.

CONTRATO BILATERAL — Expressão utilizada para designar o contrato em que as partes estabelecem obrigações recíprocas. O mesmo que contrato sinalagmático.

CONTRATO BILATERAL IMPERFEITO — Quando, inicialmente, só há obrigações para uma das partes, surgindo mais tarde obrigações para a outra, decorrentes da primeira.

CONTRATO COLETIVO DE TRABALHO — Acordo normativo entre categorias profissionais e econômicas, que, por definição, deriva de decisão administrativa ou judicial.

CONTRATO COMERCIAL — Aquele que pelo menos um dos contratantes é comerciante. Tal contrato pode ser provado: a) por escrituras públicas; b) por escritos particulares; c) por notas de corretores e certidões extraídas dos seus protocolos; d) por correspondência epistolar; e) por livros dos comerciantes; f) mediante prova testemunhal.

CONTRATO COMPLEXO — Aquele formado por cláusulas inerentes a dois ou mais contratos *num modus,* que bem poderiam constituir contratos autônomos.

CONTRATO COMUTATIVO — Aquele de natureza bilateral e onerosa, cujas obrigações são perfeitamente equivalentes. Exemplo típico é a compra e venda, em que uma das partes transfere a coisa vendida mediante recebimento de um preço equivalente ao valor daquela.

CONTRATO CONSENSUAL — Expressão utilizada para designar o contrato que se aperfeiçoa com o mero consenso das partes, podendo ser verbal.

CONTRATO COTALÍCIO — Expressão utilizada para designar o contrato em que alguém se associa a um litigante a quem auxilia mediante certa percentagem no resultado final da demanda.

CONTRATO DE ADESÃO — Contrato de concordância, aderência. É aquele em que as cláusulas são estabelecidas unilateralmente por uma das partes (geralmente considerada a mais forte na relação) e não há possibilidade de discutir ou modificar substancialmente seu conteúdo pelo aderente. Ocorre normalmente nos serviços públicos quando o cidadão, ao requerer um serviço básico de água, energia elétrica, telefone etc., está aderindo a um contrato básico dos serviços.

CONTRATO DE ARRENDAMENTO — Contrato entre duas partes, pessoa física ou jurídica, na qual uma das partes cede ativos para a outra e em troca recebe pagamento por isso. A parte que cede o ativo é chamada de arrendador, e a parte que paga pelo uso dos ativos de terceiro na forma de aluguel é chamada de arrendatária.

CONTRATO DE CÂMBIO — Contrato para troca de moedas. É o documento que formaliza a operação de câmbio com qualquer moeda. Nele, constam informações relativas à moeda estrangeira que uma pessoa está comprando ou vendendo, à taxa contratada, ao valor correspondente em moeda nacional e aos nomes do comprador e do vendedor. O contrato de troca entre dólar e real estabelece a quantidade de reais que devem ser trocados por uma quantidade de dólares. Atualmente são 10 os tipos de Contratos de Câmbio destinados a: Tipo 1 - à contratação de câmbio de exportação de mercadorias e de serviços; Tipo 2 - à contratação de câmbio de importação de mercadorias pagáveis; Tipo 3 - à contratação de câmbio referente a operações de natureza financeira - ingresso no País; Tipo 4 - à contratação de câmbio de natureza financeira, importações financiadas sujeitas a registro no Banco Central e as de câmbio manual previstas para ocorrer no MCTL - saída de divisas; Tipo 5 - à contratação de câmbio entre instituições, entre departamentos e de arbitragens - compra; Tipo 6 - à contratação de câmbio entre instituições, entre departamentos e de arbitragens - Vendas; Tipo 7 - à alteração de contrato de compra de câmbio; Tipo 8 - à alteração de contrato de venda de câmbio; Tipo 9 - ao cancelamento de contrato de compra de câmbio; Tipo 10 - à contratação de câmbio de exportação de mercadorias e de serviços.

CONTRATO DE CESSÃO — Contrato oneroso ou gratuito pelo qual o cedente transfere, ao cessionário, créditos ou direitos.

CONTRATO DE COMODATO — Ver Comodato.

CONTRATO DE COMPRA E VENDA — Contrato bilateral, oneroso, comutativo e consensual, pelo qual o vendedor aliena definitivamente a favor do comprador o domínio de uma coisa, ou outro direito, contra uma importância em dinheiro (preço).

CONTRATO DE CONCESSÃO DE OBRA PÚBLICA — Ajuste administrativo que tem por objetivo a delegação a um particular da execução e exploração de uma obra pública ou de interesse público, para uso da coletividade, mediante remuneração ao concessionário.

CONTRATO DE CONCESSÃO DE SERVIÇO PÚBLICO — É a delegação contratual ou legal da execução de um serviço, na forma autorizada e regulamentada pelo Executivo. O contrato de concessão é o ajuste de Direito Administrativo, bilateral, oneroso, comutativo e realizado "*intuitu personae*".

CONTRATO DE CONCESSÃO DE USO — É o contrato administrativo pelo qual o Poder Público atribui a utilização exclusiva de um bem de seu domínio a particular, para que o explore segundo a sua destinação específica, podendo ser oneroso ou não.

CONTRATO DE CONVIVÊNCIA — É aquele celebrado entre as pessoas (com ou sem filhos) que vivem ou pretendem viver juntas e não querem se casar, mas precisam ou desejam definir, fundamentalmente, a questão financeira e dos bens. A realização de um contrato de convivência é ato de boa-fé e cautela entre as pessoas que não possuem a proteção que o Estado assegura aos legalmente casados.

CONTRATO DE EMPREITADA — Contrato que denomina a locação de serviço em que o locador se obriga a fazer ou mandar fazer certa obra, mediante retribuição determinada ou proporcional ao trabalho executado.

CONTRATO DE EXECUÇÃO DIFERIDA — Aquele que se acha subordinado a um termo para gerar efeitos.

CONTRATO DE EXPERIÊNCIA — Contrato peculiar ao Direito do Trabalho, e cuja duração não pode exceder a 90 dias.

CONTRATO DE FINANCIAMENTO — Acordo escrito com a definição dos direitos e obrigações das partes decorrentes do financiamento.

CONTRATO DE GAVETA — São assim chamados os contratos de mutuários que vendem o seu imóvel, mas não transferem o contrato de financiamento para o nome do novo proprietário. Ou seja, embora o imóvel tenha sido vendido o contrato continua vinculado ao antigo dono. A principal razão para que a maior parte dos novos proprietários opte por não transferir o contrato de financiamento deve-se ao fato de que neste caso seria feita uma nova análise de crédito da situação, o que elevaria o valor da prestação.

CONTRATO DE GESTÃO — É um ajuste firmado entre uma entidade (no caso, a empresa controlada) e o ente público ao qual pertence. Nesse acordo, estabelecem-se metas e objetivos, prazos e responsabilidades, de modo a dotar a entidade de maior liberdade administrativa para executar os serviços que lhe competem e administrar os recursos de que dispõe. Se as metas e demais condições previstas não são cumpridas, a entidade tem sua autonomia restringida nos termos contratuais de gestão, submetendo-se a controle mais rigoroso por parte do ente ao qual está vinculada. Tal dispositivo da Lei de Responsabilidade Fiscal (LRF) não só permite melhor controle dos gastos públicos, como também dá maior transparência às informações sobre essas empresas. De acordo com o art. 47 da LRF, a empresa controlada, quando firmar contrato de gestão com o ente controlador, disporá de autonomia gerencial, orçamentária e financeira e incluirá em seus balanços trimestrais nota explicativa em que informará: a) fornecimento de bens e serviços ao controlador, com respectivos preços e condições, comparando-os com os praticados no mercado; b) recursos recebidos do controlador, a qualquer título, especificando valor, fonte e destinação; c) venda de bens, prestação de serviços ou concessão de empréstimos e financiamentos com preços, taxas, prazos e condições diferentes dos vigentes no mercado.

CONTRATO DE GESTÃO - FISCALIZAÇÃO — Compete aos Tribunais de Contas a fiscalização dos contratos de gestão pactuados pelas administrações estaduais e municipais, formalizados com organizações sociais, bem como a verificação do cumprimento de seus objetivos.

CONTRATO DE INCORPORAÇÃO DO CONDOMÍNIO — Ato jurídico através do qual o incorporador se compromete a construir e depois transferir a propriedade das unidades autônomas aos adquirentes mediante um preço fixo ou de acordo com o custo da construção, dependendo do que estiver estabelecido na convenção do condomínio.

CONTRATO DE *KNOW-HOW* — Acordo de vontades pelo qual uma pessoa, física ou jurídica, transfere a outro, para utilização, os conhecimentos que detém com exclusividade de processo especial de fabricação.

CONTRATO DE LOCAÇÃO — Contrato verbal ou escrito, com prazo determinado ou não, entre o locador e o locatário, que em troca da cessão se compromete a pagar a taxa de aluguel acertada e cumprir outras determinações. Também chamado contrato de locação ou locatício.

CONTRATO DE LOCAÇÃO COMERCIAL, AÇÃO DE RENOVAÇÃO DO — Ação que visa à renovação de contrato de locação comercial nos termos e condições anteriores, ou naquelas que sejam fixadas judicialmente, ficando, então, prorrogado o contrato. Esta ação é regida pela Lei do Inquilinato (Lei nº 8.245, de 1991).

CONTRATO DE MÚTUO — Ato pelo qual alguém transfere a propriedade de coisa móvel fungível a outrem, que se obriga a lhe pagar coisa do mesmo gênero, qualidade e quantidade, em determinado tempo. Mutuante - o que empresta; mutuário - o que toma emprestado.

CONTRATO DE OPÇÃO — Contrato pelo qual se firma o direito de uma parte comprar ou vender até (ou em) determinada data uma quantidade de um ativo-objeto a um preço preestabelecido.

CONTRATO DE PERMISSÃO DE SERVIÇO PÚBLICO — É aquele pelo qual a Administração Pública concede, em caráter precário, a um a pessoa de direito privado, a título gratuito ou oneroso, a exploração de um serviço público, mediante cobrança de tarifas dos usuários. (Ver: Permissão de Serviço Público.)

CONTRATO DE PERMISSÃO DE USO — Ver Permissão de Uso.

CONTRATO DE REPASSE — Instrumento utilizado para repasse de recursos da União para Estados, Distrito Federal e Municípios, por intermédio de instituições ou agências financeiras oficiais federais, destinados à execução de programas governamentais. Na área de Assistência Social, compreende o Fundo Nacional de Assistência Social. As principais disposições normativas que disciplinam essas transferências são a Lei nº 9.604, de 5 de fevereiro de 1998, e o Decreto nº 2.529, de 25 de março de 1998, que a regulamenta. Na área de Saúde, compreende o Fundo Nacional de Saúde, que descentraliza os recursos do Sistema Único de Saúde (SUS). As principais disposições normativas que disciplinam essas transferências são a Lei nº 8.080, de 19 de setembro de 1990, o Decreto nº 3.964, de 10 de outubro de 2001, que a regulamenta, e ainda a Norma Operacional Básica do SUS (NOB-SUS) e a Norma Operacional de Assistência à Saúde do SUS (NOAS-SUS).

CONTRATO DE RETROVENDA — Ver Retrovenda.

CONTRATO DE RISCO — Aquele em que o contratante é isento de qualquer responsabilidade pelo eventual insucesso do negócio, perante o contratado.

CONTRATO DE SERVIÇOS TÉCNICOS ESPECIALIZADOS — Na Administração Pública tem por fim específico o planejamento, a elaboração de estudos e projetos, bem como a execução ou prestação de serviços de caráter especializado de que se necessita.

CONTRATO DE SUBLOCAÇÃO — Ver Sublocação.

CONTRATO DE TRABALHO, VERBAS RESCISÓRIAS EM — Se o empregado for demitido sem motivo, o empregador deverá conceder-lhe o aviso prévio ou pagar a indenização correspondente em dinheiro e ainda a fazer a entrega da guia de saque do Fundo de Garantia por Tempo de Serviço (FGTS), devendo-lhe pagar mais 40% sobre o saldo existente no Fundo (depósitos, acrescido dos juros e correções. Quando se diz saldo existente entende-se, inclusive, aqueles depósitos efetuados anteriormente por outros empregadores). Deve pagar as férias vencidas e proporcionais (a vencida há mais 12 meses, será paga em dobro) com 1/3 de acréscimo. Igualmente deverá pagar o 13º salário vencido e proporcional. Se houver trabalhado por período de ao menos seis meses, o empregador também deve receber as guias do seguro-desemprego, o que lhe dará direito a uma remuneração enquanto ficar desempregado pelo prazo máximo de cinco meses, proporcional ao tempo de serviço. O empregador tem os seguintes prazos para o pagamento das verbas de rescisão: até o 1º dia útil imediato ao término do contrato; até o 10º dia contado da data da demissão quando da ausência do aviso prévio, indenização do mesmo ou dispensa do seu cumprimento. O descumprimento desses prazos pode ocasionar multa correspondente ao valor de um salário do trabalhador objeto da rescisão. (Ver: Seguro-desemprego.)

CONTRATO DE USO COMPARTILHADO — Instrumento que rege o acordo que entre si celebram pessoas e/ou instituições para o uso de recursos, serviços ou espaços de modo compartilhado.

CONTRATO E CONVÊNIO - DIFERENÇA — No contrato, o interesse das partes é diverso, pois a Administração objetiva a realização do objeto contratado e ao particular interessa o valor do pagamento correspondente. O convênio é o acordo que tem por partes órgãos, entidades da Administração e organizações particulares. Os objetivos são recíprocos e a cooperação, mútua. No convênio os interesses das partes são convergentes; no contrato são opostos.

CONTRATO EM FAVOR DE TERCEIRO — Aquele em que o promissário (credor) estipula que o promitente (devedor) levará a cabo a obrigação em favor de um terceiro estranho ao contrato.

CONTRATO EPISTOLAR — Aquele ajustado por correspondência e que se perfaz quando o destinatário expede carta de resposta, aceitando integralmente a proposta.

CONTRATO ESTIMATÓRIO — É aquele que o consignante entrega bens móveis ao consignatário, que fica autorizado a vendê-los, pagando àquele o preço ajustado, salvo se preferir, no prazo estabelecido, restituir-lhe a coisa consignada.

CONTRATO FENERATÍCIO — Contrato de empréstimo a juros extorsivos, com usura. A CF adverte, no art. 192, § 3º, que as taxas de juros reais, nelas incluídas comissões e quaisquer outras remunerações direta ou indiretamente referidas a concessão de credito, não poderão ser superiores a 12% ao ano, sendo a cobrança acima disto punível como crime de usura.

CONTRATO FORMAL — Expressão utilizada para designar o contrato para cuja validade a lei estabelece determinada forma ou solenidade; contrato solene.

CONTRATO FUTURO — É um compromisso de compra ou venda a prazo de um ativo a executar em uma data determinada a um preço definido no momento do contrato. Tem, no entanto, características específicas como, por exemplo, a normalização dos contratos em montantes precisos. No momento da compra ou venda de futuros é efetuada uma entrega inicial, a título de garantia, destinada a cobrir o risco de uma situação desfavorável para o cliente. Neste caso, são exigidas entregas suplementares ao cliente de forma a manter constante o montante inicial. Quando se verificam variações que favorecem o cliente, são lançadas em seu crédito as respectivas entregas complementares.

CONTRATO GRATUITO — É aquele em que uma das partes tem a intenção de efetuar uma atribuição patrimonial a favor de outra, sem obter qualquer contrapartida.

CONTRATO INDIVIDUAL DE TRABALHO — Contrato pelo qual o empregado se compromete a prestar ao empregador trabalho pessoal de natureza não eventual, subordinado e mediante salário. A CLT o conceitua como o acordo tácito ou expresso correspondente à relação de emprego, podendo ser acordado tácita ou expressamente, verbalmente ou por escrito e por prazo determinado ou indeterminado.

CONTRATO INOMINADO — Espécie de contrato não prevista expressamente, formalmente na lei, embora perfeitamente lícito. São exemplos: a hospedagem, a doação mista e fornecimento.

CONTRATO *INTUITU PERSONAE* — Aquele cujo objeto se acha essencialmente ligado às partes, sendo personalíssimo, por exemplo, o contrato de fiança.

CONTRATO JUDICIAL — É acordo firmado perante o juiz durante o curso de lide ou perante o juízo arbitral, pondo fim ao litígio ou à dissidência entre as partes.

CONTRATO LEONINO — Expressão utilizada para designar um contrato em que uma das partes leva as vantagens, ou a maioria delas, em detrimento da(s) outra(s) parte(s). Não é um contrato justo. (Ver: Cláusula leonina.)

CONTRATO MERCANTIL — Aquele em que pelo menos um dos contratantes exerce atividade mercantil, provando-se mediante correspondência epistolar ou registros constantes dos livros comerciais.

CONTRATO ONEROSO — É aquele que pressupõem atribuições patrimoniais de ambas as partes, existindo uma relação de equivalência entre as referidas atribuições.

CONTRATO POR ADESÃO — É aquele em que há possibilidade por parte do aderente de rejeitar ou aceitar as cláusulas previamente estabelecidas.

CONTRATO POR PRAZO DETERMINADO — É o contrato de trabalho que tem datas de início e término antecipadamente combinadas entre o trabalhador e o empregador. Ele pode ser prorrogado quantas vezes as partes quiserem, desde que não ultrapasse o prazo máximo de dois anos. Criado pela Lei nº 9.601/98, depende sempre de previsão em convenção ou acordo coletivo e abrange qualquer atividade da empresa – devendo gerar, obrigatoriamente, aumento de postos de trabalho (vagas). Para que o mesmo trabalhador seja contratado, após dois anos, será necessário aguardar o intervalo de seis meses entre este e o novo contrato por prazo determinado. Para não ser obrigado a esperar o prazo de seis meses, o empregador poderá admitir o trabalhador através de um contrato por prazo indeterminado.

CONTRATO REAL — Expressão utilizada para designar o contrato que só se aperfeiçoa mediante a tradição da coisa que é objeto de prestação de uma das partes.

CONTRATO RESOLÚVEL — Expressão utilizada para designar o contrato que no próprio título de sua constituição menciona prazo de seu vencimento ou a condição futura que, quando verificada, o resolve de pronto.

CONTRATO SINALAGMÁTICO — Expressão empregada para designar o contrato bilateral em que ambos os contratantes ficam obrigados. Ambos pelo contrato e ambos, em decorrência, são credores de uma obrigação.

CONTRATO SOCIAL — Aquele que regula a constituição das sociedades de qualquer natureza. Celebram contrato de sociedade as pessoas que reciprocamente se abrigam a contribuir, com bens ou serviços, para o exercício de atividade econômica e a partilha, entre si, dos resultados. Os sócios, nas relações entre si ou com terceiros, somente por escrito podem provar a existência da sociedade, mas terceiros podem prová-la de qualquer modo.

CONTRATO SOLENE — Aquele que exige requisitos, solenidades essenciais; sem estas o contrato é eivado de nulidade. O mesmo que contrato formal.

CONTRATO SUCESSIVO — Expressão utilizada para designar o contrato em que uma das partes se obriga a efetivar prestações certas e periódicas.

CONTRATO UNILATERAL — Expressão utilizada para designar o contrato em que só uma das partes se obriga para com a outra.

CONTRATO VALIOSO — É o contrato que satisfaz as condições legais, que tem validade, ou é perfeito.

CONTRATO VERBAL DE TRABALHO — Ajuste individual entre o empregador e o empregado sem o instrumento respectivo. Sua existência é presumida, conforme estatui o art. 447 da CLT: "Na falta de acordo ou prova sobre condição essencial ao contrato verbal, esta se presume existente, como se a tivessem estatuído os interessados na conformidade dos preceitos jurídicos adequados à sua legitimidade."

CONTRATO, CULTURA DE — Ambiente de políticas públicas onde o Estado deixa de prestar serviços diretamente à população, transferindo-os a entidades privadas, que competem entre si para firmar contratos de gestão.

CONTRATO, EQUAÇÃO ECONÔMICO-FINANCEIRA DO — Assim se denomina a relação sinalagmática que deve existir nos contratos de prestações mútuas, acarretando o desequilíbrio da equação ou a rescisão do contrato ou a adequação de seus termos à nova situação.

CONTRATO, LIQUIDAÇÃO DO — É o procedimento no qual o cumprimento do contrato se processa mediante a entrega do ativo subjacente pela parte vendedora à compradora, em contrapartida ao seu respectivo preço de liquidação.

CONTRATO, NULIDADE DO — Verifica-se quando o negócio jurídico não produz efeitos jurídicos, pelo menos aqueles que as partes desejavam que se produzissem. Pode resultar da existência de alguns vícios no negócio: vícios de forma, vícios de objeto, falta de vontade e contrariedade à lei. A nulidade tem por objetivo proteger um interesse público e é invocável a todo o tempo por qualquer interessado.

CONTRATO, RESILIÇÃO DE — Forma de extinção dos contratos que se opera pelo cumprimento espontâneo da obrigação e pelo transcurso natural do prazo contratual.

CONTRATO, RESOLUÇÃO DE — Dissolução do contrato por sentença judicial.

CONTRATO-PADRÃO — É o contrato pertinente a cada uma das mercadorias ou ativos financeiros que estabelece as condições para negociação nos diversos mercados das Bolsas. Termo empregado em mercado futuro.

CONTRATOS ALEATÓRIOS — É o contrato cuja realização depende de um acontecimento futuro e incerto. Exemplos: o contrato de seguro, as loterias autorizadas, ou seja, é a locução que denomina a cláusula de um contrato cujo cumprimento prende-se a um acontecimento futuro, resultante da sorte, do acaso.

CONTRATOS DE DERIVATIVOS — São contratos privados, cujos valores derivam de algum ativo financeiro (taxa de juros, ação, índices, títulos, moedas) ou *commodities*.

CONTRATOS DE ENGORDA — É um contrato entre uma empresa administradora e o investidor que tem como objetivo investir na engorda de boi gordo ou outros animais, como suínos, avestruzes). A empresa recebe o dinheiro do cliente para aplicar na engorda de animais. No final do contrato, se compromete a entregar o valor monetário equivalente à venda daqueles animais (ou parte de animais) que o investidor "comprou" através do contrato. É um título de valor mobiliário, cujas fiscalização e regulamentação estão sob a responsabilidade da CVM (Comissão de Valores Mobiliários).

CONTRATOS DE *SWAPS* — São contratos que estabelecem a troca de risco entre investidores. É o caso de uma empresa que tem receitas em dólar (exportações) e uma dívida corrigida por juros pós-fixados. Esta empresa gostaria de trocar seu risco "juro pós-fixado" pelo risco "dólar". Na outra ponta tem uma empresa varejista nacional, com receitas em reais, um bom caixa aplicado diariamente no mercado (acompanhando, portanto, a evolução dos juros), mas que tem uma dívida em dólar. Esta empresa quer justamente o oposto, quer trocar seu risco "dólar" pelo risco "juro pós-fixado". Estas duas empresas então fazem um contrato de *swap* entre si, ou através da intermediação de instituição financeira, para trocar uma posição de risco.

CONTRATOS EM ABERTO — Saldo total de contratos futuros de todas as posições mantidas no mercado.

CONTRATOS, CONVÊNIOS, ACORDOS E OUTROS AJUSTES - LEGALIDADE — Compete ao Tribunal de Contas apreciar a legalidade dos contratos, convênios, acordos e outros ajustes assemelhados formalizados pela Administração Pública, cadastrando-se no Tribunal os referidos instrumentos para acompanhamento.

CONTRATOS, INTERPRETAÇÃO DOS — Entendimento baseado nos princípios da hermenêutica que tem por objetivo investigar a vontade contratual.

CONTRAVENÇÃO — Transgressão a preceito de lei, de regulamento ou de um julgado ou toda infração às cláusulas de um contrato. Não chega a ser um crime - é apenas uma conduta que pode resultar em um crime: carregar arma é contravenção, utilizá-la em alguém é crime. É a infração de um dispositivo da lei, não tão grave, porém, que possa ser considerada como crime, fazendo parte de uma lei específica: Lei das Contravenções Penais. Exemplo de contravenção: caça e pesca em locais proibidos. As contravenções penais classificam-se de acordo com o objeto: à pessoa, ao patrimônio, à incolumidade, à paz e à fé públicas, à organização do trabalho, aos costumes, à Administração Pública.

CONTRAVENÇÃO PENAL — É a infração penal a que a lei, isoladamente, pune com a pena de prisão simples ou de multa, ou ambas, alternativa ou cumuladamente. É um "crime menor", enquadrado dentro das normas legais que regem as Contravenções Penais.

CONTRIBUIÇÃO COMPULSÓRIA — Valor pecuniário descontado obrigatoriamente em folha de pagamento.

CONTRIBUIÇÃO DE MELHORIA — Tributo que pode ser cobrado pelas três instâncias de Governo - União, Estados e Municípios - desde que o fato gerador esteja dentro de suas respectivas atribuições, conforme determinadas na Constituição Federal, Constituições dos Estados e Leis Orgânicas dos Municípios. A contribuição de melhoria tem como fato gerador o acréscimo do valor do imóvel localizado nas áreas beneficiadas diretamente ou indiretamente por obras públicas. Este tributo só pode ser instituído para fazer face ao custo de obra pública que gere valorização imobiliária, tendo como limite total a despesa realizada e como limite individual o acréscimo de valor que da obra resultar para cada imóvel beneficiado. A contribuição de melhoria constitui um ressarcimento, pois somente após a valorização do imóvel, em decorrência da conclusão parcial ou total da obra, esta pode ser cobrada. O Decreto-Lei nº 195, de 24.2.1967, que dispõe sobre a cobrança da Contribuição de Melhoria, estabelece que a sua parcela anual, que pode caber a cada contribuinte, não poderá exceder a 3% (três por cento) do valor fiscal do imóvel. Não há, contudo, qualquer limitação relativamente a prazo. As contribuições de melhoria dispõem de uma legislação própria (Decreto-Lei nº 195, de 1967). Entretanto, pela interpretação jurídica de que lhe falta a devida regulamentação (Decretos e normativos), é raramente utilizada - apenas por uns poucos municípios -, apesar do enorme potencial que oferece. (Ver: Princípio do Benefício // Princípio da Capacidade Contributiva // Taxas.)

CONTRIBUIÇÃO PREVIDENCIÁRIA — Valor pecuniário descontado obrigatoriamente do trabalhador em folha de pagamento, para suprir a concessão de benefícios previdenciários.

CONTRIBUIÇÃO SINDICAL — É devida por todos aqueles que participarem de uma determinada categoria econômica ou profissional, ou de uma profissão liberal, em favor do sindicato representativo da mesma categoria ou profissão ou, inexistindo este, da federação correspondente à mesma categoria econômica ou profissional.

CONTRIBUIÇÃO SINDICAL - EMPREGADOS — A contribuição sindical dos empregados correspondente à remuneração de um dia de trabalho do empregado, qualquer que seja a forma da referida remuneração. É recolhida, anualmente, de uma só vez.

CONTRIBUIÇÃO SINDICAL PATRONAL (CSP) — A contribuição sindical dos empregadores correspondente uma importância calculada sobre o capital social da firma ou empresa, registrado nas respectivas Juntas Comerciais ou órgãos equivalentes, de acordo com o tamanho do estabelecimento e número de funcionários, mediante a aplicação de alíquotas, definidas em tabela progressiva. É recolhida, anualmente, no mês de janeiro, de uma só vez.

CONTRIBUIÇÃO SOCIAL — Prestação pecuniária instituída exclusivamente pela União para intervenção no domínio econômico e para interesse das categorias profissionais ou econômicas, como instrumento de sua atuação nas respectivas áreas. Um exemplo é a CPMF, Contribuição Provisória sobre Movimentação Financeira.

CONTRIBUIÇÃO SOCIAL DE INTERVENÇÃO NO DOMÍNIO ECONÔMICO — Ver CIDE.

CONTRIBUIÇÃO SOCIAL SOBRE O LUCRO LÍQUIDO (CSLL) — É um tributo federal sobre o Lucro Líquido das empresas ou sobre o Faturamento/Receita Bruta (caso das empresas tributadas sobre o Lucro Presumido) levantado no fechamento do balanço trimestral (ou mensal) das pessoas jurídicas.

CONTRIBUIÇÕES — Despesas derivadas diretamente da Lei de Orçamento, quando destinadas a atender a despesas de manutenção de outras entidades de direito público ou privado, sem finalidade lucrativa, ou determinadas por lei especial anterior, nos termos do art. 12 da Lei nº 4.320, de 17.3.1964, para o atendimento de investimentos ou inversões financeiras.

CONTRIBUIÇÕES PARA A SEGURIDADE SOCIAL — São pagamentos feitos para um fundo mantido pelo Governo que costuma ser usado para pagar aposentadorias, pensões e o seguro-desemprego. Algumas vezes, os benefícios de saúde podem ser cobertos também. Contribuições à seguridade social são considerados tributos.

CONTRIBUIÇÕES PARAFISCAIS — São contribuições a determinadas entidades autônomas, cuja arrecadação foi atribuída ao Governo, e em favor daquelas se reverte, constituindo, assim, uma receita extra-orçamentária do Governo. São designadas de Parafiscais as seguintes Contribuições: FGTS, Contribuições Econômicas, Taxas e Emolumentos.

CONTRIBUINTE — É o sujeito passivo da obrigação tributária principal que tem relação pessoal e direta com a situação que constitua o respectivo fato gerador. No sentido genérico, é toda pessoa - física ou jurídica - que paga tributo ou contribuição aos cofres públicos, quer seja da União, dos Estados, dos Municípios e/ou do Distrito Federal.

CONTROLADORAS E CONTROLADAS — São controladas as sociedades em que a sociedade controladora detenha direitos de sócio, que lhe permitam, em caráter permanente (por, pelo menos, três assembléias), deter a preponderância nas deliberações, eleger a maioria dos administradores e exercer de fato esses direitos.

CONTROLE — Processo que permite à administração avaliar suas atividades, incluindo: a estrutura para o controle, abrangendo objetivos, planos e normas; a delegação da competência para agir sobre os mesmos; as avaliações contínuas para identificar quaisquer desvios em relação à estrutura para o controle, e a ação corretiva para reajustar as operações à estrutura preestabelecida, onde necessário. Na Administração Pública, esta função é mais abrangente e necessária em virtude do dever de prestação de contas a que todo ente estatal está submetido.

CONTROLE A MONTANTE — É a idéia de se resolver os problemas nas suas origens, ou seja, atuando nos processos anteriores e não nos efeitos.

CONTROLE ACIONÁRIO — Posse, por um acionista ou grupo de acionistas, da maior parcela de ações de uma empresa, com direito a voto, garantindo o poder de decisão sobre ela.

CONTROLE AMBIENTAL — Conjunto de ações tomadas visando a manter em níveis satisfatórios as condições do ambiente. O termo pode também se referir à atuação do Poder Público na orientação, correção, fiscalização e monitoração ambiental de acordo com as diretrizes administrativas e as leis em vigor.

CONTROLE BIOLÓGICO — Utilização da vulnerabilidade natural de um organismo para controlar sua reprodução, mediante a introdução de predadores, visando à redução ou eliminação do uso de produtos químicos para os mesmos objetivos.

CONTROLE CONTÁBIL — Procedimento de contabilidade usado como verificação de confiabilidade da informação contida nos registros contábeis.

CONTROLE DA EXECUÇÃO ORÇAMENTÁRIA — Ver Execução Orçamentária - Controle.

CONTROLE DA QUALIDADE TOTAL — É um novo modelo gerencial centrado no controle do processo, tendo como meta a satisfação das necessidades das pessoas. É um sistema gerencial baseado na participação de todos os setores e de todos os empregados de uma empresa no estudo e na condução do Controle da Qualidade. O controle da qualidade, no contexto do Controle da Qualidade Total (TQC), é exercer o "controle sobre as dimensões da qualidade. O objetivo mais importante deste "controle" é garantir a qualidade do "seu produto" (seja ele qual for) para seu cliente externo ou interno. É deste objetivo que provém o famoso conceito: "O próximo processo é o seu cliente."

CONTROLE DE CAPITAIS BRASILEIROS NO EXTERIOR — É o tratamento de informações com a conseqüente cobrança e/ou orientação a pessoas físicas ou jurídicas brasileiras para que o ingresso ou a saída de valores no/do país ocorra, de acordo com a legislação vigente, tempestivamente à informação a ser prestada ao Banco Central.

CONTROLE DE CAPITAIS ESTRANGEIROS NO PAÍS — É o tratamento de informações com a conseqüente cobrança e/ou orientação a representantes nacionais de investidores estrangeiros para que o ingresso ou a saída de valores no/do país ocorra, de acordo com a legislação vigente, tempestivamente à informação a ser prestada ao Banco Central.

CONTROLE DE DOTAÇÃO ORÇAMENTÁRIA — Compreende a manutenção de registros em cada área da Administração Pública onde é exercida a autorização de empenho.

CONTROLE DE QUALIDADE — Acompanhamento efetivo da produção e da verificação da conformidade do produto com as normas técnicas e com os projetos, através da interpretação de resultados de ensaios, quando necessários, visando à correção de eventuais desvios e ao fornecimento à fiscalização de elementos para a aceitação ou rejeição.

CONTROLE EXTERNO — Atividade permanente de fiscalização de competência do Poder Legislativo, exercida com o auxílio (não confundir com órgão auxiliar) do respectivo Tribunal de Contas, que visa promover a fiscalização da execução orçamentária, financeira, contábil, operacional e patrimonial, verificando a integridade (probidade) da Administração, a guarda e legal emprego dos dinheiros públicos, assim como o cumprimento da Lei de Orçamento. Dentre as competências constitucionais a serem exercidas pelo controle externo, destaca-se a apreciação da prestação de contas de gestão financeira do Poder Executivo, mediante Parecer Prévio do Tribunal de Contas. (Ver: Fiscalização da gestão fiscal.)

CONTROLE EXTERNO DA POLÍCIA JUDICIÁRIA — A responsabilidade que a Constituição de 1988 atribui ao Ministério Público é ainda incipiente. Em diversos estados, esse controle é exercido também pela Ouvidoria de Polícia, que recebe denúncias e reclamações dos cidadãos sobre a atuação das polícias estaduais e acompanha a investigação das denúncias feitas pelas corregedorias de polícia ou pelo Ministério Público.

CONTROLE FINANCEIRO — Controle que consiste, basicamente, em comparar o que foi previsto/planejado com o que está sendo realizado, isto é, se as metas estão sendo atingidas. São controles destinados a assegurar que os ativos pertencentes ao governo sejam adequadamente registrados e protegidos, que os dados contábeis sejam precisos e confiáveis e que os fundos sejam usados apenas para os fins estabelecidos e dentro dos limites aprovados pelo Legislativo.

CONTROLE INTERNO — Atividade permanente de competência de cada esfera do Poder Executivo, Judiciário e Legislativo, que visa promover a fiscalização da execução orçamentária no seu próprio âmbito, levando em conta os princípios gerais de controle da execução orçamentária. Segundo a Constituição Federal, os três Poderes devem manter, de forma integrada, um sistema de controle interno para comprovar a legalidade e avaliar o cumprimento de metas do plano plurianual, dos orçamentos, dos programas de governo, a eficácia e eficiência da gestão orçamentária, financeira, contábil, operacional e patrimonial e da aplicação de recursos públicos por entidades privadas, bem como controlar as operações de crédito.

CONTROLE NAS ORGANIZAÇÕES PÚBLICAS - QUANTO À FORMA — O art. 70 da Constituição Federal estabelece que a fiscalização contábil, financeira, orçamentária, operacional e patrimonial, quanto à legalidade, à legitimidade, à economicidade, à aplicação de subvenções e à renúncia de receita, será exercida mediante os controles externo e interno. Será externo quando realizado por um órgão que não integra a estrutura da entidade que está sendo controlada, e interno quando exercido pela própria organização sobre suas atividades. (Ver: Eficiência // Eficácia // Efetividade // Economicidade.)

CONTROLE NAS ORGANIZAÇÕES PÚBLICAS - QUANTO À QUALIDADE: ADMINISTRATIVO — É aquele que a Administração Pública exerce sobre seus atos e agentes. É executado pelo Poder Executivo e pelos órgãos de administração dos demais Poderes sobre suas próprias atividades, com o objetivo de que a atividade pública em geral se realize com legitimidade e eficiência, atingindo a sua finalidade plena que é a satisfação das necessidades coletivas e atendimento dos direitos individuais. Exemplos: os procedimentos administrativos disciplinares de servidores públicos; o controle da arrecadação de tributos que a Fazenda executa sobre os órgãos arrecadadores não só para evitar desvios, como inscrever devedores em dívida ativa.

CONTROLE NAS ORGANIZAÇÕES PÚBLICAS - QUANTO À QUALIDADE: JUDICIÁRIO — É o controle exercido exclusivamente pelo Poder Judiciário sobre atos administrativos dos demais Poderes, verificando a conformidade do ato com a norma legal que o rege. Seu intuito é corrigir atos ilegais da Administração Pública, quando estes são lesivos ao direito individual ou ao patrimônio público. Exemplo: julgamento de ações.

CONTROLE NAS ORGANIZAÇÕES PÚBLICAS - QUANTO À QUALIDADE: LEGISLATIVO — É o controle do Legislativo sobre atos administrativos dos demais Poderes, constituindo-se num controle eminentemente político, indiferente aos interesses individuais dos administrados, mas objetivando os superiores interesses do Estado e da comunidade. Exemplo: fiscalização contábil, financeira, orçamentária, operacional e patrimonial, mediante controle externo do Poder Legislativo sobre a entidade governamental. (Ver: Eficiência // Eficácia // Efetividade // Economicidade.)

CONTROLE NAS ORGANIZAÇÕES PÚBLICAS - QUANTO AO ASPECTO — O controle nas organizações públicas quanto ao aspecto controlado envolve a legalidade e o mérito. A legalidade tem por fim assegurar que a Administração atue em consonância com os princípios que lhe são impostos pelo ordenamento jurídico, como os da legalidade, moralidade, finalidade pública, publicidade, motivação e impessoalidade. O mérito envolve questões gerenciais do controle, pois visa à comprovação de eficiência, eficácia, efetividade e economicidade da atividade pública. (Ver: Eficiência // Eficácia // Efetividade // Economicidade.)

CONTROLE NAS ORGANIZAÇÕES PÚBLICAS - QUANTO AO MOMENTO — O controle nas organizações públicas quanto ao momento de se exercer o controle deve ser exercido em três fases: Antes da realização de um ato (controle prévio) – é um controle preventivo, porque visa a impedir que seja praticado um ato ilegal ou contrário ao interesse público. Exemplo: autorização prévia do Legislativo a determinados atos do Executivo; Durante a realização de um ato (controle concomitante) – é o que acompanha a atuação administrativa no mesmo momento em que ela acontece. Exemplo: controle da execução orçamentária; Após a realização de um ato (controle subseqüente) – tem por objetivo rever os atos já praticados, para corrigi-los, desfazê-los ou apenas confirmá-los. Exemplo: homologação. (Ver: Eficiência // Eficácia // Efetividade // Economicidade.)

CONTROLE OPERACIONAL — 1) É o processo pelo qual se assegura que determinadas tarefas sejam realizadas com eficácia e eficiência. 2) Procedimentos desenvolvidos para assegurar que as atividades se realizem de acordo com as metas aprovadas.

CONTROLE ORÇAMENTÁRIO — Processo de avaliação de um programa através da execução de orçamento. Inclui a preparação de dados orçamentários para lançamento em sistema de elaboração de relatórios, a análise das despesas e compromissos e a preparação de previsões de caixa, bem como a análise das variações apresentadas em relatórios, entre o planejado e o realizado.

CONTROLER — Auditor.

CONTROLES DE GESTÃO — Mecanismos ou procedimentos para a observação, análise e reação, a fim de confirmar ou redirecionar uma atividade, projeto ou programa.

CONTROLES-CHAVE — Controles que são vitais para uma operação eficaz de um sistema e sem os quais poderiam ocorrer erros significativos que não seriam detectados.

CONTROVÉRSIA — Parte do conflito objeto de discussão.

CONTUMÁCIA — 1) Grande teimosia; obstinação, aferro, afinco, pertinácia. 2) Omissão da parte no processo. Recusa da parte para comparecer em juízo. Consiste no não-comparecimento do autor ou titular da ação aos atos do processo. Não se confunde com a revelia.

CONTUMAZ — Que ou quem tem contumácia.

CONTUNDENTE — Que contunde; aquilo que causa contusão. Diz-se do objeto que fere, que causa pisaduras por pancadas.

CONURBAÇÃO — Designa uma extensa área urbana surgida do encontro ou junção de duas ou mais cidades. Ao longo do tempo os seus limites geográficos perdem-se em virtude do seu crescimento horizontal. Em geral, esse processo dá origem à formação de regiões metropolitanas.

CONVALESCENÇA — Retorno progressivo ao estado de saúde; período de transição entre o estado de doença, que deixou de existir, e o regresso à perfeita recuperação das forças e da saúde.

CONVECÇÃO — Transmissão de calor por meio de correntes circulatórias originadas da fonte; processo de propagação de calor que se verifica nos líquidos e gases, por efeito do movimento das camadas aquecidas.

CONVENÇÃO — 1) Conferência, congresso. Encontro, reunião ou assembléia de indivíduos ou representações de classe ou de associações, onde se delibera sobre determinados assuntos, convênio, pacto. 2) Ajuste, acordo ou determinação sobre um assunto ou fato. 3) Tudo aquilo que é tacitamente aceito, por uso ou geral consentimento, como norma de proceder, de agir, no convívio social, conferência, congresso.

CONVENÇÃO COLETIVA DE TRABALHO — Acordo de caráter normativo pelo qual dois ou mais sindicatos representativos de categorias econômicas e profissionais estipulam condições de trabalho aplicáveis, no âmbito das respectivas representações, às relações individuais de trabalho.

CONVENÇÃO CONDOMINAL — Contrato inominado em que são fixadas as normas aplicáveis ao condomínio em edificações, bem como a forma de administração.

CONVENÇÃO DE ARBITRAGEM — Gênero das espécies, cláusula compromissória e compromisso arbitral. Acordo de vontade entre partes contratantes.

CONVENÇÃO DO CLIMA — Convenção aprovada em 9 de maio de 1992 e firmada na Conferência das Nações Unidas para o Meio Ambiente e o Desenvolvimento, a Rio–92, por 154 países e a Comunidade Econômica Européia. O Brasil foi o primeiro país signatário. A Convenção, que desde então vem sendo ratificada por um crescente número de países, entrou em vigor no dia 21 de março de 1994, 90 dias depois de completar a ratificação pelo parlamento de 50 países. No Brasil, a Convenção foi ratificada pelo Congresso em 28 de fevereiro de 1994 e entrou em vigor em 29 de maio do mesmo ano. Até 7 de setembro de 2000, 186 países haviam se tornado Partes da Convenção. A Convenção reconhece a mudança do clima como uma preocupação comum da humanidade e propõe uma estratégia global para proteger o sistema climático para gerações presentes e futuras. Tem como objetivo principal estabilizar as concentrações de gases de efeito estufa na atmosfera num nível que impeça uma interferência antrópica perigosa no sistema climático, assegurando que a produção de alimentos não seja ameaçada e que o crescimento econômico prossiga de modo sustentável. (Ver: Rio-92.)

CONVENÇÃO PARTIDÁRIA — Ver Eleição - Convenção Partidária.

CONVENÇÃO SOBRE A DIVERSIDADE BIOLÓGICA — Convenção firmada durante a Conferência das Nações Unidas para o Meio Ambiente e o Desenvolvimento - a Rio–92, realizada em 1992, no Rio de Janeiro. O tema da convenção - a conservação da diversidade biológica e a utilização sustentável dos seus componentes - já não é novo nas agendas diplomáticas. Em junho de 1972, em Estocolmo, e na primeira sessão do Conselho Governamental para o novo Programa das Nações Unidas para o Ambiente (1973), a "conservação da natureza, da vida selvagem e dos recursos genéticos", já fora identificada como uma área prioritária. Desde então, as negociações para o estabelecimento de um mecanismo legal para regular as questões relacionadas à conservação da biodiversidade foram fortemente influenciadas pelo crescente reconhecimento internacional da necessidade de uma partilha justa e eqüitativa dos benefícios provenientes da utilização dos recursos genéticos. A Convenção sobre a Diversidade Biológica expressa claramente esses princípios nos seus objetivos: a conservação da diversidade biológica, a utilização sustentável dos seus componentes e a partilha justa e eqüitativa dos benefícios provenientes da utilização dos recursos genéticos. Com a Convenção, a conservação da diversidade biológica deixou de ser encarada apenas em termos de proteção das espécies ou dos ecossistemas ameaçados. Em seus termos, estão presentes a necessidade de conciliar a preocupação do desenvolvimento com a conservação e de estabelecer igualdade e partilha de responsabilidades entre os países detentores de grande diversidade biológica e os países ricos, usuários dessa diversidade. Os principais elementos da Convenção são: cooperação científica e técnica, acesso aos recursos financeiros e genéticos e as transferências de tecnologias limpas. (Ver: Rio-92.)

CONVENENTE OU AJUSTANTE — São os órgãos ou entidades que celebram o *convênio ou ajuste* objetivando alocar recursos financeiros e/ou materiais e/ou humanos necessários à execução das atividades contratadas.

CONVÊNIO ADMINISTRATIVO — Instrumento para a formalização do acordo de vontades entre entidades do setor público de um mesmo ou de diferentes níveis de Governo (União, Estados e Municípios) e, ocasionalmente, entre entidades do setor público e instituições do setor privado, com vistas à realização de programas de trabalho ou eventos de interesse recíproco, em regime de mútua cooperação. Sua celebração depende de prévia aprovação de plano de trabalho pelo interessado, contendo identificação do objeto, metas, etapas de execução, plano de aplicação dos recursos, cronograma de desembolso, previsão de início e fim e comprovação de recursos próprios no caso da complementação de execução de obras. É o meio jurídico pelo qual os órgãos da Administração Pública e entidades do Terceiro Setor pactuam, em regime de cooperação mútua, a execução de serviços de interesse recíproco. É formalizado através de contrato administrativo. O novo Código Civil trouxe importantes inovações no tocante às entidades organizadas com fins não econômicos que compõem o terceiro setor. Destaca-se, dentre as inovações, a supressão da sociedade civil sem fins lucrativos. Esta deixa de existir juridicamente, passando o novo Código Civil a disciplinar apenas dois tipos de entidades com fins não econômicos: a associação e a fundação, elencando para cada qual exigências estatutárias distintas no tocante à sua constituição, funcionamento e extinção. (Ver: Consórcio administrativo.)

CONVÊNIO DE PAGAMENTOS E CRÉDITOS RECÍPROCOS — Sistema de pagamentos utilizado entre os países integrantes da Associação Latino-Americana de Integração (ALADI). Cada país, por meio de seu Banco Central, garante a cobertura de moeda destinada a pagamentos por meio do sistema e se obriga aos débitos em sua conta sempre que efetuados em estrita conformidade com as instruções vigentes.

CONVERGÊNCIA — Resultar ou encontrar um ponto ou região comum ou um estado; concordância; tendência de um processo para atingir seu limite.

CONVERSÃO — Mudança das características de um título. No caso de ações, pode ser sua transformação, quanto à forma (de nominativa para escritural) ou à espécie (de ordinárias em preferenciais ou vice-versa), dependendo de deliberação de assembléia geral extraordinária e do disposto no estatuto social de uma sociedade anônima.

CONVERSÃO DA DÍVIDA — Substituição de títulos de uma dívida por outra. Cobertura de um empréstimo com o produto de outro.

CONVERSÃO DE CRÉDITOS EXTERNOS — Transformação de um crédito detido no país por pessoa física ou jurídica domiciliada no exterior, passível de gerar remessa direta de divisas pelo devedor ao credor, em outra modalidade de crédito externo ou em investimento direto ou em portfólio.

CONVERSÃO EM TOMADA DE CONTAS ESPECIAL — Ver Contas Especial, Conversão em Tomada de.

CONVERSIBILIDADE — É a possibilidade de converter a moeda de um país pela de outro.

CONVITE (LICITAÇÃO) — Ver Licitação Pública - Convite.

CONVIVENTES — São aqueles que "convivem". Em sentido amplo, a convivência é o ato ou efeito de conviver com outra pessoa, sob o mesmo teto, de maneira familiar, mantendo ou não relações sexuais. Sob a ótica da união estável entre o homem e a mulher, como entidade familiar, a convivência deve ser duradoura e contínua, com o objetivo de constituição de família. Para as pessoas que vivem ou pensam em viver juntas, sem se casar, e estão preocupadas com a questão financeira e dos bens, modernamente, é celebrado um Contrato de Convivência que pode assegurar a paz, tranqüilidade e prevenir futuros problemas judiciais. (Ver: Contrato de convivência.)

CONVOCACÃO EXTRAORDIÁRIA DO CONGRESSO NACIONAL — Ver Congresso Nacional - Convocação Extraordinária.

CONVOCAR — É o ato de chamar alguém para vir participar de uma reunião ou para ser incorporado em alguma instituição.

CONVOCATÓRIA — Que serve para chamar, convocar. Diz-se de carta-circular, ordem, edital, publicação pela qual se convocam pessoas para reunião, assembléia de sócios, ou para outro fim especificado, em local e dia prefixados.

COOBRIGAÇÕES — No contexto da Central de Risco de Crédito, compreendem avais e fianças prestados por uma Instituição Financeira para um cliente.

COOPERAÇÃO — É o tipo particular de processo social em que dois ou mais indivíduos ou grupos atuam em conjunto para a consecução de um objetivo comum. É requisito especial e indispensável para a manutenção e continuidade dos grupos das sociedades.

COOPERAÇÃO DESCENTRALIZADA — Num sentido restrito significa a cooperação realizada pelas administrações subestatais (municípios, regiões etc.). Num sentido amplo, trata-se de uma nova abordagem da cooperação caracterizada pela descentralização das iniciativas e da relação com os países em desenvolvimento, pela inclusão de uma grande variedade de novos atores da sociedade civil e por uma verdadeira participação dos atores dos países beneficiários no seu próprio desenvolvimento.

COOPERAÇÃO INSTITUCIONAL — Cooperação de longo prazo, regular e com acordo (geminação, protocolo etc.) assinado, entre duas instituições similares. É um instrumento para o desenvolvimento institucional, consubstanciado no reforço da capacidade institucional.

COOPERAÇÃO INTERMUNICIPAL — Estabelecimento de relações de cooperação entre duas ou mais comunidades em que os principais atores são os municípios ou seus equivalentes, de acordo com a organização administrativa dos diferentes países. Nestas relações entre parceiros podem envolver-se outros atores tais como ONG, outras organizações da sociedade civil, associações empresariais/industriais, escolas etc. É, normalmente, de longo prazo, assentada em protocolos/acordos de geminação e/ou de amizade, colaboração/cooperação, com o objetivo de promover o conhecimento mútuo e o desenvolvimento sustentável. (Ver: Consórcio intermunicipal.)

COOPERAÇÃO MULTILATERAL — Cooperação em que os governos enviam os fundos de Ajuda para organizações multilaterais para que estas os utilizem no financiamento das suas próprias atividades.

COOPERAR — Trabalhar ou agir conjuntamente para determinado fim específico.

COOPERATIVA — Espécie de sociedade formada e dirigida por uma associação de usuários, que se reúnem em igualdade de direitos com o objetivo de desenvolver uma atividade econômica ou prestar serviços comuns, eliminando os intermediários. Conforme a natureza de seu corpo de associados, as cooperativas podem ser de produção, de consumo, de crédito, de troca e comercialização, de segurança mútua, de venda por atacado ou de assistência médica. As mais comuns são as cooperativas de produção, consumo e crédito; há ainda as cooperativas mistas, que unem numa só empresa essas três atividades. No Brasil, a formação de cooperativas é regulamentada por lei desde 1907. Internacionalmente, a atividade é incentivada pela Aliança Cooperativa Internacional. As cooperativas são sociedades de pessoas, com forma e natureza jurídica próprias, de natureza civil, sem objetivo financeiro, não sujeitas à falência, tendo por objetivo atividade lícita, distinguindo-se das demais sociedades pelas seguintes características, entre outras: a) adesão voluntária; b) variabilidade do capital social representado por quotas-partes; c) limitação do número de quotas-partes do capital para cada associado; d) inacessibilidade das quotas-partes do capital a terceiros, estranhos à sociedade. As sociedades cooperativas poderão adotar por objeto qualquer gênero de serviço, operação ou atividade, assegurando-se-lhes o direito exclusivo e exigindo-se-lhes a obrigação do uso da expressão "cooperativa" em sua denominação, sendo vedado às cooperativas o uso da expressão "Banco". (Ver: Cooperativismo // Sociedade Cooperativa.)

COOPERATIVA DE CRÉDITO — São autorizadas cooperativas de dois tipos: cooperativas de economia e crédito mútuo e cooperativas de crédito rural. Devem possuir o número mínimo de 20 (vinte) cooperados e adequar sua área de ação às possibilidades de reunião, controle, operações e prestações de serviços. As cooperativas de crédito devem adotar, obrigatoriamente, em sua denominação social, a expressão "cooperativa", vedada a utilização da palavra "banco".

COOPERATIVA DE CRÉDITO RURAL — É a cooperativa de crédito cujo quadro social é formado por pessoas físicas que, de forma efetiva e preponderante, desenvolvam, na área de atuação da cooperativa, atividades agrícolas, pecuárias ou extrativas, ou se dediquem a operações de captura e transformação de pescado e, excepcionalmente, por pessoas jurídicas que exerçam exclusivamente as mesmas atividades.

COOPERATIVA DE ECONOMIA E CRÉDITO MÚTUO — É a cooperativa de crédito cujo quadro social é formado por pessoas físicas que exerçam determinada profissão ou atividades comuns, ou estejam vinculadas à determinada entidade e, excepcionalmente, por pessoas jurídicas que, na forma da lei, se conceituem como micro ou pequena empresa que tenham por objeto as mesmas ou correlatas atividades econômicas das pessoas físicas ou, ainda, aquelas sem fins lucrativos, exceto cooperativas de crédito.

COOPERATIVA SOCIAL — Entidade constituída com a finalidade de inserir as pessoas em desvantagens no mercado econômico, por meio do trabalho. Fundamentam-se no interesse geral da comunidade em promover a pessoa humana e a integração social dos cidadãos, e incluem entre suas atividades: a organização e gestão de serviços sociossanitários e educativos; e o desenvolvimento de atividades agrícolas, industriais, comerciais e de serviços. Na denominação e razão social das entidades é obrigatório o uso da expressão "Cooperativa Social", aplicando-se-lhes todas as normas relativas ao setor em que operarem, desde que compatíveis com os objetivos da Lei. São consideradas pessoas em desvantagens: os deficientes físicos e sensoriais; os deficientes psíquicos e mentais, as pessoas dependentes de acompanhamento psiquiátrico permanente, e os egressos de hospitais psiquiátricos; os dependentes químicos; os egressos de prisões; os condenados a penas alternativas à detenção; os adolescentes em idade adequada ao trabalho e situação familiar difícil do ponto de vista econômico social ou afetivo. (Ver: Sociedade Cooperativa.)

COOPERATIVAS BRASILEIRAS, ORGANIZAÇÃO DAS (OCB) — Associação autônoma de pessoas que se unem, voluntariamente, para satisfazer aspirações e necessidades econômicas, sociais e culturais comuns, por meio de uma empresa de propriedade coletiva e democraticamente gerida. (Ver: Sociedade Cooperativa.)

COOPERATIVISMO — Doutrina que tem por objetivo a solução de problemas sociais por meio da criação de comunidades de cooperação. Tais comunidades seriam formadas por indivíduos livres, que se encarregariam da gestão da produção e participariam igualitariamente dos bens produzidos em comum. O cooperativismo pretendeu representar uma alternativa entre o capitalismo e o socialismo, mas sua origem encontra-se nas propostas dos chamados socialistas utópicos. O cooperativismo é uma forma eficiente de organização para produzir riqueza e prestar serviços e oferece uma possibilidade concreta de geração de ocupação e renda, possibilidade baseada no uso dos potenciais produtivos das comunidades em que atuam. (Ver: Sociedade Cooperativa.)

COORDENAÇÃO — Atribuição funcional de um órgão ou pessoa sobre outros órgãos e/ou pessoas que conjugam esforços para um objetivo comum, especialmente na execução dos planos e programas de governo. É a harmonia das funções em busca dos objetivos.

COORDENADAS — Valores lineares e/ou angulares que indicam a posição ocupada por um ponto num sistema de referência qualquer.

COORDENADAS CARTESIANAS — Sistemas de coordenadas em que a localização de pontos no espaço é expressa em referência a três planos, chamados planos de coordenadas (X,Y e Z), perpendiculares entre si.

COORDENADAS GEOGRÁFICAS — Valores angulares de latitude e longitude que definem a posição de pontos sobre a superfície do Planeta Terra, em relação ao elipsóide (eixo de rotação terrestre) de referência adotado. A apresentação dos mapas nestas coordenadas permite a localização inequívoca das feições e transformação para outros sistemas de projeção.

COORDENADAS UTM — Valores das coordenadas plano-retangulares L (Leste) e N (Norte) que definem a posição de pontos sobre a superfície do Planeta Terra, em relação ao elipsóide (eixo de rotação terrestre) de referência adotado na projeção *Universal Transversa de Mercator (UTN)*, cuja propriedade conforme, possibilita representar sem deformação todos os ângulos em torno de quaisquer pontos, não distorcendo a forma de pequenas áreas representadas nos mapas. É adotada no mapeamento sistemático do Brasil, sendo a mais utilizada. As coordenadas dos arquivos disponíveis são apresentadas em quilômetros.

COORDENAR — Dispor em certa ordem ou segundo certas normas ou métodos; organizar; arranjar.

COORTE — Em estatística é um conjunto de pessoas que tem em comum um evento que se deu no mesmo período; exemplo: coorte de pessoas que nasceram em 1960; coorte de mulheres casadas em 1999 etc.

COPOM (COMITÊ DE POLÍTICA MONETÁRIA) — Conselho ligado ao Banco Central que se reúne duas vezes por mês para definir a taxa básica de juros da economia – aquela que remunera os títulos do governo e que serve de referência para os bancos fixarem as suas taxas de juros. Inspirado no modelo americano, o COPOM foi criado em 1996, com o objetivo de proporcionar maior transparência ao processo decisório. O COPOM tem como objetivos estabelecer diretrizes da política monetária, definir a meta da Taxa SELIC, e seu eventual viés, e analisar o Relatório de Inflação, a que se refere o Decreto nº 3.088, de 1999. Cabe ao COPOM: a) avaliar as propostas, acrescentar proposições acerca das questões apresentadas e definir, por meio de voto, a meta da Taxa SELIC e seu eventual viés; b) presidir as reuniões e, ao final, encaminhar a votação; decidir com voto de qualidade; ter a prerrogativa, concedida pelo COPOM, de alterar a meta para a Taxa SELIC, no mesmo sentido do viés, sem necessidade de convocação de reunião extraordinária do COPOM; c) apresentar sugestões sobre as diretrizes de política monetária e proposta para a definição da meta da Taxa SELIC e seu eventual viés; d) apresentar análise da conjuntura, abrangendo inflação, nível de atividade, evolução dos agregados monetários, finanças públicas e balanço de pagamentos; e) informar sobre o ambiente externo, bem como a evolução do mercado de câmbio, das operações do Banco Central do Brasil e das reservas internacionais; f) discorrer sobre o estado de liquidez bancária; g) relatar sobre o mercado monetário e sobre as operações de mercado aberto; h) apresentar avaliação prospectiva das tendências da inflação. Também compete ao COPOM avaliar o cenário macroeconômico, bem como os principais riscos a ele associados, com base no qual as decisões de política monetária serão tomadas e divulgadas no Relatório de Inflação. (Ver: SELIC.)

CO-PROPRIEDADE — Propriedade comum a duas ou mais pessoas. O mesmo que condomínio.

COPYRIGHT — Termo inglês que significa direitos autorais. Direito de cópia ou direito de reprodução, direito de propriedade intelectual que tem um autor de uma obra literária

CORAGEM — Sentimento originado por determinação de enfrentar o perigo por privação, crença, motivação, conhecimento ou reconhecimento. Misto de raiva, medo, impulso, expectativa, audácia, atrevimento, cautela e determinação para o enfrentamento de uma situação difícil logo adiante.

CORAM LEGE — [Latim]. Expressão que significa em face da lei; perante a lei; diante da lei; ante a lei.

CORDILHEIRA MESO-ATLÂNTICA — Formação montanhosa de origem vulcânica que se situa na confluência das placas tectônicas. No oceano Atlântico, a cordilheira está localizada no limite de separação das placas americana e africana, a meio caminho do Brasil e da África. No oceano Pacífico, ela ocupa uma posição próxima do continente americano. Essas cadeias e montanhas estão presentes ao longo de todos os oceanos.

CORE INFLATION — Ver Índice *Core Infration*.

CO-RESPONSABILIDADE — Responsabilidade conjunta de duas ou mais pessoas.

CO-RESPONSÁVEL — É aquele que pratica atos de gestão financeira, orçamentária e patrimonial, sob a direção ou supervisão do ordenador de despesas e/ou conjuntamente com este.

CO-RÉU — Aquele que é réu juntamente com outro (a) no mesmo processo. Ele não pode intervir no mesmo processo como assistente no Ministério Público. A imunidade parlamentar não se estende ao co-réu sem essa prerrogativa.

CORONELISMO — Expressão usada para definir a estrutura de poder dos grandes proprietários e das oligarquias agrárias entre o fim do Império e o começo da República. O título ou a patente de "coronel" dos grandes proprietários rurais vem de sua participação na Guarda Nacional, criada em 1831 para enfrentar os conflitos do período regencial. Passada a crise da Regência, a Guarda Nacional é mantida e durante o Império é ela que, com tropas particulares, assegura a ordem interna. Com a República, a Guarda Nacional é extinta, mas os coronéis mantêm o poder em suas terras e em áreas de influência. A partir da instituição do regime representativo e da ampliação do direito de voto, ganham importância os partidos políticos e as eleições. Mas são os coronéis, articulados nas oligarquias regionais, que garantem a eleição de candidatos dos governos federal e estadual durante a República Velha. Eles fazem a propaganda dos candidatos oficiais, controlam o voto não-secreto dos eleitores e a apuração, chegando quase sempre ao resultado esperado. "Coronel caudilho", nas coxilhas do Sul, "coronel de barranco", nos rios amazônicos do Norte, "coronel donatário", nos sertões do Nordeste ou "coronel empresário", na cafeicultura do Sudeste: os nomes variam, mas a estrutura de poder é a mesma. Os latifundiários e as oligarquias rurais trocam favores por voto: de botina e enxada a emprego público. Essa prática se apóia nas velhas relações paternalistas originárias da sociedade colonial e só começa a mudar a partir dos anos 30 e 40, com a urbanização e a industrialização. No interior do país, os laços de fidelidade, lealdade e dependência econômica com os senhores de terras ainda hoje influenciam o comportamento político da população local.

CORPO DE DELITO — É o conjunto de elementos materiais resultantes da prática de um crime. Ainda, são as alterações materiais deixadas pela infração penal. No passado, a expressão indicava tão-somente o cadáver da pessoa vitimada por homicídio, o qual devia ser exibido ao juiz, daí, talvez, o sentido etimológico do corpo de delito. Posteriormente, a expressão passou a significar toda pessoa ou coisa sobre as quais incidia um ato delituoso, até que se chegasse ao sentido moderno. O CPP adverte sobre o assunto, no art. 158 e seguintes. Ex.: vítima, armas, pegadas. (Ver: Corpo de delito direto // Corpo de delito indireto.)

CORPO DE DELITO (DIRETO) — É o conjunto de vestígios deixados pelo fato criminoso. São os elementos materiais, perceptíveis pelos nossos sentidos, resultante da infração penal. Esses elementos sensíveis, objetivos, devem ser objeto de prova, obtida pelos meios que o direito fornece. Os técnicos dirão da sua natureza, estabelecerão o nexo entre eles e o ato ou omissão por que se incrimina o acusado. (Ver: Corpo de delito // Corpo de delito indireto.)

CORPO DE DELITO (INDIRETO) — Quando o corpo de delito se torna impossível, admite-se a prova testemunhal, por haverem desaparecido os elementos materiais. Essa substituição do exame objetivo pela prova testemunhal, subjetiva, é indevida, pois não há corpo, embora haja o delito. (Ver: Corpo de delito // Corpo de delito direto.)

CORPO DE DELITO, AUTO DE — Meio de prova no processo penal destinado a apurar os vestígios deixados pelo criminoso na vítima ou no próprio local do delito. Consiste na inspeção ocular feita por peritos, a qual leva às conclusões que instruirão o laudo.

CORPO DISCENTE — Ver Educação - Corpo discente.

CORPO DOCENTE — Ver Educação - Corpo docente.

CORPORAÇÃO — É um grupo de pessoas que age como uma única entidade. No contexto da cidadania corporativa, corporativa se refere a qualquer organização seja no setor de negócios, público ou voluntário, com fins lucrativos, não somente com fins lucrativos e sem fins lucrativos. Todas as organizações são responsáveis perante a sociedade por suas operações, seja uma empresa global, um departamento do governo ou um grupo local que defende alguma causa. A propriedade das mesmas e os relacionamentos-chave delas podem determinar suas prioridades de informações.

CORPORAÇÃO (EMPRESA) DE CAPITAL ESTRANGEIRO — É uma companhia subsidiária ou corporação registrada em um paraíso fiscal ou outro território onde os impostos são mínimos ou não são cobrados sobre o lucro gerado pela subsidiária. Em alguns casos, os lucros declarados pela companhia podem estar sujeitos à cobrança de impostos no país onde a empresa matriz está sediada, caso este possua legislação apropriada a esta situação.

CORPORAÇÕES INTERNACIONAIS (CI) OU EMPRESAS *OFFSHORE* — É um tipo de empresa existente em muitos centros financeiros *offshore* e paraísos fiscais e que comumente recebe toda ou a maior parte de sua renda do exterior. Normalmente, as Cis pagam uma taxa anual de registro, e estão sujeitas a nenhuma ou mínima cobrança de impostos.

CORPORAÇÕES TRANSNACIONAIS — Companhias que operam em mais do que um país, mas que mantêm a sede e o controle num determinado país.

CORPORATE VENTURING — Prática de uma grande empresa comprar uma pequena parcela de capital ou estabelecer uma *joint venture* com um negócio menor para beneficiar das qualificações especializadas da empresa menor.

CORPORATION — Corporação. Conglomerado de empresas com características peculiares e de âmbito multinacional.

CORPORATIVISMO — Sistema que confere papel de direção e poder regulamentador a sindicatos únicos (patronais ou de trabalhadores), constituídos por atividade ou profissão.

CORPUS IURIS CANONICI — [Latim]. Expressão que significa Código de Direito Canônico. Conjunto de leis eclesiásticas codificadas por São Pio X e promulgadas pelo papa Bento XV em 1917.

CORPUS JURIS CIVILIS — [Latim]. Expressão que significa Ordenamento do Direito Civil. Denominação ao conjunto das obras do direito romano - *institutos, pandectas, novelhas e código* - organizado por ordem do imperador Justiniano.

CORRASÃO — Erosão mecânica, em oposição à corrosão ou erosão química. A corrasão ocorre quando fragmentos de rochas ou areias, em suspensão no caudal, em regime turbilhonar, atritam sobre camadas rochosas das margens e dos fundos dos rios, provocando a escavação das mesmas.

CORREÇÃO — Ação para eliminar uma não-conformidade encontrada. Em análise de investimento caracteriza-se quando ocorre uma tendência secundária de baixa em um mercado de ações em alta.

CORREÇÃO CAMBIAL — Ajuste no valor, em decorrência do tempo decorrido,de determinada moeda em relação ao valor de uma moeda de outro país.

CORREÇÃO DA DÍVIDA CONTRATUAL RESGATADA — Despesas decorrentes da atualização, monetária ou cambial, do valor do principal da dívida contratual, interna e externa, efetivamente amortizado.

CORREÇÃO MONETÁRIA — Ato ou efeito de ajustar valores de acordo com a perda do poder aquisitivo da moeda. Os índices de correção monetária são calculados de acordo com a taxa oficial de inflação e aplicados no reajustamento periódico do valor nominal de títulos de dívida pública (Obrigações do Tesouro Nacional) e privados (letras de câmbio, depósitos a prazo fixo e depósitos de poupança), ativos financeiros institucionais (FGTS, PIS-PASEP), créditos fiscais e ativos patrimoniais das empresas. Não se deve confundir correção monetária com reavaliação, pois esta é voluntária e aquela compulsória, perante a legislação.

CORREÇÃO MONETÁRIA DE OPERAÇÕES DE CRÉDITO POR ANTECIPAÇÃO DE RECEITA — É atualização monetária da dívida decorrente de AROs. (Ver: Operação de Crédito por Antecipação de Receita Orçamentária.)

CORREÇÃO MONETÁRIA PREFIXADA — Projeção feita para a correção monetária para um período de tempo futuro.

CORRECIONAL — Relativo a correção; o que visa recuperar criminoso ou menor delinqüente.

CORREDOR AGROINDUSTRIAL — É assim denominado no Plano Diretor de Desenvolvimento Urbano e Ambiental (PDDUA) o espaço situado na cidade destinado à instalação de agroindústrias não poluentes, como suporte e incentivo à produção agrícola e pecuária da região.

CORREDOR CENTRAL — É assim denominado no Plano Diretor de Desenvolvimento Urbano e Ambiental (PDDUA) o corredor de transporte que se desenvolve ao longo dos eixos das vias arteriais das áreas com maior atração de viagens; atende à demanda gerada pelo uso do solo lindeiro, ocupado por hospitais, centros de saúde, clínicas médicas, universidades, escolas, comércio diversificado, *shoppings* etc.; exige faixas exclusivas e/ou preferenciais para a circulação de ônibus, nas quais a implantação de segregação física em alguns trechos garantirá efetiva prioridade de circulação destes veículos.

CORREDOR DE ATIVIDADES DIVERSIFICADAS — É assim denominada no Plano Diretor de Desenvolvimento Urbano e Ambiental (PDDUA) a concentração de comércio e serviços ao longo de corredor de tráfego, abrigando usos independentes, eventualmente complementares, configurando-se como preferencial para implantação de atividades geradoras de tráfego, compreendendo: Corredor Metropolitano, Corredor Municipal e Corredor Submunicipal.

CORREDOR DE DESENVOLVIMENTO — É assim denominada no Plano Diretor de Desenvolvimento Urbano e Ambiental (PDDUA) as regiões em que, por sua localização estratégica e sua *interface* de integração com a Região Metropolitana, são estimuladas centralidades de caráter metropolitano, inclusive as já existentes.

CORREDOR DE PRODUÇÃO — É assim denominada no Plano Diretor de Desenvolvimento Urbano e Ambiental (PDDUA) a faixa da cidade onde se estimula amplamente as atividades econômicas passíveis de convivência com a atividade residencial, bem como a ocupação dos terrenos vazios por habitação de interesse social.

CORREDOR DE URBANIDADE — É assim denominado no Plano Diretor de Desenvolvimento Urbano e Ambiental (PDDUA) o espaço que circunda o Centro Histórico da cidade, onde estão situados bairros e lugares significativos em termos de patrimônio histórico e cultural.

CORREDOR METROPOLITANO — É assim denominada no Plano Diretor de Desenvolvimento Urbano e Ambiental (PDDUA) a categoria de corredor de atividades diversificadas que se desenvolve ao longo dos eixos de penetração na Cidade, dando suporte à articulação metropolitana e comportando atividades de maior impacto.

CORREDOR MUNICIPAL — É assim denominada no Plano Diretor de Desenvolvimento Urbano e Ambiental (PDDUA) a categoria de corredor de atividades diversificadas, que se desenvolve ao longo ou em trechos de eixos viários que articulam os Centros; distribui os fluxos de tráfego na Cidade, e comporta atividades de médio impacto.

CORREDOR SUBMUNICIPAL — É assim denominada no Plano Diretor de Desenvolvimento Urbano e Ambiental (PDDUA) a categoria de corredor de atividades diversificadas que se desenvolve ao longo de vias que atravessam e/ou interligam regiões intra-urbanas, comportando atividades de menor impacto e exigindo faixa lateral de domínio.

CORREDOR TRANSVERSAL — É assim denominado no Plano Diretor de Desenvolvimento Urbano e Ambiental (PDDUA) o corredor de transporte que se desenvolve sobre os eixos das vias transversais, atendendo às demandas de outras regiões, cortando transversalmente o Município, sem passar pelo centro, todavia, possibilitando a ligação com estes através da sua conexão com os corredores longitudinais.

CORREDOR VIÁRIO — São assim denominadas no Plano Diretor de Desenvolvimento Urbano e Ambiental (PDDUA) as vias ou conjunto de vias que funcionam de maneira integrada para melhorar ao sistema de transporte urbano.

CORREDORES DE CENTRALIDADE — São espaços estruturadores da cidade onde o Plano Diretor de Desenvolvimento Urbano e Ambiental (PDDUA) estimula uma maior concentração de pessoas e uma grande variedade de usos, de maneira a permitir que a população das áreas próximas tenha como atender suas necessidades sem grandes deslocamentos. Estão sempre limitados por duas avenidas, paralelas entre si, de importância fundamental para os deslocamentos.

CORREDORES ECOLÓGICOS — Termo adotado pelo Sistema Nacional de Unidades de Conservação. São porções de ecossistemas naturais ou seminaturais que ligam unidades de conservação, possibilitando o fluxo de genes e o movimento da biota entre elas, facilitando a dispersão de espécies, a recolonização de áreas degradadas e a manutenção de populações que precisam, para sua sobrevivência, de áreas maiores do que as disponíveis nas unidades de conservação. (Ver: Gene // Biota.)

CORREGEDOR — Magistrado incumbido da correição. Tem jurisdição extraordinária permanente sobre os juízes e serventuários da Justiça, para fiscalizar os seus atos, instruí-los, orientá-los, punir suas faltas ou seus abusos.

CORREGEDOR-GERAL DA JUSTIÇA — Título do desembargador a quem incumbe a correção permanente dos serviços judiciários de primeira instância e o zelo pelo bom funcionamento e aperfeiçoamento da Justiça. Nessa atividade é auxiliado por juízes-corregedores.

CORREGEDORIA — Cargo ou jurisdição do corregedor. Lugar onde se exerce suas funções atinentes ao corregedor.

CORREGEDORIA-GERAL DA JUSTIÇA — Órgão de fiscalização, disciplina e orientação administrativa, com jurisdição em todo o Estado. Exercida por um desembargador com o título de corregedor-geral.

CORREIÇÃO — Função administrativa exercida pelo corregedor-geral da Justiça ou juízes-corregedores que tem por finalidade emendar e corrigir os erros e abusos de autoridades judiciárias e dos serventuários da Justiça e auxiliares. O objetivo é fiscalizar, disciplinar e orientar os juízes e servidores, bem como os cartórios, para o bom funcionamento da Justiça.

CORREIÇÃO EXTRAORDINÁRIA — Ver Correição Parcial.

CORREIÇÃO GERAL OU ORDINÁRIA — Aquela que o corregedor faz habitualmente em toda a sua jurisdição, sem motivo especial e em decorrência de suas obrigações funcionais.

CORREIÇÃO PARCIAL OU EXTRAORDINÁRIA — Fiscalização levada a efeito pelo juiz-corregedor ao tomar conhecimento de erro ou abuso de servidor público. Providência administrativo-judiciária utilizada contra despachos do juiz que importarem em inversão tumultuária do processo, desde que não haja recurso específico ao caso. Estão legitimados para propor correição parcial o réu, o Ministério Público, o querelante.

CORRELAÇÃO — É uma medida de associação linear entre duas variáveis aleatórias, denominada coeficiente de correlação. Varia entre -1 e 1. Quanto mais próximo de 0, menor é a associação linear entre as duas variáveis. Quanto mais próximo da unidade maior é essa associação. Se ele é menor do que zero indica associação inversa, se maior, associação direta.

CORRELIGIONÁRIO — Ver Eleição - Correligionário.

CORRENTE DE COMÉRCIO — É o resultado da soma das exportações com as importações e representa o total de comércio transacionado por um país com o exterior. As exportações e importações incluem mercadorias e serviços.

CORRENTE ELÉTRICA — É um fluxo de elétrons em um condutor elétrico. Taxa de transporte da eletricidade, medida em ampères.

CORRENTE OCEÂNICA DAS *FALKLAND*/MALVINAS — Corrente que se dirige para o norte, ao longo da costa da Argentina. A Corrente das *Falkland*/Malvinas nasce como um ramo da Corrente Circumpolar Antártica; a cerca de 30º S, esta corrente se junta com a Corrente do Brasil e ambas deslocam-se para leste, na denominada Corrente do Atlântico Sul, que fecha o grande giro de correntes neste oceano.

CORRENTE OCEÂNICA DO BRASIL — Corrente oceânica quente e salina, que se desloca para o sul, ao longo da costa leste do Brasil. Sua origem está na Corrente Sul Equatorial, que, fluindo para oeste, se bifurca ao aproximar-se do saliente (cabo) nordestino. A parte que forma a Corrente do Brasil inflete para o sul e segue ao longo da costa; a cerca de 30º S, encontra a Corrente das *Falkland*/Malvinas; então, ambas seguem para leste e cruzam o oceano, como a Corrente do Atlântico Sul.

CORRENTE OCEÂNICA NORTE DO BRASIL — Origina-se da parte da Corrente Sul Equatorial que, quando esta se bifurca ao se aproximar do Brasil, flui para noroeste, ao longo da costa setentrional do País. A Corrente Norte do Brasil sofre uma descontinuidade na altura da foz do rio Amazonas: parte dela volta-se para formar a Corrente Submersa Equatorial; outra parte, reforçada pelas águas do rio Amazonas, forma a Corrente das Guianas, braço noroeste da Corrente Norte do Brasil, que é, também, impulsionada pelo ramo oeste da Corrente Norte Equatorial.

CORRENTE OCEÂNICA SUL EQUATORIAL — Origina-se quando a Corrente de Benguela, com fluxo para o norte, ao longo da costa ocidental da África, afasta-se gradualmente da costa e inflete para oeste. A Corrente Sul Equatorial, impelida pelos ventos de sudeste que sopram no setor tropical do Atlântico Sul, desloca-se para oeste, entre 20º S e o Equador. Ao se aproximar do Brasil, se bifurca; parte cruza o Equador e flui para noroeste, ao longo da costa norte da América do Sul, como a Corrente Norte do Brasil (ou Corrente das Guianas); a outra parte inflete para a esquerda e flui para o sul, ao longo da costa leste do Brasil, como a Corrente do Brasil.

CORRETAGEM — É o ato de intermediar uma transação entre comprador e vendedor de títulos, ações, imóveis e outras mercadorias. Remuneração do corretor ou da sociedade corretora por sua intermediação nos negócios de compra e venda.

CORRETORA DE MERCADORIAS — Sociedade comercial, detentora do respectivo título emitido pela BM&F, responsável pela execução, por conta própria ou de seus clientes, dos negócios no pregão.

CORRETORAS DE VALORES — São instituições financeiras membros das bolsas de valores e de futuros, credenciadas pelo Banco Central, pela CVM e pelas próprias bolsas e estão habilitadas, entre outras atividades, a negociar valores mobiliários, de carteira própria e de terceiros, com exclusividade no pregão das bolsas. Opera fisicamente nas bolsas de valores, administra fundos de investimento, faz lançamento de ações ao público, administra carteira, faz custódia de valores mobiliários e intermedia operações de câmbio.

CORRETORES (*BROKERS*) — São indivíduos que atuam como intermediários de transações, em troca de uma comissão. Entre os vários tipos de corretores, destacam-se os de Bolsa (*stockbrokers*), corretores de seguros (*insurance brokers*) e os corretores de mercadorias (*commodity brokers*).

CORRIDA AO FUNDO DO POÇO (*RACE TO THE BOTTON*) — Metáfora que se refere à tendência de queda dos impostos e exigências regulatórias sobre o capital originado a partir da competição entre Estados soberanos para atrair e reter investimentos.

CORROBORAÇÃO — Prova ou evidência que respalda ou confirma a veracidade de uma denúncia ou alegação.

CORROMPER — É degradar, viciar, levar para o mau caminho.

CORROSÃO — 1) Deterioração ou destruição progressiva de uma substância ou de um material por uma ação química, provocada muitas vezes por fenômenos eletroquímicos. 2) Processo segundo o qual a água, na condição de solvente universal, dilui os sais solúveis, liberados das rochas, em conseqüência da ação mecânica, e os transporta sob a forma de soluções.

CORRUPÇÃO — É uma relação social (de caráter pessoal, extramercado e ilegal) que se estabelece entre dois agentes ou dois grupos de agentes (corruptos e corruptores), cujo objetivo é a transferência de renda dentro da sociedade ou do fundo público, para a realização de fins estritamente privados. Tal relação envolve a troca de favores entre os grupos de agentes e geralmente a remuneração dos corruptos com o uso da propina e de qualquer tipo de meio de pagamento. (Ver: Corrupto // Propina.)

CORRUPÇÃO ATIVA — Crime praticado por particular contra a Administração em geral. Consiste no oferecimento ou promessa de vantagem indevida a servidor público, para determiná-lo a praticar, omitir ou retardar ato de ofício. A pena prevista para este crime é de reclusão, de um a oito anos, e multa. A pena é aumentada de um terço se, em razão da vantagem ou promessa, o funcionário retarda ou omite ato de ofício, ou o pratica infringindo dever funcional. (Ver: Corrupção.)

CORRUPÇÃO AUTOGERATIVA — É aquela que envolve o ato de um agente público que o beneficia: exemplo disto é investir dinheiro público em infra-estrutura numa determinada região onde aquele que tomou esta decisão possui propriedades. (Ver: Corrupção.)

CORRUPÇÃO DE MENORES — Crime previsto no Código Penal que pune a conduta que venha degradar a conduta social do menor com idade entre 14 e 18 anos: Corromper ou facilitar a corrupção de pessoa maior de 14 (catorze) e menor de 18 (dezoito) anos, com ela praticando ato de libidinagem ou induzindo-a a praticá-la ou presenciá-lo. (Ver: Corrupção.)

CORRUPÇÃO DE PREPOSTO — Crime contra a propriedade imaterial consistente em dar ou prometer dinheiro ou outra utilidade a empregado de concorrente, para que, faltando ao dever do emprego, lhe proporcione vantagem indevida. (Ver: Corrupção.)

CORRUPÇÃO DE SUPORTE — É aquela feita para encobrir a corrupção já existente. (Ver: Corrupção.)

CORRUPÇÃO DEFENSIVA — É aquela que envolve o pagamento de propina via coerção por um motivo de autodefesa.

CORRUPÇÃO EXTORSIVA — É aquela associada ao pagamento de propina para evitar algum tipo de prejuízo maior ao pagador; este tipo de corrupção pode ser exemplificado pelo pagamento de propina a um fiscal que constata algum tipo de irregularidade, mas aceita não fazer a denúncia nos termos da lei. (Ver: Corrupção.)

CORRUPÇÃO NEPOTISTA — Refere-se à indicação de parentes ou amigos para cargos públicos; constitui uma forma de transferência de renda e de relação clientelística. (Ver: Corrupção // Nepotismo.)

CORRUPÇÃO PASSIVA — Aceitar, em razão da função, vantagem indevida. É um dos crimes praticados por servidor ou agentes públicos contra a administração em geral. Caracteriza-se pela solicitação ou recebimento, para si ou para outrem, direta ou indiretamente, ainda que fora da função ou antes de assumi-la, mas em razão dela, vantagem indevida ou aceitar promessa de tal vantagem. A pena prevista para este crime é de reclusão, de um a oito anos, e multa. A pena é aumentada de um terço se, em conseqüência da vantagem ou promessa, o funcionário retarda ou deixa de praticar qualquer ato de ofício ou o pratica infringindo dever funcional. Se o funcionário pratica, deixa de praticar ou retarda ato de ofício, com infração de dever funcional, cedendo a pedido ou influência de outrem, a pena é de detenção, de três meses a um ano, ou multa. (Ver: Corrupção.)

CORRUPÇÃO POLÍTICA — A corrupção política configura-se quando governantes, servidores públicos e agentes privados utilizam-se ilegalmente do poder político e financeiro de organismos ou agências governamentais, com o objetivo de transferir renda pública ou privada de maneira criminosa para si ou para determinados indivíduos e grupos ligados por quaisquer laços de interesse comum. (Ver: Corrupção.)

CORRUPÇÃO PREVENTIVA — É aquela que envolve o pagamento de propinas ou a entrega de presentes visando algum favor no futuro. Isto normalmente ocorre em muitas empresas públicas e privadas, onde funcionários que comandam grandes orçamentos são premiados por fornecedores etc. (Ver: Corrupção.)

CORRUPÇÃO TRANSATIVA — É aquela que envolve transferências de renda a serem repartidas entre as partes envolvidas. Este tipo de corrupção normalmente está associada à interação de agentes privados e públicos. (Ver: Corrupção.)

CORRUPTO — Do latim, *corruptus*, significa "apodrecido", "pútrido". Diz-se daquele que pratica ou sofre corrupção. Devasso, depravado. Sob o ponto de vista da psicologia, o corrupto não é uma pessoa normal, mas não está classificado dentro das doenças mentais. Se fosse considerado doente mental, seria uma atenuante para o ato ilícito praticado por ele. Se o corrupto tem condições de trapacear novamente, não pensa duas vezes. (Ver: Corrupção.)

CORRUPTO - PERFIL — Geralmente são sedutores, bem-falantes, arrogantes, menos sensíveis ao sofrimento dos demais, egocêntricos, egoístas, histriônicos, teatrais, instáveis e oscilam do amor ao ódio de acordo com as circunstâncias que os gratifiquem os frustrem. São trapaceiros nas pequenas e grandes coisas de sua vida, com baixa tolerância à frustração, gostam do atalho e utilizam a esperteza para satisfazer seus desejos.

CORTE — Tribunais de ordem superior aos quais compete conhecer e julgar, além das questões que são de sua competência originária, aquelas que constituem objeto de recurso de instâncias ou jurisdição inferiores.

CORTIÇOS — Habitação coletiva das classes pobres; casa de cômodo. São moradias que abrigam várias famílias. Normalmente situados no centro das cidades, os cortiços permitem que elas possam deslocar-se a pé até o local de trabalho. Os baixos aluguéis e a informalidade dos contratos, que não exigem comprovação de renda nem fiador, também pesam muito na escolha. Em troca dessas facilidades, os moradores vivem em condições precárias, preparando suas refeições dentro dos quartos, dividindo o uso de sanitário com os vizinhos ou morando em cômodos sem iluminação nem ventilação. Os cortiços se concentram nas maiores cidades: 90% deles estão nos municípios com mais de 100 mil habitantes. Atualmente o número de cortiços cadastrados no Brasil passa de 33 mil.

COSIF (PLANO CONTÁBIL DAS INSTITUIÇÕES DO SISTEMA FINANCEIRO NACIONAL) — Criado com o objetivo de unificar os diversos planos contábeis existentes à época e uniformizar os procedimentos de registro e elaboração de demonstrações contábeis e financeiras, o que veio a facilitar o acompanhamento, análise, avaliação do desempenho e controle das instituições integrantes do Sistema Financeiro Nacional.

COSMÓGRAFOS — Homens com conhecimentos de astronomia e de várias ciências da navegação, incluindo a cartografia.

COST, INSURANCE AND FREIGHT — Ver CIF.

COSTA — Faixa de terra de largura variável, que se estende da linha de praia para o interior do continente até as primeiras mudanças significativas nas feições fisiográficas. Essa faixa varia normalmente de alguns quilômetros a algumas dezenas de quilômetros. Conforme a configuração geral, pode-se falar em costa rasa ou costão.

COSTÃO ROCHOSO — Ambiente litorâneo formado por rochas, situado no limite entre o oceano e o continente. Pode ser considerado um ecossistema, do qual faz parte uma grande diversidade de seres marinhos. O costão rochoso sofre influência das marés, dos embates das ondas e dos raios solares, obrigando as formas de vida a se adaptar a essas condições peculiares.

COSTUME — É tudo aquilo que se estabelece por força do hábito ou do uso. É a norma não-escrita consagrada pelo uso e pela aceitação tácita das pessoas na prática de determinados atos. Embora procure se fazer distinção entre uso e costume, tecnicamente, revelam-se equivalentes, aplicando-se sem distinção como sinônimos. São seus requisitos básicos a constância e a harmonia com o direito escrito, pois um costume não pode operar contra *legem*, isto é, contra a lei, já que somente uma lei pode revogar outra lei.

COTA — 1) Crédito colocado à disposição do órgão, em conta, na instituição bancária credenciada como o agente financeiro do Tesouro. 2) Parte proporcional com que cada um de vários indivíduos contribui para um fim determinado. 3) Fração do capital de uma sociedade constituída por cotas de responsabilidade limitada. 4) Lançamento feito nos autos pelo advogado, informando ou esclarecendo o juiz e a parte contrária de algo que interesse a causa.

COTA DE CLUBE DE INVESTIMENTO — Corresponde a uma fração ideal de um clube de investimento. Seu valor é igual ao patrimônio líquido do clube dividido pelo número de cotas emitidas.

COTA ORÇAMENTÁRIA — Parcela dos créditos orçamentários totais constantes do orçamento para cada projeto/ atividade orçamentário que cada unidade orçamentária fica autorizada a utilizar em cada trimestre (cota trimestral), definida, normalmente, pela secretaria da Fazenda ou do Planejamento. As cotas poderão ser alteradas durante o exercício e devem assegurar aos órgãos a soma de recursos necessários e suficientes à realização de seu programa de trabalho e manter o equilíbrio entre receita arrecadada e despesa realizada.

COTA PATRONAL — É a contribuição social de percentual incidente sobre a folha de salários da instituição empregadora.

COTA TRIMESTRAL — Ver Cota Orçamentária.

COTAÇÃO — É o valor de qualquer ativo negociado no mercado. É preço de títulos, ações, moedas estrangeiras ou mercadorias que estão sendo negociadas. Termo utilizado principalmente nas bolsas de valores ou de mercadorias.

COTAS MARGINAIS OU INTERLINEARES — Anotações feitas nas margens ou nas entrelinhas das folhas de autos processuais. Trata-se de infração prevista e punida no Código de Processo Civil.

COUPON — Taxa determinada no momento da emissão de um título de renda fixa pela qual um emissor se compromete a pagar juros em intervalos periódicos. Podem ser fixas ou variáveis, flutuantes. O intervalo de pagamento também é determinado quando da emissão, sendo pagamento trimestral, semestral ou anual os mais usados. É importante notar a distinção entre coupon e rendimento (*yield*), já que o coupon independe do preço de negociação do ativo, enquanto que o *yield* varia (de forma inversa) às alterações desse preço.

COVARDIA — Sentimento originado por determinação de fugir ou esquivar, muito mais por ausência de coragem do que por medo, abandono, fraqueza e egoísmo. O covarde é impotente, fraco e medroso. Por isso, tem índole traiçoeira e ardilosa quando é convocado para um enfrentamento. O pavor aumenta quanto mais próximo de se expor. Assim, é um desertor em qualquer confronto direto por medo de enfrentar.

COVARIÂNCIA — É a medida de dispersão simultânea de duas variáveis quantitativas em relação as suas médias. É a soma dos produtos dos desvios das variáveis em relação a sua média, dividida pelo número de observações: Soma[(X_i – médiaX)*(Y_i – médiaY)]/n. É o numerador do coeficiente de correlação.

COVENANT — Constitui um sistema de garantia indireta, próprio de financiamentos, representado por um conjunto de obrigações contratuais acessórias, positivas ou negativas, ou seja, é um compromisso ou promessa em qualquer contrato formal de dívida, reconhecido em lei, protegendo os interesses do credor e estabelecendo que determinados atos devem ou não cumprir-se, podendo ser compromissos restritivos ou obrigações de proteção.

COVOÃO — Ver Voçoroca.

CP — Abreviatura de Código Penal.

CPC — Abreviatura de Código de Processo Civil.

CPF (CADASTRO DE PESSOA FÍSICA) — Antigo CIC (Cartão de Identificação do Contribuinte), principal documento depois do RG, é necessário para as pessoas físicas sujeitas a várias situações do cotidiano. São obrigadas a inscrever-se no Cadastro de Pessoas Físicas as pessoas físicas: a) sujeitas à apresentação de declaração de rendimentos; b) cujos rendimentos estejam sujeitos ao desconto do imposto de renda na fonte, ou que estejam obrigadas ao pagamento desse imposto; c) profissionais liberais, assim entendidos aqueles que exerçam, sem vínculo de emprego, atividades que os sujeitem a registro em órgão de fiscalização profissional; d) locadoras de bens imóveis; e) participantes de operações imobiliárias, inclusive a constituição de garantia real sobre imóvel; f) obrigadas a reter imposto de renda na fonte; g) titulares de contas bancárias, de contas de poupança ou de aplicações financeiras; h) que operam em bolsas de valores, de mercadorias, de futuros e assemelhadas; i) inscritas como contribuinte individual ou requerentes de benefícios de qualquer espécie no INSS. A condição de inscrito no CPF será comprovada por meio do Cartão CPF. O número de inscrição no CPF é atribuído à pessoa física uma única vez, sendo vedada, a qualquer título, a solicitação de uma segunda inscrição.

CPI (COMISSÃO PARLAMENTAR DE INQUÉRITO) — É a comissão, prevista nos regimentos das respectivas Casas do Congresso Nacional, que tem poderes de investigação próprios das autoridades judiciais, além de outros. A comissão é criada pela Câmara dos Deputados e pelo Senado Federal, em conjunto ou separadamente, mediante requerimento de um terço de seus membros, para a apuração de fato determinado e por prazo certo, sendo suas conclusões, se for o caso, encaminhadas ao Ministério Público, para que promova a responsabilidade civil ou criminal dos infratores. Dá-se o nome de Comissão Parlamentar Mista de Inquérito - CPMI, quando realizada, em conjunto, pelos membros da Câmara dos Deputados e Senado Federal.

CPI DO COLLOR — Comissão Parlamentar de Inquérito, instalada em 1992, devido a denúncias de Pedro Collor, em duas entrevistas à revista *Veja*, sobre a existência de um esquema de favorecimentos junto ao Governo Federal, envolvendo seu irmão, Fernando Collor de Mello, presidente da República, Paulo César Farias, tesoureiro de sua campanha, e empresários. A partir de depoimentos, principalmente do ex-motorista de Collor, Eriberto Freire França, e da secretária da empresa ASD, envolvida no esquema, Sandra Fernandes, a CPI descobriu uma rede de pagamentos de propinas através de cheques-fantasmas e uma falsa operação de financiamento, a "Operação Uruguai", envolvendo diretamente o presidente da República. Culminou com o pedido de impedimento (*impeachment*) do presidente, aprovado pelo Congresso Nacional.

CPI DO ORÇAMENTO — Comissão Parlamentar de Inquérito, instalada em 1993, para investigar a chamada "Máfia do Orçamento". A CPI apurou que sete parlamentares da Comissão Mista do Orçamento, presidida pelo Deputado João Alves, garantiam subvenções para entidades-fantasmas dirigidas por eles próprios e favoreciam empreiteiras, recebendo propinas, através de articulação para liberação de autorizações de despesas com a participação do então chefe da Secretaria do Orçamento Federal (SOF), José Carlos Alves. A CPI aprovou a cassação do mandato dos parlamentares e José Carlos foi indiciado criminalmente por sua suposta participação no assassinato de sua mulher.

CPMF (CONTRIBUIÇÃO PROVISÓRIA SOBRE MOVIMENTAÇÃO FINANCEIRA) — Contribuição cobrada sobre todo dinheiro que sai de uma conta-corrente bancária, inclusive salários, não importando o motivo da retirada, seja para pagar uma conta, seja para aplicar em um fundo de investimento. É um tributo de competência da União cobrado sobre toda movimentação financeira. A alíquota atual é de 0,38%. Na prática, a cobrança acontece apenas quando há movimentação na conta-corrente. Como toda aplicação em investimento ou troca de aplicação precisa necessariamente passar pela conta-corrente, qualquer movimentação é tributada. A CPMF foi criada com o objetivo de destinar recursos para a área de saúde, embora haja muita controvérsia política sobre o destino efetivo do dinheiro. Do ponto de vista econômico, a contribuição é muito questionada porque cria ruídos no processo produtivo e é um imposto que vai se acumulando sobre outros. Para o mercado financeiro, é mais um custo que prejudica as operações, especialmente no mercado de ações, o que muitas vezes afasta os investidores internacionais. Seu nome antigo era IPMF (Imposto Provisório sobre a Movimentação Financeira) e sua alíquota era de 0,20%.

CPMI (COMISSÃO PARLAMENTAR MISTA DE INQUÉRITO) — Ver CPI.

CPP — Abreviatura de Código de Processo Penal.

CPU/UNIDADE CENTRAL DE PROCESSAMENTO — Refere-se ao *chip* microprocessador.

***CRACK* —** Ocorre quando as cotações das ações declinam rapidamente para níveis de preços muito baixos. (Ver: Entorpecente - *Crack*.)

***CRAWLING PEG* —** Sistema de desvalorização deslizante da moeda.

CRECHE — Ver Educação - Creche.

CREDENCIAMENTO — Procedimento pelo qual um organismo autorizado reconhece formalmente que um organismo ou pessoa é competente para desenvolver tarefas específicas.

CREDENCIAMENTO DE OPERAÇÃO DE CRÉDITO — É o processo de análise preliminar das condições financeiras das operações de crédito a serem contratadas no exterior por entidades do Setor Público.

CREDIBILIDADE — Característica de uma informação que leva as pessoas a acreditarem nela.

***CREDIT METRICS* —** Metodologia de cálculo do risco de crédito de uma carteira desenvolvida pelo banco norte-americano JP Morgan. Busca estimar a distribuição das perdas de uma carteira, levando em conta não apenas a possibilidade de inadimplência, mas também a variação na qualidade do crédito.

***CREDIT TRANCHES* —** Nome dado pelo FMI às várias parcelas com que cada país contribui com recursos para o Fundo. Tal ocorre porque esta contribuição pode se dar em diferentes moedas.

CREDITADO — O que foi lançado a crédito de alguém.

CRÉDITO — Significa situação positiva, ter crédito com alguém, poder comprar a prazo. Confiança ou solvabilidade de uma pessoa ou organização. Empréstimo concedido. Operação através da qual uma instituição financiadora põe uma determinada soma à disposição de uma pessoa ou organização, mediante o compromisso desta lhe pagar os juros e lhe restituir, na data fixada, uma soma equivalente à que lhe foi fornecida. Contabilmente entende-se como origens de recursos de terceiros e dos capitalistas.

CRÉDITO AO CONSUMIDOR — Quantidade total de dinheiro que está disponível para empréstimos ao consumidor.

CRÉDITO CONSIGNADO — É uma modalidade de empréstimo pessoal disponível para servidores públicos, aposentados e pensionistas do INSS, e funcionários de empresas privadas, através de convênio entre a fonte pagadora e uma instituição financeira. O valor é liberado ao próprio cliente e o pagamento do empréstimo, de acordo com o prazo contratado, é efetuado através de parcelas mensais debitadas automaticamente no contracheque. O limite de crédito é personalizado, calculado com base na renda e não é necessário que o cliente seja correntista da instituição financeira. Este tipo de empréstimo não exige avalista. (Ver: Dotação Orçamentária.)

CRÉDITO DIRETO AO CONSUMIDOR — Ver CDC.

CRÉDITO DUVIDOSO — Soma das operações de crédito que não estão sendo pagas no prazo. Termo em geral usado na análise de balanço patrimonial de instituições financeiras e empresas, que denota a soma das operações de crédito, ou recebíveis no caso das empresas, que se encontram em atraso.

CRÉDITO HABITACIONAL — Empréstimo concedido pelas instituições financeiras para comprar, construir, reformar ou financiar casa própria.

CRÉDITO INTERNACIONAL — Transações financeiras entre bancos, empresas e governos de países diferentes, pelas quais uma parte empresta dinheiro mediante compromisso de restituição. A origem dos recursos pode ser um governo, organismos internacionais, como o Fundo Monetário Internacional (FMI), Banco Mundial e bancos ou instituições privadas.

CRÉDITO MERCANTIL — É a quantidade total de dinheiro que está disponível para empréstimos a empresas.

CRÉDITO ORÇAMENTÁRIO - PROVISÃO — Ver Provisão de Crédito Orçamentário.

CRÉDITO ORÇAMENTÁRIO — Valor monetário constante na Lei Orçamentária autorizada pelo Legislativo para cada elemento de despesa que compõe os projetos/atividades orçamentários. Constitui o valor-limite autorizado para aquela finalidade de gasto.

CRÉDITO ORÇAMENTÁRIO OU ADICIONAL, DESCENTRALIZAÇÃO DE — Transferência, de uma unidade orçamentária ou administrativa para outra, do poder de utilizar créditos orçamentários ou adicionais que estejam sob a sua supervisão ou lhe tenham sido dotados ou transferidos. São operações descentralizadoras de crédito: o destaque e a provisão. (Ver: Créditos Adicionais.)

CRÉDITO ORÇAMENTÁRIO, COMPENSAÇÃO DE — São meios efetivos ou autorizados usados como contrapartida para a criação ou aumento de dotação orçamentária.

CRÉDITO PRESUMIDO — É o ato do Poder Público autorizado por lei, que concede ao contribuinte a presunção de crédito.

CRÉDITO ROTATIVO — Operação de crédito consistente no estabelecimento de um limite de crédito contratual que pode ser utilizado pelo cliente mediante saque ou apresentação de títulos de crédito de vencimento futuro (duplicatas, por exemplo), cujos encargos são calculados em função do valor e tempo em que esse limite é utilizado. Tem o mesmo significado que *revolving*, isto é, pode refinanciar um extrato pagando um valor mínimo. As instituições cobram uma taxa de juros para isto.

CRÉDITO SECURITIZADO — Título de responsabilidade do Tesouro Nacional, emitido em decorrência de assunção e renegociação de dívidas da União ou por ela assumidas por força de lei. Emitido exclusivamente sob a forma escritural na CETIP. São títulos de rentabilidade pós-fixada, possuindo diversas séries, cada qual com índice de atualização próprio (IGP-DI, Dólar e TR).

CRÉDITO TRIBUTÁRIO — É o decorrente da obrigação principal e tem a mesma natureza desta. As circunstâncias que modificam o crédito tributário, sua extensão ou seus efeitos, ou as garantias ou os privilégios a ele atribuídos, ou que excluem sua exigibilidade não afetam a obrigação tributária que lhe deu origem. O crédito tributário regularmente constituído somente se modifica ou extingue, ou tem sua exigibilidade suspensa ou excluída, nos casos previstos, fora dos quais não podem ser dispensadas, sob pena de responsabilidade funcional na forma da lei, a sua efetivação ou as respectivas garantias.

CRÉDITO, ABALO DE — Ver Abalo de Crédito.

CRÉDITOS À EXPORTAÇÃO — Empréstimos que têm como objetivo o comércio e que não representam um instrumento negociável. Podem estender-se ao setor público ou privado. Se se destinarem ao setor privado, devem ser apoiados por garantias públicas.

CRÉDITOS ADICIONAIS — São as autorizações de despesas não computadas ou insuficientes dotadas na Lei de Orçamento Público. Dependendo da sua finalidade, classificam-se em: suplementares, especiais e extraordinários. Os suplementares destinam-se ao reforço de uma dotação orçamentária já existente, ao passo que os especiais visam atender a uma necessidade não contemplada no orçamento. Já créditos extraordinários pressupõem uma situação de urgência ou imprevisão, tal como guerra, comoção interna ou calamidade pública. Os créditos suplementares e especiais dependem de lei prévia que, no caso do crédito suplementar, pode ser a própria Lei do Orçamento, ou no caso dos créditos especiais, a lei indicará as fontes de recursos disponíveis, ao passo que os extraordinários são abertos por decreto do Executivo, que deles dará ciência imediata ao Legislativo. Os créditos adicionais, uma vez aprovados, incorporam-se ao orçamento do exercício. (Ver: Créditos Adicionais - Vigência // Créditos Adicionais, Abertura de.)

CRÉDITOS ADICIONAIS - VIGÊNCIA — Os créditos adicionais, se especial ou extraordinário, terão vigência adstrita ao exercício financeiro em que forem autorizados, salvo nos últimos quatro meses do ano, caso em que, reabertos nos limites dos seus saldos, serão incorporados ao orçamento do exercício financeiro subseqüente.

CRÉDITOS ADICIONAIS, ABERTURA DE — Na Administração Pública deve ser aberto através de decreto do Poder Executivo determinando a disponibilidade de crédito orçamentário, com base em autorização legislativa, salvo o extraordinário. (Ver: Créditos Especiais // Créditos Extraordinários // Créditos Suplementares.)

CRÉDITOS DOCUMENTÁRIOS — É o instrumento emitido por um banco, a pedido e de conformidade com instruções de cliente (tomador do crédito) e que autoriza outro banco a efetuar pagamento a terceiro (beneficiário) contra entrega de documentos nele estipulados e cumpridos seus termos e condições.

CRÉDITOS ESPECIAIS — São créditos adicionais destinados a atender despesas para as quais não haja dotação orçamentária específica, como no caso da criação de um novo projeto ou atividade e devem ser autorizados previamente pelo Legislativo. Sua vigência ocorre dentro do exercício financeiro, exceto se a autorização for promulgada nos últimos quatro meses daquele exercício, caso em que deve ser incorporado ao orçamento do exercício seguinte no limite de seu saldo. Depois de aprovada a lei autorizativa, a abertura do crédito, ou seja, a sua utilização, deve ser feita por decreto do Executivo, até os limites estabelecidos. (Ver: Créditos Adicionais // Créditos Adicionais - Vigência // Créditos Adicionais, Abertura de.)

CRÉDITOS EXTRAORDINÁRIOS — São créditos adicionais destinados a atender despesas urgentes e imprevistas, tais como guerra, subversão interna ou calamidade pública. Devem ser abertos por decreto do Poder Executivo, que deles dará imediato conhecimento ao Poder Legislativo. Sua vigência ocorre dentro do exercício financeiro, exceto se abertos nos últimos quatro meses daquele exercício, caso em que deve ser incorporado ao orçamento do exercício seguinte no limite de seu saldo. (Ver: Créditos Adicionais // Créditos Adicionais - Vigência // Créditos Adicionais, Abertura de.)

CRÉDITOS SUPLEMENTARES — São créditos adicionais destinados a atender reforço de dotação orçamentária existente. A sua abertura depende da existência de recursos disponíveis para ocorrer a despesa e devem ser autorizados previamente por lei e abertos por decreto do Executivo. (Ver: Créditos Adicionais // Créditos Adicionais - Vigência // Créditos Adicionais, Abertura de.)

CREDOR — É a pessoa que é titular de um crédito, ou aquele que tem a haver de outrem certa quantia em dinheiro.

CREDOR HIPOTECÁRIO — É aquele que tem crédito garantido por hipoteca. O credor tem privilégio sobre os bens dados em hipoteca.

CREDOR PIGNORATÍCIO — Pessoa que recebe objetos móveis em garantia de dívida.

CREDOR PREFERENCIAL — Aquele que tem o direito a ser ressarcido com precedência aos demais. A preferência pode ser geral ou especial; a geral alcança todos os bens do devedor não sujeitos a crédito real ou privilégio especial; a primeira alcança todos os bens do devedor não sujeitos a crédito real ou privilégio especial, e a segunda incide sobre bens certos.

CREDOR QUIROGRAFÁRIO — É o credor sem título de preferência, o credor comum.

CREDORES COM DIREITOS REAIS DE GARANTIA — A preferência dá ao credor prioridade no pagamento sobre o resultado da liquidação do patrimônio ou sobre o produto da venda de certos bens. Não participam do rateio. Se o credor com garantia real tiver ingressado em juízo para executar as garantias, essas ações continuarão com o administrador judicial, se iniciadas antes da falência.

CREDORES CONCORRENTES — São aqueles que simplesmente concorrem ao processo de falência para haver sua parte no rateio do produto dos bens arrecadados pertencente ao falido. Não prescrevem privilégios, nem preferência. São os quirografários.

CREDORES NÃO CONCORRENTES — São aqueles que possuem seu crédito reforçado com garantias, não concorrem ao rateio.

CREDORES POR OBRIGAÇÕES SOLIDÁRIAS — Diz respeito à falência de sociedade em que existam sócios solidários e ilimitadamente responsáveis.

CRENÇA — Ato ou efeito de crer. Sentimento de convicção íntima. É um estado mental que pode ser verdadeiro ou falso. Uma pessoa pode acreditar em algo e, ainda assim, ter dúvidas. Acreditar em alguma coisa é dar a isso mais de 50% de chance de ser verdadeiro.

CRER — Sentir firmeza ou ter por certo. Crer ou acreditar não chega a ser uma certeza absoluta. Mas acreditando é que tem a maior probabilidade de "chegar até lá". Com base em conhecimento as pessoas acreditam, embora a realidade possa ser outra.

CRESCIMENTO ABSOLUTO DA POPULAÇÃO — É a diferença entre a população em um instante t qualquer e a população inicial: Pt - P0.

CRESCIMENTO ANUAL RELATIVO DA RECEITA TRIBUTÁRIA REAL — Corresponde ao crescimento real da receita tributária da Unidade Federada em comparação à média dos demais Estados e/ou Municípios.

CRESCIMENTO DO SER HUMANO — O crescimento do ser humano apóia-se no conceito de que as pessoas devem fazer sempre serviços de valor agregado cada vez mais alto: em vez de mover, copiar, obedecer etc., passe a falar, ordenar, mostrar, escrever, instruir etc. Portanto, está intimamente associado à utilização cada vez maior da mente do indivíduo, de sua capacidade inteligente e não apenas de sua força braçal.

CRESCIMENTO ECONÔMICO — Mudança quantitativa ou expansão da economia de um país. Convencionalmente é medido como a percentagem de aumento do PNB ou do PIB durante um ano. Conceito semelhante ao de desenvolvimento econômico, mas algo mais preciso e menos amplo no seu significado. Crescimento remete para o aumento quantitativo através do qual se mede o comportamento da economia: rendimento nacional, produto nacional bruto etc. Também são indicadores de crescimento econômico outras variáveis mais específicas que servem para mostrar a presença de um processo de crescimento (emprego, investimento, produção etc.). O crescimento é, portanto, um componente essencial do desenvolvimento econômico, mas não cobre totalmente o significado deste último conceito, pois desenvolvimento implica também um crescimento harmonioso dos diversos setores produtivos, a criação de infra-estruturas físicas e jurídicas, a existência de mão-de-obra adequadamente capacitada e outros fatores diversos, muitos dos quais não se podem medir com mínimo de rigor.

CRESCIMENTO ECONÔMICO REAL — Aumento da produção de uma economia (país), durante um certo período de tempo, normalmente o ano. Geralmente toma-se o PIB, a preços constantes, como indicador de crescimento.

CRESCIMENTO HORIZONTAL (INTEGRAÇÃO HORIZONTAL) — Consiste em criar parcerias ou adquirir empresas dentro do mesmo mercado, aumentado assim a sua participação ("*market share*") no mercado e aproveitando economias de escala.

CRESCIMENTO VEGETATIVO — Diferença entre o número de nascimentos (natalidade) e de mortes (mortalidade) de uma população, num determinado período. Também conhecido como crescimento natural.

CRESCIMENTO VERTICAL (INTEGRAÇÃO VERTICAL) — Termo usado para denominar a combinação de empresas com fornecedores de suas matérias-primas ou compradores de seus produtos acabados ou serviços. Quando uma empresa controla todo o processo de produção, ela é considerada verticalmente integrada.

CRF (CERTIFICADO DE REGULARIDADE DO FGTS) — Documento emitido exclusivamente pela Caixa Econômica Federal que comprova a regularidade do empregador perante o Fundo de Garantia do Tempo de Serviço, tanto no que se refere às contribuições devidas como a empréstimos lastreados com recursos do FGTS.

CRIAÇÃO/REFORÇO DE CAPACIDADES — Processo através do qual os indivíduos, grupos, organizações, instituições e sociedades aumentam as suas capacidades para compreender e lidar com as suas necessidades de desenvolvimento, num contexto amplo e de forma sustentável.

CRIADOURO — Para fins de manejo sustentado, considera-se criadouro uma área especialmente delimitada e preparada, dotada de instalações capazes de possibilitar a vida e a procriação de espécies da fauna silvestre, onde possam receber a assistência adequada. O criadouro pode servir a diversos fins, como o científico e o econômico, e visa a evitar interferências nos *habitats* naturais, de modo a não causar desequilíbrio ecológico nos respectivos ecossistemas.

CRIANÇA E ADOLESCENTE — É considerada criança menor de 12 anos e adolescente, dos 12 aos 18 anos. É dever da família, da sociedade e do Estado assegurar à criança e ao adolescente, com absoluta prioridade, o direito à vida, à saúde, à alimentação, à educação, ao lazer, à profissionalização, à cultura, à dignidade, ao respeito, à liberdade e à convivência familiar e comunitária, além de colocá-los a salvo de toda forma de negligência, discriminação, exploração, violência, crueldade e opressão.

CRIATIVIDADE — Refere-se à percepção, cognição e intelecção nas descobertas, nas inovações e nas invenções. Capacidade de enxergar ou realizar algo sob distintas perspectivas; capacidade de realizações incomuns ou inéditas ou não ordinárias; capacidade de superar rotinas preestabelecidas ou conhecidas.

CRIATURA — Todo o ser criado. Homem, por imposição de Deus.

CRIME — É toda ação ou omissão ilícita, tipificada em norma penal, que ofende valor social preponderante em determinada circunstância. É definido legalmente como a infração penal a que a lei comina pena de reclusão ou de detenção, quer isoladamente, quer alternativa ou cumulativamente com a pena de multa. A doutrina define crime como o "fato proibido por lei sob ameaça de uma pena". É toda violação imputável dolosa ou culposa, comissiva ou omissiva da lei penal, punida com detenção ou reclusão.

CRIME AMBIENTAL — Condutas e atividades lesivas ao meio ambiente, conforme caracterizadas na legislação ambiental e na Lei de Crimes Ambientais (Lei nº 9.605, de 12 de fevereiro de 1998).

CRIME COMISSIVO — Delito cuja caracterização exige uma ação, uma participação positiva do agente. No homicídio é a ação de matar, no furto, a ação de subtrair.

CRIME COMPLEXO — É aquele que ofende mais de um bem jurídico. Exemplo: latrocínio em que se mata para obter o patrimônio.

CRIME COMUM — Diz-se daquele em que o sujeito ativo pode ser qualquer pessoa penalmente responsável.

CRIME CONSUMADO — É aquele em que nele se reúnem todos os elementos de sua definição legal.

CRIME CONTINUADO — É aquele em que o agente, mediante mais de uma ação ou omissão, pratica dois ou mais crimes da mesma espécie e, pelas condições de tempo, lugar, maneira de execução e outras semelhantes, devem os subseqüentes ser havidos como continuação do primeiro. Nesse caso, aplica-se a pena de um só dos crimes, se idênticas, ou a mais grave, se diversas, aumentada, em qualquer caso, de um sexto a dois terços.

CRIME CONTRA OS COSTUMES — É a prática de crimes contra os costumes, especialmente os praticados com violência real contra a pessoa, que resultem lesão corporal de natureza leve. Quanto à legislação ordinária, o Código Penal tipifica, nos arts. 213 a 234, os crimes contra os costumes. A Lei nº 11.106, de 28 de março de 2005, alterou os arts. 148, 215, 216, 226, 227, 231, acrescentando o art. 231-A e revogou os incisos VII e VIII do art. 107, os arts. 217, 219, 220, 221, 222, o inciso III do *caput* do art. 226, o § 3º do art. 231 e o art. 240 do Código Penal - Decreto-Lei nº 2.848, de 7 de dezembro de 1940.

CRIME CULPOSO — Diz-se do crime em que o agente deu causa ao resultado por imprudência, negligência ou imperícia do agente, se prevista e punida pela lei penal. Exemplos de crime culposo: atropelamento involuntário; homicídio resultante de acidente de trabalho. A pessoa só pode ser punida por crime culposo se a possibilidade estiver expressamente estabelecida em lei.

CRIME DE COLARINHO-BRANCO — Designação genérica para crimes financeiros, de abuso do poder econômico, sonegação fiscal e malversação de dinheiro público, e para todos os demais que atentem contra a economia popular e o erário.

CRIME DE DESOBEDIÊNCIA — Infração em que incorre a testemunha que, intimada, deixa de comparecer em juízo, sem motivo justificado. Pode ser conduzida presa e condenada a prisão, sem prejuízo do processo penal a que deve responder. (Ver: Testemunha.)

CRIME DE IMPRENSA — Todo o abuso no exercício da manifestação do pensamento e informação. Aquele que praticar qualquer desses abusos ficará sujeito às penas da Lei nº 5.250, de 1967. A prática do ilícito dá direito de resposta ou retificação, que se extingue com o exercício da ação penal ou civil contra jornal, revista, emissora ou agência de notícias. (Ver: Lei de imprensa // Liberdade de imprensa.)

CRIME DE RESPONSABILIDADE — Designação dada às infrações políticas (atentado contra a existência da União, contra o livre exercício do Poder Legislativo, do Poder Judiciário e do Ministério Público, contra o exercício dos direitos políticos, individuais e sociais, contra a segurança interna do país) e aos crimes funcionais (atentado contra a probidade na administração, contra a lei orçamentária e contra o cumprimento das leis e das decisões judiciais). É a ação ou omissão ilegal praticada por agente público contra a Administração Pública, no exercício do cargo, função ou emprego público. A Lei nº 1.079, de 1950, regula o crime de responsabilidade do presidente da República, dos ministros de Estado e do STF, dos governadores e secretários de Estado. O crime de responsabilidade dos prefeitos e vereadores tem sua base legal no Decreto-Lei nº 201, de 1967. Segundo a Constituição Federal de 1988, art. 85, são crimes de responsabilidade os atos do presidente da República que atentam contra a Constituição e especialmente contra a existência da União; o livre exercício dos Poderes Legislativo e Judiciário, do Ministério Público e dos poderes constitucionais das unidades da federação; o exercício dos direitos políticos, individuais e sociais; a segurança interna do país; a probidade na administração; a lei orçamentária; o cumprimento da lei e das decisões judiciais.

CRIME DOLOSO — É o crime voluntário, isto é, aquele que o agente pretendeu atingir o resultado ilícito, ou assumiu o risco de o produzir. Volitividade criminógena incontestável. Exemplo de crime doloso: assaltante que efetua disparos com arma de fogo ou faz grave ameaça contra um motorista para roubar lhe o carro.

CRIME ESPECIAL OU PRÓPRIO — Diz-se daquele em que o sujeito ativo somente pode ser a pessoa cuja condição pessoal constitui fundamento do próprio delito. Como exemplo, os crimes praticados por servidor público contra a administração em geral, definida a condição de servidor público, para efeitos penais.

CRIME EXAURIDO — Diz-se do crime consumado. Nele, o sujeito ativo alcança o seu desiderato. Se o exaurimento é irrelevante para a configuração do crime, deve, todavia, ser considerado na aplicação da pena. – Crime cujas conseqüências vão além daquelas exigidas pelo tipo penal. Exemplo: cometendo-se o § 2º do art. 159 C.P. vai além do *caput.*

CRIME FORMAL — Pode ser entendido como qualquer fato humano proibido pela lei penal.

CRIME HABITUAL — Aquele tipificado pela prática de atos idênticos, que perdem sua individualidade para caracterizar um todo ilícito. Assim, embora apenas um ato não o configure, ações reiteradas implicam a tipificação. São crimes habituais: o exercício ilegal da medicina e manter casa de prostituição.

CRIME HEDIONDO — Em Direito Penal, é um adjetivo que qualifica o crime que, por sua natureza, causa repulsa. O crime hediondo é inafiançável e insuscetível de graça, indulto ou anistia, fiança e liberdade provisória. São considerados hediondos os seguintes crimes, todos tipificados no Código Penal, consumados ou tentados: homicídio (art. 121), quando praticado em atividade típica de grupo de extermínio, ainda que cometido por um só agente, e homicídio qualificado (art. 121, § 2°, I, II, III, IV e V); latrocínio (art. 157, § 3°, *in fine*); extorsão qualificada pela morte (art. 158, § 2°); extorsão mediante seqüestro e na forma qualificada (art. 159, *caput,* e §§ l°, 2° e 3°); estupro (art. 213 e sua combinação com o art. 223, *caput* e parágrafo único); atentado violento ao pudor (art. 214 e sua combinação com o art. 223, *caput* e parágrafo único); epidemia se do fato resulta morte (art. 267, § 1°). Considera-se também hediondo o crime de genocídio previsto nos arts. 1°, 2° e 3° da Lei n° 2.889, de 1956, tentado ou consumado.

CRIME IMPOSSÍVEL — Diz-se da tentativa quando, por ineficácia absoluta do meio ou por absoluta impropriedade do objeto, é impossível consumar-se o crime. Nesse caso não é punível a tentativa.

CRIME MATERIAL — É a violação de um bem penalmente protegido.

CRIME OMISSIVO — Delito caracterizado pela omissão do agente, na abstenção de determinada conduta positiva. Basta a omissão do agente, quando deve e pode agir, para tipificar o ilícito. Como exemplo, a omissão de socorro, a falta de notificação compulsória de moléstia por médico.

CRIME PERMANENTE — Diz-se daquele cuja consumação é prolongada, dependendo sua duração da vontade do sujeito ativo, como ocorre. Exemplo: no delito de seqüestro e cárcere privado.

CRIME PLURISSUBSISTENTE — É aquele que se consuma com diversos atos. Exemplo: estelionato. (Ver: Crime Unissubsistente.)

CRIME POLÍTICO — É todo fato culposo, seja praticado individualmente ou por grupo de pessoas, dirigido contra a segurança ou estabilidade das instituições públicas ou que resulte em lesão à ordem política. É aquele que põe em risco a própria segurança interna ou externa das instituições políticas. O crime político pode ser próprio ou impróprio. O próprio objetiva subverter apenas a ordem política instituída, sem atingir outros bens do Estado ou bens individuais; o impróprio visa lesar, também, bens jurídicos individuais e outros que não a segurança do Estado. A CF considera inafiançáveis e imprescritíveis os crimes políticos, anotados no art. 5º, XLII (racismo), XLIII (tortura e terrorismo) e XLIV (ação de grupos armados, civis ou militares, contra a ordem institucional e o Estado democrático).

CRIME POLÍTICO IMPRÓPRIO — Ver Crime político.

CRIME POLÍTICO PRÓPRIO — Ver Crime político.

CRIME PROFISSIONAL — É aquele praticado em função de profissão ou atividade lícita. Assim, o abortamento praticado por médico, o peculato, a subtração ou inutilização de livro ou documento quando praticadas por advogado.

CRIME TENTADO (TENTATIVA) — É aquele que, quando iniciada a execução, não se consuma por circunstâncias alheias à vontade do agente.

CRIME UNISSUBSISTENTE — É aquele que se consuma com um só ato. (Ver: Crime Plurissubsistente.)

CRIME VAGO — É aquele cujo resultado atinge uma coletividade (sujeito passivo), e não uma pessoa considerada isoladamente. São exemplos de crimes vagos a perturbação de cerimônia funerária e a violação de sepultura – que não tem personalidade jurídica. Cometido contra a coletividade.

CRIMES CONTRA A ADMINISTRAÇÃO PÚBLICA — Tipificados no Código Penal nos capítulos de corrupção ativa e passiva, os crimes contra a Administração Pública são basicamente aqueles em que um servidor público – seja ele presidente da República, ministro, presidente de estatal ou empregado de carreira – usa o Estado para obter vantagem pessoal.

CRIMES CONTRA A HUMANIDADE — Nascido em 1915, depois do genocídio dos armênios pelos turcos, esse conceito será definido em 1945 com a instauração do Tribunal Militar Internacional de Nuremberg: "Crimes visando o assassinato, o extermínio, a escravidão, a deportação e qualquer outro ato humano cometido contra todas as populações civis antes ou durante a guerra; ou perseguições por motivos políticos, raciais ou religiosos..." Esses crimes são imprescritíveis. (Ver: Crime de genocídio.)

CRIMES DE GENOCÍDIO — A Convenção de 9 dezembro de 1948 sobre a "prevenção e a repressão do crime de genocídio define-o como um "conjunto de atos cometidos com a intenção de destruir, totalmente ou em parte, um grupo nacional, étnico, racial ou religioso" por causa mesmo de sua identidade. Foi para marcar seu caráter inaceitável que ele foi assimilado a um crime contra a humanidade e, portanto, declarado imprescritível. (Ver: Crime contra a humanidade.)

CRIMES DE GUERRA — São crimes cometidos durante uma guerra em violação das convenções internacionais destinadas a proteger as populações civis e os prisioneiros de guerra. Esses crimes são "prescritíveis", portanto não podem ser passíveis de perseguição mais de 20 anos depois de terem sido perpetrados.

CRIMES DE SERVIDORES PÚBLICOS CONTRA A ADMINISTRAÇÃO PÚBLICA — Ver no termo Servidor Público, seguido de: Peculato // Peculato culposo // Peculato mediante erro de outrem // Extravio, sonegação ou inutilização de livro ou documento // Emprego irregular de verbas ou rendas públicas // Concussão // Excesso de exação // Corrupção passiva // Facilitação de contrabando ou descaminho // Prevaricação; Condescendência criminosa // Advocacia administrativa // Violência arbitrária // Abandono de função // Exercício funcional ilegalmente antecipado ou prolongado // Violação de sigilo funcional // Violação do sigilo de proposta de concorrência.

CRIMES DE TORTURA — Crime consistente em constranger outra pessoa, causando-lhe sofrimento físico ou mental, com o objetivo de obter declarações ou confissão. O crime de tortura é inafiançável; é delito autônomo e por ele respondem os mandantes, os executores e os que, podendo evitá-lo, se omitem. A Lei nº 9.455, de 1997, define os crimes de tortura e fixa penas de dois a oito anos de reclusão para aqueles que praticarem esses crimes.

CRIMINALÍSTICA — É o estudo da investigação criminal. É o estudo acadêmico, científico e profissional dos conhecimentos referentes à etiologia, prevenção, controle e tratamento da atividade criminosa e delinqüência, além da avaliação e detecção de crimes, legislação penal, sistemas judiciais e correcionais. Ciência que objetiva o esclarecimento dos casos criminais. Entre suas atribuições, contam-se o levantamento do local do delito, a colheita de provas e as perícias respectivas. É também denominada Polícia Científica.

CRIMINOSO — É o agente que, por definição legal, praticou um crime. Aquele que comete crime.

CRIPTOGRAFIA — É a ciência e arte de escrever mensagens em forma cifrada ou em código. É parte de um campo de estudos que trata das comunicações secretas. É usada, dentre outras finalidades, para: autenticar a identidade de usuários; autenticar transações bancárias; proteger a integridade de transferências eletrônicas de fundos, e proteger o sigilo de comunicações pessoais e comerciais.

CRISE — Momento ou situação de dificuldade, incerteza ou perigo. Manifestação violenta e repentina de ruptura de equilíbrio. Situação que implica a ruptura da normalidade ou do equilíbrio dinâmico de um sistema e favorece sua desorganização. Momento ou situação em que as instituições políticas, sociais, econômicas ou religiosas têm seu funcionamento dificultado ou deixam de funcionar.

CRISE CAMBIAL — Ocorre quando as reservas de um país em moeda forte (dólar) estão abaixo do limite de segurança. Se o Brasil, por exemplo, perde suas reservas cambiais (em poder do Banco Central), não pode importar nada, não pode honrar compromissos externos, permitir remessas de lucros etc. Não tem, enfim, a quantidade de dólares necessária para trocar por Reais para efetuar pagamentos externos de qualquer ordem. O Brasil, em anos recentes, passou por três crises cambiais: em 1981/1983, a dívida externa explodiu por conta da alta internacional dos juros nos Estados Unidos. Havia o segundo choque internacional do petróleo e o governo Reagan, nos Estados Unidos. Saímos desta crise via desvalorização da moeda, aumento das exportações e saldos comerciais sucessivos. A segunda foi em 1986/1987, quando houve a moratória da dívida externa do ministro Dilson Funaro. A terceira é a mais recente, quando a cotação da moeda brasileira foi sustentada por investimentos externos de curto prazo, atraídos pelas altas taxas de juros.

CRISE DO PETRÓLEO — Crise mundial provocada pelo embargo ao fornecimento de petróleo aos Estados Unidos e às potências européias estabelecido em 1973 pelas nações árabes, membros da Organização dos Países Exportadores de Petróleo (OPEP). A medida é tomada em represália ao apoio dos EUA e da Europa Ocidental à ocupação, no mesmo ano, de territórios palestinos por Israel, durante a Guerra do *Yom Kipur*. Após o embargo, a OPEP estabelece cotas de produção e quadruplica os preços. Essas medidas desestabilizam a economia mundial e provocam severa recessão nos EUA e na Europa, com grande repercussão internacional. Donos de dois terços das reservas de petróleo do mundo, países como Arábia Saudita, Irã, Iraque e *Kuweit* controlam o volume de produção e o preço do produto desde 1960, quando criam a OPEP. Por causa do obstáculo iniciado em 1973, conhecido por primeiro choque do petróleo, os países industrializados acabam o ano de 1974 com um déficit de cerca de US$ 11 bilhões e os subdesenvolvidos, de quase US$ 40 bilhões. Em 1979 acontece o segundo choque do petróleo, causado pela revolução iraniana que derruba o xá Reza Pahlevi (1919-1980) e instala uma república islâmica no país. A produção de petróleo é gravemente afetada, e a nação não consegue atender nem mesmo às suas necessidades. O Irã, que era o segundo maior exportador da OPEP, atrás apenas da Arábia Saudita, fica praticamente fora do mercado. O preço do barril de petróleo, então, atinge níveis recordes e agrava a recessão econômica mundial no início da década de 80 do século XX.

CRISTALINO — Tipo de rocha ígnea e principalmente metamórfica do pré-cambriano (mais de 600 milhões de anos de idade geológica). Cerca de 44,38% da superfície do semi-árido nordestino é formada por áreas cristalinas, onde a água do subsolo é escassa e de má qualidade (maior quantidade e melhor tipo de solo encontram-se apenas nos aluviões das margens dos rios e nas fendas das rochas). A camada de solo existente sobre a rocha (aluvião ou manto de intemperismo) é pouco profunda, com baixa capacidade de acumulação de água de chuva. Além de raso, o solo apresenta endurecimento por fenômenos físico-químicos, que podem limitar a infiltração da água de chuva. (Ver: Bioma caatinga.)

CRITÉRIO — Conjunto de características sobre as quais assenta uma avaliação.

CRITÉRIO DE DESEMPENHO — São as metas do acordo com o FMI pelas quais o Brasil é avaliado. O descumprimento das metas significa a interrupção dos repasses das parcelas de empréstimos e necessidade de nova renegociação.

CRÍTICA — É opinião - parecer corretivo baseado em experiência ou em conhecimento anterior - que orienta o autor sobre a sua produção ou ato. Só se critica com base em conhecimento preciso. Quem critica pela positividade provoca movimentação saudável na vivência humana, reproduzindo conhecimentos tidos como certos.

CROMOSFERA — Região do Sol situada por cima da superfície visível deste.

CROMOSSOMO — Ou cromossoma é uma longa seqüência de DNA que contém vários genes e outras seqüências de nucleótidos com funções específicas nas células dos seres vivos. Cada espécie tem um número que lhe é peculiar.

CRONOGRAMA — É uma representação gráfica temporal dos blocos de trabalho, mostrando como estes se encaixam no esquema total do projeto.

CRONOGRAMA DE DESEMBOLSO — Instrumento pelo qual a Unidade Orçamentária programa no tempo o pagamento das despesas autorizadas na lei orçamentária.

CRONOGRAMA FÍSICO-FINANCEIRO — É o documento em que estão previstas as etapas de execução da obra, da prestação dos serviços e do desembolso que a Administração deve fazer por ocasião das medições e efetivação dos pagamentos. Trata-se de documento importante para a Administração que contrata obras ou serviços, em especial durante o acompanhamento das etapas de execução. O cronograma físico-financeiro deve estar em harmonia com o projeto básico, de forma que possa refletir o andamento e a realidade da obra ou do serviço e definir claramente, em especial: a) os limites para pagamento de instalação e mobilização para execução das obras ou prestação de serviços, previstos obrigatória e separadamente das demais parcelas, etapas ou tarefas; b) as datas de início de execução, de conclusão e de entrega de cada etapa; c) o valor a ser pago por etapa concluída. (Ver: Contrato Administrativo - Cronograma de Desembolso.)

CROSTA CONTINENTAL — Tipo de crosta que forma as áreas continentais do Planeta Terra, de composição essencialmente granítica (textura), com espessura de 25 a 60 km e densidade de aproximadamente 2,7g/cm³.

CROSTA OCEÂNICA — Tipo de crosta subjacente às bacias oceânicas de composição essencialmente basáltica, em cuja composição predominam o silício e o magnésio. A crosta oceânica apresenta de 5 a 10 km de espessura e a sua densidade é de aproximadamente 3,0 g/cm³.

CROSTA TERRESTRE — Também chamada litosfera, é a parte externa consolidada do planeta Terra. É a camada superior e onde habitamos. Tem as seguintes características: é resfriada, pouco espessa (espessura máxima de 70 km, e média de 25 km), é a menos densa. (Ver: Manto terrestre // Núcleo ou Nife terrestre.)

CRUELDADE — Qualidade do que é cruel. Ato cruel. Barbaridade. Desumanidade.

CRUZ VERMELHA INTERNACIONAL — Organização Internacional de Voluntários, com sede em Genebra, que se organizou a partir da Conferência Internacional de Genebra. Compõe-se das seguintes organizações: a) Comitê Internacional da Cruz Vermelha (ICRC). É o guardião da Convenção de Genebra e atua em conflitos, como uma organização neutra, para assegurar proteção às vítimas das guerras ou hostilidades; b) Liga das Sociedades da Cruz Vermelha e do Crescente Vermelho (LRCS). Federação Internacional das Sociedades Nacionais – atua em desastres não resultantes de conflitos e em calamidades naturais; c) Organizações Nacionais da Cruz Vermelha ou de Crescente Vermelho de cada um dos países e filiadas à Federação.

CSLL — Ver Contribuição Social Sobre o Lucro Líquido.

CTN — Abreviatura de Código Tributário Nacional.

CULPA — 1) Ânimo de agir ou de se omitir sem o intuito de lesar, mas assumindo tal risco. Inobservância de uma norma sem a intenção deliberada de causar dano mas sob o risco de produzi-lo. Violação ou inobservância de uma regra de conduta que produz lesão do direito alheio. Elemento subjetivo da infração cometida, ou sentimento de reconhecimento de erro ou deslize, causado pela negligência, imprudência ou imperícia e por distração, omissão, ignorância ou irresistibilidade que pode existir em maior ou menor proporção (da culpa levíssima à culpa grave), condutas essas produtoras de ofensas, danos, perdas materiais, morais e físicas e obrigando sempre o infrator à reparação do dano. 2) Reconhecimento de fraqueza e fracasso. A culpa com arrependimento sincero tende a conduzir para a atitude de reparação. A crença ou a ilusão de ter provocado perda irreparável a si ou a outrem, mesmo com perdão, aumenta o sentimento de culpa, sobrevindo o remorso.

CULPA CONSCIENTE — Ocorre quando o agente, prevendo o resultado e não o desejado, age de modo a ensejá-lo.

CULPA IN OMITTENDO — [Latim]. Expressão que significa culpa em omitir. Culpa de omissão que resultou em dano.

CULPADO — Que praticou a falta ou o crime; aquele que tem culpa; delinqüente; criminoso; responsável.

CULTIVAR — Conjunto de genótipos cultivados, que se distingue por características morfológicas, fisiológicas, citológicas, bioquímicas ou outras de grupos relacionados da mesma espécie, e que, quando multiplicado por via sexual ou assexual, mantém suas características distintivas. Cultivar é sinônimo de variedade. Uma vez que cultivar é neologismo, o gênero do verbete é fixado pela Academia Brasileira de Letras, que o determinou ser do gênero feminino. É prática comum, contudo, que se use o termo no masculino. A cultivar é a menor categoria taxonômica para nomes reconhecidos pelo Código Internacional de Nomenclatura de Plantas Cultivadas.

CULTIVO BIODINÂMICO — Forma de horticultura orgânica desenvolvida no início do século XX, baseada no conceito de interdependência entre todos os seres vivos.

CULTURA — Herança social, artística, científica ou tecnológica de uma comunidade ou sociedade; prática coletiva dos padrões, valores, crenças, normas e regras vigentes, socialmente aceitos e consagrados; formas comuns de comportamento; símbolos compartilhados por uma comunidade ou civilização; acervo de conhecimentos e práticas. Conjunto de atitudes e modos de agir, de costumes, de instituições e valores espirituais e materiais de um grupo social, de uma sociedade, de um povo.

CULTURA DE CONTRATO — Ver Contrato, Cultura de.

CULTURA DE TECIDOS — Termo amplo e que se aplica à técnica de cultivar *in vitro* células e tecidos vegetais em meio nutritivo de composição definida, sob condições controladas de luminosidade e temperatura. As células vegetais são totipotentes, ou seja, cada célula de uma planta tem toda a informação genética e o aparato fisiológico necessário para regenerar uma planta inteira e funcional. Por isso essa técnica tem sido utilizada, desde meados do século XX, para a produção de plantas visando, entre outros motivos, à propagação, limpeza clonal, conservação e intercâmbio de germoplasma.

CULTURA EXTENSIVA — Terrenos onde se produz apenas uma colheita por ano. (Ver: Cultura intensiva.)

CULTURA INTENSIVA — Terrenos onde se faz mais de uma colheita por ano. (Ver: Cultura extensiva.)

CULTURA ORGANIZACIONAL — Procedimentos e visões adotados coletivamente por uma organização. É a forma explícita de quais são os valores que valorizam. A razão por que algumas empresas têm sucesso a longo prazo, enquanto outras acabam por desaparecer está na cultura organizacional. Nesta era de incerteza tudo deve ser posto em causa, à exceção dos valores. Esses têm de ser imutáveis.

CULTURA PERMANENTE — É a cultura de longo ciclo vegetativo (período compreendido entre o plantio e a colheita) que permite colheitas por vários anos sem necessidade de novo plantio. (Ver: Cultura temporária.)

CULTURA POPULAR — É o conjunto formado por todas as formas de expressão de um povo: fala, gestos, festas, literatura, música, dança, lendas, crenças, manifestações religiosas e artesanato, entre outras. Apesar de estar em constante transformação, essa cultura conserva tradições que são passadas de geração em geração e que funcionam como uma memória coletiva, revelando o imaginário das diferentes comunidades. No caso do Brasil, a cultura popular reflete a própria miscigenação racial do país, incorporando influências de diversos povos, principalmente europeus, africanos e indígenas. Entre as principais formas de expressão artística do cotidiano brasileiro, as festas populares podem ser consideradas um dos núcleos centrais, já que nelas encontramos danças, folguedos, ritmos e instrumentos musicais característicos. Além das festas, as lendas, os mitos e o artesanato também revelam aspectos típicos de cada região.

CULTURA TEMPORÁRIA — É a cultura de curta ou média duração, geralmente com ciclo vegetativo inferior a um ano (período compreendido entre o plantio e a colheita), que necessita de novo plantio depois de colhida. São consideradas culturas temporárias o abacaxi e a mandioca, que permitem colheitas prolongadas, e a cana-de-açúcar, que produz várias colheitas. (Ver: Cultura permanente.)

CÚMPLICE — Aquele que auxilia num ato criminoso, sem participar da prática do crime, contribui, *a posteriori*, para que o delinqüente se esquive da ação da justiça, favorecendo sua fuga ou ocultando o produto do crime. Não se confunde, portanto, com o co-autor, pois que este concorre, efetivamente, para a prática do delito. (Ver: Co-autor.)

CUMPRIR — É a satisfação ou a execução completa de alguma coisa.

CUMULAÇÃO DE PEDIDOS — Faculdade dada ao autor de formular, no mesmo processo, mais de um pedido, mesmo não conexos, por economia e rapidez processual.

CUPIDEZ — Cobiça; ambição; avidez. De uma coisa ou acontecimento. Agente. Motivo, razão. Origem. (Ver: Homicídio - Cupidez.)

CUPOM — Valor pago periodicamente atrelado a algum título. Juros nominais de instrumentos de dívida.

CUPOM CAMBIAL — É o rendimento em dólar, pago ao investidor que assume risco de investir em outra moeda (no caso brasileiro, o real), bem como a taxa de juro paga nos títulos com correção cambial. A diferença entre a taxa de juros interna e a desvalorização da taxa de câmbio do país equivale ao juro pago em dólar ou cupom cambial. O cupom cambial tende a se elevar quanto maior for o risco de desvalorização do real, através do aumento dos juros internos.

CURADOR — Em sentido genérico, a pessoa encarregada de zelar pela boa conservação de um acervo. É a pessoa a quem é dada a comissão ou o encargo com os poderes de vigiar (cuidar, tratar, administrar) os interesses de outra pessoa, que tal não pode fazer por si mesma. Aquele nomeado para a defesa de certos interesses ou para representar, assistir ou defender certas pessoas. Em recursos genéticos, a pessoa encarregada, em bancos de germoplasma e em centros de pesquisa, pela promoção das atividades de prospecção, coleta, introdução, intercâmbio, multiplicação, inspeção, quarentena, conservação, regeneração, caracterização, avaliação, documentação, informação e utilização de germoplasma.

CURADOR À LIDE — Pessoa investida por lei da incumbência de zelar pelos interesses de incapaz, em caso de este não possuir representante legal. O mesmo que curador especial.

CURADOR ESPECIAL — É o representante especial que o juiz dá, em determinados casos de incapacidade ou revelia, à parte para atuar em seu nome no correr do processo. É nomeado pelo juiz para assistir a certas pessoas não de um modo geral, mas apenas dentro de um determinado processo. Assim, o juiz dará curador especial ao incapaz, se não tiver representante legal, ou se os interesses deste colidirem com os daquele e ao réu preso, bem como ao revel citado por edital ou com hora certa. Se existir nas comarcas representante judicial de incapazes ou de ausentes, a este competirá a função de curador especial. (O mesmo que curador à lide.)

CURADORIA — Atividade pertinente ao trabalho do curador. Cargo, poder ou função de quem tem a incumbência legal ou judicial de zelar pelos bens ou interesse de outros; pode-se encontrar a designação de curadoria em substituição a promotoria em algumas áreas especializadas do Ministério Público como, por exemplo, curadoria do meio ambiente, encarregada de zelar pelo patrimônio natural em nome do interesse público.

CURADORIA DE AUSENTES — É a primeira fase do processo de Ausência, que compreende ainda a sucessão provisória e a definitiva. Nesta fase o interessado pede a nomeação de um curador para o ausente. (Ver: Ausência.)

CURANDEIRISMO — Crime contra a saúde pública consistente em prescrever, ministrar ou aplicar, habitualmente, qualquer substância ou fazer diagnóstico sem ter conhecimentos médicos, ou, ainda, usar gestos, palavras ou qualquer outro meio para iludir a vítima.

CURATELA — É o encargo conferido por lei a alguém, para reger a pessoa e os bens, ou somente os bens, de pessoas menores, ou maiores, que por si não podem fazer, ou por ainda não terem nascido. A curatela dos loucos, surdos-mudos e pródigos pressupõe sua interdição. (Ver: Interdição.)

CURATELA ESPECIAL — Ver Curador especial.

CURATELADO — Aquele que possui curador que administra seus bens por ser incapaz de desempenhar tal função.

CURIOSIDADE — Refere-se à vontade ou impulso exploratório visual ou tátil e experimental no contexto do encontro com o novo ou diferente. Trata-se de desejo de conhecer e saber como é, o que é, o que faz ou para que serve. É a intenção de saber como funciona para o uso, de inventar técnicas para reprodução, de pesquisar para desvendar o mistério etc.

CURRENCY BOARD — Método de administração monetária em que um país só pode emitir moeda quando possui reservas em igual valor de moeda estrangeira. É um sistema que parte da idéia da conversibilidade - ou seja, da possibilidade de trocar moeda nacional por dólar ou outra moeda forte.

CURRENCY FORWARD — Operação a termo de troca de uma determinada moeda por outra num tempo futuro, a valores predeterminados no momento da operação.

CURRÍCULO — Conteúdo de conhecimento que deve ser transmitido. Equivale ao "projeto do produto" e deve conter exatamente o conhecimento necessário, na extensão e profundidade certas. Se o currículo estiver errado ou incompleto, nada mais poderá ser feito.

CURRICULUM VITAE — [Latim]. Expressão que significa currículo demonstrativo ou relação de títulos da pessoa. É um documento de tipo histórico, que relata a trajetória educacional e/ou acadêmica e as experiências profissionais de uma pessoa, como forma de demonstrar suas habilidades e competências. De um modo geral o *Curriculum Vitae* tem como objetivo fornecer o perfil da pessoa para um empregador, podendo também ser usado como instrumento de apoio em situações acadêmicas. O *curriculum vitae* é uma síntese de qualificações e aptidões, na qual o candidato a alguma vaga de emprego descreve as experiências profissionais, formação acadêmica e dados pessoais para contato. Ainda é a forma que muitas empresas usam para preencher vagas de emprego.

CURSOS SEQÜENCIAIS — Ver Educação - Cursos Seqüenciais.

CURTO PRAZO — Período inferior a um ano. (Ver: Longo prazo.)

CURTO PRAZO (MACROECONOMIA) — Representa todos os momentos de afastamento entre o PIB real e o PIB potencial e o afastamento entre a taxa efetiva de desemprego e a taxa natural de desemprego. (Ver: PIB real // PIB potencial.)

CURTO PRAZO (MICROECONOMIA) — Período no qual a oferta dos fatores de produção não consegue se ajustar à procura estabelecida. É neste período que as empresas se deparam com escassas alternativas (menor elasticidade – inelasticidade) em virtude da impossibilidade de expansão de todos os fatores de produção disponíveis, já que pelo menos um fator permanece fixo, gerando rendimentos marginais decrescentes.

CURVA DE DEMANDA — Representação gráfica da relação entre preço de um bem e quantidade demandada. A curva da representação mostra o número de unidades que o mercado irá comprar em dado período de tempo por diferentes preços.

CURVA DE DEMANDA AGREGADA — Curva que mostra a quantidade de bens e serviços que famílias, empresas e governo desejam comprar a qualquer nível de preços.

CURVA DE DESVIOS ACUMULADOS — Gráfico representativo dos desvios acumulados de uma variável em relação a uma referência dada (média aritmética, por exemplo), em função do tempo.

CURVA DE JUROS — Relação entre os rendimentos dos títulos e seus prazos de vencimento.

CURVA DE LORENZ — Gráfico utilizado pelos analistas econômicos para realçar, sobretudo, a desigualdade da repartição do rendimento ou da riqueza. O método proposto traduz-se na construção de uma curva de distribuição do rendimento ou da riqueza relacionando a % das famílias (valores acumulados) com a % do rendimento ou riqueza (valores acumulados). Em Y – 60% das famílias (pobres) possuem somente 20% do rendimento – 40% das famílias possuem 80% do rendimento. A análise da curva de Lorenz permite aos governantes tomar medidas para reduzir as assimetrias existentes através das chamadas políticas de redistribuição do rendimento. A curva de concentração de Lorenz também se utiliza na relação com outras variáveis. Por exemplo, no estudo da concentração dos mercados, esta curva estabelece a relação entre o número de empresas vendedoras e as respectivas quotas de mercado.

CURVA DE OFERTA — É a representação gráfica resultante da relação entre os preços dos produtos e as quantidades oferecidas num mercado, mantendo todos os outros fatores constantes (função da oferta). Num mercado de concorrência perfeita, a curva da oferta é independente da curva da procura, porque o preço é igual ao custo marginal e a curva da oferta é resultado da agregação do custo marginal suportado pelas várias empresas. Num mercado monopolista, as curvas da oferta e da procura estabelecem uma relação de interdependência, porque, sempre que um monopolista decide quanto produzir, quer o custo marginal, quer o rendimento marginal se reportam ao nível de produção. (Ver: Lei da oferta // Lei da procura.)

CURVA DE OFERTA AGREGADA — Curva que mostra a quantidade de bens e serviços que empresas produzem e vendem a qualquer nível de preços.

CURVA DE *PHILLIPS* — Em economia é a representação gráfica da relação entre o desemprego e a inflação. A curva representa: a) no curto prazo uma correlação negativa entre o nível de desemprego e a inflação; e b) no longo prazo uma configuração vertical em virtude da neutralidade monetária, já que no longo prazo um problema real não se resolve através da manipulação de variáveis nominais – na verdade, no longo prazo, a moeda não consegue solucionar os problemas de desemprego, porque este depende de problemas estruturais.

CURVA DE POSSIBILIDADES DE PRODUÇÃO — Gráfico que mostra as várias combinações de produto que a economia pode produzir potencialmente, dados os fatores de produção e a tecnologia disponíveis.

CURVA DE RENTABILIDADE (*YELD CURVE*) — Gráfico que demonstra a estrutura de prazos das taxas de juros através de um arranjo de rendimentos de todas as obrigações de mesma qualidade cujos vencimentos variam desde o mais curto até o mais longo prazo possível. A curva resultante indica se as taxas de juros a curto prazo são superiores ou inferiores às aplicadas ao longo prazo.

CURVAS DE NÍVEL — Linha e curva representadas em uma carta topográfica ou mapa. Une pontos de mesma elevação; destina-se a retratar a forma de relevo.

CUSTAS — Despesas decorrentes da tramitação do processo judicial. Constituem as despesas judiciais (taxas), consistentes na remuneração dos serviços prestados pelos serventuários da Justiça e os emolumentos. Entre as espécies de custas, incluem-se: a) custas de retardamento, advindas da desídia das partes ou do próprio, que suportarão tal ônus; b) custas *ex causa*, a serem pagas pelo próprio requerente nos processos de jurisdição voluntária, também chamada jurisdição graciosa; c) custas *pro rata* ou proporcionais, aquelas cujo pagamento incumbe a ambas as partes.

CUSTAS JUDICIAIS — Ver Custas.

CUSTEIO — Ver Despesas de Custeio.

CUSTO — Quantia em dinheiro que representa a reposição do bem no estado atual, sem incluir lucro, mas incluindo remuneração do capital no tempo incorrido. Quando não é incluída a remuneração do capital, nem considerada a inflação do período, obtém-se o custo histórico.

CUSTO AMBIENTAL — Conjunto de bens ambientais a serem perdidos em conseqüência de um empreendimento econômico. Valor monetário dos danos causados ao ambiente por uma determinada atividade humana.

CUSTO BRASIL — Nome genérico dado à série de custos ou despesas que incidem sobre a produção, tornando difícil ou desvantajoso para o exportador colocar seus produtos no mercado internacional ou competir com importados no Brasil. Entram nesta lista custos que vão desde os encargos sociais e o excesso de impostos cobrados sobre os produtos até a falta de estradas para transportar as mercadorias, por exemplo.

CUSTO DE ADAPTAÇÃO — Expressão utilizada para definir o sacrifício suportado pela atividade econômica na efetivação das transações em virtude da desvalorização da moeda em períodos inflacionários. Por exemplo, quando uma parte do dia de trabalho é gasta na luta contra os efeitos erosivos da desvalorização monetária (pela preocupação na troca de moeda por bens que satisfaçam necessidades), isso compromete seriamente o crescimento econômico.

CUSTO DE AJUSTAMENTO — Expressão utilizada para definir sacrifício suportado na mudança de preços em períodos inflacionários. (Exemplos: novas etiquetas, novos catálogos de venda, novas listagens de preços.)

CUSTO DE CAPITAL — Ver Capital, Custo de.

CUSTO DE OPORTUNIDADE — É o termo usado na economia para indicar o custo de algo em termos de uma oportunidade renunciada, ou seja, o custo, até mesmo social, causado pela renúncia do ente econômico, bem como os benefícios que poderiam ser obtidos a partir desta oportunidade renunciada ou, ainda, a mais alta renda gerada em alguma aplicação alternativa. Avaliar o custo de oportunidade é fundamental em qualquer operação econômica, ainda mais quando não estão explícitos valores financeiros (como o preços), o que pode levar a uma ilusão de que se obtiveram benefícios sem qualquer custo. O custo de oportunidade não é definido só em termos monetários, mas, em vez, pode ser definido em termos de qualquer coisa que pode ser valorada pela pessoa ou ente envolvido.

CUSTO DE REPRODUÇÃO — É o custo que seria necessário para reproduzir um bem instantaneamente, numa certa data.

CUSTO DE TRANSAÇÃO — Em economia representam os custos de funcionamento de um sistema econômico e os custos resultantes de uma troca ou qualquer outra transação econômica. (Ex.: o tempo de negociação entre as partes.)

CUSTO DE TRANSFORMAÇÃO — É o custo que se tem de incorrer para se transformar um ativo financeiro em outro.

CUSTO DIRETO — Momento do custo representado apenas pelos valores da mão-de-obra e da matéria-prima, ou seja, os elementos especiais ou diretos empregados na produção; o mesmo que Custo Especial e Custo Primário.

CUSTO DO CAPITAL EM ESTOQUE (MATÉRIAS-PRIMAS) — É o valor médio do estoque de matérias-primas vezes o custo do capital dividido pela receita operacional líquida vezes 100%.

CUSTO DO CAPITAL EM ESTOQUE (PRODUTOS ACABADOS) — É o valor médio do estoque de produtos acabados vezes o custo do capital dividido pela receita operacional líquida vezes 100%.

CUSTO FIXO — É aquele que independe das vendas ou dos serviços prestados, devendo ser absorvido no resultado da empresa. Gasto que se opera sempre dentro das mesmas medidas, independentemente do volume da produção. São gastos fixos: aluguéis, seguros, ordenados mensais, impostos etc.; tais gastos, todavia, não são permanentemente fixos; eles se alteram periodicamente; sua fixidez é observada com relação a um período determinado da produção. (Ver: Custo variável.)

CUSTO HISTÓRICO — É o registro dos custos pelo seu valor real, à medida que eles vão ocorrendo. Uma vez que é preciso esperar até que todos os custos sejam registrados para analisá-los, esse sistema implica um atraso dessa análise em relação à ocorrência dos custos.

CUSTO INDIRETO — Investimento em elementos da produção que não participam fisicamente do produto. São exemplos: a limpeza e a manutenção das instalações industriais, transporte, gastos administrativos, despesas com vendas etc.

CUSTO IRRECUPERÁVEL — Ocorre quando uma empresa inicia sua produção ou um novo projeto e depois desiste tendo já realizados determinados custos que não são recuperáveis, ou seja, dos quais ela não poderá se desfazer.

CUSTO LOGÍSTICO — É o somatório do custo do transporte, do custo de armazenagem e do custo de manutenção de estoque.

CUSTO MARGINAL — É a mudança do custo total resultante do incremento da produção de mais uma unidade do produto. Acréscimo no custo total resultante do incremento de uma unidade no volume de produção.

CUSTO MÉDIO — É o quociente que se obtém ao dividir o custo total de produção de um bem, produto ou resultado pelo número de unidades produzidas ou serviços prestados.

CUSTO MÉDIO FIXO — É o sacrifício que a empresa tem de suportar na criação de um produto típico, tendo por base os custos fixos, isto é, que não determinam uma alteração do nível de produção. Os referidos custos evoluem de forma decrescente (Custos médios fixos = Custos fixos / Número de Unidades.)

CUSTO MÉDIO TOTAL — É o sacrifício que a empresa tem de suportar na criação de um produto típico daquela indústria ou atividade (Custos médios = Custos totais / Número de Unidades). No curto prazo, os referidos custos evoluem num primeiro momento de forma decrescente e num segundo momento de forma crescente, podendo representar-se graficamente por meio de uma curva em U. No longo prazo, tendem a evoluir de forma decrescente em resultado das economias de escala atingidas, podendo representar-se graficamente por meio de uma curva em L.

CUSTO MÉDIO VARIÁVEL — É o sacrifício que a empresa tem de suportar na criação de um produto típico, tendo por base os custos variáveis, isto é, que determinam uma alteração do nível de produção. Os referidos custos evoluem de forma crescente (Custos médios variáveis = Custos variáveis / Número de Unidades).

CUSTO PONDERADO DE CAPITAL — Medida de custo de capital através da qual são atribuídos pesos aos custos de cada tipo de capital (de terceiros ou próprio), sendo que o peso utilizado é função da proporção de cada tipo de capital na estrutura de capital da empresa.

CUSTO RELATIVO CRESCENTE — Em economia representa a relação entre a produção alternativa de dois bens e postula que à medida que vai aumentando a produção de um bem, a produção do outro vai diminuindo mais do que proporcionalmente.

CUSTO SEMIVARIÁVEL — Denominação dada aos custos que passam a variar a partir de uma faixa de volume de produção. Um exemplo deste tipo de custo é a comissão de vendedores, que pode ser fixa até uma faixa de volume e aumentar para volumes mais elevados.

CUSTO TOTAL — É a soma dos custos fixos e variáveis da empresa; podem ser separados em dois tipos: custos diretos, que incidem diretamente sobre o bem ou o serviço produzido e são facilmente identificáveis e atribuíveis ao bem ou serviço em questão, e os indiretos, que são relativos a um grupo de bens ou serviços, ou a todos eles, e que são de atribuição mais difícil.

CUSTO UNITÁRIO BÁSICO (CUB) — Índice que reflete o ritmo dos preços de materiais de construção e da mão-de-obra no setor. Calculado por sindicatos estaduais da indústria da construção civil, chamados de SINDUSCON, e usado nos financiamentos de imóveis.

CUSTO VARIÁVEL — Custo que oscila de acordo com as quantidades produzidas. Tais custos aumentam quando o volume da produção aumenta. Ex.: mão-de-obra direta, comissões de vendedores, compensações de seguros etc. É um verdadeiro custo de produção, porque só se verifica se a produção se der, ao contrário do que acontece com os custos fixos. (Ver: Custo fixo.)

CUSTO-BENEFÍCIO — Na Administração Pública, processo usado para a determinação da eficiência econômica global de investimentos em obras infra-estruturais. Comparam-se os custos com os benefícios sociais resultantes. Segundo esse processo, deve-se escolher entre vários projetos aquele que apresente o maior quociente entre os benefícios globais (econômicos e sociais) e os custos globais.

CUSTÓDIA — 1) Retenção do delinqüente como garantia do cumprimento da pena; lugar a que é recolhido, sem caráter de prisão. 2) É a coisa ou pessoa que está sob guarda ou proteção como forma de preservação de direito. 3) Antiga guarda física de títulos e valores. Hoje a guarda é escritural. É o local onde os títulos e as ações são registrados em nome de quem os comprou, garantindo a sua propriedade. (Ver: Custódia de títulos.)

CUSTÓDIA DE FILHOS — Ver Guarda de filhos.

CUSTÓDIA DE TÍTULOS — Serviço de guarda de títulos e de exercício de direitos prestado aos investidores pela instituição custodiante. São direitos as bonificações, os dividendos e os direitos de subscrição distribuídos por uma companhia a seus acionistas. Existem empresas especializadas a guardar títulos ou ações. O CETIP custodia títulos de renda fixa e as bolsas de valores mantêm suas próprias câmaras de custódia para as ações negociadas em seu pregão. A BOVESPA tem a Companhia Brasileira de Liquidação e Custódia (CBLC). Essa câmara é responsável pela manutenção e atualização dos direitos das ações (dividendos, bonificações, subscrição etc.). Além do extrato mensal, a cada movimentação é emitido um aviso ao acionista.

CUSTÓDIA FUNGÍVEL — Serviço de custódia no qual os valores mobiliários retirados podem não ser os mesmos depositados, ou seja, podem ser substituídos por outros, desde que na mesma espécie, qualidade e quantidade. Hoje a custódia fungível trabalha apenas com ações, no Brasil, mas é possível trabalhar com qualquer outro valor que tenha características homogêneas. Não há emissão de um certificado em papel, o que evita a necessidade de controlar certificados específicos, uma vez que os ativos têm as mesmas características (são homogêneos). Esta forma é menos burocrática, porque facilita o fluxo mais ágil dos ativos.

CUSTÓDIA INFUNGÍVEL — Serviço de custódia no qual os valores mobiliários depositados são mantidos discriminadamente pelo depositante. Os valores retirados são os mesmos depositados, não podendo ser substituídos por outros de mesmo valor ou característica.

CUSTODIA LIBERA — [Latim]. Expressão que significa prisão domiciliar.

CUSTODIANTE — É uma entidade, em geral um banco, que guarda e administra valores mobiliários para seus clientes e que pode oferecer vários outros serviços, incluindo a compensação e liquidação, administração de caixa, operações de câmbio e empréstimo de títulos.

CUSTODIANTE GLOBAL — É o custodiante que proporciona a seus clientes serviços de custódia de valores mobiliários que são negociados e liquidados não somente no país onde o custodiante está localizado, mas também em muitos outros países do mundo.

CUSTODIANTE LOCAL — É o custodiante que provê serviços de custódia para os valores mobiliários que são negociados e liquidados no país em que este está localizado.

CUSTO-EFICÁCIA — Análise econômica que incide na relação entre os custos de obter uma unidade de serviço, uma unidade de produto ou uma unidade de resultado, comparando-os com os de outra(s). Ou seja, este tipo de análise permite comparar formas alternativas de alcançar um objetivo. Permite selecionar a alternativa cujas atividades realizam o objetivo ao menor custo.

CUSTOMIZAR — É o processo de segmentação do mercado para atendimento personalizado segundo as necessidades dos clientes de bens e serviços ou para atender aos requisitos de um cliente ou segmento especial de consumidores.

CUSTO-PADRÃO — É aquele que calcula antecipadamente, com base na experiência passada e nos objetivos fixados para o período atual, os custos que devem ocorrer no período. À medida de sua ocorrência, os custos reais e históricos são registrados e comparados com os custos-padrão, e as variações encontradas são analisadas. Esse custo permite que a análise dos custos seja feita imediatamente após sua ocorrência e não depois de um período mais ou menos longo.

CUSTOS DE PRODUÇÃO — Custo dos produtos vendidos que é determinado de acordo com o sistema de custos adotado pela empresa.

CUSTOS LEGIS — [Latim]. Expressão que significa fiscal da lei.

CUSTOS SOCIAIS — São despesas feitas durante o processo de produção e que não são pagas pelos que as ocasionaram, mas por terceiros, ou são transferidas para toda a sociedade. Trata-se das despesas acarretadas, por exemplo, pela poluição do ar e das águas, pela destruição da fauna e da flora, pelos acidentes de trabalho e pelas doenças profissionais, entre outros fatores. Determinar esses custos é muito difícil, pois apenas uma parte deles chega a ser identificada em grandezas monetárias.

CVM (COMISSÃO DE VALORES MOBILIÁRIOS) — Autarquia federal criada em 1976 para, juntamente com o Conselho Monetário Nacional, estabelecer as normas e diretrizes de funcionamento do mercado de valores, tendo sob sua jurisdição as Bolsas de Valores e sociedades corretoras, os bancos de investimento, as sociedades distribuidoras, as companhias abertas, agentes autônomos de investimento e as carteiras de depósito de valores mobiliários, fundos e sociedades de investimento, auditores independentes, consultores e analistas mobiliários. A CVM está subordinada ao Ministério da Fazenda.

D

D+ — Jargão utilizado no mercado financeiro que expressa o dia da operação financeira e o dia em que ela será realmente efetuada. Só são considerados os dias úteis neste cálculo. O crédito ocorre em D+1. O "D" significa o dia em que foi feita a operação verbalmente e o "+ seguido de um número" significa o número de dias úteis necessários para que se efetive realmente a operação.

DAÇÃO — Ato de dar ou transferir algo (em desuso neste sentido).

DAÇÃO EM PAGAMENTO — É a modalidade de extinção de uma obrigação em que o credor pode consentir em receber coisa que não seja dinheiro, em substituição da prestação que lhe era devida. Determinado o preço da coisa dada em pagamento, as relações entre as partes regulam-se pelas normas do contrato de compra e venda. Se for título de crédito a coisa dada em pagamento, a transferência importará em cessão. Sendo o credor evicto (adquirente da coisa litigiosa) da coisa recebida em pagamento, a obrigação primitiva se restabelece, ficando sem efeito a quitação dada. (Ver: Evicção.)

DADO CLIMATOLÓGICO — Dado pertinente ao estudo do clima, inclusive relações estatísticas, valores médios, valores normais, freqüências, variações e distribuição dos elementos meteorológicos.

DADO HIDROLÓGICO — Dado sobre precipitações, níveis e vazão dos rios, transporte de sedimentos, vazão e armazenamento de água subterrânea, evapotranspiração, armazenamento em vales, níveis máximos de cheias e descargas e qualidade da água, bem como outros dados meteorológicos correlatos, como a temperatura.

DADOS DA SITUAÇÃO PRÉVIA — Dados que descrevem a situação prévia e que servem como ponto de partida para medir o desempenho. Um estudo de situação prévia deve ser uma análise que descreve a situação antes, servindo depois para determinar o resultado e o cumprimento de uma meta e é uma importante referência para a avaliação.

DAMNATIO — [Latim]. Expressão que significa condenação.

DAMNUM — [Latim]. Expressão que significa dano.

DANO — No Direito Civil é todo prejuízo ou perda de um bem juridicamente protegido. Pode ser real ou material, quando atingir um bem cujo valor possa ser apurado, ou moral, quando recair sobre bens de natureza moral. No Direito Penal é a destruição, inutilização ou deterioração de coisa alheia. No Código de Defesa do Consumidor, são as conseqüências dos vícios e defeitos do produto ou serviço.

DANO AMBIENTAL — Ver Danos Ambientais.

DANO AO ERÁRIO — Ver Atos de improbidade administrativa que causam prejuízo ao erário.

DANO CONTRATUAL — O que se origina do descumprimento do contrato.

DANO CORPORAL — É o dano causado por acidente ou agressão que tenha conseqüências diretas às pessoas físicas, lesões, morte ou invalidez permanente (total ou parcial) ou torne obrigatório o tratamento médico.

DANO CULPOSO — Aquele provocado por imperícia, negligência ou imprudência do autor.

DANO DOLOSO OU INTENCIONAL — Diz-se o dano que não emana diretamente do ato ou fato causador, e por isso, não pode ser previsto ao ensejo da lesão de direito, mas só posteriormente se caracteriza. Dano imprevisto ou imprevisível.

DANO EMERGENTE — Efeito danoso, direto e imediato, de um ato ilícito. É o dano que realmente ocorreu; aquele que provocou a real diminuição do patrimônio de outrem.

DANO INDENIZÁVEL — A idéia de dano indenizável se afere das conseqüências de um certo ato praticado traduzido num prejuízo ocasionado. O dano será destarte o elemento objetivo da responsabilidade civil, ou seja, a perda, prejuízo ou dano sofrido por alguém. É conseqüência de um ato voluntário que, em virtude de provocar a violação de um dever, reconduzir-se-á deste modo à responsabilidade civil.

DANO INFECTO — Dano que não se consumou, mas que tem possibilidade de ocorrer, causando justo receio. Dano iminente, mas relacionado com as coisas inanimadas.

DANO INTENCIONAL — Ver Dano doloso.

DANO MATERIAL — Assim se diz da perda ou prejuízo que fere diretamente um bem patrimonial, diminuindo o valor dele, restringindo a sua utilidade, ou mesmo a anulando. (Ver: Danos materiais.)

DANO MORAL — É toda e qualquer ofensa ou violação que não venha a ferir os bens patrimoniais propriamente ditos de uma pessoa, mas aos seus princípios de ordem moral, tais como os que se referem à sua liberdade, à sua honra, à sua pessoa ou à sua família. Prejuízo não patrimonial, suscetível de indenização.

DANO MORAL TRABALHISTA — É o dano moral que pode surgir nas relações de emprego. Pode afetar tanto o empregado quanto o empregador e pode ocorrer antes, durante e após o contrato de emprego. Não é ainda pacífico o entendimento de que a Justiça do Trabalho é o órgão competente para julgar esses casos.

DANO NEGATIVO — É aquele que resulta na diminuição do patrimônio que se esperava obter. O dano negativo é o lucro cessante, isto é, o que se deixou de ganhar. (Ver: Lucro cessante.)

DANO NUCLEAR — Dano pessoal ou material produzido como resultado direto ou indireto das propriedades radioativas, da sua combinação com as propriedades tóxicas ou com outras características dos materiais nucleares, que se encontrem em instalação nuclear, ou dela procedentes ou a ela enviados.

DANO PESSOAL — Qualquer doença ou dano corporal adquirido por pessoa física, inclusive morte e invalidez, em virtude de agressão ou acidente.

DANOS AMBIENTAIS — Lesão resultante de acidente ou evento adverso, que altera o meio natural. Intensidade das perdas humanas, materiais ou ambientais, induzidas às pessoas, comunidades, instituições, instalações e/ou ecossistemas, como conseqüência de um desastre. Os danos ambientais, por serem de mais difícil reversão, contribuem de forma importante para o agravamento dos desastres e são medidos quantitativamente em função do volume de recursos financeiros necessários à reabilitação do meio ambiente. Os danos ambientais são estimados em função do nível de: poluição e contaminação do ar, da água ou do solo; degradação, perda de solo agricultável por erosão ou desertificação; desmatamento, queimada e riscos de redução da biodiversidade representada pela flora e pela fauna.

DANOS HUMANOS — Os danos humanos em conseqüência de um desastre são dimensionados em função do número de pessoas: desalojadas; desabrigadas; deslocadas; desaparecidas; feridas gravemente; feridas levemente; enfermas; mortas. A longo prazo também pode ser dimensionado o número de pessoas: incapacitadas temporariamente e incapacitadas definitivamente. Como uma mesma pessoa pode sofrer mais de um tipo de dano, o número total de pessoas afetadas é igual ou menor que a somação dos danos humanos.

DANOS MATERIAIS — Os danos materiais em conseqüência de um desastre são dimensionados em função do número de edificações, instalações e outros bens danificados e destruídos e do valor estimado para a reconstrução ou recuperação dos mesmos. É desejável discriminar a propriedade pública e a propriedade privada, bem como os danos que incidem sobre os menos favorecidos e sobre os de maior poder econômico e capacidade de recuperação. Devem ser discriminados e especificados os danos que incidem sobre: instalações públicas de saúde, de ensino e prestadoras de outros serviços; unidades habitacionais de população de baixa renda; obras de infra-estrutura; instalações comunitárias; instalações particulares de saúde, de ensino e prestadoras de outros serviços; unidades habitacionais de classes mais favorecidas. (Ver: Dano material.)

DAR FÉ — Ato do serventuário que autentica o documento ou atesta a existência de um fato. O mesmo que portar por fé.

DAR PROVIMENTO — Aceitar as razões oferecidas pela parte que interpôs agravo de instrumento. Acolher as razões do recurso que lhe subir para conhecimento, visando a reformar a decisão recorrida.

DARF (DOCUMENTO DE ARRECADAÇÃO FISCAL) — Documento destinado à arrecadação de receitas tributárias federais.

DATA BASE — 1) Data inicial, estabelecida no contrato, para cálculo da variação do índice de custos ou preços. 2) Data para negociação de reajuste salarial.

DATA DE EXERCÍCIO DA OPÇÃO — É a data de registro em pregão da operação de compra ou venda à vista das ações-objeto da opção.

DATA PERMISSA — [Latim]. Expressão que significa com a devida permissão.

DATA VENIA — [Latim]. Expressão que significa com respeito; com licença; com devido consentimento. Forma de cortesia com que se começa uma argumentação para discordar do interlocutor. É o mesmo que *concessa venia* ou *permissa venia*. Usada em linguagem forense e em citações indiretas.

DATA-BASE — Data-limite de desenvolvimento das negociações.

DATAÇÃO POR RADIOCARBONO — Ver Carbono 14.

DATAÇÃO RADIOMÉTRICA — Determinação de idade de amostras geológicas, em número de anos, por um dos vários métodos baseados na velocidade de desintegração de elementos químicos radioativos contidos nesses materiais.

DATILOSCOPIA — Ver Papiloscopia.

DATIO IN SOLUTUM — [Latim]. Expressão que significa dação em pagamento.

DATIVO — Nomeado por magistrado e não por lei. Serve para exprimir o que é dado ou quem é nomeado pelo juiz para distinguir do que é dado ou nomeado por força da lei (*ex vi legis*). Tutor ou curador nomeado pelo juiz ou pelo testador para administrar bens ou interesses alheios. Também pode ser o defensor nomeado pelo juiz para defender os interesses do acusado. (Ver: Advogado dativo // Defensor dativo.)

DAY-TRADE — Operação em que uma corretora compra e vende determinado ativo (ouro, por exemplo) em mesma quantidade e no mesmo dia. O objetivo é obter ganhos, já que não há alteração na posição de investimento da corretora.

DCB (*DEBT CONVERSION BOND*) — Bônus de Conversão de Dívida.

DE ACORDO — Espécie de despacho em documento, indicativo de concordância de quem, no mérito, pode decidir ou opinar sobre assunto nele contido.

DE CUJUS — [Latim]. Expressão que significa o falecido. Geralmente empregado como a pessoa inventariada. É a abreviatura da expressão latina *de cujus agitur hereditatis*, ou seja, o defunto em nome de quem agem os herdeiros *cujus sucessione agitur* (de cuja sucessão se trata). Assim o *de cujus* é sempre o falecido que deixou a herança, ou em nome de quem age o espólio durante o inventário.

DE JURE — [Latim]. Expressão que significa de direito; com razão. Opõe-se a *de facto*.

DE JURE ABSOLUTO — [Latim]. Expressão que significa do direito absoluto.

DE JURE PUBLICO — [Latim]. Expressão que significa de direito público.

DE LEGE LATA — [Latim]. Expressão que significa da lei criada; lei existente em sentido amplo.

DE MERITIS — [Latim]. Expressão que significa pelo mérito ou merecimento. Resolvidas as questões prévias da causa, examina-se o mérito, ou seja, a questão de fundo.

DE OFÍCIO — Ver *ex officio*.

DE PLANO — [Latim]. Expressão que significa sumariamente; por direito evidente.

DE PLENO DIREITO — Expressão para significar ou exprimir todo efeito jurídico que se produz ou se gera exclusivamente por força da lei (*ex vi legis*), não necessitando, assim, de qualquer intervenção ou consentimento da pessoa, ou a satisfação de qualquer outra formalidade.

DEAL FLOW — Ver Fluxo de Negócios.

DEALER — Instituições credenciadas pelo Banco Central a participar dos leilões informais. São instituições financeiras que atuam, por sua conta e risco, no mercado financeiro intermediando operações de compra e venda de títulos. Os *dealers* são escolhidos entre os bancos mais ativos no mercado. Eles têm a responsabilidade de informar aos demais bancos sobre o leilão informal. Têm departamentos de *open-market* muito bem estruturados, um *staff* com operadores ágeis e analistas capacitados. Possuem uma carteira de títulos expressiva, alocando recursos específicos e permanentes, nivelando assim as operações do mercado aberto. Também é o nome que se dá a instituições financeiras que compram e vendem valores mobiliários para sua carteira própria (é o oposto do *broker*, que só negocia por conta do cliente).

***DEALER* DE CÂMBIO** — São os bancos por meio dos quais o BACEN atua no mercado de câmbio; são escolhidos dentre as instituições autorizadas a operar em câmbio, segundo critérios de volume de negócios e qualidade na prestação de informações ao Banco Central.

***DEALER* DO MERCADO ABERTO** — Bancos ou corretoras por meio dos quais o BACEN atua no mercado aberto; são 22 instituições selecionadas duas vezes ao ano segundo critérios de volume de negócios e qualidade na prestação de informações ao Banco Central.

DEBATE — 1) Discussão em que se alegam razões pró ou contra; disputa; questão. 2) Contestação, contradição, dúvida. 3) Alteração, contenda, porfia. 4) Reunião, especialmente pública, em que uma questão é tratada por pelo menos duas pessoas ou grupos, cada um expressando uma opinião diferente. 5) Pronunciamento verbal dos procuradores das partes após o encerramento da instrução, enfocando as questões de fato e de direito contidas nos autos, cada qual argumentando em favor de seu constituinte.

DEBATES PARLAMENTARES — Conjunto de discursos ou intervenções dos congressistas na preparação das leis, o menos valioso dos elementos que compõem a interpretação histórica, quando muito valerá como doutrina, e ainda em razão do mérito do parlamentar debatedor, se jurisconsulto for.

DEBÊNTURES — Título representativo de uma obrigação financeira contraída por uma sociedade anônima mediante o lançamento público ou particular garantido pelo ativo da sociedade e com preferência para o resgate sobre quase todos os demais débitos, e que oferece juros e, eventualmente, outros benefícios a seus titulares. São títulos monetários que garantem ao comprador uma renda fixa, ao contrário das ações, cuja renda é variável. O portador de uma debênture é um credor da empresa que a emitiu, ao contrário do acionista, que é um dos proprietários dela. As debêntures têm como garantia todo o patrimônio da empresa. São emitidas para captar recursos, visando financiamento de projetos de investimento ou alongamento do perfil de endividamento das empresas. O rendimento de cada debênture depende das condições particulares de cada emissão.

DEBÊNTURES CONVERSÍVEIS EM AÇÕES — Aquelas que, por opção de seu portador, podem ser convertidas em ações, em épocas e condições predeterminadas.

DEBÊNTURES SIMPLES — Tipo de debênture que proporciona ao aplicador somente uma remuneração sobre o valor de investimento.

DÉBITO — Qualquer obrigação devedora; o que se deve. Significa dívida, situação negativa, estar em débito com alguém.

DÉBITO CONJUGAL — Situação em que incorre o cônjuge descumpridor do dever da prática do ato sexual com seu consorte.

DÉBITO DE TESOURARIA — Corresponde a uma obrigação assumida pelo ente público, em face de uma necessidade momentânea, porém urgente, de recursos, para cobertura de um déficit passageiro de sua Tesouraria, que constará da Dívida Flutuante. 2) São os valores pagos durante o exercício, relativos ao resgate das operações de crédito por antecipação da receita orçamentária, acrescido dos juros e demais encargos devidos.

DÉBITO FISCAL — É aquele em que o contribuinte, deixando de pagar tributo na época certa à Fazenda Pública, passa a ser inscrito como devedor desta.

DÉBITO FISCAL, AÇÃO ANULATÓRIA DE — Ação que compete ao contribuinte que, de sujeito passivo de ação tributária, assume a posição de autor, para pleitear a decisão administrativa, como lançamento indevido de tributo.

DÉBITO OU MULTA, IMPUTAÇÃO DE — É a decisão do Plenário do Tribunal de Contas que atribuiu, após apuração de injustificado dano ao Erário, a responsabilidade pelo pagamento de determinada quantia. A decisão do Tribunal de Contas que resultar em imputação de débito ou cominação de multa torna a dívida líquida e certa e tem eficácia de título executivo.

DECADÊNCIA (PERDA DE DIREITO) — É o perecimento ou perda de um direito em conseqüência de seu não exercício no prazo prefixado por lei ou convenção. Os prazos decadenciais estão previstos em vários artigos da parte geral e especial do Código Civil. Não se confunde com prescrição, em que o direito de agir é que se perde. Na decadência, perece o próprio direito, pela falta de exercício no tempo devido. (Ver: Caducidade // Prescrição // Perempção // Preclusão.)

DECEPÇÃO — Expectativa frustrada. Surpresa desagradável. Desengano. Malogro de uma esperança. Desapontamento em curso. Desencontro inesperado.

DECEX (DEPARTAMENTO DE OPERAÇÕES DE COMÉRCIO EXTERIOR) — Órgão do Banco Central vinculado a SECEX, responsável pela análise e acompanhamento de operações de exportação e importação, análise estatística, gerência do SISCOMEX (no que tange à parte comercial das transações) e planejamento das ações de comércio exterior brasileiro.

DECIBEL — Unidade de medida da intensidade do ruído (símbolo: dB). O aparelho empregado para sua medição é o decibelímetro.

DÉCIMO TERCEIRO SALÁRIO — Gratificação de Natal; gratificação natalina. É um direito assegurado por lei ao empregado regido pela legislação trabalhista e ao servidor público, pelo trabalho desempenhado no decurso do ano. É concedido também ao pessoal temporário. A cada mês trabalhado, no exercício, o empregado ou servidor público faz jus a 1/12 da remuneração a ser pago na gratificação de Natal. Deve ser pago em duas etapas: a primeira, correspondente a 50% do seu valor total, deve ser paga até 30 de novembro, ou por ocasião das férias, se assim for requerido pelo empregado em janeiro. O restante do valor será pago até o dia 20 de dezembro do mesmo ano.

DECISÃO — Ato ou efeito de decidir(-se). Genericamente, decisão tomada por qualquer assunto. Sentença, julgamento; resolução, determinação, deliberação; desembaraço, disposição, coragem. Escolha deliberada de algo a partir de, ou com base em, um conjunto de alternativas. É a solução que é dada a uma questão ou controvérsia, pondo fim a ela, por meio de sentença, despacho ou interlocutória, criando uma nova composição entre as partes contendoras ou litigantes. Denominação genérica dos atos do juízo, provocados por petições das partes ou do julgamento do pedido. Em sentido estrito, pronunciamento do juiz que resolve questão incidente.

DECISÃO DA MESA — Interpretação de regulamentos sobre matéria específica, feita pela Mesa diretora do Poder Legislativo, em resposta à questão de ordem suscitada em Plenário.

DECISÃO DE SANEAMENTO — Despacho no qual o juiz declara o processo em ordem e apto para prosseguir, decidindo também sobre a realização das provas, a designação de audiência de instrução e julgamento, bem como sobre eventuais preliminares levantadas pelas partes.

DECISÃO DEFINITIVA — Decisão final em um processo. Pode ser uma sentença, quando é tomada por um juiz, ou acórdão, quando é proferida por um tribunal.

DECISÃO DEFINITIVA EM PRESTAÇÃO DE CONTAS — Ver Contas, Decisão Definitiva em Prestação de.

DECISÃO INTERLOCUTÓRIA — É o ato pelo qual o juiz, no curso do processo, decide questão incidente. A medida é caracterizada por decidir, no "curso da causa", questão surgida entre os litigantes.

DECISÃO MONOCRÁTICA — Decisão final em um processo, tomada por um único juiz ou, no caso do Supremo Tribunal Federal, por um único ministro. No STF, podem ser decididos monocraticamente pedidos ou recursos manifestamente intempestivos, incabíveis ou improcedentes, ou que contrariem a jurisprudência predominante no Tribunal, ou, ainda, em que for evidente sua incompetência.

DECISÃO PRELIMINAR EM PRESTAÇÃO DE CONTAS — Ver Contas, Decisão Preliminar em Prestação de.

DECISÃO PROVISÓRIA EM PRESTAÇÃO DE CONTAS — Ver Contas, Decisão Provisória em Prestação de.

DECISÓRIO — Que tem o poder de decidir. Diz-se da parte da sentença em que o julgador conclui por condenar ou absolver o réu, no todo ou em parte, do pedido do autor. Diz-se de toda decisão, final ou definitiva, de qualquer instância. Sentença singular ou coletiva. Opõe-se a ordenatório.

DECISUM — [Latim]. Expressão que significa decisão; sentença.

DECLARAÇÃO — 1) Ato pelo qual a Administração comprova um fato ou uma simples situação de que tenha conhecimento. Não se confunde com a certidão porque esta reproduz atos ou fatos constantes de seus arquivos. 2) Texto solene proclamando princípios de grande importância e de valor duradouro. Embora não tenha força jurídica impositiva, ele pode exercer uma influência como fonte de direito unanimemente reconhecida, como a Declaração Universal dos Direitos do Homem de 1948.

DECLARAÇÃO DA VONTADE — Manifestação explícita, reconhecida por lei, de que resulta um negócio jurídico.

DECLARAÇÃO DE BENS — Instrumento obrigatório a ser apresentado por agente público exercente de função eletiva ou de nomeação na área do Poder Executivo, em que são relacionados os bens e valores que compõem seu patrimônio privado, a ser arquivado no serviço de pessoal do respectivo órgão, devidamente atualizado, cada ano e na data em que o declarante deixar o exercício do mandato, cargo, emprego ou função.

DECLARAÇÃO DE ESTADO DE CALAMIDADE PÚBLICA — Ver Declaração de situação de emergência.

DECLARAÇÃO DE RENDA — Obrigação fiscal que tem toda pessoa, física ou jurídica, de fornecer a cada ano ao órgão tributário o seu estado financeiro.

DECLARAÇÃO DE SITUAÇÃO DE EMERGÊNCIA OU DE ESTADO DE CALAMIDADE PÚBLICA — Documento oficial baixado por autoridade administrativa competente, observando os critérios e procedimentos estabelecidos pela Comissão Municipal de Defesa Civil (CONDEC), para decretar, registrar e divulgar publicamente um ato legal, relativo a uma situação anormal provocada por desastre, desde que se caracterizem condições que o justifiquem. O Decreto de declaração de situação de emergência ou de estado de calamidade pública é da competência dos prefeitos municipais e do governador do Distrito Federal.

DECLARAÇÃO DOS DIREITOS DA CRIANÇA — Proclamada por unanimidade pela Assembléia Geral das Nações Unidas, no dia 20 de novembro de 1959, a Declaração enumera os direitos e as liberdades a que qualquer criança faz jus, segundo o consenso da comunidade internacional. Muitos dos direitos e liberdades contidos neste documento fazem parte da Declaração Universal dos Direitos Humanos. O documento entende que a criança, em decorrência de sua imaturidade física e mental, requer proteção e cuidados especiais, antes ou depois do nascimento. Assim, a humanidade deve prestar o melhor de seus esforços à proteção das crianças.

DECLARAÇÕES DE DIREITOS HUMANOS — As declarações de direitos humanos enunciam normas e princípios estipulados. Estes documentos não são, em si mesmos, legalmente obrigatórios. Entretanto, algumas declarações, em especial a Declaração Universal dos Direitos do Homem, têm sido entendidas como tendo o estatuto de lei comum, uma vez que as suas cláusulas têm sido tão amplamente reconhecidas como obrigando todos os Estados.

DECLINAR DA COMPETÊNCIA — Quando há o entendimento de que não há competência do órgão para decidir sobre o discutido no processo.

DECLIVE — Pendor ou inclinação de terreno, considerado este de cima para baixo; descida, declividade, declívio. Inclinado, formando ladeira (no sentido da descida). Pode ser expressa em porcentagem ou em graus. (Ver: Aclive.)

DECLIVIDADE — Ver Declive.

DECODIFICAÇÃO — Processo de restaurar ou interpretar mensagens; processo de decifrar um código; interpretação.

DECOMPOSIÇÃO — Em Biologia é o processo de conversão de organismos mortos, ou parte destes, em substâncias orgânicas e inorgânicas através da ação escalonada de um conjunto de organismos (necrófagos, detritívoros, saprófagos, decompositores e saprófitos propriamente ditos). Em Geomorfologia – Alterações das rochas produzidas pelo intemperismo químico.

DECOMPOSIÇÃO AERÓBICA — Decomposição de material orgânico, que só pode ocorrer em presença do oxigênio; realizada por organismos que consomem oxigênio. (Ver: Decomposição Anaeróbica.)

DECOMPOSIÇÃO ANAERÓBICA — Decomposição de material orgânico, que ocorre sem a presença do oxigênio. (Ver: Biodigestor // Decomposição Aeróbica.)

DECOMPOSITORES — Microrganismos (fungos ou bactérias) que obtêm alimentos mediante a decomposição de matéria orgânica; essencial para a continuidade da vida no Planeta Terra.

DECORO — 1) Correção moral, compostura, decência. 2) Dignidade, nobreza, honradez, brio.

DECORO PARLAMENTAR — Princípios éticos, normas de conduta, compostura e decência que os membros de um parlamento devem guardar, tanto em sua vida pública como particular.

DECREPIDEZ — Estado de quem ou daquilo que é decrépito; caducidade; decrepitude; decadência; velhice.

DECRÉPITO — Muito velho; muito gasto; fraco; arruinado.

DECREPITUDE — Depreciação de um bem pela idade, no decorrer da sua vida útil, em conseqüência de sua utilização, desgaste e manutenção normais.

DECRETO — 1) Em sentido geral (*Lato Sensu*), é todo ato ou resolução emanada de um órgão do Poder Público competente, com força obrigatória, destinado a assegurar ou promover a boa ordem política, social, jurídica, administrativa, ou a reconhecer, proclamar e atribuir um direito, estabelecido em Lei, Decreto Legislativo, Decreto do Congresso, decreto judiciário ou decisão judicial. 2) Mandado expedido pela autoridade competente: decreto de prisão preventiva etc. 3) Ato pelo qual o chefe do governo determina a observância de uma regra legal, cuja execução é de competência do Poder Executivo. 4) Em sentido restrito (*Stricto Sensu*), é qualquer sentença proferida por autoridade judiciária. 5) Ato administrativo de competência exclusiva dos chefes dos executivos, destinado a prover situações gerais ou individuais, abstratamente previstas de modo expresso, explícito ou implícito pela legislação, inclusive regulamentar a lei. O decreto é, hierarquicamente, inferior à lei e, por isso, não a pode contrariar. O decreto pode ser autônomo ou regulamentar.

DECRETO AUTÔNOMO — Quando versa matéria ainda não tratada, especificamente, por alguma lei, suprindo, portanto, omissões do direito positivo. Não pode, evidentemente, cuidar de matérias que somente por lei possam ser disciplinadas. Esta espécie de decreto supre, contingencialmente, a falta de lei e, tão logo vigente esta, deixa de gerar efeitos.

DECRETO DE EXECUÇÃO ORÇAMENTÁRIA — Ver Execução Orçamentária, Decreto de.

DECRETO EXECUTIVO — No sistema jurídico brasileiro, os decretos executivos são atos administrativos da competência dos chefes dos poderes executivos (presidente, governadores e prefeitos). Um decreto é freqüentemente usado pelo chefe do poder executivo para fazer nomeações e regulamentações de leis (como para lhes dar cumprimento efetivo, por exemplo), entre outras coisas.

DECRETO JUDICIÁRIO — Qualquer sentença proferida por autoridade judiciária.

DECRETO LEGISLATIVO — É o ato de natureza administrativa, emanado do Poder Legislativo, contendo matéria de seu interesse e de sua exclusiva competência. Promulgado pelo próprio Legislativo, não demanda sanção do chefe do Executivo que sobre ele não se manifesta. O projeto de lei definitivamente aprovado no âmbito do Legislativo constitui um decreto legislativo, que somente transformar-se-á em lei se for sancionado pelo chefe do Poder Executivo.

DECRETO REGULAMENTAR OU DE EXECUÇÃO — É o decreto que visa a explicar o conteúdo da lei e facilitar sua execução. Acha-se expressamente previsto no art. 84, IV da Constituição Federal, sendo de competência privativa do Chefe do Poder Executivo.

DECRETO-LEI — Decreto com força de lei que, num período de governo totalitário, é expedido pelo chefe de fato do Estado, que concentra as atribuições do Poder Legislativo, então suspenso. A Constituição de 1988 não prevê a figura do Decreto-Lei.

DECRETO-LEI 200/67 — Decreto-lei de 25.2.1967 que promoveu, a partir de meados da década de 1960, a revisão e consolidação de conceitos sobre Administração Pública no Brasil, tais como Administração Pública Direta e Indireta, bem como suas pessoas jurídicas, e estabeleceu princípios e diretrizes para estruturação e funcionamento da Administração Pública brasileira. Embora várias outras normas legais tenham sido editadas alterando-o ou mesmo tratando com maior detalhe temas abordados pelo decreto-lei, ele continua servindo como referência doutrinária para a Administração Pública.

DECRETOS, ELABORAÇÃO DE — Ver Técnica de elaboração de leis e decretos.

DECURSO DE PRAZO — Prazo já esgotado. Espaço de tempo decorrido ou que se passou.

DEDICAÇÃO — Consideração, ou dar de si com abnegação e afeto.

DEDUÇÃO — Ação de deduzir. Conseqüência lógica extraída de um princípio. Processo de raciocínio que parte das origens para as finalidades. Raciocínio pelo qual, com base em uma ou mais premissas, se chega a uma conclusão necessária, por força de correta aplicação das regras lógicas. Na síntese usa-se a dedução recompondo o todo decomposto pela análise. Da generalização procura-se a especificação. Do geral conclui o particular. É o contrário da indução. (Ver: Indução.)

DEDUÇÃO FISCAL — Abatimento autorizado pela lei sobre rendimentos sujeitos à cobrança de impostos ou contribuições. O abatimento se dá sobre a receita bruta, diminuindo o valor sobre o qual incidirá a cobrança do eventual tributo, ou seja, diminuindo o valor da base de cálculo.

DEDUÇÕES ESTATUTÁRIAS — Parte dos lucros de uma empresa que, conforme determinação de seu estatuto social, não é distribuída aos acionistas.

DEFASAGEM CAMBIAL — Ocorre quando a moeda nacional está excessivamente valorizada em relação ao dólar. Neste caso, o produto de exportação fica muito caro, e todas as importações, viagens ao exterior etc. ficam muito baratas. O resultado é perda de reservas cambiais, déficit no balanço de pagamentos.

DEFAULT — Atraso ou não pagamento de título ou cupom na data de vencimento do mesmo. Declaração de insolvência do devedor, decretada pelos credores quando as dívidas não são pagas nos prazos estabelecidos.

DEFENSOR — É o advogado que promove a defesa do acusado. Expressão típica do processo penal.

DEFENSOR DATIVO — É o advogado nomeado pelo juiz para promover a defesa do acusado ausente, foragido ou sem meios para constituir e pagar advogado próprio. (Ver: Advogado dativo // Dativo.)

DEFENSORIA PÚBLICA — É instituição essencial à função jurisdicional do Estado, incumbindo-lhe a orientação jurídica e a defesa, em todos os graus, daqueles necessitados que comprovarem insuficiência de recursos. A assistência jurídica da Defensoria é gratuita e integral. É de responsabilidade do Poder Executivo. Os defensores públicos são organizados em carreira, na qual ingressam por meio de concurso público.

DEFERIMENTO — É atender ou conceder o que é solicitado em requerimento ou petição.

DEFESA — É a contestação de uma acusação; refutação, impugnação; justificação, alegação.

DEFESA CIVIL — É um conjunto de ações preventivas, de socorro, assistenciais, reabilitadoras e reconstrutivas destinadas a evitar ou minimizar os efeitos dos desastres, restabelecendo a normalidade social. No âmbito do município, essas ações são exercidas por um conjunto de órgãos e setores da Administração Pública, acrescida de grupos voluntários da sociedade civil, sob a orientação de uma Coordenadoria Municipal de Defesa Civil - COMDEC. (Ver: Sociedade Civil.)

DEFESA DE DIREITOS — Ações que se destinam a assegurar a defesa jurídica, política e social de todo cidadão, especialmente o idoso, a criança ou o adolescente que têm um direito ameaçado ou violado por ação ou omissão da sociedade, da família e do Estado ou por sua própria conduta. A expressão é usada de maneira complementar com o conceito de promoção de direitos, pois uma depende da outra: para defender os direitos é preciso que eles sejam promovidos e vice-versa.

DEFESA DO CONSUMIDOR — Assistência prestada pelo(s) PROCON(s) ao consumidor, nas Unidades da Federação, com base na legislação em vigor, em especial a Lei nº 8.078, de 1990 (Código de Proteção e Defesa do Consumidor).

DEFESA INDIRETA — Meio de defesa em que o réu não se dirige, diretamente, à pretensão do autor, limitando-se a argüir circunstâncias aptas a obstaculizar o andamento do processo.

DEFESA NACIONAL — Conjunto de medidas que visam a evitar, impedir ou eliminar os antagonismos e pressões de origem interna ou externa sobre a Nação e a garantir a segurança nacional.

DEFESA PRÉVIA — Alegação escrita, apresentada pelo réu logo após seu interrogatório ou no prazo de três dias. A sua finalidade é, tão-somente, revelar aquilo que o réu desejar provar, e se este se limita a negar a autoria, como já o fizera no interrogatório, não há necessidade de defesa prévia.

DEFESA TERRITORIAL — Conjunto de ações realizadas em situação de guerra, no espaço geográfico - terrestre, marítimo e aéreo - sob jurisdição nacional, não incluído no teatro de operações, visando à Defesa Interna e à salvaguarda dos recursos nacionais de toda ordem, contra todas as formas de agressão dos inimigos interno e externo, de caráter militar ou não.

DEFESO — Que é defendido, proibido.

DEFICIÊNCIA — É qualquer perda ou anormalidade de estrutura ou função psicológica, fisiológica ou anatômica, decorrente de causas congênitas e/ou adquiridas.

DEFICIÊNCIA FÍSICA — Refere-se à perda ou redução da capacidade motora. Um procedimento comum é referir-se aos portadores de deficiência de qualquer tipo, chamando-os todos como "deficientes físicos", o que é um equívoco, pois desconsidera-se as pessoas com deficiência sensorial ou mental. A deficiência física engloba vários tipos de limitação motora. Os principais são os seguintes: paraplegia; tetraplegia; hemiplegia; amputação; malformação congênita; paralisia cerebral.

DEFICIÊNCIA MENTAL — Refere-se a um padrão intelectual reduzido e consideravelmente abaixo da média. Deficiência mental não é doença mental. São condições muito diferentes. As conotações leve, moderada, severa ou profunda são termos que indicam níveis de comprometimento ou dificuldades cognitivas. Expressões como retardado mental, retardamento mental, retardo mental, débil mental, entre outras, não são admitidas.

DEFICIÊNCIA MÚLTIPLA — Refere-se a duas ou mais deficiências ao mesmo tempo numa mesma pessoa.

DEFICIÊNCIA SENSORIAL — Divide-se em visual e auditiva. Deficiência visual: refere-se a uma perda total ou parcial da visão; deficiência auditiva: refere-se a uma perda total ou parcial da audição.

DÉFICIT — Aquilo que ainda falta para que a receita se iguale à despesa. Em linguagem contábil, é um excesso de passivo em relação ao ativo. Quando as despesas são maiores que a receita e o total de crédito, o déficit é operacional. Nas finanças públicas, fala-se em déficit orçamentário quando as despesas são superiores à arrecadação, e em déficit da balança comercial quando o valor total das importações é superior ao total das exportações. Nas contas do Governo, quando há esse desequilíbrio, dizemos que há um déficit público. Este pode ser déficit (público) primário - que não inclui gastos com juros das dívidas interna e externa - ou nominal - que leva em conta as despesas com juros das duas dívidas.

DÉFICIT COMERCIAL — Valor obtido quando o volume das importações supera as exportações num dado período de tempo.

DÉFICIT CONSOLIDADO DE CAIXA DO GOVERNO FEDERAL — Consolidação do déficit de caixa do Tesouro Nacional e do Banco Central. Indica a variação líquida dos recursos injetados ou retirados da economia em conseqüência das operações do Banco Central e do Tesouro Nacional.

DÉFICIT DE CAIXA DO TESOURO NACIONAL — Diferença entre receitas realizadas e as despesas exigíveis em um determinado período de tempo, decorrente da execução financeira do orçamento da União, no regime de caixa.

DÉFICIT EM CONTA CORRENTE — É o resultado negativo das transações comerciais do país com o mundo (incluindo as exportações e as importações), mais os serviços e as chamadas transferências unilaterais. Reflete a quantia, em dólares, que falta ao Governo para quitar seu saldo negativo na balança comercial. Inclui ainda outros custos, como o de seguros, fretes marítimos e os demais gastos do comércio externo.

DÉFICIT FINANCEIRO — Resultado apurado ao final do exercício financeiro que aponta saldo negativo no confronto entre a soma de todas as receitas e de todas as despesas pagas, indicando que as receitas arrecadadas foram menores do que as despesas realizadas. Difere do déficit orçamentário, pois significa que o Poder Público realizou mais pagamentos do que o efetivo ingresso de receitas. É também conhecido por "Déficit de Caixa".

DÉFICIT FISCAL — Diferença entre despesa e receita do governo. Ocorre quando os governos gastam além de seus recursos. Trata-se de um conceito simples que pode dar margem a confusões porque é medido de várias maneiras: a) Déficit nominal - é o aumento no período relevante da dívida líquida nominal (isto é, sem descontar a inflação); b) Déficit operacional - é o déficit nominal, deduzidas a correção monetária do passivo em reais e a correção cambial do passivo em moeda estrangeira. Com a queda da inflação deveria haver convergência entre os déficits nominal e operacional; c) Déficit primário - é o déficit operacional, deduzido os pagamentos de juros. Reflete o resultado não-financeiro do setor público.

DÉFICIT HABITACIONAL — Déficit (habitacional) demográfico somado à quantidade de habitações inadequadas existentes. (Ver: Déficit habitacional demográfico.)

DÉFICIT HABITACIONAL DEMOGRÁFICO — Quantidade de habitações que deveria estar disponível para atender à demanda, anualmente renovada, resultante do crescimento demográfico. (Ver: Déficit habitacional.)

DÉFICIT NOMINAL — 1) É a diferença negativa da Dívida Fiscal Líquida apurada pelo setor público em um determinado período de tempo em relação ao período anterior. 2) É a Necessidade de Financiamento do Setor Público (NFSP), incluindo os efeitos da correção monetária e cambial nas despesas e nas receitas. Ex.: quando se declara que "o déficit nominal do Governo no ano foi de R$ 40 bilhões", significa que as despesas do Governo foram R$ 40 bilhões acima do valor das receitas. (Ver: Resultado Nominal do Setor Público.)

DÉFICIT OPERACIONAL — Corresponde à soma do resultado primário (déficit ou superávit) com o pagamento dos juros reais (descontado o efeito da inflação) e com a amortização da dívida pública. Na época da inflação elevada, era o conceito mais utilizado, pois permite ver o desempenho das contas do Governo sem o efeito da inflação. Quando há déficit operacional, o setor público necessita de financiamento para atender a todas as despesas, inclusive a amortização e os juros e encargos da dívida.

DÉFICIT ORÇAMENTÁRIO — Resultado apurado ao final do exercício que aponta saldo negativo no confronto entre a soma de todas as receitas e de todas as despesas empenhadas, indicando que as receitas orçamentárias foram menores do que as despesas orçamentárias. Difere do déficit financeiro, pois não significa necessariamente que o Poder Público gastou, de fato, mais dinheiro do que dispunha, mas sim que autorizou, no ano, mais gastos do que os recursos que se encontrariam disponíveis no exercício. Quando refere-se apenas ao confronto entre receitas correntes e despesas correntes, é chamado de déficit do Orçamento Corrente.

DÉFICIT ORÇAMENTÁRIO BRUTO — Diferença entre as receitas e as despesas de um orçamento público, não se considerando, nas receitas de capital, as operações de crédito a serem contratadas para o financiamento do déficit.

DÉFICIT PATRIMONIAL — Situação de deterioração da saúde financeira de um Governo, entidade ou empresa, expressa pela demonstração, através de seu Balanço Patrimonial, de que o seu Ativo é menor que o seu Passivo.

DÉFICIT PREVIDENCIÁRIO — É a diferença entre o que o Governo arrecada com os contribuintes da previdência e o que paga através de benefícios concedidos, inclusive aqueles que nunca ou pouco contribuíram, mas recebem benefícios.

DÉFICIT PRIMÁRIO — É o resultado negativo da subtração da Receita Total, deduzidas as receitas de Aplicações Financeiras, Operações de Crédito, Amortização de Empréstimos e Alienação de Ativos, pela Despesa Total, excluídos os gastos com Juros e Encargos da Dívida, Amortização da Dívida, Concessão de Empréstimos e Aquisição de Título de Capital já integralizado. (Ver: Superávit Primário.)

DÉFICIT PÚBLICO — Valor que o Governo gasta acima do que arrecada (em impostos, taxas, contribuições etc.), durante um período de tempo, considerando-se os valores nominais, ou seja, somando a inflação e a correção monetária do período. Geralmente a expressão diz respeito ao Governo Federal, mas pode ser aplicada também a governos estaduais e municipais. Há duas maneiras de financiar o déficit público: ou imprimindo mais dinheiro na Casa da Moeda (o que aumenta a base monetária e gera inflação), ou tomando emprestado no mercado - emitindo títulos e vendendo, mediante oferta de pagamento de juros e resgate dentro de um certo prazo. No Brasil, criaram-se os conceitos de déficit primário e déficit nominal. O déficit primário exclui os juros que o Governo é obrigado a pagar. O nominal inclui os juros que o Governo tem a pagar, sendo, portanto, um conceito mais realista. Quanto maior for o déficit e maior a necessidade de financiá-lo, maior deve ser o juro oferecido ao mercado para tomar emprestado o dinheiro necessário.

DÉFICIT SOCIAL — É o resultado do crescente acúmulo da dívida social. (Ver: Dívida social.)

DÉFICITS GÊMEOS — É assim conhecida a ocorrência de déficit fiscal (gastos públicos maiores do que arrecadação de impostos) e o déficit em conta-corrente (troca de bens, serviços e investimentos com o exterior). Na maioria dos países, essa situação leva a uma brusca desvalorização da moeda local. Primeiro, porque o país está enviando mais recursos ao exterior do que recebendo (déficit em conta-corrente), fazendo sua moeda perder valor. Segundo, quando o déficit público aumenta, os investidores ficam menos dispostos a comprar títulos do Governo, que se desvalorizam, levando junto a moeda local.

DEFINIÇÃO — Uma das maneiras de dizer o que algo é.

DEFINIÇÃO ESSENCIALISTA — É uma definição que apresenta não apenas as condições necessárias e suficientes que um certo objeto realmente tem, mas que é impossível que não tenha.

DEFINIÇÃO EXPLÍCITA — É uma maneira de definir algo na qual se apresenta. Em uma frase, por exemplo, do gênero "F é G" ou "F se, e só se, G".

DEFINIÇÃO IMPLÍCITA — É uma maneira de definir algo na qual se diz o que algo é sem nunca dizermos algo. Em uma frase, por exemplo, do gênero "F é G" ou "F se, e só se, G".

DEFLAÇÃO — Queda persistente no nível geral de preços, o oposto da inflação. Caracteriza-se pela baixa oferta de moeda em relação à oferta de bens e serviços ou pela queda na demanda agregada (associada, por exemplo, a um maior índice de poupança). Esse excesso de oferta de bens ou carência de demanda aumenta o índice de capacidade ociosa na economia e causa um acirramento da concorrência entre os produtos, que disputam os poucos consumidores disponíveis, o que leva a uma rápida queda nos preços. Cai o investimento e, conseqüentemente, há queda no produto real e aumento no desemprego. A deflação, assim, pode acabar provocando depressão. Normalmente, combate-se a deflação por meio de um aumento nos gastos públicos, com um maior grau de endividamento público, como forma de aumentar a demanda agregada. (Ver: Inflação // Hiperinflação.)

DEFLAGRAÇÃO — Reação química de oxidação de hidrocarbonetos em que a frente de reação (velocidade da frente da chama) avança dentro do produto não reagido, com uma velocidade aproximada à do som, ocorrendo certo aumento de pressão.

DEFLATOR — Índice de correção das flutuações monetárias utilizado para determinar o preço real dos produtos.

DEFLATOR DO PIB (DPIB) — Representa quantitativamente as variações de preços entre dois ou mais anos, permanecendo as quantidades de bens e serviços constantes (DPIB = PIB nominal/PIB real). É a forma alternativa de cálculo da inflação.

DEFLORAMENTO — Ato de ter relação sexual com mulher virgem, rompendo-lhe o hímen.

DEFORMIDADE — Configuração desagradável; irregularidade de forma. Vício; depravação.

DEGENERAR — Perder, em grau maior ou menor, as qualidades originais (raças, indivíduos, plantas etc.). Adulterar-se; depravar-se; corromper-se.

DEGRADAÇÃO — 1) Ato de privar alguém, em caráter ignominioso (que merece repulsão), de grau, de dignidade, encargo ou qualidade. 2) Desintegração e desgaste da superfície terrestre por processos naturais de intemperismo e erosão. (Ver: Denudação.)

DEGRADAÇÃO AMBIENTAL — Processo gradual de alteração adversa das características do meio ambiente, resultante de atividades humanas ou fenômenos naturais que causam desequilíbrio e destruição parcial ou total dos ecossistemas envolvidos.

DEGRADAÇÃO DO SOLO — Alteração das características do solo em relação aos diversos usos possíveis. Um solo degradado é modificado, devido a mudanças climáticas, de vegetação etc. e, muitas vezes, também pela ação humana.

DEGRADÁVEL — Substância que pode ser decomposta.

DEGREDO — Pena de exílio ou desterro imposta aos autores de certos tipos de crimes. Local onde se cumpre essa pena. Desterro; exílio; afastamento; banimento.

DEKASSEGUIS — Assim são conhecidos os brasileiros que vão trabalhar no Japão. No idioma japonês, *dekassegui* significa trabalhar fora de casa. Eles desempenham atividades consideradas inferiores e conhecidas como "3k", de acordo com as condições de trabalho: *kitanai* (sujo), *kitsui* (penoso) e *kiken* (perigoso). A maior parte dos *dekasseguis* está empregada em indústrias de peças automobilísticas ou eletroeletrônicas e vive em pequenos apartamentos ou alojamentos próximos aos locais de trabalho. Estimativa do Ministério da Justiça é que mais 400 mil brasileiros estejam nessa situação.

DELAÇÃO — Atitude de denunciar ou de acusar alguém ou denunciar algum ato ou fato.

DELAÇÃO PREMIADA — Mecanismo previsto na legislação brasileira que permite aos acusados ou indiciados que voluntariamente colaborarem com a investigação e com o processo criminal, os chamados réus colaboradores, a redução em até dois terços da pena como cita a Lei Federal nº 8.072, de 25 de julho de 1990, no art. 8º: "O participante que denunciar à autoridade o bandido ou a quadrilha, possibilitando seu desmantelamento, terá a pena reduzida de um a dois terços." A delação premiada vem sendo severamente criticada. Sob o ponto de vista sociopsicológico, ela é considerada imoral e aética, pois estimula a traição. Sob o aspecto jurídico, indiretamente rompe com o princípio da proporcionalidade da pena, já que se punirá com penas diferentes pessoas envolvidas no mesmo fato e com idênticos graus de culpabilidade. Como instituto jurídico deve ser utilizado com cautela e critério para que não se transforme em "joguete" entre os próprios criminosos e em prejuízo da administração da Justiça. Por exemplo, em uma quadrilha de sete integrantes, um delata o outro, um de cada vez, e sucessivamente, até que o último, por eles eleito, não tendo quem "delatar", acaba sendo o único punido com pena integral.

DELEGAÇÃO — 1) É a atribuição de responsabilidade e autoridade a um nível hierárquico inferior (delegado), para que este execute determinada tarefa (delegada), a qual compete ao nível hierárquico superior (delegante). 2) Contrato por meio do qual um dos contraentes incumbe o outro de efetivar determinada prestação a um terceiro, que a recebe em nome próprio.

DELEGAÇÃO DE COMPETÊNCIA — É a faculdade que tem a autoridade pública de atribuir a outrem, geralmente ocupante de cargo, função ou posto hierarquicamente inferior, a prática de atos originariamente de sua alçada. É o instrumento utilizado na descentralização administrativa, com o objetivo de assegurar maior rapidez e objetividade às decisões, situando-se na proximidade dos fatos, pessoas ou problemas a atender. Não implica em delegação de autoridade.

DELEGACIA REGIONAL DO TRABALHO — Ver DRT (Delegacia Regional do Trabalho).

DELEGADO — 1) Aquele que tem autorização de outra pessoa ou de uma instituição para representá-la. 2) Representante, enviado, emissário, comissário. 3) Em sentido administrativo, pessoa a quem foi delegada uma comissão ou confiada uma função de serviço público. 4) A autoridade policial em uma delegacia é o chefe de polícia judiciária, o presidente do inquérito policial civil.

DELEGAR — Ato típico de quem tem algum poder e o transfere a outrem para que o exercite em seu nome.

DELEITE — Prazer íntimo, suave e pleno. Situação que integra a assimilação, a acomodação e a consolidação.

DELIBERAÇÃO DA MESA — Instrução normativa da Mesa de uma Casa Legislativa sobre assuntos administrativos ou referentes ao processo legislativo.

DELIBERAÇÕES — São atos administrativos ou decisórios emanados geralmente por órgãos colegiados, mediante votação. Quando normativos, são atos gerais; quando decisórios, são atos individuais. Aquelas são sempre superiores a estas, de modo que o órgão que as expediu não pode contrariá-las nas decisões subseqüentes: uma deliberação normativa só se revoga por outra deliberação normativa; nunca por uma deliberação individual do mesmo órgão.

DELÍRIO — Perturbação mental breve com alucinações e excitação. Compreensão e raciocínio errados da situação ou do ambiente (objetos e pessoas).

DELITO — É, em sentido geral, aplicado para significar ou indicar todo fato ilícito, ou seja, todo fato voluntário, que possa resultar numa reparação, sujeitando aquele que lhe deu causa as sanções previstas na lei penal.

DELITO CIVIL — É o ato ilícito ou uso imoral de um direito que, possuindo o caráter de falta ou violência, faça nascer um dano, de que resulte a obrigação de uma reparação.

DELTA — Depósito aluvial que aparece na foz de certos rios, avançando como um leque, na direção do mar. Essa deposição exige certas condições como: ausência de correntes marinhas, fundo raso, abundância de detritos etc.

DEMAB (DEPARTAMENTO DE OPERAÇÕES DO MERCADO ABERTO) — Unidade do Banco Central que tem por função, dentre outras, a de controlar a liquidez do mercado, por meio de compra e venda de títulos públicos federais. É o administrador do Sistema Especial de Liquidação e de Custódia (SELIC).

DEMAGOGIA — Etimologicamente significa a arte de conduzir o povo. Aos poucos, o termo veio adquirindo um sentido pejorativo, passando a significar a habilidade para enganar o povo. Aquele que faz demagogia, o demagogo, é, em geral, bem falante, e usa como principal recurso, para conseguir seus intentos, as falsas promessas, que sabe corresponderem às aspirações do povo, mas que são impossíveis de realizar.

DEMANDA — 1) Necessidades ou desejo de consumo, individual ou coletivo, de bens e serviços. A relação entre oferta e demanda é um dos fatores determinantes de preços no mercado. Se a oferta for maior que a demanda, por exemplo, o preço tende a cair. Já, se a oferta não atender à demanda, o preço tende a aumentar. 2) Ação de demandar, ação judicial, processos, litígio, contestação, discussão, disputa, combate, peleja, pugna. O ingresso em juízo, por si só, provoca uma demanda, mas nem sempre enseja um litígio, que só se forma se o pedido for contestado. Se o pedido do autor ou demandante é contestado, ele e o réu passam a ser litigantes. Nas demandas não contestadas não se forma, portanto, o litígio, pois o pressuposto deste é a discussão. (Ver: Litígio.)

DEMARCAÇÃO — Assinalação ou aviventação dos limites ou divisas de uma propriedade; ato de fixar limite.

DEMOCRACIA — Em sentido mais geral, designa um modo de vida numa sociedade em que se acredita que cada indivíduo tem direito a participar livremente dos valores dessa sociedade. Num sentido mais limitado, é a oportunidade dos membros da sociedade de participarem livremente das decisões em qualquer campo, individual ou coletivamente. No seu sentido mais restrito, o termo designa a oportunidade dos cidadãos de um Estado de participarem livremente das decisões políticas mais específicas que lhes afetam a vida individual e coletiva. É um sistema político que tem como características a soberania do povo, a limitação dos poderes do Estado, a existência de garantias e direitos fundamentais, a prevalência da vontade da maioria, o respeito aos direitos da minoria, a temporalidade da investidura em qualquer função de poder, o primado da lei sobre a vontade da pessoa e a possibilidade de mudança das normas constitucionais. (Ver: Eleição.)

DEMOCRACIA LIBERAL — Defende a democracia representativa como a única forma compatível com o Estado liberal, definido como aquele que reconhece e garante alguns direitos fundamentais, dentre eles a liberdade civil e política. Assim, identifica a democracia como a liberdade do indivíduo de escolher livremente seus representantes. No decorrer do século XIX, quase todos os países monárquicos da Europa Ocidental se tornam democracias liberais ao instituir uma legislação representativa inspirada na do Parlamento britânico.

DEMOCRACIA POPULAR — Regime social e político surgido nos países da Europa Oriental que ficaram sob a influência soviética, após a Segunda Guerra Mundial.

DEMOCRACIA REPRESENTATIVA — Forma de organização política do Estado pela qual a população elege representantes que passam a exercer autoridade em seu nome.

DEMOCRACIA SEMIDIRETA — É assim denominada porque, ao lado da natureza representativa de seu sistema político, nela se admite a utilização esporádica da intervenção direta dos governados em certas deliberações dos governantes. Esta intervenção compreende, basicamente, os seguintes institutos: plebiscito, referendo, iniciativa popular, veto popular e *recall*.

DEMOCRATA — Pessoa que acredita ou trabalha pela democracia.

DEMOCRÁTICO — 1) Relativo à democracia. 2) Qualidade daquele ou daquilo que favorece a democracia.

DEMOCRATIZAÇÃO — Estabelecimento progressivo de princípios de igualdade entre todos os cidadãos e da valorização da contribuição individual. Estabelecimento progressivo de um sistema político em que os cidadãos escolhem os seus dirigentes por votação direta, em atos eleitorais. (Ver: Eleição.)

DEMOCRATIZAÇÃO DO CAPITAL — Ver Capital, Democratização do.

DEMOGRAFIA — É a ciência que estuda a dinâmica populacional humana. O seu objeto de estudo engloba as dimensões, estatísticas, estrutura e distribuição das diversas populações humanas. Estas não são estáticas, variando devido à natalidade, mortalidade, migrações e envelhecimento. A análise demográfica centra-se também nas características de toda uma sociedade ou um grupo específico, definido por critérios como a Educação, a nacionalidade, religião e grupo étnico.

DEMOGRAFIC SEGMENTATION — Esforço em dividir o mercado em grupos com bases variáveis demográficas, tais como: idade, sexo, tamanho da família, ciclo de vida da família, renda, ocupação, escolaridade, religião, raça e nacionalidade.

DEMONSTRAÇÃO DAS VARIAÇÕES PATRIMONIAIS — Demonstrativo contábil que evidencia as alterações verificadas no patrimônio, resultantes ou independentes da execução orçamentária, e indica o resultado patrimonial do exercício. Registra a movimentação das variações ativas e passivas resultantes da execução orçamentária, ou independentes desta e por mutações patrimoniais, neste caso, quando se executam as Receitas e Despesas de Capital. É um demonstrativo obrigatório nos Balanços das entidades do setor público regidas pela Lei nº 4.320, de 1964 (arts. 101 e 104), que corresponde, em termos práticos a um Balanço de Resultados. Esta Demonstração evidencia as alterações ocorridas no Patrimônio do ente a que se refere (Governo, órgão, entidade ou fundo) durante o exercício, decorrente ou não da execução orçamentária, de modo a indicar se estas acarretaram um resultado positivo, negativo, ou equilibrado (nulo). Os grupos estruturados desta demonstração são as Variações Ativas e as Variações Passivas, que correspondem, em termos comparativos, aos grupos Ativo e Passivo (do Balanço Patrimonial) e Receita e Despesa (do Balanço Financeiro).

DEMONSTRAÇÃO DE LUCROS E PERDAS — Demonstrativo das contas de resultado (Receita e Despesa) de uma empresa referente a um determinado período.

DEMONSTRAÇÃO DE ORIGENS E APLICAÇÕES DE RECURSOS (DOAR) — Uma das demonstrações financeiras de uma empresa, o DOAR ilustra as fontes (origens) e a forma com que os recursos obtidos pela empresa no curso de suas atividades foram aplicados (investidos) em um determinado período de tempo.

DEMONSTRAÇÃO DE VALOR ADICIONADO — É a demonstração contábil destinada a evidenciar, de forma concisa, os dados e as informações do valor da riqueza gerada pela entidade em determinado período e sua distribuição. Se a Demonstração do Valor Adicionado tem a função de divulgar e identificar o valor da riqueza gerada pela entidade, a distribuição de valor adicionado revela como essa riqueza foi distribuída entre os diversos setores que contribuíram, direta ou indiretamente, para a sua geração.

DEMONSTRAÇÃO DO RESULTADO DO EXERCÍCIO — É a apresentação, em forma resumida, das operações realizadas pela empresa, durante o exercício social, demonstradas de forma a destacar o resultado líquido do período. Na determinação desse resultado serão computados: as receitas e os rendimentos ganhos no período, independentemente de sua realização em moeda; e os custos, despesas, encargos e perdas, pagos ou incorridos.

DEMONSTRAÇÕES FINANCEIRAS — Demonstração das principais contas da empresa (relatadas no balanço patrimonial): demonstração de resultado, demonstração das origens e aplicações de recursos, alterações do patrimônio líquido e notas explicativas.

DEMONSTRATIVO DE RESULTADOS — Demonstração financeira, publicada em um determinado período de tempo (empresas listadas em bolsas são obrigadas a publicá-lo trimestral e anualmente), que detalha e quantifica as receitas e despesas de uma empresa. Em termos de unidades monetárias, o balanço mostra o que a empresa recebe, o quanto gasta e o resultado das operações.

DENEGAÇÃO — É o indeferimento, a negação de uma pretensão formulada em juízo.

DENGUE — Ver Saúde - Dengue.

DENGUE HEMORRÁGICO — Ver Saúde - Dengue hemorrágico.

DENSIDADE — 1) É o indicador para avaliação do atendimento dos equipamentos urbanos e infra-estrutura à população. A densidade é medida considerando-se, o número máximo de moradores e de empregados/hectare ou o número máximo de economias/hectare, que as diferentes áreas da cidade podem receber. 2) Massa de uma substância por unidade de volume expressa normalmente em termos de kg por m^3.

DENSIDADE DE POPULAÇÃO — O mesmo que densidade demográfica.

DENSIDADE DEMOGRÁFICA — É o indicador que mostra como a população se distribui pelo território, sendo estabelecida pela razão entre a população e a área de determinada região. A densidade de população é também usada, em ecologia, para o cálculo da densidade de um conjunto de indivíduos de uma mesma espécie.

DENUDAÇÃO — No sentido *lato* inclui todos os fenômenos de intemperismo e erosão. Conjunto de processos responsáveis pelo rebaixamento sistemático da superfície da terra pelos agentes naturais de erosão e pelo intemperismo. É um termo mais amplo do que erosão, embora este seja usado como sinônimo daquele. É também usado como sinônimo de degradação, embora alguns autores atribuam à denudação o processo, e à degradação o resultado deste processo.

DENÚNCIA — 1) É o ato verbal ou escrito, por meio do qual se dá ciência, à autoridade competente, de um fato punível que deve ser averiguado. 2) É o ato escrito pelo qual qualquer cidadão, partido político, associação ou sindicato é parte legítima para denunciar, perante o Tribunal de Contas, possíveis irregularidades ou ilegalidades sobre matéria de sua competência, quando referir-se a administrador ou responsável sujeito à sua jurisdição. 3) Ato pelo qual o membro do Ministério Público formaliza a acusação perante um Tribunal, dando início à ação penal. Só cabe em ação pública (na ação privada, existe a Queixa-crime). Se a denúncia for aceita, o denunciado, que havia sido indiciado no inquérito policial, passa a ser réu na ação.

4) Notificação de uma parte contratante à autora, de que a partir de determinada data cessarão os efeitos da convenção ou contrato que celebraram e vêm cumprindo. (Ver: Denúncia - Tribunal de Contas - Tratamento Sigiloso // Denúncia Imotivada - Tribunal de Contas.)

DENÚNCIA - TRIBUNAL DE CONTAS - TRATAMENTO SIGILOSO — No resguardo dos direitos e garantias individuais, o Tribunal de Contas dará tratamento sigiloso às denúncias formuladas, até decisão definitiva sobre a matéria. Ao decidir, caberá ao Plenário do Tribunal manter, ou não, o sigilo quanto ao objeto e à autoria da denúncia. (Ver: Denúncia Imotivada - Tribunal de Contas.)

DENÚNCIA CALUNIOSA — Ver Denunciação Caluniosa.

DENÚNCIA CHEIA — Denúncia obrigatoriamente motivada da locação de imóvel. (Ver: Despejo de imóvel.)

DENÚNCIA DE TORTURA — Denúncia ou alegação (ainda não comprovada nem refutada) de que ocorreu um incidente de tortura.

DENÚNCIA IMOTIVADA - TRIBUNAL DE CONTAS — Ocorre denúncia imotivada perante o Tribunal de Contas quando se reconhece a existência de dolo, má-fé, ou malévola motivação de caráter político na denúncia. Ocorrendo e reconhecida, o processo será remetido ao Ministério Público Especial do Tribunal para as medidas legais cabíveis.

DENÚNCIA VAZIA — Meio jurídico atualmente proibido no Brasil. (Ver: Despejo de imóvel.)

DENÚNCIA, ADIÇÃO DA — Ver Denúncia, Aditamento da.

DENÚNCIA, ADITAMENTO DA — Aditamento da denúncia ou adição da denúncia é a inclusão, feita pelo Ministério Público, do nome de outros indivíduos não constantes da queixa ou denúncia do indiciado. O aditamento deve ser feito, por ordem do juiz, quando nos autos constarem elementos de culpabilidade daqueles indivíduos. Deve ocorrer antes da decisão da pronúncia ou impronúncia.

DENUNCIAÇÃO CALUNIOSA — É um dos crimes contra a administração da justiça. Consiste em dar causa a instauração de investigação policial de processo judicial, instauração de investigação administrativa, inquérito civil ou ação de improbidade administrativa contra alguém, imputando-lhe crime de que o sabe inocente. A pena prevista é de reclusão, de 2 a 8 anos, e multa. A pena é aumentada de sexta parte, se o agente se serve de anonimato ou de nome suposto. Se a imputação é de prática de contravenção, a pena é diminuída de metade.

DENUNCIAÇÃO DA LIDE — Na linguagem processual civil, significa um dos casos em que se pode dar a intervenção de terceiros no decurso do litígio. Corresponde à situação em que o alienante, na ação em que terceiro reivindica a coisa, cujo domínio foi transferido à parte, a fim de que esta possa exercer o direito que da evicção lhe resulta ou ao proprietário ou ao possuidor indireto quando, por força de obrigação ou direito, em casos como o do usufrutuário, do credor pignoratício, do locatário, o réu, citado em nome próprio, exerce a posse direta da coisa demandada ou àquele que estiver obrigado, pela lei ou pelo contrato, a indenizar, em ação regressiva, o prejuízo do que perder a demanda.

DEONTOLOGIA JURÍDICA — Estudo acerca dos fundamentos do Direito sob o ponto de vista ético.

DEPARTAMENTALIZAÇÃO — Organização do trabalho empresarial pela divisão e atribuição de trabalho para grupos especializados.

DEPARTAMENTO DA DÍVIDA EXTERNA E DE RELAÇÕES INTERNACIONAIS (DERIN) — É o órgão do Banco Central que tem por funções principais o relacionamento institucional com organismos e foros internacionais e outros bancos centrais; coordenação dos assuntos financeiros em processos de integração econômica; gestão dos acordos da dívida externa e convênios internacionais de pagamentos; e administração do passivo externo.

DEPARTAMENTO DE COMBATE A ILÍCITOS CAMBIAIS E FINANCEIROS (DECIF) — Órgão do Banco Central que tem como funções principais: prevenir e combater os ilícitos cambiais e financeiros no âmbito do Sistema Financeiro Nacional, monitorar as operações do mercado de câmbio, e conduzir os processos administrativos punitivos instaurados pelo Banco Central do Brasil.

DEPARTAMENTO DE CONTROLE DE REGIMES ESPECIAIS (DERES) — Órgão do Banco Central responsável pelo acompanhamento das instituições em regime especial nos casos de intervenção, liquidação extrajudicial e outros regimes especiais administrados pelo Banco Central do Brasil.

DEPARTAMENTO DE ESTUDOS E PESQUISAS (DEPEP) — É o órgão do Banco Central responsável pela realização de pesquisas em todas as áreas-fim de atuação do Banco Central do Brasil e elaboração e administração do sistema de metas inflacionárias.

DEPARTAMENTO DE NORMAS DO SISTEMA FINANCEIRO (DENOR) — É órgão do Banco Central responsável pela proposição e elaboração de normas aplicáveis ao Sistema Financeiro Nacional.

DEPARTAMENTO DE OPERAÇÕES BANCÁRIAS (DEBAN) — Órgão do Banco Central que tem como principais funções o assessoramento à Diretoria na formulação da Política Monetária, gerenciamento dos recolhimentos compulsórios e da assistência financeira de liquidez, gerenciamento da conta Reservas Bancárias, buscando minimizar os riscos no sistema de pagamentos e regulamentação do Serviço de Compensação de Cheques e Outros Papéis.

DEPARTAMENTO DE ORGANIZAÇÃO DO SISTEMA FINANCEIRO (DEORF) — É o órgão do Banco Central que tem por funções principais a organização do Sistema Financeiro Nacional - SFN e controle das aplicações em crédito rural e administração do PROAGRO/FGDLI.

DEPARTAMENTO ESTADUAL DE TRÂNSITO (DETRAN) — Ver DETRAN.

DEPIN — Departamento de Operações das Reservas Internacionais do Banco Central responsável pela administração das reservas internacionais do País, pela execução da política cambial e pela gestão tática do passivo externo.

DEPOENTE — Pessoa que depõe ou presta declarações em juízo, como testemunha, litigante ou parte interessada.

DEPOIMENTO — Ato de depor em juízo, testemunho.

DEPOIMENTO PESSOAL — Inquirição da parte, pelo juiz, sobre os fatos da causa. Se o réu não comparecer em juízo ou se recusar a depor, serão presumidos como verdadeiros os fatos alegados contra ele.

DEPORTAÇÃO — Regulada nos arts. 57 a 64 da Lei nº 6815, de 1980 (Estatuto do Estrangeiro) e arts. 98 e 99, do respectivo Decreto de regulamentação, é uma das formas coercitivas de retirada do estrangeiro do Brasil. A deportação consiste em fazer sair do território brasileiro o estrangeiro que nele tenha entrado clandestinamente ou nele permaneça em situação de irregularidade legal, se do País não se retirar voluntariamente dentro do prazo que lhe for fixado (art. 57). Segundo estabelece o art. 98, do Decreto nº 86.715, de 1981, o estrangeiro que entrou ou se encontra em situação irregular no país, será notificado pela Polícia Federal, que lhe concederá um prazo variável entre um mínimo de três e máximo de oito dias, conforme o caso, para retirar-se do território nacional. Se descumprido o prazo, o Departamento de Polícia Federal promoverá a imediata deportação. A deportação só ocorrerá se o estrangeiro não se retirar voluntariamente depois de haver recebido a notificação da autoridade competente. A retirada voluntária é, pois, o elemento que diferencia, fundamentalmente, a deportação dos outros dois meios de afastamento compulsório, a expulsão e a extradição. A previsão legal de que ao estrangeiro será dado um prazo para que se retire do país não é absoluta. Se for conveniente aos interesses nacionais, a deportação será efetivada independentemente de ser concedido ao estrangeiro o prazo fixado no Decreto nº 86.715, de 1981 (art.98, 2º). A deportação afasta o estrangeiro do país, mas não impede seu regresso, de forma regular. Exige-lhe a Lei 681, de 1980, que para retornar ao Brasil o deportado deverá ressarcir ao Governo brasileiro as despesas efetuadas com sua deportação.

DEPORTE — Venda de uma posição para vencimento mais próximo - à vista ou a futuro - e concomitante compra de posição igual para vencimento mais distante visando a auferir resultado pelo encerramento de ambas posições mediante operações iguais de natureza inversa, quando ocorre a esperada ampliação dos diferenciais de preços, em níveis mais altos ou mais baixos, indiferentemente. Deporte pode ser usado, também, como finalização de uma operação técnica compensatória; encerrando, através da venda uma compra a futuro feita com este objetivo, e realizando, através da venda à vista, a operação efetiva pretendida. Além do seu interesse, o "deportador" atende ao do mercado como um todo, aumentando o número de parceiros e a liquidez, colaborando na redução de diferenciais de preços indevidamente distorcidos etc. Se atuando com objetivo unicamente de liberar recursos para aplicação alternativa, acrescenta o benefício da correlação com as demais alternativas financeiras.

DEPOSITANTE — Aquele que entrega um bem em depósito.

DEPOSITÁRIO — 1) Auxiliar da Justiça responsável pela guarda e conservação de bens penhorados, arrestados, seqüestrados ou arrecadados. 2) É a pessoa física ou jurídica que recebe alguma coisa em contrato de depósito, ou como encargo legal (depositário legal ou judicial). O depositário tem o dever de restituir a coisa, sempre que esta lhe for pedida pelo depositante, sob pena de ver decretada sua prisão como depositário infiel. 3) É o agente cujo papel fundamental consiste em registrar valores mobiliários, seja em forma física ou eletrônica, e manter um registro da propriedade de tais valores mobiliários.

DEPOSITÁRIO INFIEL — Aquele que, tendo sob sua guarda bem próprio ou alheio, do qual não tem a livre disponibilidade, dele se desfaz em prejuízo de outrem, incidindo na cominação de prisão civil.

DEPÓSITO — É a entrega pelo oficial de Justiça a um depositário (servidor público, interessado ou simples cidadão) de bem penhorado para que o guarde, detenha e conserve, até ser levado à arrematação, ou ser liberado por ato ou ordem do juiz.

DEPÓSITO A PRAZO FIXO — Depósito que se faz em um banco comercial ou banco de investimento, com a data certa e prefixada para o seu resgate, sobre o qual o depositante recebe juros.

DEPÓSITO COMPULSÓRIO — Parte dos recursos aplicados em depósitos à vista e a prazo nas instituições financeiras que ficam retidos no Banco Central. O recolhimento é feito pela rede bancária de determinado percentual sobre os seus depósitos, com base no critério de média móvel quinzenal. O recolhimento é feito em moeda e a critério da autoridade monetária, em títulos federais da dívida pública.

DEPÓSITO COMPULSÓRIO SOBRE FUNDOS DE INVESTIMENTO — Parcela do patrimônio do fundo destinado a ser recolhida junto ao Banco Central, de acordo com a legislação vigente, onde permanecerá sem remuneração.

DEPÓSITO ELISIVO DE FALÊNCIA — Ver Falência, Depósito Elisivo de.

DEPÓSITO INTERFINANCEIRO — Documento formulado eletronicamente pelo importador, compreendendo o conjunto de informações gerais correspondentes a uma determinada operação de importação e conjuntos de informações específicas de cada mercadoria objeto da importação (adição). Compreende o conjunto de informações gerais correspondentes a uma determinada operação de importação e conjuntos de informações específicas de cada mercadoria objeto da importação (adição). É formulada pelo importador em seu equipamento, sem que esteja interligado ao computador central (*off-line*).

DEPÓSITOS — Representam o montante dos débitos relativos a recebimentos feitos a título de depósitos, consignações em folhas, fianças, cauções e outras. São casos em que o Estado foi obrigado a arrecadar e a reter importâncias que, em princípio, não lhe pertenciam, figurando apenas como depositário dos valores que ingressaram nesse título, e, ao pagar ou restituir os valores a quem de direito, ao mesmo tempo em que cumpre sua obrigação, liquida os compromissos financeiros assumidos.

DEPÓSITOS À VISTA DO GOVERNO — São os depósitos à vista mantidos por órgãos da Administração Pública direta e indireta, com exceção dos depósitos de instituições financeiras e seguradoras.

DEPÓSITOS BANCÁRIOS — Dinheiro, cheques ou *drafts* depositados em uma instituição financeira para crédito na conta de um determinado cliente. Em geral, as instituições diferenciam entre depósitos à vista (que o cliente pode sacar quando quiser) e depósitos a prazo (que, em geral, requerem aviso prévio para serem sacados). As instituições brasileiras classificam depósitos em quatro categorias: à vista, de poupança, interfinanceiro e a prazo.

DEPÓSITOS INTERBANCÁRIOS (DI) — Operação que possibilita aos bancos trocarem reservas não lastradas em títulos públicos, permitindo o fluxo de liquidez.

DEPRAVAÇÃO — Perversão física e moral.

DEPRECADA — Denominação que se dá à carta precatória. É o instrumento pelo qual o juiz de certa jurisdição pede a outro que se faça em seu juízo diligência ou se pratique ato de interesse da Justiça.

DEPRECAR — Fazer o juiz um pedido ao outro, por meio de deprecada. Expedir carta precatória, ou rogatória.

DEPRECIAÇÃO — 1) É a perda parcial (diminuição) do valor ou preço de algo em conseqüência de fatos que lhe tenham acontecido. 2) Conceito de natureza contábil, pelo qual se apropriam, no balanço patrimonial, as parcelas de redução no valor dos ativos em razão de seu desgaste pelo uso, de obsolescência tecnológica, da queda de seu preço de mercado (no caso de máquinas, equipamentos e edificações) ou de vencimento do período de uso exclusivo (no caso de marcas, patentes e direitos autorais).

DEPRECIAÇÃO DE ATIVOS — Perda progressiva de valor, legalmente contabilizável, de máquinas, equipamentos, móveis e demais bens constantes do ativo permanente de uma empresa.

DEPRESSÃO ECONÔMICA — Fase do ciclo econômico característica das economias capitalistas, marcada pela diminuição da produção, uma tendência à baixa dos preços e ao aumento do desemprego. Normalmente é medida pelo PIB durante alguns anos. Recessão grave. (Ver: Recessão econômica.)

DEPURAÇÃO — Ato ou efeito de depurar; limpeza; clarificação.

DEPUTADO — Aquele que recebe a incumbência ou o mandato de participar de uma assembléia ou corporação como representante ou delegado daqueles que o escolheram. Membro de parlamento estadual ou federal. (Ver: Deputado Estadual // Deputado Federal.)

DEPUTADO DISTRITAL — Membro da Câmara Legislativa do Distrito Federal, com mandato de quatro anos, ao qual se aplicam as disposições constitucionais relativas aos deputados estaduais. No Distrito Federal não há vereadores e sim deputado distrital. (Ver: Deputado Estadual.)

DEPUTADO ESTADUAL — Membro de Assembléia Legislativa, representante do povo no Poder Legislativo Estadual, eleito para o mandato de quatro anos, permitidas reeleições. O número de deputados à Assembléia Legislativa corresponderá ao triplo da representação do Estado na Câmara dos Deputados e, atingindo o número de 36, será acrescido de tantos quanto forem os deputados federais acima de 12. Atualmente são 1.059 deputados estaduais distribuídos entre os 26 Estados e o Distrito Federal (deputado distrital). O subsídio do deputado estadual será fixado por lei de iniciativa da Assembléia Legislativa, na razão de, no máximo, 75% (setenta e cinco por cento) daquele estabelecido, em espécie, para os deputados federais. (Ver: Eleição - Sistema proporcional // Deputado Federal // Estados Brasileiros - Dados Gerais da Região...) // Distrito Federal.)

DEPUTADO ESTADUAL - REMUNERAÇÃO — A remuneração do deputado estadual será fixada por lei de iniciativa da Assembléia Legislativa de cada Estado, na razão de, no máximo, 75% (setenta e cinco por cento) daquela estabelecida, em espécie, para os deputados federais.

DEPUTADO FEDERAL — Membro da Câmara dos Deputados, representante do povo no Poder Legislativo Federal, eleito pelo sistema proporcional em cada Estado e no Distrito Federal, para o mandato de quatro anos, permitidas reeleições. O art. 45, § 1º, da Constituição Federal dispõe que o número total de deputados, bem como a representação por Estado e pelo Distrito Federal, será estabelecido por lei complementar, proporcionalmente à população, procedendo-se aos ajustes necessários, no ano anterior às eleições, para que nenhuma das unidades da Federação tenha menos de oito ou mais de 70 deputados. Atendendo à Constituição, a Lei Complementar nº 78, de 30 de dezembro de 1993, estabeleceu que o número de deputados federais não ultrapassará 513 representantes (número atual) e a atualização estatística demográfica das unidades da Federação será fornecida pela Fundação IBGE no ano anterior às eleições. (Ver: Eleição - Sistema proporcional // Deputado Estadual // Estados Brasileiros - Dados Gerais da Região... // Estado - ... (seguido da Unidade da Federação correspondente. Ex.: Estado - Acre) // Distrito Federal.)

DERIVA — 1) Deslocamento, ao sabor das correntes marítimas e dos ventos, de embarcações ou outros elementos, como blocos de gelo. 2) Diferença angular entre o rumo da aeronave no ar e sua projeção na superfície.

DERIVAÇÃO AMBIENTAL — Alteração dos componentes físicos e biológicos e da dinâmica dos processos naturais, o que condiciona transformações sucessivas no meio ambiente. Isto a partir de fenômenos da natureza ou de interferências das atividades sociais e econômicas.

DERIVADO DE PETRÓLEO — Substância hidrocarboneto, extraída do petróleo por destilação ou refino. De acordo com o seu ponto de fulgor, pode ser agrupado em três classes: Classe I - Líquidos que possuem ponto de fulgor inferior a 38,8ºC; Classe II - Líquidos que possuem ponto de fulgor igual ou superior a 38,8ºC, mas inferior a 60ºC; Classe III - Líquidos que possuem ponto de fulgor igual ou superior a 60ºC.

DERIVATIVOS — Nome genérico de um grupo extenso de operações financeiras, as mais variadas, excluindo as que sejam compra e venda direta de ativos financeiros ou reais, embora estas operações tenham como base de negociação o preço ou cotação de um ativo (chamado de ativo-objeto). São operações financeiras que derivam de ativos-objetos. Neste grupo estão operações do mercado futuro, do mercado de opções, dos *swaps* e de todas as operações mais complexas de engenharia financeira. Exemplo: A compra e venda de ações é uma operação de mercado à vista. Já a compra e venda de índice futuro de ações, ou opção de compra de uma ação, ou opção de compra de índice futuro de ações, são derivativos, contratos que não são o próprio ativo ações, mas derivados destas. O grupo de mercado futuro, mercado de opções e *swaps* são contratos mais padronizados neste mercado de derivativos. Existem inúmeras outras operações possíveis, em mercados de balcão, ou geradas pela combinação entre contratos existentes, através de engenharia financeira. As operações com derivativos podem ser usadas como mecanismo de *Hedge* (proteção) ou como operações de alto risco com objetivo de lucros extraordinários, neste caso, se a estratégia montada for perdedora, o prejuízo também será extraordinário. Este aspecto de risco é o que preocupa os mercados financeiros internacionais, porque muitas vezes nem mesmo as autoridades financeiras internacionais conseguem prever as conseqüências de operações muito sofisticadas. (Ver: Ativos Derivativos // Contratos de Derivativos // Fundo de derivativos.)

DERIVATIVOS DE OPÇÕES — Ver Ativos Derivativos de Opções.

DERIVATIVOS FUTUROS — Ver Ativos Derivativos Futuros.

DERIVATIVOS *SWAPS* (TROCA, PERMUTA) — Ver Ativos Derivativos *Swaps* (troca, permuta).

DERRAMAMENTO DE ÓLEO — Ver Maré Negra.

DERRELIÇÃO — Abandono de um bem por seu proprietário.

DERROGAÇÃO DA LEI — Ver Lei, Derrogação da.

DERROGAR — Suspender ou limitar temporariamente.

DES — Moeda escritural utilizada pelo Fundo Monetário Internacional (FMI).

DESABRIGADO — Desalojado ou pessoa cuja habitação foi afetada por dano ou ameaça de dano e que necessita de abrigo provido pelo sistema.

DESACATO — É a desobediência acompanhada de palavras, atos (de afronta ou gestos) a superior hierárquico ou a autoridade no exercício das funções de cargo, e em razão delas. É um dos crimes praticados por particular contra a Administração Pública em geral. Consiste em desacatar servidor público no exercício da função ou em razão dela. A pena prevista é de detenção, de 6 meses a 2 anos, ou multa. (Ver: Expressões injuriosas.)

DESAFETAÇÃO — É a mudança da destinação de um bem público ou privado afetado. (Ver: Afetação.)

DESAFIO — Provocação e instigação para a contenda com insultos, ironia e desqualificações. Empenho para se atingir um objetivo.

DESAFORAMENTO — É o deslocamento de um processo de competência do Tribunal do Júri, já iniciado, de um foro para outro, transferindo-se para este a competência para dele conhecer e julgá-lo. É a remessa do processo ao conhecimento de um foro estranho ao delito, em virtude de decisão judicial. Chama-se, também, mudança de foro. O desaforamento é uma exceção à competência *ratione loci* (em razão do lugar), constituindo um ato processual em que o réu é julgado fora do distrito da culpa. O desaforamento refere-se, exclusivamente, ao julgamento, não se estendendo à instrução criminal. É medida cabível tão-somente no julgamento pelo Tribunal do Júri, em face de seu caráter excepcional. Importante frisar que, desaforado o julgamento, não poderá haver um eventual reaforamento, ou seja, retorno ao foro de origem, pois isto implicaria evidente incongruência do pedido. Após o primeiro julgamento não será mais possível pedido de desaforamento, pois isto atentaria contra a soberania do Tribunal do Júri.

DESAFORO — Provocação com desfeita, insulto, desafio e atrevimento.

DESÁGIO — Depreciação que o papel financeiro sofre em relação a outro. Desconto num título de crédito, quando pago à vista. É a diferença entre o valor nominal e o valor pago pelo comprador na aquisição de um título, ação ou moeda estrangeira. O valor pago é menor que o nominal, caso contrário ter-se-á a figura do ágio.

DESAGRAVO — Provimento dado a um recurso de agravo.

DESALENTO — Desânimo, abatimento, desesperança.

DESALOJADO — Pessoa que foi obrigada a abandonar temporária ou definitivamente sua habitação, em função de evacuações preventivas, destruição ou avaria grave, decorrentes do desastre, e que, não necessariamente, carece de abrigo provido pelo Sistema.

DESAMPARO — Abandono. Desproteção.

DESÂNIMO — Perda de entusiasmo. Normalmente, decorre de má escolha repetida ou de frustração geradora de tristeza. A perda da vontade, da motivação e do interesse resulta em desânimo total. Em verdade, é auto-estima em baixa.

DESAPARECIDO — Pessoa que não foi localizada ou de destino desconhecido.

DESAPENSAÇÃO — É a separação dos processos que foram apensados quando sua finalidade foi atingida.

DESAPONTAMENTO — É o desencontro no encontro.

DESAPROPRIAÇÃO — É o ato emanado do poder público, mediante decreto do executivo, a fim de que a propriedade de alguém seja transferida para o domínio público, mediante pagamento justo. Modalidade de intervenção do Poder Público sobre a propriedade privada (excepcionalmente, sobre um bem público, desde que autorizado pelo Legislativo), em imóvel ou móvel, mediante a qual transfere para si essa propriedade, se presentes os pressupostos de necessidade ou utilidade pública ou interesse social, mediante justa e prévia indenização em dinheiro, salvo a indenização em títulos de dívida pública nos casos de reforma agrária, por motivo de necessidade, ou utilidade pública, ou interesse social. (Ver: Interesse social da desapropriação.)

DESAPROPRIADO — Aquele sobre o qual recai a desapropriação.

DESAPROPRIANTE — Pessoa jurídica de direito público que declara desafetado por interesse público o domínio particular sobre um imóvel, com intuito de que o proprietário do mesmo o transfira, através de cessão compulsória, para o domínio público. (Ver: Desafetação.)

DESARMONIA — Confusão. É a ausência de harmonia. Provoca desencontro de motivos, conflito de interesses e vontades adversas.

DESARQUIVAMENTO — 1) Ato de tirar o que estava guardado em arquivo. 2) Promover o andamento de processo, inquérito etc., que estava arquivado.

DESASTRE AMBIENTAL — Resultado de eventos adversos, naturais ou provocados pelo ser humano, sobre um ecossistema (vulnerável), causando danos humanos, materiais e/ou ambientais e conseqüentes prejuízos econômicos e sociais. Os desastres são quantificados em função dos danos e prejuízos, em termos de intensidade, enquanto os eventos adversos são quantificados em termos de magnitude. A intensidade de um desastre depende da interação entre a magnitude do evento adverso e o grau de vulnerabilidade do sistema receptor afetado. Normalmente o fator preponderante para a intensificação de um desastre é o grau de vulnerabilidade do sistema receptor. Os desastres classificam-se quanto à Intensidade, Evolução e Origem.

DESASTRES AMBIENTAIS HUMANOS — São aqueles provocados por ações ou omissões humanas. Relacionam-se com o próprio ser humano, como agente e autor. Por isso, são produzidos por fatores de origem interna. Esses desastres podem produzir situações capazes de gerar grandes danos à natureza, aos *habitats* humanos e ao próprio ser humano, como espécie. Normalmente os desastres humanos são conseqüência de ações desajustadas geradoras de desequilíbrios socioeconômicos e políticos entre os homens e de profundas e prejudiciais alterações de seu ambiente ecológico.

DESASTRES AMBIENTAIS MISTOS — Ocorrem quando as ações ou omissões humanas contribuem para intensificar, complicar e/ou agravar desastres naturais. Caracterizam-se, também, por intercorrências de fenômenos adversos naturais que atuam sobre condições ambientais degradadas pelo ser humano, provocando desastres.

DESASTRES AMBIENTAIS NATURAIS — São aqueles provocados por fenômenos e desequilíbrios da natureza e produzidos por fatores de origem externa que atuam independentemente da ação humana.

DESAUTORIZAR — É tirar a autoridade anteriormente concedida ou o poder antes outorgado.

DESBUROCRATIZAÇÃO — Simplificação de procedimentos administrativos e a redução de controle e exigências burocráticas.

DESCAMINHO — Crime praticado por particular contra o Estado, consistente na fraude ao pagamento de tributo devido em razão da entrada, saída ou consumo de mercadoria não proibida no país. Trata-se de espécie de gênero fraude fiscal. Embora o art. 334 do CP confunda contrabando e descaminho, estes constituem figuras diversas. Enquanto aquele consigna a importação ou exportação fraudulenta de mercadorias, cuja entrada ou saída do país seja absoluta ou relativamente proibida, o descaminho é o ato fraudulento que se destina a evitar, total ou parcialmente, o pagamento de direitos e impostos previstos pela entrada, saída ou consumo (pagável na alfândega) de mercadorias. Assim, a ação física do contrabando é uma, a do descaminho, outra. O contrabando atenta, geralmente, contra a higiene, a moral e a segurança pública; o descaminho contra o erário público.

DESCENDENTE — Diz-se do parente que provém diretamente de um mesmo tronco, em linha reta, sucedendo o que lhe antecede. Por exemplo, filho, neto, bisneto, trineto, tetraneto etc.

DESCENTRALIZAÇÃO ADMINISTRATIVA — Menor concentração do poder decisório na alta administração, sendo, portanto, mais distribuído pelos diversos níveis hierárquicos. Processo de delegação de funções e de poderes a diversas esferas sociais, geralmente efetivada através de diferentes formas de participação dos cidadãos nas decisões sobre políticas públicas. Situação político-administrativa em que determinada instituição, dentro de um sistema, detém autonomia política para definir suas próprias normas e estrutura, assim como arrecadar recursos para seu funcionamento, ou possui autonomia administrativa, ou seja, delegada pela instância central do sistema, para desempenhar determinadas funções (desconcentração).

DESCENTRALIZAÇÃO DE CRÉDITO ORÇAMENTÁRIO OU ADICIONAL — Ver Crédito Orçamentário ou Adicional, Descentralização de.

DESCENTRALIZAÇÃO DE RECURSOS FINANCEIROS — Ver Recursos Financeiros, Descentralização de.

DESCENTRALIZAÇÃO URBANA — É o processo que busca descongestionar e eliminar a dependência histórica, cultural, artística, de lazer etc. que existe com relação ao centro urbano, melhor distribuindo as atividades de uma maneira geral na cidade, criando novos espaços de centralidades.

DESCLASSIFICAÇÃO DAS PROPOSTAS NA LICITAÇÃO — Ver Licitação Pública - Desclassificação das Propostas.

DESCOBERTA — Revelação do existente; conhecimento de algo novidade por revelação. Encontro com o escondido, pela vez primeira. É o encontro com o novo, diferente, desconhecido e com o que está escondido, no aqui e agora e pela vez primeira. Pode ser casual ou querendo.

DESCONCENTRAÇÃO ADMINISTRATIVA — Técnica de racionalização administrativa, pela qual o Poder Executivo centraliza a produção dos serviços, mas distribui a responsabilidade por sua execução por diversos órgãos dependentes. O procedimento visa aproximar fisicamente as autoridades governamentais do público que têm de atender. As atribuições a cargos das unidades desconcentradas variam em função dos esquemas de delegação adotados, abrangendo o atendimento à população local, recebimento de pedidos, queixas, sugestões, bem como a execução ou fiscalização de alguns serviços públicos.

DESCONFIANÇA — Não acolhimento por suspeição ou certeza.

DESCONFORMIDADE — Falta de conformidade; discordância; desarmonia; oposição; divergência; desproporção; desigualdade.

DESCONTAMINAÇÃO — Meio inofensivo de conversão por neutralização, eliminação ou remoção de substâncias tóxicas do meio ambiente. Limpeza, remoção ou anulação dos fatores de poluição ou contaminação de áreas ou de seres vivos atingidos por eventos adversos. Processo para absorver, destruir ou neutralizar, tornar inofensivos ou remover agentes químicos, radiológicos ou biológicos.

DESCONTO — 1) É o cálculo do valor presente de uma quantia futura. Se um indivíduo deve pagar uma determinada quantia no futuro e decide pagar hoje, pagará menos, tendo em vista que há um desconto pela efetuação do pagamento com antecedência. 2) Oposto de prêmio, e que de uma forma geral significa uma dedução do valor facial de um determinado ativo. Um determinado título encontra-se em desconto quando o seu valor facial está abaixo do estimado pelos analistas. 3) Quantia deduzida do valor nominal de notas promissórias, letras de Câmbio e duplicatas, quando são pagas antes do prazo estipulado. A mais freqüente operação de desconto é a realizada pelos bancos, que recebem por um preço menor as duplicatas emitidas por uma empresa contra seus clientes.

DESCONTO BANCÁRIO — Contrato em que um banco antecipa a alguém o valor de um crédito contra terceiro, com dedução das respectivas despesas.

DESCONTO DE DUPLICATAS — É uma operação financeira que consiste singelamente na obtenção de capital mediante cessão ao banco de títulos de crédito sacados contra terceiros, em que é favorecido o descontário, garantindo este, por pacto de resgate, seu pagamento, obrigação que se traduz em recompra no caso de inadimplemento do sacado.

DESCRÉDITO — Perda de crédito; má fama; desonra; desautorização.

DESCRIMINAÇÃO — Inocentar, absolver alguém da prática de um crime. Ato jurídico de isentar de crime ou de excluir a criminalidade ou a injuridicidade de um fato.

DESCRITOR DE PROJETO E ATIVIDADE — Breve descrição dos principais objetivos de cada projeto e atividade. (Ver: Projeto // Atividade.)

DESDÉM — Desprezo com altivez e prepotência. Desqualificação com arrogância e orgulho.

DESDENHAR — Mostrar ou ter desdém por; não se dignar; descuidar; desprezar.

DESDOBRAMENTO — Ato de desenvolver, de estender, de abrir, de aprofundar ou de fracionar uma prática de gestão, um plano de ação, uma diretriz estratégica ou um enfoque. (Ver: Aplicação.)

DESEJO — Vontade prorrogada. O desejo intenso é a mesma vontade prorrogada em diversas oportunidades sem, contudo, ser satisfeita uma única vez além da sua geradora, ou após a saciação da última. O desejo expressa a necessidade para a sua satisfação tempestivamente.

DESEMBARGADOR — Denominação que se atribui aos juízes das cortes de apelação ou tribunais de apelação. Título tradicional dos membros dos Tribunais de Justiça dos Estados e do Distrito Federal. Juiz que ocupa cargo em Tribunal de Justiça. O juiz comum atua em varas. Suas decisões são relativas aos recursos interpostos contra as decisões proferidas pelos juízes de primeira instância. Porém, possuem também algumas ações de competência originária, isto é, propostas diretamente aos tribunais de segunda instância. As decisões dos tribunais são proferidas de forma colegiada, isto é, por mais de um julgador. Assim, a uma sentença proferida ou liminar concedida por um juiz chamado de singular (ou monocrático, pois decide sozinho) caberá recurso nos tribunais. Esse recurso será julgado por três desembargadores.

DESEMBOLSOS — Transferência de fundos ou aquisição de bens e serviços para um receptor. Quitação de um empréstimo para um receptor.

DESEMBOLSOS LÍQUIDOS — Transferência líquida de fundos ou aquisição de bens e serviços para um receptor.

DESEMPENHO (*PERFORMANCE*) — Resultados obtidos dos principais indicadores de processos e de produtos que permitem avaliá-los e compará-los em relação às metas, aos padrões, aos referenciais pertinentes e a outros processos e produtos. Mais comumente, os resultados expressam satisfação, insatisfação, eficiência e eficácia e podem ser apresentados em termos financeiros ou não. É quando as respostas são descritas em função dos efeitos que apresentam, e não de sua aparência.

DESEMPENHO AMBIENTAL — Medida de quão bem uma organização está se saindo em relação ao cuidado com o ambiente, particularmente em relação à diminuição de seu impacto ambiental global. Na área de certificação, termo utilizado para caracterizar os resultados mensuráveis do sistema de gestão ambiental relacionados ao controle dos aspectos ambientais de uma organização, com base na sua política ambiental e metas ambientais.

DESEMPENHO DA ADMINISTRAÇÃO — Grau de amplitude que o trabalho de uma administração alcança segundo as especificações definidas para os bens ou serviços produzidos, para satisfação geral da clientela, dentro das limitações estabelecidas em relação a custos e prazos, de forma que sirva de suporte e que contribua para a conquista dos objetivos.

DESEMPENHO GLOBAL — Síntese dos resultados relevantes para a organização como um todo, levando-se em consideração todas as partes interessadas. É o desempenho planejado pela estratégia da organização.

DESEMPENHO OPERACIONAL — Termo geral que designa o planejamento, o controle e a execução de um ou mais processos de trabalho, cujos resultados podem ser avaliados em termos da eficiência e eficácia operacionais.

DESEMPREGO — É o defasamento entre a oferta e a procura no mercado de trabalho. O defasamento pode assumir duas formas: a) excesso de oferta (desemprego pela oferta), sempre que a quantidade de trabalho oferecida pelas famílias seja superior à procurada pelas empresas e b) excesso de procura (desemprego pela procura), sempre que a quantidade de trabalho procurada pelas empresas seja superior à oferecida pelas famílias. (Ver: Taxa de desemprego // Taxa natural de desemprego.)

DESEMPREGO CÍCLICO — Expressão utilizada para definir o tipo de desemprego que está associado às flutuações macroeconômicas de curto prazo. A realidade do desemprego cíclico é simultaneamente involuntária, porquanto a sua principal causa é a ineficiência ou lentidão do ajustamento dos salários às variações na oferta e na procura de trabalho. O desemprego cíclico é resultado da retração da procura derivada de fatores. A falta de desemprego cíclico representa o pleno emprego.

DESEMPREGO ESTRUTURAL — Expressão utilizada para definir o tipo de desemprego que é resultado de uma expansão da procura de fator trabalho. Ex.: empresas que têm postos de trabalho a mais e não conseguem preenchê-los por falta de trabalhadores. O desemprego estrutural subsiste na ausência de desemprego cíclico e involuntário, ou seja, no pleno emprego, à semelhança do desemprego friccional.

DESEMPREGO FRICCIONAL — Expressão utilizada para definir o tipo de desemprego que é resultado de uma expansão da procura de fator trabalho em virtude de um aumento dos custos de busca de emprego. Os custos de busca de emprego serão tanto maiores: a) quanto maior for o tecido produtivo; b) quanto maiores forem as oscilações dos salários reais; c) quanto maiores forem as alterações demográficas; d) quanto maiores forem as modificações estruturais.

DESEMPREGO INVOLUNTÁRIO — Expressão utilizada para definir o tipo de desemprego que não é querido por aqueles que procuram fatores, nem por aqueles que se apegam aos seus rendimentos e não querem suportar os efeitos da contração do mercado; nem por aqueles que desejam trabalhar e não encontram vagas com as remunerações que naquele momento vigoram no mercado.

DESEMPREGO REGIONAL — Expressão utilizada para definir o tipo de desemprego que está associado a uma retração da procura de trabalho, em virtude de deslocamento de indústrias para outras regiões, ou até mesmo outros países, com salários mais baixos.

DESEMPREGO SAZONAL — Expressão utilizada para definir o tipo de desemprego que está associado a uma retração periódica da procura de trabalho, em virtude do decurso dos vários períodos próprios do ano. (Exemplo: só no verão é que é possível vender gelados, em situação cujo nível de preços compense os custos).

DESENCONTRO — Descaminho ou desvio do encontro certo. É a incompatibilidade de interesses, opiniões e idéias além da farsa, disfarce e fingimento nas manipulações de pessoas.

DESENTRANHAMENTO — Ver Desentranhar.

DESENTRANHAR — Retirar dos autos do processo, mediante autorização do juiz, determinada peça ou documento a requerimento da parte a quem pertence, ou da parte adversa, quando permitido.

DESENVOLVIMENTO — Processo que associa ao crescimento do produto econômico e da riqueza a distribuição dos benefícios pelo conjunto da população. Cada sociedade e cada época tem a sua própria formulação, que responde às convicções, expectativas e possibilidades que predominam no momento, como a expansão da renda *per capita* que represente uma melhora na qualidade de vida das pessoas. É importante notar que a expansão da renda *per capita* por si só não nos diz nada sobre a concentração da renda. Se há uma expansão da renda que fica concentrada com uma pequena parcela da população, o país cresceu mas não se desenvolveu. Nesse contexto, o IDH é um importante indicador do desenvolvimento de um país porque leva em conta diferentes indicadores sociais para seu cálculo. Não se confundem crescimento, crescimento sustentado, desenvolvimento e desenvolvimento sustentável. Atualmente desenvolvimento é um conceito amplo, centrado na erradicação da pobreza e no desenvolvimento social, tendo como elemento central as pessoas como destinatárias principais dos benefícios desse processo. (Ver: Competitividade.)

DESENVOLVIMENTO CIENTÍFICO — Processo histórico de evolução da ciência; processo sistêmico de geração e absorção de conhecimentos científicos; processo de acumulação do conhecimento científico; revolução obtida pelo rompimento dos paradigmas vigentes e substituição por outros mais competentes para descrição da natureza (ambientes natural e social) e dos fenômenos naturais; desdobramentos e mudanças do conhecimento científico; aumento da capacidade de resposta às demandas socioeconômicas, bem como das possibilidades de emprego de novos conhecimentos científicos para a solução de problemas atuais ou futuros.

DESENVOLVIMENTO DE CAPACIDADES — Processo através do qual os indivíduos, grupos, organizações, instituições e sociedades desenvolvem as suas capacidades individual e coletivamente para desempenhar funções, resolver problemas e estabelecer e alcançar objetivos. O desenvolvimento de capacidades pode ser visto como um processo de melhoria da capacidade de as organizações e os sistemas desempenharem as suas tarefas de forma eficaz, eficiente e sustentável. Isto envolve o fortalecimento das capacidades dos indivíduos, das organizações e das ligações entre eles. Desenvolvimento e criação/reforço de capacidades são freqüentemente utilizados como sinônimos.

DESENVOLVIMENTO DE RECURSOS HUMANOS — Aperfeiçoamento contínuo e sistemático do empregado ou servidor, por meio de projetos e programas educacionais e de qualificação profissional e gerencial.

DESENVOLVIMENTO DIRIGIDO PELAS COMUNIDADES — Processo de desenvolvimento em que o controle das decisões e dos recursos está nas mãos de grupos comunitários. Freqüentemente, estes grupos trabalham em parceria com doadores/financiadores, poderes locais, setor privado, Organização Não-Governamental de Desenvolvimento (ONGD) e agências governamentais. É uma forma de fornecer serviços e infra-estruturas sociais, organizar a atividade econômica e a gestão de recursos, capacitar os pobres, melhorar a governança e aumentar a segurança dos pobres. (Ver: PNB.)

DESENVOLVIMENTO ECONÔMICO — Expressão utilizada para definir o crescimento cumulativo de rendimento acompanhado por alterações estruturais e institucionais numa economia. O principal indicador é o Produto Nacional Bruto - PNB *per capita*. Está intimamente ligado ao crescimento econômico. É um conceito macroeconômico. Entretanto não basta a verificação de um aumento do nível de produção. É necessário o aumento do rendimento, que por sua vez conduz a um aumento do consumo para haver desenvolvimento econômico. Quantitativamente apura-se o desenvolvimento econômico pelo rendimento nacional *per capita*, isto é, por habitante.

DESENVOLVIMENTO ECONÔMICO REGIONAL — Etapa do processo de desenvolvimento econômico que leva uma região a adquirir capacidade de inovação suficiente para influenciar a dinâmica econômica, social, tecnológica, e influenciar a qualidade de vida.

DESENVOLVIMENTO EXPERIMENTAL — É o trabalho sistemático, delineado a partir do conhecimento preexistente, obtido através da pesquisa e/ou experiência prática, e aplicado na produção de novos materiais, produtos e aparelhagens, no estabelecimento de novos processos, sistemas e serviços, e ainda no substancial aperfeiçoamento dos já produzidos ou estabelecidos.

DESENVOLVIMENTO HUMANO — É um processo de ampliação das escolhas dos indivíduos e do seu nível de bem-estar, oferecendo-lhes maiores oportunidades em educação, saúde, trabalho, renda e outros componentes essenciais à melhoria da qualidade de vida. Essas escolhas não são nem finitas nem estáticas. Mas, atendendo ao nível de desenvolvimento, há três condições essenciais: a possibilidade de viver uma vida longa e saudável, adquirir conhecimento e ter acesso aos recursos necessários para ter um nível de vida condigno. Contudo, o desenvolvimento humano não termina aqui. As pessoas também valorizam a liberdade política, econômica e social, as oportunidades para serem criativas e produtivas, a auto-estima e a defesa dos direitos humanos. O rendimento é um meio, o desenvolvimento humano um fim. (Ver: Desenvolvimento humano sustentável.)

DESENVOLVIMENTO HUMANO SUSTENTÁVEL — Desenvolvimento de capacidades humanas e institucionais para a eliminação da pobreza, criação de condições de vida e de emprego, progressos em matéria de eqüidade de gênero e de proteção ambiental. (Ver: Desenvolvimento humano.)

DESENVOLVIMENTO INSTITUCIONAL — Capacidade de um país ou região utilizar os seus próprios recursos (humanos, financeiros e naturais) de forma eficiente, eqüitativa e durável. Processo que visa fortalecer a capacidade das sociedades. Diz respeito não apenas às organizações mas também à estrutura política, social, econômica legal e cultural que determina o funcionamento das organizações. Não diz respeito apenas ao Estado, mas também ao setor privado e à sociedade civil.

DESENVOLVIMENTO ORGANIZACIONAL — É o planejamento de longo prazo que visa aumentar a eficiência da empresa ou órgão através da compreensão, modificação e desenvolvimento da sua força de trabalho.

DESENVOLVIMENTO PARTICIPATIVO — Processo em que os indivíduos têm um papel ativo e determinante na tomada de decisões e na concretização de intervenções que influenciam a sua vida.

DESENVOLVIMENTO SOCIAL — É o processo pelo qual se desenvolve o fator humano na sociedade. Inclui a promoção dos direitos humanos fundamentais, a participação no processo de decisão política e em todos os esforços que objetivem um desenvolvimento global visando alcançar justiça e bem-estar para todos, sem que nenhum segmento social seja marginalizado desse processo.

DESENVOLVIMENTO SUSTENTADO — É o desenvolvimento que atende da melhor forma possível às necessidades atuais e futuras do ser humano, sem afetar o ambiente e a diversidade biológica.

DESENVOLVIMENTO SUSTENTÁVEL — Aquele que atende às necessidades do presente, sem comprometer a possibilidade de as gerações futuras atenderem às suas próprias necessidades. Uso e gestão responsáveis dos recursos naturais, de modo a propiciar maior benefício para as gerações atuais, mantendo, porém, suas potencialidades para atender às necessidades e aspirações das gerações futuras, pelo maior espaço de tempo possível.

DESENVOLVIMENTO TECNOLÓGICO — Desenvolvimento de produtos e processos através de procedimentos autônomos ou pela efetiva absorção de novas tecnologias. Etapa do processo de desenvolvimento econômico que leva uma nação ou região a adquirir capacidade de inovação suficiente para influenciar a dinâmica econômica. Processo histórico relacionado às mudanças quanto às formas e conteúdos de apropriação econômica a das bases de conhecimento técnico-científico empregados na produção de bens e serviços; aumento da capacitação tecnológica e da capacidade inovativa; capacidade e potencial de difusão, absorção e de transferência de tecnologia; substituição de tecnologias por outras mais avançadas ou adequadas. 4) Capacitação tecnológica.

DESERÇÃO OU DESERTO — É uma forma de extinção da apelação pela fuga do réu após a interposição da apelação. Será considerada deserta a apelação pela fuga do réu em qualquer momento de sua tramitação. Situação do recurso que, embora interposto pela parte legítima, no prazo e forma legais, fica impedido de ir avante se não forem pagas as custas respectivas. Tal pagamento é denominado "Preparo". O recurso deserto não terá andamento e, mesmo que chegue ao órgão que deveria apreciá-lo, não será conhecido. Ocorrendo a deserção, a sentença supostamente impugnada transita em julgado, pois o recurso é considerado inexistente. Todavia, a deserção pode ser relevada na apelação, como se constata no art. 519 do CPC. Embora não de forma expressa como autorizado na apelação, a deserção de outros recursos como o agravo, o recurso extraordinário e os embargos, pode ser relevada.

DESERÇÃO RECURSAL — Ver Deserção ou Deserto.

DESERDAÇÃO — Privação do direito à legítima e à sucessão hereditária, imposta pelo *de cujus* (o falecido) a seus herdeiros necessários, expressa em testamento com declaração de causa, nos termos da lei.

DESERDAÇÃO, AÇÃO DE — Ação que compete ao interessado contra o herdeiro que tenha sido excluído em testamento da condição de herdeiro.

DESERDAR — Excluir da herança. Privar do direito à sucessão. Desfavorecer; desamparar. Afastar; pôr ao largo.

DESERTIFICAÇÃO — Processo de redução ou destruição progressiva do potencial biótico de uma determinada área que tende a atingir as condições de deserto. É resultante da ação do ser humano ou das condições climáticas. Provoca a deterioração generalizada dos ecossistemas, reduzindo ou liquidando a produção animal ou vegetal.

DESERTO — Região natural caracterizada por um clima de aridez quase absoluta (nível de umidade em torno de 10%), fraca vegetação, solos impróprios para cultura (arenosos ou pedregosos), difíceis condições de vida e baixa densidade populacional. (Ver: deserção ou deserto.)

DESESPERO — Perda total de esperança após situação decepcionante. Sentimento de aflição.

DESESTATIZAÇÃO — Ver Privatização.

DESFLORESTAMENTO — Ação do ser humano que resulta na destruição das florestas, com graves prejuízos para o meio ambiente. Normalmente o ser humano, após derrubar a mata, recorre à queimada para, em seguida, plantar sua lavoura ou pastagens para o gado.

DESIDRATAÇÃO — Ver Saúde - Desidratação.

DESÍGNIO — Plano; projeto. Propósito; vontade. Destino.

DESIGUALDADE — É quando se compara dois ou mais componentes em torno de uma mesma variável, de uma mesma característica.

DESIGUALDADE SOCIAL — O conceito de desigualdade social traz implícito o problema da exclusão, já que os excluídos somente o são pelo fato de estarem privados de algo que os outros - os incluídos - usufruem. (Ver: Exclusão Social.)

DESINDICIAR — É a declaração da não imputabilidade de um ato delituoso a pessoa que tinha sido indiciada.

DESINFECÇÃO — Destruição de agentes infecciosos situados fora do organismo, por ação de agentes químicos ou físicos. Atividades que visam à eliminação ou ao controle de agentes patógenos que possam causar infecções em seres vivos.

DESINFESTAÇÃO — Eliminação ou destruição de metazoários, especialmente artrópodes, da superfície corporal do hospedeiro, de suas roupas ou do meio ambiente, por qualquer processo físico, químico ou biológico.

DESINFETANTE — Substância química usada localmente para destruir germes ou prevenir sua multiplicação, em instrumental médico, no ambiente ou superfície corporal. Substância capaz de impedir, eliminar ou inibir o crescimento de microorganismos.

DESINTERESSE — Isenção. Falta de interesse. Abnegação.

DESINTOXICAÇÃO — Eliminação do efeito tóxico de uma substância sobre o organismo como resultado de um processo biológico natural (desintoxicação natural) ou de um tratamento ativo (desintoxicação medicamentosa ou artificial).

DESISTÊNCIA DA AÇÃO — Conduta do autor da ação em que este demonstra, expressa ou tacitamente, intenção de desistir do processo. É caso de extinção deste, sem julgamento. A desistência da ação enseja conseqüências peculiares, quais sejam: a) o procurador deve ter poderes especiais para desistir; b) o assistente não pode impedir que o assistido desista da ação; c) para ter eficácia, a desistência depende de homologação da sentença.

DESISTIR — É a renúncia que se faz de alguma coisa ou de algum direito, seja em conseqüência do evidente abandono, ou motivada por uma transição.

DESLEALDADE — Preterição. Falsidade e fingimento em detrimento da relação de companheirismo. A pessoa desleal volta atrás após ter combinado com um a favor de outro por conveniência ou interesse particular.

DESLEGITIMAR — Excluir a legitimidade de alguma coisa.

DESLOCADO — Pessoa que, por motivo de desastre, perseguição política ou religiosa ou por outra causa, é obrigada a migrar da região que habita para outra que lhe seja mais propícia. O retirante da seca é um deslocado.

DESMATAMENTO — Processo de supressão total ou parcial da vegetação de pequeno, médio ou grande porte, em uma determinada área. O termo é reservado para o desflorestamento parcial e sem o comprometimento total da área florestada. Não devem ser desmatadas as linhas de cumeadas (cumes de montanhas), as encostas íngremes e pouco consistentes e as matas ciliares protetoras dos mananciais.

DESMATAMENTO LEGAL — Desmatamento com prévia autorização da agência ambiental estadual ou federal, e limitada às dimensões por elas definidas.

DESMATERIALIZADO — Desprovido de forma material. Imaterial.

DESMEMBRAMENTO — 1) Aspecto particular do parcelamento da terra que se caracteriza pela divisão de uma área de terreno sem abertura de logradouros. 2) Processo no qual não é observado ato de urbanização, por se tratar da subdivisão de porções de terras em lotes, com o aproveitamento da infra-estrutura já existente. 3) É uma forma de parcelamento do solo no qual o loteador utiliza as vias existentes. É obrigatória, entretanto, a destinação de parte da área para os equipamentos comunitários porque ao dividir a área em mais lotes ou acrescer maior número de edificações um número maior de pessoas irá morar e trabalhar no local, necessitando, assim, de novas praças e escolas.

DESMILITARIZAÇÃO — Orientação da economia de um país para a produção em setores fora da área militar. Sociedade que não aposta num serviço militar obrigatório.

DESMOBILIZAÇÃO NACIONAL — Conjunto de atividades empreendidas pelo Estado, com vistas ao retorno gradativo do país à situação normal, uma vez cessados ou reduzidos, em sua intensidade, os motivos determinantes da mobilização.

DESOBEDIÊNCIA — Falta de obediência; infração; transgressão. É um dos crimes praticados por particular contra a administração em geral. Consiste em desobedecer à ordem legal de servidor público. A pena prevista é de detenção, de 15 dias a seis meses, e multa.

DESOBEDIÊNCIA CIVIL — É infringir publicamente a lei para combater uma grave injustiça. Quem recorre à desobediência civil costuma ser escrupulosamente pacífico e estar disposto a sofrer as sanções jurídicas decorrentes da infração à lei.

DESONERAÇÃO — É a liberação do ônus ou da obrigação.

DESPACHO — Ato administrativo ordinário, através do qual as autoridades, do Executivo, do Legislativo ou Judiciário, em matéria administrativa, proferem em processo, requerimento e outros papéis, sobre algo que lhes é submetido. Atos praticados no processo, a fim de dar-lhe andamento. Na definição legal, são todos os atos do juiz que não sejam sentença nem decisões interlocutórias, praticados no processo, de ofício ou a requerimento da parte. Atos de impulso processual. Não decide o mérito da causa (por exemplo: "O despacho do juiz determinou a realização de perícia, a fim de saber a extensão dos danos ambientais"; "em seu despacho, o vice-presidente do tribunal negou a liminar"). Se o despacho envolver alguma decisão sobre questão incidente, terá o caráter de decisão interlocutória, cabendo, então, agravo. Mas se o despacho for de mero expediente, ou seja, tiver apenas a finalidade de ordenar o processo, sem possibilidade de prejuízo para a parte, não caberá recurso algum. É errado o uso da palavra "parecer" como sinônimo de decisão judicial.

DESPACHO ADUANEIRO — Procedimento fiscal típico da Secretaria da Receita Federal, realizado no SISCOMEX, mediante o qual se processa o desembaraço aduaneiro de mercadoria de uma operação de exportação ou de importação. (Ver: SISCOMEX.)

DESPACHO INTERLOCUTÓRIO — Decisão do juiz que define uma questão, no meio do processo, determinando diligências e esclarecendo controvérsias.

DESPACHO JUDICIAL — Ato judicial desprovido de conteúdo decisório.

DESPACHO LIMINAR — Despacho em que o juiz decide se o réu deve ou não ser citado. Trata-se de um controle "prévio" de regularidade formal do processo, que dá início ao "saneamento" do feito.

DESPACHO SANEADOR — É o despacho em que o juiz ou o conselheiro-relator de Tribunal de Contas saneia eventuais irregularidades do processo, organizando-o para prosseguimento. Decisão pela qual se regulariza o processo, ordenando, se necessário, diligência ou nova oitiva do réu ou testemunha para sanar nulidade ou suprir falta que prejudique o esclarecimento da verdade. É também denominado "saneamento do processo", embora o Código de Processo Civil empregue a expressão "despacho saneador". (Ver: Saneamento do processo // Sobrestamento do processo.)

DESPEDIDA DE EMPREGADO — Ato de dispensa do empregado pelo empregador. Pode ser justa, quando tem amparo legal, ou injusta, quando não houver fundamento legal para a dispensa. Neste caso, cabe ao empregado todos os direitos trabalhistas. (Ver: Contrato de trabalho, Verbas rescisórias em.)

DESPEDIDA IMOTIVADA — Demissão de um empregado sem justa causa.

DESPEITO — Desgosto com raiva que aparece da decepção, machucando o amor-próprio.

DESPEJO — Designação genérica de qualquer tipo de produto residual, restos, lixo, procedentes da mineração, indústria, comércio, agricultura ou áreas residenciais. Qualquer substância sólida, líquida ou gasosa, sem utilidade para o sistema que a produz e para a qual se deve implementar métodos, a fim de evitar contaminações ambientais. O mesmo que resíduo.

DESPEJO DE IMÓVEL — Desocupação judicial do imóvel locado, em favor do proprietário. A ação de despejo de imóvel é regulada pela Lei nº 8.245, de 18.10.1991 (Lei do Inquilinato), arts. 59 e segs., e pelo CPC, mais precisamente, pelo procedimento ordinário (arts. 274 e segs.), qualquer que seja o valor da causa. A ação de despejo pode estar fundamentada na falta de pagamento de aluguéis (Lei nº 8.245, de 1991, art. 9º, III) ou em outras causas previstas nesta mesma lei (art. 47). Despejado é o imóvel, não o inquilino, como vulgarmente se pensa. (Ver: Inquilino // Aluguel.)

DESPESA — É o mesmo que gasto, dispêndio. No sentido amplo é o valor despendido na aquisição de um bem ou na prestação de um serviço; implica necessariamente um dispêndio de recursos financeiros. Na empresa são aquelas que decorrem do consumo de bens e da utilização de serviços (luz, gás, telefone, materiais, salários, encargos etc.), necessárias à geração de receitas. (Ver: Despesa Pública.)

DESPESA ADEQUADA COM A LEI ORÇAMENTÁRIA — É a despesa pública objeto de dotação específica e suficiente, ou que esteja abrangida por crédito genérico, de forma que somadas todas as despesas da mesma espécie, realizadas e a realizar, previstas no programa de trabalho, não sejam ultrapassados os limites estabelecidos para o exercício.

DESPESA AGREGADA — Representa todos os comportamentos próprios da procura agregada como forma de cálculo do PIB (Consumo + Investimento + Gastos do Estado + Exportações - Importações). A despesa agregada pode ser induzida, autônoma, planejada e efetiva. A despesa é induzida quando depende das variações do PIB real. A despesa é autônoma quando depende apenas da capacidade produtiva de uma comunidade, que é fixa. A despesa é planejada quando resulta de determinações da oferta e é efetiva quando depende do nível de procura. (Ver: PIB.)

DESPESA COM SEGURIDADE SOCIAL — A regra é a de que as Ações da Assistência Social, e, também, assim será com a Saúde e a Previdência Social, deverão obedecer às disposições relativas às despesas obrigatórias de caráter continuado e, portanto, sujeitar-se-ão à compensação decorrente da criação ou aumento de despesas geradas por aquelas ações. As exceções ficam por conta da concessão do benefício a quem cumpra com as condições para a sua habilitação, da expansão quantitativa do atendimento e dos serviços prestados e do reajustamento de valor do benefício ou serviço, a fim de preservar o seu valor real.

DESPESA COMPATÍVEL COM O PPA E A LDO — É considerada compatível com o Plano Plurianual (PPA) e a Lei de Diretrizes Orçamentárias (LDO), a despesa realizada conforme as diretrizes, objetivos, prioridades e metas previstas nesses instrumentos e que não infrinja qualquer de suas disposições.

DESPESA EMPENHADA — É o valor empenhado do crédito orçamentário ou adicional utilizado para fazer face ao compromisso assumido; obrigação de pagamento pendente ou não de implemento de condição.

DESPESA ESPECIAL — É aquela que tem por finalidade permitir o atendimento de necessidades públicas novas, surgidas no decorrer do exercício financeiro e, portanto, após a aprovação do orçamento. Embora não apresentem as características de imprevisibilidade e urgência, pelo que dependem de prévia lei para a sua efetivação, sendo de se citar, por exemplo, a despesa que o Estado é obrigado a fazer em decorrência de sentença judicial.

DESPESA EXTRA-ORÇAMENTÁRIA — Aquela que é realizada (paga) à margem da Lei Orçamentária Anual e dos créditos adicionais regularmente abertos, tendo, por isso, a singular natureza de serem independentes de prévia autorização legislativa. Constituem exemplos típicos destas despesas: a) as saídas do passivo financeiro que sejam compensatórias de entradas no ativo financeiro em razão de receitas extra-orçamentárias (tais como as que ocorrem por ocasião da restituição de valores recebidos como caução, consignação ou depósito); b) os pagamentos relativos à liquidação de operações de crédito por antecipação da receita realizadas no exercício; c) o pagamento de Restos a Pagar.

DESPESA FINANCEIRA — É o valor dos encargos financeiros dos empréstimos e financiamentos, tais como juros, mora, multas contratuais etc.

DESPESA FINANCEIRA BRUTA — Soma da despesa de juros referentes a todas as obrigações financeiras, sejam elas de curto ou longo prazo.

DESPESA FINANCEIRA LÍQUIDA — Soma da despesa de juros referentes a todas as obrigações financeiras, sejam elas de curto ou longo prazo, descontando-se qualquer receita de juros que se venha a ter com as aplicações.

DESPESA IMPRODUTIVA — É aquela que não gera um benefício direto de ordem econômica, embora possa produzir uma vantagem de ordem geral em favor da coletividade.

DESPESA LÍQUIDA — É a despesa total excluídos os gastos com Juros e Encargos da Dívida, Amortização da Dívida, Concessão de Empréstimos e Aquisição de Títulos de Capital.

DESPESA LÍQUIDA COM JUROS — Diferença entre os juros incorridos a pagar e a receber.

DESPESA NÃO AUTORIZADA, ORDENAÇÃO DE — Tipifica crime do agente público ordenar despesa não autorizada por lei. Pena: reclusão, de um a quatro anos. A pena será aumentada da terça parte quando os autores dos crimes forem ocupantes de cargos em comissão ou de função de direção ou assessoramento de órgão da administração direta, sociedade de economia mista, empresa pública ou fundação instituída pelo poder público. Lei nº 10.028, de 2000, que acrescentou artigos ao Código Penal.

DESPESA NÃO PROCESSADA (NÃO LIQUIDADA) — É aquela cujo empenho foi legalmente emitido e que depende da fase de liquidação, ou seja, do reconhecimento da correspondente despesa para pagamento.

DESPESA NÃO-OPERACIONAL — Despesa não aplicada diretamente na produção de bens e/ou serviços.

DESPESA OBRIGATÓRIA DE CARÁTER CONTINUADO — É a Despesa Corrente derivada de lei, medida provisória ou ato administrativo normativo que fixe para o ente a obrigação legal de sua execução por um período superior a dois anos. Os atos que criarem despesa obrigatória de caráter continuado deverão ser instruídos com a estimativa do impacto orçamentário-financeiro e demonstrar a origem dos recursos para seu custeio. O ato será acompanhado de comprovação de que a despesa criada ou aumentada não afetará a meta de resultados fiscais previstos, devendo seus efeitos financeiros, nos períodos seguintes, ser compensados pelo aumento permanente de receita ou pela redução permanente de despesa.

DESPESA OPERACIONAL — Gastos que dizem respeito, diretamente, à atividade da empresa. Despesas realizadas para que seja possível manter a fonte produtora do rendimento.

DESPESA ORÇAMENTÁRIA — É aquela cuja realização depende de autorização legislativa e que não pode efetivar-se sem crédito orçamentário correspondente. Em outras palavras, é a que integra o orçamento, isto é, a despesa discriminada e fixada no orçamento público.

DESPESA ORDINÁRIA — É aquela que visa atender necessidades públicas estáveis, permanentes e periodicamente previstas no orçamento, constituindo mesmo uma rotina no serviço público, como por exemplo, a despesa relativa ao pagamento do funcionalismo.

DESPESA POR FUNÇÃO — Maior nível de agregação das alocações orçamentárias realizadas por um determinado Governo, em cada um dos grandes setores em que o setor público atua, com o sentido de cumprir suas responsabilidades e de atender às necessidades da sociedade. A *Classificação por Funções,* seguida ao respectivo código que a identifica, deve ser entendida como aquela que permite a divisão de ações do Governo num limitado conjunto de categorias, de modo a identificar os principais serviços prestados ao público, tais como: 06 - Segurança Pública; 10 - Saúde; 12 - Educação; 17 - Saneamento; 26 - Transporte etc. É padronizada para a União, Estados e Municípios. (Ver: Despesas - Subfunção.)

DESPESA PROCESSADA (LIQUIDADA) — É aquela cujo empenho em favor do credor, que forneceu o material, prestou o serviço ou ainda executou a obra, e a despesa foi reconhecida.

DESPESA PRODUTIVA — É aquela que, além de satisfazer necessidades públicas, enriquece o patrimônio do Estado ou aumenta a capacidade econômica do contribuinte, como as despesas referentes à construção de portos, estradas de ferro etc.

DESPESA PÚBLICA — No sentido amplo é todo desembolso efetuado pela Administração Pública, nos termos da legislação financeira, licitatória e orçamentária, subordinado à classificação e aos limites dos créditos orçamentários, com vistas a realizar suas competências constitucionais - atendimento das necessidades coletivas (econômicas e sociais) e ao cumprimento das responsabilidades institucionais do setor público. Em sua acepção financeira, é o gasto (aplicação de recursos pecuniários, ou seja, dinheiro) para a implementação das ações governamentais.

DESPESA PÚBLICA, CLASSIFICAÇÃO DA — São formas ou metodologias utilizadas para agrupar a despesa por categorias. As formas de classificação podem variar, conforme a necessidade e o interesse de quem estabelece a classificação. Em orçamento público, as classificações mais usuais são a institucional, por esfera orçamentária, a funcional, segundo a estrutura programática e segundo a natureza da despesa.

DESPESA PÚBLICA, CLASSIFICAÇÃO ECONÔMICA DA — Classificação obrigatória e padronizada da despesa pública segundo sua finalidade econômica, que se desdobra em duas categorias, com seu respectivo código: 3 - Despesas Correntes (que se referem às despesas que não contribuem diretamente para a formação ou aquisição de um bem de capital); e 4 - Despesas de Capital (que são despesas que contribuem diretamente para a formação ou aquisição de um bem de capital). Diz-se também da representação sindical dos empregadores.

DESPESA REALIZADA — Comprometimento ou efetiva utilização de dotações consignadas no orçamento público; equivale às despesas empenhadas, independentemente de terem sido liquidadas ou pagas.

DESPESA VARIÁVEL — É aquela que não é obrigatória pela Constituição, sendo limitativa, isto é, o Poder Executivo fica obrigado a respeitar seu limite, mas não imperativa, pelo que o ente tem a faculdade de realizá-la ou não, dependendo de seus critérios administrativos e de oportunidade, sendo de se citar, por exemplo, um auxílio pecuniário em favor de uma instituição de caridade, não gerando, por outro lado, direito subjetivo em favor do beneficiário.

DESPESA, ANULAÇÃO DE — Ato administrativo, promovido pelo órgão central de orçamento, que cancela parcial ou totalmente o valor de um crédito orçamentário no nível de determinado elemento de despesa de um projeto/atividade orçamentário, para aproveitar o saldo para suplementação de outro crédito orçamentário, devido a crédito adicional suplementar ou especial. Pode também tratar-se do cancelamento de despesa em razão da anulação de empenho já realizado.

DESPESA, ELEMENTO DE — Estrutura codificada da despesa pública na Lei do Orçamento Anual, a qual corresponde determinado valor de crédito orçamentário, que define a natureza do gasto (pessoal, material, serviços, obras e outros), legalmente autorizado, a ser feito em determinado projeto/atividade orçamentário. Tem por finalidade identificar os objetos de gasto de que a Administração Pública se serve para a consecução de seus fins. Os elementos de despesa são definidos e codificados por Portaria da Secretaria do Orçamento Federal - SOF, recebendo o código inicial "3" e "4", quando constituem, respectivamente, Despesa Corrente e Despesa de Capital. Os mais freqüentes são: 3111 - Pessoal Civil, 3113 - Obrigações Patronais, 3120 - Material de Consumo, 3131 - Remuneração de Serviços Pessoais, 3132 - Outros Serviços e Encargos, 4110 - Obras e Instalações, 4120 - Equipamento e Material Permanente.

DESPESA, EMPENHO DA — Ato administrativo do ordenador de despesa que cria para a Administração Pública a obrigação de pagamento a determinado fornecedor de bens, prestador de serviços ou empreiteira, de acordo com as condições contratuais estabelecidas. Através do empenho, o ordenador de despesa compromete parte do valor de determinado crédito orçamentário vinculado a um elemento de despesa de um projeto/atividade orçamentário, reduzindo-lhe, portanto, o valor disponível e, deste modo, evitando a sobreposição de outra despesa com o valor já comprometido. O empenho não poderá exceder o limite dos créditos concedidos. É legalmente obrigatório e deve ser prévio à realização da despesa. Na prática, ele é emitido após o conhecimento do vencedor do processo licitatório (quando ele ocorre), visto que é nominal. Para cada empenho, deve ser emitida uma nota de empenho. (Ver: Nota de Empenho.)

DESPESA, ESPELHO DA — Relatório contendo dados da despesa, tal qual foram inseridos na base de dados, em seu menor nível de inserção. O menor nível para as informações da despesa é o de subprojeto/subatividade, com ou sem o respectivo identificador de operação de crédito.

DESPESA, ESTÁGIOS DA — Consoante se verifica na Lei Federal nº 4.320, de 1964, são as etapas ou fases da realização da despesa. Os estágios da despesa são: o empenho; a liquidação; o pagamento.

DESPESA, EXECUÇÃO ORÇAMENTÁRIA DA — Utilização dos créditos consignados no Orçamento e nos créditos adicionais, visando à realização dos projetos e/ou atividades atribuídos às unidades orçamentárias.

DESPESA, GRUPO DE — Forma de classificação obrigatória e padronizada, empregada na lei orçamentária, que agrega elementos de despesa que apresentam as mesmas características quanto ao objeto de gasto. Os seis Grupos de Despesa, com o seu respectivo código, são os seguintes: 1 - Despesas com Pessoal e Encargos Sociais; 2 - Juros e Encargos da Dívida; 3 - Outras Despesas Correntes; 4 - Investimentos; 5 - Inversões Financeiras; 6 - Amortização da Dívida.

DESPESA, ITEM DE — Classificação facultativa de gastos por elemento de despesa, realizada conforme a conveniência de cada esfera governamental, com o objetivo de alcançar controle mais detalhado dos gastos. Ex.: dentro de 3120 - Material de Consumo: 01 = Material de Escritório, 02 = Material Didático; 03 = Material de Limpeza; 04 = Material de Informática etc.

DESPESA, LIQUIDAÇÃO DA — Estágio da despesa pública que se segue ao empenho e ao processo licitatório, referente à verificação do direito adquirido pelo credor ou da habilitação da entidade beneficiada (no caso de convênio), tendo por base os títulos ou documentos comprobatórios do respectivo crédito visando, na seqüência, ao pagamento da despesa do fornecedor, empreiteiro ou conveniado. É a etapa contábil na qual são verificados todos os documentos que comprovem a conclusão da despesa.

DESPESA, NOTA DE — Documento que inicia a formalização da despesa.

DESPESA, NOTA DE PAGAMENTO DE — Documento emitido pelo ordenador de despesa que formaliza a ordem de pagamento de determinada despesa pública.

DESPESA, ORDENADOR DE — Ver Ordenador de Despesa.

DESPESA, PAGAMENTO DA — Estágio da despesa pública em que a Administração Pública paga, conforme termos contratuais previamente estabelecidos, ao fornecedor, prestador de serviço ou empreiteiro, pelo bem entregue, serviço ou investimento realizados após a verificação do cumprimento das obrigações, através da liquidação da despesa. Para que seja feito o pagamento da despesa, é necessário que haja ordem exarada por autoridade competente, determinando que a despesa seja paga. Essa ordem só pode ser exarada em documentos processados pelos serviços de contabilidade. O pagamento pode ser efetuado pela tesouraria, por estabelecimentos bancários credenciados e, em casos excepcionais, por meio de adiantamento.

DESPESA, RUBRICA DE — É empregada, no jargão orçamentário, para designar cada um dos níveis de maior detalhamento da despesa pública.

DESPESAS - MODALIDADE DE APLICAÇÃO — Classificação não obrigatória, formulada por cada ente governamental, porém freqüentemente usada para indicar se os recursos são aplicados diretamente por órgãos ou entidades no âmbito da mesma esfera de Governo ou por outro ente da Federação e suas respectivas entidades. Objetiva possibilitar a eliminação da dupla contagem dos recursos transferidos ou descentralizados. Elas podem ser dos seguintes tipos: 10 - Transferências Intragovernamentais; 20 - Transferências à União; 30 - Transferências a Estados e ao Distrito Federal; 40 - Transferências a Municípios; 50 - Transferências a Instituições Privadas sem Fins Lucrativos; 60 - Transferências a Instituições Privadas com Fins Lucrativos: despesas realizadas mediante transferência de recursos financeiros a entidades com fins lucrativos que não tenham vínculo com a Administração Pública; 70 - Transferências a Instituições Multigovernamentais; 80 - Transferências ao Exterior; 90 - Aplicações Diretas; 99 - A Definir.

DESPESAS - OBJETO DO GASTO — Nível mais detalhado no orçamento da classificação da natureza da despesa pública. É o mesmo que elemento de despesa. (Ver: Classificação Econômica da Despesa Pública.)

DESPESAS - TRANSFERÊNCIAS CORRENTES — Classificam-se como Transferências Correntes as dotações para despesas às quais não corresponda contraprestação direta em bens ou serviços, inclusive as relativas a contribuições e subvenções destinadas a atender à manutenção de outras entidades de direito público ou privado. Elas podem ser vinculadas ou livres, segundo a natureza dos recursos utilizados para sua realização. As Transferências Correntes, salvo quando vedado expressamente na respectiva lei autorizativa, integram as Receitas Correntes do órgão público que as recebe.

DESPESAS - TRANSFERÊNCIAS DE CAPITAL — São Transferências de Capital as dotações para investimentos ou inversões financeiras que outras pessoas de direito público ou privado devam realizar, independentemente de contraprestação direta em bens ou serviços, constituindo essas transferências auxílios ou contribuições, segundo derivem diretamente de lei de orçamento ou de lei especial anterior, bem como as dotações para amortização da dívida pública. Elas podem ser vinculadas a determinadas programações ou livres, segundo a natureza das fontes dos seus recursos. Porém ao integrarem as Receitas de Capital do órgão público que as recebe, tais transferências só podem ser aplicadas em despesas de capital.

DESPESAS COM AÇÃO GOVERNAMENTAL — Ver geração de despesas com ação governamental.

DESPESAS COM INVESTIMENTOS — Nomenclatura contábil de gastos com investimentos. (Ver: Investimentos.)

DESPESAS COM LOCAÇÃO DE MÃO-DE-OBRA — Despesas com prestação de serviços por pessoas jurídicas para órgãos públicos, tais como limpeza e higiene, vigilância ostensiva e outros, nos casos em que o contrato especifique somente o quantitativo físico a ser utilizado.

DESPESAS COM OPERAÇÕES ESPECIAIS — São as despesas que não contribuem para manutenção das ações de Governo, não geram contraprestação de bens ou serviços nem resultam produtos. São exemplos destas operações, classificadas na função Encargos Especiais: encargos e amortização da dívida, ressarcimentos, indenizações. Essas despesas não constam do Plano Plurianual, entretanto figuram no orçamento.

DESPESAS COM PESSOAL — A Lei de Responsabilidade Fiscal - LRF (LC nº 101, de 2000) define despesa total com pessoal como o somatório dos gastos do ente da Federação com os agentes políticos, os servidores ativos, os aposentados e os pensionistas, relativos a mandatos eletivos, cargos, funções ou empregos, civis, militares e de membros de Poder, com quaisquer espécies remuneratórias, tais como vencimentos e vantagens fixas e variáveis, subsídios, proventos da aposentadoria, reformas e pensões de qualquer natureza, bem como encargos sociais e contribuições recolhidas pelo ente às entidades de previdência. Despesa total com pessoal não inclui os valores dos contratos de terceirização de mão-de-obra. Estes devem ser contabilizados como "Outras Despesas de Pessoal". Para a apuração da despesa total com pessoal deve-se somar o valor apurado para o mês de referência com os dos 11 meses anteriores, adotando-se o regime de competência.

DESPESAS COM PESSOAL - APURAÇÃO DA DESPESA TOTAL — Apura-se somando-se a despesa realizada com pessoal no mês de referência com os 11 imediatamente anteriores. Para fins de apuração dos limites percentuais de despesas global e específica de cada Poder, a indenização não é considerada como despesa de pessoal. Também não o serão os incentivos pagos em caso de programas de demissão voluntária. No caso dos aposentados, serão considerados, para fins de apuração dos limites percentuais de despesas de pessoal, somente aqueles pagos diretamente pelos cofres públicos, pois os benefícios pagos à conta de um fundo previdenciário próprio estão excluídos dos limites. (Ver: Despesa com Pessoal, Limite da.)

DESPESAS COM PESSOAL - ATINGIMENTO DE 95% DO LIMITE — Quando a despesa total com pessoal exceder a 95% do limite fixado pela Lei de Responsabilidade Fiscal (LC nº 101, de 2000), o Poder ou órgão que provocou o excesso não poderá conceder vantagem, nem aumento salarial, salvo em decorrência de sentença judicial; criar cargo, emprego ou função; alterar estrutura de carreira que implique aumento; preencher cargo público, admitir ou contratar pessoal a qualquer título, ressalvada para repor servidores das áreas de educação, saúde e segurança que se aposentaram ou faleceram; e contratar hora extra, salvo quando for o caso de sessão legislativa extraordinária e as situações previstas na Lei de Diretrizes Orçamentárias (LDO). A verificação do cumprimento dos limites estabelecidos a cada Poder ou órgão será realizada ao final de cada quadrimestre. (Ver: Despesa com Pessoal, Limite da.)

DESPESAS COM PESSOAL - AUMENTO NO ÚLTIMO ANO DE MANDATO — Mesmo que autorizado em Lei de Diretrizes Orçamentárias (LDO) do ente, a Lei Complementar nº 101, de 4 de maio de 2000 (Lei de Responsabilidade Fiscal), proibiu a prática de ato de que resulte aumento da despesa com pessoal expedido nos 180 dias anteriores ao final do mandato do titular do respectivo Poder ou órgão. Caso o aumento seja efetivado, será considerado nulo de pleno direito. O titular do Poder que incorrer na violação da regra proibitiva comete ilícito previsto no Código Penal, com redação dada pela Lei Federal nº 10.028, de 2000. Já o art. 73, inciso VII da Lei nº 9.504, de 30 de setembro de 1997, que estabelece normas para as eleições de presidente e vice-presidente da República, governador e vice-governador de Estado e do Distrito Federal, prefeito e vice-prefeito, senador, deputado federal, deputado estadual, deputado distrital e vereador, proíbe aos agentes públicos, servidores ou não, fazer, na circunscrição do pleito, no prazo de 180 dias antes das eleições e até a posse dos eleitos, proceder à revisão geral da remuneração dos servidores públicos que exceda a recomposição da perda de seu poder aquisitivo ao longo do ano da eleição. Por disposição constitucional, o primeiro turno da eleição ocorre no primeiro domingo do mês de outubro.

DESPESAS COM PESSOAL - CONTRATAÇÃO POR TEMPO DETERMINADO — São contratações destinadas a atender à necessidade temporária de excepcional interesse público.

DESPESAS COM PESSOAL - LIMITE COM SERVIÇOS DE TERCEIROS — A Lei Complementar nº 101, de 4 de maio de 2000 (Lei de Responsabilidade Fiscal - LRF), fixou norma transitória para a despesa com serviços de terceiros. Pela norma, a despesa com serviços de terceiros dos Poderes e órgãos não poderá exceder, em percentual da receita corrente líquida, a do exercício anterior à entrada em vigor da LRF, até o término do terceiro exercício seguinte. Portanto, até 2003.

DESPESAS COM PESSOAL - TERCEIRIZAÇÃO - CONTABILIZAÇÃO DA DESPESA — Entende-se que os contratos de terceirização de mão-de-obra que se referirem à substituição de servidores e empregados públicos devem ser contabilizados como "Outras Despesas de Pessoal". As despesas com tais contratações devem ser consideradas como gastos com pessoal, portanto, sujeitos aos limites da Lei de Responsabilidade Fiscal (LC nº 101, de 2000). Já a contratação de empresa para fornecimento de mão-de-obra para prestação de serviços que não aquele exercido pela Administração Publica - por exemplo, manutenção elétrica nas unidades de educação, cujo pessoal for mantido sob a responsabilidade e controle da contratada - deve ser contabilizada como "Serviços de Terceiros e Encargos".

DESPESAS COM PESSOAL - TERCEIRIZAÇÃO — É a realizada com a contratação de empresa cujo objetivo é o fornecimento de mão-de-obra. Na Administração Pública não poderão ser objeto de terceirização, as atividades inerentes às categorias funcionais abrangidas pelo plano de cargos do órgão, salvo expressa disposição legal em contrário, ou quando se tratar de cargo extinto, total ou parcialmente, no âmbito do quadro geral de pessoal.

DESPESAS COM PESSOAL DA CÂMARA MUNICIPAL — Ver Câmara Municipal - Despesas com Pessoal.

DESPESAS COM PESSOAL, LIMITE DA — A despesa total com pessoal, em cada período de apuração e em cada ente da Federação, não poderá exceder os seguintes percentuais calculados sobre a Receita Corrente Líquida (RCL): União: 50% da sua RCL, sendo, 2,5% para o Legislativo, incluído o Tribunal de Contas da União; 6% para o Judiciário; 40,9% para o Executivo; e 0,6% para o Ministério Público da União. Estados: 60% da sua RCL, sendo, 3% para o Legislativo, incluído o Tribunal de Contas do Estado; 6% para o Judiciário; 49% para o Executivo; 2% para o Ministério Público do Estado. Municípios: 60% da sua RCL, sendo, 6% para o Legislativo, incluído o Tribunal de Contas, quando houver; 54% para o Executivo. (Ver: Despesa com Pessoal - Apuração da Despesa Total.)

DESPESAS COM PESSOAL, NULIDADE DE AUMENTO DE — A Lei de Responsabilidade Fiscal (LC nº 101, de 2000) dispõe que é nulo o aumento de despesa com pessoal que não respeite as normas para geração de despesas e para as despesas obrigatórias de caráter continuado. Também será nulo o aumento de gastos com pessoal que procedam à vinculação ou equiparação de vencimentos para fins de remuneração do pessoal do serviço público, à ausência de autorização prévia na lei de Diretrizes Orçamentária (LDO) e dotação específica na Lei Orçamentária Anual (LOA). Igualmente será nulo o desrespeito ao limite legal de comprometimento aplicado às despesas com pessoal inativo, fixado em 20% do limite total de despesa com pessoal, ou seja, 12% da receita corrente líquida.

DESPESAS CORRENTES — São despesas administrativas e operacionais da Administração Pública necessárias à manutenção e ao funcionamento dos serviços públicos em geral, seja através da Administração Pública Direta, seja da Administração Pública Indireta. São aquelas que não têm um caráter econômico reprodutivo e são necessárias à execução dos serviços públicos e à vida do ente, sendo assim, verdadeiras despesas operacionais. São as realizadas com a manutenção dos equipamentos e com o funcionamento dos órgãos. Classificam-se nesta categoria todas as despesas que não contribuem, diretamente, para a formação ou aquisição de um bem de capital. Desdobra-se em Despesas de Custeio e Transferências Correntes (Despesa). De acordo com a codificação constante em anexo à Lei nº 4.320, de 1964, as despesas correntes devem ser classificadas, iniciando-se com o dígito "3". Ex.: 3.1.0.0 = Despesa de Custeio. Por sua natureza, as Despesas Correntes afetam negativamente o Patrimônio Líquido.

DESPESAS DE CAPITAL — São despesas que resultam no acréscimo do patrimônio do Órgão ou Entidade que a realiza, aumentando, dessa forma, sua riqueza patrimonial. Despesas que diminuem a disponibilidade, sem afetar o patrimônio líquido, exceto quanto às transferências de capital. São as realizadas com o propósito de formar e/ou adquirir ativos reais, abrangendo, entre outras ações, o planejamento e a execução de obras, a compra de instalações, equipamentos, material permanente, títulos representativos do capital de empresas ou entidades de qualquer natureza, bem como as amortizações de dívida e concessões de empréstimos. As Despesas de Capital determinam uma modificação do patrimônio público através do seu crescimento, sendo, pois, economicamente produtivas. Dividem-se: I - Investimentos; II - Inversões financeiras; III - Transferências de Capital, observadas suas respectivas subdivisões. De acordo com a codificação constante em anexo à Lei nº 4.320, de 1964, as despesas de capital devem ser classificadas iniciando-se com o dígito "4". Ex.: 4.1.0.0 = Investimentos. As Despesas de Capital não afetam o Patrimônio Líquido.

DESPESAS DE CARÁTER SECRETO OU RESERVADO — São todas e quaisquer despesas com operações que demandem sigilo para sua execução.

DESPESAS DE CUSTEIO — São as necessárias à manutenção da ação da administração como, por exemplo, o pagamento de pessoal, de material de consumo e a contratação de serviços de terceiros, inclusive as destinadas a atender a obras de conservação e adaptação de bens imóveis. Pressupõe a contraprestação em bens e serviços. (Lei Federal nº 4.320, de 17.3.1964). Atualmente não é usada na classificação da despesa (Portaria Interministerial/MF nº 163, de 4.5.2001).

DESPESAS DE EXERCÍCIOS ANTERIORES — São as relativas a exercícios encerrados, para as quais o orçamento respectivo consignava crédito próprio, com dotação suficiente para atendê-las, mas que não se tenham processado na época própria, bem como os restos a pagar com prescrição interrompida e os compromissos reconhecidos após o encerramento do exercício correspondente poderão ser pagos, à conta de dotação específica consignada no orçamento, discriminada por elemento, obedecida, sempre que possível, a ordem cronológica. (Ver: Resto a pagar.)

DESPESAS DE GOVERNO — São as despesas próprias e verdadeiras, pois se destinam à produção e à manutenção do serviço público, estando enquadrados nesta categoria os gastos com os pagamentos dos funcionários, militares, magistrados etc., à aplicação de riquezas na realização de obras públicas e emprego de materiais de serviços e à conservação do domínio público.

DESPESAS DE NATUREZA DISCRICIONÁRIA — São aquelas geradas a partir da disponibilidade de recursos orçamentários. Pode-se citar como exemplos: construção de escolas e postos de saúde em nível municipal; compra de novos equipamentos; aquisição de veículos etc. Atente-se para o fato de que entre as despesas discricionárias existem aquelas que são essenciais para a prestação de bens e serviços à sociedade, como é o caso da manutenção das ações de Governo. Em geral, as despesas discricionárias essenciais para a manutenção da máquina governamental estão classificadas na estrutura programática como "atividades".

DESPESAS DE NATUREZA OBRIGATÓRIA — São aquelas cuja execução o ente público não tem a discricionariedade para suspender. Os montantes correspondentes a estas despesas são fixados levando em consideração as condições de elegibilidade determinadas em lei. Entre os exemplos de despesas de natureza obrigatórias pode-se citar: o pagamento de pessoal e encargos sociais; as sentenças judiciais; os benefícios previdenciários; os gastos mínimos com educação e saúde; entre outras.

DESPESAS DE PEQUENO VULTO — São despesas miúdas e de pronto pagamento, nas compras ou execução de serviços de pequeno vulto, entendidas como tal as que envolverem gastos cuja soma, em cada mês, não ultrapassarem os limites fixados em lei.

DESPESAS DE PESSOAL E ENCARGOS SOCIAIS — São despesas com o pagamento pelo efetivo exercício do cargo ou do emprego ou de função de confiança no setor público, quer civil ou militar, ativo ou inativo, exceto aqueles prestados sob condição de estagiários e por pessoas físicas sem vínculo empregatício, bem como as obrigações de responsabilidade do empregador.

DESPESAS DE TRANSFERÊNCIA — São aquelas efetivadas pelo Estado sem que este receba diretamente qualquer contraprestação em seu favor, tendo o propósito meramente redistributivo, já que o dinheiro de uns se transfere para outros, como, por exemplo, no pagamento das pensões e de subvenções a atividades ou entidades privadas, de acordo com lei específica.

DESPESAS DE TRANSFERÊNCIAS CORRENTES — São transferências destinadas a atender à manutenção de outras entidades de direito público ou privado.

DESPESAS DE TRANSFERÊNCIAS DE CAPITAL — São dotações para investimentos ou inversões financeiras a serem realizadas por outras pessoas jurídicas de direito público ou de direito privado, independentemente de contraprestação direta em bens ou serviços, constituindo, essas transferências, auxílios ou contribuições, segundo derivem diretamente da lei de orçamento ou de lei especial anterior, bem como dotações para amortização da dívida pública.

DESPESAS DO EXERCÍCIO FINANCEIRO — São as legalmente empenhadas no exercício corrente, não importando a ocorrência ou não do pagamento, ou a saída efetiva do recurso.

DESPESAS EXTRAORDINÁRIAS — São as despesas que não se enquadram nos gastos rotineiros.

DESPESAS FIXADAS — São aquelas que constam do orçamento e são obrigatórias pela Constituição ou lei, não podendo ser alterada a não ser por lei posterior nem deixar de ser efetivada.

DESPESAS FIXAS — São as despesas básicas, necessárias para a manutenção.

DESPESAS JUDICIAIS — Toda despesa destinada a promover o andamento de um processo. Abrangem, além das custas processuais, o pagamento de peritos, comissões, taxas, conduções e remuneração do assistente técnico.

DESPESAS LESIVAS AO PATRIMÔNIO, GERAÇÃO DE — Pelo art. 15 da Lei de Responsabilidade Fiscal, serão consideradas não autorizadas, irregulares e lesivas ao patrimônio público a geração de despesa ou a assunção de obrigação que não atendam ao disposto nos arts. 16 e 17, que dizem respeito, respectivamente, à criação, à expansão ou ao aperfeiçoamento da ação governamental que acarretem aumento da despesa e às despesas obrigatórias de caráter continuado.

DESPESAS MIÚDAS E DE PRONTO PAGAMENTO — Ver Despesas de Pequeno Vulto.

DESPESAS NÃO-FINANCEIRAS — Correspondem ao somatório das despesas correntes com as despesas de capital, subtraídos os encargos da dívida e as amortizações pagas no período.

DESPESAS NÃO-OPERACIONAIS — São aquelas decorrentes de transações não incluídas nas atividades principais ou acessórias da empresa.

DESPESAS OPERACIONAIS — São aquelas decorrentes do desenvolvimento das atividades normais da empresa.

DESPESAS ORDINÁRIAS — São as despesas habituais, necessárias e rotineiras.

DESPESAS PRIMÁRIAS LÍQUIDAS — Total das despesas correntes e de capital, exceto juros e amortizações, concessão de empréstimos, aquisição de títulos de créditos, de títulos representativos de capital já integralizado e pagamento de comissões relacionadas à venda de empresas privatizadas.

DESPESAS, CLASSIFICAÇÃO DAS — Codificação que busca identificar o objeto do gasto previsto, a qual é obrigatória e padronizada para a União, Estados e Municípios, no caso de categoria econômica, grupo de despesa e elemento de despesa, e não obrigatória e de padrão definido pelo próprio ente, no caso de modalidade de aplicação e fonte de recursos. (Ver: Classificação funcional-programática.)

DESPESAS, GERAÇÃO DE - AÇÃO GOVERNAMENTAL — É a criação, expansão ou aperfeiçoamento de ação governamental que acarreta aumento de despesas. Antes de desenvolver uma determinada ação que acarrete aumento de despesa e para que sejam consideradas não autorizadas, irregulares e lesivas ao patrimônio público, o governo deve apresentar a estimativa de impacto orçamentário-financeiro no exercício em que deva entrar em vigor e nos dois exercícios seguintes, contendo declaração do ordenador da despesa de que o aumento tem adequação orçamentária e de que é compatível com o PPA e a LDO.

DESPESAS, GLOSA DE — Rejeição de despesas apresentadas ou registradas porque se coloca em dúvida a sua autenticidade ou exatidão.

DESPESAS, QUADRO DE DETALHAMENTO DE — O Quadro de Detalhamento de Despesas (QDD) é o demonstrativo que indica, por órgão e unidade orçamentária, basicamente, a alocação de recursos orçamentários e financeiros em cada projeto e atividade, distribuídos por elemento de despesa e fonte da receita, constituindo-se no principal quadro evidenciador das despesas e ações a serem realizadas pelo Poder Público.

DESPOJAR-SE — Largar de si. Despir-se. Renunciar aos bens.

DESPOTISMO — Na ciência política moderna, o termo despotismo conota a idéia de uma autoridade absoluta, que se coloca acima de qualquer lei, tomando como critério único de ação o próprio arbítrio. Não merece ser considerado como um regime político, porque é a própria negação de qualquer regime. O conceito, em última análise, se identifica com o de tirania, podendo-se sugerir entre ambos uma distinção meramente convencional. Tanto o déspota como o tirano não reconhecem nenhuma lei acima da sua própria vontade. O tirano, entretanto, é aquele que abusa do poder sempre com um fim egoístico, não visando ao bem público. O déspota é aquele que se atribui um poder absoluto, mas que pode usá-lo em vista do bem público, convencido da total incapacidade do povo para movê-lo. (Ver: Absolutismo.)

DESPOUPANÇA — É o fato de transformar uma poupança em consumo.

DESPRENDIMENTO — 1) Libertação interior. Senso de liberdade que protege o indivíduo contra o sofrimento gerado por desvinculação forçosa com elementos pertinentes à sua extensão mais próxima. A conquista definitiva do desprendimento é feita pelo pensamento objetivo, pela aprendizagem, treinamento e prática da ocupação de viver bem e do estar para a vida de bem com os demais. 2) Fragmentação e queda de material consistente, próximo à vertical.

DESPREZO — Repulsa com nojo. Sentimento de desqualificação. Desconsideração e rejeição com prepotência, arrogância e, às vezes, furiosamente.

DESPRONÚNCIA — Decisão em segunda instância que considera improcedente a pronúncia do réu, em crime de competência do Júri. O recurso apto a provocar a manifestação do tribunal é o Recurso em sentido estrito.

DESPROVER — Rejeitar.

DESQUALIFICAÇÃO — Exclusão momentânea do rol de consideração. Desprezo. Perda de qualidade como pessoa. Coisificação da pessoa. Retirada total de merecimento e consideração. Não reconhecimento das qualificações de determinada pessoa ou coisa, anteriormente levadas em conta.

DESQUITE — Até 26 de dezembro de 1977, o casamento era indissolúvel. Assim, quando uma pessoa se casava, só poderia contrair outro casamento, no futuro, em caso de viuvez. Caso não desejasse mais dar continuidade à vida conjugal, desquitava-se de seu cônjuge. Tecnicamente, "desquite" é o mesmo que a atual "separação judicial". A legislação mudou o nome porque a palavra carrega o peso do preconceito de uma época. O estado civil de desquitado, principalmente para a mulher, significava rejeição social. Havia escolas religiosas que não aceitavam filhos de desquitados.

DESSALINIZAÇÃO — Processo industrial de remoção do sal da água salgada ou salobra para posterior emprego doméstico ou industrial desta água.

DESTAQUE — Na Câmara dos Deputados é o instrumento do processo legislativo que, dada à relevância de determinado(s) ponto(s) da proposição, permite o fracionamento de uma votação. Pode ser concedido destaque, mediante requerimento aprovado pelo Plenário, para: I - votação em separado de parte de proposição, desde que requerida por um décimo dos deputados (1/10 de 513 deputados = 52) ou líderes que representem esse número; II - votação de emenda, subemenda, parte de emenda ou subemenda; III - tornar emenda ou parte de uma proposição de projeto autônomo; IV - votação de projeto ou substitutivo, ou de parte deles, quando a preferência recair sobre o outro ou sobre proposição apensada; V - suprimir, total ou parcialmente, dispositivo de proposição. Independe de aprovação do Plenário o requerimento de destaque apresentado por Bancada de Partido, observada a seguinte proporcionalidade: a) De 5 até 24 deputados, um destaque; b) De 25 até 49 deputados, dois destaques; c) De 50 até 74 deputados, três destaques; d) De 75 ou mais deputados, quatro destaques.

DESTAQUE DE CRÉDITO — Operação descentralizadora de crédito orçamentário em que um órgão transfere para outro o poder de utilização dos recursos que lhe foram consignados.

DESTAQUE PARA VOTAÇÃO EM SEPARADO — Ver Destaque.

DESTINAÇÃO DE RECURSOS PÚBLICOS PARA O SETOR PRIVADO — O Capítulo VI da Lei de Responsabilidade Fiscal estabelece normas a serem observadas para a destinação de recursos públicos para o setor privado.

DESTINO — Fim para que tende uma ação ou um estado. Sorte. Futuro. Fatalidade.

DESTITUIÇÃO — É o ato ou efeito de destituir; demissão, deposição; falta, carência, privação.

DESTITUIÇÃO DE TUTELA — Ver Tutela, Destituição de.

DESTITUIÇÃO DO PÁTRIO PODER — Ver Pátrio Poder, Ação de Destituição do.

DESTITUIR — Privar de emprego, autoridade ou dignidade. Demitir. Depor.

DESTRUIÇÃO DE DOCUMENTO — Crime militar consistente em destruir em benefício próprio ou de outrem, ou em prejuízo alheio, documento verdadeiro, de que não podia dispor, ou destruir o objeto ou documento concernente à segurança externa do Estado.

DESVAIRADO — Que perdeu o juízo. Alucinado. Desnorteado.

DESVALORIZAÇÃO — É a diferença negativa entre os valores de baixa, em moeda estrangeira e/ou nacional, dos itens investimento e reinvestimento e o valor remissível/registrável, em moeda estrangeira e/ou nacional, em nome do investidor não residente, oriundo de alienação da participação societária a residente, de redução de capital para restituição a sócio e/ou liquidação de receptora.

DESVALORIZAÇÃO DA MOEDA — Perda de valor por parte de uma moeda frente à outra.

DESVALORIZAÇÃO DA TAXA DE CÂMBIO — É a perda de valor da taxa de câmbio. Ex: a frase "o real se desvalorizou frente ao dólar" quer dizer que agora deveremos gastar mais reais para cada dólar comprado.

DESVANTAGEM — É conseqüência de uma deficiência ou de uma incapacidade que limita e/ou impede o desempenho de atividades que são normais ao ser humano em função de idade, sexo e fatores sociais e culturais.

DESVIO — Divergência entre o planejado e projetado e o que ocorre na fase de operação.

DESVIO DE CLIENTELA — Crime consistente em utilizar-se de fraude para desviar clientela alheia.

DESVIO DE DINHEIRO OU DE BENS PÚBLICOS — Ver Peculato.

DESVIO DE VERBAS — É o emprego irregular de verbas (dotações) ou rendas públicas. Também chamado desvio de verbas, trata-se de um crime contra a Administração Pública. É crime próprio que somente pode ser cometido por servidor público que tenha, a seu dispor, verbas e rendas públicas. Em se tratando do presidente da República e ministros, governador e secretários de Estado aplica-se a Lei nº 1.079, de 1950, sobre crimes de responsabilidade. Se o sujeito ativo for prefeito municipal, cabe o art. 1º, III, do DL 201, de 27.2.1967, que determina: "São crimes de responsabilidade dos prefeitos municipais, sujeitos ao julgamento do Poder Judiciário, independentemente do pronunciamento da Câmara dos Vereadores:... III - desviar, ou aplicar indevidamente, rendas ou verbas públicas. Ao contrário do peculato no crime de emprego irregular de verbas ou rendas públicas o agente não busca proveito próprio ou de terceiro, em detrimento da Fazenda Pública, limitando-se a aplicar as verbas em benefício da própria Administração Pública, embora irregularmente.

DESVIO-PADRÃO — É um conceito estatístico que exprime a variação média de um conjunto de números em relação à sua média. Nos fundos de investimento, tal conceito mede a flutuação da taxa de rentabilidade do fundo ao longo de um determinado período.

DETENÇÃO — Privar uma pessoa de liberdade pessoal, exceto se em decorrência de condenação pela prática de um crime. Assim, diz-se da pena privativa de liberdade, que deve ser cumprida em regime semi-aberto ou aberto. É menos rigorosa que a reclusão e mais severa que a prisão simples, esta última reservada às contravenções.

DETENÇÃO INCOMUNICÁVEL — Ser uma pessoa mantida pelas autoridades sem ter permissão para fazer qualquer contato com o mundo externo.

DETENTO — Pessoa que foi detida ou presa e cumpre pena de detenção em decorrência de sentença condenatória.

DETER — Ato pelo qual se detém ou retém coisa ou pessoas, justa ou injustamente, privando o dono da posse da coisa e a pessoa, de sua liberdade.

DETERIORAÇÃO — É a depreciação de um bem devido ao desgaste de seus componentes ou falhas de funcionamento ocasionadas por mau uso ou falta de manutenção.

DETERMINAÇÃO — Ordem ou mandado, com fundamento no conhecimento, que deve ser cumprido, tempestivamente.

DETERMINISMO — Princípio segundo o qual todo fato tem uma causa e, nas mesmas condições, as mesmas causas produzem os mesmos fatos, o que implica a existência de leis causais. Para o determinista, para todo o acontecimento "*b*" existe um outro acontecimento "*a*" tal que não é possível ocorrer "*a*" sem que necessariamente ocorra o seu efeito, "*b*". O pensamento científico moderno, ao procurar relações causais entre fenômenos naturais (ou mesmo sociais), que enuncia sob a forma de leis, assume amplamente um pressuposto filosófico determinista. Determinismo histórico - doutrina que assume o destino histórico, segundo o qual o domínio do proletariado é dado como certo.

DETRAÇÃO PENAL — É a inclusão no cálculo da pena privativa de liberdade e na medida de segurança do tempo de prisão provisória ou administrativa e o de internação em hospital ou manicômio. Significa "abater o crédito de". Conforme o disposto no CP, com o qual são computados nos seus prazos, "o tempo de prisão provisória, no Brasil ou no estrangeiro, o de prisão administrativa e o de internação" em hospital de custódia e tratamento psiquiátrico ou "outro estabelecimento adequado". O CP disciplina a detração penal no art. 42.

DETRAN (DEPARTAMENTO ESTADUAL DE TRÂNSITO) — É um dos órgãos do Sistema Nacional de Trânsito que tem por finalidade, no âmbito de cada Estado, o exercício das atividades de planejamento, administração, normatização, pesquisa, registro e licenciamento de veículos, formação, habilitação e reciclagem de condutores, educação, engenharia, operação do sistema viário, policiamento, fiscalização, julgamento de infrações e de recursos e aplicação de penalidades.

DEVANEIO — Divagação imaginativa.

DEVASSA — É a pesquisa de provas e inquirição de testemunhas com o fim de averiguar um fato criminoso.

DEVEDOR — Que deve ou apresenta saldo devedor. É a pessoa que sujeita ao cumprimento de uma obrigação a qual não se desonera enquanto não apreste, ou de seu cumprimento a dispense o credor.

DEVEDOR INSOLVENTE — Quem não pode pagar o que deve. Aqueles cujas dívidas excedem ao valor de seus bens.

DEVEDOR REMISSO — É aquele devedor que se acha inadimplente pelo não-cumprimento da obrigação.

DEVEDOR SOLIDÁRIO — Sujeito passivo de uma obrigação solidária, e que, tal como os demais consortes, por ela responde integralmente.

DEVEDOR SOLVENTE — Aquele que é inadimplente no cumprimento de obrigação financeira, embora possa suportar todo o gravame ou parte substancial dele.

DEVEDORES DUVIDOSOS — São aqueles devedores de uma empresa/instituição que têm uma probabilidade maior de não liquidar seus débitos. Por extensão, o valor devido por esses clientes.

DEVER DE INDENIZAR — É o dever imputável a quem prejudica ou a quem encarrega alguém de fazer alguma coisa, é o resultado direto da responsabilidade civil, de forma a se proceder à reposição da situação anteriormente existente antes do evento danificador. Seja como for, a teoria da causalidade adequada pressupõe a descoberta da condição necessária do dano, entre as causas que o antecederam, isto é que estiveram na base da sua ocorrência.

DEVER JURÍDICO — É o dever perfeito, aquele que pertence ao direito e é imposto coercitivamente pela lei. Necessidade de realizar o comportamento a que tem direito o titular ativo da relação jurídica.

DEVERES E OBRIGAÇÕES — São normas. As normas dotam as pessoas e outros atores com razões para se comportarem de certo modo. Alguns deveres e obrigações apenas requerem que uma pessoa se abstenha de um certo tipo de conduta. Outros requerem que a pessoa se empenhe em um modo, ou em um de um conjunto de modos, de conduta admissíveis. (Ver: Obrigação.)

DEVERES PERFEITOS E IMPERFEITOS — Os deveres perfeitos especificam o modo como o dever tem de ser desempenhado e a quem está obrigado. Os deveres imperfeitos, pelo contrário, deixam em aberto o modo como o dever pode ser desempenhado e com que força deve ser realizado.

DEVIDO PROCESSO LEGAL — Princípio constitucional que consagra a garantia de que ninguém será processado sem que existam, previamente, normas processuais cabíveis ao caso. O devido processo legal, também denominado *due process of law,* é previsto no art. 5º, LIV, da CF, assim: "Ninguém será privado da liberdade ou de seus bens sem o devido processo legal."

DEVOÇÃO — Sentimento religioso. Dedicação íntima.

DEVOLUÇÃO DA HERANÇA — É a parte pertencente ao herdeiro renunciante que será somada ao monte.

DEVOLUTIVO — Efeito do recurso, principalmente da apelação, que devolve à instância superior o exame da matéria decidida pelo juízo recorrido. (Ver: Efeito devolutivo.)

DIA *A QUO* — [Latim]. Expressão que significa dia em que se inicia a fluência de um prazo.

DIA *AD QUEM* — [Latim]. Expressão que significa dia em que expira a fluência de um prazo.

DIA CIVIL — É aquele que contém 24 horas, contando-se da 0 hora de um dia à 0 hora do dia seguinte.

DIA LEGAL — É o período compreendido entre as seis e as 20 horas. Também denominado dia judicial. A citação e a penhora poderão, em casos especiais e mediante autorização judicial, ser efetuadas em domingos, feriados ou fora do expediente do dia útil.

DIA ÚTIL — É aquele reservado ao exercício habitual de toda e qualquer atividade, seja civil, comercial ou industrial.

DIA-A-DIA — Modo de contagem de prazo em que os dias são contados sem interrupção, sucessivamente.

DIACRÔNICO — Processos que enfocam os aspectos dinâmicos (evolução) de um sistema.

DIAGNÓSTICO — Atividade que visa descobrir a causa ou causas de deficiências.

DIAGNÓSTICO DE DESEMPENHO OPERACIONAL (DDO) — É uma metodologia contínua e sistemática para avaliação de produtos (bens e serviços) e processos de uma organização. É uma técnica profundamente detalhada que permite ganhos substanciais sobre o faturamento líquido.

DIAGRAMA DO FLUXO CIRCULAR DE RENDA — Modelo visual da economia que mostra como a moeda circula, através dos mercados, entre famílias e empresas.

DIAGRAMAS DE ÁRVORES — Instrumentos visuais de objetivos múltiplos utilizados para limitar e hierarquizar os problemas, objetivos ou decisões. A informação é organizada num diagrama em forma de árvore que inclui a identificação do aspecto central, fatores e resultados desses fatores. (Por exemplo, há árvores de problemas e árvores de objetivos.) São instrumentos que tornam explícitas as relações hierárquicas de causa-efeito, clarificando a lógica global de uma ação para promoção de desenvolvimento. São instrumentos muito utilizados no ciclo do projeto, sobretudo na identificação do projeto, podendo também ser utilizados na avaliação.

DIALÉTICA — Processo lógico que extrai sínteses a partir da identificação e discussão de argumentos contraditórios (tese e antítese). Arte de raciocinar, argumentar e discutir de maneira coerente com vistas ao encontro da verdade por meio de oposição e reconciliação de contradições lógicas subjetivas ou objetivas. Diz M.Garcia Morente que a dialética consiste em supor o que queremos averiguar é tal ou tal outra; isto é, antecipar o saber que procuramos, mas logo depois negar e discutir essa tese ou essa afirmação que fizemos e depurá-la em discurso. (Ver: Diálogo.)

DIÁLOGO — Processo de comunicação; conversa entre dois interlocutores; interação entre duas lógicas; intercâmbio de idéias; não é o mesmo que dialética. (Ver: Dialética.)

DIÁRIAS — Indenização destinada à cobertura e à compensação das despesas extraordinárias de alimentação, pousada e locomoção urbana, com o servidor público que se deslocar de sua sede em objeto de serviço, em caráter eventual ou transitório. Sede é o Município onde a repartição estar instalada e onde o servidor tem exercício em caráter permanente. É também adotado na iniciativa privada, mediante critérios próprios de cada empresa.

DIÁRIO — Livro obrigatório pela legislação comercial e está sujeito às formalidades legais extrínsecas e intrínsecas.

DIARISTA — Trabalhador que recebe uma remuneração diária, ou melhor, por dia de trabalho; seu salário é calculado por dia. Em regra, é aquele que exerce atividade de limpeza geral a terceiro mediante pagamento diário, sendo considerado por parte da jurisprudência como autônomo, por não haver subordinação, imprescindível na relação empregatícia. Há, porém, uma corrente que entende que existe tal subordinação jurídica e trabalho no interesse do empregador.

DIÇÃO OU DICÇÃO — É a arte de dizer, recitar, falar, com articulação e modulação apropriadas.

DIEESE (DEPARTAMENTO INTERSINDICAL DE ESTATÍSTICA E ESTUDOS SOCIOECONÔMICOS) — Instituto de pesquisas criado em 1955, com o objetivo de assessorar os sindicatos de trabalhadores. Fornece periodicamente dados relativos a custo de vida, desemprego, produtividade e nível de salário real.

DIES A QUO — [Latim]. Expressão que significa o dia em que começa a correr um prazo. Primeiro dia na contagem de um prazo certo. Termo inicial do prazo, em contraposição ao *dies ad quem.*

DIES AD QUEM — [Latim]. Expressão que significa dia em que expira a fluência de um prazo.

DIFAMAÇÃO — Ação de difamar alguém. É Atribuir injustamente ou falsamente a alguém, fato ofensivo à sua reputação com a intenção de desacreditá-lo na sociedade em que vive, e provocar contra ele desprezo ou menosprezo público. Fato que, diversamente do que se dá na calúnia, não há de ser definido como crime e nem tampouco falso. A reputação do ofendido é o alvo do difamador que, com a conduta, vulnera a honra objetiva daquele. (Ver: Calúnia.)

DIFAMAR — Ver difamação.

DIFERENCIAL SALARIAL (OU DE COMPENSAÇÃO) — Expressão utilizada em economia para definir divergência salarial que resulta da diversidade de características não monetárias dos diversos empregos, tais como: capital humano, talento, esforço empreendido, assimetrias informativas, injustiças e sinalização (confiança *ex ante* e reputação, pela inteligência ou pela estética).

DIFUSÃO TECNOLÓGICA — Processo de propagação de uma inovação técnica entre usuários potenciais (adoção de uma nova técnica) e seu melhoramento e adaptação contínua. Os processos de inovação e difusão, particularmente de novas tecnologias, são interdependentes e se determinam simultaneamente estimulados pela interação usuários/produtor.

DIGESTOR — Ver Biodigestor.

DIGITAL — Discreto; não analógico; relativo a sinais que conduzem informação em uma quantidade finita de símbolos ou níveis. Sistema de gravação, reprodução ou transmissão em que os sinais de áudio ou de vídeo são representados através de números compostos apenas de 0s e 1s (binários), como na linguagem dos computadores. Isso assegura uma maior precisão na preservação da integridade dos sinais e, quando esses sinais são adequadamente filtrados, permite a eliminação de ruídos e interferências, como chiados, chuviscos e fantasmas. (Ver: Analógico.)

DIGNIDADE — Qualidade moral que infunde respeito. Respeitabilidade. Respeito a si próprio, brio. Elevação de sentimentos. Decência, honradez. Merecimento. Seriedade. Nobreza.

DILAÇÃO — Efeito de aumentar o prazo da feitura de um ato. Na linguagem forense é expressão usada para se pleitear a prorrogação de prazos processuais.

DILAÇÃO PROBATÓRIA — Prazo concedido igualmente ao autor e ao réu para a produção de provas ou a execução de diligências necessárias para comprovação dos fatos alegados.

DILEMA — Raciocínio cuja premissa é alternativa da sorte que qualquer dos seus termos conduz à mesma conseqüência. Situação embaraçosa com duas saídas difíceis e penosas. É um raciocínio da forma "se *a*, então *b*; se *não-a*, então *b*; logo, *b*". Os lógicos reconhecem algumas variedades de dilemas, como o dilema construtivo ou o dilema destrutivo.

DILEMA DO DETERMINISMO — É um dilema que se deixa esquematizar da seguinte forma: *1ª premissa*: Se o determinismo é verdadeiro, então as nossas ações são determinadas por acontecimentos anteriores e, não sendo livres, não somos responsáveis. *2ª premissa*: Se o determinismo é falso, nada causa as nossas ações, que são aleatórias, e, portanto, também não somos responsáveis. *Conclusão*: Em qualquer caso, não somos responsáveis pelas nossas ações.

DILIGÊNCIA — Providência determinada para esclarecer alguma questão ou apresentar documentos complementares para saneamento do processo. Pode ser decidida por iniciativa de um juiz (de ofício), ou atendendo a requerimento do Ministério Público, ou ainda, por decisão do Plenário do Tribunal de Contas. O Tribunal de Contas adota dois tipos de diligência: a Externa e a Interna. (Ver: Diligência Externa // Diligência Interna.)

DILIGÊNCIA EXTERNA — Decisão do Plenário do Tribunal de Contas para que o responsável apresente documentos ou esclarecimento para saneamento do processo. Como forma de impedir o extravio do processo junto ao jurisdicionado, que fatalmente gera outra decisão do Plenário em outro processo de promoção (para que o jurisdicionado restitua o processo inicial), a decisão de Diligencia Externa é comunicada ao responsável, via correio.

DILIGÊNCIA INTERNA — Providência determinada pelo Plenário do Tribunal de Contas, que consiste em restituir o processo ao Corpo Técnico do próprio Tribunal para reexame, em face de impropriedades na análise ou pela apresentação de novos elementos por parte do jurisdicionado.

DILUENTE — É uma substância não reagente usada para aumentar o volume de outra substância.

DINÂMICA — Processo de evolução de processos; interatividade e iteratividade; força e movimento.

DINAMISMO — Atividade intensa, energia. Espírito empreendedor.

DINHEIRO — É o meio usado na troca de bens, na forma de moedas ou notas (cédulas), usado na compra de bens, serviços, força de trabalho, divisas estrangeiras ou nas demais transações financeiras, emitido e controlado pelo governo de cada país, que é o único que tem essa atribuição. É também a unidade contábil. Seu uso pode ser implícito ou explícito, livre ou por coerção. A emergência do dinheiro não depende de uma autoridade central ou governo. É um fenômeno do mercado; na prática, entretanto, os tipos de moeda mais aceitos atualmente são aqueles produzidos e sancionados pelos governos. A maior parte dos países tem um padrão monetário específico – um dinheiro reconhecido oficialmente, possuindo monopólio sobre sua emissão. Algumas exceções são o euro (usado por diversos países europeus) e o dólar (utilizado em todo o mundo).

DINHEIRO DIRETO NA ESCOLA (PDDE) — Ver Educação – Programa dinheiro direto na escola.

DI-OVER — Corresponde à taxa média das operações de Depósito Interbancário com prazo de um dia útil. Com divulgação diária pela CETIP, a metodologia adotada, são excluídas do cálculo as operações entre instituições financeiras de um mesmo Grupo (conceito Extragrupo).

DIÓXIDO DE CARBONO (CO_2) — Gás carbônico, incolor e inodoro, responsável em grande parte pelo efeito estufa na atmosfera terrestre.

DIOXINA — Substância extremamente tóxica, usada na produção de herbicidas. Seus efeitos são persistentes e podem causar má-formação por alterações de cromossomos. O maior acidente ocorreu em Seveso (Itália).

DIPLOMACIA — Pode ser definida de diversas maneiras; não tem, com efeito, de estar relacionada com qualquer tipo de fim comercial. Deve estar presente no mais comum tratamento interpessoal. Alguns dizem que é a astúcia ou a habilidade com que se trata qualquer assunto, outros dizem que é uma ciência das Relações Exteriores ou negócios estrangeiros dos Estados. Pode ser também a arte da negociação, isto é, todos devem assumir um papel diplomático nas Relações Interpessoais, seguindo os princípios educacionais e de etiqueta próprios de uma sociedade.

DIPLOMACIA PREVENTIVA — Ações para evitar que disputas que emergem entre partes culminem em conflito e/ou para limitar o alcance deste se ele ocorrer.

DIPLOMATA — Representante de Estado junto a outro.

DIPSOMANIA — Necessidade incoercível de ingestão de bebidas alcoólicas; impulso incontrolável para o uso de drogas embriagantes. (Ver: Saúde – Alcoolismo.)

DIQUE — Estrutura artificial, geralmente de terra, constituída ao longo de um rio, acima do nível natural do terreno, com o objetivo de proteger as terras adjacentes contra a inundação por águas de cheia.

DIREÇÃO DEFENSIVA — Técnica de direção de veículos que evita o envolvimento em acidentes, apesar das ações incorretas de outros condutores e de condições ambientais adversas, como chuva, neblina nas estradas e outras.

DIREITO — Aquilo que é justo, correto, bem procedido, reto e conforme a lei. Faculdade legal de praticar ou deixar de praticar um ato. Prerrogativa, que alguém possui, de exigir de outrem a prática ou abstenção de certos atos, ou o respeito a situações que lhe aproveitam. É o conjunto de normas e princípios que regulam a vida em sociedade. O conjunto de conhecimentos relativos a esta ciência, ou que tem implicações com ela, ministrado nas respectivas faculdades. Conjunto das normas jurídicas vigentes num país. Complexo de normas não formuladas que regem o comportamento humano. É o conjunto de regras de conduta coativamente impostas pelo Estado, ou princípios de conduta social, tendente a realizar a justiça.

DIREITO À IGUALDADE — Todos os cidadãos são iguais perante a lei. A Constituição proíbe qualquer forma de discriminação em razão de sexo, orientação sexual, idade, condições físicas e mentais, raça, cor, origem social ou geográfica, estado civil, opções políticas, filosóficas ou religiosas.

DIREITO À LIBERDADE — Todo cidadão tem o direito de ir-e-vir. Se não houver nenhum impedimento judicial, qualquer privação à liberdade de locomoção é ilegal. Ficar informado, ter a opinião que quiser, escolher a profissão, qualquer crença, política ou religiosa, poder ir a toda parte: essas liberdades são garantidas pela Constituição.

DIREITO À PROPRIEDADE — A Constituição garante o direito à herança e à propriedade privada, desde que atenda à função social. Além disso, ninguém pode entrar em uma propriedade particular sem a permissão do proprietário, a não ser com ordem judicial ou em caso de flagrante delito, problema de saúde ou desastre. A lei garante o sigilo telefônico, de correspondência, fax, e-mail etc. Também são protegidos os direitos autorais de obras literárias, científicas, inventos, criações industriais, as marcas e o nome das empresas.

DIREITO À SEGURANÇA — Todo cidadão tem direito à segurança individual, definida pela Constituição como garantia de inviolabilidade de domicílio, de propriedade e de sigilo de correspondência. Além disso, há a segurança jurídica, que garante o direito de o cidadão ser considerado inocente enquanto não for julgado culpado. Caso não tenha meios de contratar um advogado, o Estado fornece defensores gratuitos e se compromete a indenizar o condenado por erro judiciário. Os crimes inafiançáveis são o racismo, a tortura, o tráfico de drogas, o terrorismo e os crimes definidos como hediondos, além da ação de grupos armados, civis ou militares, contra a ordem constitucional e o Estado democrático. A lei garante o respeito à integridade física e moral dos presos.

DIREITO À VIDA — Para que a pessoa seja respeitada, física e moralmente, precisa ter condições satisfatórias de trabalho, alimentação, cultura, saúde, educação, lazer e manutenção do meio ambiente saudável e ecologicamente equilibrado. Todas essas garantias estão na Constituição Federal.

DIREITO ABSOLUTO — É o direito *erga omnes,* isto é, aquele que se opõe a todos. São eles: os direitos personalíssimos, reais e de família.

DIREITO ADJETIVO — Conjunto de leis que tornam eficaz o exercício das relações do Direito Substantivo, movimentando o aparelhamento judiciário. Conjunto de leis que determinam a forma por que se devem fazer valer os direitos. Conjunto de leis reguladoras dos atos judiciários. Direito processual, direito judiciário, direito formal.

DIREITO ADMINISTRATIVO — Complexo de normas e princípios da Administração Pública.

DIREITO ADQUIRIDO — É aquele que se incorporou definitivamente ao patrimônio e à personalidade do seu titular de modo que nem a lei nem um fato posterior, ainda que por força de lei nova, pode alterar tal situação jurídica, pois há direito concreto, ou seja, subjetivo, e não direito potencial ou abstrato. Consiste, portanto, na possibilidade de se extrair efeitos de um ato contrário ao previsto pela lei vigente, ou seja, é aquele que continua a gozar dos efeitos de uma norma pretérita mesmo depois de já ter sido ela revogada.

DIREITO AÉREO — Complexo de normas e princípios, de caráter internacional, reguladores da navegação aérea, civil e comercial, e das atividades relacionadas com o espaço aéreo.

DIREITO AGRÁRIO — Ramo da Ciência Jurídica composto de normas imperativas e supletivas que regem as relações emergentes da atividade do ser humano sobre a terra, observados os princípios de produtividade e justiça social.

DIREITO ALTERNATIVO — Doutrina referente à aplicação do Direito, surgida numa facção da magistratura do Rio Grande do Sul, pela qual o juiz deve ter a mais ampla liberdade na solução dos litígios, podendo mesmo, em certos circunstâncias, decidir contra *legem,* desde que o interesse social assim o exija.

DIREITO AMBIENTAL — Ramo do Direito Público Interno que se ocupa dos princípios e normas destinados a impedir a destruição ou a degradação dos elementos da Natureza. Trata-se, em verdade, de um desmembramento do Direito Administrativo, que vem evoluindo com desenvoltura ímpar e cobrando importância crescente, em face dos evidentes abusos predatórios causados pelo aumento da população e o natural avanço científico e tecnológico. O Direito Ambiental trabalha, essencialmente, com os seguintes itens: I - controle da poluição; II - preservação dos recursos naturais; III - restauração dos elementos naturais destruídos. No tocante à legislação, observe-se que o Brasil ainda não tem uma legislação codificada e, sequer, compilada sobre tais matérias, valendo ressaltar, dentro da multifária legislação federal e estadual, a Lei nº 7.347, de 24.7.1985, que disciplina a ação civil pública de responsabilidade por danos causados ao meio ambiente, ao consumidor, a bens e direitos de valor artístico, estético, histórico, turístico e paisagístico, bem como as Leis nºs. 6.938, de 31 de agosto de 1981, que dispõe sobre a Política Nacional do Meio Ambiente, deferindo competência ao Ministério Público para propor ação de responsabilidade civil e criminal por danos causados ao meio ambiente, e 9.605, de 1998, que dispõe sobre os crimes contra o Meio Ambiente.

DIREITO ASSISTENCIAL — Conjunto de normas com que o Estado provê às necessidades gerais do trabalhador, fazendo-o beneficiário da assistência e previdência social.

DIREITO AUTORAL — Direito exercido pelo autor ou por seus descendentes sobre suas obras culturais ou artísticas, no tocante à publicação, tradução, venda etc.

DIREITO CAMBIÁRIO — Conjunto de normas que disciplinam as relações jurídicas entre as pessoas vinculadas em operações de natureza cambial.

DIREITO CANÔNICO — O que estabelece a ordem jurídica da Igreja Católica Apostólica Romana.

DIREITO CIVIL — É o conjunto de normas reguladoras dos direitos e obrigações de ordem privada atinentes às pessoas, aos bens e às suas relações.

DIREITO CLÁSSICO — Ver Direito Romano.

DIREITO COMERCIAL (MERCANTIL) — É o conjunto de regras que disciplinam ou regulam a natureza e efeitos das convenções concluídas pelos comerciantes ou entres esses e outras pessoas.

DIREITO COMPARADO — É o estudo que se faz do Direito, em quaisquer de suas manifestações, com o objetivo de comparar as instituições reguladas pelas legislações dos vários países entre si, para que se anotem suas discrepâncias e se determinem as analogias encontradas, no sentido de aproximá-las ou reconciliá-las. Diz-se também Legislação Comparada.

DIREITO COMUM — É toda espécie de lei ou direito que se aplica em caráter de generalidade a uma série de relações jurídicas, todas as vezes em que a própria lei ou as pessoas interessadas não avoquem princípio de lei especial.

DIREITO CONSTITUCIONAL — Conjunto de normas e princípios fundamentais integrantes da Constituição que regulam a organização política do Estado, forma de governo, atribuições e funcionamento dos poderes políticos, seus limites e relações, e bem assim os direitos individuais e a intervenção estatal na esfera social, econômica, intelectual e ética.

DIREITO CONSUETUDINÁRIO — Direito costumeiro. Conjunto de normas não escritas, mas, conforme a boa razão, consagradas pelos usos e costumes tradicionais do povo e de longa data praticado e sem ofensa à lei e à ordem pública.

DIREITO COSTUMEIRO — É a reunião de regras derivadas dos costumes. (Ver: Direito Consuetudinário.)

DIREITO CRIMINAL — Ver Direito Penal.

DIREITO CULTURAL — Defende que todos têm o direito à posse e criação cultural, bem como o dever de preservar, defender e valorizar o patrimônio cultural.

DIREITO DA PERSONALIDADE — O atual Código Civil introduz o Capítulo II - Dos Direitos da Personalidade, declarando-os intransmissíveis e irrenunciáveis, sendo que seu exercício não pode sofrer limitação voluntária. Atualmente proíbem-se os atos que afetem a integridade física, salvo por exigência médica.

DIREITO DAS COISAS — É o conjunto de normas reguladoras das relações entre os homens, tendo em vista os bens corpóreos e incorpóreas. Do que se deduz que o Direito das Coisas é o conjunto de normas que regulam as relações jurídicas entre os homens ante as coisas, capazes de satisfazer as suas necessidades e suscetíveis de apropriação individual, quando tais coisas forem úteis e raras e quando estabelecem relações de domínio.

DIREITO DAS GENTES — É o Direito Internacional Público.

DIREITO DAS OBRIGAÇÕES — Em sentido amplo (*lato sensu*), exprime qualquer espécie de vínculo ou sujeição entre pessoas. Juridicamente, nasce de relações entre pessoas de conteúdo patrimonial e implicando, para uma delas, o dever de dar, de fazer, ou de não fazer, a outra uma prestação, e, para a segunda, a faculdade de exigir esta prestação da primeira.

DIREITO DAS SUCESSÕES — É o conjunto de regras e normas que governam a transmissão de direitos (bens e obrigações) da pessoa, que morre (*de cujus*) para aquelas que se dizem como herdeiras.

DIREITO DE AÇÃO (OU DIREITO DE AGIR) — É o direito de exigir do Estado a tutela jurisdicional de natureza subjetiva, pública, abstrata e genérica. O direito de ação pode ser definido como o direito subjetivo público de pleitear, perante o Estado, a satisfação de um interesse reconhecido por lei. O preceito constitucional que fundamenta o direito de ação é o art. 5º, XXXV. Evidente que, para existir o direito de ação, é preciso que o fato esteja disciplinado em norma jurídica, pois a todo direito corresponde uma ação, que o assegura, conforme estabelece o art. 75, CC-Antigo. Inadmissível confundir o direito de ação com a ação propriamente dita. O direito de ação é ato em potência, concretizado ou não pela vontade do titular: A lei simplesmente confere o direito de ação, que pode ou não ser exercido por alguém, não desaparecendo em qualquer caso. O direito de ação, reitere-se, é potência, é mera autorização que a norma atribui ao interessado para pleitear a satisfação de um interesse objetivamente tutelado pela ordem jurídica. Já a ação é ato, é realização da potência. Consiste, enfim, no próprio ato de pedir, formalmente, a tutela de um direito material.

DIREITO DE AGIR — Ver Direito de Ação (ou Direito de Agir).

DIREITO DE ARENA — O que é usufruído por artistas e atletas, relativo à transmissão e retransmissão de espetáculos públicos.

DIREITO DE DEFESA — É o direito que o acusado possui de produzir provas, fazer alegações em seu favor e utilizar de todos os recursos e meios para defender-se da acusação feita contra ele.

DIREITO DE FAMÍLIA — É o conjunto dos princípios e normas de Direito Público e Privado, destinados a regular as relações decorrentes da união ou do parentesco entre as pessoas. Está dividido em quatro grandes grupos: Direito Parental, Matrimonial, Extramatrimonial e Assistencial. O Direito de Família é um ramo do Direito Civil.

DIREITO DE FUNDO — Aquilo que define a essência ou a matéria do direito objetivo; conjunto de normas jurídicas abstratas, geradoras das relações concretas de direito (as disposições de Direito Civil, Comercial, Penal etc.); direito substantivo.

DIREITO DE GREVE — Direito de natureza social fundado na própria liberdade de trabalho, e que pode ser definido como a recusa ao trabalho exercido em condições insatisfatórias. A Constituição Federal o considera um direito extensivo a atividades consideradas essenciais, mas cujo abuso enseja penalidades. A Lei nº 7.783, de 1989 (Lei de greve), determina que em nenhuma hipótese, os meios adotados por empregados e empregadores poderão violar ou constranger os direitos e garantias fundamentais de outrem.

DIREITO DE IR-E-VIR — Ver Ir-e-vir.

DIREITO DE OPÇÃO — É o direito que o senhorio direto tem, no prazo de 30 dias, para declarar formalmente que exercerá a preferência na alienação do terreno, pelo mesmo preço e nas mesmas condições de transferência do Domínio Útil.

DIREITO DE PETIÇÃO — É o direito de todos para obtenção de informações junto aos órgãos públicos para defesa de seus interesses ou para representar aos poderes acerca de providências de interesse público contra ilegalidade ou abuso de poder praticados pelos seus agentes.

DIREITO DE PREEMPÇÃO — Direito que confere ao Poder Público municipal preferência para aquisição de imóvel urbano objeto de alienação onerosa entre particulares, respeitado seu valor de mercado. A lei municipal, baseada no plano diretor, delimitará as áreas em que incidirá o direito de preempção e fixará prazo de vigência, não superior a cinco anos, renovável a partir de um ano após o decurso do prazo inicial de vigência. O direito de preempção fica assegurado durante o prazo de vigência fixado na forma da lei municipal, independentemente do número de alienações referentes ao mesmo imóvel.

DIREITO DE PREFERÊNCIA — Direito que a lei assegura aos titulares de certos créditos de serem satisfeitos com prioridade em relação aos outros. Direito concedido por lei ao inquilino de que seja oferecida primeiro a ele a compra do imóvel que ocupa.

DIREITO DE PREFERÊNCIA NA SUBSCRIÇÃO — Direito de preferência que tem um acionista de subscrever novas ações de uma Sociedade Anônima, quando do aumento do capital mediante subscrição, podendo ser negociável ou não. Numa venda de ações, os atuais acionistas podem ter o direito de preferência, na obtenção dos títulos. Este direito pode ser alvo de negociação em Bolsa.

DIREITO DE PROPRIEDADE — É o direito que o proprietário do bem possui de usar, gozar e dispor da coisa e de impedir que alguém injustamente o possua.

DIREITO DE REGRESSO — Também chamado direito de retorno, é o direito que cabe ao portador de título cambiário de exigir do sacador, endossadores e respectivos avalistas o pagamento não feito pelo sacado. Direito conferido por lei a quem satisfaz obrigação de outrem, ou a totalidade de obrigação comum, para haver das pessoas anteriormente vinculadas o ressarcimento que lhe couber. É o direito assegurado, pela lei ou pelo contrato, àquele que pagou a obrigação e que busca ressarcir-se frente aos demais obrigados. No *factoring*, quando ocorre a compra de crédito, através da cessão de crédito, um dos efeitos desta envolve a responsabilidade do cedente-faturizado que se pode enumerá-las de duas formas: a) responsabilidade obrigatória pela legitimidade-existência do crédito ao tempo que cedeu, e b) responsabilidade opcional, quando estipulada expressamente no contrato que o cedente-faturizado responde pela solvência-pagamento do devedor. Ocorrendo uma dessas hipóteses, dá ao cessionário-faturizado o direito de regresso em face do cedente-faturizado. (Ver: Cedente-faturizado.)

DIREITO DE RESPOSTA — Instrumento previsto pela Constituição (art. 59, inciso V) e pela Lei de Imprensa (art. 29) para assegurar à pessoa ofendida ou vítima de informação inverídica o direito de publicar, no mesmo espaço e com os mesmos caracteres tipográficos, uma resposta ou retificação. Se o direito de resposta for negado pelo órgão de imprensa, o interessado pode recorrer ao Poder Judiciário.

DIREITO DE RETENÇÃO — Uma causa legítima do não-cumprimento das obrigações. A sua inclusão como garantia real das obrigações tem sido bastante discutida.

DIREITO DE RETIRADA — Direito de um acionista de se retirar de uma empresa, mediante o reembolso do valor de suas ações, quando for dissidente de deliberação de assembléia que aprovar determinadas matérias definidas na legislação pertinente.

DIREITO DE RETORNO — Ver Direito de regresso.

DIREITO DE SEQÜELA — Do latim, *sequella, de sequi*, seguir, acompanhar, perseguir. Prerrogativa conferida ao titular de um direito real de ir à busca, perseguir o bem que lhe pertença, onde quer que este se encontre, cabendo ação contra aquele que o detenha ou possua. O titular do direito perseguirá o bem mesmo quando este passar do devedor para terceiros possuidores. Como exemplo do direito de seqüela, mencione-se o direito do credor hipotecário quanto ao imóvel hipotecado, desde que inscrita a hipoteca.

DIREITO DE SERVIDÃO — É o direito que possui o dono do prédio rústico ou urbano de reclamar do vizinho a passagem, já que seu imóvel se acha encravado em outro, sem saída pela via pública.

DIREITO DE SUBSCRIÇÃO — É o direito preferencial oferecido pela empresa aos atuais acionistas para a aquisição de um novo lote de ações de uma sociedade anônima quando do aumento de seu capital, em quantidade proporcional às possuídas. O acionista poderá exercer esse direito ou transferi-lo a terceiros através de venda em pregão.

DIREITO DE SUPERFÍCIE — Genericamente o direito de superfície é o direito real, transmissível, temporário ou perpétuo, que o proprietário de um imóvel confere, de forma onerosa ou gratuita, a um terceiro, denominado superficiário, para que este possa plantar ou edificar no terreno pertencente ao primeiro, criando assim uma propriedade distinta da propriedade do solo, denominada propriedade superficiária. É importante não confundir o direito de superfície com a propriedade superficiária. Esta surge daquele e o tem como o seu suporte jurídico. A propriedade superficiária é o domínio da construção ou da plantação separado do solo. Superfície não é o solo que está em contato com o espaço atmosférico, um extrato finíssimo e, em rigor, sem espessura, mas o que emerge do solo.

DIREITO DE TAPAGEM — Direito de vizinhança fundado no princípio da exclusividade da utilização da propriedade, consistente em poder cercar, murar, valar ou tapar prédio urbano ou rural.

DIREITO DE VISITAS — O genitor que não detém a guarda do filho pode exercer o direito de visita à criança, devendo ser regulamentada de acordo com o interesse do menor.

DIREITO DE VIZINHANÇA — Conjunto de regras impostas pela lei com o objetivo de regular as relações de vizinhança entre os prédios.

DIREITO DO MAR — Sistema de legislação da área do direito internacional que regulamenta a soberania sobre águas do mar, sua utilização e atividades afins (navegação, pesca e outros).

DIREITO DO TRABALHO — Conjunto de normas que regem as relações de trabalho entre empregados e empregadores, e bem assim os direitos resultantes da condição jurídica dos trabalhadores.

DIREITO ECOLÓGICO — É o conjunto de técnicas, regras e instrumentos jurídicos sistematizados e informados por princípios apropriados, que tenham por fim a disciplina do comportamento relacionado ao meio ambiente.

DIREITO ECONÔMICO — É o direito que todo cidadão e cidadã tem de ter um trabalho digno, uma propriedade privada e de qualidade nos bens e serviços consumidos.

DIREITO ESCRITO — O que se acha expresso na lei.

DIREITO EVENTUAL — Direito subjetivo imperfeito, submetida a sua concretização a um fato imprevisível. O direito eventual independe de qualquer previsão, podendo originar-se do caso fortuito, do acaso.

DIREITO EXPECTATIVO — Diz-se expectativa de direito. Situação daquele que está cumprindo os requisitos ou exigências para adquirir um direito, mas não o adquiriu ainda, podendo nem chegar a adquiri-lo; a lei protege o direito líquido e certo; o expectativo, não.

DIREITO FALENCIAL — Ver Direito Falimentar.

DIREITO FALIMENTAR — Antes da Lei nº 11.101, de 9.2.2005 (Lei de Falência e Recuperação - LFR), era conceituado como um conjunto de normas substantivas e adjetivas que disciplinavam a falência e a concordata, e regulavam a condição, responsabilidade e obrigações do falido ou concordatário, e os direitos dos credores destes. A partir da Lei nº 11.101, de 2005, esse conceito foi amplamente reformulado, transformando-se na nova legislação que passou a disciplinar a falência, a recuperação judicial ou extrajudicial. Ao acabar com a concordata e criar as figuras da recuperação, foi aumentada a abrangência e a flexibilidade nos processos de recuperação de empresas, mediante o desenho de alternativas para o enfrentamento das dificuldades econômicas e financeiras da empresa devedora.

DIREITO FINANCEIRO — É o que rege a economia estatal e fixa normas de aplicação dos fundos públicos às necessidades da administração. É parte do Direito Público que tem por objeto a ordenação jurídica das atividades financeiras do Estado e dos entes públicos descentralizados.

DIREITO FISCAL — Conjunto de normas e princípios que regulam a arrecadação de tributos, obrigações dos tributários, constituição, atribuições e funcionamento dos órgãos fiscalizadores; direito tributário.

DIREITO HEREDITÁRIO — Direito transmitido por herança.

DIREITO INDIVIDUAL — É o direito subjetivo garantido a todo indivíduo pela Constituição. Relativo a tudo quanto se refere à dignidade da pessoa humana, tal como a vida, a liberdade, a segurança, a propriedade etc.

DIREITO INDUSTRIAL — Conjunto de leis e regulamentos acerca de marcas de fábrica e de comércio, privilégios de invenção, e tudo que se relacione com a propriedade e o trabalho industrial.

DIREITO INTERNACIONAL — É o conjunto de normas que regula as relações externas dos atores que compõem a sociedade internacional. Estes atores, chamados sujeitos de direito internacional, são, principalmente, os Estados nacionais, embora a prática e a doutrina reconheçam também outros atores, como as organizações internacionais. (Ver: Direito internacional privado // Direito internacional público.)

DIREITO INTERNACIONAL PRIVADO — É o ramo do Direito Internacional que engloba o conjunto de regras que determinam as leis aplicáveis às relações privadas que ocorram no âmbito internacional e que têm por finalidade garantir a estabilidade da vida privada internacional. O Direito Internacional Privado caracteriza-se por regular relações que envolvem a aplicação da lei de mais de um Estado. Diferentemente da distinção entre Direito Público e Direito Privado no âmbito interno de um Estado, a dicotomia entre Direito Internacional Público e Direito Internacional Privado não se radica no conteúdo material das normas. O Direito Internacional Privado abarca o estudo do que se costuma chamar de conflito de direitos. Um divórcio entre um brasileiro casado com uma portuguesa, tendo o matrimônio sido contraído em Portugal e o pedido de divórcio protocolado no Brasil, seria um exemplo bastante próprio daquilo que compreende o Direito Internacional Privado. (Ver: Direito internacional público // Relações privadas.)

DIREITO INTERNACIONAL PÚBLICO — Complexo de normas, princípios e doutrinas aceitos pelos Estados, para regular as suas relações recíprocas e bem assim os conflitos de direito público que entre eles surjam; direito das gentes. (Ver: Direito Internacional Privado.)

DIREITO INTERNO OU SISTEMA LEGAL — Direito nacional ou sistema legal de um Estado; direito, leis ou sistema legal específicos de um determinado país.

DIREITO INTERTEMPORAL — Complexo de normas destinadas a resolver os conflitos de leis no tempo.

DIREITO IRRENUNCIÁVEL — Diz-se daquele de que seu titular não pode abrir mão por vontade própria, como, por exemplo, o pátrio poder, o direito a alimentos etc.

DIREITO JUDICIÁRIO — Ou Direito processual são normas que regulam as funções do Poder Judiciário para que este assegure ao peticionário o direito ameaçado ou violado. (Ver: Direito processual.)

DIREITO LÍQUIDO E CERTO — É aquele cuja existência dispensa demonstração, que pode ser reconhecido de plano. É o que se considera incorporado definitivamente ao patrimônio de alguém e sobre o qual não paira dúvida ou contestação possível. O direito líquido é aquele cujo pedido está devidamente individualizado, não apresentando qualquer dúvida quanto aos seus limites. Locução empregada na Constituição para qualificar o direito amparável por mandado de segurança, que se apresenta ao julgador pela documentação oferecida independente de prova produzida em audiência, não poderá assim ser requerido, a fim de ser concedido ao impetrante a promoção ou a gratificação a quem tiver direito, sem que se especifique qual é a promoção ou o valor ou percentagem da gratificação pleiteada.

DIREITO MARÍTIMO — Conjunto de princípios e leis reguladores da navegação marítima, fluvial e lacustre, bem como das relações jurídicas que nela têm origem.

DIREITO NÃO VIGENTE — Ver Direito Positivo.

DIREITO NATURAL — Complexo de regras e doutrinas baseadas no bom senso e na eqüidade, e que se impõem às legislações dos povos cultos.

DIREITO NORMATIVO — Conjunto de normas de caráter obrigatório impostas pelo Estado, e que compreende o direito escrito e o consuetudinário; direito positivo, direito objetivo.

DIREITO OBJETIVO — É o conjunto de normas jurídicas que proíbem ou ordenam e são garantidas pela ameaça duma sanção a quem as infringir.

DIREITO PENAL — É o complexo de regras e princípios que, definindo e classificando os crimes ou delitos, assinala as penas, fixando a sua justa aplicação, que deve tornar efetiva a punição das pessoas, a quem se imputa a ação ou omissão, de que resultou o crime, nele qualificado. Diz-se ainda, Direito Penal Comum, para distingui-lo de Direito Penal Militar.

DIREITO PERSONALÍSSIMO — É o direito individual, inato, que não pode ser transferido nem alienado, como, por exemplo, a honra e a liberdade individual.

DIREITO PESSOAL — Direito que tem uma pessoa de exigir de outra que dê, faça ou não faça alguma coisa, decorrente de uma obrigação contratual ou de um ilícito penal.

DIREITO POSITIVO — É o conjunto de regras de direito de caráter obrigatório, podendo, para seu cumprimento, utilizar-se o Estado da coerção. O direito positivo divide-se em dois grandes grupos: o direito público que se divide em externo e interno, e o direito privado, que se divide em comum e especial. As normas de direito positivo são sempre abstratas, não se dirigindo a ninguém em particular. Dentro dos direitos positivos, distinguem-se: a) Direito Vigente: é todo o conjunto de normas que estão em vigor num dado momento pelas quais se rege uma sociedade; b) Direito Não Vigente: é o conjunto de normas que já existiram e que já não são aplicadas num dado momento.

DIREITO POSSESSÓRIO — É o direito decorrente da posse.

DIREITO POTESTATIVO — Prerrogativa jurídica de impor a outrem, unilateralmente, a sujeição ao seu exercício. É o poder jurídico pertencente ao titular ativo da relação jurídica de, por um ato de livre vontade, só de *per se*, ou integrado por uma decisão judicial, produzir determinados efeitos jurídicos inevitáveis na esfera jurídica alheia. O direito potestativo atua na esfera jurídica de outrem, sem que este tenha algum dever a cumprir. Não implica, por outro lado, um determinado comportamento de outrem, nem é suscetível de violação. O direito potestativo não se confunde com o direito subjetivo, porque a este contrapõe-se um dever, o que não ocorre com aquele, espécie de poder jurídico a que não corresponde um dever, mas uma sujeição, entendendo-se como tal à necessidade de suportar os efeitos do exercício do direito potestativo. Os direitos potestativos podem ser: a) constitutivos, por exemplo, o direito do dono de prédio encravado de exigir que o dono do prédio dominante lhe permita a passagem; b) modificativos, por exemplo, o do devedor para escolha, nas obrigações alternativas, da prestação mais conveniente.

DIREITO PRIVADO — É o conjunto de normas que regulam a condição civil dos indivíduos e das pessoas jurídicas, inclusive o Estado e as autarquias, e bem assim os modos por que se adquirem, conservam e transmitem os bens. É o grupo a que pertencem aqueles ramos do Direito que cuidam, predominantemente, dos interesses individuais e decorrentes efeitos patrimoniais (Direito Civil, Direito Comercial e Direito do Trabalho). É um dos dois grandes grupos em que se divide o Direito. (Ver: Direito Público.)

DIREITO PROCESSUAL — Constitui o sistema de princípios e normas legais regulamentadoras do exercício da função jurisdicional, que é função soberana do Estado e consiste em administrar a justiça. Ramo do Direito Público Interno que estrutura os órgãos da Justiça, e disciplina a forma que devem tomar os processos judiciais. É por intermédio de um processo, conjunto ordenado de etapas que tem início com uma petição inicial e termina com uma decisão judicial irrecorrível. O termo processo deriva do latim *procedere*, avançar, expressão análoga a *progredir*, de modo que o processo avança no rumo da sentença, mediante uma disposição ordenada de atos previamente estipulada pela lei. O Direito Processual se divide em Direito Processual Civil, Direito Processual Penal e Direito Processual do Trabalho.

DIREITO PROCESSUAL CIVIL — Consiste no sistema de princípios e leis que regulamenta o exercício da jurisdição quanto às lides de natureza civil, como tais entendidas todas as lides que não são de natureza penal e as que não entram na órbita das jurisdições especiais.

DIREITO PROCESSUAL PENAL — Conjunto de princípios e normas que regulam a aplicação jurisdicional do Direito Penal, bem como as atividades persecutórias da Polícia Judiciária, e a estruturação dos órgãos da função jurisdicional e respectivos auxiliares.

DIREITO PÚBLICO — Complexo de normas que disciplinam a constituição e a competência dos órgãos do Estado, assim como o exercício dos direitos e poderes políticos dos cidadãos e a estes concedem o gozo dos serviços públicos e dos bens do domínio público. Direito que dispõe sobre interesses ou utilidades imediatas da comunidade. É o grupo a que pertencem aqueles ramos do Direito que cuidam das relações dos Estados soberanos entre si ou destes com os indivíduos (Direito Internacional Público, Direito Constitucional, Direito Penal, Direito Administrativo, Direito Processual etc.). É um dos dois grandes grupos em que se divide o Direito. (Ver: Direito Privado.)

DIREITO REAL — É o poder que tem alguém sobre uma coisa específica, e que vincula esta coisa direta e imediatamente ao seu titular, o qual pode opor esse direito contra todos (propriedade, usufruto, hipoteca, anticrese etc.).

DIREITO REGRESSIVO — Direito que tem a pessoa de cobrar dos coobrigados a importância paga ao devedor.

DIREITO RESOLÚVEL — Contrato que consiste no empréstimo gratuito de bens, que deverão ser devolvidos após o uso.

DIREITO ROMANO — Sistema jurídico normativo desenvolvido e utilizado pelos romanos em todo território do império durante os séculos VIII a.C. e VI d.C.; direito clássico. É uma das fontes mais importantes do direito civil moderno.

DIREITO SOCIAL — É o conjunto de normas tendentes a regular a vida em sociedade. (Ver: Direitos Sociais.)

DIREITO SUBJETIVO — Direito de ação assegurado pela ordem pública. É o poder atribuído à vontade de alguém para fazer valer seu interesse, em conflito com interesse de outrem. É poder atribuído à vontade do titular do interesse juridicamente protegido de fazer atuar a sanção ou mesmo uma medida preventiva, a fim de que se realize a subordinação do interesse de outrem ao seu.

DIREITO SUBSTANTIVO — É o próprio direito material, aquele que cria a relação jurídica.

DIREITO TRIBUTÁRIO — Também denominado Direito Fiscal, é ramo do Direito Público Interno que brotou do próprio Direito Financeiro, tendo por objetivo a imposição e arrecadação de tributos. Foi com a Constituição Federal de 1967 que, pela primeira vez, em nossa História Constitucional, se instituiu um Sistema Tributário (arts. 18 e segs.). A atual CF, promulgada em 5.10.1988, manteve tal orientação, prevendo seu Sistema Tributário nos arts. 145 e segs. O Direito Tributário é conceituado como a disciplina da relação entre o Tesouro Público e o contribuinte, resultante da imposição, arrecadação e fiscalização dos tributos, é disciplinado, no plano positivo, pelo Código Tributário Nacional (Lei nº 5.172, de 1966). A CF prevê, nos arts. 150 e segs., as chamadas limitações ao poder de tributar. (Ver: Direito Fiscal.)

DIREITO VIGENTE — Ver Direito Positivo.

DIREITOS ABSOLUTOS — São aqueles que se impõem a todas as pessoas, às quais corresponde um dever geral de respeito - obrigação passiva universal.

DIREITOS CIVIS — São os que decorrem da livre atuação dos indivíduos em sociedade, isolada ou coletivamente. No que toca aos direitos civis, o Estado deve respeitar o espaço de autonomia dos cidadãos no gozo e exercício daqueles direitos.

DIREITOS CIVIS E POLÍTICOS — É a primeira geração dos direitos humanos elaborada nos séculos XVII e XVIII, que visam defender a liberdade individual contra o poder do Estado - igualdade perante a lei, segurança, proteção contra o arbítrio, propriedade, liberdade de consciência, de expressão e de opinião... Também chamados de "direitos liberdades".

DIREITOS COLETIVOS — Espécie de direito subjetivo que ampara os membros de determinado grupo social ligados, entre si, através de relação jurídica básica e que, em decorrência, legitima a entidade a defender os interesses comuns através de ações coletivas.

DIREITOS CONEXOS — É o conjunto dos direitos que têm os intérpretes, produtores e radiodifusoras, relativos à execução pública de obras musicais, literárias, ou científicas, ou de programas e transmissões.

DIREITOS DA INFÂNCIA — O Estatuto da Criança e do Adolescente (ECA) tem como referência a Declaração dos Direitos Humanos e a Declaração Internacional dos Direitos da Criança. Ele regulamenta o art. 227 da Constituição e reconhece a criança e o adolescente como prioridades absolutas. Prevê a descentralização administrativa do atendimento por meio dos Conselhos de Direitos da Criança e do Adolescente. Estabelece políticas de proteção especial, reconduz a família ao centro das atenções e garante o respeito aos direitos da criança e do adolescente em conflito com a lei.

DIREITOS DE PERSONALIDADE — São direitos subjetivos e são um certo número de poderes jurídicos pertencentes a todas as pessoas por força do seu nascimento, e que se impõe ao respeito de todos os outros, incluindo sobre os vários modos de ser, físicos ou morais, da sua personalidade. Pode-se classificá-los como: a) Gerais: Todos os possuem; b) Não patrimoniais ou pessoais: Não são susceptíveis de expressão pecuniária (relativo a dinheiro), embora a violação desses direitos possa implicar uma reparação monetária; c) Absolutos: Corresponde-lhes um dever geral de respeito por parte de todas as pessoas.

DIREITOS DE PROPRIEDADE — Legislação que recai sobre a garantia e os direitos das propriedades (bens, imóveis, empresas) dos indivíduos, empresas e governo.

DIREITOS DE USO — Direitos para o uso dos recursos florestais que podem ser definidos pelos costumes locais, acordos mútuos ou prescritos por outras entidades com direitos de acesso. Esses direitos podem restringir o uso de certos recursos a níveis específicos de consumo ou a técnicas específicas de exploração.

DIREITOS DIFUSOS — Direitos ou interesses cujos titulares são pessoas indeterminadas e ligadas por circunstâncias de fato. Além disso, são transindividuais (ou seja, que transcendem a esfera do direito de um indivíduo apenas) e de natureza indivisível. Em resumo, é uma espécie de direito subjetivo que decorre de situação fática a legitimar o ingresso em juízo para a sua proteção através de ações coletivas, como, por exemplo, o direito ao meio ambiente, o direito do consumidor e outros.

DIREITOS E DEVERES DO USUÁRIO — a) Fruir a utilidade da coisa; b) extrair do bem todos os frutos para atender às suas necessidades e as de sua família; c) praticar todos os atos indispensáveis à satisfação de suas necessidades e as de sua família (sem comprometer a substância da coisa); d) melhorar o bem com benfeitorias, que o tornem mais cômodo e agradável; e) administrar a coisa; f) conservar a coisa como se sua fosse etc. (Ver: Uso // Uso, Características Jurídicas do // Uso, Objeto do // Uso, Modos de Constituição do.)

DIREITOS E GARANTIAS — A Constituição de 1988 ficou conhecida como Constituição Cidadã. Depois dela, outras leis foram criadas com a intenção de proteger as garantias dadas aos brasileiros. Entre elas destacam-se o Código de Defesa do Consumidor, o Estatuto da Criança e do Adolescente, o Estatuto do Idoso (aprovado em 2003) e leis em defesa da mulher e do negro. (Ver: Direitos Fundamentais.)

DIREITOS E GARANTIAS FUNDAMENTAIS - DISTINÇÃO — Direitos: são estáticos, estão à disposição dos seres humanos mediante sua expressa declaração no texto constitucional; garantias: são dinâmicas, pois que têm em mira, pelo seu exercício, assegurar os direitos.

DIREITOS ECONÔMICOS, SOCIAIS E CULTURAIS — Segunda geração dos direitos humanos, que exigem prestação de serviços do Estado e foram assim qualificados de "direitos créditos": direito ao trabalho, à educação, à saúde, a um mínimo de bem-estar material, à cultura...

DIREITOS FUNDAMENTAIS — São os direitos e garantias reconhecidas pela Constituição e têm um caráter civil ou político e fazem parte de uma das várias enumerações que têm sido apresentadas: Direito à vida; Direito à liberdade e segurança; Direito a uma administração eqüitativa da justiça; Direito ao respeito pela vida privada e familiar, pelo domicílio e pela correspondência; Direito à liberdade de pensamento, consciência e religião; Direito à de expressão e opinião; Direito de casar e constituir família etc.

DIREITOS HUMANOS — São os direitos que todas as pessoas têm, em virtude da sua condição humana comum, de viver em liberdade e dignidade. Dão a todas pessoas direitos morais sobre o comportamento dos indivíduos e sobre o desenho da organização social - e são universais, inalienáveis e indivisíveis. Os direitos humanos exprimem o mais profundo empenho em garantir que todas as pessoas tenham segurança na fruição dos bens e liberdades que são necessários para uma vida digna.

DIREITOS HUMANOS, INDIVISIBILIDADE DOS — Os direitos humanos são indivisíveis em dois sentidos. Em primeiro lugar, não há hierarquia entre diferentes tipos de direitos. Os direitos civis, políticos, econômicos, sociais e culturais são todos igualmente necessários para uma vida digna. Em segundo lugar, alguns direitos não podem ser suprimidos com o objetivo de promover outros. Direitos civis e políticos não podem ser violados para promover direitos econômicos, sociais e culturais. Nem podem os direitos econômicos, sociais e culturais ser suprimidos para promover os direitos civis e políticos.

DIREITOS INATOS — São os que nascem com a pessoa, que assim não necessita de adquirir.

DIREITOS NÃO-INATOS — São os direitos subjetivos que não se adquirem com o nascimento, mas posteriormente.

DIREITOS NÃO-PATRIMONIAIS — São aqueles que não são susceptíveis de expressão pecuniária.

DIREITOS PATRIMONIAIS — São aqueles que se podem traduzir num valor econômico ou ser avaliáveis em dinheiro.

DIREITOS PATRIMONIAIS DISPONÍVEIS — São relativos a bens ou direitos que são alienáveis ou apropriáveis. Aqueles que podem ser quantificados, apreciados economicamente ou monetariamente. Ou seja, podem ser comercializados e disponibilizados livremente.

DIREITOS POLÍTICOS — São os que atribuem aos cidadãos o poder de cooperarem na vida do Estado ou no exercício de funções públicas, ou de manifestarem a própria vontade para a formação da vontade coletiva. Perante os direitos políticos, o Estado deve não só respeitá-los, como criar incentivos, pronunciando as condições necessárias para que os cidadãos os possam gozar e exercer plenamente.

DIREITOS REAIS DE GARANTIA — É o que vincula diretamente ao poder do credor, determinada coisa do devedor, assegurando a satisfação de seu crédito, se inadimplemento do devedor. É o que o credor, eventualmente, tem sobre uma coisa para assegurar-lhe o recebimento do seu crédito. Tal direito é acessório: pressupõe uma relação obrigacional principal que garante e de que depende sua existência. Cessando a obrigação principal, extingue-se a garantia também.

DIREITOS RELATIVOS — Aqueles que se impõem apenas a determinada ou determinadas pessoas.

DIREITOS SEXUAIS E REPRODUTIVOS — Resultam do cruzamento realizado entre os Direitos Humanos e as Necessidades e Direitos das pessoas em matéria de saúde sexual e saúde reprodutiva. Têm como objetivo fundamental a promoção e proteção dos direitos e liberdades sexuais e reprodutivas em todos os sistemas políticos, econômicos e culturais. Estão enunciados na "Carta dos Direitos Sexuais e Reprodutivos" (*International Planned Parenthood Federation, 1995*) e na Resolução do Conselho de Ministros n.º 7/1999 (Plano para uma Política Global de Família), além de outros documentos e resoluções ao nível internacional, principalmente das Conferências do Cairo e Pequim.

DIREITOS SOCIAIS — Conjunto de normas que provê as necessidades e as relações do organismo social e regula a função das instituições coletivas. São direitos assegurados constitucionalmente pelos arts. 6° e seguintes da Constituição Federal. São a educação, a saúde, o trabalho, a moradia, o lazer, a segurança, a previdência social, a proteção à maternidade e à infância, a assistência aos desamparados.

DIREITOS SUBJETIVOS PRIVADOS — Correspondem a relações que se estabelecem entre os particulares ou entre estes e o Estado ou outros entes públicos, mas na qualidade de simples particulares.

DIREITOS SUBJETIVOS PÚBLICOS — Direitos que competem ao Estado ou a outros entes públicos munidos de autoridade pública.

DIRETOR DE RELAÇÕES COM O MERCADO — Profissional da empresa de capital aberto responsável pela comunicação entre esta e os agentes do mercado de capitais, conforme exigência da Lei das Sociedades Anônimas.

DIRETRIZES — Linhas gerais de ação estipuladas por uma instituição (governo, entidade pública ou privada), em consonância com as políticas definidas, tendo em vista o atingimento dos macroobjetivos relacionados à materialização de tais políticas. As diretrizes balizam o caminho a ser percorrido, num determinado período de tempo, a fim de atingir os resultados visados pela instituição. Elas são fixadas, normalmente, para direcionar a ação de cada setor de atuação da Instituição (Ministério, Secretaria, Setor de Produção, Setor de Desenvolvimento etc.), concorrendo decisivamente para racionalizar as ações e para evitar duplicidades de esforços e/ou iniciativas.

DIRETRIZES ORÇAMENTÁRIAS — Indicam as características de obrigatoriedade de uma política governamental para a elaboração orçamentária.

DIRETRIZES ORGANIZACIONAIS — O conjunto de orientações que deve ser seguido pela organização, como por exemplo: a missão, a visão, os valores, os credos, as políticas, os códigos de conduta, dentre outros.

DIRF (DECLARAÇÃO DO IMPOSTO DE RENDA RETIDO NA FONTE) — Documento necessário para gerar a declaração de pessoas jurídicas e físicas que pagaram ou creditaram rendimentos em que tenha havido retenção do imposto de renda na fonte durante o ano.

DIRIGISMO CONTRATUAL — Interferência do Estado na formação dos contratos, para efeito de restabelecer o equilíbrio entre as partes, quando uma delas, por mais poderosa economicamente, pode influir ou neutralizar a vontade da parte mais fraca.

DIRIMENTE — Causa que exclui a responsabilidade do agente da infração penal, embora se verifique a criminalidade do fato. Motivo que exclui a culpabilidade. Ex: legítima defesa.

DISCIPLINA — Obediência voluntária aos princípios de boa conduta, de respeito e consideração à pessoa, à integridade dos seres, à ordem saudável e à observância dos preceitos ou normas legais.

DISCLOSURE — É a obrigação que a empresa tem de informar todas as questões relacionadas à sua situação econômica e financeira, e de seus títulos, ao mercado, possibilitando uma tomada de decisão consciente pelo investidor, aumentando sua proteção. Transparência da empresa. É um termo geralmente utilizado pelo mercado financeiro, especialmente no caso da postura de empresas e instituições financeiras que tenham títulos no mercado de capitais.

***DISCOUNT BOND* (BÔNUS COM DESCONTO)** — São títulos de renda fixa (*bonds*) cujo preço está abaixo do valor de resgate. "*Deep discount bonds*" são aqueles títulos que estão sendo cotados com um desconto de mais de 20% do seu valor de face. Em geral o preço destes títulos sobe mais rápido quando as taxas de juros caem e cai mais rápido quando as taxas de juros sobem. O *Discount Bond* foi emitido como parte da renegociação da dívida brasileira em 1994 (Plano Brady) e tem vencimento em 2024. O bônus foi emitido em troca de dívida antiga, com desconto de 35% sobre o valor de face (daí seu nome), tem amortização única ao final do trigésimo ano e paga cupons de Libor (*London Interbank Offered Rate*) de seis meses, mais 0,8125% ao ano. O *Discount Bond* tem garantia total de principal (com títulos do Tesouro norte-americano servindo como colateral) e garantia parcial de juros. (Ver: Cupom.)

DISCOUNT NOTES — São obrigações de curto prazo emitidas pelas agências governamentais e supranacionais. Suas emissões têm vencimentos de até um ano, e são negociadas pelo desconto sobre o valor de face, como os *treasury bills*.

DISCRICIONÁRIO — Diz-se do ato cuja prática depende da decisão da autoridade quanto à sua conveniência e oportunidade. Que procede de um modo arbitrário. Governo ou autoridade que assim age ou se comporta.

DISCRIMINAÇÃO — Distinção, separação entre coisas ou pessoas. Preceito manifestado por ato, em razão de raça, sexo, cor, idade, trabalho, credo religioso e convicções políticas, em quebra do princípio da igualdade.

DISCRIMINAÇÃO DE RENDAS — Inserida no texto constitucional, visa delimitar a competência dos vários entes públicos. Por este mecanismo são repartidos certos fatos de significação econômica e atribuídos com exclusividade às pessoas políticas, para servirem de objetivo à sua legislação tributária.

DISCRIMINAÇÃO NO EMPREGO E OCUPAÇÃO — É toda discriminação em matéria de emprego, formação profissional e condições de trabalho por motivos de raça, cor, sexo, religião, opinião política, ascendência nacional ou origem social e promoção da igualdade de oportunidade e de tratamento. A Convenção 111 da Organização Internacional do Trabalho (OIT), de 1958, preconiza a formulação de uma política nacional que elimine a discriminação no emprego e ocupação.

DISCRIMINAÇÃO SALARIAL — Expressão utilizada em economia para definir a divergência salarial que resulta de opções políticas que encontra fundamento em algumas razões econômicas, como: a) o menor investimento em capital humano; b) o excesso de procura de profissões menos arriscadas. Na discriminação salarial não existem os diferenciais de produtividade próprios dos diferenciais salariais.

DISCURSO — Peça oratória proferida em público ou escrita como se tivesse de o ser. Exposição metódica sobre certo assunto; arrazoado.

DISCUSSÃO — 1) Debate, controvérsia. 2) Etapa do processo legislativo em que se debate uma determinada proposição.

DISLEXIA — Do grego *dys*, mal + *léxis*, fala. Perturbação patológica caracterizada por perturbações na leitura (erros, lacunas, distorções) e dificuldade em compreender as palavras; qualquer perturbação relativa à dificuldade em identificar, compreender ou reproduzir simbologia escrita.

DISPENSA — Ato de isentar uma pessoa de obrigação legal, realizado por autoridade competente.

DISPENSA DE LICITAÇÃO — Ver Licitação Pública – Dispensa ou Inexigibilidade.

DISPENSA INDIRETA — É aquela que ocorre quando o empregado solicita judicialmente a dispensa do trabalho, alegando que o empregador não está cumprindo as disposições do contrato. (Ver: Contrato de trabalho, Verbas rescisórias em.)

DISPENSA SEM JUSTA CAUSA — É aquela que ocorre contra a vontade do trabalhador. (Ver: Contrato de trabalho, Verbas rescisórias em.)

DISPERSÃO — Ver Variabilidade.

DISPONIBILIDADE — 1) É a qualidade do servidor público, quando da extinção do cargo que ocupava, de aguardar o seu reaproveitamento sem trabalhar, porém recebendo os seus vencimentos. 2) Recursos com livre movimentação para aplicação em operações e para os quais não haja restrição de uso, como dinheiro em caixa, banco e aplicações de liquidez imediata.

DISPONIBILIDADE DE CAIXA — Ver Disponibilidade Financeira.

DISPONIBILIDADE FINANCEIRA — 1) É o montante de recursos financeiros em caixa, depositado ou aplicado em contas bancárias à disposição para utilização em despesas. 2) É a diferença entre o ativo e o passivo financeiro no final do exercício.

DISPONIBILIDADES — Conta de ativo no balanço que engloba a soma de todos os instrumentos e investimentos de liquidez quase imediata e risco mínimo que podem ser considerados como papel-moeda.

DISPOSIÇÃO — É a prescrição ou determinação legal, em virtude da qual é criada a regra jurídica, em que se ordena alguma coisa a ser cumprida na prática de determinado ato, ou se institui a norma jurídica, de obediência obrigatória. (Ver: Técnica de elaboração de leis e decretos.)

DISPOSIÇÕES FINAIS E TRANSITÓRIAS — São aquelas que completam a lei, possuindo um tempo determinado, podendo ser revogadas sem que com isso prejudiquem a parte geral da lei. (Ver: Técnica de elaboração de leis e decretos.)

DISPOSITIVO — 1) Aquilo que contém uma disposição ou determinação. 2) No articulado de uma lei, o texto integral de artigo, parágrafo, inciso e alínea. 3) Parte que integra a sentença arbitral e que trata de resolver as questões submetidas à arbitragem. É a parte da sentença que tem o conteúdo decisório.

DISSEMINAÇÃO — 1) Divulgação de informação relevante, por escrito, oral e/ou audiovisual, para aumentar o conhecimento e promover a incorporação das lições aprendidas. 2) Ato ou efeito de espalhar, difundir ou propagar em um meio uma doença ou praga através de um veículo que pode ser vegetal, animal ou um meio físico.

DISSEMINAR — Semear; espalhar; difundir; vulgarizar.

DISSENSO — São as discordâncias que surgem sobre cláusulas do contrato, durante a sua formação.

DISSIDENTE — Que diverge das opiniões de outrem ou da opinião geral; que se separa de uma corporação por discordância de opiniões; separatista.

DISSÍDIO — Denominação genérica das divergências surgidas nas relações entre empregados e empregadores e submetidas à Justiça do Trabalho. Pode ser individual ou coletivo. (Ver: *Lockout*.)

DISSÍDIO COLETIVO — Controvérsia entre pessoas jurídicas, categorias profissionais (empregados) e econômicas (empregadores). A instauração de processo de dissídio coletivo é prerrogativa de entidade sindical - sindicatos, federações e confederações de trabalhadores ou de empregadores. O dissídio pode ser de natureza econômica (para instituição de normas e condições de trabalho e principalmente fixação de salários); ou de natureza jurídica (para interpretação de cláusulas de sentenças normativas, acordos e convenções coletivas). Pode ser ainda originário (quando não existirem normas e condições em vigor decretadas em sentença normativa); de revisão (para rever condições já existentes) e de greve (para decidir se ela é abusiva ou não). Tanto a Constituição federal como a CLT estabelecem que o dissídio somente será aberto após esgotadas as tentativas de acordo entre as partes. O Tribunal Superior do Trabalho (TST) prevê a extinção do processo, sem julgamento do mérito, se não ficar comprovado o esgotamento das tentativas de negociação.

DISSÍDIO INDIVIDUAL — Reclamação trabalhista resultante de controvérsia relativa ao contrato individual de trabalho. É ajuizada numa Vara do Trabalho (1ª instância) pelo empregado ou pelo empregador (caso raro), pessoalmente ou por seus representantes, e pelos sindicatos de classe. Segundo decisão do Supremo Tribunal Federal, não é obrigatória a assistência de advogado.

DISSÍDIO INDIVIDUAL PLÚRIMO — Dissídio trabalhista que reúne mais de um reclamante, todos postulando direitos pessoais.

DISSÍDIOS COLETIVOS, PODER NORMATIVO EM — Competência dos Tribunais do Trabalho para estabelecer normas e condições, por sentença, em dissídios coletivos, visando à sua solução. O poder normativo não pode extrapolar o limite da lei, mas pode ampliar vantagens legalmente asseguradas, desde que não interfira no poder de comando do empregador. Está previsto no art. 114, § 2º, da Constituição Federal.

DISSIMULAÇÃO — É o ato de enganar para se ocultar à verdadeira realidade. Defeito do ato jurídico que oculta, sob uma aparência viciada, negócio realmente desejado, com o fim de lesar terceiros.

DISSIPAR — Espalhar; dispersar; desvanecer; desfazer.

DISSOLUÇÃO — É extinção e ruptura, aplicada ao ato, ao contrato ou a qualquer fato jurídico. É a ruptura ou aniquilamento deles, em virtude do que ato, contrato ou fato são dados como extintos, separando-se ou desligando todos os elementos que deles, antes, faziam parte, para se apresentarem isoladamente e sem vínculo que os possa prender para o futuro.

DISSOLUÇÃO AMIGÁVEL — A que é feita espontaneamente, ou por consenso das partes, sem litígio, e com intervenção judicial, quando for o caso, apenas para efeito homologatório.

DISSOLUÇÃO CONTENCIOSA — A que é feita por via judicial, seja por divergência das partes, seja por determinação judicial.

DISSOLUÇÃO DE EMPRESAS — É o fim da sociedade sem representar o fim da empresa (atividade), que poderá continuar atuando até que ocorra o fim da liquidação, quando será gerida por um administrador judicial ou extrajudicial. A dissolução pode ser de pleno direito (pela vontade das partes), por sentença judicial ou através de ato de autoridade administrativa competente (liquidação de instituição financeira pelo Banco Central do Brasil, por exemplo).

DISSOLUÇÃO DO CASAMENTO CIVIL — O casamento civil pode ser dissolvido pelo divórcio, após prévia separação judicial por mais de um ano nos casos expressos em lei, ou comprovada separação de fato por mais de dois anos.

DISTÂNCIA DE FRENAGEM — Distância percorrida por um veículo entre o acionamento do mecanismo de freio e sua parada total.

DISTÂNCIA DE PARADA — Espaço percorrido pelo veículo entre a percepção do perigo e sua parada total. Soma da distância de frenagem com a distância de reação.

DISTÂNCIA DE REAÇÃO — Distância percorrida pelo veículo entre a percepção do perigo e o acionamento dos freios.

DÍSTICO — Cada uma das inscrições que constituem o texto da cédula ou da moeda metálica. Pode indicar o valor, o emissor, o fabricante, a data etc.

DISTINTO — Que difere ou é diverso de algo ou de alguém; inconfundível. Perceptível. Notável. Que obteve distinção. Que é educado e de fino trato.

DISTRAÇÃO — Descontração ou relaxamento que conduz à atenção desconcentrada, que se não houver a necessária proteção para tal permissão pode ser alvo de situações inconvenientes. A distração com omissão é causa da não solidariedade intencional.

DISTRATO — Dissolução do contrato motivada pela rescisão, pela resilição ou pela resolução. Contrato com o qual se desfaz, cancela ou rescinde outro contrato. Pode ser amigável ou litigioso, representado, neste último caso, pela sentença resolutória.

DISTRIBUIÇÃO — 1) Modo como se processa a repartição da riqueza e dos bens socialmente produzidos entre os indivíduos e entre os diversos segmentos da população em determinada sociedade. O caráter e os mecanismos de distribuição do produto social variam de época para época e dependem diretamente da organização da produção e da forma de propriedade nela vigente. 2) É a forma estatística de representação conjunta dos valores possíveis de um processo de medida e de suas freqüências. 3) Transporte, através de linhas tronco de transmissão aos centros de distribuição, para medição e entrega aos clientes. 4) Fase que dá início ao processo legislativo, consubstanciada no despacho às comissões competentes, pelo presidente da Câmara dos Deputados, das proposições apresentadas à Casa Legislativa.

DISTRIBUIÇÃO AMOSTRAL — Descreve o padrão de variação dos valores de uma estatística, para diferentes amostras extraídas da população de interesse.

DISTRIBUIÇÃO DA RECEITA — Ver Receita, Distribuição da.

DISTRIBUIÇÃO DE AÇÕES — Ato pelo qual se promove o registro e a regular repartição das causas ajuizadas entre os juízes de igual jurisdição e competência. A distribuição faz-se alternada e obrigatoriamente, nos sistemas de nossas leis processuais, obedecendo ao critério de uma rigorosa igualdade entre juízes e escrivães.

DISTRIBUIÇÃO DE PROCESSO — Escolha do relator do processo. Ato administrativo pelo qual se registram e repartem entre os juízes processos apresentados em cada juízo ou tribunal, obedecendo aos princípios de publicidade, alternatividade e sorteio. Pode acontecer também por prevenção, ou seja, o processo é distribuído para um relator que já seja da causa ou de processo conexo. No caso do relator sorteado declarar-se impedido, é feito novo sorteio. (Ver: Impedimento.)

DISTRIBUIÇÃO DE RENDA — Ver Renda.

DISTRIBUIÇÃO DO VALOR ADICIONADO — Ver Demonstração de valor adicionado.

DISTRIBUIÇÃO DOS RENDIMENTOS — Lucros distribuídos aos cotistas de um fundo de investimentos resultantes da venda dos títulos presentes na carteira do fundo.

DISTRITO DA CULPA — É o lugar onde se consumou o delito, lugar do delito, foro do delito.

DISTRITO FEDERAL — Sigla: DF; Capital: Brasília; Habitante: Brasiliense. Localização: Sudeste da Região Centro-Oeste; Limites: Formosa (GO), Pirenópolis (GO), Santo Antonio do Descoberto (GO), Planaltina (GO) e Cabeceira Grande (MG). É uma unidade autônoma onde tem sede o Governo Federal com seus Poderes Executivo, Legislativo e Judiciário. Dados gerais - População/IBGE em 2000: 2.051.146 habitantes; População estimada/IBGE em 1.7.2005: 2.333.108 habitantes; Área: 5.789,16 Km^2; Densidade populacional: 354,31 hab./Km^2 em 2000 e 403,01 hab./Km^2 em 2005; Analfabetismo: 9.14%; % de participação no total do "bolo" distribuído pela União ao Fundo de Participação dos Estados (FPE) e ao Fundo de Participação dos Municípios (FPM) em 2006: FPE = 0,6902; FPM capital = 2,208589; FPM municípios do interior = 0,0000. Dos vinte e seis estados brasileiros, mais o Distrito Federal, o DF ocupa a 8ª posição no Produto Nacional Bruto (PNB) e a 1ª posição na renda *per capita* brasileira. Representação política - governador distrital: 1; deputados estaduais (Distrital): 24; deputados federais: 8; senadores: 3. O Distrito Federal tem as mesmas competências legislativas reservadas aos estados e municípios e é regido por lei orgânica, sendo vedada sua divisão em municípios. Cobra dos contribuintes, os mesmos impostos permitidos pela CF, nas esferas estadual e municipal, bem como, recebe repasses de recursos federais correspondentes às duas esferas. (Ver: Deputado Estadual // Deputado Federal // Senador // Vereador // Região Centro-Oeste do Brasil // Municípios Brasileiros.)

DISTRITO NAVAL — Subdivisão geográfica do território nacional, para efeitos de comando e execução das atividades navais relativas à defesa na respectiva área, para coordenação e previsão do apoio logístico às forças navais nela apoiadas e para comando dos estabelecimentos navais nela sediados.

DISTRITOS — São divisões regionais dos municípios. Sua criação, desmembramento ou fusão se faz por lei municipal, observada a continuidade territorial e os requisitos previstos em Lei Complementar estadual. Podem, a depender da legislação estadual, ser subdivididos, conforme o caso, em subdistritos, regiões administrativas, zonas e similares. Diz-se também zona, região ou circunscrição territorial sob a administração de uma autoridade; distrito policial, fiscal, judiciário etc. (Ver: Subdistritos.)

DITADURA — Representa sempre uma ruptura no processo de interferir no processo democrático e tem as seguintes características: o Legislativo e o Judiciário, seja pela pura e simples supressão destes poderes, seja através de mecanismos de pressão que limitam de fato sua liberdade de ação; a supressão da participação popular direta ou indireta da designação dos titulares a cargos públicos eletivos. A ditadura, quando tolera eleições, define previamente as regras do jogo de maneira a garantir sua própria permanência; a supressão arbitrária das liberdades individuais, principalmente no tocante à liberdade de associações e de opinião. A ditadura difere, pois, do estado de sítio, enquanto este é previsto e regulamentado pela Constituição e sempre fixado por prazo determinado.

DIUTURNO — Que dura ou vive muito tempo. Vivaz. Que é de duração indefinida.

DIVERGÊNCIA — É a contrariedade, a oposição ou desaprovação decorrente da não aceitação, da não aprovação, do não reconhecimento, da repulsa ao ato executado por outrem, à pretensão manifestada ou ao fato que pretenda impor.

DIVERSIDADE — Princípio básico de cidadania que visa assegurar a cada um condições de pleno desenvolvimento de seus talentos e potencialidades, considerando a busca por oportunidades iguais e respeito à dignidade de todas as pessoas. A prática da diversidade representa a efetivação do direito à diferença, criando condições e ambientes em que as pessoas possam agir em conformidade com seus valores individuais.

DIVERSIDADE BIOLÓGICA — Variabilidade de organismos vivos de todas as origens, compreendendo, dentre outros, os ecossistemas terrestres, marinhos e outros ecossistemas aquáticos e os complexos ecológicos de que fazem parte; compreende ainda a diversidade dentro de espécies, entre espécies e de ecossistemas.

DIVERSIDADE CULTURAL — Variedade de linguagens, gêneros, formas, estilos e modos de expressão no contexto da heterogeneidade de formas de vida, incluindo as diversas formas de estruturação do espaço.

DIVERSIDADE GENÉTICA — Variabilidade na formação genética de diferentes indivíduos de uma mesma espécie; assegura a sobrevivência da espécie a longo prazo, pois, com todos os genes iguais, os indivíduos ficam igualmente expostos a adversidades, tornando a espécie uniformemente vulnerável.

DIVERSIFICAÇÃO DA CARTEIRA — Procedimento adotado pelo administrador da carteira de investimentos para diminuir o risco, comprando uma variedade de papéis e títulos, de tal forma que o risco associado a cada um desses componentes individuais da carteira é atenuado pelo conjunto.

DIVERSIFICAÇÃO DE INVESTIMENTOS — Prática de investir em um número variado de títulos, buscando reduzir riscos.

DIVERSIFICAÇÃO DE RISCO — Terminologia utilizada quando o investidor (ou administrador do Fundo) diversifica a sua carteira de investimentos com o objetivo de reduzir o risco da carteira como um todo.

DIVERSOS RESPONSÁVEIS — É a conta de inscrição da responsabilidade do servidor público, inadimplente em prestação de contas, pagamentos indevidos, saldos não recolhidos, desfalque, desvios de bens e de toda e qualquer irregularidade de que resulte prejuízo ao erário público.

DIVEX — Ver Títulos da Dívida Externa.

DÍVIDA — É toda a obrigação de dar ou fazer alguma coisa e que pode ser exigida. É o compromisso financeiro assumido por uma pessoa física ou jurídica - de direito público ou privado - perante outra pessoa física ou jurídica. No setor público, a constituição de dívidas representa uma maneira de viabilizar, de imediato, empreendimentos que, de outro modo, somente seriam possíveis no futuro.

DÍVIDA ATIVA — É a inscrição que se faz em conta de devedores de importâncias relativas a tributos, multas e créditos da Fazenda Pública, lançados mas não cobrados ou não recebidos no exercício de origem. Constituem dívida ativa a partir da data de sua inscrição.

DÍVIDA ATIVA NÃO-TRIBUTÁRIA — São os créditos não-tributários provenientes de empréstimos compulsórios, contribuições estabelecidas em lei, multas de qualquer origem ou natureza, exceto as tributárias, foros, laudêmios, aluguéis ou taxa de ocupação, indenizações, custas processuais, preços de serviços prestados por estabelecimentos públicos, indenizações, reposições, restituições, alcances de responsáveis definitivamente julgados, bem como os créditos decorrentes de obrigações em moeda estrangeira, de sub-rogação de hipoteca, fiança, aval ou outra garantia, de contratos em geral ou de outras obrigações legais.

DÍVIDA ATIVA TRIBUTÁRIA — Conjunto de débitos de terceiros para com a Administração Pública, composto pelos tributos, multas e créditos lançados, mas não recolhidos segundo condições e prazos fixados por lei ou decisão judicial. São inscritos enquanto dívida no início do exercício subseqüente, depois de apurada sua liquidez e garantia de correção.

DÍVIDA CERTA — É aquela que não pode ser contestada, por ser fundada em documento hábil para comprová-la.

DÍVIDA CONSOLIDADA OU FUNDADA — Montante total, apurado sem duplicidade, das obrigações financeiras do ente da Federação, assumidas em virtude de leis, contratos, emissão de títulos públicos, convênios ou tratados e da realização de operações de crédito para atender a desequilíbrio orçamentário ou a financiamento de investimentos ou programas sociais, cuja contratação exige autorização legislativa específica, salvo no caso de empréstimos a fundo perdido, para amortização em prazo superior a 12 meses. Integram a dívida pública consolidada as operações de crédito de prazo inferior a 12 meses cujas receitas tenham constado do orçamento. Quando contraída junto a agências financiadoras ou bancos do próprio país, é denominada Dívida Interna; quando assumida fora do país, é chamada Dívida Externa.

DÍVIDA CONTRATUAL — Parte da dívida fundada derivada de obrigações assumidas em contrato com pessoas jurídicas de direito público ou privado, com vistas à execução de obras, fornecimento de bens ou prestação de serviços, ou da celebração de contratos de operações de crédito com tais agentes, a fim de equacionar programas do setor público ou necessidades do setor privado.

DÍVIDA CONTRATUAL, PRINCIPAL DA - RESGATADO — Despesas com a amortização efetiva do principal da dívida pública contratual, interna e externa.

DÍVIDA DE CURTO PRAZO — São as dívidas que terão que ser pagas em um prazo menor do que um ano. A expressão "curto prazo" é genérica, e pode ser usada para períodos que variam de um, dois meses, até um ano, dependendo da situação.

DÍVIDA DE LONGO PRAZO — São aquelas que terão que ser pagas em um prazo superior a um ano. Longo prazo é uma expressão genérica e o período de tempo a que se refere pode variar muito, dependendo da situação. Ex.: Dívidas de longo prazo de um país podem significar prazos de cinco ou 30 anos.

DÍVIDA EXTERNA — É o somatório dos débitos de um país, resultantes de empréstimos e financiamentos contraídos no exterior pelo próprio governo, por empresas estatais ou privadas. Esses recursos podem ser provenientes de governos, entidades financeiras internacionais (FMI, Banco Mundial etc.), bancos ou empresas privadas. Cada país tem um conjunto de títulos de dívida, com nomes diferentes, que representam contratos com condições diferenciadas de juros, carência, vencimentos, garantias etc. Os títulos da dívida externa são importante indicador do risco do país. Por isso se diz, quando os juros dos títulos da dívida brasileira sobem, que o risco do Brasil aumentou. Isso significa que os investidores estão exigindo maior juro pelo papel, por entender que o risco do país aumentou.

DÍVIDA EXTERNA NÃO REGISTRADA — São as operações de dívida sem registro no Banco Central, como linhas de crédito de comércio de curto prazo.

DÍVIDA EXTERNA PRIVADA — Dívida das empresas sediadas no Brasil com credores estrangeiros, sejam governos, empresas ou pessoas de fora do país.

DÍVIDA EXTERNA PÚBLICA — Valor da soma dos débitos do país garantidos pelo governo. Resulta de empréstimos e financiamentos contraídos com residentes no exterior. Pode ser originada pelo próprio governo, por empresas estatais ou empresas privadas. O débito originado por empresas privadas ocorre com o aval do governo para o fornecimento das divisas que servirão para as amortizações e o pagamento de juros. Os residentes no exterior que fornecem os empréstimos e financiamentos podem ser governos, entidades financeiras, como o Fundo Monetário Internacional ou Banco Mundial, bancos e empresas privadas.

DÍVIDA EXTERNA REGISTRADA — São as operações de dívida que devem ser registradas no Banco Central.

DÍVIDA EXTERNA TOTAL — Equivale à soma das dívidas externas registradas e não registradas. (Ver: Dívida não registrada.)

DÍVIDA EXTERNA TOTAL LÍQUIDA — Valor da dívida externa do país, deduzidas as reservas internacionais e os haveres dos seus bancos comerciais.

DÍVIDA FINANCEIRA — Total das dívidas em contrato ou em títulos exigíveis no curto ou no longo prazo, em que o mutuário é o ente público, inclusive as da administração indireta honradas pelo Tesouro (inclui ARO – Antecipações de Receitas Orçamentárias – e exclui empreiteiros e fornecedores).

DÍVIDA FISCAL LÍQUIDA — É a Dívida Consolidada (Fundada), deduzidas a Disponibilidade de Caixa, as Aplicações Financeiras e os demais Ativos Financeiros (Dívida Consolidada Líquida), acrescida da Receita de Privatizações e subtraídos os Passivos Reconhecidos.

DÍVIDA FLUTUANTE — Débitos da Administração Pública, legalmente contraídos sem exigência de autorização legislativa específica, por um período máximo de um ano, que resultam da gerência dos pagamentos previstos para o exercício. Compreendem os restos a pagar (os compromissos já assumidos em um exercício para pagamento no seguinte), os depósitos (feitos por fornecedores ou empreiteiras como garantia antecipada para execução de serviços a serem devolvidos) e os débitos de tesouraria (dívida relativa a pagamento de Empréstimos por Antecipação de Receita Orçamentária). Não se incluem legalmente como dívida flutuante os atrasos de pagamento.

DÍVIDA FUNDADA — Ver Dívida Consolidada ou Fundada.

DÍVIDA ILÍQUIDA — É aquela que é incerta, dependendo de prestação de contas, sujeita a dúvidas e controvérsias.

DÍVIDA INTERNA — Total de débitos assumidos pelo governo junto a pessoas físicas e jurídicas residentes no país. Quando as despesas do governo superam a receita, há necessidade de dinheiro para cobrir o déficit. Para enfrentar essa situação, o governo tem três opções: emissão de papel-moeda, aumento da tributação e lançamento de títulos.

DÍVIDA INTERNA PRIVADA — Dívida das empresas com governos, empresas e pessoas dentro do país.

DÍVIDA INTERNA PÚBLICA — Compromissos assumidos por entidade pública dentro do país, portanto, em moeda nacional. É formada pelo somatório dos débitos do setor público, constituídos através de contratos de empréstimos e/ou da colocação de títulos públicos (Obrigações do Tesouro, Letras do Tesouro, Bônus Rotativos, Apólices etc.) junto a pessoas físicas ou jurídicas residentes no próprio país.

DÍVIDA LÍQUIDA — Soma de todas as obrigações financeiras (empréstimos, debêntures, títulos de renda fixa etc.), sejam elas de curto ou longo prazo, deduzindo deste montante as disponibilidades.

DÍVIDA LÍQUIDA DO SETOR PÚBLICO (DLSP) — É definida como o balanceamento entre as dívidas e os créditos do setor público não-financeiro e do Banco Central. Os saldos são apurados pelo critério de competência, ou seja, a apropriação de encargos é contabilizada na forma *pro rata*, independente da ocorrência de liberações ou reembolsos no período. Eventuais registros contábeis que não utilizam esse critério são corrigidos para manter a homogeneidade da apuração. A DLSP é utilizada como base para o cálculo do déficit público "abaixo da linha". Os saldos da dívida externa brasileira são primeiramente convertidos para dólar americano, e posteriormente convertidos para reais pela cotação de venda do dólar dos Estados Unidos no mercado de câmbio de taxas livres. Diferentemente de outros países, o conceito de dívida líquida utilizado no Brasil considera os ativos e passivos financeiros do Banco Central, incluindo, dessa forma, a base monetária como componente da dívida, principalmente, pelo fato de constituir forma de financiamento, como será desenvolvido no item das necessidades de financiamento do setor público.

DÍVIDA LÍQUIDA E CERTA — É aquela que não apresenta dúvidas quanto a sua existência e seu valor.

DÍVIDA MOBILIÁRIA - REFINANCIAMENTO — Despesas com o refinanciamento do principal da dívida pública mobiliária, interna e externa, inclusive correção monetária ou cambial, com recursos provenientes da emissão de novos títulos da dívida pública mobiliária. Deve constar separadamente no orçamento e nos créditos adicionais.

DÍVIDA MOBILIÁRIA DO BANCO CENTRAL — Dívida pública interna do Banco Central do Brasil constituída pelos títulos públicos de sua emissão registrados no Sistema Eletrônico de Liquidação e Custódia (SELIC), colocados e resgatados em moeda nacional. Atualmente, existe apenas as Notas do Banco Central - série E e F, indexadas ao câmbio. O Banco Central do Brasil, por força da Lei Complementar nº 101 (Lei de Responsabilidade Fiscal), não mais emitirá títulos públicos.

DÍVIDA MOBILIÁRIA DO TESOURO NACIONAL — Dívida pública interna do Tesouro Nacional constituída pelos títulos públicos de emissão do Tesouro Nacional registrados no Sistema Eletrônico de Liquidação e Custódia (SELIC) ou na Central de Custódia e de Liquidação Financeira de Títulos (CETIP), colocados e resgatados em moeda nacional.

DÍVIDA MOBILIÁRIA LÍQUIDA — Dívida mobiliária de estados e municípios em mercado, descontados os títulos em tesouraria.

DÍVIDA MOBILIÁRIA, PRINCIPAL DA - RESGATADO — Despesas com a amortização efetiva do valor nominal do título da dívida pública mobiliária, interna e externa.

DÍVIDA NÃO CONSOLIDADA — Termo em desuso utilizado por poucos em referência à dívida por contrato.

DÍVIDA *PORTABLE* — Ou dívida portável. É a que o devedor se obriga a ir pagar, no vencimento, em lugar certo (domicílio ou residência do credor). (Ver: Dívida *Quereble*.)

DÍVIDA PORTÁVEL — Ver Dívida *Portable*.

DÍVIDA PRIVILEGIADA — É aquela na qual o credor tem a preferência entre os demais credores de um mesmo devedor, por estar em condições diferentes dos demais.

DÍVIDA PÚBLICA - COMPETÊNCIA PRIVATIVA DO SENADO FEDERAL — A Constituição Federal, em seu art. 52, dispõe: "compete privativamente ao Senado Federal: a) autorizar operações externas de natureza financeira, de interesse da União, dos Estados, do Distrito Federal e dos Municípios; b) fixar, por proposta do Presidente da República, limites globais para o montante da dívida consolidada da União, dos Estados, do Distrito Federal e dos Municípios; c) dispor sobre limites globais e condições para as operações de crédito externo e interno da União, dos Estados, do Distrito Federal e dos Municípios, de suas autarquias e demais entidades controladas pelo Poder Público federal; d) dispor sobre limites e condições para a concessão de garantia da União em operações de crédito externo e interno; e) estabelecer limites globais e condições para o montante da dívida mobiliária dos Estados, do Distrito Federal e dos Municípios."

DÍVIDA PÚBLICA — Conjunto dos débitos da Administração Pública para com terceiros, decorrente de empréstimos que podem ser de curto ou longo prazo, com o objetivo de atender às necessidades dos serviços públicos, em virtude de déficits orçamentários ou para a viabilização de investimentos ou programas sociais. É o volume do dinheiro que o Estado deve, mais os juros, ou serviço da dívida. É diferente, portanto, de déficit público. Todo Estado tem dívida pública, mas nem todos têm déficit público. A dívida pública pode ser proveniente de outras fontes, tais como: depósitos (fianças, cauções, cofre de órgãos etc.), e resíduos passivos (restos a pagar). A dívida pública classifica-se em consolidada ou fundada (interna ou externa), se superior a 12 meses, e flutuante, se inferior a 12 meses.

DÍVIDA PÚBLICA - LIMITE — O Senado Federal, no uso de sua competência privativa disposta no art. 52 da CF, disciplinou, através da Resolução nº 78, de 01.07.1988, sobre as operações de crédito interno e externo dos estados, do Distrito Federal, dos municípios e de suas respectivas autarquias e fundações, inclusive concessão de garantias, seus limites e condições de autorização e deu outras providências. A Resolução nº 18, de 06.09.01, do Senado Federal, alterou o art. 13 da Resolução nº 78 para incluir a comprovação de cumprimento de dispositivos da Lei de Responsabilidade Fiscal (Lei Complementar nº 101) na instrução de pleitos de empréstimos, atribuindo aos respectivos Tribunais de Contas a que estão jurisdicionados os pleiteantes a competência para emissão de certidões atestando o cumprimento das condições estabelecidas na LC nº 101 para realização de operações de crédito.

DÍVIDA PÚBLICA - NÃO OBSERVÂNCIA DO LIMITE — A não observância ocorre quando o montante ultrapassa o valor resultante da aplicação do limite máximo fixado pelo Senado Federal. A Lei Federal nº 10.028, de 2000, prevê como crime do responsável deixar de ordenar a redução do montante da dívida consolidada, nos prazos que a lei estabelecer.

DÍVIDA PÚBLICA CONSOLIDADA — Ver Dívida Consolidada ou Fundada.

DÍVIDA PÚBLICA MOBILIÁRIA — Dívida pública representada por títulos emitidos pela União, inclusive os do Banco Central do Brasil, pelos estados e pelos municípios.

DÍVIDA *QUEREBLE* — Ou quesível. É aquela cujo pagamento o credor se obriga a ir buscar, no vencimento, em local ajustado (domicílio ou residência do devedor), sob pena de não poder alegar nada quanto a seu inadimplemento. É também denominada dívida quesível. (Ver: Dívida *Portable*.)

DÍVIDA QUESÍVEL — Ver Dívida *Quereble*.

DÍVIDA QUIROGRAFÁRIA — É aquela que não é garantida por um direito real, não possui privilégio creditório ou direito de preferência.

DÍVIDA REAL — É aquela que tem como garantia um direito real.

DÍVIDA SECURITIZADA — Título de responsabilidade do Tesouro Nacional, emitido em decorrência de assunção e renegociação de dívidas da União ou por ela assumidas por força de lei. Inclui os certificados de privatização (CP), que são títulos de emissão do Tesouro Nacional utilizáveis na compra de ações de empresas estatais no âmbito do Programa Nacional de Desestatização; as dívidas vencidas e renegociadas (DVR), que constituem dívidas vencidas da União e de empresas estatais, assumidas e renegociadas pelo governo federal mediante securitização com emissão de títulos registrados no CETIP; e os Títulos da Dívida Agrária (TDA) em mercado, que foram emitidos pelo Tesouro Nacional nos processos de desapropriação de terras para reforma agrária. Emitido exclusivamente sob a forma escritural na Cetip. Títulos de rentabilidade pós-fixada, possuindo diversas séries, cada qual com índice de atualização próprio (IGP-DI, dólar e TR).

DÍVIDA SOCIAL — São as perdas sociais, em razão da falta de investimentos, tanto no nível individual quanto no coletivo, ou na ausência de capital social, gerando o empobrecimento das relações humanas como a família, comunidade ou sociedade. (Ver: Déficit social.)

DÍVIDA SOLIDÁRIA — É a dívida garantida por mais de um co-obrigado, podendo o credor cobrá-la de todos ou de qualquer um deles.

DÍVIDA TOTAL — 1) Corresponde ao estoque das dívidas mobiliária, consolidada e flutuante, de origem interna e externa. 2) Soma de todas as obrigações financeiras de uma empresa (empréstimos, debêntures, *bonds* etc.), sejam elas de curto ou longo prazo.

DÍVIDAS REESTRUTURADAS — Dívidas de estados, municípios e estatais junto à União decorrentes de operações de crédito externo assumidas pela União relativas aos avisos MF-30 de 29/8/1983, ao BIB, ao Clube de Paris, à divida de médio e longo prazos (DMLP) e ao Programa de Modernização do Setor de Saneamento (PMSS).

DIVIDENDO — Parcela de lucro pertinente a cada ação pertencente ao acionista de uma sociedade anônima. Empregado no plural, o termo denomina os lucros líquidos distribuídos, a cada exercício social, aos acionistas. Estes participam do lucro líquido, que vem a ser o resultado do exercício que remanescer após deduzidas as participações estatutárias de empregados, administradores e partes beneficiárias. Os dividendos podem ser fixos ou variáveis e, sendo em percentagem, é calculado sobre o lucro verificado ou, mais comumente, sobre o capital. O percentual é definido na Assembléia Geral Ordinária. Pela Lei das S.A. deverá ser distribuído um dividendo mínimo de 25% do lucro líquido apurado em cada exercício social.

DIVIDENDO CUMULATIVO — Dividendo que, caso não seja pago em um exercício, se transfere para outro.

DIVIDENDO FICTÍCIO — É aquele que não é fruto real e disponível da sociedade, não sendo determinado por assembléia geral ordinária. Os diretores têm responsabilidade solidária de repor à caixa da sociedade a importância distribuída.

DIVIDENDO POR AÇÃO — Total dos dividendos pagos em dinheiro aos acionistas por uma sociedade anônima, dividido pelo número total de ações emitidas.

DIVIDENDO *PRO RATA* — Dividendo distribuído às ações emitidas dentro do exercício social, proporcionalmente ao tempo transcorrido até o seu encerramento. Distingue-se de dividendos integrais, tendo em vista que estes são distribuídos às ações existentes desde o início do exercício social da empresa.

DIVISA — Fronteira; limite; palavra ou frase que significa o lema de um país, partido, associação etc. Pensamento ou sentença breve expressa numa figura simbólica que serve de distintivo, se usa nos brasões, no traje, nas armas, nas bandeiras e individualiza a casa ou a família que o usa. Qualquer moeda ou emissão comercial (cheques, giros, letras de câmbio, ordens de pagamento e direitos especiais de giro) aceita internacionalmente como meio de pagamento. Limite da propriedade imóvel que a separa da propriedade contígua, cuja definição será de acordo com a posição do observador, a qual deve ser obrigatoriamente explicitada.

DIVISÃO — 1) É o ato de dividir, repartir, separar as partes de um todo. É a operação matemática que determina a quantidade de vezes que um número (divisor) está contido dentro de outro número (dividendo). A divisão é a operação inversa da multiplicação. 2) Partição de coisa comum, de modo a atribuir a cada indivíduo o seu respectivo quinhão.

DIVISÃO DE PODERES — Locução que expressa a divisão de poderes entre os órgãos da soberania nacional. Essa divisão se dá entre os Poderes da União: Legislativo, Executivo e Judiciário.

DIVISÃO JUDICIÁRIA — Divisão definida com base em unidades judiciárias, as quais, nos territórios dos estados, são representadas pelas comarcas, comarcas vinculadas e distritos judiciários. As comarcas são agrupadas em zonas judiciárias.

DIVISÃO POLÍTICO-ADMINISTRATIVA — A organização político-administrativa da República Federativa do Brasil, compreendendo a União, o Distrito Federal, os estados e os municípios, todos autônomos nos termos da Constituição Federal de 05.10.1988.

DIVISAS — Patrimônio constituído por moedas estrangeiras que um país possui. As reservas internacionais de um país são compostas de divisas.

DIVISÓRIA — É a linha que delimita as propriedades imóveis confinantes.

DIVÓRCIO — É o processo que visa obter a dissolução legal do casamento, ou seja, a separação do marido e da mulher, conferindo às partes o direito de novo casamento civil, religioso e/ou outras cláusulas, de acordo com a legislação de cada país. No Brasil pode ser direto ou indireto. O divórcio direto pode ser pleiteado após dois anos de separação de fato. O indireto, ou divórcio-conversão, é aquele que visa a conversão da separação, o que ocorre um ano após a sentença de separação. Em ambos os casos, o divórcio pode ser consensual ou litigioso. Após o divórcio, os ex-cônjuges não voltam ao estado civil de solteiros, mas de divorciados. O efeito mais importante do divórcio é que os divorciados voltam a ter o direito de contrair novo matrimônio. Em caso de arrependimento, o casal poderá reconstituir o vínculo matrimonial por meio de outro casamento. No Brasil, o divórcio existe desde 26 de dezembro de 1977. Até essa data, o casamento era indissolúvel. (Ver: Separação de Fato // Separação Judicial.)

DNA — Em português, ADN - ácido desoxirribonucleico - Contém as informações genéticas. É a molécula existente em todo organismo que possui em suas células a informação necessária para determinar suas características. O DNA dos filhos é uma cópia do DNA dos pais. Por esta razão, o teste de comparação do DNA é utilizado para a investigação de paternidade. O ordenamento jurídico brasileiro prevê a gratuidade do exame de DNA para os necessitados.

DNPM (DEPARTAMENTO NACIONAL DE PRODUÇÃO MINERAL) — É uma autarquia federal, vinculada ao Ministério de Minas e Energia, instituída pelo Decreto nº 1.324, de 1994, na forma de Lei nº 8876, de 1994, dotada de personalidade jurídica de direito público, com autonomia patrimonial, administrativa e financeira, com sede e foro em Brasília e Distrito Federal e jurisdição em todo território nacional. Este órgão tem a finalidade de promover o planejamento e o fomento da exploração mineral e do aproveitamento dos recursos minerais e superintender as pesquisas geológicas minerais e de tecnologia mineral, bem como assegurar, controlar e fiscalizar o exercício das atividades de mineração em todo o Território Nacional.

DOAÇÃO — É o ato de liberalidade, em contrato, pelo qual a pessoa dispõe de bens ou vantagens integradas em seu patrimônio em benefício de outrem, que os aceita. O doador pode fixar prazo ao donatário, para declarar se aceita, ou não, a liberalidade. Desde que o donatário, ciente do prazo, não faça dentro dele a declaração, entender-se-á que aceitou, se a doação não for sujeita a encargo.

DOAÇÃO INOFICIOSA — Considera-se inoficiosa a parte da doação, ou do dote, que exceder a legítima e mais a metade disponível.

DOADOR — Indivíduo, entidade ou organização que concede ajuda.

DOC-C (DOCUMENTO DE ORDEM DE CRÉDITO) — Ordens de depósito de dinheiro entre contas bancárias. Indica e comprova o procedimento bancário de transferência de numerário entre pessoas, de um banco para outro da mesma praça ou de praças diferentes integrantes de um mesmo sistema de compensação regional. É um documento para transferência de valores entre contas-correntes da mesma ou de diferentes instituições. Sua utilização para transferência de valores para contas de poupança não é de aceitação obrigatória pelos bancos.

DOCUMENTO — Entende-se o papel escrito, em que se mostra ou se indica a existência de um ato, de um fato, ou de um negócio. Dessa maneira, numa acepção geral de papel escrito, ou mesmo fotografia, em que se demonstra a existência de alguma coisa, o documento toma, na terminologia jurídica, uma infinidade de denominações, segundo a forma como se apresenta, ou relativo à espécie em que se constitui. Diz-se que o documento é uma representação material destinada a reproduzir, com idoneidade, uma certa manifestação do pensamento, como se fora uma voz fixada permanentemente no papel escrito, que o indica. Em relação à maneira pela qual o documento se produz, diz-se público ou particular. E, conforme é apresentado em sua forma primitiva ou em reprodução dela, diz-se original, cópia, traslado, certidão, pública-forma, extrato.

DOCUMENTO AUTÊNTICO — É aquele que seguiu as formalidades legais e cuja assinatura é verdadeira.

DOCUMENTO DE ARRECADAÇÃO FISCAL — Ver DARF.

DOCUMENTO PARTICULAR — É aquele feito por particular, sem intervenção de oficial público. Documento que não é provido de fé pública.

DOCUMENTO PÚBLICO — É aquele que obteve o registro público.

DOCUMENTOS AUTENTICADOS — São documentos particulares depois de confirmados pelas partes perante o notário.

DOCUMENTOS AUTÊNTICOS — São os documentos exarados pelas autoridades públicas nos limites da sua competência ou pelo notário ou outro oficial público provido de fé pública.

DOENÇA — Ver Saúde - Doença.

DOENÇA CARENCIAL — Ver Saúde - Doença carencial.

DOENÇA INFECCIOSA — Ver Saúde - Doença infecciosa.

DOENÇA NOTIFICÁVEL — Ver Saúde - Doença notificável.

DOENÇA PARASITÁRIA — Ver Saúde - Doença parasitária.

DOENÇA PROFISSIONAL — Ver Saúde - Doença profissional.

DOENÇA TRANSMISSÍVEL — Ver Saúde - Doença transmissível.

DOENÇAS SEXUALMENTE TRANSMISSÍVEIS (DST) — Ver Saúde - Doenças sexualmente transmissíveis (DST).

DOGMA — Princípio aceito como verdadeiro ou justo, sem discussão ou exame crítico. Proposição apresentada como incontestável ou indiscutível, sem qualquer tipo de comprovação. Ponto fundamental de uma doutrina religiosa e, por extensão, de qualquer doutrina ou sistema, pode-se discutir um dogma; não, porém, negá-lo.

DOGMÁTICA PENAL — Presume-se que seja uma verdade dada como certa. Daí vem o dogmatismo, sistemática filosófico. (Ver: Dogmatismo.)

DOGMATISMO — Afirma sem discussão, partindo de uma certeza prévia. Doutrina ou sistema dos que aceitam o dogma. Atitude dos que apresentam as suas doutrinas como verdades insofismáveis.

DOIS TURNOS — Consiste na discussão e votação de proposição pelo Plenário por duas vezes, nos casos especificados na Constituição (Emenda Constitucional) ou no regimento da Casa Legislativa (projeto de lei complementar ou alteração do Regimento Interno). Cada turno é constituído de discussão e votação. A regra geral é a do turno único.

DÓLAR CABO — Semelhante ao dólar paralelo, com a diferença de ser o valor transferido eletronicamente para uma conta corrente no exterior; portanto, não ocorre, nessa transação, o manuseio físico das cédulas de dólar. (Ver: Dólar paralelo.)

DÓLAR COMERCIAL — Taxa de câmbio utilizada nas operações de importação e exportação do país, no pagamento do serviço da dívida externa, investimentos no país, entrada de capitais e nas remessas de dividendos das empresas com sede no exterior. Antigamente havia dólar comercial e dólar flutuante. Hoje estes mercados estão unificados.

DÓLAR COMERCIAL (TAXA DE COMPRA) — É quanto o banco está pagando para comprar dólar.

DÓLAR COMERCIAL (TAXA DE VENDA) — É quanto o banco está cobrando para vender dólar.

DÓLAR FISCAL — Corresponde à taxa de câmbio para efeito de cálculo dos tributos incidentes na importação do próprio dia, divulgada pela Receita Federal.

DÓLAR FLUTUANTE — Resulta de livre negociação da taxa de câmbio utilizada nas principais operações financeiras e na conversão de dólares de residentes. Valor do dólar usado como parâmetro para as operações de compra e venda de moeda estrangeira destinadas ao turismo e algumas operações definidas pelo Banco Central, tais como: execução de garantias internacionais, *swaps*, movimento de contas de não residentes (CC5) etc. Atualmente, os mercados de dólar flutuante e dólar comercial estão unificados. (Ver: CC5.)

DÓLAR FUTURO — Cotação esperada pelo mercado financeiro do valor do dólar, no futuro. A idéia básica do dólar futuro é que, ao comprá-lo, o investidor esteja garantindo o valor que pagará pelo dólar no futuro, desta forma minimizando seu risco e ficando a salvo das variações do mercado, pois conhece hoje o valor que pagará pelo dólar, no futuro.

DÓLAR PARALELO — É o valor para comprar ou vender dólar fora dos meios oficiais de conversão, geralmente realizada através de doleiros. Também conhecido como dólar *black* ou câmbio negro. Em períodos de inflação elevada, o dólar paralelo era uma importante reserva de valor. Com a inflação mais estável, esta alternativa de investimento perdeu importância. (Ver: Dólar cabo.)

DÓLAR PARALELO (PAPEL E CABO) — O dólar papel é a taxa referente à moeda negociada em pequenos volumes. E o dólar cabo é o referente a grandes transações.

DÓLAR PARALELO (TAXA DE COMPRA) — É quanto o doleiro está pagando para comprar dólar.

DÓLAR PARALELO (TAXA DE VENDA) — É quanto o doleiro está cobrando para vender dólar.

DÓLAR PRONTO — Dólar negociado no mercado à vista, geralmente com liquidação em dois dias úteis (D2).

DÓLAR PTAX — Dólar oficial do Banco Central (Ptax800). Estabelece o parâmetro para as operações de compra e venda de comércio exterior e operações financeiras.

DÓLAR TURISMO — Estabelece o parâmetro para operações de compra e venda de moeda para pessoas que vão viajar para o exterior.

DÓLAR, TERMO EM — Operação do mercado a termo tradicional, com a diferença de que o preço contratado é corrigido diariamente pela variação entre a taxa de câmbio média de reais por dólar norte-americano, para o período compreendido entre o dia da operação, inclusive, e o dia de encerramento, exclusive.

DOLARIZAÇÃO — Substituição total das moedas de um país pelo dólar americano.

DOLO — É toda espécie de artifício, engano ou manejo, com a intenção de induzir outrem à prática de um ato jurídico, em prejuízo deste e proveito próprio ou de outrem; vontade consciente para chegar a fim criminoso ou assumir o risco de produzi-lo; é a ação ou omissão lesiva de agente que, por vontade própria, deseja ou assume o risco de produzi-la. A) Direito Civil: vício de consentimento caracterizado na intenção de prejudicar ou fraudar outrem. B) Direito Penal: intenção de praticar o mal que é capitulado como crime, seja por ação ou por omissão.

DOLO DE PERIGO — É a vontade consciente do agente em expor alguém a perigo.

DOLO DIRETO — É aquele que o agente do crime quis o resultado, intencionalmente.

DOLO ESPECÍFICO — É aquele que o agente do crime possui para um fim determinado.

DOLO EVENTUAL — É aquele que o agente, não querendo o resultado, assume o risco de produzi-lo.

DOLO GENÉRICO — É aquele que o agente possui sem ter um objetivo definido.

DOLO INDIRETO — É o dolo que o agente tem ao realizar a ação desaparecendo com o efeito não desejado. Essa espécie de dolo não é mais aceita pelo Direito Penal Moderno.

DOLO SUPERVENIENTE — É aquele que aparece depois de o agente praticar uma ação de boa-fé. O dolo superveniente só surge depois de uma determinada fase de conduta do agente que passa a proceder de má-fé.

DOMÉSTICO — É o empregado que presta serviços em residência de família, de natureza não-econômica.

DOMICÍLIO — É local (país, estado, município, bairro, rua etc.) identificado como a residência natural da pessoa, mesmo que esta não esteja ali morando por um longo período de tempo; sede jurídica da pessoa, onde se presume que ela exerce ou pratica, habitualmente, seus atos e negócios jurídicos; termo também usado para indicar o local onde se vota (domicílio eleitoral), ou se paga tributo (domicílio fiscal), se registra e emplaca o veículo (domicílio de trânsito) etc. Em sentido geral utilizado em pesquisas, indica o local estruturalmente separado e independente constituído por um ou mais cômodos que se destina a servir de habitação a uma ou mais pessoas, ou que esteja sendo utilizado como tal.

DOMICÍLIO CIVIL DA PESSOA NATURAL — Ver Pessoa Natural - Domicílio Civil // Pessoa.

DOMICÍLIO COLETIVO — Em sentido geral utilizado em pesquisas, indica o domicílio ocupado por grupo convivente e/ou família, no qual a relação entre os moradores se restringe à subordinação de ordem administrativa e ao cumprimento de normas de convivência: hotéis, pensões, recolhimentos, asilos, orfanatos, conventos, penitenciárias, quartéis, postos militares, navios, alojamento de trabalhadores etc. Classificam-se, também, como coletivo o domicílio ocupado por um grupo de seis ou mais pessoas sem relação de parentesco e dependência doméstica (grupo convivente) e aquele em que residem seis ou mais famílias conviventes.

DOMICÍLIO DAS PESSOAS JURÍDICAS DE DIREITO PÚBLICO — Ver Pessoas Jurídicas de Direito Público - Domicílio // Pessoa.

DOMICÍLIO PARTICULAR — Moradia de uma pessoa ou de um grupo de pessoas, em que o relacionamento é ditado por laços de parentesco, dependência doméstica ou normas de convivência. O domicílio particular é classificado em: Permanente e Improvisado.

DOMICÍLIO PARTICULAR IMPROVISADO — Quando localizado em unidade que não tem dependência destinada exclusivamente a moradia (loja, sala comercial, prédio em construção, embarcação, carroça, vagão, tenda, barraca, gruta ou outra unidade que esteja servindo de moradia).

DOMICÍLIO PARTICULAR PERMANENTE — Quando localizado em unidade que se destina a servir de moradia (casa, apartamento ou cômodo).

DOMÍNIO — Direito real que submete a propriedade, de maneira legal, absoluta e exclusiva, ao poder e vontade de alguém; é a propriedade plena. É a propriedade ou o direito de propriedade que se tem sobre bens imóveis.

DOMÍNIO DIRETO — É situação jurídica, relativa à propriedade, que se gera do desdobramento dos direitos reais sobre a coisa. Indica o direito de propriedade que é conservado sobre a coisa. É aquele pertencente ao senhorio, ao proprietário do imóvel sob o instituto da enfiteuse.

DOMÍNIO DO MAR — Capacidade do Poder Naval de uma nação para garantir a utilização efetiva do mar e, simultaneamente, impedir que outra nação o faça em relação a seus próprios interesses.

DOMÍNIO PLENO — É o domínio total. A soma do domínio útil com o domínio direto. Direito real que, de modo absoluto, ilimitado e exclusivo, vincula a pessoa a uma coisa corpórea, em toda a substância e acessórios; é limitado quando incidem ônus reais, ou é resolúvel.

DOMÍNIO PRIVADO — É aquele exercido por pessoa de direito privado.

DOMÍNIO PÚBLICO — É a soma de bens pertencentes às entidades jurídicas de Direito Público, como União, estados e municípios, que se destinam ao uso comum do povo ou os de uso especial, mas considerados improdutivos. No sentido amplo, é o poder de dominação ou regulamentação que o Estado exerce sobre os bens de seu patrimônio. Também é chamado de domínio eminente, que é o poder político pelo qual o Estado submete a sua vontade todas as coisas de seu território. É a soberania interna.

DOMÍNIO ÚTIL — É o aproveitamento e gozo do bem aforado. Direito atribuído ao enfiteuta de se utilizar daquele imóvel podendo extrair dele seus frutos, vantagens e rendimentos econômicos.

DOMÍNIOS MORFOCLIMÁTICOS — Divisão do país do ponto de vista paisagístico (combinações distintas de fatores climáticos e geomorfológicos). O mesmo que bioma.

DOMINUS LITIS — [Latim]. Expressão que significa o autor da ação; o dono da lide; o titular do direito de ação. Diz-se daquele que tem o comando sobre os atos judiciais.

DOMO — Elevação com pequena área, erguendo-se com os flancos abruptos até profundidades superiores a 200 m da superfície da água do mar. Deformação estrutural caracterizada por levantamento local de contorno aproximadamente circular. Exemplo: *domo salino*.

DONATIVO / DOAÇÃO — Transferência feita em dinheiro, bens ou serviços que não comporta qualquer contrapartida para o beneficiário.

DOR — É a sensação física e psíquica, desagradável e penosa, enquanto dura o desequilíbrio atuante. A intensidade da dor leva o indivíduo a emoções fortíssimas e a sentimentos violentos. A dor moral dá indícios de uma necessária reavaliação de valores.

DOSSIÊ — Coleção de documentos referentes a determinado assunto ou a certo indivíduo.

DOTAÇÃO — Ver Dotação orçamentária.

DOTAÇÃO ORÇAMENTÁRIA — Termo usado na administração das contas públicas que designa uma verba consignada em orçamento público, ou em crédito adicional, que será usada para fazer face a uma despesa com fim específico. (Ver: Projeto ou dotação "Guarda-chuva".)

DOTAÇÃO ORÇAMENTÁRIA INICIAL — Representa o valor da dotação inicial constante da Lei do Orçamento Anual.

DOTAÇÃO PARA O EXERCÍCIO — Dotação inicial constante da Lei Orçamentária Anual mais os créditos adicionais abertos e/ou reabertos durante o exercício, menos as anulações correspondentes.

DOTAÇÃO, NOTA DE — Registro de desdobramento, por plano interno e/ou fonte, quando detalhada, dos créditos previstos na Lei Orçamentária Anual, bem como a inclusão dos créditos nela não considerados.

DOUTRINA — É o conjunto de princípios, em que se firmam teorias ou se fazem interpretações sobre a Ciência Jurídica, que servem de base a um sistema religioso, político, filosófico, científico; regra, preceito, norma. Na Teoria Geral do Direito, estudo de caráter científico que os juristas realizam a respeito do Direito, seja com objetivo meramente especulativo de conhecimento e sistematização, seja com o escopo prático de interpretar as normas jurídicas para sua exata aplicação. Trata-se de uma fonte de Direito costumeiro, resultante da prática reiterada de juristas contemporâneos sobre certo assunto, com a convicção de sua necessidade jurídica. Constitui um importante recurso para a produção de normas jurídicas individuais e para o preenchimento de determinadas lacunas e uma valiosa fonte de cognição. Na linguagem jurídica em geral, quer dizer: a) ensino ministrado sobre qualquer assunto científico-jurídico; b) conjunto de princípios em que se baseia um sistema político, jurídico ou filosófico; c) tese sustentada por um renomado jurista sobre algum tema controvertido; d) opinião de doutores.

DOUTRINA DA PROTEÇÃO INTEGRAL — Doutrina que considera crianças e adolescentes como cidadãos em condição peculiar de desenvolvimento, que merecem ser tratados com prioridade absoluta. A sua proteção é dever da família, da sociedade e do Estado. A doutrina baseou a elaboração do Estatuto da Criança e do Adolescente, da Convenção Internacional dos Direitos da Criança e da Declaração Universal dos Direitos da Infância e determina que os direitos de crianças e adolescentes devem ser universalmente reconhecidos.

DOUTRINA DA SITUAÇÃO IRREGULAR — Doutrina base da legislação e da prática assistencial-correcional-repressiva de atendimento à criança e ao adolescente até o advento do Estatuto da Criança e do Adolescente (ECA). Por essa doutrina, o Direito e o atendimento se ocupariam das crianças e adolescentes que apresentassem uma situação irregular derivada da própria conduta (infrações), da conduta familiar (maus-tratos) ou da sociedade (abandonados).

DOW JONES — Índice utilizado para acompanhar os negócios na Bolsa de Valores de Nova York. Seu valor é o cálculo da média de cotações entre 30 empresas de maior importância.

DOWNSIZING — É o enxugamento estrutural dos níveis hierárquicos de uma organização, objetivando agilização na tomada de decisão e redução de custos.

DR — São certificados representativos de ações ou outros valores mobiliários que representam direitos e ações, emitidos no exterior por instituição denominada "Depositária", com lastro em valores mobiliários de emissão de empresas brasileiras depositados em custódia específica no Brasil.

DRACONIANO — Diz-se de dispositivo de lei ou sentença excessivamente severos. O nome vem de Dracon, legislador de Atenas no século VII a.C., que editou leis cruéis e desumanas.

DRAGAGEM — Limpeza ou desobstrução com draga, do leito dos cursos d'água, dos rios ou mar.

DRAWBACK — É o benefício fiscal concedido às importações realizadas com a finalidade de futuras exportações. Consiste na devolução, pelo Poder Público, do Imposto de Importação, ou parte deste, quando se trata de importação de matéria-prima e de componentes utilizados na fabricação de artigo ou produto a ser exportado.

DRENAGEM — Remoção de água, superficial ou subterrânea, de uma área determinada, por bombeamento ou por gravidade.

DRIVE IN — Ponto de venda em que os consumidores adquirem produtos ou serviços dentro de um automóvel, sem sair dele.

DROGA — Nome dado, anteriormente, a qualquer medicamento e, hoje, mais freqüentemente ligado a entorpecentes e alucinógenos que alteram a personalidade e provocam dependência. Seu uso e tráfego são proibidos por lei. (Lei nº 6.368, de 1976; Decreto nº 78.992, de 1976, prevenção e repressão ao tráfico ilícito e uso indevido de drogas). (Ver: Entorpecentes // Vício.)

DROGA ILÍCITA — É toda e qualquer substância (droga) proibida por lei.

DRT (DELEGACIA REGIONAL DO TRABALHO) — As DRTs são órgãos de representação regional do Ministério do Trabalho, Não deve ser confundida com TRT (Tribunal Regional do Trabalho) da Justiça do Trabalho. As DRTs pertencem ao Poder Executivo e os TRTs, ao Poder Judiciário.

DRUSA — Incrustação formada na superfície ou no interior de um mineral pela agregação de cristais de outra natureza.

DUALISMO — Teoria que se fundamenta na hipótese de que existe uma distinção natural e irredutível de duas entidades.

DUMPING — 1) Sistema econômico pelo qual os preços dos produtos da indústria são mais altos nos mercados do país produtor do que nos mercados externos onde as mercadorias são vendidas pelo custo ou com prejuízo. As perdas que os industriais sofrem nos mercados estrangeiros, vendendo seus produtos a baixo preço, são compensadas pelos preços mais altos obtidos nos mercados internos. Esse sistema tem um duplo fim: conquistar mercados e permitir aos trustes e aos cartéis o escoamento do excedente de produção não absorvidos nos mercados internos. 2) Venda de produtos a preços mais baixos do que os custos de fabricação, com o intuito de eliminar a concorrência, para ganhar fatias maiores do mercado. Uma empresa pode suportar essas perdas de forma a eliminar a concorrência. Contudo, esta é uma prática impedida por lei.

DUNA — Colinas de areia acumuladas por atividade de ventos, mais ou menos recobertos por vegetação. As dunas podem ser classificadas segundo as formas, orientação em relação ao vento etc. em transversais, longitudinais, parabólicas, piramidais etc. Elas ocorrem mais tipicamente nas porções mais centrais dos desertos, mas também podem ser encontradas em regiões litorâneas ou em margens fluviais. Campos de dunas costeiras importantes ocorrem nas regiões litorâneas do Maranhão, sul de Santa Catarina e norte de Salvador (BA), enquanto que dunas fluviais pretéritas têm sido mencionadas na margem esquerda do Rio São Francisco a montante de Petrolina (PE). Ondas arenosas são também conhecidas com dunas subaquosas.

DUODÉCIMO DA DESPESA — Compreende a divisão do valor anual em 12 (doze) parcelas, normalmente para fins de programação orçamentária. Não significa 1/12 (um doze avos), em virtude dos fatores sazonais.

DUPLA NACIONALIDADE — É o ato jurídico gracioso pelo qual o governo de um Estado concede a estrangeiro, a pedido deste e mediante prova de ascendência daquele, a cidadania do país, não importando na perda da nacionalidade de origem. Ex.: Os brasileiros que provam ter ascendência de países europeus podem adquir a nacionalidade do país dos ascendentes, sem perder a brasileira, ficando com dupla nacionalidade.

DUPLICATA — Conhecida como duplicata mercantil, é uma cópia da fatura na qual há o conhecimento da causa ou relação fundamental de que se originou a duplicata.

DUPLICATA, ACEITE DE — A duplicata mercantil é um título de aceite obrigatório, ou seja, independente da vontade do sacado (comprador). Ao contrário do que ocorre com a letra de câmbio, em que o sacado não tem nenhuma obrigação de aceitar a ordem que lhe foi endereçada, na duplicata mercantil o sacado está, em regra, vinculado à aceitação de ordem, só podendo recusá-la em situações previamente definidas em lei. Quando se afirma que o aceite da duplicata é obrigatório não se pretende que ele não possa ser recusado, mas, sim, que a sua recusa somente poderá ocorrer em determinados casos legalmente previstos.

DUPLICATA, DESCONTO DE — Operação de crédito para empresas. O banco empresta dinheiro para a empresa e recebe duplicatas, de clientes desta empresa, como garantia da operação. Se alguma duplicata deixar de ser paga, regra geral, cabe à empresa que entregou as duplicatas pagar a dívida e depois ir tentar recuperar sua perda diretamente com seu cliente.

DUPLICATA, PROTESTO DE — A duplicata pode ser protestada por falta de aceite, de devolução ou de pagamento. Qualquer que seja a causa do protesto, ele se fará por indicações do credor fornecidas ao cartório de protesto. O protesto deve ser efetuado na praça de pagamento constante da duplicata e no prazo de 30 dias, a contar de seu vencimento. A inobservância do prazo legal para encaminhamento do título a cartório de protesto importa na perda, por parte do credor, do direito creditício contra os coobrigados (endossantes e seus avalistas). Contra o devedor principal do título - sacado - e seu avalista, não é necessário o protesto, ou seja, a inobservância do prazo de 30 dias a contar do vencimento para se promover o protesto da duplicata não importa na perda do direito creditício contra o comprador das mercadorias e um eventual seu avalista (art. 13, §§ 3º e 4º da Lei nº 9.492, de 1997).

DUPLICATA, RECUSA DE ACEITE DE — A recusa de aceite de duplicata mercantil só é admissível nos casos previstos pelo art. 8º da Lei nº 5.474, de 1968, ou seja: a) avaria ou não recebimento de mercadorias, quando não-expedidas ou não-entregues por conta e risco do comprador; b) vícios na qualidade ou quantidade das mercadorias; c) divergência nos prazos ou nos preços ajustados.

DUPLO BINÁRIO — Sistema duplo binário ou dualista é o que recomenda a aplicação cumulativa da pena e da medida de segurança.

DUPLO GRAU DE JURISDIÇÃO — Preceito que estabelece a existência de duas instâncias, determinando que as causas decididas no juízo *a quo* (primeira instância) venham a ser reapreciadas no juízo *ad quem* (segunda instância), em grau de recurso.

DURA LEX SED LEX — [Latim]. Expressão que significa a lei (é) dura, mas (é) lei. A lei deve ser aplicada ainda que pareça imoral ou injusta. Preceito a ser aplicado em termos.

DÚVIDA — Incerteza sobre realidade fática, fenomênica e proposicional. Pode ser racional ou emocional. A dúvida racional é a busca da certeza por questionamento científico com avaliação, confronto, verificação e corroboração, cuja garantia de exatidão evita perturbações. A dúvida emocional tende, primordialmente, a buscar o erro, o desacerto, o errado, o total do prejuízo e o culpado ou responsável para exigir condenação e ressarcimento. Para esclarecer a dúvida - seja por interrogatório, questionamento objetivo, ou por crítica –, começa-se pela confiança, passa-se para as respostas saneadoras e termina-se no sentido de estabelecer ou não a crença.

E

E. G. — Ver *Exempli Gratia.*

EBITDA (*EARNINGS BEFORE INTEREST, TAXES, DEPRECIATION AND AMORTIZATION*) — Significa lucro antes de juros, impostos, depreciação e amortização. O EBITDA leva em conta apenas o desempenho operacional da empresa, e não reflete o impacto no resultado de itens extraordinários, da adoção de uma política de planejamento fiscal ou de financiamento (estrutura de capital) diferente. O EBITDA é visto como uma boa estimativa do fluxo de caixa operacional de uma empresa e por essa razão muitos analistas financeiros tendem a utilizá-lo como um dos principais indicadores de desempenho.

E-BUSINESS — Negócios efetuados pela Internet, incluindo aplicações da Rede para logística de produção.

E-CARD — Cartão virtual, isto é, sem o uso do plástico, em que o cliente só possui o número do cartão. Só pode ser utilizado em compras na internet.

ECLIPSE LUNAR — Passagem da Lua através da sombra projetada pelo Planeta Terra que, consoante a região afetada, pode ser total ou parcial.

ECLIPSE SOLAR — Interposição da Lua entre o Sol e o Planeta Terra e que, devido à igualdade de dimensões aparentes de ambos, origina uma ocultação completa do Sol (eclipse total), ou incompleta (eclipse parcial ou anular).

ECLÍPTICA — É definida como a circunferência imaginária correspondente à trajetória aparente do Sol na esfera celeste. O eixo da eclíptica é uma reta perpendicular à eclíptica e passa pelo centro da Terra.

ECLODIR — Aparecer; surgir; rebentar. Desabrochar; nascer; emergir.

ECLUSA — Estrutura construída num canal a céu aberto, num trecho que tem um desnível considerável da linha de água, para fazer passar barcos nas duas direções. O mesmo que comporta, isto é, porta que sustém as águas de uma represa, açude ou dique e que pode ser aberta quando da necessidade de soltá-las.

ECO 92 — Ver Rio–92.

ECOBATÍMETRO — Aparelho de sondagem cujo funcionamento se baseia na medição do tempo decorrido entre a emissão de um pulso sonoro (de freqüência sônica ou ultrasônica) e a recepção do eco refletido pelo fundo do mar.

ECOBIOSE — Complexo de relações que se passam entre os seres vivos e o meio ambiente em que vivem.

ECOCLIMA — O clima considerado como fator ecológico, com interferência dentro dos hábitats. Abrange o total dos fatores meteorológicos.

ECODESENVOLVIMENTO — Visão moderna de desenvolvimento que procura utilizar os conhecimentos culturais, biológicos, sociais e políticos de uma região, evitando a agressão ao meio ambiente. O ecodesenvolvimento se define como um processo criativo de transformação do meio com a ajuda de técnicas ecologicamente prudentes, concebidas em função das potencialidades deste meio, impedindo o desperdício inconsiderado dos recursos, e cuidando para que estes sejam empregados na satisfação das necessidades de todos os membros da sociedade, dada a diversidade dos meios naturais e dos contextos culturais.

ECO-ECONOMIA — É uma nova proposta econômica que passa a considerar a ecologia e seus sistemas de suporte e reposição. Ela parte do princípio geral de que a economia clássica assegura que as matérias-primas e recursos naturais são infinitos, enquanto o trabalho é finito e, por isso, tem valor. A nova proposta diz que hoje em dia essa teoria praticamente se inverteu.

ECOLOGIA — Ciência que estuda a dinâmica dos ecossistemas, as inter-relações dos seres vivos com o meio ambiente em que vivem, incluindo-se aí o ser humano.

ECOLOGIA APLICADA — Disciplina que estuda ecossistemas florestais, procurando minimizar os efeitos da ação humana sobre eles. Tem por objetivo proteger a flora, a fauna e os mananciais, além de administrar parques e reservas florestais e elaborar relatórios de impacto ambiental.

ECOLOGIA HUMANA — É o estudo das inter-relações dinâmicas entre o ser humano e os aspectos físicos, bióticos, sociais e culturais do seu ambiente.

ECOLOGIA PROFUNDA — Considera os seres humanos equivalentes e não superiores às outras espécies integradas em ecossistemas em funcionamento.

ECOLÓGICO — Qualidade daquilo ou daquele que se refere à ecologia.

ECOLÓGICO-ECONÔMICO — Recurso do planejamento para disciplinar o uso e ocupação humana de uma área ou região, de acordo com a capacidade de suporte; zoneamento agroecológico, variação para áreas agrícolas; base técnica para o ordenamento territorial.

ECOLOGISTA — Aquele que estuda ou lida com a ecologia.

E-COMMERCE — Ver Comércio Eletrônico.

ECONOMETRIA — Aplicação de métodos estatísticos para estimar e avaliar os modelos econômicos.

ECONOMIA — 1) É a ciência social que estuda a atividade produtiva, que se preocupa com o problema do uso e da administração dos recursos escassos existentes em cada sociedade de modo a propiciar a máxima satisfação aos ilimitados desejos dos seus membros, através da eficiente produção de bens e serviços (melhor alocação dos fatores de produção). A preocupação fundamental da Economia, como ciência, é com os aspectos mensuráveis da atividade produtiva, com vistas ao seu tratamento através de modelos matemáticos, estatísticos e econométricos. Tais estudos podem se restringir ao comportamento das unidades de produção ou consumo (microeconomia) ou estender-se sobre toda a atividade econômica da sociedade (macroeconomia). 2) Diz-se da ausência de desperdício de um dado recurso. Uma atividade é econômica se o custo de utilização dos recursos escassos se aproxima do mínimo necessário para atingir os objetivos previstos.

ECONOMIA ABERTA — Economia que interage livremente com outras economias do mundo.

ECONOMIA AMBIENTAL — Ramo da economia que está se desenvolvendo de forma a, por um lado, proporcionar a valoração dos bens e recursos naturais cabíveis e, por outro, construir uma metodologia de inserção dos bens ambientais no Planejamento e na Economia. Visa a tornar o sistema natural parte integrante das economias e do planejamento de uma forma geral. (Ver: Economia e Ecologia.)

ECONOMIA CLÁSSICA — A ciência econômica é consolidada com a escola clássica. O marco fundamental é a obra *Uma Investigação sobre a Natureza e Causas da Riqueza das Nações* (1776), do escocês Adam Smith (1723-1790). Adam Smith afirma que não é a prata ou o ouro que determina a prosperidade de uma nação, mas sim o trabalho humano. Em conseqüência, qualquer mudança que aprimore as forças produtivas enriquece uma nação. A principal delas - além da mecanização - é a divisão social do trabalho, amplamente estudada por ele. A escola também aborda as causas das crises econômicas, as implicações do crescimento populacional e a acumulação de capital. Após a morte de Smith, três nomes aperfeiçoam e ampliam suas idéias: o francês Jean-Baptiste Say (1767-1832) e os ingleses Thomas Malthus (1766-1834) e David Ricardo (1772-1823). Os clássicos defendem o liberalismo e elaboram o conceito de racionalidade econômica, no qual o indivíduo deve satisfazer suas necessidades sem se preocupar com o bem-estar coletivo.

ECONOMIA DE BEM-ESTAR — Pode ser interpretada como a economia da eficiência. Qualquer estado da sociedade que não seja economicamente eficiente e indesejável, porque é possível aumentar as utilidades de algumas pessoas sem diminuir a de outras.

ECONOMIA DE CONSUMO — A economia de consumo implica uma ação econômica orientada para cobrir as próprias necessidades, seja de um Estado, de um indivíduo ou de uma cooperativa de consumo.

ECONOMIA DE LIVRE MERCADO — Ver Economia de mercado.

ECONOMIA DE MERCADO — Também denominada Economia de livre mercado ou sistema de livre iniciativa é modelo econômico segundo o qual, com exceção de determinadas atividades consideradas próprias do estado (como a defesa nacional, a promulgação de leis e a manutenção da ordem pública), todas as demais atividades e as transações econômicas dependem da livre iniciativa das pessoas, para alcançar seus objetivos econômicos da forma considerada a mais apropriada, sem a intervenção do governo. Neste contexto econômico, os indivíduos decidem livremente questões relativas ao emprego, à utilização de seu capital e de seus recursos; por exemplo, como distribuir os lucros entre a poupança e o consumo e como escolher para comprar entre os diferentes bens oferecidos. Há controvérsias sobre quais atividades são de competência do Estado e quais cabem à iniciativa privada. O direito à liberdade e à segurança, constituindo direitos fundamentais, não pode estar sob o controle do mercado, pois não pode depender do poder aquisitivo do indivíduo. Da mesma maneira, os direitos humanos - por exemplo, o direito à vida e, portanto, a uma Saúde Pública mínima - requerem a intervenção do Estado na prestação de serviços médicos privados. Quando atividades econômicas são desempenhadas por empresas do setor privado, torna-se necessária uma regulamentação pública para impedir, por exemplo, a apropriação indébita de propriedade.

ECONOMIA DO CASSINO — Metáfora utilizada pela economista britânica Susan Strange (*Casino Capitalism*, 1986) para descrever não só a especulação e a mobilidade transfronteira de capital que passou a caracterizar o comportamento do mercado financeiro global após o fim do acordo de Bretton Woods, como também um novo ambiente cultural e político caracterizado pela "cultura do dinheiro" e perda de poder dos estados nacionais.

ECONOMIA DO CONHECIMENTO — Sociedade (mercado) que tem o conhecimento como núcleo principal do desenvolvimento.

ECONOMIA DO MEIO — Ciência econômica que em suas teorias, análises e cálculos de custos inclui parâmetros ecológicos.

ECONOMIA DOMÉSTICA FECHADA — Fase da economia natural pura, em que suas unidades bastam-se a si mesma (autarquia) porque produzem todos os bens de consumo necessários, uma economia sem troca, sem dinheiro.

ECONOMIA ECOLÓGICA — Ver Eco-economia.

ECONOMIA FECHADA — Economia que não interage com outras economias do mundo.

ECONOMIA ILEGAL — É o intercâmbio de bens e serviços considerados ilegais pelas leis vigentes no país, além de não registrados na estatística e contabilidade governamental (contrabando, tráfico de drogas etc.)

ECONOMIA INFORMAL — É o intercâmbio de bens e serviços não registrados na estatística e contabilidade governamental. A economia informal não recolhe impostos diretos. Inclui a produção e comercialização de bens e serviços, tanto legais (emprego doméstico, ofícios) como ilegais (trocas no mercado negro). Como os trabalhadores não têm carteira assinada e as empresas na economia informal não pagam impostos, pequenos negócios que querem diminuir seus custos e se adaptar às incertezas do mercado (mesmo que produtores de bens e serviços sofisticados) têm contribuído para a expansão da economia informal em países desenvolvidos, não só nos países em desenvolvimento.

ECONOMIA INTERNACIONAL — O estudo da Economia Internacional envolve todos os aspectos ligados à atividade econômica entre as nações, suas regras de funcionamento, aspectos legais, trocas monetárias, fluxos de mercadorias e serviços etc. Com o fenômeno da globalização, cada vez mais a interação e interdependência entre as nações tornam prementes o perfeito funcionamento destas relações e, neste sentido, a solução comumente adotada é a criação de organismos inter e supranacionais que intercedam no sentido de equilibrar estas relações e promover o desenvolvimento de todos os participantes.

ECONOMIA LÍDER — São as dos países altamente industrializados e centros de finanças internacionais, e por economias "reflexas" as dos demais países, especialmente os de produção primária.

ECONOMIA LUCRATIVA — A economia lucrativa implica orientação no sentido de probabilidades de lucros e, falando em termos mais concretos, de probabilidades de lucros mediante troca.

ECONOMIA MISTA — Designa a economia que tem algum empreendimento governamental e algum empreendimento privado; ou aquela em que a liberdade de ação das empresas privadas é substancialmente restringida por controles governamentais diretos.

ECONOMIA NEOCLÁSSICA — Escola surgida no fim do século XIX com o austríaco Carl Menger (1840-1921), o inglês William Stanley Jevons (1835-1882) e o francês Léon Walras (1834-1910). Posteriormente se destacam o inglês Alfred Marshall (1842-1924), o austríaco Knut Wicksell (1851-1926), o italiano Vilfredo Pareto (1848-1923) e o norte-americano Irving Fisher (1867-1947). Os neoclássicos negam a teoria clássica do valor-trabalho. Amparados pelas idéias do filósofo inglês Jeremy Bentham (1748-1832), criador do utilitarismo, eles afirmam que o valor de um produto é uma grandeza subjetiva: relaciona-se com a utilidade que ele tem para cada um. Essa utilidade, por sua vez, depende da quantidade do bem de que o indivíduo dispõe. Nos desertos, por exemplo, a água é um produto valioso, ao passo que em regiões chuvosas o valor cai consideravelmente. Dessa maneira, o preço das mercadorias e dos serviços passa a ser definido pelo equilíbrio entre a oferta e a procura. Essa lei do mercado, para os neoclássicos, conduz à estabilidade econômica.

ECONOMIA NORMATIVA — Ver Política Econômica.

ECONOMIA SOCIAL — Identifica uma larga faixa de organizações não-governamentais nos países de língua francesa que cresce bastante na União Européia; abrange grande variedade de organizações sem fins lucrativos, tais como companhias de seguro mútuo, caixas de depósitos e cooperativas.

ECONOMIA SOLIDÁRIA — É um modo específico de organização de atividades econômicas. Ela se caracteriza pela autogestão, ou seja, pela autonomia de cada unidade ou empreendimento e pela igualdade entre os seus membros. Economia Solidária é uma forma de produção, consumo e distribuição de riqueza (economia) centrada na valorização do ser humano - e não do capital - de base associativista e cooperativista, voltada para a produção, consumo e comercialização de bens e serviços, de modo autogerido, tendo como finalidade a reprodução ampliada da vida. Assim, nesta economia, o trabalho se transforma num meio de libertação humana dentro de um processo de democratização econômica, criando uma alternativa à dimensão alienante e assalariada das relações de produção. Além disso, a Economia Solidária possui uma finalidade multidimensional, isto é, que envolve a dimensão social, a econômica, a política, a ecológica e a cultural. Isto porque, além da visão econômica de geração de trabalho e renda, as experiências de Economia Solidária se projetam no espaço público no qual estão inseridas, tendo como perspectiva a construção de um ambiente socialmente justo e sustentável. A Economia Solidária reafirma a emergência de atores sociais, ou seja, a emancipação dos trabalhadores como sujeitos históricos.

ECONOMIA SUBTERRÂNEA — Embora usado às vezes como sinônimo de economia informal, economia ilegal ou economia paralela, seu crescimento no mundo atual leva a tentativas mais precisas de definição, uma delas sendo a produção de bens e serviços, legais ou ilegais, que se baseia na economia de mercado, mas que escapa da detecção das estimativas oficiais do PIB. Acredita-se que o crescimento dessa economia se deva ao aumento da carga tributária e de impostos, e do sistema de seguridade social nos estados nacionais. Estudos realizados na Alemanha e na Áustria mostram que dois terços do valor agregado produzido na economia subterrânea não seria produzido na economia oficial caso a economia subterrânea não existisse. Uma taxonomia preliminar classifica a economia subterrânea em dois grandes grupos: legais e ilegais, ambas subdivididas em transações monetárias (comercio de bens roubados; indústria e tráfico de drogas; jogo, contrabando, fraude; evasão fiscal) e transações não-monetárias (escambo de bens, serviços legais; trabalho de tipo auto-ajuda; ajuda comunitária). Além do vínculo com a corrupção, existem efeitos socioeconômicos (competição com os produtores e trabalhadores "oficiais"; erosão da base de impostos e da seguridade social; decréscimo da receita em impostos com efeitos sobre o déficit orçamentário) e políticos (indicadores errôneos na elaboração de políticas públicas, geralmente baseadas em indicadores "oficiais" como desemprego, renda, consumo, levando a medidas questionáveis e questionadas). Por outro lado: a) calcula-se que pelo menos dois terços da renda auferida na economia subterrânea são imediatamente gastos na economia oficial; b) reduz o custo de reprodução da mão-de-obra; c) dissipa os efeitos políticos e sociais da redução da oferta de emprego na economia formal.

ECONOMIAS DE ESCALA — Expressão utilizada para definir o aumento de produtividade mais que proporcional em face do aumento da escala da empresa. Estão associadas, na maior partes das vezes, à maximização da divisão do trabalho. As economias de escala podem ser internas ou externas. As economias de escala internas reportam-se à eficiência técnica, à eficiência empresarial, às vantagens financeiras (Exemplo: nas facilidades de concessão do crédito bancário), aos descontos por quantidades adquiridas e às sinergias próprias da investigação e desenvolvimento. As economias de escala externas encontram os seus fundamentos na mão-de-obra especializada, na rede instalada de distribuição e na dimensão das infra-estruturas disponíveis.

ECONOMIAS DE ESCOPO — Ocorrem quando o custo para uma empresa de produzir dois bens é menor do que o da soma dos custos de duas empresas especializadas em cada um dos bens.

ECONOMIAS REFLEXAS — Ver Economia Líder.

ECONOMICIDADE — Característica da alternativa mais econômica para a solução de determinado problema. Refere-se à relação custo/benefício.

ECONÔMICO — 1) Qualidade daquilo que está ligado à economia. 2) Qualidade daquele que usa o dinheiro com equilíbrio e moderação.

ECORREGIÃO — Representa um território geograficamente definido, constituído por comunidades naturais que compartilham a grande maioria de suas espécies, a dinâmica ecológica, as condições ambientais e cujas interações ecológicas são cruciais para sua existência a longo prazo.

ECOSFERA — O mesmo que biosfera. Espaço ocupado pelos seres vivos no Planeta Terra.

ECOSSISTEMA — Sistema aberto integrado pelos organismos vivos (inclusive o ser humano) e os elementos não vivos de um setor ambiental definido no tempo e no espaço, cujas propriedades globais de funcionamento e auto-regulação derivam da interação entre seus componentes, tanto os pertencentes aos sistemas naturais como aqueles modificados ou organizados pelo próprio ser humano. Complexo constituído pelo biótopo e pela biocenose.

ECOSSONDA — Instrumento que determina a profundidade da água pelo tempo requerido para que um sinal sonoro viaje até o fundo e retorne. Este equipamento permite executar levantamentos batimétricos, desde águas costeiras até mais de 10.000 m.

ECÓTONO — Região de transição entre dois ecossistemas diferentes ou entre duas comunidades. Nessa região a fauna é mais rica e mais abundante que nas biocenoses adjacentes, cujas espécies se misturam mais ou menos. Este efeito é conhecido pelo nome de efeito de borda.

ECÓTOPO — Determinado tipo de hábitat dentro de uma área geográfica ampla.

ECOTURISMO — Segmento da atividade turística que utiliza, de forma sustentável, o patrimônio natural e cultural, incentiva sua conservação e busca a formação de uma consciência ambientalista por meio da interpretação do ambiente, promovendo o bem-estar das populações envolvidas.

ECUMÊNICO — Palavra geral e universal, expressão mais particularmente usada para indicar a condição do concílio, cujas deliberações, em matéria eclesiástica, são reconhecidas pela igreja universal.

EDGE — Resguardar-se, safar-se. No mercado financeiro, o termo define a operação de venda de contratos na Bolsa de Mercadorias e Futuros (BM&F) como soja, café, ouro, dólar e até juros. Como é difícil saber o comportamento do preço dos produtos agrícolas no futuro, por exemplo, os produtores costumam fechar contratos com preços pré-definidos. Assim, se lá na frente o preço da saca de café ou soja estiver abaixo daquele acertado na data do fechamento do contrato, garantem um lucro mínimo ao invés de registrarem perdas. Esta lógica é a mesma para negócios feitos com o dólar ou juros ou demais tipos de ativos negociados na BM&F.

EDIFICAÇÃO — Construção destinada a abrigar qualquer atividade humana, materiais ou equipamentos. Pode ser residencial, industrial, mercantil, comercial, hospitalar, para fins de lazer e esporte e outros.

EDIFICAÇÕES INVENTARIADAS — São aquelas relacionadas para futuro tombamento.

EDIFICAÇÕES TOMBADAS — São aquelas que integram o Patrimônio Cultural e são protegidas por força de lei.

EDIFÍCIO — Ver Edificação.

EDIFÍCIO INTELIGENTE — Nome dado aos edifícios tecnologicamente avançados, que possuem, dentre outras coisas, climatização, ar condicionado central, sistema de gerenciamento de energia elétrica etc.

EDIFÍCIO PÚBLICO — Construção destinada aos órgãos públicos federais, estaduais ou municipais como por exemplo, escolas, hospitais, sedes do governo etc.

EDIL — Integrante do poder legislativo municipal, vereador.

EDILIDADE — Denominação dada às Câmaras Municipais, ou Legislativo Municipal, constituída pelos vereadores.

EDITAL — 1) Ato escrito oficial em que há determinação, aviso, postura, citação etc., e que se afixa em lugares públicos ou se anuncia na imprensa, para conhecimento geral, ou de alguns interessados, ou, ainda, de pessoa determinada cujo destino se ignora; relativo a édito; que se fez público por meio de editais. 2) Instrumento jurídico divulgado em órgão oficial e na imprensa diária, mediante o qual a Administração convoca servidores ou administrados; disciplina as regras para realização de concurso público ou dá divulgação de ato deliberativo. (Ver: Licitação Pública - Edital.)

EDITAL DE CITAÇÃO — Edital que se insere na imprensa (*Diário Oficial* e jornais de grande circulação no local) para cumprir citação inicial à pessoa não encontrada ou que se encontre em lugar de difícil acesso.

EDITAL DE PRAÇA — É aquele pelo qual se torna público, por ordem do juiz, o dia, hora e lugar onde serão levados à hasta pública os bens que nesta devem ser vendidos.

EDITO — Exprimindo o preceito que é contido na lei ou no decreto é aplicado no mesmo sentido de lei e decreto. Indicado para significar a ordem, o mandato, a citação, que se contém num edital.

EDUCAÇÃO - ADMINISTRAÇÃO ESCOLAR — É uma especialidade do pedagogo, que pode ser obtida através de cursos de habilitação, incorporada ou não à licenciatura em pedagogia, ou através de especialização. O administrador escolar atua junto ao corpo docente e discente das instituições de ensino, coordenando as práticas pedagógicas, bem como acompanhando o desenvolvimento do currículo, é o responsável legal e administrativo pelo estabelecimento. De um modo geral tem a função de diretor da instituição.

EDUCAÇÃO - ALFABETIZAÇÃO — É o processo de alfabetizar uma pessoa. Para medir a alfabetização, os órgãos oficiais de pesquisa consideram como alfabetizada a pessoa capaz de ler e escrever pelo menos um bilhete simples no seu idioma. (Ver: Alfabetização Funcional // Educação - Analfabeto Funcional // Taxa de alfabetização.)

EDUCAÇÃO - ALFABETIZAÇÃO FUNCIONAL — Alfabetização definida operacionalmente, segundo critérios da UNESCO, como o domínio de habilidades em leitura, escrita, cálculos e ciências, em correspondência a uma escolaridade mínima de quatro séries completas.(Ver: Educação - Analfabeto funcional // Taxa de analfabeto funcional.)

EDUCAÇÃO - ANALFABETO FUNCIONAL — É o indivíduo que não tem fluência de leitura adequada ao nível em que opera. Ou seja, o leitor cujo nível de fluência não é funcional para o contexto em que a leitura ou escrita é requerida. Mais do que ler e escrever mecanicamente, o alfabetizado funcional deve compreender o que leu e saber redigir um texto autônomo (uma carta, um bilhete etc.) ou, em outras palavras, conseguir usar a escrita, tirar proveito dela e valer-se da linguagem escrita para atividades sociais do cotidiano. Estudo da UNESCO aponta que o mínimo de funcionalidade é ser capaz de ler 80 a 90 palavras por minuto - menos do que isso impossibilita a compreensão. Este deve ser o conceito de alfabetizado ao final da primeira série. Na quarta série um aluno precisa ser capaz de ler e compreender um texto dessa série com um ritmo de pelo menos 150 palavras por minuto. No ensino médio, essa exigência passa para 250 palavras. (Ver: Educação - Analfabetismo // Educação - Alfabetização Funcional // Taxa de analfabeto funcional.)

EDUCAÇÃO - ANOS DE ESTUDO — Classificação estabelecida em função da série e do grau mais elevado alcançado pela pessoa, considerando a última série concluída com aprovação. Cada série concluída com aprovação corresponde a um ano de estudo. A contagem dos anos de estudo tem início em um ano, a partir da 1ª série concluída com aprovação de curso de 1º grau ou do elementar; em cinco anos de estudo, a partir da 1ª série concluída com aprovação de curso de médio 1º ciclo; em nove anos de estudo, a partir da 1ª série concluída com aprovação de curso de 2º grau ou de médio 2º ciclo; em 12 anos de estudo, a partir da 1ª série concluída com aprovação de curso superior. As pessoas que não declararam a série e o grau, ou com informações incompletas ou que não permitem a sua classificação, são reunidas no grupo de anos de estudo não determinados ou sem declaração.

EDUCAÇÃO - ASSOCIAÇÃO DE PAIS E MESTRES (APM) — É uma associação que deve ser criada em cada escola e ser capaz de apoiar ou cobrar ações da administração. Para constituir uma APM - no mínimo, dez pessoas ligadas à escola - os interessados devem fazer uma reunião e redigir a ata de fundação, registrando-a em cartório como entidade sem fins lucrativos. Após a criação, todos os pais, funcionários, professores e alunos tornam-se automaticamente membros. Com o registro, a associação pode receber recursos de parcerias com empresas públicas e iniciativa privada, que devem ser repassados diretamente para o caixa da escola. O novo Código Civil trouxe importantes inovações no tocante às entidades organizadas com fins não econômicos que compõem o terceiro setor. Destaca-se, dentre as inovações, a supressão da sociedade civil sem fins lucrativos. Esta deixa de existir juridicamente, passando o novo Código Civil a disciplinar apenas dois tipos de entidades com fins não econômicos: a associação e a fundação, elencando para cada qual exigências estatutárias distintas no tocante à sua constituição, funcionamento e extinção.(Ver: Associação.)

EDUCAÇÃO - CENSO EDUCACIONAL — Ver Educação - Censo Escolar.

EDUCAÇÃO - CENSO ESCOLAR — Levantamento realizado anualmente pelo Ministério da Educação, em parceria com as Secretarias de Educação das unidades da Federação, tendo como população-alvo todas as escolas de educação básica do País. Nesta pesquisa são coletados dados básicos de infra-estrutura, pessoal docente, matrículas, rendimento e movimento escolar, por nível e modalidade de ensino. As informações reunidas buscam subsidiar o planejamento e a gestão do setor no Brasil. (Ver: Taxa de atendimento em educação.)

EDUCAÇÃO - CLASSE DE ALFABETIZAÇÃO (CA) — Conjunto de alunos que são reunidos em sala de aula para aprendizagem da leitura e da escrita, durante um semestre ou um ano letivo. As classes de alfabetização formalmente não pertencem nem à pré-escola nem ao ensino fundamental.

EDUCAÇÃO - CONSELHO DE ALIMENTAÇÃO ESCOLAR MUNICIPAL (CAE) — Órgão deliberativo, fiscalizador e de assessoramento no Município dos recursos repassados Programa Nacional de Alimentação Escolar - Merenda Escolar. De criação obrigatório, deverá ser instituído por ato legal próprio no âmbito do município e será composto por sete membros assim distribuídos: um representante do poder Executivo, indicado formalmente pelo Chefe desse poder; um representante do poder Legislativo, indicado formalmente pela mesa diretora desse poder; dois representantes dos professores, indicados formalmente pelos respectivos órgãos de classe; dois representantes de pais de alunos, indicados formalmente pelos conselhos escolares, associações de pais e mestres ou entidades similares; um representante de outro segmento da sociedade civil, indicado formalmente pelo segmento representado, sendo que o membro de cada categoria deverá ter um suplente.(Ver: Sociedade Civil // Sociedades Civis e Sociedades Comerciais // Sociedade simples // Sociedade empresarial.)

EDUCAÇÃO - CONSELHO ESCOLAR — Também conhecido como Colegiado, é formado por representantes da escola, pais e alunos. Suas principais atribuições são traçar diretrizes e metas para a escola, propor soluções para questões administrativas e pedagógicas e definir as prioridades para a aplicação de recursos. O seu objetivo é democratizar a gestão escolar.

EDUCAÇÃO - CONSTRUTIVISMO — Ver Construtivismo.

EDUCAÇÃO - CORPO DISCENTE — São os alunos das escolas.

EDUCAÇÃO - CORPO DOCENTE — São os professores, mestres e diretores das escolas.

EDUCAÇÃO - CRECHE — Instituição de assistência social que presta atendimento a crianças de até três anos de idade, no âmbito da Educação Infantil.

EDUCAÇÃO - CRIANÇA E ADOLESCENTE — Ver Criança e Adolescente.

EDUCAÇÃO - CURSOS SEQÜENCIAIS — Nova modalidade de ensino superior, regulamentada em 1999, proporciona formação mais rápida e mais específica que a obtida na graduação. Os cursos seqüenciais - alguns relativamente novos, como administração de empreendimentos desportivos, gastronomia e administração de comércio eletrônico - não permitem aos formados o acesso à pós-graduação, mas podem aproveitar as disciplinas estudadas caso ingressem num curso regular de graduação. O processo seletivo dispensa o vestibular, substituído por análise da experiência e das aptidões do candidato. Existem dois tipos de curso seqüencial: o de formação específica, ministrado em até dois anos para quem concluiu o ensino médio, e o de complementação de estudos, que pode ser feito durante ou após a graduação. O de formação específica tem a duração mínima de 1,6 mil horas, ou 400 dias letivos, e confere diploma que habilita o formado ao exercício de uma profissão. Já os cursos de complementação correspondem aos cursos de extensão universitária; sem carga horária definida, atendem à necessidade de continuação da educação dos já inseridos no mercado de trabalho e conferem apenas certificados aos alunos. Os cursos seqüenciais que habilitam o formado ao exercício de uma profissão não são aceitos por todas as associações, entidades nem por conselhos profissionais. Existem também conflitos entre o MEC e algumas universidades que criam cursos seqüenciais para profissões em que esse tipo de formação não é permitido por lei.

EDUCAÇÃO - DEFASAGEM IDADE-SÉRIE — Situação de alunos que estão atrasados na escola, ou seja, que estão acima da faixa etária compatível com a série que cursam. O índice de defasagem idade-série nas escolas públicas brasileiras é elevadíssimo, principalmente em razão da má qualidade do ensino, que faz com que os alunos sejam reprovados. O problema deve ser combatido com a criação de programas de aceleração de aprendizagem para correção do fluxo escolar e com ações que busquem qualificar métodos, materiais didáticos e professores.

EDUCAÇÃO - EDUCADOR — Chamamos de Educador ao profissional da educação que pode atuar tanto como professor, como pesquisador, administrador escolar, supervisor de ensino, orientador educacional, filósofo educacional ou como estudioso de questões educacionais de um modo geral. Embora em princípio entenda-se o educador como um pedagogo, nem sempre esta é a realidade, podendo um educador ter formação em outras áreas pedagógicas, como Letras, Psicopedagogia dentre outras. (Ver: Educação - Professor // Educação - Profissionais do magistério // Educação - Corpo Docente.)

EDUCAÇÃO - ENSINAR — É fazer pensar, é estimular para a identificação e resolução de problemas; é ajudar a criar novos hábitos de pensamento e de ação. Portanto, não é somente transmitir e transferir conhecimentos de uma cabeça a outra, não é somente comunicar.

EDUCAÇÃO - ENSINO — 1) Transmissão de conhecimento de maneira formal. 2) Processo deliberado de facilitar que outra pessoa ou pessoas aprendam e cresçam intelectual e moralmente, fornecendo-lhes situações planejadas de tal modo que os aprendizes vivam as experiências necessárias para que se produzam neles as modificações desejadas, de uma maneira mais ou menos estável.

EDUCAÇÃO - ENSINO FUNDAMENTAL — Antigo 1º grau, tem duração mínima de oito anos, normalmente cursado por alunos de 7 a 14 anos. É obrigatório e gratuito na escola pública e tem por objetivo a formação básica do cidadão, incluindo o desenvolvimento da capacidade de aprender (pleno domínio da leitura, da escrita e do cálculo); a compreensão do ambiente natural e social, do sistema político, da tecnologia, das artes e dos valores em que se fundamenta a sociedade; a aquisição de conhecimentos e habilidades e a formação de atitudes e valores; o fortalecimento dos vínculos de família, dos laços de solidariedade humana e de tolerância recíproca. Faz parte da Educação Básica. (Lei de Diretrizes e Bases da Educação Nacional. Lei nº 9.394, de 20.12.1996.)

EDUCAÇÃO - ENSINO FUNDAMENTAL, ACESSO AO — É dever dos pais ou responsáveis efetuar a matrícula de seus filhos ou dependentes menores de idade, em escola pública ou particular, a partir dos sete anos. Por ser um direito público subjetivo, qualquer cidadão, grupo, associação comunitária, organização sindical, entidade de classe ou mesmo o Ministério Público pode acionar o Poder Público para exigi-lo.

EDUCAÇÃO - ENSINO MÉDIO — Etapa final da educação básica. Composto de três séries é equivalente ao antigo 2º grau, normalmente cursado por alunos de 15 a 18 anos, o Ensino Médio tem duração mínima de três anos e busca a consolidação e o aprofundamento dos conhecimentos adquiridos no Ensino Fundamental. Além disso, tem o objetivo de preparar o aluno para o trabalho e a cidadania e para continuar aprendendo, a fim de que se adapte às mudanças; a formação ética e o desenvolvimento da autonomia intelectual e do pensamento crítico;

e a compreensão dos fundamentos científico-tecnológicos dos processos produtivos. As novas diretrizes curriculares englobam uma base nacional comum (Linguagens e Códigos; Ciências da Natureza e Matemática; e Ciências Humanas) e uma parte diversificada, que pode ocupar até 25% da carga horária mínima e deve atender às diferentes características e aos anseios de cada região, escola e grupo de alunos. (Lei de Diretrizes e Bases da Educação Nacional Lei nº 9.394, de 20.12.1996.)

EDUCAÇÃO – ENSINO PROFISSIONALIZANTE — No Brasil é uma categoria de cursos escolares (chamados freqüentemente de cursos técnicos) destinados a formar profissionais de nível técnico. Há a opção de se fazer esses cursos integrados com o ensino médio ou separados, a partir do término do 2º ano do ensino médio. Os cursos técnicos duram três ou quatro anos quando são integrados ao ensino médio, e dois anos quando são subseqüentes. Estes cursos são opções curtas a faculdades e formam pessoal qualificado para atuar em quase todas as áreas do mercado de trabalho. No entanto é o setor industrial que mais absorve estes profissionais. Na hierarquia de uma empresa um técnico geralmente é subordinado a um profissional de nível superior, mas também pode exercer chefia sobre profissionais de nível básico.

EDUCAÇÃO – ESCOLA — Ver Escola.

EDUCAÇÃO – ESCOLA-PARQUE — Modelo de escola idealizado, na década de 1940, pelo educador baiano Anísio Teixeira. Pelo modelo, a escola deve funcionar em período integral, destinando um turno ao currículo escolar (Escola Classe) e outro a cursos profissionalizantes, aulas de educação física, atividades sociais e artísticas (Escola Parque). A proposta prevê ainda intenso envolvimento da comunidade.

EDUCAÇÃO – ESCOLARIDADE — Ver Educação – Anos de estudo.

EDUCAÇÃO – EVASÃO ESCOLAR — Alunos que abandonam a escola antes do término do ano letivo. Vale ressaltar que a grande maioria desses estudantes deixa a escola no segundo semestre por se considerar incapaz de passar de ano.

EDUCAÇÃO – EXAME NACIONAL DO ENSINO MÉDIO (ENEM) — Sistema de avaliação implantado pelo Ministério da Educação, em 1998. Permite ao aluno que está concluindo ou já concluiu o Ensino Médio analisar seus conhecimentos e identificar em que área precisa se empenhar mais. O ENEM é opcional, ou seja, só faz quem quer. Os resultados, mantidos em sigilo, são enviados apenas para o próprio aluno, que decide se deseja ou não divulgá-los. O exame não substitui o certificado de conclusão do Ensino Médio, mas algumas universidades estão, gradativamente, substituindo o Vestibular por outros métodos de seleção que podem levar o desempenho no ENEM em consideração. A partir de 2001, o governo federal passou a isentar estudantes de baixa renda da taxa de inscrição.

EDUCAÇÃO – FLUXO ESCOLAR — Trata-se da análise do comportamento da progressão dos alunos pertencentes a uma coorte, em determinado nível de ensino seriado, em relação à sua condição de promovido, repetente ou evadido. O aluno matriculado em determinada série no início do ano letivo t encontrar-se-á em somente uma das três condições, no início do ano letivo t+1: a) Promovido – se, tendo sido aprovado na série anterior, matriculou-se em série posterior; c) Repetente – matriculou-se na mesma série que cursou no ano anterior; e c) Evadido – não se encontra matriculado em qualquer série do nível de ensino em questão.

EDUCAÇÃO – FUNÇÃO DOCENTE — É a atividade desempenhada pelos professores da escola em cada grau/modalidade de ensino. Um professor pode ter mais de uma função docente.

EDUCAÇÃO – FUNDEB (FUNDO DE MANUTENÇÃO E DESENVOLVIMENTO DA EDUCAÇÃO BÁSICA E VALORIZAÇÃO DOS PROFISSIONAIS DA EDUCAÇÃO) — O FUNDEB substitui o Fundo de Manutenção e Desenvolvimento do Ensino Fundamental e de Valorização do Magistério (FUNDEF), que distribuiu recursos para o ensino fundamental de Estados e Municípios a partir de 1998. O FUNDEB é um fundo de natureza contábil, no âmbito de cada estado, do Distrito Federal e municípios, com vigência a partir de 2007 nos termos da lei que o instituiu e do art. 60 do Ato das Disposições Constitucionais Transitórias. A principal diferença é que o novo fundo passa a financiar também a educação infantil, a média e a de jovens e adultos, ampliando sua receita de 15% para 20% dos impostos estaduais e municipais arrecadados, inclusive cota-parte de impostos federais aos Estados e Municípios e dos Estados aos respectivos Municípios. A ampliação para 20% será gradativa em quatro anos e da mesma forma será gradativo os gastos com educação infantil, a média e a de jovens e adultos. Assim como no FUNDEF, os recursos do novo fundo serão distribuídos mensalmente em proporção ao número de alunos da rede pública. Estados e Municípios que não alcançam um patamar mínimo estipulado de investimento por aluno recebem complementação do Governo Federal. (Ver: Educação – FUNDEF.)

EDUCAÇÃO – FUNDEF – APLICAÇÃO DOS RECURSOS RECEBIDOS — Os recursos do FUNDEF que ingressarem nos cofres dos Estados e Municípios serão aplicados exclusivamente na Manutenção e Desenvolvimento do Ensino Fundamental e na Valorização do Magistério, assegurando o mínimo de 60% na remuneração dos profissionais do magistério em efetivo exercício de suas atividades no Ensino Fundamental Público. (Ver: Educação - Fundeb // Profissionais do magistério da educação.)

EDUCAÇÃO – FUNDEF – CÁLCULO DO REPASSE DOS RECURSOS — É calculado levando-se em conta o número de alunos matriculados no Ensino Fundamental da Rede Pública de Ensino dos Estados e Municípios. Anualmente, o Governo Federal, através do MEC, fixa um valor monetário para cada matrícula do Ensino Fundamental, valor este que, segundo o governo, é suficiente para os Estados e Municípios custearem o aluno na escola. O repasse dos recursos do FUNDEF aos Estados e Municípios corresponderá ao valor atribuído a cada aluno, multiplicado pelo número de matriculas no Ensino Fundamental. (Ver: Educação – FUNDEB.)

EDUCAÇÃO – FUNDEF – REGISTRO CONTÁBIL — A contabilidade do Estado e do Município deve registrar as receitas que sofrem retenção, pelo correspondente a 100% e não por 85%. A forma sugerida para contabilização das receitas não é fundamental apenas para apuração do resultado entre a retenção compulsória ao FUNDEF e o que retornou com a distribuição desses recursos e sim para apuração do cálculo do limite das despesas do Legislativo; dos gastos mínimos na Manutenção e Desenvolvimento do Ensino; dos gastos máximos em despesas com pessoal; dos gastos mínimos em Saúde. (Ver: Educação – FUNDEB.)

EDUCAÇÃO – FUNDEF (FUNDO DE MANUTENÇÃO E DESENVOLVIMENTO DO ENSINO FUNDAMENTAL E DE VALORIZAÇÃO DO MAGISTÉRIO) — Fundo de natureza contábil criado pela Emenda Constitucional nº 14, de 12.12.1996, quando o art. 60 do Ato das Disposições Constitucionais Transitórias teve sua redação alterada. O FUNDEF foi regulamentado pela Lei Federal nº 9.424, de 25.12.1996, com a implantação automática a partir de 1.1.1998. A receita do Fundo é composta pela retenção compulsória de 15% das transferências constitucionais de impostos dos Estados e Municípios: FPE, FPM, IPI/Exportação, ICMS e ICMS Desoneração das Exportações, cuja distribuição de recursos entre cada estado e seus municípios é proporcional ao número de alunos nas respectivas redes de ensino fundamental, devendo ser aplicado um valor anual mínimo/aluno. Portanto, o FUNDEF é constituído de receitas dos próprios Estados e Municípios, cabendo à União apenas complementar esse valor sempre que não se atingir o mínimo definido nacionalmente. (Ver: Educação - FUNDEB.)

EDUCAÇÃO - FUNDO DE FORTALECIMENTO DA ESCOLA (FUNDESCOLA) — É um Programa do Ministério da Educação (MEC), financiado com recursos do FNDE/MEC e recursos de empréstimo tomado pelo Governo Federal junto ao Banco Mundial - BIRD. O fundo financia ações que têm como finalidade melhorar o desempenho do Ensino Fundamental nas regiões Norte, Nordeste e Centro-Oeste, excluído o Distrito Federal, que possuem os piores índices educacionais do País. Os programas apoiados buscam ampliar o acesso e permanência de alunos nas séries correspondentes à sua idade, melhorar a qualidade da escola, das salas de aula e dos resultados educacionais e aprimorar a gestão das escolas e das Secretarias Estaduais e Municipais de Educação.

EDUCAÇÃO - GASTOS OBRIGATÓRIOS PELO ENTE PÚBLICO — O art. 212 da Constituição Federal determina que a União aplicará, anualmente, nunca menos de 18% (dezoito por cento), e os Estados, o Distrito Federal e os Municípios, 25% (vinte e cinco por cento), no mínimo, da receita resultante de impostos, compreendida a proveniente de transferências de impostos, na manutenção e desenvolvimento do ensino. Entende-se que a aplicação mínima exigida pela Constituição Federal é relativa aos recursos captados pelo Poder Público a título de impostos e transferências constitucionais de impostos. Dessa forma, as transferências de impostos percebidas da União pelos Estados, e da União e dos Estados pelos Municípios, integram a base de cálculo para apuração do percentual gasto em educação. Não estão compreendidas no limite acima as despesas com os programas de cultura e esportes, bem como os gastos financiados com transferências voluntárias com destinação específica em educação (da União aos Estados e Municípios e do Estado aos Municípios). A parcela da arrecadação de impostos transferida por mandamento constitucional pela União aos Estados, ao Distrito Federal e aos Municípios, ou pelos Estados aos respectivos Municípios, não é considerada, para efeito do cálculo, receita do Governo que a transferir, excetuada a contribuição compulsória para o Fundo de Educação. O recebimento de transferência da Dívida Ativa Tributária, excluídos a multa e juros, será considerado transferência de impostos, quando originária deles. (Ver: Gastos obrigatórios em Educação e com Saúde - Exclusão dos realizados com recursos recebidos de outras fontes // Educação - FUNDEF // Educação - FUNDEB.)

EDUCAÇÃO - LEI DE DIRETRIZES E BASES DA EDUCAÇÃO (LDB) — Instituída pela Lei nº 9.394, de 20 de dezembro de 1996, define que a educação é dever da família e do Estado, deve inspirar-se nos princípios de liberdade e nos ideais de solidariedade humana e tem por finalidade o pleno desenvolvimento do educando, seu preparo para o exercício da cidadania e sua qualificação para o trabalho. Seus artigos disciplinam a educação escolar, promovem a descentralização e a autonomia das escolas, instituem um processo regular de avaliação do ensino e incentivam a valorização do magistério. Estão entre os seus princípios: a igualdade de condições para o acesso e permanência na escola; o pluralismo de idéias e de concepções pedagógicas; o respeito à liberdade e apreço à tolerância; a gratuidade do ensino público em estabelecimentos oficiais; a gestão democrática do ensino público; a garantia de padrão de qualidade; e a valorização da experiência extra-escolar.

EDUCAÇÃO - MÉDIA DE ANOS DE ESTUDO — É o total de anos de estudo de um grupo de pessoas de uma determinada idade, dividido pelo número total de pessoas da mesma idade.

EDUCAÇÃO - NÍVEIS DE ENSINO — A Lei de Diretrizes e Bases da Educação Nacional (LDB) estabelece dois níveis para o sistema educacional brasileiro: o da educação básica, composto de educação infantil e ensinos fundamental e médio; e o da educação superior, com os cursos de graduação e pós-graduação, além dos de extensão universitária e dos seqüenciais. A educação de jovens e adultos corresponde ao antigo supletivo e é dirigida a quem não concluiu o ensino fundamental aos 15 anos e o médio aos 18. O sistema inclui ainda a educação profissional em três níveis: básico (para qualquer grau de escolaridade), técnico (corresponde ao ensino médio e é feito, em geral, simultaneamente a ele) e tecnológico (de nível superior). A educação especial destina-se a pessoas com deficiência física ou mental e deve ser preferencialmente oferecida na rede regular de ensino. Outra modalidade do sistema brasileiro é o ensino a distância, que abrange o nível fundamental e o médio e a formação para a obtenção de licenciatura - curso superior necessário para dar aulas a partir da 5ª série do ensino fundamental. No caso da licenciatura, o principal objetivo da Secretaria de Educação a Distância (SEED), ligada ao Ministério da Educação (MEC), é completar a formação dos profissionais. O prazo para que esses professores obtenham o diploma é 2007.

EDUCAÇÃO - ORIENTAÇÃO EDUCACIONAL — É uma especialidade do pedagogo, que pode ser obtida através de cursos de habilitação, incorporada ou não à licenciatura em pedagogia, ou através de especialização. O orientador educacional atua junto ao corpo discente das instituições de ensino, acompanhando as atividades escolares, bem como o desempenho do estudante, seja em termos de rendimento ou de comportamento.

EDUCAÇÃO - PESSOA ALFABETIZADA — Utilizado em pesquisa de alfabetização, refere-se à pessoa capaz de ler e escrever pelo menos um bilhete simples no idioma que conhece.

EDUCAÇÃO - PNAE - RECURSOS FINANCEIROS AOS MUNICÍPIOS — O montante dos recursos financeiros destinado Programa Nacional de Alimentação Escolar (PNAE) a ser repassado pelo Governo Federal será calculado com base no número de alunos devidamente matriculados no ensino infantil e fundamental em escolas municipais e qualificadas como entidades filantrópicas ou por elas mantidas, utilizando-se para esse fim os dados oficiais de matrículas obtidos no censo escolar relativo ao ano anterior ao do atendimento. Os recursos financeiros serão transferidos para contas específicas, uma para o atendimento aos alunos da pré-escola e do ensino fundamental, outra para o atendimento às creches e outra para o atendimento dos alunos das escolas indígenas, abertas pelo FNDE, no Banco do Brasil, na Caixa Econômica Federal ou em outra instituição financeira oficial, inclusive de caráter regional. Igualmente, também poderão ser abertas em instituições financeiras submetidas a processo de desestatização ou, ainda, naquela adquirente de seu controle acionário e, ainda, na ausência de todas essas, no banco que mantenha convênio com o FNDE. Não é necessário firmar convênio ou instrumento congênere para participar do programa. Todos os Municípios participam do programa, bastando, para isso, o cumprimento das exigências do normativo que o criou (MP nº 2.178-36/2001) e demais regras estabelecidas pelo FNDE. Exigências: a) aplicação dos recursos exclusivamente na aquisição de gêneros alimentícios; b) instituição de um Conselho de Alimentação Escolar (CAE), como órgão deliberativo, fiscalizador e de assessoramento; c) prestação de contas dos recursos recebidos; d) cumprimento das normas estabelecidas pelo FNDE na aplicação dos recursos; e) aquisição de alimentos definidos nos cardápios do programa de alimentação escolar, que são de responsabilidade do município, elaborados por nutricionistas capacitados, com a participação do CAE e respeitando os hábitos alimentares de cada localidade, sua vocação agrícola e preferência por produtos básicos, dando prioridade, dentre esses, aos semi-elaborados e aos *in natura*. (Ver: Educação - Conselho de Alimentação Escolar Municipal.)

EDUCAÇÃO - PNAE - RECURSOS FINANCEIROS AOS MUNICÍPIOS - PRESTAÇÃO DE CONTAS — O município fará a prestação de contas ao Conselho de Alimentação Escolar (CAE) do Município até o dia 15 de janeiro do exercício financeiro seguinte. A prestação de contas deverá ser composta de Demonstrativo Sintético Anual da Execução Físico-Financeira (modelo no Anexo I da Resolução/FNDE/CD/Nº 038, de 23 de agosto de 2004) e de todos os documentos que comprovem a execução do PNAE. O CAE, após análise da prestação de contas e registro em ata, emitirá o parecer conclusivo e encaminhará ao FNDE, até o dia 28 de fevereiro do exercício seguinte ao da aplicação, cópia da ata referente à apreciação da prestação de contas, devidamente assinada pelos conselheiros presentes, e o Demonstrativo Sintético Anual da Execução Físico-Financeira do PNAE.

EDUCAÇÃO - PNAE (PROGRAMA NACIONAL DE ALIMENTAÇÃO ESCOLAR) — Programa de suplementação alimentar do Governo Federal conhecido como "Merenda Escolar", que repassa recursos aos Estados, Distrito Federal e Municípios, para aquisição e distribuição de alimentos para os alunos de educação infantil e do ensino fundamental às escolas públicas e entidades filantrópicas. O Programa Nacional de Alimentação Escolar (PNAE) existe desde 1955 e busca suprir as necessidades nutricionais dos alunos, oferecendo-lhes, pelo menos, uma refeição diária e adequada. A suplementação alimentar ou, simplesmente, merenda escolar deve ser oferecida aos alunos em todos os dias letivos, já que, para muitos alunos, não é suplementar e, sim, a única alimentação do dia. Os cardápios devem ser de responsabilidade das escolas e elaborados por nutricionistas com a participação do Conselho de Alimentação Escolar, respeitando-se os hábitos alimentares de cada localidade, com preferência para produtos naturais e provenientes da agricultura da região. Base Legal: Medida Provisória nº 2.178-36/2001, que dispõe sobre o repasse de recursos financeiros do Programa Nacional de Alimentação Escolar, institui o Programa Dinheiro Direto na Escola, altera a Lei nº 9.533, de 10 de dezembro de 1997, que dispõe sobre o Programa de Garantia de Renda Mínima, institui programas de apoio da união às ações dos Estados e Municípios, voltadas para o atendimento educacional, e dá outras providências, além de outros atos normativos. (Ver: Hábito alimentar // Educação - PNAE - Recursos Financeiros aos Municípios.)

EDUCAÇÃO - PÓS-GRADUAÇÃO, TIPOS DE — A legislação prevê duas modalidades de pós-graduação: *lato sensu* e *stricto sensu*. Os cursos *lato sensu* não dão diploma nem título de mestre nem permitem o acesso ao doutorado. Conhecidos como cursos de especialização, têm duração mínima de um ano e são oferecidos por universidades públicas e particulares. Seu número dobrou nos últimos três anos, superando a marca de 9 mil especializações, presenciais e a distância. Os cursos *stricto sensu* - mais de 2,8 mil em todo o país - dão direito a diploma de mestrado e doutorado e seu objetivo é formar pesquisadores, professores e profissionais de alto nível.

EDUCAÇÃO — Processo de desenvolvimento da capacidade física, intelectual e moral da pessoa, visando à sua melhor integração individual e social. Engloba ensinar e aprender. E também algo menos tangível, mas mais profundo: construção do conhecimento, bom julgamento e sabedoria. A educação tem nos seus objetivos fundamentais a passagem da cultura de geração para geração.

EDUCAÇÃO - PROFESSOR — É o profissional que ministra aulas ou cursos em todos os níveis educacionais, a saber: Educação infantil, Educação fundamental, Ensino médio e superior, além do Ensino profissionalizante e técnico. Em 15 de outubro se comemora o Dia do Professor. É uma das profissões mais antigas e mais importantes, tendo em vista que as demais, em sua maioria, dependem dela. Nas séries iniciais da escolarização, temos uma porcentagem elevada de mulheres exercendo a função, no Brasil; com o passar dos níveis escolares, vemos a inversão dos percentuais em favor dos homens. Platão, na *República*, já alertava da importância do papel do professor na formação do cidadão. (Ver: Educação - Educador.)

EDUCAÇÃO - PROFISSIONAIS DO MAGISTÉRIO - EFETIVO EXERCÍCIO DA ATIVIDADE — Para fins de ações de manutenção e desenvolvimento do ensino e verificação da aplicação da parcela mínima de 60% (sessenta por cento) prevista no art. 60 das Disposições Constitucionais Transitórias, são considerados aqueles com atuação efetiva no desempenho das atividades de magistério, associada à sua regular vinculação contratual, temporária ou permanente, com o ente governamental que o remunera, não sendo descaracterizado por eventuais afastamentos temporários previstos em lei, com ônus para o empregador, que não impliquem em rompimento da relação contratual existente. (Ver: Educação - Profissionais do magistério - // Educação - Profissionais do magistério - Remuneração.)

EDUCAÇÃO - PROFISSIONAIS DO MAGISTÉRIO — Para fins de ações de manutenção e desenvolvimento do ensino, são considerados profissionais do magistério da educação os docentes, profissionais que oferecem suporte pedagógico direto ao exercício da docência, incluindo-se direção ou administração escolar, planejamento, inspeção, supervisão e orientação educacional. (Ver: Educação - Profissionais do magistério - Efetivo exercício da atividade // Educação - Profissionais do magistério - Remuneração.)

EDUCAÇÃO - PROFISSIONAIS DO MAGISTÉRIO - REMUNERAÇÃO — Para fins de ações de manutenção e desenvolvimento do ensino e verificação da aplicação da parcela mínima de 60% (sessenta por cento) prevista no art. 60 das Disposições Constitucionais Transitórias, é considerado como remuneração aos profissionais do magistério da educação o total de pagamentos devidos, em decorrência do efetivo exercício em cargo, emprego ou função, integrantes da estrutura, quadro ou tabela de servidores do Estado, Distrito Federal ou Município, conforme o caso, inclusive os encargos sociais incidentes. (Ver: Educação - Profissionais do magistério - Efetivo exercício da atividade // Educação - Profissionais do magistério.)

EDUCAÇÃO - PROGRAMA BOLSA FAMÍLIA — Ver Programa Bolsa família.

EDUCAÇÃO - PROGRAMA DE APOIO A ESTADOS E MUNICÍPIOS PARA A EDUCAÇÃO FUNDAMENTAL DE JOVENS E ADULTOS (EJA) — É um programa do Governo Federal, antigo "Recomeço", que consiste na transferência, em caráter suplementar, de recursos financeiros em favor dos Estados e Municípios, destinados a ampliar a oferta de vagas na educação fundamental pública de jovens e adultos e propiciar o atendimento educacional, com qualidade e aproveitamento, à clientela potencialmente escolarizável e matriculada nesta modalidade de ensino. Base Legal: Lei nº 10.880, de 9.6.2004, que institui o Programa Nacional de Apoio ao Transporte do Escolar (PNATE) e o Programa de Apoio aos Sistemas de Ensino para Atendimento à Educação de Jovens e Adultos, dispõe sobre o repasse de recursos financeiros do Programa Brasil Alfabetizado, altera o art. 4º da Lei nº 9.424, de 24 de dezembro de 1996, e dá outras providências, além de outros atos normativos.

EDUCAÇÃO - PROGRAMA DE BOLSA ESCOLA — Ver Bolsa família.

EDUCAÇÃO - PROGRAMA DE GARANTIA DE RENDA MÍNIMA — Quando ligado à educação, assegura apoio financeiro a famílias com renda *per capta* inferior a meio salário mínimo, a fim de permitir a permanência de crianças e adolescentes de 7 a 14 anos na escola e garantir a universalização do ensino. As famílias beneficiadas são obrigadas a comprovar a freqüência na escola de todos os filhos e dependentes nesta faixa etária.

EDUCAÇÃO - PROGRAMA DINHEIRO DIRETO NA ESCOLA (PDDE) — É um programa do Governo Federal executado pelo FNDE, cujo objetivo é prestar assistência financeira, em caráter suplementar, às escolas públicas do ensino fundamental das redes estaduais, municipais e do Distrito Federal, e às escolas de educação especial qualificadas como entidades filantrópicas ou por elas mantidas. Base Legal: Medida Provisória nº 2.178-36/2001, que dispõe sobre o repasse de recursos financeiros do Programa Nacional de Alimentação Escolar, institui o Programa Dinheiro Direto na Escola, altera a Lei nº 9.533, de 10 de dezembro de 1997, que dispõe sobre Programa de Garantia de Renda Mínima, institui programas de apoio da União às ações dos Estados e Municípios, voltadas para o atendimento educacional, e dá outras providências, além de outros atos normativos. Os recursos do PDDE serão destinados à cobertura de despesas de custeio, manutenção e de pequenos investimentos. Entretanto, os recursos do PDDE não podem ser utilizados para pagamento de pessoal, nem mesmo professores.

EDUCAÇÃO - PROJETO RONDON — Ver Projeto Rondon.

EDUCAÇÃO - REPETÊNCIA ESCOLAR — São alunos matriculados na mesma série que cursaram no ano anterior. Um dos problemas que mais aflige a educação pública no País. Resultado da má qualidade do ensino, gera prejuízos de ordem humana (alunos com baixa estima e constante sensação de fracasso), social (pessoas menos capacitadas para a vida), econômica (desperdício de recursos com o insucesso).

EDUCAÇÃO - SUPERVISÃO DE ENSINO — É uma especialidade do pedagogo, que pode ser obtida através de cursos de habilitação, incorporada ou não à licenciatura em pedagogia, ou através de especialização. O supervisor de ensino atua junto ao corpo docente das instituições de ensino, coordenando as práticas pedagógicas, bem como acompanhando o desenvolvimento do currículo.

EDUCAÇÃO - TAXA DE ALFABETIZAÇÃO — Indicador que expressa a relação percentual entre as pessoas de 15 anos ou mais de idade capazes de ler e escrever pelo menos um bilhete simples no idioma que conhecem em relação ao total da população da mesma faixa etária ou a população adulta total. (Ver: Educação - Alfabetização.)

EDUCAÇÃO - TAXA DE ANALFABETISMO DA POPULAÇÃO, POR FAIXA ETÁRIA — Indicador que expressa a relação percentual da população de uma faixa etária não alfabetizada.

EDUCAÇÃO - TAXA DE ANALFABETISMO FUNCIONAL — Indicador que expressa a relação percentual entre o contingente adulto com até três anos de estudo e o total da população adulta. (Ver: Educação - Analfabeto funcional.)

EDUCAÇÃO - TAXA DE ATENDIMENTO EM EDUCAÇÃO — Indicador percentual que permite avaliar o acesso da população ao sistema educacional. É o percentual da população em idade escolar que freqüenta a escola, independente de nível/modalidade de ensino, podendo ser calculada para as faixas de 0 a 6, 7 a 14, 15 a 17, e 18 a 24 anos. (Ver: Educação - Censo escolar.)

EDUCAÇÃO - TAXA DE DISTORÇÃO IDADE / SÉRIE — Indicador que permite avaliar o percentual de alunos, em cada série, com idade superior à idade recomendada. Em um sistema educacional seriado, existe uma adequação teórica entre a série e a idade do aluno. No caso brasileiro, considera-se a idade de 7 anos como a idade adequada para ingresso no ensino fundamental, cuja duração, normalmente, é de 8 anos. Seguindo este raciocínio é possível identificar a idade adequada para cada série. Como o Censo Escolar obtém a informação sobre idade por meio do ano de nascimento, adotam-se critérios especiais de cálculos para identificar os alunos com distorção idade-série.

EDUCAÇÃO - TAXA DE ESCOLARIZAÇÃO — Indicador que expressa o nível de escolarização da população infantil e juvenil. Fornece o percentual de alunos matriculados dentro de determinada faixa etária, previsto para o nível de ensino, em relação à população escolarizável desta mesma faixa. É calculada mediante somatório da matrícula inicial com idade "i" até a idade "x" dentro da faixa etária correspondente ao nível de ensino, dividido pela população escolarizável desta mesma faixa etária.

EDUCAÇÃO - TAXA DE ESCOLARIZAÇÃO BRUTA — Indicador que expressa a relação entre o total de matrículas em determinado nível de ensino e o total da população na faixa etária correspondente (Ensino Fundamental, de 7 a 14 anos, e Ensino Médio, de 15 a 17 anos). Identifica o percentual da população que freqüenta um nível de ensino compatível com a sua idade.

EDUCAÇÃO - TAXA DE ESCOLARIZAÇÃO LÍQUIDA — Indicador que expressa a relação entre o total de matrículas de estudantes em idade compatível com a série que está cursando e o total da população nessa mesma faixa etária. Aponta o nível de defasagem idade-série.

EDUCAÇÃO - TAXA DE EVASÃO — Indicador que expressa a relação dos alunos matriculados na série, no início do ano, que, no ano seguinte, não constam da matrícula, nem como alunos promovidos, nem como alunos repetentes.

EDUCAÇÃO - TAXA DE REPETÊNCIA — Indicador percentual que expressa relação entre o número de alunos repetentes e a matrícula inicial multiplicado por 100.

EDUCAÇÃO - UNIDADE EXECUTORA PRÓPRIA (UEx) — É uma entidade de direito privado, sem fins lucrativos, representativa da comunidade escolar (caixa escolar, associação de pais e mestres (APM), conselho escolar etc.). É a UEx que será responsável pelo recebimento, aplicação e prestação de contas dos recursos financeiros transferidos pelo FNDE. Se as escolas que contenham entre 21 e 99 alunos matriculados não tiverem UEx próprias, poderão receber recursos à conta do PDDE por intermédio da secretaria de educação do município. É possível juntar mais de uma escola para constituir uma Unidade Executora que as represente, desde que não possuam UEx próprias e que o número de estabelecimentos de ensino abrangidos pelo consórcio, os quais obrigatoriamente terão de ser da mesma rede de ensino, não ultrapasse a 20.

EDUCAÇÃO A DISTÂNCIA — Processo educativo em que educador e educando não se relacionam presencialmente, mas por meio de instrumentos de comunicação, como cartas, e-mail, rádio, TV ou Internet. Tem se difundido fortemente em todo o mundo, principalmente em função das demandas modernas, que exigem dos trabalhadores formação permanente. Também tem sido utilizada para ampliar as oportunidades de educação, principalmente para populações que vivem em localidades remotas ou em situações especiais (presos, hospitalizados etc.).

EDUCAÇÃO AMBIENTAL — Processo por meio dos quais o indivíduo e a coletividade constroem valores sociais, conhecimentos, habilidades, atitudes e competências voltadas para a conservação do meio ambiente, bem de uso comum do povo, essencial à sadia qualidade de vida e sua sustentabilidade.

EDUCAÇÃO AMBIENTAL FORMAL — Aquela compreendida no âmbito da rede de ensino regular, cujos objetivos estão distribuídos por uma malha curricular, multidisciplinar, envolvendo atividades de ensino regular, extraclasse, núcleos de estudos ambientais ou centros interdisciplinares.

Abrange 1º, 2º e 3º graus, envolvendo professores, estudantes e funcionários da rede escolar.

EDUCAÇÃO AMBIENTAL INFORMAL — Aquela que se dirige ao grande público, ou à sociedade, e que se vale dos meios de comunicação convencionais. Ela se presta à difusão de informações ou ao esforço de programas institucionais no âmbito da política, da educação e da cultura ambiental. (Ex.: pesquisa, campanhas de opinião pública, articulações políticas com entidades ambientais, comemorações de datas e eventos sobre o meio ambiente.)

EDUCAÇÃO BÁSICA — Tem por finalidade desenvolver o educando, assegurar-lhe a formação indispensável para o exercício da cidadania e fornecer-lhe meios para progredir no trabalho e em estudos posteriores. Contempla a educação infantil, o ensino fundamental e médio e pode se organizar em séries anuais, períodos semestrais, ciclos, alternância regular de períodos de estudos, grupos não-seriados ou ainda com base em idade, competência e outros critérios, sempre que o interesse do processo de aprendizagem recomendar.

EDUCAÇÃO COMPLEMENTAR — Processos educativos que buscam complementar a ação da escola nas áreas da formação para valores, do trabalho, da cidadania, da saúde, do esporte, do meio ambiente, entre outros. Geralmente exigem que as crianças e adolescentes participantes estejam matriculados na rede formal de ensino e, por isso, os cursos de educação complementar são freqüentados no turno em que as crianças e adolescentes não estão estudando.

EDUCAÇÃO DE JOVENS E ADULTOS (EJA) — Educação destinada àqueles que não tiveram acesso ou continuidade de estudos no ensino fundamental e médio na idade própria. Para jovens e adultos, o ingresso no ensino fundamental ocorre a partir de 15 anos e no ensino médio a partir de 19 anos.

EDUCAÇÃO E DESENVOLVIMENTO INDIVIDUAL — A Agenda 21 enfatiza a capacitação individual, nas áreas de programa que acompanham os capítulos temáticos, ressaltando a necessidade de ampliar o horizonte cultural e o leque de oportunidades para os jovens. Há em todo o texto um forte apelo para que governos e organizações da sociedade promovam programas educacionais que propiciem uma tomada de consciência dos indivíduos sobre a necessidade de se pensar nos problemas comuns a toda a humanidade. Busca-se, ao mesmo tempo, incentivar o engajamento em ações concretas nas comunidades.

EDUCAÇÃO EMPREENDEDORA — Conjunto de ações desenvolvidas pelo sistema educacional com o objetivo de valorizar o papel do empreendedor, disseminar a cultura empreendedora e despertar vocações empresariais. Busca criar na escola e na sociedade uma mentalidade empreendedora através do estímulo à geração de negócios.

EDUCAÇÃO ESPECIAL — É aquela que oferece atendimento educacional especializado, que consiste na utilização de métodos, técnicas, recursos e procedimentos didáticos especializados, em níveis de educação infantil (creche/estimulação precoce e pré-escola), ensino fundamental, ensino médio, educação de jovens e adultos ou outro tipo de atendimento à criança e adolescente portadores de algum tipo de excepcionalidade (deficiência física, mental, visual ou auditiva) para que ingressem na escola. É uma das vertentes da Educação Inclusiva.

EDUCAÇÃO EXTRA-ESCOLAR — Programas sistemáticos e planejados que ocorrem durante um período contínuo e predeterminado de tempo. Por serem mais flexíveis, não seguem, necessariamente, todas as normas e diretrizes estabelecidas pelo Governo Federal e, portanto, não conferem certificados reconhecidos pelo Ministério da Educação. São geralmente oferecidos por instituições sociais governamentais e não-governamentais e resultam em formação para valores, para o trabalho e para a cidadania.

EDUCAÇÃO FORMAL — Programas sistemáticos e planejados, que ocorrem durante um período contínuo e predeterminado de tempo e seguem normas e diretrizes determinadas pelo Governo Federal, por meio da Lei de Diretrizes e Bases da Educação Nacional (LDB). Conferem certificados reconhecidos pelo Ministério da Educação. São oferecidos por escolas regulares, centros de formação técnica e tecnológica e sistemas nacionais de aprendizagem. Resultam em formação escolar e profissional.

EDUCAÇÃO GLOBAL — Termo com significado idêntico ao de educação para o desenvolvimento, mas que incide sobre temáticas mais globais. Exemplo: problemas ambientais.

EDUCAÇÃO INCLUSIVA — Aquela que promove o acesso igualitário a todos, independentemente de raça, credo, condição física ou psíquica e grupos sociais, assegurando o exercício pleno da cidadania.

EDUCAÇÃO INDÍGENA — Política pública educacional para a população indígena, que atende às reivindicações dos diversos povos e dos princípios da Constituição de 1988. Inclui a formação inicial e continuada de professores indígenas, a produção de material didático específico e a divulgação da temática indígena nas escolas de educação básica.

EDUCAÇÃO INFANTIL — Primeira etapa da educação básica que tem como finalidade o desenvolvimento integral da criança até os 6 anos de idade em seus aspectos físico, psicológico, intelectual e social, completando a ação da família e da comunidade.

EDUCAÇÃO INFORMAL — Processos educativos assistemáticos, que ocorrem em meio à família, no ambiente de trabalho, a partir da mídia, em espaços de lazer, entre outros, e resultam no desenvolvimento de conhecimentos e valores.

EDUCAÇÃO INTERPARES — Programas e/ou atividades pedagógicas e informativas baseados na aprendizagem formativa entre pessoas do mesmo escalão etário, situação social ou perante a doença. Estes programas são facilitadores da aprendizagem e da aquisição de comportamentos saudáveis e responsáveis através da identificação de léxicos comuns e da troca de experiências dos participantes. Implicam a formação prévia dos intervenientes, acompanhada de supervisão por profissionais, na temática específica de atuação. Constituem uma estratégia de ação em Educação Sexual; Prevenção em VIH/SIDA, Prevenção das Toxicodependências, Prevenção da Violência Doméstica, Promoção da Saúde, Grupos de Auto-ajuda, entre outros. Valorizam e promovem o trabalho de equipe, relações igualitárias e redes sociais de apoio, bem como parcerias interinstitucionais.

EDUCAÇÃO PARA O DESENVOLVIMENTO — Abordagem que considera a educação (formal e informal) como um processo dinâmico, interativo e participativo, orientado para a formação integral das pessoas, para a sua conscientização e compreensão das causas locais e globais dos problemas do desenvolvimento e das desigualdades entre países e regiões. Inclui a tomada de consciência da importância da participação dos indivíduos para o processo de mudança. Inclui campanhas de sensibilização da opinião pública para as questões do desenvolvimento dos "Países do Sul".

EDUCAÇÃO PARA TODOS — Iniciativa das Nações Unidas para promover as oportunidades de educação primária universal como uma componente necessária para a redução da pobreza. O esforço centra-se no apoio aos marginalizados, sobretudo raparigas, para assegurar o acesso a uma educação básica de qualidade.

EDUCAÇÃO PELO ESPORTE — Práticas esportivas associadas à educação, que proporcionam o desenvolvimento físico e mental adequado à plena inserção de crianças e jovens na sociedade.

EDUCAÇÃO POPULAR — É uma expressão derivada da pedagogia proposta por Paulo Freire, que resume muitas das suas idéias em relação à educação das massas populares. Sendo uma pedagogia muito influenciada pela ideologia socialista, define-se a educação popular como a educação feita com o povo e para o povo, respeitando e interagindo com sua realidade socioeconômica. Levando em consideração que todo ato cultural é pedagógico e todo ato pedagógico é cultural, pode-se afirmar que educação popular é tudo que se aprende informalmente, ou seja, fora dos muros das instituições educacionais. Um exemplo clássico de educação popular no Brasil são as "escolas" dos sem-terras, que auxiliam intencionalmente na construção do conhecimento nas crianças daquela comunidade, inserindo desta forma seus ideais. Entretanto pode-se chamar também de educação popular aquela cujo currículo é pensando também pela população.

EDUCAÇÃO PROFISSIONAL — É aquela integrada às diferentes formas de educação, ao trabalho, à ciência e à tecnologia, que conduz ao permanente desenvolvimento de aptidões para a vida produtiva. A educação profissional possui organização curricular própria e independente do ensino médio, podendo ser oferecida de modo concomitante ou seqüencial a este.

EDUCAÇÃO RURAL — Consiste na adaptação dos sistemas de ensino às características e às peculiaridades da vida rural e de cada região, com adequação de conteúdos curriculares e metodologias e organização escolar própria, incluindo a elaboração do calendário letivo de acordo com o ciclo agrícola e às condições climáticas.

EDUCAÇÃO SANITÁRIA — Metodologia que tem por objetivo permitir que as pessoas, integrantes de uma comunidade, aprendam a interagir de forma participativa com o sistema de saúde e se conscientizem do papel que cada um deve desempenhar, individual e coletivamente, na promoção, manutenção e restauração da saúde. A educação deve desenvolver nas pessoas um sentido de responsabilidade, como indivíduo, membro de uma família e de uma comunidade, para com a saúde, tanto individual como coletivamente.

EDUCAÇÃO SEXUAL — Conceito global baseado na definição de Sexualidade da Organização Mundial da Saúde e na carta dos Direitos Sexuais e Reprodutivos da *International Planned Parenthood Federation* e que corresponde à estruturação de programas e/ou atividades educativas sobre temas de sexualidade dirigidos a crianças e jovens. Pode ter também como população alvo intermédia os profissionais de saúde, educação, pais e mães e a comunidade, no sentido de os envolver na aplicação dos programas. Tem como valores básicos promover: a) o reconhecimento que a autonomia, a liberdade de escolha, a informação adequada e o acesso a serviços de SSR de qualidade, são essenciais para as atitudes e comportamentos responsáveis no relacionamento sexual e reprodutivo das pessoas; b) a recusa de todas as formas de exploração sexual que envolvam manifestações de violência, que promovam relações pessoais/sociais de dominação, conflito e discriminatórias com base no gênero; c) o reconhecimento do direito à maternidade/paternidade livre e responsável; d) o reconhecimento da igualdade de oportunidades e direitos entre homens e mulheres, independentemente da sua idade, estado civil, grau de parentesco, escolaridade ou situação econômica; e) o reconhecimento da importância da comunicação e do envolvimento afetivo e amoroso na vivência da sexualidade; f) a promoção da saúde dos indivíduos e dos casais na esfera sexual e reprodutiva.

EDUCAÇÃO SUPERIOR — Abrange os seguintes cursos e programas: a) cursos seqüenciais por campo de saber, de diferentes níveis de abrangência, abertos a candidatos que atendam aos requisitos estabelecidos pelas instituições de ensino; b) graduação, aberto a candidatos que tenham concluído o ensino médio ou equivalente e tenham sido classificados em processo seletivo; c) pós-graduação, compreendendo programas de mestrado e doutorado, cursos de especialização, aperfeiçoamento e outros, aberto a candidatos diplomados em cursos de graduação e que atendam às exigências das instituições de ensino; d) extensão, aberto a candidatos que atendam aos requisitos estabelecidos em cada caso pelas instituições de ensino.

EDUCAÇÃO, CONSELHO NACIONAL DE — Criado pela Lei nº 9.131, de 24 de dezembro de 1995, o Conselho Nacional de Educação é composto por duas câmaras autônomas: a de Educação Superior e a de Educação Básica. Reúne-se como Conselho Pleno a cada dois meses e as câmaras reúnem-se mensalmente. Sua função é assessorar o Ministro da Educação, assegurando a participação da sociedade no aperfeiçoamento da educação nacional. Os 24 conselheiros, nomeados pelo presidente da República, apóiam a elaboração e acompanham a execução do Plano Nacional de Educação; ajudam a diagnosticar problemas e encontrar soluções para melhorar o sistema de ensino; e emitem parecer sobre assuntos da área educacional, entre outras atribuições.

EDUCAÇÃO, FUNDO NACIONAL DE DESENVOLVIMENTO DA (FNDE) — É responsável por prover assistência financeira, normatizar, coordenar, acompanhar, prover cooperação técnica e avaliar a efetividade da aplicação de recursos voltados ao desenvolvimento de diversos programas do Ministério da Educação, como o Programa Nacional de Alimentação Escolar (PNAE) e o Programa Dinheiro Direto na Escola.

EDUCADOR — Ver Educação - Educador.

EFEITO — Resultado de uma causa ou de um ato provocado por um agente qualquer. Conseqüência. Realização. Aplicação. Dano; prejuízo. Mudança esperada ou não, direta ou indiretamente atribuída a uma ação planejada.

EFEITO/RESULTADO — Aquilo que uma ação planejada alcançará ou alcançou no curto e no médio prazos.

EFEITO AMBIENTAL — Alteração nas características e na qualidade do meio ambiente produzida por ação humana.

EFEITO DE ACELERADOR — Expressão utilizada para definir parte da teoria do investimento que sustenta que o montante de investimento num determinado período será igual ao coeficiente que aproxima o montante de capital necessário para produzir outra unidade de produção multiplicado pela mudança de rendimento. Com base no acelerador, um aumento do nível de consumo permite um aumento do nível de investimento.

EFEITO DE ALCANCE — Propriedade pela qual países que partem de um patamar pobre crescem mais rapidamente do que países que partem de um patamar rico.

EFEITO DE EXPULSÃO — Expressão utilizada para definir o alegado efeito na procura privada de um aumento da despesa pública, isto é, da adoção de políticas deficitárias. Foi principalmente argumentado pelos monetaristas que a adoção de políticas deficitárias aumentariam o endividamento público e, conseqüentemente, reduziriam o montante da poupança pública. Por sua vez, o aumento da poupança pública provocaria um aumento das taxas de juro no mercado dos fundos mutuáveis que reduziria o montante do investimento privado. O efeito de expulsão, não obstante ser um dos limites ao efeito de multiplicador, pode ser compensado por este - encontrando aí os *keynesianos* uma forma de legitimação das políticas deficitárias.

EFEITO DE MULTIPLICADOR — Expressão utilizada para definir a relação entre o incremento de rendimento e uma mudança na procura agregada - em concreto representa a despesa extra resultante de um aumento de investimento (multiplicador de investimento), de um aumento de despesa pública (multiplicador de despesa) e de um aumento da moeda creditícia fornecida pelos bancos comerciais (multiplicador de crédito).

EFEITO DE QUASE-RENDA — Expressão utilizada para definir o efeito associado à inelasticidade da oferta de trabalho de curto prazo. Quanto maior forem as barreiras de entrada do trabalhador no mercado de trabalho menores serão as alternativas para os indivíduos que procuram trabalho, e como tal os preços serão mais altos, porque tendencialmente são fixados pelos poucos trabalhadores que entraram no mercado.

EFEITO DE RENDIMENTO — Expressão utilizada para definir a alteração do consumo de um bem associado a um aumento do poder de compra, desde que o preço permaneça constante. Face ao rendimento, o consumo pode: a) aumentar (efeito rendimento positivo), conforme o rendimento aumente (no caso dos bens normais e superiores), ou diminua (no caso dos bens de *Giffen*); ou b) diminuir (efeito rendimento negativo), conforme o rendimento aumente (no caso dos bens de *Giffen*), ou diminua (no caso dos bens normais e superiores).

EFEITO DE SUBSTITUIÇÃO — Em economia o efeito de substituição está na base de uma alteração do consumo de um bem associado a uma alteração de preços: a) desde que o nível de utilidade permaneça constante, o que é o mesmo que sustentar apenas um deslocamento ao longo da curva de indiferença; ou b) desde que tenha reflexos na alteração da utilidade que o sujeito retira de um bem: propugnando a alteração do preço uma mudança de curva de indiferença, para uma zona de maximização ou de minimização, consoante, respectivamente, diminua ou aumente o preço dos bens.

EFEITO DEVOLUTIVO — Refere-se à devolução, ou seja, a transferência da matéria recorrida à instância superior, sem suspensão do andamento do processo. Efeito próprio de um recurso. Recebida a apelação só no efeito devolutivo, o apelado poderá promover desde logo a execução provisória da sentença.

EFEITO DIFERIDO DA LEI — Ver Lei, Efeito Diferido da.

EFEITO DOMINÓ — Expressão utilizada na política para designar metaforicamente a queda consecutiva de pessoas, de grupos, de instituições ou até de países. Efeito dominó é a indicação de um momento de crise generalizada que, provavelmente, se alastra por causa(s) comum(s). Pode-se citar, como exemplo, um caso em que há um processo de cassação de mandato e, sucessivamente, outros mandatos vão sendo cassados um por um, todos em decorrência do desencadeamento de uma mesma crise.

EFEITO ESTUFA — Efeito causado pela mudança climática provocada pela emissão de gases que permitem a passagem dos raios solares em direção ao planeta terra, mas impedem a passagem da radiação térmica dos raios emitidos pela superfície terrestre em direção ao espaço. Com isso, a temperatura média dos lugares aumenta. Muitos cientistas relacionam essas emissões ao aquecimento da temperatura no planeta. O efeito estufa é determinado por certos gases normalmente presentes na atmosfera. O dióxido de carbono (CO_2), os clorofluorcarbonos (CFCs), o metano (CH_4) e o dióxido de nitrogênio (N_2O) respondem juntos por 88% do efeito estufa. O suplementar, que não pode ser precisamente quantificado, é causado pelo ozônio (O_3) e pelo vapor d'água troposféricos. Os clorofluorcarbonos, CFCs, produzidos pela indústria química, são poderosos gases com efeito estufa. Eles também reagem com o ozônio troposférico, destruindo, dessa forma, a camada de ozônio. Como um dos principais gases que causam o efeito estufa, é importante destacar o papel desempenhado pelo CO_2, também chamado de gás carbônico, que é emitido em grandes quantidades para a atmosfera por duas principais atividades humanas: a) a queima de combustíveis fósseis (petróleo, carvão, gás natural); b) a destruição e queima das florestas. Esses dois processos de queima são chamados de combustão. Nela, o carbono, que é o principal constituinte da madeira e dos combustíveis fósseis, se combina com o oxigênio do ar, produzindo o CO_2.

EFEITO IMEDIATO DA LEI — Ver Lei, Efeito imediato da.

EFEITO MULTIPLICADOR — O efeito multiplicador nada mais é do que o coeficiente que mede a taxa de expansão dos meios de pagamento da moeda criada pelos depósitos bancários. Os depósitos compulsórios recolhidos pela autoridade monetária com base nos saldos de depósitos dos bancos permitem controlar o efeito multiplicador. Isso porque de cada R$ 100,00 em depósitos um percentual é recolhido ao Banco Central, o que limita o montante disponível para empréstimos. Assim, quanto maior o percentual de recolhimento compulsório menor é o efeito multiplicador, e vice-versa.

EFEITO REPRISTINATÓRIO DA LEI — Ver Lei, Efeito Repristinatório da.

EFEITO RIQUEZA — É o efeito sobre a quantidade demandada de um bem, decorrente de uma mudança na renda real do consumidor, supondo tudo o mais constante.

EFEITO SUSPENSIVO — 1) Paralisação, suspensão de uma decisão ou execução de uma sentença, até que se decida sobre recurso interposto. Efeito normal de todo recurso, exceto se por disposição legal for dado unicamente efeito devolutivo, e cuja conseqüência é tornar a sentença inexecutável, até o julgamento do recurso, ficando suspensos seus efeitos. Efeito que impede a prática de qualquer outro ato no processo, até decisão do grau superior, obstando, inclusive, a execução provisória. 2) Previsão regimental da Câmara dos Deputados que possibilita, nas hipóteses de recurso contra decisão da Presidência em questão de ordem, que essa decisão tenha sua eficácia suspensa até que se aprecie o Recurso. Pode ser requerido por parlamentar, com o apoiamento de um terço dos presentes, cabendo ao Plenário decidir sobre ele.

EFEITO VINCULANTE — Tem por objetivo evitar que uma demanda judicial, cujo conteúdo substancial já tenha sido objeto de discussão e julgamento por parte do judiciário, em várias outras demandas, seja novamente submetida ao órgão julgador.

EFEITOS DA CONDENAÇÃO — O Conceito de condenação é uma sanção imposta pelo juiz a um sujeito ativo de um crime, oriunda de uma sentença judicial. São efeitos da condenação penal: a) tornar certa a obrigação de indenizar o dano causado pelo crime; b) a perda, em favor da União, dos instrumentos do crime, se consistirem em coisas cujo fabrico, alienação, uso, porte ou detenção constitua fato ilícito, e do produto do crime ou de qualquer bem ou valor que constitua proveito auferido pelo agente com a prática do fato criminoso. Em ambos os casos, fica ressalvado o direito do lesado ou do terceiro de boa-fé. São, também, efeitos da condenação: c) a perda de cargo, função pública ou mandato eletivo, nos crimes praticados com abuso de poder ou violação de dever para com a Administração Pública quando a pena aplicada for superior a quatro anos; d) a incapacidade para o exercício do pátrio poder, tutela ou curatela, nos crimes dolosos, sujeitos à pena de reclusão, cometidos contra filho, tutelado ou curatelado; e) a inabilitação para dirigir veículo, quando utilizado como meio para a prática de crime doloso. (Ver: Poder familiar.)

EFÊMERO — Que só dura um dia. De curta duração; passageiro; transitório.

EFETIVAÇÃO — Ver Servidor Público - Efetivação.

EFETIVIDADE — É o impacto de uma ação na solução de problemas. No âmbito da Administração Pública é a medida do grau de cumprimento dos objetivos que orientaram a implementação de uma ação, promovendo alterações nos indicadores de resultados.

EFETIVIDADE DEMOCRÁTICA — Capacidade efetiva da ação coletiva, diz respeito aos efeitos que a representatividade do arranjo institucional trazem para uma democracia. Para tanto, a análise é feita pela movimentação dos atores políticos nas decisões, dentro de limites constitucionalmente institucionalizados. Basicamente, é a avaliação da rapidez com a qual as decisões são tomadas e colocadas em prática. A efetividade democrática tem relação com a dinâmica dos atores políticos envolvidos.

EFICÁCIA — No âmbito da Administração Pública é uma medida do grau de sucesso de um projeto, atividade ou de um programa quanto à realização de objetivos visados, segundo uma relação àquilo que foi previsto. É o resultado de uma ação ou processo que foi alcançado. Em sentido geral significa fazer o que necessita ser feito para alcançar determinado objetivo. Na iniciativa privada este conceito é distinto do de eficiência por se referir ao resultado do trabalho de um empregado, isto é, se este ou o seu produto é adequado a um fim proposto.

EFICÁCIA DAS NORMAS JURÍDICAS — Consiste na sua aptidão para a produção de efeitos, ou seja, na sua potencialidade para regular determinadas relações, ser efetivamente aplicada. Eficaz é o ato idôneo para atingir a finalidade para a qual foi gerado. Tratando-se de uma norma, a eficácia jurídica designa a qualidade de produzir, em maior ou menor grau, os seus efeitos típicos.

EFICÁCIA JURÍDICA — É a força jurídica ou dos efeitos legais atribuídos ao ato jurídico, em virtude da qual deve ser o mesmo cumprido ou respeitado, segundo as determinações que nele se contêm.

EFICÁCIA OPERACIONAL — É o grau de amplitude que os objetivos ou metas das operações alcançam.

EFICIÊNCIA — No âmbito da Administração Pública é a análise do uso dos recursos na realização da meta para um projeto, uma atividade ou um programa segundo padrões estabelecidos. Mede a capacidade da organização em utilizar, com rendimento máximo, todos os insumos necessários ao cumprimento dos seus objetivos e metas. A eficiência preocupa-se com os meios, com os métodos e procedimentos planejados e organizados a fim de assegurar a otimização dos recursos disponíveis. Conceito distinto do de eficácia por se referir à forma de realizar uma tarefa. Em sentido geral é a medida segundo a qual os recursos (fundos, peritos, tempo etc.) são convertidos em resultados de forma mais econômica. Em termos técnicos, uma alocação de recursos em que não é possível melhorar a situação de um agente ou setor da economia sem piorar a de outro é uma alocação eficiente. Em geral, o termo é utilizado para se referir a reduções de custo e ganhos de produtividade. No contexto de defesa da concorrência, a mensuração correta da eficiência obtida em função de prática ou ato de concentração, através da redução de custos, é importante para avaliar se os benefícios de uma operação ou prática vertical compensam os eventuais prejuízos ao mercado.

EFICIÊNCIA ALOCATIVA — É a alocação de recursos de forma que sejam distribuídos ou alocados da melhor forma possível, ou seja, os diferentes recursos ou insumos (pessoal, materiais, equipamento e tecnologia) devem ser combinados (balanceados) de maneira a maximizar o resultado ou produto pretendido e evitar gargalos e desperdícios.

EFICIÊNCIA DE MERCADO — Em economia é a teoria em que os preços dos títulos ou de moedas estrangeiras refletem toda as informações que, transmitidas rapidamente, corrigem as diferenças entre os preços antes que uma arbitragem possa acontecer.

EFICIÊNCIA ECONÔMICA — Representa a afetação ideal e plena dos recursos produtivos disponíveis. É a relação entre o valor comercial de um produto e o custo unitário de produção. Portanto, a eficiência econômica aumenta quando aumenta a relação entre o valor de um produto e o seu custo unitário, mantendo-se as qualidades que satisfaçam as normas técnicas. A eficiência econômica pode ser alocativa ou técnica. Há eficiência alocativa sempre que se faz referência a uma seleção de fatores de produção que minimize os custos de produção tendo em vista a criação de um bem ou prestação de um serviço. Já a eficiência técnica pressupõe a existência de um método que maximize a produção, dada a quantidade de fatores de produção disponíveis.

EFICIÊNCIA FISCAL — Termo utilizado por profissionais da área tributária para sugerir o pagamento da menor quantidade de imposto possível.

EFICIÊNCIA FISCAL (DO SISTEMA TRIBUTÁRIO) — Expressão utilizada para definir a consideração no sistema tributário do conceito de bem-estar e dos custos administrativos de funcionamento, mormente os custos de cumprimento (os denominados *compliance costs*). Por exemplo, se o montante do imposto cobrado é superior ao excedente total gerado, as trocas deixam de existir.

EFICIÊNCIA MARGINAL DO CAPITAL — Expressão utilizada para definir a taxa de desconto que faz igualar o valor presente do fluxo de rendimentos anual advindos do investimento em capital fixo à oferta dos ativos respectivos.

EFICIÊNCIA PARETIANA — Conceito econômico que representa a eficiência de um sistema que não pode produzir mais de um bem dado os fatores de produção disponíveis sem reduzir o nível de produção dos outros bens, pela troca de afetação dos fatores de produção ou de técnicas disponíveis. A eficiência paretiana conjuga os conceitos de eficiência com o de bem-estar social.

EFICIÊNCIA TÉCNICA — Obtenção, a partir de uma certa quantidade de insumos, da maior quantidade de produto possível, o maior impacto possível. Essa oposição à eficiência alocativa está relacionada com o conceito de produtividade e implica maximizar o resultado com um volume de recursos dado, ou minimizar a quantidade de recursos utilizados para se alcançar certo objetivo ou resultado. Em outras palavras, trata-se de minimizar o custo necessário para se atingir determinado objetivo.

EFIGIAR — Na linguagem do Direito antigo, efigiar, de efígie, era aplicado para indicar a execução figurativa que se promovia de uma sentença condenatória dada contra um ausente.

EFÍGIE — Representação de figura humana, real ou simbólica.

EFLUENTE — Água servida (suja) que é liberada por atividades urbanas ou industriais, na forma de esgoto, para o meio ambiente; líquido que flui de um sistema de coleta como tubulações, canais, reservatórios, elevatórios ou de um sistema de tratamento ou disposição final, como estações de tratamento e corpos d'água.

EGOCENTRISMO — Estado de espírito do egocêntrico. Tendência para referir tudo a si mesmo, fazendo do eu o centro do Universo.

EGOÍSMO — Qualidade de egoísta. Sentimento ou maneira de ser das pessoas que só se preocupam com o interesse próprio, com o que lhes diz respeito; amor exclusivo a si próprio.

EGOÍSMO ÉTICO — Teoria normativa segundo a qual devemos agir sempre em função daquilo que é melhor para nós próprios.

EGOÍSMO PSICOLÓGICO — Teoria descritiva segundo a qual agimos sempre em função daquilo que é melhor para nós próprios.

E-GOVERNMENT — É uma tecnologia utilizada pelo Governo com o objetivo de fornecer à população um acesso mais fácil à informação e aos serviços do Governo, através do meio eletrônico, de modo a melhorar a qualidade dos seus serviços e possibilitar que a população participe de suas instituições e dos processos democráticos.

EGRÉGIO — Expressão técnica empregada no tratamento do Tribunal como instituição, incluindo câmaras e turmas. (Ver: Juízes e Tribunais - Formas de tratamento.)

EGRESSO — Que saiu, que se afastou, que deixou de fazer parte de uma comunidade; pessoas que saíram da cadeia, por exemplo, são egressas da cadeia. Na execução penal é o liberado definitivo, pelo prazo de um ano a contar da saída do estabelecimento, ou o liberado condicional, durante o período de prova. O egresso é assistido por patronato público ou particular, inclusive para a obtenção de trabalho e para a sua reinserção no meio social.

EI BOND — Bônus emitido como parte da renegociação da dívida externa brasileira em 1994 (Plano Brady) e tem vencimento em 2006. Teve um prazo de carência até 1997, quando passou a pagar amortizações semestrais crescentes, e paga juros de *Libor* de seis meses mais 0,8125%, também semestralmente. O *EI Bond* não tem garantia de principal ou juros.

EIA/RIMA — Ver Estudos de Impacto Ambiental e Relatório de Impacto Ambiental.

EJA — Ver Educação de Jovens e Adultos.

EL NIÑO — Fenômeno oceanográfico e atmosférico, altamente complexo, caracterizado por uma corrente quente marítima deslocando-se do Equador para os trópicos, que inverte, ou pelo menos impede, a circulação normal das águas quentes do Oceano Pacífico, a qual se dá da costa ocidental da América do Sul para a costa oriental da Austrália e Ásia. As causas objetivas deste fenômeno ainda são em grande parte desconhecidas, embora estudos minuciosos estejam em andamento em várias partes do mundo. O deslocamento normal (leste-oeste) das águas do Pacífico provoca uma grande ressurgência nas costas do Chile e Peru, o que por sua vez ocasiona o clima seco normalmente presente nessa área e proporciona uma intensa reprodução de peixes. Periodicamente, com um intervalo variando de dois a sete anos, o *El Niño* ocorre no início do verão do hemisfério sul, daí seu nome "o menino", originário de uma homenagem dos pescadores ao menino Jesus. Dura em média um ano e causa efeitos tão fortes nas condições do tempo em várias partes do planeta, que é considerado pelos meteorologistas o segundo fenômeno atmosférico-climático mais importante do Planeta Terra, atrás apenas da mudança das estações. Sua intensidade e período são muito variáveis e de difícil previsão, mas como modernas técnicas de sensoriamento remoto e os satélites, já é possível prever e prevenir minimamente seus efeitos. Estes vão de calor excessivo no norte dos EUA, seca intensa no Nordeste brasileiro, chuvas fortes no Sul do Brasil, ausência de peixes nas costas do Peru e Chile, secas na Austrália e uma série de outros efeitos significativos pelo mundo todo.

ELABORAÇÃO DE LEIS E DECRETOS — Ver Técnica de elaboração de leis e decretos.

ELASTICIDADE — 1) Relação entre o volume descarregado e o volume deslocado. 2) Expressão utilizada em economia para definir a sensibilidade de uma variável econômica em face da alteração de outra variável relacionada. Mede a variação de um bem ou serviço, ofertado ou demandado, em função da mudança de preço ou renda.

ELASTICIDADE CRUZADA — Expressão utilizada para definir a sensibilidade da quantidade procurada de um bem em face de uma alteração de preços de um outro bem. A elasticidade cruzada é positiva no caso dos bens sucedâneos, negativa no caso dos bens complementares, e nula no caso dos bens que não tenham qualquer relação.

ELASTICIDADE-PREÇO DA OFERTA — Expressão utilizada para definir a sensibilidade da quantidade oferecida de um bem em face de uma alteração de preços. Mede o quanto a quantidade oferecida responde às variações nos preços do bem. É calculada como a variação percentual da quantidade oferecida dividida pela variação percentual do preço. A oferta no mercado de produtos encontra, porém, alguns limites: a) o condicionamento temporal, porque as decisões nem sempre podem tomar-se de forma imediata; b) a capacidade produtiva da empresa e c) da flexibilidade da empresa, isto é, do grau de universalidade dos fatores de produção disponíveis.

ELASTICIDADE-PREÇO DA PROCURA — Expressão utilizada para definir a sensibilidade da quantidade procurada de um bem em face de uma alteração de preços. Existem múltiplos fatores que podem estar na base de um aumento ou redução da sensibilidade do consumidor, a saber: a) rendimento (efeito de rendimento) - a sensibilidade (elasticidade) tende a aumentar se as limitações orçamentárias do consumidor vão aumentando; b) existência de alternativas (efeito de substituição) - a sensibilidade (elasticidade) tende a aumentar se o consumidor passa a dispor de mais alternativas de consumo, podendo assim fugir ao aumento do preço de um bem; c) prioridades das necessidades - a sensibilidade (elasticidade) tende a aumentar quanto menor for a prioridade de uma necessidade e d) tempo - a passagem do tempo faz aumentar a sensibilidade (elasticidade) do consumidor.

ELASTICIDADE-RENDA DOS TRIBUTOS — A elasticidade-renda dos tributos corresponde à relação entre os acréscimos de receitas tributárias e os acréscimos de renda de uma nação. Matematicamente, a elasticidade-renda pode ser expressa pela seguinte função: E = (DI/I)/(DR/R); Sendo I = tributos, R = renda, DI = a variação dos tributos, DR = a variação da renda. Para acompanhar o crescimento das despesas públicas, é necessário que o sistema tributário seja elástico em relação à renda, isto é, a arrecadação tributária deve apresentar um crescimento superior ao da renda interna de um país, ou seja, Elasticidade-Renda maior que 1 (um).

ELASTICIDADE-RENDIMENTO DA PROCURA — Expressão utilizada para definir a sensibilidade da quantidade procurada de um bem em face de uma alteração do rendimento do consumidor. Da elasticidade-rendimento resultam três tipos de bens, consoante a relação estabelecida: a) bens normais de luxo, cuja quantidade procurada aumenta mais que proporcionalmente o aumento de rendimento; b) bens normais, cuja quantidade procurada aumenta proporcionalmente ao aumento de rendimento; c) bens inferiores, cuja quantidade procurada aumenta menos que proporcionalmente o aumento de rendimento.

ELEGIBILIDADE — Ver Eleição - Elegibilidade.

ELEIÇÃO - ABSTENÇÃO — Ver Abstenção.

ELEIÇÃO - AÇÃO DE IMPUGNAÇÃO DE MANDATO ELETIVO — É um dos instrumentos de controle da corrupção e do abuso do poder, político e econômico, corrupção ou fraude, no âmbito do direito eleitoral. A ação foi prevista na Constituição Federal, art. 14, §§ 10 e 11 para ser interposta até 15 dias após a diplomação do eleito. Quanto ao procedimento desta ação o Tribunal Superior Eleitoral estabeleceu como correto aquele previsto para a investigação eleitoral do art. 22 da Lei Complementar nº 64, de 1990, que é mais célere e eficaz do que os previsto na lei processual civil.

ELEIÇÃO - AÇÃO DE IMPUGNAÇÃO DE PEDIDO DE REGISTRO DE CANDIDATURA — É o processo que objetiva impedir a homologação judicial da inscrição de um candidato no pleito eleitoral. Por esta razão ela tem existência num certo momento do processo eleitoral, que se inicia nos cinco primeiros dias da publicação do pedido de registro e se encerra quando todas as ações terão de estar definitivamente julgadas pelo TSE. A impugnação deve versar sobre um dos muitos requisitos de elegibilidade do candidato previstos na lei das inelegibilidades - Lei Complementar nº 64, de 1990.

ELEIÇÃO - ALICIAMENTO DE ELEITOR — Conduta fraudulenta punida pelo Direito Eleitoral por desvirtuar o princípio da liberdade de manifestação do voto. Ou seja, o eleitor aliciado não vota segundo a sua consciência crítica, mas em troca de um favor ou vantagem que lhe é oferecida. O aliciamento eleitoral, além de configurar crime também é punível com a perda do mandato.

ELEIÇÃO — Ato pelo qual um conjunto de pessoas, legal e regularmente constituído, com fim político, administrativo ou social, escolhe, mediante sufrágio ou aclamação, uma ou mais pessoas que recebem a delegação de representar o grupo, ou função, pública ou particular. (Ver: Democracia // Democrático.)

ELEIÇÃO - CABO ELEITORAL — Auxiliar de campanha eleitoral. Indivíduo que alicia eleitores para um candidato. (Ver: Eleição - Aliciamento de leitor // Eleição - Campanha eleitoral.)

ELEIÇÃO - CAMPANHA ELEITORAL — É o conjunto de ações e esforços utilizados por um candidato para se eleger.

ELEIÇÃO - CARREIRA POLÍTICA — Tempo de filiação partidária e número de cargos que um político já exerceu. Assim, quanto mais tempo ele estiver envolvido na esfera política, tanto por meio da filiação partidária quanto por cargos políticos, mais experiente será.

ELEIÇÃO - CLÁUSULA DE BARREIRA — É assim denominada a cláusula criada pela Lei nº 9.096, de 1995, com o intuito de reduzir o número de patidos políticos e barrar "legendas de aluguel", partidos que usam os privilégios dados para qualquer partido para arrecadar dinheiro para os integrantes. Os "partidos de aluguel" poderiam, por exemplo, vender aparições na televisão e no rádio para políticos de outros partidos, ou a cessão desse espaço para veicular denúncias feitas por outros candidatos, sem que eles tenham que arcar com o ônus de sustentar as informações. Entretanto, os partidos que não atingirem o coeficiente mínimo estabelecido no dispositivo legal não deixam de existir, perdendo dois instrumentos importantes para sua subsistência: os recursos do Fundo Partidário e o tempo nos meios de comunicação. Além disso, os deputados desses partidos não poderão participar da direção das Casa ou pertencer a qualquer comissão. (Ver: Partidos políticos - criação.)

ELEIÇÃO - CLIENTELISMO — É o procedimento de políticos e candidatos que consiste na obtenção e distribuição de favores entre aqueles e as pessoas ou grupos que os apóiam. O político pauta seus projetos e funções de acordo com interesses de indivíduos ou grupos, com os quais cultiva uma relação de proximidade pessoal. Em troca, o político recebe votos. Desta forma, clientelismo diz respeito a trocas individuais de bens privados entre atores desiguais, chamados de patrões e clientes. A origem dessas relações é vinculada à sociedade rural "tradicional", aos laços entre latifundiários e camponeses, fundados na reciprocidade, confiança e lealdade. (Ver: Eleição - Fisiologismo e patronagem.)

ELEIÇÃO - COLIGAÇÃO PARTIDÁRIA — Também chamada de "aliança partidária" é um método usado pelos partidos políticos para aumentar suas forças eleitorais. Também é uma maneira de fazer com que os partidos que têm fraca expressão eleitoral não fiquem alijados da representação. Numa eleição majoritária, apenas um candidato de um dos partidos concorre e os outros partidos que estão na coligação apóiam o candidato em questão, em troca de favores políticos - geralmente concessão de cargos - se o candidato for eleito. Na propaganda desse tipo de eleição, a coligação usa, obrigatoriamente, sob sua denominação, as legendas de todos os partidos que a integram. Na propaganda, em eleições proporcionais, cada partido usa apenas sua legenda sob o nome da coligação.

ELEIÇÃO - CONVENÇÃO PARTIDÁRIA — Assembléia de delegados de um partido político convocada para designar os candidatos a cargos eletivos, fixar programas ou preparar campanhas eleitorais.

ELEIÇÃO - CORRELIGIONÁRIO — 1) Companheiro de partido pertencente ao mesmo partido político. 2) Indivíduo que compartilha das idéias políticas de outro.

ELEIÇÃO - EFEITO PSICOLÓGICO — Ver Eleição - Voto útil.

ELEIÇÃO - ELEGIBILIDADE — Capacidade jurídica ou da aptidão legal de uma pessoa para que possa ser eleita ou escolhida para exercer cargo ou função pública, ocupada por eleição.

ELEIÇÃO - FIDELIDADE PARTIDÁRIA — Lealdade a um partido político. É uma característica medida, na Ciência Política, pelo número de vezes que o político migrou de um partido a outro e pelo padrão de migração (intrabloco ou interbloco). Assim, se um político nunca migrou de partido, pode-se considerar que ele é fiel à sua sigla partidária. Agora, quanto mais um político migrar de partido, menos sentimento de fidelidade partidária ele terá. É, ainda, a observância do programa partidário e das decisões tomadas em suas instâncias deliberativas (convenção, diretórios, executivas etc.) pelos filiados em geral e, sobretudo, por seus membros com assento no Parlamento ou na Chefia do Executivo.

ELEIÇÃO - FILIAÇÃO PARTIDÁRIA — É o vínculo que o político tem com seu partido, em outras palavras, é o ato formal que consiste na assinatura da ficha partidária. Uma vez assinada a ficha de filiação, o político torna-se um membro do partido com direito a participar e influenciar nas suas decisões.

ELEIÇÃO - FISIOLOGISMO E PATRONAGEM — São práticas semelhantes ao clientelismo, porém são mais adaptadas às relações contemporâneas. O clientelismo se funda na confiança e na lealdade. Esses valores não são fundamentais no jogo político atual, porque essas práticas incorporaram uma identidade de "negócios". As relações hoje são ajustadas em uma lógica correspondente entre comerciantes no mercado político. (Ver: Eleição - Clientelismo.)

ELEIÇÃO - GEOGRAFIA ELEITORAL — É a divisão do lugar onde se realiza uma eleição, ou até mesmo uma pesquisa, para buscar identificar um padrão de regularidade eleitoral, ou simplesmente para agrupar os eleitores em determinados espaços. É costumeiramente dividida em distrito, zona ou área eleitoral. Um bom exemplo na prática é quando candidatos contratam institutos de pesquisa para que estes encontrem a geografia eleitoral dos candidatos, para conseguir atrair - ou manter - o maior número de eleitores.

ELEIÇÃO - IMAGEM POLÍTICA — Diz respeito à visão que o povo tem do político, não somente como profissional, mas principalmente como pessoa. A imagem é muito importante em época de campanha eleitoral, porém não pode ser descuidada em outros momentos, pois isso pode ser fatal para candidaturas futuras.

ELEIÇÃO – *ISSUES* — São os temas, os assuntos, em que se pautam as campanhas eleitorais. Os *issues* são geralmente as inquietações do povo. Os candidatos, assim, abstraem as necessidades e angústias da população, e cada um tenta mostrar a melhor solução. Nos Estados Unidos, por exemplo, os *issues* são bem definidos. Nas eleições presidenciais de 2004, em que concorriam George W. Bush (Partido Republicano) e John Carey (Partido Democrata), os *issues* envolviam duas questões principais: a Guerra do Iraque e a economia do País. A Guerra do Iraque foi um fator que envolveu emocionalmente o povo norte-americano, por causa dos ataques sofridos em 11 de setembro de 2001, que evidenciou o "terrorismo islâmico".

ELEIÇÃO – LISTA PARTIDÁRIA ABERTA — É uma forma de escolha eleitoral, em eleições proporcionais. Por esse mecanismo, os eleitores votam diretamente no candidato, sendo que os mais votados serão eleitos. Aqui, além da sigla partidária, a expressão individual de cada candidato também costuma ser bastante importante, no momento da eleição. Esse sistema é utilizado, por exemplo, no Brasil e na Finlândia.

ELEIÇÃO – LISTA PARTIDÁRIA FECHADA — É um mecanismo de escolha eleitoral, em eleições proporcionais. Na lista fechada, o partido determina previamente a ordem dos candidatos que vão compor a lista. Os eleitores votam na legenda partidária, para determinar quantos deputados o partido terá o direito de eleger. Os candidatos são eleitos em função da expressão partidária. A expressão individual é bastante importante no momento das prévias partidárias, em que o partido escolhe os candidatos. É o tipo de lista utilizada, por exemplo, na Argentina, em Israel e na Espanha.

ELEIÇÃO – LISTA PARTIDÁRIA FLEXÍVEL — É um dos tipos de listas que podem ser empregadas em eleições proporcionais. Nesse tipo, o partido apresenta um ordenamento dos candidatos que vão compor a lista, mas os eleitores podem alterar esse ordenamento, porque inclui uma opção de voto preferencial. Assim, se um candidato que está no final da lista for nominalmente bem votado, ele vai para o início da lista, na ordem partidária, tendo então mais chances de ser eleito. Esse sistema é usado, por exemplo, na Áustria, na Holanda, na Suíça e em Luxemburgo.

ELEIÇÃO – MAGNITUDE DA CIRCUNSCRIÇÃO — É o número de vagas em disputa em cada colégio eleitoral, isto é, em cada circunscrição territorial em que estão sendo disputados os cargos políticos. A lógica dessa equação está na proporção existente entre candidato e eleitores de um determinado território: quanto menor for a diferença numérica entre candidato e eleitor, mais proporcional será a eleição e, portanto, mais representativa da população. Por isso se diz que quanto maior o número de vagas em disputa, mais proporcional as eleições.

ELEIÇÃO – MANDATO POLÍTICO — É o período de tempo compreendido entre a posse em cargo eletivo e o seu término. No Brasil o mandato de presidente da República, governador, prefeito, deputado federal, deputado estadual e vereador é de quatro anos, e o mandato de senador é de oito anos.

ELEIÇÃO – MARKETING POLÍTICO — É a propaganda feita a um político para garantir-lhe uma boa imagem pública. Geralmente, o marketing é feito em época de campanha eleitoral, mas não necessariamente precisa ser apenas nesses períodos. O político pode dispor de um marqueteiro durante toda a sua vivência no mundo político, conforme desejar e tiver recursos para investir em imagem e divulgação. Esse tipo de trabalho comumente é feito por uma empresa de publicidade e propaganda. (Ver: Consultoria Política.)

ELEIÇÃO – MIGRAÇÃO PARTIDÁRIA — Fenômeno comportamental dos políticos em relação aos partidos. Quando um político muda de filiação partidária, isto é, sai de um partido e entra em outro, diz-se que ele está migrando de partido. A presença constante dessa estratégia política tende a enfraquecer os partidos, pois os eleitores ficam com maiores dificuldades de identificar o político à sua sigla partidária, visto que ele já teve mais de um partido vinculado à sua imagem.

ELEIÇÃO – NÃO PODE SE CANDIDATAR — Não podem se candidatar a cargos públicos os analfabetos; os inalistáveis; cônjuge, parente ou afim de um detentor de cargo no Poder Executivo.

ELEIÇÃO – PESQUISA ELEITORAL — Método utilizado pelo institutos de pesquisa para sondarem, por amostragem, a predisposição de votar dos eleitores. A função principal da pesquisa eleitoral é procurar refletir a realidade num dado momento do processo sucessório. Trata-se de um corte, um *flash* com margem de erro conhecida. Como a realidade é dinâmica, nela atuando sujeitos e estando em confronto estratégias e ações visando capturar a intenção de voto dos eleitores, os resultados de uma pesquisa eleitoral tendem a ficar progressivamente defasados. Uma pesquisa, aqui, equivale à função de um termômetro. Mede a temperatura. Todavia, não cabe ao termômetro uma função de cura, mas apenas de diagnóstico. Obviamente, um bom diagnóstico melhora e muito as condições de intervenção.

ELEIÇÃO – PODE SE CANDIDATAR — Qualquer cidadão pode se candidatar a cargos públicos, respeitadas as seguintes condições: a) tenha nacionalidade brasileira ou condição de português equiparado; b) esteja com pleno exercício dos seus direitos políticos; c) tenha sido alistado; d) domicílio eleitoral na circunscrição de pelo menos 1 (um) ano antes da eleição; e) seja filiado a um partido político desde pelo menos 1 (um) ano antes da eleição; f) possuir idade mínima requerida para o cargo até a data da posse: presidente, vice-presidente, senador: 35 anos; governador e vice-governador: 30 anos; deputado federal, deputado estadual, deputado distrital, prefeito e vice-prefeito: 21 anos; vereador: 18 anos.

ELEIÇÃO – PRÉVIAS ELEITORAIS OU ELEIÇÕES PRIMÁRIAS — São as eleições realizadas internamente nos partidos, para escolha dos candidatos que vão concorrer às eleições. Em alguns países esse mecanismo é obrigatório; em outros, como no Brasil, fica a critério do partido. Os Estados Unidos é um bom exemplo de país que utiliza esse critério formalmente.

ELEIÇÃO – PROPAGANDA ELEITORAL GRATUITA — Em época de campanha eleitoral, os partidos políticos de muitos países democráticos possuem um espaço gratuito reservado na televisão e no rádio, que é definido por lei, sendo vedada a propaganda paga. Esse espaço é destinado para que cada candidato possa fazer sua propaganda pessoal, expor seus programas e projetos políticos, ou até mesmo atacar seus adversários, valendo-se assim da propaganda negativa. No Brasil, conforme a Lei nº 9.504, de 30 de setembro de 1997, os horários reservados à propaganda de cada eleição são distribuídos entre todos os partidos e coligações que tenham candidato e representação na Câmara dos Deputados.

ELEIÇÃO – PROPAGANDA NEGATIVA — Ocorre propaganda negativa quando um candidato, em vez de usar o material de campanha e o tempo disponível ao seu partido, para divulgar suas propostas e projetos, utiliza esses recursos para hostilizar o adversário com a tática de destruição da imagem do adversário perante o eleitorado.

ELEIÇÃO – QUOCIENTE ELEITORAL (QE) — No sistema eleitoral o quociente eleitoral define os partidos e/ou coligações que têm direito a ocupar as vagas em disputa nas eleições proporcionais, quais sejam: eleições para deputado federal, deputado estadual e vereador. Determina-se o quociente eleitoral dividindo-se o número de votos válidos apurados pelo de lugares a preencher em cada circunscrição eleitoral, desprezada a fração se igual ou inferior a meio, equivalente a um, se superior (Código Eleitoral, art. 106). Nas eleições proporcionais, contam-se como válidos apenas os votos dados a candidatos regularmente inscritos e às legendas partidárias. (Lei nº 9.504, de 1997, art. 5º.) Votos em branco não contam. Cálculo do quociente eleitoral: (QE) = número de votos válidos divido pelo número de vagas. (Ver: Eleição - Sistema proporcional.)

ELEIÇÃO – QUOCIENTE ELEITORAL, NÃO ATINGIMENTO DO — No sistema eleitoral se nenhum partido ou nenhuma coligação alcançar o quociente eleitoral, considerar-se-ão eleitos, até serem preenchidos todos os lugares, os candidatos mais votados (Código Eleitoral, art. 111). (Ver: Eleição - Sistema proporcional.)

ELEIÇÃO - QUOCIENTE PARTIDÁRIO (QP) — No sistema eleitoral o quociente partidário define o número inicial de vagas que caberá a cada partido ou coligação que tenha alcançado o quociente eleitoral. Determina-se para cada partido ou coligação o quociente partidário, dividindo-se pelo quociente eleitoral o número de votos válidos dados sob a mesma legenda ou coligação de legendas, desprezada a fração. (Código Eleitoral, art. 107.) Estarão eleitos tantos candidatos registrados por um partido ou coligação quantos o respectivo quociente partidário indicar, na ordem da votação nominal que cada um tenha recebido (Código Eleitoral, art. 108). Cálculo do quociente partidário: (QP) = número de votos válidos do partido ou coligação/quociente eleitoral. (Ver: Eleição - Sistema proporcional.)

ELEIÇÃO - REGRAS ELEITORAIS — Conjunto de normas que regulamentam o processo eleitoral. Algumas dessas regras são instituídas constitucionalmente, como a criação da Justiça Eleitoral; outras regras são estabelecidas em legislação ordinária como a data do primeiro e segundo turnos.

ELEIÇÃO - REPRESENTAÇÃO POLÍTICA — A representação política, praticada nos Estados modernos, significa que os cidadãos delegam aos seus representantes a tarefa de defender seus interesses. Para tanto, os representantes devem ser eleitos de forma democrática para expressar o desejo da maioria, e contemplar, sempre que possível, todos os segmentos da sociedade. O parlamento é, por isso, a instituição na qual a representação política é exercida.

ELEIÇÃO - REPRESENTATIVIDADE DEMOCRÁTICA — Diz respeito à inclusão da população na tomada de decisões de ordem política, através de instrumentos democráticos, os quais têm que estar definidos constitucionalmente, de maneira que abarque uma representação que estimule o consenso. A representatividade democrática está relacionada à estrutura do arranjo institucional.

ELEIÇÃO - RESPONSIVIDADE — É a responsabilidade que os políticos eleitos têm de garantir a efetivação das aspirações de seu povo. Responsividade se refere a comportamento e a ambientação deste comportamento. O comportamento aqui é referente ao dos eleitores e a contextualização que o político precisa fazer para assimilar as necessidades do povo e, assim, conseguir priorizá-las e atendê-las dentro das limitações de seu cargo, dos recursos, do ambiente e do tempo.

ELEIÇÃO - SEGUNDO TURNO — Ver Eleição - Turnos.

ELEIÇÃO - SISTEMA DISTRITAL — Sistema em que a representação política traduz interesses geograficamente localizados, em vez de espelhar o fracionamento ideológico ou a divisão de classes. Sistema eleitoral em que é eleito o candidato que obtiver a maioria dos votos de uma dada área territorial, denominada distrito, em que se organiza o eleitorado. No sistema eleitoral distrital os parlamentares (vereadores, deputados estaduais e federais) são eleitos por voto majoritário, com o país, estados e municípios. O que define um distrito é um núcleo populacional. O mais votado em seu distrito está eleito. É o sistema usado na esmagadora maioria dos países, inclusive no presidencialista Estados Unidos. Não é adotado no Brasil, embora seja, atualmente, muito discutido.

ELEIÇÃO — SISTEMA MAJORITÁRIO — No sistema eleitoral é o sistema em que ganha o candidato que obtiver a maioria dos votos. É o sistema adotado no Brasil, em que são eleitos o presidente da República, o governador de estado, os senadores e os prefeitos. No sistema eleitoral, consiste na divisão das regiões eleitorais em tantas circunscrições quantos forem os lugares a preencher. São dois os critérios desse sistema: no primeiro, a eleição é realizada em um só turno, sendo eleito o candidato que conseguir o maior número de votos; no segundo, a eleição ocorre em dois turnos, sendo eleito o candidato que nesta fase da votação obtiver maioria simples.

ELEIÇÃO - SISTEMA MISTO — É uma criação da Alemanha. Por ele, metade da bancada de um estado é eleita pelo sistema proporcional, e a outra metade pelo sistema distrital ou majoritário. Mas a parte proporcional tem um ritual: cada partido apresenta uma lista de seus candidatos. À medida que o coeficiente eleitoral é atingido, os nomes da lista vão sendo eleitos, do cabeça da lista para trás. Assim, o eleitor, quando escolhe votar em um partido, sabe que seu voto irá primeiro para o cabeça da lista. Não é adotado no Brasil, embora seja, atualmente, muito discutido.

ELEIÇÃO - SISTEMA PROPORCIONAL — No sistema eleitoral é o sistema em que a representação política é distribuída proporcionalmente entre os partidos políticos concorrentes. É o sistema adotado no Brasil em que são eleitos os deputados federais, os deputados estaduais/distritais e os vereadores. O sistema proporcional funciona da seguinte forma: 1º) Calcula-se o número de votos válidos para o cargo em disputa (não são computados os votos brancos e nulos); 2º) Calcula-se o quociente eleitoral (QE), que é o resultado da divisão dos votos válidos pelo número de vagas disponíveis para aquele cargo; 3º) Calcula-se o quociente partidário (QP), que é o resultado da divisão da soma dos votos válidos de cada partido político (ou coligação) pelo quociente eleitoral (QE). O resultado indica o número de vagas que o partido (ou coligação) obteve. As vagas são preenchidas pelos candidatos que tiveram o maior número de votos dentro do partido ou coligação. Caso o resultado seja menor que 1, o partido (ou coligação) não elegerá candidato nenhum; 4º) Caso ainda haja vagas não-preenchidas pela aplicação do quociente partidário (QP), elas serão distribuídas da seguinte forma: a) Só participam dessa distribuição os partidos ou as coligações que obtiveram o quociente eleitoral (QE), segundo o item 3; b) Divide-se o número de votos válidos atribuídos a cada partido ou coligação pelo número de vagas já obtidas mais um, cabendo a vaga ao partido ou à coligação que tiver a maior média; c) Repete-se a operação até a total distribuição das vagas; d) a vaga será preenchida, obedecendo à ordem de votação do partido ou coligação dos seus candidatos, entre aqueles que não obtiveram a vaga pelo quociente partidário. (Ver: Eleição – Quociente Eleitoral (QE) // Eleição – Quociente Partidário (QP).)

ELEIÇÃO - SUFRÁGIO UNIVERSAL — Ver Eleições diretas.

ELEIÇÃO - TURNOS — Por disposição constitucional, o primeiro turno da eleição ocorre no primeiro domingo do mês de outubro e o segundo turno, quando houver, no último domingo do mês de outubro. O segundo turno pode ocorrer apenas nas eleições para presidente, governador e, para prefeito, nos municípios com mais de 200.000 (duzentos mil) eleitores. Para ocorrer a eleição no segundo turno deve haver mais de 2 (dois) candidatos no primeiro turno e que nenhum deles tenha obtido a maioria dos votos válidos (50% mais um). Os candidatos ao Poder Legislativo são eleitos, obrigatoriamente, no primeiro turno.

ELEIÇÃO - VERTICALIZAÇÃO — A verticalização é uma regra pela qual os partidos não podem fazer alianças eleitorais na disputa pelos governos estaduais que sejam diferente daquelas feitas em nível nacional. Foi introduzida nas eleições de 2002 pela Justiça Eleitoral. Alguns partidos alegam que esta regulamentação não tem sentido na realidade política brasileira, onde as relações políticas e sociais podem mudar muito de um Estado para outro, entre os níveis estadual e nacional. Aqueles que apóiam a verticalização alegam que esta norma garante uma coerência ideológica maior dentro dos partidos brasileiros. Em 3 de março, a Justiça Eleitoral votou pela manutenção da verticalização. No dia 8 do mesmo mês, o Congresso Nacional votou uma Emenda Constitucional pelo fim da regra. Mas, segundo a legislação eleitoral, as regras para os pleitos só podem ser mudadas com pelo menos um ano de antecedência às eleições. O caso foi decidido pelo Supremo Tribunal Federal, e o fim da verticalização só ocorrerá para as eleições de 2010. Em 8 de junho de 2006, o TSE recuou em decisão que estabelecia a verticalização até para partidos que não apóiam nenhuma candidatura nacional, e a regra de verticalização volta a ser igual à de 2002: partidos sem candidatos à Presidência poderão formar coligações regionais livremente.

ELEIÇÃO - VOLATILIDADE ELEITORAL — Consiste na instabilidade dos eleitores quanto à identificação ideológica a uma sigla partidária. Para avaliar a volatilidade eleitoral de uma população específica, é necessária a comparação entre eleições. Se um partido ganhou muitos votos em uma eleição; na eleição seguinte, de cargo(s) equivalente(s), seus votos migraram para outro(s) partido(s); e, na eleição subseqüente, os votos ainda foram distribuídos de forma diversa aos das duas primeiras eleições analisadas anteriormente, isso mostra que o eleitorado tem um grau elevado de volatilidade.

ELEIÇÃO - VOTO DE CABRESTO — O termo é empregado analogicamente em expressões como "voto de cabresto"; "eleitor de cabresto", para significar o comportamento daqueles que se deixam conduzir cegamente por outros, nas suas opções políticas. É a prática incompatível com uma autêntica democracia, na qual cada cidadão deve deliberar e livremente escolher aqueles que o vão representar nos cargos eletivos.

ELEIÇÃO - VOTO DE DESCONFIANÇA — Utilizado, a rigor, nos regimes parlamentaristas. Também chamado de voto de censura, é quando parlamentares desaprovam a política do primeiro-ministro, propondo ao parlamento a destituição deste. Não é um fenômeno costumeiro, pois como o cargo de primeiro-ministro é efetivado por escolha, por parte do partido que detém maioria, normalmente os conflitos se resolvem de outras formas.

ELEIÇÃO - VOTO EM BRANCO — O voto em branco se dá quando o eleitor manifesta sua vontade de não votar em nenhum candidato ou partido político, apertando a tecla "branco" na urna eletrônica. O voto em branco, assim como o voto nulo, é apenas registrado para fins de estatísticas e não é computado como voto válido, ou seja, não vai para nenhum candidato, partido político ou coligação. Antes da Lei nº 9.504/97, o voto em branco era considerado válido, desde então não é mais.

ELEIÇÃO - VOTO NULO — O voto nulo se dá quando o eleitor digita na urna eletrônica um número que não seja correspondente a nenhum candidato ou partido político oficialmente registrados. O voto nulo é apenas registrado para fins de estatísticas e não é computado como voto válido, ou seja não vai para nenhum candidato, partido político ou coligação.

ELEIÇÃO - VOTO ÚTIL — Pode também ser chamado de voto tático ou voto estratégico. O voto útil é quando os eleitores, principalmente os menos compromissados com a política, decidem seu voto em favor do candidato que estiver à frente nas pesquisas eleitorais. Isto se dá pelo fato de os eleitores entenderem que se o candidato X está com muitas condições de alcançar a vitória, não vale a pena desperdiçar seu voto com um possível perdedor. Baseia-se em um significativo grau de racionalidade dos eleitores, que pode ser estimulada via pesquisas eleitorais, que mostram o desenvolvimento dos candidatos durante as campanhas eleitorais. A possibilidade dos eleitores preferirem voto útil, migrando sua opção de voto de candidatos fracos para candidatos favoritos, é chamada de efeito psicológico.

ELEIÇÃO - VOTOS VÁLIDOS — São votos válidos, os nominais aos candidatos e os votos nas legendas, nas eleições proporcionais. Os votos nulos e brancos são descartados.

ELEIÇÃO - ZONA ELEITORAL — Ver Zona Eleitoral.

ELEIÇÃO DA MESA — Em uma casa legislativa ocorre na segunda sessão preparatória da primeira sessão de cada legislatura. São eleitos o presidente e demais membros da Mesa e dos suplentes dos secretários, para mandato de dois anos, vedada a recondução para o mesmo cargo na eleição imediatamente subseqüente. A eleição dos membros da Mesa se dá por escrutínio secreto, exigida maioria absoluta de votos, em primeiro escrutínio, e maioria simples, em segundo escrutínio, presente a maioria absoluta dos deputados.

ELEIÇÃO DE DEPUTADO ESTADUAL — Ver Deputado Estadual.

ELEIÇÃO DE DEPUTADO FEDERAL — Ver Deputado Federal.

ELEIÇÃO DE PREFEITO — Ver Prefeito - Eleição.

ELEIÇÃO DE PRESIDENTE DA REPÚBLICA — Ver Presidente da República - Eleição.

ELEIÇÃO DE SENADOR — Ver Senador.

ELEIÇÃO DE VEREADOR — Ver Vereador.

ELEIÇÕES DIRETAS — Também denominadas como sufrágio universal as eleições são diretas quando os ocupantes dos cargos legislativos e executivos são escolhidos pelo voto dos eleitores - e não por um colégio ou assembléia. No Brasil, as eleições diretas para presidente da República estiveram em vigor entre 1945 e 1964, ano em que ocorreu o golpe militar. Em 1989, foi reinstituída a escolha direta.

ELEIÇÕES INDIRETAS — Nas eleições indiretas a população não possui direito ao voto. Os representantes são escolhidos em um colégio eleitoral, constituído por uma assembléia fechada. Essa modalidade existe nos países parlamentaristas - onde os primeiros-ministros são eleitos pelos parlamentares, estes sim eleitos em eleições diretas - e nos Estados Unidos, onde o presidente é eleito por um colégio eleitoral constituído pelos votos dos eleitores. (Ver: Colégio eleitoral.)

ELEIÇÕES PRIMÁRIAS — Ver Eleição - Prévias eleitorais.

ELEITOR — Aquele que tem direito de eleger. Pessoa a quem se atribui a aptidão de participar da escolha de um representante para exercer cargo público.

ELEITORADO — Todas as pessoas de um país ou de uma área que têm o direito de votar.

ELEITOREIRO — Diz-se de atos, atitudes e proposições advindos dos membros dos poderes públicos visando à conquista de votos e não ao interesse real da comunidade.

ELEMENTO DE DESPESA — Ver Despesa, Elemento de.

ELEMENTO FÍSICO — Na Teoria Geral do Direito é o elemento objetivo ou material de um ato ou instituto jurídico. No Direito Penal é a relação estabelecida entre o agente e o resultado da ação ou omissão criminosa. É a materialidade do delito ou o fato típico descrito na lei penal como crime.

ELEMENTO PSÍQUICO — Na Teoria Geral do Direito é o elemento subjetivo alusivo ao dolo ou à culpa do agente. No Direito Penal. a) Aquele que, juntamente com a omissão ou ação criminosa, confere estrutura formal ao delito, por ser a culpabilidade essencial à sua caracterização. No crime compreende o dolo e a culpa e na contravenção penal, a voluntariedade de comportamento, teima ou capricho; b) elemento subjetivo do tipo ou da descrição legal de um fato proibido que se prende à tipicidade; é o indiciário da antijuridicidade.

ELEMENTOS DE INTERPRETAÇÃO — São os vários fatores ou critérios de que se socorre o intérprete para determinar o verdadeiro sentido e alcance da lei.

ELETRICIDADE ESTÁTICA — A eletrificação de certos materiais pelo atrito, fenômeno que hoje chamamos de eletricidade estática, foi inicialmente descrita na antiguidade grega, pelo filósofo Tales de Mileto. Este tipo de eletricidade se explica como um acúmulo de carga elétrica positiva ou negativa em um dado material, em conseqüência de um desequilíbrio de cargas decorrentes de remoção ou acréscimo de elétrons. Este fenômeno pode ser observado, por exemplo, quando atritamos âmbar com a lã, gerando uma atração sobre corpos leves como o papel e a cortiça.

ELETROPRESSÃO — Morte acidental causada por descarga elétrica.

ELIMINAÇÃO DOS AUTOS — É o descarte, por incineração ou recondicionamento, dos autos judiciais já arquivados.

ELIPSE — Figura de construção de uma frase. É a omissão de termos que não foram enunciados anteriormente. (Exemplo: No meio da rua, o sol escaldante.)

ELISÃO FISCAL — É o termo dado à prática de buscar a minimização do pagamento de impostos sem deliberadamente incorrer em fraude (o que seria considerado evasão fiscal). O termo algumas vezes é usado para descrever a prática de solicitar concessões e abatimentos claramente oferecidos pelo sistema fiscal nacional. No entanto, há um entendimento de que isso não é elisão fiscal. Se a lei estabelece que não há imposto devido sobre uma transação, então nenhum imposto pode ser evitado ao realizá-la. Nos dias atuais, esta prática é vista como conformidade fiscal. Desta forma, o termo elisão fiscal normalmente refere-se à prática de buscar o não-pagamento de impostos, contrariando os objetivos das leis ("o espírito da lei"). Esta ação também é chamada de elisão fiscal "agressiva". Elisão fiscal "agressiva" é a prática de buscar a minimização do pagamento de impostos tentando obedecer às leis e ao mesmo tempo evitando seu propósito. Normalmente, esta prática acarreta a criação de transações artificiais ou entidades para recaracterizar a natureza, o destinatário ou o tempo dos pagamentos. Quando a entidade está localizada ou a transação é realizada em outro país, isto se configura como elisão fiscal internacional. Esquemas complexos são freqüentemente criados especialmente para este fim. Já que elisão muitas vezes acarreta no ocultamento da informação e é difícil provar a intenção ou fraude deliberada, a linha divisória entre elisão e evasão não é clara e depende dos padrões de responsabilidade dos profissionais ou consultores especializados na área fiscal. Um esquema de elisão que é descoberto acarreta no pagamento dos impostos devidos mais multas por infração à legislação tributária e por atraso no recolhimento.

ELISÃO FISCAL "AGRESSIVA" — Ver Elisão fiscal.

ELISÃO FISCAL INTERNACIONAL — Ver Elisão fiscal.

ELITE — De modo geral, pode ser considerado como um grupo dominante na sociedade. Especificamente, o conceito possui diversas definições: significa uma alternativa teórica ao conceito de classe dominante. Pode também referir-se a um grupo situado em uma posição hierárquica superior numa dada organização. Pode significar genericamente um grupo localizado em uma camada hierárquica superior numa dada estratificação social. Pode ser o grupo minoritário que exerça uma dominação política sobre a maioria dentro de um sistema de poder democrático. Elite pode ser uma referência genérica a grupos posicionados em locais hierárquicos de diferentes instituições públicas, partidos ou organizações de classe, ou seja, pode ser entendida simplesmente como aqueles que têm capacidade de tomar decisões políticas ou econômicas. Pode ainda designar aquelas pessoas ou grupos capazes de formar e difundir opiniões que servem como referência para os demais membros da sociedade. Neste caso, elite seria um sinônimo tanto para liderança quanto para formadores de opinião.

ELOQÜÊNCIA — É a capacidade de falar e exprimir-se com facilidade. Arte e o talento de persuadir, convencer, deleitar ou comover por meio da palavra.

ELUSIVO — Arguto, arisco, evasivo, esquivo. Do verbo eludir, que significa evitar ou esquivar com destreza, furtar-se com habilidade ou astúcia, à influência ou ao poder de outrem.

EM CURSO — Terminologia forense para indicar todo processo ou feito que se encontra em andamento.

EM PÚBLICO E RASO — Expressão forense; significa que o termo foi firmado pelo tabelião com duas assinaturas, a pública ou sinal público em forma de monograma, sigla ou rubrica, e a particular ou comum, por extenso.

EM TERMOS — Expressão utilizada pelo juiz em acréscimo a despacho deferitório de petição, indicando a condição de qualquer circunstância impeditiva do ato, para verificação pelo escrivão.

E-MAIL — Abreviatura de *eletronic mail*, correio eletrônico. Em princípio, qualquer correio feito por meio de computadores é *e-mail*, mas o nome se aplica principalmente à comunicação via Internet.

EMANAR — Exalar dos corpos. Desagregar-se ou disseminar-se por desagregação. Provir. Sair de. Brotar. Indica a fonte, a origem ou essência de qualquer poder, na qual funda a sua própria força e razão de ser.

EMANCIPAÇÃO — Emancipar, no sentido verbal, é tornar-se livre, senhor de si. No aspecto jurídico, emancipação é o ato ou efeito de liberar o menor do laço do pátrio poder, ou tutela. Ato jurisdicional ou proveniente do pátrio poder pelo qual o menor de 18 anos e maior de 16 anos adquire a plena capacidade de gerir a sua vida civil e administrar os seus bens. (Ver: Pátrio Poder // Tutela // Poder familiar.)

EMANCIPAÇÃO, AÇÃO DE — É a ação do menor que completou 16 (dezesseis) anos, contra seu pai, mãe ou tutor, para ser declarado maior e capaz de reger sua pessoa e seus bens. (Ver: Emancipado // Menor emancipado.)

EMANCIPADO — Menor de 18 anos e maior de 16 anos que foi considerado capaz para a prática de atos civis e comerciais.

EMAS — Sigla para Sistema de Eco-gestão e Auditoria. É um sistema que permite a participação voluntária na gestão ambiental e está ligado à União Européia. É voltado para organizações dispostas a assumir o compromisso de avaliar, gerir e melhorar seus resultados econômicos e ambientais. Prevê a participação ativa dos trabalhadores, o que contribui para a gestão social das organizações.

EMBAIXADOR — 1) A categoria mais alta de representante diplomático de um Estado junto de outro Estado ou de um organismo internacional; 2) Título de ministro de primeira classe; 3) Qualquer pessoa incumbida de missão pública ou particular; emissário.

EMBARAÇO — Perturbação ou obstáculo que dificulta ou impede o prosseguimento de uma ação.

EMBARGADO — Pessoa contra quem se opôs embargo, objetivando-se a impedir a prática de um ato, o uso da coisa ou a demanda proposta.

EMBARGANTE — É aquele que interpõe embargos contra ação proposta por alguém ou contra decisão judicial, quando é este o recurso pertinente.

EMBARGAR — Exprime o sentido de impedir, opor obstáculos, obstar, não permitir, fazer parar, utilizando-se, para isso, a fim de que se efetive semelhante oposição ou contrariedade, o embargo, recurso judicial apropriado.

EMBARGO — É todo e qualquer impedimento, obstáculo ou embaraço posto em prática por uma pessoa, a fim de que evite que outrem possa agir ou fazer alguma coisa, que não e de seu interesse ou que lhe contrarie o direito. Empregada no singular indica, genericamente, toda medida cautelar ou preparatória de uma ação principal, que visa a impedir o exercício de um suposto direito ou a retenção judicial de bens. É da mesma natureza, portanto, o arresto ou o seqüestro. (Ver: Embargos.)

EMBARGOS — O termo tem várias conotações. Em síntese, significa autorização legal para suspender um ato; defesa de um direito, como embargos do executado ou do devedor, ou, ainda, como recurso (embargos de declaração ou embargos infringentes). São um tipo de recurso ordinário para contestar a decisão definitiva. Os mais comuns são os embargos declaratórios. Arresto, impedimento judicial à execução de uma obra capaz de causar prejuízo à edificação vizinha, por exemplo. Recurso impetrado ao próprio juiz ou tribunal prolator da sentença ou do acórdão, para que os declare, reforme ou revogue; defesa do executado, oposta aos efeitos da sentença e destinada a impedir ou desfazer a execução requerida pelo exeqüente; defesa do executado por dívida fiscal, equivalente à contestação. No STF e TST os mais comuns são os embargos declaratórios, onde também cabem os embargos de divergência e os embargos infringentes.

EMBARGOS À ADJUDICAÇÃO — Ver Embargos à arrematação ou à adjudicação.

EMBARGOS À ARREMATAÇÃO OU À ADJUDICAÇÃO — Meio de defesa do devedor, para a anulação da arrematação ou adjudicação, em virtude de nulidade, pagamento direto ou indireto, ou prescrição superveniente à penhora.

EMBARGOS À EXECUÇÃO — Meio pelo qual o devedor se opõe à execução, seja ela fundada em título judicial (sentença) ou em título extrajudicial (duplicata, cheque, contrato), com a finalidade de desconstituir o título.

EMBARGOS DE CONSTRUÇÃO — Denominado Nunciação de Obra Nova é o procedimento no qual o proprietário, condômino ou Município podem evitar a continuidade da construção de algo, por não estar de acordo com o que foi previamente proposto. Iniciada a construção ou estando ela em andamento, o proprietário ou o possuidor do prédio, através de uma ação denominada "Ação de Nunciação de Obra Nova", poderá requerer em Juízo, além do embargo liminar da obra, a reconstrução, demolição ou modificação do que estiver sendo feito em seu detrimento. (Ver: Nunciação de Obra Nova.)

EMBARGOS DE DECLARAÇÃO — Remédio processual, dirigido ao próprio juiz da causa, oposto contra decisão que contém obscuridade ou omissão, dúvida ou contradição da sentença, tendo como finalidade esclarecer, tornar clara a decisão. Em qualquer caso, a substância do julgado, em princípio, será mantida, visto que os embargos de declaração não visam modificar o conteúdo da decisão. Porém, a jurisprudência tem admitido, excepcionalmente, os embargos com efeito infringente, ou seja, para modificar a decisão embargada, exatamente quando se tratar de equívoco material e o ordenamento jurídico não contemplar outro recurso para a correção do erro fático. Não é recurso, pois não vai à instância superior (doutrina). (Ver: Embargos infrigentes.)

EMBARGOS DE DIVERGÊNCIA — São embargos apresentados contra decisão de uma turma em recurso extraordinário, quando ela divergir da decisão de outra turma ou do plenário. Recurso cabível no STF, STJ e TRF.

EMBARGOS DE RETENÇÃO — Meio pelo qual o devedor, na execução, consegue impedir a posse do credor, até ser indenizado por benfeitorias.

EMBARGOS DE TERCEIRO — É o processo acessório que visa defender os bens daqueles que, não sendo parte num processo ou demanda, sofrem turbação ou esbulho em sua posse, por efeito de penhora, arresto, seqüestro etc. para garantia de dívida de terceiro. Se configuram como a ação de terceiro em defesa de seus bens contra execuções alheias.

EMBARGOS DECLARATÓRIOS — São embargos que pedem que se esclareça um ponto da decisão da turma ou do plenário (acórdão), considerado obscuro, contraditório, omisso ou duvidoso. A substância do julgado, em princípio, será mantida, visto que os embargos de declaração não visam modificar o conteúdo da decisão.

EMBARGOS DO DEVEDOR — O mesmo que embargos à execução. Ação que visa à desconstituição do título executivo e ao trancamento da execução. Embora ação incidente, tem caráter de defesa.

EMBARGOS INFRINGENTES — Recurso cabível quando não for unânime o julgamento proferido em apelação e em ação rescisória. Se o desacordo for parcial, os embargos serão restritos à matéria objeto da divergência. Recurso cabível nas execuções fiscais.

Embi+ — Índice que mostra o desempenho dos títulos *Bradies* de países emergentes. É uma carteira teórica, podendo ser expressa como índice de retorno (*total return*), que mostra o desempenho dos preços dos papéis, ou como *spread* de risco (*stripped spread*), que mostra o prêmio adicional pago pela carteira de títulos sobre os títulos do tesouro americano de prazo equivalente.

EMBRAPA (EMPRESA BRASILEIRA DE PESQUISA AGROPECUÁRIA) — Empresa do Ministério da Agricultura que coordena uma rede de centros de pesquisa agropecuária distribuídos pelo País.

EMBUSTE — Aplicado para indicar o ardil empregado por uma pessoa para que leve outra a enganos, seja por meio de palavras ou de atos.

EMBUSTEIRO — Que usa de embuste. Que ou aquele que lisonjeia, que adula para enganar. Impostor.

EMENDA — É o ato de corrigir ou retificar uma falha ou um erro cometido na elaboração de uma escritura ou de um documento. Em uma Casa Legislativa refere-se a uma proposição apresentada como acessória de uma outra, a principal, que pode ser um projeto de lei, uma proposta de emenda à Constituição, um projeto de decreto etc. Em geral, as emendas alteram o mérito da matéria sobre a qual estão sendo apresentadas. As emendas de redação mudam apenas aspectos lingüísticos.

EMENDA À PROPOSIÇÃO — No Legislativo é a proposição apresentada como acessória de outra, destinada a alterar a forma ou conteúdo da principal, podendo ser supressiva, aglutinativa, substitutiva, modificativa ou aditiva.

EMENDA ADITIVA — Nas Casas Legislativas, é uma espécie de emenda que propõe acréscimo de novas disposições ao texto da proposição principal.

EMENDA AGLUTINATIVA — Nas Casas Legislativas, é uma espécie de emenda que se propõe a fundir textos de outras emendas, ou a fundir texto de emenda com texto de proposição principal. Muito usada no momento da votação de proposições em plenário.

EMENDA AO ORÇAMENTO — Ver Emenda ao projeto de lei orçamentária.

EMENDA AO PROJETO DE LEI ORÇAMENTÁRIA — Meio pelo qual os parlamentares e órgãos do Legislativo atuam sobre o projeto de lei orçamentária anual, acrescendo, suprimindo ou modificando itens na programação proposta pelo Executivo. No Congresso Nacional as emendas podem ser de texto, de receita e de despesas e são apresentadas na Comissão Mista de Planos, Orçamentos Públicos (CMO) e Fiscalização. (Ver: Emendas de relator no orçamento // Emendas aos projetos de leis de Diretrizes Orçamentárias e ao do Orçamento Anual.)

EMENDA CONSTITUCIONAL — Consiste em uma alteração à lei básica, que é aditada ao corpo da Constituição. Em síntese: é toda e qualquer alteração, revisão, reforma, revisão parcial ou mesmo uma emenda aditiva. Deve ser observado o § 4º do art. 60 da Constituição Federal.

EMENDA CONSTITUCIONAL, PROPOSTA DE — Projeto de lei que altera um dispositivo incluído na Constituição, não podendo ser objeto de deliberação a proposta tendente a abolir a forma federativa de Estado, o voto direito, secreto, universal e periódico, a separação dos poderes, os direitos e garantias individuais. Pode ser proposta por 1/3 dos membros da Câmara ou do Senado, pelo presidente da República ou por mais da metade das Assembléias Legislativas estaduais. É a que exige maior número de votos a favor, justamente para dificultar mudanças freqüentes na Constituição e garantir que há uma vontade realmente majoritária de mudar. São necessários três quintos dos votos, em dois turnos de votação, em cada uma das Casas do Congresso (Senado e Câmara). É promulgada pelo presidente do Congresso Nacional, em sessão conjunta, e não precisa de sanção presidencial para vigorar.

EMENDA DA MORA — Nova terminologia atribuída à purgação da mora no pagamento de aluguéis, dada pela Lei nº 8.245, de 1991. Não se admite a emenda da mora se o locatário já houver utilizado desse direito por duas vezes nos 12 meses imediatamente anteriores à propositura da ação de despejo.

EMENDA DE BANCADA — É o mesmo que emenda de Comissão, porém de autoria das bancadas estaduais e regionais no Congresso Nacional. As emendas de bancada devem ter como objeto ações de interesse dos respectivos Estados ou regiões geográficas.

EMENDA DE COMISSÃO — Modalidade de emenda que prevê a apresentação de emendas pelas comissões técnicas permanentes do Congresso Nacional, em número limitado e para atender a objetivos relacionados à matéria de competência de cada Comissão. A título de exemplo, a Comissão de Agricultura da Câmara dos Deputados somente poderá apresentar emenda versando sobre temas ligados à agricultura.

EMENDA DE REDAÇÃO — Nas Casas Legislativas, é uma espécie de emenda modificativa, que objetiva sanar vício de linguagem, incorreção de técnica legislativa ou lapso manifesto da proposição.

EMENDA DE RELATOR NO ORÇAMENTO — No Legislativo, é a Emenda ao projeto de lei orçamentária apresentada pelo relator. Os relatores somente podem apresentar emendas à despesa e à receita com a finalidade de corrigir erros e omissões de ordem técnica ou legal, agregar proposições com o mesmo objetivo ou viabilizar o alcance de resultados pretendidos por um conjunto de emendas. É vedada, ainda, a apresentação de emendas de relator que tenham por objetivo a inclusão de subtítulos novos, bem como o acréscimo de valores a dotações constantes do projeto de lei orçamentária, exceto para correção de erros e omissões ou para inclusões ou acréscimos previstos no parecer preliminar.

EMENDA DE RELATORIA — Ver Emenda de relator.

EMENDA MODIFICATIVA — Nas Casas Legislativas, é a emenda que altera a proposição original sem a modificar substancialmente.

EMENDA SUBSTITUTIVA — Nas Casas Legislativas, é a emenda apresentada como sucedânea à parte de outra proposição, denominando-se substitutivo quando a alterar, substancial ou formalmente, em seu conjunto.

EMENDA SUPRESSIVA — Nas Casas Legislativas, é a emenda que manda erradicar qualquer parte de outra proposição.

EMENDA-JANELA — Expressão utilizada para caracterizar emendas de parlamentares ao projeto de lei do orçamento que destinam recursos parciais a projetos/atividades orçamentários. Embora não implique a real garantia de implementação da ação pretendida, dada à insuficiência da previsão de recursos, esse artifício é amplamente utilizado.

EMENDAS AOS PROJETOS DE LEIS DE DIRETRIZES ORÇAMENTÁRIAS E AO DO ORÇAMENTO ANUAL — A Constituição de 1988, no art. 166 e seus parágrafos, regula a apresentação de emendas aos projetos de Leis de Diretrizes Orçamentárias e ao do Orçamento Anual. Pelo disposto no § 4º do art. 166 da Constituição Federal, o Legislativo não pode apor emendas ao projeto de Lei de Diretrizes Orçamentárias se a proposta for incompatível com o Plano Plurianual, regra que deve ser seguida no projeto de lei pelo Executivo. O texto constitucional não contempla nenhuma hipótese restritiva de emendas ao projeto de lei que institui o Plano Plurianual.

EMENTA — É a parte do preâmbulo que sintetiza o conteúdo da Lei ou Decreto, a fim de permitir, de modo imediato, o conhecimento da matéria legislada, devendo guardar estreita correlação com a idéia central do texto, bem assim com o art. 1º do ato proposto. É a sinopse do conteúdo do articulado da lei ou decreto, inserida imediatamente após a epígrafe. A utilização da ementa deve ser feita com alguma cautela, pois mesmo os resumos provenientes de órgãos oficiais são, às vezes, obscuros e incompletos, especialmente quando acompanhados do clichê "... e dá outras providências", no bojo da qual pode repousar muita matéria importante, não mencionada expressamente na ementa. Uma coletânea de ementas de acórdãos denomina-se ementário e não deve ser confundida com a jurisprudência propriamente dita, que é o conjunto de decisões no mesmo sentido, relativamente a casos análogos. (Ver: Ementa do acórdão ou da sentença // Técnica de elaboração de leis e decretos.)

EMENTA DO ACÓRDÃO OU DA SENTENÇA — A ementa é formada por duas partes - a verbetação e o dispositivo. A verbetação é a seqüência de palavras-chave ou de expressões que indicam o assunto do julgamento no caso concreto, devendo, como o dispositivo da sentença, ser objetivo, conciso, afirmativo, preciso, unívoco, coerente e correto. (Ver: Ementa.)

EMERGÊNCIA — Situação crítica; acontecimento perigoso ou fortuito que requer ação imediata; incidente, caso de urgência.

EMERGÊNCIA INTERNA — Situação que, afetando o bem-estar público, ocorre dentro de um país e seus territórios, como resultado de um ataque inimigo, insurreição, distúrbios civis, terremotos, incêndio, inundação, desastres públicos ou emergências equivalentes que põem em perigo a propriedade ou rompem os processos normais do Governo.

EMÉRITO — Título universitário que se confere a quem se distinguiu em determinada ciência.

EMIGRAÇÃO — É a mudança voluntária de uma pessoa, de seu país de origem para outro, a fim de nele estabelecer sua nova morada, na procura de melhores meios de vida.

EMIGRANTE — É a pessoa que abandona sua pátria para estabelecer-se em um país estrangeiro, com a intenção de nele fixar residência. (Ver: Migrante.)

EMISSÃO — 1) É a colocação de dinheiro ou títulos em circulação. 2) Lixo descarregado no ambiente, em geral relacionado a descargas de gases, podendo também se referir a elementos líquidos ou radiativos.

EMISSÃO DE MOEDAS — É um processo econômico que resulta em crescimento da oferta monetária, tanto física (cédulas e moedas) quanto escritural (Reservas Bancárias).

EMISSÃO DIRETA — Emissões de títulos públicos realizadas diretamente aos mais diversos agentes econômicos, nos termos da lei. Destinam-se, principalmente, à securitização de dívidas da União, operações financeiras estruturadas, assunção e refinanciamento das dívidas de estados, municípios e estatais.

EMISSÕES ATMOSFÉRICAS — Substâncias em forma de particulados, gases e aerossóis que se formam como subprodutos dos processos de combustão ou das transformações de matéria-prima que, quando lançadas à atmosfera em concentrações superiores à capacidade do meio ambiente em absorvê-las, causam alterações na qualidade do ar.

EMISSOR — Diz-se da entidade oficial que emite papel-moeda ou instituição que emite determinado título de crédito, de renda ou ordem de pagamento. (Ex. Um banco, quando emite um CDB, diz-se que ele é emissor do CDB.)

EMITENTE — Pessoa que emite ou saca um título, criando uma obrigação de pagamento.

EMOÇÕES — Reação psíquica e orgânica provocada pela ação de estímulo interno ou externo. Trata-se do estado do organismo que envolve não só todo o processo da excitação e da tensão como também o aspecto de experienciá-las, e, principalmente, o de vivenciar o comportamento resultante dos impulsos correspondentes e o aspecto de sentir as sensações e as alterações fisiológicas processadas no corpo. São cinco as emoções que acompanham o indivíduo desde a sua concepção: o medo, a raiva, a calma, a alegria e o prazer. Estas emoções são ditas naturais ou simplesmente emoções para distingui-las de suas derivadas chamadas sentimentos. São rápidas, ocorrem no aqui e agora e não inibem totalmente o consciente e o subconsciente na sua manifestação adequada. Têm a função de proteger o organismo contra as ameaças de sua integridade e dar continuidade à espécie de forma saudável.

EMOLUMENTOS — Ingressos eventuais de dinheiro, em benefício do servidor da Justiça, quando recebe remuneração, fixada em lei, diretamente da parte.

EMOTIVISMO — Teoria segundo a qual não há quaisquer fatos morais. Assim, os juízos morais são apenas expressões dos sentimentos de aprovação ou reprovação de cada um, não tendo por isso valor de verdade.

EMPADROAR — É empregado na terminologia fiscal para significar a ação de arrolar ou relacionar os contribuintes segundo a classe ou categoria de tributos, a que estão sujeitos, após o lançamento ou a coleta efetivada.

EMPATIA — Capacidade de uma pessoa se colocar imaginariamente no lugar de outra e ver o mundo como a outra o vê. É sentir o que o outro sente sem estar em sua mesma situação real. Por exemplo, ficar triste porque o outro mostra sinais de tristeza. Ficar alegre porque o outro está alegre. Ficar com medo porque o outro se mostra medroso.

EMPENHAMENTO — Empenho; ato ou efeito de empenhar; de hipotecar; esforço; dedicação.

EMPENHO — É o ato emanado de autoridade competente que cria para o poder público obrigação de pagamento pendente ou não de implemento de condição; garante a existência de crédito orçamentário necessário para pagar compromisso assumido. (Ver: Despesa, Empenho da // Empenho, Nota de.)

EMPENHO DA DESPESA — Ver Despesa, Empenho da.

EMPENHO GLOBAL — Destina-se a atender à despesa de valor quantificado ou não e de base liquidável parceladamente, geralmente em cada mês, durante a fluência do exercício.

EMPENHO ORDINÁRIO — É aquele cujo valor é previamente conhecido e cujo pagamento ocorrerá de uma só vez.

EMPENHO POR ESTIMATIVA — Modalidade especial de empenho da despesa, destinado a dar cobertura à realização de despesas cujo montante não possa ser determinado com antecedência. Seu emprego ocorre, tipicamente, em despesas de caráter repetitivo e de valor variável, tais como as relativas ao consumo de água, energia elétrica, combustíveis, telefonia, cópias de documentos etc., cuja natureza dificulta a sua previsão. Pode ser global ou ordinário.

EMPENHO, NOTA DE — Documento destinado à formalização do *Empenho da Despesa*, ou seja, ao registro do comprometimento de uma dotação, no todo ou em parte, em favor de um determinado contratante, fornecedor ou beneficiário. Indica o nome do credor, a especificação e a importância da despesa, bem como a dedução desta do saldo da dotação própria emitido em consonância com o ato do empenho, em ordem seqüencial cronológica. A nota de empenho, assinada pelo ordenador de despesas, constitui um dos documentos básicos para o registro da execução da despesa nos sistemas de contabilidade e de administração orçamentária. (Ver: Empenho.)

EMPÍRICO — Experimental; processo de diálogo que parte do real para o racional; relativo à experiência ou à prática.

EMPIRISMO — Doutrina filosófica, segundo a qual todo o conhecimento humano deriva, direta ou indiretamente, da experiência.

EMPODERAMENTO — Termo adotado do inglês *empowerment*, significa o processo pelo qual indivíduos e grupos se apropriam de suas potencialidades para conquistar espaço público e social na comunidade, em particular o poder de participar de deliberações e decisões que lhe digam respeito. Um processo de empoderamento eficaz precisa contemplar quatro níveis: a) cognitivo, onde interessa a conscientização sobre a realidade e as causas da dominação masculina; b) psicológico, ligado ao desenvolvimento de sentimentos de auto-estima e autoconfiança, requisitos para a tomada de decisões; c) econômico, que relaciona a importância da execução de atividades que possam gerar uma renda que assegure certo grau de independência econômica; d) político, que envolve a habilidade para analisar e mobilizar o meio social com vistas a nele produzir mudanças. Logo, um processo de empoderamento eficiente deve envolver tanto componentes individuais como coletivos. Só assim é possível desenvolver as habilidades necessárias para que se obtenham reais transformações sociais.

EMPOWERMENT — Ver Empoderamento.

EMPRAZADO — Designa o ato pelo qual se citou ou intimou alguém para comparecer a juízo, dentro de um prazo determinado. É o mesmo que aprazado.

EMPRAZAMENTO — Significa dizer o mesmo que contrato, tomado emprazar como ajustar ou convencionar, que assim se compreendia quando duas pessoas contratavam para que, em certo tempo, voltassem ou comparecessem ao mesmo lugar, para um objetivo de interesse comum.

EMPREENDEDOR — É aquele que assume riscos e começa algo novo. Que empreende, ativo, arrojado cometedor. Denominação dada ao profissional com capacidade natural de gerir e impulsionar negócio próprio ou de terceiro a partir de medidas arrojadas e positivas.

EMPREENDEDOR SOCIAL — É um tipo especial de líder – suas idéias e inovações não são incorporadas aos produtos e serviços a serem produzidos e prestados. São pessoas que trazem aos problemas sociais a mesma imaginação que os empreendedores do mundo dos negócios trazem à criação da riqueza. É coletivo, produz bens e serviços para a comunidade, tem foco na busca de soluções para os problemas sociais, visa resgatar pessoas da situação de risco social e promovê-las.

EMPREENDEDORISMO — Designa os estudos relativos ao empreendedor, seu perfil, suas origens, seu sistema de atividades, seu universo de atuação. Empreendedor é utilizado para designar, principalmente, as atividades de quem se dedica à geração de riquezas, seja na transformação de conhecimentos em produtos ou serviços, na geração do próprio conhecimento, ou na inovação em áreas como marketing, produção, organização, entre outras. O empreendedorismo busca a auto-realização de quem utiliza este método de trabalho, estimula o desenvolvimento como um todo e o desenvolvimento local, apoiando a pequena empresa, ampliando a base tecnológica, criando empregos, evitando armadilhas no mercado que está incidindo. É reorientar o ensino para a velocidade nas mudanças, novas tendências internacionais, adaptar-se ao novo mercado, com ética e cidadania.

EMPREENDEDORISMO COMUNITÁRIO — Característica das comunidades que propõem, desenvolvem e praticam empreendimentos comerciais ou industriais inovadores.

EMPREENDEDORISMO SOCIAL — Tem o foco nos problemas sociais, o escopo da atuação é a comunidade ou são as comunidades afetadas pelos problemas.

EMPREENDIMENTO — Estruturação de um negócio. Toda e qualquer ação física, pública ou privada que, com objetivos sociais ou econômicos específicos, cause intervenções sobre o território, envolvendo determinadas condições de ocupação e manejo dos recursos naturais e alteração sobre as peculiaridades ambientais.

EMPREENDIMENTO DE IMPACTO URBANO — É aquele que produz impacto na cidade e, portanto, precisa atender às condições especiais para ser executado.

EMPREENDIMENTO PONTUAL — É o tipo de Projeto Especial que se refere a um único imóvel, que por suas características diferenciadas (topografia, vegetação etc.), ou por tratar-se de atividades causadoras de incômodo, necessitam de avaliação prévia quanto ao cumprimento das normas vigentes e ao atendimento de condicionantes.

EMPREGABILIDADE — São as habilidades e qualificações que podem ser avaliadas por um empregador e que determinam a adequação de um indivíduo para o trabalho em uma determinada função, ou ainda a capacidade de uma pessoa em manter-se atualizada e sintonizada com as necessidades de seu ambiente de trabalho.

EMPREGADO — Toda pessoa física que presta, pessoalmente, serviços de natureza não eventual a empregador, cumprindo jornada de trabalho e recebendo deste remuneração em dinheiro, mercadorias, produtos ou somente benefícios (moradia, alimentação, roupas etc.).

EMPREGADO CELETISTA — Termo designativo do trabalhador submetido à Consolidação das Leis do Trabalho (CLT).

EMPREGADO RURAL — É toda pessoa física que, em propriedade rural ou prédio rústico, presta serviços de natureza não eventual a empregador rural, sob a dependência deste e mediante salário.

EMPREGADOR — Aquele que emprega; patrão; pessoa, natural ou jurídica, que, por efeito de contrato de trabalho, utiliza o serviço de outrem. Empresa individual ou coletiva que, assumindo os riscos da atividade econômica, admite, assalaria e dirige a prestação pessoal de serviço. Pessoa que, mediante contrato de trabalho, utiliza a atividade do empregado.

EMPREGADOR - EQUIPARAÇÃO — Equiparam-se ao empregador, para os efeitos exclusivos da relação de emprego, os profissionais liberais, as instituições de beneficência, as associações recreativas ou outras instituições sem fins lucrativos, que admitirem trabalhadores como empregados.

EMPREGADOR RURAL — É toda pessoa física ou jurídica, proprietário ou não, que explore atividade agro-econômica, em caráter permanente ou temporário, diretamente ou através de prepostos e com auxílio de empregados. Equipara-se ao empregador rural, à pessoa física ou jurídica que, habitualmente, em caráter profissional, e por conta de terceiros, execute serviços de natureza agrária, mediante utilização do trabalho de outrem.

EMPREGADOR SOLIDÁRIO — Serão considerados solidariamente responsáveis para os efeitos da relação de emprego, a empresa principal e cada uma das subordinadas, sempre que uma ou mais empresas, tendo, embora, cada uma delas, personalidade jurídica própria, estiverem sob a direção, controle ou administração de outra, constituindo grupo industrial, comercial ou de qualquer outra atividade econômica.

EMPREGADOS PERMANENTES — Pessoas contratadas para execução de tarefas permanentes ou de longa duração, mediante remuneração em dinheiro ou em quantia fixa de produtos, inclusive os membros da família dos empregados permanentes que efetivamente os auxiliam na execução de suas respectivas tarefas.

EMPREGADOS TEMPORÁRIOS — Pessoas contratadas para execução de tarefas eventuais ou de curta duração, mediante remuneração em dinheiro ou sua equivalência em produtos, inclusive os membros da família desses empregados que os auxiliam na execução de suas respectivas tarefas.

EMPREGO — Ato de empregar; função; cargo; ocupação. (Ver: Trabalho.)

EMPREGO IRREGULAR DE VERBAS OU RENDAS PÚBLICAS — Crime praticado pelo servidor público contra a Administração Pública previsto no Código Penal, que consiste em dar às verbas ou rendas públicas aplicação diversa da estabelecida em lei.

EMPREGO PÚBLICO — Conjunto de atribuições conferidas a empregado regido pela CLT, no âmbito de Administração Pública.

EMPREGO, ABANDONO DE — Ver Abandono de Emprego.

EMPREITADA — É tudo o que é feito por ofício de outrem, seja pessoalmente, por si ou por sua direção. Contrato em virtude do qual um dos contratantes comete a outro a execução de um determinado serviço, mediante certa retribuição proporcional ao serviço executado, ou a que for ajustada.

EMPREITEIRO — Aquele que se encarrega de executar uma empreitada.

EMPRESA — O termo empresa vem sendo empregado em inúmeros sentidos, principalmente no de estabelecimento comercial. Em face do emprego inadequado do termo na legislação civil, comercial, trabalhista e fiscal, o conceito de empresa, universalizado, passa a ter sua compreensão dificultada. A Lei nº 4.137, de 10.9.1962, define a empresa como "toda organização de natureza civil ou mercantil destinada à exploração por pessoa física ou jurídica de qualquer atividade com fins lucrativos". Em sentido mais abrangente pode-se defini-la como uma atividade particular, pública, ou de economia mista, que produz combinando fatores da produção e oferecendo bens e/ou serviços, com o objetivo de obter lucros. As empresas de titularidade do Poder Público têm a finalidade de obter rentabilidade social. As empresas podem ser individuais ou coletivas, dependendo do número de sócios que as compõem. A empresa pode ser ainda categorizada de acordo com o seu tamanho, que pode ser identificado de acordo com um ou uma série de critérios, como o número de trabalhadores, volume de negócios etc. e, ainda, pelo setor econômico que, dependendo do tipo de prestação da empresa, tem as seguintes categorias: a) Setor primário, correspondendo à agricultura; b) Setor secundário, correspondendo à indústria; c) Setor terciário, correspondendo ao setor de serviços.

EMPRESA AUTO-SUSTENTADA — Organização que tem competência para manter-se no mercado competitivo.

EMPRESA DE ALTA TECNOLOGIA — Unidades de negócios produtoras de bens e serviços, cuja competitividade depende do projeto, desenvolvimento e produção de novos produtos ou processos inovadores, através da aplicação sistemática e intensiva de conhecimentos científicos e tecnológicos.

EMPRESA DE CAPITAL ABERTO — Ver Companhia de Capital Aberto.

EMPRESA DE ECONOMIA MISTA — Empresa da qual o Estado também participa (com capital e direito a voto). Ex.: Banco do Brasil.

EMPRESA DE PEQUENO PORTE — É a pessoa jurídica e a firma mercantil individual que, não enquadrada como microempresa, tiver receita bruta anual superior a R$ 240.000,00 (duzentos e quarenta mil reais) e igual ou inferior a R$ 2.400.000,00 (dois milhões e quatrocentos mil reais). O art. 2.º, II, da Lei nº 9.841, de 1999, e a Lei nº 9.317, de 1996, dispõem sobre o regime tributário das microempresas e das empresas de pequeno porte.

EMPRESA DE TRABALHO TEMPORÁRIO — É aquela cuja atividade consiste em colocar à disposição de outras pessoas (físicas ou jurídicas), temporariamente, trabalhadores, devidamente qualificados, por ela remunerados e assistidos. (Locação de mão-de-obra.)

EMPRESA ESTATAL — Designação genérica empregada para se referir ao conjunto de entes de caráter empresarial vinculados à estrutura do Poder Executivo de um determinado nível de Governo.

EMPRESA ESTATAL CONTROLADA — São as empresas públicas e sociedades de economia mista, cuja maioria do capital social com direito a voto pertençam, direta ou indiretamente, a ente da Federação.

EMPRESA *HOLDING* — Empresa que detém o controle acionário de uma empresa ou um grupo de empresas subsidiárias.

EMPRESA PRIVADA — São empresas cujo capital é detido na sua maioria pelos agentes econômicos privados, e cujo objetivo final é o lucro.

EMPRESA PÚBLICA — É uma entidade empresarial da Administração Pública, criada por lei, com personalidade jurídica de direito privado, patrimônio próprio, capital e direção exclusivas do Poder Público, para exploração de atividade econômica que o ente seja levado a exercer por força de contingência ou de conveniência administrativa.

EMPRESA RURAL — Empreendimento de pessoa física ou jurídica, pública ou privada, que explore econômica e racionalmente imóvel rural, dentro de condições de rendimento econômico da região em que se situe e que explore área mínima agricultável do imóvel, segundo padrões fixados, pública e previamente, pelo Poder Executivo. Para esse fim, equiparam-se às áreas cultivadas, as pastagens, as matas naturais e artificiais e as áreas ocupadas com benfeitorias.

EMPRESARIAMENTO — Atividade que inclui conhecimentos sobre planejamento, finanças, *marketing*, gerenciamento de pessoal, propaganda e embalagem para a criação de um negócio.

EMPRESÁRIO — É a pessoa física (empresário individual) ou jurídica (sociedade empresária) que estabelece seu próprio negócio para produção ou a circulação de bens ou de serviços, assumindo os riscos, e tendo como objetivo a obtenção de lucros.

EMPRESAS COLIGADAS — Ver Sociedades Coligadas.

EMPRESAS CONTROLADAS — Ver Sociedades Controladas.

EMPRESAS EMERGENTES — São aquelas que se diferenciam pelas perspectivas de crescimento acelerado (taxas de crescimento superiores a 25% ao ano).

EMPRESAS ESTATAIS DEPENDENTES — São as empresas controladas que recebem do ente controlador recursos financeiros para pagamento de despesas com pessoal ou de custeio em geral ou de capital, excluídos, no último caso, aqueles provenientes de aumento de participação acionária.

EMPRESAS LÍDERES — Entende-se por empresas líderes e suas cadeias as seguintes organizações: empresas líderes em seus mercados, grandes empresas em mercados concentrados, fornecedores e clientes relevantes das respectivas cadeias produtivas.

EMPRESAS SUBSIDIÁRIAS — Ver Sociedades Subsidiárias.

EMPRESAS TRANSNACIONAIS — É uma corporação com subsidiárias ou divisões em dois ou mais países. Podem também ser conhecidas como corporação (empresa) multinacional.

EMPRÉSTIMO — Dinheiro que o Estado ou uma corporação toma emprestado com uma garantia. Dinheiro ou valor que pede um particular para mais tarde o devolver. Contrato de empréstimo; uma das partes entrega à outra alguma coisa não fungível para que a use durante um certo tempo e seja devolvida, que é chamado comodato, ou dinheiro ou outra coisa fungível, com a condição de devolver outro da mesma espécie e qualidade, que neste caso é chamado simplesmente empréstimo. O comodato é essencialmente gratuito. O simples empréstimo pode ser gratuito ou acordado o pagamento de juros.

EMPRÉSTIMO A FUNDO PERDIDO — Empréstimo contraído junto a instituições públicas ou privadas, que não exige o pagamento do valor emprestado, mas apenas o cumprimento de exigências acessórias ou o pagamento de contrapartidas.

EMPRÉSTIMO COMPULSÓRIO — É aquele instituído pela União, mediante Lei Complementar, para atender a despesas extraordinárias, decorrentes de calamidade pública, de guerra externa ou sua iminência, bem como no caso de investimento público de caráter urgente e de relevante interesse nacional. A aplicação dos recursos provenientes de empréstimo compulsório será vinculada à despesa que fundamentou sua criação.

EMPRÉSTIMOS DE AJUSTAMENTO ESTRUTURAL — Empréstimos de montantes elevados, concedidos pelo Fundo Monetário Internacional (FMI) ou Banco Mundial (BIRD) aos países em desenvolvimento que têm associadas obrigações orçamentárias e/ou financeiras severas ou exigem reformas no sentido de abertura dos países receptores ao investimento privado e aumentar a competitividade destes países na economia global. Normalmente as reformas são orientadas para a liberalização, privatização e redução das despesas públicas.

EMPRÉSTIMOS DE REGULARIZAÇÃO — Empréstimos normalmente cedidos por instituições internacionais como o Fundo Monetário Internacional (FMI) e o Banco Mundial (BIRD), quando um país fecha o seu Balanço de Pagamentos com déficit e necessita de recursos para equilibrá-lo.

ENCAIXE — Designa o saldo em dinheiro, de que se pode dispor imediatamente. É o saldo em caixa, como vulgarmente se diz, para indicar as disponibilidades monetárias. Recursos financeiros retidos pelos bancos, oriundos de depósitos de correntistas, mantidos à sua disposição no Banco Central para empréstimos ou outras operações.

ENCAMINHAMENTO DE VOTAÇÃO — No Legislativo, é o pronunciamento a favor ou contra determinada proposição, feito por oradores inscritos e pelos líderes, pelo prazo de cinco minutos, tão logo seja anunciada a votação.

ENCAMINHAMENTO OU REMESSA — É o ato de encaminhar ou remeter os respectivos autos do processo para órgão diverso daquele no qual está tramitando.

ENCARGO — 1) Custos relacionados com as operações de crédito representado por taxas de juros, impostos e taxas administrativas. 2) Em sentido amplo indica a obrigação ou gravame (ônus), imposto como restrição ou limitação ao direito ou como o dever a ser cumprido. 3) Cláusula acessória de um ato jurídico, consistente num ônus para o beneficiário, quase sempre o cumprimento de uma prestação em proveito do autor da liberalidade, ou de terceiro. Apresenta certa semelhança com a condição, mas com esta não se confunde porque não suspende a eficácia do ato.

ENCARGO MENSAL — O que é obrigatório pagar mensalmente. Nos financiamentos imobiliários, o encargo é a parcela de amortização e os juros mensais pagos nas prestações somados às parcelas dos seguros.

ENCARGOS DA DÍVIDA — Designação genérica atribuída aos juros, taxas, comissões bancárias e outros encargos decorrentes de empréstimos e financiamentos internos ou externos, excetuando os gastos com a amortização do principal. Este conceito não deve ser confundido com o de Serviço da Dívida, que inclui também os gastos com amortização do principal. (Ver: Serviço da Dívida.)

ENCARGOS DA DÍVIDA EXTERNA — Despesas com encargos decorrentes de Operações de Crédito Externas. (Ver: Encargo da Dívida.)

ENCARGOS DA DÍVIDA INTERNA — Despesas com encargos decorrentes de Operações de Crédito Internas originárias de contrato ou de lançamento de Títulos do Tesouro. (Ver: Encargo da Dívida.)

ENCARGOS DE FINANCIAMENTO — Juros, taxas e comissões bancárias pagos ou a pagar, decorrentes de financiamentos internos ou externos.

ENCARGOS FINANCEIROS — Recursos para saldar compromissos assumidos pelo ente público, relativos à dívida interna e externa.

ENCARGOS PATRONAIS — É a contribuição devida pelo empregador, seja público ou privado, a instituições previdenciárias e FGTS. (Ver: Encargos Sociais.)

ENCARGOS PREVIDENCIÁRIOS — Recursos destinados a pagamento dos proventos de aposentadoria e pensões dos servidores civis e militares da Administração Pública, bem como de outros benefícios previdenciários estipulados em lei.

ENCARGOS SOBRE OPERAÇÕES DE CRÉDITO POR ANTECIPAÇÃO DE RECEITA — Ver Receita, Encargos sobre Operações de Crédito por Antecipação de.

ENCARGOS SOCIAIS — Conjunto de obrigações trabalhistas que devem ser pagas pelo empregador mensalmente ou anualmente, além do salário do empregado. Diz-se de todas as despesas que as empresas efetuam, compulsoriamente ou não, em benefício de seus empregados e familiares, direta e/ou indiretamente, incluindo aquelas que se destinam ao financiamento da seguridade social de responsabilidade do Poder Público e as demais contribuições sociais. (Ver: Encargos patronais.)

ENCARGOS TRABALHISTAS — Também chamados de encargos sociais. Conforme o contexto em que está inserida a expressão "encargos sociais", pode-se fazer distinção entre sociais e trabalhistas. Como trabalhistas devem ser considerados aqueles que mais diretamente atingem a folha de pagamento, tais como as Contribuições para o INSS e FGTS, férias e 1/3 constitucional, 13º salário etc.

ENCERRAMENTO DO INQUÉRITO — Fase final do inquérito. É quando todas as informações e/ou provas são organizadas de forma conclusiva.

ENCHENTE — Elevação do nível de água de um rio, acima de sua vazão normal. Termo normalmente utilizado como sinônimo de inundação.

ENCILHAMENTO — Especulação da Bolsa, provocada no sentido de ser atingido um lucro despropositado, seja pela alta ou pela baixa dos títulos.

ENCLAVE — Terreno encravado em outro.

ENCOMENDA GOVERNAMENTAL — Representa o desenvolvimento ou aperfeiçoamento de produto, processo ou serviço de interesse público, para uso de instituição pública ou da sociedade.

ENCONTRO — Entrosamento no confronto ou no contato com pessoas ou coisas. Entendimento harmônico entre duas ou mais pessoas no que se refere às suas vontades, desejos, intenções, conhecimentos, pensamentos, idéias, objetivos, interesses e, especialmente, ao querer estar junto por se sentir bem, reciprocamente.

ENDEMIA — Ver Saúde - Endemia.

ENDÊMICO — Espécie da flora ou da fauna própria ou somente encontrada em uma determinada região; nativo de uma localidade específica.

ENDIVIDAMENTO — Aumento das dívidas de uma empresa, Governo ou pessoa física, através da contratação de empréstimos, da assunção de obrigações perante pessoas físicas ou jurídicas, do financiamento dos encargos mediante incorporação destes à dívida anteriormente contratada, da colocação de títulos no mercado e da prestação de garantia. No setor empresarial, o grau de utilização de recursos de terceiros tem por objetivo o aumento das possibilidades de lucro, mas que aumenta também o grau de risco da operação. O grau de endividamento identifica o grau de alavancagem. (Ver: Alavancagem // Grau de Endividamento.)

ENDIVIDAMENTO POR SETOR ECONÔMICO — Determina quanto há emprestado para cada setor econômico numa instituição ou no Sistema Financeiro como um todo.

ENDÓGENO — Diz-se daquilo que é produzido a partir de causas internas.

ENDOSSANTE — É a pessoa que faz transferência por endosso do título que era seu.

ENDOSSAR — É o ato de declarar no verso de um título que seja o mesmo pago a outrem, que não o primitivo proprietário.

ENDOSSATÁRIO — É a pessoa a quem se transfere o título por endosso, tornando-se, assim, o novo proprietário dele. É o favorecido pelo endosso.

ENDOSSO — 1) Ato pelo qual a pessoa, proprietária de um título de crédito, o passa para outrem, por meio da assinatura do beneficiário no verso do título, conferindo-lhe os direitos que lhe competiam. 2) Declaração escrita no verso de letra ou título, pela qual o declarante se responsabiliza a pagar, caso o endossatário não o possa fazer.

ENDOSSO EM BRANCO — Quando o endossante não declara a quem transfere o título, limitando-se a lançar no mesmo a sua assinatura.

ENDOSSO EM PRETO — Quando o endossante indica o nome a quem transfere o título, isto é, o endossatário que, por sua vez, poderá também transferir o título a outrem.

ENEM (EXAME NACIONAL DO ENSINO MÉDIO) — Exame de caráter não obrigatório anual, destinado àqueles que estão concluindo ou já concluíram esse nível de ensino. Verifica a capacidade do aluno de utilizar seu potencial de raciocínio crítico, de resolver problemas e de avaliar seu papel na sociedade e é composto de uma parte objetiva (63 questões de múltipla escolha) e de uma redação. O conjunto de questões e a redação valem 100 pontos cada um. Numa escala de 0 a 100, o desempenho acima de 70 pontos é considerado de bom a excelente; de 40 a 70, de regular a bom; abaixo de 40, de insuficiente a regular.

ENERGIA ALTERNATIVA — Energia obtida de fontes diferentes das usadas nas grandes usinas comerciais, que atualmente são as usinas térmicas convencionais, as hidroelétricas e as nucleares. Ela vem de usinas geralmente pequenas, geram pouca poluição e normalmente utilizam fontes renováveis. Os principais tipos atuais são a energia solar, eólica, das marés, geotérmica, das ondas e da biomassa.

ENERGIA DE BIOMASSA — Energia obtida a partir de matéria animal e vegetal. Quando se classifica a energia de biomassa como energia alternativa, refere-se à biomassa renovável. Como exemplos, temos o álcool combustível, obtido e produzido dos resíduos orgânicos e do lixo proveniente das atividades humanas, através do biodigestor.

ENERGIA DE MARÉ — Em regiões costeiras de profundidades inferiores a 100m, grande parte da energia de maré é dissipada por atrito, e desta maneira a energia de maré é máxima em mar aberto. Esta energia pode ser utilizada na produção de energia elétrica através das usinas elétricas de maré.

ENERGIA DE ONDA — Energia expressa pela capacidade de trabalho da onda. A energia de um sistema de ondas é teoricamente proporcional ao quadrado da altura da onda, que é um parâmetro de obtenção relativamente fácil. Deste modo, uma costa de alta energia de onda caracteriza-se por alturas de arrebentação superiores a 50 cm e uma costa de baixa energia apresenta alturas inferiores a 10 cm. A maior parte da energia de onda de uma região costeira é consumida no atrito com o fundo e na movimentação da areia.

ENERGIA EÓLICA — É a energia obtida pelo movimento do ar/vento. É uma abundante fonte de energia renovável, limpa e disponível em todos os lugares. Tipo de energia que apresenta grandes vantagens, pois não necessita ser implantada em áreas de produção de alimentos, não contribui para o efeito estufa e pode ser aplicada para geração de energia elétrica.

ENERGIA HIDRÁULICA — Energia proveniente do movimento das águas. É produzida por meio do aproveitamento do potencial hidráulico existente num rio, utilizando desníveis naturais, como quedas-d'água, ou artificiais produzidos pelo desvio do curso original do rio.

ENERGIA HIDRELÉTRICA — Energia "limpa" porque não emite poluentes e não influi no efeito estufa. É produzida por uma turbina movida pela energia liberada de uma grande queda-d'água que aciona um gerador produtor de energia elétrica. Apresenta dois grandes inconvenientes: o impacto ambiental provocado pelas barragens, que inundam grandes áreas deslocando populações, e o tempo e os recursos que são necessários para sua construção.

ENERGIA MAREOMOTRIZ — Energia proveniente das ondas do mar que possuem energia cinética ao movimento da água e energia potencial à sua altura. (Ver: Energia de onda.)

ENERGIA METABOLIZADA — É a energia que se incorpora ao organismo vivo decorrente dos processos de alimentação, assimilação e metabolismo. Um exemplo de energia metabolizada é a força animal aproveitada para o transporte.

ENERGIA NUCLEAR — Proveniente da divisão do átomo, tendo por matéria-prima minerais altamente radioativos, como o urânio.

ENERGIA POTENCIAL — Em uma onda oscilatória progressiva, corresponde à energia resultante da elevação ou depressão da superfície aquosa acima do nível sem perturbação.

ENERGIA PRIMÁRIA — Fontes naturais de energia utilizadas, por exemplo, para a produção de eletricidade.

ENERGIA RENOVÁVEL — A rigor, energia extraída de biomassa, biogás ou óleo vegetal obtido de fontes que podem crescer novamente. Outras fontes como a solar, dos ventos e da energia hidráulica e geotérmica, embora tecnicamente não renováveis, também são, freqüentemente, classificadas na mesma categoria.

ENERGIA SOLAR — É a energia proveniente do sol. É uma energia não poluente, renovável, não influi no efeito estufa e não precisa de geradores ou turbinas para a produção de energia elétrica.

ENERGIA SOLAR FOTOVOLTAICA — É a energia da conversão direta da luz em eletricidade (efeito fotovoltaico). O efeito fotovoltaico é o aparecimento de uma diferença de potencial nos extremos de uma estrutura de material semicondutor, produzida pela absorção da luz. A célula fotovoltaica é a unidade fundamental do processo de conversão.

ENFESTAR — Empregado no sentido de fazer algum acréscimo clandestino, seja com a inclusão de documentos, que não haviam sido originariamente apresentados, ou com a prática de algum ato sorrateiro.

ENFITEUSE — É o direito real também chamado aforamento ou emprazamento que ocorre, quando, por ato intervivos ou de última vontade, o proprietário atribui, em contrato, o domínio útil do imóvel a outrem, ficando este, que passa a ser o enfiteuta, obrigado a pagar, ao senhorio direto, uma pensão ou valor anual, certo e invariável, sendo que o contrato de enfiteuse é sempre perpétuo. O contrato de enfiteuse só pode ser concretizado quando se tratar de terras não cultivadas ou terrenos destinados à construção. A enfiteuse por prazo determinado é considerada como arrendamento, sendo regido pelos princípios deste. O art. 2.038 do novo Código Civil (Lei 10.406, de 10.1.2002) proibiu a constituição de enfiteuses e subenfiteuses, subordinando-se as existentes, até sua extinção, às disposições do Código Civil anterior (Lei nº 3.071, de 1º de janeiro de 1916) e leis posteriores.

ENFRAQUECIMENTO — É aplicado, na técnica jurídica e comercial, para designar a diminuição de valor de uma garantida ou de um negócio, por qualquer espécie de desfalque que neles tenha havido.

ENGAJAMENTO — Todo ajuste ou contrato, em virtude do qual uma pessoa admite outra para trabalhar por sua conta, em seu estabelecimento ou em sua fazenda.

ENGENDRAR — Imaginar; planear; inventar; produzir.

ENGENHARIA GENÉTICA — Atividade de modificação do genótipo de um organismo através da manipulação de seus genes ou da expressividade destes genes. Técnicas *in vitro* permitem a introdução de novos genes num genótipo, por meio de técnicas de DNA recombinante, em que um organismo (geralmente uma bactéria) é freqüentemente usado como vetor para transferir a informação genética do doador para uma célula receptora.

ENGENHARIA LEGAL — Ramo de especialização da engenharia dos profissionais registrados nos CREA que atuam na interface direito-engenharia, colaborando com juízes, advogados e as partes, para esclarecer aspectos técnico-legais envolvidos em demandas. Fazem parte dela os peritos e avaliadores.

ENGENHARIA SANITÁRIA — Área da engenharia orientada para as atividades de Saúde Pública, como distribuição de água potável, esgotos, destino do lixo, saneamento ambiental e outros.

ENLACE — Comunicação pré-planejada entre centros de informações.

ENRIQUECIMENTO ILÍCITO — Aumento do patrimônio de alguém sem justa causa e decorrente de fato ilícito, motivado pelo empobrecimento injusto de outrem ou da coletividade. No caso de lesão ao patrimônio do Estado, pelo servidor, configura-se crime contra a Administração Pública.

ENRIQUECIMENTO ILÍCITO, AÇÃO DE — Também chamada ação de repetição, é a ação empregada por aquele que pretende receber pagamento indevido que fez a outrem em razão de erro de fato ou de direito, com a intenção de extinguir obrigação assumida.

ENSAIO — 1) Estudo ou a investigação sumária dos aspectos técnicos e/ou científicos de determinado assunto. 2) Procedimento para determinação de uma ou mais características de um produto.

ENSAIO MONETÁRIO — Moeda cunhada para modelo ou amostra, confeccionada, muitas vezes, em metal diverso do escolhido para a peça definitiva.

ENSEADA — Reentrância da costa bem aberta em direção ao mar, porém, com pequena penetração deste, ou em outras palavras, uma baía na qual aparecem dois promontórios distanciados um do outro.

ENSINAR — Ver Educação - Ensinar.

ENSINO — Ver Educação - Ensino.

ENSINO FUNDAMENTAL — Ver Educação - Ensino Fundamental.

ENSINO FUNDAMENTAL, ACESSO AO — Ver Educação - Ensino Fundamental, Acesso ao.

ENSINO MÉDIO — Ver Educação - Ensino Médio.

ENSINO PROFISSIONALIZANTE — Ver Educação - Ensino Profissionalizante.

ENSINO, ESTABELECIMENTO DE — Unidade organizacional que, dependendo administrativamente de uma única entidade e com uma única direção, oferece ensino.

ENTE DA FEDERAÇÃO — Entende-se como ente da Federação: a União, cada Estado, o Distrito Federal e cada Município, neles compreendidos as respectivas administrações diretas, os fundos, as autarquias, as fundações e as empresas estatais dependentes.

ENTENDIMENTO — É a recepção cristalina, sem nenhuma dúvida ou crítica de uma informação ou de um conhecimento novo ou complexo. Implica também a atualização de um aprendizado anterior relativo ou para substituí-lo, para enriquecê-lo ou, ainda, para confirmá-lo no processo da compreensão. Em síntese, o entendimento é o convencimento e a aceitação de um conhecimento para registro na memória.

ENTIDADE — O que constitui a essência de alguma coisa. É a designação atribuída a qualquer instituição ou organização, cuja existência é considerada indistinta e independente, mesmo que não se mostrem propriamente uma pessoa jurídica. Na Administração Pública, refere-se à entidade jurídica de direito público interno (União, Estados, Municípios e Distrito Federal e suas autarquias) que detém a personalidade jurídica que lhe é conferida por lei, mediante a qual pode assumir direitos e obrigações com terceiros.

ENTIDADE BENEFICENTE — É aquela que atua em benefício de outros que não o da própria entidade ou dos seus integrantes, podendo ou não estabelecer contrapartida.

ENTIDADE CERTIFICADORA — Órgão que realiza a certificação de conformidade, a partir da existência da garantia adequada de que um produto, processo ou serviço, devidamente identificado, estão em conformidade com uma norma ou outro documento normativo especificado.

ENTIDADE DE CARÁTER TÉCNICO-CIENTÍFICO — Instituição responsável pelo desenvolvimento de pesquisa científica e tecnológica.

ENTIDADE DE PREVIDÊNCIA PRIVADA ABERTA — Ver Previdência Privada (Entidade Aberta).

ENTIDADE DE PREVIDÊNCIA PRIVADA FECHADA — Ver Previdência Privada (Entidade Fechada).

ENTIDADE FAMILIAR — É a denominação que a Constituição Federal de 1988, em seu art. 226, confere à família, que teria as seguintes espécies: a entidade familiar entre homem e mulher, constituída pelo casamento, por exemplo.

ENTIDADE FILANTRÓPICA — Atua no interesse ou benefício de terceiros, mas sem qualquer contrapartida por parte destes, ou seja, os benefícios são gerados por meio do patrimônio da entidade, sem ônus direto dos beneficiados. Pode ser considerada uma "espécie" do gênero "entidade sem fins lucrativos". O conceito de entidade filantrópica está intimamente ligado ao de assistência social, a qual é prestada sem qualquer cobrança de taxas, mensalidade ou contraprestação.

ENTIDADE POLUIDORA — Qualquer pessoa física ou jurídica, de direito público ou privado, responsável por atividade ou equipamento poluidor, ou potencialmente poluidor do meio ambiente.

ENTIDADE SEM FINS LUCRATIVOS — Aquela que não distribui eventuais excedentes operacionais, brutos ou líquidos, dividendos, bonificações, participações ou parcelas do seu patrimônio auferido mediante o exercício de suas atividades, entre os seus sócios e associados, conselheiros, diretores, empregados ou doadores e que os aplica integralmente na consecução do respectivo objeto social.

ENTIDADES CONVENENTES — Quaisquer entidades que mantenham convênios interinstitucionais com interesses recíprocos e complementares.

ENTIDADES ESTATAIS — São aquelas representadas pela União, Estados, Municípios e Distrito Federal, que gozam de autonomia política, administrativa e financeira reconhecida legalmente.

ENTIDADES FAMILIARES — Entidade, genericamente, equivale àquilo que constitui a essência de uma coisa. No aspecto do Direito de Família, o termo Entidades Familiares foi empregado pela Constituição para designar união estável entre o homem e a mulher, assim como a comunidade formada por qualquer dos pais e seus descendentes. O termo foi criado para efeito de proteção do Estado. (Ver: União Estável.)

ENTIDADES PARAESTATAIS — São pessoas jurídicas de direito privado, cuja criação é autorizada por lei, com patrimônio público ou misto, para realização de atividades, obras ou serviços de interesse coletivo, sob normas e controle público. Não se confunde com as autarquias, nem se identificam com as entidades públicas.

ENTIDADES SUPERVISIONADAS — São entidades da administração indireta que, mesmo possuindo autonomia financeira e administrativa, são hierarquicamente dependentes da supervisão de outro que integram.

ENTIMEMA — É um argumento em que uma das premissas não foi explicitamente formulada.

ENTORNO — Ambiente, vizinhança. Área que circunscreve um território, o qual tem limites estabelecidos, por constituir espaço ambiental ou por apresentar homogeneidade de funções.

ENTORPECENTE - COCAÍNA — É uma droga alcalóide, estimulante, altamente viciante. É extraída da folha da coca. O seu consumo leva à grande aceleração do envelhecimento e profundos danos cerebrais irreversíveis, entre outros problemas de saúde. (Ver: Droga // Entorpecentes // Vício.)

ENTORPECENTE - *CRACK* — É uma droga ilegal derivada da planta de coca. É feita do que sobra do refinamento da cocaína ou da pasta não refinada misturada ao bicarbonato de sódio e água. O bicarbonato de sódio faz com que a mistura tenha um baixo ponto de fusão (passagem de sólido para liquido) e ebulição (uma forma de passagem de líquido para gasoso), tornando possível a queima da droga com o auxílio de cinza de cigarro que é colocada no cachimbo junto com o *crack*. O uso de cocaína por via intravenosa foi quase extinto no Brasil, pois foi substituído pelo *crack,* que provoca efeito semelhante e tão potente quanto à cocaína injetada. A forma de uso do *crack* também favoreceu sua disseminação, já que não necessita de seringa, basta um cachimbo improvisado. (Ver: Droga // Entorpecentes // Vício.)

ENTORPECENTE - HAXIXE — Do árabe *haxix* ou *hashish*, erva seca. Entorpecente extraído de uma variedade de cânhamo (*Cannabis indica*), cujos efeitos no organismo humano são análogos aos do ópio. Do óleo canábico se extrai o hidrocarbureto C. 18 H. 20, denominado canabeno, antiespasmódico e narcótico que, ministrado em doses consideráveis, produz sintomas psicóticos e intoxicação. (Ver: Droga // Entorpecentes // Vício.)

ENTORPECENTE - HEROÍNA — A heroína ou diacetilmorfina é uma droga opióide natural ou sintética, produzida e derivada do ópio do bulbo de algumas espécies de papoila/papoula. O consumo regular de heroína causa sempre dependência física, envelhecimento acelerado e danos cerebrais irreversíveis, além de outros problemas de saúde. A heroína é a mais aditiva e perigosa droga recreativa em uso disseminado. (Ver: Droga // Entorpecentes // Vício.)

ENTORPECENTE - LSD — Abreviatura da expressão alemã *Liserg Saure Diethylamid*, que denomina a substância alucinatória resultante da união entre o ácido lisérgico e uma dietilamida. Os efeitos do LSD consistem, basicamente, nas perturbações motoras, psicossensoriais e psíquicas, ensejando estado de pânico, esquizofrenia, perda de sensibilidade e da noção do tempo. São efeitos aparentes a dilatação das pupilas, rubor facial, náuseas e vômitos. O estado de delírio pode levar ao assassinato ou ao suicídio. O efeito do LSD é tão forte que, mesmo após sua eliminação pelo organismo, podem ocorrer crises alucinatórias. (Ver: Droga // Entorpecentes // Vício.)

ENTORPECENTE - MACONHA (*CANNABIS SATIVA*) — Entorpecente extraído do cânhamo (*Cannabis sativa*), erva trepadeira da família das moráceas, de origem central-asiática. Variante do cânhamo é a *Cannabis indica*, da qual se extrai o haxixe, entorpecente de efeitos análogos aos da maconha. Os efeitos da *Cannabis sativa* podem variar de acordo com a condição psicológica de cada usuário como: aumento da sensibilidade, maior percepção de cores, sons, texturas e paladar; aumento do apetite; percepção distorcida do tempo; sensação de relaxamento; vontade de rir; olhos avermelhados; boca seca; taquicardia; introspecção (consumo prolongado). O consumo de maconha também diminui a produção de testosterona. A testosterona é um hormônio masculino que é responsável, entre outras coisas, pela produção de espermatozóides. Portanto, com a diminuição da quantidade de testosterona, o homem que consome continuamente maconha apresenta uma capacidade reprodutiva menor. A *Cannabis sativa* também pode ser usada com fins medicinais, como agente antiemético, estimulador de apetite, auxiliar contra espasmos musculares e movimentos desordenados, sendo útil também em casos de glaucoma, porém em doses muito altas. Sendo assim, ela é capaz de auxiliar pessoas no tratamento de doenças como doença de Parkinson, esclerose múltipla, traumatismo raquimedular, câncer, desnutrição, AIDS ou com qualquer outra condição clínica associada a um quadro importante de dor crônica. Atualmente, em alguns países, a maconha é legalizada, unicamente para fins medicinais. (Ver: Droga // Entorpecentes // Vício // Entorpecente - *Skunk* // Entorpecente - Marijuana // Vício.)

ENTORPECENTE - MARIJUANA — Droga extraída de uma planta conhecida por cânhamo-da-índia, cujo consumo produz efeitos alucinógenos, também conhecida por maconha, haxixe, haxe, *cannabis*, erva, Mary Jane etc. (Ver: Droga // Entorpecentes // Entorpecente - Maconha // Vício.)

ENTORPECENTE - *SKUNK* — É uma espécie de maconha. Os efeitos do *skunk* são muito semelhantes aos da maconha e os principais distúrbios são alteração do funcionamento dos neurônios e diminuição da concentração. As alterações de serotonina e dopamina no organismo provocam lapsos de memória e de coordenação motora. Os usuários desenvolvem ansiedade e a possibilidade de dependência é bem maior, se comparado com a maconha comum. Os efeitos do *skunk* no organismo são todos potencializados, igual ao THC. O que diferencia o *skank* da maconha comum é a capacidade entorpecente. Os componentes ativos em ambos são chamados de tetraidrocanabinol (THC). Na maconha, a concentração dos componentes encontrados nas folhas, flores e frutos prensados equivale a 2,5%, já no *skunk* o índice de THC equivale de 15% a 25%, dependendo da espécie, e sua produção é de 150 g a 1 kg por planta. (Ver: (Ver: Droga // Entorpecentes // Entorpecente - Maconha // Vício.)

ENTORPECENTES — Drogas, farmacêuticas ou não, que causam dependência física ou psíquica. Diz a lei que é dever de toda pessoa física ou jurídica colaborar na prevenção e repressão do tráfico ilícito e uso indevido de substâncias entorpecentes ou que determinem dependência física ou psíquica", e comina pena às que não o fizerem. Também proíbe o plantio, cultura, colheita e exploração, no Território Nacional, de plantas das quais podem ser extraídas tais substâncias. São crimes inafiançáveis e insuscetíveis de graça ou anistia o tráfico ilícito de entorpecentes e drogas afins. Será extraditado o brasileiro naturalizado que, comprovadamente, se envolveu em tráfico ilícito de entorpecentes e drogas afins. As glebas de terras onde forem localizadas culturas ilegais de plantas psicotrópicas serão expropriadas e destinadas ao assentamento de colonos, para o cultivo de produtos alimentícios e medicamentosos, sem indenização ao proprietário e sem prejuízo de outras sanções previstas em lei. Será confiscado todo e qualquer bem de valor econômico apreendido em decorrência do tráfico ilícito de entorpecentes e drogas afins, revertendo em benefício de instituições e pessoal especializado no tratamento e recuperação de viciados e no aparelhamento e custeio de fiscalização, controle, prevenção e repressão do crime de tráfico dessas substâncias. (Ver: Anistia // Droga // Graça // Vício.)

ENTRANÇA — Ver Entrância.

ENTRÂNCIA OU ENTRANÇA — Deriva de entrar; princípio, começo. Posição hierárquica na carreira de juiz de Direito. É a graduação do cargo que o magistrado exerce em determinado momento. Hierarquia das circunscrições jurisdicionais que obedece às regras ditadas pela Lei de Organização Judiciária de cada Estado. O vocábulo designa, também, o escalonamento, o lugar de ordem das jurisdições em que o juiz exerce a magistratura, a sua classificação, a hierarquia das comarcas de acordo com o movimento forense, densidade demográfica, receitas públicas, meios de transporte, situação geográfica e fatores socioeconômicos de relevância. Não há hierarquia fundamental entre juízes e tribunais, pois toda decisão judicial estará inspirada em convicções que não poderão ser, aprioristicamente, violadas. Poderá o juiz ter suas decisões reformadas em superior instância, mas isto não significa que os tribunais possam obrigá-lo a seguir esta ou aquela diretriz em cada caso concreto. Não se confunde com instância.

ENTRANHADA — Diz-se da peça introduzida em quaisquer autos de processo, ou que destes faz parte integrante.

ENTRELINHAS — Espaço entre duas linhas; o que ali se escreve, com ressalva.

ENTREVER — Ver indistintamente; ver mal; prever confusamente.

ENTRE-VIVOS *(INTER VIVOS)* — Diz-se do ato jurídico que se processa entre pessoas vivas.

ENTROSAR — Encadear; endentar. Ordenar; dispor bem coisas complicadas.

ENTUSIASMO — Sentimento de potente ânimo contagiante que acompanha um misto de calma e alegria com grande desembaraço e fluência verbal voltados a um objetivo motivador ou de ação num processo interessante em curso. Empolgação.

ENUNCIAÇÃO — Afirmativa ou declaração, contendo uma demonstração ou descrição sobre fatos ou sobre coisas.

ENUNCIADO DE SÚMULA — Jurisprudência dominante em Tribunais Superiores. Os Enunciados são propostos pelos Ministros às Comissões de Jurisprudência e tratam de temas que tenham sido suficientemente debatidos e decididos de maneira uniforme em várias ocasiões. Uma vez aprovados, os Enunciados passam a orientar as decisões das Turmas e dos demais órgãos do Tribunal em questões semelhantes.

ENVIADO — É a denominação dada ao legado ou ministro que é mandado por um governo em missão junto a outro.

ENVIRONMENTALIST — Ver Ambientalista.

ENXUGAR O MERCADO — É a retirada de dinheiro do mercado com a venda de títulos. É como passar um rodo no mercado.

EPICENTRO — Ponto da superfície terrestre mais próximo ao centro de um abalo sísmico; projeção na superfície terrestre do hipocentro de um sismo. Ponto central de um acidente ou desastre. Local onde os danos são mais intensos.

EPIDEMIA — Ver Saúde - Epidemia.

EPIDEMIOLOGIA — Ciência que estuda a distribuição das doenças e agravos à saúde, nas comunidades, e os relaciona a múltiplos fatores, concernentes ao agente etiológico hospedeiro e ambiente, indicando as medidas para sua profilaxia.

EPÍGRAFE — 1) Sentença colocada no frontispício de um livro, capítulo, princípio de discurso, conto etc. 2) Parte do preâmbulo de uma norma jurídica, que compreende sua denominação, numeração e data.

EPISTEMOLOGIA — Análise crítica das ciências de um modo geral. Considera-se o estudo e avaliação dos princípios, hipóteses, métodos, compatibilidades, incompatibilidades, formas e resultados das ciências constituídas. Distingue-se da teoria do conhecimento. (Ver: Teoria do conhecimento.)

EPISTEMOLOGIA JURÍDICA — É o segmento da Filosofia do Direito voltado ao estudo das fontes jurídicas.

EPÍTETO — Figura de construção de uma frase. É a qualificação do nome por meio de uma característica que lhe é inerente. Exemplo: Nenhuma luz rilhava na escura noite.

E-PROCUREMENT — Refere-se à realização de transações comerciais com fornecedores por meio da rede eletrônica. A idéia é reduzir custos, tanto para os fornecedores quanto para os clientes.

EQUAÇÃO ECONÔMICO-FINANCEIRA DO CONTRATO — ver Contrato, equação econômico-financeira do.

EQUADOR — Círculo máximo da esfera terrestre, perpendicular ao eixo do Planeta Terra. Círculo máximo que divide o Planeta Terra em dois hemisférios: Hemisfério Norte e Hemisfério Sul.

EQUADOR CELESTE — Ver Equador.

EQUADOR MAGNÉTICO — Ver Linha Aclínica.

EQUALIZAÇÃO — De equalizar, uniformizar e/ou igualar. Termo utilizado na linha de financiamento do Programa de Financiamento às Exportações (PROEX), em que o governo brasileiro assume parte dos encargos financeiros das operações de financiamento à exportação, tornando-os compatíveis com os do mercado internacional.

EQUALIZAÇÃO DE PREÇOS E TAXAS — Despesas para cobrir a diferença entre os preços de mercado e o custo de remissão de gêneros alimentícios ou outros bens, bem como a cobertura do diferencial entre níveis de encargos praticados em determinados financiamentos governamentais e ou limites máximos admissíveis para efeito de equalização.

EQUANIMIDADE — Igualdade de ânimo tanto na desgraça quanto na prosperidade. Imparcialidade, moderação, serenidade de espírito. Ao lado do equilíbrio físico e psíquico funciona como integrador da calma, da tolerância e da paciência.

EQÜIDADE — 1) Igualdade; retidão; aplicação ideal da norma ao caso concreto. Espécie de julgamento subjetivo que difere das formas e regras do julgamento por direito. É o sentimento vivo na consciência social que adapta a norma de direito ao caso particular. Compõem numa justiça fundada na igualdade, na conformidade do próprio princípio jurídico e em respeito aos direitos alheios. Justiça adaptada às circunstâncias concretas e particulares de cada caso. É a possibilidade do juiz se afastar da norma e encontrar situações mais justas. A eqüidade não destrói a lei, pelo contrário, a completa. Podem distinguir-se dois tipos de eqüidade: a) eqüidade horizontal; b) eqüidade vertical. 2) Justa distribuição da prosperidade econômica entre os membros da sociedade (fatia do bolo econômico). (Ver: Equidade horizontal // Eqüidade vertical.)

EQUIDADE HORIZONTAL — Como princípio diz que todos aqueles que são idênticos estão em circunstâncias semelhantes devendo pagar os mesmos impostos e receber os mesmos benefícios.

EQÜIDADE VERTICAL — Como princípio defende que aqueles que estão em circunstâncias diferentes relativamente a um dado aspecto devem, proporcionalmente, ser tratados de forma diferente, isto é, aqueles que têm maior capacidade econômica para pagar devem pagar mais e aqueles com maior necessidade devem receber mais.

EQUILÍBRIO — É um conceito relacionado ao estado de um sistema ou mais sistemas no qual não ocorrem mudanças no total que possam ser observadas claramente, ou seja, no qual cada alteração é compensada (ou equilibrada) por outra(s) complementar(es). Situação em que a oferta e a demanda coincidem.

EQUILÍBRIO BIOLÓGICO — Condição na qual a interação entre as diversas espécies animais e vegetais e dessas com o ambiente ocorre de maneira tão harmônica, que o ecossistema se mantém em equilíbrio dinâmico.

EQUILÍBRIO COMERCIAL — Situação em que as exportações são iguais às importações.

EQUILÍBRIO DO MERCADO — Diz-se que um mercado financeiro está em equilíbrio quando os compradores e os vendedores chegam a um consenso quanto aos preços usuais dos ativos transacionados. Para haver um equilíbrio no mercado, a oferta e a procura de um determinado ativo devem ser razoavelmente equivalentes, caso contrário um dos lados ou quer comprar barato (oferta excessiva) ou vender caro (demanda excessiva), levando ao desequilíbrio do mercado

EQUILÍBRIO ECOLÓGICO — População de tamanho estável na qual as taxas de mortalidade e emigração são compensadas pela taxa de natalidade e imigração. Equilíbrio de fluxo de energia em um ecossistema.

EQUILÍBRIO ECONÔMICO-FINANCEIRO — É a relação estabelecida inicialmente pelas partes entre os encargos do contratado e a retribuição da Administração para a justa remuneração objeto do ajuste. Essa relação "encargo-remuneração" deve ser mantida durante toda a execução do contrato, a fim de que o contratado não venha a sofrer indevidamente redução nos lucros normais do empreendimento. Assim, ao usar o seu direito de "alterar unilateralmente as cláusulas regulamentares do contrato administrativo" ou por força de modificação na legislação, a Administração não pode violar o "direito do contratado de ver mantida a equação financeira originalmente estabelecida no ajuste", cabendo-lhe operar os necessários "reajustes para o restabelecimento do equilíbrio econômico-financeiro".

EQUILÍBRIO EMOCIONAL — Estado ou situação físico-psíquica de quietude, calma, tolerância, paciência e equanimidade. Manifestação das emoções primárias e dos sentimentos positivos, naturalmente, com bom senso, juízo e objetividade, sem perturbações.

EQUILÍBRIO GENÉTICO — Situação na qual gerações sucessivas de uma população contêm os mesmos genótipos nas mesmas proporções, com respeito a genes específicos ou combinações gênicas.

EQUILÍBRIO ORÇAMENTÁRIO — É a característica do orçamento público em que o valor da despesa autorizada não pode ser superior à estimativa da receita.

EQUIPAMENTO — 1) O conjunto de todos os bens tangíveis necessários para o funcionamento de um sistema de produção industrial ou agropecuário. 2) Conjunto de instrumentos e acessórios de que um profissional necessita para exercer suas atividades.

EQUIPAMENTO DE PROTEÇÃO INDIVIDUAL — Equipamento que protege o corpo contra o contato com produtos perigosos tóxicos conhecidos ou suspeitos. De acordo com o grau de proteção, foram divididos em quatro categorias: Nível A - emprego do encapsulado total. Deve ser usado quando é necessário o maior nível de proteção para as vias respiratórias, a pele e os olhos. Nível B - usado quando é necessário o maior nível de proteção respiratória, porém com um nível menor de proteção à pele. Nível C - usado quando é necessário um menor nível de proteção para as vias respiratórias que no nível B. O critério para a proteção da pele é similar ao do nível B. Nível D - usado apenas como uniforme de trabalho e nunca em qualquer local, com perigo para as vias respiratórias e a pele. Não oferece proteção contra produtos perigosos.

EQUIPAMENTOS CULTURAIS – Edificações e espaços, públicos ou privados, destinados, ou freqüentemente utilizados, para a realização de atividades relacionadas à cultura.

EQUIPAMENTOS E MATERIAL PERMANENTE — Na Administração Pública são despesas com aquisição de Aparelhos, Equipamentos e Máquinas para uso em Escritório; Aparelhos, Equipamentos e Máquinas para uso em Engenharia, Oficinas e Produção Industrial; Aparelhos, Equipamentos e Máquinas Agropecuárias; Veículos de Transportes e Serviços; Animais de Raça, Reprodução e Tração; Mobiliário em Geral; Acervos em Geral; Aparelhos, Equipamentos e Máquinas para Comunicação, Cine, Foto e Som; Aparelhos, Equipamentos e Máquinas para Serviços de Policiamento e Proteção; Instrumentos Musicais; Aparelhos, Equipamentos e Máquinas para Cozinha e Limpeza; Aparelhos, Equipamentos e Máquinas Médico-Hospitalar, Odontológico, Laboratorial e Fisioterápico; Aparelhos, Equipamentos de Informática e *Software*; Outros Bens Permanentes.

EQUIPAMENTOS URBANOS — Infra-estrutura pública de abastecimento d'água, serviços de esgotos, energia elétrica, coletas de águas pluviais, rede telefônica e gás canalizado (art. 5º, parágrafo único, da Lei nº 6.766, de 1979, que teve sua redação parcialmente alterada pela Lei nº 9.785, de 1999). Por extensão: as áreas e construções destinadas a uso público (parques, praças, escolas, centros de lazer etc.).

EQUIPARAÇÃO — Ato de equiparar, colocar em igualdade, dar um tratamento igual. Na questão do salário a lei é clara: a todo trabalho de igual valor corresponderá salário igual, sem distinção de sexo. Prevê, também, os casos em que o estrangeiro pode perceber salário superior ao do brasileiro. Reforça, ainda, a equiparação ao determinar que, sendo idêntica a função o salário deve ser igual sem distinção de sexo, nacionalidade ou idade. Não se aplica este último dispositivo aos empregados de empresas concessionárias de serviços públicos encampadas em relação aos empregados da entidade encampadora. Também não prevalece quando o empregador tem pessoal organizado em quadro de carreira, devendo as promoções obedecer a critérios de antiguidade e merecimento, alternadamente, dentro de cada categoria profissional.

EQUIPARAÇÃO DE OPORTUNIDADES — É o processo mediante o qual o sistema geral da sociedade (meio físico, cultural, moradia, transporte, serviços sociais e de saúde, oportunidades de educação e trabalho, vida cultural e social, incluídas instalações esportivas e de lazer) se torna acessível a todos. As medidas de equiparação de oportunidades incidem sobre as condições do meio físico e social, eliminando todas as barreiras que se oponham à igualdade e à efetiva participação das pessoas com deficiência e aos idosos, criando-se oportunidades para seu desenvolvimento biopsicossocial e pessoal.

EQUIPE — Grupo celular de pessoal especializado, com organização, equipamento necessário ao desempenho de suas atividades, com comando definido e normas de atuação.

EQUITY — 1) É o capital livre de uma empresa ou de uma pessoa, ou seja, seu patrimônio líquido. 2) São os direitos residuais dos acionistas sobre os ativos da empresa, calculado subtraindo-se o passivo total do ativo total.

EQUITY OFFERINGS — Angariação de fundos, oferecendo uma percentagem de capital da empresa através da emissão de ações ordinárias ou preferenciais.

EQUITY RELATED LOAN — São empréstimos convertíveis em ações ou empréstimos garantidos por uma percentagem do capital da empresa.

EQUIVALÊNCIA PATRIMONIAL — Forma de contabilização utilizada por uma empresa de seus investimentos e participações em outras sociedades, em que os mesmos não são consolidados de forma integral no balanço da empresa, mas apenas com base na sua posição patrimonial. Diante disso, a empresa deve periodicamente ajustar sua conta de equivalência patrimonial para refletir quaisquer alterações na situação patrimonial, lucro, prejuízos, desses investimentos ou participações.

ERÁRIO — Tesouro ou Fazenda Pública. (Ver: Fazenda Pública.)

ERGA OMNES — [Latim]. Expressão que significa para com todos. O que é válido contra todos. Diz-se de ato, lei ou dispositivo que obriga a todos.

ERIGIR — Erguer a prumo; alçar; levantar. Fundar; criar; instituir.

ERODIBILIDADE — Suscetibilidade de um solo à erosão.

EROSÃO — Desgaste ou arraste de material da superfície do solo ou de rochas, provocada por agentes naturais (água, vento, gelo, outros) ou resultado da ação do ser humano.

EROSÃO ANTRÓPICA — Erosão que se desenvolve de forma rápida, devido às alterações no equilíbrio natural, provocada principalmente por atividades humanas (desmatamento, agricultura, cortes do terreno etc.).

EROSÃO EÓLICA — Trabalho mecânico de desgaste do solo, feito pelo vento.

EROSÃO FLUVIAL — Processo erosivo que ocorre na calha dos rios. Inicia-se com a erosão laminar e em sulcos ou ravinas e prossegue através da erosão fluvial. O trabalho de erosão fluvial depende da interação de quatro diferentes mecanismos gerais: ação hidráulica da água; ação corrosiva (corrosão) das partículas em suspensão na água; ação abrasiva (abrasão) sobre as partículas em suspensão na água; ação corrosiva (corrosão) da água ou diluição química.

EROSÃO MARINHA — Resultado do movimento das águas oceânicas que atuam sobre as bordas litorâneas, modelando o relevo de forma destrutiva. Esse movimento pode, também, modelar o relevo de forma construtiva, resultando em acumulação marinha e, conseqüentemente, dando origem a praias, restingas, recifes e tômbulos. Normalmente, no Brasil, as erosões marinhas são pouco importantes, mas o fenômeno é intensificado por atividades antrópicas, relacionadas com a construção de instalações portuárias.

ERRADICAÇÃO — Eliminação, exterminação.

ERRADICAÇÃO DO TRABALHO INFANTIL — Ver Programa de erradicação do trabalho infantil.

ERRO — Percepção falsa de realidade. No erro, o conhecimento existe, mas não corresponde à realidade, sendo o falso tomado por verdadeiro ou este por falso. Não se confunde com a ignorância, pois esta implica a ausência de conhecimento.

ERRO ACIDENTAL — É aquele que assegura direito a ressarcimento de perdas e danos, não anulando o ato.

ERRO DE DIREITO — É aquele que advém da ignorância da lei que obsta a validade do ato jurídico.

ERRO DE ESTIMAÇÃO — É a diferença entre o verdadeiro valor do parâmetro e o valor calculado a partir dos dados de uma amostra. Este depende diretamente do grau de dispersão (variabilidade) da variável em estudo e inversamente ao tamanho da amostra.

ERRO DE FATO — É a noção errada de uma coisa; tem-se uma coisa e imagina-se ser outra; a avaliação falsa das reais conseqüências de um fato, ou de uma conduta.

ERRO JUDICIÁRIO — Equívoco judicial causador de prejuízo para a parte, ensejando indenização pelo Estado. A Constituição Federal prevê a matéria no art. 5º, LXXV, assim: O Estado indenizará o condenado por erro judiciário, assim como o que ficar preso além do tempo fixado na sentença.

ERRO NA EXECUÇÃO — Diz-se quando, por acidente ou erro no uso dos meios de execução, o agente, em vez de atingir a pessoa que pretendia ofender, atinge pessoa diversa. Responde como se tivesse praticado o crime contra aquela pessoa.

ERRO SUBSTANCIAL — É a discordância entre a vontade real e aquela manifestada na celebração do ato. É aquele o que interessa à natureza do ato, o objeto principal da declaração, ou alguma das qualidades a ele essenciais. Tem-se igualmente por erro substancial o que disser respeito a qualidades essenciais da pessoa, a quem se refira a declaração de vontade. Este tipo de erro gera a anulabilidade dos atos jurídicos.

ERROR FACTI — [Latim]. Expressão que significa erro de fato. Aquela afirmação não passa de um mero...

ERUPÇÃO VULCÂNICA — Ascensão e extravasamento do material magmático (lavas, bombas, cinzas e lápili), constituindo-se num dos riscos geológicos de natureza endógena, especialmente quando a emissão de material se dá de forma violenta e com grande derramamento de lava.

ESBULHAR — Praticar o esbulho, isto é, através de ato violento, desapossar uma pessoa daquilo que lhe pertence ou de que tem a posse justa.

ESBULHO — É o ato pelo qual o possuidor se vê privado da posse, violenta ou clandestinamente, e ainda por abuso de confiança ou fraude de terceiros. Todo aquele que sofre esbulho na sua posse pode ser nela restituído por meio de desforço imediato ou ação de reintegração de posse. (Ver: Ação de Reintegração de Posse.)

ESBULHO POSSESSÓRIO — É o ato violento pelo qual uma pessoa é despojada (desapossada) daquilo que lhe pertence ou está em sua posse sem que assista ao violentador qualquer direito ou autoridade com que possa justificar o ato.

ESCABINATO — Órgão judiciário integrado por magistrados de carreira e juízes leigos.

ESCALA — Relação entre as dimensões representadas no mapa e as dimensões reais do objeto representado. Quando uma empresa aumenta sua escala, aumenta sua planta e, em conseqüência, sua produção. Ganhos de escala estão associados ao aumento da planta da empresa, que, na maioria das vezes, vem na forma de um menor pagamento aos seus fornecedores, em função do aumento da quantidade comprada.

ESCALA CELSIUS — Escala de temperatura, na qual a faixa entre o ponto de congelamento da água (0°) e o ponto de efervescência (100°) está dividida em 100° iguais; também chamada de escala centígrada.

ESCALA DE BEAUFORT — Escala de força dos ventos. Baseada originalmente no estado do mar, expressa em números crescentes de 0 a 12, sendo a escala 0: Calmaria - menos de 1.60 km/h e a escala 12: Furacão - Acima de 120 km/h. O mesmo que vendaval extremamente intenso, ciclone ou tufão.

ESCALA DE EFICIÊNCIA — Expressão utilizada para definir o mínimo custo médio total que a empresa pode atingir, dados os fatores disponíveis, em face de um determinado nível de produção. No longo prazo, a empresa que produz em escala consegue prolongar estes custos mínimos.

ESCALA DE *MERCALLI* — A gravidade com que um sismo (tremor de terra) atinge uma região e afeta as pessoas, objetos e o terreno. Pode ser determinada através de uma escala de intensidade e a mais comum é a de *Mercalli*, que possui doze níveis crescentes, sendo o grau I não sentido, detectado apenas por aparelhos especiais (sismógrafos), enquanto que o grau XII causa danos totais, praticamente todos os tipos de construções são grandemente danificadas ou destruídas; objetos são atirados para cima. As maiores intensidades ocasionadas por sismos brasileiros atingiram o grau VII.

ESCALA DE *RICHTER* — Quantifica o grau de energia liberada durante um terremoto, considerando a amplitude das ondas sísmicas, a distância epicentral e a sensibilidade dos instrumentos de registro. É uma escala logarítmica, que teoricamente não apresenta limites. Pode conter grau negativo, para representar o evento muito pequeno, até valores próximos de nove, devido aos superterremotos. Cada grau da escala corresponde à liberação de cerca de 30 vezes mais energia que o anterior, como, por exemplo, um tremor de magnitude 5.0, que libera cerca de 900 vezes mais energia que um de grau 3.0. Variações de Magnitude: 2 a 2.9 - perceptível por instrumento; tremor sentido sobre uma área limitada; 3 a 3.9 - geralmente perceptível; 4 a 4.9 - leve; pode causar destruição do sistema de energia; 5 a 5.9 - danos leves; 6 a 6.9 - destrutivo; causa destruições consideráveis; 7 a 7.9 - grande; causa grandes destruições; 8 ou mais - mundial; destruição total.

ESCALA DE *RINGELMANN* — Escala gráfica para avaliação colorimétrica de densidade de fumaça, constituída de seis padrões com variações uniformes de tonalidades entre o branco e o preto. Os padrões são apresentados por meio de quadros retangulares, com redes de linha de espessura e espaçamento definidos, sobre um fundo branco. Os padrões da escala Ringelmann são numerados de 0 a 5.

ESCALA *FAHRENHEIT* — Escala Termométrica na qual 212° é o ponto de ebulição da água à pressão atmosférica normal e 32° seu ponto de congelamento. Correspondem respectivamente a 100° e 0° Celsius. (Ver: Escala Celsius.)

ESCALA GRÁFICA — Graduada em partes iguais, que indica a relação das dimensões ou distâncias marcadas sobre um plano com as dimensões ou distâncias reais; escala de um mapa, escala de um gráfico estatístico.

ESCALÃO — Nível de comando. Cada um dos níveis de uma série. Define cada um dos níveis de comando de uma organização.

ESCAMBO — Câmbio; troca; permuta.

ESCÂNDALO POLÍTICO — Ato ou fato político que, tornado público por denúncia e configurando uma ilegalidade ou imoralidade, agride valores e sentimentos muito importantes para os eleitores. Exige comprovação por investigação pública, para apuração das responsabilidades e conseqüente punição, sendo ampla e continuadamente explorado pela mídia. A presunção de culpa equivale à condenação e vem antes do julgamento formal.

ESCARAFUNCHAR — Investigar; procurar com minúcia.

ESCARPA — Compartimento geomorfológico que limita região de chapadas e de vales incisos, apresentando, geralmente, elevada declividade.

ESCASSEZ — Em economia representa a quantidade limitada de recursos, fatores de produção ou de nível de produção e a insuficiência de meios para satisfazer toda a procura de recursos por uma comunidade (problema econômico).

ESCOLA — Pode se referir a uma instituição de ensino ou a uma corrente de pensamento com características padronizadas que formam certas áreas do conhecimento e da produção humana. A origem da palavra é interessante. Escola vem do grego *scholé*, que significa lugar do ócio. Na Grécia Antiga, as pessoas que dispunham de condições socioeconômicas e tempo livre, nela se reuniam para pensar e refletir.

ESCOLA FUNDAMENTALISTA — Corrente de pensamento que se baseia, para fazer análise do investimento de uma ação, nos dados econômico-financeiros da empresa, relacionando-os à situação de seu setor de atividade e à economia do país.

ESCOLA KEYNESIANA — Conjunto de teorias que derivam das idéias do inglês John Maynard Keynes (1883-1946). A obra *Teoria Geral do Emprego, do Juro e da Moeda* (1936) revoluciona o pensamento econômico da época, então dominado pelos neoclássicos. A repercussão do seu trabalho também se deve ao momento histórico de seu lançamento: a grande depressão econômica dos anos 30. Keynes contesta as hipóteses neoclássicas de que as forças do mercado conduzem ao equilíbrio econômico. Mostra que é possível, em uma economia de mercado, a permanência de longas crises, marcadas pela recessão e pelo desemprego. Segundo o autor, elas ocorrem quando o investimento na economia é relativamente reduzido, não sendo suficiente para garantir o pleno emprego da força de trabalho existente. Para superá-las, recomenda o aumento do gasto público, com o objetivo de suprir a deficiência de demanda do setor privado. As obras estatais, por exemplo, criam novos postos de trabalho, diminuindo o desemprego.

ESCOLA TÉCNICA — Corrente de pensamento que se baseia, para fazer a análise do investimento de uma ação, no comportamento da ação no mercado (Bolsa de Valores), sendo os gráficos seu material de apoio principal.

ESCOLA-PARQUE — Ver Educação - Escola-parque.

ESCOLARIDADE — Ver Educação - Anos de estudo.

ESCOLHA — Situação, no aqui e agora, de definir rapidamente com qual ou quais vai ficar para evitar o conflito interno. Escolher é também optar logo por uma das preferências.

ESCOPO — Objetivo, alvo de trabalho. Definição formal dos limites (abrangência) do sistema a ser modelado.

ESCREVENTE — É o servidor público que exerce funções burocráticas na Administração Pública, sem responsabilidade de chefia e sob as ordens diretas de um escrivão.

ESCREVENTE SUBSTITUTO — É o escrevente que pode substituir o titular do cargo, nas eventuais ausências daquele.

ESCRITURA — Instrumento de ato jurídico cuja finalidade é a de estabelecer garantias e provas relativas a contrato celebrado; pode ser particular (quando assinada pelos declarantes e pelas testemunhas) ou pública (quando a vontade dos declarantes for transcrita em livro próprio, por tabelião, conforme as disposições legais); é nulo o ato jurídico lavrado por instrumento particular quando a Lei determina que o seja por instrumento público.

ESCRITURA PARTICULAR — Ver Escritura.

ESCRITURA PÚBLICA — Ver Escritura.

ESCRITURA PÚBLICA DE COMPRA E VENDA — Instrumento lavrado por tabelião em livro de notas, a pedido de partes interessadas, revestido das formalidades legais, que concretiza transação entre elas, cujo translado tem o mesmo valor do instrumento original e pode ser registrado, transferindo o domínio do bem, no Registro de Imóveis.

ESCRITURAÇÃO CONTÁBIL — Técnica de redação dos livros mercantis, conforme os princípios estabelecidos pela contabilidade. Há vários métodos de escrituração, dentre os quais o de partidas simples, o das partidas duplas e o das partidas dobradas. O mais utilizado é o das partidas dobradas, que parte de um princípio bastante claro, ou seja, todo débito origina igual crédito, já que não pode haver credor sem devedor. Assim, toda soma escriturada a débito de uma ou mais contas será, simultaneamente, escriturada a crédito de outra ou outras contas. Em qualquer momento, a soma de todos os débitos será igual à soma de todos os créditos.

ESCRITURAÇÃO MERCANTIL — Denominação que se dá à série de atos promovidos no sentido de executar o registro sistemático e metódico de todas as operações, qualquer que seja sua natureza, desde que de valor econômico, havidos num estabelecimento comercial, em virtude dos quais todas essas operações ficam graficamente representadas ou demonstradas nos livros obrigatórios do comerciante.

ESCRIVÃO — É o auxiliar de juízo titular do cartório ou ofício a quem cabe: organizar os autos, guardá-los e conservá-los, assim como todos os papéis e documentos relativos aos feitos em geral, auxiliar nas audiências e praticar os atos determinados em lei ou pelo juiz, manter contato com o Ministério Público e com os procuradores das partes.

ESCROQUE — Indivíduo que se utiliza de astúcia ou fraude para se apropriar de dinheiro ou bens de outrem. No nosso Direito Penal corresponde a estelionatário.

ESCUSA DE CONSCIÊNCIA — Justificativa de caráter religioso ou político-filosófico para a dispensa de obrigação legal imposta a todos.

ESFERA ARMILAR — Conjunto de círculos que representam o movimento dos planetas. A esfera armilar figura na bandeira portuguesa.

ESFERA ORÇAMENTÁRIA — Especifica se a dotação orçamentária pertence ao Orçamento Fiscal, Orçamento da Seguridade Social ou Orçamento de Investimento das Empresas.

ESFORÇO FISCAL — Tem como objetivo garantir que as receitas do governo sejam maiores do que as despesas. É o que sobra dessa diferença (superávit primário, que não inclui gastos com juros) que o país paga parte da dívida e evita que ela exploda. Com isso, aumenta a confiança no país, o que atrai investimentos, favorecendo o crescimento e geração de empregos. Por outro lado, com o elevado superávit fiscal, o governo tem menos recursos para investir, por exemplo, em projetos de infra-estrutura, como estradas e energia elétrica, o que prejudica uma expansão maior da economia.

ESGOTO — Escoadouro onde vão ter as águas servidas e dejetos das casas. Sistema subterrâneo de canalização destinado a receber as águas pluviais e os detritos de um aglomerado populacional e industrial e levá-los para um lugar afastado. Os resíduos líquidos são divididos pelos técnicos em quatro tipos: a) esgotos domésticos, que contém matéria fecal e águas servidas, resultantes de banho, lavagem de roupa e louças; b) despejos ou efluentes industriais, que compreendem resíduos orgânicos (por exemplo, de indústrias alimentícias ou matadouros), ou inorgânicos, podendo conter materiais tóxicos; c) águas pluviais (da chuva); d) águas do subsolo, que se infiltram no sistema de esgotos. O esgoto sanitário deve ser independente e não se comunicar com o esgoto pluvial.

ESPAÇO — Extensão tridimensional ilimitada ou infinitamente grande, que contém todos os seres e coisas e é campo de todos os eventos. Na Astronomia, o universo todo além do invólucro atmosférico do planeta Terra.

ESPAÇO AÉREO — Porção do espaço sobrejacente a determinada superfície terrestre ou marítima. Para o Direito Civil, é a parte da atmosfera que se estende sobre o terreno de propriedade de alguém e que lhe pertence até onde lhe seja útil, não podendo, entretanto, o proprietário, opor-se aos trabalhos que sejam empreendidos a uma altura tal que não tenha ele interesse algum em impedi-los.

ESPAÇO AÉREO CONTROLADO — Espaço aéreo de dimensões horizontais e verticais, definidas pela autoridade competente, dentro do qual são proporcionados serviços de informação de vôo e alerta a todos os vôos conhecidos e serviço de controle de tráfego aos vôos por instrumento e ao tráfego de aeródromo.

ESPAÇO AÉREO CRÍTICO — Espaço aéreo que, por sua importância estratégica, desperta interesse especial.

ESPAÇO AÉREO INTERDITO — Espaço aéreo em que o vôo de aeronaves é proibido ou restringido.

ESPAÇO EM BRANCO — Diz-se do espaço vazio entre duas linhas, no interior de uma linha, ou entre o texto e a assinatura. Ao redigir as suas certidões, o oficial de Justiça avaliador deverá riscar os espaços em branco que tenha deixado.

ESPAÇO FÍSICO — Lugar; três dimensões. Espaço no qual o fenômeno da *autopoiesis* (autocriação e autoprodução) dos seres vivos tem lugar.

ESPAÇOS ABERTOS URBANIZADOS — Áreas livres de uso público utilizadas para o convívio social, o lazer, a prática de esportes e a recreação da população, responsáveis pelo conforto climático, sonoro, visual, pela qualidade do ar e pela imagem da Cidade.

ESPECIAÇÃO ALOPÁTRICA — É aquela que se dá entre populações ocupando áreas geográficas exclusivas, ainda que as comunidades possam dispor-se relativamente próximas ou adjacentes. Este último caso é mais comum entre animais que em plantas. (Ver: Alopatria.)

ESPECIALIZAÇÃO — Expressão utilizada para definir a redução de um determinado conjunto de atividades econômicas por um determinado país ou comunidade tendo em vista a redução de custos e a maximização do nível de produção. Um dos maiores exemplos da especialização pode-se encontrar nas trocas internacionais, primeiro justificada pela doutrina das vantagens absolutas e, subseqüentemente, pela doutrina das vantagens comparativas. Os defensores da especialização advogam-na no sentido de aumento do rendimento real das comunidades, traduzíveis num aumento do nível de consumo global.

ESPÉCIE — Grupos de indivíduos semelhantes na forma e na função, que se reproduzem por fecundação, resultando em descendentes férteis. É uma categoria da classificação biológica subordinada imediatamente ao gênero ou subgênero. Não confundir com espécime. (Ver: Espécime // Especismo.)

ESPÉCIE ENDÊMICA — Espécies que têm uma limitada distribuição na face do planeta Terra; em geral encontradas nas regiões de origem.

ESPÉCIE EXÓTICA — Que não é nativa de uma área ou que foi introduzida numa área ou região por ação humana, mas se adaptou ao novo ambiente.

ESPÉCIE INDICADORA — Aquela cuja presença indica a existência de determinadas condições no ambiente em que ocorre.

ESPÉCIE MIGRATÓRIA — Espécie de animal que se desloca de uma região para outra, quase sempre com regularidade e precisão espacial e temporal, devido ao mecanismo instintivo.

ESPÉCIE NATIVA — Espécie que ocorre naturalmente na região.

ESPÉCIE PIONEIRA — Aquela que se instala em uma região, área ou hábitat anteriormente não ocupados por ela, iniciando a colonização de áreas desabitadas.

ESPÉCIE SILVESTRE — Espécie ocorrente em estado selvagem na natureza e que não passou pelo processo de domesticação. Uma espécie silvestre pode apresentar grande distribuição geográfica e ocorrer em vários países simultaneamente.

ESPECIFICAÇÃO — 1) Princípio orçamentário segundo o qual devem ser indicadas com precisão as fontes de recursos, a natureza da despesa e os projetos e atividades. 2) Fixação das características, condições ou requisitos de materiais, equipamentos e técnicas de execução a serem empregadas em obra ou serviço técnico. 3) Documento que estabelece os requisitos com os quais o produto ou serviço tem de estar conforme.

ESPECIFICAÇÃO TÉCNICA — Descrição das características de produtos, processos e métodos de produção, de serviços e métodos operacionais conexos e de normas administrativas a eles aplicáveis. Pode incluir exigências terminológicas, símbolos, embalagens, marcas e etiquetas aplicáveis a um determinado produto, processo ou método de produção ou operacionalização.

ESPÉCIME — Indivíduo ou exemplar de determinada espécie, vegetal ou animal. O mesmo que espécimen; designa um animal ou vegetal (uma onça, um ipê) e não um tipo. Não confundir com espécie. (Ver: Espécie.)

ESPECISMO — Discriminação baseada na espécie. (Ver: Espécie.)

ESPECTRO IDEOLÓGICO DIREITA/ESQUERDA — Classificação simplificada para identificar a inclinação ideológica dos partidos políticos. Nesta lógica, os partidos políticos ficam distribuídos num contínuo direita, centro e esquerda. A classificação surgiu de um contexto específico: após a Revolução Francesa, em 1789, os componentes da Assembléia Nacional (o parlamento francês) dividiam-se em dois blocos, ocupando fisicamente os assentos no Legislativo. O lado direito era ocupado pelo bloco conservador, que defendia a volta da monarquia, e o lado esquerdo era ocupado pelos progressistas, que defendiam o aprofundamento da democracia. A partir de então, passou-se a considerar de direita os partidos que assumem uma postura conservadora, defendendo a ordem estabelecida ou o retorno a um padrão de autoridade política existente no passado, e de esquerda os partidos social-democratas, socialistas e comunistas. São considerados de centro os partidos que assumem uma postura intermediária.

ESPECULAÇÃO — Negociação em mercado com o objetivo de ganho, em geral a curto prazo. É uma atividade típica de investidor, no sentido de comprar ativos financeiros que devem valorizar mais do que outros, e vender ativos que devem perder valor ou valorizar menos. Não há nada de ilegal nesta atividade. É uma atividade normal no mercado financeiro e em qualquer negócio. Não se deve confundir especulação com manipulação. (Ver: Manipulação.)

ESPECULADOR — Aquele que utiliza seu capital na expectativa de tirar proveito de flutuações favoráveis de preço no mercado. Os especuladores não possuem um horizonte temporal definido; assumem riscos elevados visando retornos elevados. Os especuladores são essenciais para o mercado de títulos mobiliários, pois o provêm de liquidez e assumem risco daqueles que não pretendem fazê-lo.

ESPECULAR — Ver Especulação.

ESPELEOLOGIA — Ciência que tem por princípios a procura, exploração, observação e interpretação das cavernas, levando em conta seu processo de formação, seu ambiente e sua relação com o ambiente externo, tendo por objetivo definir critérios para sua preservação e, assim, promover o seu uso racional.

ESPELHO DA DESPESA — Ver Despesa, Espelho da.

ESPELHO DA RECEITA — Ver Receita, Espelho da.

ESPERANÇA — Sentimento de expectativa leve e demorada de determinado acontecimento futuro.

ESPERANÇA DE VIDA - EXPECTATIVA DE VIDA OU VIDA MÉDIA EM UMA IDADE X QUALQUER — É o número médio de anos que um indivíduo de idade X esperaria viver a partir desta idade.

ESPERANÇA DE VIDA AO NASCER — Em sentido geral, utilizado em pesquisa, indica o número médio de anos que um recém-nascido esperaria viver se estivesse sujeito a uma lei de mortalidade observada em dada população durante determinado período.

ESPIÃO — Pessoa que ocultada ou disfarçamente espreita, ou observa.

ESPIGÃO — Denominação geralmente dada aos altos ou dorsos das terras, constituindo penhascos de arestas vivas ao longo das mesmas. É necessário destacar que, algumas vezes, os espigões não são formados de arestas vivas e sim de uma superfície plana, como observados no Planalto Central, nos chapadões de Goiás, Mato Grosso etc.

ESPOLIAR — Tirar de alguém, por violência ou fraude, a propriedade de alguma coisa. Desapossar.

ESPÓLIO — É o conjunto de bens, direitos, rendimentos e obrigações (patrimônio) deixado por pessoa falecida (*de cujus*), e que serão partilhados, no inventário, entre os herdeiros ou legatários. O espólio é representado em juízo, ativa e passivamente, pelo inventariante e responde pelas dívidas do *de cujus* e por todas as decisões condenatórias que tenham por fundamento atos de responsabilidade do falecido. Podem ser propostas, contra o espólio, todas as ações pertinentes, possessórias, de despejo, de responsabilidade civil, cautelares etc. Pode o inventariante requerer a insolvência do espólio sempre que as dívidas excedam o valor dos bens. Sendo o falecido comerciante, e havendo fato que o enseje, poderá ser decretada a falência do espólio, observado o disposto na Lei nº 11.101, de 9.2.2005 (Lei de Falência e Recuperação - LFR).

ESPÓLIO, AÇÃO CONTRA O — Ação contra é o direito que assiste ao interessado ou credor do *de cujus* (o falecido), ou de próprio espólio, para reclamar arrecadação injusta de bens que não deveriam ser inventariados ou pagamento de dívida a que tem direito. A ação contra o espólio é justificável enquanto os bens não tenham sido partilhados, pois em tal caso a ação deve ser proposta contra os herdeiros, na força de seus quinhões ou para restituição dos bens indevidamente arrecadados, em poder de quem os detenha. (Ver: Ação Contra os Herdeiros.)

ESPONTANEIDADE — É atuar livre. A espontaneidade surge afastando, pela potência da intenção e do interesse, os bloqueios para fazer fluir autenticamente a vontade natural e livre ou, ainda, no sentido da satisfação do desejo.

ESQUERDISMO — É a ideologia que se caracteriza pela oposição ao *status quo*, pela reivindicação de reformas radicais políticas, sociais e econômicas, através da revolução, mesmo por processos violentos. A esquerda compreende uma grande variedade de subgrupos políticos e ideológicos. (Ver; Espectro ideológico direito/esquerda.)

ESQUIVA — Desvio que evita um acontecimento aversivo ou possivelmente doloroso. Comportamento para escapar de chateação, de ameaças de perigo, de agressão ou de provável ferimento, sem ter que fugir, enfrentar ou encontrar. Trata-se de conduta para esconder-se do indesejado ou prorrogando o encontro inevitável. Trata-se de procedimento no desvio ou afastamento de variáveis impertinentes ou de interferências.

ESQUIZOFRENIA — Distúrbio mental que se caracteriza pela divisão ou fragmentação da personalidade e a ocorrência de sintomas que assinalam a sua progressiva deterioração. Sua origem parece dever-se a uma desordem bioquímica da estrutura normal do cérebro, acompanhada de perda da afetividade, de iniciativa, retraimento progressivo da vida social, dissociação da realidade, ilusões e alucinações.

ESSENCIAL — É tudo aquilo indispensável, fundamental para a constituição de uma coisa, desde que, sem a satisfação do que se exige, essa mesma coisa não se constitui em essência, isto é, não se produz o que se quer que ela seja. Elemento essencial ou qualidade essencial é a condição para que as coisas cumpram sua finalidade, ou os atos jurídicos produzam seus efeitos, é a condição para que satisfaçam todas a exigências, que se mostrem fundamentais para segurança de sua existência, ou para sua perfeição, segundo as prescrições legais. Nesta razão, a falta de tudo que é essencial retida da coisa ou do ato de toda sua vida legal.

ESSENTIALIA DELICTI — [Latim]. Expressão que significa os elementos essenciais do crime.

ESTABELECIMENTO AGROPECUÁRIO — Em sentido geral, utilizado em pesquisa, indica todo terreno de área contínua, independente do tamanho ou situação (urbana ou rural), formado por uma ou mais parcelas, subordinado a um único produtor, onde se processa uma exploração agropecuária. Exclui-se da investigação os quintais de residências e hortas domésticas.

ESTABELECIMENTO COMERCIAL — Reunião de bens corpóreos e incorpóreos, consistente numa universalidade de tato, destinada a servir uma clientela, com o objetivo de lucro.

ESTABELECIMENTO DA PAZ — Processo diplomático para encontrar o fim de um conflito, principalmente através de mediação e negociação, tal como é previsto no Capítulo VI da Carta das Nações Unidas. Intervenções das Nações Unidas, com o objetivo de pacificar uma situação instável e conseguir que as partes cheguem a um acordo global por meios pacíficos. Medidas e ações no sentido de as partes beligerantes chegarem a acordo por meios diplomáticos. (Ver: Imposição da paz // Manutenção da paz.)

ESTABELECIMENTO DE CRÉDITO OU FINANCEIRO DE 1ª LINHA — Grau de risco representado por um estabelecimento conforme classificação internacional de relacionamento interbancário.

ESTABELECIMENTO DE ENSINO — Ver Ensino, Estabelecimento de.

ESTABELECIMENTO DE SAÚDE — Ver Saúde, Estabelecimento de.

ESTABELECIMENTO PERMANENTE — É o local que define a residência do contribuinte, pessoa física ou jurídica. Os lucros de um negócio numa situação em que haja um acordo de dupla tributação são taxados na fonte se atribuídos a um estabelecimento permanente e considerados também no país da empresa controladora. Podem ser considerados locais de construção ou plataformas de petróleo estabelecidos no local há mais de seis meses.

ESTABILIDADE — 1) Garantia que tem o servidor público efetivo, depois de certo tempo de exercício, de não ser demitido senão por sentença judicial ou mediante processo administrativo. 2) Garantia que o empregado adquiria após 10 anos de serviço na mesma empresa, de não ser despedido, exceto por falta grave apurada mediante inquérito, no juízo trabalhista. Deixou de existir com o estabelecimento da lei que instituiu o Fundo de Garantia do Tempo de Serviço, e vigente para os que não optaram por essa lei. Não podem ser demitidos, a não ser que a contratação tenha sido por prazo determinado ou por experiência, ocorra a extinção da empresa, por motivo de força maior, ou por cometimento de falta grave, os empregados que tiverem nas seguintes situações: - Gestante: desde a concepção até cinco meses após o parto; - o membro da CIPA, da Comissão de Conciliação Prévia, dirigente de cooperativa e o dirigente sindical (desde a eleição até um ano após o término do mandato; - que tiver sofrido acidente de trabalho (no ano seguinte ao término do auxílio-doença acidentário).

ESTABILIDADE DAS SITUAÇÕES JURÍDICAS — Estabilidade sem a qual não se poderiam planejar os comportamentos, orientar-se na vida individual e coletiva, construir o futuro.

ESTABILIDADE DE ECOSSISTEMAS — É a capacidade de o sistema ecológico retornar a um estado de equilíbrio após um distúrbio temporário. Quanto mais rapidamente ele retorna, e com menor flutuação, mais estável é.

ESTABILIDADE ECONÔMICA — Reúne três objetivos básicos, em que a atuação da Política Econômica é de importância vital: 1) baixíssimo nível de desemprego; 2) estabilidade geral de preços; 3) equilíbrio do balanço internacional de pagamentos.

ESTABILIDADE GENÉTICA — Manutenção de um determinado índice de equilíbrio genético, seja no nível do indivíduo ou da população.

ESTABILIZAÇÃO — Processo por meio do qual se logra voltar a uma situação de normalidade no sistema de preços e nas contas externas. Ou seja, os primeiros param de crescer de forma intensa e sistemática ao longo do tempo e o balanço de pagamento deixa de apresentar déficits não financiáveis.

ESTABILIZADORES AUTOMÁTICOS — Expressão utilizada em economia para definir estruturas institucionais pré-definidas, com respostas endógenas sem precedência de decisão política. Tradicionalmente os estabilizadores automáticos mais conhecidos são o subsídio de desemprego e os impostos progressivos.

ESTAÇÃO CLIMATOLÓGICA — Estação onde os dados climatológicos são obtidos. Incluem medidas de vento, nebulosidade, temperatura, umidade, pressão atmosférica, precipitação, insolação e evaporação.

ESTAÇÃO COSTEIRA — Estação terrestre de comunicações do Serviço Móvel Marítimo.

ESTAÇÃO DE AEROVIA — Estação terrestre de comunicações, estabelecida, equipada e empregada para comunicar-se com aeronaves e outros órgãos, com o propósito de assegurar proteção ao vôo.

ESTAÇÃO DE TRANSBORDO — Equipamento instalado ao longo das linhas metro-ferroviárias e do VLT, de articulação com outras linhas de transporte coletivo, possibilitando o transbordo de passageiros de um subsistema para outro.

ESTAÇÃO DE TRATAMENTO DE ÁGUA (ETA) — Instalação onde se procede ao tratamento de água captada de qualquer manancial, por meio de processos físicos, químicos e bioquímicos, visando a torná-la adequada ao consumo doméstico ou industrial. Os processos empregados variam de acordo com as características da água bruta e da qualidade da água tratada desejada, podendo incluir a clarificação, a desinfecção, ou a eliminação de impurezas específicas. (Ver: Floculação.)

ESTAÇÃO DO ANO — Divisão do ano, de acordo com algum fenômeno regularmente recorrente, normalmente astronômico (equinócios e solstícios) ou climático. Nas latitudes médias e subtropicais, quatro estações são identificadas: verão, outono, inverno e primavera, de tal forma distribuídas que, enquanto é verão no hemisfério Sul, é inverno no hemisfério Norte. No hemisfério Sul, o verão ocorre de dezembro a fevereiro; o outono, de março a maio; o inverno, de junho a agosto, e a primavera, de setembro a dezembro. Nas regiões tropicais, essas quatro estações não são tão bem definidas, devido à uniformidade na distribuição da temperatura do ar à superfície. Portanto, identificam-se apenas duas estações: chuvosa e seca. Em regiões subtropicais continentais, a divisão sazonal é feita em estações quentes ou frias, chuvosas ou de estiagem ou por ambos os critérios.

ESTAÇÃO ECOLÓGICA - NACIONAIS/ESTADUAIS E MUNICIPAIS — São áreas representativas de ecossistemas brasileiros, destinadas à realização de pesquisas básicas e aplicadas de ecologia, à proteção do ambiente natural e ao desenvolvimento da educação conservacionista. A visitação pública é proibida, exceto quando com objetivo educacional, de acordo com o que dispuser o Plano de Manejo da unidade ou regulamento específico.

ESTACIONAL — Relativo ou pertencente à determinada estação do ano, ou que nela ocorre; sazonal.

ESTAÇÕES ADUANEIRAS DO INTERIOR (EADI) — Também denominados portos secos, são aduanas acopladas a armazéns públicos, cabendo a administração a empresas privadas, responsáveis pela logística do fluxo de carga. O objetivo principal da EADI é reduzir custos de importação/exportação de mercadorias ao reduzir o tempo de desembaraço alfandegário, ao mesmo que tempo que contribui para descongestionar o embarque e desembarque de mercadorias nos principais portos de entrada e saída do País.

ESTAÇÕES ECOLÓGICAS — Áreas de domínio público representativas de ecossistemas naturais destinadas a pesquisas ecológicas, proteção do meio ambiente e desenvolvimento de uma educação voltada para o preservacionismo. Precisam ter no mínimo 90% de sua área destinada à conservação integral do ecossistema. Podem ser criadas pela União, estados ou municípios no interior de outras unidades de conservação.

ESTADISMO — É uma doutrina política que atribui ao Estado a hegemonia absoluta do processo social, político e econômico de uma nação. Esta doutrina se caracteriza, na prática, mediante um sistema político no qual o Estado se atribui todo direito de propriedade e de iniciativa. Todos os cidadãos são reduzidos à condição de meros funcionários e inquilinos do Estado, o qual se apodera de toda propriedade, principalmente dos meios de produção, deixando aos indivíduos o usufruto dos bens de consumo definidos pelo Estado. O estatismo é a doutrina básica de todas as formas de totalitarismo e de socialismo estatal.

ESTADISTA — Pessoa de atuação notável nos negócios políticos e na administração de um país.

ESTADO - ACRE — Sigla: AC; Capital: Rio Branco; Habitante: acreano. Localização: oeste da Região Norte; Limites: Amazonas (N), Rondônia (L), República da Bolívia (SE), República do Peru (S e O); Relevo: planalto, Serra da Contamana (O) e planície (N); Vegetação: floresta tropical; Temperatura média anual: 26ºC; Chuvas: novembro a março; Hora local (em relação à Brasília): menos 2 horas. Dados gerais do Estado - População/IBGE em 2000: 557.526 habitantes; População estimada/IBGE em 1.7.2005: 669.736 habitantes; Área: 153.149,9 Km²; Densidade populacional: 3,64 hab./Km² em 2000 e 4,37 hab./Km² em 2005; Municípios: 22; Analfabetismo: 34,8%; % de participação no total do "bolo" distribuído pela União ao Fundo de Participação dos Estados (FPE) e ao Fundo de Participação dos Municípios (FPM) em 2006: FPE = 3,4210; FPM capital = 3,927138; FPM municípios do interior = 0,2630. Dos 26 estados brasileiros, mais o Distrito Federal, o estado do Acre ocupa a 26ª posição no Produto Nacional Bruto (PNB) e a 14ª posição na renda *per capita* brasileira. Representação política - governador: 1; prefeitos: 22; vereadores: 204; deputados estaduais: 24; deputados federais: 8; senadores: 3. (Ver: Deputado Estadual // Deputado Federal // Senador // Vereador // Região Norte do Brasil // Municípios Brasileiros).

ESTADO - ALAGOAS — Sigla: AL; Capital: Maceió; Habitante: alagoano. Localização: leste da Região Nordeste; Limites: Pernambuco (N e NO), Sergipe (S), Bahia (SO), e Oceano Atlântico (L); Relevo: planície litorânea, planalto (N) e depressão (C); Vegetação: floresta tropical, mangues litorâneos e caatinga. Clima: tropical; Temperatura média anual: 24ºC; Chuvas: junho e julho; Hora local (em relação à Brasília): a mesma. Dados gerais do Estado - População/IBGE em 2000: 2.822.621 habitantes; População estimada/IBGE em 1.7.2005: 3.015.912 habitantes; Área: 27.933,1 Km²; Densidade populacional: 101.05 hab./Km² em 2000 e 107.97 hab./Km² em 2005; Municípios: 102; Analfabetismo: 45,3%; % de participação no total do "bolo" distribuído pela União ao Fundo de Participação dos Estados (FPE) e ao Fundo de Participação dos Municípios (FPM) em 2006: FPE = 4,1601; FPM capital = 5,454359; FPM municípios do interior = 2,0883. Dos 26 estados brasileiros, mais o Distrito Federal, o Estado de Alagoas ocupa a 21ª posição no Produto Nacional Bruto (PNB) e a 24ª posição na renda *per capita* brasileira. Representação política - governador: 1; prefeitos: 102; vereadores: 938; deputados estaduais: 27; deputados federais: 9; senadores: 3. (Ver: Deputado Estadual // Deputado Federal // Senador // Vereador // Região Nordeste do Brasil // Municípios Brasileiros.)

ESTADO - AMAPÁ — Sigla: AP; Capital: Macapá; Habitante: amapaense. Localização: nordeste da Região Norte; Limites: Guiana Francesa (N), Suriname (NO), Oceano Atlântico (L) e Pará (SE); Relevo: planalto e planície; Vegetação: mangue, campos e Floresta Amazônica; Clima: equatorial; Temperatura média anual: 25ºC; Chuvas: novembro a março; Hora local (em relação à Brasília): a mesma. Dados gerais do Estado - População/IBGE em 2000: 477.032 habitantes; População estimada/IBGE em 1.7.2005: 594.587 habitantes; Área: 143.453,7 Km²; Densidade populacional: 3,33 hab./Km² em 2000 e 4,14 hab./Km² em 2005; Municípios: 16; Analfabetismo: 16,92%; % de participação no total do "bolo" distribuído pela União ao Fundo de Participação dos Estados (FPE) e ao Fundo de Participação dos Municípios (FPM) em 2006: FPE = 3,4120; FPM capital = 2.355828; FPM municípios do interior = 0,1392. Dos 26 estados brasileiros, mais o Distrito Federal, o Estado do Amapá ocupa a 25ª posição no Produto Nacional Bruto (PNB) e a 16ª posição na renda *per capita* brasileira. Representação política - governador: 1; prefeitos: 16; vereadores: 151; deputados estaduais: 24; deputados federais: 8; senadores: 3. (Ver: Deputado Estadual // Deputado Federal // Senador // Vereador // Região Norte do Brasil // Municípios Brasileiros.)

ESTADO – AMAZONAS — Sigla: AM; Capital: Manaus; Habitante: amazonense. Localização: centro da Região Norte; Limites: República da Venezuela e Roraima (N), República da Colômbia (NO), Pará (L), Mato Grosso (SE), Rondônia (S), Acre e República do Peru (SO); Relevo: Planície Amazônica e planalto; Vegetação: Floresta Amazônica; Clima: equatorial; Temperatura média anual: 32ºC; Chuvas: dezembro a junho; Hora local (em relação à Brasília): menos 1 hora a leste da linha que vai de Tabatinga a Porto Acre e menos 2 horas a oeste. Dados gerais do Estado - População/IBGE em 2000: 2.812.557 habitantes; População estimada/IBGE em 1.7.2005: 3.232.330 habitantes; Área: 1.577.820,2 Km²; Densidade populacional: 1,78 hab./Km² em 2000 e 2,05 hab./Km² em 2005; Municípios: 62; Analfabetismo: 20,67%; % de participação no total do "bolo" distribuído pela União ao Fundo de Participação dos Estados (FPE) e ao Fundo de Participação dos Municípios (FPM) em 2006: FPE = 2,7904; FPM capital = 3,490790; FPM municípios do interior = 1,2452. Dos 26 estados brasileiros, mais o Distrito Federal, o Estado do Amazonas ocupa a 14ª posição no Produto Nacional Bruto (PNB) e a 5ª posição na renda *per capita* brasileira. Representação política - governador: 1; prefeitos: 62; vereadores: 592; deputados estaduais: 24; deputados federais: 8; senadores: 3. (Ver: Deputado Estadual // Deputado Federal // Senador // Vereador // Região Norte do Brasil // Municípios Brasileiros.)

ESTADO – BAHIA — Sigla: BA; Capital: Salvador; Habitante: baiano. Localização: sul da Região Nordeste; Limites: Alagoas, Sergipe, Pernambuco, Piauí (N), Oceano Atlântico (L), Minas Gerais e Espírito Santo (S), Goiás e Tocantins (O); Relevo: planalto no litoral, depressão (N e O) e planície (C) Vegetação: floresta tropical, mangues, caatinga e cerrado; Clima: tropical; Temperatura média anual: 22ºC; Chuvas: bem distribuídas no litoral e escassas no sertão; Hora local (em relação à Brasília): a mesma. Dados gerais do Estado - População/IBGE em 2000: 13.070.250 habitantes; População estimada/IBGE em 1.7.2005: 13.815.334 habitantes; Área: 567.295,3 Km²; Densidade populacional: 23,04 hab./Km² em 2000 e 24,35 hab./Km² em 2005; Municípios: 417; Analfabetismo: 31,91%; % de participação no total do "bolo" distribuído pela União ao Fundo de Participação dos Estados (FPE) e ao Fundo de Participação dos Municípios (FPM) em 2006: FPE = 9,3962; FPM capital = 5,889571; FPM municípios do interior = 9,2695. Dos 26 estados brasileiros, mais o Distrito Federal, o estado da Bahia ocupa a 6ª posição no Produto Nacional Bruto (PNB) e a 20ª posição na renda *per capita* brasileira. Representação política - governador: 1; prefeitos: 417; vereadores: 3.868; deputados estaduais: 63; deputados federais: 39; senadores: 3. (Ver: Deputado Estadual // Deputado Federal // Senador // Vereador // Região Nordeste do Brasil // Municípios Brasileiros.)

ESTADO – CEARÁ — Sigla: CE; Capital: Fortaleza; Habitante: cearense. Localização: norte da Região Nordeste; Limites: Rio Grande do Norte e Paraíba (L), Piauí (O), Pernambuco (S) e Oceano Atlântico (N); Relevo: planície litorânea, planalto e várzea; Vegetação: caatinga, floresta, Mata dos Cocais, matas de várzea e manguezais. Clima: tropical; Temperatura média anual: 27ºC; Chuvas: escassas e irregulares no interior, bem distribuídas no litoral; Hora local (em relação à Brasília): a mesma. Dados gerais do Estado - População/IBGE em 2000: 7.730,661 habitantes; População estimada/IBGE em 1.7.2005: 8.097.276 habitantes; Área: 146.348,3 Km²; Densidade populacional: 52,82 hab./Km² em 2000 e 55,33 hab./Km² em 2005; Municípios: 184; Analfabetismo: 34,68%; % de participação no total do "bolo" distribuído pela União ao Fundo de Participação dos Estados (FPE) e ao Fundo de Participação dos Municípios (FPM) em 2006: FPE = 7,3369; FPM capital = 8,588957; FPM municípios do interior = 4,5864. Dos 26 estados brasileiros, mais o Distrito Federal, o Estado do Ceará ocupa a 13ª posição no Produto Nacional Bruto (PNB) e a 23ª posição na renda *per capita* brasileira. Representação política - governador: 1; prefeitos: 184; vereadores: 1.729; deputados estaduais: 46; deputados federais: 22; senadores: 3. (Ver: Deputado Estadual // Deputado Federal // Senador // Vereador // Região Nordeste do Brasil // Municípios Brasileiros.)

ESTADO – DISTRITO FEDERAL — Ver Distrito Federal.

ESTADO — É uma organização político-jurídica de uma sociedade para realizar o bem público, com governo próprio e território determinado. Não se confunde com Estado no sentido da Federação. Quando se referir à uma nação politicamente organizada, grafa-se com inicial maiúscula. Os estados constituem a divisão de primeiro nível dentro da organização político-administrativa do País; são subdivididos em municípios e podem incorporar-se, em si, subdividir-se ou desmembrar-se para se anexarem a outros ou formarem novos estados, mediante aprovação da população diretamente interessada, através de plebiscito e, do Congresso Nacional, por lei Complementar. Organizam-se pelas constituições e leis que adotarem, observados os princípios da Constituição Federal. O Estado desenvolve um conjunto de funções que o convertem num agente econômico de extrema importância: cobra impostos, que constituem fonte de rendimento, e realiza despesas, que incluem o pagamento aos servidores públicos e as aquisições de bens necessários para desempenhar as suas atividades. Fornece aos cidadãos diversos bens públicos e, em muitos casos, realiza funções de empresário, pois detém e/ou administra empresas públicas. A cidade que abriga a sede do governo denomina-se Capital.

ESTADO – ESPÍRITO SANTO — Sigla: ES; Capital: Vitória; Habitante: capixaba. Localização: leste da Região Sudeste; Limites: Oceano Atlântico (L), Bahia (N), Minas Gerais (N e NO) e Rio de Janeiro (S); Relevo: baixada litorânea (40% do território) e serras (interior); Vegetação: floresta tropical, vegetação litorânea. Temperatura média anual: 22ºC; Chuvas: novembro a março; Hora local (em relação à Brasília): a mesma. Dados gerais do Estado - População/IBGE em 2000: 3.097.232 habitantes; População estimada/IBGE em 1.7.2005: 3.408.365 habitantes; Área: 45.154,1 Km²; Densidade populacional: 68,59 hab./Km² em 2000 e 75,48hab./Km² em 2005; Municípios: 78; Analfabetismo: 16,94%; % de participação no total do "bolo" distribuído pela União ao Fundo de Participação dos Estados (FPE) e ao Fundo de Participação dos Municípios (FPM) em 2006: FPE = 1,5000; FPM capital = 1,505112; FPM municípios do interior = 1,7595. Dos 26 estados brasileiros, mais o Distrito Federal, o Estado do Espírito Santo ocupa a 11ª posição no Produto Nacional Bruto (PNB) e a 8ª posição na renda *per capita* brasileira. Representação política - governador: 1; prefeitos: 78; vereadores: 742; deputados estaduais: 30; deputados federais: 10; senadores: 3. (Ver: Deputado Estadual // Deputado Federal // Senador // Vereador // Região Sudeste do Brasil // Municípios Brasileiros.)

ESTADO – GOIÁS — Sigla: GO; Capital: Goiânia; Habitante: goiano. Localização: leste da Região Centro-Oeste; Limites: Tocantins (N), Minas Gerais (L e SE), Bahia (L), Mato Grosso do Sul (SO) e Mato Grosso (O) Relevo: planalto e planície; Vegetação: cerrado e floresta tropical. Temperatura média anual: 20ºC; Chuvas: novembro a março; Hora local (em relação à Brasília): a mesma. Dados gerais do Estado - População/IBGE em 2000: 5.003.228 habitantes; População estimada/IBGE em 1.7.2005: 5.619.917 habitantes; Área: 341.289,5 Km²; Densidade populacional: 14,66 hab./Km² em 2000 e 16,47 hab./Km² em 2005; Municípios: 246; Analfabetismo: 17,78%; % de participação no total do "bolo" distribuído pela União ao Fundo de Participação dos Estados (FPE) e ao Fundo de Participação dos Municípios (FPM) em 2006: FPE = 2,8431; FPM capital = 3,042945; FPM municípios do interior = 3,7318. Dos 26 estados brasileiros, mais o Distrito Federal, o Estado de Goiás ocupa a 10ª posição no Produto Nacional Bruto (PNB) e a 13ª posição na renda *per capita* brasileira. Representação política - governador: 1; prefeitos: 246; vereadores: 2.273; deputados estaduais: 41; deputados federais: 17; senadores: 3. (Ver: Deputado Estadual // Deputado Federal // Senador // Vereador // Região Centro-Oeste do Brasil // Municípios Brasileiros.)

ESTADO - MARANHÃO — Sigla: MA; Capital: São Luiz; Habitante: maranhense. Localização: oeste da Região Nordeste; Limites: Oceano Atlântico (N), Piauí (L), Pará (O), Tocantins (S e SE); Relevo: costa recortada, planície litorânea com dunas e planalto no interior; Vegetação: Mata de Cocais (L), mangues no litoral, Floresta Amazônica (O) e cerrado (S). Clima: tropical; Temperatura média anual: 26ºC; Chuvas: abundantes e distribuídas; Hora local (em relação à Brasília): a mesma. Dados gerais do Estado - População/IBGE em 2000: 5.661.475 habitantes; População estimada/IBGE em 1.7.2005: 6.103.327 habitantes; Área: 333.365,6 Km²; Densidade populacional: 16,94 hab./Km² em 2000 e 18,30 hab./Km² em 2005; Municípios: 217; Analfabetismo: 36,15%; % de participação no total do "bolo" distribuído pela União ao Fundo de Participação dos Estados (FPE) e ao Fundo de Participação dos Municípios (FPM) em 2006: FPE = 7,2182; FPM capital = 6,817949; FPM municípios do interior = 3,9715. Dos 26 estados brasileiros, mais o Distrito Federal, o Estado do Maranhão ocupa a 17ª posição no Produto Nacional Bruto (PNB) e a 27ª posição na renda *per capita* brasileira. Representação política - governador: 1; prefeitos: 217; vereadores: 1.995; deputados estaduais: 42; deputados federais: 18; senadores: 3. (Ver: Deputado Estadual // Deputado Federal // Senador // Vereador // Região Nordeste do Brasil // Municípios Brasileiros.)

ESTADO - MATO GROSSO — Sigla: MT; Capital: Cuiabá; Habitante: mato-grossense. Localização: oeste da Região Cetro-Oeste; Limites: Amazonas e Pará (N), Tocantins e Goiás (L), Mato Grosso do Sul (S), Rondônia e República da Bolívia (O); Relevo: planalto e planície; Vegetação: Floresta Amazônica, cerrados e campos. Clima: tropical; Temperatura média anual: 26ºC; Chuvas: novembro a março; Hora local (em relação à Brasília): menos 1 hora. Dados gerais do Estado - População/IBGE em 2000: 2.504.353 habitantes; População estimada/IBGE em 1.7.2005: 2.803.274 habitantes; Área: 906.806,9 Km²; Densidade populacional: 2,76 hab./Km² em 2000 e 3,09 hab./Km² em 2005; Municípios: 141; Analfabetismo: 18,45%; % de participação no total do "bolo" distribuído pela União ao Fundo de Participação dos Estados (FPE) e ao Fundo de Participação dos Municípios (FPM) em 2006: FPE = 2,3079; FPM capital = 1,635992; FPM municípios do interior = 1,8949. Dos 26 estados brasileiros, mais o Distrito Federal, o Estado do Mato Grosso ocupa a 15ª posição no Produto Nacional Bruto (PNB) e a 12ª posição na renda *per capita* brasileira. Representação política - governador: 1; prefeitos: 141; vereadores: 1.291; deputados estaduais: 24; deputados federais: 8; senadores: 3. (Ver: Deputado Estadual // Deputado Federal // Senador // Vereador // Região Centro-Oeste do Brasil // Municípios Brasileiros.)

ESTADO - MATO GROSSO DO SUL — Sigla: MS; Capital: Campo Grande; Habitante: sul-mato-grossense. Localização: sul da Região Centro-Oeste; Limites: Mato Grosso (N), Goiás e Minas Gerais (NE), São Paulo (L), Paraná (SE), República do Paraguai (S e SO) e República da Bolívia (O); Relevo: pantanal (O) e planalto. Clima: tropical; Temperatura média anual: 25ºC; Chuvas: novembro a março; Hora local (em relação à Brasília): menos 1 hora. Dados gerais do Estado - População/IBGE em 2000: 2.078.001 habitantes; População estimada/IBGE em 1.7.2005: 2.264.468 habitantes; Área: 358.158,7 Km²; Densidade populacional: 5,8hab./Km² em 2000 e 6,32 hab./Km² em 2005; Municípios: 77; Analfabetismo: 16,01%; % de participação no total do "bolo" distribuído pela União ao Fundo de Participação dos Estados (FPE) e ao Fundo de Participação dos Municípios (FPM) em 2006: FPE = 1,3320; FPM capital = 1,570552; FPM municípios do interior = 1,5004. Dos 26 estados brasileiros, mais o Distrito Federal, o Estado do Mato Grosso do Sul ocupa a 16ª posição no Produto Nacional Bruto (PNB) e a 9ª posição na renda *per capita* brasileira. Representação política - governador: 1; prefeitos: 78; vereadores: 721; deputados estaduais: 24; deputados federais: 8; senadores: 3. (Ver: Deputado Estadual // Deputado Federal // Senador // Vereador // Região Centro-Oeste do Brasil // Municípios Brasileiros.)

ESTADO - MINAS GERAIS — Sigla: MG; Capital: Belo Horizonte; Habitante: mineiro. Localização: noroeste da Região Sudeste; Limites: Bahia (N e NE), Espírito Santo (L), Rio de Janeiro (S e SE), São Paulo (S e SO), Mato Grosso do Sul (O), Goiás (O e NO); Relevo: planaltos com escarpas e depressões no centro; Vegetação: floresta tTropical com faixa de cerrado a NE. Clima: tropical; Temperatura média anual: 21ºC; Chuvas: novembro a abril; Hora local (em relação à Brasília): a mesma. Dados gerais do Estado - População/IBGE em 2000: 17.891.494 habitantes; População estimada/IBGE em 1.7.2005: 19.237.450 habitantes; Área: 588.383,6 Km²; Densidade populacional: 30,83 hab./Km² em 2000 e 33,15 hab./Km² em 2005; Municípios: 853; Analfabetismo: 17,18%; % de participação no total do "bolo" distribuído pela União ao Fundo de Participação dos Estados (FPE) e ao Fundo de Participação dos Municípios (FPM) em 2006: FPE = 2,0000; FPM capital = 4,253579; FPM municípios do interior = 14,1846. Dos 26 estados brasileiros, mais o Distrito Federal, o Estado de Minas Gerais ocupa a 3ª posição no Produto Nacional Bruto (PNB) e a 11ª posição na renda *per capita* brasileira. Representação política - governador: 1; prefeitos: 853; vereadores: 7.853; deputados estaduais: 77; deputados federais: 53; senadores: 3. (Ver: Deputado Estadual // Deputado Federal // Senador // Vereador // Região Sudeste do Brasil // Municípios Brasileiros.)

ESTADO - PARÁ — Sigla: PA; Capital: Belém; Habitante: paraense. Localização: centro da Região Norte; Limites: Suriname e Amapá (N), Oceano Atlântico (NE), Maranhão e Tocantins (L), Mato Grosso (S), Amazonas (O), Roraima e Guiana (NO); Relevo: Planície Amazônica e planalto; Vegetação: mangues, campos, cerrados e Floresta Amazônica; Clima: Equatorial; Temperatura média anual: 27ºC; Chuvas: novembro a junho; Hora local (em relação à Brasília): menos 1 hora (Santarém até o limite Oeste). Dados gerais do Estado - População/IBGE em 2000: 6.192.307 habitantes; População estimada/IBGE em 1.7.2005: 6.970.586 habitantes; Área: 1.253.164,5 Km²; Densidade populacional: 4,94 hab./Km² em 2000 e 5,56 hab./Km² em 2005; Municípios: 143; Analfabetismo: 20,99%; % de participação no total do "bolo" distribuído pela União ao Fundo de Participação dos Estados (FPE) e ao Fundo de Participação dos Municípios (FPM) em 2006: FPE = 6,1120; FPM capital = 5,169734; FPM municípios do interior = 3,2948. Dos 26 estados brasileiros, mais o Distrito Federal, o Estado do Pará ocupa a 12ª posição no Produto Nacional Bruto (PNB) e a 15ª posição na renda *per capita* brasileira. Representação política - governador: 1; prefeitos: 143; vereadores: 1.361; deputados estaduais: 41; deputados federais: 17; senadores: 3. (Ver: Deputado Estadual // Deputado Federal // Senador // Vereador // Região Norte do Brasil // Municípios Brasileiros.)

ESTADO - PARAÍBA — Sigla: PB; Capital: João Pessoa; Habitante: paraibano. Localização: leste da Região Nordeste; Limites: Rio Grande do Norte (N), Oceano Atlântico (L), Pernambuco (S) e Ceará (O); Relevo: planície litorânea, planalto (C) e depressões (O) Vegetação: mangues no litoral, floresta tropical em pequena parte e caatinga na maioria. Clima: tropical no litoral e semi-árido no interior; Temperatura média anual: 26ºC; Chuvas: escassas e irregulares; Hora local (em relação à Brasília): a mesma. Dados gerais do Estado – População/IBGE em 2000: 3.443.825 habitantes; População estimada/IBGE em 1.7.2005: 3.595.886 habitantes; Área: 56.584,6 Km²; Densidade populacional: 60,86 hab./Km² em 2000 e 63,55 hab./Km² em 2005; Municípios: 223; Analfabetismo: 39,11%; % de participação no total do "bolo" distribuído pela União ao Fundo de Participação dos Estados (FPE) e ao Fundo de Participação dos Municípios (FPM) em 2006: FPE = 4,7889; FPM capital = 3,435583; FPM municípios do interior = 3,1942. Dos 26 estados brasileiros, mais o Distrito Federal, o estado da Paraíba ocupa a 18ª posição no Produto Nacional Bruto (PNB) e a 19ª posição na renda *per capita* brasileira. Representação política – governador: 1; prefeitos: 223; vereadores: 2.023; deputados estaduais: 36; deputados federais: 12; senadores: 3. (Ver: Deputado Estadual // Deputado Federal // Senador // Vereador // Região Nordeste do Brasil // Municípios Brasileiros.)

ESTADO – PARANÁ — Sigla: PR; Capital: Curitiba; Habitante: paranaense. Localização: norte da Região Sul; Limites: São Paulo (N e NE), Oceano Atlântico (L), Santa Catarina (S), República da Argentina (SO), República do Paraguai (O) e Mato Grosso do Sul (NO); Relevo: baixada (litoral) e planaltos (L e O) e depressão (C); Vegetação: mangue no litoral, Mata Atlântica, floresta tropical (O) e Mata de Araucária (C). Clima: subtropical; Temperatura média anual: 19ºC; Chuvas: bem distribuídas; Hora local (em relação à Brasília): a mesma. Dados gerais do Estado – População/IBGE em 2000: 9.563.458 habitantes; População estimada/IBGE em 1.7.2005: 10.261.856 habitantes; Área: 199.709,1 Km²; Densidade populacional: 47,89 hab./Km² em 2000 e 51,38 hab./Km² em 2005; Municípios: 399; Analfabetismo: 14,39%; % de participação no total do "bolo" distribuído pela União ao Fundo de Participação dos Estados (FPE) e ao Fundo de Participação dos Municípios (FPM) em 2006: FPE = 2,8832; FPM capital = 3,010225; FPM municípios do interior = 7,2857. Dos 26 estados brasileiros, mais o Distrito Federal, o Estado do Paraná ocupa a 5ª posição no Produto Nacional Bruto (PNB) e a 7ª posição na renda *per capita* brasileira. Representação política – governador: 1; prefeitos: 399; vereadores: 3.692; deputados estaduais: 54; deputados federais: 30; senadores: 3. (Ver: Deputado Estadual // Deputado Federal // Senador // Vereador // Região Sul do Brasil // Municípios Brasileiros.)

ESTADO – PERNAMBUCO — Sigla: PE; Capital: Recife; Habitante: pernambucano. Localização: centro-oeste da Região Nordeste; Limites: Paraíba e Ceará (NO), Oceano Atlântico (L), Alagoas e Bahia (S) e Piauí (O); Relevo: planície litorânea, planalto (C) e depressões (O e L); Vegetação: floresta tropical, mangues e caatinga. Clima: tropical atlântico no litoral e semi-árido no interior; Temperatura média anual: 28ºC; Chuvas: novembro a março no litoral e escassas e irregulares no interior; Hora local (em relação à Brasília): a mesma. Dados gerais do Estado – População/IBGE em 2000: 7.818.344 habitantes; População estimada/IBGE em 1.7.2005: 8.413.593 habitantes; Área: 98.937,8 Km²; Densidade populacional: 79,02 hab./Km² em 2000 e 85,04 hab./Km² em 2005; Municípios: 184; Analfabetismo: 32,23%; % de participação no total do "bolo" distribuído pela União ao Fundo de Participação dos Estados (FPE) e ao Fundo de Participação dos Municípios (FPM) em 2006: FPE = 6,9002; FPM capital = 4,515337; FPM municípios do interior = 4,7952. Dos 26 estados brasileiros, mais o Distrito Federal, o Estado de Pernambuco ocupa a 9ª posição no Produto Nacional Bruto (PNB) e a 21ª posição na renda *per capita* brasileira. Representação política – governador: 1; prefeitos: 184; vereadores: 1.755; deputados estaduais: 49; deputados federais: 49; senadores: 3. (Ver: Deputado Estadual // Deputado Federal // Senador // Vereador // Região Nodeste do Brasil // Municípios Brasileiros.)

ESTADO – PIAUÍ — Sigla: PI; Capital: Teresina; Habitante: piauiense. Localização: noroeste da Região Nordeste; Limites: Oceano Atlântico (NO), Ceará e Pernambuco (L), Bahia (S e SE), Tocantins (SO) e Maranhão (O); Relevo: baixada litorânea, planalto e depressões (SE); Vegetação: mangues, Mata dos Cocais (O) e caatinga. Clima: tropical; Temperatura média anual: 26ºC; Chuvas: novembro a março; Hora local (em relação à Brasília): a mesma. Dados gerais do Estado – População/IBGE em 2000: 2.843,278 habitantes; População estimada/IBGE em 1.7.2005: 3.006.885 habitantes; Área: 252.378,6 Km²; Densidade populacional: 11,27 hab./Km² em 2000 e 11,91 hab./Km² em 2005; Municípios: 223; Analfabetismo: 37,81%; % de participação no total do "bolo" distribuído pela União ao Fundo de Participação dos Estados (FPE) e ao Fundo de Participação dos Municípios (FPM) em 2006: FPE = 4,3214; FPM capital = 5,454359; FPM municípios do interior = 2,4015. Dos 26 estados brasileiros, mais o Distrito Federal, o Estado do Piauí ocupa a 23ª posição no Produto Nacional Bruto (PNB) e a 26ª posição na renda *per capita*. brasileira. Representação política – governador: 1; prefeitos: 223; vereadores: 2.024; deputados estaduais: 30; deputados federais: 10; senadores: 3. (Ver: Deputado Estadual // Deputado Federal // Senador // Vereador // Região Nordeste do Brasil // Municípios Brasileiros.)

ESTADO – RIO DE JANEIRO — Sigla: RJ; Capital: Rio de Janeiro; Habitante: fluminense. Localização: leste da Região Sudeste; Limites: Oceano Atlântico (L), Espírito Santo (N), Minas Gerais (N e NO), São Paulo (S); Relevo: planície litorânea com morros, lagos, várzeas e dunas, planalto; Vegetação: mangue no litoral e Mata Atlântica, floresta tropical. Clima: tropical atlântico; Temperatura média anual: 23ºC; Chuvas: novembro a abril; Hora local (em relação à Brasília): a mesma. Dados gerais do Estado – População/IBGE em 2000: 14.391.282 habitantes; População estimada/IBGE em 1.7.2005: 15.383.407 habitantes; Área: 43.909,7 Km²; Densidade populacional: 327,75 hab./Km² em 2000 e 350,34 hab./Km² em 2005; Municípios: 92; Analfabetismo: 9,66%; % de participação no total do "bolo" distribuído pela União ao Fundo de Participação dos Estados (FPE) e ao Fundo de Participação dos Municípios (FPM) em 2006: FPE = 1,5277; FPM capital = 2,617587; FPM municípios do interior = 2,7379. Dos 26 estados brasileiros, mais o Distrito Federal, o Estado do Rio de Janeiro ocupa a 2ª posição no Produto Nacional Bruto (PNB) e a 3ª posição na renda *per capita* brasileira. Representação política – governador: 1; prefeitos: 92; vereadores: 999; deputados estaduais: 70; deputados federais: 46; senadores: 3. (Ver: Deputado Estadual // Deputado Federal // Senador // Vereador // Região Sudeste do Brasil // Municípios Brasileiros.)

ESTADO – RIO GRANDE DO NORTE — Sigla: RN; Capital: Natal; Habitante: potiguar ou norte-riograndense. Localização: nordeste da Região Nordeste; Limites: Oceano Atlântico (N e L), Paraíba (S) e Ceará (O); Relevo: Planalto, planície litorânea e depressões; Vegetação: mangues, floresta tropical e caatinga. Clima: tropical; Temperatura média anual: 28ºC; Chuvas: março a junho; Hora local (em relação à Brasília): a mesma. Dados gerais do Estado – População/IBGE em 2000: 2.776.782 habitantes; População estimada/IBGE em 1.7.2005: 3.303.087 habitantes; Área: 53.306,8 Km²; Densidade populacional: 52,09 hab./Km² em 2000 e 61,96 hab./Km² em 2005; Municípios: 167; Analfabetismo: 33,98%; % de participação no total do "bolo" distribuído pela União ao Fundo de Participação dos Estados (FPE) e ao Fundo de Participação dos Municípios (FPM) em 2006: FPE = 4,1779; FPM capital = 2,683027; FPM municípios do interior = 2,4324. Dos 26 estados brasileiros, mais o Distrito Federal, o Estado do Rio Grande do Norte ocupa a 13ª posição no Produto Nacional Bruto (PNB) e a 22ª posição na renda *per capita* brasileira. Representação política – governador: 1; prefeitos: 167; vereadores: 1.527; deputados estaduais: 24; deputados federais: 8; senadores: 3. (Ver: Deputado Estadual // Deputado Federal // Senador // Vereador // Região Nordeste do Brasil // Municípios Brasileiros.)

ESTADO – RIO GRANDE DO SUL — Sigla: RS; Capital: Porto Alegre; Habitante: gaúcho. Localização: sul da Região Sul; Limites: Santa Catarina (N), Oceano Atlântico (L), República do Uruguai (S) e República da Argentina (O); Relevo: planície litorânea com restingas e areias, planaltos (O e NE), depressões no centro; Vegetação: campos (S e O), floresta tropical (L), matas de araucárias (N), mangues litorâneos. Clima: subtropical; Temperatura média anual: Abaixo de 18ºC; Chuvas: escassas na região lagunar e nos pampas e bem distribuídas e abundantes no planalto; Hora local (em relação à Brasília): a mesma. Dados gerais do Estado - População/IBGE em 2000: 10.187.798 habitantes; População estimada/IBGE em 1.7.2005: 10.845.087 habitantes; Área: 282.062 Km²; Densidade populacional: 36,12 hab./Km² em 2000 e 38,45 hab./Km² em 2005; Municípios: 496; Analfabetismo: 9,68%; % de participação no total do "bolo" distribuído pela União ao Fundo de Participação dos Estados (FPE) e ao Fundo de Participação dos Municípios (FPM) em 2006: FPE = 2,3548; FPM capital = 1,897751; FPM municípios do interior = 7,3011. Dos 26 estados brasileiros, mais o Distrito Federal, o Estado do Rio Grande do Sul ocupa a 4ª posição no Produto Nacional Bruto (PNB) e a 4ª posição na renda *per capita* brasileira. Representação política - governador: 1; prefeitos: 496; vereadores: 4.584; deputados estaduais: 55; deputados federais: 31; senadores: 3. (Ver: Deputado Estadual // Deputado Federal // Senador // Vereador // Região Sul do Brasil // Municípios Brasileiros.)

ESTADO – RONDÔNIA — Sigla: RO; Capital: Porto Velho; Habitante: rondoniano. Localização: oeste da Região Norte; Limites: Amazonas (N), Mato Grosso(L), República da Bolívia (S e O) e Acre (O); Relevo: planície, depressões e planalto; Vegetação: Floresta Amazônica. Clima: equatorial; Temperatura média anual: 26ºC; Chuvas: outubro a abril; Hora local (em relação à Brasília): menos 1 hora. Dados gerais do Estado - População/IBGE em 2000: 1.379.787 habitantes; População estimada/IBGE em 1.7.2005: 1.534.594 habitantes; Área: 238.512,8 Km²; Densidade populacional: 5,78 hab./Km² em 2000 e 6,46 hab./Km² em 2005; Municípios: 52; Analfabetismo: 18,67%; % de participação no total do "bolo" distribuído pela União ao Fundo de Participação dos Estados (FPE) e ao Fundo de Participação dos Municípios (FPM) em 2006: FPE = 2,8156; FPM capital = 3,054441; FPM municípios do interior = 0,7464. Dos 26 estados brasileiros, mais o Distrito Federal, o Estado de Rondônia ocupa a 22ª posição no Produto Nacional Bruto (PNB) e a 10ª posição na renda *per capita* brasileira. Representação política - governador: 1; prefeitos: 52; vereadores: 482; deputados estaduais: 24; deputados federais: 8; senadores: 3. (Ver: Deputado Estadual // Deputado Federal // Senador // Vereador // Região Norte do Brasil // Municípios Brasileiros.)

ESTADO – RORAIMA — Sigla: RR; Capital: Boa Vista; Habitante: roraimense. Localização: noroeste da Região Norte; Limites: Venezuela (N e NO), Guiana (L), Pará (SE) e Amazonas (S e O); Relevo: planalto (N) e depressões (S); Vegetação: Floresta Amazônica e cerrado. Clima: equatorial (N, S e O) e tropical (L); Temperatura média anual: 28ºC; Chuvas: abril a setembro; Hora local (em relação à Brasília): menos 1 hora. Dados gerais do Estado - População/IBGE em 2000: 324.397 habitantes; População estimada/IBGE em 1.7.2005: 391.317 habitantes; Área: 225.116,1 Km²; Densidade populacional: 1,44 hab./Km² em 2000 e 1,74 hab./Km² em 2005; Municípios: 15; Analfabetismo: 18,78%; % de participação no total do "bolo" distribuído pela União ao Fundo de Participação dos Estados (FPE) e ao Fundo de Participação dos Municípios (FPM) em 2006: FPE = 2,4807; FPM capital = 5,454359; FPM municípios do interior = 0,0851. Dos 26 estados brasileiros, mais o Distrito Federal, o Estado de Roraima ocupa a 27ª posição no Produto Nacional Bruto (PNB) e a 18ª posição na renda *per capita* brasileira. Representação política - governador: 1; prefeitos: 15; vereadores: 139; deputados estaduais: 24; deputados federais: 8; senadores: 3. (Ver: Deputado Estadual // Deputado Federal // Senador // Vereador // Região Norte do Brasil // Municípios Brasileiros.)

ESTADO – SANTA CATARINA — Sigla: SC; Capital: Florianópolis; Habitante: catarinense ou barriga-verde. Localização: centro da Região Sul; Limites: Paraná (N), Oceano Atlântico (L), Rio Grande do Sul (S) e República Argentina; Relevo: planícies litorâneas, Planalto Atlântico e depressão; Vegetação: Mata Atlântica, mata de araucária, mangues e campos. Clima: sSubtropical; Temperatura média anual: inferiores a 18ºC; Chuvas: freqüentes, bem distribuídas; Hora local (em relação à Brasília): a mesma. Dados gerais do Estado - População/IBGE em 2000: 5.356.360 habitantes; População estimada/IBGE em 1.7.2005: 5.866.568 habitantes; Área: 95.442,9 Km²; Densidade populacional: 56,12 hab./Km² em 2000 e 61,47 hab./Km² em 2005; Municípios: 293; Analfabetismo: 10,4%; % de participação no total do "bolo" distribuído pela União ao Fundo de Participação dos Estados (FPE) e ao Fundo de Participação dos Municípios (FPM) em 2006: FPE = 1,2798; FPM capital = 1,210624; FPM municípios do interior = 4,1997. Dos 26 estados brasileiros, mais o Distrito Federal, o Estado de Santa Catarina ocupa a 7ª posição no Produto Nacional Bruto (PNB) e a 6ª posição na renda *per capita* brasileira. Representação política - governador: 1; prefeitos: 293; vereadores: 2.691; deputados estaduais: 40; deputados federais: 16; senadores: 3. (Ver: Deputado Estadual // Deputado Federal // Senador // Vereador // Região Sul do Brasil // Municípios Brasileiros.)

ESTADO – SÃO PAULO — Sigla: SP; Capital: São Paulo; Habitante: paulista. Localização: sudeste da Região Sudeste; Limites: Minas Gerais (N e NE), Rio de Janeiro (NE), Oceano Atlântico (L), Paraná (S)e Mato Grosso do Sul (O); Relevo: planície litorânea, planaltos e depressões no resto do território; Vegetação: mangues, Mata Atlântica e floresta tropical. Clima: tropical atlântico no litoral, tropical de altitude no interior; Temperatura média anual: 20ºC; Chuvas: novembro a março; Hora local (em relação à Brasília): a mesma. Dados gerais do Estado - População/IBGE em 2000: 37.032.403 habitantes; População estimada/IBGE em 1.7.2005: 40.442.795 habitantes; Área: 248.808,8 Km²; Densidade populacional: 148,84 hab./Km² em 2000 e 162,55 hab./Km² em 2005; Municípios: 645; Analfabetismo: 10,01%; % de participação no total do "bolo" distribuído pela União ao Fundo de Participação dos Estados (FPE) e ao Fundo de Participação dos Municípios (FPM) em 2006: FPE = 1,0000; FPM capital = 3,272615; FPM municípios do interior = 14,2620. Dos 26 estados brasileiros, mais o Distrito Federal, o Estado de São Paulo ocupa a 1ª posição no Produto Nacional Bruto (PNB) e a 2ª posição na renda *per capita* brasileira. Representação política - governador: 1; prefeitos: 645; vereadores: 6.248; deputados estaduais: 94; deputados federais: 70; senadores: 3. (Ver: Deputado Estadual // Deputado Federal // Senador // Vereador // Região Sudeste do Brasil // Municípios Brasileiros.)

ESTADO – SERGIPE — Sigla: SE; Capital: Aracaju; Habitante: sergipano. Localização: leste da Região Nordeste; Limites: Alagoas (N), Oceano Atlântico (L), Bahia (S e O); Relevo: planície litorânea e planalto; Vegetação: mangues, floresta tropica e caatinga. Clima: tropical; Temperatura média anual: 24ºC; Chuvas: outubro e novembro; Hora local (em relação à Brasília): a mesma. Dados gerais do Estado - População/IBGE em 2000: 1.784.475 habitantes; População estimada/IBGE em 1.7.2005: 1.967.791 habitantes; Área: 22.050,3 Km²; Densidade populacional: 80,93 hab./Km² em 2000 e 89,24 hab./Km² em 2005; Municípios: 75; Analfabetismo: 33,29%; % de participação no total do "bolo" distribuído pela União ao Fundo de Participação dos Estados (FPE) e ao Fundo de Participação dos Municípios (FPM) em 2006: FPE = 4,1530; FPM capital = 2,028630; FPM municípios do interior = 1,3342. Dos 26 estados brasileiros, mais o Distrito Federal, o Estado de Sergipe ocupa a 20ª posição no Produto Nacional Bruto (PNB) e a 17ª posição na renda *per capita* brasileira. Representação política - governador: 1; prefeitos: 75; vereadores: 692; deputados estaduais: 24; deputados federais: 8; senadores: 3. (Ver: Deputado Estadual // Deputado Federal // Senador // Vereador // Região Nordeste do Brasil // Municípios Brasileiros.)

ESTADO - TOCANTINS — Sigla: TO; Capital: Palmas; Habitante: tocantinense. Localização: sudeste da Região Norte; Limites: Maranhão (N e NE), Piauí e Bahia (L), Goiás (S). Mato Grosso (SO) e Pará (NO); Relevo: planície (C) e planalto; Vegetação: Floresta Amazônica (N), serrado e floresta tropical. Clima: tropical; Temperatura média anual: 26ºC; Chuvas: outubro a março; Hora local (em relação à Brasília): a mesma. Dados gerais do Estado - População/IBGE em 2000: 1.157.098 habitantes; População estimada/IBGE em 1.7.2005: 1.305.728 habitantes; Área: 248.420,7 Km²; Densidade populacional: 4,66 hab./Km² em 2000 e 5,26 hab./Km² em 2005; Municípios: 139; Analfabetismo: 28,16%; % de participação no total do "bolo" distribuído pela União ao Fundo de Participação dos Estados (FPE) e ao Fundo de Participação dos Municípios (FPM) em 2006: FPE = 4,3400; FPM capital = 5,454359; FPM municípios do interior = 1,2955. Dos 26 estados brasileiros, mais o Distrito Federal, o Estado do Tocantins ocupa a 24ª posição no Produto Nacional Bruto (PNB) e a 25ª posição na renda *per capita* brasileira. Representação política - governador: 1; prefeitos: 139; vereadores: 1.257; deputados estaduais: 54; deputados federais: 8; senadores: 3. (Ver: Deputado Estadual // Deputado Federal // Senador // Vereador // Região Norte do Brasil // Municípios Brasileiros.)

ESTADO DA FEDERAÇÃO — Entidade integrante do Estado Federal, dotada de poder de auto-organização, limitado pela Constituição Federal. (Ver: Estado.)

ESTADO DE BEM-ESTAR SOCIAL — Conhecido como *welfare state*, é uma das características assumidas pelo Estado moderno e tem por objetivo procurar melhorar a vida diária e prover segurança ao indivíduo, por meio de programas econômicos de governo. O *welfare state* foi ocasionado principalmente pela Revolução Industrial, a urbanização e as conseqüências sociais e econômicas de depressões econômicas e guerras.

ESTADO DE CALAMIDADE PÚBLICA — Reconhecimento legal pelo Poder Público de situação anormal, provocada por desastres, causando sérios danos à comunidade afetada, inclusive à incolumidade e à vida de seus integrantes.

ESTADO DE DEFESA — De acordo com a Constituição Brasileira de 1988 é o instrumento que o presidente da República pode utilizar, ouvidos o Conselho da República e o Conselho de Defesa Nacional, para preservar ou prontamente restabelecer, em locais restritos e determinados, a ordem pública ou a paz social ameaçadas por grave e iminente instabilidade institucional ou atingidas por calamidades de grandes proporções na natureza. É instituído através de decreto, que deverá indicar a sua duração, as áreas a serem abrangidas e as respectivas medidas coercitivas. Decretado o estado de defesa ou sua prorrogação, o presidente da República, dentro de 24 horas, submeterá o ato com a respectiva justificativa ao Congresso Nacional, que decidirá por maioria absoluta. Art. 136 da Constituição Federal.

ESTADO DE DIREITO — Estado no qual o indivíduo goza do pleno exercício de suas liberdades fundamentais e direitos civis, e onde as garantias necessárias a seu respeito são asseguradas. Estado que funciona segundos os princípios da separação de poderes, do governo democrático eleito e respeitador dos direitos humanos.

ESTADO DE NECESSIDADE — Considera-se em estado de necessidade quem pratica o fato para salvar de perigo atual, que não provocou por sua vontade, nem podia de outro modo evitar, direito próprio ou alheio, cujo sacrifício, nas circunstâncias, não era razoável exigir-se.

ESTADO DE PERIGO — É uma das modalidades de defeitos do negócio jurídico. Configura-se o estado de perigo quando alguém, premido da necessidade de salvar-se, ou a pessoa de sua família, de grave dano conhecido pela outra parte, assume obrigação excessivamente onerosa. Tratando-se de pessoa não pertencente à família do declarante, o juiz decidirá segundo as circunstâncias.

ESTADO DE SÍTIO — É a suspensão de direitos e garantias individuais, na totalidade ou em parte do território nacional. De acordo com a Constituição Brasileira de 1988, é o instrumento que pode ser utilizado pelo presidente da República, nos casos de: a) comoção grave de repercussão nacional ou ocorrência de fatos que comprovem a ineficácia de medida tomada durante o estado de defesa e b) declaração de estado de guerra ou resposta a agressão armada estrangeira. A decretação do estado de sítio depende de autorização prévia do Congresso Nacional, por maioria absoluta, ouvidos o Conselho da República e o Conselho de Defesa Nacional. (Arts. 137/139 da Constituição Federal, de 1988).

ESTADO IMPORTADOR (UNIDADE DA FEDERAÇÃO IMPORTADORA) — Define-se como Estado importador a Unidade da Federação do domicílio fiscal do importador.

ESTADO NOVO — Nome que se dá ao regime ditatorial implantado pelo presidente Getúlio Vargas a partir do golpe de Estado de 1937. A ditadura varguista prolonga-se até 1945, quando é derrubada por outro golpe de Estado. Desde a Intentona Comunista de 1935, Getúlio Vargas mantém o país sob estado de guerra, com a suspensão dos direitos constitucionais e forte repressão policial. Com essa atitude, justificada como defesa da nação diante do "perigo vermelho" (comunista), Vargas dificulta a campanha eleitoral para sua sucessão e ganha tempo a fim de avaliar a chance de um autogolpe para manter-se na Presidência. Aproveita-se do crescimento da tensão político-ideológica e militar na Europa, decorrente do confronto entre liberalismo, fascismo e comunismo, no período imediatamente anterior à II Guerra Mundial.

ESTADO PRODUTOR EXPORTADOR (UNIDADE DA FEDERAÇÃO EXPORTADORA) — Para efeito de divulgação estatística de exportação, é a Unidade da Federação onde foram cultivados os produtos agrícolas, extraídos os minerais ou fabricados os bens manufaturados, total ou parcialmente. Neste último caso, o Estado produtor é aquele no qual foi completada a última fase do processo de fabricação para que o produto adote sua forma final.

ESTADO SOBERANO — É aquele que não sofre qualquer restrição à sua soberania interna ou externa, em virtude de que lhe são assegurados todos os direitos inerentes à mesma soberania, podendo, assim, organizar-se segundo sua própria vontade ou determinação de seu povo. A soberania interna significa que o poder do Estado é o mais alto existente dentro do Estado. A soberania externa significa que nas relações recíprocas entre os Estados não há subordinação nem dependência, e sim igualdade.

ESTADO UNITÁRIO — O tipo puro do Estado Unitário é aquele em que o governo nacional assume exclusivamente a direção de todos os serviços públicos, centralizando o poder, mesmo que esse Estado esteja dividido em circunscrições. Isso significa que, embora existam órgãos públicos encarregados de serviços locais, esses órgãos não possuem autonomia político-administrativa, cabendo aos governos locais e regionais (provinciais) executar as leis emanadas do poder central. O ordenamento jurídico estatal baseia-se na emissão centralizada de normas jurídicas genéricas.

ESTADO, ATIVIDADE FINANCEIRA DO — Parte da atividade governamental orientada para a competente captação e adequada gestão dos recursos financeiros do Estado, realizada com vistas a propiciar a satisfação das necessidades coletivas e custeio das funções peculiares ao Estado moderno.

ESTADOS BRASILEIROS — O Brasil está dividido em 26 Estados e 1 Distrito Federal. Os Estados são as unidades autônomas mais importantes da organização político-administrativa do Brasil, e o Distrito Federal é a sede do Governo Federal. Estão assim distribuídos por regiões: Norte - Acre (AC); Amapá (AP); Amazonas (AM); Pará (PA); Rondônia (RO); Roraima (RR); Tocantins (TO). Nordeste - Alagoas (AL); Bahia (BA); Ceará (CE); Maranhão (MA); Paraíba (PB); Pernambuco (PE); Piauí (PI); Rio Grande do Norte (RN); Sergipe (SE). Sudeste - Espírito Santo (ES); Minas Gerais (MG); Rio de Janeiro (RJ); São Paulo (SP). Centro Oeste - Distrito Federal (DF); Goiás (GO); Mato Grosso (MT); Mato Grosso do Sul (MS). Sul - Paraná (PR); Santa Catarina (SC); Rio Grande do Sul (RS). Dados gerais dos Estados, ver: Estado - ... (seguido da Unidade da Federação corresponde. Ex.: Estado - Acre) // Distrito Federal.

ESTADOS PARTICIPANTES EM ACORDO INTERNACIONAL — Ver Acordo Internacional - Estados Participantes.

ESTAGFLAÇÃO — Situação em que a economia de um país se encontra simultaneamente em recessão e com inflação. Encontra-se estagnado e inflacionado. Corresponde a uma situação de elevadas taxas de desemprego e de inflação, em resultado de uma retração da oferta agregada. A análise da curva de Phillips não abrangia esta realidade, apenas detectável no início dos anos 70 do século XX com a crise do petróleo.

ESTÁGIO — Conjunto das atividades de aprendizagem social, profissional e cultural, proporcionadas ao estudante pela participação em situações reais de vida e trabalho de seu meio, sendo realizada na comunidade em geral ou junto a pessoas jurídicas de direito público ou privado, sob responsabilidade e coordenação da instituição de ensino. A Lei nº 9.394, de 20 de dezembro de 1996, que estabelece as diretrizes e bases da educação nacional, prevê em seu art. 82 a definição de normas para a realização dos estágios dos alunos regularmente matriculados no ensino médio ou superior em sua jurisdição pelos sistemas de ensino. O estágio, sob a lei de diretrizes e bases da educação nacional, não estabelece vínculo empregatício entre o estagiário e a empresa, embora o estagiário possa receber bolsa de estágio, estar segurado contra acidentes e ter a cobertura previdenciária prevista na legislação específica.

ESTÁGIO CONFIRMATÓRIO OU ESTÁGIO PROBATÓRIO — É o período de exercício, após nomeação, em que se apura se o nomeado tem condições para ser efetivado no cargo. A tal período, com referência a magistrados, denomina-se vitaliciamento.

ESTÁGIO PROBATÓRIO — Ver Estágio Confirmatório.

ESTÁGIOS DA DESPESA — Ver Despesa, Estágios da.

ESTÁGIOS DA RECEITA — Ver Receita, Estágios da.

ESTAGNAÇÃO — 1) É compreendida como um fator resultante da demanda em particular (investimento, exportação, consumo etc.), ou da atividade econômica em geral, e, portanto da produção. 2) Situação em que o crescimento do produto nacional se mantém no mesmo nível da flutuação populacional do país ou região, isto é, cresce no mesmo ritmo do que o incremento populacional, ou abaixo desse. Por conseqüência, ela pode ocorrer mesmo quando acontece uma ampla mobilização dos recursos do país ou região, se o crescimento da produção agregada não superar a taxa anual de incremento populacional.

ESTARRECER — Assustar, apavorar-se, aterrorizar, desmaiar.

ESTATAIS — É uma designação genérica, não existente no direito societário, que define todas as empresas que sejam controladas pelo Estado e submetidas a alguma modalidade de controle público externo. Como termo genérico (além de atender aos casos da empresa pública e da sociedade de economia mista), define empresas de controle público, mas não criadas por lei. Por exemplo, sociedades que ficaram sob o controle do Estado por insolvência ou encampação.

ESTATÍSTICA — 1) É uma ciência que utiliza teorias probabilísticas para explicação de eventos, estudos e experimentos. Tem por objetivo obter, organizar e analisar dados, determinar as correlações que apresentem, tirando delas suas conseqüências para descrição e explicação do que passou e previsão e organização do futuro. Estatística é também uma ciência e prática de desenvolvimento de conhecimento humano através do uso de dados empíricos. Baseia-se na teoria estatística, um ramo da matemática aplicada. Na teoria estatística, a aleatoriedade e incerteza são modeladas pela teoria da probabilidade. Algumas práticas estatísticas incluem, por exemplo, o planejamento, a sumarização e a interpretação de observações. Porque o objetivo da estatística é a produção da "melhor" informação possível a partir dos dados disponíveis, alguns autores sugerem que a estatística é um ramo da teoria da decisão. 2) Ocorrência aleatória de um acontecimento, que pode ser definido *a priori*, num determinado conjunto.

ESTATÍSTICA OU ESTIMADOR — É uma característica da amostra, ou seja, é uma função dos valores da amostra, por exemplo, a média amostral, a proporção amostral, a variância amostral etc.

ESTATIZAÇÃO — Processo pelo qual o Estado assume o controle de setores produtivos alheios às suas finalidades.

ESTATIZAR — Transformar uma empresa privada em empresa pública. (Ver: Privatização.)

ESTATUTO - CÓDIGO — 1) Lei aprovada por parlamento ou corpo legislador similar, e escrita formalmente. 2) Lei orgânica de um Estado, sociedade ou associação. 3) Qualquer das regras de uma instituição, constituição, ordenação, regra/código. 4) Conjunto de leis e regulamentos. 5) Instrumento anexado ou suplementar a um acordo internacional, como um tratado. 6) Lei permanente estabelecida por uma organização, corporação etc. para governar seus assuntos internos.

ESTATUTO — Complexo de princípios ou regras que regulam as atividades dos servidores públicos, sejam civis ou militares, assegurando-lhes as vantagens e direitos e definindo seus deveres e obrigações, no exercício dos respectivos cargos ou funções.

ESTATUTO DA CIDADE — É assim conhecida a Lei nº 10.257 de 10 de julho de 2001 que cria uma nova concepção de município e os mecanismos necessários para colocá-la em prática. Entre outras coisas, um ponto importante do estatuto é a definição da função social da propriedade. Imóveis e terrenos vazios em regiões valorizadas da cidade, mantidos para especulação imobiliária, são exemplos de propriedades que não cumprem função social. Para evitar essa situação, o estatuto prevê a cobrança do Imposto Predial e Territorial Urbano (IPTU) progressivo conforme o tempo de desocupação do imóvel, para estimular os proprietários a cumprir a função social. Caso o abandono do terreno ou imóvel persista, a Prefeitura poderá recorrer à desapropriação. Para disciplinar a ocupação do espaço urbano, o estatuto tem recursos como o da concessão onerosa do direito de construir. Trata-se da cobrança de uma taxa pela exploração imobiliária da parte mais valorizada das cidades segundo os critérios do município, que define o limite permitido para as construções de acordo com a metragem dos terrenos. Caso os empreendedores queiram ultrapassar esse limite – construindo prédios altos em lotes pequenos para aumentar seus ganhos, por exemplo – são taxados. O dinheiro arrecadado com o imposto pode ser investido em bairros sem infra-estrutura.

ESTATUTO DA CRIANÇA E DO ADOLESCENTE (ECA) — É assim denominada a Lei nº 8.069, de 13 de julho de 1990, que dispõe sobre a proteção integral à criança. O ECA prevê que a política de atendimento se fará através de um conjunto articulado de ações governamentais e não-governamentais, destacando, como linhas de ação, dentre outras, políticas sociais básicas, políticas e programas de assistência social e serviços especiais de prevenção e atendimento médico e psicossocial às vítimas de negligência, maus-tratos, exploração, abuso, crueldade e opressão. Como diretrizes desta política, aponta a municipalização do atendimento, criação de fundos vinculados respectivamente a seus conselhos dos direitos da criança e do adolescente, municipais, estaduais e nacional, criação e manutenção de programas específicos, observada a descentralização político-administrativa, dentre outras diretrizes.

ESTATUTO DO DESARMAMENTO — É o nome como ficou conhecida a Lei Federal nº 10.826, de 22 de dezembro de 2003, que dispõe sobre registro, posse e comercialização de armas de fogo e munição. O Estatuto entrou em vigor no dia seguinte à sanção do presidente da República, quando foi publicada no *Diário Oficial da União*. Portanto, começou a vigorar no dia 23 de dezembro de 2003. A Lei foi regulamentada pelo Decreto nº 5.123, de 1º de julho de 2004, publicado no *Diário Oficial da União* em 2 de julho de 2004.

ESTATUTO DO IDOSO — É assim conhecida a Lei nº 10.741, de 1 de outubro de 2003 que, em 118 artigos, define medidas de proteção às pessoas com idade igual ou superior aos 60 anos. O Estatuto do Idoso regulamenta os direitos dos idosos, determina obrigações das entidades assistenciais e estabelece penalidades para uma série de situações de desrespeito aos idosos, inclusive, dos seus próprios parentes.

ESTATUTO SOCIAL — Diz-se do contrato de constituição de uma sociedade. É a peça primária da sociedade, formada pelos atos constitutivos desta e anterior à sua constituição, adquirindo força de lei, após aprovação. É elemento indispensável à legalização e existência da empresa, contendo as bases, cláusulas e condições do respectivo contrato, definindo, claramente, o seu objetivo. É o instrumento jurídico que estabelece o conjunto de regras gerais e de conduta de uma entidade.

ESTELIONATO — Crime que consiste em obter, para si ou para outrem, vantagem ilícita, em prejuízo alheio, induzindo ou mantendo alguém em erro, mediante artifício, ardil, ou qualquer outro meio fraudulento.

ESTENOGRAFIA (OU TAQUIGRAFIA) — É uma forma de escrita admitida em juízo, sendo a estenotipia uma de suas espécies. A estenotipia é a taquigrafia mecânica, realizada na máquina denominada estenótipo ou máquina de estenografar.

ESTÉRIL — Que não produz. Infecundo. Improdutivo.

ESTIAGEM — Período prolongado de baixa pluviosidade ou sua ausência, em que a perda de umidade do solo é superior à sua reposição.

ESTIMATIVA DA RECEITA — Ver Receita, Estimativa da.

ESTIMATIVA PONTUAL — É o valor que a estatística toma em uma amostra determinada.

ESTIMATIVA POSCENSITÁRIA — É a que leva em conta os resultados de um censo recente.

ESTIMATIVAS — Avaliações técnicas, realizadas por meio de procedimentos estatísticos, métodos econométricos, avaliações diretas sobre o comportamento provável da economia, ou das combinações destes, com vistas a determinar, antecipadamente, o volume provável de origens e/ou aplicações de recursos num determinado exercício financeiro. (Ver: Empenho por Estimativa.)

ESTÍMULO — Agente causador da excitação. Qualquer agente físico, químico, biológico, animal ou humano que provoca impressão num receptor do organismo, desencadeando o processo emocional (sensação/complexo-percepto-memório-intelectivo/consciências/reação, ação, atuação/triunfo sensato).

ESTIPÊNDIO DE CONTRIBUIÇÃO — Soma paga ou devida a título remuneratório, ou de retribuição, como vencimentos propriamente ditos, subsídios, gratificações, inclusive de função, aulas extras, adicionais por tempo de serviço ou por aumento de produtividade, percentagens ou cotas, abonos provisórios, proventos de aposentadoria, honorários, comissões e vantagens pessoais por direito adquirido, inclusive verba de representação, observados os limites estabelecidos na legislação própria.

ESTIPULAÇÃO — É toda promessa, obrigação ou imposição convencional, para ser cumprida por uma das partes ou reciprocamente pelos contratantes. Tem o mesmo sentido de cláusula.

ESTIPULAÇÃO EM FAVOR DE TERCEIRO — Acordo entre as partes que estipulam uma vantagem em favor de terceiro beneficiário, que não é parte na obrigação.

ESTIPULANTE — É toda pessoa física ou jurídica que contrata um seguro em favor do segurado.

ESTIRPE — É empregado no Direito Civil, particularmente no Direito Sucessório ou Direito Hereditário, para indicar a linhagem provinda de um tronco, ou as pessoas que, por direito de representação, sucedem uma outra.

ESTIVA — Método de colocar a carga em um único porão ou compartimento de um navio, a fim de evitar avarias, deslocamentos etc.

ESTOCÁSTICO — Diz-se daquilo que envolve um componente aleatório, o mesmo que probabilístico.

ESTOQUE — 1) Quantidade guardada de forma organizada e controlada de algum ativo. 2) Porção disponível de mercadoria. Porção armazenada de mercadorias para venda, exportação, ou uso. É regulada através de débitos para entrada e créditos para saída quando feitos os inventários periódicos ou permanentes.

ESTOQUE DE CAPITAL — Conjunto das ações ordinárias e preferenciais de uma organização.

ESTOQUES REGULADORES — É o procedimento adotado pelo Governo com a compra de produtos básicos para formação de estoque com a finalidade de serem colocados no mercado consumidor em épocas de carência ou entressafra, buscando regular ou controlar os preços desses produtos e, ainda, evitar sua escassez no mercado.

ESTORNADO — É a anulação ou que se desfaz, em virtude do que se faz retornar às mãos de uma das partes contratantes para aquilo que já entregava à outra parte.

ESTORNO — Retorno ou volta ao primitivo ou ao anterior. Diz-se do lançamento contábil que serve para corrigir ou anular erros cometidos em registro anterior. Trata-se, exclusivamente, de correção ou anulação de equívocos, no processo de registro, à vista de documentos. A correção é do registro e não do documento.

ESTRANGEIRA — É a pessoa que nascida num país, embora residente em outro, conserva ainda sua primitiva nacionalidade.

ESTRANGULAMENTO — É a asfixia mecânica causada pela constrição do pescoço por uma força externa (dolosa ou acidental).

ESTRATÉGIA — São os caminhos que se deve percorrer para que se atinjam os objetivos de desenvolvimento no tratamento de temas que se complementam entre si e indicam políticas, programas e projetos, públicos e privados.

ESTRATÉGIA DE DESENVOLVIMENTO DO SETOR PRIVADO — Estratégia desenvolvida pelo Banco Mundial para reduzir as despesas do setor público relativamente aos bens essenciais e promover o seu fornecimento pelo setor privado.

ESTRATÉGIA DE MANEJO — Plano de intervenção sobre as atividades desenvolvidas em uma determinada área, pela utilização de métodos e tecnologias adequadas, permitindo a conservação dos recursos naturais, o desenvolvimento socioeconômico e a recuperação ambiental de áreas degradadas.

ESTRATÉGIA NACIONAL PARA O DESENVOLVIMENTO SUSTENTÁVEL — Plano nacional de ação para alcançar objetivos de desenvolvimento sustentável. Após um acordo alcançado na Conferência do Rio (a RIO-92), é suposto cada país produzir um plano deste tipo.

ESTRATIFICAÇÃO — É o processo de classificar os dados em subgrupos baseados em características ou categorias. Estratificar é dividir as informações (dados) em grupos (ou estratos), constituindo-se numa ferramenta para a busca das causas ou origens de um problema.

ESTRATIFICAÇÃO TÉRMICA — Originada das diferentes densidades do meio. O meio aquático é mais termoestável que o meio aéreo. No mar, a 14 m, praticamente não há oscilação de temperatura. No meio d'água doce, a variação ocorre em função da extensão, sendo sempre maior a oscilação que no mar.

ESTREMAR — Empregado na terminologia jurídica com a significação de demarcar, dividir ou separar uma coisa de outra, de modo que as partes separadas sejam distinguidas.

ESTRUTURA — 1) Forma de organização de uma empresa. 2) Forma de relacionamento das partes de um sistema, determinado pela ordem ou hierarquia das mesmas, ou pela distribuição das características entre as mesmas.

ESTRUTURA DE CAPITAL — Ver Capital, Estrutura de.

ESTRUTURA DE UM SISTEMA — Conjunto de elementos ou partes que o constituem, articulados (mutuamente influenciados) por relações de interdependência.

ESTRUTURA DO BALANÇO DE PAGAMENTOS — Ver Balanço de Pagamentos, estrutura do.

ESTRUTURA ECONÔMICA — Conjunto de elementos da estrutura produtiva de um país que, com uma certa estabilidade, se relacionam no âmbito da respectiva base territorial, de modo a articular e constituir uma ação econômica passível de ser expressa de forma agregada. Segundo as abordagens da economia descritiva, a estrutura econômica pode ser vista como a relação articulada entre os três grandes setores da economia: primário (atividades agrícolas e extrativas vegetais), secundário (atividades de transformação fabril e extrativa mineral) e terciário (os serviços em geral, inclusive o comércio e os transportes).

ESTRUTURA ORGANIZACIONAL — 1) Responsabilidades, vinculações hierárquicas e relacionamentos, configurados segundo um modelo, através do qual uma organização executa suas funções. 2) Sistema formal de relações de trabalho para a divisão e integração de tarefas.

ESTUÁRIO — É a foz de um rio. É a forma de desaguadouro de um rio no oceano, oposto ao delta, que aparece geralmente constituído por vários braços, cujo exemplo clássico é o do Rio Nilo, Mississipi, Ganges etc. O estuário forma uma boca única e é, geralmente, batido por correntes marinhas e correntes de marés que impedem a acumulação de detritos, como ocorre nos deltas. O estuário é importante por se constituir num dos mais diversificados ecossistemas.

ESTUDO — É o levantamento, coleta, observação, tratamento e análise de dados de natureza técnica.

ESTUDO DE BASE/ESTUDO DE SITUAÇÃO PRÉVIA — Análise que descreve a situação antes do lançamento de uma ação planejada e relativamente à qual se podem apreciar os progressos ou fazer comparações.

ESTUDO DE CASO — É uma forma de fazer pesquisa social empírica ao se investigar um fenômeno atual dentro de seu contexto de vida real, onde as fronteiras entre o fenômeno e o contexto não são claramente definidas e onde múltiplas fontes de evidências são usadas.

ESTUDO DE IMPACTO AMBIENTAL (EIA) — Estudo de caráter prévio exigido pelos órgãos ambientais para obtenção da licença de construção de empreendimentos públicos e privados. É um dos elementos do processo de avaliação de impacto ambiental. O estudo do impacto ambiental compreende, no mínimo: a descrição do projeto e suas alternativas, nas etapas de planejamento, construção, operação e, quando for o caso, desativação; a delimitação e o diagnóstico ambiental na área de influência; a identificação, a medição e a valoração dos impactos; a comparação da alternativas e a previsão de situação ambiental futura, nos casos de adoção de cada uma das alternativas, inclusive no caso de não se executar o projeto; a identificação das melhores mitigadoras e do programa de monitoragem dos impactos; a preparação do Relatório de Impacto Ambiental - RIMA. É regulamentado através da Resolução CONAMA nº 001, de 1986.

ESTUDO DE IMPACTO DE VIZINHANÇA (EIV) — Estudo prévio do qual dependerão alguns empreendimentos e atividades definidos por lei municipal, privados ou públicos, para obter as licenças ou autorizações do Poder Público municipal para construção, ampliação ou funcionamento em área urbana; o estudo deverá avaliar a repercussão positiva e negativa, nos aspectos econômicos, sociais e ambientais, na área de implantação. (Ver: Impacto de vizinhança.)

ESTUDO DE MERCADO — Análise dos mercados potenciais para uso e a determinação da condição de suprimento aos consumidores.

ESTUDO DE RISCO E OPERACIONALIDADE — Aplicação de um exame crítico, formal e sistematizado de planos de engenharia, de plantas novas ou existentes e de procedimentos, com a finalidade de avaliar o potencial de risco, de mau funcionamento ou de operação inadequada de itens do equipamento e suas conseqüências nas plantas como um todo. Técnica de estudo sistemático para identificação de riscos em processos industriais, normalmente aplicada em tubulações e em diagramas de instrumentação, tendo os dados do processo e de equipamento como suporte de informações. Os estudos de risco e de operacionalidade são tão ou mais importantes que os de impacto ambiental, por pouparem danos materiais e humanos.

ESTUDO DE VIABILIDADE — Estimativa dos investimentos necessários à implantação de projetos e de custos operacionais. Faz-se através de análises técnico-econômico-financeiras, da definição de localização da empresa e do estabelecimento do esquema de captação de recursos humanos. É a investigação de projetos técnicos propostos, usando as técnicas preexistentes, a fim de fornecer informações complementares antes da decisão quanto à implementação. No campo das ciências sociais, os estudos de viabilidade constituem-se em investigações sobre as características socioeconômicas e as implicações decorrentes de situações específicas (exemplo: um estudo sobre a viabilidade de implantação de um complexo petroquímico numa certa região).

ESTUDO LONGITUDINAL — Estudo realizado ao longo de um determinado período de tempo.

ESTUDO TRANSVERSAL — Estudo realizado sobre um determinado momento.

ESTUDOS AMBIENTAIS — Ver Estudo de impacto ambiental.

ESTUDOS DE VIABILIDADE TÉCNICO-ECONÔMICA (EVTE) — Estimativa dos investimentos necessários à implantação de projetos e de custos operacionais. Faz-se através de análises técnico-econômico-financeiras, da definição de localização da empresa e do estabelecimento do esquema de captação de recursos humanos.

ESTUPEFAÇÃO — Pasmo, assombro, espanto.

ESTUPRO — É, do ponto de vista legal, a prática sexual em que ocorre penetração vaginal com uso de violência ou grave ameaça. É considerado crime hediondo, inafiançável, devendo a pena ser cumprida em regime fechado. O estupro é considerado um dos crimes mais violentos (crime hediondo). No caso do estupro contra menores de idade, também é comum falar-se em pedofilia, embora este termo seja empregado incorretamente, uma vez que a pedofilia não é um crime por si só, e não caracteriza-se necessariamente pela presença de ato sexual entre um adulto e menores de idade, e que os abusadores de menores são, em sua maioria, não-pedófilos. (Ver: Atentado violento ao pudor.)

ET ALII — [Latim]. Expressão que significa "e outros". É utilizada quando, ao referir-se a um artigo ou livro de autoria de vários autores, cita-se o principal ou o primeiro em ordem alfabética, seguido da expressão *et alii*.

ETANOL — Produto derivado da cana-de-açúcar, que também pode ser obtido de cereais. O etanol é um excelente combustível automotivo e emite poucos poluentes. É utilizado como combustível no Brasil sob a forma hidratada e também é adicionado à gasolina.

ETAPA — Cada uma das partes estabelecidas para fornecimentos, obras ou serviços, em relação aos prazos ou cronogramas contratuais.

ÉTICA — Do grego *ethos* (caráter). É o estudo sistemático da natureza dos conceitos de valor. Código de valores e convenções; estudo dos juízos de apreciação de valor que se referem à conduta humana, susceptível de qualificação pela sociedade; conjunto de determinações e convenções estabelecidas para regular o comportamento dos indivíduos nas diferentes sociedades.

ÉTICA AMBIENTAL — Novo código de valores e convenções para regulação do relacionamento do ser humano com a natureza.

ÉTICA EMPRESARIAL — Definição de regras e princípios de comportamento genericamente aceitos no mundo dos negócios.

ÉTICA JURÍDICA — Conjunto de princípios morais e de normas positivas que estabelecem direitos e deveres dos profissionais do Direito.

ÉTICA NEGOCIAL — O conceito de ética negocial (*business ethics*) resume o conjunto de princípios e códigos de comportamento moralmente aceitáveis nos negócios. Hoje é uma disciplina que passou a ser ensinada nas melhores universidades mundiais.

ÉTICA PARLAMENTAR — Ver Decoro parlamentar.

ÉTICA PROFISSIONAL — Soma de deveres que estabelecem a norma de conduta do profissional no desempenho de suas funções e em suas relações com clientes e outras pessoas.

ETIOLOGIA CRIMINAL — Estudo das causas e dos fatores do delito, como parte da Criminologia.

ETIQUETA — É a formalidade no trato social. Pressupõe urbanidade e respeito no trato entre pessoas, tanto no contato social, quanto no envolvimento profissional.

ETNIA — Grupo de indivíduos que partilham principalmente a mesma cultura e a mesma língua.

ETNOGRAFIA — Ver Etnologia.

ETNOLOGIA — Ciência que estuda a divisão da humanidade em raças com suas origens, distribuição geográfica, relações e traços característicos. A etnografia trata dos povos e raças descritivamente, ao passo que a etnologia os estuda do ponto de vista comparativo e analítico.

EUFEMISMO — É uma figura de pensamento. Atenuação de uma idéia que possa chocar. Exemplo: Você faltou com a verdade (ou seja, você mentiu).

EUFORIA — Alegria intensa e expansiva. Sentimento proveniente de entusiasmo contagiante e alegria demorada e profunda associados à grande sensação de bem-estar.

EURO — Moeda do Mercado Comum Europeu, que entrou em vigor no dia 1/1/1999. Desde então, várias negociações progrediram até que se definisse a unificação monetária com a abolição das moedas nacionais em 1º de janeiro de 2002. Os países devem respeitar limites macroeconômicos, como endividamento público, déficit fiscal e inflação. A autoridade responsável pela coordenação da política monetária dos países-membros é o Banco Central Europeu (BCE), com sede em Frankfurt, Alemanha. Nem todos os países da União Européia (EU) adotaram o Euro. Dos 15 países que compõem a EU, aderiram ao Euro Alemanha, Áustria, Bélgica, Espanha, Grécia, Finlândia, França, Holanda, Irlanda, Itália, Luxemburgo e Portugal (a Grécia só cumpriu os pré-requisitos mais tarde e tem um cronograma diferenciado dos demais países). O símbolo da nova moeda única é um "E" atravessado por duas linhas paralelas em diagonal bem marcadas. Inspira-se na representação da letra grega *epsilon*, invocando assim o berço da civilização européia e a primeira letra da palavra "Europa". As duas linhas paralelas representam a estabilidade do euro.

EUROBÔNUS (*EUROBONDS*) — Títulos de renda fixa (*bonds*) emitidos no Euromercado, cujo prazo varia de um a 30 anos. Instrumento inicialmente utilizado por emissores de perfil de crédito privilegiado (governos, entidades supranacionais, grandes empresas e bancos) com o objetivo de obter custos de captação inferiores a seus respectivos mercados domésticos. O nome Eurobônus não significa que os títulos sejam lançados necessariamente na Europa, embora esse seja o caso mais comum. Serve apenas para designar o dinheiro mantido em depósitos em moedas nacionais fora de seus países de origem (por exemplo, dólares mantidos em depósitos britânicos ou japoneses). Atualmente, os Eurobônus surgem como alternativa aos mercados domésticos de capital para praticamente todas as classes de emissores, incluindo governos e empresas de mercados emergentes.

EUROMERCADO — Mercado *offshore*, surgido na Europa na década de 1960 como resposta à crescente regulamentação imposta pelos vários governos europeus aos mercados locais de capitais, sobretudo nos mercados de renda fixa. O Euromercado oferece às empresas uma oportunidade de emitir títulos de dívida ou obter empréstimos fora de seus mercados nacionais, com custos inferiores, dada a menor regulamentação governamental.

EUROPEAID — Departamento da Comissão Européia (CE), que centraliza e gere os contratos de assistência técnica e cooperação. Criado na seqüência da reforma iniciada em 1998, é considerado um elemento central do dispositivo da CE destinado a melhorar os sistema de gestão da cooperação e a permitir apoiar e reforçar a presença e a influência da União Européia no mundo. É composto por oito Direções: seis Direções responsáveis pela gestão das operações (cinco para os programas de natureza geográfica e uma para os programas de natureza horizontal) e, por outro lado, duas Direções funcionais (uma de apoio às operações e outra de apoio à organização). As suas atividades abrangem o Fundo Europeu de Desenvolvimento e beneficiam mais de 150 Estados, territórios ou organizações.

EUTANÁSIA — É o ato de provocar ou permitir deliberadamente a morte daqueles que têm doenças incuráveis ou vivem em grande sofrimento por não haver chances de sobrevivência. Homicídio por piedade. Recorre-se à eutanásia para benefício daqueles que são mortos e para os poupar de mais sofrimento. O direito brasileiro não admite a eutanásia, apenando-a a título de homicídio privilegiado.

EUTROFICAÇÃO — Ver Eutrofização.

EUTROFIZAÇÃO — Processo de alterações físicas, químicas e biológicas de águas paradas ou represadas, associado ao enriquecimento de nutrientes, matéria orgânica e minerais. É o envelhecimento precoce da água de lagos e reservatórios, que afeta a transparência da água, o nível de clorofila, a concentração de fósforo, a quantidade de vegetais flutuantes, o oxigênio dissolvido, e leva à alteração do equilíbrio das espécies animais e vegetais. É o aumento de nutrientes (como fosfatos) nos corpos d'água, resultando na proliferação de algas, podendo levar a um desequilíbrio ambiental a ponto de provocar a morte lenta do meio aquático. A eutrofização acelerada é problemática, porque resulta na retirada de oxigênio da água, matando os peixes ou outras formas de vida aquática não-vegetais. O mesmo que eutrificação e trofização nítrica.

EVASÃO — Na terminologia do Direito Penal quer significar a fuga de uma pessoa, presa ou detida em cumprimento de pena ou por medida de segurança, da prisão ou do lugar em que fora recolhido.

EVASÃO ESCOLAR — Ver Educação - Evasão escolar.

EVASÃO FISCAL — É quando o contribuinte deixa de recolher os impostos ou a máquina arrecadadora, por algum motivo, não consegue arrecadá-los. A evasão pode ser criminosa (sonegação) ou aparentemente legal, valendo-se o contribuinte, para não pagar impostos, de brechas existentes nas leis tributárias. A evasão é criminosa quando realizada através de esquemas fraudulentos ou ilegais, como, por exemplo, a chamada "caixa-dois" (contabilidade paralela), feitos com a intenção de não pagamento de impostos. O "caixa-dois" é um dos mecanismos utilizados por empresas e corporações para esconder da Receita Federal lucros e haveres, geralmente desviados para o estrangeiro.

EVENCENTE — Aquele que, através da evicção, se reapossa de coisa que lhe pertencia, mas que se encontrava em poder de outrem. (Ver: Evicção.)

EVENTO — 1) É o acontecimento de cunho social, profissional ou religioso que envolve pessoas ligadas a interesses comuns. 2) Qualquer ato ou fato que deva ter tratamento contábil. 3) Em análise de risco, ocorrência externa ou interna ao sistema, envolvendo fenômeno da natureza, ato humano ou desempenho do equipamento, que causa distúrbio ao sistema.

EVENTO ADVERSO — Ocorrência desfavorável, prejudicial, imprópria. Acontecimento que traz prejuízo, infortúnio. Fenômeno causador de desastre.

EVENTO CATASTRÓFICO — Evento de difícil ocorrência; todavia, quando ocorre, gera sérias conseqüências.

EVENTO DE OPORTUNIDADE — É caracterizado por uma situação na qual os agentes não têm clareza sobre as regras a serem acordadas e aproveitam para extrair benefícios.

EVENTUS DAMNI — [Latim]. Expressão que significa resultado do dano.

EVICÇÃO — É a perda da coisa, por força da sentença judicial, que a atribui a outrem, por direito anterior ao contrato aquisitivo. O verbo evencer significa tirar, judicialmente, a propriedade de alguém. Na evicção existem três partes, o evictor, o evicto e o alienante. Evictor é o terceiro, pois não participou da última alienação da coisa, que ajuíza a ação em face do adquirente (evicto); nessa ação o evictor comprova o seu direito preexistente e reivindica a coisa para ele próprio. Evicto é o adquirente da coisa litigiosa, réu na ação proposta pelo evictor, portanto, sujeito à evicção, isto é, perda judicial do bem adquirido. Alienante é o que transferiu a coisa litigiosa ao adquirente (evicto). Não é lícito a ninguém alienar em nome próprio bem de terceiro, assim sendo, como regra geral, o alienante deve garantir a fruição da coisa ao adquirente. Assim, evicção é a garantia que o comprador tem de ser reembolsado, pelo alienante, do preço integral da coisa que, injustificadamente, lhe tenha sido alienada, incluindo-se naquele preço as perdas e danos que ocorrerem. A denunciação da lide tem cabimento nas ações reivindicatórias ou de domínio, em que um terceiro reivindica do réu a coisa por este adquirida; na ação possessória, em que o terceiro, possuidor indireto, intenta a ação para imitir-se na posse direta da coisa, por ter sido esta transferida ao réu a título de usufruto, penhora ou locação. (Ver: Ação de evicção.)

EVICTO — Aquele que sofreu evicção. O evicto é o indivíduo que adquiriu um bem, o qual foi posteriormente reivindicado em ação de evicção. O evicto, através de ação apropriada, pode requerer indenização pelo prejuízo experimentado. (Ver: Evicção.)

EVICTOR — O mesmo que evencente.

EVIDÊNCIA OBJETIVA — Informações cuja veracidade pode ser comprovada, com base em fatos obtidos através de observação, medição, ensaio ou outros meios.

EVIDENCIAR — De evidência. Tornar evidente; demonstrar; comprovar.

EVOCAÇÃO — Ação ou efeito de evocar; ação de fazer surgir os demônios, espíritos, sombras, almas; esconjuro; exorcismo.

EVOCAR — Ato de convocar pessoas para comparecer perante uma autoridade judiciária ou administrativa. Transferir uma causa de um Tribunal para outro.

EVOLUÇÃO — Processo de mudança contínua de um sistema para outras situações não necessariamente melhores ou piores; propriedades emergentes - sistemas vivos podem adaptar-se dentro de certos limites ou evoluir para outros estados possíveis de equilíbrio, gerando novas propriedades sistêmicas de maior complexidade, ou que não podem ser explicadas pela soma das características de suas partes (sinergia); as interações não lineares conduzem os sistemas a padrões e comportamentos difíceis de predizer, sobretudo se consideradas somente as propriedades dos elementos que os constituem.

EX ADVERSO — [Latim]. Expressão que significa pelo contrário; do lado contrário, a parte contrária.

EX AUCTORITATE LEGIS — [Latim]. Expressão que significa por força da lei. Pela força da lei; em virtude da autoridade da lei.

EX BONA FIDE — [Latim]. Expressão que significa de boa-fé.

EX FACTO ORITUR JUS — [Latim]. Expressão que significa o direito nasce do fato.

EX LEGE — [Latim]. Expressão que significa por lei; pela lei; por força da lei; de acordo com a lei. Foi nomeado *ex lege*; concedeu *ex lege*.

EX NUNC — [Latim]. Expressão que significa desde agora; de agora em diante; a partir do presente momento. Refere-se a efeitos que não retroagem. Nulidade de ato *ex nunc*, cujos efeitos decorrem a partir da declaração de nulidade. Não retroage. Quer dizer que a decisão não tem efeito retroativo, ou seja, vale a partir do momento em que foi proferida. (Ver: *Ex Tunc*.)

EX OFFÍCIO (DE OFÍCIO) — [Latim]. Expressão que significa por dever do ofício; por obrigação do ofício; oficialmente. Realização de um dever, de dever funcional. Agir oficialmente, por determinação legal, em razão do ofício, independentemente de pedido ou de autorização de alguém. Na terminologia jurídica, a locução indica o dever funcional do juiz de determinar a realização de um ato processual, sem necessidade de requerimento das partes. Por isso se diz recorrer de ofício, isto é, o próprio juiz recorre, sem necessidade de qualquer providência das partes em tal sentido. Recurso *ex officio*, obrigatoriamente imposto ao juiz contra a própria sentença.

EX POSITIS — [Latim]. Expressão que significa de exposto; isto posto; do que foi exposto.

EX POTESTATE LEGIS — [Latim]. Expressão que significa por força da lei.

EX PROFESSO — [Latim]. Expressão que significa por sua autoridade ou experiência. Com perfeito conhecimento.

EX RIGORE JURIS — [Latim]: Expressão que significa conforme o rigor da lei.

EX TEMPORE — [Latim]. Expressão que significa de pronto; imediatamente.

EX TUNC — [Latim]. Expressão que significa desde o início; desde então. Refere-se a efeitos provenientes desde o início da nulidade. Nulidade de ato *ex tunc*, cujos efeitos decorrem a partir da criação do ato que gerou a nulidade. Quer dizer que a decisão tem efeito retroativo, valendo, também, para um período pretérito. (Ver: *Ex Nunc*.)

EX VI — [Latim]. Expressão que significa consoante o disposto; pela força; por efeito de; por determinação de.

EX VI LEGIS — [Latim]: Expressão que significa por força da lei.

EXAÇÃO — Arrecadação ou cobrança de valores pertencentes ao fisco, promovida por pessoa a quem se atribui o encargo de os receber e guardar. Quando o servidor excede sua autoridade, seja usando de meios impróprios para cumprir suas atribuições ou exigindo mais do que é devido pela parte, diz-se que praticou excesso de exação, que é delito previsto no Direito Penal.

EXALTAÇÃO — Grande ânimo e intenso entusiasmo. Superexcitação de ânimo.

EXAME — 1) Inspeção, por meio de perito, sobre pessoa, coisas móveis e semoventes, para verificação de fatos ou circunstâncias que interessem à causa. 2) Apreciação do desempenho de uma ação planejada, feita periodicamente ou de forma *ad hoc*. O termo "avaliação" é freqüentemente aplicado para uma apreciação mais global e/ou mais profunda que um exame. O exame tende a sublinhar os aspectos operacionais. Os termos "exame" e "avaliação" são por vezes utilizados como sinônimos. Quando o exame é feito em imóvel, denomina-se vistoria.

EXAME DE CORPO DE DELITO — Tipo de prova obrigatória aos crimes que deixam vestígios, pois seu laudo constitui prova da materialidade do delito. Sua falta pode acarretar nulidade.

EXAME JUDICIAL — É a inspeção feita por perito (judicial, se nomeado pelo juiz), especialmente sobre documentos, para a verificação de fatos ou circunstâncias (que interessem à solução da causa).

EXAME NACIONAL DO ENSINO MÉDIO (ENEM) — Ver Educação - Exame nacional do ensino médio (ENEM).

EXASPERAÇÃO — Irritação, exacerbação. Fúria.

EXCEÇÃO — Defesa indireta do autor ou do réu, que, não se referindo ao mérito da causa, tem por objetivo neutralizar-lhe os efeitos. Meio pelo qual a parte (excipiente) requer o afastamento do juiz (excepto) da causa, por incompetência, impedimento ou suspeição. Na linguagem processual civil significa uma das espécies de resposta do réu em que este poderá oferecer, no prazo de quinze dias, em petição escrita, dirigida ao juiz da causa, argüindo a incompetência, o impedimento ou a suspeição. Este direito pode ser exercido em qualquer tempo, ou grau de jurisdição, cabendo à parte oferecer exceção, no prazo de quinze dias, contado do fato que ocasionou a incompetência, o impedimento ou a suspeição. A exceção será processada em apenso aos autos principais.

EXCEÇÃO DA VERDADE - PROVA DA VERDADE — Inversão processual que permite à pessoa acusada por calúnia e difamação provar a veracidade da informação que divulgou. Julgada procedente a exceção da verdade, extingue-se o processo por crime contra a honra e, nos casos de calúnia, pode ser instaurada ação penal contra o ofendido para que seja apurada sua responsabilidade. Na hipótese de calúnia, a prova da verdade não é permitida se a pessoa ofendida já tiver sido absolvida anteriormente. Em casos de difamação, só é admitida com o consentimento do ofendido ou se se tratar de servidor público atingido em razão de suas funções. No Brasil, há outra restrição: não se admite a prova da verdade contra o presidente da República, os presidentes do Senado e da Câmara dos Deputados, os ministros do Supremo Tribunal Federal, chefes de Estados estrangeiros e seus representantes diplomáticos, de acordo com a Lei de Imprensa em vigor (Lei nº 5.250, de 9 de fevereiro de 1967, art. 20, parágrafo 39).

EXCEÇÃO DO DOMÍNIO — Argüição de defesa pelo direito de propriedade em um litígio possessório.

EXCEDENTE DO CONSUMIDOR — Em economia corresponde ao benefício líquido do consumidor, na medida em que resulta da diferença entre aquilo que este está disposto a pagar e aquilo que efetivamente paga. Significa que quanto mais baixo for o preço, maior o excedente do consumidor (Excedente do Consumidor = Disposição de Pagar - Preço efetivamente Pago).

EXCEDENTE FINANCEIRO — É o resultado apurado, durante o período do benefício do plano de previdência, pela diferença entre a taxa de rentabilidade líquida obtida pela aplicação dos recursos da reserva matemática de benefícios concedidos e a remuneração garantida, nos termos do Regulamento e conforme a Nota Técnica Atuária.

EXCELÊNCIA DA EMPRESA — Situação excepcional da gestão e dos resultados obtidos pela empresa, alcançada por meio da prática continuada dos fundamentos do modelo sistêmico. As empresas excelentes têm oito características distintivas: inclinação para a ação; proximidade do cliente; autonomia individual; apostar nas pessoas; criação de valores; manter-se no que se domina; simplicidade formal; e existência em simultâneo de rigidez e flexibilidade.

EXCEPTIO — [Latim]. Expressão que significa exceção.

EXCEPTIO VERITATIS — [Latim]. Expressão que significa exceção da verdade.

EXCEPTO — É aquele contra quem é argüida a exceção.

EXCESSO DE ARRECADAÇÃO — Saldo positivo das diferenças acumuladas mês a mês, entre a arrecadação prevista e a realizada, considerando-se, ainda, a tendência do exercício e o montante dos créditos extraordinários abertos, bem como outros fatores conjunturais no caso de receitas com destinação específica. Na apuração do valor utilizável do excesso de arrecadação deduzir-se-á as importâncias dos créditos extraordinários abertos no exercício.

EXCESSO DE DEMANDA — Situação em que a quantidade demandada é maior do que a quantidade oferecida.

EXCESSO DE EXAÇÃO — Crime praticado pelo servidor público contra a Administração Pública previsto no Código Penal, que consiste em exigir tributo ou contribuição social indevido, ou, quando devido, empregar na cobrança meio vexatório ou gravoso, que a lei não autoriza. Pena: reclusão, de três a oito anos, e multa. Se o funcionário desviar o que recebeu a pena é de reclusão, de dois a 12 anos, e multa.

EXCESSO DE EXECUÇÃO — Ver Excesso na execução.

EXCESSO DE OFERTA — Em economia verifica-se sempre que a quantidade oferecida seja superior à quantidade procurada. Perante esta situação, as empresas vêem-se incapazes de escoar os seus bens, pelo que terão que descer os preços. Quanto maior for o número de empresas do lado da oferta, maior tendência há para que os preços desçam, em virtude da guerra de preços iniciada entre elas – quanto menores forem os preços, maior será a procura (Lei da procura). (Ver: Excesso de procura.)

EXCESSO DE PENHORA — Penhora de bem de valor muito superior à dívida e seus acréscimos legais.

EXCESSO DE PODER — É a expressão usada para indicar todo ato que é praticado por uma pessoa, em virtude de mandato ou função, fora dos limites da outorga ou da autoridade que lhe é conferida. É caracterizada quando a autoridade competente para praticar um ato ultrapassa os limites permitidos.

EXCESSO DE PRAZO — Perda de prazo legal, sem justificação legítima, por parte dos órgãos enunciados em lei.

EXCESSO DE PROCURA — Em economia verifica-se sempre que a quantidade procurada seja superior à quantidade oferecida. Perante esta situação, há mais consumidores que os bens disponíveis, pelo que, na ausência de tabelamento de preços pelo Estado, só fica com os bens quem estiver disposto a dar um preço superior por eles (ágio). Assiste-se, assim, a uma guerra de preços entre consumidor – quanto mais altos forem os preços, maior será a oferta (Lei da oferta), pelo que se assistirá a uma redução do excesso de procura verificado. (Ver: Excesso de oferta.)

EXCESSO NA EXECUÇÃO — Pedido excessivo, que transcende o real valor da dívida. O excesso na execução da dívida não se confunde com o excesso na penhora de bens, que se caracteriza pela apreensão judicial de bens em valor superior ao pedido.

EXCHANGE OFFER — Oferta pública de troca de determinado(s) bônus por um novo bônus soberano.

EXCIPIENTE — É aquele que promove exceção. É o réu da ação levantando alguma exceção em sua contestação.

EXCITAÇÃO — Ativação do organismo por liberação dos hormônios estimulantes, no processo das sensações somáticas, viscerais e psíquicas, em reação a determinado estímulo real ou imaginário, por reflexo, impulso, reforçamento, motivação ou interesse.

EXCLUSÃO DE CRIMINALIDADE — Não há crime quando o agente pratica o fato: I - em estado de necessidade; II - em legítima defesa; III - em estrito cumprimento do dever legal ou no exercício regular de direito.

EXCLUSÃO SOCIAL — É o processo através do qual indivíduos ou grupos se encontram total ou parcialmente excluídos da participação econômica, social ou política em sua sociedade. É a impossibilidade ou não-habilitação para ter acesso aos direitos, diminuição da auto-estima, inadequação das capacidades para cumprir com as obrigações e o risco de estar relegado por longo tempo a sobreviver do assistencialismo. (Ver: Desigualdade social.)

EXCLUSIBILIDADE — A propriedade de um bem por meio da qual se pode impedir uma pessoa de usá-lo.

EXCUSSÃO — Apreensão e penhora de bens dados em garantia pignoratícia ou hipotecária.

EXCUTIR — Executar judicialmente os bens de um devedor.

EX-DIREITOS — É a negociação de uma ação, após exercício de um direito. (Ver: Ex-proventos.)

EXECUÇÃO — 1) Fase do processo judicial que tem por finalidade a efetivação das determinações constantes na sentença condenatória, tanto civil como penal. Diz-se execução da sentença. 2) Ajuizamento de dívida líquida e certa representada por documentos públicos ou particulares a que a lei atribui força executória. 3) Materialização na obra do que é previsto nos projetos, e do que é decidido por si ou por outro profissional legalmente habilitado. 4) Fase do ciclo do projeto que corresponde à mobilização e gestão dos meios previstos no documento do projeto, tendo em vista alcançar os resultados e o objetivo específico do projeto. Inclui a responsabilidade pela utilização eficaz dos recursos e, ainda, a redação dos relatórios de acompanhamento/monitoramento.

EXECUÇÃO DA RECEITA - ACOMPANHAMENTO — Ver Receita, Acompanhamento da Execução da.

EXECUÇÃO DA SENTENÇA — Série de atos atinentes à promoção da sentença, a fim de que se cumpram as determinações que nela se contêm. É esta a fase final da ação.

EXECUÇÃO DE ORDEM — Efetiva realização de uma ordem de compra ou venda de valores mobiliários.

EXECUÇÃO DO ORÇAMENTO, INSTRUMENTOS NO PROCESSO DE — É a utilização dos instrumentos no processo de execução do orçamento. Os instrumentos são: discriminação detalhada da receita, programação orçamentária da despesa (PODE), nota de dotação (ND), nota de crédito (NC), nota de empenho (NE), nota de lançamento (NL), programação de desembolso (PD), ordem bancária (OB), guia de recebimento (GR).

EXECUÇÃO EXTRAJUDICIAL — Processo de aplicação das penalidades previstas em contratos sem recorrer à Justiça. A execução fica sob a responsabilidade de um agente fiduciário.

EXECUÇÃO FINANCEIRA — Utilização dos recursos financeiros visando atender à realização das despesas orçamentárias e extra-orçamentárias.

EXECUÇÃO FISCAL — Procedimento adotado pela União, pelos Estados, pelo Distrito Federal, pelos Municípios e respectivas autarquias, para cobrança judicial da dívida ativa.

EXECUÇÃO FORÇADA — Processo pelo qual, o credor, judicialmente, exige do devedor o cumprimento de obrigação resultante de sentença transitada em julgado ou de título extrajudicial com efeitos executáveis.

EXECUÇÃO JUDICIAL — Processo que tramita na Justiça para aplicação das penalidades previstas em contratos.

EXECUÇÃO ORÇAMENTÁRIA — Fase do processo orçamentário que se inicia com a publicação da Lei do Orçamento Anual e que se desenrola com a definição de cota trimestral e provisão de crédito orçamentário, para que se implemente a realização de despesas. Envolve o conjunto de decisões sobre a implementação de ações governamentais e também a administração de receitas através do lançamento de seus registros. A execução orçamentária se desdobra em cinco etapas executivas: programação, licitação, empenho, liquidação e pagamento. Ao longo delas, os recursos previstos em cada dotação orçamentária (crédito orçamentário autorizado na LOA) vão gradativamente se transformando de recursos previstos e autorizados, chamados de valores orçados, para valores provisionados (liberados pelo órgão responsável para processamento), valores empenhados, valores liquidados e, finalmente, valores pagos.

EXECUÇÃO ORÇAMENTÁRIA DA DESPESA — Ver Despesa, Execução Orçamentária da.

EXECUÇÃO ORÇAMENTÁRIA, ACOMPANHAMENTO DA — Verificação do cumprimento dos objetivos expressos e quantificados no orçamento e da adequação dos meios empregados, realizada pelos órgãos competentes da Administração Pública, tal como o órgão de Orçamento e o de Contabilidade. Deve resultar num sistema de informações sobre desvios eventuais entre o programado e o executado, em relação a projeto e atividade.

EXECUÇÃO ORÇAMENTÁRIA, CONTROLE DA — Atividade permanente da Administração Pública, através de órgãos próprios como de Contabilidade, Inspeção Financeira, Orçamento, Auditoria e Tribunal de Contas, que visa promover a fiscalização prévia, simultânea e subseqüente de toda extensão e conteúdo do processo de arrecadação de receitas e realização de despesas, assim como da criação ou da extinção de direitos e obrigações, do ponto de vista da legalidade dos atos, da fidelidade dos agentes da administração responsáveis por bens e valores públicos e do cumprimento do programa de trabalho em termos monetários e de realizações. Compete ao Poder Executivo exercer o controle interno e ao Legislativo, o controle externo.

EXECUÇÃO ORÇAMENTÁRIA, DECRETO DE — Norma de natureza administrativa, editada, no caso de prefeituras, pelo prefeito, em consonância com a legislação vigente, regulamentando procedimentos e competências internas à Administração Pública para a execução orçamentária, envolvendo definição de cotas orçamentárias, formulários, fluxos para aprovação de compras e contratações, pareceres jurídicos, licitações, pagamentos etc. Não é obrigatório. Visa à homogeneização e eficácia gerencial. O prazo de vigência costuma ser indefinido, dependendo sua alteração de eventuais mudanças gerenciais.

EXECUÇÃO PROVISÓRIA — Aquela promovida, de imediato, em face de sentença impugnada por ter sido o recurso recebido apenas no efeito devolutivo.

EXECUÇÃO, AÇÃO DE — 1) Ato ou efeito de executar. Visa ao cumprimento forçado de um direito já reconhecido. 2) Dom particular de tocar um instrumento musical. 3) A fase do processo judicial na qual se promove a efetivação das sanções, civis ou criminais, constantes de sentenças condenatórias. 4) Ajuizamento de dívida líquida e certa representada por documentos públicos ou particulares a que a lei atribui força executória.

EXECUTADO — É a pessoa que sofre a execução. Na órbita penal é aquele que sofreu a pena capital.

EXECUTAR — É a intenção de levar a cabo alguma coisa, ou de realizar um plano ou projeto concebido anteriormente, ou concluir o que fora iniciado.

EXECUTOR — Entidade que executa as atividades definidas no projeto, para alcançar os resultados previstos e atingir o objetivo específico estabelecido.

EXECUTOR DE CONVÊNIOS E AJUSTES — É o órgão ou entidade que celebra o convênio ou ajuste, tendo nesta condição, a seu cargo, a responsabilidade pela execução das atividades contratadas.

EXEMPLI GRATIA (e. g.) — [Latim]. Expressão que significa "por exemplo". O mesmo que *verbi gratia* (*v.g.*). São utilizadas nas formas abreviadas *e. g.* ou *v. g.*

EXEQUATUR — Significa "execute-se", "cumpra-se". Ato pelo qual o presidente do Supremo Tribunal Federal manda que se cumpra a sentença estrangeira, devidamente homologada, ou a carta rogatória emanada de autoridade estrangeira, independentemente de homologação.

EXEQÜENDA — Diz-se do documento ou sentença que está em execução.

EXEQÜENTE — Que ou quem intenta ou promove execução judicial. É aquele que, independentemente de ser o vencedor da demanda, está autorizado a promover a execução. Também é a designação do juiz que preside a execução.

EXERCÍCIO — É o efetivo desempenho das atribuições do cargo ou função.

EXERCÍCIO DA AMPLA DEFESA — Princípio constitucional pelo qual a todos é garantido o direito de expor, desde que lícitas, quaisquer razões na defesa de direitos, ensejando ao julgador firmar sua convicção com base nos argumentos e provas apresentadas, devendo fundamentar sua decisão com base naquilo que for demonstrado.

EXERCÍCIO DE OPÇÕES — Operação pela qual o titular de uma operação exerce seu direito de comprar ou de vender o lote de ações-objeto, ao preço de exercício.

EXERCÍCIO FINANCEIRO — Período de 12 meses (um ano), definido para fins de organização dos registros relativos à arrecadação de receitas, à execução de despesas e aos atos gerais de administração financeira da Administração Pública. No Brasil o exercício financeiro coincide com o ano civil, iniciando-se em 1º de janeiro e findando em 31 de dezembro. Período anual em que deve vigorar ou ser executada a lei orçamentária. Pertencem ao exercício financeiro as receitas nele arrecadadas e as despesas nele legalmente empenhadas.

EXERCÍCIO FUNCIONAL ILEGALMENTE ANTECIPADO OU PROLONGADO — Crime praticado pelo servidor público contra a Administração Pública previsto no Código Penal, que consiste em entrar na função pública antes de satisfeitas as exigências legais, ou continuar a exercê-la, sem autorização, depois de saber que foi exonerado, removido, substituído ou suspenso. Pena: detenção, de 15 dias a 1 mês, ou multa.

EXERCÍCIO SOCIAL — Período de 12 meses em que o orçamento financeiro de uma empresa deve ser executado e, ao final, devem ser prestadas contas aos interessados e ao Estado pelos resultados sociais. No término do exercício social, o empresário e a sociedade empresária devem levantar o balanço patrimonial e o de resultado econômico, a partir do qual são calculados impostos, lucros, dividendos etc. Originalmente, era o correspondente ao ciclo produtivo da empresa, embora hoje o normal seja fazê-lo coincidente com o ano civil.

EXERCÍCIOS ANTERIORES — Na Administração Pública é a conta contábil onde são identificadas as dívidas reconhecidas, resultantes de compromissos gerados em exercícios financeiros anteriores àquele em que deva ocorrer o pagamento, que, por motivo de força maior, não foram objeto de empenho. (Ver: Despesas de Exercícios Anteriores.)

EXIGÊNCIA — Determinação ou imposição, em virtude da qual se está na obrigação de cumprir determinada regra jurídica ou atender a certa formalidade legal, a fim de que o ato jurídico a ser praticado possa surtir validamente seus efeitos.

EXIGÍVEL A LONGO PRAZO — São obrigações exigíveis após o término do exercício seguinte.

EXIGÜIDADE — Escassez; insignificância; mediocridade; pequenez.

EXÍLIO — Ação ou efeito de exilar. Expatriação; desterro; degredo. Isolamento; retiro; solidão.

EXIMIR — Isentar; desobrigar; dispensar; livrar.

EXISTÊNCIA — Estado do que existe. O fato de existir. Vida. Ser.

EXISTENCIALISMO — Corrente filosófica de meados do século XX que sublinha a importância da experiência e comprometimento pessoais, a inexistência de sentido no universo e a ausência de uma natureza humana determinada. O seu maior expoente foi Jean-Paul Sartre.

ÊXITO — Resultado, conseqüência, efeito.

ÊXODO RURAL — Saída do meio rural de uma grande quantidade de pessoas para as cidades.

EXONERAÇÃO — Consiste na dispensa de função ou cargo público, geralmente exercido por prazo curto, ou em comissão. A perda de cargo efetivo é denominada demissão.

EXPANSÃO DA ECONOMIA — Ver Expansão Econômica.

EXPANSÃO ECONÔMICA — É a situação de uma economia, em que os volumes da produção e da demanda apresentam índices de crescimento. A expansão é caracterizada baixa taxa de desemprego e investimento.

EXPATRIADO — Pessoa que foi condenada ao exílio ou que vive fora da sua pátria voluntária ou forçadamente. O mesmo que exilado.

EXPECTATIVA — Breve espera do prazer prometido ou certo.

EXPECTATIVA DE DIREITO — Situação jurídica da pessoa cujo direito subjetivo, para se perfazer, carece da realização de um ato ou fato futuro e previsível. Como diz, com muita propriedade, De Plácido e Silva, "a expectativa de direito é uma esperança que se configura na probabilidade ou na possibilidade de o interessado vir a adquirir ou ter um direito subjetivo. Não se confunde com o direito eventual, que se perfaz sem a previsibilidade inerente à expectativa de direito".

EXPECTATIVA ECONÔMICA — Avaliação econômica por meio da qual se antecipa, de maneira consistente e objetiva, o grau de incerteza associado a cada investimento - dentre um conjunto de alternativas de aplicação - em relação ao futuro. O pressuposto básico desse tipo de avaliação é que a decisão acerca de um investimento depende da taxa de juros e das expectativas - sobretudo no que se refere à liquidez e à rentabilidade do capital aplicado - que lhe são associadas. Uma vez aceitos os juros como adequados, o decisor tenderá a realizar o investimento apenas se as expectativas forem positivas (otimistas), escolhendo, dentre as alternativas, aquela que oferecer o melhor custo de oportunidade.

EXPEDIENTE — Que expede, resolve, promove a execução de algo; horário de funcionamento das repartições públicas, de estabelecimentos comerciais, escritórios, fábricas etc.; correspondência, requerimentos, ofícios etc., duma repartição.

EXPEDIR — Remeter ao seu destino; despachar, enviar, despedir; fazer partir com determinado fim: expedir um emissário; promover a solução de; resolver, despachar; publicar oficialmente (decreto, portaria etc.); promulgar.

EXPILAÇÃO — Subtração indevida, total ou parcial, de bens integrantes de herança jacente.

EXPIRAR — Significa terminar, vencer o prazo ou acabar.

EXPLORAÇÃO DE PRESTÍGIO — É um dos crimes praticados contra a administração da justiça. Consiste em solicitar ou receber dinheiro ou qualquer outra utilidade, a pretexto de influir em juiz, jurado, órgão do Ministério Público, funcionário de Justiça, perito, tradutor, intérprete ou testemunha. A pena prevista é de reclusão, de um a cinco anos, e multa. As penas aumentam de um terço, se o agente alega ou insinua que o dinheiro ou utilidade também se destina a qualquer das pessoas referidas.

EXPLORAÇÃO SELETIVA — O mesmo que explotação seletiva. Extração de espécies ou produtos de origem vegetal previamente determinados.

EXPLORAÇÃO SEXUAL — Forma de violência sexual cometida contra qualquer pessoa, que envolve a atividade sexual para obtenção de lucros ou vantagens. No caso de a vítima ser criança ou adolescente, a prática é considerada crime. (Ver: Abuso sexual // Violência sexual.)

EXPLORAÇÃO SUSTENTÁVEL — É a exploração do ambiente de maneira a garantir a perenidade dos recursos ambientais renováveis e dos processos ecológicos, mantendo a biodiversidade e os demais atributos ecológicos, de forma socialmente justa e economicamente viável.

EXPLOTAÇÃO SELETIVA — Ver Exploração Seletiva.

EXPORT NOTES — É uma cessão de crédito feita por uma empresa exportadora por conta do embarque que realizará no futuro. É um título com remuneração vinculada à moeda estrangeira, emitido no mercado doméstico por um exportador, que possui um contrato com um importador de fornecimento futuro de mercadorias. É um produto financeiro que permite às empresas se posicionarem em face de diferentes expectativas de mercado, protegendo ou garantindo resultados na arbitragem de indexadores financeiros.

EXPORTAÇÃO — Vendas de bens, mercadorias e serviços de um país em outro. É uma importante ferramenta de política econômica porque, com as exportações superando as importações, há saldo na balança comercial.

EXPORTAÇÃO EM CONSIGNAÇÃO — Exportação realizada sem uma venda concretizada, com a finalidade de promoção comercial ou abertura de mercado. Caso a mercadoria consignada seja efetivamente vendida, emite-se a fatura comercial e liquida-se o câmbio. Caso não ocorra a venda em um prazo de 180 dias, a mercadoria retorna ao País.

EXPORTAÇÕES LÍQUIDAS — Despesas por parte de estrangeiros em bens produzidos internamente (exportações) menos despesas por parte de residentes de bens e serviços estrangeiros (importações). Ou valor das exportações de um país menos o valor de suas importações, também chamado balança comercial.

EXPOSIÇÃO CAMBIAL — Total de exposição em ouro, moeda estrangeira e em ativos e passivos referenciados na variação cambial, mantida por uma instituição.

EXPOSTO — Recém-nascido abandonado pelos pais, cuja identidade se ignora.

EXPRESSÕES INJURIOSAS — As partes e os seus advogados estão proibidos de empregar expressões injuriosas nos escritos apresentados no processo, cabendo ao juiz mandar riscá-las, de ofício ou a pedido do ofendido. Se forem proferidas em defesa oral, o juiz advertirá o advogado que não as use, sob pena de lhe ser cassada a palavra. O Estatuto da Advocacia e da OAB dispõe que o advogado tem imunidade profissional, não constituindo injúria, difamação ou desacato puníveis qualquer manifestação de sua parte, no exercício de sua atividade, em juízo ou fora dele, sem prejuízo das sanções disciplinares perante a OAB, pelos excessos que cometer. A expressão "desacato" teve sua eficácia suspensa em virtude da liminar concedida pelo STF na ADIN 1.127-8-DF.

EXPROBRAR — Censurar; repreender. Lançar em rosto. Recriminar; acusar.

EXPROPRIAR — Ação ou efeito de ser um proprietário privado de sua propriedade. Consiste em desapossar alguém de sua propriedade, mediante processo movido pelo Estado.

EX-PROVENTOS — É o que se diz de uma ação que está sendo negociada sem os direitos de seus proventos (dividendos, subscrição e bonificação). Esta é uma denominação em geral dada por prazos curtos, apenas para caracterizar claramente uma situação que foi alterada. Por exemplo, suponha que uma empresa pague sempre dividendos em março. Até a divulgação do valor destes dividendos referentes a 2006, ela estará sendo cotada considerando este direito incluído. Assim que ela anunciar estes dividendos, por exemplo em 15 de março de 2007, a Bolsa de Valores define que o papel passa a ser negociado sem este direito. Ou seja, sem o direito dos dividendos de 2006. Mas continua sendo negociada com outros direitos que serão anunciados no futuro, até que sejam anunciados. O ex-proventos (como ex-dividendos) é um título temporário que a ação recebe, apenas naqueles primeiros dias do anúncio de provento, para deixar bem claro que algo aconteceu com o papel naqueles dias, a ponto de eventualmente interferir em seu preço de mercado.

EXPULSÃO DE ESTRANGEIRO — Medida administrativa tomada pelo presidente da República para retirar do território nacional um estrangeiro que se mostra prejudicial aos interesses do País. Diferente da Extradição, que é julgada pelo Supremo Tribunal Federal, a pedido do país de origem do estrangeiro, a expulsão é uma decisão tomada pelo Poder Executivo. Ao ministro da Justiça compete instaurar o inquérito, que na maior parte das infrações, será sumário, não excedendo ao prazo de 15 dias. É assegurado o direito de defesa, mas não cabe pedido de reconsideração. O ministro da Justiça poderá, a qualquer tempo, determinar a prisão, por 90 dias, do estrangeiro em processo de expulsão, podendo, igualmente, prorrogar tal medida por outro igual período. Caso o processo não se conclua no prazo de até seis meses, o estrangeiro será posto em liberdade vigiada e, se vier a descumprir as condições de conduta impostas, pode ter sua prisão decretada novamente. É inexpulsável o estrangeiro que tenha cônjuge brasileiro, de quem não esteja separado de direito ou de fato, ou filho brasileiro sob sua guarda e manutenção econômica (art. 75). Contudo, o parágrafo 1º do mesmo artigo ressalva que não impedem a expulsão, a adoção ou reconhecimento de filho brasileiro superveniente ao fato que a motivar. Igualmente, em se configurando o abandono do filho, o divórcio ou a separação do casal, a expulsão poderá ocorrer a qualquer tempo (parágrafo 2º). Ainda com base no art. 75, da Lei nº 6815//80, não se procederá à expulsão se esta implicar em extradição inadmitida pela lei brasileira. A expulsão do estrangeiro que se encontre em território brasileiro está disciplinada na Lei nº 6815, de 1980 (Estatuto do Estrangeiro), nos arts. 65 a 75 e no Decreto nº 86.715, de 1981, art. 100 a 109. (Ver: Extradição.)

EXPURGO — É o processo de expurgar, expelir, expulsar, exilar ou eliminar algo, no sentido de desfazer-se de um problema e colocar para fora um objeto de conotação negativa. Aplicação de índices de atualização monetária menores que os devidos.

EXTENSÃO — 1) É o limite dentro do qual se exerce uma atividade; campo; esfera de ação. 2) Transmissão de conhecimentos técnicos pela utilização de sistemas informais de aprendizado.

EXTERNALIDADE — Conceito da economia; fator externo ou indireto que afeta um processo. Ocorre quando a ação de um agente econômico gera efeitos sobre outros agentes, sem que isso seja contabilizado na formação dos preços. Quando o efeito é positivo, diz-se que há externalidade positiva; por exemplo, a construção de um parque eleva o valor dos imóveis da redondeza. Quando o efeito é negativo, diz-se que há externalidade negativa; por exemplo, a poluição de rios por uma empresa que tem impacto negativo sobre a indústria pesqueira ao reduzir a quantidade de peixes.

EXTINÇÃO DA PUNIBILIDADE — Consiste no surgimento de causas que obstem a aplicação das sanções penais pela renúncia do Estado em punir o autor do delito. É a cessação da possibilidade de aplicação da pena em razão de fato superveniente à infração penal. Por exemplo: morte do agente; anistia; graça ou indulto; retroatividade de lei que não mais considera o fato como criminoso; prescrição, decadência ou perempção; renúncia do direito de queixa ou perdão aceito, nos crimes de ação privada; retratação do agente, nos casos admitidos por lei; casamento do agente com a vítima, em certos crimes contra os costumes; casamento da vítima com terceiro, nos crimes contra os costumes, se praticados sem violência real ou grave ameaça e desde que a ofendida não requeira o prosseguimento do inquérito policial ou da ação penal no prazo de 60 dias, a contar da celebração; perdão judicial, nos casos previstos legalmente.

EXTINÇÃO DO PROCESSO SEM JULGAMENTO DO MÉRITO — Ver Absolvição da Instância.

EXTINGUIR — Suprimir; abolir; fazer desaparecer; destruir; acabar; desaparecer; morrer.

EXTORQUIR — Obter por violência. Adquirir com violência; obter por extorsão.

EXTORSÃO — É o crime de constranger alguém, mediante violência ou grave ameaça, e com o intento de obter para si ou para outrem indevida vantagem econômica, a fazer, tolerar que se faça ou deixar de fazer algo.

EXTORSÃO MEDIANTE SEQÜESTRO — Crime contra o patrimônio. Consiste em seqüestrar pessoa com o fim de obter, para si ou para outrem, qualquer vantagem como condição ou preço do resgate. (Ver: Crime hediondo.)

EXTORSIONÁRIO — Aquele que pratica extorsão. Que faz extorsão.

EXTRA — De fora de, além de. Indica uma variedade de aplicações, seja para explicar o que vem fora do normal como o que não está incluído no ordinário ou comum.

EXTRA PETITA — [Latim]. Expressão que significa fora do pedido. Sentença que concedeu o que não constitui objeto do pedido. Diz-se da decisão do juiz fora do pedido formulado na petição inicial, o que resulta em nulidade do julgamento.

EXTRA-BOLSA OU DE BALCÃO — Um método de negociação que não envolve uma bolsa. Nos mercados extra-bolsa ou de balcão, os participantes negociam diretamente entre si, em geral por telefone ou mediante redes de computação. Também conhecido pela sigla OTC (*overthecounter*).

EXTRADIÇÃO — É o processo pelo qual um País requisita a outro que lhe entregue um indivíduo para que seja processado e julgado por crime que tenha cometido no país requerente ou cumprir a pena que lhe foi imposta. A concessão de extradição baseia-se em convenções internacionais, por meio das quais os países acordam extraditar pessoas em condições equivalentes. O Direito Internacional vem consagrando o princípio da não extradição de criminosos políticos. Quanto aos criminosos comuns, os países estabelecem tratados entre si, obrigando-se à extradição dos mesmos ou fixando as condições nos quais realizá-la. Cabe ao país onde o criminoso está refugiado definir se seu crime é político ou se se trata de um criminoso comum. O pedido normalmente é feito via diplomática de governo a governo e, no Brasil, o Supremo Tribunal Federal é a autoridade competente a se pronunciar sobre o pedido. Em regra, é concedida a extradição de cidadão do país requisitante, salvo em casos de crime político. Brasileiros natos não podem ser extraditados. Os naturalizados podem sofrer o processo, nos casos previstos pela Constituição (art. 5º, inciso LI). O indivíduo a ser extraditado é chamado de extraditando. Negada a extradição, não se admitirá um novo pedido baseado no mesmo fato. (Ver: Expulsão de estrangeiro.)

EXTRADIÇÃO - PRISÃO PREVENTIVA — Processo que garante a prisão preventiva do réu em processo de extradição como garantia de assegurar a aplicação da lei. É condição para se iniciar o processo de extradição. O Ministério das Relações Exteriores remeterá o pedido ao Ministério da Justiça, que ordenará a prisão do extraditando, colocando-o à disposição do Supremo Tribunal Federal.

EXTRAJUDICIAL — Locução empregada para se designar os atos que se fazem ou se processam fora de juízo, isto é, sem a presença ou presidência de um juiz. São os atos que não "*coram judice pro Tribunali sedente*", ou não são praticados no processo judicial. "*Extra judicium*". E, assim, se opõe ao judicial.

EXTRANEI — São aqueles que, não integrando a Administração Pública, concorrem, com o servidor público, para a prática de um delito contra aquela, como a corrupção ativa e a corrupção passiva. Intranei são os próprios integrantes da Administração Pública, que podem incorrer nos chamados crimes próprios ou inerentes à condição do agente.

EXTRATERRITORIALIDADE — A suspensão total ou parcial de regulamentos e taxação em territórios delimitados é uma prerrogativa dos Estados nacionais. O estatuto de extraterritorialidade permite a criação de territórios especiais onde certas normas válidas no território nacional são suspensas (mas não as leis) pela própria autoridade constituída. Atualmente é um expediente cada vez mais mobilizado pelos Estados como uma forma alternativa de regulação das fronteiras internacionais para atender a objetivos econômicos. Tanto os centros financeiros *offshore* como as zonas francas ou área de livre comércio são as grandes beneficiárias desse estatuto. O estatuto de extraterritorialidade é antigo, antecedendo à formação do sistema de estados nacionais porém com o mesmo propósito de criar exceções a normas e regras dominantes. No mundo medieval europeu os burgos, as cidades da Liga Hanseática ou as embaixadas ("ilhas de alienação da soberania") constituem exemplos da aplicação da regra de exceção. Também são exemplos os *portos francos* instituídos pelas metrópoles européias em seu reino ou em suas colônias em séculos passados.

EXTRATIVISMO — Sistema de exploração baseado na coleta e extração, de modo sustentável, de recursos naturais renováveis e de minerais.

EXTRATO DE CONTA — Relatório de movimentações de dinheiro na conta-corrente ou fundo de investimento.

EXTRATO DE CUSTÓDIA — Extrato de Conta Cliente-Custódia. Tem a finalidade de informar todos os lançamentos que ocorreram na sua posição de títulos, em um período determinado bem como seu saldo atualizado.

EXTRAVIO, SONEGAÇÃO OU INUTILIZAÇÃO DE LIVRO OU DOCUMENTO — Crime praticado pelo servidor público contra a Administração Pública previsto no Código Penal, que consiste em extraviar, sonegar ou inutilizar livro oficial ou qualquer documento, de que tem a guarda. Pena: reclusão, de um a quatro anos.

F

FAC (FUNDO DE APLICAÇÃO EM COTAS, DE OUTROS FUNDOS) — Diferente dos demais fundos de investimento, o FAC não compra e vende papéis e títulos no mercado. O FAC compra e vende cotas dos demais fundos de investimentos, ou seja, é o fundo dos fundos.

FACÇÃO - FRAÇÃO — Parte divergente ou dissidente de um grupo ou partido. Discussão, desacordo ou luta dentro de um grupo ou partido. Genericamente, qualquer grupo, inclusive sedicioso. Em direito político, grupo dissidente de um partido.

FACILITAÇÃO DE CONTRABANDO OU DESCAMINHO — Crime praticado pelo servidor público contra a Administração Pública previsto no Código Penal, que consiste em facilitar a prática de contrabando ou descaminho. Pena: reclusão, de três a oito anos, e multa.

FACÍNORA — Criminoso de instinto perverso.

FACTA CONCLUDENTIA — [Latim]. Expressão que significa fatos concludentes.

FACTOR — É a empresa de *factoring*, faturizadora, cessionária e endossatária dos títulos adquiridos.

FACTORING — Forma de financiamento na qual os créditos são cedidos a terceiros, que passam a cobrá-los em seu próprio nome. Atividade em que empresas especializadas compram títulos (duplicatas, promissórias e até cheques pré-datados) com desconto. Pagam esses títulos à vista com deságio, o que gera, nas empresas que detinham esses documentos, dinheiro em caixa. Tem sido apontado como um mecanismo usado para lavagem de dinheiro. A constituição social da empresa de *factoring* poderá ser limitada ou anônima, registrada e arquivada na Junta Comercial e não precisa de autorização do Banco Central para funcionar. A empresa de *factoring* não empresta dinheiro, não sendo esta sua função ou não podendo constar de sua razão social, sendo o objeto do *factoring* a aquisição de créditos (cheques e duplicatas), antecipação de recursos não financeiros e a prestação de serviços convencionais. A empresa de *factoring* não cobra juros e sim "fator", que é o deságio entre o valor de face do título cedido e o pagamento por ela feito na operação de antecipação recebíveis em cheques ou duplicatas; no *factoring* compra-se o crédito, portanto não há desconto dos títulos como em bancos; no *factoring* não se faz empréstimo e sim faturização ao antecipar-se numerário decorrente da venda de cheques e duplicatas, com deságio ou "fator".

FACULDADE — Capacidade ou aptidão para fazer alguma coisa, por vontade própria ou por consentimento de outrem, da lei ou do contrato.

FACULDADES DO PENSAMENTO — Conjunto dos recursos psíquicos intelectivos processadores dos pensamentos simples ou fluentes e dos complexos. Entre os seus diversos elementos destacam-se o talento inventivo, o raciocínio, a lembrança, a permissividade e objetividade no sentido da busca ou pesquisa, concentração imaginativa, curiosidade, abstração, senso, intuição, intenção, decisão, interesse, consciência do consciente etc.

FACULTAS AGENDI — [Latim]. Expressão que significa poder de ação; faculdade de agir (direito subjetivo).

FACULTAS FACIENDI — [Latim]. Expressão que significa faculdade de fazer.

FACULTATIVO — Que dá consentimento, que não é obrigatório.

FACÚNDIA — Eloqüência, talento notório.

FADIGA — Exaustão, cansaço resultante de esforço continuado. Fadiga de equipamento: limitação sofrida pelo equipamento, em conseqüência da ultrapassagem de seu prazo de vida útil.

FAF (FUNDO DE APLICAÇÃO FINANCEIRA) — Fundo criado pelo plano Collor II em substituição aos fundos de curto prazo, inclusive ao *open* e ao *over*. As taxas de remuneração das FAFs deveriam ser iguais às da TR, substituindo com vantagens as aplicações de curto prazo anteriores. Foi extinto.

FAIDA — Reação pessoal do ofendido contra o ofensor, a mais empírica forma de vingança privada, porque, ao diverso do talião, não conhecida ainda limite para a reparação do agravo.

FAIXA BRASÍLIA — Compartimento geológico que se distribui desde o sul de Minas Gerais até o Estado de Goiás, incluindo grandes falhas, dobras e metamorfismo diferenciado.

FAIXA DE DOMÍNIO DE VIAS — Área compreendida entre as linhas de gradil dos terrenos lindeiros, destinada a abrigar os elementos componentes da via, como vias marginais, canteiros centrais e laterais, passeios, estacionamentos, baias para ônibus etc., legalmente delimitada, de propriedade ou sob domínio do Poder Municipal, Estadual e Federal.

FAIXA DE FRONTEIRA — Zona de 150 km de largura, ao longo das fronteiras terrestres, considerada fundamental para defesa do território nacional, e cuja ocupação e utilização tem regulamentação legal.

FAIXA DE GAZA — É um estreito território com largura que varia de 6 quilômetros a 14 quilômetros às margens do Mar Mediterrâneo. Seus cerca de 360 quilômetros quadrados de área são limitados ao sul pelo Egito e ao norte por Israel. A Autoridade Nacional Palestina (ANP) administra as cidades da Faixa de Gaza, mas boa parte das áreas rurais está sob controle de militares israelenses e de 6.000 colonos judeus. A principal cidade do território é Gaza.

FAIXA FRONTEIRIÇA — Extensão de terra, à margem dos rios navegáveis, em uma profundidade, em metros, que a lei estabelece a contar do ponto médio das enchentes costumeiras, destinada à servidão pública.

FAIXA LATERAL DE DOMÍNIO DE VIAS — Área compreendida entre o bordo externo da via e a linha de gradil dos terrenos lindeiros, destinada à implantação de canteiros laterais, urbanização, via marginal, estacionamentos, baias de ônibus, passeios, estando inclusa na faixa de domínio da via.

FAIXAS DE DOMÍNIO — Superfície lindeira às vias rurais, delimitada por lei específica e sob responsabilidade do órgão ou entidade de trânsito competente com circunscrição sobre a via.

FAIXAS DE TRÂNSITO — Qualquer uma das áreas longitudinais em que a pista pode ser subdividida, sinalizada ou não por marcas viárias longitudinais, que tenham uma largura suficiente para permitir a circulação de veículos automotores.

FALÁCIA — Fraude, trapaça, enganar alguém com razões falsas e com má intenção.

FALAR NOS AUTOS — Expressão costumeira forense, reminiscência do processo primitivo, quando tudo se passava oralmente, e que quer dizer qualquer manifestação escrita das partes no andamento dos feitos.

FALÊNCIA - CREDORES PREFERENCIAIS (CLASSIFICAÇÃO DOS CRÉDITOS) — Pela Lei nº 11.101, de 9 de fevereiro de 2005 (Lei de Falência e Recuperação - LFR), a classificação dos créditos na falência obedecerá à seguinte ordem: I - os créditos trabalhistas limitados a 150 salários-mínimos por credor e os decorrentes de acidentes de trabalho (créditos acima de 150 salários mínimos, serão considerados quirografários); II - créditos com garantia real até o limite do valor do bem gravado; III - créditos tributários, independentemente da sua natureza e tempo de constituição, exceto as multas tributárias; IV - créditos com privilégio especial como os assim definidos em outras leis civis e comerciais e os aqueles a cujos titulares a lei confira o direito de retenção sobre a coisa dada em garantia; V - créditos com privilégio geral, como os previstos no parágrafo único do art. 67 da Lei nº 11.101 e/os assim definidos em outras leis civis e comerciais; VI - créditos quirografários, dentre os quais os saldos dos créditos não cobertos pelo produto da alienação dos bens vinculados ao seu pagamento e os dos créditos derivados da legislação do trabalho que excederem 150 salários mínimos; VII - as multas contratuais e as penas pecuniárias por infração das leis penais ou administrativas, inclusive as multas tributárias; VIII - créditos subordinados como os créditos dos sócios e dos administradores sem vínculo empregatício. (Ver: Falência.)

FALÊNCIA — É a condição jurídica decretada através de sentença judicial, pela falta de cumprimento de obrigações assumidas pelo devedor no plano de recuperação judicial ou extrajudicial aprovado por 2/3 dos credores ou, em caso de não aprovação do plano, pelos credores. É um ato pelo qual o juízo declara que um devedor comerciante não tem mais condições de se recuperar, sua empresa é inviável, ele não tem mais condições de continuar com suas atividades, ele é insolvente. A insolvência revela que a situação do devedor comerciante é irreversível, sua dificuldade não é mais temporária e sim definitiva. (Lei nº 11.101, de 9.2.2005 / Lei de Falência e Recuperação - LFR). (Ver: Falência, Execução da // Falência - Juízo Competente // Falência do Devedor Empresário e do Devedor Civil.)

FALÊNCIA - JUÍZO COMPETENTE — A competência para apreciar pedidos de falência, recuperação judicial e extrajudicial é o juízo do local onde estiver situado o principal estabelecimento do devedor. Caso o principal estabelecimento deste esteja fora do país, será competente o juízo do local onde estiver situada sua filial aqui no Brasil. (Lei nº 11.101, de 9.2.2005 / Lei de Falência e Recuperação - LFR).

FALÊNCIA CIVIL — Metomínia empregada para a insolvência civil.

FALÊNCIA CONSENSUAL — Diz-se da insolvência ocasionada pela área comercial e que se tornou insuperável, apesar da diligência do comerciante.

FALÊNCIA CULPOSA — Insolvência resultante de negligência ou abuso na condução dos atos de comércio, ou de omissão no cumprimento das normas legais, sem o intuito de prejudicar os credores.

FALÊNCIA DE DIREITO — Estado falimentar reconhecido, ou declarado, judicialmente.

FALÊNCIA DO DEVEDOR EMPRESÁRIO E DO DEVEDOR CIVIL — Não pode ocorrer a falência (submetida à Lei nº 11.101, de 2005) do devedor civil, somente aplicando-se tal instituto ao devedor empresário (seja ele individual ou sociedade empresária), conforme se depreende do art. 1º da referida norma. A insolvência do devedor civil é regida pelos Códigos Civil e Processual Civil.

FALÊNCIA, ABERTURA DE — Movimento que marca a fase cognitiva do processo de quebra, iniciado com o recebimento do pedido em juízo e encerrado com a sentença e sua publicação. (Ver: Recuperação Extrajudicial // Recuperação Judicial // Falência.)

FALÊNCIA, ABUSO NO REQUERIMENTO DE — Consiste em requerer, por dolo, a falência de outrem. Quando requerida por mais de uma pessoa, os requerentes são solidariamente responsáveis. A sentença que denegar o pedido, em 1ª ou 2ª instâncias, condenará o requerente a indenizar o devedor por perdas e danos.

FALÊNCIA, DEPÓSITO ELISIVO DE — É aquele que o devedor, no prazo para defesa, efetua para evitar a declaração de falência e discutir o montante ou a própria legitimidade do pedido.

FALÊNCIA, EXECUÇÃO DA — A falência constitui-se em um processo de execução coletiva, onde todos os credores do falido, ressalvadas exceções previstas legalmente, acorrem a um único juízo e em um único processo executam o patrimônio do devedor empresário. Diferencia-se, portanto, da execução individual, onde são executados algum(s) bem(s) do devedor, visto que na falência todo o patrimônio penhorável do devedor é comprometido pela execução. E, ainda, na execução temos um ou alguns credores determinados acionando o devedor, já na falência temos todos os credores, ressalvadas as exceções legais, executando coletivamente o patrimônio do falido. (Lei nº 11.101, de 9.2.2005 / Lei de Falência e Recuperação - LFR). (Ver: Falência.)

FALÊNCIA, SOCIEDADES EMPRESÁRIAS NÃO-SUJEITAS À — A Lei nº 11.101, de 9.2.2005 (Lei de Falência e Recuperação - LFR) é enfática em seu art. 2º que não estão submetidos à falência e recuperação as seguintes pessoas jurídicas: a) empresa pública e sociedade de economia mista; b) instituição financeira pública ou privada, cooperativa de crédito, consórcio, entidade de previdência complementar, sociedade operadora de plano de assistência à saúde, sociedade seguradora, sociedade de capitalização e outras entidades legalmente equiparadas às anteriores.

FALENCIAL — Relativo à falência. Falimentar. Ex.: estado falencial.

FALÉSIA — É uma forma geográfica litoral, caracterizada por um abrupto encontro da terra com o mar. Formam-se escarpas na vertical que terminam ao nível do mar e se encontram permanentemente sob a ação erosiva do mar. Ondas desgastam constantemente a costa, o que por vezes pode provocar desmoronamentos ou instabilidade da parede rochosa. Com as mudanças climáticas, o nível do mar pode descer, deixando entre a falésia e o mar um espaço plano.

FALHA — 1) Diminuição total ou parcial da capacidade de desempenho de um componente, equipamento ou sistema, para atender a uma certa função durante um período de tempo determinado. 2) Condição de um componente, equipamento ou sistema, em que a intenção do projeto não foi satisfeita (análise de riscos). 3) Plano de separação que se forma entre blocos de uma camada rochosa, em conseqüência do seu deslocamento e de movimentos tectônicos.

FALHA DE CAUSA COMUM — Falhas simultâneas em dois ou mais componentes, como resultado de uma única causa.

FALHA GEOLÓGICA — Fratura nas rochas da crosta terrestre, ao longo das quais os blocos contíguos se movimentaram. A amplitude desse movimento pode variar de milímetros até centenas de metros. Terremotos catastróficos têm ocorrido nas zonas de domínio de grandes falhas geológicas ativas, como, por exemplo, na região da Califórnia (USA), associados à falha de San Andreas.

FALHAS DE INTERVENÇÃO DO ESTADO — Empregada em economia expressa que nem sempre a intervenção do Estado beneficia o funcionamento do mercado. Desta forma, é freqüente fazer-se referência às falhas de intervenção (ou falhas de Estado). São elas de quatro tipos: informação limitada; limitação no controle das respostas dadas pelo mercado; falta de controle sobre a proliferação da burocracia; limitações impostas pelos processos produtivos - porque, na maior parte das vezes, as decisões são tomadas tendo em vista o favorecimento de determinados grupos de interesse.

FALHAS DE MERCADO — Expressão utilizada em economia para definir a falha de mercado que pressupõe a falta de eficiência no mesmo. Existe em duas situações: a) No caso de desemprego, ou seja, quando os fatores produtivos não estejam afetados na totalidade. O que significa que a economia não funciona na fronteira de possibilidades de produção. Desta forma, a intervenção estatal é importante, na medida em que a promoção de eficiência gera movimentos de *pareto* (encontro de pontos produtivos mais próximos da fronteira de possibilidades de produção). Este problema é estudado pela macroeconomia; b) No caso de pleno emprego, ou seja, desde que os fatores produtivos estejam afetados na totalidade, mas de forma irracional (não ideal). Classicamente, são apresentadas quatro formas de falhas de mercado, desde que assegurado o pleno emprego dos fatores produtivos: a) existência de externalidades; b) existência de poder de mercado; c) insuficiência no fornecimento de bens públicos; d) falta de informação.

FALIDO — Comerciante que, sem relevante razão de direito, não paga no vencimento obrigação líquida, constante de título que legitime o processo de execução.

FALIR — Empresário em estado de insolvência reconhecido judicialmente, por confissão do próprio ou requerimento dos credores.

FALSA DECLARAÇÃO — Declaração inverdadeira ou mentirosa, quer no que toca à manifestação da vontade na formação do negócio jurídico, quer no intuito desfazer crer uma inverdade quanto a ato ou fato que o declarante testemunhou ou de que tenha conhecimento.

FALSA IDENTIDADE — Delito consistente em atribuir-se, alguém, ou atribuir a terceira pessoa falsa qualidade para obter vantagem, em proveito próprio ou alheio, ou para causar dano a outrem.

FALSÁRIO — Falsificador de assinatura, documento ou moeda. (Ver: Fraude.)

FALSIDADE — Ato de enganar, ludibriar, desvirtuar ou induzir alguém a erro. Crime contra a fé pública.

FALSIDADE DOCUMENTAL — Ato ilícito de forjar documento não verdadeiro, bem como reconhecer firma ou letra falsa, fornecer atestado falso, ou destruir, ou ocultar documento verdadeiro.

FALSIDADE IDEOLÓGICA — Ato ilícito de omitir, em documento público ou particular, declaração que dele devia constar, ou nele inserir declaração falsa ou diversa da que deveria ser escrita, com o fim de prejudicar direito, criar obrigação ou alterar a verdade sobre fato juridicamente relevante.

FALSIDADE, AÇÃO DE — Ação que objetiva a declaração de falsidade ou inautenticidade de documento público ou particular. Depende da ação principal, portanto seus autos ficam apensados a esta.

FALSIFICAÇÃO — Ato ilícito de adulterar, alterar, imitar ou reproduzir alguma coisa com fraude, no interesse do próprio agente ou de outrem, e em prejuízo material ou moral de alguém.

FALTA DE COMPETIÇÃO — Em economia indica a falta de alternativa para o consumidor. A falta de alternativa para o consumidor (insensibilidade) significa a possibilidade de a empresa subir os preços, mantendo o nível de produção (de acordo com o estabelecido pela falta de elasticidade-preço da procura).

FALTA INJUSTIFICADA — Ausência do empregado ao trabalho que não se funda em qualquer motivo jurídico justo, podendo, por isso, ser descontada de seu salário a quantia a ela correspondente.

FAMÍLIA — Conjunto de pessoas ligadas por laços de parentesco, dependência doméstica ou normas de convivência, com direito à proteção por parte desta e do Estado. Em pesquisas é considerada a instituição social de diversas pessoas agrupadas em razão de vínculo de casamento, união estável ou descendência. As pessoas que integram a entidade familiar podem ser ou casadas, ou solteiras, ou viúvas, ou divorciadas, ou desquitadas.

FAMÍLIA NATURAL — É a comunidade formada pelos pais ou qualquer deles e seus descendentes.

FAMÍLIA NBR ISO 9000 — São todas as normas produzidas pelas comissões de estudo da ABNT/CB-25. Compreende: - todas as normas numeradas NBR ISO 9000 a NBR ISO 9004, incluindo todas as partes da NBR ISO 9000 e NBR ISO 9004; - todas as normas numeradas NBR ISSO 10001 a 10020 (ver), incluindo todas as partes; e a NBR ISO 8402 (ver.)

FAMÍLIA SUBSTITUTA — É a substituição do pátrio poder dos pais por outra família, nos casos determinados pela Justiça, nas formas de guarda, tutela ou adoção. (Ver: Poder familiar.)

FAMÍLIAS JURÍDICAS — Classificação das unidades jurídicas emanadas de um sistema, mas que embora guardando traços de origem, se afastam quando comparadas entre si.

FANÁTICO — Que ou aquele que se julga inspirado por uma divindade qualquer. Que ou aquele que está cegamente apaixonado por uma idéia, partido, opinião, pessoa.

FAO (ORGANIZAÇÃO PARA ALIMENTAÇÃO E AGRICULTURA) — Órgão das Nações Unidas fundado em 1943 e inaugurado em 1945 na reunião de Quebec (Canadá). Sediada em Roma, a FAO tem por objetivo elevar os níveis de alimentação e nutrição das populações carentes do mundo, promovendo o aumento dos níveis de produtividade da agricultura de alimentos em escala internacional. É dirigida por um conselho de representantes de 31 países, eleitos pela conferência bianual de todas as nações associadas.

FAQ (FUNDO DE APLICAÇÃO EM QUOTAS) — Diferente dos demais fundos de investimento, o FAQ não compra e vende papéis e títulos no mercado. O FAQ compra e vende quotas dos demais fundos de investimentos, ou seja, é um fundo de fundos.

FÁRMACO — Medicamento, remédio.

FAS — Ver Fundo de Assistência Social.

FASCISMO — Regime político de caráter totalitário que surge na Europa no entreguerras (1919-1939). Originalmente é empregado para denominar o regime político implantado pelo italiano Benito Mussolini entre 1919 e 1943. Suas principais características são o nacionalismo, que tem a nação como forma suprema de desenvolvimento, e o corporativismo, em que os sindicatos patronais e trabalhistas são os mediadores das relações trabalhistas. O fascismo nasce oficialmente em 1919, em Milão, quando Mussolini funda o movimento intitulado Fascio de Combatimento, cujos integrantes, os camisas pretas (*camicie nere*), se opõem à classe liberal. Em 1922, as milícias fascistas desfilam na Marcha sobre Roma. Pretendem tomar o poder militarmente e ocupam prédios públicos e estações ferroviárias, exigindo a formação de um novo gabinete. Mussolini é convocado para chefiar o governo do país, que atravessa profunda crise econômica, agravada por greves e manifestações de trabalhadores. Por meio de fraudes, os fascistas conseguem maioria parlamentar. Em seguida, Mussolini dissolve os partidos de oposição, persegue parlamentares oposicionistas e passa a governar por decretos. As características do regime são cerceamento da liberdade civil e política, unipartidarismo, derrota dos movimentos de esquerda e limitação ao direito dos empresários de administrar sua força de trabalho. A política adotada, entretanto, é eficiente na modernização da economia industrial e na diminuição do desemprego.

FASE — Conjunto de ações integradas do Projeto/Atividade que resultem numa realização homogênea e mensurável, através de uma unidade de medida.

FASE DE EXECUÇÃO — Nesta fase, processa-se a execução dos bens ou numerário para garantia do Juízo. Uma vez garantido o juízo, abrem-se vistas às partes para a contestação dos cálculos homologados, a começar pelo réu (cinco dias).

FASE DE INSTRUÇÃO — Fase do processo que o réu apresenta sua defesa, junta os documentos e apresenta as provas e contraprovas, razões e contra-razões e são ouvidas as testemunhas. No transcorrer da fase de instrução do processo, o juiz poderá solicitar a realização de perícia para auxiliar na elaboração da sentença.

FASE DE LIQUIDAÇÃO DA SENTENÇA — Fase que são elaborados os cálculos de liquidação, transformando em valores as determinações e deferimentos contidos nos autos. De modo geral (não é regra), após o trânsito em julgado do processo ou em outras palavras, depois de esgotados todos recursos e prazos, e encerrada a fase recursal, o juiz abre prazo para que o reclamante ou o réu apresente seus cálculos, demonstrando de forma detalhada, o montante devido, com base nas determinações contidas nos autos.

FASE POSTULATÓRIA — Aquela em que são feitas a exposição de fato e alegações de direito, em juízo, para fundamentar pedido ou pretensão.

FASE RECURSAL — Etapa do processo em que o vencido em uma demanda, ou aquele que se julgue prejudicado, valendo-se do recurso cabível, recorre a Tribunal superior para obter a reforma, total ou parcial, de uma decisão recorrível, ou sua anulação.

FAT (FUNDO DE AMPARO AO TRABALHADOR) — Fundo contábil de natureza financeira, vinculado ao Ministério do Trabalho e Emprego, destinado ao custeio do Programa de Seguro-Desemprego, ao pagamento do abono salarial e ao financiamento de programas de desenvolvimento econômico.

FATAL — Inevitável. Desastroso. Funesto; mortal; letal.

FATALIDADE — Desgraça; sucesso desastroso. Acontecimento inevitável, marcado pelo destino.

***FATF* (*FINANCIAL ACTION TASK FORCE ON MONEY LAUNDERING*)** — Grupo criado pelo G-7 (1989) para combater a lavagem de dinheiro em escala mundial. Embora vinculado a OECD, a FATF ou GAFI (*Groupe d'action financière sur le blanchiment de capitaux*), reúne outros países-membros além daqueles da OECD, tendo como critério formal o país adotar as "40 recomendações" da FATF para coibir a lavagem de dinheiro e processos correlatos como evasão fiscal e corrupção. O Brasil e a Argentina tornaram-se parte da FATF em 2000.

FATO — Coisa feita; o que é feito; ato realizado, ou ação implementada. Aquilo que é real; aquilo que realmente existe; é evidente. Acontecimento ou ocorrência no real concreto, implicando determinados seres (o mundo objeto – fenômenos, coisas, pessoas etc.) e sucessão de seus movimentos interativos num determinado espaço, velocidade e temporalidade.

FATO ADMINISTRATIVO — Alteração nos elementos do patrimônio público.

FATO ADMINISTRATIVO CONTÁBIL — É toda operação que modifica ou altera, de imediato, a posição do patrimônio ou seus componentes, podendo ser permutativo ou modificativo.

FATO CONSUMADO — Fato que foi concluído, ou perfeito, e cujos efeitos não podem mais ser alterados.

FATO DO PRÍNCIPE — Ato da Administração Pública que, em nome do interesse coletivo, altera contrato que celebrou com particular tornando seu cumprimento, por parte deste, mais oneroso.

FATO GERADOR — É aquela situação prevista em lei que vincula o nascimento de obrigações jurídicas de pagar determinado tributo, dando origem à obrigação tributária.

FATO INCONTROVERSO — Acontecimento decorrente da circunstância que, embora não conhecida de todos, por si é isenta de qualquer dúvida. Distingue-se do fato notório em que esse resulta do consenso geral, e daí vem que todo fato notório é incontroverso, mas nem todo fato incontroverso é notório. (Ver: Fato notório.)

FATO JURÍDICO — É todo acontecimento, voluntário ou não, capaz de determinar conseqüências jurídicas ou de conservar, modificar ou extinguir uma relação de direito.

FATO NOTÓRIO — Fato de conhecimento geral, perceptível por qualquer pessoa de mediano entendimento. É aquele que, por sua relevância, não precisa ser provado. Mas isso depende das condições sociais, culturais, psicológicas, enfim, da formação de cada pessoa. Cabe ao juiz aquilatar o fato ante o caso concreto. (Ver: Fato controverso.)

FATO PROBANDO — Diz-se daquilo que está sendo averiguado por meio de prova, no sentido de se obter a confirmação de sua existência ou a extensão de seus efeitos.

FATO RELEVANTE — Informação ou acontecimento que pode influenciar numa decisão.

FATOR — É o deságio (diferencial ou comissão) entre o valor de face do título cedido e o pagamento feito pela empresa de *factoring*.

FATOR DE CONSUMO — Para fins de planejamento logístico, a qualidade média de consumo de um item de suprimento, durante determinado intervalo de tempo.

FATOR DE RENDA — É o valor numérico, calculado mediante utilização de uma tábua biométrica e de uma taxa de juros. É utilizado para a obtenção do valor do benefício do plano de previdência.

FATOR DE REPOSIÇÃO — Para fins de planejamento logístico, coeficiente que, multiplicado pela quantidade total de um item de suprimento de duração indeterminada, fornece a quantidade desse item, necessária a recompletá-lo durante um certo período de tempo.

FATOR EXTERNO — Acontecimento, condição ou decisão necessária ao sucesso de um projeto, mas que se encontra, em grande medida, fora do controle de sua gestão.

FATOR LIMITANTE — Um recurso que é escasso relativo à sua demanda.

FATORES AMBIENTAIS — São elementos ou componentes que exercem função específica, influindo diretamente no funcionamento do sistema ambiental.

FATORES CONDICIONANTES DA BASE MONETÁRIA — Refere-se às fontes de criação (emissão de moeda pelo Banco Central) ou destruição (recolhimento de moeda pelo Banco Central) de moeda primária (base monetária). Toda operação/intervenção do Banco Central que resulta em entrega de papel-moeda e/ou crédito em contas de "Reservas Bancárias" significa expansão monetária (criação de moeda) e é apresentada com sinal positivo. Ao contrário, toda operação/intervenção do Banco Central que resulta em recebimento e/ou débito em contas de "Reservas Bancárias" significa contração monetária e é apresentada com sinal negativo. Deve-se ressaltar a diferença entre fabricação e emissão de moeda: a fabricação é um processo fabril de cédulas e moedas e a emissão é um processo econômico que resulta em crescimento da oferta monetária, tanto física (cédulas e moedas) quanto escritural (Reservas Bancárias).

FATORES DE GLEBA — Fatores criados pela Prefeitura do Município para agilizar as avaliações de glebas a partir de preços unitários de lotes, em desuso por ser desaconselhado mesmo que em eventuais tratamentos de homogeneização.

FATORES DE MOTIVAÇÃO — Quaisquer aspectos do emprego (tais como: desafios, responsabilidades, nível de concretização, reconhecimento do trabalho, mudança de cargo ou função), responsáveis pelo crescimento do interesse na realização do trabalho.

FATORES DE PRODUÇÃO — É o conjunto dos meios (terra, trabalho e capital) aplicados no processo produtivo de um bem ou de um serviço.

FATORES DE PRODUÇÃO FIXOS — Em economia representa o conjunto dos fatores que não são suscetíveis de serem alterados no curto prazo. A existência de fatores fixos fundamenta a lei dos rendimentos marginais decrescentes.

FATORES DE REDUÇÃO DE RISCO — Medidas de segurança complementares, além daquelas normalmente exigidas em qualquer planta de edificação ou indústria, que podem ser utilizadas para: a) minimizar a expansão de uma área de danos, quando da ocorrência de um acidente; b) reduzir a probabilidade ou magnitude de um acidente.

FATOS JURÍDICOS INVOLUNTÁRIOS — São fatos naturais que são independentes da vontade.

FATOS JURÍDICOS VOLUNTÁRIOS — São manifestações de vontade, quer do sujeito, quer de quem o represente, com relevância jurídica.

FATURA — É o documento enviado ao cliente que comprova a venda e que contém o valor a ser pago e a data de vencimento.

FATURA PRÓ-FORMA — Fatura emitida em caráter preliminar com todas as características da fatura definitiva. Não implica pagamento por parte do comprador. É geralmente emitida para atender a determinações de autoridades aduaneiras.

FATURAMENTO — Valor total recebido com a venda de produtos ou serviços de uma empresa. Entram, ainda, nesta conta os ganhos obtidos com aplicações financeiras ou venda de ativos. É diferente de receita.

FATURIZAÇÃO — O mesmo que *factoring*, fomento mercantil, fomento comercial ou fomento empresarial que são atos que envolvem a cessão de crédito, antecipação de recursos não-financeiros e prestação de serviços convencionais ou diferenciados, conjugados ou separadamente, a título oneroso, entre dois empresários, faturizador e faturizado.

FATURIZADO — É o cliente da empresa de *factoring*, também conhecida como contratante-faturizada, cedente, endossante, emitente-sacador dos títulos cedidos na operação de *factoring*.

FAULT TREE ANALYSIS — Ver FTA.

FAUNA — Conjunto de espécies animais que vivem em um determinado ambiente, região ou época. A existência e conservação da fauna está vinculada à conservação dos respectivos hábitats.

FAUNA SILVESTRE — Todos os animais pertencentes às espécies nativas, migratórias e quaisquer outras, aquáticas ou terrestres, reproduzidas ou não em cativeiro que vivem livres em seu ambiente natural.

FAVELA — É a área predominantemente habitacional, caracterizada por ocupação da terra por população de baixa renda, precariedade de infra-estrutura urbana e de serviços públicos, vias estreitas e de alinhamento irregular, lotes de forma e tamanho irregulares e construções não licenciadas, em desconformidade com os padrões legais. (Ver: Aglomerado Subnormal.)

FAVELA-BAIRRO — Programa de urbanização e regularização fundiária de favelas, integrante da política habitacional em curso no Município do Rio de Janeiro.

FAVORECIDO (BENEFICIÁRIO) — Comprador de um título; pessoa a qual o título foi transferido ou a favor de quem o título é emitido.

FAVORECIMENTO PESSOAL — Ato delituoso praticado por quem auxilia o agente de crime a subtrair-se à ação de autoridade pública.

FAVORECIMENTO REAL — Ato delitivo cometido por quem presta auxílio a criminoso para tornar seguro o proveito do crime.

FAZENDA — Genericamente, conjunto de bens; riqueza. Especificamente, propriedade rural de considerável extensão.

FAZENDA NACIONAL — Função governamental orientada para obter recursos monetários de diversas fontes para financiar o desenvolvimento do país. Consiste em cobrar diretamente os impostos, direitos, produtos e utilizações; bem como captar recursos complementares, mediante a contratação de créditos e empréstimos no país e no estrangeiro.

FAZENDA PÚBLICA — Expressão que designa o conjunto de órgãos e unidades da Administração Pública que são responsáveis pela arrecadação e fiscalização de tributos, bem como pela guarda dos recursos financeiros (numerário) e títulos representativos de ativos e direitos da União, dos Estados, do Distrito Federal ou dos Municípios. O mesmo de erário.

FÉ — Crença; convicção; crédito na existência de determinado fato. Sentimento íntimo que leva o ser a crer. Confiança. É a credibilidade que se dá a um fato ou documento.

FÉ DE OFÍCIO — É a narrativa da vida funcional ou pública de uma pessoa desde sua posse no cargo ou função pública, em razão da maneira leal, correta e exata em que é feita a narrativa, merecendo fé.

FÉ PÚBLICA — É a confiança e aceitação de documento firmado por autoridade pública, ou certidão de serventuário da Justiça, como o oficial de Justiça e ou escrivão, em razão da função ou ofício exercido. A lei declara digno de fé o ato. Supõe-se, presume-se, imagina-se, que o ato ou documento correspondam à verdade por presunção legal porque a lei assim o diz. O interessado poderá provar a falsidade do ato ou documento, caindo, assim, a força presuntiva de verdade. A presunção é *juris tantum* (somente de direito admite prova em contrário) e não *juris et de* jure (não precisa ser provado). Autoridade ou serventuário que falta com a verdade comete crime de falsidade ideológica, ou de perjúrio, tal seja o caso.

FEBRABAN (FEDERAÇÃO BRASILEIRA DAS ASSOCIAÇÕES DE BANCOS) — Entidade de natureza civil que opera em âmbito nacional, com o objetivo de representar os bancos e contribuir para o aperfeiçoamento de suas atividades.

FECHADO — É a palavra que concretiza a realização de uma operação de compra ou de venda.

FECHAMENTO ANTERIOR — Última cotação do papel no pregão regular do dia anterior, sem considerar o *After Market*.

FECHAMENTO DE POSIÇÃO — Operação através da qual o investidor assume uma posição oposta àquela detida no momento, ou seja, compra ou vende um valor mobiliário com a finalidade de encerrar a posição aberta. Quando sua posição está fechada, o investidor não detém o valor mobiliário e nem está em posição devedora. A expressão também é utilizada quando da realização de operações inversas no mercado futuro.

FECHAMENTO EM ALTA — Quando o índice de fechamento for superior ao índice de fechamento do pregão anterior.

FECHAMENTO EM BAIXA — Quando o índice de fechamento for inferior ao índice de fechamento do pregão anterior.

FED (*FEDERAL RESERVE DEPARTAMENT*) — É o Banco Central norte-americano, responsável pela formulação e execução de política monetária. Além disso, o FED age como regulador e supervisor do sistema bancário, serve como "banco" do Governo e o assessora em operações financeiras. A taxa de juros do EUA é definida pelo FOMC (*Federal Open Market Commitee*), principal órgão do FED.

FED FUNDS RATE — É o juro pago pelos títulos do governo dos Estados Unidos, que corresponde à taxa básica da economia americana. Quem define a taxa é o *Federal Open Market Commitee* (Comitê Federal para o Mercado Aberto), vinculado ao Banco Central americano, que é chamado de FED.

FEDERAÇÃO — 1) Associação, aliança, união. 2) União política de estados ou de territórios administrativamente autônomos integrantes de um Estado Nação. Para a Teoria do Estado é o gênero de união de Estados de que são espécies: a Confederação e o Estado Federal. A diferença entre ambos é que na Confederação os Estados preservam sua soberania, podendo se retirar a qualquer momento, ao passo que no Estado Federal os Estados perdem sua soberania ao se unirem, submetendo-se todos a uma Constituição que lhes dá autonomia. 3) Reunião de grupos profissionais, esportivos, religiosos ou outros de caráter definido, para defender e promover objetivos comuns. 4) Associação sindical de grau superior que reúne ao menos cinco sindicatos representativos de atividades ou profissões idênticas, similares ou conexas.

FEDERAL RESERVE BANKS — Bancos centrais regionais norte-americanos. Há 12 *Federal Reserve Banks* nos EUA, cada um responsável por determinada região. Estes bancos trabalham em conjunto com o FED na condução da política monetária, fornecem informações sobre o desenvolvimento econômico de seus distritos e supervisionam as instituições bancárias de sua região. (Ver: FED.)

FEDERALISMO — É a doutrina política que inspira a estrutura nacional caracterizada pela autonomia das unidades estaduais integradas pela soberania da União.

FEEDBACK — 1) Retroinformação, realimentação de informações. Retorno de informação, retorno do processo. Termo utilizado em comunicação no sentido da obtenção de uma resposta. 2) Comunicação ou informação de dados sobre o desempenho relativo à qualidade dirigida a fontes que podem tomar as medidas apropriadas. É uma entrada, provinda de um cliente ou consumidor, relacionada com o produto ou serviço.

FEELING — Capacidade de assimilar, sensibilidade, sentimento. Percepção, visão própria sobre um certo assunto com base na experiência ou no conhecimento de certos fatos que podem influenciar sua evolução.

FEITOR — Fazedor; administrador de bens alheios; gestor; superintendente de trabalhadores; capataz; rendeiro, caseiro; fabricante.

FEITOS — Designação genérica, de vários significados, como processo, procedimento, causa, demanda, lide. Diz-se de processos judiciais.

FELONIA — Traição, deslealdade. Crueldade.

FEMINISMO — Movimento em favor dos direitos civis e políticos da mulher, em igualdade com os direitos do homem.

FEMINISTA — Qualidade daquele que é partidário do feminismo.

FENÔMENO — O ser em si com acréscimos e decréscimos. Tudo que é observado, percebido, identificado, interpretado e entendido, ou o que é compreendido pelas consciências. Presença real de entes ou seres reais, ou ideais ante as consciências. Manifestação real do ser como objeto de experiência possível segundo as leis do entendimento.

FENÔMENO FÍSICO — Qualquer modificação que um corpo possa sofrer sem lhe alterar a constituição íntima. Suas propriedades químicas não se alteram, ou seja, não ocorre transformação da matéria. As mudanças de estado são fenômenos físicos.

FENÔMENO JURÍDICO — Todo acontecimento, natural ou resultante de uma ação humana, capaz de produzir eficácia como fato jurídico.

FENÔMENO QUÍMICO — Mudança na composição de uma substância. Um fenômeno químico, como a combustão, transforma uma substância em outra, com diferentes propriedades químicas. Combustíveis como madeira ou carvão transformam-se com a combustão e formam cinzas.

FENÓTIPO — Características aparentes de um indivíduo ou organismo, produzidas pela interação com sua herança genética. Aspecto externo do organismo, subordinado às influências do ambiente; grupo de indivíduos que, embora tendo constituição genética diferente, apresentam os mesmos caracteres exteriores. O fenótipo é determinado pelo genótipo.

FÉRIA — Dinheiro apurado num negócio, no dia, semana etc.

FERIADO — Dias em que se suspendem os trabalhos oficiais (datas cíveis e dias santificados).

FÉRIAS ANUAIS REMUNERADAS — Período de descanso concedido por lei ao empregado, inclusive, o doméstico. Neste período o empregado recebe remuneração. As férias são adquiridas pelo servidores públicos e empregados, após 12 meses de trabalho. Devem ser gozadas, por até 30 dias, nos 12 meses subseqüentes à aquisição, sob pena de pagamento em dobro. As férias devem ser pagas sempre com 1/3 de acréscimo.

FÉRIAS FORENSES — Antes na Emenda Constitucional nº 45, de 2004, era definida como o período em que se achavam suspensas as atividades do foro. A partir da E.C. nº 45, de 2004, que dispôs que a Justiça deve trabalhar ininterruptamente, passou a ser definida pelos advogados como o período em que no Judiciário os prazos deixam de ser contados, as publicações cessam e as audiências, não marcadas, ficam suspensas. A matéria ainda não foi regulamentada.

FÉRIAS PARLAMENTARES — Ver Recesso parlamentar.

FÉRIAS, ABONO DE — Pagamento, pelo empregador, ao empregado, de um terço do período de férias a que tiver direito, em espécie pecuniária.

FETICHISMO — É o desvio do interesse sexual para algumas partes do corpo do parceiro, para alguma função fisiológica ou para peças de vestuário, adorno etc.

FETICÍDIO — Assassinato do feto nascente, por aborto provocado. É crime apenado com detenção de um a três anos. Se for sem o consentimento da gestante, por terceiro, pena de reclusão é de três a dez anos.

FETO — Em medicina legal é o produto da concepção antes de sair do ventre materno, nos animais vivíparos. Denomina, no gênero humano, o ser gerado a partir do terceiro mês da vida intra-uterina. A lei põe a salvo desde a concepção os direitos do nascituro. O reconhecimento do ilegítimo pode preceder o nascimento do filho, ou suceder-lhe ao falecimento, se deixar descendentes. São absolutamente incapazes de adquirir por testamento os indivíduos não concebidos até a morte do testador, salvo se a disposição deste referir-se à prole eventual de pessoas por ele designadas e existente, ao abrir-se à sucessão.

FGTS (FUNDO DE GARANTIA DO TEMPO DE SERVIÇO) — Instituído pela Lei n° 5.107, de 13 de setembro de 1966, é um pecúlio do empregado, formado com o depósito, pelo empregador, num montante de 8% incidente sobre a sua remuneração mensal - isto é, incluídas as horas extras, comissões e gorjetas habitualmente recebidas. As contas vinculadas em nome dos trabalhadores são absolutamente impenhoráveis. O fundo é regido segundo normas e diretrizes estabelecidas pelo Conselho Curador, cabendo a gestão da aplicação ao Ministério da Ação Social, sendo agente operador a Caixa Econômica Federal - CEF. As questões relativas ao FGTS são decididas pela Justiça comum e não pela Justiça do Trabalho.

FGTS - CERTIFICADO DE REGULARIDADE DO (CRF) — Documento que comprova a situação da empresa, se regular ou não, junto ao Fundo de Garantia por Tempo de Serviço.

FGTS - MULTA A PAGAR PELO EMPREGADOR — O empregador que despedir empregado sem justa causa deverá pagar uma multa correspondente a 50% sobre o montante depositado no FGTS. Desse total, 40% destinam-se ao empregado demitido e 10% constituirão em contribuição social a ser recolhida na rede bancária e transferida à Caixa Econômica Federal. Estão isentas da Contribuição Social (de 10%) os empregadores domésticos que optaram por recolher o FGTS do empregado doméstico. (Ver: Contrato de Trabalho, Verbas Rescisórias em.)

FGV — Ver Fundação Getúlio Vargas.

FGV 100 — Índice desenvolvido pela Fundação Getúlio Vargas que acompanha o desempenho das 100 maiores empresas privadas brasileiras. O índice é composto pela média ponderada dos preços das 100 ações mais negociadas, excluindo as empresas estatais e financeiras, ou seja, a carteira teórica é composta apenas por ações de empresas privadas, levando-se em consideração os critérios de qualidade da empresa e de liquidez ou volume financeiro negociados em Bolsas de Valores.

FGV 100 ESPECIAL — Semelhante ao FGV 100, só que inclui também empresas estatais.

FIABILIDADE — É a característica da confiança. É a qualidade de algo que tem extrema confiança. Se algo ou alguém passa segurança e confiança, então temos a fiabilidade. Assim, fiabilidade é coerência e consistência das informações com base nas quais se faz uma avaliação e as apreciações que daí decorrem. A fiabilidade faz referência à qualidade das técnicas, procedimentos e análises utilizadas para recolher, tratar e interpretar os dados. A informação é fiável quando observações repetidas, utilizando os mesmos instrumentos em idênticas condições, produzem resultados semelhantes.

FIADOR — É a pessoa que se obriga pelo pagamento da obrigação de outrem, prometendo cumpri-la ou pagá-la no caso em que o devedor não a cumpra.

FIANÇA — É o ato ou contrato pelo qual um terceiro, chamado fiador, assume ou assegura, no todo ou em parte, o cumprimento de obrigação do devedor, quando este não a cumpra ou não a possa cumprir, salvo quando a obrigação seja estritamente pessoal, isto é, somente o devedor pessoalmente a possa cumprir. É umas das espécies de contrato, previstas no Código Civil. Trata-se de um contrato unilateral e acessório (nula dívida ou contrato principal, nula será a fiança). Não se confunde com o aval. Ambos são tipos de garantia pessoal, mas, enquanto a fiança é uma garantia fidejussória ampla e hábil a atender qualquer espécie de obrigação, convencional, legal ou judicial, o aval é restrito aos débitos submetidos aos princípios cambiários. Ambos exigem a outorga uxória.

FIANÇA BANCÁRIA — Contrato através do qual o banco garante o cumprimento da obrigação do seu cliente junto a um credor, em favor do qual a obrigação deve ser cumprida (neste caso, o beneficiário). É, portanto, a obrigação acessória assumida pelo banco, quando se responsabiliza total ou parcialmente pelo cumprimento da obrigação de seu cliente devedor, caso este não cumpra ou não possa cumpri-la.

FIANÇA CRIMINAL — Depósito em dinheiro ou outros valores, feito por preso ou alguém que por ele, estimado pela autoridade que o conceder, e, destinado a garantir, que responda ele ao processo em liberdade provisória.

FIANÇA *IN SOLIDUM* — Fiança em que, havendo dois fiadores, ambos respondem solidariamente pelo débito do afiançado.

FIANÇA LOCATÍCIA — Modalidade de garantia do contrato de locação de imóvel exigida pelo locador ao inquilino. (Ver: Aluguel.)

FIAR — Entre outros significados, vender a crédito; afiançar; abonar; confiar; dar crédito; acreditar.

FIÁVEL — Confiável; que se pode fiar; em que, ou em quem se pode confiar.

FICTA CONFESSIO — [Latim]. Expressão que significa confissão fictícia. Se o citado não comparecer à audiência, devem ser considerados confessados ou verdadeiros os fatos alegados pelo autor.

FICTA POSSESSIO — [Latim]. Expressão que significa falsa posse. Posse fictícia.

FICTO — Por causa das circunstâncias, se presume como verdadeiro, ou assim a lei admite por hipótese ou presunção. Ex.: domicílio ficto, confissão ficta etc.

FIDEDIGNO — Que merece absoluta fé.

FIDEICOMISSO — 1) Contrato de confiança entre dois agentes em que um deles cede ao outro a propriedade dos seus bens para que os administre em benefício de um terceiro. 2) Estipulação de última vontade (testamentária), em virtude da qual o testador, constituindo uma pessoa como herdeiro ou legatário, impõe-lhe a obrigação de, por sua morte ou sob certa condição, transmitir a outra pessoa, por ele indicada, a herança ou o legado. (Ver: Herança.)

FIDELIDADE PARTIDÁRIA — Ver Eleição – Fidelidade partidária.

FIDÚCIA — Negócio em que uma das partes, o fiduciário, recebe da outra a propriedade de um bem, com a obrigação de usá-la para determinado fim e depois restituí-las, uma vez alcançado o objetivo buscado. (Ver: Herança.)

FIDUCIÁRIO — O herdeiro que deve transmitir o legado em virtude de um fideicomisso, instituto jurídico pelo qual o testador nomeia herdeiro (fiduciário) com a obrigação de este, ao morrer, transmitir a propriedade dos bens (gravados com fideicomisso) há certo tempo, ou sob certa condição, a outro herdeiro (fideicomissário) escolhido pelo testador.

FIES (FUNDO DE FINANCIAMENTO AO ESTUDANTE DO ENSINO SUPERIOR) — Fundo destinado à concessão de financiamento a estudantes regularmente matriculados em cursos superiores não gratuitos e com avaliação positiva, de acordo com regulamentação própria, nos processos conduzidos pelo Ministério da Educação (MEC). (Lei nº 10.260, de 2001.)

FIESP (FEDERAÇÃO DAS INDÚSTRIAS DO ESTADO DE SÃO PAULO) — Órgão sindical de representação dos interesses dos industriais do Estado de São Paulo. Congrega mais de 100.000 indústrias, grandes, médias e pequenas, reunidas em 106 sindicatos diferentes.

FIEX (FUNDO DE INVESTIMENTOS NO EXTERIOR) — É um fundo de investimento doméstico, que aplica no mínimo 80% de seus recursos em títulos da dívida externa brasileira.

FIF (FUNDO DE INVESTIMENTO FINANCEIRO) — Os FIFs investem diretamente em ativos financeiros. Genericamente chamados de fundos de renda fixa, os FIFs são fiscalizados pelo Banco Central. Eles podem conter também títulos de derivativos e papéis de renda variável, ou estar vinculados a ativos atrelados ao dólar. Sua concentração, no entanto, deve ser em títulos de renda fixa (prefixados ou DI). Os FIFs englobam vários tipos de fundos de investimento, tais como: renda fixa, DI, derivativos etc. São aplicações onde o dinheiro é investido de diversas maneiras, de acordo com o regulamento do fundo e regras de enquadramento do BACEN, tais como: títulos do Governo, CDs, mercados futuros, de opções, ações (limitado a 49% da carteira), entre outras. Na prática, os fundos de derivativos e de multiportfólio são de renda variável, porém eles são classificados como FIFs e estão sob fiscalização do Banco Central. Portanto, no grupo de FIFs temos carteiras com perfil de renda fixa e carteiras com elevada concentração de risco e papéis diversos, de renda variável, incluindo derivativos.

FIF de FAQ — É o Fundo de Investimento Financeiro em Fundos de Aplicação de Quotas. Este é um fundo que visa comprar quotas de outros fundos existentes no mercado. É uma forma de diversificar o risco, pois o dinheiro do investidor é aplicado em diversos fundos.

FIFE — É o fundo de investimento financeiro exclusivo destinado, unicamente, a receber, durante o período de diferimento, a totalidade do montante dos recursos creditados à reserva matemática de benefícios a conceder.

FILANTROPIA — Na raiz, o termo significa "amor à humanidade", "humanitarismo"; tradicionalmente está relacionado às atividades de pessoas abastadas que praticam ações sociais sem fins lucrativos ou doam recursos para entidades beneficentes; atualmente, tem se restringido a doações de particulares para causas sociais e para o investimento social das empresas privadas (Ver: Filantropia Empresarial.)

FILANTROPIA EMPRESARIAL — Envolvimento de empresas em ações de caráter social sem fins lucrativos, normalmente por meio de doações. Alguns autores rejeitam a expressão por acreditar só em filantropia entre indivíduos, não entre empresa e indivíduos.

FILHO — A Constituição aboliu qualquer discriminação entre as várias categorias de filhos, proibindo a denominação de ilegítimo. Ambos os cônjuges estão obrigados ao sustento, guarda e educação dos filhos. O Código Civil determina que a guarda poderá ficar com o pai ou com a mãe, escolhendo-se aquele que reunir melhores condições para isso. Deixa de existir a presunção de que filhos de pais separados devam ficar com a mãe. Os filhos adotados passam a ter os mesmos direitos que os filhos do casal. Perderá a posse dos filhos o pai ou a mãe que abusar física e/ou moralmente destes.

FILHO ADULTERINO — Ver Adulterino.

FILHO LEGÍTIMO — Pelo novo Código Civil (Lei nº 10.406, de 10.1.2002), a expressão "filho legítimo" deixou de existir.

FILHOTE (BONIFICAÇÃO) — Ações distribuídas gratuitamente aos acionistas, em decorrência de aumento de capital realizado com a incorporação de reservas.

FILIAÇÃO — Ato ou efeito de filiar. Designação dos pais de alguém. Descendência de pais para filhos. Admissão de novo membro em comunidade (religiosa ou civil) ou em partido. Ascendência de superior para inferior. Origem; procedência.

FILIAÇÃO PARTIDÁRIA — Ver Eleição – Filiação partidária.

FILICÍDIO — Assassínio do filho, pelo pai ou pela mãe.

FILIGRANA — Elemento de segurança de cédulas, também conhecido como marca-d'água, visível através de luz emergente, moldado na massa de papel sob maior ou menor densidade de pasta, quando do processo de fabricação, formando-se imagens definidas.

FILIGRANA JURÍDICA — Expressão depreciativa para qualificar argumentos que podem proporcionar deleite a quem os aduz, mas não trazem benefício ao pragmatismo jurídico.

FILOSOFIA — O estudo dos problemas de caráter geral e conceitual que afetam o pensamento científico, religioso, artístico e quotidiano.

FIM JURÍDICO — Resultado ou objetivo de um ato jurídico, quer seja lícito, quer não o seja, no que se refere ao primeiro, para legitimá-lo ou garanti-lo, e quanto ao segundo para reprimi-lo e apená-lo.

FINALIDADE — Objetivos enunciados para um projeto ou programa.

FINAME (AGÊNCIA ESPECIAL DE FINANCIAMENTO INDUSTRIAL) — Foi constituída em 1964, como subsidiária do BNDES, com o objetivo de promover o desenvolvimento e consolidação do parque nacional produtor de máquinas e equipamentos, através do financiamento para a aquisição desses bens, operando exclusivamente através de repasses de recursos.

FINANÇAS — É a arte e a ciência da gestão do dinheiro. O campo de estudo de instituições financeiras, dos mercados financeiros e do funcionamento dos sistemas financeiros, tanto dentro de uma nação quanto no mercado internacional, também é conhecido como finanças. No nível micro, as finanças são o estudo do planejamento financeiro, da gestão de ativos e da captação de fundos por empresas e instituições financeiras. O termo finanças pode assim incorporar os seguintes itens: a) o estudo do dinheiro e outros ativos; b) o gerenciamento e controle destes ativos (recursos); c) análise e gerenciamento do risco de projetos.

FINANÇAS *OFFSHORE* — É uma categoria especial de finanças internacionais. Transações financeiras *offshore* são concebidas, organizadas e realizadas nos tradicionais centros financeiros como Londres, Nova York e Tókio e outros que concentram instituições financeiras com atuação internacional. Por isso mesmo não é aceitável definir a transação *offshore* como sendo o oposto de *onshore*. Não existe limite definido entre um e outro tipo de transações financeiras, tendo em vista que operam em forma de rede. Mais corretamente, a esfera financeira *offshore* é um instrumento legal que permite um banco ou outra instituição financeira localizado em um país levantar fundos em outro e depois emprestar para o mercado de um terceiro país em vez de usá-lo no âmbito doméstico. Essas transações estão livres não só dos regulamentos do país onde o banco ou instituição financeira está sediado como estão livres de qualquer outro tipo de regulamentação. Ver mercado financeiro *offshore*. Grande parte do esforço atual da OECD e da FATF é dirigido a criar um certo grau de regulamentação das finanças *offshore*, para reduzir a lavagem de dinheiro, porém sem maior prejuízo dos grandes bancos que atuam na área. (Ver: *Offshore.)*

FINANÇAS PÚBLICAS — A expressão "finanças públicas" designa os métodos, princípios e processos financeiros por meio dos quais os governos Federal, Estadual, Distrital e Municipal desempenham suas funções: alocativas, distributivas e estabilizadoras.

FINANÇAS PÚBLICAS - FUNÇÃO ALOCATIVA — Processo pelo qual o Governo divide os recursos para utilização no setor público e privado, oferecendo bens públicos, semipúblicos ou meritórios, como rodovias, segurança, educação, saúde, dentre outros, aos cidadãos.

FINANÇAS PÚBLICAS - FUNÇÃO DISTRIBUTIVA — Distribuição, por parte do Governo, de rendas e riquezas, buscando assegurar uma adequação àquilo que a sociedade considera justo, tal como a destinação de parte dos recursos provenientes de tributação ao serviço público de saúde, serviço - por essência - mais utilizado por indivíduos de menor renda.

FINANÇAS PÚBLICAS - FUNÇÃO ESTABILIZADORA — Aplicação das diversas políticas econômicas, pelo Governo, a fim de promover o emprego, o desenvolvimento e a estabilidade, diante da incapacidade do mercado em assegurar o atingimento desses objetivos.

FINANCEIRA — Ver Sociedade de Crédito, Financiamento e Investimento.

FINANCIADOR — 1) É o investidor que realiza uma compra de um determinado título no mercado à vista, e posteriormente realiza sua venda num dos mercados a prazo, garantindo um retorno fixo na data de vencimento. 2) Entidade/organismo que decide e concede o apoio financeiro ao projeto.

FINANCIADORA — Ver Sociedade de Crédito, Financiamento e Investimento.

FINANCIAMENTO — 1) É a atividade voltada para a obtenção dos recursos financeiros necessários à consecução das atividades. 2) Considera-se financiamento ou empréstimo a emissão ou aceite de títulos da dívida pública, a celebração de contratos que fixem valores mutuados ou financiados, ou prazos ou valores de desembolso ou amortização, os adiantamentos, a qualquer título, feitos por instituições oficiais de crédito, os aditamentos contratuais que elevem valores ou modifiquem prazos, a assunção de obrigações decorrentes da celebração de convênios para a aquisição de bens ou serviços no País ou no exterior. 3) Designação de mercado que se dá a um Reporte no qual a compra à vista e concomitante venda a futuro por preço maior não toma em consideração o título correspondente nem a esperada evolução dos preços, pois visa unicamente realizar - no vencimento da operação a futuro - a diferença resultante das duas operações. (Ver: Reporte.)

FINANCIAMENTO DO SETOR PÚBLICO, NECESSIDADES DE (NFSP) — Expressão que designa, de um lado, a variação (positiva ou negativa) líquida da dívida do setor público não-financeiro num determinado período de tempo e, de outro, as conseqüências das demandas de recursos por parte do setor público não-financeiro (a Administração Pública em geral, desta excluída apenas as instituições financeiras controladas pelo Governo, tais como o Banco do Brasil, a CEF e os Bancos Estaduais) sobre os recursos disponíveis na economia para financiamentos. A NFSP apurada expressa em que medida os empréstimos tomados pelo setor público limitam o acesso do setor privado ao crédito, isto é, aos recursos disponíveis na economia para a concessão de financiamentos.

FINANCIAMENTO IMOBILIÁRIO — Empréstimo concedido por instituições financeiras para custear a construção, a reforma ou a compra de um imóvel.

FINANCIAMENTO IMOBILIÁRIO - PLANO DE ATUALIZAÇÃO MONETÁRIA (PAM) — É uma das formas de pagamento de financiamento imobiliário, no âmbito do SFH, que não tem limite de comprometimento de renda e cuja prestação sobe todo mês, de acordo com a variação da TR.

FINANCIAMENTO IMOBILIÁRIO - PLANO DE COMPROMETIMENTO DE RENDA (PCR) — É uma das formas de pagamento de financiamento imobiliário no âmbito do SFH, através da qual as prestações do seu financiamento são limitadas a um percentual da renda familiar. As prestações são ajustadas mensalmente, com base na variação da TR.

FINANCIAMENTO IMOBILIÁRIO - PLANO DE EQUIVALÊNCIA SALARIAL (PES) — É uma das formas de pagamento de financiamento imobiliário no âmbito do SFH. Assim como o PCR, as prestações são limitadas a um percentual da renda, sendo que no PES elas são ajustadas em linha com o reajuste salarial, uma vez por ano.

FINANCIAMENTO IMOBILIÁRIO - SISTEMA DE AMORTIZAÇÃO CONSTANTE (SAC) — É um dos tipos de sistema de amortização utilizados em financiamentos imobiliários. A principal característica do SAC é a de que ele amortiza um percentual fixo da dívida desde o início do financiamento. Esse percentual por parcela é sempre o mesmo, o que faz com que o valor da prestação da amortização da dívida seja maior no início do financiamento, fazendo com que o saldo devedor caia mais rapidamente do que em outros mecanismos de amortização.

FINANCIAMENTO INTERNO — É quando uma empresa consegue se autofinanciar, através dos fluxos de caixa gerados internamente. Contabilmente, é igual ao lucro líquido mais depreciação menos dividendos.

FINANCIAMENTO, NECESSIDADE LÍQUIDA DE — Corresponde à diferença entre o resultado primário e as despesas financeiras líquidas (encargos das dívidas mobiliária, contratual e flutuante, de origem interna e externa, menos as receitas financeiras).

FINANCIAMENTOS ASSOCIADOS — Combinação de ajuda pública com qualquer outra forma de financiamento.

FINCEN (FINANCIAL CRIMES ENFORCEMENT NETWORK) — É a rede do Departamento do Tesouro dos Estados Unidos (EUA) para análise de crimes financeiros.

FINEP (FINANCIADORA DE ESTUDOS E PROJETOS) — Empresa do sistema do Ministério da Ciência e Tecnologia responsável pelas atividades e programas de apropriação do conhecimento científico e tecnológico; empresa de fomento ao desenvolvimento científico e tecnológico mediante apoio a projetos institucionais de pesquisa, desenvolvimento e engenharia; empresa que administra o Fundo Nacional de Desenvolvimento Científico e Tecnológico - FNDCT.

FINITA CAUSA, CESSAT EFFECTUS — [Latim]. Expressão que significa finda a causa, cessa o efeito.

FINITO — Oposto a infinito; limitado.

FINSOCIAL (FUNDO DE INVESTIMENTO SOCIAL) — Instituído pelo Decreto-Lei nº 1.940, de 25.5.1982, com a finalidade de dar apoio financeiro a programas e projetos de caráter assistencial relacionados com alimentação, habitação popular, saúde, educação e amparo ao pequeno produtor.

FIO DE SEGURANÇA — Elemento de segurança de cédula, em metal, plástico ou substância luminescente, colocado entre as fibras do papel, podendo conter inscrições, códigos, sinais magnéticos etc.

FIPE (FUNDAÇÃO INSTITUTO DE PESQUISAS ECONÔMICAS) — Vinculada à Universidade de São Paulo, é uma instituição de Direito Privado, sem fins lucrativos, criada em 27 de novembro de 1973 e constituída com a finalidade de prover o IPE (Instituto de Pesquisas Econômicas/FEA/USP), com estrutura de personalidade jurídica hábil para firmar contratos e convênios de prestação de serviços a entidades públicas e privadas.

FIRJAN (FEDERAÇÃO DAS INDÚSTRIAS DO ESTADO DO RIO DE JANEIRO) — A FIRJAN representa a classe industrial fluminense nas esferas regional e nacional, congregando os interesses dos sindicatos a ela filiados. São 103 sindicatos filiados, representando 16.000 indústrias. É uma Instituição prestadora de serviços às empresas e atua como fórum de debates e de gestão da informação para o crescimento econômico e social do Estado do Rio.

FIRMA — Nome da pessoa; assinatura completa ou abreviada. No sentido técnico, é um nome comercial, pessoa jurídica, que não se confunde com sociedade nem casa de comércio ou empresa. Pode ser individual ou singular quando o comerciante usa seu próprio nome. Goza de personalidade jurídica depois de registrada, quando adquire direitos e obrigações próprios e autônomos, diferentes daqueles da pessoa na vida civil; social ou coletiva, quando designa sociedade, companhia mercantil ou industrial, que adquire personalidade ao se registrar e no seu contrato: antecessora, a que já existia e foi substituída por outra; sucessora à que adquire todo o patrimônio da firma antecessora.

FIRMA ARGUMENTA — [Latim]. Expressão que significa argumentos fortes.

FIRMA COMERCIAL — Ver Firma.

FIRMA INDIVIDUAL — Ver Firma.

FIRMAR — Tornar firme; fixar; estabilizar. Apoiar; fincar. Sancionar; assinar; confirmar. Parar; assentar seguramente.

FIRMEZA — Sentimento resoluto de segurança e de imperturbabilidade.

FIRST STAGE — Financiamento a empresas que já utilizaram o seu capital inicial e necessitam de fundos para iniciar a atividade operacional.

FISCAL — 1) Pessoa encarregada de fiscalizar alguma coisa. 2) Em sentido amplo, a palavra fiscal refere-se a tudo o que envolva as contas do Estado. Vem do latim. Na Roma antiga, fiscal era o dinheiro público administrado pelo Imperador, e *Erarium* era o dinheiro administrado pelo Senado. Portanto, quando diz que tal medida "terá efeitos fiscais", quer se dizer que vai afetar o Tesouro, o caixa do Governo. (Ver: Fisco.)

FISCALIZAÇÃO — Atividade permanente da Administração Pública, que visa promover o controle interno e externo da gestão financeira, contábil, orçamentária, operacional e patrimonial de todas as entidades, no que se refere à sua legalidade, legitimidade, economicidade, aplicação de subvenções e renúncia de receitas. Na promoção da fiscalização, qualquer cidadão, partido político, associação ou sindicato pode denunciar irregularidades ou ilegalidades diretamente ao Tribunal de Contas que recebera tratamento sigiloso. (Ver: Controle Interno // Controle Externo // Denúncia - Tribunal de Contas - Tratamento sigiloso.)

FISCALIZAÇÃO *A POSTERIORI* — Ação que consiste em verificar, posteriormente à sua realização, se a atividade das entidades sujeitas à fiscalização se desenvolveu de acordo com as leis em vigor e os objetivos fixados.

FISCALIZAÇÃO DA GESTÃO FISCAL — Na forma estabelecida no art. 59 da Lei Complementar nº 101, de 4 de maio de 2000 - LRF, compete ao Poder Legislativo ou com o auxílio (não confundir com órgão auxiliar) dos Tribunais de Contas, fiscalizar a Gestão Fiscal dos órgãos e entidades sujeitos à sua jurisdição. (Ver: Controle externo.)

FISCALIZAÇÃO DO EXECUTIVO MUNICIPAL — O art. 31 da Constituição Federal de 1988 proclama que o Poder Legislativo é o fiscal do Município. O exercício dessa fiscalização se denomina controle externo e é exercido com o auxílio dos Tribunais de Contas dos Estados ou do Município ou dos Conselhos e Tribunais de Contas dos Municípios, onde houver (§ 1º do art. 31 da CF). Não se deve confundir "com o auxílio" com "órgão auxiliar". Da fiscalização participa, ainda, o sistema de controle interno dos Poderes do Município, cujo papel principal é fazer que sejam observados, ainda na origem, os princípios de legalidade, impessoalidade, moralidade, publicidade e eficiência (art. 37 da CF). A inobservância desse papel pode caracterizar conivência, sujeitando o responsável pelo controle interno às penalidades previstas em leis. (Ver: Controle externo // Controle interno.)

FISCALIZAÇÃO DOS CONTRATOS DE GESTÃO — Ver Contratos de Gestão, Fiscalização dos.

FISCALIZAÇÃO ORÇAMENTÁRIA — Ação através da qual uma entidade verifica se um orçamento aprovado foi executado em conformidade com as previsões, as autorizações e os regulamentos.

FISCO — Tem esse nome o órgão do Estado incumbido de executar sua política tributária. É ele que cobra e arrecada os impostos e abre processo contra os sonegadores. O fisco é sempre chamado na sucessão, quando não há cônjuge nem parente sucessível do falecido. Daí a expressão latina *fiscus post omnes* (o fisco depois de todos) por ocupar o último lugar na vocação hereditária. (Ver: Fiscal // Fiscalização.)

FISIOCRACIA — Escola fundada pelo francês François Quesnay (1694-1774) que contesta o pensamento mercantilista. Outro representante é o francês Anne Robert Jacques Turgot (1727-1781), autor de *Reflexões sobre a Formação e a Distribuição da Riqueza* (1766). Os fisiocratas defendem as sociedades agrícolas porque, para eles, a terra é a única fonte de riqueza de uma nação. A indústria e o comércio são necessários, porém produtivos por se limitar a transformar uma coisa em outra ou a transferir de lugar mercadorias preexistentes. O estudo *Quadro Econômico* (1756), de Quesnay, é a primeira análise do equilíbrio global da economia. Nele, o autor demonstra como a renda gerada na agricultura é redistribuída na comunidade. Ao contrário dos mercantilistas, os fisiocratas rejeitam a interferência do Governo nas atividades que seguem leis naturais da economia - oferta e procura. A expressão *laissez-faire, passer-faire* (deixar fazer, deixar passar), que se converte na máxima do liberalismo, nasce com os fisiocratas.

FISIOLOGISMO E PATRONAGEM — Ver Eleição - Fisiologismo e patronagem.

FISSÃO NUCLEAR — Processo violento de desintegração de um núcleo atômico pesado em dois núcleos leves e menores.

FITOPLÂNCTON — É o termo utilizado para se referir à comunidade vegetal, microscópica, que flutua livremente nas diversas camadas de água, estando sua distribuição vertical restrita ao interior da zona eutrófica, onde, graças à presença da energia luminosa, promove o processo fotossintético, responsável pela base da cadeia alimentar do meio aquático.

FIXAÇÃO — Sentimento de teimosia com misto de represália e autopunição na insistência irracional do mesmo padrão de respostas diante de estímulos frustrantes ou impeditivos da realização de determinado objetivo.

FIXAÇÃO DA DESPESA — Ver Despesa fixada.

FIXAR — É determinar, tornar firme, inalterável qualquer negócio ou qualquer coisa.

FLAGELADO — Pessoa vitimada por evento adverso, que, mesmo depois de cessada a calamidade, não apresenta condições de retorno à normalidade sem apoio e auxílio da comunidade ou de órgãos governamentais.

FLAGRÂNCIA IMPRÓPRIA — Ver Quase-Flagrância.

FLAGRANTE — Diz-se do ato ou fato cujo cometimento o autor é surpreendido.

FLAGRANTE DELITO — A lei considera em flagrante delito quem está cometendo a infração penal, quem acaba de cometê-la, quem é perseguido logo após a sua prática e quem for encontrado, logo após, com arma ou objetos que façam presumir ser ele o autor, sem especificar um número de horas transcorridas entre o evento e a prisão. Situação que permite a prisão, independentemente de ordem judicial, do autor de um delito. Qualquer pessoa pode prender alguém em flagrante delito e apresentá-lo às autoridades.

FLOAT — É a receita apropriada pelos bancos por meio dos rendimentos dos recursos mantidos pelos clientes em depósito à vista (conta-corrente).

FLOATING — É o somatório dos depósitos bancários à vista não recolhidos ao Banco Central (Depósito Compulsório) que ficam "flutuando" (sem movimentação e sem rendimento para os clientes) e que, aplicados pelos bancos em proveito próprio, proporcionavam-lhes, antes do Plano Real, ganhos financeiros fabulosos. Era importante parcela do chamado "lucro inflacionário" dessas instituições de crédito.

FLOCULAÇÃO — Método destinado ao tratamento de esgotos industriais, sobretudo da parte não biodegradável. É realizado pela ação de produtos químicos que provocam a formação de flocos para reter os poluentes.

FLOR DE CUNHO — Moeda ou medalha em perfeito estado de conservação, sem qualquer sinal de circulação.

FLOR DE ESTAMPA — Cédula em perfeito estado de conservação, sem qualquer sinal de circulação.

FLORA — Conjunto das espécies vegetais que ocorrem em um determinado ecossistema.

FLORA SILVESTRE — Todas as plantas que crescem livremente em seu ambiente natural.

FLORESTA — São ecossistemas complexos, nos quais as árvores são a forma vegetal predominante que protege o solo contra o impacto direto do sol, dos ventos e das precipitações. A maioria dos autores apresenta matas e florestas como sinônimos, embora alguns atribuam à floresta maior extensão que às matas. A floresta pode ser nativa ou natural (com espécies ou essências características do meio ou ecossistema) ou plantada (com essências nativas ou espécies exóticas).

FLORESTA ATLÂNTICA — É o segundo conjunto de matas especialmente expressivas na América do Sul, perdendo apenas para a Floresta Amazônica, a maior do planeta. Denominada Floresta Pluvial Atlântica, está localizada na Serra do Mar, que faz parte do Domínio Florestal Tropical Atlântico. Este Domínio Florestal estende-se por uma faixa relativamente paralela à costa brasileira, desde o Rio Grande do Norte até o Rio Grande do Sul, e constitui-se por "mares de morros" e "chapadões florestados", com solos profundos de drenagem perene.

FLORESTA NACIONAL (FLONA) — São áreas de domínio público, providas de cobertura vegetal nativa ou plantada, estabelecida com objetivos de promover o manejo dos recursos naturais, com ênfase na produção de madeira e outros vegetais, e garantir a proteção dos recursos hídricos, das belezas cênicas e dos sítios históricos e arqueológicos, assim como fomentar o desenvolvimento da pesquisa científica básica e aplicada, da educação ambiental e das atividades de recreação, lazer e turismo.

FLORESTA NATIVA — Vegetação autóctone de porte arbóreo, arbustivo e herbáceo, em interação máxima, com grande diversidade biológica, podendo ser primitiva ou regenerada.

FLORESTA NATURAL — Formação florestal composta por espécies de ocorrência típica de determinada região, cuja composição obedeça às características próprias da sucessão vegetal.

FLORESTA OU MATA OMBRÓFILA — Tipo de vegetação que ocorre em ambientes sombreados, onde a umidade é alta e constante ao longo do ano.

FLORESTA PRIMÁRIA — Floresta que nunca foi alterada por ação do ser humano. Vegetação arbórea denominada floresta estacional semidecidual onde estão caracterizadas as florestas aluvial e submontana. Apresentam-se estruturalmente compostas de árvores altas e fustes normalmente finos e retilíneos.

FLORESTA SECUNDÁRIA — Floresta que foi cortada e cresceu novamente, sem intervenção do ser humano; diferente de área reflorestada, onde as florestas são plantadas. Vegetação com formação de porte e estrutura diversa, onde se constata modificação na sua composição, que na maioria das vezes, devido à atividade do ser humano, se apresenta em processo de degradação ou mesmo em recuperação.

FLORESTA TROPICAL — Área onde ocorre muita chuva. As florestas tropicais são úmidas e quentes e abrigam diversos tipos de animais a plantas. As florestas tropicais abrigam mais da metade de todas as espécies de plantas e animais do Planeta Terra. Estão localizadas próximas ao Equador na América do Sul, América Central, Ásia e África. A maior floresta tropical é a Amazônica.

FLOTAÇÃO — Processo de elevação de partículas existentes na água, por meio de aeração, insuflação, produtos químicos, eletrólise, calor ou decomposição bacteriana, e respectiva remoção. (Ver: Estação de tratamento de água // Floculação.)

FLUIDEZ — Expressão utilizada para definir a característica do mercado de concorrência perfeita e que está associado à consciência dos participantes de que um bem tem um mercado e não vários. O que move o consumidor são os preços, o que une o bem no mercado são os preços. A partir do momento em que o vendedor tenta convencer do contrário o mercado deixa de ser fluído, passando a falar-se em concorrência monopolística.

FLUIDO — Matéria num estado físico, em que são de baixa intensidade as forças de ligação intermoleculares, o que lhe permite modificar a forma consoante o contentor. Designação comum a líquidos e gases.

FLUORETAÇÃO — Adição de flúor (à água) sob forma de fluoretos para prevenir a cárie dentária, à razão de 0,5 a 1 mg/l de flúor.

FLUTUAÇÃO — Mudança de alguma quantidade no tempo, particularmente em relação a uma média.

FLUVIAL — Relativo a rio: porto fluvial. Que vive nos rios, próprio dos rios. Produzido pela ação dos rios.

FLUXO — Transporte de energia, matéria e informações em um sistema que altera os seus estoques.

FLUXO DE CAIXA — Expressão utilizada para caracterizar a movimentação de dinheiro nas contas bancárias de uma empresa ou instituição governamental, em termos de entradas (receitas) e saídas (despesas). O relatório de fluxo de caixa constitui um demonstrativo em que são previstas, dia-a-dia, por conta específica, as disponibilidades existentes e os pagamentos a serem efetuados naquela data.

FLUXO DE CAIXA DISPONÍVEL — É definido como o lucro líquido da empresa mais depreciação e amortização, menos despesas de capital com ativos imobilizados e a variação do capital circulante da empresa.

FLUXO DE CAIXA DISPONÍVEL POR AÇÃO — É o valor do fluxo de caixa disponível da empresa, dividido pelo seu número total de ações, e definido como o lucro líquido mais depreciação e amortização menos despesas de capital com ativos imobilizados e a variação do capital circulante da empresa.

FLUXO DE CAIXA POR AÇÃO — É o valor do fluxo de caixa da empresa, dividido pelo seu número total de ações, e definido como o lucro líquido mais depreciação e amortização no mesmo período.

FLUXO DE NEGÓCIOS (*DEAL FLOW*) — É um conjunto de oportunidades de investimentos que um investidor recebe ao longo de um período.

FLUXO DE SUPRIMENTO — Dinâmica dos suprimentos em circulação, desde as fontes de origem, até seu emprego ao longo do processo de suprimento.

FLUXO ESCOLAR — Ver Educação - Fluxo escolar.

FLUXO FINANCEIRO CONTRATADO — Fluxo de pagamento de uma operação de crédito previsto em contrato celebrado entre a Instituição Financeira e o cliente, utilizado para fins de classificação da dívida em vencida ou a vencer.

FLUXOGRAMA — Diagrama que apresenta o fluxo ou seqüência normal de um trabalho ou processo, através de uma simbologia própria. Maneira gráfica de se visualizar as etapas de um processo. As principais vantagens dos fluxogramas são as seguintes: permitem uma melhor compreensão do conjunto, de modo que cada integrante da equipe tenha um pleno conhecimento do processo como um todo e não apenas do seu departamento; tornam o processo mais claro para os que não fazem parte da equipe; facilitam a fixação dos limites de cada processo ou tarefa.

FLUXOS PRIVADOS — Fluxos a preços de mercado, financiados pelos recursos do setor privado e os donativos privados. Fluxos de recursos entre países, realizados pelo setor privado, por exemplo, o investimento direto externo.

FMI (FUNDO MONETÁRIO INTERNACIONAL) — Instituição que congrega 182 países. Surgiu na Conferência de Bretton Woods, EUA, em 1944, começando a funcionar a partir de 1945. O FMI foi criado dentro da ordem econômica internacional que emergiu depois da segunda guerra. O FMI compõe-se de um Conselho de Administradores e tem sua sede em Washington. Tem como finalidades precípuas: desenvolver o comércio internacional; evitar a depreciação das moedas; manter estáveis os balanços de pagamento; colocar seus recursos à disposição dos estados membros; coordenar a estabilidade cambial internacional; auxiliar países na resolução de problemas financeiros temporários no balanço de pagamentos. Para que um país associado receba socorro financeiro na forma de empréstimo, o FMI exige a chamada "carta de intenções", em que o país se compromete a seguir rígidas metas de ajuste fiscal (não gastar mais do que arrecada, basicamente. Equilibrar as contas internas e externas, com base no balanço de pagamentos). (Ver: FMI - Carta de intenções.)

FMI, CARTA DE INTENÇÕES AO — Instrumento consistente em memorando assinado pelo presidente do Banco Central do Brasil e pelo ministro da Fazenda, pelo qual o Estado, ao solicitar financiamento junto ao Fundo Monetário Internacional, explicita a política financeira, monetária e fiscal a ser adotada, bem como políticas ligadas a inflação, déficit público, taxa de emissão de moeda, projeções de crescimento econômico, regulação e proteção de investimentos estrangeiros, conversibilidade de valores, retirada de entraves à livre circulação de bens, serviços e pagamentos estrangeiros, criação de regras de concorrência e organização de mercados em moldes liberal-democrata.

FNDE — Ver Educação - Fundo Nacional de Desenvolvimento da Educação.

FOB — Cláusula de estilo de contratos de compra e venda. Corresponde às iniciais da expressão inglesa: *free on board*, isto é, livre a bordo, e significa que, no custo da mercadoria, não está incluído o frete, que corre por conta do comprador. (Ver: CIF // CIP.)

FOBIA — É o temor ou aversão exagerada ante situações, objetos, animais ou lugares. A fobia caracteriza-se pelo pavor desmedido de quem a tem, que mesmo sabendo do caráter ridículo ou inofensivo de seus medos, não consegue controlar-se. Muitas pessoas sofrem de vários tipos de fobias simultaneamente, mas, felizmente, alguns tipos de fobias já podem ser tratadas com procedimentos psicológicos adequados.

FOGO — Processo químico de transformação de materiais combustíveis e inflamáveis. Quando o combustível é sólido, inicialmente é gaseificado para se combinar ao comburente oxigênio que, ativado por uma fonte de calor, dá início a uma reação química em cadeia, gerando mais calor e alimentando a combustão.

FOLDER — Folheto com mensagem publicitária, impresso em uma só folha de papel, de um ou ambos os lados, com uma ou mais dobras.

FOLLOW-UP — Acompanhamento de ação solicitada. Último passo no processo de venda, na qual o vendedor acompanha o produto após a venda para se assegurar da satisfação do cliente e da continuidade dos negócios, arquivo de informações.

FOMC (*FEDERAL OPEN MARKET COMMITEE*) — É o membro mais importante do FED (*Federal Reserve System*) no que se refere à política monetária. É o FOMC quem define a meta da taxa de juros norte-americana, e conduz as operações de mercado aberto de acordo com a meta de juros estipulada. O FOMC é formado pelo Board of Governors do FED e por cinco presidentes de bancos centrais regionais, os *Federal Reserve Banks*. O chairman (presidente) do FED é também *Chairman* do FOMC. O FOMC corresponde ao COPOM brasileiro.

FOME — Ver Saúde - Fome.

FOMENTO — Aplicação de recursos orçamentários governamentais em atividades diversas relacionadas à pesquisa científica e tecnológica.

FOMENTO DIRETO — É a ação sistemática de agências de fomento científico e tecnológico na busca de oportunidades para promover a inovação junto a empresas e organizações públicas e privadas de pesquisa.

FONTE DA RECEITA — Ver Receita, Fonte da.

FONTE DE ENERGIA — Designa-se, assim, tudo o que tem capacidade para realizar trabalho. São fontes de energia, por exemplo, o sol, o vento, as marés, o petróleo, o carvão.

FONTE DE INFECÇÃO — Ver Saúde - Fonte de infecção.

FONTE DE RECURSOS — Indica a origem de recursos orçamentários consignados a um determinado Órgão/Entidade.

FONTE POLUIDORA — Ponto ou lugar de emissão de poluentes.

FONTES DE FINANCIAMENTO — Entidades/organismos que suportam os custos inerentes a um programa/projeto/atividade.

FONTES DO DIREITO — Modos de formação e revelação das normas jurídicas. A expressão fonte vem do latim *fons, fontis*, nascente, significando tudo aquilo que origina, que produz algo. Assim, a expressão fontes do Direito indica as formas pelas quais o Direito se manifesta. Apresentam, basicamente, três espécies: a) Fontes materiais; b) Fontes históricas e c) Fontes formais.

FONTES FORMAIS DO DIREITO — Seriam a lei, os costumes, a jurisprudência e a doutrina. O Estado cria a lei e dá, ao costume e à jurisprudência, a força desta. O positivismo jurídico defende a idéia de que fora do Estado não há Direito, sendo aquele a única fonte deste. As forças sociais, os fatos sociais seriam tão-somente causa material do Direito, a matéria-prima de sua elaboração, ficando esta sempre a cargo do próprio Estado, como causa eficiente.

FONTES HISTÓRICAS DO DIREITO — São os documentos jurídicos e coleções coletivas do passado que, mercê de sua sabedoria, continuam a influir nas legislações do presente.

FONTES IMEDIATAS DE DIREITO — São aquelas que têm força vinculativa própria, sendo portanto os verdadeiros modos de produção de Direito. Ex.: lei.

FONTES MATERIAIS DO DIREITO — São os fatos sociais, as próprias forças sociais criadoras do Direito. Constituem a matéria-prima da elaboração deste, pois são os valores sociais que informam o conteúdo das normas jurídicas. As fontes materiais não são ainda o Direito pronto, perfeito, mas para a formação deste concorrem sob a forma de fatos sociais, econômicos, políticos, religiosos e morais.

FONTES MEDIATAS DE DIREITO — São aquelas que, embora não tenham força vinculativa própria, são importantes pelo modo como influenciam o processo de formação e revelação da norma jurídica. Ex.: costume, jurisprudência e doutrina.

FONTES SECUNDÁRIAS — Fontes que servem de material de base e recursos para uma avaliação: relatórios periódicos de progresso, relatórios anuais, memórias, estudos setoriais e dados da situação prévia.

FORA DOS AUTOS — Referência a fatos ou documentos que não podem ser levados em conta pelo juiz na sentença, por não contarem nos autos.

FORÇA — Faculdade de operar. Energia. Poder. Toda a causa capaz de produzir deformações ou de modificar o estado de repouso ou de movimento de um corpo.

FORÇA AÉREA — Componente militar do poder aéreo. Grande Comando da Aeronáutica, destinado ao emprego em operação de guerra, existindo desde os tempos de paz e constituído de uma Unidade de Comando - o Comando da Força Aérea - e de Unidades Aéreas Subordinadas, estas integrando meios aéreos de idêntica missão.

FORÇA DA LEI — Ver Lei, Força da.

FORÇA DE TRABALHO — Conjunto dos recursos humanos que compõem uma organização e que contribuem para a consecução das suas estratégias, dos seus objetivos e das suas metas, tais como: empregados em tempo integral ou parcial, temporários, autônomos e contratados de terceiros que trabalham.

FORÇA FLUVIAL — Grupamento de navios de combate de pequeno porte, podendo incluir navios auxiliares, destinados a realizar operações de guerra em rios, lagos ou lagoas.

FORÇA IMINENTE — Diz-se da ameaça à posse direta ou indireta de quem para tanto tenha justo receio de vê-la caracterizada, e neutralizáveis, por meio de interdito proibitório.

FORÇA MAIOR — Fato não previsto, decorrente de ação humana, que gera efeitos jurídicos para uma relação jurídica, independente da vontade das partes. Acontecimento inevitável e irresistível, ou seja, evento que poderia ser previsto, porém não controlado ou evitado. Exemplo: assalto à mão armada.

FORÇA MOTRIZ — Motor, turbina, roda d'água ou máquina similar que move um gerador elétrico; ou, para fins de relatório, um dispositivo que converte energia diretamente em eletricidade (p. ex. células solares fotovoltaicas e de combustível).

FORÇA SINGULAR — Designação genérica de uma das Forças Armadas (Marinha, Exército e Aeronáutica).

FORÇAS ARMADAS — São instituições permanentes e regulares, organizadas com base na hierarquia e na disciplina, sob autoridade do presidente da República. São constituídas essencialmente pelo Exército, Marinha e Aeronáutica. Cabem às três Armas a defesa da soberania nacional, a garantia dos poderes constitucionais e, quando solicitadas, em situações emergenciais, também a manutenção da lei e da ordem. As Forças Armadas não têm poder de polícia, ou seja, não devem ser empregadas em funções de segurança pública ou no combate a movimentos sociais e ao crime organizado, como é o caso do narcotráfico. No entanto, em caso de extrema necessidade, assumem tais atribuições, se autorizadas pelo presidente. Um exemplo disso foi a atuação das Forças Armadas na luta contra o crime organizado no Rio de Janeiro, em 2002, na forma de apoio logístico e de inteligência às forças policiais. Em 1999 é criado o Ministério da Defesa, que passa a incorporar os antigos ministérios militares da Marinha, do Exército e da Aeronáutica. Parte de sua atenção é dirigida a uma fiscalização mais intensa das fronteiras brasileiras.

FORÇAS PARAMILITARES — Forças distintas das Forças Armadas regulares, mas semelhantes em organização, equipamento, treinamento ou missão.

FORENSE — Respeitante ao foro judicial; judicial. Termo apropriado para designar e distinguir tudo que se refere ou pertence ao foro judicial. Possui, assim, sentido equivalente a judiciário, como adjetivo.

FORJICAÇÃO — Denominação genérica de vários crimes contra a fé pública, resultantes de contrafação ou alteração. (Ver: Contrafação.)

FORMA — Refere-se à maneira como os dados estão distribuídos entre o maior e o menor valor de um conjunto.

FORMA LÓGICA — A forma lógica de um argumento é a sua estrutura relevante para a argumentação. Parte importante do estudo da lógica consiste em descobrir a forma lógica dos argumentos.

FORMAÇÃO — Capacitação dos recursos humanos para o desenvolvimento das suas atividades.

FORMAÇÃO BRUTA DE CAPITAL FIXO — (Sistema de Contas Nacional) - Acréscimos ao estoque de bens duráveis destinados ao uso das unidades produtivas, realizados em cada ano, visando ao aumento da capacidade produtiva do país.

FORMAÇÃO EMPRESARIAL — Capacitação para o exercício de atividades empresariais.

FORMADORES — Pessoas que ministram a formação.

FORMAL DE PARTILHA — Ver Herança – Formal de partilha.

FORMANDO — Pessoa que recebe formação.

FORMULAÇÃO ESTRATÉGICA — É o processo mediante o qual a organização estabelece sua identidade organizacional, analisa seu ambiente externo e interno, atual e futuro e elabora estratégias orientadas para seu objetivo. O processo de Formulação Estratégica é focado na busca do melhor caminho a ser seguido para garantir a sobrevivência e o crescimento sustentável da organização a longo prazo. O processo proporciona condições favoráveis para o desenvolvimento do pensamento estratégico, permitindo que os envolvidos internalizem os conceitos, metodologias e ferramentas e possam utilizá-los nas suas organizações.

FORNECEDOR — É toda pessoa física ou jurídica, pública ou privada, nacional ou estrangeira, bem como os entes despersonalizados, que desenvolvem atividade de produção, montagem, criação, construção, transformação, importação, exportação, distribuição ou comercialização de produtos ou prestação de serviços. Código de Defesa do Consumidor - Lei n° 8.078, de 1990.

FORNECIMENTO — Venda e/ou entrega a clientes de produtos.

FORO — 1) É a designação que se dá ao edifício em que funcionam os órgãos do Poder Judiciário. E por vezes, quer significar a própria Justiça, notadamente quando se diz foro comum, foro militar, foro especial. Local para autenticação de atos jurídicos ou para a condução de processos. Limites territoriais em que o magistrado pode conhecer das questões. Fórum; jurisdição, alçada, poder. 2) Aquilo que o adquirente paga anualmente ao transmitente pela coisa aforada. (Ver: Aforamento.)

FORO CONTRATUAL — É aquele livremente escolhido pelas partes contratantes, para dirimir litígios decorrentes do pacto. Foro de eleição.

FORO DO DELITO — É o ocorrido onde o direito já se incorporou no patrimônio da pessoa, já é de sua propriedade, já constitui um bem, que deve ser juridicamente protegido contra qualquer ataque exterior, que ouse ofendê-lo ou turbá-lo.

FORO DO DOMICÍLIO — Juízo correspondente ao domicílio do réu ou, quando esse sem residência ou domicílio no Brasil, do auto, com competência para reconhecer das ações fundadas em direito real sobre imóveis.

FORO JUDICIAL — É o local público e oficialmente destinado a ouvir e atender às petições, às postulações, às provas dos fatos alegados e decidir o direito aplicável à relação litigiosa. Pode ser usado para designar o edifício público no qual funcionam os órgãos do Poder Judiciário, como também o juízo, poder jurisdicional ou o órgão do Poder Judiciário, compreendendo os juizados, respectivos cartórios e todo o aparelhamento necessário ao seu funcionamento.

FORTUITO — Não intencional, aleatório, eventual, imprevisível, inevitável.

FORTUNA DO MAR — Denominação dada a todos os eventos oriundos de casos fortuitos ou força maior, acontecidos no mar ou por causa dele.

FÓRUM — Edifício sede do juízo. Local destinado às repartições do Poder Judiciário.

FÓRUM DE DISCUSSÃO — Espaço de debate e troca de informações entre participantes de um mesmo setor de atividade.

FÓRUM DO PACÍFICO SUL — Criado em 1973, com sede em Suva, Fidji, tem como objetivos a promoção de consultas e da cooperação econômica entre os seus membros no campo do comércio, dos transportes e comunicações, turismo e proteção do ambiente. Reúne os seguintes países: Austrália, Ilhas Cook, Fidji, Ilhas Salomão, Kiribati, Nauru, Nova Zelândia, Niue, Papua-Nova Guiné, Samoa, Tonga, Tuvalu, Vanuatu.

FOSSA SÉPTICA — Unidade de sedimentação e digestão, com fluxo horizontal, destinada ao tratamento dos esgotos.

FÓSSIL — Nome dado aos restos ou impressões de plantas e animais petrificados, que se encontram nas camadas terrestres, anteriores ao atual período geológico. O estudo dos fósseis possibilita o conhecimento das condições em que as várias camadas foram formadas e também o conhecimento da idade geológica de uma região. Os fósseis são os grandes testemunhos na reconstituição da história do Planeta Terra.

FOTOCINESE — Movimento ou atividade induzidos pela luz; fotocinesia.

FOTOCÓPIA — Processo de reprodução de documentos ou papéis escritos, por cópias sucessivas. Fotocópia obtida por xerografia, processos de impressão eletrostática. Vale como certidão, sempre que o escrivão portar por fé a sua conformidade com o original. A cópia tem o mesmo valor probante que o original, cabendo ao escrivão, intimadas as partes, proceder à conferência e certificar a conformidade entre a cópia e o original. Fazem a mesma prova que os originais as reproduções dos documentos públicos, desde que autenticadas por oficial público ou conferidas em cartório com os respectivos originais. A Lei nº 6.015, de 1973, diz que as certidões extraídas dos registros públicos deverão ser fornecidas em papel e mediante escrito que permitam sua reprodução por fotocópia ou processo equivalente. A Lei nº 9.610, de 1998, que altera, atualiza e consolida a legislação sobre direitos autorais, proíbe a reprodução de livros por fotocópia (xerocópia).

FOTOGRAMETRIA — Método de levantamento topográfico mediante a fotografia.

FOTOSFERA — Região atmosférica solar que compreende a superfície visível.

FOTOSSÍNTESE — É o processo de conversão do dióxido de carbono e água para carboidratos, que ocorre ao nível dos cloroplastos, pela ação da energia luminosa absorvida pelos pigmentos fotossintetizantes (especialmente clorofila). A luz solar é capturada e transformada em energia alimentar, metabolizada.

FOZ — Boca de descarga de um rio. Este desaguamento pode ser feito num lago, numa lagoa, no mar ou mesmo num outro rio. A forma da foz pode ser classificada em dois tipos: estuário e delta.

FPE – COEFICIENTES DE DISTRIBUIÇÃO — A Lei Complementar n.º 62, de 1989, no § 2º do seu art. 2º, dispõe que os critérios de rateio a vigorarem a partir de 1992 seriam fixados em lei específica, com base na apuração do Censo de 1991, ficando assente no § 3º, do mesmo artigo, que os coeficientes do FPE constantes do seu anexo único continuariam em vigor até que fossem definidos os critérios aludidos no mencionado § 2º. Ante a ausência da fixação dos critérios fixado em lei específica conforme estabelecido na LC nº 62, de 1989, os recursos continuam a ser distribuídos aos Estados e ao Distrito Federal de acordo com os coeficientes fixados no anexo único da referida Lei

Complementar, a saber: Acre/AC: 3,4210; Alagoas/AL: 4,1601; Amapá/AP: 3,4120; Amazonas/AM: 2,7904; Bahia/BA: 9,3962; Ceará/CE: 7,3369; Distrito Federal/DF: 0,6902; Espírito Santo/ES: 1,5000; Goiás/GO: 2,8431; Maranhão/MA: 7,2182; Mato Grosso/MT: 2,3079; Mato Grosso do Sul/MS: 1,3320; Minas Gerais/MG: 4,4545; Pará/PA: 6,1120; Paraíba/PB: 4,7889; Paraná/PR: 2,8832; Pernambuco/PE: 6,9002; Piauí/PI: 4,3214; Rio de Janeiro/RJ: 1,5277; Rio Grande do Norte/RN: 4,1779; Rio Grande do Sul/RS: 2,3548; Rondônia/RO: 2,8156; Roraima/RR: 2,4807; Santa Catarina/SC: 1,2798; São Paulo/SP: 1,0000; Sergipe/SE: 4,1553; Tocantins/TO: 4,3400. Com os coeficientes dos Estados, chega-se a seguinte distribuição por Região Brasileira: Norte: 25,3717; Nordeste: 52,4528; Sudeste: 8,4822; Centro-Oeste: 7,1732; Sul: 6,5178. (Ver: FPE // Estado - ...seguindo da Unidade da Federação Correspondente. Ex.: Estado - Alagoas // Região...do Brasil - Dados Gerais.)

FPE (FUNDO DE PARTICIPAÇÃO DOS ESTADOS) — Transferência constitucional do produto da arrecadação da União para os estados e Distrito Federal, na proporção de 21,5% da arrecadação dos impostos de renda (IR) e sobre produtos industrializados (IPI). De acordo com o art. 2º da Lei Complementar nº 62, de 28.12.1989, 85% dos recursos do FPE são distribuídos para as Unidades da Federação das regiões Norte, Nordeste e Centro-Oeste e os 15% restantes para as regiões Sul e Sudeste. O Fundo de Participação dos Estados e do Distrito Federal será distribuído da seguinte forma, conforme definido no art. 88 da Lei n.º 5.172 (Código Tributário Nacional - CTN): 5% (cinco por cento), proporcionalmente à superfície de cada entidade participante; 95% (noventa e cinco por cento), proporcionalmente ao coeficiente individual de participação, resultante do produto do fator representativo da população pelo fator representativo do inverso da renda *per capita*, de cada entidade participante, como definidos adiante. O fator representativo da população será estabelecido na forma do art. 89 do CTN. A expressão inverso da renda *per capita* deixa claro que os que apresentarem maior crescimento econômico terão seus índices de participação reduzidos em favor daqueles que apresentarem menor crescimento econômico. (Ver: FPE - Coeficiente de distribuição.)

FPM - COEFICIENTES DE DISTRIBUIÇÃO — Em função de discordâncias com a população apurada pelo Censo Demográfico de 1991, surgiram diversos dispositivos que congelaram os coeficientes do FPM dos municípios que teriam seus coeficientes reduzidos. Essa prática gerou grandes distorções. Municípios que tiveram suas populações reduzidas à metade em função de emancipações e êxodos mantinham coeficientes de acordo com a população original. Para evitar a perenização dessas distorções, foi aprovada a Lei Complementar n.º 91, de 1997 (alterada pela L.C. n.º 106, de 2001), que estabeleceu o enquadramento correto de todos os municípios conforme a população efetiva. Entretanto, para evitar um sobressalto nas finanças de alguns municípios a lei estabeleceu prazo de cinco anos para o enquadramento, com redutores anuais de 10%. Assim, no ano de 2008 todos os municípios estarão enquadrados em coeficientes que corresponderão à sua real situação em termos populacionais. (Ver: FPM.)

FPM (FUNDO DE PARTICIPAÇÃO DOS MUNICÍPIOS) — Transferência constitucional do produto da arrecadação da União para os municípios brasileiros, na proporção de 22,5% da arrecadação dos impostos de renda (IR) e sobre produtos industrializados (IPI). Foi definida pela Lei Complementar nº 62, de 28.12.1989, alterada pela Lei Complementar nº 71, de 3.9.1992. Do produto da arrecadação, 22,5% serão destinados ao FPM e serão atribuídos: 10% (dez por cento) aos Municípios das Capitais dos Estados; 86,4% (oitenta e seis e quatro décimos por cento) aos demais Municípios do País; 3,6% (três inteiros e seis décimos por cento) para o fundo de reserva a que fazem jus os municípios com população superior a 142.633 habitantes (coeficiente de 3.8), excluídas as capitais. O cálculo das quotas individuais de cada Município obedece a critérios distintos. São fixadas faixas populacionais, cabendo a cada uma delas um coeficiente individual. O mínimo é de 0,6 para Municípios com até 10.188 habitantes, e o máximo é 4,0 para aqueles acima de 156 mil. Para as Capitais, o coeficiente fixado se dá de acordo com o inverso da renda *per capita* de sua população, aplicado sobre o montante de 10% da receita. Para os municípios do interior é fixado um percentual para cada Estado em função de sua população. Esse percentual é aplicado sobre os 86,4% da receita destinada aos municípios do interior, formando-se assim um "bolo" para cada Estado. Esse montante é dividido pelo somatório dos coeficientes de todos os Municípios do Estado, excluída a Capital. O valor obtido é multiplicado pelo coeficiente individual de cada um, resultando assim no valor distribuído a cada município. A expressão inverso da renda *per capita* deixa claro que os que apresentarem maior crescimento econômico terão seus índices de participação reduzidos em favor daqueles que apresentarem menor crescimento econômico. Tramita no Congresso Nacional Proposta de Emenda Constitucional elevando de 22,5% para 23,5% a alíquota do FPM. (Ver: FPM - Coeficiente de distribuição.)

FRACASSO — Sentimento misto de frustração, culpa e vergonha. Sucumbência.

FRACIONAMENTO — Separação das partes que compõem um todo.

FRAGMENTAÇÃO — Processo provocado pela divisão em partes menores instaladas.

***FRANCHISING* —** Método de comercialização de produtos ou serviços no qual o franqueado obtém o direito de uso de uma marca e opera de acordo com um padrão de qualidade estabelecido pelo franqueador em troca de um pagamento de um determinado valor.

FRANQUIA — 1) Livre entrada (ou saída) de mercadorias em um país, sem pagamento de impostos ou controle alfandegário. 2) Valor-limite determinado pela seguradora no contrato de seguro, para definir e esclarecer que em caso de sinistro ela somente pagará a indenização a partir daquele valor-limite, sendo de responsabilidade do segurado o pagamento correspondente às perdas até o valor-limite da franquia. (Ver: *Franchising*.)

FRANQUIA EMPRESARIAL — Modalidade de contrato em que um franqueador cede ao franqueado o direito de uso de marca ou patente, associado ao direito de distribuição exclusiva ou semi-exclusiva de produtos ou serviços e, eventualmente, também ao direito de uso de tecnologia de implantação e administração de negócio ou sistema operacional desenvolvidos ou detidos pelo franqueador, mediante remuneração direta ou indireta, sem que, no entanto, fique caracterizado vínculo empregatício.

FRANQUIA SOCIAL — O conceito que tem várias semelhanças com o modelo comercial, amplamente adotado por redes de *fast food* e lojas de cosméticos, entre outros tem por base a aplicação das mesmas ferramentas do *franchising*, só que para projetos sem objetivo de lucro.

FRASE — É todo enunciado lingüístico (qualquer coisa que se diz ou escreve, desde que provido de sentido), isto é, de sentido pleno, completo; e que se encerra com uma pontuação definida (ponto de interrogação, ponto de exclamação e ponto final).

FRATERNIDADE — Amor ao próximo. Concórdia, união.

FRATICÍDIO — É o homicídio de uma pessoa, praticado por seu próprio irmão ou irmã.

FRATURA — 1) Ruptura ou solução de continuidade de um osso ou cartilagem. 2) Superfície que se obtém pela ruptura de um mineral ou rocha, numa direção diferente da/de clivagem.

FRAUDE — 1) É o engano malicioso ou a ação astuciosa, promovidos de má-fé, para ocultação de verdade ou fuga ao cumprimento do dever. 2) Ato ilícito que consiste na falsificação de documentos, na prestação de informações falsas ou na inserção de elementos inexatos nos livros fiscais, com o objetivo de não pagar tributos ou de pagar importância inferior à devida. (Ver: Falsário.)

FRAUDE À EXECUÇÃO — Crime contra o patrimônio, por parte do devedor, consistente em fraudar execução, alienando, desviando, destruindo ou danificando bens, ou simulando dividas, quando contra ele já corria demanda capaz de reduzi-lo à insolvência.

FRAUDE CONTRA CREDOR — É qualquer ato do devedor que implique transferir a terceiro, ou onerar bens ou simular dívidas para evitar a penhora sobre eles, quando já foi proposta ação de execução de dívida líquida e certa, expressa em título hábil.

FRAUDE FISCAL — Ação ou omissão dolosa visando impedir ou retardar, total ou parcialmente, a ocorrência do fato gerador do imposto.

FRAUDE PROCESSUAL — É um dos crimes contra a administração da justiça. Consiste em inovar artificiosamente, na pendência de processo civil ou administrativo, o estado de lugar, de coisa ou de pessoa, com o fim de induzir a erro o juiz ou o perito. A pena prevista é de detenção, de três meses a dois anos, e multa. Se a inovação se destina a produzir efeito em processo penal, ainda que não iniciado, as penas aplicam-se em dobro.

FRAUS LEGIS — [Latim]. Expressão que significa fraude à lei.

FRAUS OMNIA CORRUMPIT — [Latim]. Expressão que significa a fraude tudo corrompe, ou produz nulidade.

FREÁTICO — Aqüífero cuja superfície superior da zona saturada se encontra sob pressão atmosférica; aqüífero livre. Lençol de água, subterrâneo, que se forma em profundidade relativamente pequena, sobre uma camada de terreno impermeável.

FREE FLOAT — Ver Ações em Circulação.

FREE LANCER — Trabalhador autônomo.

FREE-FLOAT — Porcentagem do capital de uma empresa que não se encontra em mãos de acionistas estratégicos (aqueles com participação superior a 5% do capital total).

FRENTE FRIA — Extremidade dianteira de uma massa de ar frio que avança sob uma massa de ar quente, deslocando-a de seu caminho. Geralmente, com a passagem de uma frente fria, a temperatura e a umidade se reduzem, a pressão se eleva e o vento muda de direção (normalmente do sudoeste para o nordeste no Hemisfério Sul). Precipitação que geralmente antecede ou sucede a frente fria e, de forma muito rápida, uma linha de tormenta pode antecipar a frente.

FRENTE FRIA ESTACIONÁRIA — O ar tropical que se opunha ao avanço da massa polar intensificou-se, de modo a estabelecer equilíbrio de pressão e densidade. Caso o ar tropical se intensifique mais que o polar, com densidade média e pressões maiores, passará a empurrá-lo pouco a pouco e a frente fria, que, até então, se tornara estacionária, começa a recuar lentamente, sob a forma de "frente quente".

FRENTE QUENTE — Extremidade dianteira de uma massa de ar quente que, ao avançar, substitui uma massa de ar mais frio. Geralmente, com a passagem de uma frente quente, a temperatura, a umidade e a pressão atmosférica se elevam e, embora os ventos mudem de direção (em geral, do sudoeste para o noroeste no Hemisfério Norte), a passagem de uma frente quente não é tão pronunciada quanto a passagem de uma frente fria. Precipitação, em forma de chuva, neve, ou chuvisco, que geralmente antecede a frente, assim como chuvas convectivas e temporais. A ocorrência de nevoeiro é comum em áreas de ar frio antecedendo a frente quente. Embora a atmosfera fique geralmente clara depois da passagem desta frente, algumas condições associadas à presença de ar quente podem resultar em nevoeiro.

FRÉONS — Nome comercial que designa CFCs liberados principalmente por aerossóis, geladeiras, aparelhos de ar condicionado e usados na fabricação de espumas isopor, que respondem por 40% de sua utilização na indústria. Na atmosfera, os CFCs se desassociam sob a ação dos raios infravermelhos e, a partir dessa reação, passam a decompor moléculas de ozônio. (Ver: CFC.)

FRETE — O preço estipulado no contrato de fretamento para o transporte de coisas ou mercadorias, de um lugar para outro.

FRIEZA — Frio, sem paixão. Insensibilidade ou indiferença com ausências de senso moral e sentimentos.

FRINGE BENEFITS — Vantagens diversas auferidas por dirigentes/executivos e/ou funcionários de empresas/sociedades, tais como, pagamento dos aluguéis de suas residências, uso de carros particulares, cartões de crédito para determinadas despesas, seguros de vida/acidentes e/ou planos de saúde, viagens de férias, estudo dos filhos e, até mesmo, imposto de renda, dentre outros.

FRÍVOLO — Sem importância, insignificante, fútil, leviano. Diz-se do crime imotivado ou levado a efeito por causa banal.

FRONTEIRA — Limite que separa dois países ou duas regiões. A fronteira natural é a que segue um acidente geográfico, rio, montanha, lago etc. A fronteira artificial, convencional ou de gabinete é a que se traçou sem atender à topografia, através de negociações diplomáticas.

FRONTEIRA CONVENCIONAL — Limite entre estados, estabelecido através de negociações.

FRONTEIRA DE POSSIBILIDADES DE PRODUÇÃO — Em economia é a curva da representação gráfica que representa as combinações máximas de dois bens que podem ser produzidos em condições de eficiência assumida à disponibilidade de recursos de uma comunidade. Cada ponto da curva representa a troca entre o nível de produção dos dois bens e o custo de oportunidade resultante da produção de uma unidade adicional de um bem.

FRONTEIRA NATURAL — Limite entre Estados formado por elementos naturais (rios, montes, lagos).

FRONT-LOADED INTEREST REDUCTION WITH CAPITALIZATION BOND — Ver C-BOND

FRUIÇÃO — Resultado de tirar proveito de alguma coisa.

FRUSTRAÇÃO — Malogro. Sentimento de privação da satisfação de um desejo ou necessidade pela ausência do objeto ou por obstáculo interno ou externo. Ocorre a frustração quando certo de obter o objeto do desejo no lugar marcado, não o encontra. A frustração tende ao experimento do sentimento do fracasso ou da decepção.

FRUSTRAR — Impedir ou usar meio empregado com violência ou fraude para que não se cumpra o princípio de Direito ou de Lei, a respeito do trabalho, ou da feitura de qualquer outro ato.

FRUTOS — Rendimentos obtidos pela utilização econômica de uma coisa.

FRUTOS CIVIS — Produto da utilização econômica de uma coisa, tal como aluguel, arrendamento, foro, juros.

FUGA — Reação contra a ameaça de perigo, real ou imaginário, em forma de afastamento para não ter que enfrentá-lo. A emoção comum caracterizadora da fuga é o medo. O perigo propriamente dito é tudo o que possa ferir ou ameaçar a integridade física ou moral, inclusive os eventos beligerantes ou situações aversivas e conflitivas.

FUGA DE CAPITAIS — Designa as saídas maciças para fora de um país de capitais pertencentes a indivíduos ou empresas, para evitar inconvenientes conjunturais ou estruturais. A década de 1980 no Brasil foi caracterizada pela fuga de capitais em função do processo inflacionário e da crise econômica. A instabilidade política e social (vitória de governos de esquerda, conflitos armados internos), a pressão fiscal, os riscos de desvalorização da moeda doméstica são outras causas comuns da saída de capitais.

FULCRO — Suporte, sustentáculo. Suporte sobre o qual gira algo.

FUMUS BONI IURIS — [Latim]. Expressão que significa fumaça do bom direito. Indício, possibilidade da existência de um direito ou presunção de legalidade. Da mesma forma que, vulgarmente, dizemos "onde há fumaça, há fogo", também o jargão latino consagrou a "fumaça do bom direito", advertindo aos juízes de que também o simples indício da existência de um direito deve ser cuidadosamente observado, a fim de que não ocorram lesões irreparáveis a um interesse legítimo.

FUNÇÃO — Atividade que desempenha o servidor no exercício de cargo, emprego, função pública ou função gratificada. É a definição em uma organização sobre qual processo cada uma das pessoas é responsável, qual o seu produto, qual ou quais os seus clientes. (Ver: Despesa por função.)

FUNÇÃO ADMINISTRATIVA — É a atribuição ou o conjunto de atribuições que a Administração confere a cada categoria profissional, ou comete individualmente a determinados servidores para a execução de serviços eventuais. Função é o encargo atribuído aos órgãos, cargos e agentes.

FUNÇÃO ADMINISTRATIVA DO ESTADO — Tem por fim a execução das leis e a satisfação das necessidades coletivas que, em virtude das opções políticas ou legislativas definidas previamente, se entende que incumbem ao Estado, especificamente ao Governo.

FUNÇÃO DA OFERTA — Em economia, analisa os vários fatores que podem determinar a oferta no mercado concorrencial, como: a) os preços, na medida em que a oferta acompanha as variações dos preços (Lei da oferta); b) o custo dos fatores de produção: se os custos aumentam, a oferta diminui, e, inversamente, se os custos diminuem, as empresas estão dispostas a vender a um preço inferior uma combinação diferente de bens; c) a rentabilidade das produções alternativas, que pressupõe alguma flexibilidade na afetação da empresa. Nessa medida, a empresa optará por aquele bem que seja mais susceptível de lhe proporcionar lucro (diferença entre o preço e o custo marginal) em detrimento de outros bens (os bens substitutos), ou por efeito de um aumento de procura de outros bens (os bens complementares); d) a Tecnologia, que implica a redução dos custos de produção. A referida redução desencadeia o aumento da oferta, a criação de novos mercados e/ou de novos hábitos de consumo. Assim, o aumento da oferta está associado à diminuição dos preços dos fatores de produção; e) a dimensão da empresa, em termos de escala produtiva, com implicações na alteração do custo unitário da empresa, não olvidando, porém, que o mercado tem limites (fará sentido produzir um bem que não tem procura ?); f) os objetivos da empresa, que abrangem: a) estratégia, que implica a manutenção do nível de produção a um determinado preço, tendo em vista a angariação de clientela, b) eficiência, no pressuposto que sejam evitados agravamentos dos custos crescentes; g) As expectativas, que são previsões de subida ou de descida dos preços. Imagine-se que as empresas prevêem que os preços vão subir e, em resultado da previsão, os retraem à oferta que irá antecipar a subida de preços (efeito de Édipo - criação de situações reais). (Ver: Custo marginal / / Bens substitutos // Bens complementares // Lei da oferta / Lei da procura.)

FUNÇÃO DA PROCURA — Em economia a função da procura analisa os fatores que determinam a procura no mercado concorrencial, como: a) os preços; segundo a Lei da procura, a procura tende a diminuir quando ocorre uma subida de preços e aumenta quando ocorre uma queda de preços. Porém, existem exceções, como a qualidade dos produtos, que leva determinados indivíduos a aumentar a procura mesmo quando os preços são superiores; b) o rendimento disponível, que corresponde ao rendimento total líquido de impostos e de despesas correntes. Existe uma correlação entre as oscilações de rendimento e as variações das quantidades consumidas quando se falam em bens normais, bens inferiores e bens de *Giffen*; c) os preços dos bens complementares estabelecem uma correlação direta com a variação da procura de outros bens. d) o preço dos bens sucedâneos, que disputam a preferência do consumidor (a primazia de um faz-se sempre em detrimento do outro), estabelecem uma correlação inversa com a variação da procura de outros bens. Assim, a diminuição do preço dos bens faz aumentar o consumo do próprio bem, em detrimento de bens substitutos que passam a ter, comparativamente, um preço superior; e) os gostos, que correspondem à motivação real do consumidor que escapa à análise econômica. Nesse sentido, o preço pode deixar de ser indicador de escassez para passar a ser indicador de qualidade (na verdade, a finalidade da atividade econômica centra-se na auto-escolha do consumidor); f) o efeito da publicidade, que corresponde ao conjunto das influências externas conjugadas no esforço na discriminação dos produtos. A publicidade, não obstante as desvantagens, está na base da poupança dos custos de busca da informação; g) as expectativas, que são previsões de subida ou de descida dos preços. A título exemplificativo, a previsão de um aumento de preços antecipa o consumo que, por sua vez, antecipa a subida de preços (Ver: Lei da oferta e da procura). (Ver: Bens substitutos // Bens complementares // Bem normal // Bem de *Giffen*.)

FUNÇÃO DE CONFIANÇA — Função instituída em lei para atender a encargos que importem a confiança direta da autoridade.

FUNÇÃO DOCENTE — Ver Educação - Função docente.

FUNÇÃO GRATIFICADA — Função instituída em lei para atender a encargos de chefia e assistência que não estejam contemplados no quadro específico de cargo em comissão.

FUNÇÃO JURISDICIONAL — É a atividade pública exercida pelo Poder Judiciário para tutelar direitos subjetivos e aplicar normas gerais ao caso concreto submetido à sua apreciação. É a função estatal que tem por finalidade a atuação da vontade concreta da lei por meio da atividade dos órgãos judicantes.

FUNÇÃO JURISDICIONAL DO ESTADO — Consiste no conjunto de atividades que são exercidas por órgãos colocados numa posição de imparcialidade e independência, que são os Tribunais, e cujo objetivo é dirimir os conflitos de interesses públicos e privados, bem como a punição da violação da Constituição e das leis.

FUNÇÃO LEGISLATIVA DO ESTADO — Atividade pela qual o Estado cria o seu Direito Positivo, estabelecendo o quadro legal pelo qual se irá pautar a atuação dos órgãos de soberania, dos restantes órgãos públicos e dos cidadãos, disciplinando as relações que se estabelecem entre eles. Esta função está repartida entre o Congresso Nacional e o Governo.

FUNÇÃO POLÍTICA OU GOVERNATIVA DO ESTADO — Pode-se definir como a atividade exercida pelo Governo e pelos demais órgãos do Estado, tendo em vista a definição e prossecução dos interesses gerais da comunidade, mediante a livre escolha das opções e soluções consideradas melhores em cada momento. A Função Governativa consiste na prática dos atos em que se concretiza a política geral do país. Esta função é exercida pelo presidente da República, pelo Congresso Nacional e pelo Governo.

FUNÇÃO PÚBLICA — Atividade de natureza pública exercida por agente servidor público ou não. É a atribuição ou conjunto de atribuições que a administração confere a cada categoria profissional ou comete individualmente a determinados servidores para a execução de serviços eventuais, nos casos e formas previstos em lei e que não caracterizam cargo público. A idéia de função, como se depreende da própria etimologia, envolve atividade, ação, vida. A realização de qualquer ato juridicamente prescrito e, portanto, relativo ao sistema do Estado considerado em sua unidade constitui o exercício de uma função, e o agente que concorre para a perfeita integração do ato é órgão do Estado.

FUNÇÃO SOCIAL DA CIDADE — É o direito de acesso de todo o cidadão às condições básicas de vida.

FUNÇÃO SOCIAL DA PROPRIEDADE — É o direito da cidade sobre os espaços privados.

FUNCIONALIDADE — Conjunto de atributos que evidenciam a existência de um conjunto de funções e suas propriedades especificadas. As funções são as que satisfazem as necessidades explícitas ou implícitas.

FUNCIONÁRIO INTERINO — Terminologia usada antes da Constituição Federal de 1988, para designar servidor que exercia cargo ou função de caráter transitório, sem garantia de estabilidade.

FUNCIONÁRIO PÚBLICO — Considera-se funcionário público, para efeitos penais, quem, embora transitoriamente ou sem remuneração, exerce cargo, emprego ou função pública. Equipara-se a funcionário público quem exerce cargo, emprego ou função em entidade paraestatal. A partir da Constituição Federal de 1988, recebeu a denominação de Servidor Público. (Ver: Servidor Público.)

FUNÇÕES DA ADMINISTRAÇÃO — As funções da administração são planejar, organizar, coordenar, dirigir e controlar.

FUNÇÕES DA ADMINISTRAÇÃO FINANCEIRA — As funções da administração de planejar, organizar, coordenar, dirigir e controlar são também funções da administração financeira, em que se destacam o planejar e o controlar, devendo-se acrescentar a função financiar. Em sua definição mais estrita, a administração financeira tem como objetivo imediato prover e gerenciar os recursos financeiros necessários à consecução das atividades. Num conceito mais abrangente, seria o grupo de funções administrativas que se responsabiliza pela administração do fluxo de dinheiro, de tal forma que a organização tenha meios de executar seu objetivo.

FUNÇÕES DA CÂMARA MUNICIPAL — Ver Câmara Municipal, Funções da.

FUNÇÕES DO ESTADO — É o conjunto de atividades desenvolvidas pelo Estado, através dos seus órgãos, para atingir os fins que se propõe.

FUNÇÕES DOS PODERES — Poder Legislativo: tem a função primordial de elaborar, alterar as leis e fiscalizar os atos do Poder Executivo; Poder Executivo: tem a função primordial de executar o ato e transformá-lo em fato; Poder Judiciário: tem a função de julgar, primordialmente, as controvérsias sobre os atos e fatos e de aplicar, coativamente, a lei aos litigantes.

FUNDAÇÃO — 1) Alicerce. Infra-estrutura. Parte de uma estrutura que serve exclusivamente para transmitir o peso da estrutura ao solo natural. Os principais elementos estruturais da fundação são: vigas baldrame, tubulões, sapatas, blocos sobre estacas. Para a escolha do tipo de fundação, é necessário e fundamental o conhecimento das características de solo onde ela vai acomodar-se e também dos carregamentos que serão transferidos pelos elementos da fundação ao solo. 2) Pessoa jurídica constituída por um complexo de bens destinados à realização de determinados fins. (Ver: Fundação de direito privado.)

FUNDAÇÃO DE DIREITO PRIVADO — A fundação de direito privado é uma entidade sem fins lucrativos, que se forma pela constituição de um patrimônio com o objetivo de servir a fins públicos. A Fundação se constitui quando tal patrimônio (geralmente doado) adquire personalidade jurídica e passa a ser destinado para a consecução de seus objetivos. Não tem proprietário, nem titular, nem sócios; o patrimônio é gerido por curadores. A fundação de direito privado é criada por escritura pública ou por testamento. O novo Código Civil, em vigor desde 11 de janeiro de 2003, trouxe importantes inovações no tocante às entidades organizadas com fins não econômicos que compõem o terceiro setor. Destaca-se, dentre as inovações, a supressão da sociedade civil sem fins lucrativos. Esta deixa de existir juridicamente, passando o novo Código Civil a disciplinar apenas dois tipos de entidades com fins não econômicos: a associação e a fundação, elencando para cada qual exigências estatutárias distintas no tocante à sua constituição, funcionamento e extinção. Nos termos da lei civil, fundação é um conjunto de bens constituído para servir a um determinado fim, de cunho religioso, moral, cultural ou de assistência, sem intuito de lucro. Cria-se uma fundação privada pela manifestação inequívoca de vontade de seu instituidor, feita por meio de escritura pública ou de testamento. O patrimônio dotado para a fundação deve ser livre e suficiente para a consecução dos seus objetivos, conforme previsão estatutária, e deve estar sempre vinculado à realização do escopo fundacional, que possui caráter permanente, não podendo ser alterado por seus administradores.

FUNDAÇÃO GETÚLIO VARGAS (FGV) — Entidade privada fundada em 20 de dezembro de 1944. Seu objetivo inicial era preparar pessoal qualificado para a Administração Pública e privada do País. Atualmente, a instituição tem como missão avançar nas fronteiras do conhecimento na área das Ciências Sociais e afins, produzindo e transmitindo idéias, dados e informações, além de conservá-los e sistematizá-los, de modo a contribuir para o desenvolvimento socioeconômico do País, para a melhoria dos padrões éticos nacionais, para uma governança responsável e compartilhada, e para a inserção do País no cenário internacional. A FGV investe e estimula a pesquisa acadêmica, o que tem resultado em produção de relevância, reconhecida nacional e internacionalmente. Os temas abrangem a macro e microeconomia, finanças, direito, saúde, previdência social, pobreza e desemprego, poluição e desenvolvimento sustentável. Também são mantidos programas de pesquisa em história, ciências sociais, educação, justiça, cidadania e política. A Fundação realiza, ainda, trabalhos sob encomenda para o setor público, iniciativa privada e organismos internacionais, como o Banco Mundial (BIRD) e o Banco Interamericano de Desenvolvimento (BID).

FUNDAÇÃO PÚBLICA — São entidades dotadas de personalidade jurídica de direito privado, com patrimônio próprio, criação autorizada por lei, escritura pública e estatuto registrado e inscrito no registro civil de pessoas jurídicas, com objetivos de interesse coletivo, geralmente de educação, ensino, pesquisa, assistência social etc., com a personificação de bens públicos, sob o amparo e controle permanente do Estado. São sempre pessoas jurídicas de personalidade privada, sujeitas às disposições do Código Civil. (Ver: Fundação // Sociedades Civis e Sociedades Comerciais // Sociedade simples // Sociedade empresária.)

FUNDAF (FUNDO DE DESENVOLVIMENTO E ADMINISTRAÇÃO DA ARRECADAÇÃO E FISCALIZAÇÃO) — É o fundo para o qual é recolhida parte das multas aplicadas aos Contribuintes por irregularidades fiscais relativas aos tributos administrados pela Secretaria da Receita Federal. Seus recursos destinam-se, prioritariamente, ao reaparelhamento da máquina arrecadadora/fiscalizadora da referida Secretaria, incluindo o pagamento da Retribuição Adicional Variável aos Auditores Fiscais e Técnicos do Tesouro Nacional, à guisa de estímulo.

FUNDAMENTAR — Justificar, procurar demonstrar, com fortes razões e apoio na lei, na doutrina, na jurisprudência, ou em documentos ou outras provas. Expor, baseado no direito e nas provas, as razões de julgamento da causa, ou dum pedido, ou contestação.

FUNDAMENTO — Exprime a série de circunstâncias que autorizam a prática de um ato, mostrando-se jurídico ou de direito quando fundados em regras jurídicas, e de fato, quando decorrentes de conhecimentos vistos.

FUNDAMENTO JURÍDICO DO PEDIDO — É o motivo que justifica a existência da ação, baseado na lei ou nos princípios de ordem jurídica.

FUNDAMENTO LEGAL DO PEDIDO — Argüição dos dispositivos de lei que embasam matéria inerente ao pedido feito na petição inicial.

FUNDEB — Ver Educação - FUNDEB (Fundo de Manutenção e Desenvolvimento da Educação Básica e Valorização dos Profissionais da Educação.)

FUNDEF — Ver Educação - FUNDEF (Fundo de Manutenção e Desenvolvimento do Ensino Fundamental e de Valorização do Magistério).

FUNDESCOLA — Ver Educação - Fundo de Fortalecimento da Escola.

FUNDIÁRIO — Refere-se ao terreno agrário. Ex.: direito fundiário.

FUNDING — Dinheiro captado pelos bancos, proveniente de empréstimos tomados de outras instituições financeiras ou de aplicações por parte de terceiros, para empréstimos a seus clientes.

FUNDO 157 — Fundo criado em 1967 com a finalidade de alavancar o mercado de ações. Os contribuintes tinham opção de aplicar parte do Imposto de Renda (2%) no fundo, permitindo que o investidor, em lugar de pagar o IR, pudesse adquirir quotas de fundos administrados pelo banco de sua escolha. Os fundos receberam investimentos de 1967 a 1982, e não foram extintos. Os recursos estão disponíveis para o resgate.

FUNDO DAS NAÇÕES UNIDAS PARA A INFÂNCIA — Ver UNICEF.

FUNDO DAS NAÇÕES UNIDAS PARA A POPULAÇÃO (FNUAP) — Operacional desde 1969, o FNUAP ajuda os países em desenvolvimento a encontrar soluções para os problemas relativos à população. Tem três áreas de atuação fundamentais: a) saúde reprodutiva, incluindo planejamento familiar e saúde sexual; b) estratégias de desenvolvimento e população; c) aconselhamento. Tem como objetivo promover o direito de todos os indivíduos a desenvolver plenamente o seu potencial. Para isso, todas as pessoas, especialmente as mulheres, necessitam de ter acesso à informação e aos serviços sobre saúde reprodutiva, que lhes permitam estar informadas, fazer as escolhas e tomar decisões de forma voluntária.

FUNDO DAS NAÇÕES UNIDAS PARA O DESENVOLVIMENTO DE CAPITAL — Fundo criado em 1966 pela Assembléia Geral das Nações Unidas com o objetivo específico de apoiar investimentos de pequena escala nos países mais pobres, tendo-se tornado muito ativo nos últimos anos. Trabalha para reduzir a pobreza através de investimentos de pequena escala em duas áreas de concentração: governança local - para promover a descentralização e a participação no fornecimento de infra-estruturas básicas: saúde, educação, transportes, mercados, água potável e microfinanças - apoio de instituições de microcrédito centradas nos pobres, sobretudo nas mulheres.

FUNDO DE APLICAÇÃO EM COTAS — Fundo que aplica em outros fundos.

FUNDO DE ASSISTÊNCIA SOCIAL (FAS) — Fundo previsto pela Lei Orgânica da Assistência Social, a ser instituído, através de lei específica, nos municípios, estados e Distrito Federal, como condição para recebimento de recursos de que trata essa lei. Está sujeito à orientação e controle dos respectivos Conselhos de Assistência Social. Deve possuir um plano de aplicação, em conformidade com o Plano de Assistência Social. Funciona nos termos da Lei nº 4.320, de 1964.

FUNDO DE AVAL — É a concessão de garantias complementares à contratação de financiamentos por micro e pequenas empresas junto aos agentes financeiros.

FUNDO DE COMÉRCIO — Conjunto de bens e valores corpóreos (terrenos, benfeitorias, instalações etc.) e incorpóreos, indispensáveis à atividade comercial, abrangendo entre os incorpóreos: direitos de renovação do contrato de locação, ponto comercial e clientela, força atrativa, conceito e crédito, direitos autorais, nome do estabelecimento, sua insígnia, seu símbolo publicitário, marcas registradas, patentes, desenhos e modelos. (Ver: Bens corpóreos // Bens incorpóreos.)

FUNDO DE CONFIANÇA — Fundos geridos pelas Agências Especializadas das Nações Unidas. Constituem um mecanismo de co-financiamento de projetos a serem concretizados nos países em desenvolvimento. Por exemplo: entidade financeira separada estabelecida pelo Administrador do Fundo das Nações Unidas para o Desenvolvimento (PNUD), através da qual são recebidas contribuições voluntárias para financiar os programas e atividades do PNUD, acordadas com o contribuinte, e que se adicionam aos recursos regulares.

FUNDO DE DEFESA DOS DIREITOS DA CRIANÇA E DO ADOLESCENTE — Previstos no Estatuto da Criança e do Adolescente, os fundos são vinculados aos Conselhos dos Direitos da Criança e do Adolescente nos respectivos níveis Municipal, Estadual e Federal e precisam ser criados por lei. Entre suas fontes orçamentárias estão a arrecadação obtida com as multas aplicadas pela Justiça para violações dos direitos infanto-juvenis, as transferências de 1% do imposto de renda a pagar das pessoas jurídicas e 6% das pessoas físicas, além de recursos do tesouro Municipal, Estadual ou Federal. Porém, poucos municípios e estados brasileiros se beneficiam do mecanismo, por falta de regulamentação ou de informação.

FUNDO DE DESENVOLVIMENTO DAS NAÇÕES UNIDAS PARA A MULHER (UNIFEM) — Criado em 1976 como um fundo inovador e catalisador, promove a capacitação das mulheres e a eqüidade do gênero. Trabalha para assegurar o envolvimento adequado, de todas as mulheres, nas atividades de desenvolvimento, desde o planejamento à prática e atua como um catalisador no seio do sistema das Nações Unidas, apoiando os esforços que ligam as necessidades e preocupações das mulheres com os aspectos críticos das agendas nacional, regional e global. Centra o seu trabalho ao nível do país no contexto do coordenador residente das Nações Unidas. Desempenhando um papel importante no aconselhamento, concentra-se na divulgação de uma política de diálogo multilateral sobre a capacitação das mulheres. Apóia projetos e iniciativas no mundo em desenvolvimento para promover a capacitação política, econômica e social das mulheres. Estas práticas conduziram à emergência de pequenas empresas de base para a melhoria das condições de trabalho das mulheres, campanhas de educação pública e definição de novas leis e sensibilização para as questões do gênero.

FUNDO DE DESENVOLVIMENTO DO MERCADO DE CAPITAIS (FUMCAP) — Fundo contábil, de natureza financeira, destinado a dinamizar o mercado de títulos e valores mobiliários, facilitar a reestruturação financeira das empresas nacionais e criar um sistema de financiamento, a médio e a longo prazo, destinado a amparar a realização de projetos relativos à implantação, ampliação e reaparelhamento de empresas nacionais.

FUNDO DE ESTABILIZAÇÃO FISCAL (FEF) — Fundo instituído em âmbito federal pela Emenda Constitucional de Revisão nº 1/94 com o nome original de Fundo Social de Emergência/FSE (Emenda Constitucional nº 10, de 1996), com o objetivo de saneamento financeiro da Fazenda Pública Federal e de estabilização econômica, tendo seus recursos aplicados prioritariamente no custeio das ações dos sistemas de saúde e educação, benefícios previdenciários e auxílios assistenciais, assim como em despesas orçamentárias associadas a programas de relevante interesse econômico e social (Emenda Constitucional nº 17, de 1997). Compõem o Fundo, dentre outras receitas, o produto da arrecadação do imposto de renda incidente na fonte sobre pagamentos efetuados pela União, a parcela da arrecadação do imposto de renda sobre operações de crédito, câmbio e seguro (IOF) e 20% do produto da arrecadação de todos os impostos e contribuições da União, já instituídos ou a serem criados. O Fundo provocou perdas para os municípios, que ganharam compensações com a Emenda Constitucional nº 17, de 1997.

FUNDO DE FORTALECIMENTO DA ESCOLA — Ver Educação - Fundo de Fortalecimento da Escola (FUNDESCOLA).

FUNDO DE GARANTIA DE INVESTIMENTOS — Destina-se a assegurar os clientes das sociedades corretoras a reposição de títulos e valores mobiliários transacionados em Bolsa por danos decorrentes de ato culposo ou doloso, de responsabilidade dessas instituições.

FUNDO DE GARANTIA DO TEMPO DE SERVIÇO — Ver FGTS.

FUNDO DE INVESTIMENTO NO EXTERIOR — Possui investimentos de, no mínimo, 80% em títulos da dívida externa do Governo Federal, negociados no exterior. O restante pode ser investido em títulos negociados no mercado internacional, sendo que há um limite de concentração de 10% de títulos do mesmo emitente.

FUNDO DE INVESTIMENTOS SETORIAIS (FISET) — Operado pelo Banco do Brasil, tem suas cotas representadas por Certificados de Investimento, negociadas em Bolsa de Valores. Compõem os investimentos setoriais: FISET Reflorestamento - Administrado pelo IBDF; FISET Pesca - Administrado pela SUDEPE; FISET Turismo - Administrado pela EMBRATUR.

FUNDO DE PARTICIPAÇÃO DOS ESTADOS — Ver FPE.

FUNDO DE PARTICIPAÇÃO DOS MUNICÍPIOS — Ver FPM.

FUNDO DE PRIVATIZAÇÃO - RECURSOS DO FGTS — Carteira aberta somente aos trabalhadores que possuem contas ativas ou inativas do Fundo de Garantia por Tempo de Serviço (FGTS). Pelo menos 90% do patrimônio líquido do FGTS pode ser aplicado em ações de empresas privatizadas ou em via de desestatização. O resto do patrimônio pode ser alocado em títulos públicos federais de renda fixa.

FUNDO DE RENDA VARIÁVEL — Sinônimo de fundo de ação. (Ver: Fundo de ações.)

FUNDO DE SEGURANÇA — Impressão monocromática ou policromática, em *off-set* seco, sobre a qual se superpõem, nas cédulas, as impressões em calcografia e tipografia.

FUNDO ESPECIAL - CRIAÇÃO — A criação de um fundo especial na Administração Pública se dá no momento em que determinados programas de trabalho, julgados pela administração como de vital importância para o desenvolvimento, esbarram na falta de recursos financeiros, dificultando a sua execução. Obrigatoriamente criado através de lei específica, um fundo especial agrega um conjunto de receitas especificadas e vinculadas à realização de determinados objetivos ou serviços, sujeitas a normas próprias de aplicação e prestação de contas.

FUNDO ESPECIAL — Na Administração Pública é constituído do produto de receitas especificadas que, por lei, se vinculam à realização de determinados objetivos ou serviços, facultada a adoção de normas peculiares de aplicação. A lei que instituir fundo especial poderá determinar normas peculiares de controle, prestação e tomada de contas, sem, de qualquer modo, elidir a competência específica do Tribunal de Contas ou órgão equivalente. O fundo especial não possui personalidade jurídica, portanto, não pode ser parte em um contrato, somente o seu gestor. Conforme dispuser a lei, os fundos podem constituir-se apenas em uma atividade orçamentária (fundo especial) ou em uma autarquia propriamente dita. Em ambas as situações, os créditos orçamentários para fundos constam do orçamento da esfera a que se vinculam apenas como transferências intragovernamentais (3214 - Contribuições a Fundos) e seus orçamentos são aprovados por decreto do Poder Executivo no início de cada exercício financeiro.

FUNDO ESPECIAL DE SAÚDE — Ver Saúde, Fundo Especial de.

FUNDO FIDUCIÁRIO (*TRUST FUND*) — Fundo constituído por dinheiro ou propriedade de um indivíduo ou grupo de indivíduos administrados por terceiros.

FUNDO FISCAL DE INVESTIMENTO (DECRETO-LEI Nº 157) — Ver Fundo 157.

FUNDO GARANTIDOR DE CRÉDITO — É um fundo criado pelo governo, mas mantido pelos bancos, com a finalidade de funcionar como uma espécie de seguro bancário para os investidores. Estão seguradas diversas aplicações financeiras, como CDBs, RDBs, depósitos à vista, caderneta de poupança, letras hipotecárias, letras de câmbio e letras imobiliárias.

FUNDO GERADOR DE BENEFÍCIOS — É o fundo constituído pelas capitalizações financeiras das contribuições puras prestadas pelos participantes de planos previdenciários, líquido do total dos resgates pagos pela entidade.

FUNDO *HEDGE* — É um fundo que não se limita a investir em ações, debêntures e títulos do Governo. Ele opera em todos os mercados, normalmente através de instrumentos derivativos. Além disso, faz operações para se proteger ante possíveis quedas dos ativos nos quais o fundo investiu.

FUNDO INTERNACIONAL PARA O DESENVOLVIMENTO AGRÍCOLA (FIDA) — O FIDA tem como fim prioritário a mobilização dos recursos financeiros para a erradicação da pobreza em zonas rurais, procurando aumentar a produção de alimentos, a produtividade e melhorar a repartição dos rendimentos da agricultura nos países menos avançados. A idéia da sua criação nasceu em 1974, na Conferência Mundial sobre Alimentação, vindo a ser estabelecida em 1977, com sede em Roma (Itália). Tem 143 Estados membros e concede empréstimos em condições bastante favoráveis. Co-financia projetos em parceria com o Banco Mundial e vários bancos regionais de desenvolvimento.

FUNDO MONETÁRIO INTERNACIONAL — Ver FMI (Fundo Monetário Internacional).

FUNDO MUNICIPAL DE ASSISTÊNCIA SOCIAL (FMAS) — Fundo instituído no âmbito do Município, como exigência legal para recebimento e movimentação de recursos do Fundo Nacional de Assistência Social ao Governo Federal. É administrado por um Conselho Municipal de Assistência Social e tem a destinação de seus recursos previamente aprovada em um Plano de Aplicação.

FUNDO NACIONAL DE ASSISTÊNCIA SOCIAL — É um fundo criado em 1993 pela Lei Orgânica da Assistência Social para financiar as ações governamentais da área de assistência social, que incluem: a proteção à família, à maternidade, à infância, à adolescência e à velhice; o amparo às crianças e adolescentes carentes; a promoção da integração ao mercado de trabalho; a habilitação e reabilitação das pessoas portadoras de deficiência e a promoção de sua integração à vida comunitária; e a garantia de 1 (um) salário mínimo de benefício mensal à pessoa portadora de deficiência e ao idoso que comprovem não possuir meios de prover a própria manutenção ou de tê-la provida por sua família. Base Legal: Lei nº 8.742, de 7.12.1993, que dispõe sobre a organização da assistência social e dá outras providências.

FUNDO NACIONAL DE DESENVOLVIMENTO CIENTÍFICO E TECNOLÓGICO (FNDCT) — Instituído em 1969 e restabelecido pela Lei nº 8.172, de 18 de janeiro de 1991, com os acréscimos da Lei nº 10.197, de 14 de fevereiro de 2001, tem por objetivo estimular a inovação e promover o desenvolvimento científico e tecnológico, com vistas a assegurar a melhoria das condições de vida da sociedade, a competitividade e o desenvolvimento econômico e social do País. O FNDCT administra investimentos voltados para a capacitação tecnológica de empresas, seja com recursos do FAT - Fundo de Apoio ao Trabalhador ou de outras fontes, ou ainda de seus próprios programas de apoio ao desenvolvimento tecnológico (ADTEN, FINEPTEC, Ômega, Alfa etc.).

FUNDO NACIONAL DE DESENVOLVIMENTO DA EDUCAÇÃO — Ver Educação, Fundo Nacional de Desenvolvimento da (FNDE).

FUNDO NACIONAL DE SAÚDE — Ver Saúde, Fundo Nacional de.

FUNDO NACIONAL DO MEIO AMBIENTE — Fundo criado pela Lei nº 7.797, de 10.7.1989, e regulamentado pelo Decreto nº 98.161, de 21.9.1989, para o desenvolvimento de projetos ambientais nas áreas de Unidades de Conservação, pesquisa e desenvolvimento tecnológico, educação ambiental, manejo florestal, controle ambiental, desenvolvimento institucional e aproveitamento sustentável da flora e da fauna. Seus recursos provêm de dotações orçamentárias, doações de pessoas físicas e jurídicas, além de outros que lhe venham a ser destinados por lei.

FUNDO PARA O AMBIENTE MUNDIAL — Criado em 1991, como mecanismo experimental, foi reestruturado após a Conferência do Rio de Janeiro (Rio-92). Conta com 166 países-membros. É um mecanismo financeiro que concede donativos e fundos a projetos e atividades que protegem o ambiente global nos países em desenvolvimento e nos países com economias em transição. Tem como objetivo fortalecer a cooperação internacional em áreas críticas do ambiente mundial: perda da biodiversidade, mudança climática, degradação das águas internacionais, degradação dos solos e destruição da camada do ozônio. Ajuda os países em desenvolvimento a abordar as questões da mudança ambiental global e inclui as suas obrigações nesta área.

FUNDO PERDIDO — Ver Investimento a Fundo Perdido.

FUNDO PREVIDENCIÁRIO — Destinado a atender às despesas com benefícios previdenciários previstos em lei. (Ver: Fundo de Pensão.)

FUNDO VERDE E AMARELO — Fundo setorial do Ministério da Ciência e Tecnologia de fomento à inovação e integração universidade/empresa.

FUNDOS — 1) Conjunto de disponibilidades destinado a uma aplicação específica. 2) Conjunto de recursos monetários empregados como reserva ou para cobrir despesas extraordinárias. No setor de finanças públicas, o termo refere-se às verbas destinadas ao desenvolvimento de determinados setores. São registros contábeis transitórios e ocasionais de natureza devedora de curto ou longo prazos.

FUNDOS AGRESSIVOS — Expressão que normalmente designa fundos de investimento que operam com derivativos. Estes fundos são conhecidos por terem expressivas variações das cotas, por isso são apontados como fundos de maior risco.

FUNDOS BALANCEADOS — Classificam-se neste segmento os fundos regulamentados pelo Banco Central ou pela CVM que busquem retorno no longo prazo através de investimento em diversas classes de ativos (renda fixa, ações, câmbio, por exemplo). Procuram agregar valor utilizando uma estratégia de investimento diversificado e através de deslocamentos táticos entre as classes de ativos ou estratégia explícita de rebalanceamento de curto prazo, não se utilizando de alavancagem.

FUNDOS DE AÇÕES — Também conhecidos como FITVM ou Fundo de Renda Variável, os Fundos de Ações são voltados basicamente ao investimento em ações. Os investidores que desejam investir em ações podem deixar seu investimento nas mãos de um especialista, através de um Fundo de Ações.

FUNDOS DE AÇÕES ATIVOS — Procuram perseguir rentabilidade superior ao *benchmark* indicado, que, na maioria dos casos, é o IBOVESPA, mas pode ser também o IBA ou o IBX. Os administradores normalmente mencionam no regulamento o mecanismo que será utilizado para perseguir tal rentabilidade. Fundos ativos são indicados para investidores que querem rendimentos superiores aos do mercado de ações. Dentre os fundos ativos, podemos ter opções com maior ou menor grau de risco. Como todos os fundos de ações, são recomendados para investidores dispostos a correr riscos em busca de maior rentabilidade.

FUNDOS DE AÇÕES FECHADOS — São fundos registrados na CVM e estatutariamente fechados. Ou seja: fecham um grupo de cotistas (investidores) que firmam compromisso de permanecerem no fundo por período de tempo previamente estabelecido, no qual o fundo não emitirá cotas nem comprará cotas. Com isso, o cotista que optar por sair do fundo terá que colocar outro no seu lugar.

FUNDOS DE AÇÕES INDEXADOS — São chamados fundos de ações passivos porque têm suas carteiras atreladas a um *benchmark*, com o objetivo de acompanhar o comportamento deste índice. A carteira desses fundos, portanto, é bem parecida com a composição do índice escolhido (IBOVESPA, IBA ou IBX). Como todos os fundos de ações, são recomendados para investidores dispostos a correr riscos em busca de maior rentabilidade.

FUNDOS DE AÇÕES SETORIAIS — Estão classificados nas seguintes categorias: Telecomunicações - Fundos regulamentados pelo Banco Central ou pela CVM, cuja estratégia é investir em ações do setor de telecomunicações. Energia –

São fundos regulamentados pelo Banco Central ou pela CVM, cuja estratégia é investir em ações do setor de energia.

FUNDOS DE CAPITAL DE RISCO — Alternativa de investimento financeiro em empresas nascentes com alto potencial de crescimento e em empresas de risco.

FUNDOS DE CONTRAPARTIDA — Fundos gerados pela venda de produtos ou de divisas proporcionadas por programas de ajuda bilateral, com os quais se financiam atividades de desenvolvimento definidas em conjunto (doador e receptor), sob o controle de ambos.

FUNDOS DE DERIVATIVOS — Fundo composto por ativos primários e também por seus derivativos. São fundos de investimento que apresentam maior risco do que fundos tradicionalmente compostos apenas pelos ativos primários dos derivativos. São mais conhecidos atualmente como fundos genéricos ou livres. Podem ser de dois tipos: fundos que utilizam derivativos como forma de diversificação do risco e, portanto, têm o objetivo de proteger o investidor (também chamados de fundos de *hedge*); ou que utilizam derivativos para aumentar a rentabilidade do fundo. O segundo tipo só é recomendado para investidores com um perfil agressivo de investimento. (Ver: Derivativos.)

FUNDOS DE EXCEDENTES — É o montante que sobra quando os impostos são descontados do fluxo de caixa de um projeto.

FUNDOS DE ÍNDICES — Esses fundos procuram montar uma carteira com as ações que compõem os índices das bolsas de valores, em geral um reflexo da média do mercado. O índice mais usado como parâmetro é o IBOVESPA. Fazem parte dessa categoria os Fundos de Ações IBOVESPA, IBX etc.

FUNDOS DE INVESTIMENTO IMOBILIÁRIO — Os Fundos Imobiliários são formados por grupos de investidores, com o objetivo de aplicar recursos no desenvolvimento de empreendimentos imobiliários ou em imóveis prontos. Do patrimônio de um fundo podem participar um ou mais imóveis, parte de imóveis, direitos a eles relativos etc. A quota de um fundo imobiliário é valor mobiliário. São formados por grupos de investidores, com o objetivo de aplicar recursos, solidariamente, no desenvolvimento de empreendimentos imobiliários ou em imóveis prontos.

FUNDOS DE INVESTIMENTO NO EXTERIOR (FIEX) — Dentro da nova classificação de fundos de investimentos da Associação Nacional dos Bancos de Investimentos (ANBID) existem os fundos de Investimento no Exterior (FIEX), que não foram divididos em nenhuma subclasse. Suas principais características: a) são fundos que têm como objetivo investir preponderantemente em títulos representativos da dívida externa de responsabilidade da União, sendo que os mais utilizados para este tipo de aplicação são os *C-bonds*; b) o investidor assume riscos internacionais, já que grande parte dos recursos de suas carteiras é direcionada para o mercado externo; c) são aplicações indicadas para o longo prazo; d) a rentabilidade deste tipo de fundo aumenta quando a expectativa em relação à economia melhora. Isso acontece porque a procura por títulos da dívida aumenta, o que acaba por valorizar os papéis. O inverso também acontece, quando a expectativa está ruim, a procura diminui e a rentabilidade cai; e) são tributados de maneira semelhante aos Fundos de Investimentos Financeiros (FIF´s); f) Estes fundos são regulamentados pelo Banco Central.

FUNDOS DE INVESTIMENTOS — 1) Alternativa de financiamento para empresas que permite livre pactuação do porte do fundo, remuneração dos gestores e política de diversificação da carteira de investimento. 2) Forma mais conhecida de aplicação financeira, funcionam como uma espécie de condomínio de recursos individuais de pessoas físicas ou jurídicas. Na maioria dos casos, são como um condomínio aberto, sem limite máximo de participantes, administrado com a finalidade de aplicar esses recursos no mercado e maximizar o retorno para o investidor (cotista). A soma das aplicações individuais de cada um dos cotistas constitui o patrimônio do fundo. 3) Condomínio que reúne pessoas em torno de um objetivo comum. Quem é o responsável pela administração deste fundo é o banco.

FUNDOS DE INVESTIMENTOS DE TÍTULOS E VALORES MOBILIÁRIOS (FITVM) — É a nova categoria em que estão concentrados todos os fundos de renda variável, em substituição aos antigos Fundo Mútuo de Investimento em Ações (FMIA) e Fundo Mútuo de Investimento em Ações Carteira Livre (FMIA-CL). É um fundo que pode destinar no máximo 49% da sua carteira para a aquisição de títulos ou operações de renda fixa.

FUNDOS DE INVESTIMENTOS EM QUOTAS — Fundos destinados a investir na compra de quotas de fundos de investimento/títulos e valores mobiliários. (Ver: Fundos de Investimentos.)

FUNDOS DE INVESTIMENTOS FINANCEIROS — Destina seus recursos às aplicações em diversos mercados, segundo limites legais e/ou determinados no regulamento do fundo.

FUNDOS DE INVESTIMENTOS IMOBILIÁRIOS — Fundos de investimentos constituídos sob a forma de condomínio fechado, cujo patrimônio é destinado a aplicações em empreendimentos mobiliários. As quotas desses fundos são registradas na CVM, podendo ser negociadas em bolsa de valores ou no mercado de balcão.

FUNDOS DE PARTICIPAÇÃO — Recursos recebidos pelos Estados, Distrito Federal e Municípios, por sua participação, estabelecida na Constituição e em lei, na arrecadação de tributos federais. (Ver: FPE // FPM.)

FUNDOS DE PENSÃO — Conjunto de recursos provenientes de contribuições de empregados e da própria empresa - administrados por uma entidade a ela vinculada, aplicados em uma carteira diversificada de ações, outros títulos mobiliários e imóveis, com destinação final ao pagamento de pensões, proventos e outros benefícios dos integrantes.

FUNDOS DE *PRIVATE EQUITY* — São fundos que tendem a investir em negócios mais maduros, como consolidação e reestruturação.

FUNDOS DE RECURSOS PRÓPRIOS — Uma das subcategorias de fundos mútuos de privatização (FMPs), como os fundos da PETROBRAS, lançados em agosto de 2000, e os da Vale do Rio Doce, lançados em março de 2002, em que os investidores usaram recursos próprios para comprar as cotas dos FMPs e não recursos do FGTS (Fundo de Garantia por Tempo de Serviço) como acontece nos fundos FGTS.

FUNDOS DE RENDA FIXA — Muitas vezes usado como sinônimo de Fundo de Investimento Financeiro (FIF). Englobam fundos cuja carteira é composta basicamente por ativos de renda fixa ou ativos que se comportam como tal, como por exemplo derivativos. Existem dois tipos principais de fundos de renda fixa: DI e de renda fixa tradicionais. Um fundo de renda fixa pode ter até 49% de sua carteira composta por ações, mas basicamente aplicam em títulos públicos federais, títulos privados (debêntures) e CDBs. Dependendo do enquadramento do fundo, podem usar derivativos para proteção ou para alavancar rentabilidade.

FUNDOS DE RENDA FIXA TRADICIONAIS — Englobam os fundos de renda fixa que buscam uma rentabilidade acima da CDI, e para isso trabalham com um perfil mais agressivo de risco. A composição entre títulos pré e pós-fixados depende da visão que o gestor tem sobre a evolução nas taxas de juros. Mas, em geral, esses fundos investem em ativos prefixados.

FUNDOS DE RENDAS FIXAS ALAVANCADOS — É aquele que busca retorno através de investimentos em ativos de renda fixa de qualquer espectro de risco de crédito, incluindo-se estratégias que impliquem em risco de índices de preço, excluindo-se porém investimentos que impliquem em risco de oscilações de moeda estrangeira e de renda variável (ações etc.). Diferencia-se do fundo de renda fixa multiíndices apenas pela possibilidade de fazer alavancagem.

FUNDOS DE RENDAS FIXAS CRÉDITO — É aquele que busca retorno no mercado de juros doméstico, investindo em títulos de renda fixa de qualquer espectro de risco de crédito, excluindo-se estratégias que impliquem em risco de índices de preço, de moeda estrangeira ou de renda variável (ações, opções etc.), não sendo admitida alavancagem da carteira. Diferencia-se do Fundo de Renda Fixa apenas pela possibilidade de investimentos com risco de crédito acima do limite previsto na legislação dos "não referenciados".

FUNDOS DE RENDAS FIXAS MULTIÍNDICES — É aquele que busca retorno através de investimentos em ativos de renda fixa de qualquer espectro de risco de crédito, incluindo-se estratégias que impliquem em risco de índices de preço. Incluem-se nesta categoria os fundos de renda fixa com risco de indexadores (fundos IGPM etc.) sem alavancagem, entre outros. São vedados investimentos que impliquem em risco de renda variável (ações) e de dólar.

FUNDOS DE RENDAS VARIÁVEIS — Englobam fundos em que grande parte da carteira está investida em ações, ou ativos de maior volatilidade. Além dos fundos de ações e fundos de carteira livre, essa categoria também inclui os fundos cambiais, fundos de derivativos e fundos de dívida externa.

FUNDOS DE REPARTIÇÃO DE PERDAS — Dinheiro em espécie, valores mobiliários ou possivelmente outros ativos que são entregues pelos participantes antecipadamente e que são mantidos pelo sistema para assegurar que os compromissos que surjam dos acordos de repartição de perdas possam ser cumpridos.

FUNDOS DI — São fundos que buscam uma rentabilidade em linha com o rendimento do CDI e investem em ativos pós-fixados, acompanhando a tendência das taxas de juros, tendendo a registrar maior rentabilidade em cenários de alta de taxas.

FUNDOS EXCLUSIVOS — Neles, os cotistas, de número limitado, são, em geral, grandes investidores, como, por exemplo, os fundos de pensões.

FUNDOS FIDUCIÁRIOS MÓVEIS — Também denominados conta móvel, é cláusula em contrato que permite, ou mesmo obriga, o administrador fiduciário de mudar o domicílio do fundo caso este esteja ameaçado.

FUNDOS GENÉRICOS — Esses fundos têm maior flexibilidade na alocação de sua carteira e, em geral, são fundos mais agressivos que utilizam derivativos para alavancar a rentabilidade.

FUNDOS IMOBILIÁRIOS — São fundos cujos recursos captados são direcionados a empreendimentos imobiliários específicos, como por exemplo *flats*, hotéis e *shoppings*. Em alguns casos, são fechados e dirigidos a grandes investidores e em outros possuem cotas nas quais pequenos investidores, também, podem participar.

FUNDOS LIVRES — Esses fundos têm um perfil mais agressivo de investimento e não têm compromisso de acompanhar qualquer ativo financeiro (dólar, taxas de juros, ações). Em geral, os fundos livres também operam com derivativos e não podem investir mais do que 49% da carteira em ações.

FUNDOS MODERADOS — Designação dos fundos de investimento que buscam obter uma rentabilidade média do mercado. Para isso, os recursos são investidos em ativos de médio risco. Também usado para designar um tipo de perfil de investidor que prefere esse tipo de fundo. Situação intermediária entre o conservador e o agressivo.

FUNDOS MULTIMERCADOS — Classificam-se neste segmento os fundos regulamentados pelo Banco Central que busquem retorno no longo prazo através de investimento em diversas classes de ativos, podendo ou não adotar estratégias de alavancagem e investir em Renda Variável.

FUNDOS MULTIPORTFÓLIO — Esses fundos são FACs de FIFs de diversos mercados que, dependendo do gestor, podem ter um perfil mais de renda fixa ou mista, sendo que a participação de ações na carteira do fundo não pode exceder 49% do total.

FUNDOS MÚTUOS — Instituição que vende cotas ao público e usa o resultado das vendas para comprar uma carteira de títulos e ações.

FUNDOS MÚTUOS DE AÇÕES - CARTEIRA LIVRE — Constituído sob forma de condomínio aberto ou fechado, é uma comunhão de recursos destinados à aplicação em carteira diversificada de títulos e valores mobiliários. Deverá manter, diariamente, no mínimo 51% de seu patrimônio aplicado em ações de emissão das companhias abertas, opções de ações, índices de ações e opções sobre índices de ações.

FUNDOS MÚTUOS DE AÇÕES — Conjunto de recursos investidos em uma carteira diversificada de ações, com o resultado sendo distribuído aos cotistas, de forma proporcional ao número de quotas possuídas, após a dedução de impostos e taxas cobradas pelo administrador da carteira. Fundos mútuos de ações são administrados por corretora ou distribuidoras de valores, bancos de investimento, banco múltiplo com carteira de investimento ou gestores independentes. Existem restrições na composição da carteira desses fundos: devem manter no mínimo 51% de seu patrimônio aplicado em ações de empresas de capital aberto; não podem concentrar mais de um terço de sua carteira em ações de uma mesma companhia, nem utilizar operações de derivativos, exceto para proteção (*hedge*).

FUNDOS MÚTUOS DE CAPITALIZAÇÃO — Ver Fundo mútuo de privatização.

FUNDOS MÚTUOS DE INVESTIMENTO EM EMPRESAS EMERGENTES — Constituído sob a forma de condomínio fechado, é uma comunhão de recursos destinados à aplicação em carteira diversificada de valores mobiliários de emissão de empresa emergente a companhia que satisfaça os seguintes parâmetros: a) Tenha faturamento líquido anual inferior ao equivalente a R$ 60 milhões; b) Não seja integrante do grupo de sociedades com patrimônio consolidado maior ou igual a R$ 120 milhões.

FUNDOS MÚTUOS DE PRIVATIZAÇÃO — Fundo que destina recursos captados junto a investidores institucionais para capitalização de empresas emergentes. Esses fundos têm, pelo menos, 90% de seu patrimônio líquido aplicado em ações de uma única empresa (Ex: PETROBRAS). O restante deve ser aplicado em títulos públicos federais de renda fixa, que têm baixíssimo risco. Os recursos para esse fundo originam-se, necessariamente, das contas de FGTS - Pessoa Física.

FUNDOS MÚTUOS DE RENDA FIXA — Conjunto de recursos administrados por uma sociedade corretora, distribuidora de valores ou banco de investimento, que os aplica numa carteira diversificada de títulos de renda fixa, distribuindo resultados aos cotistas, proporcionalmente ao número de cotas possuídas. (Ver: FIF.)

FUNDOS NÃO REFERENCIADOS — Esses fundos não precisam ter 95% da carteira aplicada em títulos que acompanham a variação de um determinado indicador de mercado como ocorre com os fundos referendados.

FUNDOS *OFF SHORE* — São fundos criados em outros países, seguindo a legislação local, embora possam receber investimentos de brasileiros. A ANBID mantém para estes fundos a antiga classificação: renda fixa, renda variável e misto.

FUNDOS REFERENCIADOS EM CÂMBIO — Fundo que procura acompanhar o mais próximo possível a variação das taxas oficiais de câmbio entre o Real e o dólar norte-americano, estando sujeito também às oscilações das taxas de juros domésticas (Brasil) sobre o dólar. É a opção para quem tem por objetivo manter o patrimônio em dólar ou para quem tem dívidas nessa moeda. No mínimo 95% da sua carteira está vinculada à variação do dólar. É indicado para quem deseja se proteger contra eventuais desvalorizações do Real.

FUNDOS REFERENCIADOS EM DI — Nesses fundos, no mínimo 95% da carteira é composta por títulos que acompanham a variação do CDI, com pelo menos 80% da carteira devendo ser aplicada em títulos públicos federais ou privados com baixo risco de crédito. Além disso, esses fundos não podem utilizar derivativos para aumentar a rentabilidade, mas somente para efeito de *hedge*.

FUNDOS ROTATIVOS — São recursos financeiros entregues a determinados servidores para atender pequenas despesas necessárias à manutenção, pequenos reparos e aquisição de material de consumo e outros gastos correntes do órgão.

FUNDOS SETORIAIS — São aqueles que investem em ações de empresas de setores específicos da economia, como telecomunicações e energia, ou de empresas que tenham alguma outra característica em comum, como o fato de serem privatizadas, por exemplo. Os Fundos Setoriais surgem no âmbito do processo de privatização e desregulamentação das atividades de infra-estrutura no País e são oriundos de contribuições incidentes sobre o faturamento de empresas e/ou sobre o resultado da exploração de recursos naturais pertencentes à União. Parte das receitas que alimentam os Fundos é prevista e cobrada.

FUNDOS, PATRIMÔNIO DOS — Equivale à soma das aplicações de todos os investidores no fundo, descontadas as despesas inerentes à administração e as taxas de administração e performance.

FUNGIBILIDADE — Conceito que caracteriza o método de guarda de valores mobiliários por parte de um DCVM ou outro intermediário financeiro em que cada emissão de um conjunto de valores mobiliários físicos ou desmaterializados é conservado em grupos fungíveis independentes. Nenhum proprietário tem direito a um título físico ou desmaterializado particular em um grupo determinado, mas sim tem direito ao montante (valor) de valores mobiliários físicos ou desmaterializados que se indique em sua conta em um DCVM ou outro intermediário financeiro.

FUNGIBILIDADE DOS RECURSOS — Critério pelo qual a interposição de um recurso por outro não impede o seu conhecimento, desde que não haja erro grosseiro e que esteja no prazo certo.

FUNGÍVEL — Diz-se de um bem consumível que pode ser pesado, contado ou medido, e que, por convenção das partes, pode ser substituído ou trocado por outro da mesma espécie, qualidade e quantidade.

FURACÃO — Recebe o nome de furacão quando o fenômeno climático ocorre a nordeste e sul do Oceano Pacífico, regiões onde estão a América do Norte, Central e ilhas como Fiji, Nova Guiné e etc. Os furacões são classificados em cinco categorias, de acordo com a força dos ventos. Entre 100 e 150 km/h é chamado de furacão do tipo 1. Quando variam de 150 a 200km/h, tipo 2 e assim por diante até o tipo 4, que vai de 250 e 300 km/h. Os que ocorrerem acima dessa velocidade são todos considerados do tipo 5. (Ver: Tufão.)

FÚRIA — Ira violenta passageira. Parte-se para a agressão imediata e perseguição, compulsivamente, sem consciência do que faz.

FUROR — Exaltação de ânimo em excesso. Delírio violento.

FURTO — Crime contra o patrimônio. Furto não é sinônimo de roubo. Segundo o Código Penal, é a subtração de coisa alheia e móvel para si ou para outrem sem o consentimento de seu legítimo dono, sem uso de violência ou grave ameaça contra a pessoa (pode existir violência contra a coisa, como num caso de arrombamento). (Ver: Roubo.)

FURTO FAMÉLICO — Ato do indivíduo que impelido pela fome ou pelo frio, subtrai alimentos ou roupas para poder subsistir. O estado de necessidade exclui a ilicitude do ato.

FURTO QUALIFICADO — Tipo de roubo cometido com o objetivo de retirar dinheiro ou bem específico. É cometido com destruição ou rompimento de obstáculo à subtração da coisa. É o desaparecimento com vestígio.

FURTO SIMPLES — É o desaparecimento inexplicável, sem deixar vestígios.

FUSÃO — Reunião de duas coisas ou de duas sociedades, individualmente distintas, para formarem ou transformarem-se, em um só corpo ou sociedade, que lhes sucederá em todos os direitos e obrigações. (Ver: Cisão.)

FUSÃO DE SOCIEDADES — Ver fusão.

FUSÃO NUCLEAR — União de dois núcleos atômicos leves, para formar um outro mais pesado e complexo. Durante a reação, há liberação de grande quantidade de energia.

FUSO HORÁRIO — Os fusos horários ou zonas horárias são cada uma das 24 áreas em que se divide o Planeta Terra e que seguem a mesma definição de tempo. Anteriormente, usava-se o tempo solar aparente, de forma que a hora do dia se diferenciava ligeiramente de uma cidade para outra. Os fusos horários corrigiram, em parte, o problema ao colocar os relógios de cada região no mesmo tempo solar médio. Os fusos horários geralmente estão centrados nos meridianos das longitudes, que são múltiplos de 15º em que se convencionou dividir a superfície do planeta Terra e em cada um dos quais a hora é a mesma para todos os pontos. No entanto, as formas dos fusos horários podem ser bastante irregulares devido às fronteiras nacionais dos vários países ou devido a questões políticas (caso da China, que poderia abranger algo como quatro fusos horários, mas obriga todo o país a utilizar o horário de Pequim com evidentes distorções no oeste chinês, onde quando não é inverno o sol nasce por volta das 9 horas da manhã). Todos os fusos horários são definidos em relação ao Tempo Universal Coordenado (UTC). Convencionou-se que o primeiro fuso, de onde se iniciaria a contagem, seria aquele cortado pelo meridiano internacional de *Greenwich* (que passa pelo bairro que leva esse nome, em Londres, e onde funciona o Observatório Astronômico de Londres), a partir do qual se aumentará uma hora para cada fuso horário que se segue, contado para Este, e se diminuirá uma hora para cada fuso que se segue, contado para Oeste. Esse sistema é adotado pela maioria dos países. (Ver: Fusos horários do Brasil // Hora legal // Linha internacional da data.)

FUSOS HORÁRIOS DO BRASIL — O território brasileiro está localizado a oeste do meridiano de Greenwich (longitude 0º) e, em virtude de sua grande extensão longitudinal, compreende quatro fusos horários, variando de duas a cinco horas a menos que a hora do meridiano de Greenwich (GMT). O primeiro fuso (30º O) tem duas horas a menos que a GMT. O segundo fuso (45º O), o horário oficial de Brasília, é três horas atrasado em relação a GMT. O terceiro fuso (60º O) tem quatro horas a menos que a GMT. O quarto e último possui cinco horas a menos em relação a GMT. (Ver: Fuso horário // Hora legal // Linha internacional da data.)

FÚTIL — Que tem pouco ou nenhum valor; insignificante; frívolo; vão.

FUTUROS — Ver Ativos derivativos futuros.

G

G-10 — Grupo de países, estabelecido em 1962, que acordaram participar no Acordo Geral de Empréstimo - Alemanha, Bélgica, Canadá, EUA, França, Holanda, Itália, Japão, Reino Unido e Suécia. Em 1964, a Suíça associou-se, mas o nome manteve-se.

G-15 — Grupo de 15 países estabelecido na nona Cimeira dos Não-alinhados, em Belgrado, em 1989. Inclui países da América Latina, África e Ásia com o objetivo comum de reforçar o crescimento e a prosperidade. Centra-se na cooperação entre países em desenvolvimento nas áreas do investimento, comércio e tecnologia. O número de membros foi ampliando para 17, mas o nome mantém-se. Fazem parte do G-15: Argélia, Argentina, Brasil, Chile, Egito, Índia, Indonésia, Jamaica, Nigéria, Malásia, México, Peru, Quênia, Senegal, Sri Lanka, Venezuela, Zimbábue.

G-20 — Grupo de 20 países que substituiu o Grupo dos 33, prefigurado no encontro de líderes de Colônia do G-7, em junho de 1999, mas formalmente estabelecido no encontro dos ministros das Finanças do G-7, em setembro de 1999. O primeiro encontro deste grupo teve lugar em Berlim, em dezembro de 1999. O G-20 constitui um novo fórum para a cooperação e a consultoria sobre matérias que dizem respeito ao sistema financeiro internacional. Fazem parte do G-20: África do Sul, Alemanha, Arábia Saudita, Argentina, Austrália, Brasil, Canadá, China, Coréia, EUA, França, Índia, Indonésia, Itália, Japão, México, Reino Unido, Rússia, Turquia, União Européia.

G-22 — O G-22 foi substituído pelo G-33 e, depois, pelo G-20.

G-24 — Subgrupo do G-77, estabelecido em 1971, para coordenar as posições dos países em desenvolvimento nas questões financeiras e monetárias internacionais e assegurar que os seus interesses eram adequadamente representados nas negociações sobre matérias monetárias internacionais. Embora o número de membros seja limitado a 24, qualquer membro do G-77 pode juntar-se às discussões neste grupo. A China tem sido um "convidado especial" desde 1981. Inclui África do Sul, Argélia, Argentina, Brasil, Colômbia, Costa do Marfim (República Democrática do), Congo, Egito, Etiópia, Filipinas, Gabão, Gana, Guatemala, Índia, Irão, Líbano, México, Nigéria, Paquistão, Peru, Sri Lanka, Síria, Trindad e Tobago, Venezuela.

G-30 — Grupo criado em 1978, com o objetivo de aprofundar o conhecimento sobre os aspectos econômicos e financeiros internacionais, analisar as repercussões internacionais das decisões políticas e examinar as opções políticas para assuntos-chave. É um órgão internacional privado, sem fins lucrativos, constituído por funcionários *seniores* dos setores público e privado e do mundo acadêmico. Os membros encontram-se em reuniões plenárias, duas vezes por ano, para discutir questões políticas, econômicas e financeiras.

G-33 — Grupo que sucedeu ao Grupo dos 22, no início de 1999, e foi depois substituído pelo Grupo dos 20.

G-5 — Foi suspenso com a criação do G-7.

G-7 — Grupo internacional formado pelas sete maiores potências econômicas que se reúnem periodicamente (três vezes por ano) para coordenar a política econômica e monetária mundiais, constituindo-se num cartel, e decidir, se for o caso, uma ação coordenada de ajuda aos países mais pobres. Também conhecidas como G-7, compreendem Alemanha, Japão, Itália, França, Grã-Bretanha, Canadá e Estados Unidos. Atualmente, a Rússia é admitida como observadora, formando, assim, o Grupo dos oito (G-8). O G-7 se reuniu pela primeira vez em 1975, por iniciativa do então primeiro-ministro alemão Helmut Schimidt, e do presidente francês à época, Valéry Giscard. (Ver: G-8.)

G-77 — Grupo estabelecido em 1964, pela "Declaração conjunta dos 77 Países" em desenvolvimento, no final da primeira sessão da Conferência das Nações Unidas Sobre o Comércio e o Desenvolvimento (CNUCED). Teve como objetivo articular e promover os interesses econômicos comuns e aumentar a capacidade de negociação dos seus membros nas principais áreas econômicas discutidas no sistema das Nações Unidas. Os membros do G-77 foram ampliados para 133 países membros, mas o nome original manteve-se devido ao seu significado histórico. São membros: África do Sul, Afeganistão, Arábia Saudita, Argélia, Angola, Antigua e Barbuda, Argentina, Bahamas, Bahrain, Bangladesh, Barbados, Belize, Benin, Botão, Bolívia, Bósnia e Herzegovina, Botswana, Brasil, Brunei, Burkina Fasso, Burundi, Cabo Verde, Camarões, Camboja, Chipre, República Centro Africana, Chade, Chile, China, Colômbia, Comores, República Dem. do Congo, Rep. do Congo, Coréia, Costa Rica, Costa do Marfim, Cuba, Djibuti, Dominica, República Dominicana, Equador, Egito, El Salvador, Emirados Árabes Unidos, Etiópia, Filipinas, Fidji, Gabão, Gâmbia, Guatemala, Guiana, Guiné, Guiné-Bissau, Guiné Equatorial, Haiti, Honduras, Iémen, Índia, Indonésia, Irão, Iraque, Jamaica, Jordânia, Iugoslávia, Kuwait, Lao, Lesoto, Líbano, Libéria, Líbia, Madagascar, Malaui, Malásia, Maldivas, Mali, Mata, Marrocos, Ilhas Marshall, Mauritânia, Maurícias, Federação de Estados da Micronésia, Mongólia, Moçambique, Myanmar, Namíbia, Nepal, Nicarágua, Níger, Nigéria, Oman, Organização de Libertação da Palestina, Paquistão, Panamá, Papua-Nova Guiné, Paraguai, Qatar, Quênia, Roménia, Ruanda, Samoa Ocidental, St. Kitts e Nevis, Sta. Lúcia, São Vicente e Granadinas, São Tomé e Príncipe, Senegal, Seicheles, Serra Leoa, Singapura, Ilhas Salomão, Somália, Sri Lanka, Sudão, Suriname, Suazilândia, Síria, Tanzânia, Tailândia, Togo, Tonga, Trindad e Tobago, Tunísia, Uganda, Uruguai, Vanuatu, Venezuela, Vietname, Zâmbia, Zimbábue.

G-8 — Grupo constituído em 1994, em Nápoles, quando a Rússia participou pela primeira vez do encontro de líderes do G-7. Em 1997, em Denver, a Rússia passou a fazer parte do G-8, ao reunir-se para as discussões políticas, após a realização da cimeira econômica do G-7. Em 1998, em Birmingham, a Rússia passou a ser um participante de pleno direito, o que marca o estabelecimento do Grupo dos oito. Contudo, o G-8 não substitui o G-7, o qual continua a ser um fórum de discussão das questões econômicas e financeiras dos países mais industrializados. (Ver: G-7.)

GABARITO — Número de pavimentos permitidos pela legislação, em um determinado terreno.

GABIÃO — Dispositivo constituído por fragmentos ou blocos de rocha envoltos por tela de arame ou outro material, utilizado como revestimento, sustentação ou dreno, com a finalidade, entre outras, de proteção contra erosão e de contenção de taludes, aterros, margem de rios e canais.

GABINETE — 1) Sala ou edifício usado como local de trabalho; sacristia. 2) Conjunto dos auxiliares ou colaboradores imediatos de um parlamentar. Espaço físico onde esses auxiliares ou colaboradores exercem suas funções. 3) Corpo ministerial.

GABINETE MULTIPARTIDÁRIO — São aqueles que contemplam, na sua estrutura governamental, a participação de, pelo menos, mais de um partido. Nos países parlamentaristas, onde há mais de dois partidos com representação no Parlamento, a necessidade de Gabinetes multipartidários surge quando nenhum partido consegue obter força suficiente para governar sozinho. Isso significa que, para que um governo de um determinado partido se sustente no poder, ele precisa dividir seu governo com outros partidos para assim obter a maioria no Parlamento.

GABINETE UNIPARTIDÁRIO — É unipartidário quando o Gabinete de um país parlamentarista é composto apenas por um único partido. Geralmente o Sistema Partidário dos países que possuem esse tipo de Gabinete é bipartidário, ou seja, dois partidos principais disputam entre si, intercalando o poder um com o outro. Os partidos menores, caso existam, ficam alijados da competição política, pois são inexpressíveis dentro do jogo político.

GALA — Período de três dias consecutivos de descanso remunerado, a que faz jus o empregado que se casa.

GALÃO — Medida de capacidade. O galão imperial ou galão inglês corresponde a 4,55 litros, enquanto o galão americano a 3,78 litros.

GALHARDÃO — Recompensa de serviços valiosos; homenagem; prêmio; honraria; glória.

GANÂNCIA — Sentimento ambicioso e egocêntrico de querer ganhar cada vez mais e mais que os outros.

GANHO DE CAPITAL — Ver Capital, Ganho de.

GANHO DE CAUSA — Diz-se da vitória obtida por decisão judicial.

GANHOS — O que se ganha, particularmente dinheiro. Utilidade derivada da avaliação contábil de um bem ou valor pelo seu preço de mercado quando este for superior ao preço pelo qual foi adquirido. Diferença entre as receitas de uma empresa e o conjunto dos encargos ligados à produção e venda dos seus bens e serviços.

GAP — Um *gap* ("diferença" ou "intervalo") aparece quando o mercado de um título, sofrendo uma interrupção em sua negociação, provoca uma diferença entre o preço de fechamento e o preço de abertura do título. Um fato novo pode ter ocorrido neste intervalo, provocando uma reavaliação por parte dos investidores acerca do valor do título.

GARANTE — É a pessoa que dá ou oferece garantia a respeito da execução de um contrato ou do cumprimento de uma obrigação. Pode designar o fiador, o avalista, o abonador ou responsável pela efetiva execução de qualquer ato jurídico.

GARANTIA — É aquela que é exigida pelo credor como forma de assegurar o pagamento da obrigação pelo devedor. Os acordos de garantia podem tomar diversas formas legais. As garantias mais comuns são a alienação fiduciária e a hipoteca. As garantias podem ser obtidas utilizando-se o método de transferência de títulos ou a penhora.

GARANTIA DE DEFESA — Princípio constitucional, segundo o qual é assegurado o direito ao contraditório e a ampla defesa em processo judicial ou administrativo.

GARANTIA DE RENDA MÍNIMA — Ver Educação - Programa de garantia de renda mínima.

GARANTIA FIDUCIÁRIA (ALIENAÇÃO FIDUCIÁRIA) — Fidúcia, na terminologia do Direito Romano, significa a venda fictícia ou a venda que se fazia ao credor, com a condição de ser desfeita ou ser transferido novamente o bem ao devedor, quando este pagasse integralmente a dívida. A garantia poderá ser sobre bens móveis (Decreto-Lei nº 911, de 1969) e imóveis (Lei nº 9.514, de 1997). Somente as instituições financeiras estão autorizadas a garantir seus "negócios" com a alienação fiduciária.

GARANTIA SOLIDÁRIA — Um dos tipos de garantia existentes. Ao contrário da garantia tradicional, na garantia solidária pessoas de uma mesma comunidade mutuamente avalizam uma operação de crédito. Neste tipo de garantia, se uma pessoa do grupo não cumpre seus compromissos todos as outras são solidariamente responsáveis.

GARANTIAS (BOLSAS) — São oferecidas pelas bolsas, através de um Fundo de Garantia destinado a ressarcir eventuais perdas decorrentes de erro na execução das ordens, já que elas são responsáveis pelo acompanhamento e fiscalização de seus pregões, e administram o risco, estabelecendo limites operacionais e exigindo a apresentação de garantias.

GARANTIAS CONSTITUCIONAIS — Termo utilizado para classificar todo o conjunto de direitos estipulados na Constituição Federal. Dentre esse conjunto, destacam-se as garantias individuais, contidas no art. 5º, e que exprimem tudo aquilo que o Estado brasileiro deve reconhecer e proteger. Dada a sua importância, esses direitos e garantias foram classificados pelo próprio legislador como cláusula pétrea da Constituição, impassíveis de qualquer alteração ou modificação posterior.

GARANTIAS ESPECIAIS — São aqueles que asseguram de modo particular o cumprimento das obrigações.

GARANTIAS FIDEJUSSÓRIAS (PESSOAIS E REAIS) — Todas as garantias são acessórias, pois garantem a dívida (obrigações principais) e, dentre elas, existem dois tipos: as garantias reais (que recaem sobre uma coisa) e pessoais ou fidejussórias (que recaem sobre pessoas). As garantias reais são o penhor, a hipoteca e anticrese. As garantias pessoais são representadas pelo aval e pela fiança. Enquanto a garantia real representa risco de perda do bem garantido (imóveis para hipoteca e móveis para o penhor), na garantia pessoal o avalista ou fiador coloca à disposição a totalidade de seu patrimônio como garantia.

GARANTIAS LOCATÍCIAS — Ver Aluguel - Garantias locatícias.

GARANTIAS PESSOAIS — São aquelas em que, para além de devedor, outras pessoas podem ficar responsáveis, com os seus patrimônios, pelo cumprimento da obrigação.

GARANTIAS REAIS — São aquelas que recaem sobre bens certos e determinados do próprio devedor ou de terceiro. O devedor destaca um bem específico que garantirá o ressarcimento do credor na hipótese de inadimplemento do devedor. O credor adquire o direito a ser pago preferencialmente sobre qualquer outro credor comum, pelo valor de tais bens ou rendimentos. Na hipótese de inadimplência pelo devedor, o credor poderá vender o bem onerado, pagando-se com o preço obtido, devolvendo ao devedor a diferença, caso haja.

GARANTIAS, CONSTITUIÇÃO DE — São os ativos que são entregues para assegurar a liquidação final de uma operação ou de um conjunto de operações. A constituição ou aporte de garantias é utilizado para garantir a finalização de uma operação.

GARANTIR — Proporcionar confiança para si mesmo e para os demais.

GARIMPAGEM DE DADOS (*DATA MINING*) — Técnica para analisar dados em bases amplas para revelar tendências e padrões que podem servir para melhorar processos.

GÁS — É o estado da matéria que não tem forma nem volume independentes. O gás se expande para preencher todo o recipiente no qual está contido. O gás é uma das três formas da matéria: sólidos, líquidos e gases. Derivado de petróleo, denominado gás quando, nas condições de pressão e temperatura da superfície, se apresenta em estado gasoso.

GÁS DE REFINARIA — Gás resultante das operações de refino do petróleo; consiste principalmente de hidrogênio, metano, etileno, propileno e os butilenos. Pode também conter outros gases tais como nitrogênio e dióxido de carbono. Sua composição pode ser altamente variável e o poder calorífico pode variar de 40 MJ/Nm^3 a 80 MJ/Nm^3.

GÁS LIQUEFEITO DE PETRÓLEO (GLP) — Hidrocarboreto leve, essencialmente uma mistura de propano, butano e etano, gasoso à pressão atmosférica, mas que passa facilmente ao estado líquido, com ligeiro aumento de pressão, facilitando seu armazenamento e transporte. Também conhecido como gás engarrafado, gás envasilhado ou gás de cozinha.

GÁS MANUFATURADO — Gases derivados de fontes primárias de energia, por processos envolvendo reação química; por exemplo, o gás produzido de carvão vegetal ou hidrocarbonetos líquidos, como a nafta. Também conhecido como gás encanado.

GÁS NATURAL — Mistura de ocorrência natural de gases hidrocarbonetos e não-hidrocarbonetos (principalmente metano, CH_4) encontrados em formações geológicas porosas abaixo da superfície terrestre, geralmente associados com petróleo. Também conhecido como gás encanado, é utilizado como combustível industrial, doméstico e automotivo.

GÁS NATURAL VEICULAR - GNV ou VNG — Gás natural usado como combustível para veículos de passageiro e carga. (Ver: Gás natural.)

GASES DE EFEITO ESTUFA — Constituintes gasosos da atmosfera, naturais e antrópicos, que absorvem e reemitem radiação infravermelha, cuja emissão foi regulamentada pelo Protocolo de Quioto, tratado internacional complementar à Convenção Quadro das Nações Unidas sobre Mudança do Clima. São gases que contribuem para o efeito estufa. Além do dióxido de carbono, gases como o metano e os clorofluorcarbonetos também dão sua cota para o aquecimento global.

GASODUTO — Tubulação destinada à transferência de gás. Na forma mais ampla, pode ser entendido como sistema de gás.

GASOGÊNIO — Gás combustível produzido pela gaseificação contínua de combustível sólido numa mistura de ar e vapor (ou às vezes somente ar). Foi muito usado em veículos, durante a II Guerra Mundial, em substituição à gasolina e nafta.

GASÓLEO — Derivado de petróleo, mais pesado do que a nafta e mais leve que o óleo combustível, obtido no processo de destilação. Utilizado como matéria-prima de processos secundários (craqueamento), para obtenção de GLP e gasolina. Dentro de certos limites, pode ser utilizado como óleo diesel ou como diluente para óleos combustíveis.

GASOLINA NATURAL — Misturas de hidrocarboneto líquido contendo quantidades substanciais de pentano e hicrocarbonetos mais pesados, extraídos de gás natural.

GASTO PÚBLICO — O mesmo que despesa pública.

GASTO PÚBLICO COM PROTEÇÃO AO MEIO AMBIENTE — É a capacidade de atuação do Poder Público na defesa ambiental, através dos gastos realizados para a proteção ao meio ambiente, em um período determinado. A proteção ao meio ambiente é uma das atribuições do Poder Público para a qual concorrem União, Estados e Municípios.

GASTOS — Desembolsos feitos pela entidade para suprir suas necessidades administrativas, comerciais ou de produção. Dependendo de sua destinação, poderá ser classificado como custo ou despesa.

GASTOS COM PESQUISA E DESENVOLVIMENTO (P&D) — Expressa o esforço nacional - público e privado - voltado à pesquisa e desenvolvimento.

GASTOS INDUZIDOS — São os gastos planejados, que são influenciados por modificações a curto prazo na renda. Aqueles gastos que são independentes, define-se como gastos autônomos.

GASTOS JUDICIAIS — Despesas efetuadas pelas partes no curso dos processos judiciais.

GASTOS OBRIGATÓRIOS EM EDUCAÇÃO E SAÚDE - EXCLUSÃO DOS REALIZADOS COM RECURSOS RECEBIDOS DE OUTRAS FONTES — Entende-se que devem ser excluídos do cálculo do percentual de gastos mínimos obrigatórios em Educação e Saúde, todas as aplicações realizadas com recursos cuja origem não seja a de impostos próprios arrecadados e impostos transferidos por mandamento constitucional. Aqueles que ingressarem com destinação específica para a Educação e Saúde não são igualmente computados, pois foram considerados no Ente que transferiu os recursos (da União aos Estados e Municípios e dos Estados aos respectivos Municípios), pois, também ele, está obrigado a aplicar recursos em Educação e Saúde com origem nos seus impostos. Portanto, se computados nos gastos do Ente que recebeu os recursos, haverá uma duplicidade de cálculo. (Ver: Educação - Gastos Obrigatórios pelo Ente Público // Saúde - Gastos Obrigatórios pelo Ente Público.)

GATT (*GENERAL AGREEMENT ON TARIFFS AND TRADE*) — Tratado multilateral de comércio internacional firmado em 1947. O GATT rege-se por três princípios básicos: tratamento igual, não discriminatório, para todas as nações comerciantes; redução de tarifas por meio de negociações e eliminação das quotas de importação. (Ver: Acordo geral sobre o comércio e os serviços.)

GEADA — Vapor d'água ou orvalho congelado na superfície abaixo de 0°C. A principal causa da formação da geada é a condensação de massa de ar polar. Existem dois tipos de geadas: a) geada branca - mais comum, congela a parte superficial da cultura; b) geada negra - congela a parte interna da cultura.

GEARING/LEVERAGEM — Ver Alavancagem.

GEF (*GLOBAL ENVIRONMENT FACILITY*) — Fundo para o Meio Ambiente Global, criado pelo Banco Mundial, Programa de Desenvolvimento da ONU e Programa para o Meio Ambiente da ONU em 1990; opera os mecanismos financeiros das convenções internacionais de meio ambiente, por meio de fundos que patrocinam projetos de países em desenvolvimento, que tragam benefícios para mudança do clima global e conservação da biodiversidade.

GÊISER — Ou *geyser* - Fonte termal, intermitente, em forma de esguicho, de origem vulcânica, que lança água e vapor. Os gêiseres irrompem em jatos com emanações sulfurosas, desenvolvendo uma quantidade considerável de vapor e água. As águas expelidas contêm uma grande quantidade de sais minerais dissolvidos, que se solidificam em torno dos gêiseres, formando uma espécie de cratera algo parecida com a dos vulcões, cuja textura pode ser compacta, concrecionada ou pulverulenta, chamada geiserita.

GELEIRA — Massa de gelo formada nas regiões em que a queda da neve suplanta o degelo passível de deslocamento, ou a favor das encostas de montanhas ou vales, ou sobre áreas continentais extensas. Os dois tipos principais de geleira são: alpino ou de vale e o continental ou *island*.

GELO — Estado sólido da água na natureza causado por: congelamento da água, condensação do vapor d'água atmosférico sob forma de cristais, compactação da neve com ou sem movimentação de geleira ou impregnação de massas porosas de neve pela água que se congela a seguir.

GEMINADOS — Juntar, tornar duplo, fazer par. Diz-se de imóveis contíguos, em parede-meia. Alguns empregam, equivocadamente, a expressão ge**r**minados.

GEMS/ÁGUA — Projeto do Programa das Nações Unidas para o Meio Ambiente (PNUMA) que diz respeito ao controle mundial da qualidade da água.

GENE — É a unidade fundamental da hereditariedade. Cada gene é formado por uma seqüência específica, mais ou menos longa, de ácidos nucleicos. O conjunto dos genes de um organismo, população ou espécie constitui o genoma. Os genes são um dos fatores que determinam as características dos seres vivos. Outro fator importante é o ambiente. (Ver: DNA.)

GENERALIDADE — É a norma jurídica que se refere a toda uma categoria mais ou menos ampla de pessoas e não a destinatários singularmente determinados.

GÊNERO — Unidade de classificação que agrupa espécies intimamente ligadas ou com características fundamentais. O termo também se refere aos papéis diferenciados, responsabilidades e oportunidades para a mulher e para o homem numa dada sociedade. Tem subjacente (isto é, a substância, ou indivíduo) a construção cultural da diferenciação sexual, ou seja, o fato de que as diferentes condutas, atividades e funções das mulheres e dos homens são culturalmente construídas, mais do que biologicamente determinadas.

GENÉTICA — Ramo da Biologia que trata da hereditariedade. Ela se ocupa das diferenças entre os seres vivos, das suas causas e dos mecanismos e leis da transmissão dos caracteres individuais de geração para geração.

GENÉTICA DE POPULAÇÕES — Estudo quantitativo e mensurável de populações mendelianas ou seja, uma comunidade de indivíduos entrecruzáveis, que compartilham determinado fundo genético, mediante metodologia e critérios estatísticos.

GENÉTICA QUANTITATIVA — Estudo da hereditariedade mediante o emprego de análise estatística e da teoria de probabilidade matemática.

GENITOR — É aquele que gera. O pai.

GENOCÍDIO — Termo que designa os crimes contra o gênero humano. É reservado aos crimes que, pela sua extensão e brutalidade, atingem a própria humanidade, tais como a prática de atos com a intenção de destruir, no todo ou em parte, minorias étnicas, racial ou religiosas, com o massacre (extermínio) de populações indefesas.

GENOMA — É toda a informação hereditária do organismo que está codificada no seu ADN (ou, em alguns vírus, no ARN). Isto inclui tanto os genes como as seqüências não-codificadoras (conhecidas como ADN-lixo, ou *junk DNA*). Mais precisamente, o genoma de um organismo é uma seqüência de ADN completa de um conjunto de cromossomas. Quando se diz que o genoma de uma espécie que se reproduz sexualmente foi "seqüenciado", normalmente está se referindo à determinação das seqüências de um conjunto de autossomas e de um de cada tipo de cromossoma sexual, que determinam o sexo. Mesmo em espécies cujos indivíduos são todos do mesmo sexo, o que é descrito como "uma seqüência genômica" pode ser um composto de cromossomos de vários indivíduos. Em português corrente, a expressão constituição genética pode ser usada para designar o genoma de um dado indivíduo ou organismo. Ao estudo das propriedades globais dos genomas de organismos relacionados chama-se geralmente genômica, termo que distingue essa disciplina da genética, que em geral se preocupa com o estudo das propriedades de genes únicos ou de grupos de genes. DNA - Em Português ADN (Ácido desoxirribonucleico). (Ver:DNA.)

GENÓTIPO — Conjunto da informação genética na massa hereditária; constituição genética, hereditária, do indivíduo, animal ou vegetal.

GENTÍLICO — Nome que designa a "terra", "nação", "área" ou "município", ao qual se pertence.

GEOCENTRISMO — Sistema geocêntrico, elaborado por Ptolomeu, que apresentava o Planeta Terra como o centro do Universo e de todos os astros rodando em torno dela.

GEODÉSIA — Termo de origem grega, foi usado pela primeira vez por Aristóteles (384-322 a.C.), e pode significar tanto divisões (geográficas) do planeta Terra como também o ato de dividir a terra (por exemplo, entre proprietários). A geodésia é, ao mesmo tempo, um ramo das Geociências e uma Engenharia, que trata do levantamento e da representação da forma e da superfície do Planeta Terra, global e parcial, com as suas feições naturais e artificiais. Também é usado na matemática para a medição e o cálculo acima de superfícies curvas, usando métodos semelhantes àqueles empregados na superfície curva terrestre.

GEOFÍSICA — Ciência que estuda diversos fatores terrestres, tais como: dimensão, estrutura, fenômenos físicos (gravidade, sismicidade, magnetismo, vulcanismo etc.). Estuda ainda as propriedades físicas da crosta terrestre que condicionam tais fenômenos.

GEOGRAFIA — Ciência que tem por objeto a descrição do Planeta Terra na sua forma, acidentes físicos, clima, produções, populações, divisões políticas etc.

GEOGRAFIA ELEITORAL — Ver Eleição - Geografia eleitoral.

GEOLOGIA — Ciência que trata da origem e constituição do Planeta Terra, especialmente como reveladas pelas rochas. Características geológicas de uma região. A geologia tem um duplo fim: o estudo da estrutura atual da crosta terrestre e a investigação das causas que presidiram a sua formação e a sua evolução através das idades. A geologia pode ser dividida em cinco ramos: cosmogonia (trata das origens e primórdios do Planeta Terra em relação ao sistema solar e ao Universo), geologia física (estuda as formas da superfície terrestre, sua estrutura, modo de formação e a natureza dos processos que moldaram e estão moldando o relevo terrestre), petrologia (descreve a composição e origem das rochas da crosta terrestre), paleontologia (biologia dos fósseis, que estuda os restos de antigos animais e plantas que outrora viveram no Planeta Terra e que agora se encontram soterrados pelas rochas), geologia estratigráfica ou estratigrafia (estudo da sucessão das camadas sedimentares, sua formação e seu conteúdo fóssil através dos dados paleontológicos).

GEOPOLÍTICA — É uma disciplina das Ciências Humanas que mescla a Teoria Política à Geografia, considerando o papel político internacional que as nações desempenham em função de suas características geográficas — como localização, território, posse de recursos naturais, contingente populacional etc. É o estudo da estratégia, da manipulação, da ação. Estuda o Estado como organismo geográfico, ou seja, é o estudo da relação intrínseca entre a geografia e o poder. Método de análise que utiliza os conhecimentos da geografia física e humana para orientar a ação política do Estado.

GEOSSISTEMA — Termo criado pelos russos para designar uma entidade mais abrangente do que o ecossistema, considerando-se que este centraliza os conceitos e as relações em torno dos seres vivos; e geossistema teria a função de significar o todo sem uma hierarquização dos seus componentes.

GERAÇÃO DE DESPESAS COM AÇÃO GOVERNAMENTAL — Ver Despesas, Geração de - Ação Governamental.

GERAÇÃO DE EMPREGOS — Esforço de criação de postos de trabalho e atividades de geração de renda.

GERAÇÃO TÉRMICA — Conversão de energia, na qual se consome combustível para gerar calor, que é então convertido em energia elétrica. O combustível pode ser carvão, petróleo, gás ou urânio.

GERENTE — Profissional designado pelo dirigente do órgão gestor para responder pelo gerenciamento do programa. A ele compete mobilizar os recursos humanos, físicos e financeiros, com vistas à realização dos resultados esperados (objetivo do programa), segundo o melhor equilíbrio entre custos, prazo e qualidade.

GERIR — Ver Gestão.

GESTAÇÃO — Período de nove meses, tendo início na concepção e término no nascimento, em que se dá o desenvolvimento do embrião. Não constitui motivo de demissão ou de rescisão do contrato de trabalho da mulher.

GESTÃO — 1) Ato de gerir; administração; gerenciamento. 2) É o exercício da administração de negócios e de empresas públicas ou privadas. É o conjunto de decisões adotadas em uma organização pública ou privada para cumprir seus objetivos, através de atos e fatos administrativos. É o planejamento, organização, liderança e controle das pessoas que compõem uma organização pública ou privada e das tarefas e atividades por elas realizadas. 3) Parcela do patrimônio de uma entidade que, tendo ou não personalidade jurídica própria, deva ter demonstrações, acompanhamento e controles distintos, caracterizada por Gestão Tesouro e Gestão Fundo.

GESTÃO AMBIENTAL — Condução, direção, proteção da biodiversidade, controle do uso de recursos naturais, através de determinados instrumentos, que incluem regulamentos e normatização, investimentos públicos e financiamentos, requisitos interinstitucionais e jurídicos. Este conceito tem evoluído para uma perspectiva de gestão compartilhada pelos diferentes agentes envolvidos e articulados em seus diferentes papéis, a partir da perspectiva de que a responsabilidade pela conservação ambiental é de toda a sociedade e não apenas do governo, e baseada na busca de uma postura pró-ativa de todos os atores envolvidos.

GESTÃO ATIVA — Tipo de administração dos recursos dos fundos que tem como objetivo superar o rendimento de seu *benchmark*. Desta forma, a carteira de investimento não é necessariamente igual à composição do índice de referência. (Ver: *Benchmark*.)

GESTÃO CENTRADA NOS RESULTADOS — Estratégia de gestão orientada para o desempenho, a obtenção de resultados, efeitos e impactos. Conjunto de decisões político-administrativas e de intervenções operativas que se realizam em diferentes etapas de um desastre, com vista quer à antecipação quer à resposta ao mesmo.

GESTÃO DA INOVAÇÃO TECNOLÓGICA — Integração dos princípios e métodos de administração, avaliação, economia, engenharia, informática e matemática aplicada ao processo de inovação tecnológica.

GESTÃO DA QUALIDADE TOTAL — Modo de gestão de uma organização, centrado na qualidade, baseado na participação de todos os seus membros, visando ao sucesso de longo prazo, através da satisfação do cliente e dos benefícios para os membros da organização e para a sociedade. A Gestão da Qualidade Total envolve todos os membros - entende-se o pessoal e todos os departamentos e de todos os níveis da estrutura organizacional. Uma liderança forte e persistente da alta administração e a educação e o treinamento de todos os membros da organização são indispensáveis ao sucesso desse modo de gestão.

GESTÃO DE CONHECIMENTO — É a gestão explícita e sistemática de conhecimento vital e dos seus processos associados de criação, recolha, organização, difusão, uso e exploração na perseguição dos objetivos organizacionais. A Gestão de Conhecimento gira em torno da idéia de que um dos bens mais preciosos de uma empresa é a experiência que flutua dentro da cabeça das pessoas.

GESTÃO DE MUDANÇA — Processo de reinvenção e/ou reestruturação continuadas da cultura, estratégia e estrutura de uma organização.

GESTÃO DE NEGÓCIO, AÇÃO DE — Ação de rito sumaríssimo que visa exigir de quem administrou o bem ou negócio sem poderes conferidos pelo dono a restituição da coisa ao estado anterior ou o pagamento da diferença.

GESTÃO DE NEGÓCIOS — Intromissão voluntária e oficiosa de alguém na administração de negócios de outrem, cujos interesses procura acautelar, embora sem autorização sua, que se presume, ficando, no entanto, responsável perante este e as pessoas com quem tratar.

GESTÃO DO RISCO — Ver *Risk Management.*

GESTÃO DOS RECURSOS NATURAIS — Administração judiciosa dos recursos, de forma a garantir o equilíbrio dos processos de utilização, conservação e renovação, com o mínimo de poluição ou degradação ambiental e redução dos riscos de ocorrência ou de agravamento de desastres.

GESTÃO E RESOLUÇÃO DE CONFLITOS — Atividade orientada para prevenir ou conter a escalada de um conflito ou para reduzir a sua natureza destrutiva, com a finalidade de alcançar uma situação em que é possível chegar a um acordo ou mesmo à resolução do próprio conflito.

GESTÃO ECONÔMICA — Atividade de gerência dos recursos públicos que se orienta pelos resultados relativos à formação da renda, lucro, produto, distribuição e consumo dos órgãos da Administração Pública, visando à efetividade da ação governamental.

GESTÃO ESTRATÉGICA DO CONHECIMENTO — Conjunto de ações coordenadas que assegura às empresas habilidades para captar, armazenar, recuperar e analisar as informações e conhecimentos estratégicos para o seu desenvolvimento e competitividade.

GESTÃO FINANCEIRA — 1) É um conjunto de ações e procedimentos administrativos envolvendo o planejamento, análise e controle das atividades financeiras, visando maximizar os resultados econômico-financeiros decorrentes das atividades operacionais. É a gestão de recursos financeiros no seu sentido mais amplo; constitui, cada vez mais, um elemento crítico e imprescindível do gerenciamento dos gastos, tanto públicos quanto privados. Tem papel importante no processo de tomada de decisões, contribuindo significativamente para muitas das decisões que determinam a viabilidade econômico-financeira das instituições ou programas. 2) Atividade de gerência dos recursos públicos que se orienta pelos resultados relativos ao movimento de entradas e saídas de recursos e estuda os meios para obtenção dos recursos necessários às aplicações, assim como para realização dos créditos e satisfação dos débitos em tempo oportuno, de modo a estabelecer o equilíbrio orçamentário e financeiro.

GESTÃO FISCAL - RESPONSABILIDADE — Pressupõe a ação planejada e transparente, em que se previnem riscos e corrigem desvios capazes de afetar o equilíbrio das contas públicas, mediante o cumprimento de metas de resultados entre receitas e despesas e a obediência a limites e condições no que se refere à renúncia de receita, geração de despesas com pessoal, da seguridade social e outras, dívidas consolidada e mobiliária, operações de créditos, inclusive por antecipação de receita, concessão de garantia e inscrição em Restos a Pagar. (Ver: Conselho de Gestão Fiscal.)

GESTÃO FISCAL, TRANSPARÊNCIA NA — A Lei de Responsabilidade Fiscal, em seu art. 56, determina que as contas prestadas pelo chefe do Poder Executivo, mencionadas no art. 49, incluam, além das próprias, as dos presidentes dos órgãos do Poder Legislativo e demais poderes e órgãos referidos no art. 20, as quais receberão parecer prévio, separadamente, do respectivo Tribunal de Contas. Cabe à Câmara Municipal o julgamento das contas de gestão que poderá ou não acolher o parecer da Corte de Contas que somente por decisão de dois terços dos membros do Legislativo deixará de prevalecer. Deve-se acrescentar que somente as contas de gestão recebem parecer prévio do Tribunal de Contas que pode ser ou não acolhido pela Câmara Municipal. As demais prestações de contas são analisadas e julgadas diretamente pelas Cortes de Contas. (Ver: Contas julgadas regulares // Contas julgadas irregulares // Contas, Prestação de.)

GESTÃO FRAUDULENTA — É a que o administrador utiliza, continuada e habitualmente, na condução dos negócios sociais, artifícios, ardis ou estratagema para pôr em erro outros administradores da instituição ou seus clientes.

GESTÃO INTEGRADA — É a combinação de processos, procedimentos e práticas adotadas por uma organização para implementar suas políticas e atingir seus objetivos de forma mais eficiente do que através de múltiplos sistemas de gestão. Na integração de elementos de sistemas de gestão, considerando-se as dimensões qualidade, meio ambiente, saúde e segurança no trabalho, temos a congregação das normas ISO 9001, ISO 14001, e OSHAS 18001.

GESTÃO PASSIVA — Tipo de administração dos recursos dos fundos que tem como objetivo atingir a mesma rentabilidade de seu *benchmark*. Desta forma, a carteira de investimento deverá ser igual à composição do índice de referência. (Ver: *Benchmark*.)

GESTÃO SOCIAL — É o processo de gerência e administração dos projetos ou programas sociais. Baseia-se num fluxo contínuo, organizado e sistematizado de informações entre os diversos setores e níveis de atuação. Assim, todos os atores intervenientes nas ações mantêm-se informados a respeito dos objetivos, realizações, êxitos e fracassos do projeto. Para ser eficaz, o fluxo de informações deve se desenvolver numa relação de reciprocidade, constituindo um processo permanente de estímulo-resposta intra e intersetorial - comumente hierarquizado. O processo de gestão envolve variados métodos e instrumentos de monitoria, diagnóstico, análise e tomada de decisão, nas áreas de planejamento, coordenação intersetorial, implementação, supervisão e avaliação. Os objetivos de gestão sempre se relacionam à eficácia, eficiência e efetividade das ações. Quanto à sua natureza, há gestores que elegem modelos descentralizados e mais participativos; outros preferem os modelos mais centralizados e impositivos. Os requisitos essenciais da gestão social, contudo, são a transparência e os resultados.

GESTÃO SUSTENTÁVEL — É o modelo que visa manter o crescimento das empresas levando em consideração as variáveis éticas, sociais, políticas, respeitando o meio ambiente, sem perder o foco financeiro dos negócios, agindo com pró-atividade e atuando de forma responsável. A gestão sustentável evita desperdício de investimentos, recursos naturais e humanos, surgimento de passivos desnecessários, auto-ações e ações de responsabilidade, civil, administrativa e criminal.

GESTÃO TECNOLÓGICA — É a aplicação das técnicas de gestão em apoio a processos de inovação tecnológica. Integra princípios e métodos de gestão (administração), avaliação, economia, engenharia, informática e matemática aplicada. Constitui um processo de administração das atividades da pesquisa tecnológica e da transferência dos seus resultados às unidades produtivas.

GESTÃO TEMERÁRIA — É a que o administrador age imprudentemente em transações perigosas, sem a prudência que deve presidir sua atuação.

GESTÃO TESOURO — Parcela de recursos previstos no Orçamento Geral para os Órgãos da Administração Pública Direta, sendo a principal Gestão desses Órgãos.

GESTOR — 1) É a pessoa que tem a função de gerir ou administrar negócios, bens ou serviços, mesmo como interesse de outrem. 2) Designação atribuída ao servidor público (ocupante de cargo de carreira) ou agente estatal (ocupante de cargo em comissão), que pratica atos de gestão, com o propósito de administrar negócios, bens, obras ou serviços, sob a responsabilidade de entidades do setor público.

GIGAJOULE — Uma unidade de energia igual a 947.817 BTU.

GIGAWATT (GW) — Energia elétrica igual um bilhão de watts.

GIGAWATT-HORA — Energia elétrica igual um bilhão de watt-horas.

GIRO DE ATIVOS — Indicador de análise financeira que aponta a eficiência com que a empresa usa seus ativos para gerar vendas. O indicador é calculado como sendo a divisão da receita líquida de vendas pelo ativo total da empresa. Quanto maior o índice, maior é a eficiência da empresa no uso de seus ativos.

GIRO DE CAIXA — Indicador de análise financeira que aponta o número de vezes por ano que o caixa de uma empresa gira. Este indicador é calculado como sendo a divisão entre as receitas da empresa e o seu capital circulante. Quanto maior o indicador, mais eficiente é a empresa na gestão do seu caixa e vice-versa.

GIRO DE ESTOQUE — Um dos indicadores de atividade da empresa, que expressa com que velocidade a empresa é capaz de girar seus estoques durante um ano. O indicador é calculado como sendo o quociente entre o custo de mercadorias vendidas e o valor do estoque médio da empresa. Para determinar o período médio dos estoques de uma empresa, basta apenas dividir o número 365 pelo giro de estoques.

GLASNOST — Pronuncia-se *glásnost*. Publicidade, transparência, qualidade daquilo que tem voz, que é feito público. Daí seu significado político de "abertura política", vulgarizado após a ascensão política de Mikhail Gorbachov, na União Soviética. Este líder político visava a intensificar a liberalização político-econômica da União Soviética, aproximando-a do Ocidente. A partir da reabilitação de ideólogos vitimados por Stalin entre 1936-1938, entre estes Nikolai Bukharin e Alexei Rykov, outras medidas de democratização foram tomadas, por exemplo, a permissão para o funcionamento de mais de 30.000 sociedades culturais para discussão de problemas políticos, das quais participam historiadores, economistas, cientistas e escritores conhecidos. Por outro lado, a reaproximação dos Estados Unidos ensejaria a redução dos gastos militares, para que sejam feitos maiores investimentos no comércio e na tecnologia.

GLEBA — Parte de terra. Terreno de cultura, torrão. É a área de terra que ainda não foi objeto de parcelamento ou desmembramento.

GLEBA INDUSTRIAL — Gleba urbanizável que resulta na criação de lotes com destinação industrial.

GLEBA URBANIZÁVEL — Grande extensão de terreno, que, por sua características físicas e de localização próxima à área urbana, ou a loteamentos implantados, e destinação legal, permita aproveitamento mais eficiente, com a sua transformação economicamente viável através de loteamento, desmembramento ou implantação de conjunto habitacional, desde que sua escala de implantação simultânea no mercado local não resulte em inviabilização.

GLOBALIZAÇÃO — Termo que designa o fim das economias nacionais e a integração cada vez maior dos mercados, dos meios de comunicação e dos transportes. Entendem seus defensores que significa um avanço do capitalismo, um mecanismo que busca a redução de custos e o aumento da produtividade na fabricação de mercadorias. Há dois ingredientes fundamentais para a consolidação desse fenômeno: a queda de barreiras alfandegárias entre os países e a revolução tecnológica, em particular no campo da informação (computador, telefone, televisor e internet). A combinação desses fatores provoca drásticas mudanças no processo produtivo, liderado por empresas transnacionais, e na forma como são feitos os investimentos mundiais.

GLOBALIZAÇÃO COOPERATIVA — É uma nova abordagem ao desenvolvimento econômico. Pode ser definida como um esforço cooperativo de toda a população de uma cidade, distrito, comunidade, região, país e de todo o mundo para enfrentar o desemprego, a exclusão social e o empobrecimento. (Ver: Globalização.)

GLOBALIZAÇÃO DA ECONOMIA (MUNDIALIZAÇÃO) — Ver Globalização.

GLOCALIZAÇÃO — A Glocalização é o processo onde uma empresa com perspectiva global e que opera com base em políticas desenvolve políticas e ações sensíveis às condições locais. (Ver: Globalização.)

GLÓRIA — Celebridade adquirida à custa de façanha heróica ou de grande mérito em qualquer campo. Fama; reputação. Brilho; esplendor. Alegria; regozijo. Bem-aventurança; o Céu.

GLOSA — Supressão ou anulação de uma importância pecuniária não aprovada em determinada conta ou orçamento, em contabilidade, ou no direito tributário, de itens da declaração de renda lesivos ao Fisco.

GLOSA DE DESPESAS — Ver Despesas, Glosa de.

GLOSADOR — O que interpreta, comenta a lei. Eram chamados glosadores os gramáticas e juristas italianos que, a partir do século XVI, fizeram anotações no *Corpus Iuris Civilis,* possibilitando a aplicação do Direito Romano no mundo medieval.

GLOSSÁRIO — [Do latim *glossariu*]. Dicionário de termos técnicos, científicos etc. onde se explicam palavras e expressões.

GLP — Ver Gás Liquefeito de Petróleo.

GOLDEN SHARE — Ver Ação específica.

GOLFO — Grande enseada em que o mar penetra profundamente na costa, maior e mais fechada do que a baía.

GOLPE DE ESTADO — Significa um ato de violência praticado contra o regime político existente, pelos próprios detentores do poder, com o fito de nele se manterem arbitrariamente, com desrespeito às leis e Constituição que haviam prometido obedecer. É um movimento em sentido oposto ao de revolução, no qual o povo, ou uma fração, derruba o governo para mudar os rumos do processo político. São exemplos de golpes de Estado: o de Napoleão, na França – eleito presidente da República Francesa, fez-se proclamar imperador; o de Getúlio Vargas, em 10 de novembro de 1937, quando presidente da República, implantando o "Estado Novo", dissolvendo o Congresso e enfeixando os poderes Executivo e Legislativo em suas mãos. Por extensão, o termo golpe passou a se referir também a todas as intervenções súbitas para mudança da marcha de um processo político, tomando sentido pejorativo. (Ver: Estado Novo.)

GORJETA — Gratificação dada por liberalidade do cliente ao empregado, no próprio estabelecimento do empregador. As gorjetas integram, juntamente com o salário, a remuneração do empregado.

GOVERNABILIDADE — Condição operacional dependente da interação entre agentes, necessária à gestão. Engloba não apenas o governo instituído, mas todas as forças políticas, econômicas e sociais disseminadas na sociedade.

GOVERNADOR DE ESTADO — É o chefe do Poder Executivo Estadual, competindo-lhe a administração e governo do Estado da Federação, de que é o legítimo representante. Como delegado do povo, que o elegeu ou escolheu, o Governador pode exercer atos de império e atos de gestão, sendo o mandatário legal do Estado Federado, ativa e passivamente, em juízo ou fora dele. Exerce o Poder Executivo, com o auxílio dos secretários Estaduais de Governo. Sua posse se dá em sessão da Assembléia Legislativa do Estado, quando presta o compromisso constitucional. Em caso de impedimento ou vacância, o cargo de governador do estado será preenchido pelo vice-governador; na hipótese de impedimento dos dois cargos, serão chamados, pela ordem, o presidente da Assembléia Legislativa e o presidente do Tribunal de Justiça. O governador não pode se ausentar do Estado por período superior a quinze dias sem pedir licença do cargo e só poderá fazê-lo com autorização prévia da Assembléia Legislativa, sob pena de perda do cargo. Acusação contra o governador de Estado, quando admitida por dois terços da Assembléia Legislativa, será julgada perante o Superior Tribunal de Justiça, nas infrações penais comuns, ou perante a Assembléia Legislativa, nos crimes de responsabilidade. (Ver: Atos Administrativos de Império // Atos Administrativos de Gestão.)

GOVERNADOR DE ESTADO - ELEIÇÃO — No Brasil a eleição de governador se realiza no primeiro domingo de outubro antes do término do mandato em vigor e implica automaticamente a eleição também do vice-governador com ele registrado. O governador se elege pela maioria absoluta de votos (sistema majoritário), não computados os brancos e nulos. Caso nenhum dos candidatos consiga maioria absoluta na primeira votação renova-se a eleição no último domingo de outubro, concorrendo os dois candidatos que obtiverem o maior número de votos, considerando-se afinal eleito aquele que obtiver a maioria dos votos válidos. Seu mandato é de quatro anos, tendo início no dia 1º de janeiro do ano subseqüente. Atualmente é permitida sua reeleição, uma única vez, para o período subseqüente. (Ver: Eleição - Sistema majoritário // Eleição - Voto em branco // Eleição - Voto nulo.)

GOVERNANÇA CORPORATIVA — Termo que denomina um sistema que garante o tratamento igualitário entre os acionistas, além de transparência e responsabilidade na divulgação dos resultados da empresa. Através da prática da governança corporativa os acionistas podem efetivamente monitorar a direção executiva de uma empresa. Dentre as medidas estabelecidas por empresas que seguem a prática da boa governança devem constar quatro princípios básicos: tratamento igual a acionistas minoritários e majoritários, transparência na relação com o investidor, adoção de normas internacionais nos registros contábeis e cumprimento das leis. Vários países adotam códigos das melhores práticas de governança corporativa. No Brasil, este documento foi preparado pelo Instituto Brasileiro de Governança Corporativa (IBGC), em maio de 1999.

GOVERNANTE — Qualidade daquele que governa. Aquele que exerce o governo. Administrador que tem o poder de administrar ou controlar.

GOVERNO — 1) Administração, gestão, direção, domínio, controle. 2) Espaço de tempo durante o qual alguém governa ou governou. 3) Sistema político pelo qual se rege um Estado. 4) Modo por que está administrado um Estado. 5) Conjunto de Poderes e de órgãos constitucionais que exercem as funções estatais básicas, na condução política dos negócios de um Estado Soberano, de um Estado Membro, de Municípios ou de uma pessoa jurídica de direito público que seja dotada de autonomia constitucional.

GOVERNO DE COALIZÃO — É aquele em que o Governo é composto por partidos que não fazem oposição ao partido do chefe de Governo. Ou seja, para que um Governo tenha maioria consistente no legislativo, é preciso compor uma coalizão (aliança) com homogeneidade ideológica e uma agenda de convergência.

GOVERNO DE MINORIA — É aquele em que o Governo não consegue obter apoio no Legislativo, sendo obrigado a governar juntamente com a oposição, isto é, necessitando dos votos de parlamentares de partidos oposicionistas para aprovar seus projetos.

GPO (GERÊNCIA POR OBJETIVOS) — Também chamado de Administração por Objetivos (APO) é o conjunto formal de procedimentos que estabelecem e revêem o progresso da direção de objetivos comuns aos administradores e subordinados.

GPS (*GLOBAL POSITIONING SYSTEM*) - SISTEMA GLOBAL DE POSICIONAMENTO — Constelação de satélites desenvolvidos pelo Departamento de Defesa dos EUA, utilizada em levantamentos geodésicos e outras atividades que necessitem de posicionamento preciso. Os satélites transmitem sinais que podem ser decodificados por receptores especialmente projetados para determinar com precisão, posições sobre a superfície do Planeta Terra.

GRAÇA — É o modo de extinção da punibilidade concedida com individualização de cada beneficiário. A graça não se confunde com o indulto porque quase sempre é solicitada, e também porque é, no mais das vezes, concedida a apenas um beneficiário, embora, excepcionalmente, possa ser coletiva. Desde 1988, a graça é conhecida como indulto individual, à exceção do Código Penal que não foi reformado. (Ver: Crime hediondo.)

GRACE INCOME — Renda bruta.

GRACE LOSS — Perda bruta.

GRACE PERIOD — Prazo de carência. Período durante o qual uma conta pode ser paga sem incorrer em penalidades, mesmo depois de vencida. Período de carência.

GRADAÇÃO DA PENA — É a aplicação da pena pelo juiz, levando-se em conta os antecedentes e a personalidade do agente, a intensidade do dolo ou da culpa, as circunstâncias em que ocorreu o crime e suas conseqüências.

GRADIENTE — Relação (quociente) entre a diferença de altitude entre dois pontos e a distância entre eles, expressa em termos de fração ou de porcentagem. Diferença de pressão atmosférica entre dois lugares, expressa em milímetros. Mudança no valor de um elemento meteorológico, por unidade de distância. Queda do nível de um curso d'água, por unidade de distância (geralmente o quilômetro).

GRÁFICO — Termo genérico para designar qualquer representação pictórica de dados estatísticos. Exemplos: gráficos de barras, gráficos setoriais, gráfico seqüencial etc.

GRÁFICO TIPO *CANDLESTICK* — Termo usado para definir um tipo de gráfico, utilizado em análise técnica, que mostra simultaneamente as cotações de abertura e de fechamento, máximas e mínimas de uma ação. Através dos desenhos formados ao longo do tempo, os analistas técnicos são capazes de identificar padrões que não apareceriam em outros gráficos, como os de linha ou de barras, por exemplo.

GRAMA (g) — É uma unidade de medida de massa. É uma unidade derivada do Sistema Internacional de Unidades, equivalente a 10^{-3} unidades-padrão (quilogramas).

GRANDE EMPRESA — Organização que tem entre 500 e 9.999 empregados, e tem faturamento acima de 3 milhões de reais/ano. (Ver: Média empresa // Pequena empresa.)

GRANDEZA — Atributo de um fenômeno, corpo ou substância que pode ser qualitativamente distinguido e quantitativamente determinado.

GRANIZO — Precipitação sólida de grânulos de gelo, transparentes ou translúcidos, de forma esférica ou irregular, raramente cônica, de diâmetro igual ou superior a 5 mm. Precipitação de pequenas pedras de gelo, com diâmetro de 5 a 50 mm, e, às vezes maiores, caindo isoladamente ou em massas irregulares.

GRATIA ARGUMENTANDI — [Latim]. Expressão que significa para argumentar; apenas pelo favor de argumentar. Emprega-se quando se quer usar um argumento do adversário considerado inconsistente.

GRATIA CAUSAE — [Latim]. Expressão que significa por favor.

GRATIFICAÇÃO — É toda remuneração ou bonificação, que é concedida ou dada ao empregado espontaneamente pelo empregador, em satisfação aos resultados do negócio ou como gratidão à colaboração do empregado. Na Administração Pública é a paga adicional ao servidor e que lhe é devida pelo efetivo exercício de um cargo, em face de certas circunstâncias que ele exerce.

GRATIFICAÇÃO DE FÉRIAS — Vantagem pecuniária atribuída ao servidor ou empregado, inclusive o doméstico, por ocasião do gozo de suas férias anuais, correpondente ao percentual de 1/3 do seu vencimento ou remuneração.

GRATIFICAÇÃO DE FUNÇÃO — Ver Servidor Público – Função gratificada.

GRATIFICAÇÃO DE LOCAL DE TRABALHO — Ver Adicional de local de trabalho.

GRATIFICAÇÃO DE NATAL OU NATALINA — Ver Décimo terceiro salário.

GRATIFICAÇÃO DE SERVIÇO NOTURNO — Ver Adicional de Serviço Noturno.

GRATIFICAÇÃO DE TEMPO DE SERVIÇO — Ver Servidor Público - Adicional por Tempo de Serviço.

GRATO ANIMO — [Latim]. Expressão que significa com reconhecimento.

GRATUIDADE DA JUSTIÇA — Benefício que se concede a certas pessoas de não pagarem as despesas processuais, em determinadas condições.

GRAU DE ADAPTAÇÃO — Capacidade de um organismo vivo, ser humano ou grupo social para se adaptar a condições ambientais desfavoráveis, inclusive em circunstâncias de desastre.

GRAU DE ENDIVIDAMENTO — Expressa a situação do país em relação à dívida externa ou interna. Normalmente é relacionada ao Produto Interno Bruto – PIB. Mostra a relação entre as obrigações e a produção corrente do país. Quanto mais alto seu valor, maior a parcela do produto que é desviada do esforço de desenvolvimento para o serviço da dívida.

GRAU DE JURISDIÇÃO — É a ordem de hierarquia judiciária que se divide em inferior e superior. A inferior decide em primeira ou anterior instância; a superior, nos Tribunais, através de recurso, decide a causa já julgada na inferior. (Ver: Instância.)

GRAU DE PARENTESCO — É a relação existente entre as pessoas que são unidas por parentesco. É a distancia entre os parentes.

GRAVADO — Toda coisa que possui um ônus ou encargo por força de lei, de disposição contratual ou testamentária.

GRAVAME — Tributo, ônus. Encargo que recai sobre uma coisa, como penhor, hipoteca, anticrese, inalienabilidade. Direito real sobre coisa alheia.

GRAVAR — Impor gravame, onerar, sujeitar a encargos, hipotecar.

GRAVE AMEAÇA — É a intimidação de um mal grave. Tem caráter subjetivo.

GRAVIS TESTIS — [Latim]. Diz-se da testemunha digna de fé.

GRAVITAÇÃO — Força de atração que atua entre corpos maciços. Aquele formado por 17 membros, um dos quais é a Via Láctea e entre os quais se destacam a galáxia de Andrômeda e as Nuvens de Magalhães.

GREENPEACE — Organização Não-Governamental/ONG multinacional fundada em 1971. Atua em pelo menos cinco áreas diferentes: ecologia oceânica, selvas tropicais, Antártida, substâncias tóxicas, energia nuclear e atmosfera. O *Greenpeace* se serve de armas eficientes como ação direta, que atrai a atenção da mídia e muitas vezes impede um processo de agressão ambiental. Elabora estudos científicos sobre os problemas ecológicos mais graves do planeta. O Greenpeace tem escritórios nacionais e regionais em 41 países, todos filiados à sede do *Greenpeace* International em Amsterdã. A organização global tem suas receitas provenientes de doações individuais de aproximadamente 2,8 milhões de contribuintes, assim como doações de fundações de caridade, mas não aceita financiamento de governos, corporações ou partidos políticos.

GREVE — É uma cessação completa de trabalho produzido por um acordo entre trabalhadores para forçar os patrões a melhorar salários e/ou as condições de trabalho. É um direito assegurado pela Constituição Federal ao empregado, porém, os abusos que forem cometidos estão sujeitos às penas da lei.

GRILADA — Terra apossada através de falsificação de documentos.

GRILAGEM — Apropriação ilícita de terras por meio da expulsão de seus proprietários, posseiros ou índios. Também denomina a legalização do domínio da terra através de documento falso.

GRILEIRO — Aquele que se utiliza da grilagem. Pessoa que, ilicitamente, ocupa terras de outrem; diz-se daquele que, mediante documentos falsos, legaliza escrituras de propriedade.

GRIPE AVIÁRIA — Ver H5N1.

GRIPE OU *INFLUENZA* — A gripe (*influenza*) é uma doença infecciosa aguda causada pelo vírus *influenza*, transmissível de uma pessoa para outra por via respiratória. A gripe ocorre em todos os países do mundo, e há pelo menos 400 anos vem causando epidemias a cada dois a três anos e, eventualmente, pandemias. As pessoas idosas e as portadoras de doenças crônicas que desenvolvem gripe têm maior risco de complicações como a pneumonia bacteriana, o que pode tornar necessária a internação hospitalar. A vacina contra a gripe reduz o risco de adoecimento causado pelo vírus *influenza* e, em razão disto, o de complicações bacterianas. O vírus está dividido em três tipos: A, B e C. Os tipos A e B causam maior morbidade (doença) e mortalidade (mortes) que o tipo C. Geralmente as epidemias e pandemias estão associadas ao vírus *influenza* A. (Ver: H5N1.)

GROSS PROFIT — Lucro bruto.

GROSS RECEIPT — Recebimento bruto.

GROSS SALES — Venda bruta total.

GROSSEIRO — Grosso. De má qualidade. Ordinário. Mal-educado; incivil; imoral.

GRUPAMENTO DE AÇÕES — É a redução do número de ações sem alteração do capital social da empresa, através da reunião em uma única ação de várias ações da empresa. É o oposto de um desdobramento. Um grupamento pode ocorrer quando há uma queda persistente da ação, fazendo com que seu preço fique muito baixo. Ver Desdobramento.

GRUPO COESO — Reunião de pessoas simpáticas entre si, compondo uma organização estruturada com disposição de interagir no ambiente na busca da missão, objetivos e ideais comuns. A missão refere-se à perseverança do grupo como beneficiária do meio ambiente em níveis cada vez mais superiores. Os objetivos concentram-se na saúde do grupo e na obtenção dos benefícios do propósito comum. Os ideais referem-se à convivência feliz nas interações interpessoais e intragrupais produtivas, administrativas, mantendo intercâmbios saudáveis com as suas relações exteriores gerais, compartilhando os benefícios mútuos.

GRUPO DE DESPESA PÚBLICA — Ver Despesa, Grupo de.

GRUPO DE INTERESSE — Associação, formal ou informal de pessoas físicas ou jurídicas ligadas por uma idéia central ou por um mesmo objetivo, que as leva a promover o interesse que representam.

GRUPO DE PRESSÃO — Conjugação de esforços coletivos, em forma permanente ou transitória, para influenciar o Governo, especialmente o Poder Legislativo, com a finalidade de obter leis e medidas que atendam a determinados interesses. É prática antiquíssima na vida da humanidade.

GRUPO DE VOLUNTÁRIOS — Formação espontânea ou programada de grupos de pessoas de uma comunidade, com o objetivo de realizar trabalhos de interesse da própria comunidade ou de outras.

GRUPO ECONÔMICO — Compreende as empresas financeiras e não-financeiras pertencentes ao mesmo grupo de pessoas físicas ou jurídicas que possuam algum vínculo econômico relevante. Não têm existência no direito societário, sendo reconhecidos apenas para efeitos econômicos de consolidação contábil ou de responsabilidade trabalhista ou fiscal. O código do grupo econômico é obtido individualmente de cada instituição financeira, não sofrendo revisão por parte do Banco Central.

GRUPO ÉTNICO — É um grupo de pessoas que se identificam umas com as outras, ou são identificadas como tal por terceiros, com base em semelhanças culturais ou biológicas, ou ambas, reais ou presumidas.

GRUPO SOCIAL — Grupo de indivíduos de uma população que apresenta uma ou mais características marcantes que os distinguem sociologicamente dos demais, como, por exemplo, estudantes, aposentados, profissionais liberais e outros.

GRUPO TERRORISTA — Entende-se por grupo terrorista uma associação estruturada de mais de duas pessoas, que se mantém ao longo do tempo e atua de forma ajustada na prática de atos terroristas. A expressão "associação estruturada" designa uma associação que não foi constituída de forma fortuita para a prática imediata de uma infração e que não tem necessariamente funções formalmente definidas para os seus membros, nem continuidade na sua composição ou uma estrutura desenvolvida. (Ver: Ato terrorista // Ato terrorista - Ameaças e práticas consideradas // Organização criminosa.)

GRUPO VULNERÁVEL — Grupo de indivíduos de uma população, como crianças, grávidas, mães, idosos, enfermos, habitantes de áreas de risco, desnutridos e outros, que apresentam precondições para terem intensificados os danos, em caso de desastre.

GRUPOS DE AJUDA MÚTUA — As formas tradicionais representam instituições profissionais ou religiosas voltadas para a "caridade" (atividades assistenciais e beneficentes), a exemplo dos Lares Espíritas e das Santas Casas de Misericórdia; em geral têm ação específica (como em hospitais, creches, asilos) e sem compromissos políticos; é o maior segmento do Terceiro Setor; reúne grande número de entidades e alcança expressivo contingente de pessoas, principalmente as camadas de baixa renda e as menos mobilizadas da população. O novo Código Civil trouxe importantes inovações no tocante às entidades organizadas com fins não econômicos que compõem o terceiro setor. Destaca-se, dentre as inovações, a supressão da sociedade civil sem fins lucrativos. Esta deixa de existir juridicamente, passando o novo Código Civil a disciplinar apenas dois tipos de entidades com fins não econômicos: a associação e a fundação, elencando para cada qual exigências estatutárias distintas no tocante à sua constituição, funcionamento e extinção.

GRUPOS DE RISCO — Pessoas ou grupos de pessoas sem, necessariamente, vínculo familiar ou geográfico, de caracteristicas biológicas e/ou socioculturais iguais propensas a sofrerem doenças ou situações patológicas semelhantes.

GRUPOS DE SOCIEDADES — São definidos na Lei das S/A como uma forma contratual de se unir em que as sociedades assinam uma convenção de grupo, após aprovação em suas assembléias gerais, subordinando seus objetos sociais aos objetivos do grupo. Não presumem a solidariedade.

GRUPOS HOMOGÊNEOS — São grupos padronizados ou definidos que servem de parâmetro para realizar comparações.

GSLL — Ver Contribuição Social Sobre o Lucro Líquido.

GUARDA — Em sentido genérico, exprime proteção, observação, vigilância ou administração.

GUARDA DE CRIANÇAS E ADOLESCENTES — Ver Guarda de menor.

GUARDA DE FILHOS — É locução indicativa, seja do direito ou do dever, que se compete aos pais ou a cada um dos cônjuges, de ter em sua companhia ou de protegê-los, nas diversas circunstâncias indicadas na lei civil. E guarda, neste sentido, tanto significa custódia como a proteção que é devida aos filhos pelos pais. Em regra, a guarda dos filhos compete ao cônjuge em que se conserva o pátrio poder. Na separação consensual, cabe aos cônjuges deliberar a respeito. Na separação contenciosa, a guarda dos filhos se defere ao cônjuge inocente, ou ao cônjuge a que pode a lei assistir esse direito ou dever, quando ambos culpados. (Ver: Guarda de menor // Poder familiar.)

GUARDA DE MENOR — A guarda, figura jurídica prevista no Estatuto da Criança e do Adolescente, destina-se a regularizar a adoção. É deferida pelo juiz à pessoa notoriamente idônea da família, em caso de separação judicial ou divórcio em que forem culpados ambos os cônjuges, ou de suspensão ou extinção do pátrio poder do pai e da mãe do menor de 18 anos. Quem recebe a guarda tem a obrigação de prestar assistência material, moral e educacional à criança. As decisões tomadas pela pessoa que assume a guarda da criança têm prevalência sobre quaisquer outras, inclusive dos pais. A guarda confere à criança ou adolescente a condição de dependente para todos os fins e efeitos de direito, inclusive previdenciários. (Ver: Poder familiar // Guarda de filhos.)

GUARDA E EDUCAÇÃO DOS FILHOS — É a obrigação legal de prestar assistência material e moral a menor sob pátrio poder por parte do seu responsável. A guarda de menores pode, esporadicamente, ser conferida a terceiros (avós, por exemplo). Na dissolução da sociedade conjugal, pela lógica, quem fica com a guarda não paga pensão alimentícia, pois já sustenta (alimenta) o menor. Este encargo, o da pensão, recai sobre o cônjuge que não ficou com a guarda. A guarda pode ser revista judicialmente através de processo próprio. (Ver: Poder familiar.)

GUARDA MUNICIPAL — Organismo de proteção e segurança municipal, com atribuições parapoliciais, previstas legalmente na Constituição Federal. De acordo com a CF, os municípios não podem ter polícias, mas podem constituir guardas municipais que têm como atribuição a proteção de bens, serviços e instalações municipais, não lhes sendo autorizado atuar no policiamento ostensivo, na manutenção da ordem pública, como a Polícia Militar, nem na investigação criminal, como a Polícia Civil. Entretanto, pesquisas realizadas com as guardas municipais mostram que muitas exercem na prática atividade de policiamento, de maneira independente ou em colaboração com as polícias Civil e Militar.

GUERRA — Situação de conflito armado entre dois ou mais Estados ou entre duas ou mais facções inimigas no mesmo Estado. A natureza da guerra é a de autodefesa para a salvaguarda de direitos subjetivos internacionais, mediante uso de força (*vis materialis*). Alguns tratadistas dividem o fenômeno guerra em duas espécies: externa ou internacional, quando envolve Estados propriamente ditos, e interna ou civil, subdividida esta em social, quando atinge, indistintamente, a população, fracionada por motivos políticos ou, como quer a doutrina marxista, de classes sociais, quando a sociedade se acha dividida por interesses meramente econômicos. A guerra externa pode, também, ser dividida em várias espécies: guerra de conquista, guerra por antagonismos sociais, guerra por antagonismos de interesses e guerra por antagonismos de crenças religiosas.

GUERRA BIOLÓGICA — Emprego de organismos vivos, produtos biológicos tóxicos e reguladores químicos do crescimento de plantas, para produzir a morte ou baixa de seres humanos, animais e plantas, ou a defesa contra essas ações. A guerra biológica é imoral e condenada pelas convenções que pretendem regular as guerras.

GUERRA CIVIL — Guerra interna, desencadeada por nacionais de um país contra o Governo, para substituí-lo, ou pelo menos, forçá-lo a modificar suas normas; ou entre esses mesmos grupos nacionais, em disputa do poder ou em busca de uma situação relativa mais favorável.

GUERRA FISCAL — Termo que se popularizou nos anos 90 do século XX, designando as disputas travadas entre governos, nos níveis Estadual e Municipal, pelos investimentos de grandes empresas. O Brasil tem passado por um processo de industrialização fora dos centros tradicionais. Muitas empresas buscam mão-de-obra mais barata e menos sindicalizada, custos mais baixos e um ambiente menos tumultuado do que o das principais metrópoles. Percebendo essa tendência, Estados e Municípios passaram a oferecer generosos pacotes de incentivos, incluindo isenções de impostos, doação de terrenos, empréstimos e subsídios. A reação de governos de regiões concorrentes por esses investimentos tem sido de aumentar as ofertas dadas às empresas, como num leilão. A lógica por trás da guerra fiscal está nas perspectivas de desenvolvimento econômico que a instalação de uma grande empresa propicia, trazendo empregos, melhores salários e ampliando a base para a arrecadação de impostos.

GUERRA INSURRECIONAL — Guerra interna que obedece a processos geralmente empíricos, em que uma parte da população, auxiliada e reforçada ou não do exterior, mas sem estar apoiada em uma ideologia, se empenha contra a autoridade (de direito ou de fato) que detém o poder, com o objetivo de a depor ou, pelo menos, forçá-la a aceitar as condições que lhe forem impostas.

GUERRA NBQ — Emprego de agentes de natureza nuclear, biológica ou química, nas operações militares.

GUERRA NUCLEAR — Conflito armado entre Estados ou coligações de Estados, no qual são ou há possibilidade de serem empregadas armas nucleares. Pode ser: a). Ativa - Conflito armado entre Estados ou coligações de Estados, no qual são, efetivamente, empregadas armas nucleares. b) Não-Ativa - Conflito armado entre Estados ou coligações de Estados, no qual não são empregadas armas nucleares, havendo, porém, possibilidade desse emprego.

GUERRA QUÍMICA — Guerra com emprego de agentes químicos nas operações militares. A guerra química é imoral e condenada pelas convenções que pretendem regular as guerras.

GUERRA REVOLUCIONÁRIA — Conflito interno, geralmente inspirado em uma ideologia ou auxiliado do exterior, que visa à conquista subversiva do poder pelo controle progressivo da Nação.

GUERRILHA — Forma de guerra irregular que compreende as operações de combate executadas em território sob controle do inimigo, por forças predominantes locais, de um modo militar ou paramilitar, a fim de reduzir a eficiência de combate, a capacidade econômica e o moral do oponente. As Forças Armadas das nações menos desenvolvidas tendem a se especializar neste tipo de guerra, para desencorajar ataques desencadeados por nações de maior potencial militar.

GUIA DE RECEBIMENTO (GR) — Documento destinado à arrecadação de receitas.

GUIA DE RECOLHIMENTO DE CUSTAS E EMOLUMENTOS — Pagamento feito antes da distribuição, através de um formulário próprio, onde consta uma taxa que deverá ser paga em agências bancárias ou caixas econômicas estaduais.

H

H5N1 — Subdivisão da *influenza* de tipo A. Foi isolado pela primeira vez em humanos numa criança de Hong Kong, em 1997. Antes disso o H5N1 só havia sido detectado em diferentes espécies de aves, o que originou a designação "gripe aviária". (Ver: Gripe ou *Influenza.*)

HABEAS CORPUS — Literalmente significa "tenha o corpo". Medida que visa proteger o direito de ir e vir. Medida judicial de caráter urgente, que pode ser impetrada por qualquer pessoa, ainda que não advogado, em seu favor ou de outrem, bem como pelo Ministério Público, sempre que alguém sofrer ou se achar na iminência de sofrer violência ou coação ilegal na sua liberdade de locomoção, por ilegalidade ou abuso de poder. É a medida constitucional direcionada para atacar a ilegalidade da prisão ou trancar o processo crime, abortando o seu curso sempre que se mostre sem justa causa. Instrumento que garante liberdade de locomoção, sempre que houver ameaça a esta liberdade por abuso de poder ou de autoridade. O pedido é encaminhado à autoridade imediatamente superior à coatora. O plural é *habeas corpi*. O *Habeas corpus* pode ser preventivo ou remediativo. (Ver: *Habeas corpus* preventivo // *Habeas corpus* remediativo.)

***HABEAS CORPUS* PREVENTIVO** — Quando não consumada a violência ou coação, porém há receio de que venha ocorrer. (Ver: *Habeas corpus*.)

***HABEAS CORPUS* REMEDIATIVO** — Quando visa fazer cessar a violência ou coação exercida contra a pessoa em favor de quem é impetrado (paciente). (Ver: *Habeas corpus*.)

***HABEAS CORPUS*, RECURSO ORDINÁRIO EM** — O recurso só subirá ao Supremo, vindo de Tribunais Superiores, quando o pedido for negado naquelas instâncias. Não cabe Recurso Ordinário ao STF de decisão que tenha concedido o *Habeas corpus*, apenas Recurso Especial. Caso seja concedido o *Habeas corpus*, a decisão é comunicada imediatamente às autoridades a quem couber cumpri-la. No caso do *Habeas corpus* preventivo, será expedido o "salvo-conduto", documento assinado pelo juiz/ministro quando há grave risco de consumar-se violência ao direito do paciente. (Ver: *Habeas corpus*.)

HABEAS DATA — É o direito assegurado pela constituição brasileira ao cidadão interessado em conhecer informações relativas à sua pessoa, contidas nos arquivos e registros públicos (de qualquer repartição federal, estadual e municipal), bem como retificá-las ou acrescentar anotações que julgar verdadeiras e justificáveis, quando não se prefira fazê-lo por processo sigiloso, judicial ou administrativo. (CF, art. 5º, LXXII, regulamentado pela Lei nº 9.507, de 12.11.1997.)

HABILIDADE — Talento; "jeito" de fazer as coisas; virtuosidade; capacidade de relacionar-se e de resolver conflitos ou de conduzir processos. Facilidade inata ou adquirida por meio de treinamentos no sentido de fazer ou realizar com eficiência, eficácia e rapidez tudo o que se propõe. É a capacidade de utilizar o conhecimento para agregar valor aos produtos que atendem às necessidades das pessoas. O conhecimento é transferido ao produto através da habilidade, numa combinação das atividades gerenciais e técnicas.

HABILITAÇÃO — Formalidade jurídica necessária à aquisição de um direito. Conjunto de documentos apresentados em juízo ou a quem de direito, comprovadores dos fatos que legitimam uma pretensão.

HABILITAÇÃO DE CRÉDITO — Providência judicial, nos processos de falência e de insolvência civil, convocatória dos credores para apresentarem as respectivas declarações de crédito, acompanhadas dos competentes títulos. Pedido formulado ao juízo do inventário, pelos credores, para efeito do pagamento, pelo espólio, das dívidas vencidas e exigíveis.

HABILITAÇÃO DE HERDEIRO — Ver Herdeiro, Habilitação de.

HABILITAÇÃO INCIDENTE — É a substituição de qualquer das partes no processo por motivo de falecimento, pelos seus sucessores ou interessados na sucessão.

HABITAÇÃO — Morada, que serve de residência para uma ou mais pessoas. A moradia deve ser provida de infraestrutura básica (água, luz, telefonia e esgotos) e cujos moradores tenham acesso aos serviços essenciais (educação, saúde, lazer etc.). Designa, também, direito real que tem uma pessoa e sua família de habitar gratuitamente em casa alheia.

HABITAÇÃO COLETIVA MULTIFAMILIAR — Habitação que serve de residência permanente para mais de uma família. O mesmo que cortiço ou casa de cômodos. Sua locação é regida pela Lei do Inquilinato (Lei nº 8.245, de 1991), não podendo a soma dos aluguéis ser superior ao dobro do valor da locação.

HABITAÇÃO DE INTERESSE SOCIAL (HIS) — É aquela destinada ao atendimento da população com renda familiar de até cinco salários mínimos, ou que mora em assentamentos de ocupação precária ou popular adensada.

HABITAÇÃO PARTICULAR — Habitação onde mora apenas uma família ou um único indivíduo.

HABITAÇÃO POPULAR — Habitação construída para a população de baixa renda.

HABITAÇÕES MULTIFAMILIARES — Ver Habitação Coletiva multifamiliar.

HÁBITAT — Lugar ou tipo de local onde o ser humano ou um animal habita naturalmente e que lhe garante relativas condições favoráveis de existência. É o lugar onde vive ou o lugar onde pode ser encontrado um organismo. O hábitat pode referir-se também ao lugar ocupado por uma comunidade inteira. Por analogia, pode-se dizer que o hábitat é o endereço do organismo e o nicho ecológico. (Ver: Nicho ecológico.)

HABITE-SE — O mesmo que alvará de habitação. Documento fornecido pelo poder público municipal, para que o imóvel edificado ou reformado, de acordo com os requisitos legais, possa ser ocupado para o fim a que se destina.

HÁBITO ALIMENTAR — Tendência que indivíduos ou grupos sociais têm para utilizar determinados alimentos e não outros, em resposta a influências geográficas, sociais, culturais, psicológicas ou fisiológicas. O conhecimento dos hábitos alimentares da população é importante no planejamento de programas alimentares. (Ver: Educação – PNAE.)

HAMAS — Grupo fundamentalista palestino que possui um braço político e outro militar. A sigla significa Movimento de Resistência Islâmica, mas também é a palavra que pode ser traduzida como "devoção" em árabe. O movimento nasceu junto com a Intifada. Seu braço político faz trabalhos sociais em campos de refugiados. O braço armado foi o primeiro a usar atentados com homens-bomba na região, em 1992. Seu efetivo é de cerca de 300 militantes.

HANDS OFF — Investidores com participação passiva na gestão do negócio.

HANDS ON — Investidores com participação ativa na gestão do negócio.

HANSENÍASE — Ver Saúde - Hanseníase.

HARD CASH — Dinheiro em espécie; dinheiro em moeda.

HARD MONEY — Moeda forte, moeda com boa cotação cambial.

HARDWARE — Equipamentos físicos ou dispositivos mecânicos, elétricos ou eletrônicos, com que é constituído o computador.

HARMONIA — Disposição regular, justa e equilibrada entre as partes de um todo. Concordância de sentimentos entre as pessoas; paz; amizade. Ordem; proporção; coerência; conformidade; simetria.

HASTA PÚBLICA — Expressão genérica que abrange a alienação tanto em praça (bens imóveis) como o leilão (bens móveis), que se realiza no local de costume da comarca mediante pregão do respectivo porteiro, ou por intermédio de leiloeiro, devidamente autorizado pelo juiz competente. Para alguns, significa licitação com lance nunca inferior ao da avaliação. A palavra deriva do fato de que, na antiga Roma, a autoridade judiciária mandava cravar no terreno onerado uma lança, para garantia do negócio a se realizar. (Ver: Leilão.)

HAURIR — Tirar para fora de lugar profundo. Esvaziar; esgotar. Aspirar; sorver. Estancar.

HAVER — Na contabilidade, é todo crédito de uma entidade. Não se confunde com *haveres* que corresponde a acervo de bens e valores.

HAVERES FINANCEIROS — Conceito amplo de moeda. Indica o volume da poupança financeira, isto é, a massa de recursos em poder dos indivíduos e das empresas não financeiras que pode, com maior ou menor grau de liquidez, ser utilizada como meio de pagamento de bens e serviços. Inclui, além dos recursos prontamente aceitos como moeda (M1), outros ativos financeiros emitidos pelo Governo e pelas instituições financeiras. Os conceitos intermediários M2 e M3 procuram captar os diferentes graus de liquidez existentes entre parcelas desses ativos financeiros.

HAXIXE — Ver Entorpecente - Haxixe.

HECTARE — Unidade de medida agrária correspondente a cem ares ou seja, a 10.000 m². Portanto, cada are equivale a 100 m². Sua abreviatura é ha. (Ver: Alqueire.)

HEDGE — Expediente adotado por compradores e vendedores para se resguardarem de flutuações de preços, de taxas de juros e/ou de paridade entre moedas, desvantajosas para seus propósitos, por meio do uso de opções de compra e venda, *short sale* ou contratos futuros. Freqüentemente refere-se a opções futuras que sejam iguais e/ou opostas à posição de mercado à vista. Esta estratégia pode ser utilizada para realizar lucros existentes. Normalmente, é dito que esta estratégia é mais bem realizada *offshore*, mas não há evidências que comprovem esta afirmativa e a maior parte do *hedge* acontece *onshore.*

HEDGE FUND — Ver Fundo *Hedge*.

HEDGER — Investidor de ações que se utiliza de operações defensivas (*hedging*), evitando assim riscos de grandes oscilações. (Ver: Fundo *Hedge*.)

HEDGING — São operações de câmbio, a prazo, realizadas com o objetivo de proteger-se contra as alterações do preço de uma mercadoria, devido às variações eventuais na cotação de uma moeda. Transação realizada com o fim de eliminar ou reduzir o risco em outra transação. O ato de vender contra compras prévias ou comprar contra vendas previamente feitas, a fim de eliminar tanto quanto possível prejuízos devidos à alteração de preços dos produtos envolvidos na operação.

HEDONISMO — Doutrina que considera que o prazer individual e imediato é o único bem possível, princípio e fim da vida moral.

HEGEMONIA — Supremacia de um povo sobre outro por influência ou dominação política, econômica e cultural.

HÉLIO — Elemento gasoso leve, incolor, incombustível, encontrado especialmente em conjunto com o gás natural e usado principalmente em aplicações criogênicas, tecnologia medicinal, uso militar e soldas.

HELIOCENTRISMO — Teoria do movimento planetário que considera que o Sol ocupa o centro do sistema solar e que os planetas orbitam em seu redor.

HELIÓGRAFO — Instrumento de sinalização militar utilizado no séc. XIX. Consistia basicamente em um espelho e em uma grade semelhante a uma persiana para impedir a chegada da luz solar no espelho. Com um ou mais espelhos, as mensagens podiam ser transmitidas mesmo quando o sol estava atrás do emissor.

HEMATOMAS — Coleções sangüíneas, produzidas pelo sangue derramado, que descola a pele.

HEMISFÉRIO — Metade de uma esfera; semi-esfera. Cada uma das duas partes do globo terrestre ou da esfera celeste, separadas pelo Equador terrestre ou pelo Equador celeste: hemisfério norte, boreal ou setentrional e hemisfério sul, austral ou meridional. Em relação ao meridiano de *Greenwich* temos o hemisfério leste ou oriental e o hemisfério oeste ou ocidental.

HEPATITE — Ver Saúde - Hepatite.

HERANÇA — A totalidade dos direitos e obrigações de uma pessoa no momento em que vem a falecer. No contexto econômico, diz-se dos valores e/ou bens recebidos de ascendentes, descendentes ou parentes mortos, em obediência à ordem de sucessão hereditária, ou de parentes e/ou estranhos falecidos, em cumprimento de disposição testamentária.

HERANÇA - ABERTURA DE INVENTÁRIO — Ver Abertura de inventário.

HERANÇA - ABERTURA DE PARTILHA — Ver Abertura de partilha.

HERANÇA - ABERTURA DE TESTAMENTO — Ver Abertura de testamento.

HERANÇA - DESERDAÇÃO — É fruto exclusivo da vontade do testador na sucessão testamentária. Para ser válida, é necessário que seja ordenada em testamento e com expressa declaração de causa. O efeito da deserdação consiste na perda da legítima. Seus destinatários são os herdeiros necessários. Estes podem ser deserdados nos casos de indignidade e, ainda, nos casos de ofensas físicas, injúria grave, desamparo etc. Os efeitos da deserdação não são apenas pessoais como na indignidade; afetam não só o sucessor como também seus descendentes.

HERANÇA - FIDEICOMISSO — Ver Fideicomisso.

HERANÇA - FIDUCIÁRIO — Ver Fiduciário.

HERANÇA - FORMAL DE PARTILHA — Título extraído dos autos de inventário, que menciona e discrimina os bens atribuídos ao herdeiro, transferindo-lhe o domínio do bem. (Ver: Herança.)

HERANÇA - INCAPACIDADE DE SUCEDER — Em geral, todas as pessoas existentes ao tempo da morte do *de cujus* (o falecido), bem como a pessoa já concebida, podem adquirir por sucessão. Existem algumas incapacidades: a pessoa que redigiu o testamento a rogo do testador, porque a lei a considera suspeita pelo fato de escrever o testamento a pedido do *de cujus* e entende melhor incompatibilizá-la para receber; as testemunhas do testamento, porque interferem no ato e, assim, vêem-se cercada da mesma suspeita; a concubina do testador casado, medida de evidente propósito tutelar da instituição da família; o oficial público, civil ou militar, o comandante ou escrivão, perante quem se fizer, assim como o que fizer ou aprovar o testamento, autoridades que, participando do ato por tal razão, ficam proibidas de auferir vantagens do testador.

HERANÇA - INDIGNIDADE — É a privação do direito hereditário, cominada por lei, como pena, a quem comete atos taxativamente determinados, ofensivos à pessoa ou aos interesses do *de cujus* (o falecido). Seu fundamento é a quebra do sentimento de respeito e afeição que o beneficiado deve nutrir por quem o beneficia. Consideram-se indignos os herdeiros e os legatários: a) que houverem sido autores ou cúmplices em crime de homicídio voluntário ou tentativa contra o *de cujus*; b) que acusaram caluniosamente o *de cujus* em juízo ou praticaram ofensas à sua honra; c) que, por violência ou fraude, o inibiram de livremente dispor dos seus bens ou obstaram-lhe a execução dos atos de última vontade. A indignidade é declarada por sentença, por meio de ação própria movida por quem tenha interesse na sucessão. São pessoais os efeitos da exclusão, de modo que os descendentes do herdeiro excluído sucedem, como se ele fosse morto. Os efeitos da indignidade não se farão sentir, todavia, no caso de perdão do ofendido.

HERANÇA - INVENTARIADO — Ver Inventariado.

HERANÇA - INVENTARIANTE — Ver Inventariante.

HERANÇA - INVENTÁRIO DE BENS — Ver Inventário de bens.

HERANÇA - METADE DISPONÍVEL — Na terminologia do Direito Civil, referente à sucessão, metade disponível quer significar a parte de bens pertencentes a uma pessoa, que pode ser livremente disposta por ela em favor de alguém, mesmo sem ser seu herdeiro, quando tem herdeiros necessários.

HERANÇA - MONTE PARTÍVEL — Expressão que denomina o valor líquido dos bens da herança, após a dedução do cônjuge supérstite, dívidas e impostos.

HERANÇA - MONTEMOR — Expressão que denomina o valor bruto de uma herança, sem as deduções da lei.

HERANÇA - ORDEM DE VOCAÇÃO HEREDITÁRIA — A ordem de vocação hereditária será a seguinte: I - Os descendentes; II - Os ascendentes; III - O cônjuge sobrevivente; IV - Os colaterais; V - Os Estados, Distrito Federal ou União.

HERANÇA - ORDEM DE VOCAÇÃO HEREDITÁRIA — É a seqüência de pessoas que a lei estabelece como destinatários da herança deixada pelo *de cujus*. É a ordem que a lei presume seja a vontade do falecido.

HERANÇA - PROCESSO DE INVENTÁRIO — Ação especial, intentada para que se arrecadem todos os bens e direitos do *de cujus* (o falecido), que se encontravam em seu poder, quando de sua morte, ou em poder de outrem, desde que lhe pertençam para que se forme o balanço acerca desses mesmos bens e das obrigações e encargos ao mesmo atribuídos.

HERANÇA - ÚLTIMAS DECLARAÇÕES — As que o inventariante deve prestar, no inventário, depois das avaliações, para efeito de emenda, aditamento ou complemento das primeiras declarações.

HERANÇA E LEGADO — Constituem dois aspectos do acervo transmissível. Distinguem-se pelo fato de o legado consistir na individualização de bens pelo *de cujus* (o falecido) conferidos a determinada pessoa. Na herança não há essa individualização, pois o herdeiro recebe uma fração ideal, uma parte não especificada; na herança é conferida uma porcentagem ou fração.

HERANÇA JACENTE — Uma pessoa pode falecer deixando um patrimônio sem que se conheçam ou sem possuir herdeiros. Nesse caso, o Estado promove a arrecadação dos bens, toma algumas iniciativas dentre as quais a realização de um processo denominado inventário. A herança nesse estado de expectativa de habilitação de herdeiros de existência ignorada chama-se jacente. Não aparecendo herdeiros e esgotadas as diligências, um ano após a conclusão do inventário, a herança será declarada vacante. Decorridos cinco anos da abertura da sucessão, a herança vacante reverterá ao domínio do poder público.

HERANÇA PRINCÍPIO DA "*SAISINE*" — Ver Princípio da "*Saisine*".

HERANÇA TESTAMENTÁRIA — A que provém de testamento ou é havida por essa forma.

HERANÇA VACANTE — Ver Herança Jacente.

HERANÇA VAGA — A conseqüência da herança jacente, se em cinco anos não aparecer herdeiro legalmente habilitado, caso em que ela passará ao domínio do Estado ou do Distrito Federal, se o *de cujus* (o falecido) tiver sido domiciliado nas respectivas circunscrições, ou se incorporará ao domínio da União, se o domicílio tiver sido em território ainda não constituído em Estado.

HERANÇA, AÇÃO DE PETIÇÃO DE — É a ação do herdeiro legítimo para que sejam reconhecidas suas qualidades de herdeiro e seu direito aos bens do espólio, no que lhe tocar.

HERANÇA, ACEITAÇÃO DA — Ato irrevogável. Recebimento do que foi deixado pelo *de cujus* (o falecido), tornando definitiva sua transmissão desde a abertura da sucessão. Pode ser expressa, quando é feita por declaração escrita; tácita, quando resulta apenas de atos próprios da qualidade do herdeiro. Em caso de renúncia de herança pelo herdeiro com intenção de prejudicar credores, o juiz autorizará a aceitação em nome do renunciante. Se o herdeiro falecer antes de aceitar a herança o poder de aceitá-la transfere-se aos seus herdeiros. A aceitação também poderá ser feita pelo tutor.

HERANÇA, ADIÇÃO DA — Aceitação expressa ou tácita da herança pelo herdeiro.

HERANÇA, AUTOR DA — Também chamado de "*de cujus*", pessoa que deixa bens ao morrer, os quais deverão ser inventariados.

HERBICIDA — Composto químico utilizado para destruir pragas vegetais em culturas. Normalmente seus insumos são considerados perigosos para a saúde humana e para o ambiente.

HERCTO NON SITO — Qualificativo para a herança não repartida entre os herdeiros, por disposição testamentária, a fim de permanecer na comunidade familiar.

HERDABILIDADE — Proporção da variabilidade observada devida à herança genética. Pode ser no sentido amplo, quando a proporção da variação fenotípica for devida a causas genéticas de uma maneira geral, ou herdabilidade no sentido restrito, quando a proporção da variância fenotípica for devida aos efeitos aditivos dos genes.

HERDADE — Bem de raiz, cuja propriedade se transmitia por herança (herdança), o qual era suscetível de render algum fruto para quem a cultivasse.

HERDEIRO — É a pessoa que é convocada a receber os bens deixados pelo *de cujus* (o falecido), designando tanto a pessoa que o sucede por força da lei (legítimo), como a que sucede por disposição do testamento (testamentário).

HERDEIRO NECESSÁRIO — Descendente, ascendente e cônjuge sobrevivente do defunto.

HERDEIRO TESTAMENTÁRIO — São as pessoas beneficiadas por testamento.

HERDEIRO, HABILITAÇÃO DE — Ocorre quando alguém se declara herdeiro do *de cujos,* e faz prova disto, no juízo em que corre o inventário. Ato pelo qual os herdeiros não constantes do inventário se habilitam na herança.

HERDEIROS — São as pessoas que adquirem por sucessão. Classificam-se em: Herdeiros propriamente ditos; Legatários; Herdeiros universais; Herdeiro testamentário; Herdeiros necessários; Herdeiros legítimos.

HERDEIROS LEGÍTIMOS — São as pessoas enumeradas na ordem de vocação hereditária.

HERDEIROS NECESSÁRIOS — São os descendentes e ascendentes.

HERDEIROS PROPRIAMENTE DITOS — São as pessoas que recebem uma fração do patrimônio do *de cujus* (o falecido).

HERDEIROS UNIVERSAIS — São os beneficiados que recebem a totalidade da herança.

HERDEIROS, AÇÃO CONTRA OS — Ação justificável quando os bens já tenham sido partilhados. (Ver: Ação Contra o Espólio.)

HEREDITARIEDADE — Caráter do que é transmitido por herança. Relação entre gerações sucessivas. Transmissão hereditária dos caracteres físicos ou psíquicos dos ascendentes aos descendentes. Qualidade de herdeiro; sucessão. Caráter do que é transmitido por herança. Em geral, a hereditariedade se dá de pai para filho, em ordem decrescente de idade. Em Genética, é hereditário o traço que se transmite pela composição genética dos indivíduos genitores (pai e mãe). Em algumas monarquias, os filhos machos (*varões*) são privilegiados em detrimento das fêmeas. Os primogênitos (primeiros filhos a nascer) recebem a maior parte ou exclusivamente todos os privilégios de herança.

HERESIA — Rebeldia de quem, conservando a qualidade de cristão, nega pertinazmente alguma das verdades que têm de ser acreditadas com fé, ou as põe em dúvida. Cognato - herege, que ou quem pratica heresia; heresiarca, fundador de seita herética; herético, relativo à heresia.

HERMENEUTA — Aquele que é versado em Hermenêutica. Significação; interpretação; ciência ou metodologia de interpretação. Intérprete da lei; jurista.

HERMENÊUTICA JURÍDICA — Hermenêutica é a teoria científica da arte de interpretar. Assim, a ciência da interpretação do Direito chama-se hermenêutica jurídica. A interpretação jurídica nada mais é, portanto, do que a aplicação dos princípios da hermenêutica jurídica ao caso concreto. O verdadeiro objetivo da hermenêutica jurídica é fixar os princípios que regem a interpretação das leis em geral, ao passo que a interpretação propriamente dita consiste em determinar o sentido e o alcance de uma lei determinada. A hermenêutica jurídica tem por objeto o estudo e a sistematização dos processos aplicáveis para determinar o sentido e o alcance das expressões do Direito.

HESITAÇÃO — Ausência de firmeza ante uma situação de escolha, opção, resolução, definição ou resposta.

HETEROCOMPROMISSO — Transferência, pelo Estado, a particulares, de determinada função que é essencialmente sua, sem, todavia, aliená-la.

HETERONOMIA DA NORMA JURÍDICA — Possibilidade de impor a norma jurídica aos seus destinatários, independentemente da vontade destes.

HETEROTOPIA — Diz-se do que está disposto fora do lugar compatível. Na linguagem jurídica, a lei ou parte dela que ocupa lugar fora de sua seqüência lógica.

HEZBOLLAH — Organização armada terrorista formada em 1982 por xiitas libaneses. Inspirada e orientada pelo Irã e apoiada pela Síria, tem base no sul do Líbano. Seu objetivo é criar um Estado islâmico no Líbano, destruir Israel e transformar Jerusalém em uma cidade muçulmana.

HIATO DEFLACIONISTA — Expressão utilizada para definir uma situação em que o PIB real está aquém do PIB potencial, ou seja, o excesso de oferta agregada sobre a procura agregada. Uma economia nesta situação apresenta um elevado nível de desemprego, só combatido através de políticas deficitárias.

HIATO INFLACIONISTA — Expressão utilizada em economia para definir uma situação em que o PIB real está além do PIB potencial, ou seja, o excesso da procura agregada sobre a oferta agregada. Este hiato origina a chamada inflação pela procura.

HÍBRIDO — Qualquer ser vivo proveniente do cruzamento de dois indivíduos de espécies diferentes.

HIC ET NUNC — [Latim]. Expressão que significa aqui e agora.

HIDROCARBONETO — Composto orgânico contendo átomos de carbono e hidrogênio. Compõem a base de todos os derivados de petróleo. Podem se apresentar na forma sólida, líquida ou gasosa. Os combustíveis fósseis mais pesados, como o carvão, têm uma alta proporção de carbono para hidrogênio, ao passo que o gás natural (metano) é o hidrocarboneto mais leve, com apenas um átomo de carbono e quatro de hidrogênio (CH_4). Líquidos do gás natural são mais pesados do que o metano, mas mais leves do que óleo cru. O óleo cru é um complexo formado por muitos hidrocarbonetos.

HIDROFÍLICO — Que tem afinidade com a água.

HIDRÓFILO — Diz-se de ou planta adaptada à vida na água ou em ambientes encharcados; que gosta de água; que absorve bem a água; que é polinizado pela água.

HIDROFÓBICO — Que repele a água.

HIDROGÊNIO — Símbolo químico: H; o mais leve e mais abundante de todos os elementos, encontrado na água e em muitos compostos orgânicos.

HIDROGEOLOGIA — Ramo da Geologia que estuda o armazenamento e circulação das águas subterrâneas na zona saturada das formações geológicas, considerando suas propriedades físico-químicas, suas interações com o meio físico e biológico e suas reações às ações do ser humano.

HIDROGRAFIA — Ciência que trata da descrição e da medida de todas as extensões de água: oceanos, mares, rios, lagos, reservatórios etc. Em particular, cartografia das massas expostas de água, visando às necessidades da navegação.

HIDRÓLISE — Mudança provocada por influência de água, como, por exemplo, decomposição de minerais. Resulta da dissociação mais ou menos completa da água, dando íons de hidrogênio, com conseqüente formação de pH ácido.

HIDROPONIA — Técnica de cultivo de plantas que dispensa a terra, utilizando para tal um meio inerte (resina ou água), no qual as raízes são diretamente alimentadas com soluções nutritivas sintéticas: hidrocultura, hidropônica.

HIDROSFERA — Parte do globo terrestre coberta de água e gelo. A esfera das águas - rios, lagos e mares - que formam uma camada descontínua sobre a superfície do planeta Terra.

HIERARQUIA — Ordem e subordinação em qualquer corporação. No Direito Administrativo é a relação de subordinação que liga os diversos órgãos do Poder Executivo, fixando-se o poder disciplinar de cada um. Os indivíduos ou grupos que exercem tais ou quais funções ou misteres são considerados, conforme sua categoria, órgãos ou agentes do Poder Público, cada qual agindo dentro de sua área de encargos, de atribuições, de responsabilidades, demarcada em lei ou regulamento.

HIERARQUIZAR — Estabelecer ordem de prioridade.

HIGH YIELD — Significa alta taxa de retorno. Empréstimos em que os tomadores pagam juros sensivelmente altos e que usualmente são feitos no mercado europeu.

HIGIENE E SEGURANÇA DO TRABALHO — Disciplina relacionada com a medicina e a engenharia, que busca reconhecer, avaliar, controlar e prevenir as causas de riscos em ambientes e condições de trabalho, objetivando proteger a saúde e a integridade física dos trabalhadores.

HINO À BANDEIRA NACIONAL — Ver Símbolos Nacionais - Hino à Bandeira Nacional.

HINO DA INDEPENDÊNCIA — Ver Símbolos Nacionais – Hino da Independência.

HINO DA PROCLAMAÇÃO DA REPÚBLICA — Ver Símbolos Nacionais - Hino da Proclamação da República.

HINO NACIONAL — Ver Símbolos Nacionais – Hino Nacional.

HINTERLAND — É a área que serve e é servida por um núcleo urbano. O termo originalmente foi usado para portos (no litoral) e um deles poderia ter parte de seu "*hinterland*" fazendo parte de área ligada a outro porto.

HIPC — Designação dada pelo Fundo Monetário Internacional (FMI) aos países pobres fortemente endividados. Conjunto de países que apresentam problemas crônicos de pobreza e endividamento, que merecem atenção especial por parte do Fundo.

HIPÉRBATO — Figura de construção de uma frase. É a inversão da ordem usual dos termos de uma oração ou das orações de um período. Exemplo: Ao longe, dos peregrinos esperançosos já se ouve o canto. (A ordem direta seria: O canto dos peregrinos esperançosos já se ouve ao longe.)

HIPÉRBOLE — É uma figura de pensamento. Expressão exagerada de uma idéia. Exemplo: Repetiu um milhão de vezes a mesma idéia.

HIPERINFLAÇÃO — Diz-se hiperinflação quando os preços aumentam tanto e tão rápido que todos gastam o dinheiro assim que o recebem. Essa velocidade no consumo se dá devido ao temor de que o dinheiro perca seu valor. A partir daí, a confiança da população na estabilidade da moeda é destruída e busca-se investir em moedas estrangeiras, ouro, imóveis. (Ver: Inflação // Deflação.)

HIPERMERCADOS (OU *SHOPPING CENTERS*) — Um grande complexo comercial que tem pontos de venda de inúmeros produtos com estacionamentos para carros. Quando localizados em áreas afastadas do centro da cidade, levam à formação de novos fluxos de tráfego.

HIPOCENTRO — Ponto ou região do interior da crosta terrestre de onde se origina o terremoto. Quando o hipocentro se situa perto da superfície, o terremoto se manifesta com movimento intenso no epicentro, com pequeno raio de amplitude. Quando o hipocentro é mais profundo, o terremoto se manifesta por movimento reduzido no epicentro, mas com larga distribuição.

HIPOCRISIA — Fingimento de boas qualidades para ocultar os defeitos; falsidade; dissimulação.

HIPOSSUFICIENTE — Diz-se do indivíduo que, dispondo de escassas possibilidades econômicas, necessita do produto cotidiano do seu trabalho para prover à sua família.

HIPOTECA — 1) É o direito real regulamentado pelo Código Civil, instituído sobre um bem imóvel alheio para garantir uma obrigação de ordem econômica, sem que haja transferência da posse do bem gravado para o credor. Não se confunde com penhor, cuja garantia recai sobre coisa móvel, e que se tradiciona (transfere) para a posse do credor. 2) É coisa entregue pelo devedor, por exigência do credor, para garantia de uma obrigação. É um contrato acessório, pressupondo a existência de um contrato ou obrigação principal por ele garantido. Constitui-se de um direito real sobre a coisa dada em garantia, e essa deve ser imóvel, exceção de navios e aviões que, embora conserve a posse, também podem ser hipotecados. (Ver: Penhor // Hipoteca.)

HIPOTECA, AÇÃO DE EXCUSSÃO DE — O mesmo que ação de execução de hipoteca. (Ver: Hipoteca.)

HIPOTECANTE — É a pessoa que dá bens de raiz em garantia hipotecária ou em hipoteca.

HIPÓTESE — Suposição de coisas ou fatos, possíveis ou impossíveis, da qual se tira uma conclusão. Teoria não demonstrada, mas provável. É uma suposição geral feita sobre uma base de raciocínio, mas não considerada verdadeira até que seja comprovada através de evidências empíricas, ou seja, comprovada na prática. Assertiva, proposição ou ponto de partida cujas validades não foram ainda confirmadas, mas que organizam os testes e a experimentação para verificação. É um enunciado formal das relações esperadas entre pelo menos uma variável independente e uma variável dependente.

HIPOTÉTICO — Ver Imperativo Hipotético.

HOC — [Latim]. Expressão que significa isto.

HOLDING — Empresa que possui, como atividade principal, participação acionária em uma ou mais empresas. Sua maior fonte de receita são dividendos provenientes das empresas nas quais tem participações. É bastante comum a criação de *holdings* por motivos fiscais. (Ver: Companhia *Holding*.)

HOLÍSTICA — Relativo ao todo. A totalidade. Usa-se holística como sinônimo de holismo para dizer, por exemplo, que no universo as unidades se organizam na totalidade, conservando a sua interdependência.

HOLON — Relativo a holístico; conceito que indica as partes de um sistema que apresentam propriedades que emergem do todo ou do conjunto; semelhante ao conceito de fractal, mas não ligado a escalas específicas; autosemelhante; unidades de um sistema que exibem suas propriedades gerais.

HOMEM — Na acepção do direito brasileiro, é todo ser nascido de mulher, não importando o sexo nem a conformação física e mental. Inovando, o novo Código Civil (Lei nº 10.406, de 10 de janeiro de 2002, em vigor a partir de 1º de janeiro de 2003) adotou a expressão "pessoa" em substuição ao termo "homem" contido na primitiva redação do revogado Código Civil de 1916.

HOMESTEAD — Termo inglês que indica o bem de família.

HOMICÍDIO - CUPIDEZ — É a cobiça. Há homicídio por cupidez quando o agente mata por ambição de ganho ou de vantagem patrimonial. Isso pode também ocorrer quando o crime é praticado para poupar ao agente gastos ou despesas. A qualificação pela cupidez não se exclui se com ela ocorrer outro motivo, como ódio ou a vingança, desde que tenha estado presente de forma decisiva na motivação do comportamento delituoso.

HOMICÍDIO — É matar alguém. É a destruição da vida de um humano, provocada por ato voluntário (ação ou omissão) de outro ser humano. É a morte de uma pessoa causada por outra, de forma dolosa ou culposa. A tipificação é feita pelo Código Penal no art. 121: o "*caput*" se refere ao homicídio simples; o § 2º ao homicídio qualificado e o § 3º ao homicídio culposo.

HOMICÍDIO - MOTIVO FÚTIL — É um dos motivos que qualificam o crime de homicídio. Motivo fútil é aquele que se apresenta como antecedente psicológico, desproporcionado com a gravidade da reação homicida, tendo-se em vista a sensibilidade moral média. O motivo fútil envolve maior reprovabilidade média (e, pois, maior culpabilidade), por revelar perversidade e maior intensidade no dolo com que o agente atuou. A opinião do réu é irrelevante. Não se pode reconhecer a existência do motivo fútil na simples falta de razão para tal crime, pois em tal caso desconhece-se o motivo do fato. Motivo fútil, por outro lado, não é motivo injusto, nem há futilidade se o crime é cometido por ciúme. A embriaguês exclui o reconhecimento do motivo fútil, tendo-se em vista os seus efeitos sobre o psiquismo.

HOMICÍDIO - MOTIVO TORPE — É um dos motivos que qualificam o crime de homicídio. Motivo torpe é aquele que ofende gravemente a moralidade média ou os princípios éticos dominantes em determinado meio social. O Código Penal, no inciso II, art. 121, § 2º, exemplificativamente refere-se ao homicídio praticado mediante paga ou promessa de recompensa e ao praticado por cupidez, para exercitar ou saciar desejos sexuais.

HOMICÍDIO CULPOSO — Prática do ato de que resulta a morte de outrem, sem dolo do agente, e é conseqüente de negligência, imprudência ou imperícia.

HOMICÍDIO DOLOSO — É aquele cujo agente tem a intenção deliberada de matar; portanto, a morte é prevista e desejada.

HOMICÍDIO MEDIANTE PAGA — É a modalidade a que classicamente se denominou assassínio. Implica sempre a participação de duas pessoas, sendo o homicídio qualificado para ambas (tanto a que executa o crime mediante paga ou promessa de recompensa, como a que manda que o crime seja executado nessas circunstâncias). A qualificação do homicídio mercenário justifica-se pela ausência de razões pessoais por parte do executor (indício de insensibilidade moral) e pelo motivo torpe que o leva ao delito. O mandante busca a impunidade e a segurança, servindo-se de um terceiro. Não é necessário que o pagamento efetivamente se faça ou que a promessa se cumpra. Basta que tenha sido este o motivo que determinou a execução do delito. A lei se refere a paga e a promessa de recompensa.

HOMICÍDIO POR PIEDADE — Metonímia para a eutanásia. (Ver: Eutanásia.)

HOMICÍDIO PRATICADO PARA EXERCITAR OU SACIAR DESEJOS SEXUAIS — Qualifica-se independentemente da realização com a vítima ou contra ela, de qualquer ato libidinoso. O homicídio voluntário para exercitar ou satisfazer desejos sexuais será sempre indício de grave anomalia mental. Tanto faz que o agente mate a vítima excitando ou saciando desejos sexuais ou que o faça ou pretenda fazê-lo em relação ao cadáver. Neste último caso, haverá concurso material com o crime de vilipêndio a cadáver (CP art. 238), se qualquer ato libidinoso for praticado. Se a morte for praticada para ocultar violência sexual (como, por exemplo, o estupro), o homicídio será qualificado com fundamento no art. 121, § 2º, V. A morte como resultado preterdoloso de qualquer crime contra a liberdade sexual praticado com violência constituirá apenas a hipótese prevista no art. 247, devendo em tal caso aplicar-se a pena de homicídio culposo cumulativamente com a prevista para o crime sexual. As circunstâncias que qualificam o homicídio estão, evidentemente, cobertas pela culpabilidade. Não se exige que o agente tenha consciência de que o motivo que o levou a atuar é fútil ou torpe. A valoração dos motivos não depende do réu, fazendo-se objetivamente, segundo os padrões éticos dominante no meio e no lugar onde o fato ocorreu.

HOMICÍDIO QUALIFICADO — É o homicídio cometido: I - mediante paga ou promessa de recompensa, ou por outro motivo torpe; II - por motivo fútil; III - com emprego de veneno, fogo, explosivo, asfixia, tortura ou outro meio insidioso ou cruel, ou de que possa resultar perigo comum; IV - à traição, de emboscada, ou mediante dissimulação ou outro recurso que dificulte ou torne impossível a defesa do ofendido; V - para assegurar a execução, a ocultação, a impunidade ou vantagem de outro crime.

HOMICÍDIO SIMPLES — Aquele que não é qualificado; admitindo a redução da pena, pelo juiz, se o agente o comete por motivo de relevante valor social ou moral, sob domínio de violenta emoção logo em seguida à injusta provocação da vítima.

HOMIZIO — Esconderijo em que alguém se furta à ação da Justiça. Esconderijo, abrigo do criminoso. Homiziar significa, então, ocultar, proteger o criminoso da ação policial. Aquele que ajuda o delinqüente após o crime se torna cúmplice, embora não seja co-autor. O CP pune a ação de homiziar criminoso no art. 348, sob a rubrica favorecimento pessoal.

HOMO MEDIUS — Diz-se do homem comum, aquele cuja conduta na sociedade constitui a média por que deve ser pautada a de qualquer indivíduo.

HOMOGÊNEO — Igual; comum.

HOMOLOGAÇÃO — 1) Ato que certifica a justeza dos atos praticados anteriormente. Na licitação, é o ato de controle pelo qual a autoridade superior confirma o julgamento das propostas e, conseqüentemente, confere eficácia à adjudicação. 2) É o ato pelo qual a autoridade, judicial ou administrativa, ratifica, confirma ou aprova um outro ato, a fim de que possa investir-se de força executória ou apresentar-se com validade jurídica, para ter eficácia legal. Assemelha-se ou se equipara à sentença. Mas, na verdade, a homologação, ato de ratificação ou confirmação, não dá direito novo nem novo título, não dispondo, pois, de modo diferente àquele ajustado ou estabelecido no ato homologando e homologado, somente lhe dá força e ativa o direito de execução. 3) Ato pelo qual o juiz, sem julgar o conflito de interesse suscitado, limita-se a dar validade e eficácia à deliberação ou ao acordo entre as partes, desde que atendidas as prescrições legais. (Ver: Licitação Pública - Homologação.)

HOMOLOGAÇÃO ARBITRAL — Ato judicial confirmatório do laudo arbitral, de competência do juiz a quem tocaria originariamente o julgamento da causa.

HOMOLOGAÇÃO DE SENTENÇA ESTRANGEIRA — Ato confirmatório que dá eficácia no Brasil à sentença proferida por tribunal estrangeiro. A partir da Emenda Constitucional nº 45, é um procedimento levado ao Superior Tribunal de Justiça, cujo objetivo é possibilitar o cumprimento de sentenças estrangeiras no território brasileiro. Só pode ser apresentada mediante alguns requisitos definidos no art. 15 da CF, como haver sido proferida por juiz competente e estar traduzida por intérprete autorizado. Em geral, os Estados homologantes exigem que a sentença homologanda já não admita recurso ordinário, seja oriunda de jurisdição competente e tenha sido imposta a lei aplicável ao litígio em virtude das regras de solução de conflito de leis.

HOMOLOGAÇÃO DE SEPARAÇÃO E DIVÓRCIO — A separação judicial e o divórcio consensual pressupõem que os cônjuges chegaram a um acordo, mutuamente aceito. Os termos deste acordo são levados ao juiz, que homologa aquele conteúdo para que passe a reger os efeitos da dissolução da sociedade conjugal e do vínculo matrimonial.

HOMOLOGAÇÃO DOS CÁLCULOS — Procedimento pelo qual o Juízo poderá homologar o cálculo que lhe parecer correto ou indicar um perito para a realização de um novo cálculo caso não haja concordância entre as partes, quanto aos cálculos apresentados. Após a homologação do cálculo pelo Juízo começa a fase de execução. (Ver: Impugnação aos cálculos de liquidação.)

HOMOLOGAR — Ratificar, confirmar ou aprovar determinado ato, por decisão de autoridade judicial ou administrativa, para que este se invista de força executória e tenha validade legal.

HOMÓLOGO — Diz-se da situação do servidor público, civil, ou militar, que ocupa lugar no quadro de cargos ou postos equivalentes ao de outro servidor, embora com certa diversidade.

HOMONÍMIA — Ocorrência havida quando duas ou mais pessoas têm os mesmos nome e prenome, e ante a qual a lei acorre no sentido de evitar a pluralidade de identidades.

HOMOSSEXUALISMO — Disfunção sexual consistente na atração sexual por pessoa do mesmo sexo. Repudiar as pessoas do sexo oposto.

HONESTIDADE — Caráter de digno, decente, probo, puro e correto. Contrapõe ao caráter desonesto que é devasso, indigno, espúrio e tendencioso, que atua com más intenções, ou má-fé. A boa-fé aliada à boa intenção conserva a conduta de dignidade, decência, probidade, pureza, correção, isenção e imparcialidade. Prima-se pela conservação cuidadosa dos bons efeitos, conseqüências, resultados e finalidades, principalmente, para manter saudáveis as relações sociais.

HONORÁRIO — Título que dá honras, sem interesse material.

HONORÁRIOS — Retribuição econômica pela prestação de serviços profissionais ou atividades específicas definidas em lei. Remuneração dada à pessoa que exerce profissão liberal, como prêmio de seus serviços; por exemplo, advogados, médicos etc.

HONORIS CAUSA — [Latim]. Expressão que significa por causa da honra; por título honorífico. Diz-se dos títulos acadêmicos de maior graduação, concedidos sem critério de escolha, para homenagear personalidades por seu mérito.

HONRA — Sentimento de dignidade própria para merecer e manter a consideração geral. Probidade, glória, dignidade, merecimento. Qualidade de pessoa que procede corretamente, conforme os preceitos morais da sociedade. O Código Penal enumera os crimes contra a honra. São eles: a calúnia, a difamação e a injúria.

HONRA OBJETIVA — O conceito em que cada pessoa é tida (reputação). A difamação e a calúnia atingem a honra objetiva.

HONRA SUBJETIVA — O sentimento pessoal de autoestima, decorrente do juízo que cada um tem acerca de seus próprios dotes. A injúria atinge a honra subjetiva, ofendendo a dignidade e o decoro da pessoa.

HORA EXTRA — Hora suplementar; dita também adicional por serviço extraordinário. Acréscimo à duração normal de trabalho paga a todo trabalhador, de natureza privada ou pública, não excedente de duas horas por jornada, e de remuneração de 50% a mais do que a hora normal. Se o trabalho for realizado em domingo ou feriado e não houver outro dia de folga, o adicional será de 100%.

HORA LEGAL — Com base na sua localização e nas suas peculiaridades, cada nação institui uma (ou mais) hora legal, que nem sempre corresponde exatamente ao fuso em que está situado. Se o país for muito vasto, estabelece mais de uma hora legal. A Federação Russa, por exemplo, possui 12 horas diferentes. O Canadá tem oito, os EUA, seis, e o Brasil, quatro. (Ver: Fuso horário // Fusos horários do Brasil // Linha internacional da data.)

HORA SUPLEMENTAR — Ver Hora Extra.

HORÁRIO DE TRABALHO — Determinação da hora inicial e final da jornada de trabalho a ser cumprida pelo servidor ou empregado, no exercício de suas funções.

HORAS *IN ITINERE* — Diz-se do espaço de tempo utilizado pelo empregado no seu deslocamento entre a residência, ou um ponto determinado, onde é apanhado pelo transporte do empregador, e o local de trabalho.

HORISTA — Empregado que recebe salário por hora trabalhada.

HORIZONTE DE INVESTIMENTO — É o tempo necessário para se obter o melhor retorno de investimento de qualquer ativo financeiro ou real.

HOSTILIDADE — É a provocação para agressão com ameaças de danos materiais e de violências ao inimigo declarado. A provocação persiste até as vias de fato.

HOT MONEY — São aplicações em títulos ou no câmbio, atraídas por taxas de juros elevadas ou diferenças cambiais significativas, de curtíssimo prazo, podendo deslocar-se de um mercado para outro com grande agilidade, fator este apontado como causador de grandes turbulências nos mercados financeiros em determinadas situações. No mercado financeiro brasileiro, é o termo usado para operações de crédito voltadas às empresas que precisam de capital de curtíssimo prazo (inferior a 30 dias). As empresas tomam dinheiro no *hot money* para cobrirem eventual falta de caixa para suas atividades. São operações de crédito caracterizadas por prazo máximo de 29 (vinte e nove) dias e procedimentos operacionais simplificados.

***HOT SPOT* DE BIODIVERSIDADE** — Estratégia de conservação baseada na definição de áreas ricas em biodiversidade em todo o planeta. Os critérios para definir um *hot spot* em escala internacional são: alto endemismo e diversidade de plantas. Como todas as demais formas de vidas dependem delas, as plantas são de grande importância na determinação de um *hot spot*. De fato, o candidato a *hot spot* precisa conter pelo menos 0,5%, ou seja, 1.500 das 300.000 espécies de plantas do planeta como endêmicas.

HUMANIDADE — A natureza humana. O conjunto de todos os seres humanos. Sentido de benevolência, de clemência.

HUMANISMO SOCIAL — A doutrina do humanismo social busca integrar o ser humano ao Estado, partindo da afirmação de que entre o indivíduo e o poder político existem grupos naturais, como a família, o Município, o sindicato, os quais, se bem que não soberanos, devem fruir de autonomia e da assistência do Estado. Tais grupos surgem naturalmente, pois que revelam, muito mais do que o próprio Estado, a sociabilidade inata do ser humano.

HUMANITARISMO — Doutrina filosófica e política que visa eliminar as injustiças reinantes no mundo a fim de alcançar a felicidade humana.

HUMANITARISTA — Seguidor do humanitarismo.

HUMILDADE — Virtude que nos dá o sentimento das nossas limitações com simplicidade e obediência saudável por disciplina, pureza, respeito e modéstia.

HUMILHAÇÃO — Constrangimento vergonhoso intenso. Submissão; Rebaixamento moral, com menosprezo, desdém; vergonha; vexame; afronta.

HUMO — Terra com matéria orgânica. Produto da decomposição parcial de restos vegetais que se acumulam no chão, aos quais se juntam restos de organismos animais. Tem grande importância na constituição do solo, onde é fonte de matéria orgânica para a nutrição dos vegetais. Favorece a estrutura do solo e retém a água, em função de suas propriedades coloidais.

HÚMUS — Ver Humo.

I

i. e. — Ver *id est*.

IBA (ÍNDICE BRASILEIRO DE AÇÕES) — O Índice Brasileiro de Ações é calculado pela Comissão Nacional de Bolsas de Valores (CNBV). É um índice que mede o comportamento de ações na BOVESPA. Ele é composto por ações das empresas que estiveram presentes em, no mínimo, 80% dos pregões nos últimos seis meses, com, no mínimo, dez operações em cada pregão. No índice são evitadas as ações que aparecem em negócios esporádicos, o que torna o preço de suas negociações pouco representativo. O peso de cada papel no índice é proporcional ao volume de negócios realizados.

IBAMA (INSTITUTO BRASILEIRO DO MEIO AMBIENTE E DOS RECURSOS NATURAIS RENOVÁVEIS) — É uma entidade autárquica de regime especial com autonomia administrativa e financeira, dotada de personalidade jurídica de direito público e vinculada ao Ministério do Meio Ambiente. Foi criado por lei em 1989 através da fusão de quatro entidades brasileiras que trabalhavam na área ambiental: Secretaria do Meio Ambiente - SEMA, Superintendência da Borracha - SUDHEVEA, Superintendência da Pesca - SUDEPE e Instituto Brasileiro de Desenvolvimento Florestal - IBDF. Regulamentado pelo Decreto n.º 97.946, de 11 de julho de 1989, a partir daí, passou a ser o gerenciador da questão ambiental, responsável por formular, coordenar, executar e fazer executar a Política Nacional do Meio Ambiente e da preservação, conservação e uso racional, fiscalização, controle e fomento dos recursos naturais renováveis. Os serviços do IBAMA são descentralizados, possuindo unidades em todo o País, além de diversos Centros Especializados. O IBAMA possui várias frentes de atuação: Conservação da Biodiversidade, Unidades de Conservação do Brasil, Educação Ambiental, Fiscalização, Recursos Pesqueiros, Patrimônio Espeleológico, Projetos, Centros e Programas, Monitoramento Ambiental, Controle e Qualidade Ambiental e Recursos Florestais. Também desenvolve projetos de proteção a espécies ameaçadas da fauna e da flora silvestre.

IBGE (INSTITUTO BRASILEIRO DE GEOGRAFIA E ESTATÍSTICA) — É uma fundação pública da administração federal brasileira criada em 1934 e instalada em 1936 com o nome de *Instituto Nacional de Estatística*; seu fundador e grande incentivador foi o estatístico Mário Augusto Teixeira de Freitas. O nome atual data de 1938. O IBGE tem atribuições ligadas às geociências e estatísticas sociais, demográficas e econômicas, o que inclui realizar censos e organizar as informações obtidas nesses censos, para suprir órgãos das esferas governamentais federal, estadual e municipal, e para outras instituições e o público em geral. O IBGE possui uma rede nacional de pesquisa e disseminação, composta por: 27 Unidades Estaduais (26 nas capitais dos estados e uma no Distrito Federal); 27 Setores de Documentação e Disseminação de Informações (26 nas capitais e um no Distrito Federal); 27 Supervisões de Base Territorial (26 nas capitais e uma no Distrito Federal); 533 Agências de Coleta de dados nos principais municípios. O IBGE é subordinado ao Ministério do Planejamento, Orçamento e Gestão e está sediado na Cidade do Rio de Janeiro.

IBIDEM — [Latim]. Expressão que significa no mesmo lugar.

IBOVESPA — É o índice que mede a valorização das ações mais negociadas de forma representativa nos pregões das Bolsas de Valores de São Paulo (BOVESPA). O índice é composto por papéis de primeira e segunda linhas. O primeiro critério para o papel compor o índice é o da negociabilidade. Ou seja: é preciso que o papel esteja entre os 80% mais negociados no mercado. O segundo critério é o da presença do papel nos negócios realizados em 80% dos pregões. E o terceiro é o da participação do papel, com representação de, no mínimo, 0,1% do volume total da Bolsa. O IBOVESPA é revisto a cada quatro meses e serve como indicador do comportamento do mercado, aproximando sua composição o máximo possível da configuração real das operações realizadas no mercado à vista da BOVESPA. (Ver: Índice Brasil.)

IBRI (INSTITUTO BRASILEIRO DE RELAÇÕES COM INVESTIDORES) — Fundado em 1997, é uma associação de profissionais que estão direta ou indiretamente ligados com as atividades de Relações com Investidores, que compreende finanças, marketing e comunicação entre a empresa e os acionistas, analistas de mercado, investidores institucionais e outros participantes do mercado e da comunidade financeira brasileira e internacional.

IBX — Índice que espelha o comportamento das 100 ações mais negociadas na Bolsa de Valores de São Paulo (BOVESPA). (Ver: Índice Brasil.)

ICEBERGS — Blocos de gelo oriundos dos continentes glaciais (geleiras continentais). Estas massas de gelo flutuante são carregadas pelas correntes marinhas e constituem grandes perigos à navegação. A parte que fica emersa (a ponta do iceberg) corresponde a uma pequena fração, apenas 1/10 do seu total.

ICMS – COMPETÊNCIA PARA INSTITUIR O IMPOSTO — Nos termos do inciso II do art. 158 da Constituição Federal, compete aos Estados e ao Distrito Federal instituir impostos sobre as operações relativas à circulação de mercadorias e sobre a prestação de serviços de transporte interestadual e intermunicipal e de comunicação - ICMS, ainda que as operações e as prestações se iniciem no exterior. Entretanto, compete ao Senado Federal, através de resolução de iniciativa do presidente da República ou de um terço dos senadores, estabelecer as alíquotas aplicáveis às operações e prestações interestaduais e de exportação, bem como, caso tenha interesse, alíquotas mínimas nas operações internas ou máximas para resolver conflito específico que envolva interesse de Estados.

ICMS – DISTRIBUIÇÃO AOS MUNICÍPIOS DA PARCELA DE 25% DO PRODUTO DA ARRECADAÇÃO — Dispõe a Constituição Federal, no inciso IV e parágrafo único do art. 158, que 25% (vinte e cinco por cento) do produto da arrecadação do ICMS pertença aos Municípios e deve ser a estes creditados, conforme os seguintes critérios: ¾ (três quartos), no mínimo, na proporção do valor adicionado nas operações relativas à circulação de mercadorias e nas prestações de serviços, realizadas em seus territórios. (Lei Complementar Federal nº 63, de 11.1.1990); até ¼ (um quarto), de acordo com o que dispuser lei estadual. O Distrito Federal recebe as duas cotas. (Ver: Lei Estadual/RJ nº 2.664, de 27.12.1996.)

ICMS – IMPOSTO SOBRE OPERAÇÕES RELATIVAS À CIRCULAÇÃO DE MERCADORIAS E SOBRE PRESTAÇÃO DE SERVIÇOS DE TRANSPORTE INTERESTADUAL E INTERMUNICIPAL E DE COMUNICAÇÃO — Também chamado de Imposto sobre Circulação de Mercadorias e Serviços, é um imposto estadual não-cumulativo. É a grande fonte de receita do Distrito Federal e dos Estados. Sua alíquota varia por produto e em função de outras muitas circunstâncias. Situa-se entre 7% e 26% (caso dos cosméticos e demais artigos considerados supérfluos), sendo a alíquota de 18% a mais comum. Esse imposto é aplicado sobre o preço de pauta ou o de venda de todo e qualquer produto/mercadoria - excluídos os isentos e os destinados à exportação -, prestação de serviços de transporte interestadual e intermunicipal e de comunicação, importados etc. e repassado integralmente para o consumidor. Recolhem o ICMS a indústria, o comércio e os prestadores de serviço de transporte interestadual e intermunicipal e de comunicação. A Lei Complementar nº 87, de 13/9/1996 (Lei Kandir), isenta do recolhimento do ICMS as exportações de produtos primários e semi-elaborados, os insumos/matérias-primas e componentes que entram na fabricação de manufaturados para exportação e os investimentos para ativo fixo do setor industrial, e os investimentos de todo o setor produtivo. Nos demais casos permanece com as mesmas características do Imposto de Consumo, com incidência integral, e, a partir da segunda etapa de comercialização, somente sobre o valor agregado (VA). (Ver: Lei Kandir.)

ÍCONE — É uma imagem que mantém com um determinando objeto uma relação de semelhança ou propriedade. Um ícone é uma abstração de algo que é do nosso conhecimento e apresenta pelo menos um traço em comum com o objeto representado. Como exemplos de ícones podemos citar uma caricatura que se toma pela pessoa representada, o desenho de uma casa pela própria casa. O ícone possui relação de semelhança com o objeto que representa.

ICOTERMS — São regras internacionais para a interpretação dos termos comerciais.

ICP-BRASIL (INFRA-ESTRUTURA DE CHAVES PÚBLICAS BRASILEIRA) — Garante a autenticidade, a integridade e a validade jurídica de documentos em forma eletrônica, das aplicações de suporte e das aplicações habilitadas que utilizem certificados digitais, bem como a realização de transações eletrônicas seguras. É composta por uma autoridade gestora de políticas e pela cadeia de autoridades certificadoras composta pela Autoridade Certificadora Raiz - AC Raiz, pelas Autoridades Certificadoras - AC e pelas Autoridades de Registro - AR. A função de autoridade gestora de políticas é exercida pelo Comitê Gestor da ICP-Brasil, vinculado à Casa Civil da Presidência da República e composto por 11 membros.

ICV (ÍNDICE DO CUSTO DE VIDA) — Calculado pelo DIEESE (Departamento Intersindical de Estatística e Estudos Socioeconômicos), mede a variação dos preços em quatro grupos: alimentação, transportes, saúde e habitação. A pesquisa é realizada no município de São Paulo, pegando todas as faixas de renda. O período de coleta de preços vai do primeiro ao último dia do mês corrente, e o índice é divulgado aproximadamente no início da segunda quinzena do mês seguinte.

ICVM (ÍNDICE DO CUSTO DE VIDA DA CLASSE MÉDIA) — Calculado pela Ordem dos Economistas, a pesquisa é realizada no Município de São Paulo, tomando como base as despesas das famílias que tenham uma renda mensal na faixa entre 10 e 40 salários mínimos. O período de coleta de preços vai do primeiro ao último dia do mês corrente, e o índice é divulgado aproximadamente no décimo dia do mês seguinte.

ID — Parte da personalidade inconsciente onde residem as energias básicas subjacentes a todo comportamento da pessoa. Parte mais profunda da psique onde são liberados os impulsos.

ID EST (i. e.) — [Latim]. Expressão que significa "isto é"; "ou seja". É utilizada na forma abreviada *i. e.*

IDADE — Subdivisão cronológica de amplitude inferior à de uma época.

IDADE MEDIANA — Corresponde ao ponto central da distribuição de idades, dividindo-a em duas partes iguais, ou seja, a metade da população tem idade inferior e a outra metade idade superior à idade mediana.

IDEALISMO — Doutrina que reduz o ser ao pensamento, às coisas ao espírito (o mundo dito exterior não tem outra realidade além das idéias ou representações que dele formamos).

IDEALIZAÇÃO — Processo psíquico pelo qual as qualidades e o valor dos objetos são levados à perfeição.

IDÉIA — Representação e interpretação psíquica de uma coisa concreta ou abstrata. Concepção intelectiva ou imaginativa de um conteúdo intuitivo, concreto ou abstrato, requisitada pelo pensamento. Concepção do pensamento em qualquer domínio do conhecimento. Qualquer representação no pensamento seja objeto, um fenômeno, um fato, ou seja, uma unidade inteligível qualquer formada por elementos do próprio ser ideal em combinação coerente com os seus representados do ser real.

IDEM (ID) — [Latim]. Expressão que significa "o mesmo".

IDENTIDADE — Conjunto de elementos que permitem saber quem é uma pessoa. É a qualidade de ser a mesma coisa e não diversa, isto é, a qualidade de ser único e imutável, diversificando de seus semelhantes. É a soma de caracteres físicos permanentes que individualizam uma pessoa (ou coisa), distinguindo-a das demais; por exemplo: como pessoa, sua raça, sexo, idade, tipo sangüíneo, arcada dentária, papiloscopia, prosopografia, DNA. Em medicina legal identificar consiste em demonstrar que certo corpo ou objeto que se apresenta hoje para exame é o mesmo que ontem já havia sido apresentado.

IDENTIDADE CULTURAL — Conjunto de traços característicos do modo de ser de um povo; riqueza que dinamiza as possibilidades de realização da espécie humana, ao mobilizar cada povo e cada grupo a nutrir-se de seu passado e a colher as contribuições externas compatíveis com a sua especificidade, e continuar assim o processo de sua própria criação.

IDENTIDADE FÍSICA DO JUIZ — O princípio da identidade física do juiz foi introduzido na lei brasileira pelo Código de Processo Civil (CPC) de 1939, revogado pelo vigente em 1974. Afirmava-se, na vigência do estatuto de 1939, que as impressões do magistrado deveriam ser pessoais, diretas, não obtidas por intermédio de outro juiz, de maneira a tornar a atividade jurisdicional mais espontânea, em face do contato direto, pessoal, com as partes e as testemunhas, em vez do conhecimento da prova restrito aos autos. Com o CPC vigente, o princípio foi atenuado, em face da transferência, como se observa no teor do art. 132.

IDENTIDADE FUNCIONAL — Conjunto de caracteres funcionais que servem para individualizar o servidor.

IDENTIFICAÇÃO — 1) Confronto da informação recebida com os registros na memória subconsciente, em prontidão. 2) Fase do ciclo do projeto que corresponde à primeira elaboração das idéias do projeto, expressas globalmente em objetivos, resultados e atividades. Atividade técnica que, através da realização de estudos de viabilidade, define os métodos e as abordagens alternativas para as ações de ajuda.

IDENTIFICAÇÃO DATILOSCÓPICA DO INDICIADO — Forma de identificação judiciária consistente no registro do desenho papilar existente na polpa dos dedos do indiciado. Esses desenhos são rigorosamente individuais.

IDEOLOGIA — É um conjunto coerente de idéias, não deduzidas de uma doutrina, mas induzidas de um processo histórico concreto. Esse conjunto coerente de idéias tem uma força operacional capaz de atuar sobre este mesmo processo histórico, seja no sentido de garantir sua permanência, ideologias conservadoras, seja no sentido de modificar seus rumos, ideologias renovadoras ou revolucionárias. A ideologia é sempre uma visão parcial do processo histórico na qual seleciona apenas aqueles aspectos que lhe dão forças para atuar sobre ele no sentido desejado.

IDEOLOGIA DIREITA/ESQUERDA — Ver Espectro ideológico Direita/Esquerda.

IDEOLOGIA POLÍTICA — Em termos políticos é o conjunto de idéias e princípios que orientam a ação partidária ou individual. Esse conjunto de idéias diz respeito às funções que o Estado deve exercer, o modo como a economia deve operar, as funções dos diversos segmentos da sociedade, entre outros aspectos. De modo prático, as ideologias através dos seus rótulos, socialista, comunista, liberal, socialdemocrata etc., transmitem aos eleitores e analistas, informações sintetizadas sobre a orientação geral dos partidos políticos.

IDG (ÍNDICE DE DESENVOLVIMENTO AJUSTADO AO GÊNERO) — O IDG mede as mesmas dimensões e utiliza as mesmas variáveis que o Índice de Desenvolvimento Humano - IDH, mas leva em conta a desigualdade entre mulheres e homens. Quanto maior a disparidade entre os sexos no desenvolvimento humano básico, menor o IDG de um país comparado com o seu IDH. O IDG é simplesmente o IDH descontado, ou ajustado para baixo pela desigualdade entre os sexos. (Ver: IDH.)

IDH (ÍNDICE DE DESENVOLVIMENTO HUMANO) — Índice criado pelo Programa das Nações Unidas para o Desenvolvimento (PNUD), com o objetivo de estabelecer um *ranking* dos países em relação aos seus indicadores de renda *per capita*, nível de escolaridade e longevidade da população. IDH é um indicador composto, que contém três variáveis: esperança de vida ao nascer, nível educacional (alfabetização de adultos e taxa de escolaridade bruta combinada do primário, secundário e superior) e *PIB per capita* (dólares PPC). A renda entra no IDH como uma representação do nível de vida digno e como um substituto de todas as escolhas humanas que não estão refletidas nas outras duas dimensões. (Ver: Desenvolvimento // IDG // Programa das Nações Unidas para o Desenvolvimento.)

IDONEA VERBA — [Latim]. Expressão que significa palavras oportunas.

IDONEIDADE — Capacidade legal e moral, ou financeira, ou seja, as condições para assumir certas responsabilidades e merecer crédito e confiança no que faz ou afirma.

IDONEIDADE FINANCEIRA — É a capacidade para satisfazer os encargos econômicos decorrentes do contrato.

IDOSO — Cidadão com mais de 60 anos de idade. Atualmente são 11 milhões de pessoas. Com base no crescimento populacional estima-se que os idosos correspondam, atualmente, a 13,8% da população brasileira, devendo ultrapassar os 20% em 2020.

IDOSO, ESTATUTO DO — Ver Estatuto do Idoso.

IDU (*INTEREST DUE AND UNPAID*) — Título de dívida externa que foi emitido em 1991 como parte da renegociação da moratória decretada no governo Sarney. Usualmente chamados de "*Bradies*", tecnicamente não era um *Brady Bond*, já que foi emitido antes das negociações que resultaram no Plano *Brady* em 1994. Com vencimento em 2001, teve prazo de carência de três anos e pagava juros semestrais de Libor de seis meses mais 0,8125%. O IDU não tinha garantia de principal ou juros e foi um dos ativos da dívida externa brasileira mais negociados.

ID-USO — Na Administração Pública, é a informação constante da lei orçamentária e que indica se os recursos compõem contrapartida nacional de empréstimos ou de doações ou outras aplicações a saber: 0 = recursos não destinados à contrapartida; 1 = contrapartida de empréstimos do BIRD; 2 = contrapartida de empréstimos do BID; e 3 = outras contrapartidas.

IED — Ver Investimento externo direto.

IEE (ÍNDICE DE ENERGIA ELÉTRICA) — Índice calculado pela Bolsa de Valores de São Paulo. O Índice de Energia Elétrica (IEE) é um indicador setorial que reflete o comportamento das principais ações do setor elétrico brasileiro e constitui-se em um instrumento para avaliação do desempenho de carteiras especializadas nesse setor. O IEE, lançado em 1996, foi o primeiro índice setorial da BOVESPA.

IGARAPÉS — Esteiro ou canal estreito que só dá passagem a igaras ou pequenos barcos; riacho, ribeirão, ribeiro, riozinho.

IGNÓBIL — Desprezível; vil; baixo; torpe, que não tem nobreza.

IGNORÂNCIA — Estado de quem ignora. Falta de saber. Ausência de conhecimento sobre determinados assuntos. Desconhecimento. Não se confunde com erro, que é o conhecimento falso.

IGP (ÍNDICE GERAL DE PREÇOS) — Índice calculado pela Fundação Getúlio Vargas. Há o IGP-DI (Índice Geral de Preços-Disponibilidade Interna) e o IGP-M (Índice Geral de Preços do Mercado). O período de coleta do IGP-DI é entre o primeiro e o último dia do mês de referência e o do IGP-M é entre o dia 21 do mês anterior e o dia 20 do mês de referência. O IGP é composto pela ponderação de três outros índices: Índice de Preço no Atacado (IPA); Índice de Preço ao Consumidor (IPC); e Índice Nacional da Construção Civil (INCC). O IPA é composto pelos preços do mercado atacadista, o IPC é composto de preços dos produtos e serviços das famílias que auferem rendimentos entre 1 e 33 salários mínimos nas regiões metropolitanas de São Paulo e Rio de Janeiro, e o INCC é composto pelos preços dos materiais e mão-de-obra da construção civil.

IGP-10 (ÍNDICE GERAL DE PREÇOS 10) — Calculado pela FGV e elaborado com a mesma metodologia do IGP-DI e do IGP-M. A única diferença é o período de coleta de preços: entre o dia 11 de um mês e o dia 10 do mês seguinte. Usado como indicador de tendência da inflação.

IGP-DI (ÍNDICE GERAL DE PREÇOS - DISPONIBILIDADE INTERNA) — Calculado pela Fundação Getúlio Vargas entre o primeiro e o último dia do mês. Sua divulgação ocorre por volta do dia 10 do mês seguinte. Mede os preços que afetam diretamente a atividade econômica do País, excluídas as exportações. A exemplo do IGP-M, também é composto pela média ponderada do Índice de Preços no Atacado (IPA), com peso 6; de preços ao Consumidor (IPC) no Rio e SP, com peso 3; e do Custo da Construção Civil (INCC), com peso 1. Usado em contratos de prazo mais longo, como aluguel.

IGP-M (ÍNDICE GERAL DE PREÇOS DO MERCADO) — Índice que mede a variação de preços no mercado de atacado, de consumo e construção civil. Este índice é formado pela soma ponderada de outros três índices: IPA - Índice de Preços ao Atacado, com um peso de 60%; IPC -

Índice de Preço ao Consumidor, com um peso de 30%; e INCC - Índice Nacional de Construção Civil, com um peso de 10%. Calculado pela FGV, pesquisado entre os dias 21 de um mês e 20 do seguinte. O IGPM considera todos os produtos disponíveis no mercado, inclusive os importados.

IGUALDADE — É a inexistência de diferenças entre dois elementos comparados, sejam objetos, indivíduos, idéias, conceitos ou quaisquer coisas que se comparem. Especificamente em Política, o conceito de igualdade descreve a ausência de diferenças de direitos e deveres entre os membros de uma sociedade. Em sua concepção clássica, a idéia de sociedade igualitária começou a ser cunhada durante o Iluminismo, para idealizar uma realidade em que não houvesse distinção jurídica entre nobreza, burguesia, clero e escravos. Mais recentemente, o conceito foi ampliado para incluir também a igualdade de direitos entre gêneros, classes, etnias, orientações sexuais etc.

IGUALDADE CIVIL — Consiste na igualdade de todos perante a lei, garantida em texto constitucional. Isto significa que todos os indivíduos têm direitos iguais, não podendo ser levadas em conta condições de nascimento, de fortuna, de raça ou de crenças religiosas como critérios para a restrição de qualquer garantia legal. Todos os indivíduos também devem ficar igualmente sujeitos aos encargos públicos, ao imposto e outros deveres, na proporção de seus bens e rendimentos.

IGUALDADE DE GÊNERO — Capacidade legal, social e política das mulheres e homens para mobilizar e gerir todo o tipo de recursos em condições iguais. Refere-se às normas, valores, atitudes e percepções necessárias para atingir um estatuto igual entre a mulher e o homem sem neutralizar as diferenças biológicas entre eles.

IGUALDADE DE REMUNERAÇÃO — É a igualdade de remuneração e de benefícios entre homens e mulheres por trabalho de igual valor. É preconizada pela Convenção 100, de 1951, da Organização Internacional do Trabalho (OIT).

IGUALDADE TRIBUTÁRIA — Expressão utilizada em economia para definir um dos critérios de justiça na repartição dos encargos tributários próprios do sistema fiscal em que se inserem. De acordo com a lógica da capacidade de pagar, a igualdade tributária pode ser: a) horizontal, de acordo com a qual dois contribuintes com rendimento similar devem pagar o mesmo montante de imposto e b) vertical, de acordo com a qual o contribuinte que demonstre maior capacidade contributiva deve pagar um montante superior de imposto. De acordo com a lógica do benefício, a tributação deve estar de acordo com o uso dos bens públicos. (Exemplo: a utilização de estradas, a iluminação pública, o saneamento urbano, a manutenção das instituições que são alimentadas pelas receitas públicas.)

ILEGAL — Contra a lei. Não permitido por lei. É o fato ou ato que não encontra apoio na lei ou não está autorizado legalmente.

ILEGALIDADE — Estado daquilo que é ilegal. É a ofensa a uma lei (seja ela constitucional ou não).

ILEGITIMIDADE — Característica do que é ilegítimo; a que faltam qualidades ou condições ou requisitos legais para sua validade, admissão ou reconhecimento.

ILEGITIMIDADE "*AD CAUSAM*" — Diz-se da ilegitimidade do autor para pleitear interesses em juízo, por não ter direito de ação contra o réu ou quando não há identidade entre a pessoa do autor e do réu, ou daquele a quem ou contra quem a lei permite a ação.

ILEGITIMIDADE "*AD PROCESSUM*" — É a falta de capacidade para estar em juízo, por si ou por outrem, por não reunir as condições legais para esse fim exigidas.

ILEGÍTIMO — 1) O que não é legítimo. 2) Pessoa que, por não se reverter de capacidade legal ou de determinadas condições jurídicas, está impedida de ingressar em juízo como sujeito ativo ou passivo de direito.

ILHAS — São áreas de terra, com dimensão menor que os continentes, totalmente cercadas por água. Podem ocorrer em oceanos, mares, lagos ou rios. Um grupo de ilhas forma um arquipélago. A Austrália, apesar de ser rodeada pelo mar, não é considerada uma ilha pela maior parte dos geógrafos e sim a porção continental da Oceania. As ilhas marítimas podem ser de dois tipos: continentais, quando fazem parte das plataformas continentais, e oceânicas, se estão fora delas. A ilha de Nova Guiné, por exemplo, pertence à plataforma continental da Austrália, da qual está separada por uma estreita faixa de mar. Já as ilhas oceânicas são predominantemente de origem vulcânica, como o Havaí (EUA), mas podem formar-se também pela deposição de materiais orgânicos (corais), como os atóis. Um exemplo são as ilhas Maldivas, no oceano Índico. Muitos países têm seu território totalmente situado em ilhas, como Cingapura e Filipinas, na Ásia, e Reino Unido e Malta, na Europa, e inúmeras ilhas da Oceania e América Central. Algumas ilhas são ocupadas ainda por mais de um país. Nesse caso estão a ilha *Hispaniola*, no mar do Caribe, que abriga o Haiti e a República Dominicana, e Bornéu, a terceira maior ilha do mundo, dividida entre Indonésia, Malásia e Brunei. A maior ilha fluvial (em rio) do planeta é brasileira: com cerca de 20 mil quilômetros quadrados, a ilha do Bananal é quase do tamanho de Sergipe e localiza-se na bacia hidrográfica do Tocantins-Araguaia. No rio Negro, no Estado do Amazonas, está localizado o segundo maior arquipélago fluvial do mundo, chamado de Anavilhanas. A ilha de Marajó, na foz do rio Amazonas, é do tipo fluvial-marítima e tem 48 mil quilômetros quadrados, extensão que lhe dá o título de a maior ilha de seu tipo do mundo.

ILIBADO — Puro; incorrupto; que foi absolvido em processo criminal; que se ilibou; reabilitado.

ILÍCITO — Proibido pela Lei; ilegítimo; contrário à moral ou ao direito; não permitido. Violação de uma norma jurídica (civil, criminal "ou penal", comercial, administrativa etc.). É o fato ou ato proibido ou vedado por lei. É todo fato ou ato que importe numa violação ao direito ou em dano causado a outrem, provenha do dolo ou funde-se na culpa.

ILÍCITO ADMINISTRATIVO — Falta funcional cometida por servidor, que dá ensejo à aplicação de pena disciplinar no devido processo legal.

ILÍCITO CIVIL — Violação de uma norma de Direito privado, atingindo simples interesses particulares.

ILÍCITO CRIMINAL — Violação de uma norma de Direito penal, atingindo os interesses gerais da sociedade.

ILÍCITO CULPOSO — Aquele praticado sem intenção, mas apenas por imprudência ou negligência do seu autor. São os quase-delitos.

ILÍCITO DISCIPLINAR — Quando alguém, integrado numa certa organização, pratica voluntariamente um ato que infringe as regras que regulam a sua função.

ILÍCITO INTENCIONAL — São aqueles praticados com a intenção de prejudicar, causar dano. São os delitos.

ILÍCITO SOCIAL — Consiste no desrespeito de regras que visam proteger valores coletivos de segunda relevância.

ILICITUDE — Consiste na violação de uma norma e do dever jurídico que ela impõe.

ILIMITADO — Que não tem limites. Indeterminado. Infinito. Imenso.

ILIS QUAESITUM — [Latim]. Expressão que significa direito adquirido.

ILUSÃO — Persistência no errado tido como certo ou escolha errada por confiança no erro de percepção. Determinação do sujeito como certas as aparências enganosas, por erro de reconhecimento, de identificação ou por simples crença. Decisão como certa a interpretação que não corresponde à realidade, por boa-fé. Aceitação do falso como verdadeiro pela expressão de sinceridade. Pode ocorrer também a ilusão de ótica e a ilusão patológica decorrentes de estados emocionais. Em síntese, a ilusão ocorre por ignorância, negligência, imprudência, imperícia e a distração com omissão.

IMAGEM POLÍTICA — Ver Eleição - Imagem política.

IMAGEM PÚBLICA — Conceito que se tem de uma pessoa que desfruta de fama ou que exerce função pública.

IMAGINAÇÃO — Faculdade psíquica que implica a experiência vivida, fenômeno, fato, idéia e conhecimento anterior, e no pensamento.

IMATERIAL — Que não é material; incorpóreo; impalpável; sobrenatural; espiritual.

IMEDIATO — Inesperado; sem demora; direto; o que está antes ou logo depois, numa série de coisas e fatos; autoridade logo abaixo da superior. (Ver: Mediato.)

IMENSURÁVEL — Que se não pode medir.

IMF *PERFORMANCE CRITERIA* — Critérios de desempenho embutidos nas condicionalidades dos programas do FMI. Em geral, tratam-se de metas a serem atingidas pelo país em questão, quase sempre em base trimestral.

IMF *SURVEILLANCE* — Política do FMI, prevista em seu regulamento, de exercer supervisão sobre a evolução das políticas econômicas dos países-membros.

IMIGRAÇÃO — Entrada de pessoas num país, vindas de outro, para aí viverem e trabalharem.

IMIGRANTE — Pessoa que chega em uma nova área deixando a residência de origem. (Ver: Migrante.)

IMISSÃO DE POSSE — Ato determinado pelo juiz e praticado pelo oficial de Justiça, que entrega ao possuidor a posse litigiosa de um bem, móvel ou imóvel, ou que o reintegra, isto é, devolve ao possuidor posse que lhe fora tomada de forma injusta ou mediante força.

IMISSÃO DE POSSE, AÇÃO DE — Ação possessória destinada a garantir ao adquirente a posse de bem adquirido e que esteja no poder do alienante ou de terceiro. Ação atribuída também ao administrador e a representantes das pessoas jurídicas e aos mandatários em geral. (Ver: Ação de despejo.)

IMITAÇÃO — É a reprodução dissimulada da marca, preservando-se, dolosamente, suas características mais vantajosas.

IMOBILIDADE — Qualidade ou estado do que é imóvel. Estabilidade. Impassibilidade.

IMORAL — Qualifica tudo o que vem contrariamente à moral ou aos bons costumes ou que é feito em ofensa a seus princípios.

IMÓVEIS DE REFERÊNCIA — Aqueles identificados pela semelhança de características com o imóvel avaliando e que, por isso, se prestam para servir de base à sua avaliação.

IMÓVEL DOMINANTE — Propriedade que impõe restrições por servidão.

IMÓVEL SERVIENTE — Propriedade que sofre restrições impostas por servidão.

IMPACIÊNCIA — Aversão ao uso do pensamento e suas faculdades. Indisposição e desinteresse em ter que pensar, raciocinar, analisar ou estudar e gastar o tempo nisso.

IMPACTO — É o conceito utilizado para medir os efeitos - positivos ou negativos - que a instalação de determinada atividade trará a uma comunidade. É o resultado total final, levando-se em consideração os efeitos diretos e indiretos e os efeitos de difusão e limitação que produzem mudanças na comunidade como um todo.

IMPACTO AMBIENTAL — Qualquer alteração das propriedades físicas, químicas e biológicas do meio ambiente, causada por qualquer forma de matéria ou energia resultante das atividades humanas que, direta ou indiretamente, afetem: a) a saúde, a segurança e o bem-estar da população; b) as atividades sociais e econômicas; c) a biota; d) as condições estéticas e sanitárias do meio ambiente; e) a qualidade dos recursos ambientais.

IMPACTO AMBIENTAL ESTRATÉGICO — Impacto que incide sobre o recurso ou componente ambiental de relevante interesse coletivo ou nacional, ou que afeta outras regiões além de sua área de influência direta e indireta.

IMPACTO AMBIENTAL REGIONAL — Todo e qualquer impacto ambiental que afete diretamente (área de influência direta do projeto), no todo ou em parte, o território de dois ou mais Estados.

IMPACTO DA INFLAÇÃO NAS DEMONSTRAÇÕES FINANCEIRAS — São as informações contábeis e financeiras de uma empresa que são utilizadas em processos decisórios, tanto pelos investidores como pelos gestores. Se as referidas informações forem disponibilizadas em valores nominais, fica implícito que o impacto da inflação não é relevante. A realidade brasileira, após o Plano Real, apresentou uma relativa estabilização da moeda a partir da diminuição dos índices inflacionários. Entretanto, é importante destacar que de 1996 até o momento, os índices acumulados de inflação são representativos, com elevadas variações do IGP-M e do IPCA. Como o princípio básico de avaliação de investimentos é a comparabilidade e consistência, a análise do desempenho econômico-financeiro de uma empresa com dados nominais traz consigo informações que não retratam a realidade econômica, distorcendo as relações entre valores e indicadores, levando a conclusões que podem comprometer resultados e indicadores de lucratividade. Ou seja, ignorar as variações do valor do dinheiro no tempo é desprezar e simplificar a realidade econômica. Critérios técnicos devem ser adotados para que esta questão seja tratada de forma apropriada, visando à transparência nas informações para todos os *stakeholders* e à preservação da noção de valor e de retorno do investimento.

IMPACTO DE VIZINHANÇA — Qualquer alteração no ambiente urbano resultante da implantação de empreendimentos ou do exercício de atividades, públicas ou privadas, cujos efeitos possam afetar positiva ou negativamente a área de implantação e as suas proximidades, em todos os seus aspectos. (Ver: Estudo de impacto ambiental.)

IMPACTOS INDIRETOS — É o impacto econômico total de uma organização que traz conseqüências indiretas resultantes de externalidades que, por sua vez, causam impactos sobre comunidades. Externalidades são aqueles custos ou benefícios que surgem de uma transação e que não são completamente refletidos no montante da operação. Uma comunidade pode ser um bairro, um país, um grupo de interesse ou um grupo minoritário dentro de uma sociedade. Embora muitas vezes complexos, os impactos indiretos são mensuráveis. Assim, cada organização deve selecionar indicadores de desempenho com base em suas próprias análises. Exemplos de externalidades: inovações calculadas por meio de patentes e parcerias; efeitos econômicos (positivos ou negativos) de mudanças de localidades ou operacionais; a contribuição de um setor para o PIB (Produto Interno Bruto) ou para a competitividade nacional. Exemplos de impactos na comunidade: dependência da comunidade; das atividades da organização; habilidade da organização em atrair mais investimentos para a área; localização dos fornecedores.

IMPARCIAL — Que não é parcial. Justo; reto. Eqüitativo; neutro.

IMPASSE — Embaraço ante uma situação difícil, aparentemente impossível de se sair bem ou de encontrar uma solução satisfatória. Situação problemática.

IMPEACHMENT — Significa literalmente "impugnação de mandato", e se caracteriza pela cassação de mandato do chefe do Poder Executivo (presidente da República, governador e prefeito). A acusação pode ser por crime comum ou crime de responsabilidade, que ameace a integridade social ou política de uma instituição. O processo inicia com a instalação de uma Comissão Parlamentar de Inquérito (CPI) para investigar uma denúncia de corrupção. Caso o relatório final da CPI seja acusatório, ao tornar-se público, qualquer cidadão pode solicitar junto ao Legislativo, em seus respectivos âmbitos, a abertura do processo de *impeachment*, baseado nas provas apresentadas pela CPI. O Legislativo compõe, então, caso seja aprovada a abertura do processo de *impeachment*, uma Comissão Especial de acusação contra o governante. Esse procedimento político não é criminal, pois o político que sofre *impeachmant* não é condenado penalmente por isso, todavia, torna-se inelegível pelo período de oito anos.

IMPEDIMENTO — Estado de quem se acha impedido de exercer as suas funções. Situação em que um julgador é proibido de atuar numa causa. Circunstância que impossibilita o juiz de exercer, legalmente, jurisdição em determinado momento, ou em relação a determinada causa. No sentido legal, é a proibição ou determinação contida na lei, para que não se pratique ou realize determinado ato. (Ver: Argüição de Suspeição.)

IMPEDIMENTO MATRIMONIAL — Ausência de alguma das condições que a lei exige ou existência de circunstância que torne impossível a celebração do casamento. Ocultar impedimento, que não seja casamento anterior, é crime apenado com detenção de seis meses a dois anos. Depende de queixa do contraente enganado e só pode ser intentada após transitar em julgado a sentença que, por motivo de erro ou impedimento, anular o casamento. Contrair casamento sabendo de impedimento que lhe cause a nulidade absoluta é crime; pena de detenção de dois meses a um ano.

IMPENHORABILIDADE — Que não pode ser penhorado. Garantia especial a bens patrimoniais que não podem ser objeto de penhora por credores, em virtude de disposição legal, testamentária ou por convenção: vencimentos dos magistrados, professores, servidores públicos, soldo, salário, o bem de família, pensões e montepios, ferramentas e utensílios necessários ao exercício de profissão, bem inalienável, produto de espetáculo, pensão alimentícia etc. A impenhorabilidade dos bens públicos decorre de preceito constitucional que dispõe sobre a forma pela qual serão executadas as sentenças judiciárias contra a Fazenda Pública, sem permitir a penhora de seus bens; mas admite seqüestro da quantia necessária à satisfação do débito, desde que ocorram certas condições processuais.

IMPERATIVIDADE DO DIREITO — Diz-se do fato de a norma jurídica impor-se até coercitivamente, se for preciso.

IMPERATIVO CATEGÓRICO — Mandamento incondicionado. Este princípio é um imperativo porque se nos apresenta como uma obrigação; é categórico porque tal obrigação não está dependente de quaisquer desejos específicos do agente. Mandamento que vale por si só, portanto, objetivamente válido.

IMPERATIVO HIPOTÉTICO — Mandamento cuja realização depende de uma hipótese. Revela uma ação que é um meio para a consecução de determinado fim.

IMPERFEIÇÃO — Qualidade do que é imperfeito. Falta de perfeição. Pequeno defeito. Vício.

IMPERIALISMO — É a doutrina política que inspira certos comportamentos de nações desenvolvidas para com outras menos desenvolvidas. Comportamentos pelos quais as primeiras limitam a soberania e a independência política, econômica e cultural das segundas. A doutrina se inspira na idéia da incapacidade de os povos subdesenvolvidos se governarem a si próprios.

IMPERÍCIA — Falta de habilidade, de perícia, de técnica adequada para a realização de uma atividade. É justa causa para que o locatário dê por findo o contrato a imperícia do locador no serviço contratado. No caso de empreitada é obrigado o empreiteiro a pagar os materiais que recebeu se os inutilizar por imperícia. Médicos, cirurgiões, farmacêuticos, parteiras e dentistas são obrigados a satisfazer o dano sempre que da imprudência, negligência ou imperícia em atos profissionais resultar morte, inabilitação de servir ou ferimento. O farmacêutico responde solidariamente pelos erros e enganos de seu preposto. É um dos elementos do crime culposo.

IMPESSOALIDADE — O princípio da impessoalidade nada mais é que o clássico princípio da finalidade, o qual impõe ao administrador público que só pratique o ato para seu fim legal. E o fim legal é unicamente aquele que a norma de Direito indica expressa ou virtualmente como objetivo do ato, de forma impessoal. Este princípio também deve ser entendido para excluir a promoção pessoal de autoridades ou servidores públicos sobre suas realizações administrativas.

IMPETRADO — É a designação do réu no mandado de segurança. Parte adversa do recurso. Aquele contra quem se requer a decretação de qualquer medida judicial que seja necessária para assegurar o exercício de um direito ou a execução de um ato.

IMPETRANTE — É a designação do autor no mandado de segurança. Que ou quem recorre.

IMPETRAR — O verbo significa pedir. Pode ser usado no caso de pedidos de *habeas corpus*, mandado de segurança ou mandado de injunção ("o advogado impetrou *habeas corpus* em favor de seu cliente"). É incorreto dizer que uma ação judicial ou um recurso foram "impetrados".

IMPETUOSIDADE — Enfrentamento com movimento repentino e violento sem reflexão. Reação impulsiva violenta, rápida e irrefletida. Havendo hostilidade, agressão ou não a impetuosidade pode levar o sujeito para uma desastrosa conseqüência, tanto por descuido quanto por precipitação que lhe é peculiar.

IMPLEMENTAÇÃO — Concretização de uma ação planejada de desenvolvimento através da mobilização dos meios previstos, com o objetivo de alcançar os resultados e o objetivo específico da ação. Obtenção e distribuição de todos os recursos de uma ação de desenvolvimento e sua conversão nos produtos/resultados imediatos dessa ação.

IMPLICAÇÃO — Uma proposição implica outra quando é impossível que a primeira seja verdadeira e a segunda falsa. Nos argumentos válidos, as premissas implicam a conclusão.

IMPONDERÁVEL — Que não se pode pesar. Que não tem peso. Circunstâncias materiais ou morais imprevisíveis. Fluidos cuja materialidade não pode ser revelada pelos instrumentos conhecidos.

IMPORTAÇÃO — Corresponde à entrada de mercadorias e serviços originárias do exterior e vendidas internamente.

IMPORTAÇÃO COM COBERTURA CAMBIAL — Decorre de mercadoria importada cujo pagamento foi realizado ou é devido e deverá ser realizado via remessa de moeda estrangeira ao exportador estrangeiro.

IMPORTAÇÃO DE TECNOLOGIA — Aquisição externa de marcas e patentes, serviços de assistência técnica, serviços técnicos em projetos de Pesquisa e Desenvolvimento (P&D), montagens industriais, consultoria e supervisão. A transferência internacional de tecnologia do exterior para o País, regulada por atos ou contratos, está sujeita a averbação pelo Instituto Nacional de Propriedade Industrial (INPI).

IMPORTAÇÃO SEM COBERTURA CAMBIAL — Decorre de mercadoria importada e pela qual não é devido pagamento em moeda estrangeira.

IMPORTÂNCIA SEGURADA — É o valor atribuído ao patrimônio, para o qual o segurado deseja a cobertura de seguro, ou seja, é o limite de responsabilidade da seguradora.

IMPOSIÇÃO — É a determinação, a ordem, o mando ou qualquer medida coercitiva, de que dispõe o Poder Público para fazer valer a sua autoridade e fazer cumprir os seus desígnios.

IMPOSIÇÃO DA PAZ — Operações de paz das Nações Unidas que procuram resolver um conflito, mas que, ao contrário das operações de estabelecimento da paz ou de manutenção da paz, não contam com a autorização do Estado em causa e utilizam a força para impor determinado mandato do Conselho de Segurança das Nações Unidas. (Ver: Estabelecimento da paz // Manutenção da paz.)

IMPOSIÇÃO DE ENCARGOS — Determinação de condições a serem atendidas; previsão de obrigações contidas em um contrato ou outros atos.

IMPOSTO — 1) Espécie de tributo que o Estado exige, coercitivamente, independentemente de contraprestação direta e determinada, de pessoas físicas e jurídicas, para as despesas de administração, em razão de ato ou fato lícito por estes praticados na condição de contribuintes. Segundo o Código Tributário Nacional, "imposto é o tributo cuja obrigação tem por fato gerador uma situação independente de qualquer atividade estatal específica, relativa ao contribuinte". Em outras palavras, é um tributo pago, compulsoriamente, pelas pessoas físicas e jurídicas para atender parte das necessidades de Receita Tributária do Poder Público (federal, estadual ou municipal), de modo a assegurar o funcionamento da sua máquina administrativa, o atendimento social à população e os investimentos em obras essenciais. 2) Título de conta contábil que se destina ao registro dos gastos realizados pela Administração Pública com os tributos; exemplo: Imposto de Circulação de Mercadorias, Imposto sobre Produtos Industrializados, Imposto de Renda, Imposto sobre Operações Financeiras, Imposto sobre Serviços de Qualquer Natureza, Imposto Predial e Territorial, impostos diversos. (Ver: Alíquota de Impostos // Princípio da Capacidade Contributiva.)

IMPOSTO – REGRESSIVIDADE EM RELAÇÃO À RENDA — Diz-se que um imposto é regressivo em relação à renda do contribuinte quando a relação entre o imposto a pagar e a renda decresce com o aumento do nível de renda. É uma característica dos impostos indiretos, os quais são cobrados de todos os indivíduos pelo mesmo valor, independentemente dos níveis de renda individuais.

IMPOSTO ARRECADATÓRIO — Aquele tributo (sentido genérico) que é pago e recolhido independentemente da vontade ou de qualquer providência por parte do Contribuinte, tais como IOF, IRRF, CPMF. O Governo Federal, nos pagamentos a seus fornecedores de produtos e serviços, a partir de 1997, transformou em arrecadatórios alguns tributos declaratórios (impostos e Contribuições) de responsabilidade desses fornecedores, descontando-lhes o tributo na fonte, quando do pagamento das respectivas faturas, gerando uma Receita Tributária imediata.

IMPOSTO CUMULATIVO — Diz-se de um imposto ou tributo que incide em todas as etapas intermediárias dos processos produtivo e/ou de comercialização de determinado bem, inclusive sobre o próprio imposto/tributo anteriormente pago, da origem até o consumidor final, influindo na composição de seu custo e, em conseqüência, na fixação de seu preço de venda. O mesmo que imposto em cascata.

IMPOSTO DE DOAÇÃO — É o tributo cobrado sobre doações feitas em vida ou após a morte. As cobranças podem ser feitas sobre o doador ou sobre os valores acumulados das doações recebidas pelo beneficiário.

IMPOSTO DE RENDA NEGATIVO — É assim denominado um sistema tributário que cobra imposto de famílias de rendas altas e transfere renda às famílias de baixa renda.

IMPOSTO DE RENDA RETIDO NA FONTE - PESSOA FÍSICA (IRRF/PF) — É um tributo federal. É o imposto de renda da pessoa física que é retido no ato do pagamento do salário, *pro labore*, férias, 13º salário e outras vantagens pessoais. Atualmente as alíquotas são de 15% e 27,5%, com isenção até determinado valor. Pagam-na ainda sobre ganhos de capital, como o lucro imobiliário (15%) e sobre o rendimento de aplicações financeiras (20%). Esse desconto não isenta o Contribuinte do pagamento do imposto de renda remanescente apurado quando da apresentação de sua Declaração de Rendimentos (Declaração de Ajuste Anual) no ano seguinte.

IMPOSTO DE RENDA RETIDO NA FONTE - PESSOA JURÍDICA (IRRF/PJ) — É um tributo federal. É o imposto retido sobre os pagamentos efetuados por uma pessoa jurídica a outra pessoa jurídica, variando de 1,0% a 1,5%, dependendo da atividade da empresa prestadora de serviço (conforme tabela da Receita Federal). O valor despendido com o pagamento desse tributo será compensado pela empresa pagadora quando da apresentação de sua declaração trimestral (ou mensal) do IR. Pagam-no ainda as pessoas jurídicas não imunes/isentas sobre seu Lucro Real (alíquota única de 15% e adicional de 10% acima da base de cálculo de R$ 20.000/mensal), após as adições e exclusões efetuadas sobre os lançamentos constantes do Lalur (Livro de Apuração do Lucro Real), ou sobre o Faturamento/Receita Bruta, caso a empresa haja optado pelo pagamento do IR por Lucro Presumido, cujo percentual de presunção oscila entre 1,6% a 32%, conforme o tipo de atividade da empresa.

IMPOSTO DE RENDA SOBRE OS GANHOS DE CAPITAL — É o imposto cobrado sobre o lucro proveniente das vendas de ativos de capital ("Ganho de Capital"), tais como ações e cotas, terras, edifícios, negócios e ativos de valor, como, por exemplo, obras de arte.

IMPOSTO DE SELO — É o imposto cobrado sobre o valor dos contratos para autenticar e validar. Também se refere a impostos específicos sobre determinados bens. No Brasil, é o IPI sobre cigarro e sobre algumas bebidas.

IMPOSTO DE SOMA FIXA — Expressão utilizada em economia para definir impostos que resultam do estabelecimento de um montante uniforme, a ser pago por todos os contribuintes. Não obstante a uniformidade do montante, a taxa média (Rendimento Total / Montante do Tributo) é regressiva, gerando alguns problemas de injustiça na repartição dos encargos e a taxa marginal (Rendimento/ Tributo) é igual a zero.

IMPOSTO DE TAXA PLANA — Expressão utilizada em economia para definir o imposto com taxa fixa, com admissão da progressividade nos escalões inferiores de rendimento e abandono de qualquer propósito de igualdade horizontal e de igualdade vertical (na medida em que permitiria o abandono da planificação fiscal por parte dos contribuintes com maior rendimento. Associadas à taxa plana têm-se algumas vantagens, como: a) menos custos administrativos; b) alargamento da base tributária; c) recurso às formas implícitas e imperceptíveis de cobrança; d) tornaria desnecessária a tributação das pessoas coletivas.

IMPOSTO DE TRANSMISSÃO — Chamado em alguns municípios de Imposto de Transmissão de Bens Imóveis e, em outros, de Imposto de Transmissão Intervivos, é uma taxa proporcional ao valor de um imóvel ou direitos reais sobre bens imóveis, cobrada pela Prefeitura toda vez que há alteração na propriedade, que não seja por morte, quando o imposto é estadual. (Ver: ITBI.)

IMPOSTO DECLARATÓRIO — Diz-se do tributo (imposto, taxa, Contribuições de Melhoria e Parafiscal, encargos/tarifas tributários etc.) que, para ser pago e/ou recolhido aos cofres públicos, depende da vontade ou de providências (preenchimento de declaração, formulário, DARF, carnê etc.) por parte do Contribuinte ou do Responsável pelo recolhimento, tais como IPI, ICMS, ISS, IPTU, ITR, IR etc.

IMPOSTO DIFERIDO — É o imposto adiado para pagamento futuro que eventualmente pode existir apenas nos registros contábeis da empresa, mas que nunca será efetivamente pago (em termos nominais e/ou reais). Deve-se observar que há casos em que uma despesa é reconhecida para fins tributários mais rapidamente do que o é para fins contábeis (o que é comum com instalações e equipamentos), podendo ocorrer que o custo do imposto ao longo dos anos não seja lançado. Inversamente, quando todos os descontos tributários forem usados nos ativos, poderá ainda haver cobranças contábeis a fazer e os custos tributários poderão então ser lançados. Para equilibrar esta equação, a noção de cobrança tributária chamada de "imposto diferido" é lançada na conta de lucros e prejuízos nos anos anteriores e posta no balanço da empresa como uma obrigação a pagar. Esta obrigação é liberada como um crédito à conta de lucros e prejuízos nos anos seguintes e supostamente, após a vida útil do ativo em questão, tudo não deverá mais constar no Balanço.

IMPOSTO EM CASCATA — O mesmo que Imposto Cumulativo.

IMPOSTO EXTRAORDINÁRIO — É aquele instituído pela União, em caráter temporário, na iminência ou no caso de guerra externa. Pode estar compreendido ou não entre os referidos no Código Tributário Nacional é suprimido, gradativamente, no prazo máximo de cinco anos, contados a partir da celebração da paz.

IMPOSTO INDIRETO — Diz-se do tributo não explicitado na Nota Fiscal, cujo valor, embutido no preço final do produto, é repassado ao consumidor. Exemplo: o imposto direto que se paga na conta do telefone ou de energia elétrica, transforma-se em imposto indireto quando repercute no preço final do produto.

IMPOSTO NÃO-CUMULATIVO — Diz-se do imposto/tributo que, na etapa subseqüente dos processos produtivos e/ou de comercialização, não incide sobre o mesmo imposto/tributo pago/recolhido na etapa anterior. É o chamado imposto sobre o valor adicionado ou agregado (IVA), ou seja, o imposto que, nas etapas subseqüentes de produção e/ou comercialização, só incide diretamente sobre o valor que foi agregado ao preço pelo qual foi adquirido o produto. O ICMS é um exemplo. É um imposto/tributo que é pago pelo comprador (Contribuinte) e recolhido pelo vendedor (Responsável). Vejamos: uma indústria de confecções que fabrica uma camisa e a vende a um atacadista por R$ 100,00, recolhe (além do IPI e de outros tributos/Contribuições) 18% de ICMS = R$ 18,00 que estão sendo pagos pelo comprador, embutidos no preço da mercadoria. Esse atacadista vende a mesma camisa a uma loja por R$ 200,00 e deveria recolher 18% de ICMS = R$ 36,00; como já pagou (por intermédio do fabricante) R$ 18,00, só recolherá, agora, R$ 18,00. Essa loja vende a um cliente (consumidor final) a mesma camisa por R$ 300,00 e deveria recolher 18% de ICMS = R$ 54,00; mas como já pagou (por intermédio do fabricante e do atacadista) R$ 36,00, só recolherá R$ 18,00. Como visto, o ICMS, a partir do primeiro recolhimento, só incidiu sobre o valor adicionado (agregado) ao preço anterior pelo qual o bem foi adquirido.

IMPOSTO NEGATIVO SOBRE O RENDIMENTO — Expressão utilizada em economia para definir um esquema tributário de manutenção de rendimento das classes mais carentes. Baseia-se na criação de um crédito de imposto, isto é, numa isenção de pagamento, que deixa de se verificar no caso de o sujeito passivo passar a receber rendimentos, como resultado da entrada no mercado de trabalho. Os defensores deste esquema alegam que assim se combate a armadilha da pobreza, na medida em que se cria um incentivo para as famílias mais carentes integrarem o mercado de trabalho.

IMPOSTO POR INDIVÍDUO — É o imposto que cobra a mesma quantia sobre cada pessoa, independentemente de suas condições de realizar o pagamento.

IMPOSTO PROGRESSIVO — Também conhecido como gradual, é o imposto com várias taxas conforme as classes de contribuintes apresentadas em que a alíquota aumenta à proporção que os valores sobre os quais incide são maiores. Este imposto segue os propósitos da igualdade vertical e horizontal próprias da capacidade de pagar, na medida em que a taxa marginal (Rendimento / Tributo) tem de ser superior à taxa média (Rendimento Total / Montante do Tributo), com um limite - o confisco. A progressividade tem duas vantagens: a) tira mais rendimento dos contribuintes mais ricos; b) aproxima os rendimentos líquidos do imposto, em termos de o último imposto pago pelo contribuinte mais rico ter uma utilidade inferior ao último pago pelo contribuinte mais pobre. Um exemplo disto é a Tabela do Imposto de Renda – Pessoa Física, cuja alíquota varia atualmente de 15 a 27,5%, conforme a renda. (Ver: Imposto regressivo e único.)

IMPOSTO PROPORCIONAL — É o imposto em que a alíquota é constante (igual/uniforme/fixa) e cujo resultado só aumenta à proporção em que aumenta o valor sobre o qual incide. É um tributo de alíquota inalterável, qualquer que seja o montante tributável ou a base tributária. (Ver: Imposto progressivo.)

IMPOSTO REGRESSIVO — É o imposto que apresenta uma carga proporcional decrescente para o indivíduo. Tanto pode ser em comparação à sua renda quanto ao seu patrimônio. (Ver: Imposto progressivo.)

IMPOSTO RETIDO NA FONTE — É o imposto deduzido quando da percepção do rendimento. Pode ser considerado como antecipação a ser compensada posteriormente ou como parcela definitiva. No Brasil é geralmente aplicado de forma exclusiva para renda proveniente de investimentos, tais como juros, dividendos, *royalties* e taxas de licenciamento, e como antecipação quando se trata de rendimentos sobre salários e aluguéis.

IMPOSTO SELETIVO — Diz-se do imposto que incide somente sobre determinados produtos. No sistema tributário atual os impostos sobre bebidas alcoólicas, fumo, perfumes/cosméticos e carros (automóveis), dentre outros, são seletivos, porquanto têm alíquotas diferenciadas. Por sinal, no sistema tributário nacional vigente, a seletividade tributária praticamente tornou-se uma regra, ao invés de exceção.

IMPOSTO SOBRE A EXPORTAÇÃO (IE) — Imposto de competência da União sobre a exportação, para o estrangeiro, de produtos nacionais ou nacionalizados que tem como fato gerador a saída destes do território nacional. O Poder Executivo pode, nas condições e nos limites estabelecidos em lei, alterar as alíquotas ou as bases de cálculo do imposto, a fim de ajustá-las aos objetivos da política cambial, do comércio exterior e do abastecimento interno. É contribuinte do imposto o exportador ou quem a lei a ele equiparar. A receita líquida do imposto destina-se à formação de reservas monetárias.

IMPOSTO SOBRE A IMPORTAÇÃO — É imposto de competência da União sobre a importação de produtos estrangeiros que tem como fato gerador a entrada destes no território nacional. Tem como contribuinte o importador ou quem a lei a ele equiparar, o arrematante de produtos apreendidos ou abandonados. O Poder Executivo pode, nas condições e nos limites estabelecidos em lei, alterar as alíquotas ou as bases de cálculo do imposto, a fim de ajustá-lo aos objetivos da política cambial, do comércio exterior e da produção nacional. (Ver: Abandono alfandegário.)

IMPOSTO SOBRE A PROPRIEDADE TERRITORIAL RURAL — Ver ITR.

IMPOSTO SOBRE A RENDA E PROVENTOS DE QUALQUER NATUREZA (IR) — Imposto de competência federal, que tem como fato gerador a aquisição de renda, assim entendida como produto do capital, do trabalho ou da combinação de ambos e de proventos de qualquer natureza, entendidos como outros acréscimos patrimoniais. A base de cálculo do imposto é o montante, real, arbitrado ou presumido, da renda ou dos proventos tributáveis. O contribuinte do imposto é o titular da disponibilidade em questão. Pode ser sobre renda de pessoa física (IRPF) ou pessoa jurídica (IRPJ). As faixas de contribuição e as alíquotas são definidas por lei federal, devendo levar em conta critérios de generalidade, universalidade e progressividade. Não incide sobre rendimentos de aposentadoria e pensão pagos pela Previdência Social de qualquer esfera governamental a pessoa com idade superior a 65 anos, com renda exclusivamente de rendimentos do trabalho. Cobrado, normalmente, na fonte do recebimento da renda e restituído, quando for o caso, após Declaração de Rendimentos no exercício seguinte.

IMPOSTO SOBRE A RIQUEZA — É o imposto sobre a riqueza declarada de uma pessoa física, cobrada anualmente a uma taxa bastante baixa. Já foi muito comum na Europa, mas agora é raramente usado, pois se acredita que encoraja pessoas físicas a esconder seus ativos em mercados *offshore*.

IMPOSTO SOBRE HERANÇA — É o imposto cobrado na transmissão de bens do espólio a seus herdeiros. Pode ser considerado como uma forma de imposto de doação: nesta espécie, sobre os bens de pessoa física depois de sua morte.

IMPOSTO SOBRE OPERAÇÕES RELATIVAS À CIRCULAÇÃO DE MERCADORIAS E SOBRE PRESTAÇÕES DE SERVIÇOS DE TRANSPORTE INTERESTADUAL E INTERMUNICIPAL E DE COMUNICAÇÃO — Ver ICMS.

IMPOSTO SOBRE PRODUTOS INDUSTRIALIZADOS — Ver IPI.

IMPOSTO SOBRE PROPRIEDADE DE VEÍCULOS AUTOMOTORES — Ver IPVA.

IMPOSTO SOBRE PROPRIEDADE TERRITORIAL E URBANA — Ver IPTU.

IMPOSTO SOBRE SERVIÇOS DE QUALQUER NATUREZA — Ver ISS.

IMPOSTO SOBRE TRANSAÇÕES MONETÁRIAS (ITM) — Ver Taxa Tobin.

IMPOSTO SOBRE TRANSMISSÃO *CAUSA MORTIS* E DOAÇÃO DE QUAISQUER BENS OU DIREITO — Ver ITCD.

IMPOSTO SOBRE TRANSMISSÃO DE BENS IMÓVEIS — Ver ITBI.

IMPOSTO SOBRE VALOR ADICIONADO — Também conhecido como IVA. (Ver: Imposto sobre vendas.)

IMPOSTO SOBRE VENDAS — O imposto sobre vendas pode ser cobrado de duas maneiras. A primeira, como um imposto geral sobre vendas (IGV) adicionado ao valor de todas as vendas, sem permitir a compensação de imposto pago em outra etapa do processo produtivo. A segunda maneira é o imposto sobre valor adicionado (IVA) cobrado sobre as vendas e serviços realizados pelas empresas, mas que permite que estas solicitem crédito ao governo por qualquer imposto cobrado em outras etapas do processo produtivo. O ônus do IVA recai quase inteiramente nos consumidores finais, de acordo com a elasticidade do produto. O IGV e o IVA são considerados impostos regressivos, já que famílias de baixa renda sempre gastam uma proporção maior da sua renda em consumo e, portanto, invariavelmente gastam uma proporção maior de sua renda com este imposto do que as famílias de renda mais alta. O IVA é a forma de imposto sobre vendas mais amplamente utilizada. No Brasil, o ICMS é um imposto tipo IVA, com a grande diferença de ser sua carga concentrada na origem e não no destino, isto é, no local de consumo.

IMPOSTO TERRITORIAL RURAL — Ver ITR.

IMPOSTO, PROGRESSIVIDADE DO — Característica dos impostos diretos. Um imposto é progressivo quando seu crescimento é mais do que proporcional ao incremento da propriedade ou do rendimento taxado, isto é, quando as alíquotas do tributo aumentam em razão do crescimento da base tributável. (Ver: IPTU, Progressividade do.)

IMPOSTO, PROPORCIONALIDADE DO — Característica dos impostos diretos. Os impostos são proporcionais quando aplicados sob alíquota única, independentemente do valor do bem ou do rendimento tributado.

IMPOSTOS DE COMPETÊNCIA MUNICIPAL — De acordo com a Constituição Federal, os impostos de competência municipal são: a) IPTU – Imposto sobre a Propriedade Predial e Territorial Urbana; ITBI – Imposto sobre a Transmissão *Inter Vivos*, a qualquer título, por ato oneroso, de bens imóveis, por natureza ou acessão física, e de direitos reais sobre imóveis, exceto os de garantia, bem como cessão de direitos à sua aquisição; ISS – Imposto sobre Serviços de Qualquer Natureza, exceto os serviços de transporte interestadual e intermunicipal e de comunicação, cuja competência pertence ao Estado membro.

IMPOSTOS DIRETOS — Tributos cujos contribuintes são os mesmos indivíduos que arcam com o ônus da respectiva contribuição. São aqueles que gravam certos elementos ou atributos do contribuinte que são de caráter constante, durável ou contínuo, tais como: a propriedade, a renda, a atividade, a profissão etc. – permitindo o estabelecimento entre o fisco e o contribuinte (devidamente identificado) de uma relação direta e imediata. Tais impostos, ao menos teoricamente, levam em conta a capacidade contributiva do indivíduo. Exemplos: Imposto Predial e Territorial Urbano (IPTU) e o Imposto sobre a Renda e Proventos de Qualquer Natureza (IR).

IMPOSTOS INDIRETOS — Tributos cujo ônus pode ser transferido, total ou parcialmente, para terceiros. São aqueles que o Estado, por meio de taxações impessoais, exige do contribuinte no momento em que este pratica certos atos de atividade ou de consumo. Nos impostos indiretos, os contribuintes quase sempre podem transferir o ônus da tributação para terceiros. São aqueles que incidem sobre o valor das operações, tratando igualmente todos os agentes, independentemente de sua capacidade contributiva. Um exemplo característico de imposto indireto é o Imposto sobre Circulação de Mercadorias e Serviços (ICMS), que, parcialmente pago pelo empresário na aquisição das mercadorias, é transferido para os compradores na venda final.

IMPOSTOS SOBRE A FOLHA DE PAGAMENTOS — Ver Contribuições para a seguridade social.

IMPOSTOS SOBRE O VALOR ADICIONADO OU AGREGADO (IVA) — Impostos *ad valorem* sobre vendas de mercadorias e serviços, cobrados em todos os estágios do processo de produção/comercialização, e com base no valor adicionado em cada etapa do ciclo. (Ver: Imposto não-cumulativo.)

IMPOTÊNCIA SEXUAL — Incapacidade para a prática da conjunção carnal ou para a procriação.

IMPRENSA — Conjunto de publicações informativas ou noticiosas do gênero jornais, revistas etc.; qualquer meio de comunicação de massa; o conjunto de repórteres e jornalistas.

IMPRENSA ALTERNATIVA — Também conhecida como *imprensa nanica,* designa os veículos produzidos por entidades independentes, numa alternativa aos órgãos tradicionais nos quesitos ideologia, estilo e abordagem temática.

IMPRENSA AMARELA — Assim são chamadas as publicações que integram a vertente sensacionalista da imprensa mundial. O termo foi cunhado pelos norte-americanos, no final do século XIX, quando brigavam por conquistar a atenção dos leitores dois periódicos lendários. Um dos veículos ganhou notoriedade por publicar histórias daquela personagem considerada a precursora dos quadrinhos: o *Yellow Kid*, que acabou emprestando seu nome para aquele tipo de imprensa que lançou as bases modernas do sensacionalismo. Outros veículos, pleiteando um lugar na guerra, terminaram por exagerar na dose e levaram o conceito às últimas conseqüências, cedendo espaço para assuntos que escorregavam na supervalorização de escândalos, intrigas e chantagens.

IMPRENSA MARROM — Ver Imprensa amarela.

IMPRENSA NACIONAL — Órgão da Administração Pública com autonomia administrativa, técnica e financeira, tendo por objetivo dar publicidade aos atos do Governo Federal. Desenvolve trabalhos gráficos para a Administração Pública. Publica, dentre outras matérias, o Diário Oficial da União e o Diário da Justiça.

IMPRENSA OFICIAL — Veículo oficial de divulgação da Administração Pública, sendo para a União o *Diário Oficial*, e, para os Estados, o Distrito Federal e os Municípios, o que for definido nas respectivas leis.

IMPRESCRITIBILIDADE — Significa que, contra os bens públicos, não ocorre a prescrição aquisitiva, ou seja, o passar do tempo não dá direito a alguém de adquirir a propriedade pública. A Constituição Federal determina expressamente, nos arts. 183, § 3º, e 191, parágrafo único, que os bens públicos não podem ser adquiridos por meio do usucapião urbano e rural. Este é um exemplo de imprescritibilidade.

IMPRESCRITÍVEIS — Direitos ou ações que não prescrevem. (Ver: Imprescritibilidade // Prescrição.)

IMPREVIDÊNCIA — Falta de previdência. Descuido; desleixo; imprecaução.

IMPROBIDADE ADMINISTRATIVA — É conduta desonesta do agente público, mediante a qual enriquece ilicitamente, obtém vantagem indevida para si ou para outrem, ou causa dano ao patrimônio público.

IMPROBIDADE, AÇÃO DE — É proposta pelo Ministério Público ou pela pessoa jurídica interessada (art. 17 da Lei nº 8.429, de 1992), visando obter a reparação de danos causados por atos de improbidade administrativa definidos na Lei nº 8.429, de 1992.

IMPROBUS — [Latim]. Expressão que significa desonesto.

IMPROBUS ADMINISTRATOR — [Latim]. Expressão que significa administrador desonesto.

IMPROCEDÊNCIA DA AÇÃO — Ver Carência da Ação.

IMPROCEDENTE — Não conforme ao direito. Que não se ampara na lei ou na prova produzida em juízo.

IMPRONÚNCIA — Decisão do juiz considerando improcedente a denúncia ou a queixa, nos crimes de competência do Júri, quando não convencido da existência do crime ou de indício suficiente de sua autoria. Enquanto a pronúncia implica o prosseguimento do processo, a impronúncia e a absolvição esgotam a instância, isentando o réu. (Ver: Pronúncia.)

IMPRONUNCIADO — Indiciado em crime de competência do Tribunal do Júri que tem julgada improcedente denúncia ou queixa contra si.

IMPRUDÊNCIA — É a atitude precipitada do agente; que age com afoiteza; sem cautelas; não usando de seus poderes inibidores; criação desnecessária de um perigo.

IMPÚBERE — Ver Menor de idade e as leis.

IMPUGNAÇÃO — Ato ou efeito de impugnar; contestação; conjunto de argumentos com que se impugna. É o ato de repulsa, de contestação, de contradita, praticado contra atos do adversário, ou parte contrária, pelos quais se procura anular ou desfazer alegações ou pretensões ou impedir que promova ato processual, demonstrado ou julgado injusto.

IMPUGNAÇÃO À SENTENÇA DE LIQUIDAÇÃO — É o procedimento pelo qual o reclamante, caso discorde de alguma verba calculada, poderá, no prazo de dez dias, impugnar os cálculos homologados.

IMPUGNAÇÃO AOS CÁLCULOS DE LIQUIDAÇÃO — É o procedimento pelo qual a parte, caso não concorde com a conta apresentada pela outra parte, poderá, com base no parágrafo 2º do art. 879 da CLT, no prazo de dez dias, impugnar os cálculos de forma fundamentada e com a indicação dos itens e valores objetos da discordância. (Ver: Homologação dos cálculos.)

IMPUGNAÇÃO DE MANDATO ELETIVO — Ver Eleição – Ação de impugnação de mandato eletivo.

IMPUGNAÇÃO DE PEDIDO DE REGISTRO DE CANDIDATURA — Ver Eleição - Ação de impugnação de pedido de registro de candidatura.

IMPUGNAR — Refutar, contrariar com razões, opor-se a, resistir, pugnar contra, recusar. Contestar, combater argumentos ou um ato, dentro de um processo, apresentando as razões. (Ver: Impugnação.)

IMPULSÃO — Impulso por premência ou pressão.

IMPULSÃO CIENTÍFICA (*SCIENCE PUSH*) — Processo de inovação que tem origem nas possibilidades oferecidas pelos avanços da ciência; modelo linear descritivo do processo de inovação a partir dos avanços técnico/científicos.

IMPULSO — Força ou descarga de tensão que induz o organismo a reação imediata e premente ante um estímulo interno ou externo causador de violenta emoção. É uma reação emocional de enfrentamento, esquiva ou fuga em defesa da integridade do organismo ameaçado, ou assim acreditado.

IMPUNE — Que escapou à punição.

IMPUNIDADE — Estado de impune.

IMPUTABILIDADE — Qualidade do que é imputável, passível de imputação. Conjunto de circunstâncias especiais ou de condições necessárias que demonstram a existência de nexo causal entre o delito e seu presumível autor. Responsabilidade penal. A lei não define a imputabilidade, apenas enumera os estados que a excluem. Dezoito anos é o limite, a idade mínima; pessoas jurídicas não sofrem imputação, apenas seus dirigentes por seus atos. A imputabilidade pode ser restrita, se o agente, por doença ou retardo mental, tinha seu entendimento, sobre a natureza do ato que praticou, diminuído. Não excluem a imputabilidade penal a emoção ou a paixão nem a embriaguez, voluntária ou culposa, pelo álcool ou substância de efeitos análogos. Mas é isento de pena o agente que, por embriaguez completa, proveniente de caso fortuito ou força maior, era, ao tempo da ação ou da omissão, inteiramente incapaz de entender o caráter ilícito do fato ou de determinar-se de acordo com esse entendimento.

IMPUTAÇÃO — Acusação a alguém, por meio de queixa-crime ou denúncia do órgão público, pela prática de um delito.

IMPUTAÇÃO DE DÉBITO — É o entendimento do Plenário do Tribunal de Contas quando é atribuída a responsabilidade pelo pagamento de determinada importância, após apuração de dano, desfalque, desvio de dinheiro ou bens públicos, decorrente de ato ilegal, ilegítimo ou antieconômico. (Ver: Contas julgadas irregulares - com débito.)

IMPUTAÇÃO DE DÉBITO OU MULTA — Ver Débito ou Multa, Imputação de.

***IMPUTATIO FACTI* —** [Latim]. Expressão que significa imputação de um fato.

IMPUTÁVEL — Suscetível de imputação, ou seja, que pode receber acusação por meio de queixa-crime ou denúncia do órgão público, pela prática de um delito, a partir de 18 anos de idade.

IMUNIDADE — 1) É o privilégio outorgado a alguém, para que se livre ou se isente de certas imposições legais, em virtude do que não é obrigado a fazer ou cumprir certos encargos ou certas obrigações. A imunidade coloca as pessoas, a quem se atribuem semelhantes prerrogativas ou regalias, sob proteção especial. 2) Direitos, privilégios ou vantagens pessoais de que alguém desfruta por causa do cargo ou função que exerce. 3) Limitação prevista em lei (art. 150, IV da Constituição Federal) ao poder de tributar, relacionada somente aos impostos. 4) Resistência que apresenta um organismo vivo às pragas e doenças, geralmente adquirida após o estabelecimento de uma infecção causada por microorganismo infeccioso ou após a inoculação de vacinas.

IMUNIDADE DIPLOMÁTICA — Situação especial e privilegiada assegurada pelo Direito Internacional ao agente diplomático, para que possa desempenhar sua missão na defesa dos interesses do Estado que representa, oferecendo-lhe uma ampla proteção com completa liberdade de palavra e de ação, que é a verdadeira origem das prerrogativas e imunidades de que desfruta.

IMUNIDADE FISCAL — Vedação constitucional da imposição de tributos sobre coisa, negócio, fato ou pessoa. A imunidade só pode ser alcançada pela alteração da própria norma constitucional que a criou. Não se confunde com a isenção fiscal, que pode ser removida por simples lei ordinária. Entre os limites ao poder de tributar, estão proibições como as imunidades. (Ver: Isenção Fiscal.)

IMUNIDADE JUDICIAL — É a prerrogativa atribuída aos advogados em virtude da qual não se consideram crime de injúria ou difamação punível os conceitos ou opiniões pelos mesmos emitidos em suas razões ou alegações jurídicas, juntas ao processo, ou qualquer ofensa em juízo, na discussão da causa.

IMUNIDADE PARLAMENTAR — Prerrogativa conferida ao Poder Legislativo, que assegura aos seus integrantes o livre exercício das funções parlamentares.

IMUNIDADES TRIBUTÁRIAS — Ver Imunidade Fiscal.

IMUTÁVEL — Que não pode ser mudado, não muda, varia ou transforma.

***IN* —** [Latim]. Expressão que significa em.

***IN ABSENTIA* —** [Latim]. Expressão que significa na ausência.

***IN ABSTRATO* —** [Latim]. Expressão que significa em abstrato; em teoria.

***IN CASU* —** [Latim]. Expressão que significa na espécie; em julgamento.

***IN CASU CONSIMILI* —** [Latim]. Expressão que significa em caso semelhante.

***IN CENSURA* —** [Latim]. Expressão que significa em censura.

***IN CONCRETO* —** [Latim]. Expressão que significa em concreto.

***IN CONTINENTI* —** [Latim]. Expressão que significa imediatamente.

***IN DUBIO PRO REO* —** [Latim]. Expressão que significa a dúvida interpreta-se a favor do acusado.

***IN FINE* —** [Latim]. Expressão que significa no fim.

***IN LIMINE* —** [Latim]. Expressão que significa no começo; liminarmente.

***IN LOCO* —** [Latim]. Expressão que significa no lugar.

***IN MEMORIAM* —** [Latim]. Expressão que significa em lembrança de.

***IN NATURA* —** [Latim]. Expressão que significa na natureza; da mesma natureza. Diz-se de produto agrícola em estágio primário, sem qualquer beneficiamento.

***IN NOMINE* —** [Latim]. Expressão que significa em nome.

***IN OPPORTUNO TEMPORE* —** [Latim]. Expressão que significa em tempo oportuno.

***IN PARI CAUSA* —** [Latim]. Expressão que significa em caso semelhante.

***IN RADICE* —** [Latim]. Expressão que significa na raiz; no começo.

***IN SITU* —** [Latim]. Expressão que significa no local.

***IN SOLIDUM* —** [Latim]. Expressão que significa solidariamente.

***IN SPECIE* —** [Latim]. Expressão que significa em espécie.

***IN TOTUM* —** [Latim]. Expressão que significa no todo; na totalidade.

***IN VERBIS* —** [Latim]. Expressão que significa nas palavras; nestes termos. Textualmente, com as mesmas palavras, o que se vai escrever ou ler a seguir.

***IN VITRO* —** Literalmente, "no vidro". Termo aplicado aos processos biológicos que propiciam o crescimento de células, tecidos ou órgãos vegetais em meio de cultura.

INABILITAÇÃO — Sem habilitação. Falta de capacidade, física ou legal, para a prática de ato jurídico ou para o exercício de um direito ou de um cargo. No Direito Administrativo, inabilitação é a rejeição do proponente que não apresenta os requisitos exigidos no edital, o que ocorre na fase de habilitação dos licitantes. (Ver: Licitação pública – Inabilitação dos licitantes.)

INADEQUAÇÃO — Ausência de adequação. Inoportunidade, inconveniência, desajuste. Incoerência. Impropriedade.

INADIMPLEMENTO — Ver Inadimplência.

INADIMPLÊNCIA OU INADIMPLEMENTO — 1) É o descumprimento de uma obrigação contratual no todo ou em parte, ou seja, a não satisfação daquilo que foi convencionado, dentro do prazo previsto. Situação em que uma pessoa ou empresa deixa de cumprir um contrato, particularmente no que se refere a prazos de pagamentos. 2) É impossibilidade de completar uma transferência de fundos ou de valores mobiliários em conformidade com os termos acordados, por razões que não são técnicas ou temporárias, geralmente como resultado de uma quebra. A inadimplência geralmente é distinta de uma "operação falha".

INADIMPLENTE — Pessoa que não cumpre os termos de um contrato. (Ver: Adimplente.)

INADIMPLENTE PAGA — É um acordo para compartilhar perdas em que de cada participante se exige que garanta quaisquer exposições que gerem para os outros participantes. Como resultado, as perdas pela inadimplência de uma parte são absorvidas pela parte inadimplente.

INALIENABILIDADE — Qualidade ou condição daquilo que *não* pode ser alienado Qualidade jurídica da coisa que não pode ser legitimamente transferida do patrimônio *de* uma pessoa para a de outra, nem sujeita a ônus real, em razão de sua própria natureza, ou em virtude de lei, de cláusula, condição expressa ou disposição testamentária. Implica incomunicabilidade, mas esta pode ser estabelecida sem aquela. É crime previsto no Código Penal vender ou permutar coisa própria inalienável silenciando sobre o gravame. A cláusula de inalienabilidade inclui a incomunicabilidade dos bens. Os bens públicos são inalienáveis, a não ser na forma e casos que a lei prevê. O bem de família não pode ser alienado sem o consentimento dos interessados e seus representantes legais. Cláusula de inalienabilidade não impede a prescrição aquisitiva.

INALIENABILIDADE DOS DIREITOS HUMANOS — Os direitos humanos são inalienáveis: não podem ser tirados por outros, nem podem ser cedidos voluntariamente por ninguém.

INAMOVIBILIDADE — Garantia que têm os magistrados de se manter na comarca a que servem e de onde só serão removidos a pedido, por promoção aceita ou pelo voto de dois terços dos juízes efetivos do Tribunal superior competente, se assim o exigir o interesse público. Prerrogativa de certos servidores públicos de serem transferidos apenas a seu pedido ou consentimento.

INANIÇÃO — Ver Saúde - Inanição.

INATIVIDADE — Ver Aposentadoria.

INAUDITA ALTERA PARS — [Latim]. Expressão que significa sem ouvir a outra parte. Característica de certos atos judiciais em que não se ouve a outra parte, como nas liminares em geral ou nos embargos de declaração.

INCAPACIDADE — 1) Termo que se reporta, normalmente, à falta de capacidade de exercício de um direito. 2) É qualquer restrição ou falta (em conseqüência de uma deficiência) da capacidade de exercer uma atividade da maneira considerada como normal, ou como tal classificada, para um ser humano.

INCAPACIDADE JURÍDICA — Inaptidão de uma pessoa para o exercício de direitos determinados pela lei.

INCC (ÍNDICE NACIONAL DO CUSTO DA CONSTRUÇÃO) — É calculado pela Fundação Getúlio Vargas (FGV). Mede a variação de preços de uma cesta de produtos e serviços atualizados pelo setor de construção civil. Este índice é calculado para três intervalos diferentes, e compõe os demais índices calculados pela FGV (IGP-M, IGP-DI e IGP-10), com um peso de 10%. Utilizado em financiamentos diretos de construtoras/incorporadoras.

INCENTIVO — Estímulo para reagir. Que incita, excita e dá ânimo para não desistir.

INCENTIVO FISCAL — Subsídio concedido pelo governo, na forma de renúncia de parte de sua receita com impostos, em troca do investimento em operações ou atividades por ele estimuladas. Os incentivos podem ser diretos ou indiretos. Quando concedidos na forma de isenção do pagamento de um imposto direto, como o imposto sobre a renda, beneficiam o contribuinte; no caso de um imposto indireto, tendem a diminuir o preço da mercadoria produzida pela empresa que recebe a isenção, beneficiando também o consumidor. Assume, geralmente, a forma de isenção parcial ou total de um imposto, tendo por objetivo incrementar um determinado segmento produtivo, transferir recursos para o desenvolvimento de regiões carentes ou melhorar a distribuição de renda do país.

INCENTIVO PERVERSO — Incentivo que leva os agentes a agirem ou criarem situações ineficientes do ponto de vista econômico. O perdão da dívida foi um incentivo perverso para muitos países em desenvolvimento que se endividaram ainda mais, com a esperança de ter suas dívidas novamente perdoadas.

INCERTEZA — 1) Emerge do conceito de complexidade a idéias de incerteza e indeterminismo; não determinismo ou possibilidades de evolução para distintos estados; medida da variedade de possibilidades entre eventos possíveis; em oposição à ordem; quanto menos provável a ocorrência de distintos estados, mais ordenado seria o sistema. 2) É uma situação em que se tem pouca informação a respeito do comportamento do retorno de um ativo, dificultando a tomada de decisão. No dia-a-dia, utiliza-se informalmente o termo incerteza também como sinônimo de risco.

INCESTO — União sexual entre homem e mulher parentes por consangüinidade, em grau vedado ao casamento. O casamento incestuoso é absolutamente nulo. Na maior parte dos países, o incesto é legalmente proibido - mesmo que haja consentimento de ambas as partes. Variam as definições de parente próximo, e aí encontra-se a dificuldade em identificar certos casos de incesto. Além de parentes por nascimento, podem ser considerados parentes aqueles que se unem ao grupo familial por adoção ou casamento. São consideradas incestuosas, geralmente, as relações entre pais e filhos, entre irmãos ou meio-irmãos, ou entre tios e sobrinhos. As relações entre primos, na maioria dos países, não são consideradas incestos, já que é permitido o casamento entre eles. Em alguns países ou jurisdições, entretanto, este tipo de casamento é proibido por lei, derivando daí o caráter incestuoso do ato, nestes casos.

INCIDÊNCIA — Campo de abrangência do fato tributário, com a determinação de sobre quem recai o ônus tributário.

INCIDENTE DE FALSIDADE — Meio processual pelo qual se argúi, por escrito, a falsidade de documento apresentado no processo principal. O incidente corre no próprio auto principal quando proposto antes de encerrada a instrução. Se proposto depois de encerrada a instrução, corre em separado, mas em apenso ao auto principal.

INCIDENTE DE INCONSTITUCIONALIDADE — Ver Argüição de Inconstitucionalidade.

INCISO — Também denominado item, é elemento estrutural da lei que divide o artigo ou o parágrafo, atuando de forma a discriminar aquele, quando o assunto tratado não possa ser condensado nem constituir parágrafos. Manda a boa técnica legislativa que, quando se pretende relacionar no artigo as competências de um órgão ou determinados requisitos para a prática de um ato, será conveniente o emprego do item em vez da alínea, pois a numeração dos itens feita em algarismos romanos pode desdobrar-se indefinidamente, o que não ocorreria com as letras do alfabeto. (Ver: Técnica de elaboração de leis e decretos.)

INCLUSÃO — Paradigma que estabelece que as políticas, programas, serviços sociais e a própria sociedade devem permitir à pessoa com deficiência acesso igualitário aos recursos disponíveis na comunidade, atendidas as suas peculiaridades, permitindo-lhe exercer o direito de participar da edificação social.

INCOERÊNCIA — Falta de coerência. Qualidade de incoerente. Discordância; inconseqüência.

INCOLUMIDADE — Ilesibilidade. Condição de estar ileso, isento de perigo, dano ou ofensa, tanto a pessoa natural quanto a coisa pública ou privada, por lhe estar garantida a tutela jurisdicional penal. São crimes contra a incolumidade pública: o incêndio provocado, o atentado contra os meios de comunicação e transporte, as infrações contra a saúde pública. O Decreto-lei nº 3.688, de 1941, elenca as contravenções referentes à incolumidade pública, em seus arts. 28 a 41.

INCÔMODO OU TRANSTORNO — É o termo usado para identificar uma atividade que está em desacordo com o entorno (ambiente, vizinhança). Perturbação no uso do imóvel decorrente de ações externas com infringência do direito de vizinhança, instituição de servidão.

INCOMPETÊNCIA — Falta de competência, de autoridade ou dos conhecimentos necessários para o julgamento de alguma coisa ou, ainda, de poderes ou de legitimidade para a prática de determinado ato.

INCOMPREENSÃO — Falha na percepção, identificação e interpretação, além de falta de conhecimento, sabedoria e entendimento. Julgamento tendencioso, precipitado e preconceituoso. Incapacidade de compreender os fundamentos das emoções, dos sentimentos, dos sensos e dos sonhos ou desígnios alheios, com indulgência e condescendência.

INCOMUNICABILIDADE — Situação de quem está impedido de comunicar-se; prisão incomunicável; caráter ou condição de bens e direitos e obrigações que não entram na comunhão, não se comunicam, são estritamente pessoais.

INCONCILIÁVEL — Que não se pode conciliar. Incompatível; inconcordável; inadaptável.

INCONCUSSO — Firme, inabalável, irrefutável, incorruptível.

INCONFORMAÇÃO, INCONFORMISMO — Falta de resignação. Não aceitação de uma situação irreversível formada, não obstante as forças e empenho próprios ou de auxiliares desenvolvidos para evitá-la, tendo que abandonar, por isso, a idéia dos efeitos ou conseqüências desejadas.

INCONSCIENTE — Fenômeno psíquico que atua sobre o comportamento do indivíduo escapando ao âmbito do estado psíquico subconsciente e consciente numa situação de emergência, em preservação e defesa do seu organismo, contra ameaça iminente. Os fatores que caracterizam o inconsciente são: iminência, premência, imediatismo, apetite, vontade, memória-inconsciente, consciência-do-inconsciente, reação, resposta, impulso, reforço, sensação, alerta, automatismo, reflexo, escolha, opção, emoções, impulsão, compulsão e saciação no aqui e agora das necessidades básicas.

INCONSCIENTE SOCIAL — É o inconsciente de qualquer grupo social coeso ou de repente coeso, apenas, ante um perigo que ameaça toda a coletividade dispersa.

INCONSISTÊNCIA — Duas ou mais proposições são inconsistentes quando não podem ser todas verdadeiras: pelo menos uma delas tem de ser falsa.

INCONSISTÊNCIA INTERTEMPORAL — Ocorre quando não há previsibilidade e continuidade política. Por exemplo, quando a autoridade monetária não tem uma política de longo prazo clara e toma decisões que mudam as regras no meio do jogo. Isso traz um problema de credibilidade e se os agentes tiverem a expectativa de que o governo deixará a inflação subir, anteciparão a elevação dos preços.

INCONSTITUCIONALIDADE — Inadequação ou ofensa da lei, do ato normativo ou do ato jurídico à Constituição. É o princípio segundo o qual não será aplicada uma norma legal a um caso concreto, se a mesma for contrária ou vier a transgredir, no todo ou em parte, os preceitos ou espírito da Constituição, que é a lei básica e fundamental, devendo, portanto, todas as demais normas legais estar em conformidade com as suas disposições. O controle da constitucionalidade das leis é realizado, normalmente, pelo Poder Judiciário.

INCONSTITUCIONALIDADE FORMAL — Ocorre quando um ato do poder político é praticado sem que se tenham seguido todos os trâmites previstos nas normas constitucionais.

INCONSTITUCIONALIDADE MATERIAL — Ocorre quando existe uma contradição entre o conteúdo do ato do poder político e o das normas constitucionais.

INCONSTITUCIONALIDADE ORGÂNICA — Ocorre quando o ato do poder político é emanado de um órgão que não dispõe de competência para a sua prática, face às normas constitucionais.

INCONSTITUCIONALIDADE POR AÇÃO — Traduz-se numa atuação do poder político contrária às normas constitucionais.

INCONSTITUCIONALIDADE POR OMISSÃO — Ocorre quando o legislador ou o administrador se omite em dar execução a uma norma constitucional.

INCONTINÊNCIA — Imoderação, abuso, excesso, falta de continência.

INCORPORAÇÃO DE SOCIEDADE — Operação pela qual uma ou mais sociedades são absorvidas por outra, sucedendo, com isso, todos os direitos e obrigações dela decorrentes.

INCORPORAÇÃO IMOBILIÁRIA — Processo no qual o incorporador, pessoa física ou jurídica, proprietário ou não do imóvel, submete-se a cumprir normas legais, que instituem a incorporação, no intuito de promover e executar edificações ou conjunto destas, podendo ser de um ou mais pavimentos, sob o regime de condomínio, construídos na forma de unidades autônomas separadas entre si, para fins residenciais, comerciais ou para ambos os fins, as quais são chamadas de mistas. Ex.: Condomínio residencial, *Shopping Centers* etc.

INCORPORADO NO PREÇO — Diz-se quando há qualquer tipo de informação referente a algum ativo, podendo o mercado reagir de diversas formas, dependendo se a informação é positiva ou negativa. Após a reação do mercado, esta informação passa a estar incorporada no preço, ou seja, o mercado já precificou a informação.

INCORPORADOR — É assim considerada a pessoa física ou jurídica, comerciante ou não, que, embora não efetuando a construção, se comprometa ou efetive a venda de frações ideais de terreno objetivando a vinculação de tais frações a unidades autônomas, em edificações a serem construídas ou em construção sob regime condominial, ou que meramente aceita proposta para efetivação de tais transações, coordenando e levando a termo a incorporação e responsabilizando-se, conforme o caso, pela entrega, a certo prazo, preço e determinadas condições, das obras concluídas.

INCORPÓREO — Desprovido de corpo; imaterial; impalpável.

INCORRER — Na linguagem jurídica, é empregado na acepção de cair (ficar incurso) ou ficar sujeito. Extensivamente também pode significar infringir, contrariar, contravir ao que está estabelecido, ou seja, cair em falta.

INCOTERMS (*INTERNATIONAL COMMERCIAL TERMS*) — São regras de âmbito internacional e de caráter facultativo, que definem responsabilidades (comprador e vendedor) quanto ao pagamento de frete, seguro, despesas portuárias etc.

INCRA (INSTITUTO NACIONAL DE COLONIZAÇÃO E REFORMA AGRÁRIA) — É o órgão do Governo Federal responsável pela política de Reforma Agrária no país. Foi criado em 9 de julho de 1970 e é vinculado ao Gabinete do ministro Extraordinário de Política Fundiária. Tem como principal atribuição promover e executar a Reforma Agrária, visando corrigir a estrutura agrária do país.

INCUBAÇÃO — Processo de apoio ao desenvolvimento de pequenos empreendimentos ou empresas nascentes e promoção de condições específicas, através do qual empreendedores podem desfrutar de instalações físicas, ambiente instrucional e de suporte técnico e gerencial no início e durante as etapas de desenvolvimento do negócio.

INCUBAÇÃO A DISTÂNCIA — Processo de desenvolvimento de um empreendimento ou empresa que recebe suporte da incubadora, mas não está instalado fisicamente em incubadora.

INCUBAÇÃO VIRTUAL — Ver Incubação a distância.

INCUBADORA — Mecanismo que estimula a criação e o desenvolvimento de micro e pequenas empresas industriais ou de prestação de serviços, empresas de base tecnológica ou de manufaturas leves, por meio da formação complementar do empreendedor em seus aspectos técnicos e gerenciais. Uma incubadora oferece: - espaço físico construído ou adaptado para alojar temporariamente micro e pequenas empresas industriais ou de prestação de serviços; - ambiente flexível e encorajador; - assessoria para a gestão técnica e empresarial; - infra-estrutura e serviços compartilhados (salas de reunião, telefone, fax, acesso à Internet, suporte em informática); - acesso a mecanismos de financiamento; - acesso a mercados e rede de relações; - processo de acompanhamento, avaliação e orientação. Gestão da incubadora: gestão feita por órgãos governamentais, universidades, associações empresariais e fundações. Objetivo da incubadora: utilização do conhecimento científico, profissional e prático para a produção de empresas de sucesso e a criação de cultura empreendedora.

INDÉBITO FISCAL, PAGAMENTO DE — Procedimento pelo qual o contribuinte pleiteia à Fazenda Pública a devolução de tributo pago indevidamente ou a maior.

INDECISÃO — Incapacidade de decidir. Irresolução. Para ocorrer a indecisão, houve hesitação na escolha, falta de conhecimento na determinação e, no momento, dúvidas e falta de dados para uma resolução eficiente e eficaz.

INDEFERIR — Despachar negativamente uma autoridade administrativa ou judicial, em pedido feito em uma petição ou requerimento, ou mesmo verbalmente.

INDENIZAÇÃO — É o meio judicial que tem por objetivo assegurar ou reparar o dano (interesse) causado por outrem, em conseqüência de ato, abstenção de ato ou fato, que tenha trazido desfalque ao seu patrimônio, ou, ainda, é o meio que cabe ao prejudicado cujo direito foi violado, por ação, omissão voluntária, negligência ou imprudência de outrem, para ressarcir-se pelo dano causado. Compensação financeira por prejuízos causados a bens ou direitos. É a reparação do dano sofrido em função de determinada situação. Em sentido genérico, significa todo e quaisquer tipos de ressarcimento, seja para despesas extras ou para dano material, assim como obrigação de reparar um dano causado ao patrimônio público. 2) É a importância que a companhia seguradora deverá pagar ao segurado no caso da efetivação de um risco coberto no contrato de seguro. 3) Valor pecuniário pago ao servidor nos casos de ajuda de custo, diária, transporte e outros que a lei indicar.

INDENIZAÇÃO POR PERDAS E DANOS — Compensação financeira por prejuízos causados a bens ou direitos, decorrentes de perdas, danos ou lucros cessantes.

INDENIZAR — Reparar, compensar; ressarcir.

INDEPENDÊNCIA — Auto-suficiência; em Matemática, uma função/variável que independe de qualquer outra.

INDEXAÇÃO — 1) Mecanismo de política econômica que atrela rendimentos monetários a índices fixados pelo governo. É uma forma de conter a desvalorização de salários, pensões e aluguéis quando há inflação. 2) Introdução de uma relação automática entre as obrigações monetárias e o nível dos preços. Ajuste de um valor de acordo com certo índice econômico - percentagem que se aplica periodicamente ao valor para corrigir a moeda, garantindo seu poder aquisitivo. 3) É o processo de correção monetária de contratos expressos em moeda corrente, com base na variação de índices de inflação, com o objetivo de proteger o credor do contrato das perdas provocadas pela desvalorização sistemática da moeda (aumento generalizado de preços). O mecanismo ganhou muita importância no Brasil durante os anos de inflação galopante. Praticamente todos os contratos - de aplicações financeiras, a aluguéis e salários - eram indexados, corrigidos, pela variação da inflação. Este é um mecanismo eficiente no sentido de evitar uma explosão incontrolável de preços em momentos de inflação galopante, o que poderia levar a um processo hiperinflacionário. Mas, ao mesmo tempo que protege o valor real dos contratos, tirando o efeito inflacionário, é um mecanismo de perpetuação do nível de inflação, porque praticamente toda a economia passa a repetir o padrão de comportamento de preços do passado. Simplificando, um processo de alimentação automática de aumentos de preços, na linha de inflação inercial.

INDEXADOR — Termo usado para se referir ao índice utilizado para a atualização monetária de um valor. Dentre os indexadores mais usados no país, estão os índices de inflação, como o IGP–M, o IPCA e o IPC–FIPE.

INDICAÇÃO — 1) Designação, mostra, apontamento. 2) Sugestão de nomes para ocupar cargos públicos. 3) Em uma Casa Legislativa, é a proposição pela qual o parlamentar sugere a manifestação de uma ou mais comissões, ou do Poder Executivo, acerca de determinado assunto, visando a elaboração de projeto sobre a matéria, ou a adoção de providência, realização de ato administrativo ou de gestão.

INDICADOR — São variáveis perfeitamente identificáveis, utilizadas para caracterizar (quantificar ou qualificar) os objetivos, metas ou resultados.

INDICADOR DA AUTONOMIA FINANCEIRA — Este indicador mede a contribuição da receita tributária própria do ente no atendimento dos serviços da máquina administrativa. O indicador é obtido dividindo-se o valor da receita própria realizada pelo valor das despesas de custeio executadas. O indicador corresponderá ao percentual de autonomia financeira do ente para manter os serviços da máquina administrativa. (Ver: Despesas de Custeio.)

INDICADOR DA CARGA TRIBUTÁRIA *PER CAPITA* — Este indicador reflete a carga tributária que cada habitante tem em decorrência da sua contribuição em impostos, taxas e contribuições de melhoria para os cofres públicos. O indicador é obtido pelo somatório da receita tributária própria e a cobrança da dívida ativa, dividindo esse produto pelo total da população. O indicador corresponderá ao valor que cada habitante contribuiu para o fisco, independentemente de sua condição financeira e a faixa etária.

INDICADOR DA DEPENDÊNCIA DE TRANSFERÊNCIAS DE RECURSOS — Este indicador tem como objetivo verificar o grau de dependência do ente no recebimento de recursos de outros entes da federação. O indicador é obtido pelo somatório das transferências correntes e de capital, dividindo esse produto pelo total da receita arrecadada. O indicador corresponderá ao percentual de dependência do ente no recebimento de transferências de recursos de outros entes da federação.

INDICADOR DA DÍVIDA DE CURTO PRAZO (DCP) — Um dos indicadores de estrutura de capital utilizados na análise financeira de uma empresa. Esse índice expressa a porcentagem da dívida total que é de curto prazo (abaixo de um ano). Cálculo do indicador: % DCP = Dívida de Curto Prazo*100 / Dívida Total.

INDICADOR DA DÍVIDA DE LONGO PRAZO (DLP) — Um dos indicadores de estrutura de capital utilizados na análise financeira. Esse índice expressa a porcentagem da dívida total que é de longo prazo (acima de um ano). A soma deste com o de curto prazo deve ser sempre 100%. Cálculo do indicador: %DLP = Dívida de Longo Prazo*100 / Dívida total.

INDICADOR DA LIQUIDEZ CORRENTE — Este indicador mede a capacidade do ente de pagar suas obrigações com as suas disponibilidades monetárias. O indicador é obtido dividindo-se o valor do ativo financeiro pelo passivo financeiro. O indicador monetário revelará perspectivas favoráveis ou desfavoráveis à liquidação imediata dos compromissos a curto prazo assumidos pelo ente.

INDICADOR DE ACOMPANHAMENTO — Unidade de medida que expressa o grau de proximidade do alcance de uma meta preestabelecida.

INDICADOR DE ATIVIDADE — Índice de atividade usado para medir a rapidez com que várias contas são convertidas em vendas ou caixa. As medidas de liquidez global geralmente são inadequadas porque a liquidez verdadeira pode ser significativamente afetada por diferenças na composição dos ativos e passivos circulantes. Entre os indicadores mais utilizados estão o giro de estoque, giro de caixa e período médio de cobrança.

INDICADOR DE COBERTURA DE JUROS BRUTA (CobJurB) — Indicador que mede a capacidade de uma empresa pagar os juros contratuais sem comprometer o seu fluxo de caixa. Quanto maior for esse índice, maior a capacidade de liquidar os juros. Cálculo do indicador: CobJurB = Lucro antes dos Juros e Impostos (EBIT) / Despesa financeira bruta.

INDICADOR DE COBERTURA DE JUROS LÍQUIDA (CobJurL) — Indicador que mede a capacidade de uma empresa pagar os juros contratuais, descontando, no entanto, das despesas financeiras totais, qualquer receita de juros que essa empresa venha a ter. Quanto maior for esse índice, maior a capacidade de liquidar os juros. Cálculo do indicador: CobJurL = Lucro antes dos Juros e Impostos (EBIT) / Despesa financeira líquida.

INDICADOR DE CRÉDITO — Representa uma relação entre valores contábeis que avaliam uma característica da carteira de crédito. Compõe, também, o grupo de Indicadores Financeiros.

INDICADOR DE DESEMPENHO / INDICADOR DE PERFORMANCE — Indicador que permite verificar as mudanças na execução da ação ou mostrar os resultados obtidos relativamente ao planejado.

INDICADOR DE ENDIVIDAMENTO DE LONGO PRAZO (ELP) — Indicador financeiro de estrutura de capital que expressa a porcentagem do capital investido da empresa (definido como a soma das obrigações com terceiros de longo prazo (dívida de longo prazo) e o capital investido pelos acionistas (patrimônio líquido), proveniente de fundos de terceiros de longo prazo. Cálculo do indicador: ELP = Dívida de Longo Prazo / Capital Investido.

INDICADOR DE ENDIVIDAMENTO SOBRE PATRIMÔNIO (EP) — Indicador financeiro de estrutura de capital que expressa a relação entre o capital da empresa contribuído por terceiros e o contribuído por acionistas. Um índice baixo significa que há mais flexibilidade para levantar empréstimos com terceiros. Cálculo do indicador: EP = Dívida Total / Patrimônio Líquido.

INDICADOR DE ENDIVIDAMENTO TOTAL (ET) — Indicador financeiro de estrutura de capital que expressa a relação entre o grau de endividamento total da empresa (dívida de curto e longo prazo) em relação ao capital investido (definido como a soma da dívida de longo prazo e o patrimônio líquido da empresa). Cálculo do indicador: ET = Dívida Total / Capital Investido.

INDICADOR DE EQUILÍBRIO DO CRESCIMENTO — Indicador que se propõe a identificar se a companhia compara a variação do volume de suas operações (receitas) com o nível de financiamento para seus ativos (permanente e capital de giro). Proposta de abordagem para companhias que apresentem aumento no nível de receitas: comparar a taxa de crescimento do volume de negócios da empresa (g) e a taxa pela qual a empresa pode crescer de forma equilibrada, sem comprometer sua saúde financeira (g*). A razão g/g* deve tender para a unidade (1). O termo g* é calculado pela variação do Patrimônio Líquido dividida pelo Patrimônio Líquido do início do período ou pela fórmula: margem líquida x giro dos ativos x alavancagem financeira x taxa de retenção, onde: margem líquida = resultado líquido / receita líquida; giro dos ativos = receita líquida / ativo total; alavancagem financeira = ativo total / patrimônio líquido; taxa de retenção = (lucro líquido (–) dividendos) / lucro líquido. O termo g é o crescimento da receita. Caso a empresa queira aumentar o volume de negócios a uma taxa acima do g* ela deve melhorar a eficiência operacional (margem e/ou giro), ou melhorar a alavancagem (espontânea), ou aumentar a taxa de retenção (reduzindo os dividendos para os acionistas). Em algumas empresas, pode ser necessário limitar o crescimento dos negócios para conservar a saúde financeira e o lucro econômico. Em empresas onde o g* é maior e a taxa de crescimento dos negócios é decrescente, os procedimentos de cálculo são os mesmos. Neste caso, os recursos poderiam ser devolvidos para os acionistas ou investidos em novos negócios com oportunidades de crescimento.

INDICADOR DE EQUILÍBRIO ORÇAMENTÁRIO — Este indicador demonstra o quanto da receita realizada serve de cobertura para a despesa executada. O indicador é obtido dividindo-se o valor da receita realizada pela despesa executada. O quociente indicará se houve superávit ou déficit de execução.

INDICADOR DE ESTAMPA — Letra ou número indicador da estampa da cédula; varia, geralmente, quando muda o aspecto físico da cédula. É impresso em tipografia.

INDICADOR DE ESTRUTURA DE CAPITAL — Permite analisar a posição de endividamento e capacidade de uma empresa de gerar caixa suficiente para o pagamento de juros e o principal de suas dívidas. Outro indicador muito utilizado por analistas é a capacidade de geração interna de capital (ou taxa de retenção de lucros), pois garante o crescimento sustentado das atividades da empresa sem que esta tenha de recorrer a um endividamento adicional. A posição de endividamento indica o montante de dinheiro de terceiros que está sendo utilizado para sustentar as atividades da empresa e gerar lucros.

INDICADOR DE GIRO DE ATIVOS — Indica a eficiência com que a empresa é capaz de usar seus ativos para gerar vendas, e é calculado como: GirAt = Receita Líquida de Vendas / Ativos Total Médio.

INDICADOR DE GIRO DE ESTOQUE — Indicadores de atividade que expressam com que velocidade a empresa é capaz de girar os seus estoques durante um ano. Esse indicador só é significativo quando comparado ao de outras empresas ou ao histórico da empresa em questão. O giro de estoques pode facilmente ser convertido no período médio (idade média) dos estoques dividindo-se 365 pelo seu valor. Cálculo do indicador: GirEst = Custo de Mercadoria Vendida / Estoque Médio.

INDICADOR DE LIQUIDEZ — A liquidez de uma empresa é medida pela sua capacidade de satisfazer obrigações de curto prazo na data de vencimento e refere-se à solvência da situação financeira global da empresa. Os indicadores de liquidez calculam a capacidade de gerar fluxo de caixa suficiente para cobrir as despesas de curto e longo prazos. Os principais indicadores de liquidez são capital circulante, índice de liquidez corrente, liquidez seca e liquidez geral.

INDICADOR DE NÚMERO DE ORDEM — Conjunto de algarismos que determina a identificação individual da cédula dentro da série. É impresso em tipografia.

INDICADOR DE RENTABILIDADE — Permite avaliar os lucros da empresa em relação a um dado nível de vendas, ativos e capital investido, por exemplo através da análise vertical do demonstrativo de resultado (exibindo cada item como porcentagem de vendas). A análise vertical é particularmente útil quando se compara o indicador em períodos diversos. Os indicadores mais utilizados são retorno sobre patrimônio líquido, retorno sobre ativos e retorno sobre vendas.

INDICADOR DE RETORNO SOBRE ATIVO — Este indicador mede o lucro gerado pelo uso dos ativos da empresa. Esse indicador varia muito, dependendo da indústria em que a empresa atua. O indicador pode ser facilmente distorcido por ativos imobilizados altamente depreciados, presença de ativos arrendados ou "não tangíveis". Esse indicador só pode ser utilizado de forma eficaz para comparar empresas do mesmo setor e de tamanho similar. Cálculo do indicador: RoA = Lucro Líquido / Ativo Total Médio.

INDICADOR DE RETORNO SOBRE CAPITAL INVESTIDO — Este indicador mede o retorno sobre o capital total investido na empresa (pelos acionistas e por terceiros), em que o capital investido é definido como a soma do patrimônio líquido (acionistas) e da dívida de longo prazo (de terceiros) da empresa. Cálculo do indicador: RoCI = Lucro Líquido / Capital Investido Médio.

INDICADOR DE RETORNO SOBRE PATRIMÔNIO — Este indicador mede o retorno do capital investido pelos acionistas (patrimônio líquido). Para empresas em um mesmo setor e de tamanho similar, existe uma relação direta entre o ROP e o risco da empresa, uma vez que quanto menor o patrimônio líquido, maior será o seu ROP. Cálculo do indicador: RoP = Lucro Líquido / Patrimônio Líquido Médio.

INDICADOR DE SÉRIE — Letra, número ou a combinação de ambos, indicando cada conjunto de 100.000 cédulas. É impresso em tipografia.

INDICADOR DE SÉRIE ESPECIAL — Indicador de série da cédula seguido de asterisco (*).

INDICADOR DE SUSTENTABILIDADE — Valor que serve de medida do grau de sustentabilidade do uso dos recursos ambientais, dividindo-se em três grupos principais: a) os indicadores de resposta social (que indicam as atividades que se realizam no interior da sociedade - o uso de minérios, a produção de substâncias tóxicas, a reciclagem de material); b) os indicadores de pressão ambiental (que indicam as atividades humanas que irão influenciar o estado do meio ambiente - níveis de emissão de substâncias (tóxicas), e c) os indicadores de qualidade ambiental (que indicam o estado do meio ambiente - a concentração de metais pesados no solo, os níveis Ph nos lagos).

INDICADOR DO COMPROMETIMENTO DA RECEITA CORRENTE COM A MÁQUINA ADMINISTRATIVA — Este indicador mede o nível de comprometimento do ente com o funcionamento da máquina administrativa, utilizando recursos provenientes das receitas correntes. O indicador é obtido dividindo-se o valor das despesa de custeio executada pelo valor das receitas correntes arrecadadas. O indicador corresponderá ao percentual de comprometimento da receita corrente com a máquina administrativa. (Ver: Despesas de Custeio.)

INDICADOR DO CUSTEIO *PER CAPITA* — Este indicador objetiva demonstrar, em tese, o "quantum" com que cada cidadão arcaria para manter a operacionalização dos órgãos públicos. O indicador é obtido dividindo-se o valor das despesas de custeio executadas pelo número da população. O indicador indicará quanto cada cidadão, em tese, arcaria para manter a operacionalização dos órgãos públicos. (Ver: Despesas de Custeio.)

INDICADOR DO ESFORÇO TRIBUTÁRIO PRÓPRIO — Este indicador tem como objetivo comparar o esforço tributário próprio que o ente realiza no sentido de arrecadar os seus próprios recursos, em relação às receitas arrecadadas. O indicador é obtido pelo somatório da receita tributária própria e a inscrição na dívida ativa, dividindo esse resultado pelo total da receita arrecada. O indicador corresponderá ao percentual do esforço do ente no sentido de arrecadar seus próprios recursos.

INDICADOR DO GRAU DE INVESTIMENTO — Este indicador reflete a contribuição da receita total na execução dos investimentos. O indicador é obtido dividindo-se o valor dos investimentos pela receita total arrecadada. O indicador corresponderá ao percentual de investimento em relação à receita total arrecadada.

INDICADOR DOS INVESTIMENTOS *PER CAPITA* — Este indicador objetiva demonstrar, em relação aos investimentos públicos aplicados, o quanto representaria em benefícios para cada cidadão. O indicador é obtido dividindo-se o valor dos investimentos pelo número da população. O indicador mostrará quanto cada cidadão recebeu da Administração Pública na forma de investimentos.

INDICADOR SOCIAL — Procedimento estatístico que objetiva quantificar o grau de bem-estar ou qualidade de vida de uma população. A necessidade de detectar esses índices decorreu do descontentamento generalizado do uso do conceito de crescimento do Produto Nacional Bruto (PNB) como principal referencial para se aferir o grau de desenvolvimento social de uma comunidade. O conceito de indicador social procura superar essas características puramente quantitativas da produção. Incluem-se, portanto, como indicadores sociais: nível de emprego, qualidade habitacional, nível de instrução, mobilidade social, serviços de transporte e de saúde, educação e perfil cultural global, oportunidade de lazer, grau de depredação dos recursos naturais não-renováveis, poluição do ar, da água e sonora, entre outros dados. De posse desse tipo de informação, o poder público, em qualquer nível, estaria mais capacitado a planejar e desenvolver uma política social.

INDICADORES DE ATIVIDADE — Usados na análise financeira de uma empresa, servem para medir a rapidez com que várias contas são convertidas em vendas ou caixa. Entre os indicadores mais utilizados, estão: giro de estoques, giro de caixa e período médio de cobrança.

INDICADORES DE EFICÁCIA — Forma de representação quantificada usada para medir o nível de alcance dos objetivos da empresa ou órgão no que se refere à satisfação do cliente ou usuário.

INDICADORES DE ESTRUTURA DE CAPITAL — Usados em análise financeira, permitem analisar a posição de endividamento e capacidade de uma empresa em gerar caixa suficiente para o pagamento de juros e principal de suas dívidas. Entre os indicadores mais utilizados, estão os indicadores de endividamento, de retenção de lucro etc.

INDICADORES DE LIQUIDEZ — Calculam a capacidade da empresa de gerar um fluxo de caixa suficiente para cobrir suas despesas de curto e longo prazos. Os principais indicadores de liquidez são capital circulante, índice de liquidez corrente, liquidez seca e liquidez geral.

INDICADORES DE RENTABILIDADE — Usados na análise financeira de empresas, estes indicadores permitem avaliar os lucros da empresa em relação a um dado nível de vendas, de ativos e de capital investido. Dentre os indicadores mais usados, estão: retorno sobre patrimônio líquido, retorno sobre ativos e retorno sobre vendas (ou margem líquida).

INDICADORES ECONÔMICOS — Entende-se por indicador o elemento que permite o acompanhamento de um fenômeno econômico em observação. Alguns indicadores econômicos, baseados em variáveis conhecidas, são constituídos (tais como o consumo industrial de energia elétrica, venda de eletrodomésticos e de autoveículos etc.), e seu comportamento passa a identificar o comportamento provável de atividade econômica. Evidências desse tipo são utilizadas como "termômetros" pelos mentores da política econômica para mudança e redirecionamento dos instrumentos de política. A previsão orçamentária de recursos requer a construção ou adoção de indicadores que possibilitem acompanhar oscilações de curto prazo das variáveis que afetam o comportamento das receitas.

ÍNDICE — Razão entre determinados valores. Relação entre contas, ou grupos de contas das demonstrações contábeis, que evidencia aspectos da situação econômica ou financeira. Designa um valor comparativo, estabelecido por composição de fatos ou de medidas relacionadas.

ÍNDICE BOVESPA (ÍNDICE DA BOLSA DE VALORES DE SÃO PAULO) — Reflete o comportamento das principais ações negociadas no pregão da Bolsa de Valores de São Paulo. Carteira teórica formada pelas principais ações do mercado brasileiro, que serve de referencial para o comportamento da Bolsa. (Ver: IBOVESPA.)

ÍNDICE BRASIL (IBX) — O Índice Brasil é calculado pela Bovespa. É um índice que mede o retorno de uma carteira hipotética composta por 100 ações (primeira, segunda e terceira linhas) selecionadas entre as mais negociadas na BOVESPA, em termos de número de negócios e volume financeiro, ponderadas no índice pelo seu respectivo valor de mercado. O IBX é considerado um índice que avalia o retorno total das ações componentes de sua carteira. A revisão na composição da carteira é feita a cada quatro meses.

ÍNDICE BRASIL 50 - IBrX-50 — O Índice Brasil 50 (IBrX-50) é um indicador do retorno de uma carteira teórica formada por 50 ações entre as mais negociadas na Bovespa por valor de mercado. O índice é um referencial para os investidores e administradores de carteira de ativos. O indicador também é importante para o lançamento de futuros e opções.

ÍNDICE BRASILEIRO DE AÇÕES (IBA) — A exemplo do Ibovespa, é outro índice que mede o comportamento das bolsas de valores. O índice é composto por ações das empresas que estiverem presentes em, no mínimo, 80% dos pregões nos últimos seis meses, com, no mínimo, dez operações em cada pregão.

ÍNDICE *CORE INFLATION* (NÚCLEO DA INFLAÇÃO) — Índice calculado pela Fundação Getúlio Vargas com base no IPC-DI, um dos índices que mostram a evolução dos preços ao consumidor. O *"core inflation"* é considerado um índice puro porque desconta a sazonalidade dos preços de alguns produtos. Estes, como alimentos e vestuário, sobem ou baixam, dependendo da época do ano. Esta variação de preço não é considerada no *core inflation*. Neste índice só entram variações de preços determinadas pela lei de oferta e procura. Por isso o índice é considerado puro pelos economistas.

ÍNDICE DA ÁREA GEOGRÁFICA (INA) — Este índice aponta a relação percentual entre a área geográfica do município e o total da região, informada pela Fundação Centro de Informações e Dados do Rio de Janeiro - CIDE. É um dos cinco índices que compõem o cálculo relativo à fração correspondente a ¼ (um quarto) para distribuição do ICMS aos municípios do estado do Rio de Janeiro (Ver: Lei Estadual/RJ nº 2664, de 27.12.1996.)

ÍNDICE DA RECEITA PRÓPRIA (INP) — Este índice aponta a relação percentual entre a receita própria arrecadada com origem em tributos de competência municipal e a arrecadação do ICMS no município, baseada em dados relativos ao ano civil imediatamente anterior, fornecidos pelo Tribunal de Contas do Estado do Rio de Janeiro. É um dos cinco índices que compõem o cálculo relativo à fração correspondente a ¼ (um quarto) para distribuição do ICMS aos municípios do estado do Rio de Janeiro (Ver: Lei Estadual/RJ nº 2664, de 27.12.1996.)

ÍNDICE DE AÇÕES — É um índice que representa o comportamento de um conjunto de ações, que seja representativo, das oscilações de preços destes ativos, com base nos negócios realizados em determinada Bolsa de Valores. Há muitas formas de calcular esse índice. Cada um tem sua metodologia. Regra geral, este número deve representar a variação média de preços no mercado, considerando também a importância de cada ação no volume de negócios (ponderação). No Brasil, o principal índice é o Ibovespa.

ÍNDICE DE AJUSTE ECONÔMICO (IAE) — Este índice aponta o percentual a ser distribuído entre os municípios/RJ de uma mesma região, proporcionalmente à soma inversa dos índices de população, área e valor adicionado de cada município em relação ao total da região. É um dos cinco índices que compõem o cálculo relativo à fração correspondente a ¼ (um quarto) para distribuição do ICMS aos municípios do estado do Rio de Janeiro (Ver: Lei Estadual/RJ nº 2664, de 27.12.1996.)

ÍNDICE DE APROVEITAMENTO (IA) — É o fator que, multiplicado pela área líquida de terreno, define a área de construção computável (as partes do prédio utilizadas para atividades, ou seja, morar, trabalhar, estudar etc.).

ÍNDICE DE BOLSA DE VALORES — Pode ser definido como o índice de lucratividade de uma carteira de ações, carteira hipotética e suposta, como sendo a carteira pertencente ao mercado. A evolução desse índice mostra a evolução dos ganhos do mercado, como um todo, e a sua representação gráfica constitui instrumento utilizado pelos analistas para a avaliação das tendências futuras dos negócios em Bolsa.

ÍNDICE DE CORRELAÇÃO DE ATIVOS — Mede o quanto dois ativos oscilam de forma semelhante ao longo do tempo.

ÍNDICE DE COTA MÍNIMA (INC) — Este índice aponta a parcela em igual valor para todos os municípios/RJ de uma mesma região. É um dos cinco índices que compõem o cálculo relativo à fração correspondente a ¼ (um quarto) para distribuição do ICMS aos municípios do estado do Rio de Janeiro. (Ver: Lei Estadual/RJ nº 2664, de 27.12.1996.)

ÍNDICE DE CUSTOS OU PREÇOS — Índice adotado para cada tipo de fornecimento, obra ou serviço.

ÍNDICE DE DENSIDADE POPULACIONAL — Índice relacionado com a densidade demográfica estabelecida pela razão entre a população e a área determinada.

ÍNDICE DE DESENVOLVIMENTO HUMANO — Ver IDH.

ÍNDICE DE EFICIÊNCIA — Utilizado somente para instituições financeiras, expressa a relação entre as despesas operacionais da instituição e sua receita bancária, definida como a soma da receita de intermediação financeira, receita de serviços e outras receitas operacionais. Apesar de o índice variar bastante entre os diversos tipos de instituições financeiras (Ex.: bancos de investimento, bancos comerciais e bancos de varejo), em geral, ele se situa entre 50-60%.

ÍNDICE DE ENDIVIDAMENTO (IE) — Este índice indica a proporção entre o capital de terceiros (passivo exigível) e o capital próprio. Ie = passivo circulante + exigível a longo prazo/patrimônio líquido. Deve ser menor ou igual a um.

ÍNDICE DE FORÇA RELATIVA (IFR) — Índice que leva em consideração a média das oscilações positivas e negativas de um ativo em pregões (normalmente nove pregões). É um dos indicadores técnicos mais utilizados, varia de 0 a 100 e é usualmente calculado com os dados dos últimos 14 dias úteis. Poderá ser um bom ponto de compra de uma ação quando o IFR estiver aumentando em relação ao dia anterior, principalmente se seu valor for menor do que 30. Da mesma forma, poderá ser um bom ponto de venda de uma ação quando o IFR estiver diminuindo em relação ao dia anterior, principalmente se seu valor for maior do que 70. O IFR é calculado como: IFR = 100* altas/(altas+baixas), onde: 1) altas = média das últimas N altas; 2) baixas = média das últimas N baixas.

ÍNDICE DE GINI — É um indicador importante para a mensuração das desigualdades na apropriação de renda. Na perspectiva do desenvolvimento sustentável, esse indicador é um valioso instrumento, tanto para acompanhar as variações da concentração de renda ao longo do tempo quanto para subsidiar estratégias de combate à pobreza e à redução das desigualdades. Para a construção do indicador, utilizam-se as informações relativas à população ocupada de 10 anos e mais de idade e seus rendimentos mensais. O índice de Gini é expresso através de um valor que varia de zero (perfeita igualdade) a um (desigualdade máxima), isto é, quanto mais próximo de 1 (um), maior a desigualdade de renda. (Ver: Coeficiente de Gini.)

ÍNDICE DE GOVERNANÇA CORPORATIVA (IGC) — Índice que avalia o desempenho de uma carteira teórica composta por ações de empresas que foram admitidas no Nível 1 de Governança.

ÍNDICE DE LIQUIDEZ CORRENTE (ILC) — Índice que tem por objetivo avaliar a capacidade financeira da empresa em relação às suas exigibilidades de curto prazo, entendido como "curto prazo" o seu ciclo operacional. ILC = ativo circulante/passivo circulante. A empresa deve possuir este índice igual ou superior a um.

ÍNDICE DE LIQUIDEZ GERAL (ILG) — Índice que tem por finalidade avaliar a capacidade financeira da empresa para saldar seus compromissos totais (curto e longo prazos). ILG = ativo circulante + realizável a longo prazo/ passivo circulante + exigível a longo prazo. A empresa deve possuir este índice igual ou superior a um.

ÍNDICE DE LUCRATIVIDADE — É a relação entre o capital atual (em qualquer instante considerado) e o inicial de uma aplicação. Fornece, a cada instante considerado, a quanto monta o investimento em relação ao capital inicialmente empregado.

ÍNDICE DE POBREZA HUMANA — Ver IPH.

ÍNDICE DE POPULAÇÃO (INP) — Este índice indica a relação percentual entre a população residente no município e o total da região, segundo o IBGE. É um dos cinco índices que compõem o cálculo relativo à fração correspondente a ¼ (um quarto) para distribuição do ICMS aos municípios do estado do Rio de Janeiro. (Ver: Lei Estadual/RJ nº 2664, de 27.12.1996.)

ÍNDICE DE PREÇO — Número que permite acompanhar a evolução do preço de um determinado produto (ou uma cesta de produtos) no tempo. A taxa de inflação, tradicionalmente chamada de índice de inflação, expressa a variação de um número índice que é calculado a partir da média ponderada de preços de vários bens (previamente estabelecidos por um instituto de pesquisa).

ÍNDICE DE PREÇOS AO CONSUMIDOR — Ver IPC.

ÍNDICE DE REDUÇÃO DE DIFERENÇAS SOCIAIS (IRDS) — Refere-se à consolidação de indicadores do perfil social de um segmento da população sendo beneficiado por um determinado programa ou investimento social. Ele indica, dependendo do resultado, a probabilidade de o investimento estar beneficiando ou não populações com menor nível socioeconômico.

ÍNDICE DE *SHARPE* — Índice que relaciona o risco oferecido por uma aplicação e o prêmio que ela paga ao investidor. É uma medida de relação entre retorno e risco de um fundo. Quanto maior o Índice de *Sharpe*, melhor a performance do fundo no período em análise. O índice varia se o resultado for calculado com base em rentabilidades semanais, mensais ou anuais.

ÍNDICE DO VALOR ADICIONADO — Utilizado para cálculo de ¾ (três quartos), no mínimo, incidente sobre a parcela de 25% do ICMS para distribuição aos municípios. É a relação percentual entre o valor adicionado de cada município e valor adicionado total de todos os municípios do estado. (Ver: Valor Adicionado.)

ÍNDICE *DOW JONES* — Índice usado para medir a *performance* do mercado norte-americano, composto pelas 30 ações mais negociadas na Bolsa de Valores de Nova Iorque - NYSE (*New York Stock Exchange).*

ÍNDICE FUTURO — Mercado em que se faz seguro (*hedge*) ou se especula com o comportamento futuro do índice Bovespa.

ÍNDICE GERAL DE PREÇOS - DISPONIBILIDADE INTERNA — Ver IGP-DI.

ÍNDICE GERAL DE PREÇOS DO MERCADO — Ver IGP-M.

ÍNDICE INICIAL — Índice de custo ou preço para efeito da fixação da data-base dos reajustes de preços de fornecimento, obra ou serviço.

ÍNDICE MERVAL — Criado a partir de 27.11.2000, o índice Merval concentra os principais papéis negociados na Bolsa de Valores de Buenos Aires, Argentina. O índice leva em conta exclusivamente o comportamento microeconômico das empresas, e não a influência de fatores macroeconômicos do país.

ÍNDICE NACIONAL DE PREÇOS AO CONSUMIDOR — Ver IPC.

ÍNDICE NACIONAL DE PREÇOS AO CONSUMIDOR AMPLIADO — Ver IPCA.

ÍNDICE *NASDAQ* — Índice norte-americano de ações. Sua carteira está composta em boa parte por ações de empresas de tecnologia. (Ver: *Nasdaq*.)

ÍNDICE *NIKKEY* — Este é o índice que reflete o preço das 225 ações mais negociadas na Bolsa de Valores de Tóquio (TSE - *Tokyo Stock Exchange*), selecionadas com base na sua performance de mercado e também na sua liquidez.

ÍNDICE PREÇO/LUCRO (P/L) — Quociente da divisão do preço de uma ação no mercado, em um instante, pelo lucro líquido anual da mesma. Assim sendo, o P/L representa o número de anos que se levaria para se reaver o capital aplicado na compra de uma ação, por meio do recebimento de dividendos.

ÍNDICE URBANÍSTICO — É a relação mensurável entre o solo e seu aproveitamento edificável, condicionado a usos específicos, a condições ambientais e à infra-estrutura de transportes, saneamento básico e drenagem urbana.

ÍNDICES DE DESEMPREGO — Existem várias metodologias para medir o desemprego. De maneira geral, os índices procuram captar o percentual de pessoas capacitadas e disponíveis para trabalhar que se encontram desocupadas. Alguns indicadores computam uma base maior de trabalhadores, considerando todos os trabalhadores aptos para o trabalho, enquanto outros têm por base apenas o número estimado de trabalhadores que estão de fato em busca de colocação no mercado. Por isso, o índice dos últimos é sistematicamente inferior ao índice dos primeiros, porque medem situações diferentes. (Ver: Taxa de desemprego // Taxa natural de desemprego.)

ÍNDICES DO INDICADOR — É o valor numérico do indicador num momento determinado.

ÍNDICES FINANCEIROS — Valores numéricos utilizados para o cálculo de um determinado produto, setor ou da inflação entre um mês e outro e calculados por institutos de pesquisas, fundações especializadas, departamentos sindicais e órgãos governamentais, tomando-se por base determinados produtos ou serviços.

INDICIADO — É aquele de quem se apura, mediante indício, a prática de uma infração penal; sobre quem recaem indícios de haver perpetrado um delito. Enquanto dura o inquérito policial, não existe figura do acusado, não podendo o indiciado intervir no procedimento do inquérito policial, antes, portanto, do processo propriamente dito. No inquérito não existe, ainda, acusado, mas indiciado, não se formando o contraditório previsto na CF, art. 5º, LV, LXIII, LXV, pois o objetivo do inquérito policial é o de investigar, descobrir, apurar fatos que instruirão o processo propriamente dito. Com a posterior propositura, em juízo, da ação penal, o indiciado passa a denominar-se réu.

INDICIAR — Proceder a imputação criminal contra alguém, submetendo-o a inquérito policial, do qual o Ministério Público se louvará para oferecer a denúncia.

INDÍCIO — Circunstância conhecida e provada que, tendo relação com o fato, autorize, por indução, concluir-se a existência de outra ou outras circunstâncias. É fato, circunstância acessória que se liga ao crime, e pelo qual se conclui, quer que o crime foi consumado, quer que um determinado indivíduo nele tomou parte, quer que há crime e que foi consumado de tal ou qual maneira. Assim, os indícios versam ou sobre o fato, ou sobre o agente ou sobre o modo do fato. Não se deve, porém, confundir os indícios, que formam a prova chamada relativa ou prova circunstancial, com as presunções. Indícios são circunstâncias que nos revelam, pela conexão que guardam com o fato probando, a existência desse mesmo fato, ao passo que as presunções exprimem a própria persuasão desta existência. (Ver: Presunção.)

INDIFERENÇA — Perdas de esperança, reforço, motivação e interesse. Ausências de vontade específica, desejos ou intenções. Às vezes, a indiferença é um disfarce inconsciente de incapacidade, fraqueza, medo, raiva e covardia. Em Economia, identifica aquilo que o consumidor deseja adquirir, ponderada a utilidade que retira de várias combinações de bens. As curvas de indiferença representam várias combinações de dois ou mais bens a que um indivíduo atribui o mesmo grau de utilidade - como cada combinação atribui o mesmo grau de utilidade, o consumidor é indiferente quanto aos bens que deseja adquirir.

INDIGNAÇÃO — Sentimento de repulsa com raiva e inconformismo.

INDISCIPLINA — Procedimento ou ato dito contrário à submissão de um regulamento.

INDIVIDUALIDADE — Conjunto de qualidades que definem um indivíduo. Pessoa; indivíduo.

INDIVIDUALIZAR — Tornar individual. Considerar individualmente; particularizar; especializar.

INDUÇÃO — Em sentido amplo, induzir significa levar, conduzir alguém a praticar alguma ação ou omitir-se quanto a esta. Dos efeitos remontar-se às causas. Raciocínio que parte do efeito para a causa. Da conseqüência para o motivo. Do fato específico faz-se a generalização, estabelecendo-se a norma, o princípio, a lei ou a regra. É a formulação de hipóteses descritivas, generalização ou construção de uma teoria, a partir da verificação de resultados decorrentes de casos conhecidos; levantamento de hipóteses a partir de resultados observados pela verificação empírica no estudo de casos conhecidos. Um argumento é indutivo quando a sua validade não exclui a possibilidade meramente lógica de as suas premissas serem verdadeiras e a sua conclusão falsa.

INDULGÊNCIA — Clemência. Condescendência; tolerância.

INDULTO — Modo de extinção da punibilidade que libera o condenado do cumprimento parcial ou total da pena que lhe foi imposta e sem que cessem todos os efeitos da condenação. Nisto, o indulto se distingue da anistia. O indulto é uma medida de caráter coletivo, sem referência expressa a cada beneficiado pela medida, embora, na sua sucessão possam vir nomeados os beneficiários. Para a concessão do indulto é preciso que os beneficiários preencham determinados requisitos. A concessão do indulto é de competência exclusiva do presidente da República, sempre após parecer do Conselho Penitenciário, que pode ou não ser aceito. (Ver: Crime hediondo.)

INDÚSTRIA — Conjunto de atividades que transformam as matérias-primas em produtos acabados e/ou semi-acabados. Atividade secundária da economia, que engloba as atividades de produção ou qualquer de seus ramos, em contraposição à atividade agrícola (primária) e à prestação de serviços (terciária). É a conjugação do trabalho e do capital para transformar a matéria-prima em bens de produção e consumo.

INDÚSTRIA "*FOOTLOOSE*" — Aquela que se desloca de um lugar para o outro em busca de incentivos fiscais e de menores custos de produção.

INDÚSTRIA DE BASE — Ver Indústria de bens de produção ou de base.

INDÚSTRIA DE BENS DE CONSUMO — É aquela que produz produtos voltados ao grande mercado consumidor (população em geral). Ex: indústria têxtil, indústria alimentar.

INDÚSTRIA DE BENS DE PRODUÇÃO OU DE BASE — É toda a indústria que trabalha com matéria-prima bruta transformando-a em matéria-prima para outras indústrias. Ex: indústria siderúrgica, indústria petroquímica.

INDÚSTRIA DE BENS INTERMEDIÁRIOS — São aquelas que produzem máquinas para outras indústrias.

INDUSTRIALIZAÇÃO — Desenvolvimento econômico que tem por base a proteção às indústrias existentes e a criação de novas indústrias. Atividade econômica que consiste em mobilizar capital, máquinas e trabalho para transformar a matéria-prima em produtos acabados, em grandes quantidades.

INDUZIMENTO, INSTIGAÇÃO OU AUXÍLIO A SUICÍDIO — Crime contra a vida, consistente em induzir ou instigar alguém a suicidar-se ou prestar-lhe auxilio para que o faça.

INDUZIR — Instigar ou persuadir, por palavras ou promessas, para que se faça ou se execute alguma coisa.

INÉDITO — Novo; ainda não editado; conhecido pela primeira vez; contribuição inédita - imperativo para concessão de crédito de autoria.

INEFÁVEL — Aquilo que não pode ser dito ou comunicado. Algo que, sendo próprio de uma experiência, é incomunicável, ou seja, não pode ser transmitido através da linguagem.

INEFICÁCIA — No sentido jurídico, significa que determinados efeitos não incidem.

INEP — Ver Instituto Nacional de Estudos e Pesquisas Educacionais.

INÉPCIA DA PETIÇÃO INICIAL — Ver Petição Inicial, Inépcia da.

INÉRCIA — Resistência a mudança. Cessação da vontade, desejo e intenção. Paralisação dos impulsos, motivações e interesses. Sofrimento sem reação. Imobilidade física.

INERENTE — Que está por natureza inseparavelmente ligado a alguma coisa ou pessoa.

INEXIGIBILIDADE — Que não se pode exigir.

INEXIGIBILIDADE DE LICITAÇÃO — Ver Licitação Pública - Inexigibilidade.

INEXISTÊNCIA JURÍDICA — Corresponde aos casos mais graves de violação da regra jurídica, em que o direito não atribui quaisquer efeitos ao negócio celebrado entre as partes e nem sequer reconhece a sua existência. Ocorre quando os órgãos com competência para aplicar as normas jurídicas não as aplicam aos casos concretos que vão surgindo.

INEXORÁVEL — Que não cede. Implacável; inflexível. Austero; rigoroso.

INFALÍVEL — Que não é falível. Que não pode falhar. Certo; exato; seguro; inevitável.

INFÂMIA — Imputação falsa à honra, à reputação ou à dignidade de alguém. Equipara-se à difamação.

INFANTICÍDIO — Crime que consiste em pôr fim à vida do próprio filho durante o parto ou logo após este, quando o agente encontra-se ainda no estado puerperal.

INFERÊNCIA — Argumento. Ato de ou efeito de inferir, indução, conclusão. Admissão da verdade de uma proposição que não é reconhecida diretamente, em virtude da sua ligação com outras proposições já admitidas como verdadeiras. São casos de inferência: o raciocínio, a dedução, a indução.

INFERÊNCIA ESTATÍSTICA — É o ramo da Estatística que trata das condições sobre as quais as conclusões da amostra são válidas para a população.

INFERÊNCIA IMEDIATA — Passagem de uma proposição a outra que dela deriva sem mediação.

INFERIOR — Que está abaixo de outro. Subalterno. Que vale menos. Ordinário; baixo; reles. Indivíduo que está abaixo de outro, em categoria ou dignidade.

INFERIORIDADE — Estado ou qualidade de inferior.

INFERIR — Ver Inferência.

INFESTO — Molesto, inimigo, hostil, adverso, nocivo, danoso, pernicioso.

INFIDELIDADE — Caráter de infiel. Perfídia.

ÍNFIMO — O mais baixo. Que se situa no último lugar. Inferior.

INFINITO — Que não tem fim ou limites. Sem fim; eterno. O espaço e o tempo considerados de forma absoluta. O absoluto; o eterno.

INFLAÇÃO — A inflação é usualmente conceituada como um aumento contínuo e generalizado no nível geral de preços, que resulta em perda ininterrupta do poder aquisitivo da moeda e que acaba por ocasionar diminuição do poder de compra para a população do país onde ocorre. Entretanto, altas esporádicas e localizadas em alguns preços não podem ser qualificadas como um processo inflacionário. A inflação é medida por meio de índices calculados por entidades governamentais ou privadas. No Brasil, há três índices básicos de inflação: o IPC (medido pela Fundação Instituto de Pesquisas Econômicas da Universidade de São Paulo, a FIPE), o INPC (do Instituto Brasileiro de Geografia e Estatística, IBGE) e o IGP (Índice Geral de Preços, calculado pela Fundação Getúlio Vargas). (Ver: Deflação // Hiperinflação // Infração.)

INFLAÇÃO CHEIA — É a inflação calculada sem nenhum tipo de ajuste, por exemplo, para depurar choques específicos dos índices de preços.

INFLAÇÃO DE LONGO PRAZO — Em Economia, é sustentável que mesmo no longo prazo se mantenha a inflação, na medida em que um contexto sem inflação é ineficiente. Pense-se nos casos das economias que mantêm níveis de inflação zero, ou até mesmo deflação, e que alteram as expectativas dos consumidores gerando quebras de produtividade em virtude da retração do consumo.

INFLAÇÃO INERCIAL — É aquela em que não há causas estruturais concretas. Ela existe sem que haja aumento real da demanda, expansão efetiva do consumo, escassez de produto, aumento real do salário, estado de calamidade pública ou de conflagração bélica, iminente crise de abastecimento, déficit público, expansão real da base monetária etc. Ela existe porque existe, permanente, inamovível, inerte, insensível aos indicadores econômicos. É pura inflação de preços. O aumento dos preços torna-se uma constante. Ela se auto-alimenta. Se, anteriormente ao Real, todos os bens e serviços subiam de preço, à mesma taxa e na mesma data, atrelado a um indexador qualquer (BTN, UPC, UFIR, CUB, dólar etc.), forçando, em conseqüência, o reajustamento de vencimentos e salários, não havia inflação real. Essa inflação (anterior ao Real) era realimentada pela desvalorização diária da moeda (indexada ao BTNF e, em conseqüência, ao dólar norte-americano), a cada dia com taxas mais altas, resultado da soma da inflação do dia anterior a um componente de inflação futura, numa ciranda sem fim. Essa situação terminava por provocar uma inflação de demanda irreal pela urgência de se comprar hoje o que somente iria se tornar necessário no futuro. Cortada a causa, na origem, com a instituição genial da URV (de valor equivalente ao dólar) e do Real, acabou a inflação inercial, permanecendo a inflação estrutural com base no desequilíbrio fiscal e em outros indicadores econômicos sazonais ou momentâneos.

INFLAÇÃO PELA OFERTA — É a subida do nível geral de preços associada a uma retração da oferta agregada (pelo aumento dos custos de produção, por exemplo) e que pode estar associada à criação simultânea de desemprego. (Ver: Lei da oferta.)

INFLAÇÃO PELA PROCURA (DEMANDA) — É a subida do nível geral de preços associada a uma expansão da procura agregada (aumento da despesa pública, por exemplo). (Ver: Lei da procura.)

INFLAÇÃO SOCIAL — É o aumento no preço das intervenções sociais para a sociedade, em razão do aumento no número de intervenções necessárias para o resgate das dívidas sociais.

INFLAÇÃO, NÚCLEO DE — Cálculo da inflação que exclui ou atribui menor peso na composição do índice dos aumentos sazonais e circunstanciais, provocado por fatores temporários ou casuais. Essa metodologia de cálculo é utilizada para que se tenha o real comportamento da inflação, considerando aí as variações que sejam consistentes com o comportamento de toda a economia, e não apenas fatores localizados. Desta forma, um aumento generalizado de preços na economia aparece no núcleo, mas um aumento localizado no preço do tomate, por conta de uma praga que tenha destruído uma safra, é excluído. (Ver: Inflação.)

INFLAMABILIDADE — Facilidade com que determinado material entra em processo de ignição, por contato com centelhamento de várias origens, por exposição a uma fonte de alta temperatura, ou por contato com chama.

INFLAMÁVEL — Que é suscetível de queimar-se; combustível que reage facilmente com o oxigênio e, na presença do calor, produz rapidamente o fogo. São classificados em: Classe 1 - Combustíveis cujo ponto de fulgor é abaixo de 4°C. Exemplo: éter, gasolina, benzina, nafta, colódio, acetona etc.; Classe 2 - Combustíveis cujo ponto de fulgor é acima de 4°C e abaixo de 21°C. Exemplo: acetato amílico, toluol, álcool etc.; Classe 3 - Combustíveis cujo ponto de fulgor é acima de 21°C e abaixo de 93°C. Exemplo: querosene, álcool amílico, terebintina etc. (Ver: Temperatura de fulgor.)

INFLATION TARGETING — Ver Metas para a inflação.

INFLUENZA — Ver Gripe ou *Influenza*.

INFORMAÇÃO — 1) Todo os dados e fatos coletados capazes de diminuir o nível de incerteza na tomada de decisão. 2) Acréscimo de conhecimento obtido através de elementos ou dados convenientemente selecionados e organizados. É, assim, a representação simbólica de uma idéia ou fato capaz de afetar o nível de conhecimento de alguém. 3) Relacionada à comunicação e à redução de incertezas; que identifica movimentos e diferenças; diferença que faz diferença. 4) É qualquer dado útil para se determinar o comportamento futuro do preço de algum ativo, financeiro ou não. Tecnicamente, informação é uma correspondência entre os possíveis estados da natureza e os eventos que podem ocorrer como conseqüência daqueles estados. Nesse sentido, o conhecimento antecipado de alguma informação ajuda o agente a obter vantagens sobre os demais *"players"* do mercado.

INFORMAÇÃO PRIVILEGIADA — Diz-se dos dados ou planos revelados, com exclusividade, a algum(uns) agente(s) sobre o comportamento futuro de alguma variável importante para a decisão de alocação ótima de recursos. Tem informação privilegiada o profissional que ocupa posição de destaque em uma empresa e, por isso, possui grande conhecimento a seu respeito.

INFORMAÇÕES BÁSICAS — As referentes a conhecimentos já consolidados, levantados ou catalogados, abrangendo todos os campos de atividade de caráter relativamente permanente, e utilizados com a finalidade de proporcionar elementos básicos e necessários aos planejadores, executores, bem como aos produtores de informações.

INFORMALIDADE — Um dos quatro princípios que informam o processo do trabalho, a par da concentração dos atos processuais, celeridade e oralidade. Tais conceitos visam o mais rápido andamento das demandas trabalhistas, levando-se em conta a hipossuficiência do empregado e o pleito, muitas vezes, feito por este, de seus próprios salários, ou seja, de sua subsistência. Exemplo é o art. 765 da CLT, que determina: "Os Juízos e Tribunais do Trabalho terão ampla liberdade na direção do processo e velarão pelo andamento rápido das causas, podendo determinar qualquer diligência necessária ao esclarecimento delas." Outro exemplo é a possibilidade de o pedido inicial ser feito oralmente.

INFORMANTE — Aquele que presta informação. Aquele que, por ser relativamente incapaz, ou por parentesco ou inimizade, é admitido sem se compromissar a prestar depoimento com valor apenas de informação sobre o fato investigado.

INFORMÁTICA — Conhecimentos técnico-científicos relacionados com as tecnologias da informação, computadores, redes e com os complexos eletrônicos digitais.

INFORMÁTICA CONTÁBIL — Ramo da informática aplicado à Contabilidade. É a ciência do tratamento racional, notadamente por máquinas automáticas, da informação considerada como o suporte dos conhecimentos humanos e das comunicações nos domínios técnico, econômico e social. A informática é instrumento auxiliar na técnica contábil, notadamente nos campos da contabilidade gerencial. A grande evolução da matéria encontra-se hoje na aplicação dos computadores eletrônicos na informação de dados contábeis. A contabilidade matricial é uma derivação de tais técnicas.

INFORMATION RATIO — Mede o valor adicionado de retorno por unidade adicional de risco com relação a um *benchmark*. O desvio-padrão dos retornos representa a volatilidade, ou risco, do retorno diferencial com relação a um *benchmark*. O retorno de um portfólio gerenciado ativamente é normalmente ajustado pelo risco, ou seja, comparando-se o retorno obtido com o risco assumido. Tecnicamente, quanto maior o *information ratio* (outras variáveis mantidas constantes), melhor a performance de investimento.

INFORME — Qualquer observação, fato, relato ou documento que possa contribuir para o conhecimento de determinado assunto. O mesmo que dado.

INFORTÚNIO — Infelicidade. Desgraça; calamidade. Desventura.

INFORTUNÍSTICA — Parte da Medicina forense que cuida do estado da incidência de acidentes do trabalho, de moléstias profissionais, causas e efeitos e meios adotados para preveni-las ou remediá-las.

INFRA — [Latim]. Expressão que significa abaixo, inferior. Ex.: Infra-estrutura.

INFRAÇÃO — Violação ou quebramento resultante do não cumprimento de obrigações às quais se imponha pena, não se restringindo, pois, às transgressões de regras legais ou regulamentares. (Ver: Inflação.)

INFRAÇÃO ESTRUTURAL — Ver Infração inercial.

INFRA-ESTRUTURA — É o conjunto de obras públicas ou privadas, como sistemas de transportes, energia, telecomunicações, urbanização etc., a serem edificadas numa localidade, região ou nação, com o objetivo de oferecer à população dessas ou a empresas, condições de pleno desenvolvimento socioeconômico. Na morfologia, o "in" de infra-estrutura significa movimento para dentro, é a passagem de um estado à um nível tecnológico melhor. É a base de condições indispensável a uma economia avançada; nela e com ela se permite haver: hidrovias, rodovias, ferrovias, energia etc.

INFRA-ESTRUTURA URBANA — É o conjunto de redes e equipamentos (água, luz, telefone etc.) necessários para sustentar a vida na cidade.

INFRATOR — É aquele que viola ou infringe disposição de lei em que há cominação de pena.

INFRINGENTE — Que refuga (rejeita, despreza) e refuta (nega) uma sentença, pretendendo sua reforma ou revogação: embargos infringentes. Infringentes são os embargos modificados ou ofensivos.

INFRINGIR — Violar ou quebrar princípio ou regra instituída em lei ou obrigação assumida.

INGENUIDADE — Forma natural, direta, imediata, ou automática na abordagem com a novidade. Ausência de interferências disciplinares, de responsabilidade, censuras, bloqueios e intencionalidade. Aceitação implícita com sinceridade e fé nas opiniões predominantes ou vigorantes.

INGRATIDÃO — Falta de gratidão, não reconhecimento por benefício recebido, esquecendo-o, desprezando-o, ou retribuindo-o com malefício. É causa para a revogação da doação, da adoção e também de deserdação. A revogação da doação deve ser pleiteada em um ano, a contar do conhecimento do fato que a autorizar. Os herdeiros do doador podem continuar na ação, prosseguindo-a contra os herdeiros do donatário se este falecer depois de contestada a lide. A revogação por ingratidão não prejudica direitos adquiridos por terceiros nem obriga o donatário a restituir os frutos que percebeu antes de contestada a lide; mas sujeita-o a pagar os posteriores ou a indenizá-los pelo meio termo do seu valor. Não se revogam por ingratidão: as doações puramente remuneratórias, as oneradas com encargo, as que se fizerem em cumprimento de obrigação natural, as feitas para determinado casamento.

INGRESSOS PÚBLICOS OU ENTRADAS — Importâncias em dinheiro, a qualquer título, recebidas pelos cofres públicos.

INICIAL INEPTA — Petição inicial que não reúne os requisitos essenciais ou seja incompreensível. (Ver: Petição Inicial, Inépcia da.)

INICIATIVA — No âmbito parlamentar, direito ou competência de apresentar uma proposição legislativa.

INICIATIVA 20/20 — Proposta concebida pelo Fundo das Nações Unidas para o Desenvolvimento (PNUD) e aprovada na Conferência Mundial do Desenvolvimento Social de Copenhague (1995), cujo objetivo é reorientar a cooperação internacional e os pressupostos nacionais para o apoio à ação social básica nos países em desenvolvimento, mediante um acordo entre países doadores e receptores, através do qual 20% da Ajuda pública para o desenvolvimento (APD) e 20% da despesa pública do país receptor se destinam aos serviços sociais básicos universais: educação básica, saúde primária, acesso a água potável, eliminação da desnutrição e acesso ao planejamento familiar. (Ver: PNUD.)

INICIATIVA DE LEI — Ver Lei, Iniciativa de.

INICIATIVA POPULAR — Significativo instituto da democracia semidireta. Direito ou competência dada aos cidadãos de propor uma lei, através de petição ou representação popular, a ser apreciada pelo Poder Legislativo. É a que mais atende às exigências populares de uma participação efetiva do processo político; é a iniciativa das leis pelo próprio povo. A iniciativa popular obriga o Parlamento a legislar; se um determinado número de cidadãos o exige, um projeto de lei determinado será exposto à Assembléia, que deverá examiná-lo e emitir um parecer. Na iniciativa popular, o povo exerce apenas um direito de petição "reforçado", pelo qual pressiona o Parlamento a reparar um projeto de lei sobre determinado assunto, bem como a discuti-lo e a votá-lo. No caso, os cidadãos não legislam, mas fazem com que se legisle. O legislativo não está obrigado a acatar a iniciativa popular, a moção, enfim. A iniciativa popular pode ser exercida pela apresentação à Câmara dos Deputados de projeto de lei subscrito por, no mínimo, um por cento do eleitorado nacional e distribuído pelo menos por cinco estados, com não menos de três décimos por cento dos eleitores de cada um deles.

INIMPUTABILIDADE — Ver Inimputável.

INIMPUTÁVEL — Que não é suscetível de imputação, que não pode ser responsabilizado por delitos cometidos. No Brasil, são inimputáveis, por exemplo, os menores de 18 anos. A inimputabilidade não significa impunidade. Por sua condição peculiar de pessoa em desenvolvimento, os adolescentes (pessoas entre 12 e 18 anos) demandam por parte do Estado um tratamento diferenciado (socioeducativo) daquele atribuído ao adulto. Isso significa que os adolescentes não estarão impunes, uma vez que estão previstas no Estatuto da Criança e do Adolescente (ECA) seis diferentes tipos de punições denominadas medidas socioeducativas (inclusive a privação de liberdade). Há, portanto, uma responsabilização legal e formal do adolescente infrator. (Ver: Adolescente em conflito com a lei // Instituição de privação de liberdade.)

ININTELIGÍVEL — Que não é inteligível; que não se consegue compreender. Obscuro; misterioso.

INÍQUO — É o que se faz sem eqüidade ou com ofensa ao princípio da eqüidade, isto é, contra a verdade sabida, contra o que se mostra justo e conforme a razão.

INJUNÇÃO — Ordem formal; obrigação imposta; imposição. (Ver: Mandado de injunção.)

INJUNGIR — Diz-se do ato da injunção. (Ver: Injunção.)

INJÚRIA — É tudo que venha contra o direito. Em sentido amplo, é todo ato que se faça ou se pratique contrariamente ao direito. Consiste em ato ofensivo à dignidade ou ao decoro de alguém. É exprimir um juízo de valor, um juízo depreciativo, que envolve o mencionar de vícios, de defeitos, de qualidades negativas. É a manifestação de desrespeito pessoal, de menosprezo. É crime contra a honra.

INMETRO (INSTITUTO NACIONAL DE METROLOGIA, NORMALIZAÇÃO E QUALIDADE INDUSTRIAL) — É uma autarquia federal, vinculada ao Ministério do Desenvolvimento, Indústria e Comércio Exterior, que atua como Secretaria Executiva do Conselho Nacional de Metrologia, Normalização e Qualidade Industrial (Conmetro), colegiado interministerial, que é o órgão normativo do Sistema Nacional de Metrologia, Normalização e Qualidade Industrial (Sinmetro). Objetivando integrar uma estrutura sistêmica articulada, o Sinmetro, o Conmetro e o Inmetro foram criados pela Lei 5.966, de 11 de dezembro de 1973, cabendo a este último substituir o então Instituto Nacional de Pesos e Medidas (INPM) e ampliar significativamente o seu raio de atuação a serviço da sociedade brasileira. É o responsável pelos padrões de medida no Brasil. No âmbito de sua ampla missão institucional, o Inmetro objetiva fortalecer as empresas nacionais, aumentando sua produtividade por meio da adoção de mecanismos destinados à melhoria da qualidade de produtos e serviços. Sua missão é promover a qualidade de vida do cidadão e a competitividade da economia, através da metrologia e da qualidade. É o responsável pela metrologia científica, pelos laboratórios de metrologia primários e coordenação dos secundários. (Ver: IPEM.)

INÓCUO — Não nocivo. Inofensivo. Que não faz mal. Não causa dano.

INODORO — Que não tem cheiro.

INOFICIOSO — Não oficioso, sem motivo conhecido, sem eficácia. Dispositivo inserido em testamento que deserda, sem motivo legal, o legítimo herdeiro, da parte do legado que vai além da metade disponível do testante na ocasião do benefício. São atos nulos, por prejudiciais.

INOPERANTE — Que não concorre para um juízo ou resultado seguro. Não produz o efeito jurídico necessário.

INOVAÇÃO — É a introdução, com êxito, no mercado, de produtos, serviços, processos, métodos e sistemas que não existiam anteriormente, ou contendo alguma característica nova e diferente do padrão em vigor. Compreende diversas atividades científicas, tecnológicas, organizacionais, financeiras, comerciais e mercadológicas. A exigência mínima é que o produto/serviço/processo/método/sistema inovador deva ser novo ou substancialmente melhorado para a empresa em relação aos seus competidores.

INOVAÇÃO DE PROCESSO — Adoção de métodos novos ou significativamente melhorados na produção.

INOVAÇÃO GERENCIAL E ORGANIZACIONAL — Compreende a introdução de estruturas organizacionais substancialmente modificadas; a implementação de técnicas avançadas de gestão, bem como a implementação de orientação estratégica corporativa nova ou substancialmente modificada.

INOVAÇÃO INCREMENTAL — É a introdução de qualquer tipo de melhoria em um produto, processo ou organização da produção dentro de uma empresa, sem alteração na estrutura industrial.

INOVAÇÃO NO PROCESSO — Alteração injustificável do estado do processo, configurando o atentado processual.

INOVAÇÃO PARA O DESENVOLVIMENTO SOCIAL — Criação de tecnologias, processos e metodologias originais que possam vir a se constituir em propostas de novos modelos e paradigmas para o enfrentamento de problemas sociais, combate à pobreza e promoção da cidadania.

INOVAÇÃO TECNOLÓGICA — Incorporação de novo conhecimento no processo de produção e comercialização de bens e serviços.

INPC (ÍNDICE NACIONAL DE PREÇOS AO CONSUMIDOR) — Calculado pelo IBGE, em geral, entre os dias 1º e 30 de cada mês. Compõe-se do cruzamento de dois parâmetros: a pesquisa de preços de 11 regiões metropolitanas, cruzada com a pesquisa de orçamento familiar (POF), que abrange famílias com rendimentos mensais de 1 (um) a 8 (oito) salários mínimos. As regiões metropolitanas pesquisadas são: Rio de Janeiro, São Paulo, Belo Horizonte, Salvador, Porto Alegre, Recife, Brasília, Fortaleza, Belém, Curitiba, Goiânia. São pesquisados os preços dos seguintes itens que compõem as despesas do orçamento familiar: alimentação e bebidas, habitação, artigos de residência, vestuário, transportes, comunicação, saúde e cuidados pessoais, educação e despesas pessoais. (Ver: IPCA-E – Índice Nacional de Preços ao Consumidor Amplo Especial.)

INPE (INSTITUTO NACIONAL DE PESQUISAS ESPACIAIS) — O INPE é uma unidade de pesquisa do Ministério da Ciência e Tecnologia (MCT), na forma do disposto no Decreto nº 4.724, de 9 de junho de 2003. Tem por finalidade promover e executar estudos, pesquisas científicas, desenvolvimento tecnológico e capacitação de recursos humanos, nos campos da Ciência Espacial e da Atmosfera, das Aplicações Espaciais, da Meteorologia e da Engenharia e Tecnologia Espacial, assim como em domínios correlatos, consoante política definida pelo MCT.

INPI (INSTITUTO NACIONAL DE PROPRIEDADE INDUSTRIAL) — O INPI é uma Autarquia Federal, criada em 1970, vinculada ao Ministério do Desenvolvimento, Indústria e Comércio Exterior. Tem por finalidade principal, segundo a Lei nº 9.279, de 1996 (Lei da Propriedade Industrial), executar, no âmbito nacional, as normas que regulam a propriedade industrial, tendo em vista a sua função social, econômica, jurídica e técnica. É também sua atribuição pronunciar-se quanto à conveniência de assinatura, ratificação e denúncia de convenções, tratados, convênios e acordos sobre propriedade industrial. Criado em substituição ao antigo Departamento Nacional de Propriedade Industrial, o Instituto agregou às tarefas tradicionais de concessão de marcas e patentes, a responsabilidade pela averbação dos contratos de transferência de tecnologia e, posteriormente, pelo registro de programas de computador, contratos de franquia empresarial, registro de desenho industrial e de indicações geográficas.

INPLIT — Termo utilizado para designar o mero agrupamento de ações - o número de papéis em poder do acionista diminui, sem alterar sua participação no capital da empresa.

INPUT — Insumo; fator de produção. Informação liberada do mundo exterior para um dispositivo de processamento de dados. Também conhecido como entrada.

INQUÉRITO — Procedimento para apurar se houve infração penal. A partir do inquérito reúnem-se elementos para que seja proposta a ação penal, inclusive para aqueles com fórum privilegiado. É o processo promovido com o objetivo de apurar a existência de certos fatos ou de se ter informação exata a respeito de fatos.

INQUÉRITO ADMINISTRATIVO — Fase preliminar do processo administrativo disciplinar. O que se realiza por ordem de autoridade administrativa, para apurar irregularidade no serviço público.

INQUÉRITO CIVIL PÚBLICO — Procedimento administrativo investigatório presidido pelo promotor de Justiça da área cível para apurar a prática de atos lesivos ao meio ambiente, ao consumidor, ao patrimônio público, à moralidade administrativa, ou a outro bem/direito/interesse difuso e coletivo. Depois de concluídas as investigações, pode servir de base para a propositura de uma ação civil pública ou para a formalização de um Termo de Ajustamento de Conduta (TAC). Um inquérito civil só pode ser arquivado pelo promotor de Justiça que o preside, com homologação pelo Conselho Superior do Ministério Público, quando não houver justa causa para a adoção das providências anteriormente mencionadas (formalização de um TAC ou propositura de ação civil pública).

INQUÉRITO JUDICIAL — O que se efetua no juízo da falência, com base no relatório do administrador judicial, a fim de apurar a existência de possíveis crimes falimentares e quais os seus autores.

INQUÉRITO POLICIAL — Procedimento destinado à reunião de elementos acerca de uma infração penal. É o conjunto de diligências realizadas pela Polícia Judiciária, para a apuração de uma infração penal e sua autoria, para que o titular da ação penal possa ingressar em Juízo, pedindo a aplicação da lei ao caso concreto. O inquérito pode começar por iniciativa do delegado, por requerimento de qualquer cidadão ou por requisição do Ministério Público. Se o crime é de competência da Justiça Federal, o inquérito tramita na Polícia Federal. Um inquérito só pode ser arquivado pelo promotor de Justiça (titular da ação penal pública, nos termos do art. 129, I, Constituição Federal de 1988), que o submete à apreciação do Poder Judiciário para homologação.

INQUÉRITO POLICIAL MILITAR (IPM) — Processo sumário pelo qual a autoridade militar investiga a procedência ou não de uma transgressão disciplinar ou de um crime.

INQUIETAÇÃO — Sensação de desassossego, perturbação, ou de intranqüilidade que precede as emoções, sentimentos e sensos na ânsia e expectativa do acontecimento percebido como muito próximo.

INQUILINO — Aquele que reside em casa ou apartamento alugado.

INQUIRIDOR — Que ou aquele que inquire, indaga, pergunta, investiga, pesquisa.

INQUISIÇÃO — Tem o mesmo sentido definido no inquérito exprimindo toda série de atos que o formam. Inquirir, aí, significa investigar, promover inquérito ou devassa.

INSANIDADE MENTAL — Loucura, demência, falta de integridade mental. No Direito Penal, é causa de inimputabilidade do agente.

INSATISFAÇÃO — Situação de não haver saciação a contento. Pode prorrogar a raiva, aborrecer ou acabar em bronca e chateação.

INSCRIÇÃO (EM REGISTROS PÚBLICOS) — Assentamento, lançamento. Expressão sinônima de registro, a par do termo transcrição. A Lei de Registros Públicos (Lei n° 6.015, de 1973) dispõe: "Na designação genérica de registro, consideram-se englobadas a inscrição e a transcrição a que se referem as leis civis."

INSCRIÇÃO DE DESPESAS NÃO EMPENHADAS EM RESTOS A PAGAR — Ver Restos a Pagar, Inscrição de Despesas não Empenhadas em.

INSEGURANÇA — Situação de incerteza quanto à firmeza de propósito, acompanhada da crença de desproteção.

INSENSATEZ — Qualidade de insensato. Loucura; insânia.

INSIDE INFORMATION — Termo usado no mercado financeiro para definir informações sigilosas sobre empresas e instituições com ações negociadas nas Bolsas de Valores. Quem obtém essas informações privilegiadas pode obter lucros ao manipulá-las. A prática é criminosa e há penas severas previstas em lei.

INSIPIENTE — Não sapiente. Ignorante. Insensato. Imprudente.

INSOLÊNCIA — Ousadia excessiva com raiva ofensiva, desrespeitosa, provocadora, ativa e desafiadora. Manifestação da raiva e coragem de maneira inconveniente e aversiva. Conduta com atrevimento e desaforo. À insolência pode juntar a impetuosidade.

INSOLVÊNCIA — Ver Insolvente.

INSOLVENTE — Diz-se do devedor que não pode pagar. É quando o patrimônio do devedor é insuficiente para o pagamento das suas dívidas. Patrimônio menor que a dívida. Ocorre a insolvência quando as dívidas do devedor excedem ao montante de seus bens. Antecede à falência. A declaração de insolvência do devedor acarreta: 1) o vencimento antecipado de suas dívidas; 2) a arrecadação de todos os seus bens suscetíveis de penhora, quer os atuais, quer os adquiridos no curso do processo; 3) a execução por decurso de universal dos seus credores. Declarada a insolvência, o devedor perde o direito de administrar os seus bens e de dispor deles, até a liquidação total da massa. A declaração de insolvência pode ser requerida: a) por qualquer credor quirografário; b) pelo devedor; c) pelo inventariante do espólio do devedor.

INSONDÁVEL — Que não é sondável. Que não se pode sondar ou cujo limite não se pode encontrar. Incompreensível; inexplicável.

INSPEÇÃO - CONVERSÃO DE PROCESSO EM TOMADA DE CONTAS ESPECIAL — Ver Contas Especial, Conversão em Tomada de.

INSPEÇÃO — Trabalho realizado "*in loco*" com o objetivo de verificar a situação econômico-financeira, e obediência à legislação e normativos em vigor. Trabalho que inclui: medir, examinar, ensaiar e verificar uma ou mais características do objeto da inspeção, e compará-las com os requisitos especificados para determinar sua conformidade. É uma estratégia limitada, pois identifica itens não-conformes, após estes terem sido realizados.

INSPEÇÃO JUDICIAL — Observação direta dos fatos, pelo juiz, de pessoas e coisas objeto da lide, com a finalidade de formar convicção.

INSPEÇÃO ORDINÁRIA — Programada e realizada pelo Tribunal de Contas, tem como objetivo verificar *in loco* a legalidade, a legitimidade e a economicidade dos atos ou contratos de natureza contábil, financeira, orçamentária, operacional e patrimonial, nas unidades dos Poderes do estado e dos municípios sob sua jurisdição, bem como nas entidades da administração indireta, incluídas as fundações e sociedades instituídas ou mantidas pelo poder público, e nos fundos. (Ver: Contas Especial, Conversão em Tomada de.)

INSPEÇÕES E AUDITORIAS — Compete ao Tribunal de Contas a realização, por iniciativa própria, da Assembléia Legislativa ou de Câmara Municipal ou ainda, das comissões técnicas ou de inquéritos, inspeções e auditorias de natureza contábil, financeira, orçamentária, operacional e patrimonial, nas unidades administrativas dos Poderes Legislativo, Executivo e Judiciário, e nas fundações e sociedades instituídas e mantidas pelo Poder Público Estadual e Municipal. (Ver: Contas Especial, Conversão em Tomada de.)

INSPEÇÕES ESPECIAIS — Realizadas pelo Tribunal de Contas, serão, em cada caso, *ex officio*, por determinação do presidente, por solicitação de conselheiros, do representante do Ministério Público, ou do secretário-geral de Controle Externo, sempre que houver necessidade de entendimento direto, visando a coletar dados, esclarecer fatos determinados, verificar *in loco* a execução de contratos, bem como dirimir dúvida ou suprir omissões em processo em trânsito no Tribunal de Contas. O Tribunal de Contas do Estado pode realizar Inspeções Especiais nas unidades dos Poderes do estado, dos municípios sob sua jurisdição, e nas entidades da administração indireta, incluídas as fundações e sociedades instituídas ou mantidas pelos referidos Poderes, e nos fundos. (Ver: Contas Especial, Conversão em Tomada de.)

INSPEÇÕES EXTRAORDINÁRIAS — São inspeções que têm por finalidade apurar fatos cuja relevância ou gravidade exijam exame mais detido e aprofundado. As Inspeções Extraordinárias realizadas pelo Tribunal de Contas serão autorizadas, em cada caso, pelo Plenário. O Tribunal pode realizar Inspeções Extraordinárias nas unidades dos Poderes do Estado, dos Municípios sob sua jurisdição, e nas entidades da administração indireta, incluídas as fundações e sociedades instituídas ou mantidas pelos referidos Poderes, e nos fundos. (Ver: Contas Especial, Conversão em Tomada de.)

INSPETOR FISCAL — Ver Agente Fiscal.

INSPIRAÇÃO — Ato ou efeito de inspirar ou de ser inspirado. Idéia repentina e espontânea. Sugestão.

INSS (INSTITUTO NACIONAL DE SEGURO SOCIAL) — Autarquia federal, vinculada ao Ministério da Previdência e Assistência Social, tendo por finalidade promover a arrecadação, fiscalização e cobrança das contribuições sociais, gerir os recursos do Fundo de Previdência e Assistência Social - FPAS, e conceder e manter os benefícios previdenciários.

INSS, CADASTRO ESPECÍFICO DO, (CEI) — Cadastro administrado pelo INSS que contempla empregadores isentos de inscrição no CNPJ e que realizam diversas atividades de contribuintes da Previdência Social, como obras de construção, condomínios, empregadores domésticos e outras.

INSS, CERTIDÃO NEGATIVA DE DÉBITOS DO (CND) — Documento que comprova a situação regular ou não da empresa junto ao INSS.

INSTALAÇÃO — Conjunto de equipamentos e componentes que integram qualquer unidade, possibilitando a execução de processos industriais ou seus respectivos serviços.

INSTÂNCIA — É o mesmo que grau de jurisdição. Grau de jurisdição na hierarquia judiciária. A primeira instância, na qual em geral começam as ações, é composta pelo Juízo de Direito de cada comarca, pelo Juízos Federal, Eleitoral e do Trabalho. A segunda instância, na qual são julgados recursos, é formada pelos Tribunais de Justiça e pelos Tribunais Regionais Federais, Eleitorais e do Trabalho. A terceira instância são os Tribunais Superiores (STF, STJ, TST, TSE) que julgam recursos contra decisões dos tribunais de segunda instância. O Código de Processo Civil, de 1973, substituiu esta expressão por Grau de Jurisdição.

INSTÂNCIA ÚNICA — É o juízo exclusivo de julgamento de uma causa, não podendo ser interposto recurso ordinário de sua decisão para outra instância gradativa.

INSTINTO — É uma palavra usada para descrever disposições inatas em relação a ações particulares. Instintos geralmente são padrões herdados de respostas ou reações a certos tipos de situações ou características de determinadas espécies. Em humanos, eles são mais facilmente observados em respostas a emoções. Instintos geralmente servem para pôr em funcionamento mecanismos que evocam um organismo para agir. As ações particulares executadas podem ser influenciadas pelo aprendizado, ambientes e princípios naturais. Geralmente, instinto não é usado para descrever uma condição existente ou *status quo*.

INSTITUIÇÃO DE PRIVAÇÃO DE LIBERDADE — Instituição responsável por fazer a contenção e a guarda de adolescente a quem a Justiça da infância e da juventude aplicou uma medida socioeducativa de internação em função do cometimento de ato infracional grave.

INSTITUIÇÃO DE RECUPERAÇÃO — Instituição responsável pela ação socioeducativa dirigida a adolescentes que praticaram algum ato infracional.

INSTITUIÇÃO POLÍTICA — Pode ser compreendida como todo órgão destinado a incorporar física e juridicamente as regras que regem o jogo político. As instituições políticas são o Poder Executivo, o Poder Legislativo, o Sistema Partidário, as Regras Eleitorais e tudo o que está relacionado à atividade política, que, uma vez reconhecida como legítima e corriqueira, se torna institucionalizada.

INSTITUIÇÕES — Entidades econômicas, administrativas, com finalidades sociais ou socioeconômicas. Na linguagem jurídica, são complexos normativos que se reúnem à volta de princípios comuns e regulamentam um determinado tipo de relações sociais. Instituições é um termo que designa também a realidade social que está na base de tais relações. Exemplos: a) as instituições políticas incluem os órgãos e os partidos políticos; b) as instituições religiosas são geralmente denominadas igrejas; c) as instituições educacionais são as escolas, universidades etc.; d) certos mecanismos sem uma base física são igualmente considerados instituições, como o casamento, a pressão social etc. (Ver: Organização.)

INSTITUIÇÕES CREDENCIADAS NO MCTF — Sociedades corretoras, sociedades distribuidoras de títulos e valores mobiliários e as sociedades de crédito, financiamento e investimento, agências de turismo e meios de hospedagem de turismo, credenciadas pelo Banco Central a operar no Mercado de Câmbio de Taxas Flutuantes (MCTF).

INSTITUIÇÕES DE *BRETTON WOODS* — Designação habitual das instituições estabelecidas em 1944, em Bretton Woods, New Hampshire, nos EUA, e que são o Grupo do Banco Mundial e o Fundo Monetário Internacional.

INSTITUIÇÕES FINANCEIRAS INTERNACIONAIS — Nome genérico dado a todas as instituições financeiras que atuam ao nível internacional.

INSTITUIÇÕES FINANCEIRAS PÚBLICAS FEDERAIS — São órgãos auxiliares da execução da política de crédito do Governo, cujas operações e modalidades operacionais são reguladas pelo Conselho Monetário Nacional, a cuja aprovação devem ser submetidos seus programas de recursos e aplicações, respeitada a prioridade estabelecida pelos mesmos, de forma a que se ajustem à política de crédito do Governo Federal.

INSTITUIÇÕES FINANCEIRAS — De acordo com a Lei nº 4.595, de 31 de dezembro de 1964, são consideradas como tais as pessoas jurídicas de direito público ou privado que tenham como atividade principal ou acessória a coleta, intermediação ou aplicação de recursos financeiros próprios ou de terceiros, em moeda nacional ou estrangeira, e custódia de valor de propriedade de terceiros. Para efeitos criminais, a Lei nº 7.492, de 1986, considera instituição financeira a pessoa jurídica de direito público ou privado que tenha como atividade principal ou acessória, cumulativamente ou não, captação, intermediação ou aplicação de recursos financeiros de terceiros, em moeda nacional ou estrangeira, ou a custódia, emissão, distribuição, negociação, intermediação ou administração de valores mobiliários. Para funcionar no país necessitam de autorização do Banco Central, se brasileiras. Se estrangeiras, mediante decreto do Poder Legislativo. O fato de o Poder Público eventualmente emitir títulos da dívida pública não o equipara a uma instituição financeira.

INSTITUIÇÕES MULTILATERAIS — Instituições internacionais com membros governamentais, que abarcam várias regiões, incluindo instituições financeiras como o Banco Mundial e o Fundo Monetário Internacional, agências das Nações Unidas e instituições regionais.

INSTITUÍDO — Diz-se do legatário, do donatário. Aquele que é beneficiado com doação ou legado. A primeira pessoa indicada no fideicomisso. (Ver: Fideicomisso.)

INSTITUIDORA — É a pessoa jurídica contratante, à qual os participantes estão vinculados e que efetua contribuição ao plano de previdência.

INSTITUTO — Categoria atribuída a entidades de diversas áreas, como literária, artística, científica, política, beneficente, entre outras, e que, embora componha a razão social de entidades, não corresponde a uma espécie particular de pessoa jurídica, podendo ser utilizada por entidade pública ou privada, com ou sem fins lucrativos, constituída sob a forma de fundação ou associação. O novo Código Civil trouxe importantes inovações no tocante às entidades organizadas com fins não-econômicos que compõem o terceiro setor. Destaca-se, dentre as inovações, a supressão da sociedade civil sem fins lucrativos. Esta deixa de existir juridicamente, passando o novo Código Civil a disciplinar apenas dois tipos de entidades com fins não econômicos: a associação e a fundação, elencando para cada qual exigências estatutárias distintas no tocante à sua constituição, funcionamento e extinção.

INSTITUTO NACIONAL DE ESTUDOS E PESQUISAS EDUCACIONAIS (INEP) — Autarquia vinculada ao MEC, responsável pelos processos de avaliação SAEB, ENEN, ENC e pelos Censos Escolar e do Ensino Superior, além da produção de indicadores educacionais e disseminação dos resultados derivados dessas pesquisas.

INSTRUÇÃO — 1) Diz-se da prática de atos que têm por finalidade preparar o processo para ser decidido. 2) Ato administrativo de âmbito puramente interno, emitido por superiores hierárquicos a fim de orientar os subordinados no desempenho de suas atribuições, quanto ao modo e à forma de executar determinado serviço público, visando a unidade e harmonia de ação no organismo administrativo respectivo. 3) Fase processual em que se produzem as provas. Destina-se a oferecer ao relator ou julgador subsídios necessários, com a finalidade de formar convicção para o julgamento. 4) Fase processual concretizada numa audiência, em que o juiz instrutor ouve as partes e faz perguntas para deixar claro os pontos que serão objeto de julgamento. Na Justiça do Trabalho, a audiência de instrução começa com a tentativa de conciliação entre as partes. Não sendo esta possível, passa-se à instrução propriamente dita.

INSTRUÇÃO CRIMINAL — Fase do processo penal destinada a apurar a existência, espécie e circunstâncias do crime, e sua autoria. Destina-se a preparar o juiz para o julgamento, especialmente no que tange a provas e perícias. A instrução é contraditória, sendo natural que se inicie com o interrogatório do acusado.

INSTRUÇÃO NORMATIVA — Documento emitido por autoridades competentes, na Administração Pública, com vistas à normatização e disciplina de assunto específico.

INSTRUÇÃO SUMÁRIA — É a instrução do processo sumaríssimo, realizada em audiência do juízo, recebendo documentos e tomando depoimentos. Pode ainda o juiz determinar exames periciais.

INSTRUIR — Pôr um processo, uma causa, em estado de ser julgado; anexar a uma petição apresentada em juízo documentos comprobatórios de alegações nela feitas.

INSTRUMENTO — 1) É o móvel ou utensílio com que se executa ou pratica um ato, ou a coisa, em que se demonstra ou se dispõe em ordem o que é feito ou determinado. 2) Objeto, em geral mais simples do que o aparelho, e que serve de agente mecânico na execução de qualquer trabalho. 3) Qualquer objeto considerado em sua função ou utilidade. 4) Recurso empregado para se alcançar um objetivo, conseguir um resultado; meio. 5) Pessoa que serve de intermediário. 6) Objeto que produz sons musicais. 7) Ato reduzido a escrito, em forma apropriada, para que se constitua um documento que o torne concreto, autêntico, provável e oponível contra terceiros. 8) Ferramenta que estende ou amplia a capacidade humana de realizar coisas ou processos. 9) Meios de realização de processos.

INSTRUMENTO DE POLÍTICA AMBIENTAL — Mecanismos de que se vale a Administração Pública para implementar e perseguir os objetivos da política ambiental, podendo incluir os aparatos administrativos, os sistemas de informação, as licenças e autorizações, pesquisas e métodos científicos, técnicas educativas, incentivos fiscais e outras econômicas, relatórios informativos etc.

INSTRUMENTOS NO PROCESSO DE EXECUÇÃO DO ORÇAMENTO — Ver Execução do Orçamento, Instrumentos no Processo de.

INSUBMISSO — Segundo o Direito Penal Militar, insubmisso é o indivíduo convocado para a prestação de serviço militar que deixa de apresentar-se, no prazo que lhe foi marcado, ou que, apresentando-se, ausenta-se antes do ato de incorporação, caracterizando crime.

INSUBORDINAÇÃO — Independência ou desobediência, de posição ou de valores, em relação a uma autoridade superior.

INSUBSISTÊNCIAS ATIVAS — São movimentações que ocorrem por fatos que não mais podem subsistir, isto é, não podem mais existir; deixam de existir, por qualquer motivo, porém, sempre causando uma variação passiva provocada pela baixa ou desincorporação de um bem ou de um direito do ativo permanente. Exemplos: baixa de créditos fiscais, baixas de bens por doação, permuta, sinistro etc.

INSUBSISTÊNCIAS PASSIVAS — São movimentações que ocorrem por fatos que não mais podem subsistir, isto é, não podem mais existir, portanto, deixam por qualquer motivo de existir; porém, sempre causando uma variação ativa, provocada pela desincorporação ou baixa de uma obrigação passiva. Exemplos: cancelamento de dívidas passivas, diminuição da dívida por baixa da taxa cambial etc.

INSUFICIÊNCIA FINANCEIRA — Quando o passivo financeiro apresenta-se maior do que o ativo financeiro.

INSULTO — Injúria violenta e brusca; agressão à honra ou à dignidade.

INSUMOS — Combinação dos fatores que entram na produção de determinada quantidade de bens ou serviços: matéria-prima, horas trabalhadas, energia consumida etc.

INSURANCE — Garantia, aval.

INTANGIBLE ASSETS — Ver Ativo Intangível.

INTEGRAÇÃO — 1) Processo que visa à inserção da pessoa portadora de deficiência em todos os setores da sociedade (político, econômico, social, cultural). Fundamenta-se no princípio da igualdade e construção da cidadania. 2) Forma de criação de animais (aves, suínos, outros) em que o agricultor tem vínculo econômico com uma grande agroindústria. A empresa fornece infra-estrutura, orientação técnica, matéria-prima e filhotes para a criação, e o produtor rural cuida dos animais, que posteriormente são enviados à agroindústria para abate e produção de alimentos.

INTEGRAÇÃO DE INFORMES — Ato ou efeito de estabelecer relações recíprocas entre vários dados ou informes, reunindo-os em um todo unificado, criando, assim, algo novo.

INTEGRALIDADE — Princípio orçamentário segundo o qual o orçamento não é só a expressão financeira do plano de governo; ele constitui instrumento da planificação, devendo refletir a política orçamentária única.

INTEGRALIZAÇÃO — É o momento em que o acionista entrega o dinheiro ou bens para aumento de capital.

INTEGRIDADE DA INFORMAÇÃO — É um dos aspectos relacionados à segurança das informações que trata da proteção da informação contra modificações não autorizadas, garantindo que ela seja confiável, completa e exata. Como exemplos de informações passíveis de proteção, em função do perfil da organização e do seu nível requerido de segurança, podem ser citadas as armazenadas em computadores; transmitidas por meio de redes; impressas em meio físico; enviadas por *fac-símile;* armazenadas em fitas ou discos; enviadas por correio eletrônico; e trocadas em conversas telefônicas.

INTEGRIDADE DA NATUREZA DA RECEITA / FONTE — Ver Receita / Fonte, Integridade da natureza da.

INTELECTUALIZAR — Elevar à categoria de intelectual. Dar forma inteligente.

INTELIGÊNCIA — Pode ser definida como a capacidade mental de raciocinar, planejar, resolver problemas, abstrair idéias, compreender idéias e linguagens e aprender. Embora pessoas leigas geralmente percebam o conceito de inteligência sob um escopo muito maior, na Psicologia, o estudo da inteligência geralmente entende que este conceito não compreende a criatividade, a personalidade, o caráter ou a sabedoria.

INTELIGÊNCIA ARTIFICIAL — Aquela que utiliza a robótica, o reconhecimento de voz, processamento em linguagem natural, redes neurais e sistemas especialistas; estudo dos processos de aprendizagem e dos padrões mentais envolvendo computadores e sistemas inteligentes vivos ou artificiais; disciplina que estuda os *learning systems* ou sistemas inteligentes; relativa à ciência e à tecnologia da cognição; relativa à epistemologia.

INTELIGÊNCIA COMPETITIVA — É o resultado da análise de informações e dados coletados, que irá embasar decisões. É feita aqui a distinção entre "dado" (valor sem significado), "informação" (dado com significado) e "conhecimento" (informação estruturada e contextualizada). O conceito de inteligência competitiva é ilustrado como sendo uma "pirâmide" com três camadas: fontes, análise e sistema de inteligência.

INTELIGENTE — Que tem a faculdade de compreender. Esperto; hábil; sagaz.

INTEMPÉRIE — Rigor nas variações das condições atmosféricas, tais como: temperatura, regime dos ventos, chuva, umidade. Mau tempo.

INTEMPESTIVIDADE — Qualidade do que é intempestivo. (Ver: Intempestivo.)

INTEMPESTIVO — Diz-se daquilo que vem tarde; fora do tempo próprio; fora do prazo; inoportuno. (Ver: Serôdio.)

INTENÇÃO — Vontade, desejo, pensamento. Propósito, plano, deliberação. Faculdade do pensamento de expressar a necessidade transmitida pelas sensações no sentido de resolver a vontade prorrogada fortalecendo o interesse no prosseguimento da decisão de busca até a sua satisfação ou consumação. Estado mental mediante o qual se concretiza, se anula ou se mantém um certo estado de coisas. Propósito de continuar a atuação ou de prosseguir a atividade no processo de solucionar o impasse até o seu final. Dolo, desígnio, desejo secreto de praticar o ato delituoso. O mesmo que intento.

INTENCIONAL — Relativo à intenção. Em que há ou revela intenção.

INTENTIO LEGIS — [Latim]. Expressão que significa contenção da lei.

INTENTONA COMUNISTA — Insurreição político-militar promovida pelo Partido Comunista Brasileiro (PCB) em novembro de 1935, com o objetivo de derrubar o presidente Getúlio Vargas e instalar um governo socialista no Brasil. Fundado em 1922, o PCB fortalece-se apenas no final da década, ao intensificar sua participação nas campanhas eleitorais e penetrar no meio do proletariado urbano e do trabalhador rural. Após a Revolução de 1930, recebe a adesão de militantes e líderes tenentistas, entre eles o ex-capitão Luiz Carlos Prestes e muitos de seus companheiros da Coluna Prestes. Depois de uma estada na União das Repúblicas Socialistas Soviéticas (URSS), Prestes retorna ao Brasil e passa a integrar a direção do partido em 1934. (Ver: Revolta tenentista.)

INTER — [Latim]. Expressão que significa entre.

INTER VIVOS — [Latim]. Expressão que significa entre os vivos.

INTERAÇÃO — É uma ação de um objeto físico sobre outro - os objetos físicos podem ser considerados desde partículas pontuais até campos quânticos. Além da interação puramente física, o termo designa a ação conjunta humano-humano e humano-máquina. Em termos simples, ocorre interação quando a ação de uma pessoa desencadeia uma reação em outro (humano ou não). Esta interação pode ter diversos níveis, desde a simples bidirecionalidade até a interatividade.

INTERATIVIDADE — Processo que visa facilitar a comunicação e o relacionamento entre as pessoas e a sociedade em geral.

INTERATIVO — Que se relaciona; interdependente; mutuamente influente.

INTERBANCÁRIO — É o mercado em que são feitas as operações entre os bancos. O Banco Central atua nesse mercado para regular a quantidade de dinheiro do sistema financeiro. Para isso, ele toma ou empresta recursos a uma determinada taxa de juros. Se o objetivo é reduzir os juros, ele empresta dinheiro, aumentando a oferta de reais.

INTERCAMBIALIDADE — Capacidade de uma entidade ser usada no lugar de outra, sem modificação, para atender os mesmos requisitos.

INTERDEPENDÊNCIA — 1) Dependência mútua entre duas variáveis ou funções de um processo. 2) Termo genérico que serve para descrever as relações complexas e múltiplas que as nações modernas estabeleceram entre si. Hoje há muitos processos produtivos que se realizam atravessando várias vezes as fronteiras nacionais. A idéia de interdependência reflete, por outro lado, a impossibilidade de se pensar num desenvolvimento sustentável e dentro das fronteiras limitadas de um país, mesmo quando se trata dos países de maiores dimensões e mais poderosos, e também expressa a importância dos acordos de integração que se têm desenvolvido nos últimos tempos.

INTERDIÇÃO — É o meio judicial pela qual o pai, mãe, tutor, cônjuge, parente próximo, ou, na sua falta, o interessado legítimo e o representante do Ministério Público pede ao juiz que decrete a incapacidade legal de alguém para se reger e administrar seus interesses. A interdição torna a pessoa incapaz para os atos da vida civil, sendo nomeado um Curador para tanto. Para que uma pessoa seja interditada, é necessário um processo judicial em que a incapacidade da pessoa tem que ser provada ao juiz. Para alguém ser considerado interdito, é necessário que a sua incapacidade seja declarada por sentença judicial, no termo do processo especial que se abriu para esse fim. A partir daí é que existirá a interdição e a conseqüente incapacidade de exercício de direitos. A incapacidade só cessará se desaparecer o motivo natural que a originou. Pode ser temporária ou permanente. (Ver: Curatela.)

INTERDIÇÃO DE DIREITO — Ato pelo qual se priva uma pessoa de praticar certos atos ou gozar de certos direitos civis ou políticos, ou, ainda, de adquiri-los.

INTERDICTO RETINENDAE POSSESSIONIS — [Latim]. Expressão que significa ação de manutenção de posse.

INTERDISCIPLINARIDADE — Conhecimento organizado ou obtido pela complementaridade, combinação ou interação entre duas ou mais disciplinas científicas ou pela abordagem de problemas comuns. Acontece quando as diferentes matérias ou disciplinas do conhecimento se inter-relacionam, possibilitando ao aluno uma compreensão mais abrangente e articulada dos conteúdos trabalhados. A interdisciplinaridade não tem a pretensão de criar novas disciplinas ou saberes, mas a de utilizar os conhecimentos de várias disciplinas para resolver um problema concreto ou compreender um determinado fenômeno sob diferentes pontos de vista.

INTERDITO DE MANUTENÇÃO DE POSSE — Ver Manutenção de Posse, Ação de.

INTERDITO DE REINTEGRAÇÃO DE POSSE — Ver Reintegração de Posse, Ação de.

INTERDITO PROIBITÓRIO, AÇÃO DE — Ação particular em que o proprietário, temendo ser molestado na posse de um bem, pede ao juiz que o proteja da violência iminente.

INTERDITOS POSSESSÓRIOS — Mecanismos processuais de defesa da posse no Direito Romano. Instituto jurídico pelo qual se concedem diversas formas de proteção e defesa da posse contra sua turbação ou esbulho. Para garantir sua posse, pode o possuidor valer-se dos interditos possessórios. Serão eles usados sempre que o possuidor for esbulhado, turbado ou ameaçado em sua posse. Assim, temos as três ações eminentemente possessórias: a reintegração de posse, quando o possuidor for privado de sua posse inteiramente com violência; a manutenção de posse, quando o possuidor for privado parcialmente de sua posse, quando for perturbado; e o interdito proibitório, do qual o possuidor poderá se valer quando tiver justo receio de ser turbado ou esbulhado em sua posse.

INTERESSE — Pretensão de uma vantagem. Participação em algo por conveniência, proveito, vontade e desejo, de modo intencional. É a relação do indivíduo com o bem que vai satisfazer sua necessidade.

INTERESSE COLETIVO — É a razão entre o ser humano e o bem, mas apreciadas as suas necessidades em relação a necessidades idênticas do grupo social. São aqueles que não podem ser exercidos a não ser comunitariamente, decorrendo de um vínculo que une todos os interesses. Assemelham-se, com efeito, à comunhão, característica de um bem que o torna pertencente, simultaneamente, a várias pessoas. O interesse coletivo não se confunde, porém, com o interesse difuso, pois, enquanto naquele existe um vínculo jurídico que une as pessoas do grupo entre si, neste não existe, necessariamente, sobre uma relação-base, um vínculo jurídico bem definido, pois o conjunto apresenta contornos tão móveis ou imprecisos que é impossível a individualização de seus componentes.

INTERESSE DE AGIR OU INTERESSE PROCESSUAL — É um interesse secundário, instrumental, subsidiário, de natureza processual, consistente na necessidade de obter uma providência jurisdicional quanto ao interesse substancial (interesse primário) contido na pretensão. Pressupõe um conflito de interesse, uma lide. Sem que ocorra a lide, o que importa numa pretensão resistida, não há lugar para a invocação da atividade jurisdicional. Tem que ser proveitoso para alguém, isto é, útil, necessário e adequado. (Ver: Lide.)

INTERESSE DIFUSO — É o interesse comum de pessoas não ligadas por vínculos jurídicos, ou seja, questões que interessam a todos, de forma indeterminada. Por exemplo, habitação, saúde e meio ambiente. (Ver: Interesse coletivo.)

INTERESSE INDIVIDUAL — É a razão entre o bem e o ser humano, conforme suas necessidades.

INTERESSE INDIVIDUAL PARTICULAR OU PRIVADO — É o interesse que não ultrapassa a esfera de cada pessoa.

INTERESSE PRIMÁRIO — É um interesse de direito substancial, consistente no bem jurídico, material ou incorpóreo, pretendido pelo autor.

INTERESSE PRIVADO — Ver Interesse Individual Particular.

INTERESSE PROCESSUAL — Ver Interesse de agir.

INTERESSE PÚBLICO — Interesse geral. Tudo o que diz respeito ao bem comum. É de toda a sociedade.

INTERESSE SOCIAL DA DESAPROPRIAÇÃO — Quando o bem desapropriado se destina à coletividade ou beneficiários credenciados pela lei. Distingue-se de utilidade pública, quando o bem desapropriado é destinado à própria Administração ou seus delegados. (Ver: Desapropriação.)

INTERESSES COLETIVOS OU DIFUSOS — Ver Interesse Coletivo.

INTERESSES NACIONAIS — Expressão dos anseios e desejos coletivos despertados pelas necessidades materiais e espirituais, vitais ou derivadas, de toda a Nação.

INTERESSES VITAIS — Aqueles que bem caracterizam os interesses nacionais, relacionam-se com as mais relevantes necessidades da Nação, consideradas indispensáveis à sobrevivência em condições compatíveis com a dignidade humana, e repousam em valores transcendentais e imutáveis.

INTERFACE — Pontos ou áreas onde existe uma relação entre: partes de estruturas, sistemas ou componentes; atribuições ou responsabilidades de pessoas, grupos ou organizações; programas, procedimentos ou atividades, e onde se exige compatibilidade física e/ou funcional.

INTERFERÊNCIA — Qualquer obstáculo ao fluxo eficiente e fidedigno da comunicação.

INTERINO — Ver Servidor Interino.

INTERMAÇÃO — Ver Saúde - Intermação.

INTERMEDIAÇÃO ELETRÔNICA — Processo de comunicação computadorizada entre fornecedores e clientes que permite o aumento de alternativas para a divulgação e comercialização de processos, bens e serviços.

INTERMEDIÁRIOS FINANCEIROS — Instituições financeiras mediante as quais os poupadores podem fornecer fundos para os tomadores de empréstimos.

INTERMITÊNCIA — Fenômeno que vez por outra se repete sem um período definido.

***INTERNA CORPORIS* —** [Latim]. Expressão que significa interno à corporação; no âmbito do próprio órgão.

INTERNAÇÃO — Ver Prisão. // Privação de Liberdade.

***INTERNATIONAL BANKING FACILITIES* (IBF) —** Centros *onshore offshore* onde o registro das contas que operam com transações internacionais é separado do registro de movimentação financeira e de capital doméstico, aplicando-se a ele regulamentação mais favorável do que as válidas para o resto do país. A criação dos IBFs foi uma tentativa norte-americana, no início da década de 80 do século XX, de capturar os negócios em dólares feitos em Londres e nos centros financeiros *offshore*, mas não teve o êxito esperado. Isso se deve às restrições impostas aos IBFs mas não às subsidiárias (*booking subsidiaries*) e agências de *booking* (*booking offices*) desses bancos no exterior. Muitos bancos estrangeiros fazem uso das facilidades dos IBFs. Bancos japoneses principalmente, proibidos pelo governo japonês de estabelecer *Shell banks* e subsidiárias no Caribe mas não de atuar através dos IBFs, usam essa plataforma para fazer operações triangulares com bancos *offshore* no fuso horário caribenho/norte-americano. (Ver: JOM.)

***INTERNATIONAL LABOUR ORGANISATION* (ILO) —** A ILO foi formada antes das Nações Unidas, em 1919. Por meio de convenções internacionais, estabeleceu critérios de governança global sobre questões como exploração de mão-de-obra infantil, condições de trabalho, negociações coletivas, saúde e segurança. (Ver: OIT.)

INTERNATO ASILAR — Atendimento destinado a pessoas sem vínculo familiar, abandonadas ou sem condições de prover a própria subsistência, de modo a satisfazer as suas necessidades de moradia, alimentação, saúde e convivência social.

INTERNET — Gigantesca rede mundial de comunicação informatizada, que possibilita a troca de informações, correio eletrônico, acesso a banco de dados e "conversas" *on-line* entre usuários. Foi criada em meados da década de 60 do século XX, pela agência do governo americano ARPA (*Advanced Research Project Agency*). Desenvolvida pelas universidades americanas nas décadas de 70 e 80, somente a partir da década de 90, com a criação de um ambiente gráfico (www), tornou-se uma mídia de massa. No Brasil, o projeto de popularização do acesso à rede começou em 1995. (Ver: Intranet.)

INTERPELAÇÃO JUDICIAL — Procedimento consistente em manifestação formal de comunicação da vontade, objetivando prevenir responsabilidades e eliminar a possibilidade de alegação futura de ignorância. Trata-se, em suma, de um meio hábil para provar o não-cumprimento de uma obrigação. O credor (interpelante) cientifica o devedor (interpelado) de que exige o adimplemento da obrigação, sob pena de constituição em mora ou outros efeitos legais. A interpelação, bem como o protesto e a notificação, não conta com um rito processual específico, nem mesmo tem caráter coercitivo. Visa, tão-somente, a tornar pública uma manifestação de vontade. Se esta é ou não relevante, isto será apurado no processo a *posteriori*.

INTERPOL (INTERNATIONAL ORGANISATION OF CRIMINAL POLICE) — Organização criada no período entre as duas grandes guerras, com sede em Lyon (França), com o objetivo de criar um sistema de comunicações para a troca de informação entre as forças policiais dos países-membro, entre os quais o Brasil.

INTERPOR — Opor, contrapor; entrar em juízo com (um recurso); fazer intervir; expor.

INTERPOSIÇÃO DE PESSOA — Simulação que se dá quando um terceiro interfere na conclusão de ato jurídico para ocultar o verdadeiro interessado. Pode ser real se o interposto tem existência positiva: e fictícia, se incide sobre pessoas que aparentemente intervêm, sem ser em partes.

INTERPRETAÇÃO — É a tradução do sentido ou do pensamento que está contido na lei, na decisão, no ato ou no contrato.

INTERPRETAÇÃO EXTENSIVA — Aquela aplicada quando o caso requer ampliação do alcance das palavras da lei, para que a letra corresponda à vontade do texto. Ocorre quando o intérprete chega à conclusão de que o legislador, ao formular a norma, disse menos do que no fundo pretendia. Pressupõe que determinada situação, não estando compreendida na letra da lei, o está no seu espírito.

INTERPRETAÇÃO PROGRESSIVA — Técnica de interpretação da lei que procura adaptar os dizeres da norma às transformações sociais, científicas e morais.

INTERPRETAÇÃO RESTRITIVA — Aquela que procura restringir o texto que foge aos limites desejados pelo legislador.

INTERPRETAR — Examinar, perquirir e fixar o sentido ou a inteligência do texto legal, ou do teor do escrito, para que se tenha sua exata significação ou sentido.

INTERPRETARIO CESSAT IN CLARIS — [Latim]. Expressão que significa a interpretação cessa quando a lei é clara.

INTERROGATÓRIO — Auto em que se reduzem a escrito as respostas que dá o indiciado ou o réu às perguntas feitas pela autoridade competente. É o meio de defesa e de prova. É um ato público equivalente a uma audiência, exceto segredo de justiça. A vítima não presta depoimento, dá esclarecimentos.

INTERSEÇÃO — Em teoria dos conjuntos, conjunto de elementos que, simultaneamente, pertence a dois ou mais conjuntos. Todo cruzamento em nível, entroncamento ou bifurcação, incluindo as áreas formadas por tais cruzamentos, entroncamentos ou bifurcações.

INTERSETORIALIDADE — Ação focada na busca da promoção de produtos sociais em comum. É a ação ou parceria em que todos os setores irão compartilhar tecnologias e desfrutar dos benefícios diretamente. Deve ser o eixo estruturador das políticas públicas, possibilitando uma abordagem geral dos problemas sociais.

INTERSTÍCIO — Espaço de tempo previsto em lei para consumação do ato jurídico. Intervalo de tempo que deve decorrer antes que um ato surta efeitos. No processo legislativo, é o lapso de tempo previsto entre uma e outra formalidade regimental. O interstício é contado por sessões ordinárias ou por dias úteis, conforme determina os regimentos internos de cada Casa (Ex.: é de três dias úteis, no Senado, e de duas sessões, na Câmara dos Deputados, o interstício entre a distribuição de avulsos dos pareceres das comissões e o início da discussão ou votação correspondente).

INTERVENÇÃO DE TERCEIRO — Ingresso de terceiro no processo, para auxiliar ou excluir as partes. São formas de intervenção de terceiros a oposição, a nomeação à autoria, a denunciação da lide, o chamamento ao processo e a assistência.

INTERVENÇÃO FEDERAL — É a medida de caráter excepcional e temporário que afasta a autonomia dos Estados, Distrito Federal ou Municípios. A intervenção só pode ocorrer nos casos e limites estabelecidos pelas Constituições Federal e Estaduais.

INTERVENÇÃO HUMANITÁRIA — Ações realizadas pela comunidade internacional no espaço de um determinado Estado, com o objetivo de proteger e defender a população de violações graves e massivas dos direitos humanos fundamentais, e garantir a assistência humanitária a vítimas de conflitos armados quando o governo soberano impede a sua realização.

INTERVENCIONISMO — Política ou doutrina que preconiza a intervenção. É uma doutrina e uma política que conferem ao Estado o direito e o dever de interferir nas atividades dos indivíduos e dos grupos a ele subordinados.

INTERVENIENTE — É o órgão ou entidade de direito público ou privado que intervém no convênio ou ajuste, dando sua anuência e/ou assumindo obrigações distintas daquelas específicas da entidade ou órgão executor. (Ver: Interventor.)

INTERVENTOR — Juridicamente, é especialmente empregado para indicar a pessoa que se coloca diante de uma administração ou governo, em que se faz uma intervenção. É assim o nome dado à pessoa que substitui, em caráter de comissão, a pessoa afastada do encargo pela intervenção. Para a pessoa que intervém ou promove a intervenção nos casos de letra de câmbio ou nas ações judiciais, a técnica tem adotado, mais apropriadamente, o vocábulo Interveniente. (Ver: Interveniente.)

INTESTADO — Que não fez testamento, que faleceu sem deixar testamento. O mesmo que *ab intestado.*

INTIFADA — Nome do levante nos territórios palestinos contra a política e ocupação israelenses, caracterizado por protestos, tumultos, greves e violência, tanto na Faixa de Gaza quanto na Cisjordânia. A primeira *intifada* estendeu-se de 1987 a 1993, estimulada principalmente por três grupos: *Hamas*, OLP e *Jihad.* Ficou marcada pelo apedrejamento de soldados israelenses por jovens palestinos desarmados. Em setembro de 2000, quando recomeçou a violência entre palestinos e israelenses, depois de uma visita de Ariel Sharon a um local santo para os muçulmanos, o conflito violento recomeçou, sendo chamado de segunda *intifada*. O estopim foi uma provocação deliberada do então candidato a primeiro-ministro Ariel Sharon, líder da oposição ao governo de Ehud Barak e porta-voz da linha dura israelense. Cercado de guarda-costas, ele visitou a Esplanada das Mesquitas, na parte murada de Jerusalém, onde ficam as mesquitas de Al-Aksa e de Omar, um conjunto que é o terceiro entre os lugares santos do Islã.

INTIMAÇÃO — Ordem de autoridade pública expedida a alguém, para que faça ou deixe de fazer algo, dentro ou fora do processo. É efetuada de ofício, em processos pendentes, salvo disposição em contrário. Não se confunde com a citação, que representa, apenas, uma comunicação a alguém para que compareça em juízo, para responder à lide, sob pena de revelia. (Ver: Citação.)

INTIMAR — Ver Intimação.

INTIMIDADE — Permissão para entrar e sair do espaço físico, moral, intelectual e corporal. A intimidade entre duas pessoas é a abertura recíproca do espaço íntimo de cada um. A intensidade e a freqüência dessa abertura dependem do grau de afinidade, conhecimento, empatia e simpatia mútua, confiabilidade, credibilidade, sinceridade, afetividade, reforçamento, motivação e interesse.

INTOLERÂNCIA — Sem tolerância. É o não consentimento ou postura não indulgente por crença ou conhecimento gerador de sentimento de indisposição. Não querer.

INTRA LEGEM — [Latim]. Expressão que significa interpretação analógica determinada na própria lei.

INTRA-EMPREENDEDORISMO — Característica do empregado que propõe inovações.

INTRANET — É uma rede interna de comunicação informatizada para a difusão de informações no interior de uma empresa entre os seus funcionários. Outras das facilidades das *intranets* são a criação de grupos de discussão internos (*newsgroup*) que visam partilhar informação e recolher idéias ou sugestões, bem como o correio eletrônico (interno e externo), que está se tornando em todo o mundo uma alternativa ao envio de mensagens por fax. (Ver: Internet.)

INTRANSIGÊNCIA — Que não há condescendência ou indulgência. Ausência total de tolerância. A intransigência pode ser um disfarce de fraqueza e insegurança ou para encobrimento de maldade ou fato vergonhoso. Geralmente, a intransigência é causada por falta de conhecimento e experiência, além do medo de perder autoridade, uma situação de vantagem ou posição de comando.

INTRANSMISSÍVEL — Diz-se da coisa gravada com cláusula de inalienabilidade ou legalmente indisponível.

INTRIGA — Mexerico, fofoca. A intriga é muito usada na manipulação perversa. O manipulador intencional perverso ou inescrupuloso manipula a curiosidade, a boa-fé, a ingenuidade e a predisposição, gerando preocupação, desconfiança, confusão, tumulto, brigas e separações por vias oblíquas - boatos, intermediário (testa-de-ferro) - em busca de vantagens especiais.

INTRODUÇÃO À CIÊNCIA DO DIREITO — Preparação preliminar ao estudo dos vários ramos do Direito, pelo conhecimento especulativo dos diversos aspectos pelos quais se manifesta.

INTROSPECÇÃO — Análise ou observação da realidade subjetiva feita pelo próprio indivíduo. Pesquisa e exame dos próprios pensamentos, sentimentos, emoções e de outros aspectos de sua vida passada.

INTRUSÃO MARINHA — Invasão da água salgada marinha por redução excessiva dos níveis potenciométricos dos aqüíferos; pode ser natural (anos secos) ou artificial (excesso de bombeamento).

INTUIÇÃO — Faculdade do estado psíquico consciente de compreender, entender e discernir pronta e claramente sem os recursos da análise, do raciocínio ou de quaisquer condições práticas. Há três tipos de intuições. A lógica - que dá o conhecimento imediato ante o objeto real. A imaginativa - que dá conhecimento por visualização ou lembrança repentina. A heurística - que dá conhecimento repentino, com a compreensão circunstancial, no curso de uma atividade, ou de uma reflexão.

INTUITU PERSONAE — [Latim]. Expressão que significa intuito na pessoa. É a garantia concedida em função exclusiva de determinada pessoa. Motivo que determina a vontade ou o consentimento de certa pessoa para com outra, a quem quer favorecer ou com quem contrata, pelo apreço que ela lhe merece.

INUMAÇÃO — Sepultamento. Ato de sepultar cadáver humano, após o preenchimento de formalidades legais e regulamentares.

INUNDAÇÃO — Transbordamento de água da calha normal de rios, mares, lagos e açudes, ou acumulação de água por drenagem deficiente, em áreas não habitualmente submersas. Em função da magnitude, as inundações são classificadas como: excepcionais, de grande magnitude, normais ou regulares e de pequena magnitude. Em função do padrão evolutivo, são classificadas como: enchentes ou inundações graduais, enxurradas ou inundações bruscas, alagamentos e inundações litorâneas. Na maioria das vezes, o incremento dos caudais de superfície é provocado por precipitações pluviométricas intensas e concentradas, pela intensificação do regime de chuvas sazonais, por saturação do lençol freático ou por degelo. As inundações podem ter outras causas, como: assoreamento do leito dos rios; compactação e impermeabilização do solo; erupções vulcânicas em áreas de nevados; invasão de terrenos deprimidos por maremotos, ondas intensificadas e macaréus; precipitações intensas com marés elevadas; rompimento de barragens; drenagem deficiente de áreas a montante de aterros; estrangulamento de rios provocado por desmoronamento.

INUNDAR O MERCADO — É oferecer dinheiro aos bancos a juros baixos e, com isso, estimular uma redução das taxas de juros em geral.

INUPTO — Solteiro, celibatário.

INÚTIL — Que não tem utilidade. Frustrado; estéril. Desnecessário. Sem préstimo.

INVALIDAÇÃO — É a ação e efeito de tirar à força ou tornar sem efeito tudo que se tenha promovido em transgressão à lei.

INVALIDADE — Verifica-se sempre que for desrespeitada uma regra sobre a produção jurídica e/ou pode revestir a forma de nulidade ou anulabilidade. O negócio diz-se inválido quando não produz os efeitos jurídicos essencialmente desejados pelas partes.

INVALIDEZ — É a incapacidade física ou mental para o exercício pleno de atividades das quais advenham remuneração ou ganho, em caráter permanente ou temporário, total ou parcial, resultante de acidente ou de doença.

INVARIANTE — Algo que não muda; se conserva.

INVEJA — Sentimento de cobiça do bem alheio. Sentimento de desgosto, ódio ou pesar por prosperidade ou pela alegria de outrem. Surge em pessoas com tendência ao fracasso, nas que são ou se sentem excluídas ou rejeitadas e nas que desejam mais do que a própria capacidade pode proporcionar.

INVENÇÃO — Atividade psíquica processada no passo de gerar coisa nova útil. Inventar significa sair-se bem com uma medida original e diferente. É a idealização de uma solução inteligente genuinamente nova. A invenção pode ser real ou fictícia. É ativada pelo consciente ante as necessidades sucessivas, constantes ou de satisfação insuficiente.

INVENTARIADO — É a designação do *de cujus* (o falecido), ou da pessoa falecida cujo inventário está em trâmite.

INVENTARIANTE — Pessoa que inventaria ou faz o rol dos bens inventariados; pessoa que o juiz nomeia para arrolar, administrar e partilhar uma herança, representando-a ativa e passivamente enquanto indivisa. É o indivíduo acometido de administrar o espólio até que se encerre a partilha. O inventariante é o mandatário legal da herança, cabendo-lhe a obrigação de zelar pelos interesses dela, bem como por sua defesa. Em geral, a pessoa do inventariante é o cônjuge sobrevivente, ou na falta deste, tal competirá a um dos herdeiros e ao testamenteiro. Excepcionalmente o cargo será entregue a estranho.

INVENTÁRIO DE BENS — 1) Procedimento especial de natureza civil, destinado a relacionar, avaliar e partilhar os bens de pessoas falecidas entre seus herdeiros ou legatários. O inventário será sempre judicial, mesmo que todas as partes sejam capazes. Não tendo caráter contencioso, manda a lei que o juiz decida todas as questões de direito e também as de fato, quando este se achar provado por documento, devendo as questões que demandarem alta indagação, ou que dependerem de outras provas, ser discutidas, provadas e decididas pelas vias ordinárias, vale dizer, mediante ações próprias. Ocorrido o óbito, o processo de inventário deve ser iniciado dentro de 30 dias, sendo obrigatória a participação de advogado. O processo judicial será aberto no domicílio da pessoa falecida, para efeito de legalizar a transferência do espólio para os herdeiros ou sucessores. A pessoa a quem se confere o dever de administrar o espólio, até que se julgue, em definitivo, a partilha, chama-se inventariante. Via de regra, o cargo de inventariante é exercido pelo cônjuge supérstite ou, na falta deste, por um dos herdeiros ou o testamenteiro. Quando os herdeiros são maiores e capazes, ou quando o valor dos bens a inventariar é diminuto, adota-se como rito processual o do arrolamento de bens, mais simples e menos oneroso. 2) É a relação (lista, rol, arrolamento) de todos os elementos ativos e passivos componentes do patrimônio com a indicação do valor desses elementos, permitindo conhecer a composição qualitativa do patrimônio em determinado instante, bem como fornecer informações para que se estabeleça a sua expressão quantitativa.

INVERSÃO ATMOSFÉRICA — Reversão das condições atmosféricas normais, que ocorre quando uma camada de ar quente e menos denso bloqueia uma camada de ar frio e denso, na superfície do planeta Terra; a camada de ar quente impede a circulação do ar, impedindo a dispersão dos poluentes, que se concentram na camada de ar frio, podendo levar a níveis perigosos de poluição.

INVERSÃO DE PAUTA — Alteração da ordem da pauta da Ordem do Dia. No Legislativo, só acontece mediante aprovação de requerimento em reunião de comissão ou sessão plenária.

INVERSÃO OU DESVIO DE CAMINHO — É o ato da mudança na linha das operações de uma corporação, de modo a registrar o lucro não na sede operacional da empresa, mas em uma subsidiária localizada num centro *offshore,* com o intuito de assegurar a obtenção de uma vantagem fiscal. Vem ocorrendo principalmente nos Estados Unidos.

INVERSÃO TÉRMICA — Condição atmosférica na qual uma camada de ar menos quente é aprisionada por uma camada de ar quente sobreposta, de modo que a primeira não pode se elevar, impedindo a mistura da atmosfera em ascensão vertical, e os poluentes se acumulam na camada de ar aprisionada junto à superfície do planeta. Em ambientes industrializados, a inversão térmica leva à retenção de poluentes nas camadas mais baixas e próximas do solo.

INVERSÕES FINANCEIRAS — Na Administração Pública, é a classificação de Despesa de Capital destinada à aquisição de imóveis para fins diversos, ou bens de capital já em utilização; aquisição de títulos representativos do capital de empresas ou entidades de qualquer espécie, já constituídas, quando a operação não importe aumento de capital; à constituição ou aumento do capital de entidades ou empresas comerciais e financeiras, inclusive às operações bancárias ou de seguros. Não acarreta aumento do patrimônio da coletividade.

INVERSOR — Quando a pessoa aplica no mercado financeiro, é chamada de investidor. Quando resgata sua aplicação, é chamada de inversor. (Ver: Investidor.)

INVESTIDOR — É assim chamada a pessoa ou instituição que aplica suas economias no mercado financeiro ou em atividades produtivas, com o objetivo de obter ganho a médio e longo prazos. (Ver: Inversor.)

INVESTIDOR DE RISCO — Ver Capitalista de risco.

INVESTIDORES INSTITUCIONAIS — Nome dado a investidores do mercado mobiliário, como entidades de Previdência Privada Fechadas e Abertas, Sociedades Seguradoras, Fundos Mútuos de Investimentos, Investidores Institucionais Estrangeiros, Sociedades de Capitalização que dispõem de um grande volume de recursos para investimento e têm necessidade de garantir certa rentabilidade ou retorno atuarial, para renda patrimonial, reserva de risco ou pagamento de pensões.

INVESTIGAÇÃO BÁSICA — Consiste em trabalhos experimentais ou teóricos que são desenvolvidos para a obtenção de novos conhecimentos fundamentais sobre fenômenos e fatos observáveis, sem visar a nenhuma aplicação específica.

INVESTIGAÇÃO DE MATERNIDADE — É o meio judicial que cabe ao filho natural contra a suposta mãe ou seus herdeiros, visando ao reconhecimento da filiação que alega. Qualquer pessoa com justo interesse pode contestar a ação. A sentença que julgar procedente a ação de investigação produzirá os mesmos efeitos do reconhecimento.

INVESTIGAÇÃO DE MATERNIDADE/PATERNIDADE - FORMAS — Há duas maneiras de se reconhecer um filho: voluntariamente ou forçosamente. A primeira pode ser feita até mesmo via testamento. A segunda, por via de força, é a investigação, tanto de maternidade quanto de paternidade. Apesar de ser incomum, a investigação de maternidade está prevista em lei. Além das tradicionais investigações, de maternidade e paternidade, existe a chamada oficiosa, que é movida pelo poder público quando da falta, na certidão de nascimento, do nome do pai ou da mãe.

INVESTIGAÇÃO DE PATERNIDADE — É o meio judicial que compete ao filho ilegítimo, para conseguir o reconhecimento de sua filiação, contra o pai, ou se falecido, contra os herdeiros deste.

INVESTIMENTO A FUNDO PERDIDO — É o investimento realizado sem expectativa de retorno do montante investido. Esse tipo de investimento é geralmente realizado pelo Estado, no sentido de melhorar as condições de existência de setores de baixa renda, como na construção de moradias populares, saneamento básico, ou mesmo realizações de obras de infra-estrutura como estradas, que estimulam os investimentos privados por meio da oferta de um produto ou serviço antes inexistente.

INVESTIMENTO CORPÓREO — Investimento em bens tangíveis, móveis ou imóveis, utilizados na atividade operacional da empresa e que não tenham como finalidade a sua venda ou transformação.

INVESTIMENTO DE CAPITAL — Ver Capital, Investimento de.

INVESTIMENTO DE PORTFÓLIO — Designa recursos que vêm do exterior, de estrangeiros não-residentes, através de entrada de operações financeiras como aplicação na Bolsa de Valores, compra de títulos de empresas nacionais, investimento no mercado de câmbio nacional etc.

INVESTIMENTO DIRETO — Investimento feito para adquirir ou aumentar a capacidade produtiva de um país (maquinaria, fábricas ou serviços).

INVESTIMENTO EM REGIME DE EXECUÇÃO ESPECIAL — São despesas públicas previstas em programas especiais de trabalho que, por sua natureza, não possam cumprir-se subordinadamente às normas gerais de execução da despesa e que resultem em investimento.

INVESTIMENTO ESTRANGEIRO — O investimento estrangeiro consiste na aquisição de empresas, equipamentos, instalações, estoques ou interesses financeiros de um país por empresas, governos ou indivíduos de outros países. O investimento de capital estrangeiro pode ser direto ou indireto.

INVESTIMENTO ESTRANGEIRO DIRETO — É o investimento implicado na participação acionária de empresas já existentes ou na criação de novas empresas e às vezes transferência de tecnologia, sendo por isso preferido pelos países receptores sobre o investimento em carteira. No Brasil e em outros países como a China, o processo de privatização atraiu uma massa maior de investimentos estrangeiros diretos. É também um meio para o país financiar déficit da balança de pagamentos (que pode ocorrer com o aumento da demanda interna). O investimento estrangeiro direto é parte importante da política de substituição de importações, à medida que uma empresa estrangeira cria subsidiárias para a produção local de bens anteriormente importados da matriz. A maior parte dos ativos globais, resultantes de investimentos diretos no estrangeiro, pertence a cinco países: EUA, Grã-Bretanha, Japão, Alemanha e França. Pode incluir também empréstimos de governo a governo.

INVESTIMENTO ESTRANGEIRO GOVERNAMENTAL — Investimento realizado por razões políticas, diplomáticas ou militares, independente de possíveis rendimentos econômicos, mas pode ter a função de equilibrar, a longo prazo, o balanço de pagamentos do país de origem.

INVESTIMENTO ESTRANGEIRO INDIRETO — São investimentos que assumem a forma de empréstimos e financiamentos a longo prazo.

INVESTIMENTO ESTRANGEIRO PRIVADO — Investimentos que visam, principalmente, a obtenção de lucro maior ou com facilidades fiscais, a busca de variações de câmbio favoráveis ou por temor de mudanças políticas ou fiscais no país de origem.

INVESTIMENTO ÉTICO — É um indicador útil de um futuro pensamento. Embora os critérios tradicionais de investimento ético variem em questões como o não investimento em armamentos, tabaco, política ambiental e regimes opressores, cada vez mais fora do campo de investimento ético, os investimentos estão sendo canalizados para empresas que divulgam o impacto social e ambiental que causam.

INVESTIMENTO EXTERNO DIRETO — É o investimento feito por pessoa física ou jurídica com sede no exterior no capital social de uma empresa, independentemente do percentual das ações ou quotas que tenha sido adquirido, desde que tenha essa aquisição se dado de forma direta, fora dos sistemas convencionais dos mercados organizados de bolsas de valores.

INVESTIMENTO EXTERNO LÍQUIDO — Aquisição de ativos estrangeiros por residentes internos menos aquisição de ativos internos por residentes no estrangeiro.

INVESTIMENTO INCORPÓREO — Investimento em bens intangíveis, incluindo os custos com ações de promoção e marketing, estudos de mercado, ações de prospecção e presença em mercados externos e aquisição de patentes, marcas, alvarás e licenças.

INVESTIMENTO PRIVADO LÍQUIDO — Diferença entre a entrada e a saída de recursos de investidores e produtores privados de um determinado país. Recursos multilaterais ou de empréstimo ao governo não contam.

INVESTIMENTO SOCIAL PRIVADO — É o repasse voluntário de recursos privados de forma planejada, monitorada e sistemática para projetos sociais de interesse público. Incluem-se neste universo as ações sociais protagonizadas por empresas, fundações e institutos de origem empresarial ou instituídos por famílias ou indivíduos. A preocupação com o planejamento, o monitoramento e a avaliação dos projetos é intrínseca ao conceito de investimento social privado e um dos elementos fundamentais na diferenciação entre essa prática e as ações assistencialistas. Diferentemente do conceito de caridade, que vem carregado da noção de assistencialismo, os investidores sociais privados estão preocupados com os resultados obtidos, as transformações geradas e o envolvimento da comunidade no desenvolvimento da ação.

INVESTIMENTOS — 1) São dotações orçamentárias da Administração Pública, destinadas ao planejamento e à execução de obras, inclusive à aquisição de imóveis considerados necessários à sua realização, bem como aos programas especiais de trabalho, aquisição de instalações, equipamentos e material permanente e constituição ou aumento de capital de empresas que não sejam de caráter comercial ou financeiro. Resultam em aumento do patrimônio da sociedade. 2) Emprego da poupança em atividade produtiva objetivando ganhos a médio e longo prazos. É utilizado, também, para designar a aplicação de recursos em algum tipo de ativo financeiro.

INVESTMENT BANKS — Ver Banco de Investimento.

INVIOLABILIDADE — Prerrogativa pela qual certas pessoas (parlamentares, agentes diplomáticos estrangeiros) e certos lugares ficam livres da ação da Justiça.

INVIOLÁVEL — Aqueles em que há privilégio ou prerrogativa, que a Constituição de um país coloca ao abrigo de toda violência e acima da ação da Justiça.

INVOICE — Documento comercial que formaliza uma operação de compra e venda com o exterior, contendo quantidade, preço e condições de pagamento de mercadorias ou serviços prestados.

IOF (IMPOSTO SOBRE OPERAÇÕES FINANCEIRAS) — Tributo de competência federal devido nas operações de crédito e seguro realizadas por instituições financeiras e seguradoras. São contribuintes do imposto os tomadores de crédito e os segurados. Seu percentual varia de acordo com o tipo de operação, conforme a política monetária adotada pelo Poder Executivo através do Banco Central.

ÍON — Átomo ou grupamento de átomos originalmente neutros, o qual se carregou eletricamente por perda ou aquisição de elétrons. Por perda, transformou-se em íon positivo ou cátion e, por aquisição, transformou-se em íon negativo ou ânion.

IONIZAÇÃO DOS ALIMENTOS — Tratamento dos alimentos por radiações ionizantes, com a finalidade de aumentar sua preservação, sem perda de suas qualidades nutricionais.

IONOSFERA — Zona de atmosfera entre 70 e 500 km de altitude na qual os fótons e outras partículas de radiação produzem a ionização dos elementos atmosféricos. O efeito ionizante é facilitado pela pequena densidade e pelo amplo estado de difusão dos gases, provocado pela rarefação atmosférica, em função da altitude.

IPA (ÍNDICE DE PREÇOS NO ATACADO) — É calculado pela Fundação Getúlio Vargas (FGV), com base na variação dos preços no mercado atacadista. Este índice é calculado para três intervalos diferentes, e compõe os demais índices calculados pela FGV (IGP-M, IGP-DI e IGP-10), com um peso de 60%.

IPA AGRÍCOLA (ÍNDICE DE PREÇOS NO ATACADO AGRÍCOLA) — Mede a variação dos produtos agrícolas no atacado.

IPC (ÍNDICE DE PREÇOS AO CONSUMIDOR) — Índice calculado pela FGV, mede a inflação para famílias com rendimentos entre 1 e 33 salários mínimos, em São Paulo e no Rio de Janeiro. O IPC representa 30% do IGP-M. Este índice é calculado para três intervalos diferentes, e compõe os demais índices calculados pela FGV (IGP-M, IGP-DI e IGP-10), com um peso de 30%. (Ver: IPCA-E – Índice Nacional de Preços ao Consumidor Amplo-Especial.)

IPCA (ÍNDICE NACIONAL DE PREÇOS AO CONSUMIDOR AMPLIADO) — Calculado pelo IBGE, em geral, entre os dias 1º e 30 de cada mês. Compõe-se do cruzamento de dois parâmetros: a pesquisa de preços de 11 regiões metropolitanas, cruzada com a pesquisa de orçamento familiar, (POF) que abrange famílias com rendimentos mensais de 1 (um) a 40 (quarenta) salários mínimos. As regiões metropolitanas pesquisadas são: Rio de Janeiro, São Paulo, Belo Horizonte, Salvador, Porto Alegre, Recife, Brasília, Fortaleza, Belém, Curitiba e Goiânia. São pesquisados os preços dos seguintes itens que compõem as despesas do orçamento familiar: alimentação e bebidas, habitação, artigos de residência, vestuário, transportes, comunicação, saúde e cuidados pessoais, educação, e despesas pessoais.

IPCA-E (ÍNDICE NACIONAL DE PREÇOS AO CONSUMIDOR AMPLO-ESPECIAL) — Anteriormente conhecido como IPC (Índice de Preços ao Consumidor), o IPCA-E é calculado pelo IBGE. É um índice cuja coleta de dados refere-se a famílias com rendimentos mensais compreendidos entre 1 (um) e 40 (quarenta) salários mínimos, residentes nas regiões metropolitanas do Rio de Janeiro, Porto Alegre, Belo Horizonte, Recife, São Paulo, Belém, Fortaleza, Salvador, Curitiba, Brasília e Goiânia. O período de coleta estende-se, em geral, do dia 16 do mês anterior ao dia 15 do mês de referência.

IPC-FIPE (ÍNDICE DE PREÇOS AO CONSUMIDOR FIPE) — Índice calculado pela Fundação Instituto de Pesquisas Econômicas (FIPE) da Universidade de São Paulo (USP) para a variação dos preços na cidade de São Paulo. O período de coleta é entre o primeiro e o último dia do mês de referência para domicílios com rendimentos entre um e 20 salários mínimos. Sua composição e ponderação são as seguintes: alimentação, 30,80%; habitação, 26,51%; despesas pessoais, 12,51%; vestuário, 8,65%; transporte, 12,96%; saúde, 4,58%; e educação, 3,94%.

IPC-RJ — Considera a variação dos preços na cidade do Rio de Janeiro. É calculado mensalmente pela Fundação Getúlio Vargas (FGV) e toma por base os gastos de famílias com renda de um a 33 salários mínimos. (Ver: IPCA.)

IPC-S (ÍNDICE DE PREÇO AO CONSUMIDOR SEMANAL) — Calculado pelo IBGE, é um índice que apura a variação de preços em 30 dias, a cada semana, de uma cesta de produtos de famílias de 1 (um) a 33 (trinta e três) salários mínimos. São coletados os preços no varejo em 12 capitais (Fortaleza, Belém, Porto Alegre, Salvador, Goiânia, Recife, Florianópolis, Curitiba, Brasília, Belo Horizonte, São Paulo e Rio de Janeiro).

IPEM (INSTITUTO DE PESOS E MEDIDAS) — Autarquia vinculada aos estados da Federação. O IPEM atua mediante convênio com o Instituto de Metrologia, Normalização e Qualidade Industrial - INMETRO, executando serviços essenciais na proteção ao cidadão em suas relações de consumo, exercendo, no âmbito de cada estado, a verificação e a fiscalização de: instrumentos de medição (e medidas materializadas); produtos pré-medidos; produtos têxteis; produtos com certificação compulsória; veículos transportadores de produtos perigosos. (Ver: INMETRO.)

IPH (ÍNDICE DE POBREZA HUMANA) — O IPH mede as privações no desenvolvimento humano. Assim, enquanto o IDH mede o progresso global de um país na realização do desenvolvimento humano, o IPH reflete a distribuição do progresso e mede o acumulado de privações que ainda existe. O IPH é construído para os países em desenvolvimento (IPH-1) e para os países industrializados (IPH-2). Foi projetado um índice distinto para os países industrializados porque a privação humana varia com as condições sociais e econômicas da comunidade e para aproveitar a maior disponibilidade de dados para esses países.

IPH-1 (ÍNDICE DE PRIVAÇÃO HUMANA-UM) — Mede a privação nas mesmas dimensões básicas que o desenvolvimento humano, como o IDH. As variáveis utilizadas são a percentagem de pessoas nascidas hoje que não deverão ultrapassar os 40 anos, a percentagem de adultos analfabetos e a carência na provisão de bens e serviços básicos - que podem ser adquiridos por meios públicos ou privados - refletida pela percentagem de pessoas sem acesso aos serviços de saúde e de água potável e pela percentagem de crianças com peso deficiente.

IPH-2 (ÍNDICE DE PRIVAÇÃO HUMANA-DOIS) — Foca a privação nas mesmas dimensões que o IPH-1. As variáveis são a percentagem de pessoas nascidas hoje que não deverão ultrapassar os 60 anos, a percentagem de pessoas cuja capacidade para ler e escrever não é suficiente para ser funcional, a proporção de pessoas com privação de renda (com renda disponível inferior a 50% da renda média das famílias) e a proporção do desemprego de longa duração (12 meses ou mais).

IPI (IMPOSTO SOBRE PRODUTOS INDUSTRIALIZADOS) — É um imposto federal criado em 1966, que tem como fato gerador o desembaraço aduaneiro, a saída dos estabelecimentos ou a arrematação em leilão de produto que tenha sido submetido a qualquer operação que lhe modifique a natureza ou a finalidade ou o aperfeiçoe para o consumo. O imposto é seletivo em função da essencialidade dos produtos. Contribuinte é o importador, o industrial, o comerciante de produtos sujeitos ao imposto ou o arrematante desses produtos. Esse imposto é embutido no preço do produto e pago pelo consumidor na hora da compra. Artigos considerados supérfluos (como cigarros e bebidas) têm imposto mais alto. Para gêneros de primeira necessidade, o IPI é menor.

IPM — Ver Inquérito Policial Militar.

IPMF (IMPOSTO PROVISÓRIO SOBRE MOVIMENTAÇÃO FINANCEIRA) — Esse tributo foi criado, com prazo certo de vigência, no Governo Itamar Franco, para atender às necessidades de caixa do Governo Federal; expirou em 31/12/1994. Tributava em 0,25% a movimentação financeira nacional e, mesmo com exageradas isenções, chegou a arrecadar US$ 6,8 bilhões em 1994.

IPO – *INITIAL PUBLIC OFFERING* (OFERTA PÚBLICA INICIAL) — É a etapa inicial antes de uma empresa vender ações.

IPSIS LITTERIS — [Latim]. Expressão que significa exatamente igual; com as mesmas letras.

IPSIS VERBIS — [Latim]: Expressão que significa exatamente igual; com as mesmas palavras.

IPSO FACTO — [Latim]. Expressão que significa pelo próprio fato; pelo mesmo fato.

IPSO JURE — [Latim]: Expressão que significa em razão do próprio direito; sem intervenção da parte.

IPTU (IMPOSTO SOBRE A PROPRIEDADE PREDIAL E TERRITORIAL URBANA) — Tributo de competência dos municípios. Incide sobre a propriedade, o domínio útil ou a posse de bem imóvel localizado na zona urbana do município, conforme definido em lei municipal aprovando a planta de valores imobiliários. A base do cálculo do imposto é o valor venal do imóvel, e sua alíquota e sua metodologia de cálculo variam de um município para outro. O contribuinte é o proprietário do imóvel, o titular do seu domínio útil ou o seu possuidor a qualquer título.

IPTU PROGRESSIVO — Ver IPTU, Progressividade do.

IPTU, PROGRESSIVIDADE DO — Pela Emenda Constitucional (E.C.) nº 29, de 13.9.00, poderá ser instituída a progressividade do IPTU em razão do valor do imóvel e alíquotas diferenciadas de acordo com a localização e o uso do imóvel. É o instrumento legal utilizado para estimular novas construções e contribuir para a diminuição do déficit habitacional. Consiste no estabelecimento de alíquotas progressivamente maiores de Imposto Territorial de terrenos vazios, onde não há construções, para desestimular a retenção de terrenos ociosos por parte de seus proprietários. Ao instituir a progressividade do IPTU, deverão ser respeitados os princípios constitucionais relativos a todos os tributos, especialmente o da capacidade contributiva; o da legalidade; e o do não confisco.

IPVA (IMPOSTO SOBRE A PROPRIEDADE DE VEÍCULOS AUTOMOTORES) — Tributo de competência dos estados e do Distrito Federal, incidente sobre os veículos emplacados em seus territórios. Incide sobre o valor estimado de veículos automotores segundo sua idade, com alíquotas e critérios de isenção definidos em lei estadual. Cobrado, normalmente, no início de cada exercício, é necessário para a efetivação do licenciamento do veículo. Do produto da arrecadação, 50% são repassados aos respectivos municípios, relativamente aos veículos neles emplacados. No Distrito Federal, 100%.

IRA — Também chamada de cólera, é uma manifestação violenta da raiva acumulada. A ira manifesta-se com grito, quebra de objetos e agressão. Mas logo passa. Diferente do ódio, que não passa.

IRB (INSTITUTO DE RESSEGUROS DO BRASIL) — Sociedade de economia mista com controle acionário da União, jurisdicionada ao Ministério da Fazenda, com o objetivo de regular o co-seguro, o resseguro e a retrocessão, além de promover o desenvolvimento das operações de seguros no País.

IRDS — Ver Índice de Redução de Diferenças Sociais.

IR-E-VIR — Liberdade de locomoção e de permanência assegurada constitucionalmente e amparada pelo *habeas corpus*.

IRF-M (ÍNDICE DE RENDA FIXA DO MERCADO) — Indicador utilizado para medir o desempenho dos títulos de renda fixa prefixados. É um índice de rentabilidade calculado para uma carteira teórica composta por títulos públicos federais (LTNs - Letras do Tesouro Nacional). Divulgado pela BM&F (Bolsa de Mercadoria & Futuros) e pela Andima (Associação Nacional das Instituições do Mercado Aberto) desde 1º de dezembro de 2000, é um bom parâmetro para acompanhar o desempenho dos fundos de investimento em renda fixa prefixados, que concentram suas carteiras em papéis com este perfil.

IRONIA — Forma corajosa e respeitosa de mostrar desprezo e zombaria tentando disfarçar a irritação e a mágoa para encobrir uma verdade contundente ou para não se expor numa situação vergonhosa ou escandalosa. (Ver: Antífrase.)

IRRACIONALISMO — Posição segundo a qual a razão, através de argumentos ou provas, não deve ser usada como método de justificação de uma determinada crença.

IRRADIAÇÃO — Transmissão do calor ou de energia por raios ou energia irradiante, sem interferência de substância material.

IRREFLEXÃO — Falta de reflexão. Imprudência. Inconsideração. Impulsividade. Precipitação.

IRREFUTÁVEL — Não refutável; que não se pode refutar. Irrecusável. Incontestável. Evidente.

IRREGULARIDADE — É assim entendida pelo Plenário do Tribunal de Contas qualquer ação ou omissão contrária à legalidade, à legitimidade, à economicidade, à moral administrativa ou ao interesse público.

IRREGULARIDADE DAS CONTAS — Ver Contas Julgadas Irregulares.

IRRELEVANTE — Diz-se quando a qualidade do que se pede, do que se faz, ou do que se alega não se apresenta razoável, apoiada em lei ou dentro da oportunidade legal.

IRREMISSÍVEL — Que não merece remissão ou não é perdoável; imperdoável; indesculpável; infalível.

IRRETROATIVIDADE DAS LEIS PROCESSUAIS — Ver Leis processuais, Irretroatividade das.

IRREVOGÁVEL — Não revogável. Que não se pode revogar ou anular. Que não pode voltar atrás. Definitivo.

IRRF/PF - Ver Imposto de Renda Retido na Fonte - Pessoa Física.

IRRF/PJ — Ver Imposto de Renda Retido na Fonte - Pessoa Jurídica.

IRRIGAÇÃO — Método de distribuição da água no solo, buscando compensar irregularidades sazonais de precipitação ou aumentar a oferta de água necessária a determinadas culturas.

ÍRRITO — Inútil, sem efeito. Diz-se da cláusula nula, sem efeito, de um contrato.

ISENÇÃO — É a dispensa de recolhimento de tributo que o Estado concede voluntariamente a determinadas pessoas e em determinadas situações, através de leis infraconstitucionais, face a relevante interesse social ou econômico regional, setorial ou nacional. Neste caso, havendo autorização legislativa, diante de determinadas condições, o Estado pode, ou não, cobrar o tributo em um determinado período, ou não fazê-lo em outro. Na linguagem jurídica, é a dispensa, imunidade, concessão atribuída a alguma coisa ou pessoa para que se possa livrar, esquivar ou se desobrigar de algum cargo, que a todos pesa, ou para que se livre de qualquer obrigação. (Ver: Isenção Fiscal.)

ISENÇÃO ANTITRUSTE — Situação em que um mercado específico não está sujeito à autoridade de defesa da concorrência, sendo geralmente controlado pela autoridade regulatória.

ISENÇÃO DE CARÁTER NÃO GERAL — Considerada como a segunda das hipóteses de exclusão do crédito tributário - a outra á a anistia - pode ser conceituada como a dispensa legal de pagamento de tributo devido. Na isenção não geral, o contribuinte deverá fazer prova que cumpre a exigência legal ou deverá fazer ou deixar de fazer algo para que possa ser beneficiado.

ISENÇÃO FISCAL — Dispensa legal do pagamento de um tributo. Favor fiscal concedido por lei, que consiste em dispensar o contribuinte do pagamento de um tributo devido. Pode ser extinta mediante lei ordinária, ao contrário da imunidade, somente atingida por alteração constitucional. Na isenção, a obrigação de pagar o tributo existe, mas foi dispensada. Na imunidade, essa obrigação inexiste.

Não se confunde, também, com a não-incidência, pois, se a isenção é a dispensa legal do pagamento de um tributo, a não-incidência implica a própria inexistência da obrigação fiscal, não havendo, portanto, fato gerador. (Ver: Imunidade Fiscal.)

ISENÇÕES TEMPORÁRIAS — É uma forma de incentivo fiscal pelo qual um contribuinte fica isento temporariamente de apurar e/ou recolher o imposto normalmente incidente. Comumente utilizado para atrair novos investimentos, notadamente de grandes corporações, visto que a legislação brasileira exige que as isenções sejam bem específicas.

ISI (*INSTITUTE OF SCIENTIFIC INFORMATION*) — Entidade internacional que se ocupa do acompanhamento e dos estudos relativos à produção científica mundial.

ISO (*INTERNATIONAL ORGANIZATION FOR STANDARDIZATION*) — Organização Internacional fundada em 1947 e sediada em Genebra, Suíça, formada pelos representantes de mais de 120 países. É responsável pela elaboração e difusão de normas internacionais de padronização e metodologia de produção com qualidade em todos os domínios de atividades, exceto no campo eletroeletrônico, que é de responsabilidade da IEC (*International Eletrotechnical Commission*). Dentre as centenas de normas elaboradas pela ISO, de interesse para área ambiental são a série ISO–9000, de gestão da qualidade de produtos e serviços, e a série ISO–14000, de sistemas de gestão ambiental.

ISO 14000 — Conjunto ou série de normas da ISO, de caráter voluntário, que visa a sistematizar os princípios de gestão ambiental do empreendimento, isto é, as práticas voltadas para minimizar os efeitos nocivos ao ambiente causados pelas suas atividades. As normas desta série contêm diretrizes relativas às seguintes áreas: sistemas de gestão ambiental, auditorias ambientais, rotulagem ambiental, avaliação de desempenho ambiental e análise de ciclo de vida.

ISO 9000 — É o conjunto de normas internacionais que fornecem critérios para a avaliação de procedimentos de garantia da qualidade e gestão da qualidade em uma organização e entre a organização e seus clientes, ou público. Essas normas se subdividem em ISO 9000 (guia de diretrizes), ISO 9001 (modelo de conformidade para projeto, desenvolvimento, produção e instalação), ISO 9002 (para produção e instalação), ISO 9003 (para inspeção e testes finais) e ISO 9004 (guia de dicas de gestão). A expressão "família ISO 9000" engloba, além das normas citadas (série ISO 9000), a ISO 8402 (terminologia), a série ISO 10000 (auditorias, equipamentos de medição e Manual da Qualidade) e a ISO 14001 (para meio ambiente).

ISOLAMENTO — Afastamento dos estímulos exteriores. Solitário ou desacompanhado por período indeterminado. Confinamento. Abandono de si. Minguada auto-estima.

ISOLAMENTO GEOGRÁFICO — Condição em que duas populações se acham separadas fisicamente por alguma modalidade de barreira.

ISOLINHA — Linha que une pontos onde ocorrem fenômenos semelhantes e na mesma medida. Ex.: Isotermas - linhas que unem pontos de temperatura semelhante.

ISONOMIA JURÍDICA — Princípio que determina a igualdade de todos perante a lei.

ISONOMIA SALARIAL — Exigência de que trabalhadores que executem a mesma função recebam pagamento igual, independentemente de qualquer outra condição. Igualdade de vencimentos para cargos de atribuições iguais ou assemelhados do mesmo Poder ou entre os Poderes Executivo, Legislativo e Judiciário, ressalvadas as vantagens de caráter individual e as relativas à natureza ou ao local de trabalho.

ISOTÉRMICO — Referente à condução de uma substância ou um processo sob condições de temperatura constante.

ISÓTOPOS — São átomos de um elemento químico, cujos núcleos têm o mesmo número atômico Z, mas diferentes massas atômicas *A*. A palavra isótopo, que significa no mesmo sítio, vem do fato de que os isótopos se situam no mesmo local na tabela periódica. O número atômico corresponde ao número de prótons num átomo. Por esse motivo, os isótopos de um certo elemento contêm o mesmo número de prótons. A diferença nos pesos atômicos resulta de diferenças no número de nêutrons nos núcleos atômicos. Na nomenclatura científica, os isótopos são designados pelo nome do elemento seguido por um hífen e pelo número de núcleos (prótons e nêutrons) no núcleo atômico (ex.: ferro-57, urânio-238, hélio-3). Na forma simbólica, o número de núcleos é escrito como um prefixo elevado do símbolo químico (ex: ^{57}Fe, ^{238}U, ^{3}He).

ISS (IMPOSTO SOBRE SERVIÇOS DE QUALQUER NATUREZA) — É um tributo de competência municipal. Incide sobre a prestação, por pessoas físicas e jurídicas, de serviços dentro do território municipal listados em lei municipal, sujeitos ao imposto. A alíquota varia conforme a legislação de cada Município. A Lei Complementar nº 116, de 31.7.2003, instituiu e consolidou a legislação concernente ao Imposto Sobre Serviços de Qualquer Natureza de competência dos Municípios, até então vigente. A nova norma manteve alguns institutos já consagrados no Decreto-Lei nº 406, de 1968, que definiu as atividades sujeitas à tributação do ISS e, inegavelmente, trouxe também inovações quanto à responsabilidade dos contribuintes, domicílio tributário, regime de recolhimento das chamadas sociedades simples (nomenclatura adotada pelo novo Código Civil para se referir às sociedades civis) etc. Deve ser ressaltado que a Lei Complementar nº 116 não revogou integralmente o Decreto-Lei nº 406, de 1968, mantendo o art. 9º. Em vista do disposto no art. 156, inciso III, da CF e das alterações introduzidas pela Lei Complementar nº 116, de 2003, o legislativo de cada Município deverá editar lei local adequando a legislação municipal às diretrizes traçadas pela referida Lei Complementar, em atendimento ao princípio da legalidade tributária, observando, ainda, os demais parâmetros constitucionais ao poder de tributar, como o princípio que veda a cobrança de tributo no mesmo exercício financeiro em que haja sido publicada a lei que o instituiu ou o aumentou.

ISSQN — Ver ISS.

***ISSUES* —** Ver Eleição - *Issues*.

ISTMO — Estreita faixa de terra situada entre dois mares, correspondendo, de modo geral, a uma zona onde se verificou um afundamento do solo, ou ao contrário, uma invasão do mar. O trabalho de rasgamento de um braço de terra desse tipo - construção de um canal pelo ser humano, pode fazer com que grande economia de tempo seja conseguida pelos navios. Ex.: canal de Suez, Panamá etc.

***ITA EST* —** [Latim]. Expressão que significa assim é.

***ITA LEX DICIT* —** [Latim]: Expressão que significa assim diz a lei.

***ITA SPERATUR* —** [Latim]: Expressão que significa assim se espera.

ITBI (IMPOSTO SOBRE A TRANSMISSÃO DE BENS IMÓVEIS E DE DIREITOS A ELES RELATIVOS) — Imposto de competência dos municípios. Incide sobre a transmissão de bens imóveis e de direitos a eles relativos tem como fato gerador: a transmissão, a qualquer título, da propriedade ou do domínio útil de bens imóveis por natureza ou por acessão física, como definidos na lei civil; a transmissão, a qualquer título, de direitos reais sobre imóveis, exceto os direitos reais de garantia; a cessão de direitos relativos às transmissões referidas anteriormente. A base de cálculo do imposto é o valor venal dos bens ou direitos transmitidos. É contribuinte do imposto qualquer das partes na operação tributada, como dispuser a lei. Normalmente, o contribuinte do imposto é quem adquire o imóvel, assim entendida a pessoa em favor da qual se opera a transmissão "*inter vivos*".

ITCMD (IMPOSTO DE TRANSMISSÃO *CAUSA MORTIS* E DOAÇÃO, DE QUAISQUER BENS E DIREITOS) — É um tributo de competência Estadual e do Distrito Federal devido por toda pessoa física ou jurídica que receber bens ou direitos como herança (em virtude da morte do antigo proprietário) ou como doação. Criado pela Constituição Federal de 1988, regulamentado pela Lei nº 8927, de 1988, vigorando a partir de 1/3/1989. Tem como fato gerador toda transmissão de bem ou direitos a título gratuito, por "*causa mortis*" ou ato "*inter vivos*", ou seja doação. A Legislação do ITCMD estabelece, entretanto, algumas isenções e imunidades que dispensam o pagamento do ITCMD em determinados casos.

ITEL (ÍNDICE SETORIAL DE TELECOMUNICAÇÕES) — Índice calculado pela Bolsa de Valores de São Paulo. O Índice Setorial de Telecomunicações (ITEL) reflete o desempenho das principais ações do mercado de telecomunicações no país. O ITEL foi criado em 1999, após a cisão do sistema Telebrás, quando a maioria das empresas privatizadas já tinha realizado suas reestruturações acionárias. O cálculo deste índice inclui o conceito de *free float*, que define um percentual mínimo de ações em circulação no mercado, garantindo liquidez aos papéis. A BOVESPA estabelece ainda que as empresas formadoras do ITEL obedeçam a um limite de 20% para capitalização, evitando que uma empresa com elevado valor de mercado tenha um papel extremamente preponderante no desempenho do índice.

ITEM DE DESPESA — Ver Despesa, Item de.

***ITER* —** [Latim]. Expressão que significa procedimento; etapas.

***ITER CRIMINIS* —** [Latim]. Complexo de atos, preparatórios e executórios, que levam à consumação do crime. É o caminho, o percurso do crime, o roteiro seguido pelo criminoso. Divide-se em duas fases: a interna, que é a cogitação, a preparação do delito; a externa, que inclui atos preparatórios, executórios e a consumação do crime. Não se pune a cogitação nem a intenção manifesta, a menos que constitua crime (ameaça). Os atos preparatórios também não são puníveis, só os de execução que se enquadrem nos tipos previstos nos dispositivos penais.

ITR (IMPOSTO SOBRE A PROPRIEDADE TERRITORIAL RURAL) — É um imposto federal que tem como fato gerador o domínio útil ou a posse de bem imóvel localizado fora da zona urbana do Município. A base do cálculo do imposto é o valor fundiário. Contribuinte do imposto é o proprietário do imóvel, o titular de seu domínio útil, ou o seu possuidor a qualquer título. Por disposição Constituicional, do produto da arrecadação, 50% são repassados aos Municípios, relativamente aos imóveis rurais situados em seu território. A Lei Federal nº 11.250, de 27 de dezembro de 2005, permite que a União transfira aos Municípios, através de convênios, 100% da arrecadação do ITR, desde que as prefeituras assumam as atribuições de fiscalização, lançamento de créditos tributários e a cobrança do imposto. Por ser o ITR um tributo federal, não caberá ao Município conveniado legislar sobre ele, ou seja, a base de cálculo do imposto e o valor fundiário deverão seguir o que dispuser a legislação federal.

***IURA NOVIT CURIA* —** [Latim]. Expressão que significa o tribunal deve conhecer os direitos.

***IURE ET FACTO* —** [Latim]. Expressão que significa por direito e de fato.

***IURIS ET DE IURE* —** [Latim]. Expressão que significa de direito e por direito. Diz-se da presunção absoluta, que não admite prova em contrário).

IVA — Ver Imposto sobre o valor adicionado ou agregado.

IVBX-2 — É o Índice Valor BOVESPA. O indicador é resultado de uma parceria entre a Bolsa de Valores de São Paulo e o Jornal *Valor Econômico*, sendo o primeiro índice brasileiro constituído por ações de segunda linha nobre. O IVBX-2 é formado por ações de 49 empresas e é derivado do Índice Brasil (IBX). O novo índice exclui as dez companhias de maior liquidez do IBX, bem como as dez com maior valor de mercado. Os papéis que compõem o IVBX-2 são ponderados por seu valor de mercado, processo que evita a concentração do índice em ações altamente líquidas.

J

J. — Junte-se. Abreviatura usada pelos juízes.

J. CLS. — Forma geralmente utilizada pelos juízes para que os autos sejam trazidos à sua conclusão.

JACENTE — Que está deitado. Denominação dada à herança sem herdeiros, cujos herdeiros não são conhecidos ou renunciaram a esta. A herança fica sob a guarda de um curador. A herança jacente, que não há herdeiros para levantá-la, passa para o Governo. (Ver: Herança Jacente.)

JANELA ORÇAMENTÁRIA — Expressão utilizada na Administração Pública que significa destinação de recursos, na lei orçamentária, em valor significativamente inferior ao custo da ação correspondente, com a finalidade de viabilizar, mediante pressões políticas, futuras suplementações, caso se decida realmente pela sua execução; dotação simbólica. (Ver: Emenda-Janela.)

JARDA — O símbolo da jarda é yd, do inglês *yard*. Na Inglaterra, a relação oficial entre jardas e metros é a seguinte: 3600 m = 3937,0113 jardas. Assim, 1 yd = 0,91439920429 m, aproximadamente. Os múltiplos da jarda são a braça, que vale 2 jardas, a milha terrestre, que vale 1.760 jardas e a légua terrestre, que vale 3 milhas, ou seja, 5.280 jardas. Os submúltiplos são o pé e a polegada. 36 polegadas = 3 pés = 1yd. O palmo é equivalente a 8 polegadas, ou seja, 1 yd = 4,5 palmos.

JARDIM BOTÂNICO — Unidade de conservação que visa à preservação e propagação de espécies da flora e, também, à educação do público visitante. Atua na manutenção dos processos ecológicos e sistemas vitais essenciais, preservação da diversidade genética e apoio à utilização sustentável das espécies vegetais e dos ecossistemas nos quais ocorrem.

JARRA — Medida de capacidade equivalente a cerca de 45 litros. (Ver: Litro.)

JAZIDA — Toda massa individualizada, com valor econômico, de substância mineral ou fóssil, aflorando à superfície ou existente no subsolo.

JETON — Retribuição pecuniária concedida aos membros dos Órgãos Colegiados integrantes da Administração Pública, por sessão a que comparecerem.

***JIHAD* ISLÂMICA** — Grupo terrorista palestino de orientação fundamentalista. Tradicionalmente, ela tenta realizar ações terroristas contra alvos israelenses no aniversário da morte de seu líder, Fathi Shaqaqi, assassinado em Malta, em outubro de 1995. Financiada pelo Irã, é a mais independente das facções extremistas e conta com apoio restrito da população. Seu líder é Ramadan Shallah, ex-professor da Universidade da Flórida. Seu objetivo é destruir Israel e criar um Estado islâmico na região, sob controle de palestinos.

JIT — Ver *Just-in-time*.

JOGO DE AZAR — Espécie de jogo em que vantagem e desvantagem dependem unicamente do acaso. Praticar ou explorar jogo de azar é contravenção penal determinada pelo Decreto-lei nº 3.688, de 1941, que considera jogos de azar: a) o jogo dependente da sorte; b) apostas feitas em corridas de cavalos, fora de hipódromo ou de local autorizado; c) apostas em qualquer outra competição.

***JOINT-VENTURES* (UNIÃO DE RISCO)** — Expressão comum empregada no mercado para designar associação ou fusão de empresas nacionais com multinacionais ou associação de capital nacional com capital estrangeiro para o desenvolvimento e execução de um projeto específico. Entende-se que a expressão também pode ser empregada para designar a associação ou união apenas entre empresas nacionais em que, uma com capital necessário ao financiamento do projeto, e outra que domina as competências técnicas, os contatos comerciais ou ambos.

JOM (JAPAN OFFSHORE MARKET) — Trata-se de um centro "*onshore offshore*", uma vez que opera como *offshore* sem constituir um território físico especialmente designado para esses fins. A maioria dos depósitos no JOM vem de instituições financeiras estrangeiras operando na região da Ásia e do Pacífico, estando aberto também a transações em moeda estrangeira de pequenos bancos domésticos. Ao contrário do IBEs nos EUA, a maior parte dos negócios é feita em moeda estrangeira e não em moeda do país. Porém de forma similar aos norte-americanos, bancos operando nesse mercado não podem fazer transações no mercado de ações doméstico, o que levou os bancos japoneses a realizar tais operações em centros financeiros estrangeiros.

JORNADA DE TRABALHO — É o tempo de duração do trabalho. A jornada normal de trabalho é de 8 horas por dia e 44 horas por semana; pode haver compensação de horário e redução da jornada por acordo ou convenção coletiva de trabalho, como os bancários que trabalham 40 horas semanais. A jornada diária pode ser aumentada, no máximo, em duas horas por acordo escrito entre empregado e empregador ou convenção coletiva. Para trabalho realizado em turnos de revezamento é obrigatória a jornada de seis horas. Entre duas jornadas é obrigatório intervalo mínimo de 11 horas consecutivas; nas jornadas normais, deve haver um intervalo de uma hora para alimentação, não podendo ultrapassar de duas horas. Para fazer jus ao repouso semanal remunerado, o empregado deve ter cumprido integralmente a jornada de trabalho da semana anterior, salvo faltas justificadas. O dia de repouso semanal trabalhado e não compensado em outro dia da semana deve ser pago em dobro.

JOT — Ver *Just-on-time*.

JOULE — Unidade muito pequena de energia, igual a 1 watt por segundo. Símbolo J.

JOVEM — É usualmente considerado jovem o indivíduo de idade entre 18 e 24 anos. Erroneamente, utiliza-se este termo para significar adolescente. Agências das Organizações das Nações Unidas como a UNESCO e a OMS incluem pessoas de 15 a 30 anos nessa categoria, o que, muitas vezes, leva a interpretações equivocadas, por englobarem não apenas adolescentes, mas também adultos. O ideal é utilizar a seguinte definição: criança - de 0 a 12 anos incompletos; adolescente - de 12 a 18 anos incompletos; e jovem - de 18 a 24 anos.

JP MORGAN GBI — Índice de mercado publicado pelo JP Morgan para acompanhamento do mercado de títulos governamentais.

JUBILAÇÃO — Aposentadoria do professor de ensino básico e médio, depois de certo tempo de serviço.

JUDICANTE — Que julga; que exerce as funções de juiz: órgão judicante.

JUDICIAL — Indica ou exprime todos os atos ou todas as coisas que se fazem em juízo ou segundo a autoridade do juiz, e que pertencem à justiça. Opõe-se, desse modo, a extrajudicial, que é o que se faz fora de juízo e sem a assistência ou autoridade do juiz.

JUDICIÁRIO — Referente à Justiça e aos juízes. Um dos três Poderes, ao lado do Executivo e do Legislativo.

JUDICIUM ACCUSATIONIS — [Latim]. Expressão que significa juízo da acusação.

JUDICIUM CAUSAE — [Latim]. Expressão que significa juízo da causa.

JUIZ — Aquele que julga. Aquele que tem o poder de julgar. É a pessoa constituída de autoridade pública para administrar a justiça; membro do Poder Judiciário. É o nome dado ao magistrado de primeira instância ou primeiro grau de jurisdição. Na Justiça Federal, ele se chama juiz Federal; na Estadual, juiz de Direito; na trabalhista, juiz do Trabalho. Das decisões desses juízes pode caber recurso para a instância superior. Por exemplo, na Justiça Federal, a segunda instância são os Tribunais Regionais Federais; na Estadual, os Tribunais de Justiça; e na trabalhista, os Tribunais Regionais do Trabalho. A reforma do Judiciário, aprovada pelo Congresso em dezembro de 2004, extingue os Tribunais de Alçada, que era a segunda instância da Justiça em alguns Estados da Federação.

JUIZ CLASSISTA — juiz leigo, não togado, isto é, não necessariamente formado em Direito, representante dos empregadores ou dos empregados na Justiça do Trabalho. A representação classista na Justiça do Trabalho, inicialmente prevista na CLT (art. 670; 672, § 1º; 682, § 2º, 684 e 687 a 689) e na Constituição Federal (arts. 116 a 117), foi extinta pela Emenda Constitucional nº 24, de 1999. A Emenda, porém, preservou os mandatos vigentes quando da sua promulgação. O TST, por meio da Resolução Administrativa nº 665/1999, resolveu que, não havendo paridade na representação (para cada representante de empregados deve haver um representante de empregador), os classistas remanescentes cumprirão seus mandatos, porém afastados das funções judicantes. O representante classista era nomeado para mandato de três anos.

JUIZ DE DIREITO — É o magistrado, isto é, o juiz togado; aquele que integra a magistratura, por haver ingressado na respectiva carreira segundo os preceitos da lei, constitucional e ordinária, por atender aos respectivos requisitos de habilitação, proferindo as decisões nas demandas nos respectivos graus de jurisdição.

JUIZ DE FATO — O mesmo que jurado. Juiz não togado, escolhido entre cidadãos de notória idoneidade, entre 21 e 60 anos de idade, para compor o Conselho de Sentença nos julgamentos do Tribunal do Júri.

JUIZ DE PAZ — Tem a competência de presidir o ato do casamento civil. Atua em cartórios de registro civil. (Ver: Justiça de paz.)

JUIZ DEPRECADO — Ver Carta Precatória.

JUIZ DEPRECANTE — Ver Carta Precatória.

JUIZ INCOMPETENTE — É aquele que, por disposição legal, não pode conhecer do processo e, conseqüentemente, não poderá julgá-lo.

JUIZ INSTRUTOR — Aquele que preside a audiência de instrução do processo.

JUIZ LEIGO — Pessoa escolhida, de preferência entre advogados com mais de cinco anos de prática, para auxiliar o juiz togado no Juizado Especial Cível.

JUIZ NATURAL — Magistrado agregado ao Poder Judiciário e revestido de garantias e de competência anteriores aos casos que vier a decidir.

JUIZ TOGADO — juiz com formação jurídica obrigatória, ocupante do cargo em caráter vitalício. A maioria pertence à carreira da magistratura. Outros vêm da advocacia e do Ministério Público (a Constituição reserva um quinto dos cargos nos Tribunais a estas duas áreas).

JUIZADO — Mais propriamente empregado para indicar a sede do juízo, isto é, a repartição em que está instalado o juízo e onde o juiz dá seus despachos e suas audiências. Designa também o cargo ou ofício do juiz.

JUIZADO ESPECIAL — Foro ou instância ou órgão especial onde são propostas e decididas determinadas causas, caracterizado pela singeleza dos ritos, buscando solução negociada rápida dos litígios. Há os Juizados Especiais Cíveis e Criminais. (Ver: Juizados Especiais Cíveis e Criminais.)

JUIZADOS DE INSTRUÇÃO — Instrumento destinado à apuração das infrações penais sob a influência de um juiz.

JUIZADOS DE PEQUENAS CAUSAS — Ver Juizados Especiais Cíveis e Criminais.

JUIZADOS ESPECIAIS CÍVEIS E CRIMINAIS — Órgãos da Justiça ordinária que sucederam os antigos "juizados de pequenas causas", instituídos pelas Leis nº 9.099, de 1995 (Juizado Especial Estadual - JEC) e 10.259, de 2001 (Juizado Especial Federal - JEF), de criação obrigatória pela União Federal e pelos Estados, para conciliação, processo, julgamento e execução, nas causas de sua competência. Têm como motivação fundamental abreviar a solução dos litígios, desafogando a justiça ordinária. Orientam-se pelos critérios da oralidade, simplicidade, informalidade, economia processual e celeridade, buscando sempre que possível a conciliação das partes. Restringem-se a causas de reduzido valor econômico, que não excedam a 40 salários mínimos na Justiça Estadual, e 60 salários mínimos na Justiça Federal. Em geral, apenas as pessoas físicas, micro e empresas de pequeno porte podem propor ações. Os Juizados Especiais Criminais julgam os delitos considerados de baixa lesividade, quando as penas máximas aplicáveis não excederem a dois anos. Não se aplica aos seguintes processos: ações de mandado de segurança, de desapropriação, de divisão e demarcação, populares, execuções fiscais e por improbidade administrativa e as demandas sobre direitos ou interesses difusos, coletivos ou individuais homogêneos, causas sobre bens imóveis da União, autarquias e fundações públicas federais para anulação ou cancelamento de ato administrativo federal, salvo o de natureza previdenciária e o de lançamento fiscal que tenham como objeto a impugnação da pena de demissão imposta a servidores públicos civis ou de sanções disciplinares aplicadas a militares.

JUIZ-CORREGEDOR — juiz que auxilia o corregedor-geral da Justiça na correção dos serviços judiciários de primeira instância e no zelo pelo bom funcionamento e aperfeiçoamento da Justiça.

JUÍZES E TRIBUNAIS - FORMAS DE TRATAMENTO — As formas de tratamento a serem dispensadas a juízes e tribunais são: a) Supremo Tribunal Federal - Egrégia Corte Suprema. Colenda Corte, Egrégio Tribunal, Colendo Tribunal, Veneranda Corte Suprema de Justiça, Venerando Tribunal Superior. b) Ministros do Supremo - Ministro é o título que lhes compete. E devem ser tratados por Vossa Excelência, Excelência, Exmo. Sr. Ministro, Egrégio Magistrado. c) Tribunais de Justiça - Egrégio Tribunal, Corte Egrégia, Venerando Tribunal de Justiça, Veneranda Corte de Justiça. d) desembargadores - Titulados por Desembargadores, os magistrados dos Tribunais de Justiça recebem, também, o tratamento de Excelência, Vossa Excelência, Exmo. Sr. Desembargador. e) Juízes de Direito - O título do juiz é composto pela expressão juiz ou juiz de Direito, acrescido das palavras que indicam o ofício ocupado. Assim, dizem-se juiz de Direito do Cível, juiz de Direito da 1ª Vara Cível e Comercial etc. Têm o tratamento de Meritíssimo e de Excelência. E, assim, são tratados por MM. Juiz, Exmo. Juiz, Vossa Excelência, Exmo. Sr. Juiz. Não é demais, no entanto, que se anteponha à designação do juiz a titulação acadêmica de Dr., vulgarmente atribuída ao bacharel, dizendo-se, então, MM. Dr. Juiz, Exmo. Dr. Juiz etc. Quando há qualquer referência em superior instância, é muito comum o emprego das expressões: o MM. Juiz *a quo*, em alusão ao julgador de cuja decisão se recorreu. Em oposição, emprega-se a locução *latina ad quem*, em referência ao Tribunal em que se encontra ou para que se fez o recurso. Juízes de paz - Para estes o tratamento é simplesmente de Senhor, Senhoria, Ilmo. Sr.

JUÍZO — 1) Integrador da emoção e sentimento com o senso. É a síntese conciliadora do melhor da razão com o melhor do sentimento que sustenta um julgamento eficiente e eficaz. 2) Diz-se da estrutura judiciária de uma comarca, ou vara, formada pelo juiz de Direito, Representante do Ministério Público, advogado, partes, escrivão, escreventes, oficiais de Justiça, contador, partidor, distribuidor, porteiros de Auditório, peritos etc. Esse complexo de pessoas e funções, funcionando, harmonizado, coeso, sóbrio, correto e irrepreensível na conduta de cada um, imprime seriedade, respeito, confiabilidade, aceitação e obediência aos atos da Justiça. Em sentido restrito, é o local em que o juiz exerce as suas funções ou funciona no exercício de sua jurisdição ou de seu próprio ofício. Tem a mesma significação de juizado. Em sentido mais amplo, significa a própria discussão da causa.

JUÍZO ARBITRAL — Órgão julgador instituído na forma da lei, pelas próprias partes que litigam em juízo ou extrajudicialmente, a respeito de direitos patrimoniais que admitem transação. O árbitro é juiz de fato e de direito, e a sentença que proferir é irrecorrível, a não ser que as partes tenham estipulado o contrário. Compromisso é o ato pelo qual as partes, denominadas compromitentes, constituem o juízo arbitral, fixando-lhe o objeto e escolhendo o árbitro.

JUÍZO COLETIVO OU COLEGIADO — É todo aquele em que a função judicante é exercida conjuntamente por três ou mais membros.

JUÍZO DE ADMISSIBILIDADE — Análise prévia, por Tribunal, do cabimento de recurso, bem como do cumprimento de todos os pressupostos exigidos pela lei, para sua regular interposição.

JUÍZO DE EXCEÇÃO — Juízo criado contingencial e excepcionalmente com grave risco para as liberdades individuais. A Constituição Federal Brasileira veda, expressamente, esta temerária instituição, em seu art. 50, XXXVII: "Não haverá juízo ou tribunal de exceção."

JUÍZO DE RETRATABILIDADE — É a possibilidade, nos casos previstos em lei, de o magistrado reconsiderar a sua decisão.

JUÍZO MONOCRÁTICO OU SINGULAR — É aquele de um só juiz. Opõe-se a juízo coletivo.

JUÍZO SINGULAR — Ver Juízo Monocrático.

JUÍZOS DE FATO/JUÍZOS DE VALOR — Quando fazemos um juízo de fato pretendemos apenas descrever alguma coisa. Quando fazemos um juízo de valor estamos a avaliar positiva ou negativamente alguma coisa.

JUÍZOS DE VALOR — Ver Juízos de fato/juízos de valor.

JULGADO — Decisão preferida por juízo singular ou coletivo a respeito do que foi o objeto do litígio.

JULGAMENTO — É a decisão ou a própria sentença, proferida pelo juiz ou julgador, e que põe fim à demanda. Ato pelo qual o juiz ou um Tribunal decide uma causa no passo da condenação ou absolvição. O parecer final refere-se à opinião, escolha, determinação, decisão e deliberações nas questões de impasses e conflitos. Neste processo psíquico são utilizadas as reflexões, avaliação, raciocínios, idéias, estudos, pesquisas, conhecimento, pensamento, sentimento, classificação, seriação, seleção, saneamento, recursos situacionais disponíveis e ocasionais considerando o livre convencimento ou convicção, a permissividade, a conveniência, a preferência e a realidade fática.

JULGAMENTO ANTECIPADO DA LIDE — Forma de julgamento conforme o estado do processo, em que o juiz dispensa o prosseguimento e julga desde logo a questão de mérito, por ser ela unicamente de direito, ou, sendo de direito e de fato, não havendo necessidade de produzir prova em audiência.

JULGAMENTO CONFORME O ESTADO DO PROCESSO — Fase processual, após as providências preliminares, em que o juiz deve tomar um desses três caminhos: a) extinguir o processo com ou sem julgamento de mérito b) julgar antecipadamente a lide c) designar audiência preliminar de conciliação.

JULGAMENTO DAS CONTAS — Ver Contas, Julgamento das.

JULGAMENTO DAS PROPOSTAS (LICITAÇÃO) — Ver Licitação Pública - Julgamento das Propostas.

JUNTA DE CONCILIAÇÃO E JULGAMENTO — A JCJ foi transformada em Vara do Trabalho, que é a primeira instância das reclamações na área trabalhista. (Ver: Vara do Trabalho.)

JUNTA ORÇAMENTÁRIA — Instância facultativa, existente na Administração Pública, às vezes denominada de Junta de Coordenação (JUCOF) ou Junta de Programação Orçamentária e Financeira (JPOF), criada por ato administrativo, integrada normalmente pelos secretários de Fazenda, Planejamento, Administração e Governo ou representantes destes, que gerencia a execução orçamentária, aprovando cotas orçamentárias e solicitações de realização de despesas.

JUNTADA — Termo lavrado e assinado pelo escrivão, declarando a introdução nos autos de peça, documento, laudo, petição etc. que passa a integrar os autos. A simples juntada ou introdução. É a união de um processo a outro com o qual se tenha relação ou dependência. Pode ser por anexação ou por apensação. (Ver: Anexação // Apensação.)

JUNTAS COMERCIAIS — Órgãos integrantes do Registro Público de Empresas Mercantis e Atividades Afins com funções executora e administradora dos serviços de registro.

***JURA* —** [Latim] Plural de *jus;* significa o Direito em geral. Daí a expressão: *jura novit curia,* que quer dizer: os juízes conhecem o Direito, a lei. Assim, mesmo que a parte não explicite o fundamento legal do seu pedido, o magistrado pode e deve aplicar dispositivos correspondentes ao caso.

JURADO — O mesmo que juiz de fato. Juiz não togado, escolhido entre cidadãos de notória idoneidade, entre 21 e 60 anos de idade, para compor o conselho de sentença nos julgamentos do Tribunal do Júri. (Ver: Membro do Grande Júri.)

JURAMENTO — Afirmação ou promessa formal. Promessa solene feita por ocupante de determinado cargo no momento da posse.

***JURE PROPRIO* —** [Latim]. Expressão que significa por direito próprio.

JÚRI — É a instituição popular a que se atribui o encargo de afirmar ou negar a existência do fato criminoso imputado a uma pessoa. Aquilo que, vulgarmente, é denominado Júri constitui, na verdade, o Tribunal do Júri, ao passo que o conjunto dos jurados deve ser denominado Conselho de Sentença. (Ver: Conselho de Sentença // Tribunal do Júri.)

JÚRI, PROTESTO POR NOVO — O protesto por novo júri é privativo da defesa, e somente será admitido quando a sentença condenatória for de reclusão por tempo igual ou superior a 20 anos, não podendo, em caso algum, ser feito mais de uma vez. Não será admitido o protesto por novo júri quando a pena for imposta em grau de apelação. Na realização do novo julgamento não servirão jurados que tenham tomado parte no primeiro, sendo nulo o julgamento anterior pelo júri com a participação de jurado que funcionou em julgamento anterior do mesmo processo.

JURÍDICO — É tudo relacionado ao Direito ou está conforme seus princípios. Diz-se do ato, documento, ou fato ou situação referente a Juízo.

JURIS — Ver Analogia Jurídica (*Juris*).

JURIS ET DE JURE — [Latim]. Expressão que significa de direito e por direito. Refere-se à resunção que não admite prova em contrário.

JURIS TANTUM — [Latim]. Expressão que significa somente de direito. Refere-se à presunção que admite prova em contrário.

JURISCONSULTO — Doutor em Direito; autoridade cujos pareceres sobre problemas jurídicos merecem acatamento.

JURISDIÇÃO — Poder atribuído a uma autoridade para aplicar a lei nos casos concretos, aos litígios, e punir quem as infrinja em determinada área; área territorial dentro da qual se exerce esse poder; Vara; Alçada, competência. Atividade do Poder Judiciário ou de órgão que a exerce. Refere-se também à área geográfica abrangida por esse órgão. Em sentido jurídico ou propriamente forense, exprime a extensão e o limite do poder de julgar de um juiz. Por ela se determina a competência, se assinala os limites da jurisdição dentro da matéria, considerada em relação a certo lugar.

JURISDIÇÃO ADMINISTRATIVA — É o campo de atuação das autoridades administrativas, onde se conhecem e resolvem os fatos ou negócios públicos, segundo as atribuições que lhes são conferidas, agindo em nome do Poder Público de quem recebeu os poderes de *imperium*. Distingue-se da jurisdição das autoridades judiciárias.

JURISDIÇÃO CONTENCIOSA — É a destinada a compor conflitos de interesses entre particulares ou entre estes e o próprio Estado, garantidos o contraditório e a ampla defesa. É aquela em que há conflito caracterizado pela disputa entre duas ou mais partes, que pleiteiam providências opostas do juiz.

JURISDIÇÃO GRACIOSA — Ver Jurisdição Voluntária.

JURISDIÇÃO VOLUNTÁRIA OU GRACIOSA — É a Administração Pública de interesses privados. Quando não há disputa entre as partes, mas a intervenção do juiz é necessária, exercendo-se a jurisdição no sentido de simples administração. O exemplo mais comum ocorre em caso de separação consensual. Nela não há lide a ser proposta por sentença. Ao juiz cabe apenas homologar o pedido, fiscalizando a regularidade do ajuste de vontades operado entre os consortes.

JURISDICIONAL — Que se relaciona com jurisdição.

JURISPERITO — O mesmo que jurisconsulto.

JURISPRUDÊNCIA — É uma fonte secundária do direito. É o modo pelo qual os Tribunais interpretam e aplicam as leis, caso a caso. Repetindo-se casos idênticos é natural que as sentenças e acórdãos consolidem uma orientação uniforme, a qual passa a ser utilizada tanto pelos advogados como pelos magistrados. A jurisprudência não se forma isoladamente, isto é, pelas decisões isoladas. É necessário que se firme por sucessivas e uniformes decisões.

JURISTA — Autoridade em Direito, jurisperito; jurisconsulto. Pessoa que se dedica ao Direito, notadamente a que escreve livros jurídicos. É designação do escritor jurídico. Pessoa versada em leis que se dedica aos estudos jurídicos.

JURO LEGAL — Previsto no novo Código Civil, trata-se do juro autorizado por lei, que é determinado segundo a taxa que estiver em vigor para a mora do pagamento de impostos devidos à Fazenda Pública.

JURO NOMINAL — Juro correspondente a um empréstimo ou financiamento, incluindo a correção monetária do montante emprestado. É o atual valor monetário da taxa de juro desajustado das subidas do nível geral dos preços, isto é, da inflação (Juro nominal = Juro real + inflação).

JURO REAL — Juro correspondente a um empréstimo ou financiamento sem incluir a correção monetária do montante emprestado. É o atual valor monetário da taxa de juro ajustado à taxa de inflação (Juro real = Juro nominal - inflação) - desta forma pode ser medida em produtos. Quando existam juros reais positivos a poupança é encorajada e o investimento desencorajado. Ao contrário, os juros reais negativos tornam o investimento mais atrativo. Em condições de inflação zero, os juros real e nominal são iguais.

JURO ROTATIVO — Termo usado principalmente na indústria de cartão de crédito. É o juro cobrado pelo atraso no pagamento da sua fatura de cartão de crédito, ou sobre a diferença financiada, no caso de ter optado pelo pagamento mínimo da fatura.

JURO SOBRE CAPITAL PRÓPRIO — Uma das formas de remuneração que uma empresa pode dar aos seus acionistas, a outra sendo o pagamento de dividendos. Ao contrário dos dividendos, que são distribuídos com base no lucro do ano corrente, os juros sobre capital próprio são pagos com base no lucro retido pela empresa nos anos anteriores.

JUROS — Remuneração que o detentor do dinheiro cobra para conceder um empréstimo. O valor do juro (seu percentual) é considerado como o custo ou preço do dinheiro. O cálculo do juro depende de três variáveis: o valor total do empréstimo, o prazo fixado para que este seja saldado e a taxa de juros. O juro é *simples* quando incide sob a forma de uma taxa fixa sobre o total do capital tomado como empréstimo. Ele é *composto* quando a taxa de juros é calculada sobre o saldo a pagar do empréstimo (leva em conta o progressivo decréscimo do capital a amortizar). Em economia, o dinheiro é considerado um bem disponível no mercado e portanto tem um preço, um custo. Alguns dos motivos pelos quais os juros aumentam são: quando há pouco dinheiro disponível no mercado ou quando a inadimplência aumenta.

JUROS ATIVOS — Representa juros positivos a favor da empresa. Classificados como receitas aumentativas da situação líquida.

JUROS CAPITALIZADOS — Juros somados ao capital inicial em determinado momento para contabilização dos juros no próximo período.

JUROS COMPOSTOS — São os juros calculados sobre o valor inicial mais as parcelas de juros que já foram pagas. Por exemplo, um empréstimo de R$ 100 com juros de 5% ao mês e duração de dois meses. No primeiro mês, serão 5% sobre os R$ 100 e no segundo, serão 5% sobre os R$ 105, que são R$ 100 mais os R$ 5 da primeira parcela de juros. O total será o valor inicial (R$ 100) mais a primeira parcela de juros (R$ 5,00) mais a segunda parcela de juros (R$ 5,25), totalizando 110,25. Se houvesse uma nova parcela, os 5% de juros seriam cobrados sobre os R$ 110,25. A fórmula para o cálculo dos juros compostos é: VI (1 + i) n, onde "VI" é o valor inicial, "i" é a taxa de juros e "n" é o número de períodos. (Ver: Juros simples.)

JUROS DE MORA — Também conhecido como juro de atraso, o termo define as taxas de juros cobradas no caso de atraso de pagamento. Ex.: cobrado pelas administradoras de cartão de crédito. Também pode ser aplicado nos contratos em geral como forma de proteger o prestador de serviço contra o atraso nos pagamentos. Distinto da multa de mora que o Código de Defesa do Consumidor estabelece como sendo de no máximo 2%.

JUROS E ENCARGOS DA DÍVIDA — Designação atribuída, na classificação das despesas públicas quanto à sua natureza, aos grupos de despesa que consolidam os gastos com juros, comissões e outros encargos das dívidas – interna e externa – contratadas pelos órgãos públicos, não abrangidos nesta categoria os dispêndios com amortizações do principal das operações.

JUROS E ENCARGOS DA DÍVIDA EXTERNA — Na contabilidade pública expressa as despesas com o pagamento de juros, comissões e outros encargos de operações de crédito externas contratadas, bem como da dívida pública mobiliária externa.

JUROS E ENCARGOS DA DÍVIDA INTERNA — Na contabilidade pública expressa as despesas com o pagamento de juros, comissões e outros encargos de operações de crédito interna contratadas, bem como da dívida pública mobiliária interna.

JUROS FUTUROS — São os contratos negociados na Bolsa de Mercadorias e Futuros (BM&F) em que os investidores apostam na tendência das taxas no futuro.

JUROS SIMPLES — São os juros calculados sobre o montante inicial, não sendo somados para cálculo dos novos juros futuramente. Por exemplo, um empréstimo de dois meses com 5% de juros ao mês sobre uma quantia de R$ 100 vai resultar em um pagamento de R$ 110 no final do período. O pagamento se constituirá no principal (R$ 100) mais duas parcelas de pagamento de juros de 5% sobre os R$ 100 iniciais. Ou seja: 100 + 5 + 5 = 110. A fórmula dos juros simples é igual: VI (1+ i.n), onde "VI" é o valor inicial, "i" é a taxa de juros e "n" é o número de períodos. (Ver: Juros compostos.)

JUROS SOBRE A DÍVIDA POR CONTRATO — Na contabilidade pública expressa as despesas com juros referentes a operações de crédito efetivamente contratadas.

JUROS, DESÁGIOS E DESCONTOS DA DÍVIDA MOBILIÁRIA — Na contabilidade pública expressa as despesas com a remuneração real devidas pela aplicação de capital de terceiros em títulos.

JUS ACCUSATIONIS — [Latim]. Expressão que significa direito de acusar.

JUS AGENDI — [Latim]. Expressão que significa direito de agir.

JUS COGENS — [Latim]. Expressão que significa direito cuja aplicação é obrigatória pela parte e não pode ser afastado pela vontade de particularidades.

JUS COMMUNE — [Latim]. Expressão que significa direito comum.

JUS CONSTITUENDUM — [Latim]. Expressão que significa direito a se constituir.

JUS CONSTITUTUM — [Latim]. Expressão que significa direito constituído.

JUS EMPIRII — [Latim]. Expressão que significa direito da autoridade; direito do governo; direito do que tem o poder.

JUS EUNDI — [Latim]. Expressão que significa direito de ir e vir.

JUS FRUENDI — [Latim]. Expressão que significa direito de gozar.

JUS LIBERTATIS — [Latim]. Expressão que significa direito à liberdade.

JUS POSTULANDI — [Latim]. Expressão que significa o direito de alguém postular na Justiça o que julga lhe ser devido.

JUS SUFFRAGII — [Latim]. Expressão que significa direito do voto.

JUS UTENDI — [Latim]. Expressão que significa direito de usar.

JUSANTE — É assim denominado o sentido para onde correm as águas de um curso d'água, vulgarmente chamado de "rio abaixo". Costuma-se também empregar a expressão relevo de jusante ao se descrever uma região que está numa posição mais baixa em relação ao ponto considerado. Área posterior a outra, tomando-se por base a direção da corrente fluvial pela qual é banhada. O oposto de jusante é montante.

JUSTA CAUSA — 1) É toda razão que possa ser avocada, para que se justifique qualquer coisa, mostrando-se sua legitimidade ou sua procedência. É, assim, o motivo que possa ser alegado, porque está amparado em lei ou procede de fato justo. 2) Dispensa de um empregado por um motivo justificado na lei ou previsto na lei.

JUSTIÇA — O termo, de maneira simples, diz respeito à igualdade de todos os cidadãos. É o princípio básico de um acordo que objetiva manter a ordem social através da preservação dos direitos em sua forma legal (constitucionalidade das leis) ou na sua aplicação a casos específicos (litígio). Sua ordem máxima, representada em Roma por uma estátua, com olhos vendados, visa seus valores máximos onde "todos são iguais perante a lei" e "todos têm iguais garantias legais", ou ainda, "todos têm iguais direitos". A justiça deve buscar a igualdade entre os cidadãos. O Poder Judiciário no Estado moderno tem a tarefa da aplicação das leis promulgadas pelo Poder Legislativo. É boa doutrina democrática manter independentes as decisões legislativas das decisões judiciais, e vice-versa, como uma das formas de evitar o despotismo.

JUSTIÇA COMUTATIVA — Regula as relações dos membros da sociedade entre si, visando restabelecer ou corrigir os desequilíbrios que surgem nas relações interpessoais.

JUSTIÇA DE PAZ — Aquele onde se celebram os casamentos e que se destina, também, a promover a convivência harmônica dos cidadãos. O juiz de Paz é nomeado por ato do governador do Estado, escolhido em lista tríplice organizada pelo presidente do Tribunal de Justiça, por 4 (quatro) anos, podendo haver reconduções sucessivas.

JUSTIÇA DISTRIBUTIVA — Diz daquela que promove a repartição de bens comuns que a sociedade deve fazer por todos os seus membros, segundo um critério de igualdade.

JUSTIÇA DO TRABALHO — Conjunto de órgãos do Poder Judiciário, composto pelo Tribunal Superior do Trabalho, Tribunais Regionais do Trabalho e Varas do Trabalho, com a atribuição de dirimir os dissídios oriundos das relações entre empregadores e empregados regidos pela legislação social. (Ver: Junta de conciliação de julgamento.)

JUSTIÇA DOS MEIOS — É um conceito estudado em economia a propósito da desigualdade e pobreza. Sendo a pobreza um problema social, esta pode ser resolvida do ponto de vista dos meios (solução hiperindividualista), pela garantia da igualdade de oportunidades, independentemente dos resultados atingidos.

JUSTIÇA ELEITORAL — Ramo do Poder Judiciário competente para tratar dos assuntos relacionados com o alistamento eleitoral, as eleições, os partidos políticos e os delitos de natureza eleitoral. Em sentido restrito diz-se do responsável pela coordenação e pela fiscalização das eleições, pelo processo de inscrição dos eleitores e pelo registro dos partidos. É formada pelas Juntas Eleitorais, pelos Tribunais Regionais, compostos de sete juízes, e pelo Tribunal Superior Eleitoral. O TSE é formado por sete ministros. O Superior Tribunal de Justiça (STJ) nomeia dois de seus membros e dois são escolhidos pelo presidente, de uma lista sêxtupla elaborada pelo Supremo Tribunal Federal (STF), que tem, por sua vez, direito a indicar outros três.

JUSTIÇA ESTADUAL — É responsável pelo julgamento das ações não compreendidas na competência da Justiça Federal. É o foro para julgamento de ações de inconstitucionalidade das leis ou de atos normativos estaduais e municipais e para ações criminais, civis e comerciais. É formada pelos Tribunais de Justiça e juízes de direito. Os tribunais dividem-se em comarcas, e essas, em varas - onde atua um único juiz.

JUSTIÇA FEDERAL — Órgão do Poder Judiciário composta da Justiça Federal Comum e da Justiça Federal Especializada. A Comum é formada pelos Tribunais e pelos juízes federais e é responsável pelo julgamento de ações em que o governo federal (incluindo autarquias e empresas públicas federais) for parte interessada. Já a especializada é composta da Justiça Eleitoral, da Militar e da do Trabalho.

JUSTIÇA GERAL OU LEGAL — Preside as relações entre a sociedade e os seus membros, no que concerne aos encargos que lhes são exigidos como contribuição para o bem comum e que devem ser repartidos por todos.

JUSTIÇA MILITAR — Ramo do Poder Judiciário competente para processar e julgar os crimes militares definidos em lei. É composta de juízes-auditores, dos Conselhos de Justiça (especiais ou permanentes) e do Superior Tribunal Militar, constituído por 15 ministros nomeados pelo presidente da República, com aprovação do Senado.

JUSTIFICAÇÃO — 1) Razão; causa; desculpa. 2) Procedimento cautelar específico consistente na oitiva de testemunhas, visando demonstrar a existência de fato ou relação jurídica, seja para simples documento e sem caráter contencioso, seja para servir de prova em processo regular. Salvo nos casos expressos em lei, é essencial a citação dos interessados. No processo de justificação não se admite defesa, contrariedade ou recurso. O juiz, ao julgá-la por sentença, não se pronunciará sobre o mérito da causa, limitando-se a verificar se foram observadas as formalidades legais. 3) Conjunto de razões que acompanham uma proposição legislativa.

JUSTIFICADO — É aquele contra quem se requer ou se faz a justificação.

JUSTIFICÁVEL CONFIANÇA — Diz-se quando a vítima é enganada pelo sujeito, iludida em sua boa-fé.

JUST-IN-TIME — Sistema de produção e entrega das mercadorias certas no momento certo e na quantidade certa. É um sistema de gerenciamento de suprimentos que evita a formação de estoques, demandando os insumos à medida que são necessários. A grande vantagem do sistema "*just-in-time*" (entrega em cima da hora) é a disciplina na qual ele se apóia: os processos sob controle, ou seja, qualidade, quantidade e regularidade previsíveis. O sistema *just-in-time* é o resultado natural do controle estatístico da qualidade, que, por sua vez, significa controle estatístico da velocidade da produção. O *just-in-time* aproxima-se do *just-on-time* quando as atividades em etapas anteriores ocorrem minutos ou segundos antes das atividades posteriores, possibilitando assim o fluxo contínuo. (Ver: *Just-on-time*.)

JUSTO — Que é conforme ao Direito, à moral e à razão. Imparcial; íntegro; legítimo. Aquilo que está certo e adequado à justiça e à moral.

JUSTO TÍTULO — Título hábil a conferir ou transmitir o direito à posse, como a convenção, a sucessão e o usucapião.

JUST-ON-TIME — Sistema que elimina o armazenamento prévio. No *just-on-time* temos o abastecimento unitário (lote unitário) no exato momento de sua necessidade. (Ver: *Just-in-time*.)

JUXTA — [Latim]. Expressão que significa em.

K

KAIRYO — Palavra japonesa que se refere às melhorias conseguidas nas empresas através de investimentos significativos em equipamentos, procedimentos, pesquisa e desenvolvimento. Tais melhorias requerem um plano de prioridades da alta administração, em face dos custos envolvidos. (Ver: *Kaizen*.)

KAIZEN — Palavra japonesa que se refere à prática do melhoramento (melhoria) contínuo através de pequenas mudanças, em processos existentes, utilizando-se de métodos, técnicas e da criatividade das pessoas no seu próprio setor de trabalho, em quaisquer níveis hierárquicos, sem maiores investimentos. O melhoramento contínuo compreende a conjugação dos Ciclos PDCA para Manter e para Melhorar. Palavra muito usada, inclusive com o sentido de melhoria de qualidade de vida. (Ver: *Kairyo*.)

KEIDAREN — É a mais importante associação empresarial japonesa, agrupando empresas e organizações dos mais variados ramos de negócio.

KIBUTZ — Forma de estabelecimento rural coletivo em Israel, que pode ser agrícola ou de manufaturas, em que a propriedade dos meios de produção é coletiva.

KILOBAR — Termo usado para denominar um tipo de barra de ouro com peso de 1.000 gramas.

KILOWATT (KW) — Unidade de energia elétrica igual a mil watts.

KILOWATT-ANO (KW-Y) — Unidade de energia elétrica consumida em 8.760 horas.

KILOWATT-HORA (kWh) — Unidade de energia elétrica igual a um kilowatt de potência usada durante uma hora. Um kilowatt-hora é igual a 1.000 watt-horas. Um domicílio médio usará entre 800 - 1.300 kWh por mês, dependendo da área geográfica. Equivale a 3.412 Btu. Um kWh equivale também a 3.600.000 J (*Joules*).

KNOW-HOW — (Pronuncia-se "nou rau"). Experiência técnica. Saber fazer. O termo é geralmente utilizado para referir-se a processos de fabricação não patenteada, mas que exige grande habilidade. Refere-se também a um conjunto de operações que demandam experiência específica. Relaciona-se com o conhecimento tecnológico não necessariamente difundido ou patenteado, compreendendo o "saber-fazer" aprendido por experiência ou organizado como resultado de atividades de pesquisa, desenvolvimento e engenharia; acervo de conhecimentos técnico-científicos e de produção acumulado por uma empresa ou instituição; tecnologia explícita e a cultura tecnológica de unidades produtoras de bens e prestadoras de serviços.

L

LA NIÑA — Episódio frio do oceano Pacífico. É o resfriamento anômalo das águas superficiais do oceano Pacífico Equatorial, Central e Oriental. De modo geral, pode-se dizer que *La Niña* é o oposto de *El Niño,* determinado pelo aquecimento das águas. *La Niña* não tem qualquer associação com as mudanças climáticas. Trata-se de um fenômeno cíclico, que ocorre de tempos em tempos, embora sem freqüência determinada. (Ver: *El Niño.*)

LABILIDADE — Variação, instabilidade. Tendência a demonstrar, alternadamente, estados de alegria e tristeza.

LABOR — Atividade ou trabalho produtivo espontâneo e compensador.

LABORATÓRIO OU OFICINA — Ver *Workshop*.

LABORATÓRIOS PRIMÁRIOS — Desenvolvimento e manutenção de equipamentos e padrões de medida para aferição; de padronização.

LABORATÓRIOS SECUNDÁRIOS — Laboratórios credenciados pelo INMETRO para prestação de serviços de testes, ensaios, calibração de instrumentos de medida, certificação de conformidade e homologação de equipamentos.

LACUNA DA LEI — Ver Lei, Lacuna da lei.

LACUSTRE — Que vive ou está situado à beira ou nas águas de um lago. Depósitos lacustres: os que se formam em lagos. Cidades lacustres: antigas habitações pré-históricas construídas sobre estacaria nos lagos e cujos vestígios ainda hoje permanecem, particularmente nas margens dos lagos da Suíça. Ainda, hoje, são encontrados povos que constroem suas habitações sobre lagos.

LADRÃO — Autor de crime de roubo ou de furto.

LAGAMAR — Lagoa de águas salgadas, próximas ao mar. Espécie de golfo ou baía, formando um recanto abrigado na margem de um rio ou de uma enseada.

LAGO — Massa de águas paradas, que fazem parte dos ecossistemas lênticos (de águas quietas), que pode ter origens diversas. Os lagos variam em tamanho, extensão e profundidade e são muito sensíveis às agressões ambientais, uma vez que suas águas são renovadas muito lentamente. Pequenos lagos são denominados lagoas ou ainda lagunas. A Limnologia estuda o comportamento dos lagos.

LAGOA — Depressão de formas variadas, principalmente tendente a circulares, de profundidades pequenas e cheias de água salgada ou doce. As lagoas podem ser definidas como lagos de pequena extensão e profundidade. Muito comum a denominação "lagoa" para as lagunas situadas nas bordas litorâneas que possuem ligação com o oceano.

LAGOA DE MATURAÇÃO — Lagoa usada como refinamento do tratamento prévio efetuado em lagoas ou outro processo biológico, reduzindo bactérias, sólidos em suspensão, nutrientes, porém uma parcela negligenciável de DBO (Demanda Bioquímica de Oxigênio).

LAGOA DE OXIDAÇÃO E ESTABILIZAÇÃO — Um lago artificial no qual dejetos orgânicos são reduzidos pela ação das bactérias. Lagoa contendo água residuária bruta ou tratada em que ocorre estabilização anaeróbia e/ou aeróbia. Às vezes, introduz-se oxigênio na lagoa para acelerar o processo.

LAGUNA — Bacia litoral de águas quietas, Depressão contendo águas quietas (salobra ou salgada), localizada na borda litorânea, separada do mar apenas por uma restinga de areia e com a qual mantém comunicação intermitente. Na maioria das vezes, se usa erradamente o termo lagoa, em vez de laguna.

LAICIDADE — Neutralidade do Estado, das coletividades locais e de todos os serviços públicos em relação a uma ou várias religiões e uma ou várias filosofias. Na França, a laicidade do Estado foi consagrada em 1905 através da lei de separação da Igreja e do Estado.

LAJIDA — Sigla que significa "Lucro Antes de Juros, Imposto de Renda, Depreciação e Amortização", e que dá uma idéia da capacidade de geração de caixa operacional de uma empresa. A diferença entre o LAJIR e o LAJIDA é que este último exclui as despesas que não alteram o caixa de uma empresa, como é o caso da depreciação e amortização de ativos. (Ver: Margem LAJIDA.)

LAJIR — Sigla que significa "Lucro Antes de Juros e Imposto de Renda", e que reflete o resultado das atividades operacionais da empresa. Ao contrário da definição de lucro operacional no Brasil, o cálculo do LAJIR permite estimar o resultado das operações sem a inclusão das receitas ou despesas financeiras. (Ver: Margem LAJIR.)

LALUR — Livro de Apuração do Lucro Real.

LÂMINA D'ÁGUA — Camada de água que passa por cima de um vertedor ou de um salto.

LANÇADOR — No mercado de opções é aquele que vende a opção. Dessa forma, ele assume a obrigação de vender ou comprar a ação-objeto até a determinada data pelo preço preestabelecido.

LANÇAMENTO — Escrito em que se declara algo. Na linguagem fiscal é o ato da autoridade que constitui o crédito tributário. É o ato jurídico administrativo, da categoria dos simples, modificativos ou assecuratórios e vinculados, mediante o qual se declara o acontecimento do fato jurídico tributário, se identifica o sujeito passivo da obrigação correspondente, se determina a base de cálculo e a alíquota aplicável, formalizando o crédito e estipulando os termos da sua exigibilidade.

LANÇAMENTO CONTÁBIL — É o registro detalhado de todos os atos e fatos administrativos de um órgão ou entidade. O lançamento é representado pela partida, ou seja, a expressão contábil que apresenta o fato pelo registro. Em cada livro existe a técnica de lançamento, de acordo com a finalidade que se tem a cumprir. O lançamento é o registro do fato, porém dentro das normas contábeis.

LANÇAMENTO DA RECEITA — Ver Receita, Lançamento da.

LANÇAMENTO DE OPÇÕES — É a emissão pelo lançador, de uma opção de compra ou de venda.

LANÇAMENTO FISCAL — Procedimento administrativo destinado a verificar a caracterização do fato gerador do tributo, bem como determinar o montante a ser recolhido pelo contribuinte. Ato administrativo para constituição do crédito fiscal. Pode ser de ofício, por declaração e por homologação.

LANÇAMENTO TRIBUTÁRIO — É o procedimento administrativo tendente a verificar a ocorrência do fato gerador da obrigação correspondente, determinar a matéria tributável, calcular o montante do tributo devido, identificar o sujeito passivo e, sendo caso, propor a aplicação da penalidade cabível. A atividade administrativa de lançamento é vinculada e obrigatória, sob pena de responsabilidade funcional.

LANÇAMENTO TRIBUTÁRIO DE OFÍCIO — É a modalidade de lançamento efetuada pela autoridade administrativa. Aplica-se nos casos previstos no art. 149 do Código Tributário Nacional, Lei nº 5.172, de 1966.

LANÇAMENTO TRIBUTÁRIO POR DECLARAÇÃO — É uma das modalidades de lançamento quando é efetuado com base na declaração do sujeito passivo ou de terceiro, quando um ou outro, na forma da legislação tributária, presta à autoridade administrativa informações sobre matéria de fato, indispensáveis à sua efetivação.

LANÇAMENTO TRIBUTÁRIO POR HOMOLOGAÇÃO — É uma das modalidades de lançamento que ocorre quanto aos tributos cuja legislação atribua ao sujeito passivo o dever de antecipar o pagamento sem prévio exame da autoridade administrativa. Opera-se pelo ato em que a referida autoridade, tomando conhecimento da atividade assim exercida pelo obrigado, expressamente a homologa.

LANÇAMENTO, NOTA DE (*VOUCHER*) — Registro da apropriação/liquidação de receitas e despesas, bem como de outros eventos, inclusive os relativos a entidades supervisionadas.

LANÇAMENTOS IMOBILIÁRIOS — Edificações colocadas à venda por empresas incorporadoras, construtoras ou construções particulares.

LANCE EM PREGÃO — Preço oferecido em pregão para a compra ou venda de um lote de títulos pelos representantes das sociedades corretoras.

LANCE MÍNIMO — É o menor lance que um licitante pode ofertar para começar o leilão, e tem como base o valor mínimo do bem constante no Edital.

LANCE VENCEDOR — É o maior lance que superar o valor dos demais lances ofertados. Este valor garante ao comprador a arrematação do bem leiloado.

LANCE VENCIDO — São os lances inferiores ao valor do lance vencedor.

LANCE VIL — É o lance cujo valor é considerado irrisório, sem referência em relação ao valor real, ou ao valor comercial do bem leiloado.

LARÁPIO — É toda pessoa dissimulada, furtiva, desonesta. Ladrão. Desonesto. A palavra teve origem em Roma, como nome de um pretor corrupto, *Lucius Antonius Rufus Appius,* que assinava apenas as iniciais *L.R. Appius.* Dessas iniciais, surgiu *Iarapius,* em vernáculo *larapio.*

LASCÍVIA — É a luxúria, libidinagem.

LASTRO — 1) Termo que é usado para determinar a garantia implícita em um ativo. Diz-se, por exemplo, que uma moeda tem lastro quando o seu valor é garantido e não se questiona sua aceitabilidade. 2) Expressão do transporte marítimo, que significa água que é posta nos porões para dar peso e equilíbrio ao navio, quando está sem carga; no transporte ferroviário significa camada de substâncias permeáveis como areia, saibro ou pedra britada, posta no leito das estradas de ferro e sobre a qual repousam os dormentes. (Ver: Água de lastro.)

LASTRO METÁLICO — Depósito em metal precioso, geralmente em ouro, que garante a conversibilidade do dinheiro em forma concreta de valor.

LATA CULPA — [Latim]. Expressão que significa negligência excessiva.

LATENTE — Diz-se daquilo que permanece oculto, subjacente, não se manifesta, mas existe.

LATER STAGE — Ver *Follow-on.*

LATIFUNDIÁRIO — Proprietário de grandes extensões de terra. (Ver: Latifúndio.)

LATIFÚNDIO — Vasta extensão de terra concentrada nas mãos de um só proprietário, às vezes, improdutiva. A legislação define latifúndio como imóvel rural que: a) exceda a dimensão fixada na forma do art. 46 § 1º, alínea "b", do Estatuto da Terra (Lei nº 4.504, de 30.11.1964), tendo-se em vista as condições ecológicas, sistemas agrícolas regionais e o fim a que se destine; b) não excedendo o limite referido na alínea "b" e tendo área igual ou superior à dimensão do módulo de propriedade rural, seja mantido inexplorado em relação às possibilidades físicas, econômicas e sociais do meio, com fins especulativos, ou seja, deficiente ou inadequadamente explorado, de modo a vedar-lhe a inclusão no conceito de empresa rural. (Ver: Latifundiário // Minufúndio.)

LATIM — É um idioma original da região itálica do Lácio que ganhou grande importância por ser o idioma oficial do antigo Império Romano. O latim deu origem a um grande número de línguas européias, denominadas românicas, ou neolatinas, como o português, o espanhol, o francês, o italiano, o romeno, o galego, o catalão, o occitano (falada ao sul da França - ao sul do rio Loire, assim como em alguns vales alpinos na Itália e no Val d'Aran, na Espanha), o rético (falado na Suíça e no nordeste da Itália) e o dalmático (já extinto). Durante séculos depois da Queda do Império Romano, o latim continuou a ser utilizado em toda a Europa como língua culta. Atualmente é idioma oficial na Cidade do Vaticano.

LATITUDE — Latitudes ou paralelos são as linhas paralelas ao Equador e marcam a distância entre os pólos. Partem do Equador (0º) até 90º ao norte e ao sul, com o sinal positivo no Hemisfério Norte e negativo no Hemisfério Sul. Por convenção internacional, servem para determinar as zonas quentes, temperadas e glaciais da superfície do planeta. Os paralelos mais importantes são o Trópico de Câncer e o Círculo Polar Ártico, ao norte, e o Trópico de Capricórnio e o Círculo Polar Antártico, ao sul. No Brasil, o Trópico de Capricórnio passa pelos estados do Paraná e de São Paulo.

LATITUDE DA SEDE DO MUNICÍPIO — É a distância medida em graus da sede do município em relação ao Equador.

LATO SENSU — [Latim]. Expressão que significa em sentido geral.

LATROCÍNIO — Crime hediondo, consistente em roubo, empregando-se violência, resultando morte ou lesão corporal grave, ou mata-se para obter o patrimônio. É o roubo seguido de morte.

LAUDA — Cada uma das páginas (escritas de um só lado) de um original. Cada uma das páginas de livro, impressas ou em branco. Folha padronizada, própria para redação de matérias para qualquer veículo impresso ou audiovisual. As laudas costumam obedecer às duas medidas-padrão: 70 toques x 20 linhas = 1.400 caracteres; e 70 toques x 30 linhas = 2.100 caracteres.

LAUDÊMIO — Parcela ou prêmio pago pelo foreiro ao senhorio direto, quando há alienação, com o consentimento deste, do respectivo imóvel. Não significa o mesmo que foro ou pensão, mas uma forma de compensação financeira que o transmitente (enfiteuta alienante) ou adquirente paga ao senhorio direto da coisa aforada, no ato da transferência do domínio útil, pela sua renúncia ao direito de opção. É feito, por exemplo, na venda de imóveis que originariamente pertencem à União, como todos os que se localizam na orla marítima. (Ver: Aforamento.)

LAUDO — Documento escrito que contém a decisão motivada dos árbitros ou no qual profissionais especializados fazem constar o resultado de um exame pericial e a conclusão resultante de suas observações, como laudo médico, grafotécnico, de trânsito etc.

LAUDO JUDICIAL — É o resultado da perícia judicial, expresso em conclusões escritas, fundamentadas e assinadas pelo perito judicial nomeado pelo juiz.

LAVA — Material em fusão, no estado líquido ou viscoso, resultante de uma erupção vulcânica. Este termo também é utilizado para designar material extrusivo solidificado. Sua solidificação origina rochas efusivas ou vulcânicas, de estrutura porosa, vítrea e textura porfirítica. Distinguem-se, quanto à forma, dois tipos principais de lavas: lava em bloco e cordada. As lavas de composição ácida possuem grande viscosidade; as de composição básica são mais fluídas.

LAVAGEM DE DINHEIRO (***MONEY LAUNDERING; BLANCHIMENT D'ARGENT***) — A metáfora se refere ao processo que dinheiro "sujo", ou seja, obtido por meios ilegais (corrupção, prostituição, tráfico de drogas, pornografia) se torna legal, ou seja, sujeito à declaração de renda, impostos e taxas como qualquer outro. Essa definição, que restringe o emprego do termo ao dinheiro obtido com atividades em geral consideradas como ilegais, é recente, e tem o objetivo de diferenciar a lavagem de dinheiro da fraude fiscal. Ambos se apóiam em técnicas comuns e podem ser complementares, porém a fraude fiscal consiste em dissimular a existência de uma renda legal ou de dissimular sua natureza, tornando-a ilegal do ponto de vista das autoridades monetárias do país onde ela é realizada. No entanto, é difícil tal separação porque compartilham os quatro fatores que caracterizam operações de lavagem: a) a propriedade e fonte do dinheiro devem ser mascaradas; b) a forma deve ser modificada; c) o caminho da lavagem deve ser mascarado; d) controle constante deve ser mantido sobre o processo. Cada uma das operações pode fazer uso de várias alternativas. O ciclo da lavagem tem três diferentes fases: "colocação", ou seja, introduzir o dinheiro no sistema financeiro mundial; "acomodação", ou seja, dissociar o dinheiro de sua fonte, movimentando-o por diversas contas, diversos lugares de um país e diversos países; finalmente, a última fase é a "integração", onde o dinheiro é integrado ou repatriado a economia formal. As estimativas diferem de quanto dinheiro é "lavado" no mundo por ano, variando de US$ 200 bilhões a mais de US$ 1 trilhão. É um crime globalizado. Para os Estados nacionais o efeito sobre a balança de pagamentos pode ser prejudicial ao reduzir o poder de controle sobre fluxos de entrada e saída de grande quantidade de dinheiro. Lavar dinheiro é considerado por alguns como o terceiro maior negócio do mundo, atrás do mercado cambial e da indústria petrolífera. Curiosamente, os três tipos de negócio compartilham a mesma característica de "caixa-preta", ou seja, a dificuldade das autoridades em controlar a contabilidade de perdas e ganhos.

LAVAGEM DE LUCROS — É o processo de transferência de lucros de um território no qual eles seriam tributados para outro no qual não há imposto ou impostos mais baixos. Os mecanismos para realizar lavagem de lucros incluem preços de transferência, refaturamento, licenciamento, subcapitalização, reestruturação corporativa e inversões.

LAVOURA PERMANENTE — Compreende a área plantada ou em preparo para o plantio de culturas de longa duração, tais como: café, laranja, cacau, banana e uva, que, após a colheita, não necessitam de novo plantio, produzindo por vários anos sucessivos.

LAVOURA TEMPORÁRIA — Abrangem as áreas plantadas ou em preparo para o plantio de culturas de curta duração (inferior a um ano) e que necessitam geralmente, de novo plantio após cada colheita, tais como: arroz, algodão, milho, trigo, flores e hortaliças.

LAVRA — Entende-se por lavra o conjunto de operações coordenadas objetivando o aproveitamento industrial da jazida, desde a extração das substâncias minerais úteis que contiver, até o beneficiamento das mesmas.

LAVRAR — Exarar por escrito; escrever, redigir; escrever uma sentença, uma ata; emitir; expressar.

LAYOUT — 1) Esboço artístico mostrando a posição relativa das ilustrações, títulos e texto de uma peça promocional ou de resposta direta. 2) Projeto de anúncio, rascunho bem-acabado que permite uma visão exata do que vai ser o anúncio. Divisão do espaço dentro do ponto de venda.

LBC (LETRA DO BANCO CENTRAL) — Título de responsabilidade do Banco Central do Brasil, emitido para fins de política monetária, exclusivamente sob a forma escritural, no SELIC. Título de rentabilidade pós-fixada, definida pela Taxa SELIC.

LBCE — Letra do Banco Central para Venda a Termo a Instituições Financeiras Estaduais.

LBTR — É um sistema de transferência no qual as instruções de liquidação dos fundos ou de transferência de valores mobiliários ocorrem individualmente (operação por operação), em tempo real. Corresponde à liquidação de obrigações, uma a uma, em tempo real.

LDB — Ver Lei de Diretrizes e Bases da Educação.

LDO — Ver Lei de Diretrizes Orçamentárias.

LEALDADE — Procedimento de consideração, dedicação e boa-fé que sustenta uma relação de amizade entre duas ou mais pessoas.

LEASING — É o mesmo que arrendamento mercantil. Fenômeno patrimonial da cessão de uso de um bem móvel ou imóvel, mediante cobrança de um valor como compensação, com direito de aquisição do bem, por parte do tomador, ao final do período pactuado. É o negócio jurídico realizado entre pessoa jurídica, na qualidade de arrendadora, e pessoa física ou jurídica, na qualidade de arrendatária, e que tenha por objeto o arrendamento de bens adquiridos pela arrendadora, segundo especificações da arrendatária e para uso próprio desta. Os contratos de arrendamento mercantil conterão as seguintes disposições: a) prazo do contrato; b) valor de cada contraprestação por períodos determinados, não superiores a um semestre; c) opção de compra ou renovação de contrato, como faculdade do arrendatário; d) preço para opção de compra ou critério para sua fixação, quando for estipulada esta cláusula.

LECEM HABEMUS — [Latim]. Expressão que significa temos lei.

LEGADO — 1) É a pessoa que, como enviado ou representante, é mandada à presença de outros para tratar de interesses ou de negócios recíprocos. Nesse sentido, fala-se em legados diplomáticos, legados pontifícios, seja para uma missão permanente, seja para presidir ou participar de uma grande solenidade. 2) É a parte da herança deixada pelo testador a quem não seja herdeiro e que se denomina legatário. (Ver: Herança e legado // Legatário).

LEGAL — Diz-se do que é conforme a lei ou relativo à lei. Tudo o que não contravém o princípio de Direito, seja instituído pela lei, pelo costume ou pela jurisprudência.

LEGALIDADE — 1) É o que está dentro da ordem jurídica e conforme a ela. Princípio de Direito Penal que impede a punição de crimes não definidos com antecedência pela lei. 2) A legalidade, como princípio de administração, significa que o administrador público está, em toda a sua atividade funcional, sujeito aos mandamentos da lei e às exigências do bem comum, e deles não se pode afastar ou desviar, sob pena de praticar ato inválido e expor-se à responsabilidade disciplinar, civil e criminal, conforme o caso.

LEGALIDADE DOS CONTRATOS, CONVÊNIOS, ACORDOS E OUTROS AJUSTES — Ver Contratos, Convênios, Acordos e outros Ajustes - Legalidade.

LEGALISTA — Relativo à lei. Qualidade daquele que luta pelo respeito e cumprimento das leis. Aquele que dá importância exagerada ao que a lei diz, em vez de procurar entender e agir de acordo com seu significado real.

LEGALMENTE VINCULANTE — Para um Estado, se algo é legalmente vinculante, isso significa que o Estado é obrigado a atuar em conformidade com tal coisa, e que pode haver conseqüências jurídicas caso não o faça.

LEGATÁRIO — É a pessoa favorecida ou beneficiada por um legado, isto é, foi pelo testador instituída como sucessora a título particular ou singular. É o herdeiro contemplado nas disposições de última vontade, com coisa certa e determinada. (Ver: Herança e legado // Legado.)

LEGE LATA — [Latim]. Expressão que significa pela lei tomada em seu sentido amplo; pela lei extensamente.

LEGENDA — 1) Palavra ou conjunto de palavras que ocupam a orla da moeda e indicam painel, efígie ou "*portrait*". 2) Conjunto de sinais convencionais, que ajudam a ler e interpretar um mapa. Um gráfico ou qualquer outro documento.

LEGIS — [Latim]. Expressão que significa legal; Analogia Legal (*Legis*).

LEGIS DISPOSITIO — [Latim]. Expressão que significa disposição da lei.

LEGIS MANUS LONGA — [Latim]. Expressão que significa a mão da lei é longa.

LEGISLAÇÃO — 1) Conjunto de leis acerca de determinada matéria. 2) A ciência das leis. 3) A totalidade das leis de um Estado, ou de determinado ramo do Direito.

LEGISLAÇÃO AMBIENTAL — Conjunto de regulamentos jurídicos especificamente dirigidos às atividades que afetam a qualidade do meio ambiente.

LEGISLAÇÃO COMPARADA — Ver Direito Comparado.

LEGISLADO — Diz-se do que foi elaborado por lei.

LEGISLADOR — É aquele que elabora leis (senador, deputado, vereador). É o membro do Poder Legislativo (parlamentar).

LEGISLATIVO — Derivado de legislar, é geralmente empregado na forma adjetiva, para assinalar tudo que se refere ou diz respeito à legislação ou ao poder de legislar. Nesse sentido, pois, diz-se Poder Legislativo, decreto legislativo. (Ver: Poder Legislativo.)

LEGISLATURA — Reunião de legisladores em assembléia. É o período de quatro anos em que os legisladores exercem os respectivos mandatos. A contagem é idêntica no Senado Federal, embora o mandato dos senadores seja de oito anos.

LEGÍTIMA — É a parte do patrimônio que será transferida às pessoas referidas na lei e que são os ascendentes e os descendentes, mesmo que essa não seja a vontade do falecido. (Ver: Porção Disponível.)

LEGÍTIMA DEFESA — Consiste no uso moderado dos meios necessários para repelir agressão injusta, atual ou iminente, a direito seu ou de outrem, portanto não configura antijuricidade nem é passível de responsabilidade civil ou penal. Considera-se justificado o ato destinado a afastar qualquer agressão dirigida contra o agente ou terceiro, desde que na agressão e na defesa se verifiquem os requisitos que a lei enumera: agressão atual e ilícita; defesa necessária e proporcional.

LEGÍTIMA DEFESA PUTATIVA — É aquela em que a pessoa, por erro justificável pelas circunstâncias, repele aquilo que lhe parece ser uma agressão injusta e atual.

LEGITIMAÇÃO — 1) Capacidade de ser parte em um processo como autor ou réu. 2) Ato de tornar legítimo; legalização. Os filhos legitimados são em tudo equiparados aos legítimos. A Constituição Federal aboliu qualquer distinção: todos os filhos podem ser reconhecidos a qualquer tempo sejam naturais, adulterinos ou incestuosos até na constância da sociedade conjugal. Diz a Carta Magna que os filhos havidos ou não da relação do casamento, ou por adoção, terão os mesmos direitos e qualificações proibidas quaisquer designações discriminatórias relativas à filiação. A Lei nº 8.560, de 1992, diz que o reconhecimento dos filhos havidos fora do casamento é irrevogável e será feito: no registro de nascimento; por escritura pública ou escrito particular, a ser arquivado em cartório; por testamento, ainda que incidentalmente manifestado; por manifestação expressa e direta perante o juiz, ainda que o reconhecimento não haja sido o objeto único e principal do ato que o contém. É vedado reconhecer e legitimar filho na ata do casamento. O filho maior não pode ser reconhecido sem o seu consentimento. O casamento nulo produz os mesmos efeitos que um válido, em relação aos filhos e ao contraente de boa-fé; esta disposição vale para filhos naturais, adulterinos ou incestuosos. O filho pode mover ação para provar filiação legítima ou legitimada. A legitimação tem de ser averbada no Registro Civil. A legitimação dos filhos falecidos aproveita aos seus descendentes. Para efeitos da sucessão, aos filhos legítimos se equivalem ou se equiparam os legitimados, os naturais reconhecidos e os adotivos. O filho reconhecido na forma da Lei nº 883, de 1949, para efeitos econômicos, terá direito, a titulo de amparo social, à metade da herança que vier a receber o filho legítimo ou legitimado. O casamento legitima os filhos comuns, antes dele nascidos ou concebidos.

LEGITIMAÇÃO EXTRAORDINÁRIA — Autorização excepcional, dada pela lei, para que alguém pleiteie em nome próprio direito alheio substituto processual.

LEGITIMÁRIO — Herdeiro necessário, a quem cabe a legítima.

LEGITIMATIO AD CAUSAM — [Latim]. Expressão que significa legitimação para o processo.

LEGITIMIDADE — É a qualidade ou caráter de que é legítimo ou se apresenta apoiado em lei.

LEGITIMIDADE ATIVA — Ver Legitimidade para a causa.

LEGITIMIDADE PARA A CAUSA (*LEGITIMATIO AD CAUSAM*) — No que se refere ao autor, a legitimidade para a causa traduz-se no seu direito aparente de pedir o que pede (legitimidade ativa). Quanto ao réu, é a aparente obrigação de fazer ou prestar o que é pedido na inicial (legitimidade passiva).

LEGITIMIDADE PARA O PROCESSO — Reunião da condição de legítimo interesse e a capacidade para agir em juízo, por si ou representado por outrem, com outorga de mandato a advogado habilitado.

LEGITIMIDADE PASSIVA — Ver Legitimidade para a causa.

LEGÍTIMO — É tudo o que está conforme às leis ou que se apresenta cumprindo as determinações legais, ou se funda no Direito. Autêntico, verdadeiro.

LEGÍTIMO INTERESSE — Interesse que justifica a propositura da ação ou a resposta a esta por parte do réu.

LÉGUA — Medida de comprimento igual a 6 quilômetros ou 6.000 metros.

LÉGUA MARÍTIMA — Medida de comprimento que entre nós correspondia aproximadamente a 3,2 milhas ou 5,9 km.

LÉGUA TERRESTRE — Medida de comprimento que vale 3 milhas terrestres. (Ver: Milha terrestre.)

LEGUMINOSAS — Vegetais que têm, geralmente, fruto do tipo legume. Família das dicotiledôneas da ordem *Rosales*, que engloba desde pequenas ervas até árvores de grande porte. As folhas podem ser simples ou compostas, alternadas e muito raramente opostas (*Parkia*), com estípulas. Flores unissexuais ou andróginas. As flores das leguminosas podem ser solitárias ou em inflorescências de todos os tipos. O fruto típico é o legume. Há mais de 13.000 espécies de leguminosas, distribuídas em três subfamílias: mimosoídeas, cesalpinoídeas e papilionoídeas. O feijão, soja, ervilha, lentilha, amendoim e o grão-de-bico são legumes de grande importância econômica e alimentar.

LEI — Determinação; que obriga; lei científica, princípio que rege a natureza ou as coisas. Ato escrito, da competência privativa do Poder Legislativo, que contém regra de direito ou norma de conduta, acatamento obrigatório, com vista ao ordenamento social. Representa a vontade do povo, que elege seus representantes exatamente para fazerem leis. Também se diz manifestação expressa da vontade imperativa do Estado. No sentido amplo, é qualquer norma jurídica geral, obrigatória e permanente, emanada por vontade imperativa do poder público competente. Quanto à espécie, a lei pode ser: Ordinária ou Complementar.

LEI - INTERPRETAÇÃO RESTRITIVA — Interpretação da lei pela qual e por definição ou intérprete visa restringir o alcance da norma aos limites fixados pelo legislador.

LEI - IRRETROATIVIDADE — É o princípio pelo qual a lei nova não pode atingir situação já consolidada sob o império da lei antiga, a fim de que seja preservada a estabilidade jurídica, com respeito à coisa julgada, ao direito adquirido e ao ato jurídico perfeito. Entretanto, em determinados casos, a lei poderá, excepcionalmente, retroagir, desde que haja disposição legal expressa neste sentido, sendo, pois, a retroatividade uma exceção.

LEI - PROMULGAÇÃO — Etapa final da elaboração de uma lei em que se atesta, oficialmente, a sua existência, conseqüentemente, de cumprimento obrigatório. A promulgação é ato obrigatório, ao contrário da sanção que é facultativa. (Ver: Rejeição de veto.)

LEI - PUBLICAÇÃO — Ato de tornar a lei conhecida dos que lhe devem obediência.

LEI - RETROATIVIDADE — Quando a lei vigora não somente a partir da publicação, mas ainda regula certas situações jurídicas configuradas anteriormente.

LEI - SANÇÃO — É a concordância do chefe do Executivo com o texto decretado pelo Legislativo. A sanção é facultativa, ao contrário da promulgação, que é ato obrigatório. (Ver: Rejeição de veto.)

LEI AUTORIZATIVA — Ver Princípio autorizativo.

LEI CIVIL — Lei que regulamenta as relações entre os indivíduos.

LEI COMPLEMENTAR — É uma lei especial hierarquicamente superior à lei ordinária e às demais leis especiais e abrange só os assuntos previstos na Constituição Federal. Tem que ser votada pelo Congresso e aprovada por maioria absoluta de cada uma de suas Casas, com sanção ou veto do chefe do Executivo. O conceito é aplicável às leis complementares estaduais (Constituição Estadual) e municipais (Lei Orgânica do Município). A Lei Complementar deriva de expressa indicação constitucional, isto é, de que a Constituição tenha indicado que a matéria objeto de normatização complementar deverá ser disciplinada através desse tipo de lei (*vide*, por exemplo, os arts. 59, parágrafo único, 146 e 165, § 9º da Constituição). (Ver: Maioria absoluta.)

LEI COMPLEMENTAR - ELABORAÇÃO/APROVAÇÃO — A Lei Complementar é elaborada pelo Legislativo segundo os mesmos procedimentos empregados na produção de leis ordinárias, mas requer quórum qualificado de aprovação, ou seja, precisa do voto favorável de 50% mais 1 (um) dos integrantes de cada Casa do Poder Legislativo. Tais leis não podem ser alteradas por leis ordinárias. (Ver: Técnica de elaboração de leis e decretos.)

LEI COMPLEMENTAR - OBJETIVO — A Lei Complementar se destina a regular, com caráter de norma superior às leis ordinárias, certos preceitos constitucionais, desprovidos de auto-aplicabilidade, relativos a matérias consideradas de importância fundamental pela Constituição. É aplicável às leis complementares estaduais (Constituição Estadual) e municipais (Lei Orgânica do Município).

LEI COMPLEMENTAR Nº 101, de 4.5.2000 — Ver Lei de Responsabilidade Fiscal.

LEI COMPLEMENTAR, PROJETO DE — Espécie de proposição legislativa destinada a regular matérias que, por disposição da Constituição Federal, devam ser disciplinadas por Lei Complementar. Diferenciam-se dos projetos de lei ordinária pelo quorum qualificado exigido para sua aprovação. Necessita de dois turnos de discussão e votação e de maioria absoluta de votos favoráveis para ser aprovado. (Ver: Técnica de elaboração de leis e decretos.)

LEI CONSTITUCIONAL — Lei que tem como base de apoio a Constituição, de acordo com o que nela estiver previsto.

LEI DA NÃO-CONTRADIÇÃO — Formulada por Aristóteles em seus estudos sobre a lógica, a lei da não-contradição diz que um argumento só pode ser "verdadeiro" ou "falso", logo um argumento verdadeiro não é falso e um argumento falso não é verdadeiro, tampouco pode ser os dois ao mesmo tempo.

LEI DA OFERTA — Expressão utilizada em economia e representada graficamente por deslocações ao longo da curva da oferta e postula que a quantidade oferecida varia no mesmo sentido do preço. Num mercado transparente, de livre concorrência, com grande número de produtores e consumidores, a oferta varia no mesmo sentido do preço, limitada somente na capacidade produção. (Ver: Lei da procura.)

LEI DA OFERTA E DA PROCURA — Lei econômica que afirma que o preço de um determinado bem é obtido pela interação da oferta e da procura, e é o que nivela a quantidade oferecida com a procurada no mercado. (Ver: Lei da procura // Lei da oferta.)

LEI DA PROCURA — Expressão utilizada em economia e representada graficamente por deslocamentos ao longo da curva da procura e postula que a quantidade procurada varia no sentido inverso ao do preço. Num mercado transparente, de livre concorrência, com grande número de produtores e consumidores, a procura varia no sentido inverso do preço, com limite na venda disponível. (Ver: Lei da oferta.)

LEI DE BIOSSEGURANÇA — Lei que estabelece normas de segurança e mecanismos de fiscalização no uso das técnicas de engenharia genética na construção, cultivo, manipulação, transporte, comercialização, consumo, liberação e descarte de organismo geneticamente modificado, visando a proteger a vida e a saúde do ser humano, dos animais e das plantas, bem como o meio ambiente.

LEI DE CONVERSÃO, PROJETO DE — No Legislativo é o substitutivo que o relator apresenta, a medida provisória submetida à sua apreciação.

LEI DE DIRETRIZES E BASES DA EDUCAÇÃO (LDB) — Ver Educação - Lei de Diretrizes e Bases da Educação (LDB).

LEI DE DIRETRIZES ORÇAMENTÁRIAS (LDO) — Lei que compreende as metas e prioridades da Administração Pública federal, incluindo as despesas de capital para o exercício financeiro subseqüente, orienta a elaboração da lei orçamentária anual, dispõe sobre as alterações na legislação tributária e estabelece a política de aplicação das agências financeiras oficiais de fomento. Conterá, ainda, os anexos de Metas Fiscais e Riscos Fiscais. O prazo para a remessa do projeto de lei ao Legislativo é até o dia 15 de abril do ano imediatamente anterior a que se referir ou conforme determinar cada Constituição Estadual ou Lei Orgânica Municipal. Ao apreciar o projeto de Lei de Diretrizes Orçamentárias (LDO), a Comissão de Orçamento e Finanças ou equivalente, em especial, e os legisladores, em particular, deverão estar atentos, sem prejuízo de um exame acurado e minucioso, que o projeto de lei de tal magnitude sempre exige, em face do disposto no art. 4º da Lei Complementar nº 101, de 2000 - (Lei de Responsabilidade Fiscal - LRF), exigindo que a LDO seja acompanhada dos Anexos de Metas Fiscais e Riscos Fiscais, que traduz uma demonstração de como será alcançado e mantido o equilíbrio das finanças públicas e preservado o patrimônio público. O Poder Legislativo deverá devolver o projeto aprovado até o encerramento do primeiro período da sessão legislativa. A vigência da LDO é de 1/1 a 31/12 do exercício a que se referir, igual a do orçamento.

LEI DE DIRETRIZES ORÇAMENTÁRIAS, APROVAÇÃO DA — A apreciação e aprovação do projeto de Lei de Diretrizes Orçamentárias seguem, de forma geral, o processo previsto para o projeto de Lei do Orçamento Anual. Em princípio, sua aprovação deve ocorrer no primeiro semestre da sessão legislativa, visto que a Constituição Federal determina que esta não poderá ser interrompida sem a aprovação da LDO. Cabe à Comissão de Orçamento parecer prévio sobre o projeto de lei e as emendas propostas, antes delas serem apreciadas pelo Plenário. (Ver: Lei do Orçamento Anual - Projeto // Lei do Orçamento Anual - Aprovação // Lei do Orçamento Anual - Emenda // Lei do Orçamento Anual - Publicação.)

LEI DE EXECUÇÃO PENAL — É a Lei Federal nº 7.210, de 11.7.1984. Sua finalidade é cumprir disposições de sentença ou decisão criminal e proporcionar condições para a integração social do preso ou detento.

LEI DE IMPRENSA — É Lei Federal nº 5.250, de 9 de fevereiro de 1967, que regula a liberdade de manifestação do pensamento e de informação. Criada durante o regime militar, com disposições autoritárias, como as que autorizam a apreensão de publicações e punem a violação de segredo de Estado e o atentado aos bons costumes, essa lei trata da forma de registro dos órgãos de informação, dos crimes praticados por intermédio da imprensa, do direito de resposta e da responsabilidade civil e criminal pelos abusos cometidos. Apesar de a Constituição brasileira de 1988 dispor que é "livre a expressão da atividade intelectual, artística, científica e de comunicação, independentemente de censura ou licença" (art. 59, inciso IX) e que "nenhuma lei conterá dispositivo que possa constituir embaraço à plena liberdade de informação jornalística em qualquer veículo de comunicação social" (art. 220, parágrafo 19), a Lei nº 5.250, de 9 de fevereiro de 1967, continua em vigor. (Ver: Crime de imprensa //Liberdade de imprensa.)

LEI DE IMPROBIDADE ADMINISTRATIVA — É a Lei nº 8.429, de 1992, considerada um dos maiores avanços no combate à corrupção porque prevê sanções da perda do cargo ao ressarcimento dos cofres públicos, para servidores públicos acusados de enriquecimento ilícito no exercício dos cargos ou de omissão no exercício da função. A Lei da improbidade instituiu, entre outras coisas, a obrigatoriedade de o servidor declarar seus bens para facilitar a fiscalização de sua evolução patrimonial. Em casos de parlamentares acusados, pode haver cassação e perda dos direitos políticos por até oito anos. Embora juízes e políticos tenham foro especial, a Associação Nacional do Ministério Público tem recomendado que a prerrogativa não vale para ações de improbidade administrativa que devem correr na justiça comum.

LEI DE INCENTIVO — Legislação que permite o desconto de tributos de doadores ou destinação de tributos recolhidos para certas atividades. Trata-se, de fato, de destinação de verbas públicas assim destinadas por lei, que são encaminhadas direta ou indiretamente para algumas pessoas ou atividades, incentivadas por lei por sua reconhecida importância no contexto histórico nacional. No Brasil é utilizado das formas mais distintas como, por exemplo, para o incentivo à cultura (Lei Rouanet), para atividades de interesse público (doações feitas a Utilidades Públicas Federais ou OSCIPs). Bem mais expressivos são os benefícios e incentivos para certas atividades produtivas e lucrativas como para a Zona Franca de Manaus para a instalação de negócios nas regiões Norte, Nordeste, Centro-Oeste e Distrito Federal (Brasília), por via de fundos Constitucionais que concentram renda tributária arrecadada em todo o País para o desenvolvimento daquelas regiões. A divisão dessas verbas se dá por via de normas tais que permitem, por exemplo, ao Estado de Minas Gerais, embora oficialmente localizado no Sudeste, que possua municípios que se beneficiem tanto dos fundos do Centro-Oeste, do Nordeste quanto da área de entorno do Distrito Federal. (Ver: OSCIP.)

LEI DE INTRODUÇÃO AO CÓDIGO CIVIL — É o conjunto de disposições preliminares que antecede o próprio código, dispondo sobre a eficácia das leis no espaço e no tempo, assim como sua interpretação, aplicação e integração.

LEI DE LICITAÇÕES — Lei de competência privativa da União, normatizadora geral de licitação e contratação, em todas as modalidades, para a Administração Pública direta e indireta, incluídas as fundações instituídas e mantidas pelo Poder Público nas diversas esferas de Governo e as empresas sob seu controle. Atualmente, trata-se da Lei nº 8.666, de 1993, com a redação dada pela Lei nº 8.883, de 1994, obrigatória para todas as esferas governamentais (Federal, Estadual e Municipal). Substituiu o Decreto-lei nº 2.300, de 21.11.1986, atualizado em 1987, o qual consolidou normas gerais e especiais para licitação em toda a Administração Pública brasileira. (Ver: Contrato Administrativo // Licitação Pública.)

LEI DE MEIOS — Sinônimo de Lei Orçamentária ou Lei do Orçamento. Assim denominada porque possibilita os meios para o desenvolvimento das ações relativas aos diversos órgãos e entidades que integram a Administração Pública.

LEI DE ORDEM PÚBLICA — Aquela que revoga as convenções entre particulares, sem que contra ela se possa opor a autonomia da vontade individual; não valem, também, os direitos adquiridos. É norma obrigatória, que as partes não podem modificar em seus atos.

LEI DE RESPONSABILIDADE FISCAL - INFRAÇÕES E PENALIDADES — A LRF estabelece, em seu art. 73, que as infrações aos seus dispositivos serão punidas com base em vários diplomas legais já existentes como o Código Penal, as Leis nºs 1.079, de 1950, e 8.429, de 1992 (Lei de Improbidade Administrativa), Decreto-Lei nº 201, de 1967, e demais normas da legislação pertinente. Posteriormente à LRF, foi sancionada a Lei nº 10.028, de 19.10.2000, que altera o Decreto-Lei nº 284, de 7.12.40 - Código Penal, a Lei nº 1.079, de 10.4.50, e o Decreto-Lei nº 201, de 27.2.67, acrescentando aos referidos textos legais hipóteses de infração e respectivas penas de reclusão, que variam de seis meses a quatro anos.

LEI DE RESPONSABILIDADE FISCAL - PUNIÇÃO FISCAL — A punição fiscal é dirigida ao ente público e consiste na suspensão das transferências voluntárias (exceto para as destinadas às ações de saúde, educação e assistência social), contratação de operações de crédito e obtenção de garantias. (Ver: Lei de Responsabilidade Fiscal, Transgressões à.)

LEI DE RESPONSABILIDADE FISCAL - PUNIÇÃO PENAL — A punição penal para o responsável varia de acordo com o tipo de transgressão à Lei de Responsabilidade Fiscal, podendo acarretar: perda do cargo e a inabilitação, pelo prazo de cinco anos, para o exercício de cargo ou função pública, eletivo ou de nomeação, sem prejuízo da reparação civil do dano causado ao patrimônio público ou particular; cassação do mandato; detenção de três meses a três anos; reclusão de um a quatro anos; multa de 30% dos vencimentos anuais do agente que lhe der causa, sendo o pagamento de sua responsabilidade pessoal. (Ver: Lei de Responsabilidade Fiscal, Transgressões à.)

LEI DE RESPONSABILIDADE FISCAL (LRF) — É a Lei Complementar nº 101, de 4.5.2000, que estabelece normas de finanças públicas voltadas para a responsabilidade na gestão fiscal. Aplica-se à União, aos Estados, ao Distrito Federal e aos Municípios, compreendendo os Poderes Legislativo, neste incluídos os Tribunais de Contas, Executivo e Judiciário, e as respectivas administrações diretas, fundos, autarquias, fundações e empresas estatais dependentes, bem como o Ministério Público.

LEI DE RESPONSABILIDADE FISCAL, TRANSGRESSÕES À — As transgressões dos dispositivos da Lei de Responsabilidade Fiscal acarretam punições fiscais e penais segundo: o Decreto-Lei nº 2848, de 7 de dezembro de 1940 - Código Penal; a Lei nº 1.079, de 10 de abril de 1950, que define os crimes de responsabilidade das autoridades da União e dos Estados e regula o respectivo processo de julgamento; o Decreto-Lei nº 201, de 27 de fevereiro de 1967, que dispõe sobre a responsabilidade dos prefeitos e vereadores; a Lei nº 10.028, de 19 de outubro de 2000, que dispõe sobre os crimes fiscais relativos à Lei de Responsabilidade Fiscal; a Lei nº 8.429, de 2 de junho de 1992, que dispõe sobre as sanções aplicáveis aos agentes públicos nos casos de enriquecimento ilícito. A Lei nº 8.429 não se aplica aos casos de transgressão fiscal que não envolvam improbidade administrativa. (Ver: Lei de Responsabilidade Fiscal - punições fiscais // Lei de Responsabilidade Fiscal - punições penais.)

LEI DE ZONEAMENTO OU EQUIVALENTE — Instrumento legal que define os possíveis usos do solo em zonas determinadas do município (residenciais, industriais, comerciais etc.) com vistas a tornar as cidades eficientes, pondo cada edificação, cada atividade e cada grupo humano em lugar apropriado. Estabelece, também, os gabaritos de altura e limites dos prédios.

LEI DELEGADA — Aquela elaborada pelo Presidente, que recebe para tanto competência do Congresso Nacional, através de resolução. Tal resolução especificará o conteúdo da lei delegada, bem como os termos de seu exercício. (Art. 68 da Constituição Federal, de 1988.)

LEI DISPOSITIVA — As que não ordenam nem proíbem, com antecedência, ações ou omissões, limitando-se a facultar ou reconhecer a existência de direitos, que serão exercidos conforme a vontade do seu titular.

LEI DO AUDIOVISUAL — A Lei Federal nº 8.685, de 20.7.1993, permite que pessoas jurídicas apliquem parte do Imposto de Renda a pagar em projetos audiovisuais, sejam programas de tevê ou filmes.

LEI DO FORO — É a lei da jurisdição onde a questão se levantou. É a lei do lugar em que corre a demanda, ou que esta deve ser intentada.

LEI DO INQUILINATO — Nome popular da Lei Federal nº 8.245, de 1991, que regula as locações urbanas.

LEI DO ORÇAMENTO ANUAL - APROVAÇÃO — O projeto de Lei do Orçamento Anual é apreciado e aprovado pela Assembléia Legislativa, Câmara Municipal ou Assembléia Distrital, no caso, respectivamente, de Estado, Município ou Distrito Federal, segundo os prazos e critérios definidos nos regimentos internos dessas casas. No caso da União, deve ser apreciado pela Câmara dos Deputados e pelo Senado Federal. Cabe à Comissão de Orçamento parecer prévio sobre o projeto de lei, antes de sua apreciação pelo Plenário. As emendas dos parlamentares também devem ser apreciadas pela Comissão de Orçamento, que, sobre elas, emitirá parecer. O projeto de lei deve ser apreciado antes do encerramento da sessão legislativa. Uma vez aprovado, com ou sem emendas, ele é remetido para o Chefe do Poder Executivo, para sua sanção. Na existência de vetos, o projeto retorna ao Legislativo para nova apreciação. Na seqüência, o projeto aprovado deverá ser publicado para entrar em vigor. (Ver: Lei do Orçamento Anual - Emenda // Lei do Orçamento Anual - Publicação // Orçamento anual.)

LEI DO ORÇAMENTO ANUAL - EMENDA AO PROJETO — Prerrogativa dos parlamentares garantida constitucionalmente para alterar o projeto de Lei do Orçamento Anual enviado pelo Executivo, exercida dentro de limites constitucionais e conforme o Regimento Interno de Funcionamento da respectiva Casa Legislativa. As emendas são apresentadas à Comissão de Orçamento, que as analisa antes de irem à apreciação do Plenário. Podem se referir ao projeto de lei propriamente dito ou aos seus anexos, onde se encontram registrados os projetos/atividades orçamentários e seus respectivos créditos orçamentários. (Ver: Orçamento Anual - Limite para emendas ao Projeto // Orçamento anual.)

LEI DO ORÇAMENTO ANUAL - LIMITES PARA EMENDAS AO PROJETO — Emendas ao projeto de Lei do Orçamento Anual ou aos projetos que o modifiquem somente podem ser aprovadas caso sejam compatíveis com o Plano Plurianual e a Lei de Diretrizes Orçamentárias e indiquem os recursos necessários, admitidos apenas os provenientes de anulação de despesa, excluídas as despesas referentes a dotações para pessoal e seus encargos, serviço da dívida, transferências tributárias constitucionais, conforme dispõe o art. 166, § 3º, I, II e III. Entretanto, podem ser feitas emendas relacionadas com os dispositivos do texto do projeto de lei e para correção de erros ou omissões. O chefe do Poder Executivo da respectiva esfera pode enviar mensagem ao Legislativo propondo modificações nos projetos de leis orçamentárias, desde que não tenha se iniciado a votação, na Comissão de Orçamento, da parte cuja alteração estiver sendo proposta. (Ver: Orçamento anual.)

LEI DO ORÇAMENTO ANUAL - PROJETO — De iniciativa privativa do Poder Executivo, o Projeto de Lei do Orçamento Anual é elaborado segundo as orientações da Lei de Diretrizes Orçamentárias, que integra a proposta orçamentária. Deve conter os orçamentos fiscal, da seguridade social e de investimentos, bem como a previsão da receita e a fixação da despesa, de acordo com suas respectivas fontes e destinações. Pode conter autorização para a abertura de crédito adicional suplementar e para efetuarem-se operações de crédito, inclusive os empréstimos por antecipação de receita orçamentária. (Ver: Lei do Orçamento Anual // Proposta Orçamentária.)

LEI DO ORÇAMENTO ANUAL - QUADROS — Integram, obrigatoriamente, a lei de orçamento os seguintes quadros explicativos: I - Sumário geral da receita e despesa por função do Governo; II - Quadro demonstrativo da receita e despesa, segundo as categorias econômicas; III - Quadro discriminativo da receita por fontes e respectiva legislação; IV - Quadro das dotações por órgãos do Governo e da Administração. Devem acompanhar a lei, conforme o art. 2º, § 2º: I - Quadros demonstrativos da receita e planos de aplicação dos fundos especiais; II - Quadros demonstrativos da despesa; III - Quadro demonstrativo do programa anual de trabalho do Governo, em termos de realização de obras e de prestação de serviços.

LEI DO PERÍMETRO URBANO — Instrumento legal que define a área urbana do município. A fixação do perímetro urbano é de exclusiva competência municipal e serve tanto para fins urbanísticos quanto tributários, só podendo ser loteadas parcelas de terra incluídas dentro dos seus limites. Indica o limite oficial entre as áreas urbana e rural.

LEI DO PLANO DIRETOR — Ver Plano Diretor.

LEI DO SOLO CRIADO — Instrumento legal que define um limite de área para construção. O direito de construção acima deste limite passa à coletividade, que poderá conceder licença para construção mediante o pagamento pelo proprietário de um determinado valor. O produto da venda do direito de construção excedente ao limite estabelecido deverá ser utilizado no financiamento do desenvolvimento urbano ou de programas de construção de moradias de interesse social.

LEI DOS MEIOS — Expressão utilizada para caracterizar o orçamento como lei que provê a Administração Pública das condições necessárias para o desempenho de suas funções.

LEI DOS RENDIMENTOS MARGINAIS DECRESCENTES — Em economia postula que o aumento dos fatores variáveis, permanecendo fixos, conduz a uma situação na qual cada unidade adicional do fator variável adiciona menos ao produto total que a unidade anterior, isto é, o produto marginal do fator variável tende a declinar. Assim, ocorre a diminuição do nível de produção cada vez que são aplicadas unidades sucessivas de um fator variável (Ex.: trabalho) num fator fixo (Ex.: terra).

LEI ESPECIAL — Lei de aplicação restrita a determinado grupo social e à determinada matéria. São especiais entre outras, as leis que disciplinam a existência e funcionamento de categorias profissionais, determinados serviços públicos, certas atividades etc.

LEI ESTADUAL/RJ Nº 2664, de 27.12.1996 — Lei vigente no Estado do Rio de Janeiro que dispõe sobre a distribuição aos Municípios de parcela de 25% do produto da arrecadação do ICMS e do critério para cálculo relativo à fração correspondente a ¼ (um quarto), considerando-se: a) Índice de População (INP); b) Índice da Área Geográfica (INA); c) Índice da Receita Própria (INP); d) Índice de Cota Mínima (INC); e) Índice de Ajuste Econômico (IAE). (Ver: Definições dos índices nos itens próprios.)

LEI EXCEPCIONAL OU TEMPORÁRIA — Aquela que visa solucionar situações anormais do Estado, mesmo derrogando direitos e garantias do cidadão, como no estado de sítio. Mesmo decorrido o período de sua duração ou cessadas as circunstâncias que a determinaram, ela se aplica ao fato praticado durante a sua vigência.

LEI INTERPRETATIVA — É a lei que fixa o sentido decisivo da lei interpretada e, como tal, é vinculativa.

LEI KANDIR — Trata-se da Lei Complementar nº 87, de 13 de setembro de 1996. Recebeu esse nome em homenagem ao então ministro do Planejamento, Antônio Kandir. A LC nº 87 desonerou do pagamento do ICMS as exportações de produtos industrializados semi-elaborados e produtos primários e, permitiu o aproveitamento de créditos do imposto referente a compra de bens de capital, fornecimento de energia elétrica, e serviços de comunicações. O texto original previa a compensação financeira aos Estados e Municípios pela perda de arrecadação decorrente da medida, durante seis anos (podendo chegar até a 10 anos conforme o comportamento das perdas). Desde o início da implantação essa medida gerou protestos dos Estados exportadores e, conseqüentemente, de seus Municípios, porque o período base adotado, de julho de 1995 a junho de 1996, estava muito aquém da realidade, uma vez que se tratava do período de implantação do Plano Real, uma época de contenção de consumo e baixa arrecadação, acarretando mais perda de receita. A partir de agosto de 2000 o mecanismo de cálculo do ressarcimento foi alterado por força da Lei Complementar nº 102, de 11 de julho de 2000. A partir de então, o valor que a União entregará é fixo. Cada Estado recebe de acordo com seu coeficiente de participação (LC nº 102, de 2000, Anexo 2.1), não mais dependendo do comportamento da arrecadação.

LEI MAIOR — Designativo utilizado com freqüência como sinônimo de Constituição.

LEI MARCIAL — É aquela posta em vigor com a finalidade de determinar as punições dos infratores militares durante a guerra.

LEI Nº 4.320, de 1964 — Lei de 17 de março de 1964, que estabelece normas gerais de Direito Financeiro para elaboração e controle dos orçamentos e balanços da União, do Distrito Federal, dos Estados e dos Municípios. Define os principais conceitos e classificação das receitas e despesas, assim como o conteúdo e forma da proposta orçamentária, os princípios para a execução e controle do orçamento, créditos adicionais e contabilidade. Conforme prevê o art. 165, § 9º, I e II, da Constituição Federal de 1988, tramita no Congresso Nacional Projeto de Lei Complementar (PLC 135) que visa estabelecer normas de gestão financeira, orçamentária e patrimonial da administração direta e indireta, assim como condições para a instituição e funcionamento de fundos e critérios e prazos para a elaboração e organização da LOA, PPA e LDO, substituindo a Lei nº 4.320, de 1964.

LEI Nº 5.172, de 1966 — Ver Código Tributário Nacional.

LEI Nº 8.069, de 1990 — Ver Estatuto da Criança e do Adolescente.

LEI Nº 8.666, de 1993 — Lei de 21 de junho de 1993, que estabelece normas gerais sobre licitações e contratos administrativos pertinentes a obras, serviços, inclusive publicidade, compras, alienações e locações no âmbito da União, Distrito Federal, Estados e Municípios. Seu artigo 22 estabelece as seguintes modalidades de licitação, determinadas tendo em vista o valor estimado seja para a contratação de obras e serviços de engenharia, seja para compras e contratação de outros serviços: concorrência, tomada de preços, convite, concurso e leilão. Além disso, dispõe, em detalhes, exigências de comprovação de regularidade no pagamento de tributos, bem como de qualificação técnica e procedimentos administrativos a serem seguidos obrigatoriamente para a escolha da proposta mais vantajosa para a Administração. (Ver: Contrato Administrativo // Licitação Pública // Lei nº 8.883 // Lei nº 9.648.)

LEI Nº 8.742, de 1993 — Ver Lei Orgânica da Assistência Social.

LEI Nº 8.883, de 1994 — Lei de 8 de junho de 1994, que deu nova redação à Lei nº 8.666, de 1993, sobretudo no que se refere aos editais de concorrência e de tomada de preços, do tipo menor preço, e à introdução de modelos de contrato de locação e de termo de permissão de uso. (Ver: Licitação Pública - Edital // Licitação Pública - Tomada de preços // Lei nº 8.666.)

LEI Nº 8.987, de 1995 — Lei de 13 de fevereiro de 1995, que dispõe sobre o regime jurídico das licitações e dos contratos referentes a concessões e permissões de serviços públicos e obras públicas, conforme dispõe o art. 175 da Constituição Federal.

LEI Nº 9.648, de 1998 — Lei de 27 de maio de 1998 que deu nova redação a vários dispositivos da Lei nº 8.666, de 1993, aumentando, sobretudo, os limites para dispensa de licitações e das modalidades licitatórias e redefinindo regulações para a Agência Nacional de Energia Elétrica (ANEEL). (Ver: Licitação Pública - Dispensa de Licitação // Lei nº 8.666.)

LEI ORÇAMENTÁRIA — Ver Lei Orçamentária Anual (LOA.)

LEI ORÇAMENTÁRIA ANUAL - PUBLICIDADE — Princípio orçamentário clássico, segundo o qual as leis de natureza orçamentária, como qualquer outra lei, só adquirem validade depois de publicadas em veículo com abrangência suficiente para propiciar o conhecimento do seu conteúdo pelos funcionários públicos e pela população em geral, inclusive através de meio eletrônico.

LEI ORÇAMENTÁRIA ANUAL (LOA) — Lei especial pela sua vigência, elaborada pelo Executivo e autorizada pelo Legislativo, que contém a discriminação da receita e despesa, de forma a evidenciar a política econômico-financeira e o programa de trabalho de Governo, obedecidos os princípios de anualidade, exclusividade, universalidade, unidade, equilíbrio e publicidade. A lei orçamentária anual compreenderá: a) o orçamento fiscal referente aos poderes Executivo, Legislativo e Judiciário, seus fundos, órgãos e entidades da administração direta e indireta, inclusive fundações instituídas e mantidas pelo poder público; b) o orçamento de investimento das empresas em que o Estado, direta ou indiretamente detenha a maioria do capital social com direito a voto; e c) o orçamento da seguridade social, abrangendo todas as entidades e órgãos a ela vinculados, da administração direta ou indireta, bem como os fundos e fundações instituídas e mantidas pelo poder público. A remessa do projeto de lei ao Poder Legislativo é até 31 de agosto, na União; 30 de setembro, no Estado do Rio, e, na data fixada pela Lei Orgânica do Município, do exercício anterior ao de sua vigência, devendo ser aprovada pelo legislativo até a última sessão do exercício anterior ao que se destina. A vigência é o ano a que se referir, no período de 1º de janeiro a 31 de dezembro (Princípio da Anualidade).

LEI ORDINÁRIA — É a lei comum emanada do Poder Legislativo. É a norma jurídica elaborada pelo Poder Legislativo em sua atividade comum e típica. As leis ordinárias dispensam tramitação especial para sua aprovação, não podendo ab-rogar ou alterar leis constitucionais, já que estas demandam formas especiais preestabelecidas, normalmente, pela própria Constituição. A lei ordinária regulamenta matérias de competência legislativa atribuída ao Poder Legislativo pela Constituição, independentemente de quem tenha competência para a sua iniciativa, cuja aprovação requer apenas maioria simples.

LEI ORGÂNICA — Tem o sentido de lei fundamental nos Municípios (é a Constituição Municipal) ou aquela que veio instituir um órgão do ente da federação, fixando-lhe a estrutura. Também designa a lei constitucional, lei fundamental e base de um ente, em contraposição às leis ordinárias ou comuns que devem se harmonizar com os princípios daquela.

LEI ORGÂNICA DA ASSISTÊNCIA SOCIAL (LOAS) — É a Lei nº 8.742, de 7 de dezembro de 1993, que dispõe sobre a organização da Assistência Social, compreendida como Política de Seguridade Social não contributiva. Essa política provê os mínimos sociais e é realizada através de um conjunto integrado de ações de iniciativa pública e da sociedade para garantir o atendimento às necessidades básicas. Para os Municípios, estabelece como competência destinar recursos financeiros e executar o pagamento para custeio dos auxílios natalidade e funeral, executar os projetos de enfrentamento da pobreza, atender às ações assistenciais de caráter de emergência e prestar os serviços assistenciais que visem à melhoria de vida da população, dando prioridade à infância e adolescência em situação de risco pessoal e social. Para financiamento, cria o Fundo Nacional de Assistência Social (FNAS) e dispõe, como condição para repasses aos Municípios, Estados e Distrito Federal dos recursos de que trata, a efetiva instituição e funcionamento do Conselho de Assistência Social, de composição paritária entre governo e sociedade civil, do Fundo de Assistência Social, com orientação e controle dos respectivos Conselhos de Assistência Social e o Plano de Assistência Social.

LEI PELÉ — É assim denominada a Lei nº 9.615, de 24.4.1998, regulamentada pelo Decreto nº 2.574, de 1998. A Lei Pelé mudou a organização do esporte amador e profissional no País. Prevê, por exemplo, que os clubes de futebol profissional, sociedades sem fins lucrativos, e por isso não podem falir, se transformem em empresas. Prevê ainda o fim do passe, já que esse é o instrumento pelo qual o jogador de futebol é propriedade do clube. A Lei Pelé permite ainda a criação de ligas, que organizariam campeonatos e torneios independente da CBF. A lei Pelé teve diversos dispositivos alterados através da Lei nº 9.981, de 14.7.2000.

LEI PENAL EM BRANCO OU ABERTA — Norma que exige complementação, por outras normas, de nível igual ou não. Em sentido estrito ela é complementada por outra de nível diverso, em que a lei é suprida por portaria ou regulamento, como no caso de transgressão de tabela oficial de preços. Em sentido amplo, é complementada por outra de nível idêntico, como ocorre na violação de direitos autorais, em que a lei penal é suprida pela lei civil de direitos autorais.

LEI POSITIVA — É o mesmo que lei escrita.

LEI REPRISTINATÓRIA — É aquela que expressamente declara repor em vigor uma lei, que havia sido revogada por outra, que a lei repristinatória, por seu turno, revogou.

LEI *ROUANET* — É assim denominada a Lei nº 8.313, de 23.12.1991, regulamentada pelo Decreto nº 1.494, de 1995, e alterada pela Lei nº 9.874, de 1999, em substituição à Lei nº 7.705, de 1986, que havia sido suspensa pela Lei nº 8.034, de 1990. A Lei nº 8.313, de 1991, é assim batizada por ter sido concedida na gestão do ministro da Cultura, embaixador e filósofo Sérgio Paulo Rouanet. A Lei Rouanet instituiu novos incentivos fiscais de caráter cultural e artístico, contemplando doações e patrocínios, com objetivo único de incentivar as atividades culturais. Permite que os projetos aprovados pela Comissão Nacional de Incentivo à Cultura (CNIC) recebam patrocínios e doações de empresas e pessoas, que poderão abater, ainda que parcialmente, os benefícios concedidos do Imposto de Renda devido. Podem candidatar-se aos benefícios da Lei pessoas físicas, empresas e instituições com ou sem fins lucrativos, de natureza cultural, e entidades públicas da Administração indireta, tais como Fundações, Autarquias e Institutos, desde que dotados de personalidade jurídica própria e, também, de natureza cultural. Os projetos devem destinar-se a desenvolver as formas de expressão, os modos de criar e de fazer, os processos de preservação e proteção do patrimônio cultural brasileiro, e os estudos e métodos de interpretação da realidade cultural, bem como contribuir para propiciar meios de que permitam o conhecimento dos bens e valores artísticos e culturais.

LEI SIMPLES, PROJETO DE — Transforma-se em uma lei uma vez aprovado por maioria simples na Câmara e no Senado. Pode ser aprovado por votação simbólica (votam somente os líderes) por não exigir quórum qualificado.

LEI, ANTERIORIDADE DA — Princípio constitucional pelo qual ninguém é obrigado a fazer ou deixar de fazer alguma coisa senão em virtude de lei.

LEI, APLICAÇÃO ANALÓGICA DA — Situação que leva à aplicação da lei a situações não abrangidas, nem na letra, nem no seu espírito.

LEI, ARTIGO DA — 1) Elemento estrutural da lei que consiste em sua unidade básica. Divide-se em parágrafos, itens (ou incisos) e alíneas (ou letras); 2) divisão elementar e fundamental das leis, na qual se encontra condensada uma disposição legal ou um princípio, que se constitui de uma regra ou uma norma a ser seguida em determinado caso; 3) numa articulação, alegação ou razões, é cada uma das alegações, deduções ou circunstâncias formuladas pela parte e que vão separadas no articulado, arrazoado ou razões, em forma de artigos; 4) pontos argüidos de uma das partes, ou para serem provados por ela ou para serem contraditos pela outra parte. É, assim, a articulação ou a enumeração de fatos que se devem provar ou demonstrar em juízo. (Ver: Técnica de elaboração de leis e decretos.)

LEI, CLÁUSULA DE VIGÊNCIA DA — Caso a lei não consigne data ou prazo para a sua entrada em vigor, aplica-se o preceito constante do art. 1º da Lei de Introdução ao Código Civil, segundo o qual, salvo disposição em contrário, a lei começa a vigorar em todo o país 45 dias após sua publicação. (Ver: Técnica de elaboração de leis e decretos.)

LEI, CLÁUSULA REVOGATÓRIA DA — A revogação do ato deverá ser específica, devendo ser evitada a cláusula revogatória geral "Revogam-se as disposições em contrário". As disposições a serem revogadas terão suas datas grafadas por extenso ainda que já tenham sido expressas desta forma, em artigos anteriores, a fim de que não paire dúvidas quanto à revogação e facilite sua indexação. (Ver: Técnica de elaboração de leis e decretos.)

LEI, DATA DA — É a data da sanção ou promulgação da lei.

LEI, DERROGAÇÃO DA — Revogação parcial de uma lei por outra. Revogação parcial ou de uma parte determinada da lei, por ato do poder competente. A derrogação diz-se: a) expressa, quando menciona clara e explicitamente a parte que se anula ou é substituída; b) tácita, quando a disposição posterior é incompatível ou colidente com que antes vigorava. (Ver: Ab-rogação.)

LEI, DISPOSITIVO DA — Conceitua-se como dispositivo a parte da lei que contém os preceitos coercitivos devidamente coordenados e articulados. (Ver: Técnica de elaboração de leis e decretos.)

LEI, DISTINÇÃO ENTRE SANÇÃO, PROMULGAÇÃO E PUBLICAÇÃO DA — A sanção é a concordância do chefe do Poder Executivo com o texto decretado pelo Legislativo. A promulgação é o ato de declarar tal texto obrigatório. Publicar a lei é torná-la conhecida dos que lhe devem obediência. Desde que sancionada a lei, o chefe do Executivo não se poderá furtar à promulgação, pois é por meio desta que se confere força executória à lei. A sanção é facultativa, a promulgação é obrigatória. Do exposto, a impossibilidade de se confundir promulgação e publicação da lei, pois a própria Constituição as distingue como etapas independentes do processo legislativo. (Ver: Rejeição de veto.)

LEI, EFEITO DIFERIDO DA — Princípio que permite a aplicação da lei velha a fatos futuros, mesmo após a sua revogação.

LEI, EFEITO IMEDIATO DA — Possibilidade de sua aplicação aos fatos ainda não consumados, pendentes.

LEI, EFEITO REPRISTINATÓRIO DA — Restauração de um dispositivo legal anteriormente revogado.

LEI, FORÇA DA — É o poder da lei. É o caráter de norma obrigatória a que todos estão sujeitos. Significa que, quando uma regra, uma norma, uma obrigação, uma imposição, são determinadas por força de lei, a elas não se pode fugir, porque o valor da lei não admite contradições ou fuga à prática dos atos que ela manda fazer nem permitem que não reconheça como justo e certo tudo que vem de seu texto.

LEI, INCISO DA — Consiste na divisão do artigo ou parágrafo. (Ver: Técnica de elaboração de leis e decretos.)

LEI, INICIATIVA DE — Faculdade que se atribui a alguém ou a algum órgão para apresentar projetos de lei ao Legislativo. A iniciativa pode ser parlamentar (quando conferida a todos os membros do Congresso Nacional); extraparlamentar, quando conferida ao Chefe do Executivo, aos Tribunais Superiores, ao Ministério Público e aos cidadãos (iniciativa popular de lei); concorrente, quando é conferida a vários legitimados; e exclusiva, quando reservada a determinado cargo ou órgão.

LEI, INICIATIVA POPULAR DE — A Constituição consagrou como instrumento de exercício da soberania popular a iniciativa popular de lei; o projeto deve ser subscrito por no mínimo um por cento do eleitorado nacional, distribuído por cinco Estados, com não menos de três décimos por cento dos eleitores de cada um deles.

LEI, INSTITUIÇÃO DA — A instituição de uma lei passa por uma série de etapas típicas, dentre as quais: formulação de projeto (pelo Executivo, Legislativo ou outro autor) e de sua apropriada justificação; apresentação de emendas por parlamentares e órgãos legislativos (Comissões); apreciação do projeto e das emendas em Comissões Técnicas do legislativo; introdução de modificações no Plenário do Legislativo; elaboração da redação final; remessa do texto final em autógrafos ao Poder Executivo; imposição de vetos pelo Poder Executivo; sanção, publicação, apreciação dos vetos e promulgação do texto (no caso de derrubada de veto).

LEI, INTERPRETAÇÃO AUTÊNTICA DA — É a interpretação feita pelo próprio órgão legislador, da qual resulta a lei interpretativa.

LEI, INTERPRETAÇÃO DA — Consiste em fixar o sentido e o alcance com que a lei deve valer.

LEI, INTERPRETAÇÃO DECLARATIVA DA — Diz-se que há interpretação declarativa quando o sentido que o intérprete fixou à norma coincide com o significado literal ou um dos significados literais que o texto comporta, por ser o que corresponde ao pensamento legislativo.

LEI, INTERPRETAÇÃO DOUTRINAL DA — É a interpretação feita pelos Tribunais e pelos Jurisconsultos. Não tem força vinculativa.

LEI, INTERPRETAÇÃO EXTENSIVA DA — Interpretação da lei invocada quando se faz necessário ampliar o alcance dos termos da norma, para que a letra corresponda à vontade do legislador. Verifica-se quando o intérprete chega à conclusão que a letra da lei fica aquém do seu espírito, porque o legislador disse menos do que no fundo pretendia. Nestes casos, torna-se necessário alargar o texto legal dando-lhe um alcance conforme ao pensamento legislativo, fazendo corresponder a letra da lei ao seu espírito.

LEI, INTERPRETAÇÃO JUDICIAL DA — É interpretação feita pelos Tribunais num processo e só tem valor vinculativo nesse processo em relação às partes envolvidas.

LEI, INTERPRETAÇÃO PROGRESSIVA DA — Interpretação da lei que procura adaptar os dizeres da norma às transformações sociais, científicas e morais.

LEI, INTERPRETAÇÃO RESTRITIVA DA — Ocorre quando se chega à conclusão de que o legislador, ao formular a norma, disse mais do que pretendia. O intérprete deve então restringir o texto, isto é, encurtar o significado das palavras utilizadas pela lei, de modo a harmonizá-las com o pensamento legislativo.

LEI, ITEM DA — Elemento formal do artigo em que se divide a alínea. (Ver: Técnica de elaboração de leis e decretos.)

LEI, LACUNAS DA — Omissão da lei. Falta de disposição legal aplicável ao caso concreto. Quando isso se der, deve-se recorrer ao costume, aos princípios gerais do direito, à analogia e à eqüidade.

LEI, PREÂMBULO DA — Elemento estrutural da lei que esclarece a fonte desta e a doutrina do legislador que a fundamenta. Integram o preâmbulo: a epígrafe, a ementa e os considerandos. (Ver: Técnica de elaboração de leis e decretos.)

LEI, PROJETO DE — Espécie de proposição legislativa que se destina a regular matéria inserida na competência normativa da União, dos Estados ou Municípios e pertinentes às atribuições legislativas do Congresso Nacional, das Assembléias Legislativas, ou das Câmaras de Vereadores, sujeitando-se, depois de aprovado, à sanção ou a veto do presidente da República, do governador ou do prefeito. Em caso de veto, o mesmo projeto pode voltar para o Legislativo, que decide se mantém ou não a decisão do chefe do Executivo. (Ver: Veto.)

LEI, PROPOSIÇÃO DE — Ver Lei, Projeto de.

LEI, PROPOSTA DE (PARECER, RELATÓRIO E SUBSTITUTIVO) — Em uma proposta de lei, o relatório é apresentado pelo relator para justificar a proposta, seu histórico, a legislação preexistente. O parecer do relator já vem com o seu voto, contra ou a favor, ou em forma de substitutivo, que é a proposta com a versão do relator, com as mudanças que ele introduziu. A simples mudança de uma palavra já caracteriza um substitutivo.

LEI, REPRISTINAÇÃO DA — Reconstituir, voltar, retornar. Consiste na restauração expressa de uma lei revogada, promovida por outra, denominada lei repristinatória.

LEI, RETROATIVIDADE DA — Fenômeno que permite à lei atingir fatos pretéritos, ocorridos antes de sua vigência. Em regra, a lei não retroage por respeito ao direito adquirido, ao ato jurídico perfeito e à coisa julgada. No âmbito do direito penal, a lei nova não retroagirá, salvo para beneficiar o réu.

LEI, REVOGAÇÃO EXPRESSA DA — Quando a lei se refere explicitamente à anterior, ordenando sua revogação.

LEI, REVOGAÇÃO TÁCITA DA — Quando a lei posterior regula inteiramente a matéria de que tratava a anterior. A Lei nova não pode retroagir se for atingir: direito adquirido, ato jurídico perfeito ou coisa julgada.

LEI, SANÇÃO DA — Aprovação, pelo Poder Executivo, do texto de um projeto de lei definitivamente aprovado no Poder Legislativo. O projeto de lei remetido à sanção chama-se decreto legislativo; sancionado e promulgado, transforma-se em lei. Publicada oficialmente, a lei torna-se obrigatória. Não há que confundir a sanção como reconhecimento, pelo Executivo, de um texto aprovado pelo Legislativo, e a sanção como a conseqüência advinda do cumprimento (sanção premial) da norma, ou do descumprimento (sanção punitiva) de uma norma jurídica. A sanção pode ser expressa (CF, art. 66, *caput*) ou tácita (art. 66, § 3º). A sanção do projeto supre a falta de iniciativa do Poder Executivo (Súm. 5-STF). (Ver: Lei, Promulgação da // Sanção // Rejeição de veto.)

LEI, SENTIDO AMPLO DA — Toda e qualquer norma jurídica.

LEI, SENTIDO FORMAL DA — Todo o ato normativo emanado de um órgão com competência legislativa, independentemente de conter, ou não, uma verdadeira regra jurídica.

LEI, SENTIDO MATERIAL DA — Toda a norma emanada de um órgão do Estado que contenha uma regra jurídica, independentemente da competência legislativa do órgão que o criou, ao passo que uma lei em sentido formal é toda a norma emanada de um órgão com competência legislativa.

LEI, SENTIDO RESTRITO DA — Todos os Diplomas emanados pelo Poder Legislativo.

LEI, ULTRATIVIDADE DA — Nada mais é do que a aplicação de seus dispositivos após cessada sua vigência, sempre incidindo sobre fatos ocorridos sob seu império. A Lei mesmo revogada pode ser usada posteriormente, quando for para beneficiar o réu. Se o crime foi cometido sob uma determinada Lei, esta pode ser usada posteriormente, se beneficiar o réu, isto é, mesmo quando revogada, se o crime foi cometido sob a sua vigência.

LEI, VACÂNCIA DA — Tempo decorrido entre a publicação de uma lei e sua entrada em vigor.

LEI, VIGÊNCIA DA — Momento em que uma lei passa a ter eficácia jurídica. Período durante o qual uma lei vigora.

LEI, VIGÊNCIA E EFICÁCIA DA — Uma lei pode ser vigente, isto é, ser obrigatória, e não ser eficaz, isto é, não ser cumprida. Pela promulgação atesta-se a existência da lei; pela vigência torna-se obrigatória; pela publicação torna-se meramente válida, somente obrigará após o período de *vacatio legis*. Uma norma que, com freqüência, é descumprida, sem que com isto nenhuma pessoa venha a argüir tal descumprimento, é uma norma vigente, mas não eficaz. Se o descumprimento da norma não causa o denominado estrépito (um forte barulho) social, tal norma não é eficaz, embora vigente.

LEI, VULNERAÇÃO DA — É o ato de violar a lei. Quando contida numa divisão judicial, enseja o recurso extraordinário.

LEIGO — Que ou aquele que não tem ordens sacras. Laical. Secular. Ignorante; desconhecedor.

LEILÃO — É a venda pública de qualquer coisa, a quem oferecer maior lance. É a modalidade privativa de leiloeiro oficial, onde houver. É regido pela legislação federal pertinente, mas as condições de sua realização poderão ser estabelecidas pela administração interessada. (Ver: Hasta pública.)

LEILÃO À VIVA VOZ — Processo de negociação em Bolsa de Valores em que as ofertas são apregoadas à viva-voz pelos representantes das corretoras.

LEILÃO ADMINISTRATIVO — É o instituído para venda de mercadorias apreendidas, observadas as normas regulamentares da administração interessada.

LEILÃO DAS AÇÕES DE EMPRESAS INCENTIVADAS — É o leilão que ocorre para troca de certificado de investimento por ações de empresas que tiveram seus projetos aprovados pelos gestores dos Fundos de Incentivos Fiscais.

LEILÃO DE BENS PÚBLICOS INSERVÍVEIS — Modalidade de licitação entre quaisquer interessados para a venda de bens inservíveis para a administração ou de produtos legalmente apreendidos, a quem oferecer maior lance, igual ou superior ao da avaliação.

LEILÃO DE SALDO — Ocorre quando as quantidades ofertadas são maiores que as quantidades demandadas.

LEILÃO ESPECIAL — Sessão de negociação em pregão, em dia e hora determinados pela Bolsa de Valores em que se realizará a operação.

LEILÃO INFORMAL (*GO AROUND*) — É uma operação de venda ou resgate de títulos públicos executada pelo Banco Central. Este leilão acontece em um curto intervalo de tempo, onde os operadores do Banco Central acionam as instituições, através dos *dealers*, e acolhem os lances propostos, selecionando os melhores preços e fechando imediatamente com estas instituições.

LEILÃO JUDICIAL — Venda pública de bens móveis levada a efeito por leiloeiro oficial, como auxiliar do juízo onde tem curso o feito, para efeito de execução por quantia certa. O mesmo que almoeda.

LEILÃO PRIMÁRIO — É a venda de títulos públicos, com publicação de edital, para todo o mercado. É também chamado de leilão formal.

LEILÃO SECUNDÁRIO — É a venda de títulos apenas para algumas instituições financeiras, que depois podem repassar a outras. É também chamado de leilão informal.

LEIS COGENTES — Aquelas que impõem uma ação ou omissão, sendo o oposto das leis dispositivas, que são optativas.

LEIS DA NATUREZA — Afirmações gerais acerca do modo como a natureza se comporta.

LEIS DE *GOSSEN* — Em economia são leis que analisam o conceito de utilidade marginal: a) lei da utilidade marginal decrescente, postulando que à medida que vamos consumindo um bem, o grau de satisfação (utilidade) que retiramos das unidades adicionais vai diminuindo; e b) lei da igualação das utilidades marginais (equimarginalidade), na qual se postula que à medida que vamos consumindo um bem o grau de satisfação (utilidade) que retiramos dos outros bens vai aumentado, pelo que o agente econômico só atingirá um grau de satisfação plena quando igualar todas as utilidades que consegue retirar de todos os bens que consome. Em 1870, estas leis constituíram a base do método econômico marginalista, divulgado pela escola neoclássica.

LEIS DE ORDEM PÚBLICA — São as leis que derrogam convenções entre particulares, sobrepondo o interesse social à vontade de contratar. Ex.: art. 51 do Código de Defesa do Consumidor e art. 442 da CLT.

LEIS DISPOSITIVAS — São aquelas que não impõem nenhuma ação ou omissão, só reconhecendo direitos, deixando a vontade de seu titular. (Ver: Normas Dispositivas.)

LEIS EXCEPCIONAIS — São leis editadas para reger fatos ocorridos em períodos anormais. Ex.: guerra, epidemia, inundações etc. São leis auto-revogáveis, pois perdem a eficácia pela cessação das situações que as ensejaram. São leis utra-ativas, pois regulam os fatos ocorridos durante sua vigência, mesmo após sua revogação.

LEIS FISCAIS, BRECHA NAS — É uma tecnicidade que permite a uma pessoa física ou jurídica ludibriar o escopo de uma lei sem diretamente violá-la.

LEIS FORMAIS OU INSTRUMENTAIS — São as que têm por objeto as leis substanciais, regulando a sua formação ou o seu desenvolvimento, umas se caracterizam por regular os processos de criação, modificação ou extinção das normas jurídicas. Assim, as leis que regulam o processo de elaboração das leis. Outras leis formais se destinam à atuação das leis substanciais, regulando os modos e as formas segundo os quais o Estado faz valer as leis substanciais.

LEIS MUNICIPAIS — São as instituídas pelo poder Legislativo do Município, de acordo com a Constituição do Estado de que o Município faz parte e/ou conforme sua própria Lei Orgânica.

LEIS PROCESSUAIS, IRRETROATIVIDADE DAS — A lei nova atinge o processo em curso no ponto em que este se achar, no momento em que ela entrar em vigor, sendo resguardada a inteira eficácia dos atos processuais até então praticados. São os atos posteriores à lei nova que se regularão conforme os preceitos desta.

LEIS SUBSTANCIAIS OU MATERIAIS — São aquelas que definem e regulam as relações e criam direitos. Tutelam interesses e compões seus conflitos, de direito constitucional, administrativo, penal e as de direito civil e comercial, o que quer dizer que há normas substanciais de direito público e de direito privado.

LEIS TEMPORÁRIAS — São leis que contam com período certo de duração. São leis auto-revogáveis, pois possuem data certa para perder a vigência. São leis utra-ativas, pois regulam os fatos ocorridos durante sua vigência, mesmo após sua revogação.

LEIS TERRITORIAIS — São as leis instituídas para terem eficácia nos limites jurisdicionais do poder que as formulou, ou seja, são obrigatórias dentro dos limites territoriais.

LEIS UTRA-ATIVAS — Ver Leis temporárias.

LEIS, COMPILAÇÃO DE — Reunião e seleção de textos legais, com o fito de ordenar tal material, escoimando-o (livrar; limpar) de leis revogadas ou caducas.

LEIS, CONFLITO DE — É a situação criada na aplicação da lei ao caso concreto, quando, existindo duas leis que se mostram aplicáveis ao caso, surgem dúvidas ou divergências em relação a qual delas deve ter primazia.

LEIS, ELABORAÇÃO DE — Ver Técnica de elaboração de leis e decretos.

LEIS, PRINCÍPIO DA HIERARQUIA DAS — Traduz-se no fato de leis de hierarquia inferior não poderem contrariar leis de hierarquia superior, devendo conformar-se com elas.

LEISHMANIOSE — Ver Saúde - Leishmaniose.

LEMBRANÇA — Ciência no estado psíquico consciente em conexão com o subconsciente de um ou mais registros no banco da memória com ou sem evocação. Memória instantânea.

LENÇOL FREÁTICO — Depósito de águas localizado no subsolo em profundidade relativamente pequena; emprega-se o termo aqüífero para lençóis freáticos de grande profundidade.

LENOCÍNIO — Prática criminosa que consiste em explorar o comércio carnal ilícito, sob qualquer forma ou aspecto, havendo ou não mediação direta ou intuito de lucro.

LEPTOSPIROSE — Ver Saúde - Leptospirose.

LESÃO — 1) É a ofensa física ou a direito. É uma das modalidades de defeitos do negócio jurídico. Ocorre a lesão quando uma pessoa, sob premente necessidade, ou por inexperiência, se obriga à prestação manifestamente desproporcional ao valor da prestação oposta. Aprecia-se a desproporção das prestações segundo os valores vigentes ao tempo em que foi celebrado o negócio jurídico. Não se decretará a anulação do negócio, se for oferecido suplemento suficiente, ou se a parte favorecida concordar com a redução do proveito. 2) Mudança característica em um órgão, provocada por um agente biológico, físico ou químico.

LESÃO CORPORAL — Ato voluntário praticado sobre o físico de outrem, cometido não com o escopo de matar, mas com o intuito de ofender a pessoa na sua inviolabilidade, material ou mental. É um ato físico ou psíquico, capaz de produzir moléstia no corpo ou na mente. Assim, a objetividade jurídica no delito em apreço vem a ser a integridade física ou fisiopsíquica da vítima.

LESBIANISMO — Homossexualismo feminino.

LESIVAS — Diz-se daquilo que são prejudiciais; que causam dano.

LETRA — Quando o exame tiver por objeto a prova da autenticidade da letra e firma, o perito requisitará, para efeito de comparação, documentos em repartições públicas; na falta destes, poderá requerer ao juiz que a pessoa a que se atribuir a autoria do documento lance em folha de papel, por cópia, ou sob ditado, dizeres diferentes, para fins de comparação.

LETRA DE CÂMBIO — Título de crédito emitido por sociedade de crédito, financiamento e investimento, utilizado para o financiamento de crédito direto ao consumidor.

LETRA DO BANCO CENTRAL DO BRASIL (LBC) — Título de responsabilidade do Banco Central do Brasil, emitido para fins de política monetária, exclusivamente sob a forma escritural, no SELIC. Título de rentabilidade pós-fixada, definida pela Taxa SELIC.

LETRA DO TESOURO NACIONAL (LTN) — Título de responsabilidade do Tesouro Nacional, emitido para a cobertura de déficit orçamentário, exclusivamente sob a forma escritural, no SELIC. Título de rentabilidade prefixada.

LETRA FINANCEIRA DO TESOURO (LFT) — Título de responsabilidade do Tesouro Nacional, emitido para a cobertura de déficit orçamentário, exclusivamente sob a forma escritural, no SELIC. Título de rentabilidade pós-fixada, definida pela Taxa SELIC.

LETRA FINANCEIRA DO TESOURO DO ESTADO DE ... (LFTE...) — Título público pós-fixado emitido por um Governo Estadual. Por mais solvente que seja o Governo Estadual é bom lembrar que, pelo simples fato de não ser um título do Governo Federal, apresenta um risco de crédito maior, que acaba sendo refletido em taxas ou deságios maiores.

LETRA FINANCEIRA DO TESOURO DO MUNICÍPIO DE ... (LFTM ...) — Título público pós-fixado emitido por um Município. Por mais solvente que seja o Município, pelo simples fato de não ser um título do Governo Federal, apresenta um risco de crédito maior, que acaba sendo refletido em taxas ou deságios maiores.

LETRA FINANCEIRA DO TESOURO NACIONAL (LFTN) — Título emitido pelo Tesouro Nacional, é um papel pós-fixado que tem sua rentabilidade ligada à taxa *over* (de um dia). Se o BACEN aumentar ou diminuir a taxa de juros, absorverá imediatamente o novo patamar de juros.

LETRA HIPOTECÁRIA (LH) — Título de crédito emitido por bancos hipotecários, que têm como lastro os créditos habitacionais concedidos pela instituição. A LH paga a TR (Taxa Referencial) mais uma taxa de juros negociável, de acordo com prazo de aplicação e volume aplicado. Para o investidor, a principal vantagem destes títulos é a isenção de Imposto de Renda, o que pode tornar o investimento mais atrativo do que outras alternativas como fundos de renda fixa ou CDB (Certificado de Depósito Bancário), por exemplo.

LETRA IMOBILIÁRIA — Título emitido por sociedades de crédito imobiliário destinado à captação de recursos para o financiamento de construtores e adquirentes de imóveis.

LETRAS DO TESOURO — São os títulos de dívida pública emitidos pelo governo, com incidência de juros com base em taxas convencionais.

LEVANTAMENTO DE INTERDIÇÃO — É o meio judicial pelo qual o interditado requer ao juiz que levante a sua interdição por terem cessado os motivos que a haviam justificado.

LEVANTAMENTO TOPOGRÁFICO — Levantamento cujo objetivo principal é a determinação do relevo da superfície terrestre e a localização dos acidentes naturais e artificiais dessa superfície. Do levantamento de campo, resulta uma planta topográfica com razoável grau de precisão que individualiza um imóvel com suas divisas legendadas e orientadas com rumos ou azimutes e distâncias de cada segmento, com coordenadas nos vértices.

LEVEDURA (LÊVEDO) — Ver Saúde - Alimento - Levedura.

LEVIANDADE — Qualidade de leviano. Irreflexão. Imprudência; ato de leviano.

LEVIANO — Que tem pouco juízo; que julga de leve; precipitado; irrefletido; imprudente; inconstante.

LEX LATA — [Latim]. Expressão que significa lei promulgada.

LEX MITIOR — [Latim]. Expressão que significa lei mais benigna.

LEX POSTERIOR DEROGAT PRIORI — [Latim]. Expressão que significa a lei posterior derroga a anterior.

LEX PRIVATA — [Latim]. Expressão que significa lei privada.

LHOTISMO — Favoritismo. Proteção que, em direito público, se apresenta como escandalosa.

LI — Medida chinesa correspondente a 0,5 km.

LIBELO — Tomado no sentido de citação ou intimação, ou também, de exposição articulada dos fatos e dos fundamentos jurídicos, conduzindo ao pedido, que é a real pretensão de quem o expõe, ou articula. De uso tanto no cível como no criminal. É no âmbito do processo penal que o termo consagrou seu uso. Significa aquela peça escrita na qual o representante do Ministério Público descreve os fatos atribuídos ao denunciado, as circunstâncias que agravam ou aliviaram o delito, aponta os artigos do Código Penal infringidos e pede a condenação do autor do delito. O uso do termo nesse sentido acabou por impregná-lo, fazendo-o sinônimo de acusação, e até de panfleto. Por exemplo: a acusação que será feita em plenário do Júri pelo Promotor de Justiça contra o réu.

LIBELO ACUSATÓRIO — É a exposição do fato criminoso reconhecido na pronúncia, com suas circunstâncias agravantes, o pedido de condenação à pena correspondente e aplicação de medida de segurança. É o instrumento da acusação, é quem a regerá e delimitará no plenário do júri. (Ver: Acusação.)

LIBELO CRIME ACUSATÓRIO — Ver Libelo acusatório.

LIBERAÇÃO DE COTAS — Transferência dos recursos financeiros do órgão central do sistema de programação financeira para os órgãos setoriais.

LIBERALISMO — O termo admite as seguintes acepções: A primeira, como doutrina política, exprime a conveniência de aumentar tanto quanto possível a independência do Pode Legislativo e do Poder Judiciário, em relação ao Poder Executivo e dar aos cidadãos o máximo de garantia possível contra o arbítrio do governo. A segunda, como doutrina político-filosófica, é a que defende a liberdade de pensamento, que deu origem ao movimento livre-pensador do século passado. A terceira se traduz no respeito à independência dos outros, na tolerância, na confiança, nos felizes efeitos da liberdade. A quarta, enfim, é o que define uma doutrina econômica, segundo a qual o Estado não deve exercer funções empresariais e não deve intervir nas relações econômicas que existem entre indivíduos, classes e nações. Chama-se, neste sentido, muitas vezes, liberalismo econômico e se opõe a estatismo, ou mesmo, mais geralmente a socialismo.

LIBERALISMO CLÁSSICO — Concepção política que não admite intervenção do Estado nas relações de trabalho (a vontade das partes deve ser respeitada acima de tudo).

LIBERALISMO ECONÔMICO — Doutrina que afirma que o melhor sistema econômico é o que garante o livre jogo das iniciativas individuais dos agentes econômicos. O pressuposto básico da teoria liberal é a emancipação da economia de qualquer dogma externo a ela mesma. Outro ponto fundamental é o fato de que todos os agentes econômicos são movidos por um impulso de crescimento e desenvolvimento econômico, que poderia ser entendido como uma ambição ou ganância individual, que no contexto macro traria benefícios para toda a sociedade, uma vez que a soma desses interesses particulares promoveria a evolução generalizada. As teses da economia liberal foram criadas no século XVIII com clara intenção de combater o mercantilismo, cujas práticas já não atendiam às novas necessidades do capitalismo.

LIBERDADE — 1) Em economia é a característica do mercado de concorrência perfeita e que está associado ao poder de ação dos intervenientes do mercado sem qualquer impedimento à entrada e saída. Do ponto de vista dos entraves à entrada, por exemplo, as empresas podem controlar o acesso ao mercado: a) através de uma redução dos custos de produção (monopólios naturais); b) através da detenção exclusiva de fatores de produção (monopólios de fatores); c) pela obtenção de benefícios e de benesses do poder político (monopólios legais). 2) Capacidade de bem administrar a eficácia do movimento pleno no passo da fruição de ocupar-se de viver bem e do estar para a vida de bem com os demais. A liberdade saudável não se define pelo fugir da prisão ou lutar pela liberdade ameaçada. O caminho para a liberdade saudável é o desprendimento.

LIBERDADE ASSISTIDA — Regime de liberdade aplicada aos adolescentes autores de infração penal ou que apresentam desvio de conduta, em virtude de grave inadaptação familiar ou comunitária, para o fim de vigiar, auxiliar, tratar e orientar.

LIBERDADE CIVIL E GARANTIAS INDIVIDUAIS — É o direito de todos os seres humanos exercerem e desenvolverem sua atividade física, intelectual e moral. Compreende também a liberdade de locomoção, isto é, o direito de ir e vir, de não ser detido arbitrariamente, mas apenas de acordo com a lei, quando a transgredir; e a inviolabilidade do domicílio, ou seja, o direito de propriedade, de que não pode ser despojado senão por motivos de utilidade ou necessidade pública, mediante prévia e justa indenização. A liberdade civil compreende ainda a liberdade religiosa, isto é, a de praticar qualquer religião, desde que essa prática não ofenda a moral; a liberdade de opinião, que é a de expressar verbalmente ou por escrito suas opiniões, desde que isso não importe em aconselhar ou praticar crimes definidos em lei; a liberdade de associação, para qualquer fim lícito e justo; o direito de petição, que é o de dirigir às autoridades quaisquer reclamações, queixas ou observações.

LIBERDADE CONDICIONAL — É a liberdade antecipada ao condenado que cumpre uma pena privativa de liberdade superior a dois anos, desde que atendidos os requisitos legais e sob condições judiciais.

LIBERDADE DE IMPRENSA — É um atributo fundamental dos regimes democráticos. Ela significa a liberdade de acesso e divulgação de informações sem censura prévia ou ostensiva dos órgãos estatais. A Constituição brasileira de 1988 garante o acesso de todos à informação. Garante também a liberdade de imprensa, independente de censura, e a livre expressão do pensamento (art. 5º., C.F. de 1988). Os abusos são puníveis por lei. (Ver: Crime de imprensa //Lei de imprensa.)

LIBERDADE POLÍTICA — É o direito do cidadão em tomar parte na organização e exercício do Governo, no ato de votar e ser votado, preenchidas as exigências da lei.

LIBERDADE PROVISÓRIA — É aquela concedida em caráter temporário ao acusado a fim de defender-se em liberdade com ou sem o pagamento de fiança.

LIBERDADE SINDICAL — Termo empregado para designar ampla possibilidade de trabalhadores e empregadores, representados pelos respectivos sindicatos, atuarem sem nenhuma interferência ou restrição pelo Estado.

LIBERDADE SINDICAL E PROTEÇÃO DO DIREITO DE SINDICALIZAÇÃO - DIREITO À NEGOCIAÇÃO COLETIVA — A Convenção 98, de 1949 (Direito de sindicalização e de negociação coletiva), da Organização Internacional do Trabalho (OIT), estipula proteção contra todo ato de discriminação que reduza a liberdade sindical, proteção das organizações de trabalhadores e de empregadores contra atos de ingerência de umas nas outras, e medidas de promoção da negociação coletiva.

LIBERDADE SINDICAL E PROTEÇÃO DO DIREITO DE SINDICALIZAÇÃO - LIVRE ASSOCIAÇÃO SINDICAL — A Convenção 87, de 1948 (Liberdade sindical e proteção do direito de sindicalização), da Organização Internacional do Trabalho (OIT), estabelece o direito de todos os trabalhadores e empregadores de constituir organizações que considerem convenientes e de a elas se afiliarem, sem prévia autorização, e dispõe sobre uma série de garantias para o livre funcionamento dessas organizações, sem ingerência das autoridades públicas.

LIBID — Taxa de juros do mercado internacional, calculada a partir da Libor, à qual os bancos internacionais aceitam depósitos a prazo.

LIBIDINAGEM — É a lascívia. Toda relação ou ato sexual realizado com perversão da moral.

LIBIDO — Desejo sexual.

LIBOR (*LONDON INTERBANK OFFERED RATE*) — Taxa interbancária do mercado de Londres. Taxa preferencial de juros oferecida para grandes empréstimos entre os bancos internacionais que operam em eurodólares (*Eurodollars*). Geralmente é base para outros grandes empréstimos em eurodólares a empresas e instituições governamentais com avaliação de crédito inferior. Exemplo, um país do Terceiro Mundo pode ser obrigado a pagar um ponto acima da Libor quando contrair empréstimos.

LIBRA — Palavra latina *libra* representa uma unidade de peso romana semelhante a uma libra atual, e a abreviatura "lb" para a unidade de peso e o símbolo £ (um L cortado) para a moeda têm, portanto, origem romana. A própria palavra "libra" vem do Latim *libra*, "balança", ""objeto que serve para pesar". Há duas libras básicas definidas: a) libra (*avoirdupois*) ou libra internacional, abreviatura "lb" é a unidade de massa definida como exatamente 0.45359237 quilogramas (ou 453.59237 gramas). b) libra (*troy*) é uma unidade de massa nos Estados Unidos, Canadá e Reino Unido. A libra *troy* é uma unidade de massa que equivale a exatamente 0.3732417216 quilogramas. Se não se especificar nem "*avoirdupois*" nem "*troy*", a libra internacional (*avoirdupois*) é o que vale e é, por lei, a única definição adequada nos Estados Unidos, no Reino Unido e no Canadá; a libra *troy* foi abandonada oficialmente no Reino Unido. (Ver: Onça.)

LICENÇA — 1) Consentimento, permissão, autorização. 2) Autorização para faltar ao serviço durante um determinado período. 3) Documento que atesta a concessão de uma licença. 4) Permissão outorgada pela autoridade competente para o estabelecimento de uma indústria ou comércio ou para o exercício de uma atividade, em geral mediante o pagamento de uma taxa. 5) É o ato administrativo vinculado e definitivo, pelo qual o poder público, verificando que o interessado atendeu a todas as exigências legais, faculta-lhe o desempenho de atividades ou a realização de fatos materiais antes vedados ao particular.

LICENÇA À ADOTANTE — É o afastamento concedido à adotante, sem prejuízo do salário da empregada ou da remuneração da servidora, ao se adotar filhos. Para a empregada o prazo depende da idade da criança adotada. Até 1 (um) ano de idade: 120 dias; de 1 (um) a 4 (quatro) anos: 60 dias; de 4 (quatro) a 8 (oito) anos: 30 dias. Para a servidora, o prazo tem variações em cada Estado da Federação. (Ver: Adoção.)

LICENÇA AMBIENTAL — Ato administrativo pelo qual o órgão ambiental competente licencia a localização, instalação, ampliação e a operação de empreendimentos e atividades utilizadoras de recursos ambientais, consideradas efetiva ou potencialmente poluidoras ou aquelas que, sob qualquer forma, possam causar degradação ambiental, estabelecendo as condições, restrições e medidas de controle ambiental que deverão ser obedecidas pelo empreendedor, pessoa física ou jurídica. São tipos de licença: Licença Prévia (LP), Licença de Instalação (LI) e Licença de Operação (LO). (Ver: Licenciamento ambiental.)

LICENÇA DE FABRICAÇÃO OU UTILIZAÇÃO DE PATENTES — Cessão de direitos por parte de pessoas físicas ou jurídicas, de propriedade sobre desenhos e especificações de produtos sujeitos a processos definidos de industrializações patenteados e registrados no Brasil e no país de origem, obrigado à vinculação duradoura entre as partes contratantes.

LICENÇA DE IMPORTAÇÃO — Documento que autoriza um agente econômico a importar uma determinada mercadoria e que, além disso, pode especificar a importação de uma quantidade determinada da mesma. Às vezes a licença de importação pode ser exclusiva. É um instrumento para regular e supervisionar o fluxo de importações.

LICENÇA DE INSTALAÇÃO (LI) — Ato administrativo pelo qual o órgão ambiental competente autoriza a instalação do empreendimento ou atividade de acordo com as especificações constantes dos planos, programas e projetos aprovados, incluindo as medidas de controle ambiental e demais condicionantes da qual constituem motivo determinante.

LICENÇA DE OPERAÇÃO (LO) — Ato administrativo pelo qual o órgão ambiental competente autoriza a operação da atividade ou empreendimento após a verificação do efetivo cumprimento do que consta das licenças anteriores, com as medidas de controle ambiental e condicionantes determinados para a operação.

LICENÇA PARA CASAMENTO, AÇÃO DE — É a ação que cabe ao menor de 18 anos e maior de 16 anos ou interdito contra pai, mãe, ou tutor ou curador, a fim de que o juiz supra, com sua licença, o consentimento para casar-se, e que lhe é negada injustificadamente por aqueles.

LICENÇA PRÉVIA (LP) — Ato administrativo pelo qual o órgão ambiental competente concede na fase preliminar do planejamento do empreendimento ou atividade, aprovando sua localização e concepção, atestando a viabilidade ambiental e estabelecendo os requisitos básicos e condicionantes a serem atendidos nas próximas fases de sua implementação.

LICENÇA-MATERNIDADE — Período de descanso concedido pela lei à gestante, a ser desfrutado antes e depois do parto. Antes do advento da atual CF, promulgada em 5.10.1988, a matéria era regulada em lei ordinária, e o prazo da licença era de noventa dias. A nova Lei Magna ampliou o prazo da licença-maternidade para 120 dias (art. 7º, XVIII).

LICENÇA-PATERNIDADE — Período de descanso concedido ao empregado, por ocasião de nascimento de seu filho. Trata-se de uma inovação na lei trabalhista, introduzida pela atual CF (art. 7º, XIX). Nos termos da própria Constituição, a licença-paternidade deverá ser regulamentada em lei ordinária; enquanto isto não ocorrer, o período de duração do benefício é de cinco dias, conforme determina a CF, no art. 10, § 1º, das Disposições Transitórias. Será, ainda, a lei ordinária que disciplinará a matéria, que fixará os requisitos para a concessão da licença, bem como esclarecerá a situação do pai solteiro a respeito. Ficará, também, para esclarecimento futuro nesta lei ordinária, a responsabilidade pelo custeio do benefício, podendo ser esta atribuída à Previdência Social ou ao próprio empregador.

LICENCIAMENTO — É o contrato que permite o direito de uso ou a propriedade, freqüentemente intelectual, como, por exemplo, uma patente, direito autoral ou marca registrada. Compreende, também, a obtenção, mediante pagamento de *royalties*, de permissão para exploração de tecnologias registradas sob a forma de patentes. Caso o licenciamento seja transferido para uma *holding* localizada em um paraíso fiscal, a renda proveniente do licenciamento poderá ser isenta de imposto, bem como acarretará a redução da taxação sobre o lucro das companhias subsidiárias, que são as licenciadas.

LICENCIAMENTO AMBIENTAL — Procedimentos que um empreendedor cumpre junto a um órgão ambiental, para obter permissão legal de instalar e operar sua empresa ou obra em uma dada localidade, cumprindo as exigências cabíveis para cada tipo de empreendimento. (Ver: Licença ambiental.)

LICENCIAMENTO DE TECNOLOGIA — Acordo contratual pelo qual uma organização vende à outra empresa os direitos de uso de tecnologia de sua propriedade, sob a forma de patentes, processos e/ou *know-how* técnico e pelo qual recebe pagamentos de *royalties* e/ou outra forma de compensação.

LICENCIOSIDADE — Excesso de licença. Permissão para atos libertinos e libidinosos.

LICITAÇÃO PÚBLICA - ABERTURA DOS ENVELOPES — A abertura dos envelopes que contêm os documentos de habilitação e as propostas será realizada sempre em sessão pública da qual se lavrará ata circunstanciada, assinada pelos responsáveis pela licitação e pelos representantes legais dos licitantes presentes ao evento, que deverão, ainda, rubricar todos os documentos e as propostas apresentadas. Na realização de um procedimento licitatório, não se pode admitir que uma fase ultrapasse a outra. Exemplo: a) os envelopes com as propostas não podem ser abertos antes de concluída a fase de habilitação, nos casos de convite, tomada de preços e concorrência; b) o envelope com a documentação não pode ser aberto antes de concluída a fase das propostas, no caso de pregão. Nas atas relativas à licitação devem constar os nomes dos licitantes e dos seus representantes legais, a análise dos documentos de habilitação e das propostas e os preços escritos, sem prejuízo de outros fatos porventura ocorridos que mereçam registro. Em caso de pregão, acrescentam-se na ata os lances verbais apresentados e eventual manifestação de licitante de que vai interpor recursos.

LICITAÇÃO PÚBLICA - ADJUDICAÇÃO — A adjudicação é o ato pelo qual a Administração Pública atribui ao licitante vencedor o objeto da licitação. Após analisar a conformidade das propostas com o estabelecido no edital de licitação será declarada a mais vantajosa para a Administração, para efeito de adjudicação, a oferta de menor preço: a) por item, se a licitação determinar que a adjudicação será por item; b) global, se a licitação determinar que a adjudicação será efetuada globalmente a um só licitante. No pregão, a adjudicação cabe ao pregoeiro, se não houver comunicação de licitante de que pretende recorrer, devidamente registrada em ata. Havendo recurso contra atos do pregoeiro a adjudicação e a homologação caberão à autoridade competente, após o deferimento ou indeferimento do recurso interposto e dado o conhecimento do seu resultado. Nas modalidades convite, tomada de preços e concorrência, a competência para o ato de adjudicação pode ser delegada pela autoridade competente aos responsáveis pela licitação. (Ver: Licitação Pública – Homologação.)

LICITAÇÃO PÚBLICA – ANÁLISE DA DOCUMENTAÇÃO — Somente devem ser aceitas cópias legíveis, obtidas a partir do original. Não devem ser aceitos documentos cujas datas estejam rasuradas, com acréscimos ou entrelinhas. Aos responsáveis pela licitação está reservado o direito de solicitar o original de qualquer documento sempre que tiver dúvida a julgar necessário. Depois de examinados e julgados os documentos apresentados para efeito de habilitação dos licitantes, mediante confronto com as exigências e condições do ato convocatório, serão desqualificados e não aceitos aqueles que não atenderem ao que foi estabelecido. O licitante que deixar de fornecer, no envelope de habilitação, quaisquer dos documentos exigidos, ou apresentá-los em desacordo com o estabelecido no ato convocatório ou com irregularidades será considerado inabilitado. Em convite, tomada de preços e concorrência, a inabilitação do licitante importa preclusão do seu direito de participar das fases subseqüentes. Não deve ser admitida complementação de documentos durante ou após a reunião de abertura dos envelopes de documentação, a não ser em pregão, em que é assegurado ao cadastrado o direito de apresentar a documentação atualizada e regularizada no momento da sessão. (Ver: Licitação Pública – Inabilitação dos Licitantes.)

LICITAÇÃO PÚBLICA – ANULAÇÃO — Ver Licitação Pública – Revogação e Anulação.

LICITAÇÃO PÚBLICA – APRESENTAÇÃO DA DOCUMENTAÇÃO — Os documentos pertinentes e exigidos no ato convocatório para habilitação devem, de preferência, ser numerados seqüencialmente e na ordem indicada, a fim de permitir maior rapidez durante a conferência e exame correspondentes. Exemplo: 1/10, 2/10... 10/10. Poderão ser apresentados, para efeitos de participação nas licitações públicas, documentos de habilitação, alternativamente: a) em original; b) por cópia autenticada por cartório competente ou, se cabível, por junta comercial; c) por cópia conferida com o original pelos responsáveis pelo processo de licitação; d) por publicação comprovada em órgão da imprensa oficial (original ou cópia autenticada ou conferida).

LICITAÇÃO PÚBLICA – ATO CONVOCATÓRIO – ELABORAÇÃO (EDITAL OU CARTA-CONVITE) — O ato convocatório tem por finalidade fixar as condições necessárias à participação dos licitantes, ao desenvolvimento da licitação e à futura contratação, além de estabelecer um elo entre a Administração e os licitantes. Deve ser objetivo e realizado conforme as normas e princípios estabelecidos na Lei de Licitações, a fim de garantir transparência ao procedimento. É vedada a utilização de qualquer elemento, critério ou fator subjetivo ou reservado, que possa, ainda que indiretamente, afastar o princípio da igualdade entre os licitantes. Cabe ao ato convocatório disciplinar prazo, atos, instruções relativas a recursos e impugnações, informações pertinentes ao objeto e ao procedimento, além de outras que se façam necessárias à realização da licitação. O original do edital deverá ser datado, rubricado em todas as folhas e assinado pela autoridade que o expedir, permanecendo no processo de licitação. Dele serão extraídas cópias integrais ou resumidas, para divulgação e fornecimento ao interessados. Além das condições essenciais e relevantes, o ato convocatório deve contar com os seguintes anexos, dele fazendo parte: a) projeto básico e/ou executivo, com todas as suas partes, desenhos, especificações e outros complementos; b) orçamento estimado em planilhas de quantitativos e preços unitários; c) a minuta do contrato a ser firmado entre a administração e o licitante vencedor; d) as especificações complementares e as normas pertinentes à licitação. Em observância ao princípio da vinculação ao instrumento convocatório, todas as exigências estabelecidas deverão ser cumpridas.

LICITAÇÃO PÚBLICA – ATO CONVOCATÓRIO – MODIFICAÇÕES — Com a divulgação do ato convocatório tem início a fase externa da licitação e vai até a contratação do fornecimento do bem, da execução da obra ou da prestação dos serviços. Qualquer modificação no ato convocatório deve ser comunicada da mesma forma em que se deu a primeira divulgação. Nesse caso, o prazo inicialmente estabelecido deve ser reaberto pela Administração, salvo quando a alteração, inquestionavelmente, não influenciar a preparação dos documentos ou a elaboração das propostas.

LICITAÇÃO PÚBLICA – AUDIÊNCIA PÚBLICA — Sempre que o valor estimado para uma licitação ou para um conjunto de licitações simultâneas ou sucessivas for superior a 100 (cem) vezes o limite previsto no art. 23, inciso I, alínea "c", da Lei nº 8.666, de 1993 (atualmente, R$ 150.000.000,00 – cento e cinqüenta milhões de reais), o procedimento de licitação será obrigatoriamente de audiência pública. A audiência pública, concedida pela autoridade responsável pela licitação, deve ser divulgada com antecedência mínima de 10 (dez) dias úteis, como condição necessária para realização do processo licitatório. A publicação do edital, na modalidade da concorrência, não pode ocorrer em prazo inferior a 15 (quinze) dias úteis após a realização da audiência. A realização de qualquer audiência pública deve proporcionar: a) aos cidadãos que comparecerem ao evento, interessados ou não no objeto a ser licitado: acesso a todas as informações pertinentes ao procedimento e oportunidade de se manifestarem, com sugestões, até mesmo sobre a conveniência da licitação; b) ao agente público responsável pela licitação: a obtenção de informações relativas ao procedimento, entre as quais, sobre o objeto a ser licitado, as condições do mercado, as especificações e prazos. (Ver: Licitações simultâneas // Licitações sucessivas.)

LICITAÇÃO PÚBLICA – BENS E SERVIÇOS COMUNS — Consideram-se bens e serviços comuns aqueles cujos padrões de desempenho e qualidade possam ser objetivamente definidos no edital, por meio de especificações usuais praticadas no mercado. Os padrões de desempenho permitem ao agente público analisar, medir ou comparar os produtos entre si e decidir-se pelo menor preço, motivado e fundamentado. Ao contrário do que ocorre nas outras modalidades, no Pregão a escolha da proposta é feita antes da análise da documentação, razão maior de celeridade.

LICITAÇÃO PÚBLICA – CADASTRAMENTO / HABILITAÇÃO EM TOMADA DE PREÇOS — O cadastramento prévio é exigido para participação em tomada de preços, e não se confunde com a fase de habilitação. O cadastramento de licitante interessado em participar de tomada de preço deve ser feito ou regularizado até o terceiro dia anterior ao do recebimento dos envelopes de proposta, no órgão ou entidade promotora da licitação. A habilitação é efetuada na hora de abertura dos envelopes que contêm os documentos. Portanto são fases distintas. Na fase de habilitação em tomada de preços, a Administração deve observar o seguinte: a) licitante não cadastrado – exigir os documentos previstos nos arts. 27 a 31 da Lei nº 8.666, de 1993, para comprovar habilitação compatível com o objeto da licitação, nos termos do ato convocatório; b) licitante cadastrado – solicitar somente documentos que não constam do cadastro do órgão ou entidade promotora da licitação, objetivando a não duplicação de documentos e criação de ônus para os licitantes.

LICITAÇÃO PÚBLICA – CAPACIDADE DE MÁQUINAS/ EQUIPAMENTOS/PESSOAL — As exigências mínimas relativas a instalações de canteiros, a máquinas, equipamentos e ao pessoal técnico especializado, considerados essenciais para o cumprimento do objeto da licitação, serão atendidas mediante a apresentação de relação explícita e da declaração formal de sua disponibilidade. São vedadas exigências de que o licitante seja proprietário das máquinas ou equipamentos e que os materiais ou pessoal estejam em determinado local. No caso de obras, serviços e compras de grande vulto e de alta complexidade técnica, a Administração pode exigir dos licitantes a metodologia de execução a ser aplicada para cumprimento do objeto. A avaliação da metodologia de execução, para efeito de sua aceitação ou não, será efetuada antes da análise dos preços e, exclusivamente, mediante critérios objetivos definidos no ato convocatório.

LICITAÇÃO PÚBLICA - CAPACIDADE TÉCNICO-OPERACIONAL — A capacidade técnico-operacional diz respeito à capacidade operativa do licitante e será comprovada mediante: a) apresentação de atestado de aptidão para desempenho de atividade compatível com o objetivo da licitação, em características, quantidades e prazos; b) indicação das instalações, do aparelhamento e do pessoal técnico adequados e disponíveis para a realização do objeto da licitação; c) qualificação de cada um dos membros da equipe técnica que se responsabilizará pelos trabalhos. A capacidade técnico-operacional, em licitações pertinentes a obras e serviços, será comprovada mediante atestados fornecidos por pessoas jurídicas de direito público ou privado, devidamente registrados nas entidades profissionais competentes. Os atestados de capacidade técnico-operacional devem ser: a) fornecidos por pessoas jurídicas de direito público ou privado, com identificação da empresa ou do órgão fornecedor; b) exigidos relativamente ao item licitado; c) emitidos sem rasuras, acréscimos ou entrelinhas; d) assinados por quem tenha competência para expedi-los. Observar, ainda, que: a) pode ser exigida especificação de quantitativos nos atestados; b) não poderá constar do ato convocatório proibição relativa ao somatório das quantidades exigidas nos atestados; c) não se pode exigir prazo de validade dos atestados.

LICITAÇÃO PÚBLICA - CAPACIDADE TÉCNICO-PROFISSIONAL — A capacitação técnico-profissional diz respeito à comprovação fornecida pelo licitante de que possui em seu quadro permanente, na data prevista para entrega da proposta, profissional de nível superior ou outro devidamente reconhecido pela entidade competente, detentor de atestado de responsabilidade técnica por execução de obra ou serviços de características semelhantes às do objeto licitado. A exigência correspondente à capacitação técnico-profissional limita-se exclusivamente às parcelas de maior relevância e valor significativo do objeto licitado. Essas parcelas devem estar definidas no ato convocatório.

LICITAÇÃO PÚBLICA - CARTA-CONVITE — Instrumento convocatório dos interessados na modalidade de licitação denominada convite. É uma forma simplificada de edital que, por lei, dispensa publicidade, pois é enviado diretamente aos possíveis proponentes, escolhidos pela própria repartição interessada. À carta-convite aplicam-se, no que for cabível, as regras do edital, dentro da simplicidade que caracteriza o procedimento do convite. O essencial é que identifique o objeto da licitação, expresse com clareza as condições estabelecidas pela Administração, fixe o critério de julgamento e indique os recursos cabíveis.

LICITAÇÃO PÚBLICA - CLASSIFICAÇÃO DAS PROPOSTAS — É a ordenação das ofertas pelas conveniências que apresentam para os serviços públicos, colocando-se em primeiro lugar a mais vantajosa, segundo os termos do edital.

LICITAÇÃO PÚBLICA - COMPRAS — Nas licitações para compras deverão ser observadas: a) a especificação completa do bem a ser adquirido, sem indicação ou preferência de marca; b) a definição das unidades e das quantidades a serem adquiridas em função do consumo e utilização prováveis, cuja estimativa será obtida, sempre que possível, mediante adequadas técnicas quantitativas; c) as condições de guarda e armazenamento que não permitam a deterioração do material. As compras deverão, sempre que possível: a) atender ao princípio da padronização, ou seja, que determinado produto a ser adquirido deverá atender a características técnicas uniformes estabelecidas pela Administração e, quando for o caso, às condições de manutenção, assistência técnicas e garantias oferecidas; b) ser processadas mediante sistema de registro de preços, ou seja, pesquisa prévia de preços do produto a ser adquirido; c) submeter-se às condições de aquisição e pagamento semelhantes às do setor privado; d) ser subdivididas em tantas parcelas quantas necessárias para aproveitar as peculiaridades do mercado, visando a economicidade; e) balizar-se pelos preços praticados no âmbito dos órgãos e entidades da Administração Pública. As compras feitas pela Administração direta ou indireta deverão ser divulgadas mensalmente em órgão de divulgação oficial ou em quadro de avisos de amplo acesso público, com identificação do bem comprado, do nome do vendedor e do valor total da compra.

LICITAÇÃO PÚBLICA - COMPROVAÇÃO DA BOA SITUAÇÃO FINANCEIRA — A comprovação da boa situação financeira da empresa deverá ser avaliada mediante a aplicação de índices contábeis previstos no ato convocatório de forma objetiva. Não podem ser exigidos índices e valores que não são usualmente adotados para avaliação da boa situação financeira de empresas. Os índices exigidos devem estar justificados no processo relativo à licitação. Na execução de obras, na prestação de serviços e nas compras para entrega futura, a Administração pode exigir comprovação de capital mínimo ou de patrimônio líquido mínimo, ou as garantias legais previstas na Lei nº 8.666, de 1993, estabelecidas no ato convocatório. Essas exigências, que não podem ser cumulativas, não excederão os seguintes percentuais máximos: a) capital social mínimo/patrimônio líquido = até 10% (dez por cento) do valor estimado da licitação, ou; b) garantia de participação na licitação (garantia de proposta) = até 1% (um por cento) do valor estimado da licitação. Com relação ao capital social e patrimônio líquido, é permitida a sua compensação financeira, desde a data do balanço até a data da apresentação da proposta, mediante a aplicação de índices oficiais estabelecidos no ato convocatório. A Administração poderá exigir dos licitantes a relação dos compromissos assumidos que importem diminuição da sua capacidade operativa ou absorção de sua disponibilidade financeira, que será calculada diante do patrimônio líquido atualizado e de sua rotatividade.

LICITAÇÃO PÚBLICA - COMPROVAÇÃO DA CAPACIDADE TÉCNICO-PROFISSIONAL — Os profissionais indicados pelo licitante para fins de comprovação de capacitação técnico-operacional deverão participar da execução da obra ou da prestação dos serviços, objeto da licitação, podendo ser substituídos por profissionais de experiência equivalente ou superior, desde que a substituição seja aprovada previamente pela Administração. Os atestados de capacidade técnica não poderão estar limitados em: a) tempo - não pode ser exigido prazo de validade. Por exemplo: datado dos últimos 360 dias; b) época - não pode ser exigido que o objeto tenha sido executado em determinado período, a não ser quando a tecnologia a ser adotada seja recente; c) locais específicos - não pode ser exigido que o objeto tenha sido executado em determinado local. Nas licitações para fornecimento de bens, a comprovação de aptidão, quando for o caso, será feita por atestados fornecidos por pessoa jurídica de direito público ou privado.

LICITAÇÃO PÚBLICA - CONCORRÊNCIA — É a modalidade de licitação entre quaisquer interessados que deve recorrer à Administração, através de convocação da maior amplitude, nos casos de compras, obras ou serviços de vulto, em que se admite a participação de qualquer licitante que, na fase inicial de habilitação, comprove possuir os requisitos mínimos de qualificação exigidos no edital da licitação para a execução de seu objeto. A convocação de qualquer interessado é realizada com antecedência mínima de trinta dias, mediante edital amplamente divulgado. O edital é publicado em resumo no *Diário Oficial* (da União, dos Estados e dos Municípios) durante três dias consecutivos, e uma ou mais vezes em jornal diário de grande circulação (da capital) com a indicação do local em que os interessados poderão obter o texto integral e todas as informações sobre o objeto da solicitação. Pode a administração, conforme o vulto da concorrência, utilizar-se ainda de outros meios de publicidade, inclusive por meios eletrônicos, para ampliar o número de competidores.

LICITAÇÃO PÚBLICA - CONCURSO — Modalidade de licitação entre quaisquer interessados para escolha de trabalho técnico, científico ou artístico, mediante a instituição de prêmios ou remuneração aos vencedores, conforme critérios constantes de edital publicado na imprensa oficial com antecedência mínima de 45 dias.

LICITAÇÃO PÚBLICA - CONSÓRCIO — Quando permitida na licitação a participação de empresas em consórcio, as seguintes questões devem ser observadas: a) comprovação de compromisso público ou particular de constituição de consórcio, subscrito pelos consorciados; b) indicação da empresa responsável pelo consórcio que deverá atender às condições de empresa líder, obrigatoriamente fixadas no ato convocatório; c) apresentação dos documentos exigidos nos arts. 28 a 31 da Lei nº 8.666, de 1993, por parte de cada consorciado. Admite-se, para efeito de qualificação técnica, o somatório dos quantitativos de cada consorciado, e, para efeito de qualificação econômico-financeira, o somatório dos valores de cada consorciado, na proporção de sua respectiva participação. A administração pode estabelecer, para o consórcio, um acréscimo de até 30% (trinta por cento) dos valores exigidos para licitante não consorciado. É inexigível este acréscimo para os consórcios compostos, em sua totalidade, por micro e pequenas empresas definidas em lei; d) impedimento de participação de empresas consorciadas, na mesma licitação, em mais de um consórcio ou isoladamente; e) responsabilidade solidária dos integrantes pelos atos praticados em consórcio, tanto na fase de licitação quanto na de execução do contrato. Em consórcio integrado por empresas brasileiras e estrangeiras, a liderança caberá, obrigatoriamente, à empresa brasileira. O consórcio vencedor fica obrigado a promover, antes da celebração do contrato, sua constituição e registro, nos termos do compromisso subscrito pelos consorciados.

LICITAÇÃO PÚBLICA - CONTAGEM DOS PRAZOS — Os prazos são contados consecutivamente, quando não estiver determinado no ato convocatório que será em dias. Considera-se dia útil, para efeito de licitação, aquele em que há expediente no órgão ou entidade licitadora. Só se iniciam e vencem prazos em dia de expediente no órgão ou entidade promotora da licitação. A contagem dos prazos inclui o primeiro dia do ato ou de sua divulgação e o último como dia de vencimento. Nenhum prazo se inicia ou transcorre sem que os documentos de licitação estejam disponíveis aos interessados para vista, solicitação de cópia, anotações ou obtenção de informações.

LICITAÇÃO PÚBLICA - CONTRATAÇÃO DIRETA — É a contratação realizada sem licitação, em situações excepcionais, expressamente previstas em lei. Essa contratação se dá por meio de dispensa - licitação dispensada ou licitação dispensável - ou por inexigibilidade de licitação. Em procedimento de dispensa ou inexigibilidade de licitação que vise a contratar a prestação de serviços técnicos especializados, o licitante que apresentar relação de integrantes de seu corpo técnico, como elemento de justificativa da contratação, ficará obrigado a garantir que os técnicos indicados realizarão pessoal e diretamente os serviços objeto do contrato. A Lei de Licitações considera ilícito penal dispensar ou inexigir licitação fora das hipóteses descritas em lei: "O agente público que dispensar ou inexigir licitação, sem fundamentação legal, ou deixar de observar as formalidades pertinentes, ou aquele que, comprovadamente, tenha concorrido para a consumação da ilegalidade ou tenha se beneficiado da dispensa ou da inexigibilidade legal para celebrar contrato com o Poder Público sujeita-se à pena de detenção, de 3 (três) a 5 (cinco) anos e multa."

LICITAÇÃO PÚBLICA - CONVITE — É a modalidade de licitação mais simples, destinada às contratações de pequeno valor, realizada entre interessados do ramo de que trata o objeto da licitação, escolhidos e convidados em número mínimo de três pela Administração para que apresentem suas propostas no prazo mínimo de 5 (cinco) dias. A Administração escolhe quem quer convidar, entre os possíveis interessados, cadastrados ou não. A divulgação deve ser feita mediante afixação de cópia do convite em quadro de avisos do órgão ou entidade, localizado em lugar de ampla divulgação. Para alcançar o maior número possível de interessados no objeto licitado e evitar a repetição do procedimento, além da distribuição direta aos fornecedores do ramo, pode ser utilizanda a publicação do convite na imprensa oficial e em jornal de grande circulação. No convite é possível a participação de interessados que não tenham sido formalmente convidados, mas que sejam do ramo do objeto da licitação, desde que cadastrados no órgão ou entidade. Esses interessados devem solicitar o convite com antecedência de até 24 horas da apresentação da proposta. No convite, para que a contratação seja possível, são necessários pelo menos três propostas válidas, isto é, que atendam a todas as exigências do ato convocatório. Não é suficiente a obtenção de três propostas. É preciso que as três sejam válidas. Caso isso não ocorra, a administração deve repetir o convite e convidar mais um interessado, enquanto existirem cadastrados não convidados nas últimas licitações, ressalvadas as hipóteses de limitação de mercado ou manifesto desinteresse dos convidados, circunstâncias estas que devem ser justificadas no processo de licitação. Limitações do mercado ou manifesto desinteresse das empresas convidadas não se caracterizam e nem podem ser justificados quando são inseridas na licitação condições que só uma ou outra empresa pode atender.

LICITAÇÃO PÚBLICA - DECLARAÇÃO DE FATO IMPEDITIVO — De acordo com Lei de Licitações, todos os participantes de licitações públicas estão obrigados a declarar, sob penalidades da lei, a superveniência de fato impeditivo da lei. A lei não exige declaração da inexistência desse fato. Por isso, é correto exigir que o licitante apresente declaração somente nos casos em que existir fato superveniente que impeça a sua habilitação.

LICITAÇÃO PÚBLICA - DESCLASSIFICAÇÃO DAS PROPOSTAS — É a eliminação das propostas que não atenderem às exigências do edital ou carta-convite. Deverá constar da ata de julgamento, na hipótese de desclassificação de propostas em razão de preço excessivo, o parâmetro utilizado para a desclassificação, consoante determina o inciso IV do art. 43 da Lei nº 8.666, de 1993. Em convite, tomada de preço e concorrência, ultrapassada a fase de habilitação dos licitantes a abertos os envelopes com as propostas, não cabe desclassificá-las por motivo relacionado com a habilitação, salvo em razão de fatos supervenientes ou só conhecidos após o julgamento. No pregão, após a fase de análise das propostas e abertos os envelopes com a documentação, não cabe desclassificação dos licitantes por motivo que diga respeito à proposta, salvo em razão de fatos supervenientes ou só conhecidos após o julgamento. Quando todas as propostas forem desclassificadas, poderá ser fixado prazo de 8 (oito) dias úteis para apresentação de novas propostas com eliminação das causas que deram ensejo ao ato de desclassificação. No caso de convite, é facultada a redução do prazo para 3 (três) dias úteis. Nessa situação, as propostas corrigidas poderão ser apresentadas, inclusive, com novos preços.

LICITAÇÃO PÚBLICA - DISPENSA DE LICITAÇÃO — A Lei de Licitações, no art. 24, incisos I e II, dispensa a licitação por considerar que o valor da contratação não compensa os custos da Administração com o procedimento licitatório. Essa dispensa por valor não pode ultrapassar 10% (dez por cento) do limite previsto para a modalidade convite, nos casos de: a) obras e serviços de engenharia, desde que não se refiram a parcelas de uma mesma obra ou serviço ou ainda de natureza idêntica e no mesmo local que possam ser realizadas conjunta e concomitantemente; b) compras e outros serviços, desde que não se refiram a parcelas de um mesmo serviço, compra ou alienação de maior vulto que possa ser realizada de uma sé vez. Nessas hipóteses, deve ser observado que: a) o valor relativo à estimativa da despesa deve corresponder ao total da compra ou serviço, a fim de que o objeto da licitação não venha a ser fracionado para fugir à modalidade superior ou enquadrar-se na hipótese de dispensa; b) as obras, serviços e fornecimentos devem ser programados na sua totalidade, com previsão de custos atual e final e dos prazos de sua execução. Os valores atuais - em vigor pela lei federal nº 9.648, de 1998 - que dispensam a licitação são: a) obras e serviços de engenharia - até R$ 15.000,00; compras e outros serviços - até R$ 8.000,00. Quando a contratação for efetuada por sociedade de economia mista e empresas públicas, além de autarquias e fundações qualificadas como agências executivas, os valores são os seguintes: a) obras e serviços de engenharia - até R$ 30.000,00; b) compras e outros serviços - até R$16.000,00. No caso de dispensa, a licitação é possível, por haver possibilidade de competição, mas não é obrigatória. O art. 24 da Lei de Licitações enumera todas as hipóteses em que a licitação pode ser dispensada.

LICITAÇÃO PÚBLICA - DOCUMENTAÇÃO — É o conjunto dos comprovantes da personalidade jurídica, da capacidade técnica e da idoneidade financeira, que se exigem dos interessados para habilitarem-se na licitação.

LICITAÇÃO PÚBLICA — É o procedimento administrativo formal em que a Administração Pública convoca, mediante condições estabelecidas em ato próprio (edital ou convite), empresas interessadas na apresentação de propostas para o oferecimento de bens e serviços. A licitação objetiva garantir a observância constitucional da isonomia e a selecionar a proposta mais vantajosa para a administração, de maneira a assegurar oportunidade a todos os interessados e possibilitar o comparecimento ao certame do maior número possível de concorrente. A Lei nº 8.666, de 1993, ao regulamentar o art. 37, inciso XXI, da Constituição Federal, estabeleceu normas gerais sobre licitações e contratos administrativos pertinentes a obras, serviços, inclusive de publicidade, compras, alienações e locações no âmbito dos Poderes da União, dos Estados, do Distrito Federal e dos Municípios. De acordo com essa Lei, a celebração de contratos com terceiros na Administração Pública deve ser necessariamente precedida de licitação, ressalvadas as hipóteses de dispensa e de inexigibilidade de licitação. Como procedimento, a licitação desenvolve-se através de uma sucessão ordenada de atos vinculantes para a Administração e para os licitantes, o que propicia igual oportunidade a todos os interessados e atua como fator de eficiência e moralidade nos negócios administrativos. São modalidades de licitação: convite, tomada de preços, concorrência pública, leilão, concurso público e pregão.

LICITAÇÃO PÚBLICA - ECONOMIA DE ESCALA — Significa dizer que quanto maior for a quantidade licitada menor poderá ser o custo unitário do produto a ser adquirido.

LICITAÇÃO PÚBLICA - EDITAL — É o instrumento pelo qual a administração leva ao conhecimento público a abertura de concorrência ou de tomada de preços, inclusive pregão, fixando as condições de sua realização e convoca os interessados para apresentação de suas propostas. Compete ao Tribunal de Contas verificar, preventivamente, a legalidade, legitimidade e economicidade do edital. A licitação propriamente dita tem início com a publicação do edital (ou entrega do convite) - quando passa a existir uma vinculação entre a Administração e os particulares; ou seja, é a partir deste momento que a licitação é considerada aberta, pois é nesta fase que a Administração convoca, publicamente, eventuais interessados que com ela queiram contratar. A publicação encerra a fase interna do procedimento licitatório e inaugura a fase externa. A partir deste momento o procedimento licitatório não mais poderá ser interrompido, a não ser por revogação ou anulação. No primeiro caso, em função do interesse público não mais determinar a continuidade do procedimento; no segundo caso, por força de ilegalidade insanável. Esta pode ser detectada pela Administração, comunicada pelo cidadão ou decidida pelo Tribunal de Contas que, em face de fiscalização que exerce sobre a legalidade e a economicidade do edital, poderá determinar à Administração que o anule.

LICITAÇÃO PÚBLICA - EMPREITADA INTEGRAL — É usada quando se pretende contratar o objeto em sua totalidade, ou seja, compreendendo todas as etapas da obra, serviços e instalações necessárias. Nesse regime, o contratado assume inteira responsabilidade pela execução da obra até a sua entrega ao órgão ou entidade da Administração em condições de ser utilizado. Devem ser atendidos os requisitos técnicos e legais para o uso do objeto. Esse uso diz respeito à segurança estrutural e operacional e deve ter as características adequadas às finalidades para as quais o objeto foi contratado

LICITAÇÃO PÚBLICA - EMPREITADA POR PREÇO GLOBAL — É utilizada quando se pretende contratar a execução da obra ou do serviço por preço certo e total. Seu uso se verifica, geralmente, em contratações de objetos mais comuns, quando os quantitativos de materiais empregados são poucos sujeitos a alterações durante a execução da obra ou da prestação dos serviços. Na empreitada por preço global, o pagamento somente deve ser efetuado após a conclusão dos serviços ou etapas definidos em cronograma físico-financeiro, por exemplo: fundações, estrutura, concretagem da laje, cobertura, revestimento, pintura e outras etapas.

LICITAÇÃO PÚBLICA - EMPREITADA POR PREÇO UNITÁRIO — É usada quando se pretende contratar a execução da obra ou serviço por preço certo de unidades determinadas. É empregada com mais freqüência em projetos de maior complexidade, cujas quantidades dos serviços e dos materiais relativos às parcelas de maior relevância e de valor significativo não são definidas de forma exata no ato convocatório, nem tampouco no orçamento apresentado junto à proposta. Na empreitada por preço unitário, o pagamento deve ser realizado por unidades feitas, pois seus quantitativos são pouco sujeitos a alterações. Exemplo: metragem executada das fundações, de paredes levantadas, de colocação de piso, de pintura, de colocação de gesso etc.

LICITAÇÃO PÚBLICA - EXAME PRÉVIO PELA ASSESSORIA JURÍDICA — As minutas de editais de licitação e dos contratos, acordos, convênios ou ajustes devem ser previamente examinadas e aprovadas por assessoria jurídica da Administração.

LICITAÇÃO PÚBLICA - EXIGÊNCIAS AO LICITANTE — Credenciamento: para participação em convites, tomada de preços, concorrência e para lances verbais em pregão; Cadastramento: para participação em tomada de preços; Habilitação: para licitar e contratar com a Administração Pública em geral, qualquer que seja a modalidade de licitação.

LICITAÇÃO PÚBLICA – FASE JULGAMENTO – AMOSTRA/ PROTÓTIPO — Durante a fase de julgamento das propostas, a Administração poderá solicitar às empresas ofertantes do menor preço a apresentação de amostras/ protótipo, ou local onde se encontram para verificação dos produtos ofertados, com prazo suficiente definido no ato convocatório para sua apresentação. O licitante que não encaminhar, ou não indicar o local onde se encontrem, no prazo estabelecido, poderá ter sua cotação desconsiderada para efeito de julgamento, na forma previamente estabelecida no ato convocatório. O momento da apresentação das amostras/protótipo será na fase de julgamento das propostas.

LICITAÇÃO PÚBLICA – FASES — Os atos de licitação devem desenvolver-se em seqüência lógica, a partir da existência de determinada necessidade pública a ser atendida. O procedimento tem início com o planejamento e prossegue até a assinatura do respectivo contrato ou a emissão de documento correspondente, em duas fases distintas: Fase interna ou preparatória – Delimita e determina as condições do ato convocatório antes de sua publicidade. Nessa fase, a Administração terá a oportunidade de corrigir falhas porventura verificadas no procedimento, sem precisar anular atos praticados. Exemplos: inobservância de dispositivos legais, estabelecimento de condições restritivas, ausência de informações necessárias, entre outras faltas; Fase externa ou executória – Inicia-se com a publicação do edital ou com a entrega do convite e termina com a contratação do fornecimento do bem, da execução da obra ou da prestação do serviço.

LICITAÇÃO PÚBLICA – FORMA DE APRESENTAÇÃO DAS PROPOSTAS — O ato convocatório deve estabelecer a forma de apresentação das propostas, a fim de padronizá-las e facilitar sua análise. Pode ser solicitado, entre outras exigências, que a proposta seja elaborada: a) em formulário que contenha os dados da empresa; b) por computador ou datilografada, em uma única via, de preferência; c) com clareza, sem emendas, rasuras, acréscimos ou entrelinhas; d) com numeração e rubrica das folhas; e) com data e assinatura de quem tenha poderes para esse fim; f) com a menção à modalidade e ao número da licitação; g) com descrição detalhada e correta das características da obra, dos serviços ou do bem, conforme as especificações constantes do ato convocatório; h) com indicação, quando for o caso, da marca e do modelo do bem, a fim de caracterizar o produto oferecido; i) no caso de aquisição de equipamentos, com prospectos, manuais ou outras informações fornecidas pelo fabricante dos produtos ofertados; j) com os preços em Real (R$), por item e/ou global; l) com os valores expressos em algarismo e, no que couber, por extenso; m) com os prazos: de validade das propostas; de execução da obra ou de prestação dos serviços ou de entrega do bem; de instalação e/ou de montagem; m) com menção expressa ao prazo de garantia oferecida pelo fabricante do produto; o) com a razão social do licitante, o CNPJ, números de telefone (s) e de fax, endereço com CEP, e endereço eletrônico (e-mail) se houver; p) com informação sobre o nome do banco e respectiva agência onde mantém conta corrente, indicando o código da agência e o número da conta, para efeito de emissão da nota de empenho e posterior liquidação e pagamento; q) com quaisquer outras informações julgadas necessidades e convenientes ao objeto da licitação.

LICITAÇÃO PÚBLICA – FORMA DE APRESENTAÇÃO DOS DOCUMENTOS — O ato convocatório deve disciplinar a forma de apresentação dos documentos. O cumprimento das exigências de habilitação deve ser comprovado na data prevista para recebimento da documentação e da proposta, por meio dos documentos contidos no envelope "Documentação". Em licitações internacionais, sempre que possível, as empresas estrangeiras que não funcionam no Brasil atenderão às exigências de habilitação mediante documentos equivalentes. Nesse caso, deverão ter representação legal no Brasil, com poderes expressos para receber citação e responder administrativamente ou judicialmente. Para os demais casos, os documentos de procedência estrangeira observarão o seguinte: a) devem ser acompanhados das respectivas traduções para a língua portuguesa, efetuadas por tradutor juramentado, e devidamente autenticados pela via consular ou registrados em cartório de títulos e documentos, ou; b) se traduzidos para a língua portuguesa no exterior, a tradução deverá ser efetuada por profissional qualificado, segundo as leis do país de origem, e os documentos autenticados pela via consular.

LICITAÇÃO PÚBLICA – FRACIONAMENTO DE DESPESAS — O fracionamento de despesas se caracteriza quando se divide a despesa para utilizar modalidade de licitação inferior à recomendada pela legislação para o total da despesa ou para efetuar a contratação direta. A Lei nº 8.666, de 1993, em seu art. 23, § 5º, veda o fracionamento de despesa. Por exemplo: a lei impede a utilização da modalidade convite para parcelas de uma mesma obra ou serviço, ou ainda para obras e serviços de idêntica natureza e no mesmo local que possam ser realizadas em conjunto e concomitantemente, sempre que o somatório de seus valores caracterizar o caso de tomada de preços. Da mesma forma, a utilização de várias tomadas de preços para abster de realizar concorrência. Em outras palavras, é vedada a utilização de modalidade inferior de licitação quando o somatório do valor a ser licitado caracterizar modalidade superior. Em resumo, se a Administração optar por realizar várias licitações ao longo do exercício financeiro, para um mesmo objeto ou finalidade, deverá preservar sempre a modalidade de licitação pertinente ao todo que deveria ser contratado. O planejamento do exercício deve observar o princípio da anualidade do orçamento. Logo, não pode o agente público justificar o fracionamento da despesa com várias aquisições ou contratações no mesmo exercício, sob modalidade de licitação inferior àquela exigida pelo total da despesa no ano, quando isto for decorrente da falta de planejamento. (Ver: Licitação pública – Parcelamento do objeto.)

LICITAÇÃO PÚBLICA – GARANTIA DE PARTICIPAÇÃO — A prestação de garantia para participação nas licitações públicas, desde que prevista no ato convocatório, pode ser exigida, cabendo ao licitante escolher uma das seguintes modalidades: a) caução em dinheiro; b) títulos da dívida pública; c) seguro garantia; d) fiança bancária. A garantia não pode exceder a 1% (um por cento) do valor estimado da contratação. A garantia prestada pelo licitante somente será liberada ou restituída após a conclusão do procedimento licitatório. No caso de garantia prestada em dinheiro, a devolução será feita após a devida atualização.

LICITAÇÃO PÚBLICA – HABILITAÇÃO DOS LICITANTES — É o ato pelo qual o órgão competente, depois de examinar a documentação dos licitantes, habilita-os ou não. Para habilitação nas licitações será exigida dos licitantes, exclusivamente, documentos relativos: a) habilitação jurídica; b) regularidade fiscal; c) qualificação técnica; d) qualificação econômico-financeira; e) cumprimento do disposto no inciso XXXIII do art. 7º da Constituição Federal. "Exclusivamente" significa que nada mais poderá ser exigido além da documentação mencionada nos arts. 27 a 31 da Lei nº 8.666, de 1993, a não ser que a exigência se refira a leis especiais. É dever da Administração, ao realizar procedimentos licitatórios, exigir documentos de habilitação compatíveis com o ramo do objeto licitado, especialmente aqueles que comprovem a qualificação técnica e a capacidade econômico-financeira para participar da licitação. As exigências deverão ser relativas e proporcionais aos itens ou às parcelas licitadas. As exigências não podem ultrapassar os limites da razoabilidade e estabelecer cláusulas desnecessárias e restritivas ao caráter competitivo. Devem restringir-se apenas ao necessário para o cumprimento do objeto licitado. Não se exigirá para habilitação o prévio pagamento de taxas ou emolumentos, salvo se referente ao fornecimento de edital e seus anexos. O recolhimento, quando solicitado, deve ficar restrito ao valor do custo efetivo de reprodução gráfica ou aos custos de utilização de recursos de tecnologia da informação, quando for o caso.

LICITAÇÃO PÚBLICA – HABILITAÇÃO JURÍDICA — Na habilitação jurídica devem ser observadas as normas que regulam e legitimam a atividade de pessoas físicas ou jurídicas. A documentação exigida, conforme o caso, consistirá em: a) cédula de identidade; b) registro comercial, no caso de empresa individual; c) ato constitutivo, estatuto ou contrato social em vigor, devidamente registrado, e, no caso de sociedades por ações, acompanhado de documentos referentes à eleição dos administradores da sociedade; d) inscrição do ato constitutivo, no caso de sociedades civis, acompanhada de prova de diretoria em exercício; e) decreto de autorização, quando se tratar de empresa ou sociedade estrangeira em funcionamento no País, e o ato de registro ou autorização para funcionamento expedido pelo órgão competente, quando a atividade assim o exigir. O estatuto social das sociedades por ações, regidas pela Lei nº 6.404, de 1976, deve estar acompanhado dos documentos de eleição de seus administradores. Para ser considerado em vigor, deve observar as exigências previstas em lei, dentre as quais, estar cumulativamente: a) registrado na junta comercial; b) publicado na imprensa oficial da União, ou do Estado, ou do Distrito Federal, conforme o lugar em que esteja situada a sede da companhia; c) publicado em jornal de grande circulação, editado na localidade em que está situada a sede da companhia. O ato constitutivo ou contrato social das demais sociedades devem estar acompanhados de todas as alterações efetuadas ou da consolidação respectiva. Para ser considerado em vigor, devem observar as exigências previstas em lei, dentre as quais estar registrado na junta comercial.

LICITAÇÃO PÚBLICA – HOMOLOGAÇÃO — É o ato de controle pelo qual a autoridade superior confirma o julgamento das propostas e, conseqüentemente, confere eficácia à adjudicação. O ato de homologar a licitação é intransferível e indelegável e cabe exclusivamente à autoridade competente. Cabe à autoridade competente pela homologação verificar a legalidade dos atos praticados na licitação e a conveniência da contratação do objeto licitado para a Administração. Nas modalidades convite, tomada preços e concorrência, cabe à Administração definir qual ato deve ser efetivado primeiro, se a adjudicação ou homologação, embora, o art. 43, inciso VI, da Lei nº 8.666, de 1993, ao ordenar os atos de homologação e adjudicação, tenha colocado primeiro a homologação. Nos órgãos ou entidades em que os responsáveis pela licitação, ou outro servidor designado para esse fim, têm competência para adjudicar, ocorre primeiro a adjudicação. Nesse caso, a homologação pela autoridade superior acontece posteriormente. Nos órgãos ou entidades em que a autoridade superior homologa e adjudica, a homologação ocorre primeiro e a adjudicação depois. Depois de homologada a licitação pela autoridade competente e adjudicando seu objeto ao licitante, este será convocado para assinar o contrato administrativo, no prazo estabelecido no ato convocatório.(Ver: Licitação Pública – Adjudicação.)

LICITAÇÃO PÚBLICA – IMPUGNAÇÃO — A Administração não pode descumprir as normas e condições do ato convocatório, ao qual se acha estritamente vinculada, sob pena de tornar nulo seus procedimentos. A impugnação do ato convocatório por irregularidade na aplicação da legislação vigente pode ser feita por qualquer cidadão ou pelo licitante. Os procedimentos de impugnação são distintos na Lei nº 8.666, de 1993, e no Decreto nº 3.555, de 2000, que regulamentou a Lei nº 10.520, de 2000, que instituiu a modalidade de licitação através de Pregão. (Ver: Licitação Pública – Impugnação – Decreto nº 3.555, de 2000 // Licitação Pública – Impugnação – Lei nº 8.666, de 1993.)

LICITAÇÃO PÚBLICA – IMPUGNAÇÃO – DECRETO Nº 3.555, DE 2000 — O Decreto nº 3.555, de 2000, faculta a qualquer pessoa, cidadão ou licitante, impugnar, solicitar esclarecimentos ou providências, se protocolizar o pedido até dois dias antes da data fixada para recebimento das propostas. O pregoeiro deverá decidir sobre a petição no prazo de 24 horas. Portanto, recomenda-se que no comprovante de recebimento da petição seja assinalada a hora em que foi protocolada. Se acolhida a petição contra o ato convocatório do pregão, será designada nova data para realização do certame. Independentemente da modalidade realizada, tanto o cidadão quanto o licitante têm o direito de obter resposta, mesmo que a petição seja improcedente ou sem fundamento legal. (Ver: Licitação Pública – Impugnação // Licitação Pública – Impugnação – Lei nº 8.666, de 1993.)

LICITAÇÃO PÚBLICA – IMPUGNAÇÃO – LEI Nº 8.666, DE 1993 — De acordo com a Lei nº 8.666, de 1993, o cidadão pode impugnar por irregularidades o ato convocatório de licitação, se protocolizar o período até 5 (cinco) dias úteis antes da data fixada para abertura dos envelopes de licitação. A Administração deve julgar e responder à impugnação em até três dias úteis contados da data em que foi protocolizado o pedido. Decairá do direito de impugnar as falhas ou irregularidades que viciarem o edital o licitante que não o fizer até o 2º (segundo) dia útil que anteceder a abertura de envelopes: a) de habilitação, em concorrência; b) com as proposta, em tomada de preços. A Administração não tem prazo para responder ao licitante. No entanto, se a impugnação for considerada procedente, a licitação deve ser suspensa e o edital republicado com as devidas alterações. A impugnação interposta pelo licitante não tem efeito de recurso. A impugnação feita tempestivamente pelo licitante não o impedirá de participar do processo licitatório até o trânsito em julgado da decisão correspondente. (Ver: Licitação Pública – Impugnação // Licitação Pública – Impugnação – Decreto nº 3.555, de 2000.)

LICITAÇÃO PÚBLICA – INABILITAÇÃO DOS LICITANTES — É a rejeição do proponente que não apresenta os requisitos exigidos no edital, o que ocorre na fase de habilitação dos licitantes. Não se confunde com desclassificação, que é a rejeição da proposta de licitante já qualificado O licitante inabilitado não pode participar das fases subseqüentes da licitação, já que a inabilitação o exclui do certame. Se todos os licitantes forem inabilitados, pode ser fixado o prazo de 8 (oito) dias úteis para a apresentação de novos documentos corrigidos das causas que levaram à inabilitação. Na hipótese de convite, é permitida a redução para 3 (três) dias. Devem ser exigidos para reapresentação apenas os documentos desqualificados e não aceitos. O agente público que tiver conhecimento de que determinado documento apresentado é falso, deverá adotar providências que o caso exigir, sob pena de solidariedade com aquele que praticou o ato ilegal.

LICITAÇÃO PÚBLICA – INDICAÇÃO DE MARCA — Nos processos licitatórios é vedado adotar preferência de marca, a menos que seja demonstrado, tecnicamente e de forma circunstanciada, que somente uma atende às necessidades específicas da Administração, conforme disposto nos arts. 7º, § 5º e 15, § 7º, inciso I, da Lei nº 8.666, de 1993.

LICITAÇÃO PÚBLICA – INEXIGIBILIDADE DE LICITAÇÃO — Na inexigibilidade, a contratação se dá em razão da inviabilidade da competição ou da desnecessidade do procedimento licitatório. O art. 25 da Lei de Licitações considera a licitação inexigível quando há inviabilidade de competição, em especial, nos casos de: a) aquisição de materiais, equipamentos ou gêneros que só possam ser fornecidos por produtor, empresa ou representante comercial exclusivo, vedada a preferência de marca; b) contratação de serviços técnicos de natureza singular, com profissionais ou empresas de notória especialização, vedada a inexigibilidade para serviços de publicidade e divulgação; c) contratação de profissional de qualquer setor artístico, diretamente ou através de empresário exclusivo, desde que consagrado pela crítica especializada ou pela opinião pública. É importante observar que o rol descrito no art. 25 não abrange todas as hipóteses de inexigibilidade.

LICITAÇÃO PÚBLICA – JULGAMENTO DAS PROPOSTAS – EMPATE — No caso de empate entre duas ou mais propostas, após a análise de todas as condições do ato convocatório, será efetuado sorteio, em sessão pública, registrada em ata, a qual todos os licitantes serão convocados.

LICITAÇÃO PÚBLICA – JULGAMENTO DAS PROPOSTAS — O julgamento das propostas está estritamente vinculado a critérios e fatores estabelecidos no ato convocatório. Após o exame da conformidade das propostas com as exigências do ato convocatório, serão desclassificadas as propostas que: a) não atenderem às exigências contidas nas licitações; b) apresentarem preços excessivos ou com valor global superior ao limite estabelecido ou com preços manifestamente inexeqüíveis. Tratando-se de licitações do tipo menor preço para execução de obras e serviços de engenharia, serão considerados manifestamente inexeqüíveis propostas cujos valores sejam inferiores a 70% (setenta por cento) do menor dos seguintes valores: a) média aritmética dos valores das propostas superiores a 50% (cinqüenta por cento) do preço orçado pela Administração, ou b) preço orçado pela Administração. Dos licitantes que tiverem suas propostas consideradas exeqüíveis, mas cujo global da proposta for inferior a 80% (oitenta por cento) do menor valor encontrado, será exigida, para assinatura do contrato, prestação de garantia adicional, nas modalidades permitidas pela Lei de Licitações: caução em dinheiro, títulos da dívida pública, seguro-garantia e fiança bancária. Em licitações para obras e serviços, especialmente, sob o regime de empreitada por preço global, os responsáveis pela licitação, ao selecionar a proposta mais vantajosa para a Administração, deverão efetuar análise individual dos preços unitários. Verificando a ocorrência de itens com preços manifestamente superiores ao praticados no mercado, o agente público deve negociar com o licitante vencedor do certame novas bases condizentes com os custos de mercado, envolvidos na formulação dos preços, e com os valores do projeto básico e da planilha de formação de preços. (Ver: Licitação Pública – Desclassificação dos Licitantes.)

LICITAÇÃO PÚBLICA – LEILÃO — Modalidade de licitação entre quaisquer interessados para a venda de bens móveis que não servem mais para a Administração Pública ou de produtos legalmente apreendidos ou penhorados, ou para a alienação de bens imóveis, a quem oferecer o maior lance, igual ou superior ao da avaliação.

LICITAÇÃO PÚBLICA – MODALIDADES — Modalidade de licitação é a forma específica de conduzir o procedimento licitatório, a partir de critérios definidos em lei. O valor da contratação é o principal fator para escolha da modalidade de licitação, exceto quando se trata de pregão, que não está limitado a valores. Além do leilão e do concurso, as demais modalidades de licitação admitidas são exclusivamente as seguintes: Concorrência, Tomada de Preços, Convite e Pregão. A escolha das modalidades concorrência, tomada de preços e convite é definida, no momento – em vigor pela lei federal nº 9.648, de 1998 – pelos seguintes valores: Concorrência – Obras e serviços de engenharia acima de R$ 1.500.000,00; compras e outros serviços acima de R$ 650.000,00. Tomada de Preços – Obras e serviços de engenharia acima de R$ 150.000,00 até R$ 1.500.000,00; compras e outros serviços acima de R$ 80.000,00 até R$ 650.000,00. Convite – Serviços de engenharia acima de R$ 15.000,00 até R$ 150.000,00; compras e outros serviços acima de R$ 8.000,00 até R$ 80.000,00. Quando couber convite, a administração pode utilizar a tomada de preços e, em qualquer caso, a concorrência. Quando se tratar de bens e serviços que não sejam de engenharia, a administração pode optar pelo pregão. É vedada a criação de outras modalidades de licitação ou a combinação delas entre si.

LICITAÇÃO PÚBLICA – NÃO PODEM PARTICIPAR — Não podem participar, direta ou indiretamente, da licitação, da execução da obra, da prestação dos serviços e do fornecimento de bens necessários à obra: a) o autor do projeto básico ou executivo, pessoa física ou jurídica; b) a empresa, isoladamente ou em consórcio, responsável pela elaboração de projeto básico ou executivo ou da qual o autor do projeto seja dirigente, gerente, acionista ou detentor de mais de 5% (cinco) por cento do capital com direito a voto, ou controlador, responsável técnico ou subcontratado; c) o servidor ou dirigente de órgão contratante ou responsáveis pela licitação. Considera-se participação direta a existência de qualquer vínculo de natureza técnica, comercial, econômica, financeira ou trabalhista entre o autor do projeto, pessoa física ou jurídica, e o licitante ou responsável pelos serviços, fornecimento e obras, incluindo-se os fornecimentos de bens e serviços a estes necessários. É extensivo aos membros da comissão de licitação. É permitido ao autor do projeto a participação na licitação de obra ou serviços, ou na execução, apenas na qualidade de consultor ou técnico, desde que nas funções de fiscalização, supervisão ou gerenciamento, e exclusivamente a serviços da Administração.

LICITAÇÃO PÚBLICA – NOÇÕES GERAIS — O que licitar: a execução de obras, a prestação de serviços e o fornecimento de bens para atendimento de necessidades públicas, as alienações e locações, exceto nos casos previstos na Lei nº 8.666, de 1993, e alterações posteriores. Por que licitar: A Constituição Federal, art. 37, inciso XXI, prevê para a Administração Pública a obrigatoriedade de licitar. O procedimento de licitação objetiva permitir que a Administração contrate aqueles que reúnam as condições necessárias para o atendimento do interesse público, levando em consideração aspectos relacionados à capacidade técnica e econômico-financeira do licitante, à qualidade do produto e ao valor do objeto. Quem deve licitar: Estão sujeitos à regra de licitar, prevista na Lei nº 8.666, de 1993, além dos órgãos integrantes da administração direta, os fundos especiais, as autarquias, as fundações públicas, as empresas públicas, as sociedades de economia mista e demais entidades controladas diretamente ou indiretamente pela União, Estados, Distrito Federal e Municípios. Como licitar: Definido o objeto que se quer contratar, é necessário estimar o valor total da obra, do serviço ou do bem a ser licitado, mediante realização de pesquisa de mercado. É necessário, ainda, verificar se há previsão de recursos orçamentários para pagamento da despesa e se esta se encontra em conformidade com a Lei de Responsabilidade Fiscal, em especial, os arts. 15 a 17. Após apuração da estimativa, deve ser adotada a modalidade de licitação adequada, podendo ser dada prioridade para o pregão, quando o objeto pretendido referir-se a bens e serviços comuns listados no Decreto nº 3.555, de 8 de agosto de 2002, que regulamenta esta modalidade.

LICITAÇÃO PÚBLICA – OBJETO — O objeto da licitação é a obra, o serviço, a compra, a alienação, a locação ou a concessão que, ao final, será contratada com o particular.

LICITAÇÃO PÚBLICA – OBRAS DE PEQUENO VULTO — São aquelas objeto de contratação cujo valor não exceda a determinado teto fixado por lei, dispensando a licitação se assim o quiser a administração interessada.

LICITAÇÃO PÚBLICA – OBRAS E SERVIÇOS — A licitação para execução de obras e prestação de serviços somente pode ser realizada quando: a) houver projeto básico aprovado pela autoridade competente e disponível para exame dos interessados em participar do processo licitatório; b) existir orçamento detalhado em planilhas que expressem a composição de todos os seus custos unitários; c) houver previsão de recursos orçamentários que assegurem o pagamento das obrigações decorrentes de obras ou serviços a serem executados no exercício financeiro em curso, de acordo com o respectivo cronograma de desembolso; d) as obras ou os serviços estiverem incluídos nas metas estabelecidas no PPA, se for o caso. A execução das obras ou dos serviços deve ser programada sempre em sua totalidade, com previsão de seus custos atual e final, levando em conta o prazo total da execução, e será realizada sob a forma de: Execução direta – quando a Administração utiliza meios próprios; Execução Indireta – quando a Administração contrata com terceiros a execução das obras e dos serviços. Na execução indireta, a contratação é feita sob os seguintes regimes: a) Empreitada por preço global; b) Empreitada por preço unitário; c) Tarefa; d) Empreitada integral.

LICITAÇÃO PÚBLICA – PARCELAMENTO DO OBJETO — De acordo com a Lei nº 8.666, de 1993, é obrigatório que seja feito parcelamento quando o objeto da contratação tiver natureza divisível, desde que não haja prejuízo para o conjunto a ser licitado. Nesse procedimento, o agente público define o objeto da licitação e verifica se é possível dividir as compras, obras ou serviços em parcelas, que visam a aproveitar as peculiaridades e os recursos disponíveis no mercado. O parcelamento é importante porque possibilita a participação de empresas de menor porte nas licitações, amplia a competitividade e contribui para obtenção de menor preço para a Administração. Não se deve confundir com fracionamento de despesa vedada pela legislação. No parcelamento do objeto deve ser preservada a modalidade pertinente para execução de todo o objeto da contratação. Assim, se forem realizados um ou mais processos de licitação, devem ser somados os valores de todos os itens para definição da modalidade licitatória adequada. A adjudicação é feita por itens e não pelo preço global. Ex.: em uma construção, em que se pode dividir as diversas etapas (limpeza do terreno, terraplenagem, fundações etc.) em licitação por itens individualizados, o objeto das contratações será uma construção, que deve ser considerada com o todo para definição da modalidade da licitação. (Ver: Licitação pública – Fracionamento de despesas.)

LICITAÇÃO PÚBLICA – PARTICIPAÇÃO DO CIDADÃO — Durante os procedimentos de licitação realizados pela Administração Pública, qualquer cidadão pode: a) acompanhar o desenvolvimento dos procedimentos licitatórios, desde que não interfira de modo a perturbar ou impedir a realização dos trabalhos; b) requerer informações sobre os quantitativos e preços unitários de determinada obra a executar; c) impugnar preço constante do quadro geral em razão de sua incompatibilidade com o preço vigente no mercado; d) impugnar edital de licitação por irregularidade na aplicação da Lei nº 8.666, de 1993, se protocolizar o pedido antes da data fixada para abertura dos envelopes de habilitação, dentro do prazo legal; e) representar ao Tribunal de Contas respectivo, contra irregularidade na aplicação da Lei de Licitações.

LICITAÇÃO PÚBLICA – PARTICIPAÇÃO DOS LICITANTES — Poderão participar da licitação quaisquer licitantes interessados que comprovem possuir os requisitos mínimos de qualificação e cujo objeto social da empresa, expresso no estatuto ou contrato social, especifique ramo de atividade compatível com o objeto da licitação. Em caso de tomada de preços, que exige cadastramento prévio, o licitante poderá habilitar-se no: a) órgão ou entidade licitadora, até o terceiro dia anterior à data marcada para a abertura dos envelopes "Documentação" e "Proposta de Preços" ou Sistema de Cadastramento Unificado de Fornecedores – SICAF ou sistemas equivalentes nos estados e municípios. Não poderão participar da licitação licitantes que estejam: a) suspensos para licitar e contratar com o órgão ou entidade da Administração Pública; b) declarados inidôneos para licitar ou contratar com a Administração Pública, enquanto perdurarem os motivos da punição. Salvo se estiver permitido no ato convocatório, não poderão participar: a) consórcios de licitantes, qualquer que seja sua forma de constituição; b) licitantes que se encontrem em regime de concordata. Com a entrada em vigor da nova Lei de Falência (Lei Federal nº 11.101, de 9.2.2005), a figura jurídica da concordata deixou de existir. A nova lei criou as figuras jurídicas da Recuperação Judicial e Recuperação Extrajudicial.

LICITAÇÃO PÚBLICA – POR ITEM — Na licitação dividida em itens, têm-se tantos itens quantos o objeto permitir. Por exemplo: na compra de material de expediente, a licitação pode ser dividida em vários itens, tais como canetas, lápis, borracha etc., tendo sempre em conta que o valor total dos itens definirá a modalidade de licitação. Na licitação por item, os requisitos de habilitação devem ser adequados e proporcionais aos itens a serem ofertados pelos licitantes. No exemplo citado, o licitante pode ser habilitado para um ou mais itens. Além de ampliar a competição entre as licitantes, a licitação dividida em itens mostra-se vantajosa para a Administração, na medida em que é realizado um único procedimento licitatório, com a redução de despesas decorrentes do processo. A divisão do objeto em lotes, como se itens fossem, deve ser vista com cautela pelo agente público, porque pode afastar licitantes que não possam habilitar-se a fornecer a totalidade dos itens especificados nos lotes, com prejuízo para a Administração.

LICITAÇÃO PÚBLICA – PRAZOS — O ato convocatório deve informar com clareza os prazos mínimos para: a) o licitante vencedor executar a obra, prestar o serviço ou fornecer o bem, objeto da licitação; b) a validade das propostas, contada da data prevista no preâmbulo para o recebimento dos envelopes "Documentação" e "Proposta"; c) a garantia do objeto. O ato convocatório pode prever que, caso os prazos nele exigidos não estejam expressamente indicados na proposta, estes serão considerados e aceitos para efeito de julgamento, com o objetivo de não desclassificar propostas da licitação. De acordo com a legislação, devem ser observados os seguintes prazos de validade das propostas: a) convite, tomada de preços e concorrência = 60 (sessenta) dias; b) pregão = 60 (sessenta) dias, se outro, maior ou menor, não estiver fixado no edital. Se, por motivo de força maior, a adjudicação não puder ocorrer dentro do período de validade da proposta, caso persista o interesse no objeto licitado, a Administração poderá solicitar prorrogação da validade da proposta, no máximo, por igual período ao anterior. Decorrido o prazo de validade da proposta, contado da data prevista para abertura dos envelopes "Documentação" e "Proposta", sem solicitação para prorrogação de sua validade, ou convocação para assinatura do termo contratual ou recebimento de documento equivalente, ficam os concorrentes liberados dos compromissos assumidos.

LICITAÇÃO PÚBLICA – PRAZOS PARA DIVULGAÇÃO DO ATO CONVOCATÓRIO — O prazo de divulgação da licitação depende da modalidade que venha a ser adotada e será, no mínimo, nos casos de: 1) concorrência – 45 dias: quando a licitação for do tipo melhor técnica ou técnica e preço, ou o regime de execução do objeto for empreitada integral; 30 dias: para os demais casos; 2) tomada de preços – 30 (trinta) dias: no caso de licitação do tipo melhor técnica ou técnica e preço; 15 dias: para os demais casos; 3) convite – 5 (cinco) dias úteis: em qualquer caso; 4) pregão – 8 (oito) dias úteis: em qualquer caso. Os prazos de divulgação das modalidades de licitação são contados da data da última publicação do aviso que contenha o resumo dos editais ou da expedição do convite. Caso o ato convocatório e respectivos anexos não estejam disponíveis na data prevista na divulgação, prevalecerá a data da sua efetiva disponibilidade.

LICITAÇÃO PÚBLICA - PREÇOS — Os preços, que devem ser por item, lote ou grupo, devem ser cotados conforme exigido no ato convocatório. Nos preços cotados, cabe ao licitante incluir os impostos, taxas, fretes e as despesas decorrentes da execução da obra, da prestação do serviço ou do fornecimento do bem, já deduzidos quaisquer descontos que queira conceder, não podendo ser alterado durante o julgamento. A cotação apresentada e levada em consideração para efeito de julgamento será de exclusiva e total responsabilidade do licitante, não sendo reconhecido, durante o julgamento das propostas, o direito de pleitear alteração. Todos os valores devem ser cotados em algarismo e, no que couber, por extenso. Os preços podem ser assim discriminados: a) por unidade - valor unitário. Exemplo: uma caneta = R$ 2,00; b) pelo total do item - corresponde à multiplicação do preço unitário pela quantidade de objetos. Exemplo: dez canetas X R$ 2,00 = R$ 20,00; c) por preço global - valor total da proposta, incluindo o somatório de todos os itens. Exemplo: R$ 35,00, que corresponde a: 10 canetas = R$ 20,00; 10 lápis = R$ 10,00; 10 borrachas = R$ 5,00. Todos os valores, preços e custos utilizados nas licitações terão como expressão monetária a moeda corrente nacional (Real), ressalvadas as concorrências de âmbito internacional, nas quais o ato convocatório deverá ajustar-se às diretrizes da política monetária e do comércio exterior e atender às exigências dos órgãos competentes.

LICITAÇÃO PÚBLICA - PREGÃO — É a modalidade de licitação instituída pela Lei nº 10.520, de 17 de julho de 2002, regulamentada pelo Decreto nº 3.555, de 2002, em que a disputa pelo fornecimento de bens ou serviços comuns é feita em sessão pública no âmbito da União, Estados, Distrito Federal e Municípios. Os licitantes apresentam suas propostas de preço por escrito e por lances verbais, independentemente do valor estimado da contratação. O pregão não se aplica à contratação de obras e serviços de engenharia, alienação e locações imobiliárias. O pregão é a modalidade alternativa ao convite, tomada de preços e concorrência para contratação de bens e serviços comuns, que possam ser objetivamente definidos por meio de especificações usuais no mercado. Não é obrigatória, mas deve ser prioritária e é aplicável a qualquer valor estimado de contratação. (Ver: Licitação Pública - Bens e Serviços Comuns.)

LICITAÇÃO PÚBLICA - PRINCÍPIO DA IMPESSOALIDADE — Nos procedimentos de licitação, esse princípio obriga a Administração a observar nas suas decisões critérios objetivos previamente estabelecidos, afastando a discricionalidade e o subjetivismo na condução dos procedimentos de licitação.

LICITAÇÃO PÚBLICA - PRINCÍPIO DA ISONOMIA — Nos procedimentos de licitação, esse princípio significa dar tratamento igual a todos os interessados. É condição essencial para garantir competição em todas as fases da licitação.

LICITAÇÃO PÚBLICA - PRINCÍPIO DA LEGALIDADE — Nos procedimentos de licitação, esse princípio vincula os licitantes e a Administração Pública às regras estabelecidas nas normas e princípios em vigor.

LICITAÇÃO PÚBLICA - PRINCÍPIO DA MORALIDADE E DA PROBIDADE ADMINISTRATIVA — Nos procedimentos de licitação, esse princípio diz respeito à conduta dos licitantes e dos agentes públicos que têm que ser, além de lícita, compatível com a moral, à ética, os bons costumes e as regras da boa administração.

LICITAÇÃO PÚBLICA - PRINCÍPIO DA PUBLICIDADE — Nos procedimentos de licitação, esse princípio assegura que qualquer interessado deve ter acesso às licitações públicas e seu controle, mediante divulgação dos atos praticados pelos administradores em todas as fases da licitação.

LICITAÇÃO PÚBLICA - PRINCÍPIO DA VINCULAÇÃO AO INSTRUMENTO CONVOCATÓRIO — Nos procedimentos de licitação, esse princípio obriga a Administração e o licitante a observarem as normas e condições estabelecidas no ato convocatório. Nada poderá ser criado ou feito sem que haja previsão no ato convocatório.

LICITAÇÃO PÚBLICA - PRINCÍPIO DO JULGAMENTO OBJETIVO — Nos procedimentos de licitação, esse significa que o administrador deve observar critérios objetivos definidos nos atos convocatórios para julgamento das propostas. Afasta a possibilidade de o julgador utilizar-se de fatores subjetivos ou de critérios não previstos no ato convocatório, mesmo que em benefício da própria administração.

LICITAÇÃO PÚBLICA - PRINCÍPIOS — Os princípios que regem a licitação, qualquer que seja a sua modalidade, se resumem nos seguintes preceitos: procedimento formal; publicidade de seus atos; igualdade entre os licitantes; sigilo na apresentação das propostas; vinculação ao edital ou convite; julgamento objetivo; adjudicação compulsória ao vencedor.

LICITAÇÃO PÚBLICA - PROCEDIMENTOS PARA ABERTURA DO PROCESSO — A fase interna do procedimento relativo a licitações públicas observará a seguinte seqüência de atos preparatórios: a) solicitação expressa do setor requisitante interessado, com indicação de sua necessidade; b) aprovação da autoridade competente para início do processo licitatório, devidamente motivada e analisada sob a ótica da oportunidade, conveniência e relevância para o interesse público; c) autuação do processo correspondente, que deverá ser protocolizado e numerado; d) elaboração da especificação do objeto, de forma precisa, clara e sucinta; e) estimativa do valor da contratação, mediante comprovada pesquisa de mercado; f) indicação dos recursos orçamentários para fazer face à despesa; g) verificação da adequação orçamentária e financeira, em conformidade com a Lei de Responsabilidade Fiscal, quando for o caso; h) elaboração de projeto básico, obrigatório em casos de obras e serviços; i) definição da modalidade e do tipo de licitação a serem adotados. Com o advento da Lei de Responsabilidade Fiscal - LRF, outras exigências foram impostas ao gestor público para promover licitações públicas, em especial quando a despesa se referir à criação, expansão ou aperfeiçoamento de ação governamental que acarrete aumento da despesa. Serão consideradas não autorizadas, irregulares e lesivas ao patrimônio público a geração de despesa ou assunção de obrigação que não atenderem ao disposto na LRF. Segundo determina a LRF, a estimativa da despesa e do seu impacto orçamentário-financeiro é peça fundamental dos procedimentos de licitação e deve estar acompanhada das premissas e da metodologia de cálculo utilizado para determiná-la.

LICITAÇÃO PÚBLICA - PROJETO BÁSICO — É o conjunto de elementos necessários e suficientes, com nível de precisão adequado, para caracterizar a obra ou serviço, ou complexo de obras ou serviços. Deve ser elaborado com base nas indicações de estudos técnicos preliminares, possibilitando a avaliação do custo da obra e a definição dos métodos e do prazo de execução. Tem, ainda, como objetivo assegurar a viabilidade técnica e o adequado tratamento do impacto ambiental do empreendimento. Toda licitação de obra ou serviço deve ser precedida da elaboração de projeto básico, exceto as contratações diretas por dispensa de licitação, que, no momento, estão limitadas aos seguintes valores máximos: a) R$ 15.000,00, para obras e serviços de engenharia; b) R$ 8.000,00, para quaisquer outros serviços. Os valores referidos serão acrescidos de 20% (vinte por cento) para compras, obras e serviços contratados por sociedades de economia mista e empresas públicas, além de autarquias e fundações qualificadas na forma de agências executivas. A lei estabelece que o projeto básico deve estar anexado ao ato convocatório, dele sendo parte integrante, e deve ser elaborado segundo exigências contidas na Lei nº 8.666, de 1993.

LICITAÇÃO PÚBLICA - PROJETO EXECUTIVO — É o conjunto de elementos necessários e suficientes à realização do empreendimento a ser executado, com nível máximo de detalhamento possível de todas as suas etapas. No ato convocatório deve ser informado se há projeto executivo disponível, na data da sua publicação, e o local onde possa ser examinado. Para realização do procedimento licitatório não há obrigatoriedade da existência prévia de projeto executivo, uma vez que este poderá ser desenvolvido concomitantemente com a execução das obras e serviços, desde que autorizado pela Administração. No caso a licitação deverá prever a elaboração do competente projeto executivo por parte da contratada.

LICITAÇÃO PÚBLICA - PROPOSTA — São ofertas feitas pelos licitantes para execução do objeto da licitação, indicando cada qual o seu modo de realização e preço, na forma e condições pedidas no edital ou carta convite.

LICITAÇÃO PÚBLICA - PUBLICAÇÃO RESUMIDA DO ATO CONVOCATÓRIO — Os avisos com os resumos dos editais, à disposição do público nas repartições, serão publicados: a) no *Diário Oficial da União*, quando se tratar de licitação feita por órgão ou entidade da Administração Pública Federal, ou, ainda, quando se tratar de obras financiadas parcial ou totalmente com recursos federais ou garantidas por instituições federais; b) no *Diário Oficial do Estado*, ou do Distrito Federal, quando se tratar respectivamente de licitação feita por órgão ou entidade da Administração Pública Estadual/Municipal ou do Distrito Federal; c) em jornal diário de grande circulação no Estado e, se houver, em jornal de circulação no Município ou na região onde será realizada a obra, prestado o serviço ou fornecido o bem, podendo a administração, conforme o vulto da licitação, utilizar-se de outros meios de divulgação para ampliar a área de competição. Os avisos deverão conter a indicação do local em que os interessados poderão ler e obter o texto integral do edital e demais informações necessárias. Devem ser citados no aviso pelo menos os itens cujos quantitativos sejam mais significativos.

LICITAÇÃO PÚBLICA - QUALIFICAÇÃO ECONÔMICO-FINANCEIRA — No exame da documentação relativa à habilitação econômico-financeira deve ser observada a boa situação financeira do licitante para execução do objeto. Para isso devem ser exigidos: a) balanço patrimonial e demonstrações contábeis do último exercício social, obrigatórios e já apresentados na forma da lei, que comprovem a boa situação financeira da empresa, vedada a sua substituição por balancetes ou balanços provisórios, podendo ser atualizados por índices oficiais quando encerrado há mais de 3 (três) meses da data de apresentação da proposta. O balanço patrimonial e as demonstrações contábeis deverão estar assinados por contabilista, devidamente registrado no Conselho Regional de Contabilidade, e pelo proprietário da empresa licitante; b) certidão negativa de falência ou concordata expedida pelo distribuidor da sede da pessoa jurídica, ou de execução patrimonial, expedida no domicílio da pessoa física; c) garantia nas mesmas modalidades e critérios previstos no *caput* e § 1º do art. 56 da Lei nº 8.666, de 1993, limitada a 1% (um por cento) do valor estimado do objeto da contratação. Com a entrada em vigor da nova Lei de Falência (Lei Federal nº 11.101, de 9.2.2005), a figura jurídica da concordata deixou de existir. A nova lei criou as figuras jurídicas da Recuperação Judicial e Recuperação Extrajudicial.

LICITAÇÃO PÚBLICA - QUALIFICAÇÃO TÉCNICA — O licitante interessado na execução de obras, prestação de serviços ou fornecimento de bens para a Administração deverá qualificar-se tecnicamente para participar de licitações públicas. A qualificação técnica pode ser exigida do licitante ou do seu quadro profissional. A documentação relativa à qualificação técnica limitar-se-á: a) registro ou inscrição na entidade profissional competente, por exemplo, Conselho Regional de Engenharia, Arquitetura e Agronomia (CREA) e outros conselhos fiscalizadores das profissões. Não se pode exigir quitação com as entidades profissionais, mas, sim, regularidade. Relativamente a sindicatos, eles não são entidades profissionais nem a estas se equivalem. Por isso, não se pode exigir, para fins de habilitação, nenhum comprovante relativo a sindicatos, patronais ou de empregados; b) comprovação de aptidão para desempenho de atividade pertinente e compatível em características, quantidades e prazos com o prazo da licitação, e indicação das instalações e do aparelhamento e do pessoal técnico adequados e disponíveis para a realização do objeto da licitação, bem como da qualificação de cada um dos membros da equipe técnica que se responsabilizará pelos trabalhos. A comprovação de aptidão, no caso de licitações relativas a obras e serviços, dar-se-á mediante atestados fornecidos por pessoas jurídicas de direito público ou privado, devidamente registrados nas entidades profissionais competentes, limitadas às exigências à capacidade técnico-operacional e técnico-profissional; c) prova de atendimento de requisitos previstos em lei especial, quando for o caso; d) comprovação, fornecida pelo órgão ou entidade, de que o licitante recebeu os documentos, e, quando exigido, de que tomou conhecimento de todas as informações e das condições objeto da licitação. (Será fornecido pelo órgão ou entidade promotores da licitação documento comprovando que o licitante recebeu todas as peças relativas à licitação - edital, anexos, plantas e outras pertinentes - e de que tomou conhecimento de todas as informações e das condições locais (vistoria) para o cumprimento das obrigações objeto da licitação, assinado por representante legal, devidamente identificado.) Esse documento, que poderá ser uma declaração, visa a evitar que o licitante, depois de abertos os envelopes ou julgada a licitação, possa alegar que desconhecia quaisquer das exigências do ato convocatório.

LICITAÇÃO PÚBLICA - RECEBIMENTO DOS ENVELOPES — Após publicação do aviso do edital ou entrega do convite, o licitante deve apresentar aos responsáveis pela licitação, até o dia, horário e local fixados, sua documentação de habilitação e sua proposta técnica e/ou de preço, em envelopes separados, fechados e rubricados no fecho. O licitante interessado em participar de convite, tomada de preços e concorrência não necessita encaminhar seu representante legal para entregar os envelopes com a documentação e as propostas escritas e/ou se fazer presente na reunião de abertura dos envelopes. No caso de pregão, o licitante interessado em participar da fase de lances verbais, além de entregar os envelopes com a documentação e as propostas por escrito, deve credenciar seu representante legal com poderes para oferecer novos preços. Caso não tenha interesse em participar da fase de lances verbais, pode remeter os envelopes ao órgão ou entidade licitadora da melhor forma que encontrar. Os envelopes devem estar identificados em suas partes externas e frontais com os dados da empresa, do órgão/entidade licitadora, da licitação, da documentação e das propostas, em caracteres destacados. Em licitações do tipo melhor técnica e técnica e preço, são três envelopes: Nº 1 - Documentação; Nº 2 - Proposta Técnica; Nº 3 - Proposta de Preço. Em licitações na modalidade Pregão, são dois envelopes e invertida a ordem: Nº 1 - Proposta de Preço e Nº 2 - Documentação.

LICITAÇÃO PÚBLICA - RECURSO — Cabe recurso dos atos da Administração decorrentes da realização de licitações a contar da intimação do ato ou lavratura da ata, nos casos de: a) habilitação ou inabilitação do licitante; b) julgamento das propostas; c) anulação ou revogação da licitação; d) indeferimento do pedido de inscrição em registro cadastral, sua alteração ou cancelamento; e) rescisão do contrato, quando determinada por ato unilateral da Administração; f) aplicação das penas de advertência, suspensão temporária ou de multa. Os prazos para interposição de recursos são: a) tomada de preços e concorrência: 5 (cinco) dias úteis; b) convite: 2 (dois) dias úteis; c) pregão: 3 (três) dias. Os recursos interpostos podem ser impugnados pelos demais licitantes que apresentarão suas contra-razões, nos seguintes prazos: a) tomada de preços: 5 (cinco) dias úteis; b) convite: 2 (dois) dias úteis; c) pregão: 3 (três) dias. Em convite, tomada de preços e concorrência, o prazo de apresentação da impugnação ao recurso inicia-se a partir da data da comunicação da interposição do recurso aos demais licitantes. No pregão, o prazo corre do término do prazo que o licitante recorrente tem para apresentar as razões do seu recurso. É assegurado a todos os licitantes vista imediata aos autos, objetivando fornecer os subsídios necessários à formulação da motivação das razões e das contra-razões a serem apresentadas. Enquanto os autos estiverem disponíveis para vista e consulta dos licitantes, não se inicia a contagem dos prazos.

LICITAÇÃO PÚBLICA - RECURSO - EFEITO SUSPENSIVO E DECADÊNCIA — O recurso concernente à habilitação ou inabilitação ou ao julgamento das propostas tem efeito suspensivo, podendo a autoridade competente, motivadamente e presentes razões de interesse público, atribuir ao recurso interposto eficácia suspensiva aos demais recursos, exceto na modalidade pregão. O acolhimento do recurso em pregão implica tão-somente a invalidação dos atos que não sejam passíveis de aproveitamento. No pregão, a falta de manifestação imediata e motivada ao licitante em interpor recurso, no momento da elaboração da ata, importa decadência do seu direito de apresentar recurso, pelo menos na esfera administrativa.

LICITAÇÃO PÚBLICA - REGISTROS CADASTRAIS — São assentamentos que se fazem nas repartições administrativas que realizam licitações, para fins de qualificação e classificação dos interessados em contratar com a Administração.

LICITAÇÃO PÚBLICA - REGULARIDADE FISCAL — Na análise da documentação relativa à habilitação fiscal deve ser observada a regularidade do licitante perante o fisco. A documentação exigida, conforme o caso, consistirá em: a) prova de inscrição no Cadastro de Pessoas Físicas (CPF) ou no Cadastro Nacional de Pessoa Jurídica (CNPJ); b) prova de inscrição no cadastro de contribuintes estadual ou municipal, relativa ao domicílio ou sede do licitante, concernente ao seu ramo de atividade e compatível com o objeto do contrato. Essa exigência será definida em cada procedimento licitatório, diante da especificidade do objeto. Se o objeto do certame referir-se a fornecimento de bens, deve ser exigida do licitante inscrição no cadastro de contribuinte estadual. Se for o caso de prestação de serviços, será exigida do licitante a inscrição municipal; c) prova de regularidade para com a Fazenda Federal, Estadual e Municipal do domicílio ou sede do licitante, ou outra aceita na forma da lei. A comprovação dessa regularidade só poderá ser aceita se apresentada juntamente com a Certidão Quanto à Dívida Ativa; d) prova de regularidade relativa à Seguridade Social (INSS), demonstrando situação regular no cumprimento dos encargos sociais instituídos por lei. A prova de regularidade relativa à Seguridade Social é obrigatória por força do disposto no § 3º do art. 195 da Constituição Federal. Deve ser exigida do licitante a comprovação de situação regular e não de quitação junto às Fazendas Federal, Estadual e Municipal, à Seguridade Social (INSS). Quanto à regularidade com Fundo de Garantia por Tempo de Serviços (FGTS), esta pode ser uma exigência adicional da contratante.

LICITAÇÃO PÚBLICA - REPRESENTANTE LEGAL/ CREDENCIAMENTO — Considera-se representante legal a pessoa formal e especificamente credenciada, de acordo com o estatuto/contrato social ou mediante instrumento público ou particular de procuração outorgada pelo licitante ou documento equivalente. O representante legal do licitante deve credenciar-se no horário previsto para o evento, munido de documento de identidade oficial e do documento que lhe dá poderes necessários para participar da reunião naquela qualidade. Se isso não ocorrer, ficará impedido de representar o licitante durante a reunião de abertura dos envelopes relativos à concorrência, à tomada de preços ou ao convite. Em caso de pregão, o mandato de procuração ou documento equivalente deverão dar plenos poderes ao outorgado para oferecer ofertas e lances verbais, negociar preços, declarar a intenção ou renunciar ao direito de interpor recurso, enfim, para praticar em nome do licitante todos os atos necessários durante a licitação. Se o representante legal da empresa não credenciar perante o pregoeiro, ficará impedido de participar da fase de lances verbais e de praticar os atos concernentes ao pregão. Em convite, tomada de preços e concorrência, o representante que desejar falar em nome do licitante deverá estar credenciado. Em pregão, o não credenciamento do representante legal impede o licitante de participar somente da fase de lances, podendo continuar no certame com a proposta escrita. Cada credenciado poderá representar apenas um licitante.

LICITAÇÃO PÚBLICA - RESPONSÁVEIS — Consideram-se responsáveis pela licitação, os agentes públicos designados pela autoridade competente, mediante ato administrativo próprio (portaria, por exemplo), para integrar a comissão de licitação, ser pregoeiro ou realizar licitação na modalidade convite. Os membros da comissão de licitação respondem solidariamente pelos atos praticados, salvo se posição individual divergente estiver devidamente fundamentada e registrada em ata lavrada na reunião em que tiver sido tomada a decisão.

LICITAÇÃO PÚBLICA - REVOGAÇÃO — Ver Licitação Pública - Revogação e Anulação.

LICITAÇÃO PÚBLICA - REVOGAÇÃO E ANULAÇÃO — A autoridade competente para aprovação do procedimento licitatório somente pode: a) revogar a licitação, se for considerada inoportuna ou inconveniente ao interesse público, decorrente de fatos supervenientes, devidamente comprovados, pertinente e suficiente para justificar tal conduta. O ato de revogar a licitação é privativo da Administração licitadora, pode ser praticada a qualquer momento e não decorre de procedimento viciado; b) anular a licitação, por ilegalidade de ofício ou por aprovação de terceiros, mediante parecer escrito e devidamente fundamentado. O ato de anular atinge toda a licitação, determinando o seu encerramento de forma total. A anulação do procedimento licitatório por motivo de ilegalidade não gera obrigação de indenizar e a nulidade do procedimento licitatório torna nulo o contrato. A nulidade não exonera a Administração do dever de indenizar o contratado, pelo que este houver executado até a data em que ela for declarada e por outros prejuízos regularmente comprovados. O dever de indenizar não cabe quando o contratado tiver dado causa ao ato ilegal. A Administração deve apurar a responsabilidade de quem lhe deu causa. Em ambos os casos, deve constar do processo a devida motivação, com indicação dos fatos e fundamentos jurídicos da decisão. A "Administração pode anular seus próprios atos, quando eivados de vícios que os tornam ilegais, porque deles não de originam direitos; ou revogá-los, por motivo de conveniência ou oportunidade, respeitados os direitos adquiridos, em todos os caso, a apreciação judicial" (Súmula 473 do STF). No caso de desfazimento do processo licitatório, por anulação ou revogação, é assegurado ao licitante o direito ao contraditório e à ampla defesa.

LICITAÇÃO PÚBLICA - TAREFA — É utilizada quando se pretende contratar a mão-de-obra para pequenos trabalhos por preço certo, com ou sem fornecimento de materiais.

LICITAÇÃO PÚBLICA - TERCEIRIZAÇÃO — Não poderão ser objeto de execução indireta as atividades inerentes às categorias funcionais que fazem parte do plano de cargos do órgão ou entidade. As exceções serão os casos de cargo extinto, total ou parcialmente, no âmbito do quadro geral de pessoal ou quando a lei determinar em contrário. O objeto da contratação deve ser definido exclusivamente como prestação de serviços e conterá, no mínimo: a) justificativa da necessidade dos serviços; b) relação entre a necessidade e a quantidade de serviço a ser contratada; c) demonstrativo de resultados a serem alcançados em termos de economicidade e de melhor aproveitamento dos recursos humanos, materiais ou financeiros disponíveis. É vedada a inclusão de disposições nos instrumentos contratuais que permitam: a) indexação de preços por índices gerais, setoriais ou que reflitam a variação de custos em contratos com duração inferior a 1 (um) ano; b) caracterização do objeto exclusivamente como fornecimento de mão-de-obra; c) previsão de reembolso de salários pelo contratante; d) subordinação dos empregados do contratado à Administração. Os órgãos e entidades contratados divulgarão mensalmente listagem dos contratos firmados indicando, pelo menos: a) o nome da empresa contratada; b) o objeto; c) valor mensal; d) o quantitativo de empregados envolvidos em cada contrato.

LICITAÇÃO PÚBLICA - TIPOS — O tipo de licitação não deve ser confundido com modalidade de licitação. Modalidade é o procedimento. Tipo é o critério de julgamento utilizado pela Administração para seleção da proposta mais vantajosa. Os tipos de licitação mais utilizados para julgamento das propostas são os seguintes: Menor preço - Critério de seleção em que a proposta mais vantajosa para a Administração é a de menor preço. É utilizado para compras e serviços de modo geral e para contratação de bens e serviços de informática, nos casos indicados em decreto do Poder Executivo; Melhor Técnica - Critério de seleção em que a proposta mais vantajosa para a Administração é escolhida com base em fatores de ordem técnica. É usado exclusivamente para serviços de natureza predominantemente intelectual, em especial na elaboração de projetos, cálculos, fiscalização, supervisão e gerenciamento e de engenharia consultiva em geral, e em particular, para elaboração de estudos técnicos preliminares e projetos básicos e executivos; Técnica e Preço - Critério de seleção em que a proposta mais vantajosa para a Administração é escolhida com base na maior média ponderada, considerando-se as notas obtidas nas propostas de preço e de técnica. É obrigatório na contratação de bens e serviços de informática, nas modalidades tomada de preços e concorrência.

LICITAÇÃO PÚBLICA - TOMADA DE PREÇOS — É a modalidade de licitação realizada entre interessados devidamente cadastrados ou que atenderem a todas as condições exigidas para cadastramento até o terceiro dia anterior à data do recebimento das propostas, observada a necessária qualificação.

LICITAÇÃO PÚBLICA - VISTORIA DO LOCAL DA OBRA/SERVIÇO — Em licitações para execução de obras ou prestação de serviços, a Administração poderá exigir declaração do licitante de que tomou conhecimento de todas as informações e das condições locais para cumprimento das obrigações relativas ao objeto licitado. A vistoria no local de execução de obras ou prestação de serviços pode ser feita pelo licitante em horário definido no ato convocatório e em companhia de servidor do órgão ou entidade, a ser designado para acompanhar o licitante para esse fim. Caso não seja verificado, no momento da vistoria, impedimento para execução do objeto, correrão por conta do licitante todas as despesas decorrentes das adaptações que se fizerem necessárias para a execução da obra ou prestação de serviços licitados e contratados, devendo tal exigência ser mencionada no ato convocatório.

LICITAÇÃO PÚBLICA, COMISSÃO DE — A Comissão de Licitação é criada pela Administração com a função de receber, examinar e julgar todos os documentos e procedimentos relativos ao cadastramento de licitantes e às licitações nas modalidades de concorrência, tomada de preços e convite. A comissão de licitação pode ser permanente ou especial. Será permanente quando a designação abranger a realização de licitações por período determinado de no máximo de 12 meses. Será especial quando for o caso de licitações específicas. A comissão de licitação é constituída por, no mínimo, três membros, sendo pelo menos dois deles servidores qualificados pertencentes aos quadros permanentes dos órgãos da Administração responsáveis pela licitação. A investidura dos membros das comissões permanentes não pode exceder a um ano. Quando da renovação da comissão para o período subseqüente, é possível a recondução parcial desses membros. A Lei não admite a recondução da totalidade. Nas pequenas unidades administrativas e na falta de pessoal disponível, em caráter excepcional e só em convite, a comissão pode ser substituída por servidor designado para esse fim. No caso de pregão, o pregoeiro e respectiva equipe de apoio são designados dentre os servidores do órgão ou entidade promotora da licitação para, dentre outras atribuições, receber a proposta escrita e os lances verbais, analisar a aceitabilidade da proposta e efetuar sua classificação, habilitar o licitante a adjudicar o objeto do vencedor.

LICITAÇÃO PÚBLICA, PROCEDIMENTOS DE — A fase externa está submetida aos seguintes procedimentos seqüenciais, em que a realização de determinado ato depende da conclusão do antecedente: 1) publicação do resumo do ato convocatório, 2) recebimento dos envelopes com a documentação e as propostas; 3) verificação da habilitação ou inabilitação das licitantes; 4) fase recursal, com efeito suspensivo, até a decisão do recurso; 5) abertura dos envelopes com classificação ou desclassificação das propostas; 6) declaração do licitante vencedor; 7) fase recursal, com efeito suspensivo até a decisão do recurso; 8) homologação/aprovação dos atos praticados no procedimento; 9) adjudicação do objeto à licitante vencedora; 10) assinatura do contrato. No pregão, ao contrário do que ocorre em outras modalidades, a abertura da proposta é feita antes da análise da documentação e a fase recursal é única, sem efeito suspensivo.

LICITAÇÃO PÚBLICA/CONTRATO - REPRESENTAÇÃO AO TRIBUNAL DE CONTAS — O controle das despesas decorrentes dos contratos firmados pela Administração Pública e demais instrumentos regidos pela Lei de Licitações (Lei nº 8.666, de 1993) é feito pelo Tribunal de Contas da União e pelos Tribunais de Contas dos Estados e dos Municípios, onde houver, de acordo com o art. 113 da Lei nº 8.666, de 1993. Assim, qualquer licitante ou pessoa física ou jurídica poderá representar ao respectivo Tribunal de Contas contra irregularidade na aplicação da Lei de Licitações conforme dispõe o citado artigo.

LICITAÇÕES SIMULTÂNEAS — Na Administração Pública, são aquelas com objetivos similares e que ocorram em intervalos inferiores ou iguais há 30 (trinta) dias.

LICITAÇÕES SUCESSIVAS — Na Administração Pública, são aquelas com objetivos similares, em que o edital subseqüente tenha data anterior a 120 (cento e vinte) dias após o termino do contrato resultante da licitação antecedente.

LIDE — Conflito de interesses suscitado em juízo ou fora dele, qualificado por uma pretensão resistida. Sinônimo de litígio, processo, pleito judicial. É a demanda, questão forense ou jurídica em que as partes contendoras procuram mostrar a verdade ou a razão de seu direito. Empregado como sinônimo de ação se diz lide pendente como também lide temerária.

LIDE PENDENTE — Processo que apresenta, em relação a outro, identidade de partes, de pedidos e de causa de pedir.

LIDE TEMERÁRIA — Ação proposta com má-fé, para prejudicar a outra parte, injustamente chamada a Juízo.

LÍDER — 1) Guia, chefe ou condutor que representa um grupo ou uma corrente de opinião, comanda e/ou orienta, em qualquer tipo de ação, empresa ou linha de idéias. 2) Parlamentar escolhido para representar sua bancada partidária ou bloco parlamentar que integre. 3) Alguém reconhecido como líder de um país ou de uma organização, apesar de não ter realmente poder. (Ver: Liderança.)

LIDERANÇA — Liderança é a influência interpessoal, exercida na situação e dirigida, através do processo da comunicação humana, à consecução de um ou diversos objetivos específicos. A palavra "liderança" é usada de duas maneiras básicas na conversa do dia-a-dia: para se referir ao processo de mover um grupo (ou grupos) de pessoas em alguma direção através de meios (principalmente) não coercitivos; e para se referir a pessoas que ocupam posições onde se espera liderança. Existem características básicas para que um indivíduo possa tornar-se um líder, tais como visão, integridade (conhecimentos, autoconfiança e maturidade) e vontade de assumir riscos. Os líderes são, em regra, pessoas muito persistentes, com grande carisma e motivadas pelo seu instinto. Um bom gestor faz as coisas bem, enquanto um bom líder faz as coisas certas. Enquanto para alguns as capacidades de liderança podem ser adquiridas através do treino, para outros elas são inatas, embora todas as pessoas devam ser encorajadas a ser líderes. (Ver: Líder.)

LIDERANÇA POLÍTICA — Um líder ou chefe partidário faz parte da elite de um partido político. Liderar é exercer a autoridade e tomar decisões. Entretanto, para que um político se torne uma liderança política tem que possuir a tendência de obter e exercer o poder político de maneira incisiva. O líder tem a aptidão para realizar seus objetivos, porque ele sabe mandar, tem qualidades e habilidades para aliciar vontades em torno de si com o fim de obter e exercer o poder político. Um outro fator importante que faz uma liderança, além do saber mandar e da aptidão, é a ocasião ou a oportunidade, esses sendo acidentais. Esses três elementos unidos, somados ao carisma pessoal, fazem o êxito de um político que almeja a liderança dentro de um partido político e também no jogo político em geral.

LIGA — É uma associação de indivíduos, grupos ou partidos para a defesa de interesses comuns. É uma forma de associação, geralmente criada com objetivos sociais. Sempre sem fins lucrativos, é também uma modalidade característica do Terceiro Setor. O novo Código Civil trouxe importantes inovações no tocante às entidades organizadas com fins não econômicos que compõem o terceiro setor. Destaca-se, dentre as inovações, a supressão da sociedade civil sem fins lucrativos. Esta deixa de existir juridicamente, passando o novo Código Civil a disciplinar apenas dois tipos de entidades com fins não econômicos: a associação e a fundação, elencando para cada qual exigências estatutárias distintas no tocante à sua constituição, funcionamento e extinção.

LIGAÇÃO — Ver Enlace.

LIGAR — Na terminologia jurídica significa prender a pessoa aos efeitos dos atos jurídicos.

***LIKUD* —** Partido político conservador de Israel, formado 1973 em torno da proposta de anexar ao Estado de Israel os territórios ocupados durante a Guerra dos Seis Dias: Sinai, Faixa de Gaza, Cisjordânia e Colinas de Golã. Menachim Begin foi seu primeiro líder. *Likud* é a palavra em hebreu para unidade.

LIMIAR DE POBREZA — Ver Pobreza, Limiar de.

LIMINAR — Pedido de antecipação dos efeitos da decisão, antes do seu julgamento. É concedido quando a demora da decisão causar prejuízos. Ao examinar a liminar, é avaliado se o pedido apresentado tem fundamentos jurídicos aceitáveis. É concedida, assim, quando o juiz aceita, de modo não definitivo, os argumentos de uma das partes envolvidas em processo judicial em razão da provável veracidade dos fundamentos invocados e da possibilidade de ocorrer dano irreparável em decorrência do atraso da decisão. Não leva em conta o mérito da questão, mas evita que um direito seja violado de forma irreparável antes do julgamento do mérito da causa. Por exemplo, uma liminar pode impedir o cumprimento de mandado de prisão preventiva até o julgamento do *habeas corpus*.

LIMITAÇÃO ADMINISTRATIVA — É uma forma de intervenção e que se traduz pela imposição, pelo Poder Público, para salvaguarda do bem-estar social.

LIMITAÇÃO DE FIM DE SEMANA — Pena restritiva de direitos limitada aos fins de semana.

LIMITAÇÕES AO PODER DE REFORMA CONSTITUCIONAL — O poder de reforma constitucional exercitado pelo poder constituinte derivado é por sua natureza jurídica mesma um poder limitado, porque deve respeitar um quadro de limitações explícitas e implícitas, decorrentes da Constituição, com o objetivo de assegurar o ordenamento constitucional do exercício do poder constituinte derivado. As limitações explícitas ou expressas são aquelas formalmente postas na Constituição e podem ser: temporais, circunstanciais e materiais. (Ver: Limitações temporais // Limitações circunstanciais // Limitações materiais.)

LIMITAÇÕES CIRCUNSTANCIAIS — São aquelas que se prendem a determinadas circunstâncias históricas e excepcionais que configuram um estado de crise que torna ilegítimo nessas ocasiões empreender qualquer reforma constitucional (ex.: art. 60, § 1.º, CF de 1988 - a Constituição não poderá ser emendada na vigência de intervenção federal, de estado de sítio ou de defesa).

LIMITAÇÕES MATERIAIS — São as matérias que as Constituições fazem imutável, as chamadas cláusulas pétreas, porque não podem ser abolidas. (Ver: Cláusula pétrea.)

LIMITAÇÕES TEMPORAIS — São aquelas que o texto constitucional expressa como limitação de tempo, de prazo para uma ação reformista.

LIMITE COM SERVIÇOS DE TERCEIROS — Ver Despesa com Pessoal, Limite com Serviços de Terceiros.

LIMITE DA DESPESA COM PESSOAL — Ver Despesa com Pessoal, Limite da. // Câmara Municipal — Despesa com Pessoal.

LIMITE DA DESPESA DA CÂMARA MUNICIPAL — Ver Câmara Municipal - Limite da Despesa - Receita Tributária do Exercício Anterior // Câmara Municipal - Despesa com Pessoal.

LIMITE DE CRÉDITO — Valor máximo disponível a ser utilizado em compras ou empréstimos.

LIMITE DE SAQUE — Disponibilidade financeira da unidade gestora, para a realização de pagamentos.

LIMITES DA DÍVIDA PÚBLICA E DAS OPERAÇÕES DE CRÉDITOS — São as estabelecidas pelo art. 30 da Lei Complementar nº 101, de 4.5.2000 - LRF.

LIMITES MUNICIPAIS — São linhas imaginárias que demarcam o território municipal, definido por seu memorial descritivo, e indicam ainda sua posição em relação ao município vizinho.

LIMITES OPERACIONAIS — São limites estabelecidos pelo Banco Central, com vistas a evitar a exposição excessiva da instituição aos riscos de mercado.

LIMNOLOGIA — Ciência que estuda todos os fenômenos físicos, biológicos e hidrológicos pertinentes aos lagos e lagoas em relação ao respectivo meio ambiente. Termo criado em 1892, pelo suíço F.A. Forel, para designar a aplicação dos métodos de oceanografia ou da oceanologia às águas estagnadas continentais (lagos). À limnologia interessam, portanto, todos esses fatores da vida nas águas estagnadas. Entretanto, o I Congresso Internacional de Limnologia, realizado em Kiel, em 1922, propôs designar sob o termo limnologia a ciência da água doce, aplicandose ela ao conjunto de águas continentais ou interiores, separadas do mundo oceânico.

LINEARIDADE — Proporcionalidade; relação direta de causa e efeito.

LÍNGUA PORTUGUESA — É, com mais de 240 milhões de falantes nativos, a sexta língua materna mais falada no mundo e a terceira língua mais falada no mundo ocidental, sendo a língua oficial de Angola, Brasil, Cabo Verde, Guiné-Bissau, Macau, Moçambique, Portugal, São Tomé e Príncipe e Timor Leste. É ainda falada na antiga Índia Portuguesa: Goa, Damão, Diu e Dadra e Nagar Haveli, além de ser uma das línguas oficiais da União Européia e do Mercosul. A língua portuguesa é uma língua românica (do grupo ibero-românico), assim como o castelhano, catalão, italiano, francês, romeno, galego e muitos outros. Assim como os outros idiomas, o português sofreu uma evolução histórica, tendo sofrido influência de vários idiomas e dialetos, até chegar ao estágio hoje conhecido. O português de hoje compreende vários dialetos e subdialetos, falares e subfalares, muitas vezes bastante distintos, além de dois padrões ou *standards* reconhecidos internacionalmente (português brasileiro e português europeu), sendo atualmente a única língua do mundo ocidental falada por mais de cem milhões de pessoas com mais de uma ortografia oficial. Segundo um levantamento feito pela Academia Brasileira de Letras, a língua portuguesa possui, atualmente, cerca de 356 mil unidades lexicais. Essas unidades estão dicionarizadas no *Vocabulário Ortográfico da Língua Portuguesa*.

LINGUAGEM — Diz respeito a um sistema constituído por elementos que podem ser gestos, sinais, sons, símbolos ou palavras, que são usados para representar conceitos de comunicação, idéias, significados e pensamentos. Nesta acepção, linguagem aproxima-se do conceito de língua. Numa outra acepção, linguagem refere-se à função cerebral que permite a qualquer ser humano adquirir e utilizar uma língua. Por extensão, chama-se linguagem de programação ao conjunto de códigos usados em computação. O estudo da linguagem é chamado lingüística.

LINGUAGEM CIFRADA — Linguagem codificada utilizada em telecomunicações, com o objetivo de simplificar e garantir o sigilo das mensagens.

LINGUAGEM NÃO-VERBAL — É a linguagem corporal que inclui gestos, expressões faciais e posturas.

LINHA ACLÍNICA — Também chamada de Equador Magnético, é a linha que une os pontos da superfície terrestre onde a inclinação da agulha magnética é nula, sendo então um caso particular de Linha Isoclínica. Na América do Sul, a linha aclínica situa-se a 15º S e na África passa pelo paralelo 10º N.

LINHA DE RETORNO (ANÁLISE DE INVESTIMENTO) — Denominação da reta paralela à linha de tendência, que dá origem ao canal de tendência em um gráfico de barras.

LINHA DE TENDÊNCIA DE ALTA (ANÁLISE DE INVESTIMENTO) — No movimento de alta, a linha de tendência é a reta que une as duas menores cotações mínimas.

LINHA DE TENDÊNCIA EM BAIXA (ANÁLISE DE INVESTIMENTO) — No movimento de baixa, a linha de tendência é a reta que une as duas maiores cotações máximas.

LINHA INTERNACIONAL DA DATA — Linha que acompanha o antimeridiano de Greenwich (180º), atravessando o oceano Pacífico. Por convenção internacional, esse meridiano determina a mudança de data civil em todo o planeta. Ao ultrapassar essa linha, exatamente no ponto em que ela se localiza, tem-se de alterar a data para o dia anterior (a leste) ou seguinte (a oeste) à partida. A hora, no entanto, é a mesma nas duas zonas. É o que acontece no Kiribati, uma pequena nação formada por diversas ilhas no oceano Pacífico, cujo território é dividido pela Linha Internacional da Data. Enquanto no leste do país seus habitantes aproveitam o domingo, na capital, Bairiki, já é segunda-feira. (Ver: Hora legal // Fusos horários do Brasil // Fuso horário.)

LINHA PARTIDÁRIA — Diz-se dos princípios, políticas ou práticas adotadas por um partido ou grupo político. Votar de acordo com linhas partidárias.

LINK — Ligação.

LIQUIDAÇÃO — 1) Ato processual para apurar o valor de uma condenação decorrente de uma sentença judicial, numa fase processual anterior à execução. 2) Ato que cancela obrigações relativas a transferências de fundos ou de valores mobiliários entre duas ou mais partes. Conclusão de uma operação mediante a transferência definitiva dos valores mobiliários e dos fundos entre o comprador e o vendedor. 3) Processo de extinção de obrigações referentes à transferência de recursos financeiros ou títulos entre dois ou mais agentes. 4) Fase do inventário em que o contador do juízo relaciona os bens avaliados, deduz do seu total as dívidas, as custas e despesas judiciais, apura o líquido partível, estabelece o valor de cada cota-parte hereditária e faz o cálculo do imposto de transmissão *causa mortis*. 5) Ato ou efeito de liquidar operações pelas quais uma sociedade mercantil, em fase de dissolução, com o ativo em liquidação, dispõe do seu patrimônio com o ajuste final de suas contas, concluindo as operações que iniciara, fazendo a cobrança de créditos e saldando os seus débitos, e, por fim, distribuindo aos seus sócios o ativo líquido ou os prejuízos que se verificarem, segundo a lei ou contrato social. (Ver: Liquidante.)

LIQUIDAÇÃO ANTECIPADA — Pagamento total de uma dívida antes do prazo fixado em contrato.

LIQUIDAÇÃO BRUTA EM TEMPO REAL — Liquidação de obrigações, uma a uma, em tempo real.

LIQUIDAÇÃO DA DESPESA — Ver Despesa, Liquidação da.

LIQUIDAÇÃO DE SENTENÇA — Procedimento complementar do processo de conhecimento, embora formalmente separado, para preparar a execução de sentença ilíquida que não determinou o valor ou não individualizou o objeto da condenação. A liquidação pode ser: a) por arbitramento, quando se faz necessário exame pericial para apuração do valor da condenação; b) por artigos, quando houver necessidade de se alegar e provar fato novo.

LIQUIDAÇÃO DEFINITIVA — É a extinção de uma obrigação mediante a transferência de fundos ou a transferência de valores mobiliários de maneira irrevogável e incondicional.

LIQUIDAÇÃO DIFERIDA — Liquidação realizada em momento posterior ao de aceitação das operações que dão origem às correspondentes obrigações. Ocorre, ao final do dia, pelo valor líquido compensado.

LIQUIDAÇÃO DO CONTRATO — Ver Contrato, Liquidação do.

LIQUIDAÇÃO EXTRAJUDICIAL — A liquidação extrajudicial e a intervenção são regimes especiais a que instituições financeiras podem ser submetidas pelo Banco Central do Brasil. A Lei nº 6.024, de 1974, regula os procedimentos de intervenção e liquidação.

LIQUIDAÇÃO FINANCEIRA — Designação dada à forma de liquidação de opções e futuros em que o pagamento é efetuado em dinheiro. No mercado de opções é calculada como sendo a diferença entre o preço de liquidação e o de exercício, já no mercado futuro é a diferença entre o preço de ajuste do ativo no dia de liquidação e no penúltimo dia de negociação. O preço de ajuste no dia de liquidação equivale ao preço do ativo no mercado à vista no último dia de negociação do contrato futuro.

LIQUIDAÇÃO INTEGRAL — Modalidade de liquidação do mercado a termo, onde a liquidação, a qualquer tempo, é obtida pelo valor final contratado.

LIQUIDAÇÃO POR COMPENSAÇÃO — Liquidação de contratos em aberto, através do registro de operações inversas.

LIQUIDAÇÃO POR ENTREGA FÍSICA — Consiste na entrega e no recebimento do objeto de negociação pelas partes de um "contrato futuro".

LIQUIDANTE — 1) Instituição financeira detentora da conta Reservas Bancárias na qual podem ser liquidadas operações próprias, de clientes e de instituições não-liquidantes por ele autorizados. 2) É a pessoa encarregada da liquidação, geralmente indicado pelos próprios sócios da sociedade e excepcionalmente pelo juiz. (Ver: Liquidação.)

LIQUIDANTE-PADRÃO — Instituição financeira detentora da conta Reservas Bancárias na qual serão depositados, na rotina de abertura no dia, juros, resgates, amortizações e resultados de recompras e revendas dos títulos vincendos. Nas demais operações, será facultado ao agente não-liquidante escolher outro banco liquidante.

LIQUIDEZ — É a capacidade de pronto pagamento das obrigações assumidas. É o estado de composição patrimonial relativo a dinheiro; capacidade de pagamento de dívidas; valor circulante capaz de ressarcir as dívidas; valor líquido disponível para investimentos; valor transformável em dinheiro. Resumindo: é a rapidez com que um título, ação ou demais tipos de bem podem ser convertidos em dinheiro. Quanto mais rápida esta conversão, maior é a liquidez. O termo pode ser usado, ainda, para definir a capacidade de um país pagar suas dívidas.

LIQUIDEZ CONTÁBIL — Mede a velocidade em que os ativos podem ser transformados em dinheiro.

LIQUIDEZ CORRENTE — Indicador usado na análise financeira de uma empresa, que determina o quanto esta tem a receber no curto prazo em relação a cada unidade monetária que deve pagar no mesmo período. A determinação exata de um índice aceitável depende do setor onde a empresa atua. Quanto mais previsíveis forem os fluxos de caixa de uma empresa, menor será o índice de liquidez corrente exigido. O indicador é calculado como sendo o quociente entre o ativo circulante e o passivo circulante da empresa.

LIQUIDEZ ESTÁTICA — É a que se espelha geralmente nos balanços, evidenciando os meios de pagamento e as necessidades de pagamento.

LIQUIDEZ GERAL — Indicador de análise financeira, utilizado para medir a liquidez de uma empresa. Ao contrário do indicador de liquidez corrente, que indica quanto uma empresa tem a receber em relação ao que deve no mesmo período, este indicador engloba também os ativos e passivos de longo prazo, ou seja, aqueles que serão realizados em um prazo superior a um ano. Este indicador é calculado como sendo o quociente entre a soma do ativo circulante mais o ativo de longo prazo pelo passivo circulante mais o passivo de longo prazo da empresa.

LIQUIDEZ INTRADIA — Fundos a que se pode ter acesso durante um dia útil, geralmente para permitir às instituições financeiras realizar pagamentos em tempo real.

LIQUIDEZ SECA — Assim como o indicador de liquidez corrente, o indicador de liquidez seca reflete a capacidade de uma empresa em cumprir com suas obrigações de curto prazo. A única diferença na fórmula de cálculo é que os estoques são excluídos dos ativos circulantes da empresa. A suposição básica é de que os estoques são ativos menos líquidos e, portanto, devem ser ignorados.

LISBOR — Taxa aplicada no mercado de Lisboa, pelos principais bancos, para remunerar os seus depósitos recíprocos.

LISTA PARTIDÁRIA ABERTA — Ver Eleição - Lista partidária aberta.

LISTA PARTIDÁRIA FECHADA — Ver Eleição - Lista partidária fechada.

LISTA PARTIDÁRIA FLEXÍVEL — Ver Eleição - Lista partidária flexível.

LITERALIDADE — É o atributo do título de crédito pelo qual só vale aquilo que nele está escrito, sendo nulo qualquer adendo, assim por exemplo, se uma pessoa emite uma nota promissória com vencimento para trinta dias, não poderá por meio de outro documento alterar a data do pagamento, pois é direito do credor (beneficiário original ou endossatário) receber no vencimento estipulado.

LITIGANTE — Aquele que propõe ou contesta demanda em juízo acerca de seus interesses e direitos, ou seja, quem é parte de um processo judicial.

LITIGANTE DE MÁ-FÉ — É assim considerada no processo, a parte que: a) deduzir pretensão ou defesa contra texto expresso de lei ou fato incontroverso; b) alterar a verdade dos fatos; c) usar do processo para conseguir objetivo ilegal; d) opuser resistência injustificada ao andamento do processo; e) proceder de modo temerário em qualquer incidente ou ato do processo; f) provocar incidentes manifestamente infundados.

LITÍGIO — Contestação, querela, disputa. No processo, o litígio se forma apenas quando a parte contesta o pedido formulado pelo autor. Não cabe, aqui, a defesa indireta, representada pelas exceções. Havendo ingresso em juízo, há demanda, pedido; havendo contestação, há litígio. Assim, é a controvérsia ou discussão formada em juízo, a respeito do direito ou da coisa, que serve de objeto da ação ajuizada. (Ver: Demanda.)

LITIS CONTESTATIO — [Latim]. Expressão que significa contestação da lide.

LITISCONSÓRCIO — É a reunião de vários interessados num mesmo processo, na qualidade de autores ou de réus, para a defesa de interesses comuns. O litisconsórcio não se confunde, evidentemente, com a cumulação de ações, pois se refere a pessoas que integram uma das partes no pleito. O litisconsórcio pode ser ativo ou passivo, facultativo ou necessário. Será ativo quando os litisconsortes forem autores, passivo quando forem réus. Será facultativo quando a sua formação depender do mútuo consentimento das pessoas que formarão uma das partes, e necessário, se se impuser aos interessados em virtude de lei ou pela natureza da relação jurídica. É a pluralização subjetiva, tanto no pólo ativo como no passivo. Só a Lei dirá a possibilidade de haver litisconsórcio.

LITISCONSÓRCIO ATIVO — Ver Litisconsórcio.

LITISCONSÓRCIO FACULTATIVO — É espécie de litisconsórcio estabelecido pela vontade das partes. Duas ou mais pessoas podem litigar, no mesmo processo, em conjunto, ativa ou passivamente, quando: a) entre elas houver comunhão de direitos ou de obrigações relativamente à lide; b) os direitos ou as obrigações derivarem do mesmo fundamento de fato ou de direito; c) entre as causas houver conexão pelo objeto ou pela causa de pedir e d) ocorrer afinidade de questões por um ponto comum de fato ou de direito. O litisconsórcio facultativo poderá ser limitado pelo juiz quanto ao número de litigantes, quando este comprometer a rápida solução do litígio ou dificultar a defesa. O pedido de limitação interrompe o prazo para resposta, que recomeça da intimação da decisão.

LITISCONSÓRCIO NECESSÁRIO — Ocorre por disposição de lei ou pela natureza da relação jurídica, quando o juiz tiver de decidir a lide de modo uniforme para todas as partes, caso em que a eficácia da sentença dependerá da citação de todos os litisconsortes no processo.

LITISCONSÓRCIO PASSIVO — Ver Litisconsórcio.

LITISCONSORTE — É toda pessoa que, juntamente com outra ou outras, na qualidade de co-autor ou co-réu, também parte na mesma causa, para participar do mesmo destino ou sorte, que solucionar o litígio.

LITISPENDÊNCIA — Tempo de andamento de um processo judicial. Estado da lide ainda não decidida, achando-se pendente de decisão judicial. Litispendência não significa, portanto, identidade de causas, mas sim existência de lide ainda não julgada, em andamento. A identidade de causas é, na verdade, a existência de duas ou mais litispendências, vale dizer, de duas ou mais causas idênticas, que se expressam por objeto, causa e partes idênticas.

LITORAL — É toda a região que se situa entre a plataforma continental e as áreas sob a influência da maré mais alta (mangues, bancos de espartina, praias, costões, estuários etc.). A faixa litorânea é, portanto, sujeita a diferentes medidas e amplitudes, sendo sua ocupação objeto de critérios e normas específicas. Em termos gerais, é a região costeira, beira-mar.

LITOSFERA — Crosta do Planeta Terra; parte da biosfera que consiste na camada superior de rochas que interagem com a hidrosfera e a atmosfera. Em resumo, é a camada sólida que ocupa a superfície do globo terrestre. Possui uma espessura máxima de 70 km e média de aproximadamente 25 km, estreitando-se no fundo dos oceanos, para uma espessura variável entre 2,7 e 3 km.

LITRO — É uma unidade de medir a grandeza volume. No Sistema Métrico Decimal é aceito pelo Sistema Internacional de Unidades. Cada litro corresponde a 1 decímetro cúbico ou também a 0,001 metro cúbico. Como referência, 1 litro de água corresponde aproximadamente a 1 quilograma da mesma substância, uma vez que a densidade da água se aproxima de 1. A milésima parte de um litro (0,001) é o mililitro (ml). A maioria das garrafas tem seu volume escrito no rótulo e gravado no fundo das garrafas, expresso em mililitros (ml), tornando-o uma das medidas volumétricas mais utilizadas. Também estão expressos em ml os volumes de vidros de remédios, mamadeiras, frascos de soro hospitalar etc. (Ver: Quilograma // Jarra // Metro.)

LITURGIA — Complexo das cerimônias eclesiásticas de um culto; rito.

LIVRAMENTO CONDICIONAL — É a liberdade antecipada ao condenado que cumpre uma pena privativa de liberdade superior a dois anos, desde que atendidos os requisitos legais e sob condições judiciais.

IVRE CONVENCIMENTO — Sistema adotado nas leis processua s brasileiras segundo o qual o juiz decide pela sua convicção pessoal, sempre com respeito à apreciação das provas nos autos. Não constitui mero arbítrio, visto que, além de ater-se às provas, o juiz deve demonstrar as razões de seu convencimento e fundamentar a decisão.

LIVRE EMPRESA — Sistema econômico baseado na propriedade privada dos meios de produção e na gestão empresarial livre e autônoma do controle estatal, onde a atribuição dos recursos de produção é realizada de forma descentralizada, obedecendo às decisões de milhares de agentes econômicos que agem guiados pelo seu próprio interesse. Não obstante, o Estado fixa certas leis e normas que regulam os limites de ação dos agentes econômicos privados. Regulamentos que não são discriminados e aos quais todos se devem submeter.

LIVRE-ARBÍTRIO — É o princípio da liberdade absoluta da vontade na escolha do que se quer ou não se quer fazer. Faculdade determinar-se a si mesmo; poder de praticar ou não um certo ato, sem outra razão além do próprio querer.

LIVRE-CAMBISMO — Expressão utilizada em economia para definir o comércio internacional livre de tarifas aduaneiras ou quaisquer outras restrições às importações e exportações. Esta liberdade foi defendida pelos economistas clássicos, com base na doutrina das vantagens absolutas e na doutrina das vantagens comparativas. Atualmente, é defendida como uma forma de atingir a especialização internacional e a maximização do bem-estar mundial em nome do desenvolvimento econômico. Na prática o livre-cambismo não existe, mesmo nas uniões aduaneiras, porquanto as mesmas podem encerrar diversas formas de protecionismo (Ex.: É o caso da União Européia e os critérios de imposição do controle de qualidade dos produtos importados).

LIVRO — 1) Obra literária, científica ou artística, apresentada em um volume. 2) Registro para certos tipos de anotações. 3) Parte de uma norma jurídica, formada pelo conjunto de títulos.

LIVRO CONTA CORRENTE — Serve para controlar as contas que representam direitos e obrigações para a empresa; é o auxiliar do razão.

LIVRO DE REGISTRO DE AÇÕES NOMINATIVAS — É um livro mantido pelas sociedades anônimas para a identificação do proprietário de ações nominativas, bem como a averbação das transferências de propriedade e os direitos sobre elas constituídos.

LIVRO DIÁRIO — Livro básico que registra toda a escrituração contábil do dia-a-dia da atividade empresarial e, por isso mesmo, a sua utilização é indispensável. Os livros ou fichas do Diário, bem como os livros auxiliares, deverão conter termos de abertura e de encerramento, e ser submetidos à autenticação no órgão competente do Registro do Comércio, e, quando se tratar de sociedade empresária, no Registro Civil de Pessoas Jurídicas ou no Cartório de Registro de Títulos e Documentos, quando se tratar de sociedade simples. Embora o livro Diário deva ser escriturado diariamente (e não é por outra razão que tem o nome que tem), constitui prática reiterada da autoridade administrativa tributária aceitar partida mensal. A partida mensal compreende lançamento, feito de uma só vez ao fim de cada mês, de operações da mesma natureza desdobradas em livros ou registros auxiliares, ou discriminadas pelos dias de ocorrência no lançamento único que as compreende. Os lançamentos de custos não fogem à regra: podem ser feitos mensalmente ou em períodos menores, desde que apoiados em comprovantes e demonstrativos adequados. Pode ser utilizada a escrituração resumida, em que se transportam para o Diário somente os totais mensais, fazendo-se referência das páginas em que as operações se encontram lançadas nos livros auxiliares devidamente registrados. Com relação às contas estáticas e de movimentação eventual, os lançamentos correspondentes devem figurar no Diário com individuação e clareza, de modo a permitir, em qualquer momento, a perfeita identificação dos fatos descritos. Para fins de apuração do lucro real (Imposto de Renda e Contribuição Social sobre o Lucro), a administração fiscal desclassifica a escrita e arbitra o lucro se o contribuinte não o possui, ou não o escritura, já que a falta do Diário equivale à inexistência de escrituração. (Ver: Sociedades Civis e Sociedades Comerciais // Sociedade simples // Sociedade empresária.)

LIVRO FISCAL — Representam a escrituração de documentos ligados ao fisco municipal, estadual e federal para exibição e controle da entidade mercantil.

LIVRO-CAIXA — Livro onde são registrados todos os fatos de administração que envolvam entradas e saídas de numerário.

LIVRO-RAZÃO — Livro no qual é registrado o detalhamento, por conta, dos lançamentos realizados no diário. A pessoa jurídica tributada com base no lucro real deverá manter, em boa ordem e segundo as normas contábeis recomendadas, Livro-Razão ou fichas utilizados para resumir e totalizar, por conta ou subconta, os lançamentos efetuados no Diário, mantidas as demais exigências e condições previstas na legislação A escrituração deverá ser individualizada, obedecendo à ordem cronológica das operações. A não manutenção do Livro-Razão nas condições determinadas implicará o arbitramento do lucro da pessoa jurídica. Estão dispensados de registro ou autenticação.

LIVROS SOCIETÁRIOS — Representam a movimentação das atividades sociais previstas em lei e/ou nos estatutos.

LIVROS TRABALHISTAS — Representação das anotações e registros dos empregados de acordo com a legislação.

LIXÃO OU VAZADOUROS — Local onde os resíduos são depositados diretamente no solo, sem qualquer medida de controle, com sérios impactos ao meio ambiente e à saúde, como proliferação de doenças e contaminação do solo e da água pelo chorume (líquido resultante da decomposição). (Ver: Aterro Controlado // Aterro Sanitário.)

LIXO – PIRÓLISE — É um processo que tem como principal aplicação o tratamento e a destinação final do lixo, sendo energeticamente auto-sustentável, não necessitando de energia externa. O processo de pirólise pode ser genericamente definido como sendo o de decomposição química por calor na ausência de oxigênio, e o seu balanço energético é positivo, ou seja produz mais energia do que consome. Os resíduos que alimentam o reator pirolítico podem ser provenientes do lixo doméstico, do processamento de plásticos e industriais. O processo consiste da trituração destes resíduos que deverão ser previamente selecionados, após esta etapa serão destinados ao reator pirolítico onde através de uma reação endotérmica ocorrerão as separações dos subprodutos em cada etapa do processo.

LIXO — Resíduos sólidos produzidos e descartados, individual ou coletivamente, pela ação humana, animal ou por fenômenos naturais, nocivos à saúde, ao meio ambiente e ao bem-estar da população. (Ver: Compostagem // Biodigestor.)

LIXO DOMICILIAR — Também denominado lixo residencial ou doméstico, é constituído, em geral, por sobras de alimentos, invólucros, papéis, papelões, vidros, trapos etc. (Ver: Compostagem // Biodigestor.)

LIXO ORGÂNICO — Restos de vegetais, animais e outros materiais que podem ser usados como adubo quando decompostos. (Ver: Compostagem // Biodigestor.)

LIXO PÚBLICO — É o originado dos serviços de limpeza urbana, incluindo todos os resíduos de varrição das vias públicas, limpeza das praias, de galerias, de córregos de terrenos, restos de podas de árvores etc.; limpeza de áreas de feiras livres constituídas por restos vegetais diversos, embalagens etc. (Ver: Compostagem // Biodigestor.)

LIXO RADIATIVO — Refugo com presença de material radiativo (resíduo).

LIXO RECICLÁVEL — Materiais como vidro, plástico, papel etc., que podem ser reaproveitados para fabricação de novos produtos.

LIXO TÓXICO — Que contém materiais nocivos à saúde de seres vivos.

LOA — Ver Lei Orçamentária Anual.

LOAS — Ver Lei Orgânica da Assistência Social.

LOBBY — Termo em inglês que significa, literalmente, "vestíbulo" ou "ante-sala", mas que se refere à atividade que procura influenciar os detentores de poder decisório como, por exemplo, o Executivo, o Legislativo e o Judiciário, visando ao atendimento de interesses específicos de grupos. Essa atividade desenvolveu-se particularmente no Legislativo dos Estados Unidos, onde foi regulamentada em 1946. No Brasil, embora não exista legislação específica regulamentando a atividade, esses grupos e escritórios de "lobistas" proliferam, especialmente em Brasília, exercendo em alguns casos grande influência sobre a aprovação ou rejeição de projetos de lei pelo Congresso Nacional.

LOBISMO — Atividade desenvolvida pelos *loobies*. (Ver: *Lobby*.)

LOBISTA — Pessoa que representa os interesses de um grupo e tenta conseguir a aprovação ou rejeição de medidas e projetos de lei de acordo com esses interesses.

LOC. CIT. — Ver *Lócus Citatus*.

LOCAÇÃO — 1) Ato ou efeito de alugar. Contrato feito entre o locador e o locatário, aquele se obrigando a dar a este, por preço e tempo determinados, o uso e gozo de coisa não fungível ou o produto de seu trabalho. As normas de locação mercantil não se aplicam aos imóveis urbanos, que são regidos pela Lei nº 8.245, de 1991 (Lei de Inquilinato). 2) A medida de locação refere-se ao ponto em torno do qual os dados estão distribuídos. É uma medida de posição. Exemplo: a Média. 3) Marcação, por mensuração, do terreno a ser ocupado por uma obra. (Ver: Aluguel.)

LOCAÇÃO DE MÃO-DE-OBRA — Ver Despesas com Locação de Mão-de-obra.

LOCAÇÃO IMOBILIÁRIA — O mesmo que aluguel.

LOCAÇÃO MERCANTIL — É um contrato pelo qual uma das partes se obriga a dar à outra, por determinado tempo e preço certo, o uso de alguma coisa, ou do seu trabalho.

LOCADOR — Aquele que, no contrato de locação, se obrigou a oferecer um bem imóvel ou a prestar um serviço. Proprietário de um imóvel ou seu representante que aluga um imóvel a outra pessoa, o locatário. Locador é sinônimo de senhorio. (Ver: Aluguel // Locação.)

LOCAL DE INTERESSE TURÍSTICO — São trechos do território nacional, compreendidos ou não em áreas especiais, destinados por sua adequação ao desenvolvimento de atividades turísticas, e à realização de projetos específicos, e que compreendam: a) bens não sujeitos a regime específico de proteção; b) os respectivos entornos de proteção e ambientação.

LOCALIZAÇÃO MUNICIPAL — Refere-se à posição do município em relação ao contexto do Estado.

LOCATÁRIO — Aquele que se obrigou, no contrato de locação, a receber o bem alugado ou a prestação de serviços. Pessoa que aluga um imóvel e paga o aluguel e outras taxas. Também chamado de inquilino.

LOCKOUT — Paralisação do trabalho de uma empresa, por iniciativa dos patrões, até que se consiga um acordo com os trabalhadores. (Ver: Dissídio.)

LOCUPLETAMENTO — O mesmo que enriquecimento ilícito, injustificado, à custa alheia ou de situação da qual não devia tirar proveito pessoal.

LOCUPLETAR — Tornar rico; enriquecer; saciar; encher-se.

LOCUS CITATUS — [Latim]. Expressão que significa lugar (livro ou página) citado. Nas citações (livro ou página) usa-se a forma abrevida *Loc.cit*.

LOCUTÓRIO — É o compartimento separado por grades, donde falam as pessoas recolhidas em conventos, prisões etc. com as de fora que as procuram.

LÓGICA — Encadeamento regular ou coerente das idéias e das coisas. É o estudo sistemático da argumentação, isto é, das conclusões a que se chegam através da apresentação de evidências que a sustentam. Tradicionalmente, lógica é também a designação para o estudo de sistemas prescritivos de raciocínio, ou seja, sistemas que definem como se "deveria" realmente pensar para não errar, usando a razão, dedutivamente e indutivamente.

LÓGICA FORMAL — Também chamada de Lógica Simbólica preocupa-se basicamente com a estrutura do raciocínio. A Lógica Formal lida com a relação entre conceitos e fornece um meio de compor provas de declarações. Na Lógica Formal os conceitos são rigorosamente definidos, e as sentenças são transformadas em notações simbólicas precisas, compactas e não ambíguas. (Ver: Lógica informal // Lógica material.)

LÓGICA INFORMAL — Preocupa-se basicamente com a estrutura do raciocínio válido, independentemente de ser susceptível de formalização ou não.

LÓGICA MATERIAL — Trata da aplicação das operações do pensamento, segundo a matéria ou natureza do objeto a conhecer. Neste caso, a lógica é a própria metodologia de cada ciência. É, portanto, somente no campo da lógica material que se pode falar da verdade: o argumento é verdadeiro quando as premissas são verdadeiras e se relacionam adequadamente à conclusão.

LÓGICA SIMBÓLICA — Ver Lógica formal.

LOGÍSTICA — Provisão dos recursos necessários à execução de qualquer atividade. Sistema de administrar qualquer tipo de negócio de forma integrada e estratégica, planejando e coordenando todas as atividades, otimizando todos os recursos disponíveis, visando ao ganho global no processo no sentido operacional e financeiro.

LOGÍSTICA EMPRESARIAL — Trata-se de todas as atividades de movimentação e armazenagem que facilitam o fluxo de produtos desde o ponto de aquisição da matéria-prima até o ponto de consumo final, assim como dos fluxos de informação que colocam os produtos em movimento, com o propósito de providenciar níveis de serviço adequados aos clientes a um custo razoável.

LOGÍSTICA MILITAR — Conjunto de atividades relativas à previsão e à provisão dos recursos de toda natureza, necessários às Forças Armadas.

LOGÍSTICA NACIONAL — Conjunto de atividades relativas à previsão e à provisão dos meios necessários à realização das ações impostas pela Política Nacional de Segurança.

LOGOMARCA — Ou apenas marca, símbolo visual, figurativo ou emblemático identificador de uma empresa. Símbolo gráfico que identifica o produto ou serviço. (Ver: Logotipo.)

LOGOTIPO — É a junção de letras numa matriz, geralmente do mesmo tipo, formando sigla ou palavra, utilizada habitualmente para definir uma marca comercial ou de fabrico; marca constituída por grupo de letras, sigla ou palavra identificadora de uma instituição, empresa etc. (Ver: Logomarca.)

LOGRADOURO — Denominação genérica de qualquer rua, avenida, alameda, praça, largo, travessa, beco, jardim, ladeira, parque, viaduto, ponte, galeria, rodovia, passagem de pedestre, estrada ou caminho de uso comum da população.

LOGRADOURO PÚBLICO — Espaço livre, reconhecido pelo Poder Público, destinado à circulação pública de veículo e pedestres. São as ruas, as praças, os bosques, as alamedas, as travessas, as passagens, as galerias, as pontes, as praias, os jardins, os becos, os passeios, as calçadas, as estradas e qualquer via de circulação aberta ao público no território do município.

LONGITUDE — Ou meridianos são as linhas que partem do meridiano de Greenwich (0º) - desde 1884 adotado por um acordo internacional como meridiano de origem – até 180º a oeste e a leste e convergem para os pólos. A linha imaginária ganha esse nome porque passa pelo antigo observatório da cidade de Greenwich, situada perto de Londres, no Reino Unido. Os meridianos são usados para determinar os fusos horários ao longo do globo terrestre. O primeiro fuso encontra-se entre 7º30' a leste e a oeste de Greenwich. A cada 15º leste desse intervalo se acrescenta uma hora e a oeste se diminui uma hora. Com relação ao Meridiano de Greenwich, considerado como o meridiano zero, a distância angular em graus deverá indicar se está sendo medida na direção leste ou oeste. (Ver: Linha internacional de data // Meridiano.)

LONGITUDE DA SEDE DO MUNICÍPIO — É a distância medida em graus da sede do município em relação ao meridiano inicial de Greenwich.

LONGO PRAZO — É o período no qual todos os custos e fatores de produção podem ser alterados. Na contabilidade é um período que se estende por mais de um exercício. Período superior a um ano. (Ver: Curto prazo.)

LONGO PRAZO (MACROECONOMIA) — É o período no qual está assegurado o pleno emprego, na medida em que não fica nenhum recurso por empregar, nem fica nenhum trabalhador por admitir. Neste período o valor da moeda é insusceptível de ter repercussões reais, isto é, repercussões que não se cinjam ao mero plano das variações de preços - desta forma, fala-se em neutralidade da moeda. O longo prazo em macroeconomia é representado por uma curva da oferta agregada vertical.

LONGO PRAZO (MICROECONOMIA) — É o período no qual, em face de um nível de preços estável, a oferta dos fatores de produção se ajusta à procura estabelecida. É neste período que se disponibiliza um maior conjunto de alternativas para a empresa (maior elasticidade) em virtude da possibilidade de expansão de todos (produção em escala) os fatores de produção disponíveis (evitando, assim, custos relativos crescentes e rendimentos marginais decrescentes).

LOTAÇÃO — Força de trabalho, em seus aspectos qualitativo e quantitativo, necessária ao desempenho de atividades normais e específicas de uma ou de várias unidades administrativas.

LOTE — 1) Quantidade de títulos de características idênticas. 2) Quantidade definida de itens de um só tipo e de mesmas características, proveniente de uma única origem. 3) Parte de terra demarcada que, juntamente com outras contínuas, num mesmo plano e obedecendo a uma medição mínima estabelecida por lei Federal, Estadual ou Municipal, constitui o loteamento. É unidade imobiliária autônoma e independente. Porção de terreno assegurada por título de propriedade que é utilizada para fins de construção de um bem imóvel.

LOTE FRACIONÁRIO — Quantidade de ações inferior ao lote-padrão.

LOTE LINDEIRO — Aquele situado ao longo das vias urbanas ou rurais e que com elas se limita.

LOTE REDONDO — Lote totalizando um número inteiro de lotes-padrão.

LOTEAMENTO — Processo de urbanização que consiste na divisão de glebas em lotes, objetivando a edificação, com a abertura de logradouros públicos, novas vias de circulação, modificação ou ampliação das vias já existentes, ou seja necessita-se criar toda uma infra-estrutura, custeada pelo loteador. Deve-se incluir áreas para doação, onde serão implantados equipamentos comunitários (escola, praça, parques etc.).

LOTEAMENTOS IRREGULARES E CLANDESTINOS - DIFERENÇA — Os loteamentos irregulares cumprem parcialmente as normas de ocupação do solo, enquanto os clandestinos as desrespeitam completamente. Ocupados por residências e estabelecimentos que não têm existência reconhecida pelo Poder Público, esses terrenos não possuem valor no mercado imobiliário, sendo a alternativa de compra de imóvel acessível para a população de baixa renda. Além de não contarem com infra-estrutura mínima, os loteamentos clandestinos ocorrem em áreas desfavoráveis à ocupação, em terrenos com solos frágeis, sujeitos à erosão e ao desmoronamento. Sua implantação diminui as áreas verdes das cidades e compromete as condições dos mananciais de água que as abastecem.

LOTEAR — Significa repartir uma área em conjuntos de lotes (quarteirões) limitados por vias públicas (ruas, avenidas etc.) e com locais destinados para praça e escola.

LOTE-PADRÃO — Lote de títulos de características idênticas e em quantidade prefixada pela Bolsa de Valores.

LOUCOS DE TODO O GÊNERO — Estão incluídos, na lei civil, entre os absolutamente incapazes de exercer os atos da vida civil. Do ponto de vista penal são irresponsáveis ou têm sua imputabilidade diminuída, conforme o caso. Não podem ser admitidos como testemunhas. Estão sujeitos à curatela, assim como os psicopatas, toxicômanos e viciados em substâncias que causem dependência física ou psíquica. No caso de loucura furiosa, o Ministério Público providenciará sua interdição; antes de autorizá-la, o juiz examinará pessoalmente o argüido de incapacidade, ouvindo profissionais sobre o caso. Os loucos, se impossível ou inconveniente mantê-los em casa, ou por exigência de seu tratamento, serão internados em estabelecimentos adequados. Eles são incapazes de testar, incluídos os que, ao testar, não estejam em seu perfeito juízo; também não podem ser testemunhas em testamento.

LOVE MONEY — É o capital inicial com que os empreendedores contam para iniciar seu negócio sem contrair encargos financeiros, em geral oriundo de suas poupanças pessoais ou de seus familiares.

LSD — Ver Entorpecente - LSD.

LUCRATIVIDADE — Ganho líquido total propiciado por um título ou bem. Em bolsa, o lucro líquido proporcionado por uma ação, resultante de sua valorização em pregão em determinado período e do recebimento de proventos - dividendos, bonificações e ou direitos de subscrição - distribuídos pela empresa emissora, no mesmo intervalo de tempo.

LUCRATIVIDADE MÉDIA — Média das várias lucratividades alcançadas por um título em diversos períodos.

LUCRO — Remuneração advinda de uma operação. O lucro é o resultado de receita menos despesa, dentro de um contexto empresarial. É diferença entre a receita e o custo de produção. Quando nesta conta estão incluídos os gastos com insumos, energia e outras despesas, mais impostos e remuneração dos empregados, obtém-se o lucro bruto. Subtraindo-se deste resultado a desvalorização patrimonial (como máquinas e equipamentos) e as despesas financeiras (pagamento de juros de empréstimos), chega-se ao lucro líquido.

LUCRO ANTES DO IMPOSTO DE RENDA (LAIR) — É uma medida do lucro da empresa, baseada em sua capacidade de gerar receita com sua atividade e na forma como ela se relaciona com o mercado financeiro. Ou seja, se a empresa é superavitária, o LAIR mede os ganhos obtidos com a empresa na forma de juros. Se a empresa tiver dívidas e recorrer ao mercado financeiro, o LAIR também mostra como o pagamento de juros está refletindo no lucro da empresa. Através do Demonstrativo de Resultado do Exercício (DRE) da empresa, chega-se ao LAIR.

LUCRO ANTES DOS JUROS E IMPOSTO DE RENDA (LAJIR) — É uma indicação precisa do desempenho da empresa somente no seu negócio principal. Pelo DRE, também pode-se chegar ao LAJIR. Por não considerar os ganhos e perdas com os juros, o LAJIR mede o lucro da empresa em sua atividade principal.

LUCRO BRUTO — É o resultado apurado do total de receitas menos o total de despesas de uma empresa, não considerando a dedução de imposto de renda e as participações.

LUCRO CESSANTE — Ganho que alguém deixou de obter sobre coisa a que tinha direito por culpa ou inexecução de obrigação por outrem. Privação de lucro previsto; efeito danoso, imediato e indireto, de ato ilícito. (Ver: Dano emergente // Dano negativo.)

LUCRO ECONÔMICO — É o lucro obtido após a dedução do custo de todo capital investido. Calcula-se: Lucro Econômico = Lucro Operacional após IR (-) Custo do Capital Investido. Espera-se, como melhor prática, que as demonstrações financeiras sejam atualizadas monetariamente. Lucro econômico também é conhecido como lucro residual, EVATM, GVA, entre outros.

LUCRO LÍQUIDO — É o saldo que resulta após a dedução de imposto de renda e diversas participações sobre o Lucro Bruto.

LUCRO LÍQUIDO POR AÇÃO — Ganho por ação obtido durante um determinado período de tempo, calculado através da divisão do lucro líquido de uma empresa pelo número existente de ações.

LUCRO MARGINAL NULO — Expressão utilizada em economia para definir a igualdade entre os rendimentos marginais (constantes, nos mercados concorrenciais e decrescentes nos mercados de concorrência imperfeita) e os custos marginais (crescentes), que se reporta à maximização da produção, isto é, o ponto a partir do qual a empresa passa a suportar mais custos que benefícios, dado os fatores de produção disponíveis.

LUCRO MÉDIO EXTRAORDINÁRIO — Em economia representa a diferença positiva entre o rendimento médio e os custos médios, próprios dos mercados monopolistas, oligopolistas cartelizados e de concorrência monopolística.

LUCRO NORMAL — Representa o montante mínimo de ganhos que uma empresa deve auferir para permanecer no mercado e não mudar de atividade. Se uma empresa aufere ganho além do lucro normal, pode dizer-se que tem poder de mercado (Exemplo: no mercado monopolista, se adicionarmos ao lucro normal a renda econômica, ou o lucro puro monopolista, apura-se a existência de lucro supranormal).

LUCRO OPERACIONAL — Lucro derivado da diferença das receitas e despesas diretamente ligadas à produção.

LUCRO PATRIMONIAL — Termo usado no mercado segurador que denomina o lucro bruto obtido das receitas financeiras derivadas da aplicação dos recursos da carteira de investimentos da seguradora, menos as despesas correspondentes a estas receitas.

LUCRO REAL — Do ponto de vista financeiro, é o lucro nominal de uma empresa deflacionado por um índice oficial de variação de preços. Do ponto de vista tributário, é aquele correspondente ao lucro líquido do exercício ajustado pelas adições ou compensações prescritas ou autorizadas legalmente e sobre o qual incide o Imposto de Renda.

LUCRO REINVESTIDO — São os lucros apresentados pela empresa no final do período não distribuídos aos acionistas; em vez disso eles são destinados a novos investimentos no crescimento da empresa.

LUCRO RETIDO — É parte do lucro apurado ao final do período que fica com a empresa, distribuindo apenas parte de seus lucros a seus acionistas na forma de dividendos. Funciona como uma reserva para momentos difíceis e para o pagamento, quando conveniente, dos juros sobre capital próprio.

LUCRO TRIBUTÁVEL — No caso do Imposto de Renda, lucro real; no caso da Contribuição Social Sobre o Lucro Líquido (CSLL), base de cálculo da CSLL.

LUGARES DE INTERESSE AMBIENTAL — São locais da cidade situados ou não em Áreas Especiais, onde ocorre um conjunto de elementos culturais ou naturais relacionados entre si e que por seu valor são passíveis de uma ação de preservação.

LÚMPEN PSÍQUICO — Pobreza de consciência. Miséria de alma. Sem consciências. Consciente precário, subconsciente poluído e inconsciente animalesco.

LUSTRO — Período de cinco anos.

LUVAS — Pagamento de importância que acresce ao aluguel, a título de compensação pelo valor do ponto, na locação comercial. Constitui contravenção penal - com pena de prisão ou multa revertida em favor do locatário - exigir, por motivo de locação ou sublocação, quantia ou valor além do aluguel e encargos permitidos. São nulas de pleno direito cláusulas contratuais que estipulem pagamento de luvas.

LUXÚRIA — Lascívia, libertinagem e depravação. Brincadeira sexual com licenciosidade. Corrupção sexual.

M

M1 — Total de dinheiro em poder do público, em espécie e em depósitos bancários à vista. É o chamado Meio Circulante ou Base Monetária.

M4 — Conceito econômico que engloba todos os ativos financeiros, como, por exemplo, dinheiro em poder do público, depósitos bancários à vista, caderneta de poupança, FIF e fundos em geral, CDB/RDB, aplicações em bolsa, títulos da dívida pública, bens em geral (imóveis, veículos, jóias, obras de arte etc.), derivativos, títulos, ouro etc.

MÁ INTENÇÃO — Formação ética defeituosa que contribui para o propósito doloso, traição, manipulação, má-fé e perversidade. (Ver: Boa-fé // Má-fé.)

MACARÉU — O mesmo que pororoca. (Ver: Pororoca.)

MACD (*MOVING AVERAGE CONVERGENCE/ DIVERGENCE*) — Este indicador técnico é calculado subtraindo-se o valor de duas médias móveis: de 26 dias e de 12 dias. O MACD indica a diferença entre as expectativas de curto e de longo prazo.

MACH — Razão entre a velocidade de um móvel e a do som, no meio considerado.

MACIÇO — Bloco da crosta terrestre limitado por falhas ou flexões e soerguido como uma unidade, sem modificação interna.

MACONHA — Ver Entorpecente - Maconha.

MACROCLIMA — Ver Microclima.

MACRODRENAGEM — Drenagem executada em rios com vazão acima de 10,00 m^3/s.

MACROECONOMIA — Termo da literatura econômica moderna que define uma abordagem da análise econômica desenvolvida com base no estudo de quantidades globais ou de agregados. A análise procura garantir a manutenção do pleno emprego dos recursos disponíveis dos sistemas econômicos. Ocupa-se ainda das condições necessárias ao desenvolvimento econômico bem como de seus significados, custos e benefícios. Procura também determinar as causas e os efeitos da inflação e das elevações gerais dos níveis de preços como um todo.

MACROPREÇOS — São os preços determinados por variáveis macroeconômicas.

MACRORREGIÃO — Região extensa com características naturais gerais mais ou menos homogêneas, em contraposição à microrregião. Ex.: Regiões Norte ou Sudeste do Brasil.

MACROZONAS — São grandes zonas formadas por conjuntos de Unidades de Estruturação Urbanas (UEUs) que apresentam características peculiares quanto a aspectos socioeconômicos, paisagísticos ou ambientais.

MÁCULA — Mancha; nódoa. Desonra; infâmia.

MADE IN — Expressão de língua inglesa, correspondente na língua portuguesa a "fabricado em", "produzido em", "feito em", com vocação de generalização internacional. A expressão é usada juntamente com o nome do país onde a mercadoria é produzida.

MÁ-FÉ — Vontade consciente, ânimo, predisposição ou estado de quem, voluntariamente, pratica ato, em proveito próprio, para induzir alguém em erro, ou para lhe causar prejuízo. Decorre do conhecimento do mal, que se encerra no ato executado, ou do vício contido na coisa, que se quer mostrar como perfeita, sabendo-se que não é. Revelada pela ciência do mal, certeza do engano ou do vício, contido no ato ou conduzido pela coisa. Assim, se pelas circunstâncias que cercam o fato ou a coisa se verifica que a pessoa tinha conhecimento do mal, estava ciente do engano ou da fraude, contido no ato, e, mesmo assim, praticou o ato ou recebeu a coisa, agiu de má-fé, o que importa dizer que agiu com fraude ou dolo. Consciência da própria fraude, malícia. A má-fé precisa sempre ser provada. Responde por perdas e danos aquele que pleitear má-fé como autor, réu ou interveniente. (Ver: Boa-fé // Má-intenção.)

MAGAZINE — Loja onde se vende vários artigos e mercadorias.

MAGISTÉRIO — Vocábulo empregado para designar o cargo e função do professor. (Ver: Educação - Professor // Educação - Educador // Educação - Profissionais do magistério // Educação - Corpo Docente.)

MAGISTRADO — Função de mando ou para designar aquele que a exerce, *aui magis potest*, isto é, que manda, que ordena, que dirige. Todo aquele que se acha investido da mais alta autoridade político-administrativa. O presidente da República é o primeiro "magistrado" da nação. Em sentido mais restrito, é aquele a quem foram delegados poderes, na forma da lei, para administrar a justiça.

MAGISTRATURA — Designa o corpo ou classe de magistrados. É o corpo de juízes que constituem o Poder Judiciário. Assim, diz-se magistratura brasileira em alusão à totalidade de juízes ou magistrados pertencentes ao poder judicial federal e aos poderes judiciais estaduais.

MAGMA — Material natural, de constituição fluída, gerado no interior da terra, o qual pode deslocar-se de grandes profundidades até a superfície. Quando se solidifica em profundidade, origina as rochas intrusivas ou plutônicas e, na superfície, as rochas extrusivas ou vulcânicas.

MAGNETISMO TERRESTRE — Campo magnético do Planeta Terra, funcionando como um grande e homogêneo ímã. A intensidade total é dividida em dois componentes: intensidade vertical e intensidade horizontal. O magnetismo terrestre pode induzir campos secundários nas diferentes rochas, dependendo principalmente da susceptibilidade magnética de certos minerais (magnetita).

MAGNETÔMETRO — Instrumento para medição de variações de um campo magnético.

MAGNETOSFERA — Região que engloba o campo magnético de um planeta.

MAGNITUDE DA CIRCUNSCRIÇÃO — Ver Eleição - Magnitude da circunscrição

MÁGOA — Sentimento complexo em sua formação. É um sentir-se machucado por ofensa e desconsideração. É um misto de raiva, tristeza, inconformismo e ansiedade com tendência ao ódio e vingança após o ressentimento e decepção. A certeza do estímulo causador da mágoa, seja desconsideração, desencorajamento, preterição, infidelidade ou ofensa, gera um sentimento de inconformismo, tristeza e chateação que não dá para esquecer ou perdoar de pronto. Enquanto isso não ocorre, é mágoa.

MAIOR — Ver Maioridade.

MAIORIA — 1) O maior número; a maior parte. 2) Pluralidade de votos em um sufrágio, assembléia, sociedade, corporação etc. vencer por maioria de votos. 3) Numa eleição, a diferença entre o número de votos obtidos pelo vencedor e pelo candidato ou partido que vem em segundo lugar. 4) A bancada ou o bloco com maior número de senadores, deputados ou vereadores. 5) O partido político que tem o maior número de pessoas eleitas tanto na Câmara quanto no Senado. 6) Partido ou aliança de partidos que, no parlamento, compreende o maior número de votos.

MAIORIA ABSOLUTA — 1) Número igual ou superior à metade mais um dos membros de uma instituição colegiada. Primeiro número inteiro superior à metade dos membros de uma instituição colegiada. 2) Constitui-se por um número que corresponda a mais da metade de todos os membros da Casa Legislativa, contando-se os presentes e os ausentes à sessão. É o quórum de aprovação de determinadas matérias, como os projetos de Lei Complementar, segundo o qual a proposição será aprovada se obtiver votos favoráveis de metade mais um dos membros da Casa Legislativa. Assim, nas votações por maioria absoluta, não se leva em consideração o número de presentes, mas o número total de integrantes da Casa Legislativa. Logo, a maioria absoluta é sempre um número fixo. Exemplo: A Câmara dos Deputados contabiliza atualmente 513 deputados federais. Como a metade de 513 é 256,5, a maioria absoluta será 257, enquanto no Senado Federal será de 41 senadores, já que são 81 Senadores da República, independentemente do número de parlamentares presentes à sessão. (Ver: Maioria simples // Quórum de presença para deliberação.)

MAIORIA PARLAMENTAR — Constitui a maioria o partido ou bloco parlamentar integrado pela maioria absoluta dos membros da Casa. Se nenhuma representação atingir a maioria absoluta, assume as funções regimentais e constitucionais da maioria o partido ou bloco parlamentar com o maior número de representantes. (Ver: Maioria absoluta.)

MAIORIA QUALIFICADA — Ver Maioria simples.

MAIORIA RELATIVA — Superioridade numérica simples de votos. Receber a maioria relativa dos votos. (Ver: Maioria simples.)

MAIORIA SIMPLES — Corresponde à maioria de votos, desde que presente a maioria absoluta dos membros de um determinado colegiado. Quorum de aprovação para as matérias em geral. Aqui se leva em consideração o número de presentes, sendo, portanto, um número variável. Ex.: Havendo quórum na Câmara dos Deputados (257 parlamentares), as deliberações são tomadas por maioria de votos. Comparecendo 300 deputados à sessão, será necessário que 151 votem a favor para que o projeto seja aprovado. É o mesmo que maioria qualificada. (ver Maioria absoluta.)

MAIORIDADE — Na terminologia do Direito Civil é empregado para designar o estado da pessoa que atingiu a idade necessária para que se diga maior e adquira a plena capacidade civil, para que possa dirigir sua pessoa e administrar livremente seus bens. Pelo nosso novo código, a capacidade civil começa aos 18 anos de idade. Também se inicia ao 18 anos, a maioridade penal. Fica assim abolida a necessidade de autorização do pai ou responsável para casamento, abertura de empresas e compras a crédito, assim como todos os atos da vida civil. Também aos 18 anos pode a pessoa adotar e ser processada para pagar indenização por acidente de trânsito, por exemplo. A idade do cidadão apto a eleger seus representantes no legislativo e dirigentes executivos se inicia aos 16 anos, com voto facultativo até completar 18 anos.

MAIORIDADE PENAL — A lei determina que as regras do Código Penal só podem ser aplicadas a quem tiver mais de 18 anos. Para quem tiver menos de 18 anos, devem ser aplicadas as medidas sócio-educativas previstas no Estatuto da Criança e do Adolescente (ECA).

MAIS-VALIA — Teoria formulada por Karl Marx (1818-1883), segundo a qual, no regime capitalista, o capital tende a aumentar indefinidamente pela exploração que o sistema lhe permite exercer sobre o trabalho. Se o trabalhador contratado para oito horas fornece em cinco o produto necessário ao custeio de sua manutenção, as três horas restantes constituem um produto excedente, isto é, a mais-valia, de que o patrão se apropria por ser o dono dos meios de produção. (Ver: Marxismo.)

MAJORANTE — É o mesmo que agravantes; circunstâncias que agravam a pena. Estão previstas pelos arts. 61 e 62, do Código Penal, cujo rol é taxativo (não admite ampliação).

MAJORITÁRIO — Aquele que detém a maioria.

MAL — Imperfeito, insuficiente. Com defeito. De forma ofensiva, caluniosa. Contra o que deve ser; contra a moral; contra o direito e a justiça. Cruelmente; violentamente. Tudo o que fere, incomoda ou prejudica. Tudo o que é oposto ao bem. Tudo o que se desvia da honestidade e da moral. Calamidade; desgraça; infortúnio; prejuízo. Aflição; angústia; padecimento moral.

MAL MORAL — É o mal que resulta das más ações humanas.

MAL NATURAL — É o mal que acontece na natureza; por exemplo, cheias e furacões.

MALA-DIRETA — Propaganda de produto e/ou serviço enviada pelo correio ou meio eletrônico.

MALÁRIA — Ver Saúde - Malária.

MALDADE — Qualidade de mau. Ação má ou ruim. Iniqüidade; perversidade; crueldade.

MALHA FINA — Termo usado para denominar as declarações de Imposto de Renda que foram entregues com erros nas informações prestadas, ou que não foram checadas devido ao aumento no volume de declarações. Também pode ser vista como a fila de espera para o recebimento das restituições.

MALHA VIÁRIA — É o conjunto de vias do Município, classificadas e hierarquizadas de acordo com os padrões estabelecidos no seu Plano Diretor de Desenvolvimento Urbano e Ambiental (PDDUA).

MALHAS ALGEDÔNICAS — Termo usado para descrever retroalimentação para os organismos vindas do meio ambiente.

MALÍCIA — Tendência para o mal. Interpretação tendenciosa. Dissimulação. Astúcia; manha. Satírico.

MALOGRO — É o que veio independente da vontade própria do agente. O malogro pode ser acidental, caso fortuito, e pode ser provocado ou intencional. O acidental é o que se gera de fato imprevisto, fato natural, imprevisível e irresistível. O provocado é o que provém de ato intencional de alguém, foi propositado ou malicioso.

MALVERSAÇÃO — Apropriação indevida dos ativos sob a custódia da própria pessoa. A malversação que se restringe a dinheiro é comumente chamada de desfalque. Falta grave de funcionário encarregado da gerência de bens; má gerência, administração nociva de negócios públicos ou privados; dilapidação de um patrimônio. Aplicação irregular dos recursos financeiros públicos, punível com pena disciplinar.

MANAGED CARE — Gerenciamento da assistência à saúde, voltado para a melhoraria da eficiência, redução de custos e manutenção da qualidade. Um dos princípios fundamentais da assistência gerenciada é a responsabilização dos profissionais de saúde - essencialmente os médicos - pelo custo dos serviços que prestam. Outro princípio fundamental é que a organização e prestação de serviços de saúde deve ser gerenciada "no varejo", ou seja, no seu dia-a-dia. Para isso são estabelecidos mecanismos de supervisão, monitoramento e avaliação cobrindo os diversos aspectos dos serviços.

MANAGEMENT — Administração.

MANAGEMENT BUY-IN — É o processo de aquisição de uma empresa por um grupo de executivos externos a ela, que obtiveram apoio financeiro para tocarem eles próprios a empresa, desalojando os antigos executivos.

MANAGEMENT BUY-OUT — É o processo de aquisição de uma empresa pelos próprios executivos que nela trabalham, em geral associados a fundos de investimento.

***MANAGEMENT BY OBJECTIVES* (MBO)** — Ver Gestão por objetivos.

MANAGER — Cada uma das instituições (em número de seis) contratadas para gerenciar parte das reservas internacionais.

MANANCIAL — Conceitua-se a fonte de abastecimento de água que pode ser, por exemplo, um rio, um lago, uma nascente ou poço, proveniente do lençol freático ou do lençol profundo.

MANCHA SOLAR — Região escura da fotosfera solar em que o campo magnético é extremamente intenso.

MANCOMUNADO — É o que fez ajuste ou concerto com outrem para a prática de qualquer ato ou de qualquer negócio, que redunde em prejuízo de terceiro. E que se executou ou se realizou, precisamente, com essa intenção.

MANDADO — Aquele a quem mandaram. Recado, incumbência, mandamento. Ordem ou determinação imperativa. Ordem escrita que emana de autoridade pública, judicial ou administrativa, em virtude da qual deve ser cumprida a medida ou diligência que ali se ordena. É a ordem escrita do juiz ao oficial de Justiça para que pratique determinado ato. (Ver: Mandado / Mandato - Diferença.)

MANDADO/MANDATO - DIFERENÇA — Não se confunde mandado (com "d"), que pode ser de segurança, injunção, prisão, com mandato (com "t"), que significa outorga de poderes: mandato do presidente, do deputado, do vereador. (Ver: Mandado // Mandato.)

MANDADO DE CITAÇÃO — Ato mediante o qual se chama a juízo, por meio de oficial de Justiça, o réu ou o interessado, a fim de se defender.

MANDADO DE INJUNÇÃO — Garantia constitucional concedida sempre que a falta de norma regulamentadora torne inviável o exercício dos direitos e liberdades constitucionais e das prerrogativas inerentes à nacionalidade, à soberania e à cidadania. Processo que pede a regulamentação de uma norma da Constituição, quando os Poderes competentes não o fizeram. O pedido é feito para garantir o direito de alguém prejudicado pela omissão aplicável ao caso concreto (CF, art. 5º, LXXI). Se procedente, é expedida a ordem escrita do juiz a autoridade para que defira direito ou prerrogativa previsto na Constituição Federal e recusado sob a alegação de falta de norma regularmentadora. Age o Judiciário como substituto, exercitando a função que seria do Legislativo, limitado ao caso concreto. É competência do Supremo Tribunal Federal (STF) o processo e julgamento do Mandado de injunção quando a omissão na elaboração da norma regulamentadora for do: presidente da República, Congresso Nacional, Câmara dos Deputados, Senado Federal, Mesa de uma dessas Casas legislativas, Tribunal de Contas da União, um dos Tribunais superiores.

MANDADO DE SEGURANÇA — Garantia fundamental destinada a proteger direito líquido e certo, individual ou coletivo, que esteja sendo violado ou ameaçado por ato de uma autoridade pública ou agente do Poder Público, em ato ilegal, abuso de poder ou inconstitucional. Se procedente, é expedida a ordem escrita do juiz à autoridade para que restabeleça direito líquido e certo de alguém, ou deixe de ameaçá-lo. O recurso ordinário em mandado de segurança para o Supremo Tribunal Federal pode ser ajuizado somente quando o pedido é negado por outros tribunais, em última ou única instância. Quando a decisão é favorável, anula o ato ilegal ou impede que ele seja executado. Em sentido geral, é uma ordem judicial concedida para proteger direito líquido e certo não amparado por "*habeas-corpus*", contra ato ou decisão de qualquer autoridade, que tenha agido ilegalmente ou com abuso de poder. Pode ser impetrado por qualquer pessoa física ou jurídica ou entidades. O mandado assegura a plenitude do direito até o julgamento do mérito. Esse direito não deve ser protegido por *habeas-corpus* ou *habeas-data*. O mandado de segurança é regulado pelas Leis nºs 1.533, de 1951, 2.770, de 1956, 4.166, de 1962, 4.348, de 1964, 5.021, de 1966, 6.014, de 1973, 6.071, de 1974, 6.978, de 1982, 7.969, de 1989, 8.076, de 1990 e 9.259, de 1996.

MANDADO DE SEGURANÇA COLETIVO — Garantia criada pela Constituição Federal, de 1988, no art. 5º, LXX, e que objetiva estender o alcance do mandado de segurança individual às pessoas jurídicas. Tutela, portanto, direitos coletivos, aliás, previstos, expressamente, na epígrafe do Capítulo Primeiro do Título II, da Constituição. O mandado de segurança coletivo pode ser impetrado por: a) partido político com representação no Congresso Nacional; b) organização sindical, entidade de classe ou associação legalmente constituída e em funcionamento há pelo menos um ano, em defesa dos interesses de seus membros ou associados.

MANDADO JUDICIAL — É chamado de Mandado Judicial quando expedido por juiz ou ministro de Tribunal. É aquele instituído para que se pratiquem atos judiciais ou forenses. Tem nomes específicos de acordo com o objetivo: de prisão, de soltura, de citação, de penhora, de busca e apreensão, de arresto etc.

MANDAMUS — [Latim]. Expressão que significa mandado de segurança.

MANDANTE — 1) Pessoa que manda; mandador. 2) Pessoa que incita a certos atos - instigador. 3) É todo aquele que dá uma ordem que comete encargo a outrem, que autoriza a prática de um ato ou dá poder para que o mesmo se pratique ou se execute, ou o que remete alguma coisa. Assim, mandante tem sentido equivalente a ordenante, a mandador.

MANDATÁRIO — Tem a mesma origem de mandante, significando a pessoa que vai executar a ordem ou cumprir o mandato recebido de outrem. Tecnicamente, pois, mandatário é a pessoa que, investida de poderes outorgados pelo mandante, em um mandato, executa atos ou efetiva negócios em nome daquele de quem recebeu os poderes para agir em seu nome.

MANDATO — 1) Período de tempo determinado oficialmente no qual alguém detém poder ou responsabilidades. 2) É quando alguém recebe de outrem poderes para, em seu nome, praticar atos ou administrar interesses. O instrumento através do qual se consolida o mandato é a procuração. 3) Contrato pelo qual o mandante outorga a outro (mandatário) poderes, que este aceita expressa ou tacitamente, verbalmente ou por escrito, para praticar atos ou atuar em seu nome. Pode ser gratuito ou oneroso. (Ver: Mandado/Mandato - Diferença.)

MANDATO *AD JUDICIA* — Documento em que se constitui um procurador (advogado regularmente inscrito na OAB) para ser representado em juízo. O outorgante deve especificar os poderes e a finalidade dessa representação. A cláusula *ad judicia*, de que provém a denominação, dá o conceito relativamente à soma de poderes contidos nesta espécie de mandato judicial. Por ela se investe o mandatário de todos os poderes para o foro em geral. Desse modo, neles não se acham inclusos os poderes para prática de atos jurídicos e forenses, para os quais se façam indispensáveis poderes especiais expressos. (Ver: Procuração *Ad Judicia*.)

MANDATO *AD NEGOTIA* — Contrato pelo qual o mandante confere poderes a um mandatário para praticar, em seu nome, certos atos ou negócios. Denomina-se tal contrato de mandato extrajudicial porque a ação do mandatário ocorrerá fora do âmbito judicial.

MANDATO DE DIREITO PRIVADO — É o mesmo que procuração.

MANDATO IMPERATIVO — 1) Aquele que impõe ao parlamentar eleito pelo povo a obrigação de votar de um certo modo. É o vínculo jurídico que liga o representante aos seus próprios eleitores, de modo que estes, na forma da lei, podem rescindir, dissolver esta ligação, em caso de o candidato eleito não estar correspondendo aos anseios do eleitorado. 2) Espécie de mandato, baseado no princípio da revogabilidade, que vigorou antes da Revolução Francesa, de acordo com o qual seu titular ficava vinculado a seus eleitores, cujas instruções teria que seguir nas assembléias parlamentares. Se surgisse fato novo, para o qual não dispusesse de instrução, ficaria obrigado a obtê-la dos eleitores, antes de agir, e estes poderiam cassar-lhe a representação.

MANDATO POLÍTICO-REPRESENTATIVO — Situação político-jurídica com base na qual alguém, designado por via eleitoral, desempenha uma função política na democracia representativa. Direito ou poder dado a um governo ou grupo de pessoas para representá-los, decidir, votar e agir em seu nome. (Ver: Eleição - Mandato político.)

MANDO — Ordem de comando ou poder de autoridade.

MANEJO — É o ato de intervir ou não no meio natural ou criado pelo ser humano com base em conhecimentos científicos e técnicos. Medidas de proteção aos recursos, sem atos de interferência direta nestes, também fazem parte do manejo.

MANEJO AMBIENTAL — Aplicação de programas de utilização dos ecossistemas, naturais ou artificiais, baseada em princípios ecológicos, de modo que mantenha da melhor forma possível as comunidades vegetais e/ou animais como fontes úteis de produtos biológicos para os humanos e também como fontes de conhecimento científico e de lazer.

MANEJO DE UNIDADES DE CONSERVAÇÃO — É o conjunto de ações e atividades necessárias ao alcance dos objetivos de conservação de áreas protegidas, incluindo as atividades fins, tais como proteção, recreação, educação, pesquisa e manejo dos recursos, bem como as atividades de administração ou gerenciamento. O termo gestão de uma unidade de conservação pode ser considerado sinônimo de manejo da mesma.

MANEJO DOS RECURSOS NATURAIS — É o ato de intervir, ou não, no meio natural com base em conhecimentos científicos e técnicos, com o propósito de promover e garantir a conservação da natureza. Medidas de proteção aos recursos, sem atos de interferência direta nestes, também fazem parte do manejo.

MANGUE — Terreno plano, baixo, junto à costa, com vegetação típica de zona costeiro-estuarina adaptada à água salobra e sujeito à inundação pela marés e extremamente importante na manutenção e reprodução principalmente de espécies aquáticas. (Ver: Manguezal.)

MANGUEZAL — São ecossistemas litorâneos, dominado por espécies vegetais típicas (mangues), às quais se associam outros organismos vegetais e animais. Às vezes chamado mangue, mas esta palavra propriamente pertence às plantas e não à comunidade que constituem um dos ecossistemas mais produtivos do planeta. De acordo com dominância de cada gênero, o manguezal pode ser classificado em mangue vermelho (*Rhizophora*), mangue branco (*Laguncularia*) e mangue siriúba (*Avicenia*), os dois primeiros colonizando os locais mais baixos e o terceiro os locais mais altos e afastados da influência das marés. Quando o mangue penetra em locais arenosos denomina-se mangue seco. (Ver: Manguel.)

MANIA — Excentricidade, extravagância, esquisitice. Gosto exagerado ou sem moderação por alguma coisa. Obcecação resultante de desejo imoderado tal como a megalomania, o mau hábito, o vício, a obsessão, a paranóia etc.

MANICÔMIO JUDICIÁRIO — Estabelecimento psiquiátrico mantido pelo Estado, no qual são recolhidos os delinqüentes absolvidos por serem totalmente inimputáveis, por doença mental ou desenvolvimento mental retardado, assim como os sentenciados quando acometidos de loucura.

MANIFESTAÇÃO — Ato ou efeito de manifestar. Demonstração expressa, pública e coletivamente, de sentimentos, idéias, opiniões. Em Direito Administrativo, parecer, opinião sobre determinado assunto. Em Direito Processual, opinião da parte em atos do processo. Em Direito Político, expressão de agrado ou desagrado em reuniões populares de natureza política.

MANIPULAÇÃO — Manobras ou técnicas sutis para controlar, dominar, submeter, ludibriar, influir, obscurantizar e usar pessoas no sentido de obter vantagens pessoais.

MANIPULAÇÃO CIENTÍFICA — Procedimento ou método científico para controlar, observar e manipular as variáveis para verificar a relação de causa e efeito entre dois eventos considerados.

MANIPULAÇÃO DE MERCADO — No mercado financeiro, manipular é agir ou usar informações de forma irregular, para provocar distorções no mercado, desconsiderando as regras vigentes. Manipulação é crime. Em geral está associada ao objetivo de conseguir lucros indevidos ou provocar prejuízos. A concentração dos ativos na mão de poucos vendedores facilita a manipulação do mercado, mesmo quando ela não ocorre de fato.

MANOBRA — Operação habilidosa para atingir uma finalidade imediata, tempestiva ou sucessiva.

MANTER SOB CONTROLE — É saber localizar o problema, analisar o processo, padronizar e estabelecer itens de controle de tal forma que o problema não mais volte a se repetir.

MANTO TERRESTRE — É a camada intermediária responsável pelas transformações da crosta terrestre e apresenta as seguintes características: - Altas temperaturas (3.500ºC) - Grande espessura (2.800 km) - Densidade intermediária OBS: É nesta camada que encontraremos o material magmático também conhecido como magma (lava + gases). (Ver: Crosta terrestre // Núcleo ou Nife terrestre.)

MANUAL DE AUDITORIA — Ver Auditoria, Manual de.

MANUFATURA — Tipo de indústria manual executada em grandes unidades de produção e em que existe já alguma divisão do trabalho.

MANUTENÇÃO — Ato de manter um bem no estado em que foi recebido, com reformas preventivas ou corretivas de sua deterioração natural. É a atividade logística relacionada com a conservação e recuperação de aparelhos, equipamentos ou máquinas em estado de funcionamento.

MANUTENÇÃO DA CIDADE — São despesas necessárias à manutenção do capital físico da Cidade: limpeza urbana, vigilância, iluminação, trânsito e transporte, meio ambiente, conservação da pavimentação e drenagem de logradouros públicos.

MANUTENÇÃO DA PAZ — Operações das Nações Unidas, decididas pelo Conselho de Segurança (o qual determina a sua duração, alcance e mandato), orientadas para a preservação da paz em contextos de tensão. Requerem a autorização das partes envolvidas e utilizam a força apenas para defesa própria. Na maior parte dos casos inclui operações militares, como a observação de um cessar-fogo, ao mesmo tempo que os negociadores procuram uma solução de longo prazo. Atividade híbridas político-militares que visam controlar um conflito, que envolvem a presença das Nações Unidas no terreno (normalmente abrangendo pessoal civil e militar), com consentimento das partes, para implementar ou monitorizar a implementação de acordos relativos ao controle do conflito (cessar-fogo, separação de forças etc.) e sua resolução e/ou para proteger o fornecimento de ajuda humanitária. (Ver: Estabelecimento da paz // Imposição da paz.)

MANUTENÇÃO DE POSSE — Medida pela qual se requer a proteção jurisdicional contra qualquer ato que esteja ameaçando a pacificidade da posse mantida sobre a coisa.

MANUTENÇÃO DE POSSE, AÇÃO DE — O mesmo que interdito de manutenção. A ação do possuidor contra aquele que, por atos concretos e injustos, o perturba na posse de bem móvel ou imóvel. Objetiva provar a turbação da posse exercida por alguém, permitindo-se que o possuidor se mantenha na posse do que possui. Tem também a denominação de Interdito de manutenção de posse e Ação de força turbativa.

MANUTENÇÃO PREVENTIVA — Termo utilizado em produção, que significa o conjunto de medidas operacionais técnicas de vistoria, visando evitar possíveis problemas dos componentes das máquinas e equipamentos, que comprometam a performance e desempenho dos mesmos, para que possam executar sua função normal.

MANUTENÇÃO PRODUTIVA TOTAL (*TPM* - *TOTAL PRODUCTIVE MAINTENANCE*) — É uma técnica que visa ao aumento da produtividade e da flexibilidade do processo produtivo. É uma forma de gerenciamento que transforma os modelos tradicionais de administração e busca a eliminação contínua das perdas, obtendo assim uma evolução permanente da estrutura empresarial pelo constante aperfeiçoamento das pessoas, dos meios de produção e da qualidade dos produtos e serviços.

MÃO-DE-OBRA — Tradicionalmente, o termo designa o trabalho manual empregado na produção industrial e na construção civil, ou seja, o fator trabalho diretamente ligado à produção de bens. Atualmente é mais difícil uma classificação rígida do trabalho com base apenas na relação direta com o processo produtivo e ao local de trabalho. Num enfoque mais abrangente, refere-se à totalidade dos recursos humanos de qualquer organização, em todos os níveis hierárquicos.

MÃO-DE-OBRA NÃO QUALIFICADA — Conjunto dos recursos humanos que não têm habilitação para o exercício de função específica.

MAPA — Representação gráfica, em geral numa superfície plana e numa determinada escala, com a significação de feições naturais ou artificiais da superfície de um corpo.

MAPA ALTIMÉTRICO — Ver Mapa em curva de nível.

MAPA BATIMÉTRICO — Mapa que mostra o relevo do fundo do mar em termos de altura, abaixo de uma superfície de referência, por qualquer método, como curvas, sombreado ou colorido.

MAPA DE INTENSIDADE — Mapa temático que representa os fatos, segundo o grau mais ou menos considerável da intensidade de um fenômeno.

MAPA DE PREVISÃO — Mapa relativo à situação ou à escala de intensidade de determinados fenômenos, numa data ou período futuro.

MAPA DE VULNERABILIDADE — Mapa onde se analisam as populações, os ecossistemas e o mobiliamento do território, vulneráveis a um dado risco.

MAPA EM CURVA DE NÍVEL — Mapa que representa o relevo por meio de curvas de nível.

MAPA FITOGEOGRÁFICO — Mapa temático que representa, sob a forma de símbolos e cores qualitativas, a classificação e distribuição de dados, fatos ou fenômenos relativos à vegetação.

MAPA FLORESTAL — Mapa concebido e executado com o fim de apresentar o tamanho, a densidade, a espécie e o valor das árvores numa determinada área.

MAPA GENÉTICO — Idiograma representando a posição relativa dos genes ao longo dos cromossomos. Nestes mapas, as distâncias entre dois genes correspondem à freqüência de recombinação entre eles.

MAPA GEOFÍSICO — Mapa que representa as características e a distribuição geográfica dos fenômenos físicos que ocorrem no Planeta Terra.

MAPA HIDROLÓGICO — Mapa temático de um determinado território, apresentando a extensão e características de suas estruturas hidrológicas, avaliação de seus recursos hídricos subterrâneos e de superfície, bem como indicações sobre o metabolismo e as trocas dinâmicas entre os diversos compartimentos subterrâneos e sua disponibilidade e capacidade.

MAPA HIPSOMÉTRICO — Mapa que mostra o relevo terrestre em termos de altura acima de uma superfície de referência, por qualquer método, como curvas, hachuras, sombreado ou colorido.

MAPA METEOROLÓGICO — Mapa temático de uma determinada região ou país, no qual o sistema meteorológico, utilizando simbologia padronizada, prevê ou define variáveis meteorológicas como temperatura, pressão, umidade, nebulosidade, regime de ventos, precipitações e outros dados. Genericamente, os mapas meteorológicos podem ser divididos em: mapas de previsão de tempo (curto prazo); mapas de previsão de tendências climáticas (médio e longo prazos); mapas de apresentação de fenômenos ocorridos. (Ver: Carta sinótica.)

MAPA PLANIMÉTRICO — Mapa que apresenta as posições horizontais apenas para as características representadas; difere de um mapa topográfico pela omissão do relevo numa forma mensurável.

MAPA-MÚNDI — Mapa que representa o globo terrestre dividido em dois hemisférios. A execução do mapa-múndi consiste em figurar numa superfície plana as singularidades da superfície terrestre, que é esférica.

MAQUIAVELISMO — Vem do sobrenome de Niccolo Machiavelli (1469-1527), ou simplesmente Maquiavel, autor da doutrina política exposta em "O Príncipe". Primitivamente, o termo designava um sistema estatal, no qual o chefe era dotado de poderes ilimitados sobre a comunidade em geral e sobre os indivíduos que a constituíam, em particular, considerado o Estado como "bem soberano ao qual se devem sacrificar todas as coisas e para cuja conservação se devem empregar todos os meios, pondo-se, inclusive, de lado, a moral". Hoje, o termo refere-se a uma disposição habitual de calcular com frieza, sem nenhuma consideração moral ou sentimental, os meios eficazes para a obtenção de determinado objetivo.

MAR — Grande massa e extensão de água salgada que cobre perto de 75% da superfície terrestre e que constitui um dos bens do domínio de cada nação, dentro dos limites fixados.

MAR ABERTO OU ALTO-MAR — Parte do mar que está além da visão da orla costeira. Águas situadas além do mar territorial e livres de qualquer direito de cidadania.

MAR TERRITORIAL — Porção do mar adjacente a um Estado costeiro, sobre o qual exerce sua soberania, tendo como limite interno a linha de base e, como limite externo, uma linha eqüidistante da linha de base e regulada por legislação específica desse Estado.

MAR TERRITORIAL BRASILEIRO — O mar territorial do Brasil, tal como definido pela Convenção das Nações Unidas sobre o Direito do Mar e pela Lei nº 8.617, de 4.1.1993 (Capítulo I), compreende uma faixa de 12 milhas marítimas (ou 22,2 km) de largura, medidas a partir do litoral continental ou insular brasileiro, ou a partir de linhas de base retas (nos locais onde a costa apresenta recortes profundos e reentrâncias, ou em que existe uma franja de ilhas ao longo da costa, na sua proximidade imediata). O mar territorial constitui bem da União, de acordo com a Constituição brasileira de 1988, art. 20, inciso VI. A soberania plena do País estende-se ao mar territorial, ao espaço aéreo sobrejacente, bem como ao seu leito e subsolo. (Ver: Plataforma Continental Brasileira.)

MARASMO — Desânimo, indiferença, apatia, tristeza profunda.

MARASMO NUTRICIONAL — Ver Saúde - Marasmo nutricional.

MARCA — Ou logomarca, é todo sinal distintivo, visualmente perceptível, que identifica e distingue produtos e serviços de outros análogos, de procedência diversa, e certifica sua conformidade com as normas e especificações técnicas pertinentes. O registro de uma marca é obtido através do Instituto Nacional de Propriedade Industrial (INPI). (Ver: Logotipo.)

MARCA D'ÁGUA — Ver Filigrana.

MARCAR A PREÇOS DE MERCADO — Processo pelo qual uma posição (estoque de ativos) ou portfólio (carteira de investimentos) é avaliada baseada no preço de fechamento do dia corrente. Em vez de ser avaliada pelo preço original de compra, o portfólio é avaliado pelo seu valor corrente de mercado, refletindo quaisquer ganhos ou perdas ainda não realizados que ocorreriam caso a posição ou portfólio fossem imediatamente vendidos.

MARCAS COMPARTILHADAS — Ver Cartão *Co-Brand/Co-Brands.*

MARCO — 1) Tarefa que não consome recursos, utilizada para sinalizar um ponto crucial de controle no plano. Não se usa tempo nem recursos para alcançar os marcos. 2) Peça de madeira, cimento armado ou pedra com que se faz a assinalação das linhas divisórias nas demarcações de terras. Baliza, piquete, estaca. Dividem-se em: condutores. os que indicam o rumo nos trabalhos geodésicos; primordiais, principais ou peões, os que determinam o ponto de partida das operações nas áreas a demarcar; e terminais, os que indicam os pontos onde finda a demarcação.

MARCO LÓGICO — É uma ferramenta para facilitar o processo de concepção, desenho, execução e avaliação de projetos e programas. O principal objetivo é oferecer uma estrutura lógica comum e possibilitar uma síntese das informações sobre os projetos. A estrutura do marco lógico é uma matriz formada por quatro linhas e quatro colunas, que devem ser preenchidas levando-se em consideração a relação existente entre as diferentes dimensões do projeto.

MARCO REGULATÓRIO — Conjunto de regras relevantes para a decisão sobre investimentos produtivos, especialmente aqueles de longo prazo de duração em segmentos de infra-estrutura.

MARÉ — Fenômeno relacionado com o movimento cíclico das águas do mar ou de grandes lagos, através do qual as águas se elevam ou baixam em relação a uma referência fixa no solo. É produzido pela atração gravitacional conjunta da lua e do sol, podendo ser influenciado menos intensamente por outros planetas. Sua amplitude é variável para cada ponto da superfície terrestre, e o ciclo tem a duração aproximada de 24 horas. As condições de fluxo máximo (preamar) e mínimo (baixa-mar) dependem das posições relativas daqueles astros.

MARÉ NEGRA — Termo usado para designar as grandes manchas de óleo descarregado acidentalmente ou intencionalmente de terminais de óleo e navios petroleiros, que, flutuando na superfície das águas e transportado pelos ventos, correntes marítimas ou marés, pode ser causa de grandes desastres relacionados com a poluição de biótopos localizados na orla costeira.

MARÉ VERMELHA — Fenômeno produzido pela intensa proliferação de algas dos gêneros *Gymnodinium e Exuviella*, geralmente dinoflagelados e outros (bactérias, ciliado holótrico, alga cianofícia etc.), que ocorre em águas profundas, costeiras e próximas de estuários. Trata-se de um fenômeno de ecologia marinha resultante da ruptura do equilíbrio ecológico entre diferentes componentes do ecossistema, com o crescimento exagerado desses dinoflagelados no plâncton. Traduz-se por uma mudança de coloração da água, que se torna vermelha, rosada, amarelo-marrom, amarelo-esverdeado, amarelo-camurça, vermelho-tijolo, sangüínea ou cor de chocolate. O fenômeno processa-se nas camadas superficiais, com duração de 48 horas, até várias semanas. Essa proliferação pode provocar a morte em massa de organismos marinhos, provavelmente provocada pela competição pelo oxigênio. A maré vermelha pode ser mortal para seres humanos que se alimentam de frutos do mar contaminados, pois estes sintetizam uma neurotoxina que atua nos mecanismos da bomba de sódio celular, dificultando a polarização dos nervos e da musculatura.

MAREMOTO — Movimento produzido pela propagação de ondas sísmicas através da massa oceânica. Geralmente tem alto poder destrutivo. (Ver: *Tsunami.*)

MARGEM — Montante, fixado pelas bolsas de valores ou caixa de registro e liquidação, a ser depositado em dinheiro, títulos ou valores mobiliários, pelo cliente que efetua uma compra ou uma venda a termo ou a futuro, ou um lançamento a descoberto de opções como garantia de liquidação do negócio no prazo estipulado. A margem também existe nas bolsas de mercadorias e serve como garantia contra uma possível oscilação dos preços.

MARGEM BANCÁRIA — Indicador usado em análise financeira do balanço de bancos. A margem bancária expressa a relação entre a receita bancária da instituição e a média dos seus ativos rentáveis. Este indicador pode ser utilizado como uma estimativa do retorno dos ativos bancários da instituição e é calculado da seguinte forma: Margem Bancária = Receita Bancária/Ativo rentável.

MARGEM BRUTA — É a diferença entre o preço de venda e os custos envolvidos na fabricação de um produto. Esse indicador é uma medida de eficiência na produção. Indicador usado na análise financeira de empresas, que expressa a relação entre o resultado bruto da empresa e sua receita líquida de vendas. A margem bruta indica a percentagem de cada R$ 1,00 de venda que restou após o pagamento do custo das mercadorias e pode ser calculada como sendo o quociente entre o resultado bruto e a receita líquida de vendas da empresa.

MARGEM DE GARANTIA — Depósito em dinheiro, carta de fiança ou títulos públicos ou privados, dentre outros ativos aceitos pela Bolsa, exigido para garantir cada operação, com a finalidade de cobrir o risco de oscilação de preço de dois ajustes diários, ou outro critério estabelecido, que é devolvido ao cliente quando a operação é liquidada. Se assemelha à caução.

MARGEM DE INTERMEDIAÇÃO FINANCEIRA — Indicador usado na análise financeira de balanços de bancos, que expressa a relação entre a receita bruta de intermediação financeira da instituição e a média dos ativos rentáveis. O indicador é calculado da seguinte forma: MgIF = Receita Intermediação Financeira/Ativo Rentável Médio.

MARGEM DE SERVIÇOS — Indicador usado na análise financeira de bancos que expressa a relação entre a receita de prestação de serviços da instituição e a média dos ativos rentáveis.

MARGEM LAJIDA — Indicador usado na análise financeira de empresas. Por não incluir as despesas com depreciação e amortização, a margem LAJIDA pode ser vista como uma aproximação do fluxo de caixa (e não do lucro) da empresa em cada R$ de vendas antes de descontar despesas financeiras ou imposto. A margem LAJIDA é calculada como sendo o quociente entre o LAJIDA da empresa e sua receita líquida de venda. (Ver: LAJIDA.)

MARGEM LAJIR — Para empresas brasileiras, a margem LAJIR (Lucro Antes de Juros e Imposto de Renda) é equivalente à margem operacional em outros países, já que mede os lucros da empresa em cada R$ 1,00 de vendas, antes de descontar as despesas financeiras e os impostos. A margem é calculada como sendo o LAJIR dividido pela receita líquida de vendas da empresa. (Ver: LAJIR.)

MARGEM LÍQUIDA — É a diferença entre o preço do produto e todos os custos e despesas envolvidos na fabricação, inclusive impostos. Indicador usado na análise financeira de empresas, que expressa a relação entre o lucro líquido da empresa e a sua receita líquida de vendas. A margem líquida determina a porcentagem de cada R$ 1,00 de venda que restou após a dedução de todas as despesas, inclusive o imposto de renda, e é calculada como sendo o quociente entre o lucro líquido e a receita líquida de vendas da empresa.

MARGEM OPERACIONAL — Indicador usado na análise financeira de empresas. Como no Brasil o resultado operacional já desconta a despesa líquida com juros, a margem operacional determina a porcentagem de cada R$ 1,00 de venda que restou após a dedução de todas as despesas, menos o imposto de renda e as despesas não operacionais ou extraordinárias. Pode ser calculado como sendo o quociente entre o resultado operacional e a receita líquida de vendas da empresa.

MARGINAL — Pessoa pervertida moral e/ou sexual. Desajustado da sociedade sã, a cuja margem vive como elemento negativo.

MARGINALISMO — Método econômico criado em 1870, muito divulgado pela escola neoclássica, no qual se comparam as alterações incrementais de uma variável com as alterações da mesma natureza de uma outra variável. (Exemplo: para a empresa pode-se comparar os custos adicionais gerados pela produção de mais algumas unidades de bens com o rendimento adicional gerado apenas por esse aumento de nível de produção).

MARIJUANA — Ver Entorpecente - Marijuana.

MARITAL — Relativo a marido, esposo. Exprime tudo que se refere ao marido, é inerente a ele, ou se relaciona com o matrimônio.

MARKET — Mercado.

MARKET MAKER — Na tradução literal, significa formador de mercado. São instituições que têm habilitação técnica e capacidade financeira para se comprometer a manter ofertas permanentes de compra e venda para determinadas quantidades de ações ou outros ativos. A bolsa é quem estipula o tamanho do lote mínimo de ações e o *spread* - taxa adicional de risco - máximo entre a oferta de compra e venda que o *market maker* é obrigado a manter diariamente no mercado.

MARKET SHARE — Expressão que significa participação no mercado. É a fatia das vendas de um produto que cada fabricante detém.

MARKETING — Desenvolvimento das atividades comerciais, desde a produção até o consumo final. Mercadologia; estudos de mercado; investigação de demandas de bens e serviços; identificação dos padrões de exigência de qualidade, preço e especialidade dos consumidores de bens e serviços; lógica de consumo; propaganda e atividades orientadas para induzir demandas.

MARKETING POLÍTICO — Ver Eleição - Marketing político.

MARQUETEIRO — Ver Consultoria Política.

MARXISMO — Seu principal expoente é o alemão Karl Heinrich Marx (1818-1883), cujas idéias - expostas em *Contribuição à Crítica da Economia Política* (1857) e em *O Capital* (1867-1869) - exercem influência em várias áreas das ciências humanas. Também é determinante a colaboração de Friedrich Engels (1820-1895). Com o tempo, o marxismo recebe importantes contribuições, como a de Lênin, que, além de líder e teórico da Revolução Russa, escreve *O Imperialismo, Etapa Superior do Capitalismo* (1916). A teoria econômica marxista procura explicar como o modo de produção capitalista propicia a acumulação contínua de capital. A resposta está na confecção das mercadorias. Elas resultam da combinação de meios de produção (ferramentas, máquinas e matéria-prima) e do trabalho humano. No marxismo, a quantidade de trabalho socialmente necessária para produzir uma mercadoria é o que determina seu valor. A ampliação do capital ocorre porque o trabalho produz valores superiores ao dos salários (força de trabalho). A esse diferencial Marx dá o nome de "mais-valia", conceito fundamental de sua teoria por ser considerado a fonte dos lucros e da acumulação capitalista. (Ver: Mais-Valia.)

MASOQUISMO — Algolagnia passiva. Prazer sexual somente obtido se se recebe maus-tratos físicos ou morais.

MASSA ATIVA — Representará sempre a totalidade de lançamentos de crédito ou representativos de créditos, pelo que se diz, também, massa de crédito ou massa haver. O titular da massa ativa apresenta-se como credor nos livros do titular da massa passiva que, por sua vez, se apresenta como devedor nos livros do titular da massa ativa.

MASSA DE AR — Uma porção da atmosfera que carrega consigo as características de temperatura e umidade das áreas onde ela se forma.

MASSA FALIDA — Totalidade dos bens e obrigações (dívidas) que constituem o ativo e o passivo arrecadados pelo administrador judicial de uma pessoa jurídica que teve sua falência decretada.

MASSA PASSIVA — Ver Massa ativa.

MASTER AGREEMENT — Ver Acordo Mestre.

MATA ATLÂNTICA — Formações florestais (Floresta Ombrófila Densa Atlântica, Floresta Ombrófila Mista, Floresta Ombrófila Aberta, Floresta Estacional Semi-decidual, Floresta Estacional Decidual) e ecossistemas associados inseridos no domínio Mata Atlântica (Manguezais, Restingas, Campos de Altitude, Brejos Interioranos e Encraves Florestais no Nordeste), com as respectivas delimitações estabelecidas pelo Mapa de Vegetação do Brasil.

MATA CILIAR — É a mata das margens dos rios, lagos, represas, córregos e nascentes, beneficiando-se da umidade ali existente. É a chamada faixa de preservação. Também conhecido como floresta ciliar.

MATANÇA — Assassínio de muitas pessoas.

MATAR — É um ato em que se tira a vida de uma pessoa ou ser.

MATEMÁTICA — Do grego *máthema*: ciência, conhecimento, aprendizagem; *mathematikós:* apreciador do conhecimento. É o estudo de padrões de quantidade, estrutura, mudanças e espaço. Na visão moderna, é a investigação de estruturas abstratas definidas automaticamente, usando a lógica formal como estrutura comum. As estruturas específicas geralmente têm sua origem nas ciências naturais, mais comumente na física, mas os matemáticos também definem e investigam estruturas por razões puramente internas à matemática, por exemplo, ao perceberem que as estruturas fornecem uma generalização unificante de vários subcampos ou uma ferramenta útil em cálculos comuns. Muitos matemáticos estudam as áreas que escolheram por razões estéticas - simplesmente porque eles acham que as estruturas investigadas são belas em si mesmas. Historicamente, as principais disciplinas dentro da matemática surgiram da necessidade de se efetuarem cálculos no comércio, medir terras e predizer eventos astronômicos. Estas três necessidades podem ser *grosso modo* relacionadas à grande subdivisão da matemática no estudo das estruturas, dos espaços e das suas alterações.

MATEMÁTICA FINANCEIRA — É a ciência que estuda o dinheiro no tempo. O conhecimento de matemática financeira é indispensável para compreender e operar nos mercados financeiro e de capitais, e atuar em administração financeira com baixos tempo e custo de decisão.

MATÉRIA — 1) O fundamento de fato ou de direito, a substância de uma enunciação jurídica. 2) Essência de obra escrita, do assunto tratado em uma obra. 3) Qualquer coisa que ocupa espaço e possui massa.

MATÉRIA ADMINISTRATIVA — Conjunto harmônico de princípios jurídicos que regem os órgãos, os agentes e as atividades públicas, tendendo a realizar concreta, direta, e indiretamente os fins desejados pelo Estado.

MATÉRIA EM SUSPENÇÃO — Em sentido estrito, matéria sólida que flutua na água (ou em outro meio) por ter peso específico similar ao do meio, sendo arrastada por ele. No caso em que a matéria sólida seja mais leve que a água, e por isso fluente sobre ela, é chamada matéria flutuante, se se trata de matéria sólida que, após certo período de flutuação, acaba fundindo-se ao solo, chama-se matéria submergida.

MATÉRIA FINANCEIRA — É aquela que se refere, especificamente, às transações realizadas com numerário, tais como os repasses, os adiantamentos (suprimentos de fundos), as liquidações de compromissos mediante o pagamento (via caixa ou bancos) e os recolhimentos ao caixa.

MATÉRIA ORGÂNICA — Composto natural de resíduos animais e vegetais que são passíveis de sofreram decomposição.

MATERIAL — Designação genérica de equipamentos, componentes, sobressalentes, acessórios, veículos em geral, matérias-primas e outros itens empregados ou passíveis de emprego nas atividades dos órgãos e entidades públicas, independentemente de qualquer fator.

MATERIAL CRÍTICO — Aquele para o qual ocorre dificuldade de obtenção, na qualidade e quantidade desejada, em épocas e prazos determinados, em virtude de desfavorável acessibilidade, carência nos mercados e dificuldade de acesso às fontes de suprimento.

MATERIAL DE CONSUMO — São aqueles que perdem a sua identidade ao serem utilizados ou cuja duração presumida é inferior a dois anos. De um modo geral podem ser identificados por possuírem pelo menos uma das seguintes características: a) fragilidade - diz respeito à modificação da identidade do bem. Por exemplo: pode ser quebradiço; b) deteriorabilidade - refere-se à modificação da natureza do bem, por ser de material perecível; c) transformabilidade - corresponde à modificação da identidade física do bem; d) incorporabilidade - refere-se à propriedade do bem de se incorporar a outro; e) durabilidade - limitação do bem no tempo aproximado de 2 (dois) anos. Lei nº 4.320, de 1964, art. 15, § 2º.

MATERIAL ESSENCIAL — Aquele que, do ponto de vista de sua utilização, é indispensável ao processo evolutivo do país, ao bem-estar das populações e aos imperativos da segurança nacional, em virtude de fatores econômicos e psicossociais.

MATERIAL ESTRATÉGICO — Aquele que, dada a necessidade de sua utilização para empreender uma ação estratégica e em face das condições de acessibilidade e das conjunturas geopolítica e geoeconômica, exige medidas especiais para sua obtenção, produção, industrialização e comércio.

MATERIAL GENÉTICO — Significa todo material de origem vegetal, animal, microbiana ou outra que contenha unidades funcionais de hereditariedade.

MATERIAL NUCLEAR — Elementos nucleares ou seus subprodutos (elementos transurânios), em qualquer forma de associação (metal, liga ou combinação química). Combustível nuclear e os produtos ou rejeitos radioativos.

MATERIAL PERMANENTE — São aqueles bens que em razão de sua natureza e sob condições normais de utilização têm duração presumida superior a dois anos. Um bem se caracteriza como permanente se for estável ou imutável por um período razoável de utilização, se tiver durabilidade provável superior a dois anos e se for produtivo, isto é, auxiliar na produção de um bem ou serviço dotado de valor econômico (sem a ele se incorporar de modo a perder a individualidade). Lei nº 4.320, de 1964, art. 15, § 2º.

MATERIALISMO — Sistema filosófico que sustenta que a realidade é de caráter material ou corporal. Falta de elevação espiritual.

MATÉRIA-PRIMA — São substâncias usadas como ponto de partida para transformação em outros produtos ou objetos. Muitas delas são naturais, extraídas da Natureza, como ar, petróleo, carvão, minérios, pedras calcárias e plantas ou obtidas nas indústrias pesadas e que, após um processo de transformação, satisfazem diretamente as necessidades do ser humano.

MATRICIDA — Aquele que mata a própria mãe, que comete matricídio.

MATRÍCULA (REGISTROS PÚBLICOS) — Inovação da Lei nº 6.015, de 1973, veio a substituir os livros de Transcrições e Inscrições, onde eram feitos anteriormente, de forma manuscrita, os atos de "registros e averbações". Com o advento da citada lei os registros e averbações públicas passaram a ser feitos exclusivamente nas matrículas, em ordem cronológica e de forma narrativa.

MATRÍCULA DO IMÓVEL — É o número de registro do imóvel no Cartório de Registro de Imóveis, que é o mesmo desde sua construção.

MATRIMÔNIO — União do homem e da mulher, visando a uma comunidade geral para toda a existência. É a conjunção da reunião de corpos, que se ligam para uma só vida e produção de outras.

MATRIZ BCG — É um instrumento analítico de apoio à tomada de decisões estratégicas, caso das relativas ao portfólio (carteira) de negócios ou produtos. O modelo BCG é um dos pioneiros e sem dúvida o mais popular devido à sua simplicidade. Para aplicá-lo é necessário construir uma matriz, cujo eixo horizontal é representado pela variável quota de mercado relativa (alta à esquerda e baixa à direita) e no eixo vertical está a taxa de crescimento do mercado (elevada em cima e reduzida em baixo).

MATRIZ DE *STAKEHOLDERS* — Ferramenta gerencial que permite o exame da interação da empresa com todos os seus acionistas (*stakeholders*), com o objetivo de auxiliá-la no rastreamento de expectativas, demandas e impactos decorrentes de suas atividades.

MATRIZ DECISÓRIA — Ferramentas auxiliares da qualidade para tomada de decisão. Identifica graus de urgência, importância e utilidade da decisão a ser tomada.

MATRIZ ENERGÉTICA — É o conjunto dos recursos de energia e seu uso na sociedade. A matriz divide-se em dois aspectos. Primeiro, em materiais usados para a produção de energia (petróleo, água, carvão mineral, gás natural etc.), e nas tecnologias de geração, como mecânica, térmica, nuclear, solar e eólica. Segundo, na forma do consumo: eletricidade, combustível e queima industrial ou doméstica, entre outros. Cabe ao governo planejar, organizar e definir políticas de uso dos combustíveis na matriz.

MATRIZ ENERGÉTICA NACIONAL — É a participação relativa das diversas fontes energéticas de um país no consumo de energia primária. Essas fontes podem ser renováveis ou não. No Brasil o balanço entre a produção e o consumo é feito pelo Ministério das Minas e Energia (MME) e consolidado no relatório Balanço Energético Nacional (BEN).

MATURIDADE — Data em que é feito o último pagamento de um empréstimo. É uma medida do período de vida de um empréstimo.

MAUS-TRATOS — Identificação genérica da ação violenta, humilhante ou degradante de uma pessoa em relação à outra. Delito que consiste em submeter alguém a trabalho excessivo ou inadequado, abusar dos meios de correção ou disciplina, privar de alimentação ou dos cuidados indispensáveis, estando a pessoa sob sua autoridade, guarda, ou vigilância para fins de educação, ensino ou custódia, expondo-a a perigo de vida ou de saúde. A pena é de detenção de dois meses a um ano ou multa. Se resulta lesão corporal de natureza grave, reclusão de um a quatro anos; se resulta a morte, reclusão de quatro a 12 anos. Perderá o poder familiar, por ato judicial, o pai ou a mãe que castigar imoderadamente o filho. Verificada a hipótese de maus-tratos, pelos pais ou responsável pelo menor, a autoridade poderá determinar, como medida cautelar, o afastamento do agressor da moradia comum.

MAXIDESVALORIZAÇÃO — É a desvalorização drástica de uma moeda.

MAXIME — [Latim]. Expressão que significa de modo especial; especialmente.

MAXIMIZAÇÃO — Processo pelo qual se determina o maior valor que uma grandeza pode assumir.

MEAÇÃO DE BENS — Direito que uma pessoa tem, em relação a outra, à metade dos bens em comunhão.

MECÂNICA DE PRECISÃO — Mecânica que envolve a utilização de componentes cujas medidas são delicadas e de alta precisão; desenvolvimento de artefatos mecânicos de alta precisão.

MECÂNICA DE SOLOS — Ciência técnica que estuda as propriedades físicas e a utilização dos solos, baseada na aplicação de leis e princípios da mecânica e da hidráulica, para a resolução de problemas de engenharia.

MECANISMO DE DESENVOLVIMENTO LIMPO (MDL) — Também conhecido como CDM (*Clean Development Mechanism*) foi incorporado ao Protocolo de *Kyoto* a partir de uma proposta brasileira. O MDL consiste no financiamento de projetos que possam gerar reduções certificadas de emissão, que serão creditadas ao país investidor que, por conseguinte, estaria cumprindo parte de suas obrigações mediante a concretização deste investimento. (Ver: Protocolo de *Kyoto*.)

MECANISMO DE SAÍDA (*EXIT ROUTE*) — É a forma pela qual se dá o desinvestimento, ou seja, quando o investidor vende suas ações e realiza o resultado do investimento na empresa. Em geral, se dá através do mercado secundário de ações ou da venda direta da participação a outros. É através desse desinvestimento que o investidor obtém o retorno sobre o capital investido.

MECANISMOS DE DEFESA — São formas psíquicas que o ser humano utiliza como meio de evitar dor, frustração e sofrimento. Existem muitos mecanismos de defesa e que são, na sua maioria, inconscientes. Eles também dividem-se em mecanismos de defesa neuróticos e psicóticos.

MECATRÔNICA — Combina as tecnologias da eletrônica, da automação e da mecânica.

MECENAS — É atribuído a pessoas singulares ou coletivas que apóiam, através da concessão de donativos, entidades públicas ou privadas que exerçam ações relevantes para o desenvolvimento da cultura.

MECENATO CULTURAL — Ao conceito clássico de proteção aos artistas e às artes, a título meramente filantrópico, as sociedades modernas acrescentaram um conjunto de incentivos de natureza fiscal, que se traduzem na redução de impostos a quem contribua para o desenvolvimento cultural do País.

MÉDIA — É o número obtido somando-se os valores medidos e dividindo-se a soma obtida pelo número de medições. É usada como síntese, valor representativo do conjunto de dados. É particularmente útil em distribuições simétricas. É a região da distribuição de freqüências onde se concentra a maioria das observações.

MÉDIA AMOSTRAL — É uma variável aleatória, função dos valores da amostra. É definida como a soma de todos os valores da amostra dividida pelo número de observações. Serve para estimar a média populacional. Ela é aleatória, porque nunca se pode saber antecipadamente que elementos populacionais serão selecionados naquela amostra. Por essa razão, ela tem uma função de probabilidade que permite avaliar as chances de estimativas estarem certas.

MÉDIA DE ANOS DE ESTUDO — Ver Educação - Média de anos de estudo.

MÉDIA DE MORADORES POR DOMICÍLIO — É o resultado da divisão do número de moradores em domicílios pelo número total de domicílios particulares permanentes. Indica o número médio de pessoas no domicílio.

MÉDIA EMPRESA — Segundo a legislação, é a organização que tem entre 100 e 499 empregados e faturamento anual igual ou superior a 2,4 milhões de reais. Na definição adotada pelo BNDES e pelos países integrantes do MERCOSUL, são as empresas com receita operacional bruta anual ou anualizada superior a R$ 10.500.000,01 (dez milhões e quinhentos mil reais) e inferior ou igual a R$ 60.000.000,00 (sessenta milhões de reais). (Ver: Grande empresa // Pequena empresa.)

MÉDIA MÓVEL — É a ferramenta da análise técnica que calcula a média das cotações de fechamento de um papel em um determinado número de pregões, dia a dia. A média é móvel, pois sempre no final do pregão, a cotação de fechamento nesse dia entra no cálculo e a última sai. É usada como um indicador de compra e venda de ações, dando a indicação sempre; a linha do gráfico que representa a cotação de fechamento cruza a linha que representa a média móvel.

MÉDIA POPULACIONAL — É o valor que representa um conjunto de valores da população. Definida como a soma de todos os valores da população dividida pelo número de observações. Por exemplo: renda *per capita* de um país, esperança de vida, renda familiar média, pontuação média na escala de atitudes em relação à Estatística.

MÉDIA PREÇO/LUCRO DE UMA CARTEIRA DE AÇÕES — O cálculo do Preço/Lucro (P/L) médio de uma carteira de ações segue a mesma metodologia de cálculo para o P/L de uma ação. Deste modo, o P/L de uma carteira de ações é o número de anos necessários a se reaver o capital cujas ações integram a mesma. Para isto, fazem-se as suposições de que estes lucros permanecerão constantes e serão totalmente distribuídos a cada exercício.

MEDIAÇÃO — É um procedimento estruturado de gestão de conflitos pelo qual a intervenção confidencial e imparcial de um profissional qualificado, o mediador, visa restabelecer a comunicação e o diálogo entre as partes. Seu papel é o de levá-los a elaborar, por eles próprios, acordos duráveis que levem em conta as necessidades de cada um.

MEDIAÇÃO DE CONFLITOS — Procedimento pelo qual uma terceira pessoa (física ou jurídica) coordena, orienta, conduz ou regula a negociação de conflitos. É uma das maneiras de negociar a solução de problemas e conflitos de interesse com o objetivo de facilitar acordos e evitar ações judiciais. Também é usada para promover a participação social e melhorar a eficácia do processo de avaliação de impacto ambiental, quando existem interesses antagônicos entre os grupos sociais afetados pelo projeto e seu proponente, com o objetivo de facilitar acordos e evitar ações judiciais.

MEDIAR — Prover comunicação; ensejar um processo de comunicação; servir como meio.

MEDIATO — Indireto, que está em relação com outras coisas por intermédio de uma terceira. (Ver: Imediato.)

MEDIÇÃO — 1) Conjunto de operações que tem por objetivo determinar um valor de uma grandeza. 2) Verificação das quantidades das obras ou serviços executados em cada etapa contratual.

MEDIÇÃO DOS DESEMPENHOS — Sistema que permite apreciar os desempenhos das intervenções de desenvolvimento relativamente aos objetivos estabelecidos.

MEDICINA — Arte ou ciência de evitar, curar ou atenuar as doenças.

MEDICINA LEGAL — É o conjunto de conhecimentos médicos e paramédicos destinados servir ao Direito, cooperando na elaboração, auxiliando a interpretação e colaborando na execução dos dispositivos legais atinentes ao seu campo de ação de Medicina aplicada.

MEDIDA CAUTELAR — Em sentido geral entende-se, na terminologia processual, todo e qualquer ato forense ou processo intentado por uma pessoa em justiça, para prevenir, conservar ou defender direitos. Em qualquer dos casos, é um ato de precaução ou ato de prevenção promovido no Judiciário, revelada na providência judicial pedida e autorizada pelo juiz, em face de fato de gravidade ou de motivo justo, desde que a própria lei tenha consignado. É o mesmo que liminar, ou seja, é o pedido para antecipar os efeitos da decisão, antes do seu julgamento. Ao examinar a liminar, é avaliado se o pedido apresentado tem fundamentos jurídicos aceitáveis (*fumus boni iuris*). É concedida quando a demora da decisão causar prejuízos (*periculum in mora*).

MEDIDA CAUTELAR ATÍPICA — É a medida provisória que o juiz poderá determinar, julgando adequadas, quando houver receio de que uma das partes venha a causar lesão grave ao direito da outra.

MEDIDA CAUTELAR PREPARATÓRIA — Ver Ação Cautelar.

MEDIDA CAUTELAR PREVENTIVA — Ver Ação Cautelar.

MEDIDA DA INFORMAÇÃO — Relacionada a probabilidade de eventos e mensagens; logaritmo do inverso da probabilidade de uma mensagem ou símbolo de comunicação.

MEDIDA DE EFICÁCIA — Medida da relação entre os resultados de um programa e a natureza e montante de sua produção, de modo a determinar até que ponto estão sendo atingidos os objetivos resultantes desse programa ou atividade. A medição da eficácia é realizada de modo contínuo e/ou periódico. Além disso, deve avaliar tanto a consecução como o impacto dos efeitos do programa.

MEDIDA DE LOCAÇÃO — Identifica o valor representativo em torno do qual os dados de um conjunto tendem a se agrupar com maior ou menor freqüência. Obtido um conjunto de valores medidos (de um item de controle, por exemplo), essa medida pode ser feita pela média.

MEDIDA DE SEGURANÇA — Medida de defesa social aplicada a quem praticou um crime, tentou praticá-lo ou preparase para praticá-lo, desde que o agente revele periculosidade social e probabilidade de que voltará a delinqüir.

MEDIDA DE VARIABILIDADE — Ver Variabilidade.

MEDIDA DE VOLUME — É a medida de produtos líquidos. (Ver: Metro cúbico.)

MEDIDA DEMOLITÓRIA — Procedimento judicial visando à demolição de benfeitorias ou acessões.

MEDIDA LIMINAR — Decisão judicial provisória proferida nos 1º e 2º graus de jurisdição, que determina uma providência a ser tomada antes da discussão do feito, com a finalidade de resguardar direitos. Geralmente concedida em ação cautelar, tutela antecipada e mandado de segurança.

MEDIDA MATERIALIZADA — Dispositivo destinado a reproduzir ou fornecer, de maneira permanente durante seu uso, um ou mais valores conhecidos de uma dada grandeza.

MEDIDA PROVISIONAL — Providência urgente que se toma no curso de uma causa, como prestação de alimentos, serviços para conservação de coisa objeto de apreensão.

MEDIDA PROVISÓRIA (MP) — Instrumento legal, previsto na Constituição Federal, de uso exclusivo do presidente da República e com força de lei. As Medidas Provisórias podem ser usadas em casos de relevância e urgência, devendo ser submetidas de imediato ao Congresso Nacional e transformadas em lei no máximo de 60 (sessenta) dias. Caso contrário perdem eficácia, a partir da data da sua publicação. Se a MP não for apreciada em até 45 dias contados de sua publicação, entrará em regime de urgência, subseqüentemente, em cada uma das Casas do Congresso Nacional, sobrestando, até que se ultime a votação, todas as demais deliberações legislativas da Casa em que estiver tramitando, o que é também conhecido como "trancar a pauta". A Emenda Constitucional nº 32, de 11/9/2001 alterou o art. 62 da C.F., acrescentando-lhe 12 parágrafos definindo de forma detalhada o processo de edição das medidas provisórias. Foram introduzidas vedações de ordem material para a edição das medidas provisórias. Assim, são vedadas as MP relativas a: a) nacionalidade, cidadania, direitos políticos, partidos políticos e direito eleitoral; b) direito penal, processual penal e processual civil; c) organização do Poder Judiciário e do Ministério Público, a carreira e a garantia de seus membros; d) planos plurianuais, diretrizes orçamentárias, orçamento e créditos adicionais e suplementares, ressalvado o previsto no art. 167, § 3º; que vise à detenção ou seqüestro de bens, de poupança popular ou qualquer outro ativo financeiro; matéria reservada à lei complementar ou já disciplinada em projeto de lei aprovado pelo Congresso Nacional e pendente de sanção ou veto do presidente da República. Medida provisória que implique instituição ou majoração de impostos, exceto os previstos nos arts. 153, I, II, IV, V, e 154, II, só produzirá efeitos no exercício financeiro seguinte se houver sido convertida em lei até o último dia daquele em que foi editada. Tramita no Congresso Nacional Proposta de Emenda Constitucional (PEC) alterando, novamente, os procedimentos para a edição e apreciação de MPs. (Ver: Princípio da anterioridade e da noventena.)

MEDIDA SOCIOEDUCATIVA — É uma medida jurídica que, na legislação brasileira, se atribui aos adolescentes autores de ato infracional. A medida socioeducativa é aplicada pela autoridade judiciária como sanção e oportunidade de ressocialização. Possui uma dimensão coercitiva, pois o adolescente é obrigado a cumpri-la como sanção da sociedade, e outra educativa, pois seu objetivo não se reduz a punir o adolescente, mas a prepará-lo para o convívio social. O Estatuto da Criança e do Adolescente (ECA) prevê seis diferentes medidas: advertência; obrigação de reparar o dano; prestação de serviços à comunidade; liberdade assistida; semiliberdade e internação.

MEDIDA SOCIOEDUCATIVA DE INTERNAÇÃO — Ver Privação de Liberdade - Medida socioeducativa de internação.

MEDIDAS ASSECURATÓRIAS — São medidas cautelares que asseguram o direito do ofendido, quando da propositura da eventual ação civil ou execução de sentença criminal condenatória para reparação do dano causado pelo delito.

MEDIDAS COERCITIVAS — São medidas que têm o poder ou o direito de coagir, obrigar a cumprir alguma atividade ou ação.

MEDIDAS COMPENSATÓRIAS — São medidas tomadas pelos responsáveis pela execução de um projeto, destinadas a compensar impactos negativos, notadamente alguns custos sociais que não podem ser evitados.

MEDIDAS COMPULSIVAS — Destinam-se a atuar sobre o infrator de determinada norma, de forma a obrigá-lo a adotar um determinado comportamento que até ali ele omitiu.

MEDIDAS CORRETIVAS — Ações para a recuperação de impactos ambientais causados por qualquer empreendimento ou causa natural.

MEDIDAS DE DESEMPENHO — Termo usado para descrever as medidas de desempenho contínuo das operações de programas em termos da economia com que se adquirem recursos, da eficiência com que se conduzem as operações, da qualidade dos produtos ou serviços fornecidos e do grau de alcance dos objetivos. As medidas podem englobar também as comparações e tendências dos indicadores ou outras informações de desempenho quanto às atividades de um programa.

MEDIDAS DE POTÊNCIA — Watt = W; Kilowatt = kW (1.000 X 1 W); Megawatt = MW (1.000.000 X 1 W); Gigawatt = GW (1.000.000.000 X 1 W) .

MEDIDAS DE POTÊNCIA POR UNIDADE DE TEMPO — kWh = consumo ou produção de 1 kW durante 1 hora; MWh = consumo ou produção de 1 MW durante 1 hora; GWh = consumo ou produção de 1 GW durante 1 hora; kWmês = consumo ou produção de 1 kW durante 1 mês; MWmês = consumo ou produção de 1 MW durante 1 mês; GWmês = consumo ou produção de 1 GW durante 1 mês; kWano = consumo ou produção de 1 kW durante 1 ano; MWano = consumo ou produção de 1 MW durante 1 ano; GWano = consumo ou produção de 1 GW durante 1 ano.

MEDIDAS DE SEGURANÇA — Têm por objetivo colocar certas categorias de pessoas que se consideram perigosas, ou seja, aptas a praticar crimes, em situação de não praticá-los até no futuro.

MEDIDAS DE TENSÃO — Volt = V; Kilovolt = kV (1.000 X 1V).

MEDIDAS MITIGADORAS OU PREVENTIVAS — São aquelas destinadas a prevenir impactos negativos ou reduzir sua magnitude. É preferível usar a expressão "medida mitigadora" em vez de "medida corretiva", uma vez que a maioria dos danos ao meio ambiente, quando não pode ser evitada, pode apenas ser mitigada ou compensada.

MEDIDAS PREVENTIVAS — Ver Medidas mitigadoras.

MEDIDAS PROVISÓRIAS — São medidas de caráter temporário que podem ser solicitadas por um órgão judicial ou semijudicial antes de este concluir sua consideração de um caso, a fim de evitar dano irreparável.

MEDO — É um sentimento que é um estado de alerta demonstrado pelo receio de fazer alguma coisa, geralmente por se sentir ameaçado, tanto fisicamente como psicologicamente. Pavor é a ênfase do medo. O medo pode provocar reações físicas como descarga de adrenalina, aceleração cardíaca e tremor. Pode levar à atenção exagerada a tudo que ocorre ao redor, depressão, pânico etc.

MEEIRO — Aquele que possui ou tem direito à metade de uma coisa ou de certos bens, como cada cônjuge em relação ao patrimônio comum do casal, em regime de comunhão de bens. No contrato de meação rural, o proprietário e o colono são meeiros.

MEGA BOLSA — Nome dado à tecnologia de negociação atualmente utilizada pela Bolsa de Valores de São Paulo (BOVESPA), implantada em 1997. O sistema engloba o pregão viva-voz e os terminais remotos pelos quais as corretoras podem enviar suas ordens de compra ou venda diretamente de seus escritórios, em qualquer parte do País. O sistema reproduz na tela o ambiente de negócios, exibindo os registros de ofertas e propiciando o fechamento automático das operações.

MEGAEMPRESA — Organização que tem mais de dez mil empregados.

MEGAWATT (MW) — Unidade de potência elétrica igual a um milhão de watts ou mil quilowatts.

MEGAWATT-HORA (MWh) — Um milhão de watt-horas de energia elétrica. Uma unidade de energia elétrica igual a um megawatt de potência usada durante uma hora.

MEGAWATTS ANUAIS MÉDIOS AVERAGE (aMW) — Unidade de produção energética por um ano, igual à energia produzida pela operação contínua de um megawatt de capacidade durante o período de tempo (igual a 8.760 megawatt-horas).

MEIA-VIDA RADIOATIVA — Ver Período Radioativo.

MEIO — O que encadeia ou enseja o desenvolvimento de um processo; caminho; que viabiliza; entorno/meio ambiente; externo; limites físicos; entorno sistêmico; que distingue ou que é externo aos limites de um objeto ou sistema.

MEIO AMBIENTE — O conjunto de condições, leis, influências e interações de ordem física, química e biológica, que permitem, abrigam e regem a vida em todas as suas formas. Assim, é a totalidade dos fatores fisiográficos (solo, água, floresta, relevo, geologia, paisagem, e fatores meteoroclimáticos) mais os fatores psicossociais inerentes à natureza humana (comportamento, bem-estar, estado de espírito, trabalho, saúde, alimentação etc.) somados aos fatores sociológicos, como cultura, civilidade, convivência, o respeito, a paz etc.; ambiente.

MEIO CIRCULANTE — É o conjunto de cédulas e moedas em circulação em um país, ou seja, o conjunto de cédulas e moedas com poder liberatório (inclusive comemorativas) de posse do público e dos bancos.

MEIO DE TROCA — Aquilo que os compradores dão aos vendedores quando desejam adquirir bens e serviços.

MEIO FÍSICO — Segmento abiótico do meio ambiente em que se inter-relacionam componentes materiais terrestres (solo, rochas, água, ar) e tipos naturais de energia (gravitacional, solar, energia interna da terra etc.). (Ver: Abiótico.)

MEIO URBANO — É a malha edificada sobre o meio físico, como palco para as práticas urbanas. É o logradouro público ou qualquer local, público ou privado, de acesso livre, ainda que não gratuito, ou que seja visível do logradouro público. (Ver: Cidade; Meio urbano.)

MEIOS DE COMUNICAÇÃO — Instrumentos físicos, mecânicos ou eletrônicos capazes de transmitir sinais.

MEIOS DE PAGAMENTO — Conceito restrito de moeda. Representa o volume de recursos prontamente disponíveis para o pagamento de bens e serviços. Inclui o papel-moeda em poder do público, isto é, as cédulas e moedas metálicas detidas pelos indivíduos e empresas não financeiras e, ainda, os seus depósitos à vista efetivamente movimentáveis por cheques. Com a redução da inflação, a partir da introdução do Real, ocorreu forte crescimento dos meios de pagamento no conceito restrito, processo esse conhecido como remonetização, resultante da recuperação da credibilidade da moeda nacional. (Ver: Remonetização.)

MEIOS DE PAGAMENTO AMPLIADOS — Inclui moeda legal e quase-moeda, correspondendo aos instrumentos de elevada liquidez, em sentido amplo.

MEIOS DE VERIFICAÇÃO — São as formas e locais onde se podem verificar os indicadores, metas e resultados.

MELHORAMENTO — Criação organizada de mudanças benéficas; o mesmo que inovação.

MELHORAMENTO GENÉTICO — Alterações provocadas na constituição genética de um organismo vivo, com o objetivo de se produzir uma variedade superior dentro da espécie.

MELHORES PRÁTICAS — São aquelas práticas que produziram excelentes resultados numa outra situação e que podem ser adaptadas à nossa situação.

MELHORIA — Mudança organizada, movimento para se obter níveis de desempenho nunca antes alcançados, criar novos produtos, novos processos e mercados, reduzir custos, aumentar a produção, qualidade e lucro. Melhorar é solucionar problemas.

MELHORIA DA QUALIDADE — São ações implementadas em toda a organização a fim de aumentar a eficácia e a eficiência das atividades e dos processos para proporcionar benefícios adicionais tanto à organização quanto aos clientes.

MEMBRO — 1) Pessoa pertencente a uma corporação, associação, família, agrupamento etc. 2) Parte de um todo (estrutura, organização, comunidade etc.).

MEMBRO DE BOLSA — Membro de uma bolsa com certos privilégios de negociação. Um membro de uma Bolsa não necessariamente é um membro da Câmara de Compensação da Bolsa. (Ver: Membro de compensação.)

MEMBRO DE COMPENSAÇÃO — É aquele que faz parte da Câmara de Compensação, escolhido sob rigorosos critérios. Todas as negociações devem ser liquidadas por intermédio de um membro de compensação. Um membro direto pode liquidar somente suas próprias obrigações. Um membro geral pode liquidar tanto suas próprias obrigações como as de seus clientes. Também podem existir variantes desses dois tipos de membros de compensação. (Ver: Membro de Bolsa.)

MEMBRO DO GRANDE JÚRI — É aquele que pertence ou faz parte de instituição jurídica formada por pessoas de bem, a que se atribui o dever de julgar acerca de fatos, levados ou trazidos a seu conhecimento. (Ver: Tribunal do Júri.)

MEMÓRIA — Retenção de dados, informação e conhecimento e experiências. Faculdade de trazer rapidamente à consciência um ou mais registros evocados ao banco da memória. Capacidade de reproduzir pensamentos passados ou situações vivenciadas.

MEMORIAL — Apresentação escrita, pelas partes, de suas razões, após a instrução do processo, quando a causa apresentar questões complexas de fato ou de direito. São elaboradas pelos advogados e encaminhadas aos magistrados para reforçar os seus argumentos, substituindo as razões orais.

MEMORIAL DE INCORPORAÇÃO — Conjunto de todos os documentos do incorporador (exigido pela Lei nº 4.591, de 1964) necessários para haver a negociação das unidades autônomas.

MENDICÂNCIA — Ato de pedir, publicamente, com habitualidade, esmolas ou auxílio de qualquer natureza, a pretexto de pobreza ou necessidade. Indigência. Se exercida por ociosidade ou cupidez é contravenção penal, apenada com prisão simples de 15 dias a três meses. Aumenta-se a pena de um sexto a um terço se é praticada de modo vexatório, ameaçador ou fraudulento; com simulação de moléstia ou deformidade; em companhia de alienado ou menor de 18 anos.

MENINGITE BACTERIANA — Ver Saúde - Meningite Bacteriana.

MENINGITE MENINGOCÓCICA — Ver Saúde - Meningite Meningocócica.

MENINOS(AS) DE RUA — Convencionou-se chamar "meninos(as) de rua" as crianças e jovens que passam seus dias nas ruas. Pesquisas demonstram que a maioria deles tem um lar, um endereço ou uma referência, ainda que diferente do padrão normal de família. Poucos dormem nas ruas. São, na verdade, crianças excluídas: fora da escola, fora da comunidade e fora da família. São filhos e filhas de um êxodo vergonhoso. A expressão mais correta seria meninos(as) em situação de rua.

MENOR ABANDONADO — Em sentido jurídico designa o menor que não tem quem o ampare, que se apresenta sem um representante legal, com a obrigação de vigiá-lo, atender aos seus interesses e suas necessidades, apoiando-o e orientando-o na vida. O termo menor abandonado foi banido do vocabulário de quem defende os direitos da infância e adolescência, por ser discriminatório, pejorativo e dirigido apenas a crianças e adolescentes pobres, negros, em situação de rua, que cometem atos infracionais.

MENOR CARENTE — É assim considerado o menor cujos pais devido à baixa renda não podem atender, satisfatoriamente, às suas necessidades de subsistência, alimentação, vestuário, remédios, lazer etc., nem mesmo proporcionar-lhe a sua companhia constante, pois quase sempre saem cedo para trabalhar, deixando-o sob cuidados, por favor, de alguns vizinhos. O termo menor carente foi banido do vocabulário de quem defende os direitos da infância e adolescência, por ser discriminatório, pejorativo e dirigido apenas a crianças e adolescentes pobres, negros, em situação de rua, que cometem atos infracionais.

MENOR DE IDADE E AS LEIS — Diz-se menor a pessoa que não atingiu a maioridade, que não alcançou, em virtude de idade, a capacidade jurídica plena; não pode, portanto, exercer pessoalmente os seus direitos, nem pode ser responsabilizado por deveres inerentes ao maior de idade. O menor goza de inimputabilidade penal até os 18 anos. O menor pode obter sua emancipação antes disso (após 16 anos) ou ser considerado maior aos 17 anos para o serviço militar. Aos 16 anos, com o voto facultativo, o menor atinge a maioridade política. Diz-se impúbere ou menor que não atingiu a idade permitida para o casamento (a mulher menor do 16 e o homem menor de 18 anos); púbere o que pode contrair matrimônio (a mulher, maior de 16, e o homem, maior de 18 anos). O menor de 18 anos é penalmente inimputável, ficando sujeito à legislação especial. A corrupção de maior de 14 e menor de 18 anos é apenada com reclusão de um a quatro anos. Ser o agente menor de 18 anos é uma circunstância que atenua a pena. Se o criminoso era, ao tempo do crime, menor de 18 anos, são reduzidos de metade os prazos de prescrição. Entregar filho menor de 18 anos a pessoa inidônea é crime apenado com detenção de um a dois anos. A pena é de um a quatro anos de reclusão se o agente pratica delito para obter lucro ou se o menor é enviado para o exterior. Incorre na mesma pena quem auxilia a efetivação de ato destinado ao envio de menor para o exterior, com fito de lucro. O Estatuto da Criança e do Adolescente dispõe sobre sua proteção integral, considerando criança a pessoa até 12 anos de idade incompletos, e adolescente a que tem entre 12 e 18 anos incompletos. Excepcionalmente, aplica-se o Estatuto às pessoas entre 18 a 21 anos de idade. A lei trata de seus direitos fundamentais, da prevenção de ocorrência de ameaça ou violação de seus direitos, da política de atendimento, das medidas de proteção da prática de ato infracional, das medidas pertinentes aos pais ou responsáveis, do acesso à justiça, da perda e suspensão do pátrio poder, da destituição da tutela, da adoção, da colocação em família substituta, da liberdade assistida. Prescreve em um ano, contado prazo do dia em que chegar à maioridade a ação do filho para desobrigar e reivindicar móveis de sua propriedade, alienados ou gravados pelo pai fora dos casos expressos em lei; e a ação dos herdeiros do filho, a contar do dia do falecimento, se o filho morreu menor, e também a do seu representante legal, se o pai decaiu do pátrio poder, correndo o prazo da data em que houver decaído. O adotado, quando menor ou interdito, poderá desligar-se da adoção no ano imediato àquele em que cessar a interdição ou a menoridade. Quem institui um menor herdeiro, ou legatário seu, poderá nomear-lhe curador especial para os bens deixados, ainda que o menor esteja sob o pátrio poder ou curatela. Os menores abandonados terão tutores nomeados pelo juiz ou serão recolhidos a estabelecimentos públicos destinados a este fim. O mútuo feito a menor, sem prévia autorização de quem o guarda, não pode ser reavido nem do mutuário nem de seus fiadores ou abonadores; este dispositivo perde eficácia se a pessoa que poderia autorizar o mútuo o ratificar depois; se o menor, ausente essa pessoa, foi constrangido a contrair o empréstimo para seus alimentos habituais; se o menor tiver bens como os indicados no art. 1.693, II do Código Civil; neste caso, a execução do credor não lhe poderá ultrapassar as forças. (Ver: Poder familiar.)

MENOR DELINQÜENTE — Diz-se do menor indigitado (apontado; indicado) autor ou cúmplice de crime ou contravenção. Tendo menos de 14 anos, não é submetido a processo penal; sobre ele a autoridade competente tomará as providências determinadas em lei. Sendo maior de 12 e menor de 18 anos, é submetido a processo especial (Estatuto da Criança e do Adolescente, Lei n° 8.069, de 13.7.1990, arts. 2°, 104 e 105).

MENOR EM SITUAÇÃO IRREGULAR — Aquele que não dispõe das condições necessárias à sua subsistência, saúde, instrução, proteção etc., ou pela falta dos pais ou responsáveis, ou, omissão dos mesmos, ou, ainda, pela impossibilidade destes de prevê-las; aquele a quem são infligidos castigos imoderados pelos próprios pais ou responsáveis; o que é exposto a perigos de ordem moral, permanecendo em ambiente contrário aos bons costumes e a quem falta assistência legal, social, religiosa etc.; aquele que, por inadaptação ao seu meio familiar ou comunitário, sofre desvios de conduta, ou, ainda, o menor de infração penal. Compete aos Conselhos Tutelares e juizados da Infância e da Juventude, tomar as medidas de proteção, assistência e vigilância dos menores nesta situação, previstas em lei (Lei n° 8.069, de 13.7.1990, arts. 98, 99 a 102).

MENOR EMANCIPADO — Diz-se do menor de 18 anos e maior de 16 anos, que, de acordo com a lei vigente, obtém a sua emancipação, adquirindo capacidade civil antes do tempo legal, tornando-se apto para a prática de qualquer ato e para o exercício de qualquer profissão.

MENOR INFRATOR — Ver Adolescente em conflito com a lei.

MENORIDADE — O mesmo que menor de idade.

***MENS LEGIS* —** [Latim]. Expressão que significa o espírito da lei. É a finalidade da lei; intenção da lei; o seu objetivo no âmbito social.

***MENS LEGISLATORIS* —** [Latim]. Expressão que significa intenção do legislador.

MENSAGEM — 1) Comunicação, notícia ou recado verbal ou escrito. 2) Instrumento de comunicação oficial entre os chefes dos Poderes Públicos. 3) Qualquer comunicação oficial. 4) Meio de correspondência do chefe do Executivo com a nação. Discurso à nação. 5) Comunicação oficial entre altos escalões do Estado. Mensagem do Departamento de Estado.

MENSAGEM AO LEGISLATIVO — Exposição circunstanciada da situação econômico-financeira, documentada com demonstração da dívida fundada e flutuante, saldos de créditos especiais, restos a pagar e outros compromissos financeiros exigíveis; exposição e justificação da política econômica que acompanha o projeto de Lei do Orçamento Anual.

MENSAGEM DE VETO — Mensagem enviada pelo chefe do Executivo às Casas Legislativas, explicando os motivos pelos quais determinado projeto não foi sancionado. (Ver: Sanção.)

MENSAGEM RETIFICATIVA — Em uma Casa Legislativa é a proposição acessória dos proponentes externos (Poder Executivo, Poder Judiciário etc.) que tem por objetivo alterar a proposição principal.

MENSURAÇÃO — Apuração de quantitativos de determinado fenômeno, produto, obras ou serviços técnicos num determinado período de tempo.

MENTIRA — Falsa proposição. Proposição incoerente com a realidade fenomênica, fática e ideal.

MERCADO — De uma forma ampla, o mercado representa o local físico ou não, onde ocorrem as trocas de produtos de forma organizada ou espontânea. Em sentido restrito, do ponto de vista econômico, há tantos mercados quantos os tipos de bens, de serviços e de fatores de produção que são oferecidos e procurados, salvo naqueles mercados em que se estabelecem nos bens algumas relações, ou seja, os bens de produção conjunta ou associada, os bens complementares e os bens substitutos.

MERCADO A TERMO — São negócios realizados nas Bolsas de Valores ou de Mercadorias em que são acertadas as quantidades a um preço previamente estipulado, numa determinada data prefixada, em geral, após 30, 60 ou 90 dias da data de realização do negócio, podendo ir até 999 dias. É um mercado diferente do mercado futuro porque o preço é efetivamente pago apenas no vencimento, sem ajustes diários.

MERCADO À VISTA — É aquele cujas operações são efetuadas para liquidação imediata, dentro do prazo estabelecido pela Bolsa, quando o vendedor entrega os títulos e o comprador efetua o pagamento. A Bolsa estabeleceu que o prazo para liquidação física - entrega dos títulos pelo vendedor - se processa no segundo dia após a realização do negócio em pregão, e a liquidação financeira - pagamento dos títulos pelo comprador - se dá no terceiro dia útil, posterior à negociação, somente mediante a efetiva liquidação física. Distingue-se do mercado futuro e do mercado a termo, em que os contratos são feitos para pagamento e entrega posteriores (físicas ou financeiras).

MERCADO ABERTO — Também conhecido por mercado secundário, é onde são negociadas a compra e a venda de títulos públicos e privados sob a orientação do Banco Central. Atuam no mercado aberto as instituições financeiras que negociam entre si sempre por telefone, sem necessidade de estarem presentes no mesmo local (como as Bolsas de Valores), para realizarem seus negócios.

MERCADO ACIONÁRIO — É um subsistema do mercado de capitais, onde se realizam as operações de compra e venda de ações. Suas funções principais são: a avaliação dos valores transacionados, liquidez e capitalização das empresas.

MERCADO CAMBIAL — Mercado que envolve a negociação de moedas estrangeiras (venda, compra ou troca) ou títulos que representem essas moedas. Para essas operações são utilizados cheques, moedas, notas bancárias, letras de câmbio e ordens de pagamento. No Brasil, as operações de câmbio não podem ser praticadas livremente, devendo ser conduzidas através de um estabelecimento bancário autorizado a operar câmbio.

MERCADO CAMBIAL DE FUTUROS — É o mercado em que contratos são feitos para fornecer moedas em datas pré-fixadas e a preços pré-fixados.

MERCADO COMPETITIVO — Um mercado em que há muitos compradores e muitos vendedores de modo que, em cada um, ele exerce um impacto negligenciável sobre os preços de mercado.

MERCADO COMUM — Aliança comercial entre países, normalmente, vizinhos. Etapa de um processo de integração em que os países-membros adotam políticas macroeconômicas e setoriais coordenadas, ou seja, definem metas comuns em matéria de política monetária, fiscal e cambial. Deve-se observar as diferenças entre zona de livre comércio, união aduaneira, mercado comum e união monetária.

MERCADO COMUM ASIÁTICO (AFTA) — Ver Área de Livre Comércio da ASEAN.

MERCADO COMUM EUROPEU — Ver Comunidade Européia // União Européia.

MERCADO CONTANGO (*CONTANGO MARKET*) — Um termo usado em negociações futuras significando que os preços estão progressivamente maiores em meses de entrega sucessivos do que no próximo mês de entrega. Adiamento de acerto. Adiamento do acerto de contas numa Bolsa de Valores, até o período seguinte, envolvendo o pagamento de juros.

MERCADO DE AÇÕES — Segmento do mercado de capitais que compreende a colocação primária em mercado de ações novas emitidas pelas empresas e a negociação secundária - em Bolsas de Valores e no mercado de balcão - das ações já colocadas em circulação.

MERCADO DE BALCÃO — Mercado em que as operações não são registradas em Bolsas. Também chamado de *tailor made* ou customizadas, por atenderem especificações dos clientes. Esse mercado abrange não só negociações com ações, mas também com outros ativos.

MERCADO DE BALCÃO NÃO ORGANIZADO — Mercado de compra e venda de ativos sem a coordenação de uma Bolsa de Valores, no qual as transações são normalmente conduzidas pelo telefone. São negociadas ações de empresas não registradas em Bolsas de Valores e outras espécies de títulos. Participam deste mercado corretoras, distribuidoras, alguns bancos e pessoas físicas.

MERCADO DE BALCÃO ORGANIZADO — Também chamado de SOMA (Sociedade Operadora de Mercado Aberto), é composto por empresas que pretendem mais tarde ter suas ações negociadas nas Bolsas de Valores. Apresenta como vantagens principais menor custo e menores exigências.

MERCADO DE CÂMBIO — Mercado que realiza operações que envolvem a necessidade de conversão de moedas estrangeiras em moeda nacional e vice-versa. Chama-se mercado de câmbio o ambiente abstrato onde se realizam as operações de câmbio entre os agentes autorizados pelo Banco Central do Brasil (bancos, corretoras, distribuidoras, agências de turismo e meios de hospedagem) e entre esses e seus clientes.

MERCADO DE CÂMBIO - SEGMENTO FLUTUANTE — Normalmente conhecido como "turismo". No entanto, este segmento não se limita às operações de turismo. Também são realizadas transferências como contribuições a entidades associativas, doações, heranças, aposentadorias e pensões, manutenção de residentes e tratamento de saúde.

MERCADO DE CÂMBIO - SEGMENTO LIVRE — Também conhecido como "comercial", corresponde às operações: a) decorrentes de comércio exterior, ou seja, de exportação e de importação; b) relacionadas às atividades dos governos, nas esferas federal, estadual e municipal; c) relativas aos investimentos estrangeiros no País e aos empréstimos a residentes sujeitos a registro no Banco Central; d) referentes aos pagamentos e recebimentos de serviços.

MERCADO DE CAPITAIS — Conjunto de operações de transferência de recursos financeiros de prazo médio, longo ou indefinido, efetuadas entre agentes poupadores e investidores, através de intermediários financeiros.

MERCADO DE CRÉDITO — É o mercado onde se realizam operações de financiamento a curto e médio prazos, consumo corrente e dos bens duráveis, além do capital de giro das empresas. Os principais atuantes deste mercado são bancos comerciais e múltiplos, além de companhias financeiras.

MERCADO DE DERIVATIVOS — Mercado no qual compradores e vendedores negociam títulos cujos valores dependem (ou derivam) de outros ativos e/ou variáveis. São as seguintes modalidades: termo, opções de compra ou venda, futuro. (Ver: Ativos derivativos.)

MERCADO DE FATORES — Expressão utilizada em economia para definir um mercado de um fator de produção. O mais importantes desses mercados são os mercados do fator trabalho e do fator capital. Nestes mercados os consumidores são as empresas e os produtores, as famílias - o que se traduz numa inversão de análise relativamente ao mercado de produtos. O mercado dos fatores está ligado ao mercado dos produtos porque a procura de um fator de produção é derivada da procura do produto em causa.

MERCADO DE FUNDOS EMPRESTÁVEIS — Mercado no qual os que desejam poupar oferecem fundos e os que desejam investir demandam empréstimos.

MERCADO DE OPÇÕES — É aquele que compreende os negócios de opções de compra e opções de venda de ações. Nesse mercado são negociados direitos de compra ou venda de um lote de valores mobiliários, com preços e prazos de exercícios preestabelecidos contratualmente. Por esses direitos, o titular de uma opção de compra paga um prêmio, podendo exercê-los até a data de vencimento da mesma ou revendê-los ao mercado. O titular de uma opção de venda paga um prêmio e pode exercer sua opção apenas na data de vencimento, ou pode revendê-la no mercado durante o período de validade da opção.

MERCADO DE OPERAÇÕES — Mercado no qual são negociados direitos de compra ou venda de um lote de valores mobiliários, com preços e prazos de exercício preestabelecidos contratualmente. Por esses direitos, o titular de uma opção de compra paga um prêmio, podendo exercê-los até a data de vencimento da mesma ou revendê-los no mercado. O titular de uma opção de venda paga um prêmio e pode exercer sua opção apenas na data do vencimento, ou pode revendê-la no mercado durante o período de validade da opção.

MERCADO DE PRODUTOS — Em economia representa um mercado de um bem ou de um serviço. Nestes mercados os consumidores são as famílias e os produtores, as empresas.

MERCADO DE *SWAPS*, OPÇÕES E FUTUROS — São operações de *hedging,* essencialmente negociações de transferência de risco (risco de alteração de taxa de juros, de liquidez, de câmbio, de crédito, preço, riscos operacionais).

MERCADO EMERGENTE — Mercado financeiro de países que desenvolvem economias de mercado e são preferidos por investidores norte-americanos.

MERCADO FINANCEIRO — Rede formada pelo mercado de capitais e pelo mercado monetário. Abrange todas as transações com moedas e títulos e as instituições que as promovem: Banco Central, Caixa Econômica, bancos estaduais, bancos comerciais e de investimentos, corretoras de valores, distribuidoras de títulos, fundos de investimento etc. Ele está dividido em quatro submercados. O mercado monetário, que negocia moeda; o mercado de crédito, que negocia empréstimos; o mercado cambial, que negocia moeda estrangeira, principalmente dólares; e a Bolsa de Valores, que negocia recursos para as empresas mediante a compra e a venda de ações. Os recursos financeiros são negociados entre os diversos agentes econômicos. Essa troca pode ocorrer de forma direta, por meio da Bolsa de Valores, por exemplo, onde empresas e investidores negociam entre si; ou por meio de intermediários financeiros, como os bancos. Nesse caso, os recursos dos poupadores são depositados nos bancos, que definem e executam a transferência para os tomadores de recursos. Toda vez que um poupador negocia seus recursos com um tomador de recursos, ele exige em troca a posse de um título de propriedade sobre os valores envolvidos e sobre a remuneração. Esse título (ou papel) é o registro da operação e pode ser negociado com outro agente em troca de dinheiro ou de outro recurso.

MERCADO FINANCEIRO EM CONCORRÊNCIA PERFEITA — É o mercado com a participação de vários agentes onde nenhum agente tem o poder de interferir no preço, onde não há participação de órgãos governamentais para alterar preços, há livre acesso ao mercado e a informação é homogênea.

MERCADO FINANCEIRO *OFFSHORE* — Tipo de mercado criado quando a contabilidade das contas entre países é separada do registro de transações financeiras e de capital domésticos. Na década de 90 do século XX, vários países onde estavam localizados importantes centros financeiros internacionais modificaram sua legislação bancária de modo a permitir que atividades vinculadas ao mercado financeiro *offshore* sejam realizadas em recintos bancários do país sem necessidade da criação física de um território especial.

MERCADO FIRME — Fase do mercado de capitais em que as cotações dos títulos negociados apresentam oscilações mínimas.

MERCADO FRACIONÁRIO — É aquele onde são negociados quantidade de ações que não chegam a completar um lote padrão do papel (lote-padrão = 1000 ações). Se você quiser negociar 4.500, 4.000 ações serão negociados no mercado inteiro e as 500 ações restantes, que não chegam a formar um lote-padrão, serão negociadas no mercado fracionário. (Ver: Mercado integral.)

MERCADO FUTURO — Mercado onde são realizadas operações envolvendo lotes padronizados de *commodities* ou ativos financeiros, para liquidação em datas prefixadas.

MERCADO FUTURO DE AÇÕES — É o mercado no qual as liquidações em ações se processam a prazos predeterminados e com datas de vencimento prefixadas. (Ver: Operações a Futuro.)

MERCADO IMPERFEITO — Mercado em que existe informação assimétrica, barreiras à entrada de novos concorrentes ou produtos heterogêneos.

MERCADO INFORMAL — Mercado em que os produtos comercializados desrespeitam a legislação.

MERCADO INTEGRAL — É aquele onde são negociados lotes-padrão do papel (lote-padrão = 1000 ações). Se você quiser negociar 4.500, 4.000 ações serão negociados no mercado inteiro e as 500 ações restantes, que não chegam a formar um lote-padrão, serão negociadas no mercado fracionário. (Ver: Mercado Fracionário.)

MERCADO MONETÁRIO — Conjunto formado por bancos comerciais e empresas financeiras de crédito que também participam do mercado de capitais. A diferença é que operam no curto ou curtíssimo prazo.

MERCADO NEGRO — Mercado livre que se forma espontaneamente quando a lei proíbe sua formação. Quando os preços de bens e serviços são fixados administrativamente, e saem fora da lei aqueles que realizam transações acima dos mesmos, surgem pressões econômicas que obrigam as pessoas a violar a lei. Noutras palavras, as leis (ordenamento jurídico) são incapazes de mudar as leis da economia como tal. Este tipo de mercados surge sobretudo em economias centralmente planificadas e em economias com uma intervenção estatal muito grande. O contrabando também pode ser considerado uma forma de mercado negro na medida em que se introduzem, ou extraem, mercadorias num país sem pagar as taxas aduaneiras correspondentes.

MERCADO *OVERSOLD* (SOBREVENDIDO) — Situação em que as reservas bancárias livres são inferiores às necessidades de financiamento dos títulos públicos federais fora do Banco Central do Brasil. (Ver: Mercado *Undersold*.)

MERCADO PARALELO — Movimentação ilegal de numerário destinado a atender a quem não quer ou não pode utilizar-se do mercado financeiro para obter crédito.

MERCADO PRIMÁRIO — Onde ocorre a colocação de ações ou outros títulos, provenientes de primeira ou novas emissões. As empresas recorrem ao mercado primário para completar os recursos de que necessitam, visando ao financiamento de seus projetos de expansão ou seu emprego em outras atividades. A operação de mercado primário implica a entrada ou a saída efetiva de moeda estrangeira do País. Esse é o caso das operações com exportadores, importadores, viajantes etc.

MERCADO RELEVANTE — Espaço no qual é plausível supor a possibilidade de abuso de posição dominante. Normalmente é definido em duas dimensões: de produto e geográfica. A autoridade procura delimitar o menor grupo possível de produtos (ou a menor área, no caso da dimensão geográfica) no qual um suposto monopolista poderia promover uma pequena elevação de preços de forma a manter seu nível acima do competitivo por um período suficientemente longo de tempo. O grau de substituição dos produtos, tanto do lado da demanda quanto da oferta, constitui variável-chave para o conceito de mercado relevante.

MERCADO SECUNDÁRIO — As operações do mercado secundário representam transferências de recursos e títulos entre investidores e/ou instituições. O mercado secundário proporciona liquidez aos títulos; permite que os investidores revertam suas decisões de compra e venda, transferindo, entre si, os títulos anteriormente adquiridos no mercado primário. Neste mercado, a moeda estrangeira simplesmente migra do ativo de um banco para o de outro e são denominadas operações interbancárias. Não implica efetiva entrada ou saída de moeda estrangeira no País.

MERCADO SOBREVENDIDO — Ver Mercado *Oversold*.

MERCADO *SPOT* — Mercado no qual são negociadas quantidades marginais de produto não cobertos por contratos. O mercado *Spot* considera a oferta e demanda do produto no momento da negociação de compra e venda, para entrega imediata.

MERCADO SUBVENDIDO — Ver Mercado *Undersold*.

MERCADO *UNDERSOLD* (SUBVENDIDO) — Situação em que as reservas bancárias livres são superiores às necessidades de financiamento dos títulos públicos federais fora do Banco Central do Brasil. (Ver: Mercado *Oversold*.)

MERCADO, TIPOS DE — Em economia representa a estrutura do mercado, por referência ao número dos agentes e à sua dimensão. As principais estruturas são três: competitivas, oligopolísticas e monopolísticas. A estrutura detectada pode influenciar a liberdade econômica de uma empresa ou família na tomada de decisões quanto à sua entrada e saída do mercado, quanto ao preço e quanto à quantidade de bens a oferecer ou a procurar. Classicamente, os tipos de mercado são nove, a saber: Muitos - Concorrência perfeita; Oligopólio; Monopólio. Poucos - Oligopsónio, Oligopólio contrariado; Monopólio contrariado. Um - Monopsónio; Monopsónio contrariado; Monopólio bilateral. Não obstante os nove tipos de mercado, nos anos 30 do século XX, surgiu um novo critério - a fluidez - que permitiu encarar teoricamente uma nova estrutura de mercado - a concorrência monopolística.

MERCADORIA — É o objeto ou a coisa adquirida pelo comerciante ou mercador, para ser revendida.

MERCADORIA FÍSICA — No contexto do mercado futuro, mercadorias efetivamente à vista, em contraposição às mercadorias futuras. No contexto de tarifação, os custos reais e os dados de produção relativos a um determinado período.

MERCANCIA — Atividade mercantil; prática de comércio.

MERCANTILISMO — Conjunto de princípios que orientou os Estados europeus para a expansão comercial ocorrida entre os séculos XV e XVII. Seus expoentes são os ingleses Thomas Mun (1571-1641) e Josiah Child (1630-1699), os franceses Barthélemy de Laffemas (1545-1612), Jean-Baptiste Colbert (1619-1683) e Antoine de Montchrestien (1575-1621) e o italiano Antonio Serra. Segundo os mercantilistas, a riqueza de uma nação provém de suas reservas de metais preciosos, em especial o ouro e a prata - moedas correntes na época. O Estado, portanto, deve acumular reservas pela descoberta de novas jazidas de minério ou pela obtenção de superávit comercial (exportando mais do que importando).

MERCHANDISING — Operação de planejamento necessária para se pôr no mercado o produto (ou serviço) certo, no lugar certo, no tempo certo, em quantidades certas e a preço certo.

***MERCHANDISING* SOCIAL** — É inserção, intencional, sistemática e com propósitos definidos, de questões sociais e mensagens educativas nas tramas das telenovelas e outros programas de TV. Como estratégia de mudança de atitudes e adoção de novos comportamentos, o *merchandising* social é instrumento dos mais eficazes, tanto pela grande audiência que atinge quanto pela maneira lúdica como dissemina novas condutas e práticas. As questões sociais abordadas mostram-se, aos telespectadores, como parte integrante do enredo das telenovelas e minisséries. Aparecem associadas, de forma positiva e educativa, aos diversos personagens que, deste modo, atuam como porta-vozes dos conceitos, atitudes e comportamentos que estão sendo promovidos.

MERCHANT — Comerciante.

MERCOSUL (MERCADO DO CONE SUL) — O MERCOSUL teve como origem os acordos bilaterais de comércio estabelecidos entre o Brasil e a Argentina a partir de agosto de 1990. Foi criado oficialmente em 26 de março de 1991 com a assinatura do Tratado de Assunción (Paraguai), congregando o Brasil, a Argentina, o Paraguai e o Uruguai. São membros associados (adesão política) o Chile (desde 1996), a Bolívia (desde 1997), países que negociam a entrada efetiva no MERCOSUL. A Venezuela que era membro associado desde dezembro de 2005, e foi admitida como associada efetiva em julho de 2006. Os associados não efetivos têm direito a voz nas reuniões e decisões, mas não têm direito a voto. Os objetivos do MERCOSUL são: criar um mercado comum com livre circulação de bens, serviços e fatores produtivos; adotar uma política externa comum; coordenar posições conjuntas em foros internacionais; coordenar políticas macroeconômicas e setoriais; e harmonizar legislações nacionais, tendo em vista uma maior integração. Coordenação brasileira a cargo do Ministério das Relações Exteriores.

MERENDA ESCOLAR — Ver Educação - PNAE (Programa Nacional de Alimentação Escolar).

MERIDIANO — Linha imaginária. Grande semicírculo da superfície terrestre limitado, em duas partes idênticas, pelos pólos Norte e Sul. Todas as linhas de meridianos se entrecruzam nos pólos. Convencionalmente, no Congresso Internacional de Cartografia de Londres em 1985, resolveu-se adotar, como meridiano origem, o que passa sobre o Observatório de Greenwich. Todos os meridianos possuem a mesma extensão de 40.036 km. (Ver: Longitude.)

MERITÍSSIMO — De grande mérito. Tratamento dispensado aos juízes togados de primeira instância. Abrevia-se MM. Nos arrazoados aos tribunais prefere-se a expressão Egrégia Câmara ou Colendo Tribunal.

MÉRITO — 1) Merecimento; por seu próprio mérito; característica positiva de uma questão, plano, sistema ou modo de agir. 2) É o objeto, a razão de ser de uma causa, de uma petição ou de um arrazoado. Questão ou questões fundamentais, de fato ou de direito, que constituem o principal objeto da lide. É a essência de uma causa, o que deu origem ao processo. 3) Conteúdo fundamental daquilo que constitui o objeto principal de uma proposição legislativa.

MERITUM CAUSAE — [Latim]. Expressão que significa mérito da causa.

MERVAL — Ver Índice Merval.

MESA DE ENTENDIMENTO — Procedimento que objetiva compelir aquele que se opõe, a negociar os pontos de difícil solução. (Ver: Negociação.)

MESA DIRETORA — 1) Órgão de uma Casa Legislativa encarregado de dirigir os trabalhos, com atribuições de natureza legislativa e administrativa. 2) Conjunto dos dirigentes de uma assembléia.

MESA-REDONDA — Consiste em uma reunião de especialistas que, mediante provocação, estímulo e moderação de um dos elementos que a compõe, sustentam posições divergentes e mesmo opostas a respeito de um tema, diante de um auditório, sem finalidades polêmicas, mas se propondo a precisar posições e a fornecer esclarecimentos, de tal sorte que sejam expressas de modo claro, sucinto, seguro, sem que um dos componentes fale o tempo todo.

MESÁRIO — Membro da mesa de uma corporação, especialmente confraria. Membro de mesa em seção eleitoral, no dia da eleição.

MESOCLIMA — Estudo climático de pequenas áreas.

MESODRENAGEM — Drenagem executada em rios com vazão entre 6,00 e 10,00 m^3/s.

MESOLOGIA — Ciência que tem por objeto as relações entre os seres e o seu meio ou ambiente; ecologia.

MESORREGIÃO — No Brasil é uma subdivisão dos estados que congrega diversos municípios de uma área geográfica com similaridades econômicas e sociais. Foi criada pelo IBGE e é utilizada para fins estatísticos e não constitui, portanto, uma entidade política ou administrativa.

MESTRE-DE-CERIMÔNIAS — É a pessoa que apresenta e dirige um encontro, mantendo o assunto dentro da pauta.

META (MERCADO DE EMPRESAS TELEASSISTIDAS) — Implantado desde agosto de 1996 é um mercado de acesso da BOVESPA. Empresas que desejam lançar ações na BOVESPA usam o META para ganhar liquidez, para se mostrar ao mercado, com maior facilidade do que necessitam na própria Bolsa. O META tem regras e tratamento próprios, mas as empresas nele transacionadas fazem parte do mercado principal da BOVESPA, obedecendo às suas normas e regulamentos. Para a realização das operações no META, é necessário que um promotor de negócios (pessoa jurídica) seja o intermediário das negociações de ações desta empresa, garantindo ofertas diárias firmes de compra e venda dos papéis. Além disso, as operações terão início a partir do recebimento de ofertas de compra e venda durante o período de pré-abertura do mercado, o qual tem como objetivo estabelecer o preço base de abertura. Após o fechamento dos negócios com base nas ofertas colocadas no período de pré-abertura, o mercado do papel abre para a negociação contínua do mesmo.

META (OBJETIVO) — Elemento de desdobramento quantificado dos objetivos específicos de uma certa categoria programática, por meio do qual se explicitam os produtos finais que se pretende produzir nesta ou nos seus desdobramentos, no decorrer de um determinado exercício. Constitui a expressão quantitativa e qualitativa de um propósito, retratando os resultados de cada passo intermediário que conduz à realização dos objetivos.

META DA QUALIDADE — Alvo da qualidade que se tem como objetivo. As metas da qualidade são aplicáveis a bens, serviços, processos, funções, organizações e a unidades dentro de uma organização.

META FÍSICA — Especificação e quantificação física de objetivos ou, ainda, indicador físico do desempenho de um projeto/atividade orçamentário. (Ver: Diretrizes // Objetivo.)

META OPTATA — [Latim]. Expressão que significa resultado desejado.

METABOLISMO — Conjunto de transformações químicas pelas quais se efetuam a assimilação e o consumo das substâncias no organismo dos seres.

METABOLISMO BASAL — Quantidade de calor produzida pelo organismo quando em condições de repouso e jejum absoluto, expressa habitualmente em grandes calorias, por metro quadrado de superfície cutânea e por hora. A medida do metabolismo basal pode servir como indicador do funcionamento da glândula tireóide, que é muito suscetível a irradiações.

METABÓLITO — Substância intermediária, formada a partir de transformação química, antes da finalização da cadeia de reações orgânicas metabólicas.

METADE DISPONÍVEL — Ver Herança – Metade disponível.

METÁFASE — Uma das fases da divisão celular quando os cromossomos ficam alinhados na posição equatorial da célula e preso às fibras do fuso.

METAFÍSICA — Designa o ramo da Filosofia que busca compreender a natureza do ser e da realidade (Ontologia) e a origem e a estrutura do universo (Cosmologia). No uso popular, é qualquer filosofia especulativa, esotérica ou mística, o que vai "além" da Física.

METÁFORA — Figura de palavra. É uma forma de exprimir uma idéia de forma não literal. Consiste na transferência do nome de um elemento para outro, em vista de uma relação de semelhanças entre ambos, é uma comparação feita subjetivamente. Exemplo: Ele dirige bem, mas é um pé-de-chumbo.

METAIS PESADOS — Grupo de elementos minerais que apresentam uma densidade relativamente alta quando despejados nos cursos d'água e solo, bem como na atmosfera. São importantes fontes de contaminação ambiental e dos seres vivos e, geralmente, muito tóxicos. Os metais pesados são o mercúrio, cádmio, chumbo, zinco, cromo, níquel, selênio, cobre, a platina e o arsênio, os quais são comumente utilizados na indústria e que podem, se presentes, em elevadas concentrações, retardar ou inibir o processo biológico aeróbio ou anaeróbio e ser tóxico aos organismos vivos. Eles se acumulam no organismo das plantas e animais e, através da cadeia alimentar, podem chegar ao ser humano.

METANO (CH_4) — O mais leve dos hidrocarbonetos na série das parafinas. É incolor, inodoro e combustível; a maior parcela do gás de pântano e do gás natural.

METANOL — Derivado do carvão e da madeira, é um combustível de alta performance e emite baixos níveis de poluentes tóxicos. O metanol é utilizado como combustível em veículos de corrida devido às suas características e aspectos de segurança. (Ver: Etanol.)

METAS DE INFLAÇÃO — Ver Metas para a inflação.

METAS FISCAIS — Integrante como anexo do projeto da Lei de Diretrizes Orçamentária (LDO), serve para avaliação do cumprimento das metas fiscais dos três exercícios anteriores e para demonstrar o que está planejado para o exercício vigente e para os dois seguintes em termos financeiros, envolvendo receitas, despesas, resultados nominal e primário e montante da dívida pública, inclusive com memória e metodologia de cálculo, além da demonstração da evolução do patrimônio líquido dos três últimos exercícios, da avaliação da situação financeira e atuarial do regime próprio de previdência, da estimativa e compensação da renúncia de receita e da margem de expansão das despesas obrigatórias de caráter continuado. Como a LDO é elaborada anualmente, a cada ano as metas deverão ser revistas, de forma a acompanhar o desempenho da economia. Como resultado primário e resultado nominal são produtos entre receitas e despesas, o ente da Federação (a União, cada Estado, o Distrito Federal e cada Município) deverá atentar para as projeções dos principais itens de receita (tributárias, principalmente) e dos principais itens de despesa (pessoal, custeio e investimentos). As projeções levarão em conta os resultados realizados no exercício anterior sobre os quais incidirão parâmetros de inflação e variação real (esforço tributário, variação do PIB etc). Parâmetros de inflação e esforço (variação do PIB) sobre determinada receita corresponderão a uma meta esperada a valores correntes. Retirando-se da projeção a inflação chega-se à projeção a preços constantes. (Ver: Metas fiscais, Verificação do cumprimento das // Relatório de cumprimento das metas fiscais // Relatório de gestão fiscal.)

METAS FISCAIS, VERIFICAÇÃO DO CUMPRIMENTO DAS — Objetiva avaliar o cumprimento do que foi previsto no Anexo de Metas Fiscais, integrante da Lei de Diretrizes Orçamentárias (LDO). A verificação é obrigatória por parte dos poderes e será feita ao final de cada bimestre, ou seja, nos meses de fevereiro, abril, junho, agosto, outubro e dezembro. Caso se verifique que a receita arrecadada e a arrecadar não seja suficiente para honrar, nos 30 dias subseqüentes, os compromissos já assumidos, as despesas deverão ser contingenciadas, segundo critérios fixados na LDO. Não serão objeto de limitação as despesas do Executivo que comprometam os limites constitucionais - saúde e educação - e as destinadas ao pagamento de serviço da dívida. A limitação da despesa deverá ser ato próprio de cada poder. Caso os Poderes Legislativo e Judiciário e o Ministério Público não promoverem a limitação dos gastos no prazo de 30 dias, o Executivo poderá restringir-lhes a entrega dos recursos financeiros. Esta determinação e os critérios deverão estar contidos na LDO. A limitação poderá ser suspensa, ainda que parcialmente, caso o fluxo da receita seja restabelecido. (Ver: Metas fiscais // Relatório de cumprimento das metas fiscais // Relatório de gestão fiscal.)

METAS INDICATIVAS — Ao contrário das metas quantitativas, não precisam ser alcançadas para liberação de empréstimos nos acordos assinados com o FMI. Portanto, são metas mais flexíveis. (Ver: Metas Quantitativas.)

METAS PARA A INFLAÇÃO — É um sistema de administração monetária em que o governo define uma meta para o índice de inflação em um determinado período. No Brasil este modelo vigora desde 1999. (Ver: *Inflation Targeting*.)

METAS QUANTITATIVAS — São as metas acertadas com os diretores do FMI e expressas em reais e não em percentuais. É o caso do superávit primário do setor público, por exemplo, que é fixado em milhões de reais. (Ver: Metas Indicativas.)

METAVALIAÇÃO — Avaliação concebida como uma síntese das constatações tiradas de várias avaliações. O termo também é utilizado para designar a avaliação de uma avaliação com o objetivo de apreciar a sua qualidade e/ou apreciar o desempenho dos avaliadores.

METEORITO — Qualquer corpo sideral que resiste ao atrito com a atmosfera e impacte a superfície do Planeta Terra, independentemente de sua origem. Corpo rochoso ou metálico, em geral de pequena dimensão, sem luz própria, que atinge a superfície terrestre. Quando no espaço são chamados de meteoróides. A luz que produzem ao interagir com a atmosfera é chamada de meteoro. Os meteoritos são classificados em : a) cabornáticos - extremamente friáveis, queimam com tal intensidade na fase incandescente e dificilmente atingem a superfície do Planeta Terra; b) assideritos ou aerolitos - podem ser constituídos principalmente por silicato de alumínio, de composição semelhante à do SIAL, camada mais externa da crosta terrestre, ou por silicato de magnésio, de composição semelhante à do SIMA, camada intermediária do globo terrestre; c) sideritos - constituídos por uma liga de ferro (92%) e níquel (8%), de composição semelhante à do NIFE, que constitui o núcleo externo do globo terrestre; d) litossideritos - constituídos por porções rochosas e metálicas; fragmentos gelados dos cometas. Podem provocar grandes explosões, ao atingirem as camadas mais adensadas da atmosfera. Dependendo do tamanho do fragmento, essa explosão pode provocar um impacto superior ao de numerosas bombas de hidrogênio. Os meteoritos provêm do espaço interplanetário ou do espaço interestelar. Ao penetrarem na atmosfera terrestre, sua velocidade inicial aproxima-se de 75 km/s, sendo freada pelo atrito com os fluidos gasosos da atmosfera, atingindo uma velocidade terminal superior a 25 km/s. O atrito torna os meteoritos incandescentes e luminosos.

METEORIZAÇÃO — Conjunto de processos físicos, químicos e biológicos, que operam na superfície terrestre, ocasionando a desintegração e a decomposição de rochas, cujo produto final é a formação do chamado manto ou regolito, material solto que se encontra na superfície, formando um horizonte sobre a rocha matriz.

METEORO — Fenômeno de tipo luminoso, devido à combustão de um meteoróide ao atravessar a atmosfera do planeta Terra.

METEORÓIDE — Partícula material do espaço interplanetário cujo tamanho pode ir desde um grão de poeira até o de um asteróide.

METEOROLOGIA — É a ciência que estuda os fenômenos atmosféricos e as leis que os regem. Estuda os movimentos e fenômenos da atmosfera terrestre nas suas relações com o tempo e o clima, com o fim de efetuar a previsão do tempo, por medições de temperatura, precipitação, pressão atmosférica, velocidade e direção do vento. A meteorologia é eventualmente importante para a prevenção e minimização dos desastres naturais.

METEOROLOGIA SINÓTICA — Compreende o estudo analítico dos processos físicos que ocorrem na atmosfera e constitui a base das análises meteorológicas e das previsões.

METEOSAT — Satélite geoestacionário europeu situado sobre a linha do equador com o meridiano de um grau de longitude oeste. Tem por finalidade observar e transmitir imagens das condições meteorológicas sobre a totalidade da África, grande parte da Europa e do Oceano Atlântico e parte da América do Sul.

MÉTODO — Caminho concebido para obtenção de resultados ou condução de um processo. A maneira ou forma como um trabalho é realizado. Quando a maneira para executar um determinado trabalho é registrada, o método se torna procedimento. (Ver: Metodologia.)

MÉTODO 5W1H — Tipo de *Check-list* utilizado para garantir que a operação seja conduzida sem nenhuma dúvida por parte da chefias e subordinados. Os 5W correspondem às seguintes palavras do inglês: *What* (o que); *Who* (quem); *Where* (onde) *When* (quando) e finalmente *Why* (por que). O 1H corresponde a *How* (como), ou seja, método a ser utilizado para conduzir a operação. Atualmente, procura-se incluir um novo H (*How much*/ Quanto custa), transformando o método em 5W2H.

MÉTODO CIENTÍFICO — Estratégia de diálogo do cientista com os seus objetos de investigação; caminhos adotados para a produção do conhecimento científico; modos de construção de descrições da realidade e do conhecimento científico.

MÉTODO COMPARATIVO — Aquele em que o valor de um bem ou de suas partes constituintes é obtido por comparação direta com outros similares, por amostragem estatística de dados contemporâneos de mercado. Eventuais pequenas diferenças de características devem ser compensadas através de critérios técnicos da engenharia de avaliações, entre os quais: a) Admissão de que todos os imóveis que produzem a mesma renda têm mesmo valor ou guardam entre si uma relação linear ou linearizável; b) A valorização ou desvalorização do bem avaliado pode ser compensada através de coeficientes devidamente pesquisados em outras ofertas ou transações semelhantes do mercado vigente à época.

MÉTODO DA RENDA — Aquele em que o valor do bem ou de suas partes constituintes é obtido pela capitalização de sua renda líquida, real ou prevista. A apuração é feita como se o valor fosse aplicado no mercado normal, mediante a utilização de taxas convenientes de renda e de operação, que devem ser amplamente justificadas pelo avaliador. Recomenda-se sua utilização conjuntamente com outros métodos, exceto em casos especiais, devidamente justificados. Havendo necessidade de extrapolações, o avaliador poderá optar por taxa vigente no mercado financeiro para aplicações financeiras de longo prazo, que envolvam o período extrapolado; se inexistirem, poderá explicitar uma ou mais taxas para o cenário previsto, transferindo para o julgador o mérito da questão.

MÉTODO DE AVALIAÇÃO DE IMPACTO AMBIENTAL (MÉTODOS DE AIA) —Seqüência de passos recomendados para coletar e analisar os efeitos de uma ação sobre a qualidade ambiental e a produtividade do sistema natural, e avaliar seus impactos nos receptores natural, socioeconômico e humano.

MÉTODO DE INTERPRETAÇÃO OU HERMENÊUTICA — Conjunto de diretivas, de critérios ou de princípios gerais que devem orientar a atividade do intérprete em um Tribunal.

MÉTODO DEDUTIVO — É um método de investigações na economia que consiste em raciocinar que parte de premissas gerais para conclusões específicas. (Ver: Método indutivo.)

MÉTODO DO CUSTO — Aquele em que o valor dos bens resulta de orçamento da composição do custo de outros iguais ao avaliando (custo de reprodução) ou equivalente (custo de substituição), incluindo lucro do vendedor. Na estimação simplificada dos custos poderão ser utilizados valores obtidos pelo método comparativo, incluindo previsão de encargos.

MÉTODO DOW — Método utilizado para classificar plantas industriais em situação de risco e avaliar o dano provável. Não é usado para avaliar acidentes muito pouco prováveis, mas com grandes prejuízos. A aplicação do método permite definir riscos ligados a operações efetuadas na planta industrial e indicar medidas para neutralizar ou minimizar tais riscos. (Ver: Método Mond.)

MÉTODO EXPERIMENTAL — Método pelo qual se experimenta algo, se põe à prova, através da observação, repetição e comparação dos fatos, chegando assim a conclusões.

MÉTODO INDUTIVO — Método que pela observação dos efeitos se remonta às suas causas. Em economia é um método de investigações que consiste em raciocinar partindo de fatos particulares para se chegar a conclusões gerais. (Ver: Método dedutivo.)

MÉTODO INVOLUTIVO — Geralmente utilizado para a avaliação de valor potencial de glebas suscetíveis de urbanização, cuja vocação é marcante para fins urbanos ou industriais. Consiste na apuração do custo do bem cujo valor se deseja determinar através da apuração da receita total auferível na venda de todas as unidades de projeto (hipotético ou não) que corresponde ao seu máximo e mais eficiente aproveitamento, deduzindo-se todos os gastos diretos e indiretos envolvidos na execução do empreendimento, assim como os respectivos lucros.

MÉTODO MOND — Método desenvolvido a partir do método Dow. Difere por analisar especialmente a toxicidade, a inflamabilidade e a reatividade dos insumos e produtos, na especificação do material a ser utilizado no equipamento da unidade de processamento. (Ver: Método Dow.)

MÉTODO OU METODOLOGIA CIENTÍFICA — Consiste na definição das questões levantadas pela observação de algum fenômeno, postulação de hipóteses que expliquem a ocorrência do fenômeno, experimentação para verificar essas hipóteses, formação de um modelo ou teoria fundamentada nas hipóteses e resultados da evidência experimental, validação, crítica das conclusões e resultados, bem como as recomendações finais.

MÉTODO RESIDUAL — Consiste na apuração do valor de uma parte do bem avaliando, do qual se conhece o valor global, deduzindo-se deste, sucessivamente, o valor de todos os outros componentes, assim como de seus respectivos encargos, gastos, lucros e outros itens ou despesas pertinentes.

METODOLOGIA — Literalmente, ciência ou estudos dos métodos. Investigação sobre os métodos empregados nas diferentes ciências, seus fundamentos e validade, e sua relação com as teorias científicas. Como método é o conjunto de processos racionais postos em prática para chegar à verdade. A metodologia é o estudo (análise e descrição) de qualquer método científico. Quando este estudo procura fundar a própria racionalidade de seu objeto se fala da lógica da ciência. (Ver: Método.)

METODOLOGIA *RISKMETRICS TM* — Metodologia líder no mercado mundial para estimação de risco de mercado, originalmente lançada pelo J.P. Morgan em 1994 e atualmente sob controle do *Risk Metrics Group* (RMG).

METONÍMIA — Figura de palavra. Consiste na transferência do nome de um elemento para outro, em vista de uma relação de causalidade (ou de implicação mútua). Exemplo: Nosso planejamento urbano está destruindo todas as nossas sombras. (Entre sombra – efeito da árvore – e árvore existe uma relação de causalidade).

METRO (m) — É uma unidade de medida de comprimento. Tem por base as dimensões da terra e o sistema numérico decimal. É uma das unidades básicas do Sistema Internacional de Unidades. Largamente usada no mundo inteiro em muitos setores, principalmente na construção civil e na indústria mecânica. Atualmente o metro é definido como sendo o comprimento do trajeto percorrido pela luz no vácuo, durante um intervalo de tempo de 1/299.792.458 de segundo (unidade de base ratificada pela 17ª CGPM - 1983). O trajeto total percorrido pela luz no vácuo em um segundo se chama segundo-luz. A adoção desta definição corresponde a fixar a velocidade da luz no vácuo em 299.792.458 m/s. (Ver: Quilograma // Litro.)

METRO CÚBICO (m^3) — É uma unidade de medida para volumes, padrão no Sistema Internacional de Unidades, normalmente expressa a quantidade para os líquidos e gases. É derivada do metro, sendo equivalente a um cubo (sólido) com arestas de 1 metro. No dia-a-dia utiliza-se muito o litro, que equivale a 0,001 metros cúbicos, ou um decímetro cúbico.

METRO QUADRADO (m^2) — É a unidade-padrão de área adotada para o Sistema Internacional de Unidades, e derivada da unidade básica metro. Corresponde à área que tem um quadrado com um metro de lado. Equivale a 10,76391042 pés quadrados, e a 1,19599005 jardas quadradas. Em agrimensura utilizam-se algumas unidades derivadas do metro quadrado, como o are (equivalente a 100 metros quadrados) e o hectare (equivalente a 10.000 metros quadrados). Um erro comum em cálculos envolvendo áreas é tratar esta medida como uma medida linear. Não é: é uma medida quadrática. Por esse motivo, um quadrado com 2 m de lado tem uma área não de 2 m^2 mas sim de 4 m^2 (= 2 m x 2 m).

METROLOGIA — Ciência dos pesos e medidas. Na área do comércio, a metrologia compreende todos os procedimentos técnicos relacionados com a manutenção da exatidão e reprodutibilidade internacional dos instrumentos de medição e com todos os procedimentos implementados a fim de especificar e assegurar a qualidade e credibilidade das medições referentes a controles oficiais, comércio, saúde, segurança e meio ambiente.

METROLOGIA LEGAL — Área da metrologia que trata da regulamentação dos instrumentos de pesos e medidas usados nas transações comerciais.

METRÓPOLE — Vocábulo grego que corresponde à cidade mãe; etimologicamente significa a área organizada por uma cidade mãe ou principal. A cidade principal organiza ao seu redor a chamada área suburbana que, embora administrativamente possa pertencer a vários outros municípios, é dependente da metrópole, econômica e funcionalmente. Forma espacial, com conteúdos diferentes para os países industrializados e os de economia dependente, as metrópoles em geral foram produto da Revolução Industrial, e foi esta atividade que lhes deu maior impulso, já que a localização do processo de produção no espaço urbano promoveu também uma maior concentração da força de trabalho e de consumo, assim como os de gestão e de serviços. Numa concepção mais sucinta e restrita, o termo refere-se à principal cidade de uma densa rede urbana, com população geralmente superior a 1 milhão de habitantes, altas densidades demográficas, concentrando as mais importantes e numerosas atividades industriais, comerciais e de serviços de uma região, quer dizer, concentrando capital e poder político. As metrópoles podem ser regionais, nacionais, internacionais. Um bom exemplo são as áreas metropolitanas, como a de São Paulo e a do Rio de Janeiro. Em torno destas cidades se agrupam vários municípios onde estão as cidades que se interligam, populacionalmente e economicamente à maior.

METROPOLIZAÇÃO — Formação de metrópoles.

MICO — [Gíria] — É aquele papel que não se consegue vender por falta de liquidez ou por alguma outra razão.

MICRO — Prefixo que caracteriza objeto com dimensão da ordem de milhão de vezes menor que o metro. (Ver: Nano.)

MICROBACIA HIDROGRÁFICA — Área fisiográfica com até 3 mil hectares, drenada por um curso d'água ou por um sistema de cursos d'água conectados, que convergem, direta ou indiretamente, para um leito ou para um espelho d'água. Constitui uma unidade ideal para o planejamento integrado do manejo dos recursos naturais no meio ambiente por ela definido. (Ver: Hectare.)

MICROCLIMA — Clima detalhado de uma área muito pequena da superfície terrestre (determinada floresta ou campo cultivado). O oposto de macroclima, ou seja, o clima de uma área muito grande, tal como deserto ou oceano.

MICROCRÉDITO — Programa de pequenos empréstimos para que pessoas de baixa renda realizem projetos de autoemprego e gerem renda, de modo a sustentar suas famílias. O programa de microcrédito foi regulamentado pelo Banco Central em julho de 2003. Há dois tipos de empréstimo: a) o de uso livre: pode ser utilizado para qualquer fim (até para compra de eletrodomésticos); b) o produtivo orientado: tem o objetivo de financiar microempresários formais ou informais. A destinação precisa ser comprovada. O empréstimo de uso livre, cujo teto é de mil reais, tem taxa de 2% ao mês, mas, com a cobrança da Taxa de Abertura de Crédito (TAC), o custo pode chegar a 3,5% mensais. Já no produtivo orientado o limite é de R$ 10 mil, mas 80% dos créditos concedidos são de até R$ 5 mil. A taxa é de 4% ao mês, que somada a TAC, podem chegar a 5%.

MICROCRÉDITO PRODUTIVO ORIENTADO — É o crédito concedido para o atendimento das necessidades financeiras de pessoas físicas e jurídicas empreendedoras de atividades produtivas de pequeno porte, utilizando metodologia baseada no relacionamento direto com os empreendedores no local onde é executada a atividade econômica.

MICRODRENAGEM — Drenagem executada em rios com vazão até 6,00 m^3/s e na malha de drenagem urbana.

MICROECONOMIA — Parte da ciência econômica que estuda o funcionamento do mercado de produtos e de fatores, com referência às decisões individuais tomadas, aos preços estabelecidos, à produção, à repartição de rendimento e ao consumo.

MICROEMPRESA — Pessoa jurídica ou firma individual que tenha receita bruta anual igual ou inferior a R$ 240.000,00 (duzentos e quarenta mil reais). Nos termos dos arts. 170 e 179 da Constituição Federal, é assegurado às microempresas e às empresas de pequeno porte tratamento jurídico diferenciado e simplificado nos campos administrativo, tributário, previdenciário, trabalhista, creditício e de desenvolvimento empresarial, em conformidade com o que dispõem as Leis n°s. 9.841, de 1999 e 9.317, de 1996, e alterações posteriores. Segundo definição adotada pelo BNDES, é a empresa com receita operacional bruta anual ou anualizada inferior ou igual a R$ 1.200.000,00. (Ver: Média empresa // Grande empresa.)

MICROORGANISMO — Ser vivo microscópico.

MICRORREGIÃO — De acordo com a Constituição brasileira de 1988, é um agrupamento de municípios limítrofes. Sua finalidade é integrar a organização, o planejamento e a execução de funções públicas de interesse comum, definidas por Lei Complementar Estadual. Entretanto, raras são as microrregiões assim definidas. Conseqüentemente, o termo é muito mais conhecido em função de seu uso prático pelo IBGE que, para fins estatísticos e com base em similaridades econômicas e sociais, divide os diversos Estados da federação brasileira em microrregiões.

MIDDLE OFFICE — Área responsável pela administração do risco, proposta de *benchmark*, *compliance* e tecnologia de uma instituição financeira.

MÍDIA — Meios de difusão, distribuição ou transmissão de mensagens escritas, visuais, sonoras, tais como a imprensa, a radiodifusão, o cinema, a teledifusão, as telecomunicações etc. Meios de comunicação social. (Ver: *Benchmark*.)

MIGRAÇÃO — Movimento de grupos populacionais entre regiões nacionais ou mesmo internacionais, por motivos econômicos, políticos, sociais ou como resultado de catástrofes naturais ou de perseguições políticas. As migrações costumam ser periódicas e reversíveis. Diz-se migrações internas, quando dentro do mesmo país, e migrações externas: emigração (quando há um movimento de saída para o estrangeiro) e imigração (quando há movimento de entrada vindo do estrangeiro). (Ver: Imigração.)

MIGRAÇÃO PARTIDÁRIA — Ver Eleição - Migração partidária.

MIGRAÇÕES SOCIAIS — Deslocações de grandes massas de pessoas de um país para outro ou entre pontos distintos do mesmo país.

MIGRANTE — Pessoa que se transfere de uma região ou mesmo de um país para outro por motivos pessoais, econômicos, sociais, políticos ou como conseqüência de desastres. Emigrante, quando examinado a partir da ótica da região donde sai. Imigrante, quando examinado a partir da ótica do país ou região receptora. Como indicador de pesquisa populacional, é considerada migrante a pessoa residente no domicílio, com quatro anos ou mais de idade, constante da pesquisa anterior e que na entrevista da pesquisa seguinte não mais residia no Município.

MILHA MARÍTIMA — Ou milha náutica é uma unidade de medida de comprimento ou distância, equivalente a 1852 metros, utilizada quase exclusivamente em navegação marítima e aérea e na medição de distâncias marítimas. A milha náutica não integra o Sistema Internacional de Unidades (SI) e o seu uso é desencorajado quando em relação com grandezas expressas em unidades do SI.

MILHA NÁUTICA — Ver milha marítima.

MILHA QUADRADA (mi²) — É uma unidade de medida imperial, cujo lado de um quadrado possui 1 milha de comprimento - ou aproximadamente 1,6 quilômetro ou a 5.280 pés. Uma milha quadrada é igual a 27.878.400 pés quadrados, 640 acres ou a 2,589988 km. A unidade de milha quadrada é amplamente usada nos Estados Unidos da América (onde é muito mais usada do que o quilômetro quadrado), e em menor grau, também no Canadá.

MILHA TERRESTRE — É uma unidade de medida de comprimento. No sistema britânico, equivale atualmente a 1.400 metros, enquanto que nos Estados Unidos equivale a 1.609,34 metros, onde é adotado como sistema em suas estradas. Já o Reino Unido e o Canadá adotam o sistema de quilômetro.

MILITANTE — Pessoa que luta em favor de determinada causa. Também chamado de ativista.

MILITARISMO — É a tendência a deferir às Forças Armadas uma influência decisiva sobre o processo político.

MINERAÇÃO — Processo de extração de recursos minerais existentes na crosta terrestre.

MINERAL — Elemento ou composto químico, normalmente resultante de processos inorgânicos, de composição química geralmente definida e encontrado naturalmente na crosta terrestre. Os minerais, em geral, são sólidos. Apenas a água e o mercúrio apresentam-se no estado líquido, à temperatura normal.

MINERALIZAÇÃO — Processo pelo qual elementos combinados em forma orgânica, provenientes de organismos vivos ou mortos, ou ainda sintéticos, são reconvertidos em formas inorgânicas, para serem úteis ao crescimento das plantas. A mineralização de compostos orgânicos ocorre através da oxidação e metabolização por animais vivos, predominantemente microscópicos.

MINERVAE SUFFRAGIUM — [Latim]. Expressão que significa voto de Minerva.

MINIBANDA — É um intervalo dentro da banda cambial mais larga em que o Banco Central atua junto ao mercado financeiro comprando e vendendo moeda.

MINIFÚNDIO — Imóvel rural com dimensão inferior a um módulo fiscal, calculado na forma do art. 5° do Decreto nº 84.685, de 1980. (Ver: Latifúndio.)

MINIMIZAÇÃO — Processo pelo qual se determina o menor valor que uma grandeza pode assumir.

MINIMIZAÇÃO DA DUPLA TRIBUTAÇÃO — Termo usado por profissionais tributários para descrever quando o país de residência do contribuinte considera o valor do imposto pago no país onde a renda foi auferida e cobra apenas a diferença do que considera devido como se a renda fosse toda ela gerada em seu território.

MINIMIZAÇÃO FISCAL — Termo usado por profissionais tributários para descrever o desejo de pagar o mínimo possível de impostos.

MINIMIZAR — Tornar mínimo. Reduzir causas ou conseqüências (no caso de desastre) a um mínimo aceitável de riscos ou danos.

MINISTÉRIO — Unidade administrativa de primeiro nível na hierarquia federal.

MINISTÉRIO DA CIÊNCIA E TECNOLOGIA (MCT) — Órgão central do sistema federal de ciência e tecnologia responsável pela política de Ciência e Tecnologia (C&T) e pela coordenação de sua implementação em nível nacional; além da Administração Central organizada em Secretarias - de Desenvolvimento Científico (SEDEC), Tecnológico (SETEC), da Política de Informática (SEPIN) e Acompanhamento e Avaliação (SECAV) - o sistema MCT é constituído pela FINEP, pelo CNPq e por Institutos que administra diretamente (INPE - Instituto de Pesquisas Espaciais; INT - Instituto Nacional de Tecnologia; INPA - Instituto Nacional de Pesquisas da Amazônia; e CTI - Fundação Centro de Tecnologia de Informática).

MINISTÉRIO DA JUSTIÇA — Órgão do Poder Executivo, que não pertence, não interfere e nem comanda o Poder Judiciário.

MINISTÉRIO DO TRABALHO — É órgão do Poder Executivo. Nada tem a ver com a Justiça do Trabalho, a não ser a afinidade na área de atuação. Ao Ministério cabe assessorar o Poder Executivo na elaboração ou alteração de leis trabalhistas e fiscalizar a aplicação destas. À Justiça do Trabalho cabe conciliar e julgar as divergências nas relações de trabalho e só atua, como todo órgão judicial, quando acionado, ou seja, quando alguém propõe uma ação (reclamação trabalhista).

MINISTÉRIO PÚBLICO — Instituição incluída entre as funções essenciais ao funcionamento da Justiça na Constituição de 1988 (arts. 127 a 130). Instituição permanente, funcionalmente independente, essencial à função jurisdicional do Estado, à qual incumbe a defesa da ordem jurídica, do regime democrático e dos interesses sociais e individuais indisponíveis. É órgão do Poder Executivo, não do Judiciário, encarregado da fiscalização da aplicação das leis e da promoção da justiça comum, militar, eleitoral e do trabalho. O Ministério Público Federal tem por chefe o pocurador-geral da República. O Ministério Público dos Estados tem por chefe o procurador-geral da Justiça do Estado, e se organiza segundo os dispositivos da Constituição de cada Estado. As funções do Ministério Público são desempenhadas pelos promotores da Justiça, aos quais cabe a missão de acusadores nos tribunais e reivindicadores da pena. Ao Ministério Público compete exercer a ação penal, defender os interesses de pessoas e de instituições às quais a lei concede assistência e tutela especiais (menores, incapazes, acidentados do trabalho, testamentos, fundações etc.) e fiscalizar a execução da lei. (Ver: Procurador-Geral da República.)

MINISTÉRIO PÚBLICO DO TRABALHO — É órgão do Ministério Público da União. Segundo a Constituição, é instituição permanente e essencial às funções da Justiça trabalhista. Não faz parte, porém, do Poder Judiciário nem do Poder Executivo. Cabe ao Ministério Público a "defesa da ordem jurídica, do regime democrático e dos interesses sociais e individuais indisponíveis". Essa é a função que o Ministério Público do Trabalho exerce junto à Justiça do Trabalho, cabendo-lhe, ainda, a coordenação entre esta e os Ministérios do Trabalho e da Previdência Social. A Procuradoria-Geral do Trabalho emite parecer nos processos que tramitam no Tribunal Superior do Trabalho (TST) nos seguintes casos: por determinação legal, nos dissídios coletivos originários; obrigatoriamente, quando for parte pessoa jurídica de direito público, Estado estrangeiro ou organismo internacional; facultativamente, a critério do Relator, quando a matéria for relevante e recomendar manifestação do Ministério Público do Trabalho. O parecer do Ministério Público não é voto. Como o nome já diz, trata-se da manifestação da posição daquele órgão na matéria em exame. É uma orientação, que pode o Tribunal levar em conta, mas que não decide a matéria em julgamento.

MINISTÉRIO PÚBLICO ESPECIAL JUNTO AO TRIBUNAL DE CONTAS — Formado por quadro único, constituído de cargos efetivos de Procurador, ao Ministério Público Especial cabe opinar, a seu requerimento ou por distribuição do presidente do Tribunal, sobre assuntos sujeitos a decisão do Plenário do Tribunal e, em especial: I - consulta sobre emissões de títulos em abertura e operação de crédito, bem como sobre dúvidas suscitadas na execução das disposições legais concernentes ao orçamento, contabilidade e finanças; II - operações de crédito; III - processos de aposentadoria, jubilações, reformas e pensões; IV - prestação e tomada de contas; V - prorrogação de prazo e levantamento de cauções decorrentes dos atos previstos no inciso III; VI - levantamento de finanças; VII - prescrição. A atuação do Ministério Público Especial é restrita aos assuntos dos entes sob a jurisdição do Tribunal de Contas a que pertencem.

MINISTRO DE ESTADO - COMPARECIMENTO À CÂMARA DOS DEPUTADOS — O ministro de Estado poderá comparecer perante a Câmara dos Deputados ou suas comissões nas seguintes hipóteses: a) quando convocado para prestar, pessoalmente, informações sobre assunto previamente determinado; b) por sua iniciativa, mediante entendimentos com a Mesa ou a Presidência de Comissão, respectivamente, para expor assunto de relevância de seu Ministério. A convocação será resolvida pela Câmara ou Comissão, por deliberação da maioria da respectiva composição plenária, a requerimento de qualquer deputado ou membro da comissão, conforme o caso. Se não for atendida convocação feita nos termos do art. 50, *caput*, da Constituição Federal, o presidente da Câmara promoverá a instauração do procedimento legal cabível.

MINISTRO REVISOR (STF) — Ministro que confirma, completa ou corrige o relatório do ministro relator. É sempre o ministro mais antigo no Tribunal depois do relator. Existe revisor nos seguintes processos: Ação rescisória; Revisão criminal; Ação penal; Recurso ordinário criminal; Declaração de suspensão de direitos.

MINORIA — 1) Inferioridade numérica. 2) Representação partidária que, sendo a segunda em número de membros, em relação ao Governo, expresse posição diversa da maioria. 3) Grupo que se destaca na sociedade nos aspectos raciais, religiosos ou étnicos, especialmente quando a diferença é óbvia e provoca tratamento desigual ou injusto às pessoas pertencentes a esse grupo.

MINUTA DO AGRAVO — Ver Agravo, Minuta do.

MINUTAR — Esboçar, projetar ou fazer o rascunho que irá servir de cópia ao ato, contrato ou escritura, a serem lavrados pelas partes ou tabelião. É também qualquer peça, a ser anexada ao processo, ou mesmo um requerimento.

MIR — Codificação utilizada pelos órgãos governamentais responsáveis pelo mapeamento do Brasil para identificar cada folha mapeada. O Brasil foi dividido em quadrículas para cada escala de mapeamento, sendo que cada quadrícula possui um código.

MISCIGENAÇÃO — Conceito de distribuição das atividades no espaço urbano pelo qual se propõe a mistura entre atividades econômicas e residenciais, desde que uma não prejudique a outra, diminuindo a necessidade de deslocamentos e facilitando a vida das pessoas.

MISSÃO — Ação de mandar, de enviar. Incumbência. Compromisso; obrigação; encargo. A razão de ser de uma organização, as necessidades sociais a que ela atende e seu foco fundamental de atividades.

MISSIONÁRIO — Propagandista de uma idéia. Aquele que missiona, que prega a fé, evangeliza.

MISTÉRIO — Verdade de fé inacessível à razão. Dogma, Tudo o que é incompreensível, inexplicável, um enigma. Segredo.

MÍSTICA — Atitude coletiva assente numa fé irracional, numa doutrina, num ser humano etc.

MISTICISMO — Via espiritual tendente à união com Deus através de uma religiosidade profunda, com vista à libertação das coisas naturais até a anulação da própria personalidade; crença religiosa ou filosófica que admite comunicação oculta entre o ser humano e a divindade.

MÍSTICO — Misterioso; alegórico.

MISTIFICAÇÃO — Ação ou efeito de mistificar. Coisa enganadora ou vã. Logro; burla; engano.

MÍTICO — Relativo aos mitos ou à mitologia.

MITO — Uma história tradicional sobre o passado, muitas vezes com elementos fantásticos, e que muitas vezes pretende explicar a origem das coisas. Narrativas fabulosas de origem popular. Coisa inacreditável. Exposição simbólica de um fato natural, histórico ou filosófico. Os mitos em geral envolvem seres sobre-humanos.

MITOMANIA — Tendência patológica para a mentira, para atrair a atenção das pessoas ou alcançar a compaixão de outrem. Na sua forma mais acentuada, o mitômano faz acusações e auto-acusações de falsos crimes ou de denúncias e depoimentos falsos.

MIX — Composto.

MÓBIL — Caracterizado por extrema fluidez, como o mercúrio. Causa; razão; agente. O que conduz à ação por efeito de forças mais ou menos irracionais, ou mesmo inconscientes.

MOBILIÁRIO URBANO — Todo elemento implantado no espaço público da cidade, com funções próprias, de interesse urbanístico, paisagístico, simbólico, cultural, comercial e social.

MOBILIDADE CULTURAL — Ver Mobilidade Social e Cultural.

MOBILIDADE SOCIAL E CULTURAL — Por mobilidade social entende-se toda passagem de um indivíduo ou de um grupo de uma posição social para outra, dentro de uma constelação de grupos e de estratos sociais. Por mobilidade cultural entende-se um deslocamento similar de significados, normas, valores e veículos.

MOBILIZAÇÃO — 1) Ato de mobilizar. 2) Arregimentação para uma ação política ou de caráter reivindicatório. 3) Conjunto de medidas governamentais destinadas a aumentar a capacidade de defesa de um país ou região, para enfrentar uma situação de guerra. 4) Conjunto de medidas que visam a ampliar, de forma ordenada, a capacidade de concentrar recursos institucionais, humanos, econômicos e materiais para enfrentar uma situação de emergência.

MOBILIZAÇÃO MILITAR — Parte da Mobilização Nacional, cujas atividades se destinam ao desencadeamento e à execução da guerra e de outras ações de emergência, a cargo da expressão militar do Poder Nacional.

MOBILIZAÇÃO NACIONAL — Conjunto de atividades que, em face da efetivação de hipótese de guerra ou de grave perturbação da ordem, são empreendidas pelo Estado, de modo acelerado e compulsório, a fim de transferir recursos existentes no Poder Nacional e promover a produção oportuna de recursos adicionais.

MOBILIZAR — 1) Dar movimento a; pôr em movimento ou circulação. 2) É convocar vontades para um propósito determinado, para uma mudança na realidade.

MOÇÃO — Em uma Casa Legislativa é a proposição em que é sugerida a manifestação sobre determinado assunto, aplaudindo, hipotecando solidariedade ou apoio, apelando, protestando ou repudiando.

MODALIDADE DE CRÉDITO — Tipo de operação de crédito, como por exemplo, empréstimo, financiamento, vendor, *hot money* etc.

MODALIDADES DE CHEQUES — Ver Cheques, Modalidades de.

MODELO — 1) É a representação formalizada num sistema de equações, formando um conjunto coerente de relações entre os fenômenos econômicos. 2) Cédula de tipo idêntico às impressas em circulação, distribuída às autoridades monetárias para comparação de legitimidade e enviada às sociedades numismáticas para estudos. 3) Conjunto de proposições ou equações que descrevem de forma simplificada alguns aspectos da realidade que se deseja representar; processo que reproduz propriedades importantes de um objeto complexo.

MODELO CONCEITUAL — É um conjunto de tabelas e matrizes seqüenciadas de forma a permitir a visibilidade das relações existentes entre os componentes, mecanismos, processos, matérias-primas etc. com a Qualidade Projetada para o produto. Pode ser definido como o "caminho" que o desenvolvimento do projeto deve percorrer para atingir as metas estabelecidas.

MODELO DA OFERTA E DA DEMANDA AGREGADAS — Modelo que a maioria dos economistas emprega para explicar as flutuações de curto prazo na atividade econômica em torno de sua tendência de longo prazo.

MODELO DE GESTÃO — É o conjunto de decisões exercidas, sob o princípio de qualidades preestabelecidas, com a finalidade de atingir e preservar o equilíbrio dinâmico entre os objetivos, recursos e atividades a serem desenvolvidas.

MODELO DE PLENO EMPREGO — Expressão utilizada em economia para definir a coincidência nos vários mercados das remunerações, dos preços e das taxas de juro, sem desemprego. O referido modelo apresenta-nos, assim, um mercado sem desemprego e com remunerações de equilíbrio formadas pela intersecção da procura agregada de fatores com uma oferta agregada absolutamente inelástica.

MODELO ECONÔMICO — Conjunto de medidas adotado pelos governos na condução da economia de seus países. Os modelos econômicos podem ser caracterizados e identificados por elementos principais. No mundo contemporâneo existem basicamente dois tipos de modelo econômico: o modelo estatista, que prevê a forte intervenção estatal na economia, e o modelo de mercado, que prevê a auto-regulação da economia através da livre competição entre os agentes econômicos.

MODELO ESPACIAL — É o conjunto de diretrizes (idéias) de desenvolvimento propostas para a cidade pelo Plano de Desenvolvimento Urbano e Ambiental (PDDUA), definido espacialmente (mapas).

MODELO HIDROLÓGICO — Representação matemática simplificada de alguns ou de todos os processos do ciclo hidrológico por um conjunto de conceitos hidrológicos expressos em linguagem matemática e interligados em seqüências temporais e espaciais correspondentes às observadas na natureza. Os modelos analógicos conceptuais são utilizados para simular o comportamento de uma bacia.

MODELO PARA GARANTIA DA QUALIDADE — Conjunto selecionado de elementos inter-relacionados do sistema da qualidade combinados para satisfazer as necessidades de garantia da qualidade em uma dada situação.

MODELO VOLUMÉTRICO — É um dos instrumentos de controle da edificação definidos pelo Plano de Desenvolvimento Urbano e Ambiental (PDDUA), que determina o volume da edificação no lote (ocupação, altura e recuos).

MODELOS MENTAIS — Pressupostos, generalizações, ou mesmo desenhos e imagens, profundamente enraizados, que influenciam a forma como entendemos o mundo e como agimos.

MODERADO — Qualidade daquele que manifesta posição política de centro.

MODERADOR — Pessoa encarregada de uma discussão em grupo que apresenta o tema aos participantes e coordena as ações de cada um.

MODERNIZAÇÃO TECNOLÓGICA — Significa a utilização (e não necessariamente domínio) de tecnologias mais atualizadas ou avançadas do que as utilizadas anteriormente. Para os países industrializados é o corolário do crescimento econômico.

MÓDULO FISCAL — O módulo fiscal constitui uma medida agrária regionalizada estabelecida para cada Município - no Município com menor módulo fiscal esse tamanho é de 5 (cinco) hectares e no de maior o módulo fiscal é de 110 (cento e dez) hectares, e o seu dimensionamento corresponde aproximadamente ao tamanho médio da propriedade familiar em cada município. (Ver: Hectare.)

MODUS FACIENDI — [Latim]. Expressão que significa maneira de fazer.

MODUS OPERANDI — [Latim]. Expressão que significa modo de operação; maneira de agir.

MODUS VIVENDI — [Latim]. Expressão que significa maneira de viver.

MOEDA — Unidade monetária de um país. Dinheiro de metal ou papel que tem curso legal. Unidade de valor-padrão utilizada como instrumento de troca por uma comunidade. É o meio pelo qual os preços são expressos, as dívidas liquidadas, as mercadorias e os serviços pagos e a poupança efetuada. A moeda corrente é o dinheiro oficial de um país para todos os tipos de transação. Como o controle da moeda é vital não apenas para o equilíbrio da economia de um país mas também para as relações comerciais entre nações, é criado um sistema monetário internacional. A atribuição da característica de moeda a determinado bem traduz ato de autoridade, mesmo nos países que tenham adotado o regime econômico mais próximo do liberalismo. Durante o feudalismo, uma das características principais da autoridade do senhor feudal era o direito de cunhagem, que, gradativamente, passou ao soberano.

MOEDA ARBITRÁVEL — Diz-se que a moeda é arbitrável quando se pode convertê-la em uma outra moeda estrangeira. Normalmente, são arbitráveis as moedas conversíveis, embora se possa fazer também arbitragem de moedas fracas por moedas fortes, em casos excepcionais.

MOEDA BRASILEIRA - HISTÓRICO A PARTIR DE 1942 — a) O Decreto-Lei n° 4.791, de 5 de outubro de 1942, institui o Cruzeiro, a centésima parte do cruzeiro passou a denominar-se centavo. O Cruzeiro passava a corresponder a mil-réis. b) A Lei n° 4.511, de 1° de dezembro de 1964, manteve o Cruzeiro, mas determinou a extinção do centavo. c) O Decreto-Lei n° 1, de 13 de novembro de 1965, institui o Cruzeiro Novo, restabelecendo o centavo. O Cruzeiro passava a corresponder a um milésimo do Cruzeiro Novo, com vigência estabelecida para a partir de 13 de fevereiro de 1967, conforme Resolução n° 47, de 8 de fevereiro de 1967, do Banco Central da República do Brasil. d) A Resolução n° 144, de 31 de marco de 1970, do Banco Central do Brasil, determinou que a unidade do sistema monetário brasileiro passasse a denominar-se Cruzeiro. e) A Lei n° 7.214, de 15 de agosto de 1984, extinguiu o centavo. f) O Decreto-Lei n° 2.284, de 10 de marco de 1986, criou o Cruzado, em substituição ao Cruzeiro, correspondendo o cruzeiro a um milésimo do cruzado. g) A Lei n° 7.730, de 31 de janeiro de 1989, institui o Cruzado Novo, em substituição ao Cruzado, mantendo o centavo. O Cruzado Novo correspondeu a um mil cruzados. h) Por determinação da Lei n° 8.024, de 12 de abril de 1990, a moeda nacional passou a denominar-se Cruzeiro, sem outra modificação, mantido o centavo e correspondendo o Cruzeiro a um Cruzado Novo. i) A Lei nº 8.697, de 27 de agosto de 1993, alterou a moeda nacional, estabelecendo a denominação Cruzeiro Real para a unidade do sistema monetário brasileiro. A nova unidade eqüivaleu a um mil cruzeiros e sua centésima parte denominou-se centavo. j) A unidade do sistema monetário nacional por determinação da Medida Provisória nº 542, de 30.6.1994 e da Lei nº 8.880 de 1.7.1994, passou a denominar-se Real. A nova unidade equivaleu, a partir de 1.7.94, a dois mil setecentos e cinqüenta cruzeiros reais, ou seja, Cr$ 2.750,00 = R$ 1,00.

MOEDA COMEMORATIVA — Moeda metálica, de cunhagem limitada, lançada em circulação em comemoração a eventos importantes.

MOEDA CORRENTE — Dinheiro autorizado a circular legalmente pelo país, emitido pelo Governo e utilizado como forma de pagamento.

MOEDA DE CURSO FORÇADO — Moeda sem valor intrínseco que é usada como moeda por determinação do Governo.

MOEDA DE PRIVATIZAÇÃO — Títulos usualmente negociados com deságio, e que são aceitos pelo Governo brasileiro nas privatizações.

MOEDA FIDUCIÁRIA — Papel-moeda parcialmente lastreado por outro. Sua origem remonta aos depósitos em ouro efetuados junto aos ourives, os precursores dos bancos. De início, os recibos dos depósitos correspondiam exatamente à quantidade de ouro mantida nos cofres. Mas ao observarem que esses recibos circulavam, passando por muitas mãos, e demoravam certo tempo para ser esgotados, os ourives e posteriormente os banqueiros passaram a emitir por sua conta recibos em maior quantidade que os depósitos de ouro recebidos em seus cofres; o valor desses recibos, ou as moedas de papel, dependia da confiança (*fiducia*, em latim) que merecia o banco emissor. A circulação da moeda fiduciária nos países que conservaram o lastro-ouro até os anos 60 do século XX era, em média, 30% a 40% superior às reservas do metal depositado, embora as autoridades monetárias desses países em determinados momentos ultrapassassem tais limites.

MOEDA METÁLICA — Moeda cunhada em metal, de curso forçado pelo valor nela gravado.

MOEDA PODRE — Designação popular para determinadas fontes de recursos no orçamento cuja credibilidade é duvidosa, como operações de crédito autorizadas em lei, mas que ainda não foram efetivamente contratadas. Também utilizada para caracterizar títulos da dívida pública ou de estatais, que não têm liquidez (facilidade de negociação) por não terem sido pagos no vencimento ou devido à dúvida sobre a capacidade do emissor em efetuar o pagamento no vencimento. São aceitos pelo seu valor nominal nos processos de privatização. Estes títulos são negociados no mercado com grande desconto (deságio) em relação ao seu valor nominal (de face). Ou seja: o valor de mercado é bem inferior ao valor nominal. O tamanho do deságio depende do emissor (muitas vezes estatais que não existem mais), do vencimento do título e de outras características. Tornaram-se populares nos processos de privatização ao serem aceitas como forma de pagamento pelo seu valor nominal.

MOEDA SOCIAL — É o capital social disponível na sociedade.

MOIRÉ — Elemento de segurança de cédula que consiste no efeito ótico gerado pela superposição ideal de vários sistemas de linhas.

MOLÉSTIA DE TRABALHO — Ver Saúde - Moléstia de Trabalho.

MOLÉSTIA PROFISSIONAL — Ver Saúde - Moléstia Profissional.

MOLHE — Cais ou quebra-mar. Estrutura construída com pilares, rochas ou outro material, que se estende num curso d'água ou no mar, partindo da margem ou da praia, e é colocada de modo a induzir uma erosão ou construção de margens ou a proteger contra a erosão.

MONARQUIA — Etimologicamente, significa a forma de governo em que o poder está nas mãos de uma única pessoa. Estado representado ou Governo presidido por um rei ou rainha. Atualmente, o termo designa os Estados onde o poder supremo é exercido em caráter vitalício e, quase sempre hereditário, em contraposição com a república, onde o chefe é eleito para mandato limitado. A monarquia é, historicamente, anterior à república, conquista democrática que se corporificou na Revolução Francesa.

MONÇÃO — Vento da circulação geral da atmosfera caracterizado pela persistência estacional de uma dada direção para outra. O termo é geralmente limitado àqueles casos em que a principal causa é o aquecimento diferencial (mudança de natureza do verão para o inverno) de um continente, em relação a um oceano vizinho. São ventos periódicos, típicos do sul e do sudeste da Ásia, que no verão sopram do mar para o continente. O exemplo mais conhecido de monção são as chamadas "monções da Índia", que começa no início de junho no sul da Índia e geralmente termina em setembro, caracterizando-se por forte chuva associada a ventos.

MONETARISMO — Corrente teórica que atribui à moeda um papel determinante nas flutuações econômicas. Seus adeptos defendem a teoria quantitativa da moeda e suas implicações.

MONITORAMENTO — É o acompanhamento periódico, por observações sistemáticas de um atributo, de um problema ou situação, pela quantificação das variáveis que o caracterizam. O monitoramento determina os desvios entre normas preestabelecidas (referenciais) e as variáveis medidas, possibilitando estudar as tendências ao longo do tempo, ou seja, verificar as condições presentes, projetando situações futuras.

MONITORAMENTO AMBIENTAL — Acompanhamento, através de análises qualitativas e quantitativas, de um recurso natural, com vista ao conhecimento das suas condições ao longo do tempo. É um instrumento básico no controle e preservação ambiental.

MONITORAMENTO DA CIDADE — Significa acompanhar o crescimento da cidade para verificar se o mesmo está ocorrendo com qualidade ou não.

MONITORAMENTO DE IMPACTO AMBIENTAL — No contexto de uma avaliação de impacto ambiental, refere-se à medição das variáveis ambientais após o início da implantação de um projeto (os dados básicos constituindo as medições anteriores ao início da atividade) para documentar as alterações, basicamente com o objetivo de testar as hipóteses e previsões dos impactos e as medidas mitigadoras.

MONITORIA — É o ato de monitorar. Supervisão permanente ou periódica da implementação física, financeira e temporal de um projeto, para se assegurar que os recursos, as ações, os resultados e os fatores externos estão ocorrendo de acordo com o plano.

MONITÓRIA — Informação judicial ou policial para a prestação de depoimento a respeito de alguma lide ou ocorrência.

MONITÓRIO — Ordem ou mandado judicial.

MONITORIZAÇÃO — Observação, medição e avaliação repetitiva e continuada de dados técnicos em informações, de acordo com esquemas preestabelecidos no tempo e no espaço, utilizando métodos comparativos, com o propósito de conhecer todas as possíveis variáveis de um processo ou fenômeno em estudo e garantir respostas coerentes e oportunas. O termo está mais de acordo com a semântica do que monitoração ou, ainda, monitoramento.

MONITORIZAÇÃO DE RISCO — Aplicação da metodologia de monitorização para o acompanhamento do quadro de evolução dos riscos, com vistas a garantir uma eficiente gestão.

MONOCULTURA — Sistemas de uma só espécie de colheita, essencialmente instável, porque, ao se submeterem a pressões, são vulneráveis à competição, às enfermidades, ao parasitismo, à depredação e a outras ações recíprocas negativas.

MONOGAMIA — União permanente entre um homem e uma mulher. A tradição jurídica brasileira, inspirada na orientação judaico-cristã, proíbe o homem e a mulher de possuírem mais de um cônjuge, sendo que o Código Penal pune a bigamia (art. 235). Em muitas partes do mundo existiram, e ainda existem, porém, a poliginia (união de um homem a várias mulheres) e a poliandria (união de uma mulher a vários homens), que são as espécies da poligamia.

MONOGRAFIA — Dissertação ou o escrito em que se estuda ou se trata de um ponto particular de uma ciência ou de uma arte, encarando-os sob os aspectos mais íntimos ou particulares.

MONOGRAMA — Grupo de letras conjugadas ou entrelaçadas.

MONOPÓLIO — É a situação de dominância de mercado, por um indivíduo, por uma empresa ou o Estado que, na condição de ofertante único, dispõe do poder da produção ou distribuição de bens ou serviços, chegando a ponto de exercer influências decisivas na formação dos preços. O caráter destrutivo do monopólio é a supressão da concorrência. A legislação da maioria dos países proíbe o monopólio, com exceção dos exercidos pelo Estado, geralmente em produtos e serviços estratégicos. (Ver: Monopsônio.)

MONOPÓLIO NATURAL — Estrutura de mercado na qual a situação mais eficiente (de menor custo) é obtida por uma única empresa. A teoria mais recente de regulação tem mostrado que tais situações são menos freqüentes do que se costumava pensar. As agências reguladoras têm papel importante em segmentos caracterizados por monopólios naturais.

MONOPSÔNIO — Em contraste com o monopólio, o monopsônio é uma condição de mercado na qual há um grande número de vendedores e apenas um único comprador.

MONÓXIDO DE CARBONO — Símbolo químico CO, é o gás produzido pela queima incompleta de hidrocarbonetos, como na queima de combustíveis fósseis (emissões de veículos movidos a gasolina ou diesel) ou pela decomposição parcialmente anaeróbica de matéria orgânica; altamente tóxico, um dos principais poluentes do ar.

MONTA — Soma; importância de uma conta; custo; valor; estimação; consideração; gravidade; lance oferecido em leilões.

MONTAGEM — Arranjo ou disposição ordenada de peças e mecanismos de modo a compor um todo.

MONTANHA — Grande elevação natural do terreno com altitude superior a 300 metros e constituída por um agrupamento de morros.

MONTANO — Relativo a ambientes que ocupam a faixa de altitude geralmente situada entre 500 e 1.500 m.

MONTANTE — 1) Expressão que se refere a um determinado objeto que se encontra instalado antes do de referência, no sentido de escoamento do fluido. 2) Ponto do curso de um rio em direção às suas nascentes (cabeceiras). É o oposto de Jusante. 3) Valor acumulado entre o capital inicial mais os juros (ou encargos). Aplica-se a mesma definição para juros simples ou compostos.

MONTAR DIFERENCIAIS — Diz-se do ato de comprar e vender simultaneamente contratos futuros de uma mesma mercadoria ou ativo financeiro, com vencimentos diferentes, na expectativa de uma mudança na relação de preços dos contratos.

MONTE PARTÍVEL — Ver Herança – Monte Partível.

MONTE-MOR — Ver Herança – Monte-Mor.

MONTEPIO — Instituição formada com o objetivo de prover a subsistência daqueles designados por seus filiados, quando estes vierem a falecer.

MONUMENTOS ARQUEOLÓGICOS OU PRÉ-HISTÓRICOS — Jazidas de qualquer natureza, origem ou finalidade que apresentem testemunhos da cultura dos paleoameríndios do Brasil, tais como sambaquis, montes artificiais ou tesos, poços sepulcrais, jazigos, aterrados, estearias e quaisquer outras não especificadas aqui, mas de significado idêntico, a juízo da autoridade competente.

MONUMENTOS NATURAIS — Formações de caráter excepcional cuja preservação é de interesse público. São as regiões, os objetos, ou as espécies vivas de animais ou plantas, de interesse estético ou valor histórico ou científico, aos quais é dada proteção absoluta, com o fim de conservar um objeto específico ou uma espécie determinada de flora ou fauna, declarando uma região, um objeto, ou uma espécie isolada, monumento natural inviolável, exceto para a realização de investigações científicas devidamente autorizadas, ou inspeções oficiais.

MORA — Impontualidade no cumprimento de uma obrigação, seja por parte do devedor ou por parte do credor. À primeira dá-se o nome de mora *debendi*, e à segunda, de mora *accipiendi* ou *credendi*. Quem não efetua um pagamento na data marcada está em mora. Também está em mora quem se recusa a receber um pagamento no prazo e da maneira estipulada.

MORA SALARIAL — Decorre de atrasos reiterados e injustificados, por parte do empregador, no pagamento do salário de seus empregados.

MORAL — É tudo o que se submete a todo valor onde devem predominar na conduta do ser humano as tendências mais convenientes ao desenvolvimento da vida individual e social, cujas aptidões constituem o chamado sentido moral dos indivíduos.

MORALIDADE ADMINISTRATIVA — A moralidade administrativa constitui, hoje em dia, pressuposto de validade de todo ato da Administração Pública. Não se trata – diz Hauriou, o sistematizador de tal conceito – da moral comum, mas sim, de uma moral jurídica, entendida como "o conjunto de regras de conduta tiradas da disciplina interior da Administração. A moralidade administrativa está intimamente ligada ao conceito do "bom administrador". (Ver: Princípio da moralidade administrativa.)

MORATÓRIA — Prorrogação do pagamento de uma dívida. É o período durante o qual o devedor inadimplente fica protegido contra a execução da dívida, prorrogação do prazo de uma obrigação exigível pela renegociação da dívida. Prorrogação de prazo solicitado pelo devedor, ou concedido pelo credor, para pagamento de uma dívida. Nas relações comerciais internacionais, a palavra é usada para definir a declaração unilateral de um país de que ele não pagará sua dívida no prazo determinado.

MORATÓRIO — Ver Moratória.

MORBIDEZ — É um tipo de abatimento ou esgotamento de forças que impossibilita que o indivíduo crie expectativas melhores sobre a vida. Normalmente são pessoas que têm fantasias constantes sobre possíveis desastres nas suas vidas e têm um nível de esperança muito pequeno sobre as possibilidades da vida.

MORBILIDADE — Qualquer desvio, objetivo ou subjetivo, de um estado de bem-estar fisiológico e biológico. Pode ser medida pelos seguintes termos: número de pessoas que estão doentes; as enfermidades que as pessoas têm durante um período determinado; a duração média dessas enfermidades.

MORDAZ — Satírico; maledicente.

MORFOLOGIA — Estudo das estruturas, formas e suas propriedades; distinção entre essência e substância.

MORFOLOGIA URBANA — É a forma e a estrutura da cidade, sua configuração espacial assumida pelo conjunto dos espaços edificados ou não, em função da intervenção pública ou privada sobre o meio físico.

MORTALIDADE — Relação entre o número de mortes (em um ano) e o número total de habitantes. Mede-se em número de mortes para cada 1.000 habitantes. É também conhecida como taxa de mortalidade.

MORTALIDADE GERAL — É o número de óbitos, por 1.000 habitantes, havidos durante um ano, numa determinada população.

MORTALIDADE INFANTIL — É o número de óbitos em indivíduos de até 1 ano de idade, referidos a 1.000, durante um ano.

MORTE — Fim da vida da pessoa natural, cessando sua capacidade jurídica.

MORTIFICAÇÃO — Forte tormento, desgosto, aflição. Maceração ou tortura do corpo com penitências.

MORTIS CAUSA — [Latim]. Expressão que significa por causa da morte.

MOTIVAÇÃO — 1) Conjunto de fatores psicológicos (conscientes ou inconscientes) de ordem fisiológica, intelectual ou afetiva, os quais agem entre si e determinam a conduta de um indivíduo, despertando sua vontade e interesse para uma tarefa ou ação conjunta. A motivação surge de dentro das pessoas, não há como ser imposta. Despertar o interesse das pessoas para a qualidade é fundamental, uma vez que não se implanta qualidade por exortação, decretos ou quaisquer mecanismos coercivos. 2) Configuração de motivos (de uma pessoa) ou o apelo a eles (por outra pessoa) para fins determinados. Do ponto de vista do ensino, a motivação compreende a ativação, a manutenção e a direção do interesse.

MOTIVO FÚTIL — Circunstância agravante de um crime. É motivo insignificante, injustificável, que demonstra a periculosidade do agente. (Ver: Homicídio - Motivo fútil.)

MOTIVO TORPE — Circunstância agravante de um crime. É motivo repulsivo, abjeto, que marca a perfídia do delinqüente. (Ver: Homicídio - Motivo torpe.)

MOVIMENTAÇÃO DE CRÉDITO, NOTA DE — Registro dos eventos vinculados à transferência de créditos, tais como destaque, provisão, anulação de provisão e anulação de destaque.

MOVIMENTO ECOLÓGICO — Movimentos de ação social que, a partir da formação de grupos integrados, pretende estimular uma atitude fundamental de defesa do equilíbrio e de uma melhor qualidade de vida. São gerados e organizados por grupos sociais os mais diversos, como associações de bairro, conservacionistas, profissionais, clubes, igrejas e outros, e podem constituir grupos de pressão junto aos poderes públicos e as organizações privadas.

MOVIMENTO SOCIAL — Organização nitidamente estruturada e identificada, cuja finalidade é arregimentar um número maior ou menor de pessoas para a defesa ou promoção de certos objetivos. Dono de uma identidade social e com uma determinada maneira de pensar e de agir. Trata-se de um empreendimento coletivo que busca uma nova ordenação da vida. É o segmento mais "politizado" do Terceiro Setor. Na luta pelo atendimento de demandas específicas, acabam criando entidades de base - associações civis - que defendem uma determinada causa ou um determinado fim, assumindo caráter reivindicatório ou contestatório junto à sociedade e ao Estado. São exemplos associações de bairro, grupos feministas e grupos de defesa dos direitos dos homossexuais, entre outros. O novo Código Civil trouxe importantes inovações no tocante às entidades organizadas com fins não econômicos que compõem o terceiro setor. Destaca-se, dentre as inovações, a supressão da sociedade civil sem fins lucrativos. Esta deixa de existir juridicamente, passando o novo Código Civil a disciplinar apenas dois tipos de entidades com fins não econômicos: a associação e a fundação, elencando para cada qual exigências estatutárias distintas no tocante à sua constituição, funcionamento e extinção. (Ver: Pressão social.)

MOVIMENTOS TECTÔNICOS — São fenômenos de deslocamentos crustais do Planeta Terra que, quando exibem componentes verticais, afetam o nível relativo do mar. Um dos movimentos tectônicos mais importantes é o epirogênico ou epirogenético, que atua em escala continental, e o orogênico ou orogenético, que se manifesta em escalas regional ou local. Outros movimentos tectônicos também importantes são a flexura continental e a compensação glácio-isostática. Muitos esquemas de classificação de costas incorporam, de algum modo, as mudanças do nível relativo do mar em virtude de movimentos tectônicos.

MP — Ver Medida Provisória.

MSCI (*MORGAN STANLEY CAPITAL INTERNATIONAL*) — Índice criado pela consultoria *Morgan Stanley* para acompanhar o desempenho das bolsas de valores. Para medir o comportamento das bolsas brasileiras, existe o MSCI – Brasil.

MUDANÇA CULTURAL — Processo de transformação e de evolução social, conduzido por um esforço orientado e coletivo de educação global, com o objetivo de garantir o pleno desenvolvimento sociocultural das comunidades e dos indivíduos que a constituem.

MUDANÇA SOCIAL — É toda a transformação observável no tempo, que afeta a estrutura ou o funcionamento da organização social de uma dada coletividade e modifica o curso da sua história.

MUDANÇA TECNOLÓGICA — Mudança nas relações de produção decorrente do emprego de novos conhecimentos técnico/científicos; incorporação de tecnologia por absorção, transferência e difusão, ou introdução de inovações tecnológicas.

MUDANÇAS CLIMÁTICAS — Termo genérico que engloba vários assuntos, como o efeito estufa, as causas da intensificação deste fenômeno natural, as conseqüências do aquecimento global, as medidas necessárias para prevenir ou minimizar este aquecimento, e também as prováveis medidas que a humanidade deverá adotar para se adaptar a esta mudança; a mudança climática vem se tornando uma área de conhecimento transdisciplinar, envolvendo várias ciências: física, química, geologia, oceanografia, meteorologia, geografia, biologia, ecologia, economia, sociologia e engenharia.

MULHER HONESTA — Este requisito normativo cultural aparecia em vários dispositivos penais (antigo crime de rapto, antigo crime de posse sexual mediante fraude etc.).

Somente a mulher "honesta" podia ser vítima desses crimes. Assim, tanto as prostitutas quanto as mulheres consideradas promíscuas não eram abarcadas pela tutela do Direito, dando-se pouca relevância ao coito fraudulento com tais pessoas. Dessa forma, cuidava-se de tipo penal aberto, que exigia juízo valorativo do juiz. Dependia de cada juiz para se descobrir o que era "mulher honesta". Na verdade, a honestidade da mulher jamais pode ser objeto de tutela penal. No mundo dos crimes sexuais, o que importa é a liberdade sexual da mulher e do homem. Ninguém pode ser compelido a praticar ou presenciar qualquer ato atentatório à sua liberdade. Fundamental, portanto, é a liberdade, não a honestidade. Evoluiu a legislação em eliminar o conceito de mulher honesta do Código Penal. Isso ocorreu inclusive no art. 215 (posse sexual mediante fraude), que agora só menciona como sujeito passivo "mulher", sem o qualificativo "honesta".

MULTA — Pena pecuniária imposta à pessoa física ou jurídica faltosa para com uma obrigação. Ato administrativo punitivo, ou seja, aquele que contém uma sanção, a ser imposta pela Administração ao agente político ou particular que cometer alguma infração. Pena, condenação.

MULTA CIVIL — É a expressão usada para indicar as sanções pecuniárias impostas pela lei civil, em distinção às que resultam de imposição penal, e em virtude de crime ou contravenção.

MULTA PENITENCIAL — A que uma parte contratante paga à outra no caso de arrepender-se do contrato.

MULTICONJUNTOS — Ver conjunto.

MULTIDISCIPLINARIDADE — Emprego de várias disciplinas científicas sem intercâmbio de conhecimentos entre estas; assunto que diz respeito a várias disciplinas científicas; relativo a um conjunto de disciplinas.

MULTIMERCADOS COM RENDA VARIÁVEL — Classificam-se neste segmento os fundos regulamentados pelo Banco Central ou pela Comissão de Valores Mobiliários (CVM) que busquem retorno no longo prazo através de investimento em diversas classes de ativos (renda fixa, câmbio, por exemplo), incluindo renda variável (ações etc.). Procuram agregar valor utilizando uma estratégia de investimento diversificado e não se utilizam de alavancagem. Estes fundos não têm explicitado o *mix* de ativos com o qual devem ser comparados (*asset allocation benchmark*) e podem, inclusive, ser comparados a parâmetro de desempenho que reflita apenas uma classe de ativos (por exemplo: 100% CDI).

MULTIMERCADOS COM RENDA VARIÁVEL ALAVANCADO — Classificam-se neste segmento os fundos regulamentados pelo Banco Central ou pela Comissão de Valores Mobiliários (CVM) que busquem retorno no longo prazo através de investimento em diversas classes de ativos (renda fixa, câmbio, por exemplo) incluindo renda variável (ações etc.). Estes fundos procuram agregar valor utilizando uma estratégia de investimento diversificado, podendo também se utilizar de estratégias que impliquem em alavancagem dos recursos.

MULTIMERCADOS SEM RENDA VARIÁVEL — Classificam-se neste segmento os fundos regulamentados pelo Banco Central que busquem retorno no longo prazo através de investimento em diversas classes de ativos, exceto renda variável. Estes fundos procuram agregar valor utilizando uma estratégia de investimento diversificado, não se utilizando de alavancagem.

MULTIMERCADOS SEM RENDA VARIÁVEL ALAVANCADO — Classificam-se neste segmento os fundos regulamentados pelo Banco Central que busquem retorno no longo prazo através de investimento em diversas classes de ativos, exceto renda variável. Estes fundos procuram agregar valor utilizando uma estratégia de investimento diversificado, podendo inclusive se utilizar de alavancagem.

MULTIPLICADOR — Aquele que sistematicamente instrui ou repassa a todos os colaboradores os conhecimentos aprendidos.

MULTIPLICADOR DA MOEDA — Quantidade de moeda gerada pelo sistema bancário a partir de cada dólar de suas reservas.

MUNDIALIZAÇÃO — Atribuição de um caráter ou dimensão mundial. O mesmo que globalização.

MUNICIPALISMO — Movimento que visa a fortalecer o Município, proporcionando-lhe maiores recursos, aumentando sua competência e protegendo sua autonomia.

MUNICIPALIZAÇÃO — Situação político-administrativa em que a competência para a prestação de serviços ou implementação de programas sociais diz respeito ao Município. Exemplo: Despesas realizadas pelos Municípios decorrentes da municipalização do ensino e da saúde.

MUNÍCIPE — Cidadão do Município.

MUNICÍPIO — Circunscrição administrativa autônoma do Estado, governada por um prefeito e uma Câmara de Vereadores. Extensão territorial constituída em divisão administrativa de um Estado federado sob um regime de autonomia administrativa, para que se dirija e governe pela vontade de seus habitantes. É a unidade autônoma de menor hierarquia dentro da organização político-administrativa do Brasil. Sua criação, incorporação, fusão ou desmembramento se faz por Lei Estadual, observada a continuidade territorial, a unidade histórico-cultural do ambiente urbano e os requisitos previstos em lei complementar estadual. Estas transformações dependem de consulta prévia às populações diretamente interessadas, através de plebiscito. Rege-se por Lei Orgânica, observados os princípios estabelecidos na Constituição Federal e na Constituição do Estado onde se situam e podem criar, organizar e suprimir distritos, observada a legislação estadual. A localidade onde está sediada a Prefeitura Municipal tem a categoria de Cidade. (Ver: Autonomia Administrativa Municipal // Distritos.// Bairros // Prefeito.)

MUNICÍPIOS BRASILEIROS — O Brasil está dividido em 26 Estados e um Distrito Federal. Os Estados são divididos em Municípios, que são as unidades autônomas de menor hierarquia da organização político-administrativo do Brasil. Atualmente existem no Brasil 5.562 Municípios, assim distribuídos por Regiões e Estados: Norte: 449 municípios, sendo: Acre: 22; Amapá: 16; Amazonas: 62; Pará: 143; Rondônia: 52; Roraima: 15; Tocantins: 139. Nordeste: 1.792 municípios, sendo: Alagoas: 102; Bahia: 417; Ceará: 184; Maranhão: 217; Paraíba: 223; Pernambuco: 184; Piauí: 223; Rio Grande do Norte: 167; Sergipe: 75. Sudeste: 1.668 municípios, sendo: Espírito Santo: 78; Minas Gerais: 853; Rio de Janeiro: 92; São Paulo: 645. Centro-Oeste: 465 municípios, sendo: Goiás: 246; Mato Grosso: 141; Mato Grosso do Sul: 78. Sul: 1.188 municípios, sendo: Paraná: 399; Rio Grande do Sul: 496; Santa Catarina: 293. (Ver: Região... seguido da região... (Norte, Nordeste, Sudeste, Centro-Oeste, Sul) // Estado - ... seguido da Unidade da Federação correspondente. Ex.: Estado - Acre.)

MÚNUS — Obrigação *intuitu personae* decorrente de convenção ou de lei. Imunidade: liberação de um *múnus* decorrente de convenção ou de lei. (Ver: *Intuitu Personae.)*

MUTAÇÃO — Alteração física ou química do material genético. Variação herdável imprevista em um gene (DNA) ou no número e estrutura cromossômica. As mudanças no material genético dividem-se em duas categorias: mutação cromossômica e mutação gênica. As mutações dão origem a um novo material ou organismos.

MUTAÇÃO CONSTITUCIONAL — A reforma da Constituição, operando-se por via formal (emenda ou revisão) ou por via informal (a mudança da interpretação da norma operada pela jurisprudência ou por novas práticas políticas ou sociais).

MUTAÇÃO GÊNICA — Processo responsável pela produção de novos alelos através da alteração na seqüência de bases do DNA. (Ver: DNA.)

MUTATIS MUTANDIS — [Latim]. Expressão que significa com as devidas alterações. Mudado o que deve ser mudado. Fazendo-se as devidas mudanças.

MUTILAÇÃO — Depreciação de um bem devido à retirada de sistemas componentes originalmente existentes.

MUTIRÃO AMBIENTAL — Recurso administrativo que permite a fiscalização de unidades de conservação e áreas protegidas pela sociedade civil; o mutirão ambiental é formado por um grupo de, no mínimo, três pessoas credenciadas por órgão ambiental competente; a autorização também se estende para reservas ecológicas de caráter privado. (Ver: Sociedade Civil.)

MUTUALISMO — Reunião de um grupo de pessoas, com interesses seguráveis comuns, que concorrem para a formação de uma massa econômica com a finalidade de suprir, em determinado momento, necessidades eventuais de algumas daquelas pessoas.

MUTUANTE — Designa a pessoa que, num contrato de mútuo, é o emprestador. É quem dá por empréstimo. Pessoa ou instituição que assina um mútuo emprestando a outra um bem fungível (que pode ser substituído por outro da mesma espécie e quantidade), como dinheiro, por exemplo. (Ver: Mútuo // Mutuário // Contrato de mútuo.)

MUTUÁRIO — Derivado de mútuo, indica a pessoa que, num contrato de mútuo, é quem toma por empréstimo ou recebe a coisa emprestada. Pessoa que recebe coisa fungível por empréstimo, obrigando-se a restituir outra do mesmo gênero, qualidade e quantidade. Pessoa que contrai empréstimo de dinheiro a juros; prestamista de casa própria financiada. (Ver: Mútuo // Mutuante // Contrato de mútuo.)

MÚTUO — É o empréstimo, formalizado em contrato de mútuo, de coisas fungíveis, onde o mutuário (beneficiário do empréstimo) é obrigado a restituir ao mutuante (o que empresta) aquilo que recebeu, em coisas do mesmo gênero, qualidade e quantidade. O domínio da coisa emprestada transfere-se ao mutuário, que fica responsável por todos os riscos da coisa, a partir da tradição da mesma. (Ver: Contrato de mútuo.)

MÚTUO, AÇÃO DE — É a ação de quem emprestou (mutuante) contra quem recebeu o empréstimo ou mútuo (mutuário) para que lhe seja restituído o bem, no mesmo gênero, qualidade e quantidade, respondendo o mutuário pelos juros de mora, podendo a ação envolver os juros expressamente convencionados.

N

NAB — Acordo que o Fundo Monetário Internacional mantém com seus membros mais ricos, para eventual aporte emergencial de recursos por parte dos mesmos.

NAÇÃO — Povo organizado politicamente sob um único governo. Pessoa jurídica formada pelo conjunto dos indivíduos regidos pela mesma Constituição. Em sentido restrito, é o conjunto de indivíduos que habitam o mesmo território ligados entre si pela origem, tradições, costumes, cultura, interesses e aspirações, geralmente falam a mesma língua e obedecem à mesma lei. É uma sociedade natural de homens e mulheres, na qual a unidade de território, de origem, de costumes e de língua e a comunhão de vida criaram a consciência social. O elemento território, em alguns casos, pode ser meramente acidental no conceito de nação, pois houve - como ainda há - povos que se mantiveram durante séculos sem fixação a uma base física, por exemplo, os ciganos e, principalmente, os judeus, que, dispersados no ano 71 d.C., pelo imperador romano Tito, permaneceram incólumes como povo até que foi criado o atual Estado judeu na Palestina.

NACIONAL — Relativo à nação, que pertence à nação. Que abrange toda a nação.

NACIONALIDADE — Laço jurídico pelo qual a pessoa física ou moral se vincula a uma nação determinada. Conjunto de direitos e deveres, públicos e privados, que atribuem ao indivíduo a qualidade de cidadão ou súdito de um Estado; qualidade ou condição de nacional da pessoa (por nascimento ou naturalização) ou coisa: nacionalidade da mulher casada com estrangeiro; nacionalidade dum navio, dum rio etc. A maioria dos países da Europa e da América Latina, inclusive o Brasil, considera a nacionalidade como matéria de Direito Constitucional (C.F., art. 12).

NACIONALIDADE ADQUIRIDA — Decorre de fato voluntário, posterior ao nascimento, como naturalização, casamento, opção, residência fixa no território do Estado, reaquisição de nacionalidade, cessão, aquisição ou troca de territórios. Nem todas essas formas de aquisição de nacionalidade secundária são conhecidas no Brasil. A naturalização em virtude de aquisição territorial é desconhecida no Brasil, pois o País não pratica a guerra de conquista.

NACIONALIDADE NATA OU PRIMÁRIA — Quando não há manifestação de vontade do indivíduo na escolha da nacionalidade. Decorre do fato natural do nascimento com critérios estabelecidos pelo próprio Estado. Os critérios escolhidos pelo Brasil são o critério da origem sangüínea (*ius sanguinis*) e o critério da origem territorial (*ius solis*). Tanto faz que o pai ou a mãe seja nato ou naturalizado, sendo necessário, apenas a nacionalidade brasileira para que o filho seja brasileiro nato. Se for filho póstumo, deve-se apurar a nacionalidade brasileira do pai ou da mãe no tempo da concepção. Serão também tidos como natos os filhos havidos fora da relação do casamento ou por adoção.

NACIONALIDADE ORIGINÁRIA — É aquela que o indivíduo tem em virtude do nascimento, segundo critérios sangüíneos, territoriais ou mistos; decorre, portanto, de fato natural. A Constituição foi exaustiva ao enumerar os casos de nacionalidade originária no art. 12, inciso I, que são basicamente três. São considerados brasileiros natos: a) os nascidos no Brasil, ainda que de pais estrangeiros, desde que não estejam a serviço de seu país de origem; b) os nascidos no estrangeiro, de pai ou mãe brasileiros, desde que qualquer deles esteja a serviço do País; c) os nascidos no estrangeiro, de pai ou mãe brasileiros, desde que venham a residir no País e optem a qualquer tempo pela nacionalidade brasileira.

NACIONALIDADE POTESTATIVA — É aquela cujos efeitos pretendidos dependem exclusivamente da vontade do interessado, que se expressará pela opção prevista no art. 12, inciso I, alínea "c" da Constituição Federal. O prazo para a realização da opção se dá a qualquer tempo. O indivíduo que nascer no estrangeiro de pai ou mãe brasileiros adquirirá a nacionalidade provisória a partir da fixação da residência no País, mas seus efeitos ficarão suspensos até o momento da opção, a qual terá efeitos retroativos. Neste caso, até a maioridade será o indivíduo tido como brasileiro, porém após a maioridade deverá fazer ele a opção, sob pena de sua condição de brasileiro nato ficar suspensa.

NACIONALIDADE, DUPLA — Ver Dupla nacionalidade.

NACIONALIDADE, PERDA DA — Perde a nacionalidade o brasileiro que: I) tiver cancelada sua naturalização, por sentença judicial, em virtude de atividade nociva ao interesse nacional; II) adquirir outra nacionalidade, salvo nos casos de: a) reconhecimento de nacionalidade originária pela lei estrangeira; b) imposição de naturalização, pela norma estrangeira, ao brasileiro residente em Estado estrangeiro, como condição para permanência em seu território ou para o exercício dos direitos civis (art. 12, § 4° após a EC nº 3 de 1994). Há ainda uma hipótese não expressa na Constituição, pela qual também haverá possibilidade de perda da nacionalidade se essa foi adquirida com fraude à lei, nos termos da legislação civil ordinária.

NACIONALIDADE, REAQUISIÇÃO DA — Aquele que teve a naturalização cancelada nunca poderá recuperar a nacionalidade perdida, salvo se o cancelamento for desfeito em ação rescisória. O que a perdeu por naturalização voluntária poderá readquiri-la, por decreto do presidente da República, se estiver domiciliado no Brasil (Lei nº 818, de 1949). O indivíduo readquire a nacionalidade no mesmo *status* que possuía antes de perdê-la: se era brasileiro nato, voltará a ser brasileiro nato; se naturalizado, voltará a ser naturalizado.

NACIONALISMO — É um fenômeno psicossocial de exaltação da própria nação. Por vezes, captado por pessoas dotadas de maior capacidade para sentir e exprimir em conceitos as vivências coletivas, chega a se formular em termos de uma doutrina. Nacionalismo não é a mesma coisa que patriotismo. Este é um sentimento difuso e permanente, na consciência coletiva, de amor à Pátria. O nacionalismo é uma forma aguda de sentimento patriótico, que emerge nos movimentos de crise nacional, propicia e acompanha as fases de mais intenso desenvolvimento. É, de si, um fenômeno sadio, sempre que conserva a necessária lucidez para não descambar em formas exageradas de xenofobia. (Ver: Xenofobia.)

NACIONALIZAÇÃO — É o ato jurídico gracioso pelo qual o governo de um Estado concede a estrangeiro, a pedido deste, a cidadania do país, importando na perda da nacionalidade de origem. (Ver: Dupla Nacionalidade.)

NADA — A não existência; o que não existe. Coisa nenhuma. O que se opõe ao ser.

NAFTA (*NORTH AMERICAN FREE TRADE AGREEMENT*) — Bloco formado por Canadá, Estados Unidos da América (EUA) e México, com o objetivo de constituir uma zona de livre comércio, visando à eliminação de barreiras às transações de bens, serviços e capitais, proporcionando maiores oportunidades de trocas comerciais e crescimento dos fluxos de investimentos entre os países-membros. O NAFTA é a ampliação do *Free Trade Agreement* (FTA), acordo de livre comércio existente entre os Estados Unidos e o Canadá desde 1989, com a inclusão do México em 1994.

NANO — Prefixo que caracteriza objeto com dimensão da ordem de bilhão de vezes menor que o metro. (Ver: Micro.)

NANÔMETRO — É a unidade de medida que corresponde a um bilionésimo de metro. O prefixo "nano" é de origem grega e significa "anão". O nanômetro é a escala de comprimento com que se mede o tamanho de átomos e moléculas. Os diâmetros atômicos, por exemplo, são da ordem de alguns décimos de nanômetro.

NÃO À ORDEM — Cláusula que, lançada em um título, impede novo endosso que não seja de mandato. Está subentendida no endosso pignoratício.

NÃO CANCELAMENTO DE RESTOS A PAGAR — Ver Restos a Pagar, não Cancelamento de.

NÃO CONHECER — Não admitir; não receber. Aplica-se, principalmente, em relação aos recursos interpostos ou a quaisquer outros pedidos sobre medidas processuais que se recusem ou não se admitam por improcedentes ou não cabíveis.

NÃO CUMPRIDOR FISCAL — É a pessoa que está buscando pagar menos imposto do que o previsto pela legislação.

NÃO DESEMBOLSADO — Verbas previstas no orçamento mas ainda não utilizadas nas atividades previstas.

NÃO-BIODEGRADÁVEL — Substância que não se degrada por processos naturais, permanecendo em sua forma original por muito tempo; alguns plásticos e alguns tipos de pesticidas estão nesta categoria.

NÃO-CONFORMIDADE — É o não atendimento a um requisito especificado.

NARCOANÁLISE — Processo de investigação do subconsciente e do inconsciente do indivíduo, mediante a injeção em seu organismo de substância euforizante, com a conseqüente liberação da revelação do passado, de experiências pessoais, tendências e conflitos. Sua utilização no processo criminal, com o fito de obter confissões durante interrogatórios, é proibida por lei, pois configura violação da personalidade do réu.

NARCOCAPITALISMO — É uma caracterização político-econômica do sistema capitalista em que o comércio de drogas ilegais é um ponto forte e de importância para a economia de um país e do mundo. Os países tais como Colômbia ou Afeganistão são ditos às vezes como "narco-estados", implicando uma presença significativa dos narcocapitalistas. O termo "narco-estados" não é largamente utilizado em referências bibliográficas; é mais utilizado por ativistas.

NASCENTE — Fonte situada no limite do afloramento de um aqüífero, no local a partir do qual o lençol se torna confinado. Fonte situada no afloramento de um aqüícludo (formação geológica que, embora porosa, é capaz de armazenar água, liberando-a em velocidade reduzida) em forma de bacia, coberto por um aqüífero; local onde o rio nasce.

NASCIDO MORTO OU ÓBITO FETAL — Em sentido geral, utilizado em pesquisa, indica aquele nascimento resultante de sete meses ou mais de gestação, que faleceu antes da completa expulsão ou extração do corpo materno, ou seja, ao ser separado do corpo materno não manifestou qualquer sinal de vida (respiração, choro, movimento de músculos de contração voluntária, batimento cardíaco etc.).

NASCIDO VIVO — Em sentido geral, utilizado em pesquisa, indica aquele nascimento que, após a expulsão ou extração completa do corpo materno, independentemente do tempo de duração da gestação, manifestou algum sinal de vida (respiração, choro, movimento de músculos de contração voluntária, batimento cardíaco etc.), ainda que tenha falecido em seguida. (Ver: Nascimento // Nascituro.)

NASCIMENTO — Ato pelo qual uma criança é trazida ao mundo, através de parto normal ou de técnicas cirúrgicas, O nascimento com vida inicia a personalidade civil do ser humano.

NASCITURO — É o ser já concebido, que está gerado, para nascer. É a criança ainda no útero, não nascida, mas que já tem direitos assegurados por lei. O Código Civil protege as expectativas de direito do nascituro, que se confirmam se houver nascimento com vida, ou como se nunca estivesse existido. O direito à vida do nascituro é tutelado pela lei penal que pune o aborto. Os direitos do nascituro são resguardados por lei, desde a sua concepção. (Ver: Natimorto.)

NASDAQ (*NATIONAL ASSOCIATION OF SECURITIES DEALERS AUTOMATED QUOTATION*) — A NASDAQ, que começou a operar em 1971, é conhecida por negociar, eletronicamente, ações das maiores empresas de tecnologia dos EUA. Além disso, é a principal instituição operando no mercado de balcão e a primeira bolsa eletrônica conectando compradores e vendedores. Por se tratar de um mercado em que as exigências burocráticas para abertura de capital são menores do que aquelas observadas na *New York Stock Exchange* (NYSE), é onde se concentra a negociação da maioria das empresas de tecnologia que, em boa parte, realizaram suas ofertas iniciais de ações nos últimos anos.

NASDAQ 100 INDEX — Lançado em 1985, este índice inclui 100 das maiores empresas não-financeiras, norte-americanas e estrangeiras.

NASDAQ COMPOSITE INDEX — Principal índice de ações negociadas na NASDAQ, bolsa eletrônica norte-americana que negocia ações das principais empresas de tecnologia e Internet. Exprime a variação média diária dos preços das ações listadas nesta bolsa.

NATALIDADE — Conjunto de nascimentos vivos em relação a determinado lugar ou região. A taxa de natalidade de um país representa o número de nascimentos ocorridos num ano em relação ao número total dos seus habitantes.

NATIMORTO — É aquele que nasceu morto; aquele que veio à luz, com sinais de vida, mas, logo morreu. Se morreu logo após o nascimento, transmite direitos, devendo-se para tanto apurar se chegou a respirar. (Ver: Nascituro.)

NATIONAL CURRENCY — Moeda nacional.

NATIVO — Que nasce; que é natural. Próprio de lugar onde nasce. Congênito. Peculiar. Nacional. Não afetado; simples. Diz-se da planta que vegeta espontaneamente nos campos. Denominação utilizada para indicar espécies vegetais ou animais de ocorrência natural em dada região. Ex.: mata nativa, animais nativos.

NATURAL — Que pertence ou se refere à natureza. Produzido pela natureza, ou de acordo com as suas leis. Que segue a ordem regular das coisas. Não provocado. Inato. Verdadeiro.

NATURALIDADE — Diz-se da pessoa em relação ao Município e à unidade da Federação de que se tem vínculo territorial pelo nascimento, o local do nascimento. Desse modo, nem todo nacional ou naturalizado será natural. Essa conclusão pode ser tirada se se levar em consideração, por exemplo, o filho nascido no estrangeiro de pais brasileiros a serviço do País. Este indivíduo será brasileiro nato (e, portanto, nacional), mas natural do território onde nasceu. Outro exemplo pode se dar daquele que opta pela nacionalidade brasileira. Da sua naturalização decorrerá que se tornará um nacional, mas sempre será natural do local estrangeiro em que nasceu.

NATURALIZAÇÃO — É uma forma de aquisição de nacionalidade secundária (nacionalidade adquirida). Dar-se-á sempre por ato voluntário do requerente. A concessão da naturalização é faculdade exclusiva do Poder Executivo; dá-se por ato discricionário do presidente da República. Seu principal efeito é que, uma vez concedida a nacionalidade ao indivíduo, ele perde a anterior. As modalidades de naturalização adotadas pelo Brasil de acordo com a Constituição são a naturalização ordinária e a naturalização extraordinária.

NATURALIZAÇÃO EXTRAORDINÁRIA — É inovação da Constituição Federal de 1988. Reconhece a nacionalidade brasileira aos estrangeiros de qualquer nacionalidade, residentes no Brasil há mais de 15 anos ininterruptos e sem condenação penal, desde que estes requeiram. O Supremo Tribunal Federal (STF) entende que a ausência temporária do estrangeiro no território brasileiro não significa que a residência não foi contínua, pois há de se distinguir residência contínua e permanência contínua. O prazo poderá ser reduzido para um ano se o estrangeiro tiver parente direto brasileiro - pai, mãe, cônjuge ou filho.

NATURALIZAÇÃO ORDINÁRIA — É a que se concede ao estrangeiro, residente no país, que preencha os requisitos previstos na lei de naturalização (Estatuto do Estrangeiro, Lei nº 6.815, de 1980), exigidas aos originários de países de língua portuguesa apenas residência por um ano ininterrupto e idoneidade moral. Os requisitos previstos no Estatuto do Estrangeiro são: capacidade civil segundo a lei brasileira, visto permanente, residência contínua por quatro anos, fluência verbal e escrita no Português, boa conduta e boa saúde, exercício de profissão de modo a garantir sua manutenção e de sua família no País, inexistência de qualquer hipótese para extradição. A simples satisfação dos requisitos acima não assegura a nacionalização do estrangeiro, uma vez que a concessão de naturalização é ato discricionário do Poder Executivo. Dá-se por ato do presidente da República. Aos portugueses, contudo, a Constituição prevê duas hipóteses: aquisição de nacionalidade adquirida (caso em que obedecerá aos mesmos requisitos dos demais indivíduos originários de países de língua portuguesa), conforme entendimento do art.12, inciso II, alínea *a*; ou aquisição de quase-nacionalidade, hipótese prevista no art.12, § 1°, pela qual não perdem a nacionalidade portuguesa, possuindo todos os direitos atribuídos ao brasileiro naturalizado, desde que haja reciprocidade em favor dos brasileiros.

NATUREZA — Designação genérica para os organismos vivos e seu ambiente; o mundo natural sem as obras humanas. Conjunto das leis que presidem à existência das coisas e à sucessão dos seres. Força ativa que estabeleceu e conserva a ordem natural de quanto existe. Essência; qualidade; espécie.

NATUREZA DA DESPESA — Ver Despesa Pública, Classificação Econômica da.

NAVEGAÇÃO ASTRONÔMICA — Navegação em que a localização e a orientação no rumo a seguir é dada pelo cálculo da posição relativa dos astros.

NBC — Ver Notas do Banco Central.

NBR 19000 — As normas desta série foram substituídas pela NBR ISO 9000.

NBR ISO 10000 — Série de normas que contêm orientações para auditorias.

NBR ISO 14000 — As normas da série NBR ISO 14000 têm por objetivo prover às organizações os elementos de um sistema de gestão ambiental eficaz, buscando equilibrar a proteção ambiental e a prevenção de poluição com as necessidades socioeconômicas.

NBR ISO 9000 — As normas da família NBR ISO 9000 foram concebidas para prover um conjunto genérico de normas de sistema da qualidade, aplicáveis a uma vasta extensão de indústrias e de setores econômicos. Elas são independentes de qualquer setor industrial/econômico específico. Coletivamente, fornecem as diretrizes para a gestão da qualidade e os requisitos gerais para a garantia da qualidade. São equivalentes às ISO 9000.

***NE BIS IN IDEM* —** [Latim]. Expressão que significa não duas vezes no mesmo assunto.

NEBLINA — Condensação de vapor de água em gotículas, formando massas semelhantes a nuvens próximo ao solo. Também designa um ajuste do esguicho da mangueira, para reduzir o tamanho das gotículas de água. Aerodispersóide líquido formado pela condensação do vapor.

NEBULOSA — Nuvem de gás e poeira interestelar em cujo interior se originam as estrelas.

NECESSIDADE — Conceito social; carência. Exigência individual ou social que deve ser satisfeita por meio do consumo de bens e serviços. Expressão de qualquer coisa que falta ou que é necessária para atingir um determinado nível de satisfação. Em economia define o fim ou um conjunto de fins a que um indivíduo se propõe. As necessidades são: a) múltiplas; b) de desigual intensidade, pelo que temos que as dispor ou graduá-las por ordem de urgência; c) saciáveis, porque é possível diminuir a sua intensidade; d) ilimitadas, porque variam com o passar do tempo.

NECESSIDADE HUMANA — Entende-se por necessidade humana a sensação da falta de alguma coisa unida ao desejo do satisfazê-la.

NECESSIDADE LÍQUIDA DE FINANCIAMENTO — Ver Financiamento, Necessidade Líquida de.

NECESSIDADE NUTRICIONAL — Ver Saúde - Necessidade nutricional.

NECESSIDADE PÚBLICA — É tudo aquilo de que o Poder Público ou a coletividade social precisa para o bem comum. Consideram-se casos de necessidade pública: a) a defesa do território nacional; b) a segurança pública; c) os socorros públicos em caso de calamidade; d) a salubridade pública.

NECESSIDADES BÁSICAS HUMANAS — São as cinco precondições para a motivação das pessoas: Necessidades Fisiológicas, de Segurança, Sociais, de Estima e de Auto-Realização. Elas devem ser satisfeitas simultaneamente.

NECESSIDADES DE FINANCIAMENTO DO SETOR PÚBLICO (NFSP) — Ver Financiamento do Setor Público, Necessidades de (NFSP).

NECROFILIA — Perversão sexual, aberração repugnante, crime que consiste em profanar cadáver, satisfazendo nele o desejo libidinoso. Vilipendiar cadáver ou suas cinzas: pena de detenção de um a três anos e multa.

NECROPSIA — Exame pericial feito no cadáver para se descobrir a *causa mortis*. O Código de Processo Penal usa erroneamente a palavra autópsia para designar esse exame, porém, a própria etimologia da palavra nos dá o sentido desta: *Auto,* em si próprio, na própria pessoa; *psia*, exame. Autópsia nada mais é que o exame feito pela pessoa nela mesma, portanto, pessoa viva. A *necropsia* deverá ser feita até seis horas depois da morte.

NEGLIGÊNCIA — É a desatenção, a falta de cuidado ou de precaução com que se executam certos atos, em virtude dos quais se manifestam resultados maus ou prejudiciais, que não adviriam se mais atenciosamente ou com a devida precaução, aliás, ordenada pela prudência, fossem executados.

NEGOCIAÇÃO — Ato ou efeito de negociar (ajustar, combinar, concluir).

NEGOCIAÇÃO COLETIVA — Compreende todas as negociações que ocorrem entre, de uma parte, um empregador, um grupo de empregadores ou uma organização ou várias organizações de empregadores e, de outra parte, uma ou várias organizações de trabalhadores com a finalidade de fixar as condições de trabalho e emprego, ou regular as relações.

NEGOCIAÇÃO COMUM — Aquela realizada em pregão, entre dois representantes de diferentes sociedades corretoras, a um preço ajustado entre ambos.

NEGOCIAÇÃO DIRETA — Realizada sob normas especiais por um mesmo representante de sociedade corretora para comitentes diversos. Os interessados nessa operação devem preencher o cartão de negociação ou digitar um comando específico, no caso de negociação eletrônica, indicando que estão atuando como comprador e vendedor ao mesmo tempo.

NEGOCIAÇÃO POR OFERTA — Procedimento operacional em que o operador registra uma proposta firme (compra ou venda) de um determinado lote de ações.

NEGOCIAÇÃO POR TERMINAIS — Em pregão eletrônico: sistema eletrônico de negociação por terminais, que permite a realização de negócios, por operadores e corretoras credenciados, nos mercados à vista, a termo e de opções, com papéis e horários definidos pela BOVESPA.

NEGOCIAÇÃO VIA SISTEMA ELETRÔNICO — É o estilo de negociação na qual o investidor compra e vende ações dando ordens através do computador, sem a intermediação de um operador.

NEGOCIAÇÃO VIA VIVA-VOZ — Estilo de negociação na qual o investidor compra e vende ações dando as ordens para sua corretora que as repassa para um operador, localizado no salão de pregão da BOVESPA. É este operador quem fecha a negociação.

NEGÓCIO — É um conjunto de pessoas que se unem para processar energia, materiais e informações (conhecimento) provenientes da sociedade e assim gerar produtos para satisfazer as necessidades de sobrevivência das pessoas desta mesma sociedade.

NEGÓCIOS JURÍDICOS — São os fatos jurídicos voluntários constituídos por uma ou mais manifestações de vontade destinadas a produzir intencionalmente efeitos jurídicos. O conteúdo consiste no conjunto de cláusulas nele contida. As cláusulas ou elementos mais importantes designam-se por elementos essenciais e são os que devem necessariamente existir para dar vida a um negócio jurídico, podendo distinguir-se os elementos em: a) Elementos essenciais genéricos: são aqueles que têm de existir em todo e qualquer negócio jurídico, tais como: capacidade das partes, declaração de vontade, objeto possível e fim. b) Elementos essenciais específicos: são aqueles que se mostram essenciais para a existência de um negócio jurídico concreto, diferenciando-o, no entanto, dos restantes. Trata-se, assim, das cláusulas que distinguem um certo tipo negocial dos restantes tipos. (Ver: Contratos Bilaterais ou Plurilaterais.)

NEGÓCIOS JURÍDICOS GRATUITOS — Ver Contratos gratuitos.

NEGÓCIOS JURÍDICOS ONEROSOS — Ver Contratos onerosos.

NEGÓCIOS JURÍDICOS UNILATERAIS — Ver Contratos unilaterais.

NEMO IUS IGNORARE CONSENTUR — [Latim]. Expressão que significa ninguém pode ignorar a lei.

NEOCOLONIALISMO — Continuidade da dependência de uma nação em relação à outra. Essa dependência se dá na área econômica.

NEOLIBERALISMO — A expressão é usada para designar as políticas econômicas com ênfase no livre mercado que vêm sendo adotadas pela maioria dos países. É uma doutrina político-econômica que representa uma tentativa de adaptar os princípios do liberalismo econômico às condições do capitalismo moderno. Defende a idéia de que a vida econômica é regida por uma ordem natural formada a partir das livres decisões individuais. Mas acham que há necessidade de disciplinar a economia de mercado na medida suficiente para garantir a sobrevivência deste modelo. Alguns adeptos do Neoliberalismo pregam a defesa da pequena empresa e o combate aos grandes monopólios na linha antitruste dos Estados Unidos. No plano social, o Neoliberalismo defende a limitação da herança e das grandes fortunas e o estabelecimento de condições de igualdade que possibilitem a concorrência. Uma das principais expressões do neoliberalismo são as medidas estabelecidas no chamado Consenso de Washington, encontro realizado no início dos anos 90 do século XX. Elas enfatizam a abertura da economia por meio da liberalização financeira e comercial e da eliminação de barreiras aos investimentos estrangeiros diretos; a estabilização econômica obtida pela disciplina fiscal, pela reforma tributária, pela estabilidade da taxa de câmbio e pelo redirecionamento dos gastos do Estado, dando prioridade à saúde, à educação e à infra-estrutura; e a diminuição da participação do Estado na economia para permitir maior autonomia ao setor privado, ocorrida por meio dos programas de privatização e da desregulamentação, por exemplo, do preço de alguns produtos antes controlados pelo Estado. No neoliberalismo, o papel do Estado restringe-se a disciplinar o mercado com o objetivo de combater os excessos da livre concorrência e, dessa forma, garantir sua sobrevivência.

NEPOTISMO — Prática pela qual uma autoridade pública nomeia um ou mais parentes próximos para o serviço público ou lhes confere outros favores, a fim de promover o prestígio da família (ascensão social), aumentar sua renda ou ajudar a montar uma máquina política em lugar de cuidar da promoção do bem-estar público. A Constituição veda a prática do nepotismo. A prática do nepotismo é injustificável em nossa realidade, é imoral e fere a ética institucional que deve reger os Poderes de Estado por ferir o senso de razoabilidade da comunidade a utilização de cargos públicos para o favorecimento familiar e garantia de empregabilidade doméstica. Os agentes públicos devem visar ao interesse público, não a satisfação de seus interesses pessoais ou familiares. A única interpretação possível em relação ao nepotismo deve consagrar a supremacia da Constituição e de seus princípios, afastando qualquer possibilidade de nomeação em cargos em comissão, sem concurso público, de parentes de autoridade pública, pois o texto constitucional está condicionado pela realidade histórica, não podendo se distanciar da realidade política e social de nosso tempo, afrontando a ética da sociedade e ignorando os valores morais dos indivíduos, sob pena de perda de legitimidade daqueles que têm a missão de gerir os interesses do Estado. A defesa da moralidade administrativa está intimamente ligada à idéia de proteção à probidade na Administração Pública, dever inerente de todos os agentes políticos, não bastando somente o cumprimento da estrita legalidade. É preciso também que se tenha a integral observância dos preceitos morais e éticos de razoabilidade e justiça, pois a moralidade constitui pressuposto de validade de todo ato do poder público.

NEPOTISMO – TRANSNEPOTISMO — Transnepotismo é prática do nepotismo pela qual uma autoridade pública de uma esfera de governo (Legislativo, Executivo e Judiciário) nomeia um ou mais parentes de uma autoridade pública de outra esfera de governo, que retribui com o mesmo gesto, nomeando um ou mais parentes do primeiro. (Ver: Nepotismo.)

NEPOTISMO CRUZADO — Diz-se da prática do nepotismo pela qual uma autoridade pública nomeia um ou mais parentes de outra autoridade pública da mesma esfera de governo, que retribui com o mesmo gesto, nomeando um ou mais parentes do primeiro. O termo também se aplica quando envolver outras autoridades públicas dentro da mesma esfera de governo (triangulação de nomeações). (Ver: Nepotismo.)

NEPOTISMO TERCEIRIZADO — Diz-se quando uma autoridade pública contrata uma empresa terceirizada e determina que ela contrate parentes seus. Essas manobras têm o objetivo tentar ocultar o nepotismo que, numa checagem da lista de servidores nomeados pela autoridade, não detectaria a nomeação direta de seus parentes. (Ver: Nepotismo.)

NERÍTICO — Zona de água do mar que cobre a plataforma continental.

NERVOSISMO — Emotividade exagerada. Agitação nervosa. Distúrbios do sistema nervoso. Irritabilidade, ou excitação emocional, temporariamente incontrolável.

NÉSCIO — Estúpido. Insensato, incapaz.

NET — Líquido; preço, peso ou lucro; livre de despesas ou acréscimos.

NET FARNING — Receita líquida; lucro líquido.

NET LOSS — Prejuízo (perda) líquido.

NET PRICE — Preço Líquido.

NET WORTH — Valor Líquido.

NETWORK ORGANIZATION — Organização que subcontrata funções operacionais de outras empresas e mantém apenas um grupo pequeno de empregados e gestores trabalhando em sua sede.

NETWORKING — Termo importado da informática relativo à ligação entre terminais de computador para que o acesso aos dados possa ser partilhado por diversos utilizadores. O melhor exemplo de *networking* à escala global é o da Internet, que permite a ligação em rede e *on-line* (em tempo real) entre um ou vários indivíduos localizados em qualquer ponto do mundo. É uma expressão que pode igualmente designar a forma como as grandes companhias de serviços (auditoras, consultoras, agências de publicidade, ou firmas de advogados) se podem internacionalizar sem recorrer à abertura de novas delegações regionais.

NEUROSE — Desequilíbrio mental que compromete a personalidade com penosa consciência desse estado. Perturbação nos processos cognitivos, emocionais e desvios comportamentais, condutuais e procedimentais de natureza conflitiva. Provém de determinados registros de uma realidade não completa, fragmentária, deformada ou distorcida no banco da memória que provocam dificuldades no enfrentamento de certos problemas diários respectivos.

NEUTRALIDADE CIENTÍFICA — Doutrina que assume que o conhecimento científico é objetivo e neutro – que independe de contextos históricos e das limitações dos observadores; os avanços ou verdades científicas são neutros, mas o uso que pode ser feito deles pode ser politicamente saudável ou espúrio.

NEVADA — Fenômeno meteorológico caracterizado pelo ato de cair neve. Compreende as grandes precipitações de neve, causas freqüentes de emergência em países de clima frio ou mesmo temperado. (Ver: Nevasca.)

NEVASCA — Também denominada vendaval ou tempestade de neve. Corresponde à nevada, quando acompanhada de vendaval ou tempestade. (Ver: Nevada.)

NEVE — Precipitação de cristais de gelo, a maioria dos quais com aspecto ramificado e, algumas vezes, estrelado. Ocorre quando a temperatura do ar saturado de umidade é muito baixa, pode acontecer a sublimação e a precipitação de minúsculos cristais de gelo, o que constitui a neve.

NEVES ETERNAS — Neve que se acumula sobre o solo acima da linha de neve, inclusive no verão, devido às precipitações superarem a fusão.

NÉVOA — Ver Nevoeiro.

NEVOEIRO — Também chamado de névoa, é constituído de gotículas microscópicas de água presentes na atmosfera, próximo à superfície terrestre. Sua formação depende da temperatura, da umidade do ar (pressão de vapor) e da quantidade de partículas existentes no ar. Existe nevoeiro quando a visibilidade é inferior a 1.000 m. Segundo o grau de restrição à visibilidade, podem ser classificados em: a) Forte – restringe a visibilidade a menos de 100 m; b) Moderado – limita a visibilidade entre 100 e 150 m; c) Leve – limita a visibilidade a menos de 1.000 m. Quando excede a 1.000 m há cerração. (Ver: Nuvem.)

NEW CASH OFFER — Oferta pública de venda de um novo bônus soberano, via subscrição em dinheiro.

NEWS GROUPS — Grupos de discussão da internet, divididos por temas e abertos a todos que integram a rede.

NEXO CAUSAL — Relação de causa e efeito. No Direito Civil é a relação existente entre a ação e o dano para que se configure a responsabilidade civil. No Direito Penal é a relação que se estabelece entre a ação delituosa e a causa de agir, de tal sorte que o resultado apenas poderá ser imputado a quem lhe der causa.

NICHO — Localização ecológica de uma espécie em uma comunidade ou ecossistema. Por exemplo: posição na cadeia trófica; o limite do nicho é ditado pela presença de espécies competidoras.

NICHO DE MERCADO — Campo de atividade econômica não explorado suficientemente pelo mercado. Pode caracterizar um ramo diversificado de atividade cujo mercado consumidor ainda não tenha sido sistemática e economicamente explorado.

NICHO ECOLÓGICO — O lugar de uma espécie na comunidade, em relação às outras espécies, o papel que desempenha um organismo no funcionamento de um sistema natural. Refere-se ao ambiente que rodeia um organismo ou grupo de organismos numa área reduzida. Parte do hábitat onde vive uma espécie. O hábitat é espacialmente mais abrangente que o nicho ecológico. Este último, além do espaço físico, compreende funções e relações tróficas na comunidade ecossistêmica. Por exemplo, bromeliáceas epífitas vivem no dossel de matas e certas formas marinhas escolhem formações rochosas no leito de oceanos como seu lar. (Ver: Hábitat.)

NIHIL OBSTAT — [Latim]. Expressão que significa nada impede.

NIKKEI — Ver índice Nikkei.

NIKKEI 225 — Ver índice Nikkei.

NINFOMANIA — Palavra de origem grega, *nymphom,* que significa câmara nupcial. É a patologia da mulher, consistente no impulso descontrolado que a impele a manter relações sexuais. São termos sinônimos: *andromania, furor uterino* e *uteromania.*

NITROGÊNIO — Principal gás que existe na atmosfera, o nitrogênio intervém na biosfera através de um complexo ciclo que envolve trocas entre atmosfera, solo e seres vivos. A bactéria Rhizobium, que cresce nas raízes das plantas leguminosas (feijão, soja), fixa o nitrogênio do ar, transformando-o em nitrato, um nutriente fundamental para as plantas.

NITROGLICERINA — Líquido oleoso, altamente explosivo, que se obtém pela combinação de glicerina com os ácidos nítrico e sulfúrico, comumente empregado na fabricação de dinamite. Fórmula: $C_3H_5(NO_3)$. Trinitrato de Glicerol.

NÍVEIS DE ENSINO — Ver Educação - Níveis de ensino.

NÍVEL — Indicativo numérico ou alfabético da posição relativa das classes, segundo as atribuições e responsabilidades dos cargos que as compõem.

NÍVEL DE RESISTÊNCIA (ANÁLISE DE INVESTIMENTO) — Cotação máxima provável de uma ação numa data. Este nível é estabelecido com base na extrapolação de máximas de um período anterior, traçada sobre um gráfico, e só é válido para curto e médio prazos.

NÍVEL DE RISCO ACEITÁVEL — Quantidade de risco que uma sociedade determinou como tolerável e razoável, após considerar todas as conseqüências associadas a outros níveis alternativos. É um juízo que exige um elevado grau de responsabilidade política e deve levar em consideração as conseqüências socioeconômicas de cada uma das linhas de ação alternativas, em termos de equação de custo/benefício. Como as medidas iniciais são as que produzem melhores resultados, a equação tende a aumentar, à medida que cresce o nível de qualidade de vida e, conseqüentemente, de exigência das sociedades mais evoluídas.

NÍVEL DE SUPORTE (ANÁLISE DE INVESTIMENTO) — Cotação mínima provável de uma ação numa data. Este nível é estabelecido com base na extrapolação de mínimas de um período anterior, traçada sobre um gráfico, e só é avaliado para curto e médio prazos.

NÍVEL DE VIDA — Medida dos recursos, considerando-se bens e serviços, disponíveis e acessíveis a um indivíduo, grupo social ou nação, dependendo de suas capacidades aquisitivas médias.

NÍVEL DO MAR — Nível que serve de referência para a medida das altitudes relativas dos acidentes geográficos. O nível do mar não é imutável; sua determinação caracteriza um valor médio para um dado período. Com o aquecimento da atmosfera, os glaciais, principalmente das regiões polares, tendem a se derreter e o nível do mar a subir.

NIVELAMENTO — Definição de níveis, por mensuração, para execução de obra ou elaboração de projeto.

NÓ — Medida de velocidade equivalente a uma milha marítima por hora. Dez nós correspondem a 18,5 km/h.

NOJO — Desgosto, tristeza causada por algum acontecimento funesto. Fato nojoso é todo acontecimento nefasto, indesejado. Juridicamente, período de nojo é aquele em que o réu não deve ser citado por motivo de falecimento ou doença grave, conforme disposto no art. 217 do CPC, II e IV.

NOME — Palavra que serve para identificar a pessoa em sociedade, mediante o registro em órgão competente, ou seja, o Registro Civil das Pessoas Naturais. O indivíduo só poderá requerer a alteração de seu nome se este for suscetível de expô-lo ao ridículo; deverá requerê-la no primeiro ano após alcançar a maioridade.

NOME CIENTÍFICO — Diferente do popular ou vulgar, é formado por dois ou três nomes em latim e designa o gênero e a espécie. Em alguns casos, é também acrescentada a subespécies. Escreve-se o gênero com inicial maiúscula e a espécie e subespécie em minúscula. É sempre grafado em *itálico* ou grifado.

NOME DE CASADA — Até dezembro de 1977, ao se casar, a mulher era obrigada a assumir o sobrenome do marido. Com o advento da Lei do Divórcio, a mulher passou a ter a escolha de acrescentar ao seu nome de solteira o sobrenome do marido. Ocorrendo separação ou divórcio consensual, o nome de casada da mulher será uma das cláusulas do acordo entre os cônjuges. (Ver: Certidão de casamento averbada // Divórcio // Separação.)

NOME SOCIAL — Termo usado pela sociedade mercantil. É a razão social ou firma.

NOMEAÇÃO — 1) Ato ou efeito de dar nomes. 2) Escolha, designação, indicação. 3) Ato formal, emanado do poder público, que atribui determinado cargo a uma pessoa nos quadros da Administração Pública e que se completa com a posse e o exercício.

NOMEAÇÃO À AUTORIA — É o ato pelo qual o possuidor ou o detentor da coisa demandada denuncia ao autor o proprietário ou o possuidor indireto da mesma, a fim de afastar de si as conseqüências da demanda. É ato exclusivo do réu. Tomando conhecimento da ação, pela qual se lhe pede uma coisa, móvel ou imóvel, que possui ou meramente detém, o réu denuncia ao autor o seu proprietário ou possuidor indireto, para que o cite para os termos da ação, assim se livrando de uma demanda que não é sua, mas do denunciado. Assim, na ação reivindicatória, proposta contra quem seja meramente detentor da coisa, ou seu possuidor direto (colono, rendeiro, feitor, inquilino etc.), o réu denunciará ao autor o seu proprietário ou possuidor indireto, porque a este e não a ele diz respeito a demanda.

NOMENCLATURA — Conjunto de termos de uso consagrado numa ciência ou arte; lista de nomes; catálogo.

NON ADIMPLETI CONTRACTU — [Latim]. Expressão que significa contrato não cumprido.

NON BIS IN IDEM — [Latim]. Expressão que significa ninguém deve ser julgado duas vezes pelo mesmo fato.

***NON DISCLOSURE AGREEMENT* (NDA)** — Compromisso assinado por investidores e empreendedores de não revelar ao mercado as informações relevantes obtidas de ambos os lados durante o processo de negociação para a efetivação de um processo de investimento de risco.

NON HILUM — [Latim]. Expressão que significa absolutamente nada.

NORMA — São instrumentos que estabelecem critérios e diretrizes, através de parâmetros quantitativos e qualitativos, e regulam as ações de pessoas e instituições no desempenho de suas funções. Aquilo que se estabelece como base ou medida para a realização ou a avaliação de alguma coisa; norma de serviço; normas jurídicas; normas diplomáticas; princípio, preceito, regra, lei, modelo, padrão: norma de conduta, de ação; tipo concreto ou fórmula abstrata do que deve ser, em tudo o que admite um juízo de valor.

NORMA AGENDI — [Latim]. Expressão que significa o direito como norma, lei ou regra de ação (direito objetivo). Norma de conduta.

NORMA COGENTE — Norma jurídica que restringe autonomia de vontade na prática de atos jurídicos de caráter negocial. Referente a uma norma que não pode ser modificada. A qualidade daquilo que é vinculativo, que não pode ser alterado. Também dita imperativa e absoluta.

NORMA DE QUALIDADE AMBIENTAL OU NORMA AMBIENTAL — Requisitos que definem a ótima qualidade de componentes ambientais (ar, água, solo...) e normalmente estabelecem concentrações máximas que não podem ser excedidas, salvo em circunstâncias excepcionais. Define as concentrações máximas de substâncias potencialmente tóxicas que se pode permitir em um componente do ambiente, durante um período de tempo definido.

NORMA DISPOSITIVA — Também chamada facultativa é aquela que se limita a declarar direitos, autorizar condutas ou atuar em casos duvidosos ou omissos. É a norma que Paulino Jacques denomina paracoercitiva ou *jus dispositivum*, cuja invocação é optativa. Enquanto as normas coercitivas dividem-se em proibitivas, preceptivas, taxativas e ab-rogativas, as normas dispositivas são, simplesmente, declarativas, permissivas, interpretativas e supletivas. (Ver: Norma jurídica coercitiva)

NORMA IMPERATIVA — Ver Norma jurídica coercitiva.

NORMA ISO 14000 — Ver ISO 14000.

NORMA ISO 9000 — Ver ISO 9000.

NORMA JURÍDICA — Preceito obrigatório de direito que pode ser exigido por meio da força física ou coerção. São características da norma jurídica: a) *imperatividade,* pois é um mandamento; b) *generalidade,* porque toda norma é abstrata, genérica; c) *bilateralidade,* pois são exigidos pelo menos dois sujeitos para a sua existência; d) *heteronomia*, a vontade do Estado prevalece sobre a individual; e) *coercibilidade,* seu emprego pode utilizar da violência.

NORMA JURÍDICA ATÍPICA — Norma jurídica elaborada sem a participação dos órgãos públicos dotados de competência legislativa. Dividem-se em normas jurídicas atípicas primárias e normas jurídicas atípicas secundárias. São exemplos das primeiras os contratos coletivos de trabalho e as sentenças normativas dos tribunais trabalhistas; das segundas, são exemplos os contratos individuais e as sentenças individuais. São as normas concretas, a que se refere Hans Kelsen, estabelecidas "para regular a conduta recíproca, estatuindo um certo comportamento mútuo".

NORMA JURÍDICA COERCITIVA — Também denominada *jus cogens* ou norma imperativa, a norma jurídica coercitiva é aquela que estabelece uma ação ou omissão indisponível, de cumprimento obrigatório conforme o dispositivo legal de forma que as partes envolvidas na relação jurídica não a podem alterar. A norma jurídica coercitiva limita, portanto, a autonomia da vontade individual, sendo taxativa. A norma coercitiva divide-se em várias espécies: proibitivas, preceptivas, taxativas e ab-rogatórias. (Ver: Norma dispositiva.)

NORMA JURÍDICA IMPERFEITA — É aquela que não torna nulo o ato que contém vício nem aplica sanção ao transgressor, por motivos de natureza social. Exemplo de norma jurídica imperfeita é o art. 1.551 do Código Civil.

NORMA JURÍDICA MAIS QUE PERFEITA — É a norma que impõe uma sanção mais intensa do que a infração de seu dispositivo. Ela não se limita a alcançar o ato praticado pelo transgressor, porque comina a este uma pena suplementar.

NORMA JURÍDICA MENOS QUE PERFEITA — É a norma que não invalida o ato viciado, mas impõe uma sanção ao agente transgressor. Embora este seja punido, a sanção é relativamente branda, porque a eficácia do ato permanece.

NORMA JURÍDICA PERFEITA — Norma cuja sanção é rigorosamente proporcional ao seu cumprimento (sanção premial) ou descumprimento. Se um ato jurídico transgride as formalidades e requisitos intrínsecos exigidos pela lei, a norma denominada perfeita impede que ele produza efeitos.

NORMA LEGAL ANTIELISIVA — É uma norma legal que busca combater aqueles que estão tentando quebrar as regras fiscais por meio do uso de outras regras. Em vez de considerar a intenção do contribuinte, esta regra se baseia nas maneiras de interpretar uma série de eventos que determinam se o benefício da legislação fiscal pode ser dado ao contribuinte. As regras são invariavelmente abertas à interpretação, portanto, uma norma legal antielisiva pode levar ao risco de aumento das oportunidades de abuso contra a legislação fiscal.

NORMA MORAL — São normas de foro íntimo, ou seja, vêm do interior de cada indivíduo, seus pensamentos, suas atitudes particulares sem envolver o todo que é a sociedade, ou o "social". Ex.: eu não ando de sunga para não agredir a norma social, mas no meu íntimo eu adoraria andar de sunga , que vem a ser a norma moral. Eu obedeço porém não concordo, porque minha normal moral é só minha, pessoal e intransferível.

NORMA PENAL EM BRANCO — É a norma cujo preceito é complementado por outra norma. Embora a sanção que ela impõe seja precisa, esta somente será aplicada quando transgredida a norma complementadora. A pena é cominada à transgressão de uma norma ter vigência no futuro.

NORMA SOCIAL — São normas impostas pela sociedade à qual eu tenho que me submeter mesmo que no íntimo eu não concorde com determinada regra, mas tenho que obedecer porque posso sofrer a sanção da própria sociedade que convivo. Ex.: Em Pirassununga ninguém anda de sunga pelas ruas, se eu andar de sunga pelas ruas estou infringindo uma norma social local, mesmo que eu não concorde tenho que andar com trajes que sejam de acordo com as normas sociais, ou seja, não posso andar de sunga pelas ruas da cidade.

NORMA TÉCNICA — Documento estabelecido por consenso e aprovado por uma instituição reconhecida que fornece, para uso comum e repetido, regras, diretrizes e características para produtos, processos ou métodos de produção conexos, cujo cumprimento não é obrigatório.

NORMAIS CLIMATOLÓGICAS — As "normais climatológicas" são obtidas através do cálculo das médias de variáveis meteorológicas relativas a períodos padronizados, obedecendo aos critérios recomendados pelas Organização Meteorológica Mundial (OMM).

NORMALIZAÇÃO — Processo de estabelecer e aplicar regras a fim de abordar ordenadamente uma atividade específica, para o benefício e com a participação de todos os interessados e, em particular, de promover a otimização da economia, levando em consideração as condições funcionais e as exigências de segurança.

NORMA-PADRÃO — Especificação técnica amplamente difundida, elaborada por consenso e aprovação geral de todos os interesses afetados, com base na experiência tecnológica e em resultado científico consolidado. Aprovada por um corpo técnico de competência reconhecida, tem por objetivo otimizar atividades multidisciplinares e garantir a elevação do padrão de atendimento da comunidade usuária.

NORMAS DE AUDITORIA — Ver Auditoria, Normas de.

NORMAS DE DESCARGA — Especificações técnicas de autoridades normativas competentes que estabelecem as emissões ou efluentes contaminantes máximos permitidos.

NORMAS DISPOSITIVAS OU LEIS DISPOSITIVAS — São aquelas que não estabelecem, com predeterminação, ações ou omissões, limitando-se a reconhecer direitos, exercitáveis conforme a vontade do seu titular.

NORMATIVO — Padrão/ação determinado ou aceito por uma comunidade.

NOSTALGIA — Melancolia por saudade da pátria amada. Solidão por deixar algo para trás.

NOTA DE CORRETAGEM — Documento que a sociedade corretora apresenta ao seu cliente, registrando a operação realizada, com indicação da espécie, quantidade de títulos, preço, data do pregão, valor da negociação, da corretagem cobrada e dos emolumentos devidos.

NOTA DE CULPA — Documento pelo qual o acusado fica ciente do que contra ele se alega. A nota de culpa visa, especificamente, a evitar que alguém seja mantido em prisão, ignorando o motivo que a determinou, sendo irrelevante, portanto, a errônea capitulação do delito, circunstância que, em absoluto, acarreta a nulidade do flagrante. O motivo da prisão constante da nota de culpa pode ser apontado com a simples menção do artigo da lei penal em que incorreu o acusado, desnecessária a descrição da conduta ilícita. Em caso de prisão em flagrante, será dada, ao preso, dentro de 24 horas após a prisão, a nota de culpa firmada pela autoridade, com o motivo da prisão, o nome do condutor e os das testemunhas.

NOTA DE DOTAÇÃO — Ver Dotação, Nota de.

NOTA DE EMPENHO — Ver Empenho, Nota de.

NOTA DE LANÇAMENTO (*VOUCHER*) — Ver Lançamento, Nota de (*Voucher*).

NOTA DE MOVIMENTAÇÃO DE CRÉDITO — Ver Movimentação de Crédito, Nota de.

NOTA DE PAGAMENTO DE DESPESA — Ver Despesa, Nota de Pagamento de.

NOTA DE PROVISÃO — Ver Provisão, Nota de.

NOTA DO BANCO CENTRAL DO BRASIL (NBC) — Título de responsabilidade do Banco Central do Brasil, emitido para fins de política monetária, exclusivamente sob a forma escritural, no SELIC. Título de rentabilidade pós-fixada, possuindo diversas séries, cada qual com índice de atualização próprio (dólar, taxa SELIC etc.).

NOTA FISCAL (NF) — Documento de emissão obrigatória por todas as pessoas jurídicas, civis e mercantis, no ato da comercialização de bens, produtos, mercadorias bem como de serviços prestados. É emitida na saída (transferência de um estabelecimento para outro) e nas vendas à vista ou nas vendas a prazo (faturadas/a prestação). Através desse documento é possível a fiscalização fazendária proceder ao levantamento do imposto devido e não recolhido. A sua não-emissão ou a emissão com valor inferior (a chamada meia-nota) é uma das práticas lesivas ao Fisco mais comuns, sendo a maior responsável pela evasão/sonegação de Receita Tributária.

NOTA ORÇAMENTÁRIA — É o formulário destinado à descentralização de recursos orçamentários, ou seja, destaque, empenho e provisão.

NOTA PROMISSÓRIA — É um título que o tomador de um empréstimo assina, declarando dever um montante equivalente ao empréstimo tomado. É uma promessa de pagamento, emitida diretamente pelo devedor (subscritor) a seu credor, a ser realizada no vencimento que nela se fixa.

NOTA TAQUIGRÁFICA — Anotação abreviada e simplificada que se utiliza de sinais que permitem uma escrita com a mesma velocidade da fala. Documento resultante do apanhamento feito por taquígrafo durante reunião.

NOTA TÉCNICA ATUARIAL — É o documento elaborado pelo Atuário, que contém a descrição e o equacionamento técnico dos benefícios de um plano previdenciário ou de seguros. (Ver: Atuário.)

NOTÁRIO OU TABELIÃO — Oficial público que lavra, nos seus livros de notas, os instrumentos dos atos jurídicos que lhe são solicitados pelas pessoas interessadas, fazendo-o com observância das normas jurídicas incidentes, inclusive as de Direito Tributário. Os notários têm fé pública e estão sujeitos à fiscalização do Poder Judiciário, pelas suas Corregedorias de Justiça, que lhes podem impor penalidades.

NOTAS DO BANCO CENTRAL - SÉRIE ESPECIAL/ NBC-e — São títulos cuja correção está atrelada à variação do dólar comercial e com um prazo mínimo de resgate de três meses e taxas de juros de 6% ao ano. (Ver: Notas do Banco Central.)

NOTAS DO BANCO CENTRAL — Título de responsabilidade do Banco Central do Brasil, emitido para fins de política monetária, exclusivamente sob a forma escritural, no SELIC. Título de rentabilidade pós-fixada, possuindo diversas séries, cada qual com índice de atualização próprio (Dólar, Taxa SELIC etc..)

NOTAS DO TESOURO NACIONAL - SÉRIE NTN-d — São Notas do Tesouro Nacional que têm prazo mínimo de três meses a um juros de 6% a.a.(ao ano), calculados sobre o valor nominal atualizado. (Ver: Notas do Tesouro Nacional - NTN.)

NOTAS DO TESOURO NACIONAL - SÉRIE NTN-h — São Notas do Tesouro Nacional que têm prazo mínimo de 90 dias, podendo ser nominativas ou negociáveis. A remuneração é pela TR, desde a emissão até o resgate. (Ver: Notas do Tesouro Nacional - NTN.)

NOTAS DO TESOURO NACIONAL (NTN) — São títulos de financiamento da dívida do Tesouro Nacional, que são pós-fixados com valor nominal de emissão em múltiplos de R$ 1,00. Os títulos emitidos são de responsabilidade do Tesouro Nacional, para a cobertura de déficit financeiro, exclusivamente sob a forma escritural, no SELIC, possuindo diversas séries, cada qual com índice de atualização próprio (IGP-M, Dólar, TR etc.).

NOTES — Obrigações de médio/longo prazo do tesouro norte-americano. Suas emissões têm vencimentos entre dois e 15 anos.

NOTIFICAÇÃO — 1) Ato pelo qual se leva ao conhecimento de alguém o despacho ou decisão do juiz, pela qual este ordena que faça ou deixe de fazer alguma coisa. 2) Medida cautelar nominada com a qual é dada ciência ao requerido para que pratique ou deixe de praticar determinado ato, sob pena de poder sofrer ônus previstos em lei. 3) É o ato, precedido ou não de comunicação, em que o Plenário do Tribunal de Contas, verificando a existência de irregularidades ou ilegalidades, determina ao responsável que apresente razões de defesa. Será, também, notificado para cumprimento da decisão do Tribunal de Contas, quando o responsável, imputado em débito, após comunicação de rejeição da defesa, não recolher a quantia no prazo determinado e com o valor atualizado acrescido de juros de mora. 4) Comunicação oficial da ocorrência de casos de determinadas doenças (de notificação compulsória) à autoridade sanitária competente, por pessoa (notificante) que tenha conhecimento de tais casos. 5) Qualquer comunicação oficial sobre assunto importante referente à rotina burocrática.

NOTIFICAÇÃO JUDICIAL — Procedimento de caráter preventivo, consistente na manifestação formal da vontade, com o objetivo de prevenir responsabilidades e eliminar a possibilidade de alegação futura e ignorância.

NOTIFICADO — Aquele que recebe notificação judicial.

NOTIFICANTE — Indivíduo que efetua notificação judicial.

NOTITIA CRIMINIS — (Latim). Expressão que significa comunicação do crime. Notícia do crime. É o conhecimento, espontâneo ou provocado, pela autoridade de um fato aparentemente criminoso. Pode ser levada ao juiz, ao órgão do Ministério Público ou autoridade policial. Esta, conhecido o fato, dá início imediato ao inquérito, se o crime for de ação pública incondicionada, com aquiescência ou não da vítima ou de seu representante legal; se for de ação pública condicionada, a instauração de inquérito depende de representação da vítima ou de quem a represente. Se for crime de ação penal privada, a autoridade instaurará o inquérito policial se assim o requererem, igualmente, a vítima ou o seu representante legal.

NOVA ECONOMIA — Termo normalmente utilizado para definir um novo paradigma econômico, caracterizado pela associação dum rápido desenvolvimento econômico à aplicação das novas tecnologias da informação e da comunicação, as quais permitem a passagem duma economia baseada na produção industrial para outra sustentada pelo conhecimento, pelas idéias e pela informação. Economia baseada na evolução da tecnologia da informação (TI); globalização; NASDAQ; comércio eletrônico; economia baseada nos negócios realizados via Internet.

NOVAÇÃO — Constituição de uma nova obrigação, em substituição à anterior, que se extingue. As partes envolvidas nas novas obrigações podem ser as mesmas que as das obrigações prévias ou, no contexto de alguns acordos de câmaras de compensação, pode adicionalmente haver a substituição das partes.

NOXAL — Referente a dano. Ação noxal e o mesmo que ação de perdas e danos.

NTN — Ver Nota do Tesouro Nacional.

NUA-PROPRIEDADE — Propriedade cujo exercício pelo proprietário se acha limitado pela incidência de ônus de direito real. É a que depende de um ônus real. (Ver: Propriedade.)

NUBENTE — Pessoa que está noiva, que vai contrair matrimônio no ato ou nas proximidades do casamento.

NÚBIL — Denominação dada ao homem ou à mulher cuja aptidão para procriar se inicia.

NUBILIDADE — É a capacidade civil de uma pessoa natural para contrair núpcias; casamento. O homem e a mulher atingem a idade núbil aos 16 (dezesseis) anos, porém, os menores de 18 anos necessitam de autorização de ambos os pais para se casar. Os menores de 16 anos podem se casar, excepcionalmente, em caso de gravidez e para evitar a imposição ou cumprimento de pena criminal.

NUCLEAR — Fenômeno ou aparelho em que se processam reações de fissão ou cisão do núcleo atômico, produzindo energia; como a reação ocorre no núcleo do átomo, não é correto usar como sinônimo o termo atômico, que designa outra forma de processamento.

NÚCLEO — Partícula infinitesimal de constituição especial (ou íon) sobre a qual se realiza a passagem do vapor d'água atmosférico à fase líquida ou sólida ou a passagem da água da fase líquida à sólida.

NÚCLEO DE INFLAÇÃO — Ver Inflação, Núcleo de.

NÚCLEO DE UM REATOR NUCLEAR — Parte central de um reator onde ocorre a fissão nuclear. O núcleo contém combustível nuclear, um fluido refrigerante, barras metálicas usadas para controlar a operação do reator e um material que ajuda a manter a fissão nuclear, chamado moderador.

NÚCLEO OU NIFE TERRESTRE — É a camada central do planeta e apresenta as seguintes características: as maiores temperaturas (3.900ºC a 4.800ºC). É a mais espessa – É a camada mais densa. A densidade está diretamente ligada à composição química deste, baseada no níquel e no ferro. (Ver: Crosta terrestre // Manto terrestre.)

NULIDADE — É a ineficácia, total ou parcial, de um ato jurídico, em virtude de haver sido executado com transgressão à regra legal ou resultante da ausência de uma das condições necessárias para sua validade.

NULIDADE ABSOLUTA — É aquela que apresenta algum vício essencial, acarretando a total ineficácia do negócio jurídico. São características da nulidade absoluta: sua declaração é de interesse coletivo; o ato nulo é insuscetível de ratificação; pode ser declarada de ofício pelo magistrado; pode ser alegada pelos interessados ou pelo Ministério Público, quando o couber intervir; e por último o ato nulo é imprescritível, em regra.

NULIDADE DE AUMENTO DE DESPESA COM PESSOAL — Ver Despesa com Pessoal, Nulidade de Aumento de.

NULIDADE DO CONTRATO — Ver Contrato, Nulidade do.

NULIDADE PROCESSUAL — É o defeito advindo do processo pela prática de ato processual nulo.

NULIDADE RELATIVA OU ATOS ANULÁVEIS — São os que apresentam algum vício que pode determinar a ineficácia do negócio jurídico, porém pode ser afastado, gerando o restabelecimento da normalidade do negócio. As principais características da nulidade relativa são: sua declaração é de interesse privado; a nulidade relativa pode ser suprida pelo Magistrado e o ato será ratificado; só pode ser declarada mediante requerimento da parte interessada; somente poderá ser alegada pelo interessado ou seu representante; o ato anulável prescreve por decurso de prazo.

NULIDADE, AÇÃO DE — É o meio legal de que se utiliza alguém com o intuito de ser decretada a ineficácia de ato jurídico ou contrato nulo. Seu intuito é de promover a pronúncia de sua ineficácia pelo Judiciário, visto que, substancialmente viciado, ele não tem nenhuma valia, nem pode surtir qualquer efeito. Se a lei declara o ato nulo, é como se ele não existisse; o procedimento judicial vem somente promover a declaração de sua invalidade, pois em verdade essa condição poderia ser argüida em qualquer tempo, e o juiz a conhece desde que dela tome ciência, em toda e qualquer oportunidade. O ato nulo não é, como o anulável, passível de retificação. Nem mesmo ao juiz cabe suprir o defeito que o fere de morte. É ação de rito ordinário e natureza declaratória. (Ver: Ação anulatória.)

NULLA ACTIO SINE LEGE — [Latim]. Expressão que significa não existe ação se não existir lei.

NULLUM CRIMEN SINE LEGE — [Latim]. Expressão que significa não existe crime sem lei.

NULLUM CRIMEN, NULLA POENA SINE PRAEVIA LEGE — [Latim]. Expressão que significa não existe crime nem pena sem lei prévia que os defina.

NULO — Inexistente, ineficaz, que não pode produzir efeitos jurídicos. É tudo o que se faz contra a lei, ou seja, todo ato praticado com ofensa aos princípios fundamentais de ordem jurídica ou garantidores dos interesses coletivos.

NUMERÁRIO — O mesmo que dinheiro. Termo utilizado para designar qualquer moeda que tenha validade legal, desde que, em espécie, em notas e moedas que circulam no país de origem. São "bens numerários" na classificação dos balanços aqueles "disponíveis – imediatos" e quase incluem no grupamento específico de bens numerários. Quando do inventário físico, serão contados todos os papéis que tenham valor Monetário, cédulas, moedas e papéis com lastro.

NÚMERO — Parte da norma jurídica, empregada como desdobramento das alíneas. (Ver: Técnica de elaboração de leis e decretos.)

NUMERUS APERTUS — [Latim]. Expressão que significa número ilimitado.

NUMERUS CLAUSUS — [Latim]. Expressão que significa número limitado.

NUMISMÁTICA — Ciência que estuda as cédulas, moedas e medalhas.

NUNCIAÇÃO DE OBRA NOVA — É a ação que cabe àquele que se sente prejudicado por obra em execução ou já concluída com violação de direitos de vizinhança ou de preceito legal. É de competência do vizinho ou da União, Estado ou Município. Objetiva impedir que alguém continue obra nova, com pedido de demolição e ressarcimento de prejuízos. É também a ação da autoridade administrativa para a demolição de obra nova, edificada contrariamente às regras administrativas, também ditas posturas municipais, ou de obra antiga que ameace a segurança pública. O termo jurídico é Ação de Nunciação de obra nova ou Ação demolitória.

NUNCIADO — É o réu da ação de nunciação de obra nova.

NUNCIANTE — É o autor da ação de nunciação de obra nova.

NÚNCIO — Mensageiro, porta-voz. Mensageiro que se limita a transmitir, materialmente, as determinações de outrem, sem nada inovar. Ele, com efeito, apenas anuncia a vontade alheia.

NUNCUPAÇÃO — Diz-se do testamento nuncupativo quando é feito oralmente, de viva-voz.

NUNCUPATIVO — Ver Nuncupação.

NU-PROPRIETÁRIO — Titular da nua-propriedade, ou seja, aquele que não é titular da propriedade plena. Diz-se daquele que tem o domínio direto da coisa de que outrem tem o domínio útil.

NUTRIÇÃO — Ver Saúde - Nutrição.

NUTRIENTE — Qualquer um dos compostos orgânicos ou sais minerais contidos nos alimentos ou na água e utilizados no metabolismo normal do organismo, cumprindo um papel específico na nutrição. (Ver: Saúde - Nutrição.)

NUVEM - CLASSIFICAÇÃO — As nuvens são classificadas segundo a forma, aparência e a altura em que se formam. Os estágios são definidos em função das alturas médias em que se formam as nuvens: a) Nuvens baixas - até 2.000 metros de altura, são normalmente de estrutura líquida; b) Nuvens médias - todas as nuvens que se formam entre 2 e 7 km, nas latitudes temperadas, e 2 e 8 km, nas latitudes tropicais e equatoriais; são normalmente líquidas e mistas; c) Nuvens altas - compreendem todas as nuvens que se formam acima do estágio de nuvens médias; são sempre sólidas, o que lhes dá a coloração típica do branco brilhante; d) Nuvens de desenvolvimento vertical - compreendem as nuvens que apresentam desenvolvimento vertical excepcional, cruzando, às vezes, todos os estágios; podem ter as três estruturas físicas: a) líquida ou mista, na parte inferior; b) mista, na parte média; c) sólida, na parte superior.

NUVEM — Conjunto visível de partículas minúsculas de água líquida ou de cristais de gelo, ou de ambas ao mesmo tempo, em suspensão na atmosfera. Esse conjunto pode também conter partículas de água líquida ou de gelo, em maiores dimensões, e partículas procedentes, por exemplo, de vapores industriais, de fumaça ou de poeira. Assim como os nevoeiros, nuvens são uma conseqüência da condensação e sublimação do vapor de água na atmosfera. Quando a condensação (ou sublimação) ocorre em contato direto com a superfície, a nuvem que se forma colada à superfície constitui o que se chama de "nevoeiro". A ocorrência acima de 20 m (60 pés) passa a ser nuvem propriamente dita e se apresenta sob dois aspectos básicos, independendo dos níveis em que se formam, que são: a) Nuvens estratificadas - quando se formam camadas contínuas, de grande expansão horizontal e pouca expansão vertical; b) Nuvens cumuliformes - quando se formam em camadas descontínuas e quebradas, ou então, quando surgem isoladas, apresentando expansões verticais bem maiores em relação à expansão horizontal. (Ver: Nevoeiro.)

NUVEM - ESTRUTURA — Quanto à estrutura física, as nuvens podem ser ainda classificadas em: a) líquidas - quando são compostas exclusivamente de gotículas e gotas de água no estado líquido; b) sólidas - quando são compostas de cristais secos de gelo; c) mistas - quando são compostas de água e de cristais de gelo.

NUVEM - GÊNERO — As nuvens são, ainda, distribuídas em 10 (dez) gêneros fundamentais: a) Nuvens altas - a.a) Cirrus - Ci; a.b) Cirrocumulus - Cc; a.c) Cirrostratus - Cs; b) Nuvens médias - b.a) Altocumulus - Ac; b.b) Altostratus - As; c) Nuvens baixas - c.a) Nimbostratus - Ns; c.b) Stratocumulus - Sc; c.c) Stratus - St; d) Nuvens de desenvolvimento vertical - d.a) Cumulus - Cu; d.b) Cumulonimbus - Cb.

NYSE (*NEW YORK STOCK EXCHANGE*) — É a Bolsa de Valores de Nova York, a maior e mais importante Bolsa de Valores do mundo. Também conhecida como *Big Board*, é auto-regulada por um conselho de 20 membros que acompanha e regula as atividades comerciais de mais de 3.000 empresas, norte-americanas e estrangeiras. Localizada na Wall Street, Nova York, ali são negociados títulos e ações das principais empresas dos Estados Unidos e do mundo. O principal índice que mostra a evolução desses negócios é o Dow Jones.

O

O & M — Organização e Métodos.

OAB — Ver Ordem dos Advogados do Brasil.

OBCECAÇÃO — Indução em erro. Teimosia no engano. Obscurecimento do raciocínio. Auto-engano. Cegueira espiritual.

ÓBICE — Impedimento; embaraço; obstáculo; dificuldade.

ÓBITO — É o desaparecimento definitivo de algum sinal de vida em qualquer momento posterior ao nascimento, ou seja, a cessação das funções vitais sem a possibilidade de ressuscitamento. A certidão de óbito é o meio por excelência para provar que uma pessoa é falecida. Extrai-se a certidão dos livros do Registro Civil das Pessoas Naturais nos quais devem ser registrados todos os óbitos ocorridos no país ou no estrangeiro.

ÓBITO INFANTIL — Óbito ocorrido em crianças menores de 1 ano. Pode ser classificado em: Óbito neonatal - óbito ocorrido em crianças menores de 28 dias; Óbito infantil tardio ou pós-neonatal - óbito ocorrido em crianças com mais de 28 dias e com menos de 1 ano de idade.

OBJEÇÃO — É a refugação, a oposição ou qualquer embaraço levado a efeito para que se obste, se impeça ou se atalhe o que se quer fazer, contrariamente aos direitos ou aos interesses que se defendem.

OBJETIVO — É o julgamento de valores que satisfaçam uma ou mais necessidades. Propósito maior de uma política, plano, programa, projeto ou atividades. Direção a ser seguida, ponto a ser alcançado, alvo que se pretende atingir. Enunciado escrito sobre resultados a serem alcançados num determinado período ou em determinada atividade. Geralmente, em planejamento se define o conteúdo específico de um programa ou subprograma e se destina a solucionar aspectos relevantes para a gestão.

OBJETIVO DE DESENVOLVIMENTO/OBJETIVO ESPECÍFICO — Impacto positivo esperado, em termos físicos, financeiros, sociais, ambientais ou outros, por um ou vários programas de desenvolvimento, numa sociedade, grupo ou comunidade receptora.

OBJETIVO DO PROJETO OU DO PROGRAMA — Resultados físicos, financeiros, institucionais, sociais, ambientais ou outros que o projeto ou programa é suposto produzir.

OBJETIVO GERAL — Objetivo maior ou objetivo de desenvolvimento, principal objetivo, para o qual é suposto que o projeto ou programa contribua a longo prazo e que fundamenta a sua realização.

OBJETIVO IMEDIATO (ESPECÍFICO) — A razão próxima para o projeto. O resultado que se espera que o projeto atinja, se for completado com sucesso.

OBJETIVOS INTERNACIONAIS DE DESENVOLVIMENTO — Conjunto de objetivos para a redução da pobreza, formulados pelas Nações Unidas que estabelecem oito metas, até 2015: a) reduzir para metade os níveis de pobreza absoluta; b) universalizar o ensino primário a todas as crianças em idade de o freqüentar; c) fazer progressos em termos de igualdade entre sexos e autonomia das mulheres, eliminando as disparidades entre sexos no ensino primário e secundário; d) reduzir em 2/3 as taxas de mortalidade infantil e juvenil; e) reduzir em 2/3 as taxas de mortalidade ligadas à maternidade; f) disponibilizar os serviços de saúde reprodutiva a todos os que deles necessitam e combate ao HIV/SIDA, malária e outras doenças; g) aplicar estratégias nacionais centradas no desenvolvimento sustentável, por forma a inverter a degradação ambiental; h) Desenvolver uma parceria global para o desenvolvimento. Estes objetivos têm figurado, desde então, como um aspecto central dos trabalhos desenvolvidos pelas Organizações e Conferências Internacionais, e progressivamente incorporados nos programas dos principais doadores.

OBJETIVOS NACIONAIS — Cristalização de interesses e aspirações que, em determinada fase da evolução cultural, toda uma nação busca satisfazer.

OBJETIVOS NACIONAIS ATUAIS — Objetivos Nacionais que, em determinada conjuntura e considerada a capacidade do Poder Nacional, expressam etapas intermediárias, com vistas a alcançar ou manter os Objetivos Nacionais Permanentes.

OBJETIVOS NACIONAIS PERMANENTES — Objetivos Nacionais que, representando interesses e aspirações vitais, por isso mesmo subsistem durante longo período de tempo.

OBJETO — Fim que se tem em vista. Qualquer coisa exterior relacionada com o sujeito. Fenômenos, fatos ou idéias exteriores ao sujeito. Objetivo. O mundo exterior em relação ao indivíduo. O próprio sujeito em relação ao seu observador. Coisa, qualquer coisa. Fenômeno. Juridicamente é tudo aquilo que se liga ao sujeito ou a ele corresponde. Não há objeto sem sujeito. O objeto é sempre o conteúdo do direito ou da obrigação; o que serve de causa a uma relação jurídica. Sujeito é o titular do direito ou da obrigação.

OBJETO DE LANÇAMENTO DE RECEITA — Ver Receita, Objeto de Lançamento de.

OBJETO DO USO — Ver Uso, Objeto do.

OBJETO IMEDIATO — Quando os poderes do titular ativo incidem diretamente sobre o bem, sem que se interponha qualquer mediador.

OBJETO MEDIATO — Quando os poderes do titular ativo incidem indiretamente sobre o bem.

OBJETOS DA RELAÇÃO JURÍDICA — É qualquer espécie de bens, desde que tutelados pelo direito, sejam materiais ou imateriais ou morais, corpóreos ou incorpóreos, móveis ou imóveis, individuais ou coletivos, privados ou públicos.

OBLAÇÃO — 1) Diz-se do ato de ofertar, de livre e espontânea vontade. É a doação de bens. 2) Aceitação de oferta contratual.

OBLATO — Aquele que aceita uma oferta de contrato. (Ver: Contrato - Oblato // Oblação.)

OBLIGATIO FACIENDI — [Latim]. Expressão que significa obrigação de fazer.

OBLIGATIO NON FACIENDI — [Latim]: Expressão que significa obrigação de não fazer.

OBRA — Segundo a caracterização legal dada pela Lei nº 8.666, de 1993 (com alterações da Lei nº 8.883, de 1994), em seu art. 6º, entende-se por obra, para efeitos de licitações, *toda* construção, reconstrução, reforma, restauração ou ampliação de bens imóveis realizada por execução direta ou indireta.

OBRA NOVA, AÇÃO DE — O mesmo que Ação de Nunciação de Obra Nova, ou Ação Demolitória.

OBRA-DE-ARTE — Designação tradicional de obras estruturais realizadas pela Administração Pública tais como bueiros, pontes, viadutos, túneis, muros de arrimo etc., necessárias à construção de estradas.

OBRAS E INSTALAÇÕES — Designação atribuída, no âmbito da *Classificação das Despesas quanto a sua Natureza*, ao Elemento de Despesa adequado para a classificação das despesas com estudos e projetos relacionados a investimentos públicos; início, prosseguimento e conclusão de obras públicas; implantação, ampliação ou redimensionamento de sistemas; pagamento de pessoal temporário para execução de obras; instalações incorporáveis aos imóveis ou não e assemelhados. Este elemento é apropriado também para a classificação de despesas em edifícios, bens públicos e instalações já existentes, nos casos em que o emprego de mão-de-obra, materiais e equipamentos determine valorização do bem existente, seja pelo volume dos recursos utilizados, seja pelas modificações introduzidas, seja pela restauração da utilidade do bem ou instalação.

OBRAS VOLUPTUÁRIAS — São obras destinadas exclusivamente ao embelezamento do imóvel, não sendo úteis ou necessárias.

OB-REPÇÃO — Fraude, dissimulação, ardil para obter benefício ou favor jurídico indevido, com ocultação da verdade, que deveria ser revelada. O mesmo que sub-repção.

OBRIGAÇÃO — É a relação ou vínculo jurídico que se estabelece entre duas pessoas determinadas, em virtude do que uma delas deve uma prestação à outra, prestação esta que tanto pode constar de ação como de abstenção. As obrigações se classificam em: a) alternativas - quando, entre várias prestações distintas, o devedor escolhe uma delas; b) subsidiárias - quando dependem da obrigação principal; c) compostas - quando possuem mais de um objeto; d) a prazo - que possui prazo estipulado para seu complemento; e) condicionais - quando dependem de urna condição; f) divisíveis - aquelas que podem ser divididas em várias prestações; g) líquidas - que possuem como objeto coisa determinada; h) indivisíveis - aquelas que não podem ser cumpridas parcialmente; i) ilíquidas - quando possuem objeto incerto; j) simples - quando têm um só objeto; l) puras - as que não dependem de nenhuma condição; m) solidárias - aquelas que dizem respeito a todos os devedores; n) de dar - aquela cuja característica é a entrega de coisa móvel ou imóvel; o) de fazer - aquelas em que o devedor deve realizar algum ato para satisfazê-la; p) de não fazer - consistente na omissão ou abstenção obrigatória da prática de um ato. (Ver: Deveres e obrigações.)

OBRIGAÇÃO (*BOND*) — Título de crédito representativo de capitais emprestados a uma empresa ou ao Estado que dá direito a um juro fixado previamente, a pagar em épocas fixas e que é reembolsável pela entidade emissora, segundo um plano previamente fixado.

OBRIGAÇÃO A TERMO — Obrigação em que as partes submetem os efeitos do negócio a um acontecimento futuro e certo.

OBRIGAÇÃO ACESSÓRIA — Aquela que depende de uma obrigação principal.

OBRIGAÇÃO ALTERNATIVA — Aquela em que há pluralidade de objetivos para a prestação, competindo sua escolha ao devedor, se algo diverso não tiver sido estipulado.

OBRIGAÇÃO AMORTIZÁVEL — Obrigação cuja prestação, sendo divisível, admite amortização parcial.

OBRIGAÇÃO AQUILIANA — Obrigação resultante de um ato ilícito.

OBRIGAÇÃO CIVIL — Obrigação cujo cumprimento pode ser exigido coercitivamente.

OBRIGAÇÃO DE FAZER E NÃO FAZER — A obrigação de fazer é aquela cujo objeto da prestação é um ato do devedor. Já a de não fazer consiste na abstenção da prática de determinados atos.

OBRIGAÇÃO DE PRESTAR CONTAS — Obrigação imposta a uma pessoa ou a uma entidade sujeita a fiscalização de demonstrar que geriu ou fiscalizou os recursos que lhe foram confiados em conformidade com as condições em que esses recursos lhe foram entregues. (Ver: Contas, Obrigação de Prestar.)

OBRIGAÇÃO DE RESULTADO — Obrigação em que o devedor responde, não apenas pelos meios que empregar, mas também pelo resultado obtido.

OBRIGAÇÃO LÍQUIDA E CERTA — Obrigação cuja existência e exigibilidade, em qualidade e quantidade, não ensejam dúvidas.

OBRIGAÇÃO NEGATIVA — Ver Abstenção de Ato.

OBRIGAÇÃO REAJUSTÁVEL DO TESOURO NACIONAL — Ver ORTN.

OBRIGAÇÃO TRIBUTÁRIA - SUJEITO ATIVO — É a pessoa jurídica de direito público que tem competência para criar e exigir tributos, sendo que apenas a União, os Estados, os Municípios e o Distrito Federal poderão ser credores da obrigação tributária, por serem dotados do poder de legislar, em decorrência do princípio da legalidade tributária, segundo o qual somente a lei poderá instituir ou majorar tributos.

OBRIGAÇÃO TRIBUTÁRIA - SUJEITO PASSIVO — É a pessoa obrigada ao pagamento de tributo ou penalidade pecuniária, dizendo-se contribuinte quando tenha relação pessoal e direta com a situação que constitua o respectivo fato gerador, e considerado responsável quando, sem revestir a condição de contribuinte, sua obrigação decorra de disposição expressa de lei.

OBRIGAÇÃO TRIBUTÁRIA — Vínculo jurídico entre o Estado e o contribuinte, pelo qual aquele tem o direito subjetivo de exigir deste o pagamento de um tributo ou de penalidade pecuniária por descumprimento de norma tributária.

OBRIGAÇÃO TRIBUTÁRIA ACESSÓRIA — A obrigação acessória decorrente da legislação tributária e que tem por objeto as prestações, positivas ou negativas, nela previstas no interesse da arrecadação ou da fiscalização dos tributos. A obrigação acessória, pelo simples fato da sua inobservância, converte-se em obrigação principal relativamente à penalidade pecuniária.

OBRIGAÇÃO TRIBUTÁRIA PRINCIPAL — Obrigação que surge com a ocorrência do fato gerador, e tem por objeto o pagamento de tributo ou penalidade pecuniária e extingue-se juntamente com o crédito dela decorrente.

OBRIGACIONISTA — É o mesmo que debenturista, ou seja, aquele que possui debêntures.

OBRIGAÇÕES CORRENTES — São aquelas transações que o Governo realiza diretamente ou através dos seus órgãos de Administração Indireta (autarquias etc.) e de cujo esforço não resultam acréscimos no seu patrimônio, ou seja, constituição ou criação de bens de capital. As dotações para operações correntes, ao se converterem em moeda, se consomem no mercado. Exemplo clássico é o dos vencimentos dos servidores que, recebidos, entram de imediato na corrente ou fluxo do mercado, não produzindo algo materializável. (Ver: Categorias Econômicas.)

OBRIGAÇÕES DO TESOURO — Títulos representativos de dívidas de longo prazo, emitidos pelo Tesouro e revestidos de maiores formalidades (contendo número, indicando a data da lei autorizativa, especificando as condições de resgate e possuindo autenticação) do que os Bilhetes e os Bônus do Tesouro. Tais títulos se destinam, exclusivamente, à viabilização de antecipações de receita.

OBRIGAÇÕES PATRONAIS — Despesas com encargos que a administração deverá atender pela sua condição de empregadora e resultantes de pagamento de pessoal, tais como: despesas com o Fundo de Garantia por Tempo de Serviço; de contribuições para Institutos de Previdência, inclusive juros e multas de mora; de Salário Família de Pessoal Temporário e Pessoal Comissionado sem vínculo com o Estado. Despesas com outras obrigações patronais.

OBRIGAÇÕES TRIBUTÁRIAS E CONTRIBUTIVAS — Despesas decorrentes do pagamento de tributos e contribuições sociais e econômicas (COFINS, PIS/PASEP, CPMF), exceto as incidentes sobre a folha de salários, classificadas como obrigações patronais, bem como os encargos resultantes do pagamento com atraso das obrigações de que trata este elemento de despesa.

OBRIGADO — É o sujeito passivo da obrigação ou a pessoa que deve cumprir algo, devedor.

OB-ROGAR — Contrapor-se, ou fazer contrapor-se, uma lei a outra.

OBSCENO — 1) Que ultraja o pudor, que fere o decoro, torpe. 2) Praticar ato obsceno em lugar público, ou aberto ou exposto ao público, é crime apenado com detenção de três meses a um ano ou multa. 3) Fazer, importar, exportar, adquirir autor sob sua guarda, para fim de comércio, distribuição ou exposição pública, escrito, desenho, pintura, estampa ou qualquer objeto obsceno; detenção de seis meses a dois anos ou multa. Incorre na mesma pena quem vende, distribui, ou expõe à venda ou ao público qualquer dos objetos acima, realiza em lugar público ou acessível ao público, apresentação teatral ou exibição cinematográfica de caráter obsceno, ou qualquer outro espetáculo que tenha o mesmo caráter ou realiza, em lugar público ou acessível a ele, ou pelo rádio, audição ou recitação de caráter obsceno.

OBSCURIDADE — Estado de obscuro. Ausência, falta de luz, de claridade; escuridão; trevas. Falta de clareza nas idéias, nas expressões, no estilo. Condição ou origem humilde. Vida retirada. Falta de lucidez; enfraquecimento do espírito.

OBSERVAÇÃO — Comentário, avaliação. Fase do método de investigação que consiste no exame atento e minucioso dos fenômenos sem intervenção ativa por parte do sujeito no sentido de os modificar ou provocar.

OBSERVÂNCIA — Ação ou efeito de observar. Execução; observação; prática; uso. Cumprimento rigoroso da regra religiosa ou monástica.

OBSESSÃO — Mania ou preocupação doentia e insistente em determinada idéia. (Ver: Obstinação // Perseverança.)

OBSOLETISMO — Depreciação de um bem devido à superação da tecnologia do equipamento ou do sistema.

OBSTINAÇÃO — Insistência, firmeza, pertinácia, perseverança, tenacidade, teimosia. (Ver: Obsessão // Perseverança.)

OBSTRUÇÃO — Recurso utilizado pelos parlamentares, numa Casa Legislativa, com o objetivo de impedir o prosseguimento dos trabalhos e ganhar tempo dentro de uma ação política, através de vários mecanismos: pronunciamentos, pedidos de adiamento da discussão e da votação, saída do Plenário para evitar quórum etc. É utilizado quando o(s) parlamentar(es) se recusa(m) a votar determinada matéria.

OBSTRUCIONISMO — Ver Obstrução.

OCCASIO LEGIS — [Latim]. Expressão que significa oportunidade da lei.

OCEANO — Cada uma das grandes divisões do mar que rodeia os continentes.

OCEANOGRAFIA — Ramo do conhecimento científico que estuda os mares, os oceanos e as técnicas de controle, proteção e gerenciamento dos recursos marinhos. Cobre também a biologia marinha e a geologia das margens e dos assoalhos oceânicos.

OCIDENTAL — Situado para o lado do Ocidente. Relativo ao Ocidente. Habitante das regiões do Ocidente.

ÓCIO — Vida sem atividade do trabalho. Não fazer nada. Desocupação com gasto de tempo, inutilmente. (Ver: Tédio.)

OCIOSIDADE — Descanso; preguiça; indolência. Lazer; ócio.

OCIOSO — Que não tem que fazer; que não tem ocupação. Que não trabalha; que não faz nada.

OCORRÊNCIAS POLICIAIS — É o registro de uma ocorrência. Pode se dar de duas formas: se houver atendimento da Polícia Militar, será feito um registro do serviço na PM. Em seguida, o caso será encaminhado a uma delegacia onde será preenchido um registro de ocorrências. Entretanto, uma vítima pode dirigir-se diretamente a uma delegacia e, portanto, não haverá registro da PM. As ocorrências policiais estão classificadas de acordo com sua definição no Código Penal, na lei de contravenção etc.

OCTANAGEM — Está relacionada com o rendimento de um motor a combustão. Convencionou-se atribuir índice de octanas zero ao n-heptano, que é uma substância pura pouco resistente à compressão e índice 100 ao isoctano. Assim, um combustível que apresente índice de octanas igual a 91 queima como se fosse constituída por uma mistura de 9% de n-heptano e 91% de isoctanos (2,2,4-trimetil pentano).

OCULTAÇÃO DE CADÁVER — Crime contra o respeito aos mortos, consistente em ocultar, destruir ou subtrair cadáver ou parte dele.

OCULTAÇÃO DE IMPEDIMENTO — Ver Casamento – Ocultação de impedimento.

OCULTAÇÃO DE RECÉM-NASCIDO — Crime contra o estado de filiação, consistente em ocultar recém-nascido ou substituí-lo, suprimindo ou alterando direito inerente ao estado civil, ou ainda, dar parto alheio como próprio ou registrar o filho de outrem.

OCUPAÇÃO DO SOLO — Ação ou efeito de ocupar o solo, tomando posse física do mesmo, para desenvolver uma determinada atividade produtiva ou de qualquer índole, relacionada com a existência concreta de um grupo social, no tempo e no espaço geográfico. A ocupação do solo admite graus muito diversos de intensidade e de formas. O ordenamento de espaço feito pelos planificadores urbanos constitui um modelo concreto de ocupação do solo.

OCUPAÇÃO PREDOMINANTEMENTE HORIZONTAL — Em um Plano Diretor Municipal é a identificação pela tipologia de ocupação do solo em assentamentos residenciais horizontais. Dependendo do porte do Município, podem ser identificados: I) de população de renda alta, que se caracterizam pelo parcelamento formal do solo e pela predominância de lotes ocupados por unidades unirresidenciais (casas) de alto padrão socioeconômico: II) de população de renda média e baixa em estágio inicial de adensamento construtivo (adensamento horizontal); III) de população de renda média e baixa, em estágio avançado de adensamento construtivo (horizontal e vertical), caracterizados pela predominância de edificações com dois ou mais pavimentos e altos índices de ocupação do solo; IV) de população de baixíssima renda, caracterizada pela precariedade urbanística e das edificações; V) forma mista de assentamento, pela grande diversidade de tipologias habitacionais (horizontais e verticais) e também de outros usos.

OCUPAÇÃO PREDOMINANTEMENTE VERTICAL — Em um Plano Diretor Municipal é a identificação pela tipologia de ocupação do solo em assentamentos verticais. Dependendo do porte do Município, podem ser identificados: I) é caracterizado pela predominância de edifícios de apartamentos ou de edifícios comerciais e de serviços com cinco pavimentos ou mais. Corresponde às áreas residenciais de ocupação vertical mais antiga (com altas taxas de ocupação) e áreas comerciais centrais. II) é caracterizado pelo padrão de assentamento com predominância residencial e de edifícios de apartamentos, com cinco pavimentos ou mais.

OCUPAÇÃO RAREFEITA — Tipologia de ocupação do solo típica de áreas não urbanas ou de transição entre áreas urbanas, caracterizada pela predominância de sítios e chácaras de lazer, mas incluindo também pequenas aglomerações residenciais em ambientes rurais.

ÓDIO — Sentimento de intensa raiva contínua ou fúria periodicamente despertada. Cresce da raiva acumulada para a ira e fúria prolongando-se de forma duradoura. Chega à psicose ou a hostilidades freqüentes, podendo culminar em violenta agressão, matança, conduta criminosa com requinte de perversidade.

OEA (ORGANIZAÇÃO DOS ESTADOS AMERICANOS) — É uma organização regional das Nações Unidas criada em 1948, através da Carta de Bogotá, que entrou em vigor em 1951, quando da IX Conferência Interamericana. Tem por fim manter a paz e a segurança do continente americano; prevenir as possíveis causas de conflitos entre as Repúblicas Americanas; assegurar a solução pacífica das controvérsias; organizar a ação solidária de seus membros em caso de agressão a qualquer uma delas, bem como promover, por meio de ação cooperativa, o desenvolvimento socioeconômico-cultural das repúblicas que a compõem.

OFENDÍCULOS — Forma de se exercer o direito da inviolabilidade do domicilio, consistente na instalação de meios mecânicos de defesa da propriedade, p. ex., arame farpado, cacos de garrafas em muros, cercas de ferro pontiagudas, eletrificação de maçanetas. Os ofendículos encontram respaldo na inviolabilidade do domicílio (CF, art. 5º, XI), e na defesa da propriedade (CF, art. 5º, *caput*, e XXII). Resta evidente que os excessos são puníveis a título de crime doloso ou culposo.

OFENSA — Insulto ou agressão oral.

OFERENTE — É a pessoa que manifesta sua vontade para a realização de um negócio ou de feitura de contrato.

OFERTA — Colocação à disposição do mercado de bens ou serviços. Por extensão: volume de bens e serviços colocados assim à disposição da demanda. É o mesmo que proposta, em virtude da qual a pessoa manifesta sua vontade para a realização de um negócio ou feitura de um contrato, ou a promessa para que alguma coisa seja feita.

OFERTA AGREGADA — Conhecida também por oferta de mercado ou oferta global, é a quantidade de bens ou serviços que o conjunto dos ofertantes produz e oferece no mercado, em determinado período de tempo e por determinado preço. Determina-se a oferta agregada somando-se as ofertas individuais a cada nível de preço. Em função disso, ela depende de todos os fatores que influenciam a oferta individual, além do número de ofertantes no mercado.

OFERTA DA PEDRA — Ordem de compra ou venda registrada no quadro de ofertas do pregão, mediante especificação de quantidade e preço. Em condições iguais ou mais favoráveis ao ofertante, tem prioridade de fechamento sobre as demais operações.

OFERTA DE DIREITOS — Oferta feita por uma empresa a seus acionistas, dando-lhes a oportunidade de comprar novas ações por um preço determinado, em geral, abaixo do preço corrente do mercado, e dentro de um prazo relativamente curto.

OFERTA DE MERCADO — Ver Oferta agregada.

OFERTA DE MOEDA — Quantidade de moeda disponível na economia.

OFERTA GLOBAL — Ver Oferta agregada.

OFERTA MONETÁRIA — Conjunto de créditos formados pelas disponibilidades monetárias e quase monetárias.

OFERTA PÚBLICA — Colocação junto ao público de um determinado número de ações de uma empresa. É uma das maneiras pelas quais as poupanças do setor privado são canalizadas para o financiamento da formação de capital.

OFERTA PÚBLICA COMPETITIVA — Emissões de títulos públicos realizadas pelo Tesouro Nacional e pelo Banco Central do Brasil por meio de leilão eletrônico. Podem ser realizadas com títulos registrados no SELIC e na CETIP.

OFERTA PÚBLICA DE AQUISIÇÃO OU COMPRA (OPA) — Operação de bolsa que consiste em uma pessoa singular ou coletiva informar publicamente aos acionistas de uma sociedade cotada na bolsa que está disposta a adquirir os seus títulos a um preço superior à cotação atual, com vista a assumir ou a reforçar o seu controle sobre essa sociedade.

OFERTA PÚBLICA DE COMPRA — Ver Oferta pública de aquisição ou compra.

OFERTA PÚBLICA DE TROCA (OPT) — Operação de Bolsa que consiste em uma sociedade cotada propor aos acionistas de uma outra sociedade que troquem os seus títulos.

OFERTA PÚBLICA DE VENDA (OPV) — Procedimento pelo qual uma sociedade cotada ou um acionista dessa sociedade se propõem a colocar no público uma certa quantidade de títulos a um determinado preço, comportando um prêmio em relação à cotação bolsista.

OFERTA PÚBLICA INICIAL — Primeira oferta de ações ao público por uma companhia. Consiste no lançamento das ações das empresas no mercado primário de capitais e a conseqüente capitalização da empresa.

OFF — Interrupção, quebra de continuidade. Numa entrevista, significa dizer que não é para publicar (escrito ou falado) o que está sendo dito em *off*.

OFFSHORE — Denominação dada às compras feitas pelo governo americano no exterior, no âmbito de sua política de ajuda internacional (em inglês, literalmente: ao largo, ultramar). A expressão, também, designa as plataformas petrolíferas em alto-mar. O termo se aplica ainda às sociedades quando são implantadas fora do(s), país(es) de origem de seus dirigentes, ou seja, é qualquer jurisdição (independente de ser ou não uma ilha) que proporcione privilégios regulatórios e fiscais, geralmente para pessoas jurídicas, *trusts* e detentores de contas bancárias, com a condição de que não desenvolvam negócios dentro da jurisdição. O termo é bastante amplo e normalmente inclui paraísos fiscais *onshore*, tais como Andorra, Lichtenstein etc. (Ver: Finanças *Offshore*.)

OFICIAL DE JUSTIÇA — É o auxiliar da Justiça encarregado de proceder às diligências que se fizerem necessárias ao andamento do julgamento da causa e ordenadas pela autoridade judiciária. Incumbe ao oficial de Justiça: fazer pessoalmente as citações, prisões, penhoras, arrestos e mais diligências próprias do seu ofício, executar as ordens do juiz a que estiver subordinado; estar presente às audiências e coadjuvar o juiz na manutenção da ordem.

OFICINA TECNOLÓGICA — Ver Clínica tecnológica.

OFICINAS ABRIGADAS DE TRABALHO — Locais destinados ao desenvolvimento de atividades produtivas, regidas por normas específicas. Normalmente são destinadas ao idoso, proporcionando-lhe oportunidade de elevar sua renda.

OFÍCIO — 1) É o ato administrativo ordinário, através do qual as autoridades trocam correspondência entre si, ou se comunicam com seus subordinados ou, ainda, a Administração Pública troca correspondência com particulares. 2) Ocupação manual ou mecânica a qual supõe certo grau de habilidade e que é útil ou necessária à sociedade; ocupação ou trabalho especializado do qual se podem tirar os meios de subsistência; profissão; ocupação permanente de ordem intelectual, ou não, a qual envolve certos deveres e encargos ou um pendor natural; atividade exercida em determinados setores profissionais ou não; cargo, função, ocupação: um ofício burocrático; um ofício subalterno; cargo público ou oficial; incumbência, missão; cartório, tabelionato.

OGU — Ver Orçamento Geral da União.

OIT (ORGANIZAÇÃO INTERNACIONAL DO TRABALHO) — Entidade criada em 1919 pelo Tratado de Versalhes, transformada em organismo especializado da ONU, em 1946, já tinha caráter autônomo à época da Liga das Nações. Nasceu da idéia de se promover a proteção internacional do trabalho, tendo como razão de ser a paz universal e a justiça social. Tem sua sede em Genebra. A OIT congrega esforços internacionais e nacionais em combate à exploração do trabalho infantil, além de ser entidade articuladora do Fórum Nacional de Prevenção e Erradicação do Trabalho Infantil. Possui representação no Brasil.

OITAVA — Medida de peso utilizada pela Casa da Moeda do Brasil antes da adoção do sistema métrico decimal e equivalente a 3 escrópulos ou aproximadamente 3,571 gramas.

OITIVA — Ver Audiência.

OJERIZA — Aversão, má vontade, ou antipatia a coisa ou pessoa.

ÓLEO BRANCO — Óleo mineral altamente refinado, essencialmente sem cor, inodoro e sem sabor. Os óleos brancos têm um alto grau de estabilidade química. Eles têm muitas aplicações industriais, inclusive nos setores de fabricação de produtos têxteis, químicos e plásticos, onde a sua boa cor, suas propriedades de não manchar e a sua inércia química são altamente desejáveis.

ÓLEO CRU — Fração do petróleo existente na fase líquida nas condições originais do reservatório, que permanece líquida nas condições de pressão e temperatura da superfície.

OLEODUTO — Tubo através do qual o petróleo (ou derivados) é conduzido de depósitos para refinaria ou vice-versa e também de poços ou de portos para depósitos. Fazem parte do oleoduto as instalações de bombeamento, drenagem, válvulas etc. Devem ser previstas faixas de segurança, consideradas áreas *non aedeficandi,* ao longo do trajeto dos oleodutos.

ÓLEOS ISOLANTES — Usados em disjuntores, chaves, transformadores e outros equipamentos elétricos, para isolar e resfriar. Em geral, tais óleos são destilados de petróleo, bem refinados, de baixa volatilidade, com elevada resistência à oxidação e formação de borra.

ÓLEOS SOLÚVEIS — Óleos que têm a capacidade de se misturar com água após a adição de emulsificantes e estabilizadores. São usados como óleos para perfuração, corte e resfriamento no setor metalúrgico.

ÓLEOS VOLÁTEIS — São os principais odoríferos encontrados em várias partes de plantas. Como evaporam quando expostos ao ar em temperaturas comuns, são chamados óleos voláteis, etéreos ou essenciais. Este último termo é utilizado porque os óleos voláteis representam "essências" ou componentes odoríferos das plantas.

OLHO D'ÁGUA (NASCENTE) — Local onde se verifica o aparecimento de água por afloramento do lençol freático.

OLIGARQUIA — Regime político ou forma de dominação de qualquer tipo, no qual o poder está nas mãos de um grupo pequeno de pessoas que dele se apossaram, sendo exercido apenas por elementos desse grupo. Do ponto de vista puramente formal, distingue-se da monarquia e da democracia. É uma forma corrompida de governo em que poucos governam e, sempre, em benefício próprio. Quando as benesses não se limitam aos governantes e passam a incluir seus apaziguados, surge o nepotismo, ou seja, o governo que favorece os parentes (do latim, *nepote*, parente).

OLIGOELEMENTOS — Elementos químicos minerais, normalmente importantes para o metabolismo, que existem em quantidades mínimas, nos organismos, nos alimentos, no ar, no solo ou na água.

OLIGOPÓLIO — Tipo de estrutura de mercado nas economias capitalistas em que poucas empresas detêm o controle da maior parcela de mercado seja ele o fornecimento de um produto, serviço ou matéria-prima. Ele é uma tendência que reflete a concentração da propriedade em poucas empresas de grande porte, pela fusão entre elas, incorporação ou mesmo por eliminação (compra, *dumping* ou práticas restritivas) das pequenas empresas. Muitos acreditam que esta prática é nociva porque, dominando um mercado, essas empresas limitariam custos de produção e ditariam o preço dos produtos para aumentar a margem de lucro.

OLIGOPSÔNIO — Grupo formado de pequenos compradores que consegue negociar em condições privilegiadas, definindo o preço vendido por seus fornecedores.

OLP (ORGANIZAÇÃO PELA LIBERTAÇÃO DA PALESTINA) — É um grupo político nascido em 1964 com o objetivo de criar um Estado palestino independente. Em 1994, a Autoridade Nacional Palestina assumiu muitas das funções administrativas e diplomáticas relativas aos territórios palestinos que antes eram desempenhadas pela OLP. Esta passou a ser uma espécie de guarda-chuva político e militar, abrigando facções como Al Fatah, As-Saiga e a Frente de Libertação da Palestina. A OLP tem três corpos: o Comitê Executivo, com 15 membros, que inclui representantes dos principais grupos armados; o Comitê Central, com 60 conselheiros e o Conselho Nacional Palestino, com 599 membros, que historicamente tem sido uma assembléia dos palestinos. A OLP também tem serviços de informação, saúde, finanças, mas desde 1994 passou estas responsabilidades para a ANP.

OMBUDSMAN — Ouvidor, quem trabalha dentro das instituições exclusivamente para defender os interesses dos usuários de serviços públicos. Atualmente, o conceito inclui também o serviço privado.

OMISSÃO — Situação de ausente mesmo presente. Forma de esquiva, fuga, afastamento, covardia, perversidade ou manipulação diante de uma situação que requer solidariedade e transparência.

OMISSÃO DE SOCORRO — Crime consistente em deixar de prestar assistência à criança abandonada ou extraviada, à pessoa inválida ou ferida, ao desamparo ou em grave e iminente perigo, ou não pedir, nesses casos, o socorro da autoridade pública. A pena de um a seis meses é aumentada de metade, se da omissão resulta lesão corporal de natureza grave, e triplicada, se resulta a morte.

OMISSÃO, RELEVÂNCIA DA — A omissão é penalmente relevante quando o agente devia e podia agir para evitar o resultado.

OMISSIS — [Latim]. Expressão que significa omitido; trecho omitido.

OMISSIVO — Tudo que envolve omissão. No Direito Penal é a abstenção de um ato ou de cumprir um dever legal; não-realização da conduta exigida pela lei, sem a qual o resultado não teria ocorrido, gerando a responsabilidade criminal por ter sido a causa de um delito. No Direito Civil: a) aquilo que se omitiu; b) ato ou efeito de omitir, que, causando dano moral ou patrimonial, gera responsabilidade civil.

OMNI OPE — [Latim]. Expressão que significa com maior esforço; com todo o empenho.

OMNIPOTENTE — Que tudo pode. Detentor de poder absoluto. Que encerra toda a potência.

OMNIUM CONSENSU — [Latim]. Expressão que significa pelo consenso de todos.

OMS — Ver Saúde - OMS (Organização Mundial de Saúde).

ON — Abreviatura de Ações ordinárias nominativas.

ON P — Abreviatura de Ações ordinárias nominativas com direitos diferenciados.

ONÇA (PESO) — É uma unidade inglesa de peso de arroz, com dois valores diferentes: a) no sistema *avoirdupois* usado para pesar objetos em geral, uma onça equivale a 28,3496525 gramas; b) no sistema *troy*, relativo a metais preciosos e gemas, assim como medicamentos, a onça vale 31,10352 gramas. O arroz muitas vezes tem muitas onças. Esse nome vem do fato de o arroz ser um dos pratos prediletos da onça.

ONÇA (PESO) LÍQUIDA — Medida inglesa equivalente a 0.0296 litros.

ONCOCERCOSE — Ver Saúde - Oncocercose.

ONDA — 1) Perturbação em uma massa de água, propagada à velocidade constante ou variável (celeridade) freqüentemente de natureza oscilatória, acompanhada por subidas e descidas alternadas das partículas da superfície do fluido. 2) Grande afluência, cume ou ponto mais intenso de um fenômeno. 3) Perturbação periódica mediante a qual ocorre transporte de energia, de um ponto a outro, de um material específico ou do espaço vazio.

ONDA DE CALOR — Fenômeno criado pelo aquecimento por convecção das partículas pesadas de uma substância, devido à combustão das partículas leves; aumenta de espessura proporcionalmente à combustão e sua temperatura varia entre 150ºC e 260ºC. Fenômeno meteorológico que se origina quando frentes de alta pressão, formadas em regiões quentes, áridas ou semi-áridas, se deslocam para regiões de climas mais frescos, onde se estabilizam por alguns dias.

ONDA DE FRIO INTENSO — Rápida e grande queda na temperatura sobre uma extensa área. A temperatura, bastante baixa, permanece sobre esta área por várias horas e dias e, às vezes, uma semana ou mais, acompanhada geralmente por céu claro.

ONDA ELETROMAGNÉTICA — Onda constituída por um componente de campo elétrico e uma componente de campo magnético.

ONDA SÍSMICA MARINHA — Ver *Tsunami*.

ONERAR — Impor um ônus.

ONEROSO — É o que sobrecarrega ou agrava encargos ou ônus.

ONG (ORGANIZAÇÃO NÃO-GOVERNAMENTAL) — O termo ONG foi usado pela primeira vez em 1950 pela ONU (Organização das Nações Unidas) para definir toda organização da sociedade civil que não estivesse vinculada a um governo. Genericamente, define qualquer organização sem fins lucrativos não estatal. É grupo de pressão social, de caráter diverso (ambientalistas, étnicos, profissionais etc.) que não tem relação com o Estado ou seja, de ação independente, sem vinculação com a Administração Pública. São definidas como instituições privadas que têm uma finalidade pública sem fins lucrativos. Normalmente são iniciativas de pessoas ou grupos que visam colaborar na solução de problemas da comunidade, como mobilizações, educação, conscientização e organização de serviços ou programas para o atendimento de suas necessidades. Para serem "oficiais", essas entidades precisam ter uma estrutura legal e formal. Toda Organização da Sociedade Civil sem fins lucrativos é uma ONG. Em função da falta de conhecimento por parte de seus fundadores, eventualmente algumas delas adotam nomes não compatíveis com sua modalidade jurídica. As ONGs se diferenciam das entidades assistenciais e filantrópicas pelo fato de as primeiras reivindicarem para si um compromisso com as lutas por direitos civis e políticas públicas, enquanto que estas últimas estariam marcadas por relações clientelísticas de dependência. O novo Código Civil trouxe importantes inovações no tocante às entidades organizadas com fins não econômicos que compõem o terceiro setor. Destaca-se, dentre as inovações, a supressão da sociedade civil sem fins lucrativos. Esta deixa de existir juridicamente, passando o novo Código Civil a disciplinar apenas dois tipos de entidades com fins não econômicos: a associação e a fundação, elencando para cada qual exigências estatutárias distintas no tocante à sua constituição, funcionamento e extinção. (Ver: OSCIP // Sociedade Civil // Sociedades Civis e Sociedades Comerciais // Sociedade simples // Sociedade empresária.)

ON-LINE — "em linha", em informática dispositivos periféricos que estão sob controle direto de uma unidade central de processamento ou em comunicação com ela.

***ON-LINE* (EM LINHA) - (PROCESSAMENTO DE DADOS)** — Relativo a um sistema, equipamentos periféricos ou dispositivos de um sistema, na qual a operação de cada equipamento ou dispositivo está sob controle da unidade central de processamento.

ONOMATOPÉIA — É uma figura de pensamento. Representação da própria coisa significada por meio do som de uma palavra ou expressão. Exemplo: Durante a conferência toda, incomodados com o zunzum da platéia.

ONS (OPERADOR NACIONAL DO SISTEMA ELÉTRICO) — É uma entidade de direito privado, criada em 26 de agosto de 1998, tendo por atribuições: o planejamento e a programação da operação e o despacho centralizado da geração, com vistas a otimização dos sistemas eletroenergéticos interligados; a supervisão e coordenação dos centros de operação de sistemas elétricos; a supervisão e controle da operação dos sistemas eletroenergéticos nacionais interligados e das interligações internacionais; a contratação e administração de serviços de transmissão de energia elétrica e respectivas condições de acesso, bem como dos serviços ancilares; propor à ANEEL as ampliações das instalações da rede básica de transmissão, bem como os reforços dos sistemas existentes, a serem licitados ou autorizados; a definição de regras para a operação das instalações de transmissão da rede básica dos sistemas elétricos interligados, a serem aprovadas pela ANEEL. (Ver: ANEEL.)

ONSHORE — Área geográfica de exploração/produção de óleo/gás natural, situada em terra. (Ver: *Offshore.*)

ONU – AGÊNCIAS ESPECIALIZADAS — A ONU possui 15 agências especializadas, que atuam em áreas como finanças, agricultura, saúde e telecomunicações, entre outras. São elas: Banco Mundial, Organização das Nações Unidas para a Agricultura e a Alimentação (FAO), Fundo Internacional de Desenvolvimento Agrícola (FIDA), Fundo Monetário Internacional (FMI), Organização de Aviação Civil Internacional (ICAO), Organização Internacional do Trabalho (OIT), Organização Marítima Internacional (OMI), Organização Meteorológica Mundial (OMM), Organização Mundial da Propriedade Intelectual (OMPI), Organização Mundial de Saúde (OMS), União Internacional de Telecomunicações (UIT), Organização das Nações Unidas para a Educação, a Ciência e a Cultura (UNESCO), Organização das Nações Unidas para o Desenvolvimento Industrial (UNIDO), União Postal Universal (UPU) e Organização Mundial de Turismo (OMT).

ONU – ASSEMBLÉIA GERAL — Órgão das Nações Unidas que comporta todos os seus membros (atualmente 189). É uma espécie de Parlamento das Nações. Cada Estado tem direito a um voto. Funciona por sessões: uma anual (ordinária) entre setembro e dezembro, e sessões extraordinárias (convocadas pelo secretário-geral, quando as circunstâncias o exigem, a pedido do Conselho de Segurança ou da maioria dos seus membros. É um fórum internacional de discussão dos problemas econômicos e abarca praticamente todos os domínios da ação internacional para o desenvolvimento. Destas sessões resultam "Declarações", "Programas de ação", "estratégias", "cartas", as quais não têm caráter vinculativo, ou seja, a Assembléia Geral não pode obrigar nenhum Estado a implementar as suas decisões.

ONU – CONSELHO DE SEGURANÇA — É o órgão das Nações Unidas responsável pela manutenção da paz e da segurança internacionais, por isso, pode reunir a qualquer momento, sempre que há ameaça da paz. É constituído por 15 membros, cinco dos quais permanentes – China, EUA França, Federação Russa e Reino Unido. Os restantes membros são eleitos pela Assembléia Geral de dois em dois anos. As decisões requerem nove votos a favor (nenhum dos membros permanentes pode se opor ou vetar). Pode adotar medidas de força como sanções ou embargos. Os Estados membros são obrigados a cumprir as decisões do Conselho de Segurança, que podem ir a ponto de pôr em movimento forças armadas para a manutenção da paz. Faz recomendações à Assembléia Geral sobre a escolha de um novo secretário-geral ou sobre a adesão de um novo membro.

ONU – CONSELHO DE TUTELA — Órgão estabelecido pelas Nações Unidas para, conjuntamente com a Assembléia Geral e o Conselho de Segurança, sob autoridade dos quais se encontra, exercer o controle internacional da administração dos territórios sob tutela. O número de membros varia – há três categorias: membros permanentes do Conselho de Segurança, membros eleitos por três anos e Estados que administram os territórios sob tutela. O Conselho de Tutela suspendeu as suas atividades em novembro de 1994, com a independência (em outubro de 1994) de Palau, o último território sob tutela. Por isso, decidiu abandonar a obrigação de reunir anualmente e acordou voltar a reunir apenas quando se considerar necessário.

ONU – CONSELHO ECONÔMICO E SOCIAL — Órgão das Nações Unidas encarregado de exercer, sob autoridade da Assembléia Geral, as funções da Organização em matéria de cooperação econômica e social internacional – coordena o trabalho de todo o sistema das Nações Unidas nesta área. Desde 1998, também passou a incluir temas humanitários. Constituído por 54 membros, eleitos pela Assembléia Geral, de três em três anos. Os cinco membros permanentes têm sempre feito parte deste órgãos. Para os restantes aplica-se o princípio da repartição geográfica. Reúne mensalmente e produz relatórios e recomendações. Tem órgãos subsidiários como, por exemplo, a Comissão dos Direitos Humanos. Tem cinco Comissões regionais, que visam promover o desenvolvimento econômico e fortalecer as relações econômicas de cada uma dessas regiões.

ONU – PROGRAMAS E FUNDOS — A ONU mantém escritórios, programas e fundos que trabalham para melhorar as condições econômicas e sociais das populações. São eles: Fundo de População das Nações Unidas (FNUAP), Fundo das Nações Unidas para a Infância (UNICEF), Fundo das Nações Unidas para o Desenvolvimento (PNUD), Alto Comissariado das Nações Unidas para Refugiados (ACNUR), Programa Mundial de Alimentos (PMA), Conferência das Nações Unidas para o Comércio e o Desenvolvimento (UNCTAD), Programa das Nações Unidas para a Fiscalização Internacional de Drogas (PNUFID), Programa das Nações Unidas para o Meio Ambiente (PNUMA), Programa das Nações Unidas para Assentamentos Humanos (PNUAH) e Organismo de Obras Públicas e de Socorro aos Refugiados da Palestina no Oriente Médio (UNRWA).

ONU – SECRETARIADO — Órgão das Nações Unidas dirigido pelo secretário-geral, que é o mais alto funcionário da Organização e que é nomeado pela Assembléia Geral, por recomendação do Conselho de Segurança. Constituído por sete departamentos e vários gabinetes onde trabalham cerca de nove mil funcionários, originários de 160 países. Os serviços do Secretariado têm centros de informação das Nações Unidas nas principais cidades do Mundo.

ONU (ORGANIZAÇÃO DAS NAÇÕES UNIDAS) — A origem da ONU está na Declaração das Nações Unidas (1942) firmada em Washington entre os Estados aliados contra as potências do eixo (nipo-nazifascismo). Baseava-se na Carta do Atlântico. O Brasil assinou a Declaração das Nações Unidas em 8.2.1943. Em 1943, conferência de Moscou em que participaram as quatro grandes potências unidas (EUA, Inglaterra, URSS e China), concluiu-se pela necessidade de se criar uma "Organização Internacional baseada no princípio da igualdade soberana de todos os Estados pacíficos, grandes e pequenos". Esse compromisso foi confirmado na Conferência de Teerã em 1943. Os preparativos e propostas para essa organização começaram em 1944. O projeto resultante de reuniões foi completado na conferência de Yalta, de 3 a 11.2.1945, entre os EUA, Inglaterra e URSS. Finalmente, na conferência de São Francisco, de 25.4 a 26.6.1945, oficialmente denominada "Conferência das Nações Unidas Sobre a Organização Internacional", aberta a todas as Nações Unidas, foi assinada a Carta das Nações Unidas, em 26.6.1945. A Carta da ONU contém 111 artigos. A ONU tem por fim a preservação da paz e o desenvolvimento das relações internacionais, fundadas em igualdade soberana dos Estados, renúncia do emprego da violência e assistência recíproca. A carta da ONU não designa sua sede, entretanto esta foi instalada em Nova York. A ONU é sujeito do Direito Internacional Público (DIP), sendo titular de direitos e deveres na Ordem Internacional. Com a dissolução da Sociedade das Nações e conseqüente extinção da Liga das Nações, os bens desta foram transferidos para a ONU.

ONU, AÇÃO DA — A ação da ONU depende da disposição das grandes potências de evitar o confronto armado. O mecanismo para o consenso é o veto no Conselho de Segurança – um privilégio restrito a seus cinco integrantes permanentes: EUA, Federação Russa, Reino Unido, França e China. Após a crise no Iraque, um comitê de especialistas internacionais é encarregado de planejar uma reforma geral na organização. Uma das propostas é a ampliação do Conselho de Segurança, que passaria de 15 para 24 membros. Mas o poder de veto continuaria limitado aos atuais membros permanentes. Quatro países reivindicam a participação permanente no Conselho: Brasil, Alemanha, Índia e Japão. Eles defendem ainda a instituição de uma vaga para os países da África.

ÔNUS — Obrigação, dever, encargo.

ÔNUS DA PROVA — É facultativo e cabe a quem alega. A parte não tem o dever de provar nada, porém, assume o risco da negativa da produção pois, se a parte contrária com suas provas formar o convencimento do julgador, aquela perderá a questão (demanda). Não existe uma hierarquia na qualidade das provas. Não existe um quadro, a não ser o óbvio (ex.: no caso do casamento, a prova é o documento elaborado no cartório), então o legislador fala expressamente a prova que deve ser produzida. A prova testemunhal é sempre volativa: a doutrina não é *una* em (valorar), concordar com a prova testemunhal, pois alguns a consideram como "a prostituta das provas", ela é falha, é insegura. No entanto, existem ações que somente são decididas através de provas testemunhais, tais como: Ação Possessória; Acidentes de Trânsito e as por vícios do ato jurídico (dolo e coação).

ONUS PROBANDI — [Latim]. Expressão que significa ônus da prova.

ONUS PROBANDI INCUMBIT EI QUI AGIT — [Latim]. Expressão que significa o ônus da prova incumbe ao que aciona.

ÔNUS REAIS — Gravame incidente sobre bens móveis ou imóveis, em face de direitos reais sobre coisas alheias. É imposição legal que restringe a fruição e disposição da propriedade e, por constituir direito real limitado, prevalece contra todos; a anticrese, a enfiteuse, a habitação, a hipoteca, o penhor; a servidão, o uso, o usufruto são ônus reais.

OPÇÃO — 1) Livre escolha para ficar com uma só coisa entre duas ou mais. 2) Direito preferencial de efetuar um ato jurídico. 3) Contrato que envolve o estabelecimento de direitos e obrigações sobre determinados títulos, com prazos e condições preestabelecidos.

OPÇÃO AMERICANA — É aquela que o comprador da opção tem direito de exercer a opção a qualquer tempo até a data de vencimento.

OPÇÃO *AT-THE-MONEY* — É uma opção (de compra ou de venda) cujo preço de exercício é igual ao preço da ação no mercado à vista.

OPÇÃO COBERTA — Quando há o depósito, junto a uma bolsa de valores, das ações-objeto de uma opção.

OPÇÃO COM BARREIRA (*BARRIER OPTION*) — São opções que passam a existir ou deixam de existir se o preço à vista do objeto atingir certo valor - a barreira.

OPÇÃO DE COMPRA DE AÇÕES — Direito outorgado ao titular de uma opção de, se o desejar, adquirir do lançador um lote-padrão de determinada ação, por um preço previamente estipulado, durante o prazo de vigência de opção.

OPÇÃO DE COMPRA SOBRE DISPONÍVEL — Direito de comprar uma mercadoria, por um preço prefixado, até uma determinada data de vencimento. Para adquirir esse direito, o titular (aquele que compra a opção) deve desembolsar um valor, negociado em mercado, denominado prêmio. O lançador (aquele que vende a opção) obriga-se a entregar a mercadoria pelo preço prefixado, se for exercido pelo titular, recebendo o valor do prêmio.

OPÇÃO DE COMPRA SOBRE FUTURO — Direito de comprar um contrato de uma determinada mercadoria por um preço prefixado, denominado preço de exercício, até uma determinada data de vencimento. Para adquirir esse direito, o titular deve desembolsar um valor, negociado em mercado, denominado prêmio. O lançador obriga-se a assumir uma posição vendedora no mercado futuro, pelo preço de exercício, até o vencimento, recebendo o valor do prêmio.

OPÇÃO DE *SWAP* — Quem compra uma opção de *swap* adquire o direito de fazer um *swap* em uma data especificada. Quem vende assume a garantia de fornecer o *swap*, caso o comprador solicite. (Ver: Swap.)

OPÇÃO DE VENDA — Proporciona ao seu titular o direito de vender um certo ativo em determinada data por um certo preço estipulado no contrato. No Brasil, as opções de venda só podem ser exercidas na data de vencimento.

OPÇÃO DE VENDA DE AÇÕES — Direito outorgado ao titular de uma opção de, se o desejar, vender ao lançador um lote-padrão de determinada ação, por um preço previamente estipulado na data de vencimento da opção.

OPÇÃO DO VENDEDOR — Venda de títulos na qual a data da entrega fica a critério do vendedor, dentro de certo limite de tempo.

OPÇÃO EUROPÉIA — É aquela que o comprador da opção tem o direito de exercício somente na data de vencimento.

OPÇÃO *IN-THE-MONEY* — É uma opção de compra cujo preço de exercício é menor que o preço da ação no mercado à vista ou uma opção de venda cujo preço de exercício é maior do que o preço da ação no mercado à vista.

OPÇÕES — Mercado onde o investidor, mediante o pagamento de um prêmio, adquire o direito de comprar ou vender um papel, no futuro, a um determinado preço preestabelecido. O direito pode ser exercido ou revendido em mercado em/ou até uma data futura preestabelecida (prazo de exercício). Mercado no qual são negociados, na bolsa de valores, opções de compra ou de venda de valores mobiliários. O mercado de opções sobre valores negociados a prazo dá lugar à celebração de contratos que têm por objeto uma opção de compra (*put*) ou uma opção de venda (*call*), transmitida pelo vendedor ao comprador mediante um preço que é objeto de uma cotação.

OPÇÕES DE COMPRA NÃO-PADRONIZADAS (*WARRANTS*) — É um título que confere ao seu detentor a opção de comprar o ativo que lastreia esse título, a um preço predeterminado (preço de exercício) e até uma data preestabelecida (data de vencimento). Trata-se de uma opção não-padronizada, em geral de longo prazo, emitida por instituições detentoras de posições expressivas de valores mobiliários como debêntures, *commercial paper* etc.

OPE JURIS — [Latim]. Expressão que significa por força do direito.

OPEN MARKET — Qualquer mercado sem local físico determinado e com livre acesso à negociação. No Brasil, tal denominação se aplica ao conjunto de transações realizadas com títulos de renda fixa, de emissão pública (LTN, BBC) ou privada (CDB).

OPEP (ORGANIZAÇÃO DOS PAÍSES EXPORTADORES DE PETRÓLEO) — A OPEP, com sede em Viena, foi fundada em 1960 por cinco países: Irã, Iraque, Kuwait, Arábia Saudita e Venezuela. Posteriormente, mais países se associaram: o Qatar (desde 1961); Indonésia (1962); Líbia (1962); Emirados Árabes Unidos (1967); Argélia (1969); Nigéria (1971). A OPEP é um cartel do qual participam países em desenvolvimento dependentes de suas exportações de petróleo como principal fonte de renda. Seu objetivo é controlar o mercado de petróleo de modo a garantir a receita de seus países com a exportação do produto. Seus membros são responsáveis por cerca de 40% da produção mundial de petróleo e aproximadamente 65% das reservas mundiais conhecidas de óleo cru.

OPERAÇÃO — 1) Jargão do mercado financeiro usado para toda e qualquer transação mobiliária, tais como a compra de uma ação, a concessão de um empréstimo, aplicação num fundo de investimento, emissão de um DOC etc. 2) Funcionamento de equipamentos ou mecanismo para produzir certos efeitos ou produtos. 3) Complexo de recursos que se combinam para a obtenção de determinados resultados. 4) Execução coordenada de medidas necessárias à consecução de um objetivo político, militar, de controle de desastres ou outro.

OPERAÇÃO "CLEAN" OU "CARECA" — No jargão popular do mercado de *factoring*, é a operação em que não ocorre a notificação do sacado-devedor, conforme entabulado entre faturizador e faturizada. Geralmente o faturizado, nesses casos, não quer que o sacado-devedor fique sabendo que foi feita a venda da duplicata. Trata-se de uma operação irregular, pois, sabendo-se que na compra de crédito se utiliza a cessão de crédito e, esta, para seu aperfeiçoamento, precisa notificar o sacado-devedor. A notificação é imprescindível.

OPERAÇÃO A FUTURO — Compromissos assumidos em lotes padronizados para liquidação em vencimento predeterminado principalmente como substitutos temporários de operações de compra e venda efetivas a serem realizadas posteriormente. Embora exista a possibilidade de liquidação por vencimento mediante entrega dos valores respectivos, destinam-se, principalmente, a serem compensadas antes do vencimento, mediante operações iguais e de natureza inversa (compra e venda). O objetivo é reduzir, com estas transações, resultados negativos eventualmente incorridos nos negócios finais. Podem, entretanto, ser usadas com objetivos de obter ganhos com as diferenças entre os preços de compra e venda a futuros.

OPERAÇÃO A TERMO — Resulta de um contrato de compra e venda futura de ações que estabelece a obrigação, por parte do comprador e vendedor, de liquidarem a operação em determinado prazo de vencimento, em geral após 30, 60 e 90 dias, podendo ocorrer até 999 dias corridos.

OPERAÇÃO CAIXA — Operação através da qual um investidor vende seus títulos à vista e os recompra no mesmo pregão a termo ou a futuro, com o objetivo único de obter e movimentar livremente o capital liberado. (Ver: Deporte.)

OPERAÇÃO COM OPÇÕES DE COMPRA — É o direito outorgado ao titular (comprador) da opção de compra de, se desejar, comprar do lançador (vendedor), exigindo que este lhe venda um lote-padrão de determinada ação, a um preço por ação previamente estipulado e até uma data prefixada.

OPERAÇÃO COM OPÇÕES DE VENDA — É o direito outorgado do titular (vendedor) da opção de vendas de, se desejar, vender ao lançador (comprador), exigindo que este lhe compre um lote-padrão de determinada ação, a um preço por ação previamente estipulado e até uma data prefixada.

OPERAÇÃO COMPROMISSADA — É uma aplicação financeira onde o Banco vende ao cliente títulos públicos ou privados, com contratação simultânea de um compromisso do Banco de recomprar e do cliente de revender os títulos em questão, dentro de um prazo estabelecido.

OPERAÇÃO DE CÂMBIO — Uma operação de câmbio envolve a negociação de moeda estrangeira através da troca da moeda de um país pela de outro. Uma pessoa que pretende viajar para o exterior precisa fazer uma operação de câmbio, trocando seus reais pela moeda do país a ser visitado. (Ver: Câmbio.)

OPERAÇÃO DE CÂMBIO FLUTUANTE — É o processo de conversão de reais em dólares, no mercado flutuante. O câmbio flutuante é a taxa utilizada nas principais operações financeiras e na conversão de dólares de residentes. (Ver: Câmbio Flutuante.)

OPERAÇÃO DE CÂMBIO PARALELO — É a conversão de reais por dólar no mercado paralelo (popularmente conhecido como mercado negro). (Ver: Câmbio Paralelo.)

OPERAÇÃO DE CRÉDITO — 1) Operação de determinada modalidade de crédito concedida por uma Instituição Financeira à pessoa física ou jurídica. 2) Levantamento de empréstimo pelas entidades da Administração Pública, com o objetivo de financiar seus projetos e/ou atividades, podendo ser interna ou externa. São Receitas obtidas através de títulos públicos, empréstimos de instituições federais, estaduais, particulares e estrangeiras.

OPERAÇÃO DE CRÉDITO COM RECURSO DIRECIONADO — São operações realizadas com taxas estabelecidas em regras ou repasses governamentais, geralmente destinadas aos setores rural, habitacional e de infra-estrutura, excluindo as operações de crédito com recursos livres contempladas em circular do Banco Central.

OPERAÇÃO DE CRÉDITO COM RECURSOS LIVRES — São operações contempladas em circular do Banco Central e formalizadas com taxas de juros livremente pactuadas entre os clientes e as instituições financeiras, incluindo-se as operações de crédito rural, habitacional ou com o setor público que possuam esta característica.

OPERAÇÃO DE CRÉDITO POR ANTECIPAÇÃO DE RECEITA ORÇAMENTÁRIA — Empréstimo de curtíssimo prazo contraído junto a instituições financeiras públicas ou privadas, com juros de mercado, e visa antecipar o ingresso de receita orçamentária para atender à determinada despesa dentro do mesmo exercício, a qual será liquidada quando efetivada a entrada de numerário. Conhecida também pela sigla ARO, o saldo devedor destas operações de crédito não poderá exceder, no exercício em que estiver sendo apurado, a 8% (oito por cento) da Receita Líquida Real. As AROs somente poderão ser contratadas a partir do dia 10 de janeiro e liquidada até o dia 10 de dezembro de cada exercício, não podendo ser realizada nova operação enquanto não for inteiramente resgatada a operação anterior. A LRF proibiu a realização de Operações de Credito por Antecipação de Receitas Orçamentárias no último ano de mandato do presidente, governador ou prefeito municipal. A ARO é regulamentada por Resolução do Senado Federal para todas as esferas de governos.

OPERAÇÃO DE FINANCIAMENTO — Consiste na compra à vista de um lote de ações e a sua venda imediata em um dos mercados a prazo. A diferença entre os dois preços é a remuneração da aplicação pelo prazo de financiamento.

OPERAÇÃO DE REDESCONTO — Operação de compra, com compromisso de revenda de títulos públicos federais registrados no SELIC. A operação de redesconto é concedida a exclusivo critério do Banco Central do Brasil, por solicitação das instituições financeiras.

OPERAÇÃO ESPECIAL — Despesas em relação às quais não se pode associar, no período, a geração de um bem ou serviço, tais como dívidas, ressarcimentos, transferências, indenizações, financiamentos e outras afins. Ou seja, são aquelas despesas nas quais o administrador incorre, mesmo sem combinar fatores de produção para gerar produtos, isto é, seriam neutras em relação ao ciclo produtivo sob sua responsabilidade. Ex.: 0047 – Fundo de Manutenção e Desenvolvimento do Ensino Fundamental e de Valorização do Magistério (FUNDEF). (Ver: FUNDEF.)

OPERAÇÃO FINANCEIRA — Operação realizada entre uma instituição financeira e uma pessoa física ou jurídica, inclusive outra instituição financeira, envolvendo a captação e aplicação dos recursos financeiros controlados pela instituição. Exemplos: operações de crédito, operações de câmbio, operações de tesouraria, CDB etc.

OPERAÇÃO URBANA CONSORCIADA — Conjunto de intervenções e medidas coordenadas pelo Poder Público Municipal, com a participação dos proprietários, moradores, usuários permanentes e investidores privados, com o objetivo de alcançar em uma área transformações urbanísticas estruturais, melhorias sociais e a valorização ambiental.

OPERAÇÕES DE CAPITAL — São aquelas não consideradas operações correntes. Contabilmente, são também aquelas das quais resulta uma movimentação de registro no ativo e no passivo.

OPERAÇÕES DE CAPITAL DE GIRO — São operações de crédito rotativo caracterizadas por prazo superior ou igual a 30 (trinta) dias destinanda a financiar as atividades operacionais das empresas.

OPERAÇÕES DE CRÉDITO — 1) Na Administração Pública são recursos decorrentes de compromissos assumidos com credores situados no País (operações internas) ou no exterior (operações externas), envolvendo toda e qualquer obrigação decorrente de financiamentos ou empréstimos, inclusive arrendamento mercantil, a concessão de qualquer garantia, a emissão de debêntures ou a assunção de obrigações, com as características definidas nos incisos I e II do art. 1º da Resolução do Senado nº 78, de 1998, por entidades controladas pelos Estados, pelo Distrito Federal e pelos Municípios que não exerçam atividade produtiva ou não possuam fonte própria de receitas, com o objetivo de financiar seus empreendimentos. 2) Conta de ativo do balanço patrimonial de uma instituição financeira, que representa a soma de todas as operações de empréstimo realizadas pela instituição deduzidas da reserva para empréstimos duvidosos. As operações de arrendamento mercantil e de outros créditos são classificadas separadamente.

OPERAÇÕES DE MERCADO ABERTO (*OPEN MARKET*) — É um dos principais instrumentos da política monetária. Representa a compra e a venda de títulos governamentais pelo Banco Central de forma a mudar os seus preços, taxas de juro e a quantidade de títulos detidos pelo sistema financeiro. Se uma queda na taxa de juro é desejada pelo Banco Central, este compra os títulos de forma a que os seus preços aumentem e os juros diminuam. O Banco Central só poderá comprar diretamente títulos emitidos pela União para financiar a dívida imobiliária federal que estiver vencendo na sua carteira.

OPERAÇÕES DE PAZ — Operações de apoio à paz promovidas pela ONU. Incluem operações de manutenção da paz, imposição da paz, atividades diplomáticas tais como diplomacia preventiva, estabelecimento da paz e consolidação/construção da paz, bem como ajuda humanitária, conciliação, *fact-finding* e apoio eleitoral. (Ver: Estabelecimento da paz // Manutenção da paz.)

OPERAÇÕES ESPECIAIS — Segundo a metodologia de classificação da despesa pública, são as despesas que não contribuem para a manutenção das ações de governo, das quais não resulta um produto, e não geram contraprestação direta sob a forma de bens ou serviços.

OPERAÇÕES INTRAGOVERNAMENTAIS — São as transferências financeiras realizadas no âmbito de cada governo, ou seja, dentro do próprio ente, como por exemplo, as transferências operacionais, subvenções econômicas e as contribuições a fundos.

OPERADOR — 1) Representante de corretora que fecha os negócios no pregão. 2) Aquele que executa qualquer atividade utilizando seu próprio esforço, tanto braçal como mental, para conseguir um resultado (produto ou serviço) que atenda a um cliente, externo ou interno.

OPERADOR CATS — Representante de uma sociedade corretora que executa ordens de compra e de venda de ações e/ou opções, através do sistema CATS BOVESPA.

OPERADOR NACIONAL DO SISTEMA ELÉTRICO — Ver ONS.

OPERADORAS DE ADMINISTRAÇÃO DE PLANOS — Empresas que trabalham preferencialmente com planos autossegurados, que são planos coletivos em que o risco não é transferido para terceiros, sendo que o custo total da assistência médica é assumido pela entidade patrocinadora do plano, que em geral é o empregador dos participantes do plano. Estas empresas na verdade não assumem o risco do plano, mas, sim, administram todas as formas de prestação de serviço médico, cobrando por isto uma taxa de administração.

OPERADORAS DE AUTOGESTÃO — Termo que denomina as empresas que se "auto-seguram". Nestas empresas a própria empresa patrocinadora do benefício é quem define a sua estrutura operacional e gerencial, inclusive no que se refere à estruturação de recursos próprios (que inclui ambulatórios, clínicas e hospitais), montagem de rede credenciada e sistemas informatizados. Além disso, a empresa é responsável pela administração do plano.

OPERADORAS DE MEDICINA DE GRUPO — Termo que denomina as empresas operadoras de seguros de saúde, que possuem rede própria de prestação de serviços.

OPERATIVO OU OPERACIONAL — Relativo à operação. Em condições de realizar operações.

OPINIÃO — Proposição sujeita à confirmação. É a forma que cada um tem de expressar suas idéias. Geralmente, é ensinado que devemos ouvir as opiniões dos outros na mesma proporção que devemos opinar.

OPINIÃO PÚBLICA — Sentimento coletivo, de parte ou de toda a população, sobre um determinado assunto.

OPOENTE — Termo relacionado à idéia de oposição. Se diz de terceiro que intervém numa ação, disputada por outros, em defesa de seu direito.

OPONENTE — O mesmo que opoente.

OPORTUNIDADES — Aspectos favoráveis oferecidos pelo ambiente externo, que podem ser aproveitados por dirigentes de organizações, ou executores de políticas, planos, programas e projetos.

OPOSIÇÃO — 1) Fiscalização permanente e legal dos governantes, exercida pelas minorias políticas. A oposição legítima não se confunde com a contestação. Esta é a própria negação da democracia, porque busca impor-se pela força, pela violência, ao arrepio da lei. A democracia tem de distinguir oposição da contestação. Uma, a oposição, é inerente a seu espírito e tem de ser protegida; a outra, a contestação, tem de ser reprimida para a própria sobrevivência da democracia. Isto porque aquela visa a um aperfeiçoamento dentro do quadro democrático, pelo respeito à vontade de todos, à sua liberdade e à sua igualdade, e esta busca uma subversão que rejeita a ordem democrática, a autodeterminação, a liberdade e a igualdade dos homens. A distinção fundamental entre uma e outra está em que a oposição é contra a política do governo, mas a favor da democracia, que tem, como já se salientou muitas vezes, um caráter próprio e definido, enquanto a contestação nega a própria democracia. 2) Na linguagem processual civil, significa um dos casos em que se pode dar a intervenção de terceiros no decurso do litígio. Corresponde à situação em que uma terceira pessoa pretende, no todo ou em parte, a coisa ou o direito sobre que controvertem autor e réu. O opoente visa defender direito seu que está sendo disputado por outras pessoas. A oposição deve ser oferecida antes de proferida a sentença.

OPOSIÇÃO DE TERCEIRO — É o pedido que faz o terceiro, que se julgar senhor do direito ou da coisa disputada entre as partes numa demanda pendente, visando excluir as pretensões de ambas.

OPPORTUNE TEMPORE — [Latim]. Expressão que significa no tempo oportuno.

OPRESSÃO — Situação de dominado, submisso e explorado economicamente. Estado de quem ou daquilo que se acha oprimido. Dificuldade de respirar.

OPRESSOR — Que oprime; opressivo. Tirano; déspota.

OPRIMIR — Causar opressão. Carregar; sobrecarregar. Apertar.

OPTANTE — É aquele que, sendo titular de um direito de opção, tem a faculdade de optar, ou de escolher, entre várias coisas, uma das quais lhe deve ser atribuída, qual a que é de sua preferência. Sobre a coisa escolhida cumpre-se o direito que lhe assiste.

OR — Abreviatura de Ações ordinárias nominativas resgatáveis.

ORADOR — Pessoa que faz um discurso. Alguém hábil para fazer discursos. Parlamentar que usa da palavra durante reunião de comissão ou sessão plenária.

ORALIDADE — Princípio que busca abreviar o andamento dos pleitos judiciais, permitindo que muitos atos processuais sejam oferecidos oralmente, sem necessidade de redução a termo. No processo trabalhista é encontrado no art. 846 da CLT, que admite a contestação oral, bem como no processo civil, art. 278, *caput,* do CPC, procedimento sumário.

ÓRBITA — Linha ou trajetória descrita por um elétron em torno do núcleo de um átomo. Na teoria do átomo de Bohr assumiu-se que os elétrons se moviam em torno do núcleo em órbitas circulares.

ÓRBITA TERRESTRE — Trajetória descrita por um satélite artificial em seu movimento de translação em torno do Planeta Terra.

ORBITAL — Região do espaço em torno de um átomo, íon ou molécula onde os elétrons provavelmente se encontram. Na teoria moderna, admite-se que os elétrons têm apenas uma probabilidade de estar em uma certa região e não seguem órbitas definidas. Em um átomo, os orbitais mais simples são chamados orbitais s, p, e d. Cada orbital atômico contém até dois elétrons.

ORÇAMENTAÇÃO — Elaboração do Orçamento Anual, observadas as diretrizes orçamentárias e plano plurianual. (Ver: Diretrizes Orçamentárias.)

ORÇAMENTO — 1) Plano administrativo que cobre todas as operações da empresa para um período de tempo definido e expresso em termos monetários. 2) Previsão de fatos patrimoniais; predeterminação de despesas e receitas de uma entidade; previsão de gastos. 3) Documento do Poder Executivo, aprovado pelo Poder Legislativo, que estima receitas e despesas para o período de um ano para todos os seus órgãos, discriminando o programa de trabalho autorizado a ser realizado, elaborado segundo os princípios da unidade, universalidade e anualidade. É a expressão quantitativa e financeira de um programa de ação cuja realização é preconizada para determinado período futuro, permitindo o acompanhamento da sua execução e o controle *a posteriori* dos resultados obtidos. Do ponto de vista político, corresponde ao contrato formulado anualmente entre governo, administração e sociedade sobre as ações a serem implementadas pelo Poder Público. (Ver: Controle Orçamentário.)

ORÇAMENTO - EFICÁCIA — A eficácia, do ponto de vista da análise do processo orçamentário, não é sinônimo de eficiência econômica. Ela somente expressa a relação de correspondência unívoca entre previsões de gastos e a real execução dos mesmos. O orçamento será eficaz se realmente implicar, no final de seu exercício, a realização das metas de planejamento negociadas dentro do processo político.

ORÇAMENTO - EQUILÍBRIO — Ver Equilíbrio Orçamentário.

ORÇAMENTO - ORGANICIDADE — A organicidade orçamentária pressupõe que o orçamento seja uma peça coerente de alocação de recursos públicos ao longo dos diversos gastos previstos. Isto é, para o orçamento ter este predicado, não podem ocorrer incoerências (desvios das metas de planejamento) ou sobreposições entre os gastos.

ORÇAMENTO - TRANSPARÊNCIA — A transparência orçamentária pressupõe que o orçamento seja inteligível – inteligível para qualquer cidadão com o mínimo de formação técnica na área contábil. A transparência também envolve um elemento normativo, qual seja: deve-se esperar que a própria negociação em torno do processo orçamentário, na medida do possível, seja acessível ao público.

ORÇAMENTO ANUAL — É o instrumento operacional da programação das ações do Poder Público, constituído pelos: orçamento fiscal, orçamento da seguridade social e orçamento de investimento das empresas. É o planejamento anual feito pelo governo para calcular os valores de receitas e despesas. Este documento é sempre apresentado como projeto ao Poder Legislativo (Congresso Nacional, Assembléia Legislativa e Câmara Municipal), onde pode ser aprovada na íntegra ou receber emendas (podem mudar o destino de verbas ou cortar gastos previstos ou, até mesmo, aumentar gastos, desde que indiquem a fonte dos recursos para custear esses aumentos). Depois de aprovado, segue para sanção do chefe do Executivo e vira lei. O orçamento sempre tem validade para o exercício nele contido. (Ver: Lei do orçamento anual - Emendas ao projeto.)

ORÇAMENTO BASE-ZERO — Elaboração orçamentária a partir de dados físicos, não considerando gastos supérfluos. Sua principal qualidade é a revisão crítica das despesas efetuadas em período pretérito. É um processo operacional de planejamento e orçamento que exige de cada administrador a fundamentação da necessidade dos recursos totais solicitados e em detalhes lhe transfere o ônus da prova, a fim de que ele justifique a despesa. No orçamento base zero, desconsidera-se o anterior e se parte a cada ano como se fosse do zero para se justificar tudo.

ORÇAMENTO COM TETO FIXO — Critério de alocação de recursos que consiste em estabelecer um quantitativo financeiro fixo, geralmente obtido mediante a aplicação de percentual único sobre as despesas realizadas em determinado período, com base no qual os órgãos/unidades deverão elaborar suas propostas orçamentárias parciais. Também conhecido, na gíria orçamentária, como "teto burro".

ORÇAMENTO COM TETO MÓVEL — Critério de alocação de recursos que representa uma variação do chamado "teto fixo", pois trabalha com percentuais diferenciados, procurando refletir um escalonamento de prioridades entre programações, órgãos e unidades. Em gíria orçamentária, conhecido como "teto inteligente".

ORÇAMENTO CRIANÇA — Termo utilizado para definir o total de recursos públicos investidos nas crianças e adolescentes brasileiros. A definição surgiu a partir de solicitação feita pelo UNICEF ao IPEA em 1996, para que o orçamento público destinado à infância e à adolescência fosse identificado entre as políticas públicas dos Ministérios e diversos órgãos do governo que investem em ações que afetem diretamente esse público.

ORÇAMENTO DA SEGURIDADE SOCIAL — Integra a Lei Orçamentária Anual, e abrange todas as entidades, fundos e fundações de administração direta e indireta, instituídos e mantidos pelo Poder público, vinculados à Seguridade Social. Inclui as despesas com previdência social, assistência social e saúde.

ORÇAMENTO DE DESEMPENHO — Processo orçamentário que se caracteriza por apresentar duas dimensões do orçamento: o objeto de gasto e um programa de trabalho, contendo as ações desenvolvidas.

ORÇAMENTO DE INVESTIMENTO — Integra a Lei Orçamentária Anual e refere-se ao orçamento de investimento das empresas em que a Administração Pública, direta ou indireta, detenha a maioria do capital social com direito a voto. Inclui as despesas com investimento (obras e instalações, aquisição de veículos, material permanente, imóveis e participações societárias etc.) das empresas estatais.

ORÇAMENTO FISCAL — Integra a Lei Orçamentária Anual e refere-se ao orçamento dos Poderes do ente, seus fundos, órgãos e entidades da administração direta e indireta, inclusive fundações instituídas e mantidas pelo Poder Público.

ORÇAMENTO GERAL DA UNIÃO — Lei aprovada pelo Congresso Nacional, que detalha todos os gastos que o Governo está autorizado a fazer durante o ano. É uma lei autorizativa. Ou seja, o Governo pode gastar até o limite determinado, mas não precisa gastar tudo o que está previsto. Por isso é que o Governo pode, em caso de crise, fazer cortes nas despesas do OGU: dívida, custeio, investimentos, salários e Previdência.

ORÇAMENTO MATRICIAL — É uma metodologia gerencial para o planejamento e controle orçamentário de uma organização. O objetivo é a redução de custos. Pode ser aplicado em todas as organizações, públicas ou privadas, de qualquer porte.

ORÇAMENTO PARTICIPATIVO — É uma simples, porém eficaz e transparente prática governamental, reconhecida mundialmente, através da qual o destino de parte dos recursos do orçamento público é decidido coletivamente, através de reuniões comunitárias abertas ao público, onde primeiro são coletadas sugestões, depois votadas às prioridades, e encaminhadas ao governo para que ele atenda à solicitação através de investimento público. Trata-se de uma consulta popular a respeito do destino dos recursos a serem investidos durante o ano pelas prefeituras. No entanto, geralmente a influência popular é bastante pequena nas decisões.

ORÇAMENTO PROGRAMA — É o desdobramento da classificação funcional programática, através do qual se faz a ligação entre os planos de longo e médio prazos aos orçamentos plurianuais e anuais, representando os meios e instrumentos de ação, organicamente articulados para o cumprimento das funções. Os programas, geralmente, representam os produtos finais da ação governamental. As despesas são autorizadas por projetos e atividades (programa de governo), além dos órgãos e unidades orçamentárias e a natureza econômica da despesas. Foi instituído pela Lei Federal nº 4320, de 1964. Método de orçamentação por meio do qual as despesas públicas são fixadas a partir da identificação das necessidades públicas sob a responsabilidade de um certo nível de governo e da sua organização segundo níveis de prioridade e estruturas apropriadas de classificação da programação, discriminando-as de modo a: dar ênfase aos fins, indicar as ações em que o setor público gastará seus recursos, definir os responsáveis pela execução e especificar os resultados esperados. Suas principais orientações são: a demonstração das realizações programadas para um período determinado de tempo, a obtenção de racionalidade na alocação dos recursos (seleção de ações através de instrumental técnico) e a mensuração da eficiência e eficácia das entidades governamentais. Constitui, portanto, um conjunto de procedimentos técnicos que permite arrolar, de modo integrado e racional, os objetivos, metas, recursos e estruturas de execução, ao lado de uma clara definição de prazos e responsabilidades. (Ver: Programação Orçamentária.)

ORÇAMENTO PÚBLICO — Lei de iniciativa do Poder Executivo que estima a receita e fixa a despesa da Administração Pública. É elaborada em um exercício para, depois de aprovada pelo Poder Legislativo, vigorar no exercício seguinte. Compreende, pelos valores brutos, a previsão de todas as receitas que serão arrecadadas dentro de determinado exercício financeiro e a fixação de todas despesas que os governos (federal, estadual, distrital e municipal) estão autorizados a executar. A elaboração do orçamento público é obrigatória e tem periodicidade anual. Segundo a Lei nº 4.320, de 1964, que estatui Normas Gerais de Direito Financeiro para Elaboração e Controle dos Orçamentos e Balanços da União, dos Estados, dos Municípios e do Distrito Federal, o orçamento conterá a discriminação da receita, inclusive as de operações de crédito autorizadas em lei, e despesa, compreendendo todas as próprias dos órgãos do governo e da administração centralizada, ou que, por intermédio deles se devam realizar, de forma a evidenciar a política econômico-financeira e o programa de trabalho do governo, obedecidos os princípios de unidade, universalidade e anualidade. O orçamento público deve evidenciar a origem dos recursos – se são provenientes da atividade normal ao ente público ou se ele está se endividando ou vendendo bens para conseguir recursos – e também a forma de aplicação desses recursos, apontando o montante aplicado na manutenção dos serviços públicos e o destinado à formação do patrimônio público. Dessa forma, as receitas e despesas são classificadas em duas categorias econômicas: corrente e capital. A classificação das receitas e das despesas em corrente e de capital confere a transparência dos ingressos e dos dispêndios por categoria econômica, indicando se o ente público está se capitalizando – utilizando receitas correntes para custear despesas de capital – ou se descapitalizando – utilizando receitas de capital para custear despesas correntes.

ORÇAMENTO SEST — Tipo de orçamento que controla os dispêndios das empresas estatais (empresas públicas, sociedades de economia mista e suas subsidiárias e todas as empresas controladas pela União, autarquias, fundações instituídas pelo Poder Público e órgãos autônomos da administração direta), de modo a ajustá-los aos programas governamentais, tendo em vista os objetivos, as políticas e as diretrizes constantes dos planos de governo.

ORÇAMENTO TRADICIONAL — Processo orçamentário em que apenas uma dimensão do orçamento é explicitada, qual seja, o objeto de gasto. Também é conhecido como Orçamento Clássico.

ORÇAMENTO, MANUAL TÉCNICO DE (MTO) — Conjunto de normas e procedimentos técnico-operacionais, relacionados com a área orçamentária.

ORDÁLIO — Forma arcaica de apuração da verdade nos julgamentos, consistente na leitura da sorte ou na imposição, ao acusado, de provas materiais como o fogo, o ferro em brasa e a água fervente.

ORDEM — Disciplina; classe, categoria, organização, boa disposição e equilíbrio entre partes de um todo. A ordem, cláusula que, em títulos de crédito, indica que eles podem ser transmitidos por endosso. Instrução dada por um cliente a uma sociedade corretora, para a execução de compra ou venda de valores mobiliários.

ORDEM A MERCADO — É aquela que há a especificação da quantidade e das características dos valores mobiliários ou direitos a serem comprados ou vendidos. Deve ser efetuada desde o momento de seu recebimento pela sociedade corretora.

ORDEM ADMINISTRADA — O investidor especifica somente a quantidade e as características dos valores mobiliários ou direitos que deseja comprar ou vender. A execução da ordem ficará a critério da corretora.

ORDEM BANCÁRIA — Destina-se ao pagamento de compromissos, bem como à liberação de recursos para fins de adiantamento e suprimento de fundos.

ORDEM CASADA — É aquela constituída por uma ordem de compra e uma outra de venda de um determinado valor mobiliário ou direito e de uma ordem de compra de outro. Sua efetivação só se dará quando ambas puderem ser executadas, podendo o comitente especificar qual das operações deseja ver executada em primeiro lugar.

ORDEM DE DESPEJO — Mandado da Justiça que obriga o inquilino a desocupar o imóvel em determinado prazo.

ORDEM DE EXECUÇÃO OU MANDADO DE CUMPRIMENTO — É a parte do preâmbulo em que se prescreve a força coativa da lei ou decreto.

ORDEM DE FINANCIAMENTO — Constituída por uma ordem de compra ou de venda, de um valor mobiliário ou direito em uma modalidade operacional, em um tipo de mercado e uma outra concomitante de venda ou de compra, de igual valor mobiliário ou direito no mesmo ou em outro mercado com prazos de vencimentos distintos.

ORDEM DE FORNECIMENTO — Autorização dada para fornecimento de materiais (OFOR).

ORDEM DE PAGAMENTO — 1) É o despacho exarado por autoridade competente, determinando que a despesa seja paga. 2) Instrumento pelo qual alguém autoriza outrem (geralmente um banco) a pagar certa quantia a terceiro.

ORDEM DE SERVIÇO — São determinações especiais dirigidas aos responsáveis por obras ou serviços públicos autorizando seu início, ou contendo imposições de caráter administrativo, ou especificações técnicas sobre o modo e forma de sua realização. Podem, também, conter autorização para a admissão de operários ou artífices, a título precário, desde que haja verba para tal fim. Finalmente, é a autorização para prestação de serviços (OEX).

ORDEM DE TRATO SOCIAL — Exprime-se através dos usos sociais, que podem ser da mais diversa natureza, como os impostos pela cortesia ou etiqueta, civilidade, moda etc. São regras que tornam a vida em sociedade mais agradável e facilitam o convívio entre os seus membros.

ORDEM DE VOCAÇÃO HEREDITÁRIA — Ver Herança – Ordem de Vocação Hereditária.

ORDEM DISCRICIONÁRIA — É a ordem na qual o administrador de recursos (pessoa física ou jurídica que administra a carteira de ativos) estabelece as condições de execução, sem a necessidade de consultar o investidor.

ORDEM DO DIA — Expediente predeterminado dos trabalhos de cada dia. Lista de assuntos a serem discutidos por uma assembléia. Corresponde ao período da sessão ordinária ou extraordinária ou das reuniões das Comissões da Câmara dos Deputados ou do Senado, destinado à apreciação das proposições em pauta. (Ver: Pauta.)

ORDEM DOS ADVOGADOS DO BRASIL — Órgão representativo da classe dos advogados em todo Brasil, onde, através de exame, o bacharel passa a ter habilitação para exercer a profissão de advogado. A Ordem deve defender e representar, em juízo ou fora dele, todos os interesses relacionados à profissão, sejam eles individuais ou da classe.

ORDEM ECONÔMICA — Atividades, normas, mecanismos, objetivos, controles e princípios que, em conjunto e em interação, levam ao progresso ou à limitação da economia (crescimento da produção, da circulação, da distribuição e do consumo de bens e serviços).

ORDEM IMPLÍCITA — Padrões de ordem observados nos fenômenos complexos; padrões da ordem subjacente à complexidade.

ORDEM JURÍDICA — Complexo de normas objetivas e de princípios de direito disciplinadores dos interesses dos cidadãos entre si e em relação à sociedade à qual pertencem. A Ordem Jurídica procura defender-se dos atos ilícitos, recorrendo aos meios de proteção ou tutela jurídica, tanto preventivos como repressivos, no qual se incluem as sanções jurídicas.

ORDEM LIMITADA — Aquela que deve ser executada por um preço igual ou melhor do que o especificado pelo comitente.

ORDEM MORAL — Conjunto de imperativos impostos ao ser humano pela sua própria consciência ética, de tal modo que o seu descumprimento é, primeiro que tudo, sancionado pela reprovação derivada da sua própria consciência. É a ordem da consciência, é uma ordem que visa ao aperfeiçoamento do indivíduo, dirigindo-se para o bem, e que só reflexamente influencia a organização social. Caracteriza-se por um conjunto de imperativos impostos ao ser humano pela sua própria consciência ética, de tal modo que o seu descumprimento é sancionado pela reprovação que brota da sua própria consciência.

ORDEM NATURAL — É uma ordem de necessidade, as suas leis não são substituíveis, aplicam-se de forma invariável e constante, independentemente da vontade do ser humano ou mesmo contra a sua vontade. São leis inerentes à própria natureza das coisas.

ORDEM *ON-STOP* — É aquela que o investidor determina o preço mínimo pelo qual a ordem deve ser executada.

ORDEM *ON-STOP* DE COMPRA — Será executada quando, em uma alta de preços, ocorrer um negócio a preço igual ou maior que o preço determinado.

ORDEM *ON-STOP* DE VENDA — Será executada quando, em uma baixa de preços, ocorrer um negócio a um preço igual ou menor que o preço determinado.

ORDEM PARA O DIA — É a ordem que, se não executada no dia para o qual é emitida, fica automaticamente cancelada.

ORDEM PÚBLICA — Ausência de desordem. Bom funcionamento dos serviços públicos e de segurança coletiva, em estreita relação interativa com a comunidade apoiada. Conjunto de instituições e preceitos coagentes, destinados a manter o bom funcionamento dos serviços públicos, a segurança e a moralidade das relações entre os cidadãos e cuja aplicação, em princípio, não pode ser objeto de acordo ou convenção.

ORDEM RELIGIOSA — É uma ordem de fé. Regula as relações que se estabelecem entre o crente e Deus ou deuses. O fundamento das normas religiosas é a própria divindade, considerada como um ente superior e perfeito.

ORDEM SOCIAL — A ordem social tem como base o primado do trabalho, e como objetivo o bem-estar e a justiça sociais. O exercício dos direitos à educação, à cultura, ao lazer, ao trabalho, à saúde, à assistência social, entre outros, visando ao bem-estar da população.

ORDEM *STOP* — Ordem de compra ou venda a um preço especificado, que fica válida a partir do momento em que se registrarem negócios em um nível de preços igual ou melhor do que um outro preço também determinado.

ORDEM VÁLIDA ATÉ O CANCELAMENTO — Ordem específica que permanece válida até que o cliente a cancele.

ORDEM VÁLIDA POR PRAZO DETERMINADO — É a ordem que deverá ser executada dentro do período especificado pelo comitente, findo o qual fica automaticamente cancelada.

ORDENAÇÃO — Lei, Decreto, Regulamento ou tudo que tenha força de lei. Mais do que o mando ou mandado, exprime mais que a ação de mandar ou de ordenar. É a imposição legal a que não se pode fugir.

ORDENAÇÃO DE DESPESA NÃO AUTORIZADA — Ver Despesa não Autorizada, Ordenação de.

ORDENAÇÕES — Na história do Direito é a consolidação de leis portuguesas que vigoraram de 1446 a 1867 até a aprovação do primeiro Código Civil Português. No Brasil, as ordenações foram mantidas até 1916, quando foi promulgado o Código Civil (Lei nº 3.071, de 1916), substituído a partir de 9 de janeiro de 2003 pelo atual Código Civil (Lei nº 10.406, de 10 de janeiro de 2002). As Ordenações Afonsinas, Manoelinas e Filipinas tiveram esses nomes em homenagem ao monarca, então reinante.

ORDENADOR DE DESPESA — Ocupante de cargo público, permanente ou de provimento em comissão, investido de autoridade para realizar atos dos quais resultem a emissão de empenhos, autorizações de pagamentos, suprimento de fundos, comprometimentos ou dispêndio de recursos do setor público. Pode ser delegada pelo chefe do Poder Executivo por ato normativo interno. Se essa responsabilidade não tiver sido formalmente delegada para ninguém, então, o ordenador será o próprio chefe do Poder. O Ordenador de Despesas está obrigado à prestação de contas. As contas serão submetidas à aprovação do Tribunal de Contas e não dependem de apreciação posterior do Legislativo como ocorre na Prestação de Contas de Gestão.

ORDENADOR DE DESPESAS - INÍCIO E TÉRMINO DA RESPONSABILIDADE — A responsabilidade do ordenador de despesa se inicia no momento em que o servidor assume essa responsabilidade, com a inscrição perante os órgãos de controle externo, e só termina com o julgamento definitivo das contas pelo respectivo Tribunal de Contas.

ORDENADOR DE DESPESAS, FUNÇÕES DO — Como regra, o ordenador de despesas é o agente responsável pelo recebimento, verificação, guarda ou aplicação de dinheiros, valores e outros bens públicos e responde pelos prejuízos que acarreta à Fazenda, salvo se o prejuízo decorreu de ato praticado por agente subordinado que exorbitar das ordens recebidas, conforme dispõe o Decreto-Lei nº 200, de 1967.

ORDENAMENTO AMBIENTAL — Também chamado de ordenamento ecológico, é o conjunto de metas, diretrizes, ações e disposições coordenadas, destinado a organizar, em certo território, o uso dos recursos ambientais e as atividades econômicas, de modo a atender a objetivos políticos (ambientais, de desenvolvimento urbano e econômico etc.). Está relacionado a planejamento ambiental.

ORDENAMENTO JURÍDICO — É o conjunto de normas que rege uma dada comunidade, de um determinado momento histórico. Deste ordenamento fazem parte também os princípios gerais ou fundamentais do Direito.

ORDENAMENTO TERRITORIAL — Disciplinamento do uso e a ocupação humana de uma determinada área, respeitando a vocação natural determinada por zoneamento ecológico; instrumento de planejamento que deve anteceder a ocupação.

ORDINATORIUM LITIS — [Latim]. Expressão que significa instrução do processo.

ORGÂNICA — De orgânico. Disposição geral dos órgãos, e as leis que regem o seu funcionamento. Lei; norma.

ORGANICISMO — Doutrina que compara o sistema econômico a um ser vivo.

ORGÂNICO — Relativo aos órgãos ou aos seres organizados.

ORGANISMO — É toda entidade autônoma e biológica capaz de reproduzir e/ou de transferir material genético. Corpo organizado que tem existência autônoma, composto por partes, sendo que cada uma delas exerce uma função própria, mas está subordinado ao conjunto.

ORGANISMO PATOGÊNICO — Microorganismo capaz de produzir doenças.

ORGANISMOS DE UM TRATADO — São comissões formalmente estabelecidas através dos principais tratados internacionais de direitos humanos para observar se os Estados participantes agem em conformidade com os tratados. Foram criados organismos para os seis principais tratados de direitos da ONU, com o objetivo de acompanhar os esforços dos Estados participantes na execução das suas cláusulas.

ORGANISMOS MULTILATERAIS — Organizações internacionais formadas por diversos governos nacionais com a finalidade de promover determinado objetivo comum aos países-membros. Exemplo: ONU, UNESCO, UNICEF, FMI, BIRD, OPAS e OMS.

ORGANIZAÇÃO — 1) Em Administração de Empresas, organização é uma companhia, corporação, firma, empreendimento ou instituição, ou parte ou combinação de uma dessas, seja incorporada ou não, pública ou privada, que tem suas próprias funções ou administração, e que tem um ou mais objetivos finais em comum. Para organizações de mais de um unidade operacional, cada unidade operacional pode eventualmente ser definida como uma organização. 2) Relações que definem um sistema como uma unidade e determinam sua dinâmica de interações e transformações; o que arranja as partes componentes de um sistema para formar um padrão distinto do que ocorreria ao acaso; conjunto de relações de interdependência; relações e processos de comunicação entre as partes de um sistema. O termo "organização" também pode se referir a um arranjo: uma estrutura organizada para arranjar ou classificar algo: objetos (textos, documentos) ou idéias (informações, agenda). (Ver: Instituições.)

ORGANIZAÇÃO ADMINISTRATIVA — A organização administrativa refere-se ao ordenamento estrutural dos órgãos que compõem a Administração Pública. A Administração Pública, em sentido formal, é o conjunto de órgãos instituídos para consecução dos objetivos do governo. Em sentido material, é o conjunto das funções necessárias aos serviços públicos em geral. Em acepção operacional, é o desempenho perene e sistemático, legal e técnico, dos serviços públicos próprios do Estado ou por ele assumidos em benefício da coletividade. A Administração Pública é dividida, inicialmente, em Administração Federal, Estadual, Distrital e Municipal. As Organizações Administrativas Estadual, Municipal e Distrital seguem, como regra, a Federal: Estrutura legal de entidades e órgãos que irão desempenhar as funções, através de agentes públicos (pessoas físicas): a) Órgãos – centros de competência; b) Funções – encargos limitados por lei; c) Cargos – lugares criados no órgão; d) Agentes Públicos – pessoas físicas para os cargos ou funções.

ORGANIZAÇÃO CRIMINOSA — Entende-se por organização criminosa a associação estruturada de duas ou mais pessoas, que se mantém ao longo do tempo e atua de forma ajustada, tendo em vista cometer infrações puníveis com pena privativa de liberdade a fim de obter, direta ou indiretamente, benefícios financeiros ou outro benefício material. A expressão "associação estruturada" designa uma associação que não foi constituída de forma fortuita para cometer imediatamente uma infração e que não tem necessariamente atribuições formalmente definidas para os seus membros, continuidade na sua composição ou uma estrutura sofisticada. (Ver: Grupo terrorista.)

ORGANIZAÇÃO CRIMINOSA, CRIME DE — Crime resultante de ações de quadrilha ou bando ou de organizações criminosas de que trata a Lei nº 9.034, de 1995, a qual define as ações praticadas por essas organizações e os meios operacionais de investigação e prova.

ORGANIZAÇÃO DAS COOPERATIVAS BRASILEIRAS — Ver Cooperativas Brasileiras, Organização das.

ORGANIZAÇÃO DAS NAÇÕES UNIDAS — Ver ONU (Organização das Nações Unidas).

ORGANIZAÇÃO DAS NAÇÕES UNIDAS PARA A AGRICULTURA E ALIMENTAÇÃO (FAO) — A FAO, com sede em Roma (Itália), criada antes da Organização das Nações Unidas, em 1945, mas integrando-a depois, com o propósito de elevar os níveis de vida e de nutrição, incrementar a produtividade agrícola e melhorar as condições da população rural. Integra 183 países-membros e uma organização membro, a União Européia, sendo a principal agência da ONU dedicada à agricultura, à silvicultura, pesca e ao desenvolvimento rural. As atividades da FAO orientam-se para a erradicação da pobreza e luta contra a fome, através da promoção do desenvolvimento rural e da segurança alimentar, definida como o acesso de toda a população aos alimentos necessários para uma vida ativa e saudável. Uma prioridade específica desta agência é fomentar a agricultura sustentável e o desenvolvimento rural, uma estratégia a longo prazo para incrementar a produção de alimentos e a segurança alimentar, preservando simultaneamente os recursos naturais.

ORGANIZAÇÃO DAS NAÇÕES UNIDAS PARA A EDUCAÇÃO, CIÊNCIA E CULTURA — Ver UNESCO.

ORGANIZAÇÃO DAS NAÇÕES UNIDAS PARA O DESENVOLVIMENTO INDUSTRIAL (ONUDI) — A ONUDI, criada em 1967, faz parte das Nações Unidas, como agência especializada, desde 1979. Com sede em Viena, Áustria, tem como objetivo contribuir para a promoção e aceleração da industrialização dos países em desenvolvimento através da assistência técnica direta e da mobilização de recursos nacionais e internacionais. Contribui para a cooperação entre países desenvolvidos e países em desenvolvimento no âmbito do desenvolvimento industrial mundial através da realização de encontros para contactos, consultas e negociações. Encoraja atividades de promoção de investimento.

ORGANIZAÇÃO DO ESTADO — Compreende, no Brasil, a União, os Estados, o Distrito Federal, e os Municípios, todos autônomos, tendo, como capital, Brasília.

ORGANIZAÇÃO DO TRABALHO — Maneira pela qual as pessoas são organizadas ou se organizam em áreas formais ou informais, temporárias ou permanentes, tais como: equipes de solução de problemas, equipes departamentais ou multidepartamentais, comitês, áreas funcionais, equipes de processos, equipes da qualidade, células ou grupos de trabalho e centros de excelência.

ORGANIZAÇÃO DOS PAÍSES EXPORTADORES DE PETRÓLEO — Ver OPEP.

ORGANIZAÇÃO DOS PODERES — Os Poderes Legislativo, Executivo e Judiciário têm suas funções, atribuições, responsabilidades, funcionamento, fixados pela Constituição Federal nos arts. 44 a 135.

ORGANIZAÇÃO GOVERNAMENTAL — Instituição ou empresa regida pelo Direito Público.

ORGANIZAÇÃO HORIZONTAL — É um conceito que propõe acabar com a pirâmide hierárquica das organizações tradicionais. A sua vantagem principal é tornar os circuitos de decisão mais curtos, logo mais rápidos. Os empregados, sentindo-se menos vigiados, revelam maior empenhamento e criatividade. Este tipo de organização favorece a criação de estruturas matriciais, mais leves e flexíveis, em que existe uma maior descentralização das responsabilidades.

ORGANIZAÇÃO INTERNACIONAL — É uma associação voluntária de sujeitos de direito internacional (quase sempre Estados), constituída mediante ato internacional (geralmente um tratado), de caráter relativamente permanente, dotada de regulamento e órgãos de direção próprios, cuja finalidade é atingir os objetivos comuns determinados por seus membros constituintes. As organizações internacionais, uma vez constituídas, adquirem personalidade internacional independente da de seus membros constituintes, podendo, portanto, adquirir direitos e contrair obrigações em seu nome e por sua conta, inclusive por intermédio da celebração de tratados com outras organizações internacionais e com Estados, nos termos do seu ato constitutivo. A Convenção de Viena sobre o Direito dos Tratados entre Estados e Organizações Internacionais ou entre Organizações Internacionais, de 1986, buscou disciplinar as normas de direito internacional aplicáveis ao poder convencional das organizações internacionais.

ORGANIZAÇÃO INTERNACIONAL DO TRABALHO — Ver OIT (Organização Internacional do Trabalho).

ORGANIZAÇÃO JUDICIÁRIA — Conjunto de regras que determinam a composição e a competência dos Tribunais, dos juízes e dos auxiliares do Juízo. Cada Estado do Brasil possui seu Código de Organização Judiciária.

ORGANIZAÇÃO MULTICULTURAL — Empresa cuja força de trabalho congrega culturas diferentes.

ORGANIZAÇÃO MUNDIAL DE COMÉRCIO — Ver OMC (Organização Mundial de Comércio).

ORGANIZAÇÃO MUNDIAL DE SAÚDE — Ver Saúde - OMS (Organização Mundial de Saúde).

ORGANIZAÇÃO NÃO-GOVERNAMENTAL — Ver ONG.

ORGANIZAÇÃO NÃO-GOVERNAMENTAL DE DESENVOLVIMENTO (ONGD) — Organização sem fins lucrativos, atua na área da cooperação para o desenvolvimento, educação para o desenvolvimento e ajuda humanitária de emergência. Inclui duas categorias: a) ONGD nacionais - são organizações sem fins lucrativos, incluindo os organismos religiosos, as sociedades cooperativas e os sindicatos ativos na área do desenvolvimento, cujos fundos de que dispõem provêm integral ou principalmente da economia do país doador. Os organismos *ad hoc* criados para recolher fundos para um objetivo específico (por exemplo, ajuda em caso de catástrofe ou fome) e que poderão desaparecer uma vez cumprido o objetivo, são também incluídos. b) ONGD internacionais – são organismos ativos na área do desenvolvimento que possuem sede um determinado país e uma ou várias associações congêneres noutros países.

ORGANIZAÇÃO PAN-AMERICANA DA SAÚDE — Ver Saúde - OPAS.

ORGANIZAÇÃO POLÍTICO-ADMINISTRATIVA DO BRASIL — A organização político-administrativa do Estado brasileiro compreende a União, os Estados membros, o Distrito Federal e os Municípios, sendo-lhes garantida autonomia, pela Constituição Federal de 1988. Esta autonomia está caracterizada no poder de organização política, administrativa, tributária, orçamentária e institucional de cada um daqueles entes, limitada por outras disposições constitucionais ou legais dela decorrentes. Esta organização da República Federativa do Brasil refere-se à forma pela qual o Estado está estruturado para atingir seus fins, sendo que devem sempre conservar os princípios da supremacia do interesse público sobre o privado e da indisponibilidade do interesse público.

ORGANIZAÇÃO SEM FINS LUCRATIVOS — É a pessoa jurídica de direito privado que não distribui, entre os seus sócios ou associados, conselheiros, diretores, empregados ou doadores, eventuais excedentes operacionais, brutos ou líquidos, dividendos, bonificações, participações ou parcelas do seu patrimônio, auferidos mediante o exercício de suas atividades, e que os aplica integralmente na consecução do respectivo objeto social.

ORGANIZAÇÃO SINDICAL — É livre a associação profissional ou sindical, vedadas ao Poder Público a interferência e a intervenção na organização sindical. Proíbe-se a criação de mais de uma organização sindical, em qualquer grau, representando categoria profissional ou econômica na mesma base territorial. É obrigatória a participação dos sindicatos nas negociações coletivas de trabalho. Ninguém é obrigado a filiar-se ou manter-se filiado a um sindicato.

ORGANIZAÇÕES DA SOCIEDADE CIVIL — A sociedade civil engloba o conjunto de cidadãos unidos pela sua consciência cívica, embora não partilhando laços políticos, sociais ou culturais. As organizações da sociedade civil vão desde os grupos religiosos aos grupos de defesa do ambiente, às coletividades locais e sindicatos. (Ver: ONG // Sociedade Civil // Sociedades Civis e Sociedades Comerciais // Sociedade simples // Sociedade empresária.)

ORGANIZAÇÕES DA SOCIEDADE CIVIL DE INTERESSE PÚBLICO — Ver OSCIP // Sociedade Civil // Sociedades Civis e Sociedades Comerciais // Sociedade simples // Sociedade empresária.)

ORGANIZAÇÕES SOCIAIS — Figura jurídica criada pela Lei nº 9637, de 1998, que define organizações criadas a partir da transferência de atividades exercidas pelo Estado para a esfera pública não-estatal (publicização) e que obtêm autorização legislativa para celebrar contrato de gestão com o Poder Executivo; são dirigidas por conselho curador com participação minoritária de membros do Governo.

ORGANOGRAMA — Gráfico da disposição estrutural e hierárquica de uma organização/empresa.

ÓRGÃO — Parte de um corpo organizado com uma função particular. Meio. Agente. Cada uma das partes componentes de um aparelho que tem a seu cargo a execução de um ato. Denominação dada aos Ministérios, Secretarias ou Entidades desse mesmo grau, aos quais estão vinculadas as respectivas Unidades Orçamentárias.

ÓRGÃO AMBIENTAL OU ÓRGÃO DE MEIO AMBIENTE — Órgão ou Poder Executivo Federal, Estadual ou Municipal, integrante do Sistema Nacional do Meio Ambiente (SISNAMA), responsável pela fiscalização, controle e proteção ao meio ambiente no âmbito de suas competências.

ÓRGÃO AUTÔNOMO — É todo órgão que, em virtude de sua natureza especial, exige tratamento diverso ao aplicado aos demais órgãos da Administração Direta e tem assegurada a autonomia administrativa e financeira, no grau conveniente, pelo Poder Executivo. São passíveis de receber autonomia, os serviços, institutos e estabelecimentos incumbidos da execução ou supervisão de atividades de pesquisa ou ensino, de caráter industrial e outras que a lei determinar.

ÓRGÃO CENTRAL — É aquele incumbido de normatizar e coordenar as ações de outros órgãos que compõem um sistema de administração, determinando as diretrizes a serem obedecidas para execução dos trabalhos. Autoridade funcional.

ÓRGÃO CENTRAL DE ORÇAMENTO — Tem como atribuição preparar instruções para elaboração das propostas orçamentárias; orientar e coordenar as atividades dos órgãos setoriais; analisar e consolidar as propostas orçamentárias dos órgãos setoriais, elaborando a proposta conforme a esfera de governo; acompanhar o cumprimento do programa de trabalho e realizar a avaliação físico-financeira dos projetos e atividades; disciplinar os critérios da execução orçamentária.

ÓRGÃO DE CONTABILIDADE ANALÍTICA — É a unidade responsável pela contabilização de atos e fatos da gestão orçamentária, financeira e patrimonial praticados por unidades gestoras e observando a mais ampla minudência.

ÓRGÃO DE CONTABILIDADE GERAL — É a unidade responsável pela incorporação de todos os balancetes e balanços consolidados pela Secretaria de Controle Interno ou unidades de atribuição equivalente nas secretarias, departamentos, autarquias, fundações e empresas públicas.

ÓRGÃO DE CONTABILIDADE SINTÉTICA — É a unidade responsável pela consolidação setorial dos balancetes mensais.

ÓRGÃO DO ESTADO — Centro institucionalizado de poderes e deveres que participa no processo de formação e manifestação de uma vontade imputável ao Estado - coletividade.

ÓRGÃO REGULADOR — Ver Agências Reguladoras.

ÓRGÃO SETORIAL — É o órgão inserido numa administração que segue orientação normativa de um órgão central. É o articulador entre o órgão central e os órgãos executores, dentro de um sistema. O órgão Setorial é o responsável pela coordenação das ações na sua esfera de atuação.

ÓRGÃO SETORIAL DE ORÇAMENTO — Tem como atribuição preparar instruções para elaboração das propostas orçamentárias setoriais (caso necessário); orientar e coordenar as atividades dos órgãos seccionais; analisar e consolidar as propostas orçamentárias dos órgãos seccionais, elaborando a proposta do órgão setorial; elaborar o programa de trabalho do seu órgão; acompanhar o cumprimento do programa de trabalho e realizar a avaliação físico-financeira dos projetos e atividades do setor; elaborar e controlar a programação de desembolso; disciplinar os critérios da execução orçamentária observadas as normas do órgão central.

ÓRGÃOS COLEGIADOS — São aqueles cujas ações e decisões emanam da manifestação de vontade conjunta e majoritária de seus membros, não prevalecendo a vontade individual de nenhum de seus componentes.

ÓRGÃOS POLÍTICOS — São as instituições que compõem o Governo de um Estado ou de um partido político.

ÓRGÃOS PÚBLICOS — São centros de competência instituídos para o desempenho de funções estatais, através de seus agentes, cuja atuação é imputada à pessoa jurídica a que pertencem. São unidades de ação com atribuições específicas na organização estatal. Cada órgão, como centro de competência governamental ou administrativa, tem necessariamente funções, cargos e agentes, mas é distinto desses elementos que podem ser modificados, substituídos ou retirados sem supressão da unidade orgânica. Em síntese, são aqueles revestidos de competência para o exercício das funções estatais, sendo seus atos imputados à pessoa jurídica à qual pertencem.

ÓRGÃOS SUBORDINADOS — São unidades ou órgãos componentes de uma estrutura central de classificação hierárquica superior, que estão sujeitos ao estado de dependência ou obediência às normas e/ou estrutura determinada pelo órgão central.

ÓRGÃOS SUPERVISIONADOS — São aqueles vinculados à estrutura de um órgão de primeiro nível, a cuja supervisão a lei determine sua sujeição. Ex.: órgão autônomo.

ORGULHO — Elevado conceito de si próprio; altivez. Amor-próprio exagerado com egoísmo e vaidade acentuada. O orgulho em excesso aproxima-se da soberba, da arrogância e da prepotência. Presunção. No bom sentido, aquele sentimento de dignidade pessoal em que o próprio humilde se sente orgulhoso de sua sinceridade e de sua autoestima com peculiaridades de respeito, valor, consideração e prestimosidade.

ORIENTAL — Relativo ao Oriente. Que está do lado do Oriente. Próprio do Oriente. Quem é ou foi do Oriente ou da Ásia.

ORIENTAR — Ensinar, esclarecer. Levar os empregados ao cumprimento de suas tarefas e responsabilidades, ao bom relacionamento com seus parceiros de trabalho e ao entendimento das políticas da organização.

ORIGEM — Primeira causa determinante. Princípio; procedência; nascimento.

ORIGINAL — Relativo à origem. Primitivo. Inato. Que tem caráter próprio. Nativo. Que foi feito na origem. Singular. Excêntrico. Obra do próprio punho do autor. Escrito primitivo do qual se tiram cópias. Modelo. Pessoa de que se faz o retrato.

ORLA — Borda, beira, margem. São as linhas traçadas em planta, definidoras das margens de um curso d'água ou lagoa e das respectivas faixas marginais de servidão, determinadas nos Projetos de Alinhamento de Rio (PAR), Projetos de Alinhamento de Lagoa (PAL) e Faixas Marginais de Proteção (FMP).

ORTN (OBRIGAÇÃO REAJUSTÁVEL DO TESOURO NACIONAL) — Título público federal emitido com a característica de pagar remuneração acrescida de correção monetária. O valor unitário do título passou a representar indexador largamente utilizado na economia brasileira. Em março de 1986, a ORTN foi deflacionada e transformada na OTN, a qual foi extinta por intermédio da Lei nº 7730, de 1989.

ORVALHO — Depósito de gotículas de água em objetos situados no solo ou próximo ao mesmo, produzidas pela condensação do vapor do ar límpido circundante. Umidade atmosférica que se condensa e se deposita sobre uma superfície fria.

OS SOBREVIVENTES PAGAM — Acordos de repartição de perdas que, no evento de que um participante seja incapaz de liquidar, prevê que as perdas sejam assumidas pelos participantes sobreviventes (adimplentes) de acordo com regra predeterminada.

OSCILAÇÃO — É a variação (positiva ou negativa) verificada no preço de um mesmo ativo em um determinado período de tempo.

OSCIP (ORGANIZAÇÃO DA SOCIEDADE CIVIL DE INTERESSE PÚBLICO) — Criada pela Lei n.º 9.790, de 23 de março de 1999; formada por pessoas jurídicas de direito privado, sem fins lucrativos, que se destacam pelo interesse público de suas atividades e objetivos, com a finalidade de: promoção da assistência social; promoção da cultura, defesa e conservação do patrimônio histórico e artístico; promoção da educação, promoção gratuita da saúde, da segurança alimentar e nutricional; defesa, preservação e conservação do meio ambiente e promoção do desenvolvimento sustentável; promoção do desenvolvimento econômico e social e combate à pobreza; experimentação de novos modelos socioprodutivos e de sistemas alternativos de produção, comércio, emprego e crédito; promoção de direitos estabelecidos, construção de novos direitos e assessoria jurídica gratuita de interesse suplementar; promoção da ética, da paz, da cidadania e de outros valores universais; estudos e pesquisas, desenvolvimento de tecnologias alternativas, produção e divulgação de informações e conhecimentos técnicos e científicos que digam respeito às atividades acima mencionadas. Somente são qualificadas como OSCIPs as organizações que têm por objetivo social pelo menos uma das finalidades previstas no art. 3º da Lei nº 9790, de 1999, e que prestem serviços gratuitos. As OSCIPs podem celebrar Termos de Parceria com o setor público. É proibida a contratação de serviços pertencentes ao quadro de pessoal da Administração, ou seja, atividades inerentes às categorias funcionais abrangidas pelo plano de cargos do órgão. O novo Código Civil trouxe importantes inovações no tocante às entidades organizadas com fins não econômicos que compõem o terceiro setor. Destaca-se, dentre as inovações, a supressão da sociedade civil sem fins lucrativos. Esta deixa de existir juridicamente, passando o novo Código Civil a disciplinar apenas dois tipos de entidades com fins não econômicos: a associação e a fundação, elencando para cada qual exigências estatutárias distintas no tocante à sua constituição, funcionamento e extinção. (Ver: Termo de Parceria // ONG // Sociedades Civis e Sociedades Comerciais // Sociedade simples // Sociedade empresária.)

OSTENSIVO — Que se pode mostrar; evidente. Falso, fingido.

OTC — O mesmo que "extrabolsa" ou "mercado de balcão".

OTIMISMO — Maneira de encarar a realidade sempre como a melhor possível. É bom, se houver coerência entre o sentimento e a verdade dos fatos. É péssimo disfarçar um otimismo quando o que se sente é o contrário.

OTN (OBRIGAÇÕES DO TESOURO NACIONAL) — Surgiu em substituição à ORTN. A Lei nº 7.730, de 31 de janeiro de 1989, extinguiu a OTN Fiscal e a OTN de que trata o art. 6º do Decreto-Lei nº 2.284, de 10 de março de 1986. A Lei nº 7.784, de 28 de junho de 1989, diz em seu art. 2º que "Todas as penalidades previstas na legislação em vigor em quantidades de Obrigações do Tesouro Nacional, OTN, serão convertidas para Bônus do Tesouro Nacional, BTN, à razão de 1 para 6,92". Com a promulgação da Lei nº 8.173, de 1º de março de 1991, ficaram extintos, a partir de 1º de fevereiro de 1991, o BTN (Bônus do Tesouro Nacional), de que trata o art. 5º da Lei nº 7.777, de 19 de junho de 1989, o BTN Fiscal, instituído pela Lei nº 7799,de 10 de julho de 1989, e o MVR (Maior Valor-de-Referência). A mesma Lei nº 8.177, de 1991, criou a TR (Taxa Referencial) e a TRD (Taxa Referencial Diária). A Lei nº 8.660, de 28 de maio de 1993, estabeleceu novos critérios para a fixação da Taxa Referencial - TR e extinguiu a Taxa Referencial Diária - TRD.

OURO 18 K — Chama-se de ouro 18 quilates (18 K) a liga que contém 75% de ouro e 25% de outros metais. Quando se tem 100% de ouro, diz-se que ele é ouro 24 quilates (24 K). Outra medida desta liga com 75% é 750 milésimos de ouro. Desse modo, se sua jóia foi feita com esse tipo de liga, provavelmente estará nela gravado o número 750 ou então 18 K. Se essa liga tem 25% de outros metais, cabe perguntar que metais são esses. O metal associado ao ouro pode ser cobre, prata, ferro ou zinco, por exemplo. Mas, pode ser prata com cobre, em proporções variadas; cobre, prata e cádmio; cobre e ferro; prata e paládio; prata, zinco e níquel; níquel paládio e zinco etc.

OURO BRANCO — Consiste de seis partes de ouro e 18 partes de prata em massa.

OURO MOSAICO — Denominação do sulfeto de estanho II (SnS2), que se utiliza como pigmento de pintura.

OUSADIA — Muita coragem e destemor com audácia e galhardia.

OUTCOME — Resultado global ou mudança produzida de acordo com uma finalidade.

OUTDOOR — Propaganda feita fora da porta. Significa cartaz de rua, propaganda ao ar livre, cartaz de propaganda para uso externo, especialmente o cartaz impresso que é, depois, colado em painéis.

OUTORGA — 1) Consentimento, permissão, concessão, licença, aprovação. 2) Ato administrativo pelo qual o poder público permite, por tempo determinado, o uso de recursos hídricos, visando ao controle, à conservação e proteção desses recursos, com o objetivo de assegurar à atual e às futuras gerações a necessária disponibilidade de água em padrões adequados.

OUTORGA DE CONSENTIMENTO — Consentir, é o ato de concordar, dar permissão, anuir. A outorga de consentimento é, em direito, o ato de consentimento de quem precisa consentir. Explicando melhor, certas pessoas precisam do consentimento de outras, em virtude de uma relação jurídica, para praticar validamente certos atos. Um exemplo clássico é o caso da chamada outorga uxória, que é a outorga da mulher ao marido para que este, por exemplo, venda um imóvel.

OUTORGA JUDICIAL — Autorização de juiz de Direito para a prática de certo ato, contrariamente à recusa de quem a deveria dar.

OUTORGA MARITAL — Autorização que o marido dá à mulher para a prática de certos atos da vida civil.

OUTORGA ONEROSA DO DIREITO DE CONSTRUIR — Autorização, pelo Poder Público Municipal, para o exercício do direito de construir acima do coeficiente de aproveitamento básico adotado, mediante contrapartida financeira a ser prestada pelo beneficiário, na forma da Lei, atendendo aos limites máximos e critérios definidos pelo Plano Diretor.

OUTORGA UXÓRIA — Autorização dada pela mulher ao marido para a prática de certos atos que, sem seu consentimento, não seria válido. (Ver: Outorga de consentimento.)

OUTORGADA — Diz-se daquilo concedido por meio de lei; consentida; facultada; autorizada.

OUTORGADO — Pessoa a cujo favor se opera a outorga, ou sujeito passivo desta. Mandatário.

OUTORGANTE — Que, ou pessoa que outorga. A parte contratante que dá, concede, transfere alguma coisa ou direito. Sujeito ativo da outorga. Mandante.

OUTORGAR — Dar; conceder; aprovar. Declarar em escritura pública. Anuir; concordar. Intervir como interessado em escritura pública. É o ato de autorizar, consentir ou dar poder para que se execute o ato ou se faça qualquer coisa que não possa ser praticada por outrem sem esse consentimento ou essa autorização.

OUTPLACEMENT — É uma técnica de gestão de recursos humanos que visa apoiar os trabalhadores dispensados rumo à sua reinserção profissional. Há empresas que preferem criar centros de *outplacement* internos, que prestam auxílio aos trabalhadores dispensados e aos que são recolocados em novas funções.

OUTPUT — 1) Em informática, significa a informação produzida pela operação de processamento de dados. Produto de um sistema, também conhecido como "saída", "resultados" ou qualquer mudança produzida por um sistema sobre o seu ambiente. 2) Em economia, insumo, fator de produção.

OUTRAS DESPESAS CORRENTES — Na Administração Pública, compreende o registro contábil das despesas não classificadas nos demais grupos de despesas correntes.

OUTRAS DESPESAS DE CAPITAL — Na Administração Pública, compreende o registro contábil das despesas de capital não classificáveis como "investimentos", "inversões financeiras" ou "transferências de capital".

OUTRAS DESPESAS VARIÁVEIS — Na Administração Pública, são despesas com vantagens pagas em circunstâncias específicas, relacionadas com serviço ou cargo e cuja temporalidade de pagamento é eventual e de forma não contínua.

OUTRAS RECEITAS CORRENTES — Na Administração Pública, é a fonte de receita que compreende as receitas correntes não classificáveis nos demais grupos de receitas correntes, tais como, multas, juros de mora, indenizações, restituições, receitas da dívida ativa e receitas diversas.

OUTROS AUXÍLIOS FINANCEIROS A PESSOAS FÍSICAS — Na Administração Pública, é o registro contábil das despesas com a concessão de auxílio financeiro diretamente a pessoas físicas, sob as mais diversas modalidades, tais como ajuda ou apoio financeiro e subsídio ou complementação na aquisição de bens, não classificados explícita ou implicitamente em outros elementos de despesa.

OUTROS BENEFÍCIOS PREVIDENCIÁRIOS — Na Administração Pública, é o registro contábil das despesas com outros benefícios do sistema previdenciário exclusive aposentadorias, reformas e pensões.

OUTROS DEPÓSITOS NO BCB — Recolhimento compulsório ao Banco Central do Brasil sobre depósitos e garantias realizadas, depósitos remunerados decorrentes de insuficiência em aplicações e operações de crédito rural, garantia por fiança bancária, depósitos compulsórios do sistema brasileiro de poupança e empréstimo, depósitos a prazo, depósitos judiciais, operações de crédito e outras operações ativas e passivas.

OUTROS ENCARGOS SOBRE A DÍVIDA MOBILIÁRIA — Na Administração Pública, é o registro contábil das despesas com outros encargos da dívida mobiliária, tais como: comissão, corretagem, seguro etc.

OUTROS ENCARGOS SOBRE A DÍVIDA POR CONTRATO — Na Administração Pública, é o registro contábil das despesas com outros encargos da dívida pública contratada (interna e externa), tais como: correção monetária, taxas, comissões bancárias, prêmios, imposto de renda, comissões por apólices resgatadas e por cupons de juros pagos, registros de títulos nas bolsas de valores, impressão e autenticação de apólices, despesas de remessas e outros encargos da dívida.

OUTROS SERVIÇOS DE TERCEIROS — Administração Pública, designação atribuída, no âmbito da Classificação das Despesas quanto à sua Natureza, ao Elemento de Despesa adequado para a classificação das despesas decorrentes de serviços prestados por pessoa física ou jurídica a órgão público, não enquadrados nos elementos de despesa específicos.

OUTROS SERVIÇOS DE TERCEIROS - PESSOA FÍSICA — Na Administração Pública, é o registro contábil das despesas decorrentes de serviços prestados por pessoa física pagos diretamente a esta e não enquadrados nos itens da despesa específicos.

OUTROS SERVIÇOS DE TERCEIROS - PESSOA JURÍDICA — Na Administração Pública, é o registro contábil das despesas com prestação de serviços por pessoas jurídicas para órgãos públicos.

OUTROS SERVIÇOS E ENCARGOS — Na Administração Pública, é o registro contábil das despesas com remuneração de pessoa jurídica, pela prestação de serviço mediante contrato, inclusive de adesão e de concessionárias de serviços públicos.

OUTSIDER — Denominação dada àquele que não tem acesso às informações privilegiadas, em oposição ao "*insider*". (Ver: Política - *outsider*.)

OUTSOURCING — Designa a ação que existe por parte de uma organização em obter mão-de-obra de fora da empresa, ou seja, mão-de-obra terceirizada. Está fortemente ligado à idéia de subcontratação de serviços. A expressão terceirização também pode ser usada, sendo que está é uma tradução livre de *Outsourcing*. Em outras palavras, *Outsourcing* é a transferência da responsabilidade de parte ou de toda uma atividade de uma empresa para uma empresa terceirizada. Isto inclui os recursos humanos e possivelmente os recursos materiais e ativos relacionados com a atividade.

OUVIDORIA — A função de ouvidoria - empregada na Administração Pública, e correspondente à de *ombusdsman*, utilizada no meio empresarial - tem por propósito perceber o sentimento de satisfação do destino final de um produto ou serviço, buscar soluções para as questões por ele levantadas e oferecer informações gerenciais e sugestões aos gestores, visando sempre ao seu aprimoramento.

OUVIDORIA PARLAMENTAR — Esse órgão - que integra a estrutura legislativa da Câmara dos Deputados - tem como atribuições principais receber, examinar e encaminhar aos setores competentes as reclamações ou representações de pessoas físicas ou jurídicas.

OVER/OPEN — Aplicações de um dia que podem ter lastro em títulos públicos ou privados. Caracteriza-se pela transação entre duas instituições, envolvendo a venda, com compromisso de recompra após um período definido (geralmente um dia) de um título, através de uma taxa de juros preestabelecida entre as partes. O título envolvido na operação é chamado de lastro e a taxa pactuada entre as instituições é geralmente proporcional ao risco de crédito do título.

OVER/OVERNIGHT — Operações realizadas diariamente pelos bancos no mercado aberto, para obter recursos para financiar as suas posições em títulos públicos. Repassam esses títulos aos investidores com o compromisso de recomprá-los no dia seguinte, pagando uma taxa diária. Estas operações estão restritas às instituições financeiras.

OVERDOSE — Significa superdose ou dose excessiva. É um termo da língua inglesa, utilizado cientificamente para denominar a exposição do organismo a grandes doses de uma substância química, seja ela um medicamento, uma droga ou outra substância qualquer. Popularmente, esse termo é utilizado para denominar a exposição aguda a doses excessivas de uma droga, ocorrendo ou não a intoxicação, isto é, havendo ou não sinais e sintomas clínicos que debilitam o organismo, provocando a falência de órgãos vitais como coração e pulmões.

OVERDRAFT — Ver Saque a descoberto.

OVERHEAD — Diferencial entre o preço e o custo; despesas gerais.

OVERTRADING — Situação de uma empresa cuja atividade se expandiu mais rapidamente do que a sua capacidade financeira, conduzindo à redução do capital de giro e ao recurso excessivo ao crédito.

OXIDAÇÃO — É a reação do oxigênio com os hidrocarbonetos do lubrificante, sendo a oxidação função do tempo, da temperatura e de catalizadores. Seus efeitos no óleo são: aumento da viscosidade, formação de borra e verniz e, também, corrosão. Como regra, a taxa de oxidação do óleo mineral puro dobra a cada aumento de 10°C, acima de 60°C.

OXIGÊNIO — Gás incolor e inodoro de fórmula química O_2. É essencial à vida. O oxigênio é um elemento natural e ocorre em 21% em volume no ar que respiramos. O oxigênio atmosférico é de importância vital para todos os organismos que realizam respiração aeróbica. O corpo humano utiliza o ar para o metabolismo. Para fins industriais é obtido por destilação fracionada de ar líquido. É usado em processos metalúrgicos, em chamas de temperaturas elevadas e em aparelhos respiratórios.

OXIGÊNIO MEDICINAL — Gás incolor, altamente oxidante, comprimido a altas pressões, o oxigênio é fundamental para a presença da vida aeróbica e constitui um importante capítulo da terapêutica. A oxigenoterapia tem aplicação profilática ou curativa, já que é indicada nos casos de hipoxemia de qualquer origem, como por exemplo, no tratamento de doenças pulmonares obstrutivas, pneumonias, enfartos do miocárdio e embolias pulmonares. Sua aplicação é imprescindível nos casos de ressuscitação cardiorrespiratória, na terapia intensiva, e em anestesia. O oxigênio também é utilizado para administrar medicamentos através de nebulização ou inalação, além de ser vital na terapia hiperbárica.

OXIGENOTERAPIA — Tratamento efetuado com a inalação de oxigênio.

OZÔNIO — Gás azulado, muito oxidante e reativo formado por moléculas constituídas por três átomos de oxigênio em vez de dois (como é o oxigênio comum que respiramos). Poderoso agente de oxidação, um gás solúvel em água fria e em álcali. Alótropo do oxigênio. Usado também no tratamento de água em aparelhos chamados ozonizadores. Nas camadas elevadas da atmosfera, é importante porque filtra os raios ultravioleta. Ao nível do solo, é perigoso porque forma poluentes tóxicos, reagindo com outros gases da atmosfera poluída. Estima-se que 90% do ozônio disponível esteja concentrado na camada que protege o planeta dos raios ultravioleta.

OZONOSFERA — Ver Camada de ozônio.

P

P.O.S. (*POINT OF SALE*) — É o aparelho usado para ler o cartão nas lojas. Este aparelho é que intermedeia a transação cliente-administradora.

P/L ÍNDICE PREÇO/LUCRO — Ver Índice Preço/Lucro (P/L).

***PACHING LIST* —** Romaneio. Lista com as características dos diferentes volumes que compõem um embarque (número, peso, marca etc.), destinada a auxiliar a identificação e fiscalização de volumes e mercadorias, facilitando os controles nos desembaraços aduaneiros.

PACIÊNCIA — Senso de paz. Situação ou estado necessário para a qualidade do pensamento. A paciência é o suporte do pensamento e suas faculdades.

PACIENTE — É aquele que suporta o efeito da ação de outrem, ou seja, a vítima contra quem o agente faz ou executa alguma coisa. Pessoa sobre quem recai a ação de outrem. Todo aquele que se encontra sob constrangimento físico, ou moral. Sujeito passivo de um ilícito penal. O padecente da pena capital. O oposto de agente. A designação é utilizada em *habeas-corpus*. Aquele que sofre restrição na liberdade de ir e de vir e é sujeito ativo do "*habeas-corpus*".

PACO — Na gíria policial, pacote habilmente preparado para dar a impressão de conter grande soma de dinheiro; usado na prática de estelionato.

PACOTE TECNOLÓGICO — Conjunto de conhecimentos, equipamentos, informações operacionais e processos, em resumo de *know-how*, compreendidos nos contratos de licenciamento e transferência de tecnologia.

PACTO — Convenção ou contrato implícito ou explícito, verbal ou expresso que se reajusta. No pacto há norma podendo fazer constar deveres, direitos e obrigações de fazer ou não fazer, com sanções ou não.

PACTO *ADJECTO* — Convenção acessória firmada, num contrato, junto a uma convenção principal.

PACTO ANTENUPCIAL — É um acordo feito por escritura pública (lavrada em cartório), antes da celebração do casamento, quando os noivos escolhem o regime de bens que vigorará durante sua vida em comum. O atual Código Civil permite a opção de casamento com separação total, parcial ou comunhão de bens; a opção, qualquer que seja pode ser alterada pelo casal a qualquer momento, durante o casamento.

PACTO COMISSÓRIO — É cláusula incerta no contrato de compra e venda pela qual se estipula que esta será desfeita se o comprador não pagar até certo dia ou deixar de pagar determinado número de prestações ou outras obrigações financeiras relativas ao contrato, com o pagamento do preço em prestações. Nesse caso, o comprador perde os valores pagos em benefício do vendedor. É cláusula implícita em todos os contratos bilaterais, tornando-se desnecessária sua inserção. Entretanto, pode vir explícita no contrato, se assim o desejam as partes, tornando mais enfático o direito de resolução. Sua menção não elimina a necessidade de intervenção judicial para a resolução do contrato.

PACTO DE MELHOR COMPRADOR — Cláusula existente no contrato de compra e venda determinando que, dentro de um prazo estipulado, o vendedor pode desfazer o negócio se aparecer um novo comprador oferecendo melhor oferta.

PACTO DE *QUOTA LITIS* — Cláusula aleatória e acessória do contrato de honorários, pela qual o advogado se associa ao cliente participando do resultado financeiro da lide.

PACTO DE RETROVENDA — Condição de o imóvel transferido voltar ao domínio do vendedor ou alienante se, dentro de um prazo estipulado for devolvida ao adquirente a quantia paga, acrescida das despesas efetuadas.

PACTO GLOBAL — Desafio proposto - pelo Secretário Geral da ONU, Kofi Annan, em seu discurso no "*World Economic Forum*", de 31 de Janeiro de 1999 - aos líderes empresariais a se unirem em um esforço internacional - o Pacto Global - para integrar empresas, agências da ONU, organizações da sociedade civil, em apoio à implementação de princípios de direitos humanos, trabalhistas, meio ambiente e anticorrupção. Pelo poder de ação coletiva, o Pacto Global pretende promover a "cidadania empresarial" para que as empresas se engajem na promoção da solução dos desafios advindos com a globalização e uma economia global mais sustentável e inclusiva. Hoje, centenas de empresas de todo o mundo se integraram à iniciativa do Pacto Global, liderada pelo secretário-geral da ONU. (Ver: ONG // OSCIP // Sociedades Civis e Sociedades Comerciais // Sociedade simples // Sociedade empresária.)

PADRÃO — É o estabelecimento de um objetivo, desempenho, capacidade, ordenamento, estado, movimento, seqüência, método, procedimento, responsabilidade, dever, autoridade, maneira de pensar, conceito etc. como forma de unificar e simplificar de tal maneira que seja conveniente e lucrativo para as pessoas envolvidas. Em sentido restrito, padrão é o nível ou grau de qualidade de um elemento (substância ou produto), que é próprio ou adequado a um determinado propósito. Os padrões são estabelecidos pelas autoridades, como regra para medidas de quantidade, peso, extensão ou valor dos elementos.

PADRÃO CULTURAL — Conjunto de crenças, valores, hábitos, práticas etc. que a população humana desenvolveu ao longo de décadas para lidar com seus problemas.

PADRÃO DE MEDIDA — Método ou objeto para exprimir a magnitude da quantidade, usado como referência para permitir a universalidade da medida.

PADRÃO DE POTABILIDADE — Parâmetro que determina as quantidades-limite dos diversos elementos toleráveis na água de abastecimento, fixado pela legislação em vigor.

PADRÃO DE QUALIDADE — Modelo ou objeto para exprimir a magnitude, usado como referência para permitir a universalidade na medida.

PADRÃO DE SEGURANÇA — Parâmetro que determina as quantidades-limite dos diversos elementos toleráveis na água de abastecimento, para garantir que a água não cause dano à saúde da população.

PADRÃO DE SISTEMA — Documento básico para o gerenciamento dos processos administrativos e de serviço.

PADRÃO DE TRABALHO — Regras de funcionamento das práticas de gestão, podendo estar na forma de diretrizes organizacionais, procedimentos, rotinas de trabalho, normas administrativas, fluxogramas, quantificação dos níveis que se pretende atingir ou qualquer meio que permita orientar a execução das práticas. O padrão de trabalho pode ser estabelecido utilizando como critérios as necessidades das partes interessadas, as estratégias, requisitos legais, o nível de desempenho de concorrentes, informações comparativas pertinentes, normas nacionais e internacionais entre outros.

PADRÃO INTERNACIONAL — Padrão reconhecido por um acordo internacional para servir, internacionalmente, de base no estabelecimento dos valores de todos os demais padrões da grandeza a que se refere.

PADRÃO MONETÁRIO — Valor, ou matéria, convencionalmente adotado com base do sistema monetário de um ou de vários países, e em relação ao qual serão definidos os outros tipos de moeda, e particularmente as unidades monetárias. Denominação da unidade de moeda que serve de base ao sistema monetário.

PADRÃO NACIONAL — Padrão reconhecido por uma decisão nacional oficial, em um País, para servir de base no estabelecimento dos valores de todos os demais padrões da grandeza que se refere.

PADRÕES AMBIENTAIS — Estabelece o nível ou grau de qualidade exigido pela legislação ambiental para parâmetros de um determinado componente ambiental. Em sentido restrito, padrão é o nível ou grau de qualidade de um elemento (substância, produto ou serviço) que é próprio ou adequado a um determinado propósito. Os padrões são estabelecidos pelas autoridades como regra para medidas de quantidade, peso, extensão ou valor dos elementos. Na gestão ambiental, são de uso corrente os padrões de qualidade ambiental e dos componentes do meio ambiente.

PADRÕES DA QUALIDADE DA ÁGUA — Conjunto de parâmetros e respectivos limites, em relação aos quais os resultados dos exames de uma amostra de água são comparados para se aglutinar sua qualidade para determinado fim.

PADRÕES DE EMISSÃO — É a maior quantidade de um determinado poluente que pode ser legalmente lançado no ar de uma única fonte. No Brasil os padrões de emissão são estabelecidos pelo IBAMA ou pelos Órgãos Estaduais de Controle.

PADRÕES DE QUALIDADE AMBIENTAL — Condições limitantes da qualidade ambiental, muitas vezes expressas em termos numéricos, usualmente estabelecidos por lei e sob jurisdição específica, para a proteção da saúde e do bem-estar dos homens.

PADRÕES DE QUALIDADE DO AR — Limites de concentrações de poluentes atmosféricos que, ultrapassados, poderão afetar a saúde, a segurança e o bem-estar da população, bem como ocasionar danos à flora e à fauna, aos materiais e ao meio ambiente em geral.

PADRÕES URBANÍSTICOS — São representações quantitativas da ordenação do espaço urbano no que concerne ao regime urbanístico e aos equipamentos urbanos estabelecidos, com vistas ao adequado relacionamento das edificações com o local onde se encontram.

PADRONIZAÇÃO — Implementação de procedimentos uniformes e consistentes para a realização de tarefas. Processo de classificação, ordenação, homogeneização e fixação de atividades, práticas e tecnologias segundo regras previamente estabelecidas, visando à uniformização de processos ou produtos.

PADRONIZAR — Estabelecer padrões. (Ver: Padrão // Padronização.)

PAGAMENTO — É o cumprimento ou adimplemento da obrigação, liberando o devedor da prestação assumida em relação ao credor.

PAGAMENTO A PRAZO — Valor a ser pago em razão de condições negociais onde se estabeleça que o pagamento total ou parcial da mercadoria comprada deve ocorrer, em tempo certo, em um determinado período de tempo após a entrega da mercadoria.

PAGAMENTO À VISTA — Valor a ser pago em razão de condições negociais em que se estabeleça que o pagamento total ou parcial da mercadoria comprada deve ocorrer antes da entrega.

PAGAMENTO ANTECIPADO — Valor pago por força de condições contratuais em que se estabelece que o pagamento total ou parcial da mercadoria vendida deve ocorrer anteriormente ao seu embarque.

PAGAMENTO CONTRA PAGAMENTO — Mecanismo em um sistema de liquidação de moedas estrangeiras que assegura que a transferência definitiva de uma moeda ocorre se, e somente se, a transferência definitiva da outra ou outras moedas também ocorrer.

PAGAMENTO DE DESPESA — Ver Despesa, Pagamento de.

PAGAMENTO DE INDÉBITO FISCAL — Ver Indébito Fiscal, Pagamento de.

PAGAMENTO DE PONTO — Importância em dinheiro paga por novo locatário ou sublocatário ao atual, ou até ao locador, para obter a transferência do direito de se instalar no mesmo ou de gozar da clientela previamente ali criada.

PAGAMENTO DO CHEQUE — Ver Cheque, Pagamento do.

PAGAMENTO POR CONSIGNAÇÃO — É o meio indireto do devedor exonerar-se do vínculo obrigacional, que consiste no depósito judicial da prestação devida.

PAGAMENTOS DE SENTENÇAS JUDICIÁRIAS — Ver Sentenças Judiciárias, Pagamentos de.

PAGUE-SE — Cláusula própria do endosso nominativo que, apontado em título de crédito, transfere a propriedade deste à pessoa indicada, que substitui o credor.

PAÍS — Região, terra. A nação em que se nasceu, a pátria. Território habitado por uma coletividade e que constitui uma realidade histórica e geográfica com designação própria, que representam determinada nação. De uma forma geral é um território social, política, cultural e geograficamente delimitado. A maioria dos países é administrada por um governo que mantém a soberania sobre seu povo e seu território, garantindo assim o bom funcionamento e a ordem do fluxo de atividades que envolvem a sua economia e a sua sociedade. A definição de país não é necessariamente compatível com as definições de reino, império e Estado, mas na atualidade, independentemente da forma de governo adotada, todos os Estados soberanos são considerados Países.

PAÍS DE DESTINO (EXPORTAÇÃO) — Para efeito de divulgação estatística de exportação, é aquele conhecido no momento do despacho como o último país ao qual os bens serão entregues.

PAÍS DE ORIGEM (IMPORTAÇÃO) — Para efeito de divulgação estatística de importação, é o país onde foram cultivados os produtos agrícolas, extraídos os minerais ou fabricados os bens manufaturados, total ou parcialmente, mas neste último caso, o país de origem é aquele no qual foi completada a última fase de processamento para que o produto adote sua forma final.

PAISAGEM — Parte do espaço apreendida visualmente; resultado da combinação dinâmica de elementos físico-químicos, biológicos e antropológicos que, em mútua dependência, geram um conjunto único e indissociável em permanente evolução.

PAISAGEM URBANA — É o conjunto dos elementos, edificados ou não, resultantes da aplicação das regulamentações e das sucessivas transformações ao longo do tempo, que definem o caráter de um local dentro de uma cidade.

PAÍSES AFRICANOS DE LÍNGUA OFICIAL PORTUGUESA (PALOP) — Países africanos que, após as suas independências, adotaram a língua portuguesa como língua oficial: Angola, Cabo Verde, Guiné-Bissau, Moçambique e São Tomé e Príncipe.

PAISES COM ESTATUTO DE CENTRO FINANCEIRO *OFFSHORE* — O uso corrente da designação de "centro financeiro *offshore*" para pequenos estados (geralmente ilhas), protetorados e colônias deixa na sombra vários países, inclusive países-membros da União Européia, que não necessitam do estatuto de extraterritorialidade pois oferecem vantagens similares na integridade de seus territórios nacionais. É o caso da Irlanda, da Dinamarca, de Belize, do Uruguai, do Panamá, da Libéria, e outros. Embora as vantagens difiram de um país para outro, certos traços são comuns, como a possibilidade de criar IBCs, bancos *offshore*, *Shell companies*, isenção fiscal, anonimato do proprietário, capitalização em qualquer moeda. O tempo médio para abrir uma empresa nesses países varia de um dia a oito semanas, no máximo.

PAÍSES DE BAIXO RENDIMENTO, OUTROS — Países e Territórios em desenvolvimento, que não são classificados como Países menos avançados, mas com um PNB *per capita* inferior a 760 dólares. Atualmente, fazem parte desta categoria: Armênia, Azerbaijão, Camarões, China, Costa do Marfim, Gana, Honduras, Índia, Indonésia, Moldava, Mongólia, Nicarágua, Nigéria, Paquistão, Quênia, República Democrática da Coréia, República da Kirguisia, República do Congo, Tadjiquistão, Timor Leste, Turcomenistão, Vietnã, Zimbábue.

PAÍSES DESENVOLVIDOS — Por vezes referidos como "Países do Norte", são países que possuam fortes economias, elevado rendimento e altos indicadores sociais, tais como qualidade de vida, por exemplo. De acordo com a classificação do Banco Mundial, incluem-se nesta categoria todas as economias de rendimento elevado exceto Hong-Kong, Israel, Kuwait, Singapura e Emirados Árabes Unidos. Dependendo de quem os define, os países desenvolvidos podem também incluir os países de rendimento médio com economias em transição, porque são muito industrializados. Os países desenvolvidos representam cerca de 15% da população mundial. Principais características dos países desenvolvidos: a) Estrutura industrial completa; b) Dominação econômica; c) Produzem todos os tipos de bens; d) Agropecuária moderna e intensiva; e) Emprego de máquinas e mão-de-obra especializada; f) Desenvolvimento científico e tecnológico elevado; g) Modernos e eficientes meios de transporte e comunicação; h) População urbana é maior que a população rural, são urbanizados; i) População ativa empregada, principalmente, nos setores secundário e terciário; j) Pequeno número de analfabetos; l) Elevado nível de vida da população; m) Boas condições de alimentação, habitação e saneamento básico; n) Reduzido crescimento populacional; o) Baixa taxa de natalidade e mortalidade infantil; p) Elevada expectativa de vida.

PAÍSES DO NORTE — Ver Países desenvolvidos.

PAÍSES DO SUL — São assim habitualmente designados os países em desenvolvimento e países menos avançados da África, Ásia e América Latina. (Ver: Países em desenvolvimento // Países desenvolvidos.)

PAÍSES E TERRITÓRIOS RECEPTORES — Conjunto de países e territórios que são elegíveis para receber ajuda do Banco Mundial e de outros países, agrupados por categorias, de acordo com o rendimento. Desde 1994 esta lista foi modificada passando a incluir duas partes: a) a Parte I apresenta os países por categoria de rendimento; b) a Parte II inclui os países e territórios em transição, ou seja, os países mais avançados da Europa Central e Oriental e os Novos Estados Independentes da ex-URSS.

PAÍSES EM DESENVOLVIMENTO — Definição utilizada pelo Banco Mundial (BM) para catalogar os Países elegíveis para a Ajuda Pública para Desenvolvimento (APD). De acordo com a classificação do BM, são os países com níveis de Produto Nacional Bruto (PNB) *per capita* baixo ou médio, incluindo as cinco economias em desenvolvimento de elevado rendimento - Hong-Kong, Israel, Kuwait, Cingapura e Emirados Árabes Unidos - devido à estrutura das suas economias ou devido às opiniões dos seus governantes. Vários países de economia em transição são por vezes incluídos nesta classificação devido aos seus níveis baixos ou médios de rendimento *per capita* e por vezes nos países desenvolvidos, devido ao seu grau de industrialização. Mais de 80% da população mundial vive em cerca de 100 países em desenvolvimento. O termo Países em Desenvolvimento é, por vezes, substituído por países emergentes, para designar países de capacidade industrial incipiente.

PAÍSES EM DESENVOLVIMENTO, DE RENDIMENTO ALTO — Definição utilizada pelo Banco Mundial para catalogar os Países e Territórios em desenvolvimento, com um Produto Nacional Bruto (PNB) *per capita* superior a 9.360 dólares. Atualmente, integram esta categoria a Eslovênia e Malta.

PAÍSES EM DESENVOLVIMENTO, DE RENDIMENTO MÉDIO ALTO — Definição utilizada pelo Banco Mundial (BM) para catalogar os Países e Territórios em desenvolvimento, com um Produto Nacional Bruto (PNB) *per capita* entre 3.030 e 9.360 dólares. Atualmente, fazem parte deste grupo: Brasil, Botswana, Chile, Croácia, Gabão, Granada, Ilhas Cook, Ilhas Palau, Líbano, Malásia, Maurícias, Mayotte, México, Nauru, Panamá, Santa Helena, Santa Lúcia, Trindad e Tobago, Turquia, Uruguai, Venezuela. Inclui, ainda, para elegibilidade aos empréstimos do BM (5.280 dólares): Anguilla, Antigua e Barbuda, Arábia Saudita, Argentina, Barbados, Barein, Caicos, Ilhas Turks, Monserrat, Oman, Seycheles, St. Kitts e Nevis.

PAÍSES EM DESENVOLVIMENTO, DE RENDIMENTO MÉDIO BAIXO — Definição utilizada pelo Banco Mundial (BM) para catalogar os Países e Territórios em desenvolvimento com um Produto Nacional Bruto (PNB) *per capita* entre 761 e 3.030 dólares. Atualmente, incluem-se nesta categoria: Albânia, África do Sul, Argélia, Belize, Bolívia, Bósnia Herzegovina, Colômbia, Costa Rica, Cuba, Dominica, Equador, Egito, El Salvador, Estados Federados da Micronésia, Fidji, Filipinas, Geórgia, Guatemala, Guiana, Ilhas Marshall, Irão, Iraque, Jamaica, Jordânia, Kasaquistão, Macedônia, Marrocos, Namíbia, Negue, Papua Nova Guiné, Paraguai, Peru, República Dominicana, República Federal da Iugoslávia, Sri Lanca, S. Vicente e Granadinas, Síria, Suriname, Suazilândia, Tailândia, Territórios Palestinos sob administração, Tokelau, Tonga, Tunísia, Uzbequistão, Wallis e Futuna.

PAÍSES EMERGENTES — Ver Países em desenvolvimento // Terceiro Mundo.

PAÍSES MENOS AVANÇADOS — Grupo definido pelas Nações Unidas para catalogar os Países e Territórios que têm rendimento, diversificação econômica e desenvolvimento social abaixo de um limiar estabelecido. Muito vulneráveis estes países têm um rendimento *per capita* anual menor que 1 dólar por dia. Têm rendimento baixo, com retração de longo prazo ao crescimento econômico, como a fragilidade institucional e o baixo nível de desenvolvimento dos recursos humanos. Atualmente são incluídos neste grupo 48 países e territórios: Afeganistão, Angola, Bangladesh, Benin, Botão, Burkina Faso, Burundi, Camboja, Cabo Verde, Chade, Comores, Djibuti, Guiné Equatorial, Eritréia, Etiópia, Gâmbia, Guiné, Guiné-Bissau, Haiti, Iémen, Ilhas Salomão, Kiribati, Laos, Lesoto, Libéria, Madagáscar, Malaui, Maldivas, Mali, Mauritânia, Moçambique, Myanmar, Nepal, Níger, Ruanda, República Centro Africana, República Democrática do Congo, São Tomé e Príncipe, Senegal, Serra Leoa, Somália, Sudão, Tanzânia, Togo, Tuvalu, Uganda, Vanuatu, Zâmbia.

PAÍSES NO MUNDO — Para figurar na lista como um país de fato independente, o Estado tem de obedecer ao artigo 1º da Convenção de Montevideu de 1933, o que significa que a entidade tem de apresentar as seguintes qualificações: a) uma população permanente; b) um território definido; c) governo; d) capacidade para entrar em relações com os outros estados. No Mundo são, atualmente, 202 países, sendo 194 independentes e oito ainda não teveram suas independências reconhecidas, ou seja, não são de fato independentes (Abecásia, Nagorno-Carabaque, Chipre do Norte, Palestina, Saara Ocidental, Somalilândia, Ossétia do Sul e Transnístria).

PAÍSES POBRES FORTEMENTE ENDIVIDADOS — Conjunto de países muito endividados (dívida considerada insustentável) que estabeleceram acordo com os credores oficiais para obterem alívio da dívida. Atualmente, incluem-se neste grupo 42 países: Angola, Benin, Bolívia, Burkina Faso, Burundi, Camarões, Chade, Comores, Congo, Costa do Marfim, Etiópia, Gâmbia, Gana, Guiana, Guiné, Guiné-Bissau, Honduras, Iémen, Lao, Libéria, Madagascar, Malaui, Mali, Mauritânia, Moçambique, Myanmar (Burma), Nicarágua, Niger, Quênia, Ruanda, República Centro Africana, República Democrática do Congo, São Tomé e Príncipe, Senegal, Serra Leoa, Somália, Sudão, Tanzânia, Togo, Uganda, Vietnã, Zâmbia.

PAÍSES POBRES FORTEMENTE ENDIVIDADOS, INICIATIVA PARA OS — Acordo para reduzir a dívida (multilateral, bilateral e do setor privado) dos países pobres muito endividados. Iniciativa adotada em 1996 para dar apoio excepcional a países elegíveis para reduzir as suas dívidas para níveis sustentáveis. Envolveu credores multilaterais, o Clube de Paris e outros credores públicos e bilaterais. Um aspecto central nesta iniciativa é o esforço contínuo no sentido de um ajustamento macroeconômico e estrutural e de reformas ao nível social. Adicionalmente, centra-se no assegurar de financiamentos para programas do setor social – sobretudo saúde e educação. Em 1999 foi modificada de forma a fortalecer e aprofundar as relações entre alívio da dívida, redução da pobreza e políticas sociais. Esta iniciativa se destina apenas a países que: a) Se confrontam com uma dívida externa insustentável, em face dos mecanismos de alívio da dívida disponíveis; b) Estabelecem plano global de reformas estruturais e políticas, via programas apoiados pelo Fundo Monetário Internacional e o Banco Mundial. (Ver: Países pobres fortemente endividados.)

PAÍSES SUBDESENVOLVIDOS — Termo em desuso. Foi substituído por termos como: Países em desenvolvimento ou países menos avançados.

PAIXÃO — Sentimento forte, exacerbado, como o amor, o ódio etc., que pelo seu caráter dominante inibe o raciocínio claro, lógica imparcial e, mesmo, a formulação de juízos de valor. Desejo intenso; atração.

PAIXÃO CULTURAL — Geradora energética social da força dinâmica social que se refere ao subconsciente social. É a força dinâmica social que aciona a movimentação em busca do equilíbrio em nível imediatamente superior. É uma conexão cultural recíproca entre pessoas da mesma unidade grupal determinada por conhecimento, valores e padrões culturais, cujos desejos recíprocos contêm alguma identidade de sentimentos.

PAIXÃO NATURAL — Geradora energética social da força estática social. Corresponde ao inconsciente social. Busca o equilíbrio pela força estática. É uma conexão voluntária entre pessoas da mesma unidade grupal, causada por atração recíproca. É o imediatismo coletivo.

PALÁDIO (Pd) — É um elemento de transição, branco, macio e dúctil. É usado em joalherias e como catalisador em reações de hidrogenação ou catalisadores de automóveis. O paládio consegue absorver um volume de hidrogênio 900 vezes maior que o seu próprio volume.

PALAFITA — Construções lacustres sobre estacas. Esse tipo de habitação já era usado no neolítico. Foram observados primeiramente na Suíça e atualmente ainda são encontradas em povoações lacustres.

PALESTINA — É uma região histórica situada na costa leste do Mar Mediterrâneo, no cruzamento entre três continentes, que foi habitada por diversos povos e é considerado local santo para cristãos, judeus e muçulmanos. Sua extensão tem variado muito desde a antiguidade. Atualmente, as áreas palestinas são a Cisjordânia e a Faixa de Gaza.

PALLET — Estrado para acondicionamento da carga. Bandeja de carga.

PALPÁVEL — Que se pode apalpar. Evidente; notório; patente; que não desperta dúvida.

PALUDISMO — O mesmo que malária.

PAMPA — Ver Bioma campos sulinos.

PANDEMIA — Ver Saúde - Pandemia.

PÂNICO — Situação de susto ou terror súbito. Medo repentino. Ação desorientada de uma coletividade, surpreendida por um fenômeno, suposto ou real, sobre o qual avalia antecipadamente resultados desastrosos, muitas vezes injustificados, reagindo de forma irracional e, em conseqüência, aumentando os riscos de ampliação do desastre.

PANTANAL — Denominação dada a uma unidade geomorfológica do Estado do Mato Grosso (atualmente, Mato Grosso e Mato Grosso do Sul), a uma altitude de 100 a 200 metros, nas proximidades dos rios da bacia do Rio Paraguai. Abrange esta unidade uma área de 388.995 km^2. Geomorfologicamente, o Pantanal pode ser definido por uma extensa planície de sedimentos holocênicos, onde se encontram alguns blocos falhados. As enchentes dos rios, de outubro a março, cobrem vastas regiões que podem se mostrar secas de abril a setembro.

PÂNTANO — Terreno plano, constituindo baixadas inundadas, junto aos rios, na estação chuvosa e, em geral, área com solo permanentemente coberto de alguns centímetros de água ou com lençol freático dentro de alguns centímetros abaixo da superfície e o solo encharcado, e que sustenta plantas lenhosas (fisionomia de savana, escrube, arvoredo ou floresta).

PAPÉIS DE TRABALHO — São o testemunho do trabalho do auditor e pertencem a seus arquivos, para uso estritamente confidencial.

PAPEL — Diz-se do dólar negociado no mercado paralelo, para entrega física.

PAPEL FRIO — [gíria]. Documento, título ou contrato que não se origina de uma transação legítima e real.

PAPEL QUENTE — [gíria]. Título ou ação de fácil venda. Documento, título ou contrato originado de transação legítima e real.

PAPEL-MOEDA — Ver Cédula.

PAPILOSCOPIA — É a forma de identificação humana através do estudo das papilas (saliências da derme), sendo subdividida em Dactiloscopia (extremidades digitais), Quiroscopia (palma das mãos). Podoscopia (planta dos pés) e Poroscopia (que em Papiloscopia é o estudo dos desenhos dos poros que se encontram nas papilas). Nessas regiões do corpo humano se encontram os desenhos papiloscópicos, porém todo trabalho papiloscópico é feito na impressão papilar, ou seja, quando este desenho é tomado diretamente do indivíduo numa ficha papiloscópica (papel liso branco e tinta preta de imprensa) ou quando ela é levantada de um suporte qualquer, sem a intenção deliberada de produzi-la (geralmente são as impressões encontradas em locais de crime). A impressão, portanto, é o reverso do desenho. Para entendimento da necessidade de uma perfeita tomada de impressão ou de um perfeito levantamento de impressões ou fragmentos de locais de crime, precisa-se voltar aos elementos de uma impressão e sua relação com a fórmula dactiloscópica e conseqüente identificação.

PAR — Valor de uma ação idêntico ao oficial ou nominal.

PAR BOND — Bônus emitido como parte da renegociação da dívida brasileira em 1994 (Plano Brady) e tem vencimento em 2024. O *Par Bond* tem amortização única ao final do trigésimo ano, diferindo-se do *Discount* em dois aspectos: a conversão dos créditos antigos em novos foi feita ao *par* (sem desconto) e a taxa de juros é fixa em 6% do sétimo ao trigésimo ano. O *Par Bond* tem garantia (títulos do Tesouro norte-americano como colateral) total de principal e garantia parcial de juro.

PAR VALUE — Valor ao par, facial, nominal.

PARADIGMA — É a representação do padrão de modelos a serem seguidos. É um pressuposto filosófico matriz, ou seja, uma teoria, um conhecimento que origina o estudo de um campo científico; uma realização científica com métodos e valores que são concebidos como modelo; uma referência inicial como base de modelo para estudos e pesquisas.

PARADIGMA CIBERNÉTICO — Conjunto de teorias e conceitos relacionados com os processos de comunicação e controle de sistemas.

PARADIGMA DETERMINISTA — É o futuro de todos os fenômenos que podem ser determinados a partir do conhecimento do presente.

PARADIGMA ECONÔMICO — Parâmetro indicador de competitividade expressa por regras econômicas determinantes das relações inter e intrafirmas e da função do Estado na economia para formulação de políticas científico-tecnológicas e industriais.

PARADIGMA MECANICISTA — Baseado na metáfora dos mecanismos (relógio). Também conhecido como paradigma newtoniano/cartesiano: tudo funciona como máquinas.

PARADIGMA TECNO-ECONÔMICO — Indicador de inovação produzida pela adoção de conjunto de elementos técnicos, organizacionais e institucionais, combinados, que altera significativamente os mercados e a estrutura de produção.

PARADIGMA TECNOLÓGICO — Padrão ou modelo para solução de problemas tecno-econômicos que define as necessidades mais relevantes, os princípios científicos utilizados para a realização de determinada tarefa e o material tecnológico a ser utilizado. O paradigma tecnológico determina as oportunidades tecnológicas que resultam em inovações e alguns procedimentos básicos para a exportação dessas inovações.

PARADOXO — É uma figura de pensamento. Contrário ao esperado; oposto ao senso comum. Confronto de idéias opostas e simultâneas. Exemplo: Todos, ouviam atentos o silêncio do famoso político.

PARAESTATAL — Nome dado à autarquia, entidade ou empresa que não integra diretamente os órgãos do Estado, exercendo funções que poderiam ser por ele exercidas, e em cuja administração o Estado intervém.

PARAFERNAL — Diz-se do bem que pertence à mulher casada, excluído da propriedade do marido e que pode ser administrado sem a sua ingerência.

PARAGRAFIA — É o estado patológico em que a pessoa inclui em sua linguagem gráfica palavras equivocadas, ou que não tinha intenção de escrever.

PARÁGRAFO — Parte de uma norma jurídica, como subdivisão imediata do artigo, ou disposição acessória, marginal e complementar deste. (Ver: Técnica de elaboração de leis e decretos.)

PARAÍSOS FISCAIS — São aqueles países ou territórios que oferecem uma legislação que pode propiciar a elisão ou evasão de tributos devidos em outros países segundo as legislações desses países ou onde os impostos são muito baixos ou inexistentes, o que atrai multinacionais. Para fugir da alta tributação em seu país de origem, elas acabam instalando suas filiais nesses paraísos. Outro atrativo oferecido por alguns desses países é a garantia absoluta do sigilo bancário. É por isso que muitas pessoas depositam ali o dinheiro obtido em operações ilegais. Recentemente, observa-se que o termo de garantia absoluta do sigilo bancário tem sido substituído por dificuldades no oferecimento de informações bancárias.

PARALELOS — Círculos da superfície do Planeta Terra, paralelos ao plano do Equador. Entre o Equador e cada pólo, têm-se noventa paralelos de um grau cada (cada grau é subdividido em sessenta minutos e cada minuto, em sessenta segundos). Os paralelos diminuem de comprimento à medida que se afastam da origem, linha do Equador (0º), até tornarem-se um ponto nos pólos (90º).

PARALISIA INFANTIL — Ver Saúde - Poliomielite.

PARALOGISMO — Raciocínio falso não intencional. (Ver: Sofisma.)

PARÂMETROS — Conjunto de elementos de referência, de balizamentos, de delimitações (com limites máximos e mínimos) ou de restrições a serem observadas ou levadas em conta num evento, contexto, situação ou procedimento. São assim considerados também aqueles elementos evidenciadores de um determinado estado ou situação, bem como as características definidas como presentes ou desejáveis num determinado fenômeno ou resultado.

PARCEIROS — Pessoas e/ou organizações que colaboram para alcançar objetivos estabelecidos em conjunto. O conceito de parceria evoca os objetivos comuns, as responsabilidades partilhadas no que diz respeito aos efeitos, aos compromissos recíprocos e à obrigação de prestar contas de forma clara. Os parceiros podem ser organizações governamentais, da sociedade civil, ONGs, universidades, associações profissionais, organizações multilaterais, empresas privadas etc.

PARCELAMENTO — Divisão de um todo em parcelas.

PARCELAMENTO DO SOLO — Qualquer forma de divisão de uma área de terras em glebas, quarteirões ou lotes. Há várias formas de parcelamento, dependendo do tamanho da área a ser parcelada. O Plano Diretor de Desenvolvimento Urbano e Ambiental (PDDUA) deve estabelecer padrões diferentes por área de ocupação (Intensiva ou Rarefeita) da cidade.

PARCERIA — 1) Acordo firmado entre duas ou mais pessoas por um interesse comum. 2) Associação de empresas ou instituições para um fim de interesse comum (*joint venture*). 3) É a atuação conjunta de dois ou mais atores sociais, de maneira que a atuação de um deles complemente a atuação do outro (habilidades institucionais distintas). 4) No sentido amplo, é um complexo de relações jurídicas de caráter obrigacional, com ou sem personalidade jurídica própria e solidariedade, que procura compor interesses aparentemente antagônicos de diversos agentes (patrocinadores, investidores, vendedores de insumos, compradores da produção etc.) de forma convergente, em caráter transitório ou permanente. Não há definição legal de parceria em direito societário. É muito comum na elaboração de propostas de colaboração financeira, requisito para concessão de garantias, fiança (normalmente por carta) ou aval em títulos de crédito, bem como em operações de *underwriting* e estruturação de operações para projetos. Normalmente, procura limitar a responsabilidade dos sócios ou patrocinadores pelo empreendimento à qualidade dos créditos de que ele for titular, mensurando o risco dos investidores e financiadores pela realização de seu fluxo de caixa. As vantagens da parceria são a praticidade, a simplicidade e a flexibilidade jurídica. Podem ser utilizadas por participações de estatais para fugir de rigores do Direito Administrativo, como no caso das licitações (Lei nº 8.666, de 1993), por exemplo. A proteção de direitos dos parceiros é feita por meio de registro próprio em títulos e documentos ou na Junta Comercial. Podem também transcender jurisdições nacionais, servir ao planejamento estratégico local ou externo e permitir a administração de vários veículos ao mesmo tempo. São modalidades de parceria os consórcios, condomínios e associações. Mas também podem ser definidas como parcerias as operações estruturadas (por exemplo, *project finance*) e as mudanças corporativas (aquisições, incorporações, fusões e cisões).

PARCERIA INSTITUCIONAL — Cooperação entre organizações para a realização de projetos de interesse mútuo.

PARCERIA PÚBLICO-PRIVADA (PPP) — É o contrato administrativo de concessão, na modalidade patrocinada ou administrativa. Constitui modalidade de contratação em que os entes públicos e as organizações privadas, mediante o compartilhamento de riscos e com financiamento obtido pelo setor privado, assumem a realização de serviços ou empreendimentos públicos. A Lei nº 11.079, de 30 de dezembro de 2004, instituiu normas gerais para licitação e contratação de parceria público-privada (PPP), no âmbito dos Poderes da União, dos Estados, do Distrito Federal e dos Municípios. O principal objetivo da lei é atrair investimentos na área de infra-estrutura. As obras sob o regime do PPP poderão ser exploradas pela iniciativa privada por período que varia de cinco a 35 anos. As principais restrições previstas para a aplicação das PPP consistem no estabelecimento de um valor mínimo para o projeto (vinte milhões de reais) e o limite de 1% da receita corrente líquida dos Estados, Municípios e Distrito Federal para projetos de parceria.

PARCERIAS DE RESPONSABILIDADE LIMITADA (PRL) — É uma parceria que proporciona responsabilidade limitada aos seus membros não-corporativos. PRLs são freqüentemente localizadas *offshore* com o propósito de elisão fiscal.

PARCIAL — Favorável a uma das partes numa questão, litígio, ato ou empreendimento; partidário; sectário. Algo que é partidário de alguma coisa ou alguém.

PARCIALIDADE — Facção; partido. Amizade; afeição.

PARCIMÔNIA — Uma teoria parcimoniosa explica o que tem a explicar sem introduzir complicações desnecessárias. A parcimônia é uma virtude das teorias, mas não garante que estas sejam verdadeiras.

PARECENÇA FAMILIAR — Semelhança entre certas coisas, a qual permite estabelecer uma relação de familiaridade entre elas. É a noção de parecença familiar que permite aplicar corretamente certos conceitos, mesmo que não possam ser definidos.

PARECER — Opinião manifestada por pessoa habilitada (Procurador do Ministério Público, assessor etc.) em relação a um processo. O parecer não tem que ser seguido, mas assinala uma posição e serve para orientar decisões. Juízes e ministros não dão parecer. Eles votam. Decidem a questão.

PARECER (PROPOSIÇÃO) — No Legislativo é uma espécie de proposição acessória, na qual se expressa uma opinião favorável ou contrária à proposição à qual se refere.

PARECER DA COMISSÃO — No Legislativo é o parecer com que uma comissão se pronuncia sobre qualquer matéria sujeita a seu estudo, aprovada pelo plenário da comissão.

PARECER DE MÉRITO — No Legislativo é a proposição que tem como objetivo examinar determinada proposição sob o ponto de vista da oportunidade e da conveniência técnico-política das medidas nela propostas.

PARECER DIVERGENTE — No Legislativo é o parecer de uma comissão que opina, em relação a uma mesma proposição, em sentido antagônico ao de outra comissão de mérito.

PARECER DO RELATOR — No Legislativo é o parecer apresentado pelo relator de uma matéria à comissão, devendo ser discutido e votado pelos demais membros.

PARECER DO RELATOR GERAL — No Legislativo, geralmente acompanhado de substitutivo ao projeto de lei orçamentária, é o relatório que serve de base para discussão e votação de todo o conjunto da proposta do Executivo. De acordo com a prática vigente na Comissão de Orçamento, o Parecer do relator-geral é elaborado com base nos pareceres dos relatores setoriais e, uma vez aprovado na Comissão Mista, torna-se o parecer desta, sendo encaminhado ao plenário do Congresso Nacional, para votação final.

PARECER FINAL — No Legislativo é a proposição com que a Comissão Mista de Planos, Orçamentos Públicos e Fiscalização se pronuncia sobre a consolidação e adequação de matérias constantes de pareceres setoriais, no caso do projeto de lei orçamentária anual, e sobre as demais matérias a ela submetidas.

PARECER PRELIMINAR — No Legislativo é a proposição apresentada pelo relator-geral do projeto de lei orçamentária anual e eventualmente do plano plurianual, aprovado pela Comissão Mista de Planos, Orçamentos Públicos e Fiscalização, que estabelece os parâmetros e critérios a serem observados pelos relatores setoriais e pelo próprio relator-geral na elaboração de seus pareceres, inclusive quanto às emendas apresentadas.

PARECER PRÉVIO EM CONTAS DE GESTÃO — Ver Contas de Gestão, Prestação de.

PARECER SETORIAL — No Legislativo é o documento em que o relator setorial do projeto de lei orçamentária expressa a sua avaliação sobre a programação de despesa a cargo dos órgãos integrantes da sua relatoria, bem como o parecer sobre cada uma das emendas apresentadas ao setor. Uma vez concluído, o Parecer do relator setorial é submetido à votação na respectiva Subcomissão e, caso aprovado, passa a constituir o parecer dessa Subcomissão.

PARECER TÉCNICO — Laudo. Opinião, conselho ou esclarecimento técnico emitido por um profissional legalmente habilitado sobre assunto de sua especialidade.

PARECER TERMINATIVO — No Legislativo é terminativo o parecer da Comissão de Constituição e Justiça e de Redação (quanto à constitucionalidade e juridicidade da matéria), da Comissão de Finanças e Tributação (quanto à adequação financeira ou orçamentária) e da Comissão Especial constituída quando a proposição for submetida, no mérito, a três ou mais comissões permanentes no que concerne a ambas as preliminares. O parecer terminativo de qualquer dessas comissões pode, inclusive, resultar no arquivamento da proposição, a menos que haja recurso, apresentado no prazo de cinco sessões a contar da publicação do parecer, subscrito por um décimo dos deputados (52 assinaturas).

PARECER VENCEDOR — No Legislativo é o parecer que espelha a posição majoritária dos membros de uma comissão quando esta rejeita o parecer do relator originário.

PARECERES ADMINISTRATIVOS — São manifestações de órgãos técnicos sobre assuntos submetidos à sua consideração. O parecer tem caráter meramente opinativo, não vinculando à administração ou os particulares à sua modificação ou conclusões, salvo se aprovado por ato subseqüente. Já então, o que subsiste como ato administrativo não é o parecer, mas sim o ato de sua aprovação, que poderá revestir a modalidade normativa, ordinária, negocial, ou punitiva.

PARECERES E RECOMENDAÇÕES — São documentos que exprimem o ponto de vista da instituição que os emite, logo, não são vinculativos.

PARENTE COLATERAL — Pessoa que está ligada a outra por laços de consangüinidade não em linha direta ou de afinidade, de modo a não ser o grau que os liga objeto de interesse ou investigação legal.

PARENTESCO — A princípio, o parentesco é aquele que decorre do vínculo sangüíneo, assim, marido e mulher não são parentes. O parentesco pode ser natural, por afinidade e civil. Os irmãos sangüíneos são parentes em segundo grau e os chamados primos de primeiro grau, são, na verdade, de quarto grau.

PARI PASSU — [Latim]. Expressão que significa simultaneamente; a par.

PARIDADE — Qualidade de par ou igual; igualdade. Semelhança, parecença, analogia. Relação de preço que se verifica entre duas moedas estrangeiras. Igualdade de remuneração entre níveis idênticos de profissões distintas.

PARIDADE DAS MOEDAS - *"CROSS RATE"* — Diz-se que uma moeda está cotada ao par se sua relação de troca com outra é de 1 para 1.

PARIDADE DE PODER DE COMPRA — Teoria das taxas de câmbio que afirma que uma unidade de qualquer moeda dada tem que poder comprar a mesma quantidade de bens em todos os países.

PARIDADE RELATIVA DO PODER DE COMPRA — Quando se compara o poder de compra de duas moedas, devese levar em consideração a variação do nível de preços das duas economias, pois esta irá refletir na variação cambial entre as duas moedas.

PARLAMENTAR — É um agente político eleito pelo povo, para representá-lo junto às Casas Legislativas e que desempenha, no âmbito da União, do Estado e do Município, um mandato parlamentar, representando uma facção política denominada Partido Político. As características e a importância de suas funções evoluem junto com as conquistas democráticas. Hoje, consolidado o estado de direito, o parlamentar é peça indispensável na gestão da coisa pública. Seu poder de representação da comunidade ampara e legitima as decisões emanadas do Poder Legislativo, com sua participação.

PARLAMENTARISMO — Regime de governo em que a chefia de Governo (administração) é confiada ao próprio Parlamento, sendo exercido por um primeiro-ministro que comanda um Gabinete formado por ministros auxiliares, ao passo que a Chefia de Estado (representação do Estado perante outros Estados) é confiada ao presidente da República ou, se a forma do governo for monárquica, ao Rei. Um regime parlamentar não é, necessariamente, um regime parlamentarista, pois há regimes, como o presidencialista, em que há um parlamento (Congresso), mas não há parlamentarismo, eis que a Chefia de Governo é atribuída ao presidente da República. Exemplo: Há Parlamento no Brasil, nos Estados Unidos e na Suíça, mas não há parlamentarismo. No Brasil, duas experiências de Parlamentarismo foram realizadas: a primeira, no tempo do império, durando de 1825 a 1889, quando foi proclamada a República; a segunda, em 1961, após a renúncia do presidente Jânio Quadros; teve duração efêmera e não apresentou características autênticas, terminou pelo plebiscito de 1963 que restaurou o presidencialismo.

PARLAMENTO — Sinônimo de Congresso Nacional. No regime democrático, é o conjunto das Assembléias deliberativas que têm por função voltar as leis de um país. No Brasil, é constituído pelo Senado e a Câmara dos Deputados. Essas Assembléias são autônomas e reguladas por regimentos internos e realizam sessões conjuntas. O Parlamento é o órgão máximo do Poder Legislativo.

PARLAMENTO EUROPEU - FUNÇÃO — As principais funções do Parlamento Europeu são: a) Examinar as propostas da Comissão Européia, verificando se estão associados às do Conselho Europeu no processo legislativo, segundo as diferentes modalidades (processo de co-decisão, de cooperação etc.); b) Exercer poder de controle das atividades da União Européia (e da possibilidade de apresentar monção de censura sobre as atividades da Comissão Européia; c) Votar o orçamento anual e controlar a sua execução; d) Partilhar com o Conselho da União Européia a função de alterar as despesas comunitárias. Além disso, o Parlamento Europeu nomeia um provedor de Justiça que tem poderes para receber as queixas dos cidadãos da União Européia no que diz respeito às situações de má administração na ação das instituições ou dos órgãos comunitários. Finalmente, pode criar comissões temporárias de inquérito cujos poderes não se limitam à atividade das instituições comunitárias, podendo igualmente incidir sobre a atuação dos Estados membros na realização das políticas comunitárias.

PARLAMENTO EUROPEU — Parlamento que reúne os representantes de 455 milhões de cidadãos da União Européia. Tem sede em Estrasburgo, cidade situada no leste da França, na margem esquerda do rio Reno cuja aglomeração urbana se prolonga até a Alemanha, à cidade de Kehl, que é o espelho geográfico de Estrasburgo do lado oposto do Reno. Os deputados são eleitos por sufrágio universal direto, por um período de cinco anos, distribuídos em função da população de cada Estado membro. Atualmente são 731 deputados.

PARLATÓRIO — Locutório. Conversa. Falatório. Balcão, em edifício público, onde se apresentam autoridades.

PARQUE DA NATUREZA — Espaço dotado de ecossistemas naturais excepcionais e beleza cênica, que possui um ou mais ecossistemas inalterados ou parcialmente alterados pela ação do homem, que se destinam prioritariamente à preservação da natureza.

PARQUE DE RECREAÇÃO — Área, em geral, de pequena extensão que se constitui em espaço aberto, inserido em áreas densamente ocupadas, destinado integralmente ao lazer e à recreação ativa ou contemplativa da população nas diversas faixas etárias.

PARQUE URBANO — Área com pouca ou nenhuma ocupação humana, que guarda características naturais extraordinárias, ou que abriga exemplares raros da biota regional, e tem como objetivo manter os ecossistemas naturais de importância regional ou local e regular o uso admissível, de modo a compatibilizá-lo com os objetivos de conservação da natureza.

PARQUES — São áreas de domínio público com extensão considerável com grande variedade de espécies e hábitats de interesse científico, educacional ou recreativo, podendo compreender Área de Relevante Interesse Ecológico ou Área de Preservação. Devem estar abertos à visitação pública. Podem ser criados pelo Governo Federal ou pelos Estados. Tem como objetivo básico a preservação de ecossistemas naturais de grande relevância ecológica e beleza cênica, possibilitando a realização de pesquisas científicas e o desenvolvimento de atividades de educação e interpretação ambiental, de recreação em contato com a natureza e de turismo ecológico.

PARQUES ESTADUAIS — São áreas delimitadas e pertencentes ao poder público com o objetivo de proteger unidades representativas de um ou mais ecossistemas naturais, visando à conservação de seus recursos genéticos, à investigação científica e possibilitando a visitação pública com fins educativos, culturais e recreativos.

PARQUES NACIONAIS — São áreas geográficas extensas e delimitadas, dotadas de atributos naturais excepcionais, objeto de preservação permanente, submetidas à condição de inalienabilidade e indisponibilidade de todos. Os parques nacionais destinam-se a fins científicos, culturais, educativos e recreativos, e criados e administrados pelo Governo Federal constituem-se bens da União destinados ao uso comum do povo, cabendo às autoridades motivadas pelas razões de sua criação preservá-los e mantê-los intocáveis. Pertencem ao grupo de unidades de conservação de proteção integral, e destinam-se à preservação integral de áreas naturais com características de grande relevância sob os aspectos ecológico, beleza cênica, científico, cultural, educativo e recreativo, vedadas as modificações ambientais e a interferência humana direta. Excetuam-se as medidas de recuperação de seus sistemas alterados e as ações de manejo necessárias para recuperar e preservar o equilíbrio natural, a diversidade biológica e os processos naturais, conforme estabelecido em seu plano de manejo. Os Parques Nacionais (PARNA ou PN) comportam a visitação pública com fins recreativos e educacionais, regulamentada pelo plano de manejo da unidade. As pesquisas científicas, quando autorizadas pelo órgão responsável pela sua administração, estão sujeitas às condições e restrições determinadas por este, bem como ao que for definido em seu plano de manejo.

PARQUES TECNOLÓGICOS — São iniciativas planejadas que visam criar condições favoráveis para que as tecnologias desenvolvidas nas universidades e institutos de pesquisa e desenvolvimento sejam transferidas para o setor de produção, via pesquisadores que criam ou participam da criação de empresas com o emprego das tecnologias geradas. Os importantes elementos para a caracterização dos parques tecnológicos seriam, portanto, o seu caráter planificado e presença de empresas nascentes criadas a partir de tecnologias geradas nas instituições de Pesquisa e Desenvolvimento (P&D).

PARQUES TECNOLÓGICOS AGROINDUSTRIAIS — Ver Agropólo.

PARQUES ZOOLÓGICOS — Instituições em que se mantêm em cativeiro, sob condições adequadas, animais de diferentes espécies, visando à educação, cultura e entretenimento popular, bem como ao estudo da biologia animal, buscando o conhecimento de seus costumes e necessidades com vistas às diretrizes seguras para sua conservação e proteção.

PARRICÍDIO — Homicídio praticado pelo filho contra o próprio pai.

PARTE — É toda pessoa que intervém ou participa de um ato jurídico ou processual, como interessado nele. Pode ser a parte que provocou o processo ou a parte que se defende. Cada uma das pessoas que se opõem num litígio. Litigante. Cada uma das pessoas que celebram entre si um contrato na condição de contratante ou contratado.

PARTE ALÍQUOTA — É o quinhão do herdeiro. (Ver: Quinhão.)

PARTE DE UM TRATADO — É o Estado que concordou em vincular-se ou obrigar-se a um tratado.

PARTE IDEAL — Parte de algo que é expresso por uma fração.

PARTE LEGÍTIMA — Genericamente é toda aquela que revela interesse moral ou econômico, qualidade e capacidade para agir em juízo.

PARTES INTERESSADAS — Um indivíduo ou grupo de indivíduos com interesse comum no desempenho da organização e no ambiente em que opera. A maioria das organizações possui as seguintes partes interessadas: a) os clientes; b) a força de trabalho; c) os acionistas e os proprietários; d) os fornecedores e e) a sociedade. A quantidade e a denominação das partes interessadas pode variar em função do perfil da organização.

PARTICIPAÇÃO — 1) Ato ou efeito de participar, tomar parte, integrar. Pode ser direta ou indireta. 2) Aviso que se dá a alguém. 3) Processo em que as comunidades ou os diferentes setores da sociedade, sobretudo os mais marginalizados e desfavorecidos, com interesses legítimos numa intervenção, projeto, programa ou política de desenvolvimento, influenciam na tomada de decisões, nos diferentes níveis, sendo assim atores do seu próprio desenvolvimento.

PARTICIPAÇÃO NO LUCRO (PL) — Fração do lucro que uma empresa distribui aos seus acionistas e/ou funcionários.

PARTICIPAÇÃO NOS LUCROS DA EMPRESA — Direito dos trabalhadores urbanos e rurais, determinado pela Constituição Federal (art. 7º, XI) de participarem do lucro da empresa. Entretanto, esse direito constitucional está condicionado à futura lei ordinária regulamentadora; enquanto isso o pagamento referente à participação nos lucros será facultativo, fruto de negociação coletiva entre sindicatos e empresas. Esse valor pago a título de participação não estará sujeito a ônus social, trabalhista, previdenciário ou fiscal.

PARTICIPAÇÃO RECÍPROCA — É a possibilidade de uma controlada direta ou indireta deter parte do capital de sua controladora. A participação recíproca só é aceitável estritamente nos casos em que se exigiria o recolhimento das ações à tesouraria.

PARTICIPAÇÃO SOCIAL — É a atividade organizada, racional e consciente, por parte de um determinado grupo social, com o objetivo de expressar iniciativas, necessidades ou demandas, de defender interesses e valores comuns, de alcançar fins econômicos, sociais ou políticos e de influir, direta ou indiretamente, na tomada de decisão, para melhorar a qualidade de vida da comunidade.

PARTICIPANTE — 1) É o associado, o segurado ou o beneficiário incluído nos planos de previdência privada. 2) É uma parte que é reconhecida nas regras de um sistema de pagamento como elegível para intercambiar e liquidar pagamentos através do sistema com outros participantes, seja de forma direta, seja indireta.

PARTICIPANTE INDIRETO — Uma classe de participante em um sistema de pagamento em que existe um acordo de hierarquização. Os participantes indiretos liquidam seus pagamentos nos livros dos participantes diretos e não entre contas na instituição liquidante.

PARTÍCIPE — Indivíduo que auxilia o autor de um crime.

PARTÍCULA — Nome genérico de um sistema a que se podem atribuir as propriedades de um corpo de dimensões diminutas e massa significativa. Exemplos: elétrons, prótons, nêutrons, átomos, moléculas, íons etc.

PARTÍCULA ALFA — Partícula carregada positivamente e emitida por certos materiais radioativos. Compõe-se de dois nêutrons e dois prótons ligados entre si e é idêntica ao núcleo do átomo de Hélio. É a menos penetrante dos três tipos mais comuns de radiações (alfa, beta e gama) emitidas por materiais radioativos; pode ser bloqueada por uma folha de papel. Não apresenta perigo para plantas, animais ou para o ser humano, a não ser quando substâncias emissoras de tais partículas entram no corpo (radiação interna). (Ver: Radiação // Partícula beta // Raios X.)

PARTÍCULA BETA — Partícula emitida por um núcleo durante o seu decaimento radioativo, com carga elétrica unitária e massa igual a 1/1.837 da de um próton. Uma partícula beta carregada negativamente é idêntica a um elétron e carregada positivamente é chamada de pósitron. A radiação beta pode causar queimaduras na pele, e os seus emissores são prejudiciais, se entrarem no corpo humano. As partículas beta são facilmente bloqueadas por uma fina folha de metal. (Ver: Radiação // Partícula alfa // Raios X.)

PARTICULADOS — Partículas atmosféricas constituídas de uma grande variedade de materiais naturais (por exemplo, pólen, poeira, resinas), combinadas com poluentes fabricados pelo ser humano (por exemplo, partículas de fumaça, cinza metálica). Em concentrações suficientes, os particulados podem causar irritação nas vias respiratórias.

PARTIDÁRIO — Diz respeito a partido. Que segue algum partido ou facção; adepto; fanático.

PARTIDO — Associação de pessoas unidas pelos mesmos interesses, ideais, objetivos.

PARTIDO POLÍTICO — Agrupamento de indivíduos que professam a mesma ideologia política buscando a conquista legal do poder político, a fim de cumprir determinado programa político-social.

PARTIDOR — Serventuário da Justiça que tem por função esboçar os planos de partilha a ser feita em juízo.

PARTIDOS POLÍTICOS - CRIAÇÃO — A Lei Federal nº 9096, de 1995, em seu art. 8º, exige que o requerimento do registro de partido político, dirigido ao Cartório competente do Registro Civil das Pessoas Jurídicas, da Capital Federal, deve ser subscrito pelos seus fundadores, em número nunca inferior a 101, com domicílio eleitoral em, no mínimo, um terço dos Estados. Com a lista é possível pedir o registro provisório no Tribunal Superior Eleitoral. O partido tem prazo de um ano para cumprir as exigências necessárias ao registro definitivo; realizar convenções e eleições de diretórios municipais em pelo menos um quinto dos municípios de nove estados. Depois, são eleitos também os diretórios estaduais e o nacional, e, finalmente, o partido pode solicitar a oficialização do registro. (Ver: Eleição - Cláusula de barreira.)

PARTILHA — 1) Formação e distribuição dos quinhões, mediante julgamento ou homologação judiciais, após inventário dos bens a serem repartidos. Trata-se, em suma, da divisão ou repartição dos bens da herança entre os sucessores do falecido (*de cujus*). 2) É o pagamento da última conta de liquidação do passivo (patrimônio líquido), através do partilhamento dos valores remanescentes entre os antigos sócios. Seu encerramento permite o encerramento da liquidação e a extinção da empresa/sociedade.

PARTILHA, AÇÃO ANULATÓRIA DE — Ação que visa desfazer partilha amigável, quando viciada por coação, dolo, erro, essencial ou intervenção de incapaz. Segue o rito ordinário e prescreve em um ano. Quando a partilha é julgada por sentença, só pode ser anulada por ação rescisória. O mesmo que ação de nulidade de partilha amigável.

PARTILHA, AÇÃO DE — Ação simplesmente declaratória da propriedade que o herdeiro, ou interessado legítimo, move para exigir do cabeça do casal ou de co-herdeiros que se acharem na posse dos bens comuns, que os dêem a inventário ou partilha, com os rendimentos havidos desde a abertura da sucessão ou ainda, a ação do herdeiro contra o inventariante, quem possa sê-lo ou contra o herdeiro detentor, para que leve a inventário bem sonegado ou não.

PARTNER — Parceiro ou sócio de uma atividade ou sociedade.

PASEP (PROGRAMA DE FORMAÇÃO DO PATRIMÔNIO DO SERVIDOR PÚBLICO) — Criado em 3.12.1970, com alíquota de 1% sobre a folha de pagamento das administrações diretas e indiretas é um Programa que tem por finalidade assegurar a formação de um patrimônio individual progressivo do servidor. O fundo é formado por um conjunto de depósitos efetuados pelas administrações públicas (direta e indireta) correspondendo a percentual de suas respectivas folhas de pagamentos. Esses depósitos formam uma caixa única que é rateada entre os beneficiários do fundo, segundo normas estabelecidas pela legislação. A partir de 1º de julho de 1976, foi unificado com o PIS, sob a denominação de PIS-PASEP. O PASEP é administrado pelo Banco do Brasil S.A.

PASMO — Misto de espanto e assombro com tendência ao desfalecimento.

PASSAGEM DE ÁGUAS, AÇÃO DE — É o meio judicial que compete a qualquer um que tenha legítimo interesse, contra donos de prédios rústicos (menos chácaras, sítios murados, quintais, pátios, hortas, jardins), para poder canalizar através destes as águas que tenha direito, em proveito agrícola ou industrial próprio, pagando prévia indenização.

PASSAGEM FORÇADA, AÇÃO DE — É o meio judicial a que tem legitimidade o proprietário, o usufrutuário, o usuário, o habitador ou possuidor de prédio encravado em outro, para pedir saída para via pública, fonte ou ponto. O proprietário do prédio situado entre o encravado e o acesso à via pública tem legitimidade passiva. Ação de rito sumário.

PASSIVO — 1) Parte do Balanço que representa as fontes ou proveniências dos valores que se acham espelhados no Ativo. É o conjunto das obrigações (dívidas e outros encargos) assumidas e que devem ser pagas pela empresa ou instituição. As categorias do Passivo utilizadas no Balanço Patrimonial das entidades do setor público reguladas pela Lei nº 4.320, de 1964 (Passivo Financeiro, Passivo Permanente e Passivo Compensado), são distintas das que são utilizadas nos Balanços das empresas privadas e das entidades do setor público reguladas pela Lei nº 6.404, de 1976 (Passivo Circulante, Exigível a Longo Prazo e Patrimônio Líquido). Nos Balanços do setor público é utilizada também a categoria Passivo Real, que corresponde à soma do Passivo Financeiro com o Passivo Permanente. 2) É o conjunto de dívidas e obrigações de uma empresa com terceiros. Inclui contas a pagar, impostos, empréstimos, entre outros.

PASSIVO A DESCOBERTO — Excesso das dívidas sobre o valor do Ativo; parte de dívidas que não encontra correspondência em valores do Ativo. Expressão que serve para designar o prejuízo nas demonstrações dos Balanços.

PASSIVO AMBIENTAL — Resultado econômico de uma empresa passível de ser sacrificado em função da preservação, recuperação e proteção do meio ambiente; danos ambientais provocados por diferentes atividades ao longo do tempo e que não foram alvo de mitigações e recuperação.

PASSIVO CIRCULANTE — Categoria do Passivo, também denominado Exigível a Curto Prazo, contida no Balanço das entidades do setor privado e no das entidades do setor público regidas pela Lei nº 6.404, de 1976, cujas contas expressam as obrigações vencíveis no curso do exercício social subseqüente à data dos balanços considerados, tais como: depósitos, fornecedores, antecipações de receita, financiamentos a curto prazo, e contas a pagar relativas a outras obrigações pendentes ou em circulação.

PASSIVO COMPENSADO — Contas com função precípua de controle, relacionadas aos bens, direitos, obrigações e situações não compreendidas no patrimônio, mas que, direta ou indiretamente, possam vir a afetá-lo, inclusive as referentes a atos e fatos relacionados com a execução orçamentária e financeira. 2) Categoria do Passivo contida no Balanço Patrimonial das entidades do setor público, regidas pela Lei Federal nº 4.320, de 1964, que compreende as contas com função de controle, ou seja, aquelas relativas ao registro dos bens, valores, obrigações e situações não compreendidas no Passivo Real, mas que, direta ou indiretamente, poderão vir a afetar o patrimônio da entidade.

PASSIVO CONTINGENTE — É uma possível obrigação que provenha de eventos passados e cuja existência somente será confirmada pela ocorrência ou não ocorrência de um ou mais eventos futuros incertos não totalmente adentro do controle da entidade; ou uma obrigação presente que surja proveniente de eventos passados mas que não é reconhecida porque: a) não é provável que uma saída de recursos incorporando benefícios econômicos será exigida para liquidar a obrigação; ou b) a quantia da obrigação não pode ser mensurada com suficiente fiabilidade.

PASSIVO EXIGÍVEL A LONGO PRAZO — Categoria do Passivo contida no Balanço das entidades do setor privado e no das entidades do setor público regidas pela Lei nº 6.404, de 1976, cujas contas registram as obrigações exigíveis normalmente após o término do exercício seguinte. Essa categoria do Passivo deriva do art. 180 da Lei nº 6.404, de 1976, que estabelece: as obrigações da companhia, inclusive financiamentos para aquisição de direitos do Ativo Permanente, serão classificadas no Passivo Circulante, quando vencerem no exercício seguinte, e no Passivo Exigível a Longo Prazo, se tiverem vencimento em prazo maior, observado o disposto no parágrafo único do art. 179, isto é, que as empresas de ciclo operacional longo poderão se basear nestes para definir a fronteira entre o curto e o longo prazos.

PASSIVO FINANCEIRO — Categoria de passivo contida nos Balanços Patrimoniais das entidades do setor público, regidas pela Lei Federal nº 4.320, de 1964, que compreende os compromissos exigíveis, cujo pagamento independa de autorização orçamentária. Os grupos representativos do Passivo Financeiro são: Restos a Pagar, Serviços da Dívida a Pagar, Depósitos e Débitos em Tesouraria.

PASSIVO ONEROSO — Conceito utilizado somente para instituições financeiras e que engloba a soma de todos os passivos que acarretam uma despesa. O custo total desses passivos reflete a despesa de intermediação financeira, e estão incluídos na receita bruta de intermediação financeira.

PASSIVO PERMANENTE — Categoria do Passivo que integra o Balanço Patrimonial das entidades do setor público regidas pela Lei nº 4.320, de 1964, compreendendo as dívidas fundadas e outras que dependam de autorização legislativa para sua amortização ou resgate. Tais compromissos abrangem, principalmente, as dívidas de longo prazo, de exigibilidade superior a um ano, quer sejam elas derivadas de empréstimos internos ou externos, quaisquer que sejam as suas origens (constituídas para atender aos desequilíbrios de caixa ou para financiar programas ou empreendimentos).

PASSIVO REAL — Denominação atribuída, nos Balanços do setor público, à soma do Passivo Financeiro com o Passivo Permanente.

PASSTHROUGH — Reflexo do aumento da taxa de câmbio sobre os preços internos, inflação. Quando o dólar se valoriza ante a moeda nacional, os produtos importados ficam mais caros e os produtores internos ganham uma margem maior para aumentar seus preços e ainda se manterem competitivos. Além disso, muitos produtos têm componentes importados cujo aumento de preço, os produtores repassam para o consumidor.

PAT (PROGRAMA DE ALIMENTAÇÃO DO TRABALHADOR) — Tem por finalidade auxiliar na alimentação dos trabalhadores que recebem até cinco salários mínimos, beneficiando trabalhador e empregador com melhores condições de trabalho. O empregador cadastrado no PAT pode abater até 4% do imposto de renda devido.

PATENTE — Título de propriedade temporária sobre invenção, modelo de utilidade ou desenho industrial, outorgado pelo Estado ao inventor, autor, pessoa física ou jurídica detentora de direitos sobre a criação. A patente confere ao seu titular uma situação legal, pela qual a invenção patenteada pode ser explorada (fabricada, importada, vendida e usada) durante um período que varia de 15 a 20 anos, com autorização do titular. O seu registro e utilização são regulados por convenções internacionais. No Brasil o registro das patentes é feito pelo INPI – Instituto Nacional da Propriedade Industrial.

PATENTEABILIDADE — Ver Patenteamento.

PATENTEAMENTO — A característica principal do documento de patente é o requisito de patenteabilidade, o que significa que só é patenteável a invenção que atenda aos requisitos de novidade, isto é, que não tenha sido divulgada antes, que seja inédita, portanto que não tenha existido ainda, que possua atividade inventiva, e aplicação industrial, passível, portanto, de ser comercializada. A Invenção é considerada nova quando não está inserida no estado da técnica, e este é constituído por todo o registro de acesso público antes da data de depósito do pedido de patente, por descrição escrita ou oral, por uso ou qualquer outro meio, no país de origem ou no exterior.

PATOGENICIDADE — Capacidade que tem um agente infeccioso de produzir doença em um organismo susceptível.

PATÓGENO OU PATOGÊNICO — Capaz de produzir doença. Organismo capaz de atacar outros organismos vivos (plantas e animais) e causar doenças; geralmente são bactérias, fungos ou vírus.

PATOLOGIA — Ramo do conhecimento médico que estuda as doenças, suas causas e origens, as alterações orgânicas (anatomopatológicas) e funcionais (fisiopatológicas) provocadas no organismo, a evolução das mesmas e os sintomas (queixas subjetivas) e sinais (constatações objetivas) que permitem reconhecê-las.

PATRÃO — Chefe ou proprietário de estabelecimento, fábrica etc., em relação aos empregados; empregador.

PÁTRIA — É o lugar ou país em que se nasce ou em que se teve origem.

PATRIMÔNIO — ASPECTO QUALITATIVO — Qualitativamente, o Patrimônio é entendido como um conjunto de bens, créditos, débitos, dotações e previsões que, em determinado momento, se encontram à disposição do ente público, concorrendo para a realização de seus fins. (Ver: Patrimônio.)

PATRIMÔNIO – ASPECTO QUANTITATIVO — Quantitativamente, o Patrimônio é um fundo de valores, constituído pela expressão monetária dos elementos Ativo, Passivo e Situação Líquida. (Ver: Patrimônio.)

PATRIMÔNIO — Conjunto de bens (móveis e imóveis), disponibilidades e direitos pertencentes, com caráter de exclusividade, a uma pessoa física ou jurídica (órgão, empresa ou entidade). No âmbito do setor público é o conjunto de bens, valores, créditos e obrigações de conteúdo econômico, avaliáveis em moeda, que a Administração Pública possui e utiliza na consecução de seus objetivos básicos. Contabilmente, subdivide-se em Ativo e Passivo. Não devem ser computados, como parte do patrimônio de suas entidades, os bens públicos que são de uso coletivo - tais como ruas, estradas, pontes e praças -, não obstante esses envolvam dispêndios de recursos públicos para a sua construção, requeiram gastos com a sua manutenção e possuam valoração para exploração econômica (pontes e rodovias sujeitas a pedágio). No âmbito das empresas, o patrimônio é formado pela diferença entre o ativo e o passivo. Quando essa diferença é positiva, fala-se em *patrimônio líquido*, e quando ela é negativa, denomina-se *passivo a descoberto*.

PATRIMÔNIO AMBIENTAL — Abrange tanto o meio natural, como qualquer manifestação material ou imaterial que seja representativa do ser humano e da cultura.

PATRIMÔNIO CULTURAL — Conjunto de bens culturais ou naturais de um povo ou nação, que compreende o acervo documental, bibliográfico, étnico, cultural, histórico, artístico, natural, arquitetônico e arqueológico, podendo ser expresso de forma concreta, ou como valores, padrões de comportamento, usos, hábitos e costumes da população.

PATRIMÔNIO CULTURAL EDIFICADO — É toda a edificação realizada pelo ser humano, que concretizou o conhecimento e a técnica de determinada época e lugar, passando esta a incorporar-se à cultura local.

PATRIMÔNIO CULTURAL NÃO EDIFICADO — São todos os instrumentos, utensílios e artefatos característicos de um povo ou de uma região. Como também o acervo artístico e cultural, seja adquirido ou produzido na região. (Ex.: o acervo de bibliotecas, arquivos, pinacotecas, museus, igrejas etc.).

PATRIMÔNIO CULTURAL TOMBADO — São os bens de natureza material e imaterial, tombados individualmente ou em conjunto, portadores de referência à identidade, à ação, à memória dos diferentes grupos da sociedade, nos quais se incluem os conjuntos urbanos e sítios de valor histórico, paisagístico, arqueológico, paleontológico e científico.

PATRIMÔNIO DA HUMANIDADE — Instrumento criado em 1972 pela Convenção do Patrimônio Mundial da UNESCO, para incentivar a preservação de bens culturais e naturais considerados significativos para a humanidade. Os países signatários dessa Convenção podem indicar bens culturais a serem inscritos na Lista do Patrimônio Mundial. As informações sobre cada candidatura são avaliadas por comissões técnicas, e a aprovação final é feita anualmente pelo Comitê do Patrimônio Mundial, integrado por representantes de 21 países. A proteção e conservação dos bens declarados Patrimônio da Humanidade é compromisso do país onde se localizam.

PATRIMÔNIO DE AFETAÇÃO — É a segregação patrimonial de bens do incorporador para uma atividade específica, com o intuito de assegurar a continuidade e a entrega das unidades em construção aos futuros adquirentes, mesmo em caso de falência ou insolvência do incorporador.

PATRIMÔNIO DO FUNDO — Ver Fundo, Patrimônio do.

PATRIMÔNIO ESPELEOLÓGICO — Conjunto de elementos bióticos e abióticos, socioeconômicos e histórico-culturais, subterrâneos ou superficiais, representado pelas cavidades naturais subterrâneas ou a estas associados.

PATRIMÔNIO LÍQUIDO — É resultante da diferença entre os valores do Ativo e as Dívidas da empresa expressas no Passivo Circulante e no Passivo Exigível a Longo Prazo. Patrimônio Líquido equivale a Capital Próprio ou Recursos Próprios.

PATRIMÔNIO LÍQUIDO DE UM FUNDO MÚTUO DE INVESTIMENTO — É a relação: Valor da carteira do fundo (+) Disponibilidade do fundo (+) Valores a receber (-) Exigibilidades.

PATRIMÔNIO LÍQUIDO EXIGIDO — É o patrimônio líquido mínimo exigido pelo Banco Central do Brasil para atuação da Instituição Financeira, determinado em função da abrangência da atuação da instituição e do risco de sua carteira de créditos.

PATRIMÔNIO NATURAL — É o conjunto de elementos da paisagem natural do sítio de um município, englobando a flora e a fauna, cuja preservação é imprescindível pelo seu significado para a identidade do mesmo.

PATRIMÔNIO PÚBLICO — Expressão que designa os bens de natureza patrimonial vinculados aos órgãos e instituições dos poderes públicos - prédios, veículos, máquinas, equipamentos, aparelhos, materiais, direitos, disponibilidades etc. - somados aos bens públicos de uso coletivo - estradas, ruas, pontes, praças - que no seu conjunto são colocados à disposição da sociedade ou a seu serviço.

PATRIMÔNIO TRANSMISSÍVEL — A sucessão visa à transferência do patrimônio de uma pessoa a outra. O patrimônio a ser transmitido é constituído da totalidade dos bens pertencentes ao *de cujus* (o falecido), sejam imóveis ou móveis, direitos e ações, títulos ou dinheiro, jóias etc. As dívidas, no entanto, são transmissíveis também, assim o ativo e o passivo se transferem. Porém os herdeiros só estarão obrigados às dívidas até o limite das forças da herança.

PÁTRIO PODER — A expressão constava do antigo Código Civil (de 1916), quando quem exercia o poder sobre os filhos era o pai e não se falava no poder do pai e da mãe (pais). A primitiva redação do revogado Código Civil falava em poder do pai, e, na sua falta, da mãe. Esta situação mudou e hoje a responsabilidade sobre os filhos é de ambos. Foi intuito do legislador afastar a conotação patriarcalista, de predominância da figura materna nas relações com os filhos menores que, no novo Código Civil, o "pátrio poder" passou a denominar-se "Poder Familiar". (Ver: Poder familiar.)

PÁTRIO PODER, AÇÃO DE — É a ação através da qual o pai ou a mãe reclama menor da pessoa que o detenha legalmente. (Ver: Poder familiar.)

PÁTRIO PODER, AÇÃO DE DESTITUIÇÃO DO — Ação na qual parente do menor, ou representante do Ministério Público, pede a condenação do pai à perda de pátrio poder sobre ele, em razão de atos que a lei prevê com essa pena. No novo Código Civil o Pátrio Poder passou a denominar-se Poder Familiar. (Ver: Poder familiar.)

PÁTRIO PODER, AÇÃO DE PERDA DE — Ver Pátrio Poder, Ação de destituição do.

PATRIOTISMO — É o sentimento de amor à Pátria e se distingue do nacionalismo. (Ver: Nacionalismo.)

PATROCINADOR — Pessoa, grupo ou organização que concede apoio financeiro, material ou técnico para a execução de um projeto.

PATROCÍNIO INFIEL — É um dos crimes praticados contra a administração da justiça. Consiste em trair, na qualidade de advogado ou procurador, o dever profissional, prejudicando interesse, cujo patrocínio, em juízo, lhe é confiado. A pena prevista é de detenção, de seis meses a três anos, e multa.

PATROCÍNIO SIMULTÂNEO OU TERGIVERSAÇÃO — É um dos crimes praticados contra a administração da justiça. Trata-se de crime praticado por advogado ou procurador judicial que defende na mesma causa, simultânea ou sucessivamente, partes contrárias. A pena prevista é de detenção, de seis meses a três anos, e multa.

PATRONATO — No Direito Penal, estabelecimento correcional de menores, que os recolhe para protegê-los e reeducá-los. Denomina, também, o estabelecimento oficial ou particular destinado a proporcionar, a liberados condicionalmente, meios necessários à sua readaptação à sociedade. No Direito do Trabalho, regime de trabalho assalariado em função do patrão, daí o termo.

PATRONÍMICO — Sobrenome ou apelido de família.

PAUTA — Relação, para ciência dos interessados, dos assuntos a serem tratados em uma reunião ou dos processos a serem apreciados e/ou julgados pelo órgão.

PAUTA DE ALIMENTAÇÃO — Ver Saúde - Pauta de Alimentação.

PAVOR — Grande susto seguido de um medo intenso.

***PAY IN OPEN ACCOUNT* —** Pagar em conta-corrente.

***PAYBACK* —** Retorno de investimento.

***PAYOFF* —** Medidas quantitativas de resultados.

***PAYOUT* —** Percentual do lucro da empresa pago em forma de dividendo.

PAZ SOCIAL — Diz do direito que se destina a garantir a convivência entre os seres humanos, prevenindo ou resolvendo os seus conflitos.

PDV (PROGRAMA DE DEMISSÃO VOLUNTÁRIA) — O PDV consiste no oferecimento, pelo empregador ao empregado, de incentivos pecuniários (obedecido o valor mínimo estabelecido na CLT), em troca de rompimento do vínculo empregatício, sem ferir o direito constitucional à estabilidade no emprego. O PDV também é adotado pela Administração Pública, objetivando o desligamento do servidor público civil da administração direta, autarquias e fundações, mediante indenização.

PÉ — Medida linear inglesa usada nos meios marítimos ainda hoje em uso. Tem 12 polegadas e equivale aproximadamente a 30,5 cm. (Ver: Jarda // Polegada.)

PÉ DIREITO — Distância vertical que limita o piso e o teto de um pavimento; distância vertical entre o nível do solo e a cobertura de um prédio.

PEA — Ver População Economicamente Ativa.

PEC (PROPOSTA DE EMENDA CONSTITUCIONAL) — Ver Emenda Constitucional, Proposta de.

PEÇAS — Instrumentos de um processo.

PECUÁRIA — É a arte ou o conjunto de processos técnicos usados na domesticação e produção de animais com objetivos econômicos, feita no campo. Também conhecida como criação animal (*animal husbandry*), a prática de produzir e reproduzir gado é uma habilidade vital para muitos agricultores.

PECUÁRIA EXTENSIVA — Aquela que é desenvolvida em grandes extensões de terra, com gado solto, geralmente sem grandes aplicação de recursos tecnológicos, investimentos financeiros e recursos veterinários importantes.

PECUÁRIA INTENSIVA — Aquela que é praticada utilizando-se recursos tecnológicos avançados, tais como: gado confinado, reprodução através de inseminação artificial e controle via satélite.

PECULATO — É um dos crimes praticados por servidor ou agentes públicos contra a Administração Pública em geral. Caracteriza-se pela apropriação de dinheiro, valor ou qualquer outro bem móvel, público ou particular, de que tem a posse em razão do cargo, ou desviá-lo, em proveito próprio ou alheio. O crime de peculato pode ser praticado de forma direta (pelo próprio agente e em proveito próprio ou de terceiros) ou indireta (pelo favorecimento a que a apropriação seja realizada por outras pessoas). A pena prevista para este crime é de reclusão, de 2 a 12 anos, e multa. Aplica-se a mesma pena se o servidor público, embora não tendo a posse do dinheiro, valor ou bem, o subtrai, ou concorre para que seja subtraído, em proveito próprio ou alheio, valendo-se de facilidade que lhe proporciona a qualidade de servidor.

PECULATO CULPOSO — É um dos crimes praticados por servidor ou agentes públicos contra a administração em geral. Trata-se do crime em que o servidor ou agente concorre culposamente, ou seja, sem a intenção, para que outro se aproprie de dinheiro, valor ou qualquer outro bem móvel, público ou particular, de que tem a posse em razão do cargo, ou o desvie, em proveito próprio ou alheio. A pena prevista é de detenção, de três meses a um ano.

PECULATO MEDIANTE ERRO DE OUTREM — É um dos crimes praticados por servidor ou agentes públicos contra a administração em geral consistente na apropriação de dinheiro ou qualquer utilidade que, no exercício do cargo, recebeu por erro de outrem. A pena prevista para este crime é de reclusão, de um a quatro anos, e multa.

PECULIARIDADES AMBIENTAIS — A expressão envolve os sistemas ambientais, alterados ou não, destacando os componentes bióticos e abióticos, seus fatores, seus processos naturais, seus atributos (qualidade, valor sociocultural), os patrimônios culturais, cênicos, da biodiversidade que se destacam pela raridade, potencialidade ou fragilidade. Envolvem também a tipologia e a qualificação dos recursos naturais.

PECÚLIO — É uma quantia em dinheiro, de acordo com o que foi contratado, a ser paga de uma só vez por óbito do participante, ao(s) beneficiário(s) por ele designado(s), enquanto estiver contribuindo para um plano complementar de aposentadoria. O benefício do pecúlio, por morte natural, tem uma carência de 12 meses, contados do primeiro dia do mês em que for paga a primeira contribuição devida, após o ingresso do participante no quadro social da entidade.

PEDICULOSE — Ver Saúde - Pediculose.

PEDIDO — É o requerimento formulado ao juiz, em que se pede o que se tem direito ou se indica o que é necessário para restabelecimento da relação jurídica, que está em demanda. O pedido deve ser certo ou determinado. Ainda, pode ser genérico quando se tratar de ações universais, se não puder o autor individuar na petição os bens demandados; quando não for possível determinar, de modo definitivo, as conseqüências do ato ou do fato ilícito e quando a determinação do valor da condenação depender de ato que deva ser praticado pelo réu.

PEDIDO ALTERNATIVO — É aquele em que, pela natureza da obrigação, o devedor pode cumprir a prestação de mais de um modo. Quando, pela lei ou pelo contrato, a escolha couber ao devedor, o juiz lhe assegurará o direito de cumprir a prestação de um ou de outro modo, ainda que o autor não tenha formulado pedido alternativo.

PEDIDO DE DESTAQUE — No Legislativo é o pedido para que se vote em separado determinado dispositivo, emenda ou outro ponto em particular.

PEDIDO DE VISTA — Medida que interrompe uma votação em julgamento. Significa a intenção de melhor examinar o caso antes de votar.

PEDIDO GENÉRICO — Aquele que não determina a quantidade ou extensão do direito pleiteado, normalmente, depende de condição futura.

PEDIDO MEDIATO — É a utilidade que se quer alcançar pela sentença, ou providência jurisdicional, isto é, o bem material ou imaterial pretendido pelo autor.

PEDIR — É uma maneira inicial saudável de manifestar uma vontade, um desejo ou uma intenção sem ter que manipular pessoas.

PEDOFILIA — Também chamada de *paedophilia erotica* ou pedossexualidade, é uma parafilia na qual a atração sexual de um indivíduo adulto está dirigida primariamente para crianças pré-púberes ou ao redor da puberdade. A pedofilia, por si só, não é um crime, mas sim, um estado psicológico, e um desvio sexual. A pessoa pedófila passa a cometer um crime quando, baseado em seus desejos sexuais, comete atos criminosos como abusar sexualmente de crianças ou ter posse de pornografia infantil. (Ver: Pornografia.)

PEITA — Antigo tributo pago pelos que não eram fidalgos; dádiva ou promessa de dádiva com o fim de subornar; suborno.

PENA — 1) Pena lembra castigo, punição, dor, padecimento, sofrimento, aflição, desgosto, purgação. Sentimento que encobre a raiva. 2) Sanção imposta pelo Poder Público, por alguém investido de poder legal ou por particulares àquele que descumpre normas, impondo ou proibindo determinadas condutas. O termo não se restringe ao Estado: o clube de futebol que impõe sanções a um jogador, por exemplo, aplica uma pena. O tipo da pena varia conforme a natureza do serviço do punido (administrativa, disciplinar etc.) ou da sua conduta (civil ou criminal). Em todos os ramos do Direito, impõe-se sanção para quem infringe os seus mandamentos: privativas de liberdade, restritivas de direitos e multa. Tem caráter preventivo e retributivo. É uma sanção aflitiva (constrangimento) à pena imposta pelo Estado mediante uma ação penal ao autor de uma infração penal como retribuição de seu ato ilícito consistente na diminuição de um bem jurídico cujo fim é evitar novos delitos. De acordo com o Código Penal em vigor no Brasil para condutas criminosas, a pena máxima de restrição da liberdade é de 30 anos; nenhum condenado pode ficar recluso por período superior, mesmo que a condenação seja por maior tempo.

PENA – REMIÇÃO PELO TRABALHO — Remir significa resgatar, abater, descontar, pelo trabalho realizado dentro do sistema prisional, parte do tempo de pena a cumprir. Chama-se remição, na lei de execução penal, a possibilidade que tem o preso, em regime fechado ou semi-aberto, de remir parte da execução da pena pelo trabalho, à razão de um dia de pena por três dias de trabalho (art. 126, § 1º). O acidente de trabalho não impede a remição. Esta deve ser declarada pelo juiz, ouvido o Ministério Público (art. 126, § 3º). O tempo remido é computado para a concessão do livramento condicional (art. 126). O preso que incorre em falta grave perde o direito à remição que tenha obtido com o seu trabalho. Esta instituição prevista na lei de execução penal estabelece um princípio que deve ser considerado quando se faz o cômputo da pena privativa de liberdade. O preso provisório, que não está obrigado ao trabalho, se trabalhar também poderá remir parte de sua futura condenação.

PENA ADMINISTRATIVA — Ver Pena Disciplinar.

PENA ALTERNATIVA — São aquelas que procuram minorar o problema da reincidência criminal e o desafogamento do sistema prisional, através de penas restritivas de direitos como a prestação de serviços à comunidade, a interdição temporária de direitos e a limitação de fim de semana. Aplicam-se para delitos leves, com penas não superiores a quatro anos.

PENA DE DETENÇÃO — É aquela que deve ser cumprida em regime semi-aberto ou aberto.

PENA DE MULTA — É uma das espécies de pena estabelecidas pelo Código Penal, correspondente ao pagamento ao fundo penitenciário da quantia fixada na sentença e calculada em dias-multa, sendo, no mínimo, de dez e, no máximo, de 360 dias-multa. O valor do dia-multa será fixado pelo juiz, não podendo ser inferior a um trigésimo do maior salário mínimo mensal vigente ao tempo do fato, nem superior a cinco vezes esse salário. O valor da multa será atualizado, quando da execução, pelos índices de correção monetária.

PENA DE RECLUSÃO — É aquela com condenação acima de oito anos ou reincidentes em crimes dolosos e que deve ser cumprida em regime fechado, semi-aberto ou aberto. (Ver: Pena, Regime de // Penas privativas de liberdade.)

PENA DISCIPLINAR — Punição administrativa, cominada ao servidor público que, por ação ou omissão, deixa de cumprir qualquer dos seus deveres definidos em lei ou pratica o que lhe é expressamente proibido.

PENA PRIVATIVA DE LIBERDADE, MÁXIMO DA — O tempo de cumprimento das penas privativas da liberdade não pode ser superior a trinta anos. O § 1°, do art. 75 do Código Penal, dispõe que quando o agente for condenado a penas privativas de liberdade, cuja soma seja superior a trinta anos, devem elas ser unificadas para atender ao limite máximo deste artigo. A hipótese do agente condenado por crime praticado durante o cumprimento da pena está prevista no § 2°: "Sobrevindo condenação por fato posterior ao início do cumprimento da pena, far-se-á nova unificação, desprezando, para esse fim, o período de pena já cumprido". (Ver: Penas privativas de liberdade // Penas restritivas de diretos.)

PENA, REGIME DE — Considera-se: a) regime fechado: a execução da pena em estabelecimento de segurança máxima ou média; b) regime semi-aberto: a execução da pena em colônia agrícola, industrial ou estabelecimento similar; c) regime aberto: a execução da pena em casa de albergado ou estabelecimento adequado.

PENALIDADE — Conjunto ou sistema de penas impostas pela lei; natureza de pena; pena, castigo, punição.

PENAS PRIVATIVAS DE LIBERDADE — São as penas de reclusão e a detenção. A pena de reclusão deve ser cumprida em regime fechado, semi-aberto ou aberto. A de detenção, em regime semi-aberto ou aberto. As penas privativas de liberdade deverão ser executadas em forma progressiva, segundo o mérito do condenado, observados os seguintes critérios e ressalvadas as hipóteses de transferência a regime mais rigoroso: a) o condenado a pena superior a 8 (oito) anos deverá começar a cumpri-la em regime fechado; b) o condenado não reincidente, cuja pena seja superior a 4 (quatro) anos e não exceda a 8 (oito), poderá, desde o princípio, cumpri-la em regime semi-aberto; c) o condenado não reincidente, cuja pena seja igual ou inferior a 4 (quatro) anos, poderá, desde o início, cumpri-la em regime aberto. São efeitos da condenação, a perda de cargo, função pública ou mandato eletivo: a) quando aplicada pena privativa de liberdade por tempo igual ou superior a um ano, nos crimes praticados com abuso de poder ou violação de dever para com a Administração Pública; b) quando for aplicada pena privativa de liberdade por tempo superior a quatro anos nos demais casos. (Ver: Pena privativa de liberdade, máximo de // Pena de reclusão // Penas restritivas de diretos.)

PENAS RESTRITIVAS DE DIREITOS (OU PENAS ALTERNATIVAS) — São sanções penais impostas em substituição à pena privativa de liberdade (reclusão, detenção e prisão simples), em face da prática de determinadas infrações penais de menor ou médio potencial ofensivo e aplicadas aos infratores cuja prisão não é aconselhável, vez que o encarceramento, na verdade, não proporcionaria a desejada ressocialização do condenado. Entre as penas de interdição temporária de direitos tem-se a proibição do exercício de cargo, função ou atividade pública, bem como de mandato eletivo.

PENAS RESTRITIVAS DE DIREITOS, ESPÉCIES DE — Com redação dada pela Lei nº 9.714, de 25 de novembro de 1998, as penas restritivas de direitos, as chamadas penas alternativas, vêm enumeradas no art. 43 do Código Penal, em cinco espécies: a) prestação pecuniária; b) perda de bens e valores; c) prestação de serviços à comunidade ou a entidades públicas; d) limitação de fim de semana; e) interdição temporária de direitos. A pena de multa, a qual não deve ser confundida com a pena de prestação pecuniária, inovação da Lei n. 9.714, de 1998, também passou a ser alternativa da pena privativa de liberdade, desde que esta, quando aplicada, não exceda a seis meses (art. 60, § 2.º, do CP).

PENAS, CLASSIFICAÇÃO DAS — Classificação das penas de acordo com a doutrina - Corporais: Pena de morte, mutilação etc.; Privativas de liberdade: reclusão, detenção etc.; Restritivas de liberdade: prisão domiciliar etc.; Pecuniárias: multa, confisco de bens etc.; Restritivas ou privativas de direitos: proibição de dirigir por um determinado período etc. No Direito Penal Brasileiro - Penas restritivas de liberdade (Código Penal art. 32 - comuns); Penas restritivas de direito (restritivas ou alternativas); Penas de multa (eventualmente substitutivas - art. 49, CP).

PENAS, LIMITE DAS — Ver Pena Privativa de Liberdade, máximo da.

PENDÊNCIA — Contenda, litígio, conflito; pendenga. Na linguagem jurídica exprime a questão ou disputa acerca de direitos ou bens. Tempo durante o qual uma causa ou um recurso está pendente ou correndo.

***PENDENTE LITE* —** [Latim]. Expressão que significa lide em trâmite.

PENHOR — É a garantia de dívida, ou obrigação dada em contrato, pelo devedor ou por terceiro. Consiste no empenho ou entrega de coisas móveis a um credor como garantia de pagamento de obrigação assumida. O penhor pode ser convencional e legal. De acordo com o novo Código Civil (arts. 1.431 e 1.432), o penhor constitui-se pela transferência efetiva da posse do bem dado em garantia do débito ao credor, de uma coisa móvel, suscetível de alienação. No penhor rural, industrial, mercantil e de veículos, as coisas empenhadas continuam em poder do devedor, que as deve guardar e conservar. O instrumento de penhor, para sua validade, deverá ser registrado no Cartório de Títulos e Documentos. Em casos de o devedor não quitar seus débitos na data prevista, o credor toma posse do bem penhorado. É diferente de penhora. (Ver: Penhora // Hipoteca.)

PENHOR CIVIL — Ver Penhor Convencional.

PENHOR CONVENCIONAL — O penhor convencional resulta de contrato entre as partes. Subdivide-se em: civil, quando o objeto sobre que recai é de natureza civil, coisas corpóreas, móveis e semoventes; mercantil, se garante obrigação de natureza mercantil e consiste na entrega de coisas móveis, ações e títulos de crédito, mercadorias etc.; rural, pelo qual agricultores e pecuaristas sujeitam cultura ou animais ao pagamento da dívida. O rural, conforme a coisa penhorada, pode ser: agrícola, o que abrange máquinas e implementos agrícolas, colheitas pendentes, frutos armazenados etc.; e pecuário, se constituído sobre animais que se criam pastando; industrial, se compreende veículos automotores, equipamentos de terraplenagem e pavimentação, viaturas etc.

PENHOR INDUSTRIAL — Ver Penhor Convencional.

PENHOR LEGAL — É a garantia dada pela lei a certos credores de determinada obrigação.

PENHOR MERCANTIL — Ver Penhor Convencional.

PENHOR RURAL — Ver Penhor Convencional.

PENHOR, AÇÃO DE EXCUSSÃO DE — É a ação do credor, que se garantiu em algum bem, ou penhor, para receber a dívida. O penhor, ou bem penhorado, é depositado em Juízo para posterior alienação em hasta pública, se não houver o pagamento. (Ver: Hasta pública.)

PENHORA — 1) Apreensão judicial de bens de um devedor até o valor equivalente ao total de sua dívida. Isso pode acontecer se ele não quitar sua dívida no prazo acertado com o credor. 2) Diz-se da apreensão judicial de bens, em geral, dados pelo devedor em garantia de execução de dívida, podendo o referido bem permanecer na posse do devedor executado até o final do processo de cobrança judicial. Se o devedor não pagar a sua dívida, a tempo e horas, o credor pode desencadear um processo judicial para conseguir, por meios coercitivos, o pagamento que lhe é devido. O juiz emite então um mandado, através do qual o devedor perde o direito de dispor dos seus bens, para garantir o pagamento. A penhora é executada, ou seja, o tribunal vende os bens e, com o produto da venda, paga ao credor. O penhor e penhora claramente se distinguem. O penhor é a garantia dada pelo devedor, espontaneamente ou por imposição legal. A penhora é a apreensão de bens, dados ou não em garantia, para que por eles se cobre o credor do que lhe é devido pelo executado. A Lei nº 10.444, de 2002, dá nova redação ao § 4º do art. 659 do Código de Processo Civil; diz que cabe ao exeqüente, sem prejuízo da imediata intimação do executado, providenciar, para presunção absoluta de conhecimento por terceiros, o respectivo registro no ofício imobiliário, mediante apresentação de certidão de inteiro teor do ato, e independentemente de mandado judicial. Acrescenta parágrafo (5º) que estabelece que, nos casos do § 4º, a penhora de imóveis será realizada por termo nos autos, da qual será intimado o executado, pessoalmente ou na pessoa de seu advogado, e por este ato constituído depositário. (Ver: Hipoteca // Penhor.)

PENHORA NO ROSTO DOS AUTOS — Aquela que se faz em direitos do executado constantes de outra ação pendente em juízo, e que é lavrada pelo escrivão na face externa da primeira folha (na capa) dos respectivos autos (no resto).

PENÍNSULA — Ponta de terra cercada de água por todos os lados, excetuando-se apenas um deles, pelo qual se liga ao continente. As penínsulas mais importantes são: na Europa, a península Escandinava, a Balcânica, a Itálica, a Jutlândia e a Ibérica; na Ásia, a Industânica, a Arábica e a da Coréia; no continente americano, a do Labrador, a da Flórida, a da Califórnia e a de Yucatan.

PENITENCIÁRIA — Presídio especial ao qual se recolhem os condenados às penas de detenção e reclusão e onde o Estado, ao mesmo tempo que os submete à sanção, presta-lhes assistência.

PENOSO — Que causa ou mete pena; que aflige. Que custa a fazer ou a suportar; incômodo; árduo; fatigante.

PENSAMENTO — Atividade psíquica, no estado consciente, que abarca os fenômenos intelectivos na formação da idéia e de novos conhecimentos por meio de suas faculdades e de seus recursos no complexo-perceptomemório-intelectivo, na interação do indivíduo com o seu meio ambiente. Para a eficiência e eficácia do pensamento é preciso imaginar, ter memória, recordar, lembrar, raciocinar bem com dados certos, ter boa idéia, intuir, adequar método, ordenar, selecionar, comparar, observar as leis lógicas, decidir, facilitar, analisar, sintetizar, simplificar, controlar, verificar, concluir e dar solução.

PENSAMENTO ESTRATÉGICO — As décadas de 70 e 80 do século XX foram a época áurea do planejamento estratégico. Na prática, a maioria dos planos acabou por fracassar. O diagnostico foi o excesso de análise, que cria uma espécie de paralisia. Por outro lado, não se deve separar o planejamento da ação. Enquanto planejar é um exercício analítico, a estratégia baseia-se na criatividade, intuição e capacidade de síntese. Para designar esta última atitude, estudiosos propõem, em alternativa, o termo "pensamento estratégico". (Ver: Planejamento estratégico.)

PENSAMENTO LATERAL — Consiste na geração de novas idéias e no abandono das obsoletas. Aplicado às empresas é uma técnica para aumentar a criatividade e um recurso estratégico da organização. É necessário estimular o cérebro por meio da atitude de quebrar os princípios estabelecidos e passar a encarar a realidade de um modo diferente. Distingue-se o pensamento lateral (descontínuo e destinado à geração de idéias) do vertical (contínuo e orientado para se desenvolver). Enquanto o pensamento lateral dá idéias, o vertical desenvolve-as.

PENSAMENTO SISTÊMICO — É uma disciplina para ver "todos". É uma estrutura para ver inter-relações em vez de coisas, para ver padrões de mudança em vez de momentos estáticos. É uma estrutura conceitual, um grupo de conhecimento e ferramentas que têm sido desenvolvidas de forma a clarificar os padrões globais, e a ajudarnos a ver como alterá-los eficazmente.

PENSAMENTO VERTICAL — Ver Pensamento lateral.

PENSÃO — 1) Prêmio do aforamento, certo e invariável, que o enfiteuta paga anualmente. 2) Abono, renda. Renda vitalícia que o Estado paga ao cônjuge sobrevivente do servidor público ou aos seus herdeiros; é a chamada pensão Civil. (Ver: Enfiteuse.)

PENSÃO ACIDENTÁRIA — Benefício pecuniário concedido aos dependentes do servidor ou empregado que vier a falecer, por acidente, no exercício do cargo, função ou emprego.

PENSÃO ALIMENTÍCIA — Importância em dinheiro fixada pelo juiz que a mulher recebe para si e seus filhos, por força de lei, na dissolução do casamento. Pelo atual Código Civil, o marido tem o direito de pedir pensão à mulher.

PENSÃO POR MORTE — É o benefício concedido aos dependentes do segurado da Previdência Social atingido por morte. A pensão por morte será paga à família do trabalhador que falecer detendo a qualidade de segurado. Não é exigida carência para concessão do benefício. Sendo devida a pensão mesmo quando o segurado tiver falecido depois de perder a qualidade de segurado, mas tenha até a data da morte preenchido os requisitos para obtenção de aposentadoria. A pensão será devida a dependentes na seguinte ordem: a) cônjuge, companheiro(a), filhos não emancipados menores ou inválidos de qualquer idade; b) pais; c) irmão não emancipado, de qualquer condição, menor de idade ou inválido de qualquer idade. A existência de dependente numa classe exclui o direito dos dependentes da classe seguinte. Relativamente ao cônjuge e filho a dependência econômica que gera o direito ao benefício é presumida, devendo os dependentes das outras classe comprovar a dependência econômica em relação ao falecido. Para que o irmão ou o filho maior inválido faça jus ao recebimento da pensão, deverá ser constatada por perícia médica do INSS que a invalidez é anterior à data do falecimento do segurado, e que o irmão ou filho não tenha se emancipado até a data da invalidez.

PENSÃO VITALÍCIA — Benefício vitalício que o Estado se obriga a pagar mensalmente ao cônjuge, herdeiros ou beneficiários de determinadas classes de servidor público ou a Previdência Social aos seus segurados, em virtude de disposições legais.

PENSÕES — Em sentido geral, são assim denominadas nos registros contábeis da Administração Pública, as despesas com pensionistas civis e militares, pensionistas do plano de benefícios da Previdência Social e pensões concedidas por leis específicas ou por sentenças judiciais.

PENÚRIA — Privação ou falta do necessário; escassez; miséria; pobreza; indigência.

PEQUENA EMPRESA — Pela legislação é a organização que tem entre 20 e 99 empregados e faturamento entre 240 mil e 2,4 milhão de reais/ano. Na definição adotada pelo BNDES e pelos países integrantes do MERCOSUL, é a empresa com receita operacional bruta anual ou anualizada superior a R$ 1.200.00,00 (um milhão e duzentos mil reais) e inferior ou igual a R$ 10.500.000,00 (dez milhões e quinhentos mil reais). (Ver: Microempresa.)

PEQUENO PRODUTOR RURAL — Aquele que, residindo na zona rural, detenha a posse de gleba rural não superior a quatro módulos fiscais (MF), explorando-a mediante o trabalho pessoal e de sua família, admitida a ajuda eventual de terceiros, bem como as posses coletivas de terra considerando-se a fração individual não superior a quatro MF, cuja renda bruta seja proveniente da atividade agrossilvopastoril ou do extrativismo rural em oitenta por cento, no mínimo.

PER CAPITA — [Latim]. Expressão que significa por cabeça; por pessoa.

PER CONTRA — [Latim]. Expressão que significa em sentido contrário.

PER SE — [Latim]. Expressão que significa por si mesmo.

PER SUMMA CAPITA — [Latim]. Expressão que significa em resumo; sucintamente.

PER TEMPUS — [Latim]. Expressão que significa a tempo; em tempo.

PERCENTAGEM (%) — É um modo de expressar uma proporção ou uma relação a partir de uma fração cujo denominador é 100. Assim, ao se dizer "70%" ("setenta por cento"), está se dizendo que a proporção é equivalente à de 70 elementos em um conjunto universo de 100 elementos, ou seja, que a razão é de 70/100 ("setenta para cem", "setenta em cada cem"). Em determinados casos, o valor máximo de uma percentagem é obrigatoriamente de 100%, tal qual ocorre na umidade relativa do ar. Em outros, contudo, o valor pode ultrapassar essa marca, como quando se refere à majoração de um preço. É importante ter em mente a distinção entre "percentual" e "ponto percentual". Quando, por exemplo, uma taxa de juros é aumentada de 10% para 15%, pode-se dizer que houve um aumento de 50%, isto é, que o percentual do reajuste foi de 50%. Ponto percentual, por sua vez, é a diferença em termos absolutos entre duas percentagens. No exemplo citado (de 10% para 15%), pode-se igualmente falar que a taxa foi aumentada em cinco pontos percentuais. (Ver: Pontos-base.)

PERCENTUAL EFETIVO DO IMPOSTO DE RENDA — É o imposto de renda pago em relação ao total da renda da pessoa física.

PERCEPÇÃO — Ato, efeito ou faculdade de perceber. É a aplicação cuidadosa da mente a alguma coisa. Tomada de conhecimento sensorial de objetos ou de acontecimentos exteriores. Ação de conhecer independentemente dos sentidos.

PERCEPÇÃO DO RISCO — Impressão ou juízo intuitivo sobre a natureza e a magnitude de um determinado risco; Percepção sobre a importância ou gravidade de um determinado risco, com base no repertório de conhecimento que o indivíduo acumulou, durante o seu desenvolvimento cultural, e sobre o juízo político e moral de sua significação.

PERCOLAÇÃO — Capacidade de um fluido deslocar-se através de um meio poroso. Durante a percolação, ocorre a filtração de partículas em suspensão no meio líquido.

PERDA — Prejuízo material ou financeiro; privação, ou desaparecimento da posse ou da coisa possuída.

PERDA DO PODER FAMILIAR — Ver Abuso do Poder familiar.

PERDÃO — 1) Misto de sensação, emoção, sentimento e senso numa situação de entendimento do seu fato gerador importando-se na compreensão de causas mais elevadas e abrangentes, para quem perdoa. 2) Graça concedida pelo presidente da República a um condenado comum, extinguindo-se a punibilidade; perdão judicial. 3) Nos crimes em que se procede apenas mediante queixa, o perdão do ofendido impede o prosseguimento da ação. O perdão, no processo ou fora dele, expresso ou tácito, a todos aproveita; se concedido por um dos ofendidos, não prejudica o direito de outros; se o querelado o recusa, não produz efeito. Perdão tácito é aquele que resulta de ato incompatível com a vontade de prosseguir na ação. Não se admite o perdão depois que passa em julgado a sentença condenatória. O perdão poderá ser aceito por procurador com poderes especiais. A renúncia tácita e o perdão tácito admitirão todos os meios de prova. Concedido o perdão, mediante declaração expressa nos autos, o querelado será intimado a dizer, em três dias, se o aceita, devendo, ao mesmo tempo, ser cientificado de que o seu silêncio importará aceitação. Aceito o perdão, o juiz julgará extinta a punibilidade. A aceitação do perdão fora do processo constará de declaração assinada pelo querelado, por seu representante legal ou procurador com poderes especiais.

PERDÃO TÁCITO — Ver Perdão.

PERDAS DA QUALIDADE — São perdas ocasionadas pela não utilização do potencial de recursos nos processos e atividades.

PERDAS E DANOS — Prejuízo patrimonial efetivo, por perda certa ou o que a pessoa deixou de ganhar por culpa de outro, que não cumpriu obrigação. O devedor que não pagou no tempo e forma devidos, só responde pelos lucros que foram ou podiam ser previstos na data da obrigação. Mesmo que a inexecução resulte de dolo do devedor, as perdas e danos só incluem prejuízos efetivos e os lucros cessantes por efeito dela direta e imediato. As perdas e danos, nas obrigações de pagamento em dinheiro, consistem nos juros da mora e custas, sem prejuízo da pena convencional. Se a coisa perecer por fato alheio à vontade do dono, terá este ação, pelos prejuízos, contra o culpado. A mesma ação de perdas e danos terá o dono contra aquele que, incumbido de conservar a coisa, por negligência a deixe perecer; cabendo a este, por sua vez, direito regressivo contra o terceiro culpado.

PERDAS E DANOS, AÇÃO DE — Também denominada noxal, é a ação pela qual a pessoa que sofreu danos patrimoniais pede seja indenizada por eles.

PERECER — Ter fim; deixar de ser ou de existir; acabar; morrer prematura ou violentamente; finar; ser abolido; ser destruído; ser assolado; ser devastado.

PERECÍVEL — Sujeito a morrer; susceptível de perecer. Que se pode estragar; frágil.

PEREMPÇÃO — É a extinção do direito de praticar um ato processual pela perda de um prazo definido e definitivo. É a perda do direito da ação do autor que deu causa, por três vezes, à extinção do processo, por abandono. Instituto eminentemente processual, distingue-se, portanto, da prescrição e com a decadência não se confunde, porque se esta se refere à extinção do próprio direito material, a perempção sobrevém com a perda do direito ao exercício de um ato processual, sem que o processo se extinga. A perempção da ação é a perda do direito ativo de demandar o réu sobre o mesmo objeto da ação, quando o autor ocasiona, por três vezes, a extinção do processo, nos termos do CPC. A perempção da ação não impede que o titular de um direito o defenda de maneira passiva, como excipiente ou réu, e nisto se assemelha à prescrição. No direito criminal, a perempção caracteriza a inércia do querelante após deflagrada a ação, não se confundindo, portanto, com a decadência. (Ver: Caducidade // Decadência // Prescrição // Preclusão.)

PEREMPTÓRIO — Diz-se a respeito dos prazos improrrogáveis e fatais, dentro dos quais se devem exercitar ou executar certos atos, que perecerão, desde que não sejam executados ou praticados.

PERENIZAÇÃO DE RIO — Projeto que permite que um rio intermitente passe a fluir, durante o ano inteiro. Depende de projetos de regularização espacial dos deflúvios das bacias - PRED, os quais, mediante a construção de linhas de pequenas barragens sucessivas, estabelecem estirões de água que se renovam, em ritmo controlado, ao longo do percurso do rio. Ao longo de toda a bacia, são também programadas obras, com a finalidade de regularizar a acumulação dos freáticos marginais, objetivando abrandar a curva de acumulação/depleção.

PERESTROIKA — Pronuncia-se *pierestróika*. Era a expressão que denominava a reordenação da economia soviética, proposta pelo secretário do Comitê Central do Partido Comunista da União Soviética, Mikhail Gorbachev. Não se confundia com a *Glasnost*, ou reabertura política, também proposta por este líder. O próprio Gorbachev denominava a *Perestroika* "uma segunda revolução russa", que visava a uma economia moderna, competitiva, embora vinculada ao socialismo.

PERFEIÇÃO — Execução e acabamento completo e perfeito. Qualidade daquilo que é perfeito. Bondade, beleza ou excelência no grau mais elevado. Primor; mestria; requinte.

PERFEITO — Que só tem boas qualidades. Que não tem defeito físico ou moral. Que tem tudo o que lhe pertence ter. Exemplar; modelo; cabal; completo; total.

PÉRFIDO — Que falta à sua fé ou à sua palavra. Traidor; desleal; infiel.

PERFIL DA CARTEIRA — Análise de uma carteira de crédito com base nos prazos de vencimento final das operações de crédito, podendo ser classificadas como de curto ou de longo prazo.

PERFIL DE CRÉDITO — Representa a área preferencial de atuação de uma Instituição Financeira ou de um segmento carteira de crédito.

PERFIL DE RISCO — Tipo de classificação do investidor quanto à sua predisposição em correr riscos.

PERFIL DE RISCO DE CRÉDITO — É a análise de risco da carteira de crédito de uma Instituição Financeira baseada em uma metodologia de avaliação de riscos.

PERFIL DE UM RISCO — Forma de evolução de um risco no tempo.

PERFIL DO INVESTIDOR — É o conjunto de características do investidor no que se refere a seus investimentos. Depende basicamente do nível de risco que aceita tomar nas suas aplicações, do horizonte de investimento (prazo para investimento), do nível de rendimento desejado, do horizonte de renda a receber, do nível de despesas familiar, do nível de segurança a garantir etc.

PERFIL OPERACIONAL — Indica as estratégias e segmentos de atuação de uma Instituição Financeira para gestão de suas carteiras.

PERFILHAÇÃO — Reconhecimento voluntário, por parte do pai ou da mãe, ou por ambos, de filiação legitima. A Constituição Federal não admite distinções; todos os filhos podem ser reconhecidos a qualquer tempo, sejam naturais, adulterinos e até incestuosos mesmo na constância da sociedade conjugal. O reconhecimento dos filhos nascidos fora do casamento é irrevogável e será feito no registro de nascimentos; por escritura pública ou escrito particular a ser arquivado em cartório; por testamento, ainda que incidentalmente manifestado; por manifestação expressa e direta perante o juiz, ainda que o reconhecimento não tenha sido o objeto único e principal do ato que o contém. O filho maior só pode ser reconhecido com o seu consentimento. O casamento nulo produz os mesmos efeitos que um casamento válido, em relação aos filhos e ao contraente de boa-fé. Esta disposição abrange os filhos naturais, adulterinos e incestuosos.

PERFORMANCE — Representa o desempenho obtido em alguma atividade.

PERÍCIA — É a pesquisa, o exame, a verificação, acerca da verdade ou da realidade de certos fatos, por pessoas que tenham reconhecidas habilidades ou experiência na matéria de que se trata.

PERÍCIA JUDICIAL — É toda verificação de fato ou fixação de valor de coisas, direitos ou obrigações, realizada em juízo e expressa em laudo, por pessoa denominada perito. Tal pessoa é auxiliar do juiz, suprindo-lhe a insuficiência de conhecimentos específicos sobre o objeto da prova. Constituem perícias os exames, as vistorias, os arbitramentos e as avaliações. Com ressalva de casos especialíssimos, todo meio de prova tem valor relativo, mesmo a perícia. Portanto, amparado pelo princípio de livre convencimento, o juiz poderá desconsiderar as conclusões do perito. Em caso contrário, o perito transformar-se-ia no verdadeiro juiz da causa.

***PERICULUM IN MORA* (PERIGO DA DEMORA)** — Locução latina que designa uma situação de fato, caracterizada pela iminência de um dano, em face da demora de uma providência que o impeça. Trata-se, portanto, que um dano em potência, que ainda não se perfez. A expressão é bastante utilizada nos casos de medidas cautelares.

PERIFERIA — São locais distantes dos centros "desenvolvidos" dos Municípios ou quaisquer instâncias políticas. Atribui-se ao termo também a distância do centro do município; tudo o que não é centro, é periferia. Na maioria das vezes, equivocadamente, refere-se aos locais com ineficiência de estruturas urbanas básicas como água encanada, energia elétrica, asfaltamento etc. Era assim que o conjunto dos países subdesenvolvidos era conhecido antigamente. Os países mais desenvolvidos eram chamados de centrais. Em alguns casos ainda, dependendo da visão científico-filisófica da corrente de pesquisa, usa-se o termo periferia para designar países desenvolvidos *versus* países em desenvolvimento: Centro/periferia mundial. (Ver: Subúrbio.)

PERIGO — Qualquer condição potencial ou real que pode vir a causar morte, ferimento ou dano à propriedade. A tendência é substituir o termo por ameaça.

PERIGO DE CONTÁGIO VENÉREO — Crime consistente em expor alguém, por meio de relações sexuais ou qualquer ato libidinoso, a contágio de moléstia venérea, de que sabe ou deve saber que está contaminado.

PERIODICIDADE — Repetição de um fenômeno em intervalos regulares de tempo.

PERÍODO — Tempo de repetição de um evento.

PERÍODO AQUISITIVO — Espaço de tempo previsto em lei, para aquisição de um direito.

PERÍODO DE BENEFÍCIO — É o período durante o qual o participante, quando for o caso, e o beneficiário fazem jus ao recebimento do benefício contratado.

PERÍODO DE CARÊNCIA — Tempo correspondente ao número mínimo de contribuições mensais fixado para a configuração do direito ao benefício. Diz-se também do período que o tomador de um empréstimo não está obrigado a amortizá-lo.

PERÍODO DE COBERTURA — É o período durante o qual o participante ou os beneficiários farão jus aos benefícios contratados.

PERÍODO DE DIFERIMENTO — É o período entre a data de inscrição e a data de concessão de um benefício de previdência privada.

PERÍODO DE FUNCIONAMENTO DO CONGRESSO NACIONAL — Lapso de tempo em que ocorrem as reuniões anuais do Congresso Nacional. (Ver: Recesso parlamentar // Sessão legislativa.)

PERÍODO DE INCUBAÇÃO — Intervalo de tempo que decorre entre a exposição a um agente infeccioso e o surgimento de sinais e sintomas da doença. Para um vetor, indica o momento em que a transmissão passa a ser possível.

PERÍODO DE TRANSMISSIBILIDADE — Período durante o qual o agente infeccioso pode ser transferido, direta ou indiretamente, de um organismo infectado para outro. O contágio pode ocorrer entre seres humanos, de um animal para ser humano e vice-versa.

PERÍODO INDENITÁRIO — É o período determinado durante o qual o segurador reembolsará determinadas despesas. Geralmente previsto nos seguros de perda de aluguel, pagamento de aluguel a terceiros ou interrupção de atividade profissional.

PERÍODO SABÁTICO — Período de afastamento do professor ou especialista de educação para cumprimento de atividades culturais, conforme disposição legal.

PERITO — 1) Aquele que se acha habilitado para fazer perícia. 2) É aquele que é nomeado judicialmente para exame ou vistoria. É um auxiliar do juízo nas situações em que a prova do fato depender de conhecimento técnico ou científico a quem incumbe a realização de perícias. Não é testemunha. A testemunha é informante. Perito é todo o técnico que, designado pela Justiça, recebe o encargo de a esclarecer num processo. Via de regra, todos os ramos do conhecimento humano podem dar peritos.

PERJÚRIO — Falso testemunho; quebra de juramento; falsidade. Delito contra a administração da justiça. Adultério.

PERMEABILIDADE — Capacidade de um solo, sedimento ou rocha porosa de permitir a passagem, transferência ou cedência da água. Mede-se pela quantidade de água que passa por uma seção unitária, durante a unidade de tempo, sob um gradiente hidráulico de 100%.

PERMEIO — No meio; através; interpor-se; intervir.

PERMISSA VENIA — [Latim]. Expressão que significa com o devido respeito.

PERMISSÃO — Licença. Na permissão intrapsíquica, é a faculdade de dar a si próprio liberdade de expressar, manifestar, reagir, agir ou atuar sem interferências de outrem - espontânea, autêntica e naturalmente - sem bloqueios internos, críticas ou censuras interiorizadas.

PERMISSÃO DE SERVIÇO PÚBLICO — Delegação, a título precário, mediante licitação, da prestação de serviços públicos, feita pelo poder concedente à pessoa física ou jurídica que demonstre capacidade para o desempenho, por sua conta e risco. O poder concedente publicará, previamente ao edital de licitação, ato justificando a conveniência da outorga de permissão, caracterizando seu objeto, área e prazo. A permissão de serviço público será formalizada mediante contrato, que deverá observar os termos da legislação, das normas pertinentes e do edital de licitação. As permissões sujeitar-se-ão à fiscalização pelo poder concedente responsável pela delegação. (Ver: Contrato de Permissão de Serviço Público // Poder Concedente.)

PERMISSÃO DE USO — É a utilização do patrimônio público por terceiros, com ou sem ônus, a título precário, em benefício da coletividade. É ato unilateral (a administração impõe todas as condições) de uso e precário (não gera nenhum direito ao usuário) da administração, representando por termo, celebrado *intuitu personae*, mediante remuneração ou imposição de encargos, para utilização, por terceiros, de imóvel público para exploração lucrativa de serviços úteis à administração. Não precisa ser, obrigatoriamente, licitada, eis que concedida a título precário e revogável unilateralmente. A permissão de uso dos bens móveis municipais poderá ser admitida, em benefício de particulares, para a utilização de serviços específicos e transitórios, desde que não haja outros meios disponíveis locais, sem prejuízo para as atividades do Município, e recolhendo o interessado, previamente, a remuneração estabelecida pelo Município e tendo assinado o termo de responsabilidade pela conservação e devolução do bem.

PERMISSIONÁRIO — É o detentor da permissão de uso de serviço público.

PERMUTA — É uma forma de alienação e de aquisição de coisa. Contrato similar ao compra e venda pelo qual as partes transferem e recebem um bem, uma da outra, sem interferência de dinheiro. Esses bens se substituem, reciprocamente, no patrimônio dos que os trocam. Pressupõe-se que os bens permutados sejam do mesmo valor, mas também se admite troca de coisas de valores desiguais, um em relação ao outro, havendo reposição em dinheiro do que faltar.

PERNICIOSO — Que é prejudicial, danoso; perigoso.

PERPETRAR — Praticar qualquer ato condenável. Realizar. Perfazer.

PERPETUAR — Tornar perpétuo; eternizar. Imortalizar. Propagar por sucessão.

PERPETUATIO JURISDICTIONIS — Locução latina que indica o princípio pelo qual a competência do juiz não se modifica por alterações de fato ou de direito relativas às partes. Assim, modificações de nacionalidade ou, mesmo, do endereço das partes, não transferem o processo para outro Juízo. Há casos, contudo, em que a competência é modificada, p. ex., quando o órgão judiciário competente para a causa é suprimido por lei posterior, ou quando a União intervém no processo e desloca a competência para a Justiça Federal. A *perpetuatio jurisdictionis* é determinada no momento em que a ação é proposta, como diz o art. 87 do Código de Processo Civil. São irrelevantes as modificações do estado de fato ou de direito ocorridas posteriormente, salvo quando suprimirem o órgão judiciário ou alterarem a competência em razão da matéria ou da hierarquia

PERPÉTUO SILÊNCIO — Ver Ação *Difamare.*

PERPLEXIDADE — Estado psíquico misto de hesitação, dúvida, crítica, espanto e pasmo, na avaliação consciente, pela complexidade do conhecimento da causa verdadeira.

PERSECUÇÃO PENAL — Ação de perseguir o crime. Atividade repressiva do Estado, detentor do *jus puniendi* (direito de punir), providenciando a punição do criminoso.

PERSEGUIÇÃO — Ação de busca concentrada em alvo determinado para prendê-lo e não deixar escapar.

PERSEVERANÇA — Prosseguimento firme e constante. Procedimento persistente. (Ver: Obsessão // Obstinação.)

PERSEVERAR — Persistir no mesmo estado de espírito. Conservar-se firme e constante num sentimento ou numa resolução. Continuar; teimar.

PERSISTÊNCIA — Constância; firmeza; perseverança.

PERSONA GRATA — [Latim]. Expressão que significa pessoa bem-vinda.

PERSONALIDADE — Define-se a como tudo aquilo que distingue um indivíduo de outros indivíduos, ou seja, o conjunto de características psicológicas que determinam a sua individualidade pessoal e social. A formação da personalidade é processo gradual, complexo e único a cada indivíduo.

PERSONALIDADE ANTI-SOCIAL — Antigamente chamado de psicopatia ou sociopatia, é chamado hoje de Personalidade Anti-Social e caracteriza-se pelo uso constante de mentiras, enganos, roubos e ameaças. Os indivíduos agem de forma irresponsável, enganosa e manipuladora.

PERSONALIDADE CIVIL — Aptidão legal de exercitar direitos e contrair obrigações e decorre do nascimento com vida, mas os direitos do nascituro são resguardados desde a concepção.

PERSONALIDADE JURÍDICA — 1) Como pessoa física é a possibilidade de ser sujeito de direitos e obrigações. Adquire-se no momento do nascimento completo e com vida. A personalidade jurídica é a aptidão para ser titular de relações jurídicas, ou seja, de direitos e obrigações, por parte das entidades entre as quais se estabelecem os sujeitos do Direito. A personalidade jurídica é uma exigência da natureza e da própria dignidade do ser humano, que deve ser reconhecida pelo Direito Objetivo, sendo a condição indispensável para que cada ser humano, nas suas relações com os outros, realize os seus fins e interesses, pois o Direito existe por causa e para o serviço dos Homens. A personalidade jurídica das pessoas extingue-se com a sua morte. 2) Para a pessoa jurídica decorre do registro na repartição competente dos atos constitutivos de empresas e instituições e porque reconhecidas juridicamente, passam a ter direitos e deveres próprios, não se confundindo com as pessoas naturais que nelas atuam. Pode ser de: I - Direito Público Interno (a União, os Estados, o Distrito Federal e os Municípios, as autarquias e demais entidades de caráter público, criados por lei; Estados estrangeiros e todas as pessoas regidas pelo direito internacional público e externo); II - Direito Privado (as associações, as sociedades, as fundações.)

PERSONIFICAR — Considerar como pessoa. Atribuir a uma coisa inanimada, a uma abstração, a imagem, os sentimentos ou a linguagem de uma pessoa real. Realizar ou representar na figura de uma pessoa; exprimir por um tipo.

PERSPECTIVA — Expectativa, esperança, probabilidade, possibilidade.

PERSUADIR — Levar à persuasão ou à convicção de. Levar a crer; induzir; aconselhar. Determinar a vontade de.

PERTINÊNCIA — Relação, referência, concernência.

PERVERSIDADE — Depravação, corrupção, maldade. Qualidade de perverso, de quem exacerba os sofrimentos da vítima de homicídio, agravando as sutis lesões e dores. É circunstância agravante.

PERVERSO — Que tem má índole; corrupto; vicioso; malvado; traiçoeiro; que apresenta um comportamento antissocial; irredutível desde a infância; aquele que é perverso.

PÉS ACRES — É a quantidade de água necessária para cobrir um acre até a profundidade de um pé. Essa medida é usada para descrever a quantidade de armazenagem em um reservatório hídrico. Um domicílio médio de quatro pessoas consumirá aproximadamente um pé-acre por ano. Um pé = 0,3048 m.

PESAR — Sentimento de consternação. Tristeza, sofrimento por perda, desolação, desalento.

PESO BRUTO TOTAL — Peso máximo que o veículo transmite ao pavimento, constituído da soma da tara mais a lotação. (Ver: Tara.)

PESO BRUTO TOTAL COMBINADO — Peso máximo transmitido ao pavimento pela combinação de um caminhão-trator mais seu semi-reboque ou do caminhão mais o seu reboque ou reboques.

PESO ESPECÍFICO — É o peso da unidade de volume de uma substância. O seu valor numérico varia conforme as unidades usadas.

PESQUISA — É uma atividade realizada com o objetivo de produzir novos conhecimentos, geralmente, envolvendo experimentação. Na maior parte das vezes, é utilizada para designar atividades que poderiam ser denominadas de censo, levantamento de dados ou coleta de informações. Três categorias podem ser distinguidas no âmbito da pesquisa: a) Pesquisa Básica; b) Pesquisa Aplicada; c) Desenvolvimento Experimental.

PESQUISA APLICADA — É uma investigação original concebida pelo interesse em adquirir novos conhecimentos. É, entretanto, primordialmente dirigida em função de um objetivo prático específico. A pesquisa aplicada é realizada ou para determinar os possíveis usos para as descobertas da pesquisa básica ou para definir novos métodos ou maneiras de alcançar um certo objetivo específico e predeterminado. Ela envolve consideração de conhecimento disponível e sua ampliação com vistas à solução de problemas específicos. No Setor Empresarial, a distinção entre pesquisa básica e aplicada será freqüentemente marcada pela criação de um novo projeto para explorar os resultados promissores de um programa de pesquisa básica. Os resultados da pesquisa aplicada são hipotética e fundamentalmente válidos para apenas um ou para um número limitado de produtos, operações, métodos e sistemas. A pesquisa aplicada operacionaliza as idéias. Os conhecimentos ou informações dela advindos são quase sempre patenteados, podendo contudo se manterem sob sigilo.

PESQUISA BÁSICA — Estudo teórico ou experimental que visa contribuir de forma original ou incremental para a compreensão sobre os fatos e fenômenos observáveis, teorias, sem ter em vista uso ou aplicação específica imediata. A pesquisa básica analisa propriedades, estruturas e conexões com vistas a formular e comprovar hipóteses, teorias etc. Os resultados da pesquisa básica, geralmente não negociáveis, são, no mais das vezes, publicados em periódicos científicos ou postos em circulação entre os pares. Portanto, o cientista gera e consome conhecimento. O produto da ciência é basicamente um novo conhecimento, que é repassado através da informação, tendo como suporte o documento. O domínio público da literatura científica faz parte do processo de comunicação científica. Sua atividade mais importante é a avaliação da produção científica feita pelos pares, pelos "*referees*", cujo resultado é determinante para que a publicação ocorra e conseqüentemente para o seu reconhecimento. Eventualmente, a pesquisa básica pode ser declarada secreta ou confidencial por motivos de segurança. A pesquisa básica é comumente executada por cientistas que estabelecem suas próprias metas e, em grande parte, organizam o seu próprio trabalho. Contudo, em alguns casos, a pesquisa básica pode ser fundamentalmente orientada ou dirigida em função de áreas mais amplas de interesse geral. Tal tipo de pesquisa é, às vezes, chamado de "pesquisa básica orientada".

PESQUISA CIENTÍFICA E TECNOLÓGICA — É o trabalho criativo efetuado de forma sistemática, procurando aumentar o estoque de conhecimento humano e o uso desse estoque de conhecimento para imaginar novas aplicáveis.

PESQUISA CONSORCIADA — Ver Pesquisa Cooperativa.

PESQUISA COOPERATIVA — Estudos científicos desenvolvidos em parceria para viabilização de processos, produtos e/ou serviços que exigem complementaridade de recursos, equipamentos e conhecimento.

PESQUISA DE MERCADO — É usada para ouvir os clientes (internos ou externos) de uma empresa visando definir metas para melhorar. Utiliza as técnicas de amostragem e análise multivariada.

PESQUISA DE OPINIÃO — Procedimento que permite, através de entrevistas com um certo grupo de pessoas, obter uma visão geral do ponto de vista de um grupo maior da população com relação a qualquer assunto.

PESQUISA E ANÁLISE DE ATIVOS — Identifica ativos com potencial de gerar resultados favoráveis (lucro) na quantidade e no prazo desejado pelo cliente. São prospectadas empresas com chances de abrir capital, assim como ativos com preços atrativos. Para seus prognósticos, são utilizados instrumentais técnicos como as análises Gráfica e Fundamentalista.

PESQUISA E DESENVOLVIMENTO (P&D) — É o trabalho criativo e empreendido em base sistemática com vistas a aumentar o estoque de conhecimento, incluindo o conhecimento do ser humano, da cultura e da sociedade, e ao uso desse estoque para perscrutar novas aplicações. Três categorias podem ser distinguidas em P&D: 1) Pesquisa Básica; 2) Pesquisa Aplicada; 3) Desenvolvimento Experimental.

PESQUISA OPERACIONAL (PO) — É uma ciência que objetiva fornecer ferramentas quantitativas ao processo de tomada de decisões. É constituída por um conjunto de disciplinas isoladas, tais como Programação Linear, Teoria das Filas, Simulação, Programação Dinâmica, Teoria dos Jogos etc. O termo Pesquisa Operacional (em inglês: *Operations Research*) foi empregado pela primeira vez em 1939 como uma tentativa de englobar, sob uma única denominação, todas as técnicas existentes ou que viriam a ser desenvolvidas e que tinham o mesmo objetivo citado.

PESQUISA QUALITATIVA — 1) Técnica que visa conhecer o estilo de vida, o comportamento, perfil e opiniões dos entrevistados. As técnicas mais difundidas são: discussão em grupo e entrevistas em profundidade. 2) Tipo de pesquisa realizada para aferir aspectos, qualitativos de alguma questão, como percepção de imagens, atitudes diante de marcas e veículos, motivações etc. É feita com questionários pré-elaborados que admitem respostas alternativas e cujos resultados são apresentados de modo numérico, permitindo uma avaliação quantitativa dos dados.

PESQUISA/INVESTIGAÇÃO — Investigação e estudo metódico e sistemático a fim de enriquecer o conhecimento em determinada área do saber, de descobrir novos dados.

PESSIMISMO — Forma de encarar a realidade como a pior possível. Posicionamento próprio de perdedor contumaz.

PESSOA — É o ente detentor de direitos e deveres em conformidade com a ordem civil. Pode ser pessoa natural (pessoa física) ou pessoa jurídica (pessoa moral). O novo

Código Civil adotou a expressão "pessoa" em substituição ao termo "homem", contido na primitiva redação do revogado Código Civil de 1916;

PESSOA ALFABETIZADA — Ver Educação - Pessoa alfabetizada.

PESSOA DE DIREITO PRIVADO — É a denominação atribuída às pessoas jurídicas, organizadas ou fundadas pelas pessoas naturais, segundo as regras legais, para realização de fins de interesse privado.

PESSOA DE REFERÊNCIA — Utilizado em pesquisa de emprego, refere-se à pessoa responsável pela família ou assim considerada pelos demais membros da família.

PESSOA DESOCUPADA — Utilizado em pesquisa de emprego, refere-se a pessoa sem emprego, mas que tomou alguma providência para conseguir trabalho no período de referência da pesquisa.

PESSOA ECONOMICAMENTE ATIVA (PEA) — Utilizado em pesquisa de emprego, refere-se à pessoa que exerceu trabalho remunerado, em dinheiro e/ou produtos e mercadorias, durante os 12 meses, ou parte deles, anteriores à data da pesquisa. São incluídas ainda nesta condição as pessoas licenciadas com remuneração (doença, bolsas de estudo etc.) e as sem remuneração que trabalham, regularmente, 15 horas ou mais por semana numa atividade econômica, ajudando membro da unidade domiciliar ou instituições de caridade, beneficentes ou de cooperativismo, ou como aprendizes, estagiários etc. e as pessoas com idade a partir de 10 anos que tenham tomado alguma providência para encontrar trabalho, nos dois meses anteriores à data de referência da pesquisa. As pessoas economicamente ativas classificam-se em pessoa ocupada e pessoa desocupada.

PESSOA FÍSICA — Diz-se do ser humano apto a cumprir obrigações e exercer direitos. (Ver: Pessoa natural.)

PESSOA JURÍDICA — Entidade resultante de um agrupamento organizado de pessoas, que visa determinado fim, público ou particular, sendo capaz de exercer direitos e contrair obrigações, distinguindo-se por completo dos indivíduos que a compõem. É uma entidade abstrata constituída por pessoas que se unem objetivando interesses comuns que podem ser econômicos, morais, intelectuais, sociais etc., tendo personalidade distinta da de seus integrantes.

PESSOA NÃO ECONOMICAMENTE ATIVA — Utilizado em pesquisa de emprego, refere-se à pessoa com idade a partir de 10 anos que, durante 12 meses anteriores à data do Censo, se encontrava em uma ou mais das seguintes situações: exercia afazeres domésticos no próprio lar; estudava; vivia de rendimentos de aposentadoria ou de aplicação de capital; estava detida cumprindo sentença, doente ou inválida sem estar licenciada do trabalho; não desejava trabalhar ou, desejando, deixou de procurar trabalho porque não o encontrava.

PESSOA NATURAL - DOMICÍLIO CIVIL — O domicílio civil da pessoa natural é o lugar onde ela estabelece sua residência com ânimo definitivo. A que não tem residência habitual, seu domicílio será o lugar onde for encontrada.

PESSOA NATURAL — Ser humano capaz de direitos e deveres na ordem civil. É usual a expressão pessoa física para designar a pessoa natural.

PESSOA OCUPADA — Utilizado em pesquisa de emprego, refere-se a pessoa com emprego durante todo ou parte do período de referência da pesquisa, ainda que afastada por motivo de férias, licença, falta, greve etc.

PESSOAL — Conjunto de pessoas que trabalham na mesma intervenção ou estão encarregados do mesmo serviço. No Classificador da Receita e da Despesa da Administração Pública, constituem as despesas com a remuneração de recursos humanos de natureza civil ou militar, qualquer que seja o vínculo empregatício, incluindo-se nesta rubrica as obrigações patronais que a Administração seja levada a atender pela sua condição de empregadora e as resultantes da folha de pagamento de pessoal.

PESSOAL CIVIL — No Classificador da Receita e da Despesa da Administração Pública, constituem dotações para custear as despesas com a remuneração de recursos humanos, de natureza civil, com vínculo empregatício, de acordo com a legislação aplicável.

PESSOAL E ENCARGOS SOCIAIS — 1) Despesa com o pagamento pelo efetivo exercício de cargo/emprego ou função no setor público, quer civil ou militar, ativo ou inativo, bem como as obrigações de responsabilidade do empregador. 2) São gastos com mão-de-obra e seus reflexos (encargos e benefícios). (Ver: Despesa com Pessoal.)

PESSOAL OCUPADO — No setor agropecuário abrange todas as pessoas, com ou sem remuneração, executando serviços ligados às atividades do estabelecimento, exceto as que desempenham trabalhos por conta de empreiteiros. Em pesquisa agropecuária distribui-se o pessoal ocupado por sexo e classe de idade (de 14 anos e mais, e menores de 14 anos) nas seguintes categorias: a) Responsável e membros não-remunerados da família; b) Empregados permanentes; c) Empregados temporários; d) Parceiros; e) Outra condição (pessoas cujo regime de trabalho não inclua pessoal dos grupos anteriores, tais como agregados, moradores etc.)

PESSOAL, QUADRO DE — Conjunto de carreiras, cargos de provimento efetivo, em comissão e funções de confiança.

PESSOAS JURÍDICAS DE DIREITO PRIVADO — São as associações de pessoas que se ligam visando a um fim comum, cuja personalidade jurídica distinta da dos seus membros é atribuída mediante a inscrição de seus contratos, atos constitutivos, estatutos ou compromissos no registro próprio, no órgão próprio, regulados por lei especial, exigindo-se, em determinados casos, a autorização governamental. São representadas por quem os estatutos designam ou, se não houver designação expressa, por seus diretores. Sua personalidade não se confunde com a de seus integrantes. São consideradas pessoas jurídicas de direito privado, as sociedades civis, religiosas, pias, morais, científicas ou literárias, as associações de utilidade pública e as fundações, além de todas as sociedades mercantis.

PESSOAS JURÍDICAS DE DIREITO PÚBLICO — Consoante o que dispõe o Código Civil, elas podem ser: a) de direito público interno; b) de direito público externo. São pessoas jurídicas de direito público interno: a União, os Estados, os Municípios e outras definidas por leis, tais como as autarquias, o Distrito Federal, os sindicatos e os partidos políticos. São pessoas jurídicas de direito externo: os Estados soberanos estrangeiros. As pessoas jurídicas de direito público são civilmente responsáveis por atos de seus representantes, que nessa qualidade causem danos a terceiros.

PESSOAS JURÍDICAS DE DIREITO PÚBLICO - DOMICÍLIO — O domicílio das pessoas jurídicas de direito Público é: da União, o Distrito Federal; dos Estados, as respectivas capitais; dos Municípios, os locais onde funciona a Administração Municipal.

PESSOAS JURÍDICAS DE DIREITO PÚBLICO EXTERNO — São pessoas jurídicas de direito público externo os Estados estrangeiros e todas as pessoas que forem regidas pelo direito internacional público.

PESSOAS JURÍDICAS DE DIREITO PÚBLICO INTERNO — São a União, os Estados, o Distrito Federal, os Municípios, as autarquias e as demais entidades de caráter público criadas por lei. Se não existir disposição em contrário, as pessoas jurídicas de direito público, a que se tenha dado estrutura de direito privado, regem-se, no que couber, quanto ao seu funcionamento, pelas normas do Código Civil.

PESTE — Ver Saúde - Peste.

PETIÇÃO — Formulação escrita de reclamação, pedido ou requerimento, endereçada a autoridades administrativas ou ao poder público, a fim de que se exponha alguma pretensão, se faça algum pedido ou se dê alguma sugestão. 2) É um pedido escrito dirigido a um juiz ou tribunal. A petição inicial é o pedido para que se comece um processo que indicará o juiz ou tribunal, a que é dirigida; os nomes, prenomes, estado civil, profissão, domicílio e residência do autor e do réu; o fato e os fundamentos jurídicos do pedido; o pedido, com as suas especificações; o valor da causa; as provas com que o autor pretende demonstrar a verdade dos fatos alegados; o requerimento para a citação do réu. A petição inicial deve ser instruída com os documentos indispensáveis à propositura da ação. Outras petições podem ser apresentadas durante o processo para requerer o que é de interesse ou de direito das partes.

PETIÇÃO DE PRINCÍPIO — Argumento falacioso em que se afirma nas premissas o que se quer apresentar na conclusão.

PETIÇÃO INICIAL — Ver Petição.

PETIÇÃO INICIAL INEPTA — Considera-se inepta a petição inicial quando: lhe faltar pedido ou causa de pedir; da narração dos fatos não decorrer logicamente a conclusão; o pedido for juridicamente impossível; contiver pedidos incompatíveis entre si.

PETIÇÃO INICIAL, ADITAMENTO À — Aditamento à petição inicial é a modificação do pedido ou da causa de pedir pelo autor, antes da citação, independentemente de autorização da outra parte.

PETIÇÃO INICIAL, INÉPCIA DA — Vício da petição inicial que a torna confusa, contraditória, inconcludente ou absurda, não apta, em qualquer caso, a produzir efeitos. A inépcia da inicial enseja a preclusão, isto é, a proibição judicial de que a ação seja levada adiante, extinguindo-se esta sem julgamento do mérito. A inépcia é declarada mediante despacho, do qual caberá apelação. O juiz não deverá, contudo, demonstrar excesso de zelo no tocante à forma da inicial, a fim de que o Estado preste, com a máxima amplidão, sua assistência àqueles que invocam sua proteção. Se o juiz aceitar a inicial, reconhecendo sua validade, não poderá indeferi-la depois da instrução do processo. Em certos casos, o magistrado poderá determinar a complementação da petição inicial.

PETITUM — [Latim]. Expressão que significa pedido.

PETRODÓLARES — São as divisas (em geral, dólares) originárias da exportação de petróleo. A origem do termo deu-se em 1973, com a crise do petróleo e a súbita elevação do seu valor, quando os países exportadores desse produto receberam um crescente fluxo de divisas. Dadas as limitações de suas economias internas para investimentos, estes países utilizaram essas divisas no mercado financeiro internacional, gerando um período de grande liquidez financeira, o que tornou popular o termo "Petrodólares".

PETRÓLEO — Do latim *petrus*, pedra e *oleum*, óleo, no sentido de petróleo bruto é uma substância oleosa, inflamável, geralmente menos densa que a água, com cheiro característico e coloração que pode variar desde o incolor ou castanho-claro até o preto, passando por verde e marrom. É uma mistura de compostos orgânicos, cujos principais constituintes são os hidrocarbonetos. Os outros constituintes são compostos orgânicos contendo elementos químicos como nitrogênio, enxofre, oxigênio (chamados genericamente de compostos *NSO*) e metais, principalmente níquel e vanádio. O petróleo é um recurso natural não renovável, e também, atualmente, a principal fonte de energia. Serve como base para fabricação dos mais variados produtos, dentre os quais destacam-se: benzinas, óleo diesel, gasolina, alcatrão, polímeros plásticos e, até mesmo, medicamentos. Já provocou muitas guerras, e é a principal fonte de renda de muitos países, sobretudo no oriente médio.

PETRÓLEO CRU — Petróleo como retirado do poço, antes de qualquer processamento ou purificação.

PETRÓLEO OU GÁS NATURAL - PARTICIPAÇÕES GOVERNAMENTAIS NA EXPLORAÇÃO E PRODUÇÃO — Pagamentos a serem realizados pelos concessionários de exploração e produção de petróleo ou gás natural, nos termos dos arts. 45 a 51 da Lei Federal nº 9.478 de 6 de agosto de 1997. As participações governamentais incluem: Bônus de Assinatura, *Royalties*, Participações Especiais e pagamento pela ocupação ou retenção da área. O Decreto nº 2.705, de 3 de agosto de 1998, define os critérios para cálculo e cobrança das participações. (Ver: *Royalties* do Petróleo.)

PETRÓLEO TIPO BRENT — É o barril de petróleo negociado no mercado de Londres (LIPE).

PETRÓLEO TIPO WTI — É o barril de petróleo negociado no mercado de New York (NYMEX).

PETROQUÍMICO — Qualquer derivado químico do óleo cru, de produtos do óleo cru ou do gás natural.

PETULÂNCIA — Ousadia com orgulho e atrevimento.

PGBL (PLANO GERADOR DE BENEFÍCIOS LIVRES) — Ver Previdência Privada - Plano Gerador de Benefício Livre (PGBL).

pH - (POTENCIAL HIDROGÊNIO) — Símbolo da concentração de íons de hidrogênio em uma solução que na escala pode variar de 0 a 14. Uma solução neutra tem um pH de 7; uma solução ácida tem um pH menor que 7; uma alcalina, um pH mais alto que 7.

PIB (PRODUTO INTERNO BRUTO) — É a expressão monetária dos bens e serviços finais produzidos dentro dos limites territoriais econômicos, independentemente da origem dos fatores de produção. Pode ser medido em nível municipal, estadual, regional ou nacional, neste caso, é comum dizer-se Produto Nacional Bruto (PNB). Pode ser calculado sob três aspectos: Pela ótica da produção; ótica da renda; e ótica do dispêndio. (Ver: PNB.)

PIB A CUSTO DE FATORES — É o PIB excluído o valor dos impostos indiretos (deduzidos os subsídios) incidentes sobre a produção.

PIB A PREÇOS DE MERCADO — É o PIB incluído o valor dos impostos indiretos (deduzidos os subsídios) incidentes sobre a produção.

PIB NOMINAL — Produção de bens e serviços avaliada a preços correntes.

PIB PELA ÓTICA DA PRODUÇÃO — Corresponde à soma dos valores agregados líquidos dos setores primário, secundário, e terciário da economia, mais os impostos indiretos, mais a depreciação do capital, menos os subsídios governamentais.

PIB PELA ÓTICA DA RENDA — É calculado a partir das remunerações pagas dentro do território econômico do país, sob a forma de salários, juros, aluguéis e lucros distribuídos; somam-se a isso os lucros não distribuídos, os impostos indiretos e a depreciação do capital e, finalmente, subtraem-se os subsídios.

PIB PELA ÓTICA DO DISPÊNDIO — Resulta da soma dos dispêndios em consumo das unidades familiares e do governo, mais as variações de estoques, menos as importações de mercadorias e serviços e mais as exportações.

Sob essa ótica, o PIB é também denominado Despesa Interna Bruta.

PIB *PER CAPITA* — É a razão entre o valor do Produto Interno Bruto (PIB) e o quantitativo populacional residente no território econômico. Indica o nível médio de renda da população em um país ou território, e sua variação é uma medida do ritmo do crescimento econômico daquela região.

PIB POTENCIAL — Representa o valor que poderia ser produzido por uma economia se existisse o pleno emprego.

PIB REAL — Representa a produção de bens e serviços avaliada a preços constantes, por referência a um ano-base.

PICO DE DEMANDA — Máxima demanda instantânea requerida num intervalo de tempo (dia, mês, ano etc.).

PIEDADE — Sentimento misto de dó e pena dos males alheios, sem disfarces. Inconformação suave do estado lamentável isentando a responsabilidade do todo por transferência à expiação ou penitência e o infortúnio para a vontade de Deus.

PIGNORATÍCIO — Que diz respeito ao penhor; credor garantido com penhor. Diz-se do credor garantido por um título de venda com a estipulação de poder retirar os bens vendidos e deles gozar mediante um aluguel.

PIL (PRODUTO INTERNO LÍQUIDO) — O PIB distingue-se do Produto Interno Líquido (PIL) por este excluir a depreciação do capital, ou seja, o consumo do capital fixo. (Ver: PIB.)

PILOTIS — Denominação do conjunto de colunas que sustentam certas edificações e que ensejam uma área livre no andar térreo, para circulação de pessoas e veículos.

PIPA — Medida de capacidade de carga equivalente a meio tonel. (Ver: Tonel.)

PIRACEMA — Processo de subida dos cardumes de peixes até a nascente dos rios, com a finalidade de se reproduzirem.

PIRÂMIDE ETÁRIA — Fornece a representação gráfica cartesiana da distribuição de uma população por idade e sexo, através de um histograma duplo.

PIRÓLISE — Ver Lixo - Pirólise.

PIROMANIA — Entusiasmo extravagante, envolvimento violento ou preocupação persistente com o fogo.

PIRRAÇA — Desobediência voluntária só para contrariar o agente controlador. Atrapalhação propositada para aborrecer e chatear.

PIS - ABONO ANUAL — O abono anual do PIS é uma espécie de 14º salário, calculado com base no valor de um salário mínimo, pago anualmente aos trabalhadores. Contudo, somente os trabalhadores que se enquadrarem nas seguintes condições terão direito ao benefício: receberam a remuneração de até dois salários mínimos mensais, em média, durante o ano anterior; trabalharam no ano anterior pelo menos 30 dias com carteira registrada; sejam cadastrados no PIS/PASEP há pelo menos cinco anos.

PIS (PROGRAMA DE INTEGRAÇÃO SOCIAL) — Programa destinado a promover a integração do empregado na vida e no desenvolvimento das empresas. Para mantê-lo, as pessoas jurídicas são obrigadas a contribuir com uma alíquota variável sobre o total das receitas, com exceção das microempresas e empresas de pequeno porte que hajam aderido ao SIMPLES. Esses depósitos formam uma caixa única que é rateada entre os beneficiários do fundo, os trabalhadores, segundo normas estabelecidas pela legislação. Será executado mediante Fundo de Participação, constituído por depósitos efetuados pelas empresas na Caixa Econômica Federal. A partir de 1º de julho de 1976, foi unificado com o PASEP, sob a denominação de PIS-PASEP.

PISO DE ATENÇÃO BÁSICA (PAB) — Ver Saúde - Piso de Atenção Básica (PAB).

PL — 1) Patrimônio líquido. 2) Projeto de Lei Ordinária do Executivo. 3) Projeto de Lei apresentado ao Congresso Nacional e, que, se aprovado se transforma em lei.

PLACITAR — Aprovar, consentir.

PLÁGIO — Violação da propriedade intelectual que se caracteriza pela imitação total ou parcial de obra literária alheia, inculcando-se a qualidade de seu autor. O plágio é parcial, quando alguém se vale de obras alheias em trabalho seu, sem indicar a fonte ou sem pôr entre *"aspas"* as citações, para que pareçam próprias. Torna-se contrafação quando há reprodução fraudulenta de obra alheia com objetivo de lucro. Ocorre tanto em livros como em música, filmes, pintura etc.

PLANALTO — Extensão da superfície do terreno, elevada sobre o nível do mar, quase sem acidentes, contrastando com os terrenos acidentados que lhe ficam adjacentes.

PLÂNCTON — Conjunto de pequenos seres vivos (vegetais e animais) que flutuam passivamente na superfície de lagos ou oceanos. As espécies vegetais são chamadas de fitoplâncton e as animais recebem o nome de zooplâncton. O plâncton constitui a base das cadeias alimentares dos oceanos.

PLANEJAMENTO — 1) Estabelecimento dos objetivos, metas e prioridades. 2) Fase da administração que consiste, basicamente, em determinar os objetivos a alcançar, com as ações a serem realizadas, compatibilizando-as com os meios disponíveis para sua execução.

PLANEJAMENTO AMBIENTAL — Identificação de objetivos adequados ao ambiente físico a que se destinam, incluindo objetivos sociais e econômicos, e a criação de procedimentos e programas administrativos para atingir aqueles objetivos.

PLANEJAMENTO DA QUALIDADE — Atividade de desenvolver os produtos e processos para atender às necessidades dos clientes. Envolve uma série de etapas entre as quais: determinar quem são os clientes; quais são as suas necessidades; desenvolver características de produtos que respondam às necessidades dos clientes; desenvolver processos capazes de produzir tais características e finalmente, concretizar os planos. Planejar a Qualidade consiste, pois, em identificar as necessidades dos clientes e desenvolver os produtos e processos necessários ao seu atendimento.

PLANEJAMENTO DE EXPERIMENTOS — Técnica estatística que permite a identificação das principais causas do processo sobre as quais devemos atuar no sentido de fazer com que a meta de melhoria seja alcançada. As causas mais prováveis (hipóteses) podem ser identificadas e testadas num tempo e custo mínimos e, ao mesmo tempo, com a manutenção de um nível de confiança preestabelecido para as conclusões, por meio da realização de experimentos estatisticamente planejados. São úteis no projeto de um novo processo ou no melhoramento contínuo de um processo existente.

PLANEJAMENTO DE PROJETOS — É o processo pelo qual se pensa a respeito de um assunto, tornando explícitos os objetivos, as metas e estratégias necessárias para um projeto cumprir seu ciclo de vida.

PLANEJAMENTO ESTRATÉGICO — Conjunto de atividades necessárias para determinar as metas (visão) e os métodos (estratégia) e o desdobramento destas metas e métodos. É a arte gerencial de posicionar os meios disponíveis da empresa visando manter ou melhorar posições relativas a potenciais favoráveis a futuras ações táticas na guerra comercial. O planejamento estratégico visa garantir a sobrevivência da empresa. É o processo de decidir a partir dos objetivos, das suas alterações e dos recursos utilizados para alcançá-los, as diretrizes que irão nortear a aquisição, o uso e distribuição desses mesmos recursos. O planejamento estratégico também é um instrumento de relevância inquestionável para a gestão de municípios, prefeituras e organizações públicas, principalmente pelas dificuldades dos recursos financeiros nos municípios, pela obediência à Lei de Responsabilidade Fiscal, pela exigência do Estatuto da Cidade e pela pressão dos munícipes e gestores locais. Os municípios preocupados com seu sucesso e com a qualidade de vida dos seus munícipes devem integrar ou alinhar os seus diferentes planejamentos. Os planejamentos nos municípios podem compreender os seguintes instrumentos integrados: planejamento plurianual municipal; plano diretor municipal; planejamento estratégico municipal; políticas municipais; projetos participativos municipais; planejamento de recursos humanos; e planejamento de informações e tecnologias. O planejamento plurianual municipal tem foco orçamentário enquanto o Plano Diretor Municipal tem foco no desenvolvimento e expansão territorial urbano. Todos esses instrumentos de planejamentos nos municípios devem estar integrados ou alinhados para efetivamente alcançar seus objetivos. (Ver: Pensamento estratégico.)

PLANEJAMENTO ESTRATÉGICO PARTICIPATIVO (PEP) — É uma metodologia que permite a uma organização desenvolver e implementar, disciplinada e participativamente, um conjunto de estratégias, decisões e ações fundamentais, não só para sua manutenção, mas cruciais para seu progresso e efetividade. O Planejamento Estratégico Participativo se fundamenta na participação democrática, na autonomia do indivíduo, na democratização do conhecimento e na práxis técnico-política e pretende iniciar um processo de inversão do padrão histórico da capacitação dos servidores e agentes políticos, tornando-os solidariamente partícipes da discussão dos temas da gestão pública, num quadro de democratização das relações sociais e de poder.

PLANEJAMENTO FAMILIAR — Ver Saúde - Planejamento familiar.

PLANEJAMENTO FINANCEIRO — Consiste em definir a política e os objetivos financeiros dos serviços - investimento, crescimento etc. - e prover o volume e os tipos dos recursos necessários para atingir esses objetivos, bem como a aplicação desses recursos. A elaboração e o estabelecimento de um plano ou orçamento integrado de atividades são freqüentemente considerados como a função principal.

PLANEJAMENTO INSTITUCIONAL — Planejamento de todas as atividades e projetos a cargo das unidades para cumprimento de sua missão institucional e de seus macroprocessos.

PLANEJAMENTO OPERATIVO — Modalidade de planejamento voltada para assegurar a viabilização dos objetivos e metas dos planos, através da articulação e compatibilização dos mesmos na conjuntura, com as áreas mais determinantes da execução.

PLANEJAMENTO SOCIAL — Intervenção do Estado ou Poder Público na organização da sociedade. Exige uma ordem à sua prioridade, de acordo com as necessidades. Geralmente, especifica várias limitações de tempo à sua realização, da mesma forma que indica métodos de execução, inclusive, a distribuição de recursos apropriados. É setorial, diferindo, portanto, da planificação, que é global.

PLANEJAMENTO URBANO — É o processo de criação e desenvolvimento de programas que buscam melhorar ou revitalizar certos aspectos (como qualidade de vida da população) dentro de uma dada área urbana (como cidades, distrito ou vila); ou do planejamento de uma nova área urbana em uma dada região, tendo como objetivo propiciar aos habitantes a melhor qualidade de vida possível. O planejamento urbano, segundo um ponto de vista contemporâneo (e, em certa medida, pós-moderno), tanto enquanto disciplina acadêmica quanto como método de atuação no ambiente urbano, lida basicamente com os processos de produção, estruturação e apropriação do espaço urbano. A interpretação destes processos, assim como o grau de alteração de seu encadeamento, varia de acordo com a posição a ser tomada no processo de planejamento e principalmente com o poder de atuação do órgão planejador.

PLANÍCIE — Extensão de terreno, mais ou menos considerável, de aspecto plano ou de poucos acidentes. (Ver: Baixada.)

PLANIFICAÇÃO AMBIENTAL — Processo racional de tomada de decisões que considera os danos sobre o meio ambiente; processo mediante o qual se busca otimizar o manejo ambiental, segundo aspirações definidas como positivas pelos sistemas de valores mais representativos da comunidade afetada, com o objetivo de preservar os ecossistemas e aperfeiçoar os hábitats das populações beneficiadas.

PLANIMETRIA — Processo de medição horizontal, ou seja, medição de todas as características do terreno, exceto o relevo.

PLANO — É a expressão física de um planejamento, devendo apresentar conveniência econômica, flexibilidade, viabilidade, integração e aceitação.

PLANO ALTERNATIVO — Plano traçado para substituir determinado plano de operação, no caso de mudança de situação, que o torne inexeqüível ou desaconselhável.

PLANO BÁSICO — Plano geral, destinado a resolver um problema administrativo de grande envergadura e que serve de base à elaboração de outros planos de detalhes.

PLANO BRADY — É assim chamado em referência ao secretário do Tesouro dos Estados Unidos, Nicholas Brady, que o anunciou em março de 1989. Tem como elemento essencial a novação da dívida objeto de reestruturação, mediante a troca por bônus de emissão do governo do país devedor, que contemplam abatimento do encargo da dívida, seja sob a forma de redução do seu principal, seja por alívio na carga de juros. No caso brasileiro, o acordo firmado em abril de 1994 referia-se apenas à parte da dívida do setor público com bancos comerciais estrangeiros. O desconto efetivo associado ao acordo foi de 7,6% do valor da dívida afetada pelo acordo.

PLANO COMPLEMENTAR — Plano operacional para a realização de operações parciais ou de serviços especiais que concorrem para a execução de determinado plano de operação.

PLANO CONTÁBIL — Ver Plano de contas.

PLANO DE AÇÃO — É o conjunto de ações planejadas, com os meios e caminhos, para se atingir a meta. Se o plano de ação for bem elaborado, a meta será atingida. Cada plano deve ter um responsável (quem), um prazo (quando), um local (onde), um justificativa (porque) e um procedimento (como).

PLANO DE AÇÃO GLOBAL - *GLOBAL ACTION PLAN* (GAP) — O GAP é um programa estabelecido pelo *United Nations Environment Programme* (UNEP) para encorajar pessoas e famílias a medirem e atenuarem o impacto ambiental que causam, baseando-se no imperativo "pense globalmente, aja localmente".

PLANO DE AÇÃO REGIONAL — É um instrumento complementar do Plano Diretor de Desenvolvimento Urbano e Ambiental (PDDUA) que, através da participação da comunidade, visa à definição de ações que contribuam para o desenvolvimento de cada Região de Gestão do Planejamento, respeitando suas vocações e características e as diretrizes gerais propostas para a cidade.

PLANO DE APLICAÇÃO — Figura de execução orçamentária que resulta da necessidade de se proceder a um maior detalhamento das dotações globais que são excepcionalmente alocadas no orçamento. A proliferação de planos de aplicação denuncia um processo orçamentário com sérias deficiências de programação.

PLANO DE AUXÍLIO MÚTUO — Plano que estabelece a soma de esforços de pessoal, equipamentos e materiais, envolvendo órgãos governamentais, não-governamentais e a comunidade, para enfrentar, com sucesso, situações de emergência.

PLANO DE CARREIRA — Conjunto de normas que agrupa e define as carreiras dos Quadros de Pessoal, correlacionando os segmentos e as respectivas classes de cargos a níveis de escolaridade e padrões de vencimento.

PLANO DE COMPROMETIMENTO DE RENDA (PCR) — Plano utilizado em financiamentos imobiliários que limita a no máximo 30% o emprego da renda familiar nas prestações.

PLANO DE CONTAS — É a relação ordenada e sistematizada das contas utilizadas numa entidade. O Plano contém diretrizes técnicas gerais e específicas que orientam a feitura dos registros dos atos praticados e dos fatos ocorridos na gestão da entidade permitindo, a qualquer momento, a obtenção dos dados relativos ao patrimônio. É constituído de: a) elenco das contas; b) descrição da função das contas; c) descrição do funcionamento das contas; d) método de encerramento de contas; e c) método de demonstração de contas.

PLANO DE CONTINGÊNCIA — Conjunto de procedimentos e ações que visam à integração dos diversos planos de emergência setoriais, bem como a definição dos recursos humanos, materiais e equipamentos complementares para a prevenção, controle e combate a um evento específico.

PLANO DE CONTROLE AMBIENTAL (PCA) — Documento técnico que contém os projetos executivos de minimização dos impactos ambientais identificados na fase de avaliação da viabilidade ambiental de um empreendimento. É requisito à obtenção da licença de instalação de empreendimentos.

PLANO DE EMERGÊNCIA — Conjunto de medidas que determinam e estabelecem as responsabilidades setoriais e as ações a serem desencadeadas imediatamente após um incidente, bem como definem os recursos humanos, materiais e equipamentos adequados à prevenção, controle e combate a um evento específico.

PLANO DE EQUIVALÊNCIA SALARIAL POR CATEGORIA PROFISSIONAL — Plano adotado de 1984 a 1993 que estabelecia o reajuste de prestações de financiamentos imobiliários do SFH de acordo com o reajuste salarial concedido à categoria profissional do mutuário.

PLANO DE GESTÃO AMBIENTAL — Conjunto de ações pactuadas entre os atores sociais interessados na conservação e/ou preservação ambiental de uma determinada área, constituindo projetos setoriais e integrados contendo as medidas necessárias à gestão do território.

PLANO DE INSPEÇÃO — Documento que relaciona seqüencialmente atividades de inspeção, inclusive pontos de parada, organizações envolvidas, procedimentos, normas e demais documentos a serem utilizados.

PLANO DE INVESTIMENTO — Fase do processo que tem como objetivo traçar uma política de investimento a ser considerada durante a administração de uma carteira de títulos.

PLANO DE MANEJO AMBIENTAL — Documento técnico mediante o qual, com fundamento nos objetivos gerais de uma unidade de conservação, se estabelece o seu zoneamento e as normas que devem presidir o uso da área e o manejo dos recursos naturais, incluindo a implantação das estruturas físicas necessárias à gestão da Unidade, segundo o Roteiro Metodológico.

PLANO DE NEGÓCIOS — É um documento escrito com informações sobre um negócio que se quer iniciar ou que já está iniciado. É uma representação do modelo de negócios a ser seguido. Reúne informações tabulares e escritas de como o negócio é ou deverá ser. Geralmente é escrito por empreendedores (quando há intenção de se iniciar um negócio). De acordo com o pensamento moderno, o plano de negócio é um documento vivo, no sentido de que deve ser constantemente atualizado para que seja útil na consecução dos objetivos dos empreendedores e de seus sócios. O plano de negócios também é utilizado para comunicar o conteúdo a investidores de risco, que podem se decidir a aplicar recursos no empreendimento.

PLANO DE OPERAÇÕES — Plano destinado à execução de uma operação, incluindo todos os aspectos necessários a esse fim.

PLANO DIRETOR — É o instrumento básico da política de desenvolvimento e expansão urbana do Município e integra o processo contínuo de planejamento da Cidade. O Plano Diretor que se constitui na "mola mestra" de um determinado Município ou região, onde são definidas todas as alternativas de desenvolvimento no setor social, econômico, físico, territorial e institucional. A Lei do Plano Diretor, prevista pelo art. 182, § 1º, da CF, é obrigatória para cidades com mais de 20 mil habitantes e deve fixar diretrizes gerais para o desenvolvimento urbano do Município, assim como o uso e ocupação de seu solo. Os Municípios que devem obrigatoriamente elaborar seus planos diretores até outubro de 2006 são aqueles que não possuem plano diretor, ou, tendo aprovado seu plano diretor há mais de 10 anos, enquadram-se em pelo menos uma das seguintes condições: I – tenham mais de 20 mil habitantes; II – integrem regiões metropolitanas ou aglomerações urbanas. Considera-se a população total do Município para fins do inciso I, o número definido pelo Censo de 2000 do IBGE. (Ver: Plano Diretor de Desenvolvimento Urbano.)

PLANO DIRETOR DE DESENVOLVIMENTO URBANO AMBIENTAL (PDDUA) — É a Lei que rege o desenvolvimento do município. O termo ambiental significa a cidade vista e analisada como um conjunto único, onde convivem entre si diferentes tipos de cidade, com características bem específicas. Assim, passa a tratar os aspectos culturais e naturais como questões igualmente importantes, cujos espaços representativos deverão ter sua ocupação e uso preservados para as futuras gerações. Embora a expressão seja abrangente, na realidade, pode-se referir a apenas Plano Diretor. (Ver: Plano Diretor.)

PLANO FAIXA ETÁRIA — É uma modalidade de plano de saúde onde as mensalidades são calculadas segundo o fator de risco específico para cada faixa etária dos participantes.

PLANO FUNCIONAL — Estabelece o tipo e o cronograma de recursos funcionais necessários para dar suporte ao plano do projeto.

PLANO GERADOR DE BENEFÍCIOS LIVRES — Ver Previdência Privada – Plano Gerador de Benefício Livre (PGBL).

PLANO HETERODOXO — Programa de estabilização que não se restringe a métodos convencionais de acabar com a inflação, com ênfase nas políticas de renda. (Ver: Plano Ortodoxo.)

PLANO INDIVIDUAL — Cobertura para uma pessoa. O participante deixa os benefícios contratados para o(s) beneficiário(s) designado(s) na proposta de inscrição ao plano.

PLANO INTERNO — Instrumento de planejamento e de acompanhamento da ação planejada, usado como forma de detalhamento do projeto/atividade, de uso exclusivo de cada órgão público.

PLANO ORTODOXO — Programa de estabilização baseado exclusivamente no controle da moeda e dos gastos (os chamados fundamentos) para acabar com a inflação. (Ver: Plano Heterodoxo.)

PLANO PLURIANUAL — Ver PPA (Plano Plurianual).

PLANO REAL — Idealizado por renomados economistas brasileiros, foi um plano de estabilização econômica feito sob o governo de Itamar Franco, estruturado e instituído pelo então ministro da fazenda Fernando Henrique Cardoso, posteriormente eleito presidente em 1994. Seu objetivo primário era controlar a hiperinflação, um problema brasileiro crônico. O programa brasileiro de estabilização econômica é considerado o mais bem-sucedido de todos os planos lançados nos últimos anos para combater casos de inflação crônica. Combinaram-se condições políticas, históricas e econômicas para permitir que o Governo brasileiro lançasse, ainda no final de 1993, as bases de um programa de longo prazo. Organizado em etapas, o plano resultaria no fim de quase três décadas de inflação elevada e na substituição da antiga moeda pelo Real, a partir de primeiro de julho de 1994.

PLANO REGULADOR — É um instrumento do Plano Diretor de Desenvolvimento Urbano e Ambiental (PDDUA) que estabelece as formas e condições que regulam a paisagem da cidade construída ou não. Constitui-se de normas para ocupação (construção no terreno), uso (instalação de atividade) e parcelamento do solo urbano.

PLANO TAXA MÉDIA — É a modalidade de plano de saúde cujo cálculo tem como base o coeficiente médio resultante do risco do grupo, segundo os critérios técnicos.

PLANOS DE CAPITALIZAÇÃO — São os planos em que são determinadas as formas em que se acumulará o capital, tempo de duração, resgate, sorteios (antecipando o resgate ou provisionando um capital adicional imediato), participação nos lucros da sociedade emissora etc.

PLANOS DIRETORES AMBIENTAIS — Conjunto de diretrizes, etapas de realização, restrições e permissões, idealizados com base em diagnósticos prévios, para disciplinar o desenvolvimento de projetos e atividades em uma determinada área, com vista ao alcance de objetivos e metas de recuperação e conservação ambiental.

PLANOS E PROGRAMAS ESTRUTURADOS — São aqueles que fazem parte de um programa de ação. Devem contemplar, no mínimo, as seguintes características e elementos: ser documentado; identificar claramente os objetivos e metas a serem atendidos; possuir indicadores de desempenho para aferição dos resultados; identificação do responsável ou dos responsáveis pelas ações previstas. Deve ainda possuir um cronograma físico-financeiro formalmente estabelecido e aprovado e fonte de recursos definida.

PLANOS SETORIAIS — É um instrumento complementar do Plano Diretor de Desenvolvimento Urbano e Ambiental (PDDUA) que contém as diretrizes e políticas dadas pelos diversos setores de atuação do Poder Público Municipal.

PLANTA DE VALORES GENÉRICOS DE IMÓVEIS URBANOS — Conjunto de valores básicos unitários de imóveis urbanos, compreendendo terrenos, edificações e glebas, devidamente homogeneizados segundo critérios técnicos e uniformes, quanto à contemporaneidade, aos atributos físicos dos imóveis, às características das respectivas zonas no tocante à natureza física, à infra-estrutura, aos equipamentos comunitários, aos níveis de atividades existentes, às possibilidades de desenvolvimento e às posturas legais para uso e ocupação do solo.

PLASTICIDADE — Capacidade de moldar formas ou de mudá-las sem "quebrar", ou sem perder identidade.

PLATAFORMA — Estrutura fixa apoiada no leito do mar ou encravada nele por colunas de aço, através da qual os poços são perfurados, usando-se perfuração direcional, para a exploração de óleo e gás natural.

PLATAFORMA CONTINENTAL BRASILEIRA — A plataforma continental do Brasil, definida de acordo com a Lei nº 8.617, de 4.1.1993 (Capítulo IV), compreende o leito e o subsolo do mar nas áreas que se estendem além do mar territorial do País, em toda a extensão do prolongamento natural do seu território, até o bordo exterior da margem continental brasileira, ou até uma distância de 200 milhas marítimas da costa ou linhas de base (nos casos em que o bordo exterior da margem continental não atingir esta distância). O limite exterior da plataforma continental, fixado de conformidade com os critérios estabelecidos no art. 76 da Convenção das Nações Unidas sobre o Direito do Mar, poderá alcançar a distância de até 350 milhas marítimas da costa. A plataforma continental brasileira, conforme demarcação que está sendo realizada pela CIRM para apresentação à Comissão de Limites da Plataforma da ONU, deverá abranger uma extensão geográfica de cerca de 4,2 milhões de km^2. O Brasil exerce direitos exclusivos de soberania sobre a plataforma continental, para efeitos de exploração e aproveitamento de seus recursos naturais (recursos minerais e outros recursos não-vivos do leito do mar e seu subsolo, bem como os organismos vivos sedentários). Os recursos naturais da plataforma continental são bens da União, de acordo com a Constituição Federal, art. 20, inciso V. Na plataforma continental, o Brasil, no exercício de sua jurisdição, tem o direito exclusivo de regulamentar a investigação científica marinha, a proteção e preservação do meio ambiente marinho, bem como a construção, operação e uso de todos os tipos de ilhas artificiais, instalações e estruturas. (Ver: Mar Territorial.)

PLAYER — Participante de um mercado.

PLC — Projeto de Lei Ordinária da Câmara.

PLC 135 — Projeto de Lei Complementar em tramitação no Congresso Nacional desde 1996, que visa estabelecer normas de gestão financeira, orçamentária e patrimonial da administração direta e indireta, assim como condições para a instituição e funcionamento de fundos e critérios e prazos para a elaboração e organização da LOA, PPA e LDO, conforme prevê o art. 165, § 9º, I e II, CF, substituindo a Lei nº 4.320, de 1964. (Ver: Lei 4.320/64.)

PLEBISCITO — Convocação do povo para decidir, por intermédio de voto, exprimindo-se pelo "sim" ou pelo "não", sobre questões nacionais. Pode ser feito pelas populações diretamente interessadas para criação, incorporação, fusão e desmembramento de municípios e também desmembramento ou incorporação de Estados. É uma consulta popular para se decidir a medida a ser tomada. Não se confunde com referendo, que é a manifestação direta da cidadania a respeito de medidas já tomadas pelo governo. (Ver: Referendo.)

PLENÁRIO — Reunião dos membros de uma instituição colegiada com o propósito de decidir ou julgar, de forma soberana, matéria sujeita à sua apreciação. Local onde se dá essa reunião.

PLENITUDE — Senso de unidade, de inteireza ou de realização do pleno. Estado ou qualidade de pleno, cheio, completo. Totalidade. Abundância excessiva.

PLENO JURE — [Latim]. Expressão que significa de pleno direito.

PLENOS PODERES — 1) Cláusula ampla que o mandante dá ao mandatário para que aja em seu nome e por sua conta. 2) Poderes plenos que estão consubstanciados na carta credencial de um representante diplomático para discutir e concluir tratados internacionais, em nome de seu país.

PLEONASMO — Figura de construção de uma frase. É a redundância de informação a título de reforço. Exemplo: Tais pessoas, já as conheço de sobra.

PLIM 200 — Transação do SISBACEN que calcula limites operacionais de cada instituição financeira, com base nos dados contábeis por elas encaminhados ao Banco Central. (Ver: SISBACEN.)

PLOTAR — Assinalar ou localizar as posições sucessivas de um objeto (alvo, aeronave, embarcação, tropa etc.), em mapa, carta, mosaico fotográfico, diagrama etc., de maneira a poder determinar-lhe o rumo e a velocidade de deslocamento.

PLP — Abreviatura de Projeto de Lei Complementar.

PLS — Abreviatura de Projeto de Lei Ordinária do Senado.

PLURALIDADE — Multidão; grande número; o geral; multiplicidade; o maior número; qualidade atribuída a mais de uma pessoa ou coisa; caráter de um termo que está no plural.

PLURIPARTIDARISMO — É o sistema, próprio dos regimes democráticos, onde a lei admite a participação nos pleitos de vários partidos políticos. Muitos regimes admitem legalmente a participação plena de todas as correntes políticas, reunidas em agremiações ideológicas. Entretanto, ao longo do tempo, diversas formas de pensamento político sofrem restrições, a fim de se evitar que determinados grupos - considerados nocivos ao sistema vigente - possam vir a tomar o poder. Mesmo aceitando muitos partidos, a maioria das nações democráticas impõe limites ao registro de alguns partidos, como por exemplo o Comunista, ou partidos de linha fascista.

PLUS — Algo mais diferenciador. É considerado como "algo mais", em valores, que o empregado/servidor recebe, ou seja, um adicional salarial.

PLUVIAL — Relativo à chuva. Proveniente da chuva.

PLUVIEROSÃO — O mesmo que erosão pluvial, isto é, erosão provocada pelas águas das chuvas.

PLUVIÓGRAFO — Pluviômetro que registra automaticamente e normalmente, sob a forma de gráfico, a quantidade acumulada de precipitação em função do tempo.

PLUVIOMETRIA — Ramo da climatologia que se ocupa da distribuição de chuvas em diferentes épocas e regiões. Medida média de precipitações de chuvas em uma região definida, durante um período considerado.

PLUVIÔMETRO — Instrumento para medir a quantidade de precipitação (chuva) que cai num local, num momento determinado.

PNAD — Abreviatura de Pesquisa Nacional por Amostra de Domicílios.

PNAE (PROGRAMA NACIONAL DE ALIMENTAÇÃO ESCOLAR) — Ver Educação - PNAE (Programa Nacional de Alimentação Escolar).

PNB (PRODUTO NACIONAL BRUTO) — É uma expressão monetária dos bens e serviços produzidos por fatores de produção nacionais, independentemente do território econômico. (Ver: PIB.)

PND — Ver Programa Nacional de Desestatização.

PNL — Ver Produto Nacional Líquido.

PNLCF — Ver Produto Nacional Líquido a Custo de Fatores.

PNUD — Ver Programa das Nações Unidas para o Desenvolvimento.

PNUMA — Ver Programa das Nações Unidas para o Meio Ambiente.

POBREZA - ESTRATÉGIA DE AJUDA POR PAÍS — Quadro de ajuda definido pelo Banco Mundial em função das necessidades do país. É uma estratégia definida em parceria com o governo e com consulta da sociedade civil e de outros parceiros. Centra-se na redução da pobreza e tem como principal objetivo identificar as áreas-chave de apoio, tendo em conta o maior impacto positivo possível. O documento identifica o programa de reformas e os projetos a serem alvo de financiamento externo, com base numa apreciação das prioridades do país. Indica, também, o nível e composição da ajuda a ser fornecida com base nessa estratégia.

POBREZA - JUSTIÇA DOS RESULTADOS — É um conceito estudado em economia a propósito da desigualdade e pobreza. Sendo a pobreza um problema social esta pode ser resolvida do ponto de vista dos resultados, de uma dupla forma, alternativa ou cumulativa: a) tendo em vista a maximização do bem-estar para todos os sujeitos econômicos (solução utilitarista) ou b) tendo como objetivo a minimização das probabilidades de algum sujeito econômico vir a ocupar uma posição menos favorável.

POBREZA - OBJETIVOS INTERNACIONAIS DE DESENVOLVIMENTO — Ver Objetivos internacionais de desenvolvimento.

POBREZA — Situação de uma pessoa cujo grau de privação está abaixo do nível que a sociedade em que se integra considera mínimo para manter a dignidade. Carência de bens e serviços necessários para satisfazer as necessidades básicas. Em economia corporiza o baixo rendimento pessoal. Está igualmente associada à idéia de estar abaixo de um nível arbitrário de rendimento numa determinada sociedade - na verdade, quando uma sociedade aumenta os valores a partir dos quais considera que está garantida a subsistência mínima, aumenta estatisticamente a população mais carente. Em um conceito mais amplo engloba não somente privações materiais, conforme definidas pela renda ou pelo consumo, mas também pouco avanço na educação e na saúde. Inclui a vulnerabilidade, falta de direito de opinião, incapacidade e exposição a risco. Embora essas dimensões da pobreza sejam difíceis de mensurar, elas refletem um conceito mais amplo do bem-estar individual de modo geral, em oposição a um conceito mais limitado de bem-estar material. (Ver: Países em desenvolvimento, de rendimento médio baixo // Pobreza, limiar da.)

POBREZA CRÔNICA — Situação em que um indivíduo é pobre em conseqüência de fatores estruturais de longo prazo.

POBREZA HUMANA E PRIVAÇÃO DE RENDA — É definida pelo empobrecimento em múltiplas dimensões: privações de uma vida longa e saudável, de conhecimento, de um nível de vida digno e de participação. Contrariamente, a privação de renda é definida pela privação numa única dimensão: renda, porque se acredita que é a única forma de empobrecimento que interessa ou porque nenhuma outra privação pode ser reduzida a um denominador comum. O conceito de pobreza humana considera a insuficiência de renda como um fator importante na privação humana mas não como o único. Não se pode reduzir, de acordo com este conceito, todo o empobrecimento à falta de renda. Se a renda não é tudo na vida humana, a falta de renda não pode ser tudo na privação humana.

POBREZA, ESCRAVIZADO NA — Situação de ausência de "força anímica" que impede que as pessoas pobres consigam potenciar as suas capacidades no sentido de procurar aumentar o bem-estar e sair da pobreza.

POBREZA, ESTRATÉGIA DE REDUÇÃO DA — Visa assegurar a ampla participação de todos os detentores de interesse na formulação das estratégias, melhorar a coordenação entre os parceiros do desenvolvimento e centra-se nos recursos conjuntos do governo e da comunidade para alcançar os objetivos de redução da pobreza.

POBREZA, FACILIDADE DE CRESCIMENTO E DE REDUÇÃO DA — São empréstimos concedidos pelo Fundo Monetário Internacional (FMI), com baixas taxas de juros, longos períodos de carências e prazos para pagamento, que financiam os planos estratégicos de redução da pobreza. O objetivo destas facilidades é o de apoiar programas que equilibrem de forma sustentável a balança de pagamento dos países em desenvolvimento, promovendo o crescimento duradouro e que conduza à melhoria dos níveis de vida das populações e a uma redução da pobreza.

POBREZA, INCIDÊNCIA DA — Estimativa percentual de pessoas que vivem abaixo do limiar de pobreza. Não indica nada sobre a gravidade ou profundidade da pobreza e não capta qualquer agravamento das condições daqueles que já estão na pobreza.

POBREZA, LIMIAR DE — Expressão utilizada em economia para definir a apuração da desigualdade na distribuição de riqueza e de rendimento, por referência às situações de carência grave, na medida em que: a) existem transferências em espécie que não aumentam o rendimento dos mais carentes; b) a vida tem vários estádios, pelo que, por exemplo, os trabalhadores mais idosos podem compensar em poupanças o que não podem adquirir pelo trabalho, em virtude da sua idade avançada; c) existem vários choques transitórios eminentes que os sujeitos podem ter de enfrentar e d) há que ter em conta a mobilidade social. Para comparações internacionais, o Banco Mundial utiliza como limiar 1 dólar/dia/pessoa. Esta linha de pobreza assenta no consumo de bens e serviços. Para os países da América Latina e Caribe é utilizado o limiar dos 2 dólares/dia/pessoa. Para a Europa de Leste e ex-URSS o limiar situa-se nos 4 dólares/dia/pessoa. Para comparações entre países industrializados o limiar de pobreza utilizado corresponde aos 14,4 dólares/dia/pessoa. Em termos nacionais, os países em desenvolvimento que estabeleceram linhas de pobreza nacionais usam o método de "pobreza alimentar". Estas linhas indicam insuficiência de recursos econômicos para satisfazer as necessidades alimentares consideradas mínimas. Nos países desenvolvidos as linhas de pobreza são usadas para medir a pobreza relativa. A Comissão Européia sugere uma linha de pobreza como metade da mediana, ajustada ao rendimento individual.

POBREZA, TAXA DE — Indicador da população cuja renda familiar está abaixo de um nível absoluto denominado linha de pobreza.

PODER — 1) É a capacidade de influir na vontade de outro, podendo estender ao controle da maioria, tanto no comportamento, conduta como no procedimento. O poder implica a correlação de duas ou mais vontades, havendo uma que predomina. 2) Força imanente do Governo para atingir sua finalidade; possibilidade legal de agir, de fazer. 3) Direito de ordenar, de fazer-se obedecer, pela força coercitiva da lei ou das atribuições de que se reveste o cargo de que está investido quem tem a faculdade de ordenar.

PODER AEROESPACIAL — Capacidade que tem uma nação de controlar e utilizar o espaço aéreo com propósitos definidos.

PODER CONCEDENTE — Órgão, instituição que concede, ou seja, que faculta sobre um assunto específico. Normalmente, é atribuído a órgãos públicos. É a União, o Estado, o Distrito Federal ou o Município, em cuja competência se encontre o serviço público, precedido ou não da execução de obra pública, objeto de concessão ou permissão.

PODER CONCLUSIVO — Prerrogativa das comissões permanentes de discutir e votar projetos de lei, dispensada a competência do Plenário, o qual só se manifesta se houver recurso de 10% dos membros da Casa Legislativa nesse sentido. Essa prerrogativa é definida pela Mesa, quando é feita a distribuição das proposições.

PODER CONSTITUINTE — Poder destina-do a alterar total ou parcialmente a estrutura jurídico-política do Estado. É o responsável pelo nascimento da Constituição e por isso não se prende a limites e formas, é essencialmente político, autônomo, incondicionado, preexistindo a qualquer ordenamento jurídico-positivo. Quando dotado de soberania, ou seja, de capacidade ilimitada de atuação, se chama poder constituinte originário, e, quando criado por este, para alterar periodicamente a Constituição, nos limites impostos por esta, se chama poder constituinte derivado,

PODER CONSTITUINTE DERIVADO — Poder instituído pelo próprio legislador ao elaborar a Constituição, com o encargo de reformulá-la, respeitando as previsões nela contidas. Pelo conceito jurídico o poder constituinte implica a existência prévia de uma organização constitucional, da qual ele legitimamente emana, para o desempenho de sua atividade. Assim, só é concebida a essência jurídica do poder constituinte se ele tiver origem e se exerça de conformidade com uma ordem jurídica preestabelecida.

PODER CONSTITUINTE ORIGINÁRIO — É o responsável pelo nascimento da Constituição e por isso não se prende a limites e formas, é essencialmente político, autônomo, incondicionado, preexistindo a qualquer ordenamento jurídico-positivo.

PODER DE MERCADO — Expressão utilizada para definir a capacidade conferida à empresa ou ao consumidor de influenciar a formação dos preços no mercado. Para a empresa, este poder é conseqüência da falta de alternativas conferidas ao consumidor (inelasticidade) e é a causa do chamado lucro extraordinário perante um monopólio.

PODER DE MONOPÓLIO — Capacidade da empresa monopolista de estipular um preço para seu produto maior que o custo marginal.

PODER DE POLÍCIA — Constitui a atividade da Administração Pública que, limitando ou disciplinando direito, interesse ou liberdade, regula a prática de ato abstenção de fato, em razão de interesse público concernente à segurança, à higiene, à ordem, aos costumes, à disciplina da produção e do mercado, ao exercício de atividades econômicas dependentes de concessão ou autorização do Poder Público, à tranqüilidade pública ou o respeito à propriedade e aos direitos individuais ou coletivos. As taxas pelo exercício de poder de polícia podem ter um papel importante para os municípios, fundamentalmente no financiamento do controle e fiscalização das chamadas posturas urbanas. O cumprimento delas resulta em melhoria da qualidade de vida nas cidades e, em grande medida, em economia para o Poder Público, ao obrigar os cidadãos e demais agentes privados a empreenderem ações que resultem no bem comum. (Ver: Taxas.)

PODER DISCIPLINAR — Faculdade de punir internamente servidores dos órgãos e serviços da Administração, por infrações funcionais cometidas.

PODER DISCRICIONÁRIO — Liberdade na escolha de sua conveniência, oportunidade e conteúdo. Prerrogativa legal conferida à Administração Pública, explícita ou implicitamente, para a prática de atos administrativos, quanto à conveniência, oportunidade e conteúdo destes. Opõe-se a poder vinculado. A discricionariedade, portanto, é liberdade de ação administrativa dentro dos limites estabelecidos pela lei e, portanto, não se confunde com a arbitrariedade. Assim, o ato discricionário sempre se desenvolve dentro de uma margem de liberdade conferida pela lei, ao contrário do ato arbitrário, que extrapola os limites desta, sendo, portanto, ilegal.

PODER EXECUTIVO — Aquele que, segundo a organização constitucional do Estado, tem a seu cargo a execução das leis, bem como o governo e a administração dos negócios públicos. É um dos três poderes, no sistema de governo adotado pelo Brasil a que se comete a função precípua de governar ou administrar o ente da federação (União, Estado, Distrito Federal ou Município).

PODER FAMILIAR — É um conjunto de direitos e de deveres que os pais exercem em relação aos filhos menores de 18 anos (não emancipados) e seus bens ou aos portadores de incapacidade mental. O poder familiar é exercido por pai e por mãe, em igualdade de condições, tanto na constância do casamento e da união estável, como depois da separação e do divórcio. Não se pode confundir poder familiar e guarda de filhos menores. A guarda é a responsabilidade pela organização do cotidiano da criança, horários de escola, alimentação etc. Trata-se de uma vigilância diária. Já o poder familiar refere-se a questões mais importantes, como, por exemplo, a decisão de uma cirurgia etc. A separação judicial ou divórcio não altera nada a questão do poder familiar, o que se estabelece neste caso é guarda da criança (com quem vai ficar), as visitas (daquele que não tem a guarda) e o valor da pensão alimentícia a ser paga, mas ambos continuam responsáveis. Os pais têm o direito e o dever de educar os filhos ainda que separados, decidindo sobre a vida deles em conjunto. Enfim, trata-se do mais pleno exercício da paternidade e da maternidade. A denominação "poder familiar" é utilizada pelo novo Código Civil (Lei nº 10.406, de 10 de janeiro de 2002) em substituição ao termo "pátrio poder", constante da primitiva redação do revogado Código Civil de 1916 que falava em poder do pai, e, na sua falta, da mãe. Esta situação mudou e hoje a responsabilidade sobre os filhos é de ambos. Tanto que, antes do novo Código Civil, para melhor expressar o conteúdo da figura jurídica do "pátrio poder", passou-se a adotar expressões como, por exemplo, "autoridade parental" ou "pátrio dever". O Código Civil enumera casos que, quando ocorrem reiteradamente, o juiz pode decidir pela perda do poder familiar. (Ver: Abuso do poder familiar // Emancipação // Pátrio Poder.)

PODER JUDICIÁRIO — Dentro do princípio da separação dos poderes, a função principal do Judiciário é aplicar a lei para assegurar a soberania da Justiça e a realização dos direitos individuais. É um dos três poderes do sistema constitucional brasileiro. É constituído pelo conjunto de autoridades que se investem no poder de julgar. É a designação que se dá aos órgãos, a que, como delegado do Poder Público, se comete a atribuição de administrar a justiça. Sua estrutura é baseada na hierarquia. A primeira instância do Judiciário é a que recebe diretamente as demandas jurídicas da população. As demais apreciam a decisão tomada pela instância inferior. Assim, toda decisão poderá ser submetida a graus superiores de julgamento, para que qualquer matéria tenha oportunidade de reavaliação. De acordo com o assunto, as instâncias superiores também podem apreciar determinadas ações que lhes sejam submetidas diretamente sem que tenham passado por outra avaliação. É exercido pelos seguintes órgãos: Supremo Tribunal Federal; Tribunal Federal de Recursos e juízes federais; juízes e tribunais eleitorais; juízes e tribunais militares; juízes e tribunais estaduais.

PODER LEGISLATIVO — Aquele que, segundo a organização constitucional do Estado, tem a incumbência de fazer e aprovar as leis, bem como de controlar e fiscalizar os atos do Poder Executivo. É um dos três poderes em que se distingue o poder público, junto com o Executivo e o Judiciário. A ele está afeta a elaboração e aprovação das leis. No plano nacional tem como órgão o Congresso; no plano estadual, as Assembléias Legislativas; no plano municipal, as Câmaras de Vereadores.

PODER LEGISLATIVO ESTADUAL — É exercido pelas Assembléias Legislativas, formadas pelos deputados estaduais, eleitos para mandato de quatro anos com direito a quantas reeleições pretenderem. Os deputados elaboram e votam leis de interesse do Estado, inclusive a Constituição estadual. (Ver: Assembléia Legislativa.)

PODER LEGISLATIVO FEDERAL — O sistema legislativo brasileiro é bicameral – composto de duas instâncias: a Câmara dos Deputados e o Senado Federal, que formam o Congresso Nacional. As duas Casas têm poderes independentes. A Câmara tem 513 membros com mandato de quatro anos e é a representação dos cidadãos no Congresso. Cada Estado elege um número de representantes proporcional ao número de eleitores que possui. Assim, São Paulo tem 70 representantes, enquanto Acre, Amapá, Amazonas, Distrito Federal, Mato Grosso, Mato Grosso do Sul, Rio Grande do Norte, Rondônia, Roraima, Sergipe e Tocantins têm apenas oito, o número mínimo. O Senado, composto de 81 membros com mandato de oito anos, representa os estados. Cada unidade da federação (27 Estados e o Distrito Federal) elege igualmente três senadores. Os trabalhos das duas Casas são coordenados pelas mesas diretoras, cujos presidentes têm mandato de dois anos. Tradicionalmente, eles fazem parte do partido com a maior bancada em cada Casa. (Ver: Câmara dos Deputados // Congresso Nacional // Senado.)

PODER LEGISLATIVO MUNICIPAL — O Poder Legislativo nos Municípios são as Câmaras Municipais, compostas de vereadores. Eles são responsáveis pelas matérias de alcance do Município. Os Vereadores discutem as questões locais e devem fiscalizar os atos do Executivo Municipal. São eleitos por um período de quatro anos e podem ser reeleitos indefinidamente. (Ver: Câmara Municipal // Vereador.)

PODER LIBERATÓRIO — Capacidade da cédula, ou moeda, de liberar débitos, de efetuar pagamentos.

PODER MARÍTIMO — Capacidade resultante da integração de meios de toda ordem que possibilitem a utilização do mar e demais aquavias, visando à consecução dos Objetivos Nacionais e execução das políticas do Estado.

PODER MILITAR — Expressão do Poder Nacional, constituída de meios predominantemente militares, de que dispõe a Nação para, sob a direção do Estado, promover, pela dissuasão ou pela violência, a conquista ou manutenção dos Objetivos Nacionais.

PODER NACIONAL — Expressão integrada dos meios de toda ordem de que dispõe efetivamente a Nação, numa época considerada, para promover, sob a direção do Estado, no âmbito interno e externo, a conquista ou manutenção dos Objetivos Nacionais.

PODER NAVAL — Componente naval do Poder Militar da Nação e parte integrante do seu Poder Marítimo, que a capacita para atuar militarmente no mar e demais aquavias, na conquista e manutenção dos Objetivos Nacionais.

PODER NORMATIVO — Poder conferido aos Tribunais do Trabalho para resolver conflitos coletivos de trabalho e criar normas aplicáveis às condições de trabalho e contratos individuais de trabalho. O poder normativo não pode extrapolar o limite da lei, mas pode ampliar vantagens legalmente asseguradas, desde que não interfira no poder de comando do empregador. Está previsto no art. 114, § 2º, da Constituição Federal. Nos países em que os tribunais trabalhistas solucionam conflitos de natureza socioeconômica essa competência tem o nome de poder arbitral.

PODER POLÍTICO — É o poder ou competência que um Estado ou órgão do Estado tem para fazer leis e impô-las coativamente.

PODER POLÍTICO SOBERANO — Caracteriza-se por ser um poder político supremo e independente. Supremo porque não está limitado por nenhum outro na ordem interna de um determinado Estado. Independente porque na ordem internacional não tem de acatar normas que não sejam voluntariamente aceitos e está ao mesmo nível dos poderes supremos dos outros Estados.

PODER PÚBLICO — Expressão que designa as prerrogativas do setor público de impor obrigações ou comportamentos à sociedade. O emprego mais usual desta expressão costuma ser como sinônimo de setor público, de Governo ou dos níveis de Governo.

PODER REGULAMENTAR — É a capacidade de que dispõem os chefes de Executivo de explicitar a lei para a sua correta execução, ou de expedir decretos autônomos sobre matéria de sua competência ainda não disciplinada por lei.

PODER TERRESTRE — Componente do Poder Militar que possui, como instrumento de ação, as Forças Terrestres da Nação e sua estrutura de apoio imediato.

PODER VINCULADO — É a limitação sofrida pela autoridade para a prática de certos atos para cuja realização a lei estabelece condições e exigências. A autoridade não é livre para praticar ou não esses atos.

PODERES INSTRUTÓRIOS — Capacidade que possui o juiz de determinar *ex officio* (independentemente das partes) que se produzam provas necessárias ao seu convencimento.

POEIRA — Partícula sólida gerada pelo manuseio, trituração, moagem, impacto rápido, detonação ou decrepitação de materiais orgânicos ou inorgânicos, tais como: rochas, minérios, metais, carvão, madeira etc. As poeiras não tendem a flocular, exceto sob a ação de forças eletrostáticas; são difusas no ar, mas assentam pela ação da gravidade. Aerodispersóide sólido, formado por rompimento mecânico de sólidos.

POLEGADA — É uma unidade de comprimento usada no sistema imperial de medidas britânico, mais conhecido como CGS. Uma polegada são 2,54 centímetros. A polegada tem sua origem na medida realizada com o próprio polegar humano, não todo ele, mas a distância entre a dobra do polegar e a ponta. Uma medida rápida do polegar de um ser humano adulto fornece aproximadamente 2,5 cm de comprimento para esta distância. Hoje em dia, ela é definida em função da Jarda. Esta por sua vez é definida em função do metro (unidade adotada na maioria dos países). 1 Jarda equivale a 3 pés, cada pé com 12 polegadas; 1 yd (uma jarda) equivale a 0,91440 m; 1 ft' (um pé) equivale a 304,8 mm; 1" (uma polegada) equivale a 25,4 mm.

POLIANDRIA — Consiste na união de uma mulher a vários homens. É uma das espécies da poligamia.

POLICENTRALIDADE — É o espaço urbano onde se distribuem as centralidades.

POLÍCIA — É um dos órgãos da segurança pública (Instituição de Direito Público) destinada a manter e a recobrar, junto à sociedade a na medida dos recursos que dispõe, a paz pública ou a segurança individual.

POLÍCIA CIVIL — É responsável pelas atividades da Polícia Judiciária e pela investigação criminal, exceto dos crimes militares e dos delitos de jurisdição federal. Subordinada em geral ao Governador do Estado, por meio da Secretaria de Segurança Pública, é dirigida por delegados de carreira com formação em direito e integrada por investigadores, escrivães, carcereiros e técnicos em diversas áreas. Os peritos criminais e os médicos-legistas, que em alguns estados passaram da Polícia Civil para a Superintendência da Polícia Técnico-Científica, são responsáveis pela realização de perícias e pela elaboração de laudos técnicos.

POLÍCIA FEDERAL — É um dos órgãos de Segurança Pública com objetivo de preservar a ordem pública, a incolumidade das pessoas e do patrimônio. É instituída por lei como órgão permanente, organizado e mantido pela União e estruturado em carreira. É um órgão do Poder Executivo Federal, subordinado ao Ministério da Justiça. Destina-se a: apurar infrações penais contra a ordem política e social ou em detrimento de bens, serviços e interesses da União ou de suas entidades autárquicas e empresas públicas, assim como outras infrações cuja prática tenha repercussão interestadual ou internacional e exija repressão uniforme, segundo se dispuser em lei; prevenir e reprimir o tráfico ilícito de entorpecentes e drogas afins, o contrabando e o descaminho, sem prejuízo da ação fazendária e de outros órgãos públicos nas respectivas áreas de competência; exercer as funções de polícia marítima, aeroportuária e de fronteiras; exercer, com exclusividade, as funções de polícia judiciária da União.

POLÍCIA JUDICIÁRIA — Aquela exercida pelas autoridades policiais, tendo por objetivo a apuração das infrações e a autoria destas. (Ver: Polícia Civil.)

POLÍCIA MILITAR — A Polícia Militar é encarregada do policiamento ostensivo e da manutenção da ordem pública. É subordinada ao Governador do Estado, diretamente ou por meio da Secretaria de Segurança Pública. Constitui também força auxiliar e reserva do Exército e, nessa condição, está sujeita ao controle do governo federal e pode ser mobilizada por ele.

POLIGAMIA — Ver Monogamia // Poliginia.

POLIGINIA — Consiste na união de um homem a várias mulheres. É uma das espécies da poligamia. (Ver: Monogamia.)

POLÍGONO DAS SECAS — Área que abrange 1.880.000 km², existente no Nordeste do Brasil, sujeita a secas prolongadas. Recebe o nome de polígono, pois, quando foi realizado o mapeamento das áreas ou municípios que se encontram na zona semi-árida, unindo entre si tais áreas ou municípios, se obteve a figura de um polígono.

POLINIZAÇÃO — Ato de transportar o pólen de uma antera (parte em que ele é produzido) até o estigma. Há dois tipos básicos de polinização: a autopolinização e a polinização cruzada. Os agentes naturais (vetores) da polinização são tanto elementos abióticos (ex.: vento e água) quanto agentes bióticos (ex.: insetos, pássaros e morcegos). Em angiospermas, o pólen é geralmente transportado por insetos, aves ou morcegos, enquanto em gimnospermas o vento se encarrega desta missão.

POLIOMIELITE — Ver Saúde - Poliomielite.

POLIPÁTRIDA — Diz-se daquele que possui mais de uma nacionalidade. É também conhecido como multinacional ou com dupla nacionalidade. A causa principal de ocorrência desse fenômeno é quando do nascimento do indivíduo duas legislações com base em critérios diferentes: uma *soli* e a outra *sanguinis*, conferem a nacionalidade primária (originária) ao indivíduo. O fenômeno jurídico da polipatrídia, conflito positivo de nacionalidade, traz alguns problemas, como exercício de direitos políticos, serviço militar, proteção diplomática. De um modo geral, deve-se considerar o polipátrida como nacional do Estado em que tem seu domicílio. Não tendo ele domicílio ou residência, deverá ser considerado nacional do Estado que figura em seus documentos.

POLIPLÓIDE — Organismo com um número de conjuntos de cromossomos distintos do conjunto básico.

POLISSÍNDETO — Figura de construção de uma frase. É a repetição da mesma conjunção entre orações dispostas em seqüência. Exemplo: E ri, e canta, e chora.

POLITEÍSMO — Sistema religioso que admite a pluralidade dos deuses.

POLÍTICA — Ciência e arte de governar e administrar as relações sociais. Princípio doutrinário que caracteriza a estrutura constitucional do Estado. Posição ideológica a respeito dos fins do Estado. Conjunto de objetivos que dão forma a determinado programa de ação e condicionam a sua execução. Habilidade no trato das relações humanas, com vista à obtenção dos resultados desejados. Civilidade, cortesia. Em sentido figurado: astúcia, ardil, artifício, esperteza, prudência, sagacidade.

POLÍTICA - CORRUPÇÃO — Ver Corrupção política.

POLÍTICA - DIREITA/ESQUERDA — Ver Espectro ideológico direita/esquerda.

POLÍTICA AMBIENTAL — Conjunto de declarações de intenções e princípios do governo ou de uma organização em relação ao seu desempenho ambiental global que estabelece uma estrutura para ação e definição de utilização dos recursos ambientais e naturais.

POLÍTICA CAMBIAL — É o conjunto de medidas tomadas pelo governo que afetam a formação da taxa de câmbio. É diferente da política monetária por atuar mais diretamente sobre todas os fatores relacionados às transações econômicas do país com o exterior. (Ver: Política econômica // Política fiscal // Política monetária.)

POLÍTICA COMERCIAL — Refere-se à atuação do governo para incentivar ou inibir o comércio exterior. Política do governo que influi diretamente na quantidade de bens e serviços que o país importa ou exporta.

POLÍTICA CORPORATIVA — Documento expresso de intenções e diretrizes gerais relativas a aspectos da gestão de uma organização, formalmente aprovado pelo Conselho de Administração.

POLÍTICA DA QUALIDADE — São as intenções e diretrizes globais de uma organização relativas à qualidade, formalmente expressas.

POLÍTICA DE COOPERAÇÃO — Estabelecimento de princípios e prioridades de atuação, critérios de seleção das intervenções prioritárias, princípios de partilha de responsabilidades, poderes de tomada de decisões e das principais linhas de organização em matéria de cooperação.

POLÍTICA DE DESENVOLVIMENTO REGIONAL — Sistema formalmente expresso de intenções e diretrizes gerais relativas ao desenvolvimento de uma região.

POLÍTICA DE INVESTIMENTO — Descreve um grupo de regras e metas sobre a forma como os recursos (ou ativos de uma carteira de investimentos) devem ser administrados. Na gestão de recursos de um fundo, por exemplo, é a definição das regras e forma de atuação de como determinado fundo será administrado.

POLÍTICA DE RENDAS — Providências que as autoridades tomam que afetam a formação dos principais rendimentos da economia como os salários, lucros, dividendos, preços, aluguéis e outros contratos especiais. Nos chamados planos heterodoxos, enfatiza-se a utilização deste tipo de política em detrimento dos fundamentos monetários e fiscais que constituem características dos chamados planos ortodoxos. É preciso, no entanto, cuidado com os rótulos. Na prática, tanto os fundamentos quanto as políticas de renda são importantes e, ao lado das reformas estruturais compõem os instrumentos essenciais da estabilização bem-sucedida.

POLÍTICA ECONÔMICA — Também conhecida como Economia Normativa, é o conjunto de medidas tomadas pelo governo com o objetivo de atuar e influir sobre os mecanismos de produção, distribuição e consumo de bens e serviços. Essas medidas obedecem também a critérios de ordem política e social - na medida em que determinam, por exemplo, quais segmentos da sociedade se beneficiarão com as diretrizes econômicas implementadas pelo Estado. O alcance e o conteúdo de uma política econômica variam em cada país, dependendo do grau de diversificação de sua economia, do regime social e do nível de atuação dos grupos de pressão (partidos políticos, sindicatos, associações de classe, ONGs e movimentos de opinião pública). Fazem parte da política econômica de um país: a monetária, a fiscal e a cambial.

POLÍTICA ECONÔMICO-FINANCEIRA — Conjunto de diretrizes governamentais para gestão da economia e finanças públicas a ser descrito na Lei do Orçamento Anual.

POLÍTICA FINANCEIRA — É o ramo da ciência que escolhe, dentre os elementos econômicos cuja existência seja indicada pela economia financeira, aqueles que devam ser utilizados na prática em caso particular. A política financeira é, portanto, uma ciência aplicada, não só porque está ligada à política no sentido *lato* de arte de governar, que define as finalidades do Estado e indica o que constitui interesse público, mas também porque trata de escolher, para realizar aquelas finalidades, os meios financeiros cuja utilização esteja mais de acordo com o tipo particular de Estado de que se trate e com a orientação geral do governo. Assim, a política financeira de um Estado intervencionista (corporativista, socialista, marxista etc.) será necessariamente diferente da de um Estado liberal, isto é, não intervencionista, e vice-versa.

POLÍTICA FISCAL — Refere-se às escolhas do governo em relação aos gastos e impostos. Coordenação da tributação, dívida pública e despesas governamentais, com o objetivo de promover o desenvolvimento e a estabilização da economia. Opera, basicamente, através de três esquemas: via tributo sobre a renda e produção, via incentivos e via abatimentos fiscais. Em geral, a política fiscal adotada por um governo acaba repercutindo em sua política monetária, visto que se as despesas do governo superarem as receitas de arrecadação, então o governo se encontra em uma situação de déficit. Em geral este tipo de desequilíbrio leva os investidores a exigirem mais para comprar títulos públicos, o que acaba forçando o Banco Central a elevar a taxa básica de juros usada como referência para o retorno dos títulos públicos. No Brasil, o Ministério da Fazenda e seus órgãos subordinados (como a Secretaria do Tesouro Nacional e a Secretaria da Receita Federal) são os grandes responsáveis pela política fiscal. (Ver: Política cambial // Política econômica // Política monetária.)

POLÍTICA INDUSTRIAL — Atuação do governo para incentivar os sistemas produtivos.

POLÍTICA MONETÁRIA — É o controle do sistema bancário e monetário exercido pelo governo, com a finalidade de propiciar estabilidade para o valor da moeda, equilíbrio no balanço de pagamentos, pleno emprego e outros objetivos correlatos. Consiste num conjunto de medidas adotadas pelo governo para controlar a oferta de moeda e crédito, e, conseqüentemente, a taxa básica de juro de uma determinada economia. No Brasil é conduzida pelo Banco Central (BC) mediante o aumento ou a diminuição da quantidade de moeda (dinheiro) em circulação. A moeda, como toda mercadoria, possui um preço, conhecido como taxa de juros. Quando o BC aumenta a quantidade de moeda em circulação, ele está realizando uma política monetária expansionista, que causará redução da taxa de juros. Da mesma forma, quando ele reduz a circulação, realiza uma política monetária contracionista, que acarretará um aumento da taxa de juros. Dentre os instrumentos mais utilizados para a execução da política monetária do país se refere aos depósitos compulsórios sobre depósitos bancários. Assim sendo, quando o Banco Central quer diminuir o volume de moeda em circulação, em geral aumenta o depósito compulsório dos bancos. (Ver: Política cambial // Política econômica // Política fiscal.)

POLÍTICA NACIONAL — Arte de estabelecer os Objetivos Nacionais, mediante a interpretação dos Interesses e Aspirações Nacionais, e de orientar a conquista ou preservação desses objetivos.

POLÍTICA NACIONAL DE SEGURANÇA — Integrada à política nacional, é a arte de orientar o poder nacional, visando a garantir a conquista ou a manutenção dos objetivos nacionais.

POLÍTICA TECNOLÓGICA — Sistema formalmente expresso de intenções e diretrizes gerais relativas ao desenvolvimento tecnológico de uma região.

POLITICAGEM — Política mesquinha, usada para proveito pessoal.

POLÍTICAS DE ESTABILIZAÇÃO — Expressão utilizada em economia para definir o conjunto de políticas governamentais de curto prazo que visam reduzir as flutuações de despesa púbica para restaurar o equilíbrio geral da economia. O objetivo das políticas de estabilização passa pela igualação do PIB potencial ao PIB real, evitando os hiatos deflacionistas e inflacionistas. As políticas de estabilização podem assumir várias formas: políticas fiscais, monetárias, de rendimentos e preços, industriais, regionais e cambiais.

POLÍTICAS PÚBLICAS — Conjunto de orientações com objetivo de dar forma ao programa de ação governamental e que condicionam a sua execução. Conjunto de intenções e diretrizes garantidas por lei que possibilitam a promoção e a garantia dos direitos do cidadão. Promovidas, geralmente, pelo Poder Público, com o objetivo de trabalhar determinado aspecto social, é importante que se diferencie os termos "público" (que atende a toda a população) e "governamental" (promovidos pelos diversos órgãos do governo). Numa sociedade verdadeiramente democrática, cidadãos participam ativamente da definição e, principalmente, do acompanhamento da implantação das políticas públicas. As políticas públicas também podem ser desenvolvidas em parceria com organizações não-governamentais.

POLÍTICO — 1) Aquele que trata ou se ocupa da política. 2) Pessoa cujo negócio é a política, especialmente aquela eleita para um parlamento ou que ocupa uma posição no governo. 3) Em sentido figurado: astuto, esperto. 4) Relativo à, ou próprio da política. 5) Relativo aos negócios públicos, de ou pertencente aos cidadãos.

PÓLO — Concentração regional de empresas que atuam num mesmo segmento.

PÓLO AGROINDUSTRIAL — Concentração regional de empresas que atuam no setor agroindustrial.

PÓLO CELESTE — Interseção do eixo de rotação do Planeta Terra com a esfera celeste, pelo que existe um norte e um sul.

PÓLO DE CIÊNCIA E TECNOLOGIA — Área de concentração industrial resultante da interação de um conjunto de empresas com centros de excelência localizados em universidades de alto nível. O pólo de ciência e tecnologia se caracteriza pelo intercâmbio de informações, a troca de experiências, os serviços que facilitam a utilização de recursos humanos de qualidade, a contratação de projetos tecnológicos, o acesso a centros de pesquisa, a bibliotecas, a serviços de documentação especializada.

PÓLO DE INOVAÇÃO — Ver Pólo de Ciência e Tecnologia.

PÓLO DE MODERNIZAÇÃO TECNOLÓGICA — Ver Pólo de Ciência e Tecnologia.

PÓLO TECNOLÓGICO/TECNÓPOLIS — São grandes áreas com infra-estrutura necessária para unidades produtivas que realizam atividades de baixa ou grande escala, baseadas em pesquisa e desenvolvimento tecnológico. Nessas áreas, são oferecidos serviços que facilitam a obtenção de recursos tecnológicos e humanos de alto nível, acesso a centros de investigações, bibliotecas e serviços de documentação especializada e de contratação de projetos tecnológicos.

PÓLOS — Cada uma das duas extremidades do eixo imaginário do Planeta Terra.

PÓLOS DE DESVALORIZAÇÃO — São os locais da zona urbana dotados de atributos negativos, que resultam na desvalorização dos imóveis das imediações, geralmente na proporção inversa da sua distância em relação ao pólo.

PÓLOS DE VALORIZAÇÃO — São os locais da zona urbana dotados de atributos diferenciados quanto à espécie, ou quanto à intensidade, com relação aos demais, conferindo-lhes maior valor relativo. Na generalidade dos casos, a influência sobre a circunvizinhança diminui à medida que aumenta a distância com relação ao pólo. Quanto à importância, os pólos de valorização podem ser principais ou secundários, dependendo da maior ou menor influência que exerçam.

POLUENTE — O mesmo que contaminante. Fator químico, físico ou biológico que polui ou contamina o ambiente; Substância presente no ambiente em concentração que causa dano. Qualquer matéria indesejável, sólida, líquida ou gasosa presente no meio ambiente.

POLUENTE ATMOSFÉRICO — Qualquer forma de matéria ou energia com intensidade e em quantidade, concentração, tempo ou características em desacordo com os níveis estabelecidos, e que tornem ou possam tornar o ar impróprio, nocivo ou ofensivo à saúde; inconveniente ao bem-estar público; danoso aos materiais, à fauna e à flora; prejudicial à segurança, ao uso e gozo da propriedade e às atividades normais da comunidade.

POLUENTE BIODEGRADÁVEL — São em geral refugos de natureza orgânica, como o esgoto sanitário, que se decompõem com rapidez por meio de processos naturais ou controlados, estabilizando-se por fim.

POLUENTE NÃO-BIODEGRADÁVEL — São os metais pesados, como o cobre, os sais de mercúrio, substâncias químicas fenólicas, entre outros, e que comumente produzem magnificação biológica.

POLUENTE ORGÂNICO PERSISTENTE (POP) — Substâncias extremamente tóxicas, formadas por compostos químicos orgânicos que possuem afinidade com as células dos seres vivos, que se acumulam no meio ambiente e nos corpos das pessoas, animais e plantas. São substâncias geradas em diversos processos industriais, entre eles: produção do PVC, produção de papel, geração e composição de produtos agrícolas, incineração de lixo; processos industriais que empregam cloro e derivados do petróleo. Resistentes à degradação química, biológica e fotolítica (da luz), afetam a saúde humana e os ecossistemas, mesmo em pequenas concentrações.

POLUIÇÃO — Qualquer alteração das propriedades físicas, químicas ou biológicas do meio ambiente, causada por qualquer forma de matéria ou energia resultante das atividades humanas que, direta ou indiretamente, afetam a saúde, a segurança e o bem-estar da população, as atividades sociais e econômicas, a biota, as condições estéticas e sanitária do meio ambiente e a qualidade dos recursos ambientais.

POLUIÇÃO DA ÁGUA — É o lançamento nas águas dos mares, dos rios, dos lagos e demais corpos d'água, superficiais ou subterrâneos, de substâncias químicas, físicas ou biológicas que afetem diretamente as características naturais das águas e a vida ou que venham a lhes causar efeitos adversos secundários.

POLUIÇÃO DO AR — Ou poluição atmosférica, é a acumulação de qualquer substância ou forma de energia no ar, em concentrações suficientes para produzir efeitos mensuráveis no ser humano, nos animais, nas plantas ou em qualquer equipamento ou material, em forma de particulados, gases, gotículas ou qualquer de suas combinações.

POLUIÇÃO DO SOLO — Contaminação do solo por qualquer um dos inúmeros poluentes derivados da agricultura, da mineração, das atividades urbanas e industriais, dos dejetos animais, do uso de herbicidas ou dos processos de erosão.

POLUIÇÃO SONORA — Consiste em perturbar alguém, o trabalho ou o sossego alheio, com gritaria ou algazarra; exercendo profissão incômoda ou ruidosa, em desacordo com as prescrições legais; abusando de instrumentos sonoros ou sinais acústicos, provocando ou procurando não impedir barulho produzido por animal de que tem a guarda. Tem pena de prisão simples de 15 dias a três meses, ou multa de acordo com o art. 42, da Lei de Contravenções Penais.

PONDERABILIDADE — Qualidade de ponderável.

PONDERÁVEL — Que se pode pesar.

PONTAL — Língua de areia e seixos de baixa altura, disposta de modo paralelo, oblíquo ou mesmo perpendicular à costa e que se prolonga, algumas vezes, sob as águas, em forma de banco. No primeiro caso, pode ser considerado uma restinga.

PONTO CRÍTICO — Ponto-chave ou posição importante para o bom êxito de uma operação.

PONTO DE EBULIÇÃO — Temperatura na qual um contínuo fluxo de bolhas de vapor ocorre em determinado líquido, que seja aquecido num recipiente aberto; temperatura na qual a pressão de vapores é igual à pressão atmosférica.

PONTO DE EQUILÍBRIO — É o empate entre despesas e receitas de uma empresa. Nesse ponto, não há prejuízo nem lucro. Receita maior que a despesa significa que a companhia tem lucro. Abaixo, é prejuízo. O termo também se aplica a cotações de ações e outros ativos, onde é conhecido como *break even point*. Com cotações superiores ao *break even point*, o investidor ganha; com valores inferiores, perde.

PONTO DE REFERÊNCIA (*BENCHMARK*) — Ponto de referência ou padrão em relação ao qual o desempenho ou os resultados obtidos são apreciados. O padrão referese ao desempenho alcançado no passado recente por outras organizações comparáveis ou ao que se poderia pensar atingir de forma razoável num determinado contexto.

PONTO PERCENTUAL — Ver Percentagem // Pontos-base.

PONTOS DO PREGÃO — Os pontos do pregão representam o somatório da média de desempenho dos papéis do Índice BOVESPA em um dia. (Ver: Pontos-base.)

PONTOS-BASE (*BASIS POINTS*) — Convenção utilizada sobretudo no mercado de renda fixa, é uma escala no qual 100 pontos-base representam 1%. Dadas as relativamente pequenas variações que normalmente ocorrem no rendimento dos títulos de renda fixa, estas variações são normalmente expressas em termos de pontos-base em vez de pontos percentuais. Uma queda de rendimento de 12,55% para 12,52% pode ser mais facilmente visualizada como uma queda de três pontos-base do que como uma redução de 0,03 pontos percentuais. (Ver: Pontos do pregão.)

POOL — Semelhante ao cartel, o "*pool*" consiste na união de empresas do mesmo gênero que, sob controle e administração comuns, congregam seus interesses, objetivando resultados comuns, o que lhes propicia considerável redução de custos.

POPULAÇÃO — 1) Conjunto de pessoas que residem, num dado momento, num determinado território, que integra tanto nacionais como cidadãos de outras comunidades. Conjunto de organismos da mesma espécie que habita um determinado espaço. Conjunto de indivíduos da mesma espécie que vive em uma mesma área geográfica no mesmo espaço de tempo, mantendo entre si certa interdependência. 2) Universo dos dados sob investigação do qual serão retiradas amostras. 3) É a coleção de todas as observações potenciais sobre determinado fenômeno.

POPULAÇÃO ALVO — População sobre a qual faz-se inferências baseadas na amostra.

POPULAÇÃO BRASILEIRA NOS CENSOS — O principal instrumento de coleta de dados demográficos é o recenseamento ou censo. Os onze recenseamentos realizados no país em 128 anos testemunham um período de intenso crescimento e grandes modificações, com a seguinte população: censo de 1872 = 9.930.478 habitantes; censo de 1890 = 14.33.915 habitantes; censo de 1900 = 17.438.434 habitantes; censo de 1920 = 30.635.605 habitantes; censo de 1940 = 41.236.315 habitantes; censo de 1950 = 51.944.397 habitantes; censo de 1960 = 70.070.457 habitantes; censo de 1970 = 93.139.037 habitantes; censo de 1980 = 119.002.706 habitantes; censo de 1991 = 146.825.475 habitantes; censo de 2000 = 169.799.170 habitantes. Desde 1940 esse levantamento é realizado pelo Instituto Brasileiro de Geografia e Estatística (IBGE), por meio de entrevistas domiciliares. Além do censo, o IBGE realiza anualmente a Pesquisa Nacional por Amostra de Domicílios. Em 1.7.2005, segundo estimativa do IBGE, o Brasil contava com 184.484.264 habitantes. (Ver: Estados Brasileiros.)

POPULAÇÃO ECONOMICAMENTE ATIVA (PEA) — Indicador que se refere à população de trabalhadores ativos formalmente cadastrados. Compreende o potencial de mão-de-obra com que pode contar o setor produtivo, isto é, a população ocupada e a população desocupada. Representa a população em condições de trabalhar. Assim, não quer dizer, necessariamente, que todas as pessoas nesta situação estejam empregadas ou desempregadas, mas que estejam na faixa etária considerada com aptidão para exercer uma função remunerada.

POPULAÇÃO PRESENTE — Utilizado em pesquisa, refere-se às pessoas presentes no domicílio, moradoras ou não do domicílio quando da realização da pesquisa.

POPULAÇÃO RESIDENTE — Utilizado em pesquisa, refere-se às pessoas que tenham unidade domiciliar (domicílio particular ou unidades de habitação em domicílio coletivo) como local de residência habitual e estão presentes na data de referência da pesquisa ou ausentes temporariamente por período não superior a 12 meses, em relação à data da pesquisa.

POPULAÇÃO TRADICIONAL — Grupo humano distinto da sociedade nacional por suas condições sociais, culturais e econômicas, que se organiza total ou parcialmente por seus próprios costumes ou tradições ou por uma legislação especial e que, qualquer que seja sua situação jurídica, conserva seus próprios costumes ou tradições, instituições sociais, econômicas, culturais ou por parte delas.

POPULAÇÃO VIÁVEL MÍNIMA — Menor grupo de intercruzamento, capaz de assegurar a reprodução de uma espécie determinada através do tempo.

POPULISMO — É um fenômeno político caracterizado pela liderança de uma pessoa que geralmente expressa carisma. O líder populista governa pela sua popularidade e não pelo poder de coerção. O líder populista tenta agradar a população, muitas vezes prometendo coisas que não cumpre. Mas, por ser uma pessoa adorada pelo povo e, muitas vezes, dona de uma oratória que expressa com sentimentalismo, acaba por ser perdoada por essa mesma população. Um exemplo de populismo é do governante brasileiro

Getúlio Vargas, que chegou ao poder através de um golpe de Estado em 1930, em que permaneceu até 1945. Outro exemplo clássico é o do Juan Domingo Perón, militar argentino e presidente de seu país entre 1946 e 1955, e de 1973 a 1974.

PORÇÃO DISPONÍVEL — É a parte do acervo da qual o indivíduo poderá livremente dispor, contemplando parentes ou estranhos, pessoas físicas ou jurídicas, fundações ou instituições de caridade. Na porção disponível impera a liberdade volitiva. Na legítima, domina a vontade da lei. (Ver: Legítima.)

PORNOGRAFIA — É a exposição de pessoas com suas partes sexuais visíveis ou práticas sexuais entre adultos, adultos e crianças, entre crianças ou entre adultos com animais, em revistas, livros, filmes, e principalmente na Internet. A pornografia envolvendo crianças e adolescentes é considerada crime, tanto para aquelas pessoas que fotografam ou expõem crianças ou adolescentes nus em posições sedutoras com objetivos sexuais, quanto aqueles que mostram para crianças ou adolescentes fotos, vídeos ou cenas pornográficas. (Ver: Pedofilia.)

POROROCA — Ou macaréu, a palavra Pororoca vem do termo *poroc poroc* que significa "destruidor, grande estrondo", no dialeto indígena do baixo Amazonas. Ocorre na mudança das fases da lua (dois dias antes, no dia e três após a lua), principalmente nos equinócios (jan. a maio e set. a dez.), mas intensamente nos períodos de maré viva ou de sizígia, ou seja, Lua Cheia e Lua Nova. O fenômeno começa quando as águas das marés vindas do oceano chegam à desembocadura de um rio, formando elevações com até dezenas de metros de comprimento, que se movem rio acima com velocidade de 30 a 50 km/h (10 a 15 milhas por hora). O encontro entre as águas provoca ondas que podem alcançar até 5 m de altura, avançando rio adentro. Este choque das águas tem uma força tão grande que é capaz de derrubar árvores e modificar o leito do rio. O barulho ensurdecedor ouve-se até com duas horas de antecedência. Alguns minutos antes de chegar, há uma calmaria, um momento de silêncio. As aves se aquietam e até o vento parece parar de "soprar". É ela que se aproxima. Os caboclos já sabem e rapidamente procuram um lugar seguro como enseadas, ou mesmo, os pontos mais profundos dos rios para aportar suas embarcações. A Pororoca manifesta-se no Pará e Amapá, nos Rios Araguari, Maiacaré, Guamá, Capim, Moju, no Amazonas e seus afluentes, também no Mearim do Maranhão. Fenômeno idêntico observa-se em muitos rios do mundo com designações peculiares. Os franceses que têm nos rios Gironda, Charante, Sena, denominam *Mascaret* e *Barre*; os ingleses registram-no nos rios Tamisa, Severn e Trent com o nome de *Bore* e também no rio Hughly e no rio Megma, braço do rio Bramaputra, chamando-o de *Macaréu*. Os chineses admiram-no no rio Iang-Tse-Quiang, com o apelido retumbante de trovão e aí mesmo os ingleses chamam-no *Cager*. Produz-se ainda em rios de Bornéo e Sumatra, na América do Norte, nos Rios Colúmbia e Colorado. (Ver: *Macaréu*.)

POROSIDADE — Relação entre os volumes de poros ou interstícios e volume total do material poroso, expressa normalmente em percentagem.

PORTABILIDADE — Conjunto de atributos que evidenciam a capacidade do *software* de ser transferido de um ambiente para outro. Tem como subcaracterísticas: adaptabilidade, capacidade para ser instalado, conformidade e capacidade para substituir.

PORTADOR — É a pessoa que se tem como proprietária de um título não nominativo, que se transfere por simples endosso, ou se mostra seu detentor.

PORTAL — Designa o endereço na Internet *www.com* um *site* (sítio) que possui uma grande quantidade de *links* para uma grande quantidade de temas.

PORTAR POR FÉ — Ver Dar fé.

PORTARIA — Ato administrativo interno pelo qual os chefes de órgãos, repartições ou serviços expedem determinações gerais ou especiais a seus subordinados, ou designam servidores para funções e cargos secundários. Pode ser de âmbito interno ou de âmbito externo, neste caso se revestindo de heteronomia e generalidade, não podendo, contudo, inovar. Distingue-se das instruções, circulares e avisos porque alcança o próprio público. Por portaria também se iniciam sindicâncias e processos administrativos. Em tais casos a portaria tem função assemelhada à da denúncia do processo penal.

PORTA-VOZ — Pessoa que fala oficialmente em nome de uma organização, companhia, governo etc.

PORTE DE ARMA — Licença para andar armado. É crime se o portador não tem licença da Polícia, apenada com detenção de um a dois anos e multa. Aumenta-se a pena de um terço até a metade, se o agente já foi condenado em sentença irrecorrível, por violência contra pessoa. Quem, possuindo arma ou munição, deixa de fazer comunicação ou entrega a autoridade, quando a lei o determina; quem permite que alienado, menor de 18 anos, ou pessoa inexperiente no manejo de arma a tenha com ele; quem omite as cautelas necessárias para impedir que dela se apodere facilmente alienado, menor de 18 anos ou pessoa inexperiente em manejá-la, incorre na pena de reclusão de dois a quatro anos e multa.

PORTFÓLIO (CARTEIRA DE ATIVOS FINANCEIROS) — É um conjunto (carteira) de títulos e valores mantido por um fundo mútuo ou por um investidor. Exemplos: carteira de crédito, carteira de ações, investimentos etc.

PORTFÓLIO (SERVIÇOS E/OU PRODUTOS) — Ferramenta com a qual a empresa se identifica e avalia seus vários negócios (produtos e serviços). Álbum de apresentação da relação de serviços e/ou produtos oferecidos por uma determinada empresa a seus clientes.

PORTO — Na exportação, é o porto ou localidade onde ocorrerá o efetivo embarque da mercadoria, ou seja, o último local habilitado do território nacional de onde sairá a mercadoria com destino ao exterior. Na importação, é o local onde ocorrerá o efetivo desembarque da mercadoria, isto é, o primeiro local credenciado do território nacional de onde chegará a mercadoria proveniente do exterior.

PORTOS SECOS — Ver Estações aduaneiras do interior.

PORTRAIT — Efígie de personagem homenageado em cédula.

PÓS-CONSUMO - EFEITO — O efeito pós-consumo é o impacto causado pelo descarte de material após o consumo de um bem ou produto. A consideração do efeito pós-consumo de produtos e bens tornou-se uma prática, desde que foram descobertos os importantes impactos ambientais do depósito de rejeitos em aterros sanitários, lixões, cursos d'água, solo em geral, e conseqüentes impactos sobre a saúde humana e a qualidade ambiental. A preocupação do efeito pós-consumo está inserida na análise do ciclo de vida do produto e em estratégias de ecoeficiência, quando se procura minimizar os impactos em todas as fases de vida de um produto, da extração da matéria-prima, ao descarte final do bem, passando pelo processo produtivo e consumo. Exemplos de produtos com impactos pós-consumo: baterias, pilhas, plásticos, pneus etc. O conceito de pós-consumo está sendo amplamente incorporado na legislação de vários países, com destaque à União Européia. A responsabilidade das empresas pela fase pós-consumo de seus produtos já é uma realidade, e um exemplo no Brasil é o dos pneumáticos.

PÓS-FIXADO — Característica de um tipo de investimento onde a rentabilidade não é conhecida previamente, sendo determinada posteriormente, geralmente vinculado a algum tipo de indexador.

PÓS-GRADUAÇÃO, TIPOS DE — Ver Educação - Pós-graduação, Tipos de.

POSIÇÃO — Saldo, numa determinada data, resultante dos negócios efetuados por um mesmo cliente, com o mesmo contrato, intermediados pela mesma corretora de mercadorias e registrados pelo mesmo agente de compensação.

POSIÇÃO A FUTURO — Saldo das quantidades entre compras e vendas a futuro referentes a um mesmo título para vencimento igual, registradas por uma sociedade corretora junto à Caixa de Registro e Liquidação, em nome de um mesmo cliente.

POSIÇÃO COMPENSADA DE LIQUIDAÇÃO MULTILATERAL — A soma do valor de todas as transferências que foram recebidas por um participante de um sistema de liquidação compensada durante um certo período, menos o valor das transferências que o mesmo realizou a todos os outros participantes. Se a soma é positiva, o participante se encontra em uma posição compensada multilateral de crédito (credora); se a soma é negativa, se encontra em uma posição compensada multilateral de débito (devedora).

POSIÇÃO COMPRADA — Representa uma compra ainda não encerrada com uma venda.

POSIÇÃO COMUM — É a posição adotada por unanimidade.

POSIÇÃO DE CÂMBIO — Posição que cada banco autorizado a operar em câmbio mantém em moeda estrangeira, apurada após todas as negociações efetuadas diariamente pela instituição (exportações, importações, saídas e ingressos financeiros). A posição de câmbio de uma instituição pode assumir os seguintes resultados: - nivelada: quando o total de compras é igual ao total de vendas; - comprada: quando o total de compras é maior que o total de vendas; - vendida: quando o total de compras é menor que o total de vendas.

POSIÇÃO DE INVESTIMENTO INTERNACIONAL — Apresenta os ativos externos do País e os passivos externos do País.

POSIÇÃO DOMINANTE — Segundo a legislação brasileira, ocorre posição dominante quando uma empresa ou grupo de empresas controla parcela substancial do mercado relevante, como fornecedor, intermediário, adquirente ou financiador de um produto, serviço ou tecnologia a ele relativa. Presume-se posição dominante quando uma empresa ou grupo de empresas controla 20% do mercado relevante.

POSIÇÃO EM ABERTO — Saldo de posições mantidas pelo investidor em mercados futuros e de opções.

POSIÇÃO ESPECIAL DE CÂMBIO — Posição que cada banco autorizado a operar em câmbio pode manter, apartada da posição de câmbio, e destinada a registrar valores de contratos de câmbio de exportação, por 90 dias, até que se realizem os requisitos para a liquidação, cancelamento ou baixa.

POSIÇÃO FINANCEIRA — Saldo financeiro de um participante, a cada momento, em um sistema de liquidação.

POSIÇÃO NA OCUPAÇÃO — Utilizado em pesquisa, refere-se à situação das pessoas em seu trabalho principal. Segundo a posição na ocupação, as pessoas classificam-se em empregado, empregador, parceiro, por conta própria, parceiro empregado, parceiro empregador, trabalhador agrícola volante com intermediário, trabalhador agrícola volante sem intermediário, trabalhador não remunerado e trabalhador por conta própria.

POSIÇÃO VENDIDA — Representa uma venda ainda não encerrada por uma compra.

POSIÇÕES EM ABERTO — Número de contratos em aberto, ou seja, a quantidade total de contratos futuros sobre uma ação que ainda não foi compensada por uma transação futura oposta ou pela entrega da ação.

POSITIVISTA — Corrente filosófica ou científica que assume que as teorias não são meras interpretações da realidade, mas a própria representação de leis ou das verdades da natureza. Para os positivistas as leis são intrínsecas à natureza, cabendo aos cientistas apenas a sua descoberta; o conceito de "prova científica" é a descoberta de verdades; a ciência seria objetiva e neutra e o conhecimento seria produzido de forma independe ou livre da influência da visão de mundo dos cientistas, bem como dos fatores socioculturais e históricos.

POSLIMÍNIO — Retomada, por parte de um Estado vencido na guerra, e em face de um tratado de paz, das parcelas de seu território ocupadas anteriormente por outro Estado, vencedor.

POSSE — Direito de usar e gozar de bens com o objetivo de tirar deste, vantagem, serventia ou lucro econômico, no entanto sem dispor destes bens; retenção ou gozo de uma coisa ou de um direito, com ânimo de dono; exercício autônomo das faculdades inerentes ao domínio, do uso, da fruição ou da disposição; distingue-se da propriedade, da qual é a aparência exterior, e da detenção, a que falta autonomia; possuidores são: o locatário, o comodatário, o depositário, o credor pignoratício.

POSSE *AD INTERDICTA* — É aquela que pode ser defendida pelos interditos e ações possessórias, quando molestada, mas não conduz ao usucapião. Exemplo prático é o locatário vítima de ameaça ou de efetiva turbação ou esbulho, que tem a faculdade de defendê-la ou de recuperá-la pela ação possessória até mesmo contra o proprietário.

POSSE *AD USUCAPIONEM* — É a que se prolonga no tempo, deferindo a seu titular a aquisição do domínio (art. 1.242, Código Civil).

POSSE CIVIL OU JURÍDICA — É a que assim se considera por força de lei, sem necessidade de atos físicos ou materiais. É a que se transmite ou se adquire pelo título, não sendo necessário o contato com a coisa.

POSSE CONTÍNUA — É aquela que se apresenta sem qualquer interrupção ou sem qualquer solução de continuidade, pela evidência de que a coisa, de ponto a ponto, sempre esteve em mãos daquele que a possuía.

POSSE DE BOA-FÉ — É a posse da pessoa, quando detém a coisa, certa de que é sua, visto ter razões plausíveis para assim julgar. O possuidor com justo título tem por si a presunção de boa-fé, salvo prova em contrário, ou quando a lei expressamente não admite esta presunção.

POSSE EM CARGO PÚBLICO — É a investidura em cargo público ou função.

POSSE EM NOME DE NASCITURO — É uma medida cautelar que visa a resguardar os direitos ameaçados da criança em relação a bens que lhe cabem por herança, legado ou doação. (Ver: Nascituro.)

POSSE JUSTA — É aquela que não for violenta, clandestina, ou precária.

POSSE NATURAL — É a que se constitui pelo exercício de poderes de fato sobre a coisa.

POSSE NOVA — Será considera posse nova aquela que estiver configurada a menos de ano e dia (art. 924, Código de Processo Civil).

POSSE SEXUAL — Crime que consiste em ter conjunção carnal com mulher com embuste ou fraude. A Lei nº 11.106, de 28.3.2005, eliminou a expressão "mulher honesta" prevista no Código Penal de 1940. Agora a lei só menciona como sujeito passivo "mulher", sem o qualificativo "honesta". (Ver: Mulher honesta.)

POSSE VELHA — Será considerada posse velha aquela que contar com mais de ano e dia, cuja presunção possessória será em prol daquele que se manteve na posse da coisa esbulhada.

POSSEIRO — Aquele que exerce sobre o imóvel uma posse de boa-fé, mas sem título; agricultor que se utiliza de terra que aparentemente não tem dono.

POSSESSÃO — Submissão de um país ou província ao controle de outra.

POSSESSÓRIO (A) — É tudo o que se relaciona com a posse. É tida, em regra, como ação possessória.

POST FACTUM — [Latim]. Expressão que significa depois do fato.

POSTULAÇÃO — Pedido, petição, reivindicação, requerimento. Exposição do fato e alegação do direito que a parte apresenta a juízo, fundamentando pretensão sua ou refutando a de outrem.

POSTULADO — É uma proposição admitida como verdadeira sem qualquer argumento.

POSTULANTE — É a pessoa que postula uma solução, ou faz petições, através de um advogado, para o seu problema na Justiça, alegando comprovadamente fatos que a favorecem, ou mostrando razões fundamentais à sua pretensão. É o mesmo que suplicante (termo em desuso) ou requerente.

POSTULAR — Tem o sentido de requerer ou pretender qualquer coisa em juízo ou administrativamente, fazendo alegações que se mostram, desde logo, fundamentadas ou comprovadas.

POSTURAS MUNICIPAIS — São as leis e os decretos originários dos poderes municipais competentes. As posturas municipais visam regular as atividades comerciais, os transportes urbanos e outras questões específicas dos municípios.

POTABILIDADE — Característica de uma água com parâmetros de qualidade compatíveis para uso humano.

POTENCIAL ECONÔMICO — É a capacidade total para produção de bens e serviços.

POTENCIAL MENTAL — É a nossa velocidade de aprendizado. Cada pessoa aprende uma certa quantidade de coisas por dia e somente aquilo; o resto é perdido. O potencial mental, aliado ao estímulo ou motivação para aprender, possibilitará a aquisição do conhecimento.

POTENCIAL NACIONAL — Conjunto de meios de toda ordem (políticos, econômicos, psicossociais e militares), em estado latente, de que dispõe a Nação, capazes de serem transformados em poder.

POTENCIALIDADE — Compreende a investigação dos limites da tecnologia investigada, tanto para resolver os problemas identificados quanto para atendimento de demandas econômicas ou superação de necessidades sociais.

POUPANÇA — É a parcela da renda não utilizada para consumo, normalmente gerando investimento. É tudo o que resta do rendimento adquirido pelo Estado, pelas famílias e pelas empresas, depois de todas as despesas efetuadas. Existem múltiplos motivos para poupar: as famílias poupam para fazer face a doenças, para fazer frente às despesas em idades mais avançadas; a empresas poupam para poderem mais tarde auto-investir e expandir a sua produção; o Estado poupa para fazer face a momento de menor investimento nacional, de menor expansão produtiva das empresas nacionais. A poupança depende de vários fatores, alternativa ou cumulativamente: a) do rendimento permanente do agente econômico; b) da segurança da remuneração obtida no mercado de trabalho; c) da carga tributária incidente sobre o rendimento indicador da capacidade de pagar do agente econômico; d) da taxa de juro real, pois quanto maior for a taxa de juro menor a poupança, na medida em que a taxa de juro mais alta permite a aquisição de mais rendimento com menos poupança (o efeito de rendimento e o efeito de substituição funcionam em sentidos opostos); e) do valor real dos ativos existentes, pois quanto mais elevado for o valor real menor será a propensão para poupar e f) da expectativa quanto aos rendimentos futuros (Exemplo: a perspectiva de quebra de rendimentos incentiva a poupança).

POUPANÇA AGREGADA — Poupança bruta, variação antes descontadas as amortizações sofridas pelo valor do patrimônio ao longo do período considerado.

POUPANÇA LÍQUIDA — Poupança bruta deduzida da amortização do ativo fixo.

POUPANÇA NACIONAL — É o que fica da renda nacional depois de gastar em consumo e aquisições do governo.

POUPANÇA PECÚLIO — Emitida nominativamente por instituições financeiras integrantes do sistema financeiro de habitação, com o objetivo de formação voluntária de poupança para desfrute durante a aposentadoria do poupador.

POUPANÇA PRIVADA — Renda que fica para as famílias após terem pago os impostos e o consumo.

POUPANÇA PÚBLICA — Receita tributária que fica para o governo depois que este pagou suas despesas.

POVO — É a população do Estado, é um grupo humano encarado na sua totalidade numa ordem estatal determinada; é o conjunto de indivíduos sujeitos às mesmas leis; são os súditos, os cidadãos de um mesmo Estado. Neste sentido, o elemento humano do Estado é sempre o povo, ainda que formado por diversas raças, com interesses, idéias e aspirações diferentes.

PPA (PLANO PLURIANUAL) — Institui, de forma regionalizada, as diretrizes, objetivos e metas da Administração Pública para as despesas de capital e outras delas decorrentes e para as relativas aos programas de duração continuada. Através do PPA procura-se ordenar as ações de governo que levem ao atingimento dos objetivos e metas fixados para um período de quatro anos, sendo três anos para quem elaborou o PPA e um ano para o seu sucessor. O projeto de lei do plano plurianual deverá ser encaminhado pelos respectivos governos Executivos de cada esfera governamental ao Poder Legislativo até o dia 31 de agosto do primeiro ano do mandato ou conforme estabelecer cada Constituição Estadual ou Lei Orgânica Municipal, que deverá restituir o projeto aprovado até o encerramento da última sessão legislativa do mesmo ano. Os orçamentos deverão ser compatibilizados com o plano plurianual. Nenhum investimento cuja execução ultrapasse um exercício financeiro poderá ser iniciado sem prévia inclusão no plano plurianual, ou sem lei que autorize a inclusão, sob pena de crime de responsabilidade.

PPP — Ver Parceria Público-Privada.

PRAÇA — Forma de licitação pública para imóveis. É a venda judicial de bens imóveis. É uma das espécies da arrematação, ao lado do leilão, este pertinente a bens móveis.

PRAETER LEGEM — [Latim]. Expressão que significa que não é regulado pela lei.

PRAGA — Organismos que, ao crescerem de forma descontrolada, causam danos econômicos ou transmitem enfermidades às plantas, aos animais ou ao ser humano.

PRAGMÁTICO — Que visa apenas a resultados, independentemente de outras considerações.

PRAIA — Área coberta e descoberta periodicamente pelas águas, acrescida da faixa subseqüente de material detrítico, tais como areias, cascalhos, seixos e pedregulhos até o limite onde se inicie a vegetação natural, ou, em sua ausência, onde comece um outro ecossistema.

PRÁTICA ESPÚRIA — É motivo de devolução de cheque pelo banco sacado. Só pode ser informado por banco que tenha compromisso de pagar o cheque mesmo que não tenham fundos.

PRÁTICAS DE ADMINISTRAÇÃO — Termo genérico que engloba as informações, sistemas e métodos usados pelos dirigentes para tomar decisões, implementá-las e determinar se essa implementação atinge os resultados pretendidos, obedecendo aos critérios de economia, eficiência e eficácia.

PRÁTICAS DE ADMINISTRAÇÃO — Ver Administração, Práticas de.

PRÁTICAS DE GESTÃO — Atividades executadas regularmente com a finalidade de gerir uma organização, de acordo com os padrões de trabalho. São também chamadas de processos de gestão, métodos ou metodologias de gestão.

PRAXISTA — O que conhece a praxe, versado na prática forense; jurista especializado em praxe processual. Processualista.

PRAZER — Emoção natural, abrangente ao corpo e à mente.

PRAZO — 1) Lapso de tempo em que um ato deve ou não ser praticado. Conta-se por dias, por intervalos de 24 horas, de meia-noite ao meio-dia, entre a data de início (*dies a quo*) e o termo final de uma relação jurídica (*dies ad quem*). Exclui-se o dia de início e inclui-se o do vencimento. No Direito Penal, o dia do começo inclui-se no cômputo do prazo; dias, meses e anos são contados pelo calendário comum. Os atos entre vivos, sem prazo, são exeqüíveis desde logo, salvo se a execução tiver de ser feita em lugar diverso ou depender de tempo. O Código Penal aponta, ainda, prazos de prescrição antes de trânsito em julgado de sentença, das penas restritivas de direito e depois de transitar em julgado sentença final condenatória, além de outros prazos. O prazo para intentar ação penal por adultério é de um mês após o conhecimento do fato, pelo cônjuge ofendido. O prazo diz-se: convencional ou contratual; consuetudinário; contínuo; de carência; de graça ou favor; dilatório; determinado ou certo; extintivo ou de decadência; indefinido; indeterminado ou incerto; legal; preclusivo; resolutivo; suspensivo. 2) No mercado financeiro é o tempo definido para resgate de um título. Pode ser diário, mensal, anual, ou ter qualquer prazo combinado entre as partes. Alguns títulos não permitem o resgate antecipado. Outros podem ser resgatados antecipadamente, como a caderneta de poupança, mas com a perda de rendimento. E também existem os casos de títulos que pagam apenas parte do rendimento compromissado se o resgate for antecipado. No âmbito jurídico, pode ser legal, judicial ou convencional.

PRAZO CONSUETUDINÁRIO — Diz-se do prazo que decorre de usos e costumes.

PRAZO CONTÍNUO — É aquele que flui continuamente, mesmo em domingos e feriados.

PRAZO CONVENCIONAL OU CONTRATUAL — É aquele estabelecido em comum acordo pelas partes. Exemplo: suspensão do processo prevista pelo art. 265, II, do Código de Processo Civil.

PRAZO DE CADUCIDADE — Ver Caducar // Caducidade.

PRAZO DE CARÊNCIA — Prazo estipulado por uma instituição financeira, durante o qual o investidor não poderá retirar os benefícios auferidos.

PRAZO DE DECADÊNCIA — Prazo dentro do qual recai o direito que não foi exercido. Extinção de um direito se este não for exercitado. (Ver: Decadência.)

PRAZO DE GRAÇA OU FAVOR — É aquele que o credor concede por tolerância, graciosamente.

PRAZO DE SUBSCRIÇÃO — Prazo fixado por uma sociedade anônima para que o acionista exerça seu direito de preferência na subscrição de ações de sua emissão.

PRAZO DETERMINADO OU CERTO — É aquele, suspensivo ou resolutivo, cuja duração é fixada com antecedência, com previsão.

PRAZO DILATÓRIO — É aquele em que as partes, de comum acordo, podem reduzir ou prorrogar.

PRAZO EXTINTIVO OU DE DECADÊNCIA — Ver Prazo de decadência // Decadência.

PRAZO FORENSE – CITATÓRIO — Aquele dentro do qual devem ser feitas certas citações ou atendidas estas. (Ver: Prazo forense.)

PRAZO FORENSE – COMINATÓRIO — Prazo em cujo percurso deve ser praticado o ato indicado, sob sanção, se não for cumprido. (Ver: Prazo forense.)

PRAZO FORENSE – DELIBERATÓRIO — É o prazo fixado para que as partes nele apresentem defesas. (Ver: Prazo forense.)

PRAZO FORENSE – DILATÓRIO — É aquele que decorre antes do prazo marcado para efetivação de ato no processo. (Ver: Prazo forense.)

PRAZO FORENSE — É o prazo fixado pelo fórum onde tramita o processo. O prazo forense diz-se: citatório; cominatório; deliberatório; dilatório; improrrogável; judicial; prorrogável; judicial; que corre em cartório; restabelecido; intimação; citações; edital. (Ver: Prazo forense – ... .)

PRAZO FORENSE – IMPRORROGÁVEL — É aquele que o juiz não pode prorrogar a seu arbítrio. (Ver: Prazo forense.)

PRAZO FORENSE – JUDICIAL — É aquele estabelecido pelo juiz. Exemplos: data para audiência, prazo para fixação de edital, conclusão de prova pericial. (Ver: Prazo forense.)

PRAZO FORENSE – NA INTIMAÇÃO — Na intimação o prazo começa no ato da ciência ao intimado, cientificada nos autos. (Ver: Prazo forense.)

PRAZO FORENSE – NAS CITAÇÕES — Na citação o prazo inicia-se com a juntada nos autos do ato citatório ou da peça que o contém. (Ver: Prazo forense.)

PRAZO FORENSE – NO EDITAL — No edital começa o prazo no fim do tempo fixado pelo juiz. (Ver: Prazo forense.)

PRAZO FORENSE – PRORROGÁVEL — É o prazo que pode ser ampliado pelo juiz, sem ferir dispositivo legal. (Ver: Prazo forense.)

PRAZO FORENSE – QUE CORRE EM CARTÓRIO — Aquele cujo a lei especifica, contado com os autos em poder do escrivão de onde não podem sair com vista às partes. (Ver: Prazo forense.)

PRAZO FORENSE – RESTABELECIDO — Diz-se prazo restabelecido quando é de novo instituído em favor da parte. (Ver: Prazo forense.)

PRAZO INDEFINIDO — Diz-se do prazo quando não tem fixado a sua duração.

PRAZO INDETERMINADO OU INCERTO — É aquele fixado em relação a acontecimento futuro necessário, tendo o seu término no dia em que ele ocorrer.

PRAZO JUDICIAL — Ver Prazo Forense - Judicial.

PRAZO LEGAL — É aquele definido através de lei. Exemplos: prazo de resposta do réu, prazo para apresentação de recursos.

PRAZO MÉDIO — Corresponde à média dos prazos para vencimento do saldo ou parcelas remanescentes das operações em curso. É apurado pela ponderação do valor do saldo ou das parcelas das operações pelo prazo a decorrer, dividindo-se esse resultado pelo somatório dos saldos ou parcelas remanescentes das operações. Esse conceito não se aplica às operações de crédito rotativo (conta garantida e cheque especial), nas quais o prazo médio corresponde à média de utilização dos recursos ao longo do mês.

PRAZO PEREMPTÓRIO — É o prazo que tanto o juiz como as partes não podem reduzir ou prorrogar, mesmo estando em acordo.

PRAZO PRECLUSIVO — Aquele durante o qual deve ser cumprido um ato, tornando-se inoperante se isso não acontecer.

PRAZO RESOLUTIVO — É aquele que seu vencimento implica a extinção ou caducidade de um direito a ele subordinado.

PRAZO SUSPENSIVO — Quando se estabelece que o exercício do direito se dará apenas numa certa data.

PREÂMBULO — 1) Palavras ou frases introdutórias que precedem o texto definitivo. 2) Parte inicial de uma norma jurídica que não se inclui no seu texto, mas que serve para identificá-la na ordem legislativa. (Ver: Técnica de elaboração de leis e decretos.)

PRECATÓRIA — Documento escrito expedido em um juízo, pedido que em outro seja praticado determinado ato. Diz-se carta precatória. Quem expede a carta chama-se deprecante; quem a recebe para cumprimento, deprecado. (Ver: Carta precatória.)

PRECATÓRIO — É o documento expedido pelo juiz, ao presidente do Tribunal respectivo, para que este determine o pagamento de dívida da União, de Estado, Distrito Federal ou Município, por meio de inclusão do valor do débito no orçamento do ano seguinte, se a comunicação da decisão ocorrer até o dia 1º de julho, fazendo-se o pagamento até o final do exercício seguinte. Os precatórios devem ser pagos, obrigatoriamente, em ordem cronológica, isto é, primeiro os mais antigos, independentemente do valor. Se não pagos, poderá ser decretada a intervenção no devedor.

PRECEDENTE — Deliberação ou procedimento que serve de critério ou pretexto a práticas posteriores semelhantes.

PRECEDENTE NORMATIVO — Jurisprudência dominante do Tribunal Superior do Trabalho em dissídios coletivos. Os Precedentes, da mesma forma que os Enunciados, são propostos pelos ministros à Comissão de Jurisprudência do TST e tratam de temas que tenham sido suficientemente debatidos e decididos de maneira uniforme em várias ocasiões. Uma vez aprovados pelo Órgão Especial, passam a orientar as decisões em questões semelhantes.

PRECIPITAÇÃO — 1) Antecipação arriscada botando tudo a perder. Uma das causas da precipitação é a pressa, ou a afobação. Outra é o desequilíbrio emocional. 2) Hidrometeoro constituído por um conjunto da partículas aquosas, líquidas ou sólidas, cristalizadas ou amorfas, que caem de uma nuvem ou de um conjunto de nuvens e atingem o solo; produtos líquidos ou sólidos da condensação do vapor de água, que caem das nuvens ou são depositados pelo ar úmido no solo; quantidade de precipitação caída sobre uma superfície horizontal, durante um dia, um mês e um ano, designada, respectivamente, como precipitação diária, mensal e anual.

PRECIPITAÇÃO OROGRÁFICA — Precipitação formada através do chamado efeito orográfico, que seria a atuação do relevo como uma barreira para uma massa de ar. O relevo, conforme sua amplitude e direcionamento, força a elevação da massa de ar, que, atingindo maior altitude, tem seu gradiente de pressão e temperatura alterado, podendo, assim, reter menor quantidade de água. Devido ao efeito orográfico, geralmente as áreas montanhosas, situadas sob a influência de massas de ar úmidas, tendem a ter índices pluviométricos maiores.

PRECIPITAÇÃO RADIOATIVA — Depósito no solo de material radioativo existente na atmosfera, qualquer que seja a causa primária de contaminação atmosférica.

PRECISÃO CONTÁBIL — É uma estimativa antecipada de um fenômeno que certamente ocorrerá em um patrimônio.

PRECLUSÃO — É perda do direito de praticar algum ato processual, seja pelo decurso do prazo (preclusão temporal), pela prática de ato incompatível com aquele que se pretendia praticar (preclusão lógica), pela falta de um ato anterior que autoriza o posterior (preclusão consumativa). É a perda de um direito, de um termo ou uma faculdade legal ou processual que não foi exercido dentro do tempo prefixado. É a regra de que não se pode voltar a fases ou oportunidades processuais já superadas. É o efeito de uma decisão judicial, tornando-a irreversível. (Ver: Caducidade // Decadência // Prescrição // Perempção.)

PREÇO — Avaliação, em dinheiro, do valor de um produto ou serviço. É a razão de troca. Valor de um bem expresso em unidades monetárias. É a quantidade de dinheiro pela qual se efetua uma transação ou transferência de domínio de um bem ou de um direito, sujeita à maior ou menor habilidade de negociação de uma parte sobre a outra, assim como a fatores de caráter conjuntural ou subjetivo, tais como desejos, necessidades, capricho e outros. Independentemente de seu valor de uso objetivo e de seu valor subjetivo de satisfação, o preço de um bem ou de um serviço só existe na medida em que se situa dentro de uma relação de troca (em espécie na medida em que se situa dentro de uma relação de troca. Em espécie, preço relativo, ou em moeda, preço monetário), isto é, na medida em que produtor e usuário final possam ser diferentes. O preço tem ainda aspectos psicológicos que devem ser levados em conta. Alguns artigos precisam ser caros, pois as pessoas pagam pelo *status*, exclusividade e luxo que oferecem. Preços baixos remetem a produtos populares e em geral descartáveis enquanto preços médios são tidos como um pagamento justo por um serviço e produto esperado.

PREÇO DE AJUSTE DIÁRIO — Preço calculado e divulgado pela Bolsa, em função do qual se efetuam os ajustes diários de perdas e ganhos.

PREÇO DE CHAMADA DOS BÔNUS — Montante em dinheiro que um emitente de bônus concorda em pagar aos portadores dos mesmos, no caso em que estes sejam saldados ou resgatados antes do prazo de vencimento.

PREÇO DE EQUILÍBRIO — Preço que iguala oferta e demanda.

PREÇO DE EXERCÍCIO DA OPÇÃO — É o preço pelo qual o titular terá direito de comprar ou vender a totalidade das ações objeto da opção. O preço do exercício bem como o vencimento da opção será prefixado pela Bolsa de Valores que opera com opções.

PREÇO DE LASTRO — Preço aceito pelo Banco Central nas operações compromissadas por ele realizadas e que as instituições financeiras, por sua iniciativa, utilizam como parâmetro nas operações compromissadas.

PREÇO DE LIQUIDAÇÃO — Preço calculado e divulgado pela Bolsa, em função do qual se realiza a liquidação dos contratos na data de liquidação.

PREÇO DE TRANSFERÊNCIA — Ocorre quando duas ou mais empresas (sejam corporações ou não), de propriedade ou controladas direta ou indiretamente pelas mesmas pessoas, comercializam entre si e o preço da transação é diferente do praticado no mercado. Os preços são fixados artificialmente com o objetivo de economizar impostos. O que não é aceito é a transferência de preços que aumenta o custo ou reduz o valor nas vendas nos Estados em que a carga tributária é maior e aumenta o valor das vendas ou reduz os custos nos Estados em que a carga tributária é menor. A dificuldade para as autoridades fiscais decorre do fato de que mais de 50% do comércio mundial é feito entre corporações e não é possível ter preço de mercado para muitas das mercadorias e serviços que são comercializadas entre países. Esta situação acontece porque os produtos e serviços nunca são vendidos a terceiros na forma pela qual são transferidos por fronteiras nacionais dentro da mesma corporação. Este fato faz com que sejam desenvolvidos complexos modelos cujo objetivo é alocar valor dentre os vários estágios da cadeia de fornecimento pertencente à companhia, o que acaba levando à possibilidade de potencial abuso. Por esta razão é discutido que tais firmas deveriam ser tributadas sobre uma base unitária.

PREÇO INICIAL — O constante de proposta para realização dos fornecimentos ou execução das obras ou serviços.

PREÇO JUSTO — É um dos critérios usados pelos fundamentalistas para avaliar se o papel está caro ou barato. O cálculo do preço justo de uma ação é feito através da estimativa do valor de uma empresa dividida pelo número de ações que ela tem.

PREÇO PREDATÓRIO — Venda de um bem ou serviço abaixo do custo. Há diferenças entre concorrência desleal, preço predatório e *dumping*.

PREÇO PÚBLICO — O do serviço vendido pelo Poder Público, mensurado em uma unidade de medida (divisível) diferente do preço de mercado.

PREÇO RELATIVO DE UM BEM — Expressão utilizada em economia para definir o valor de um bem expresso por relação a outro bem, independentemente da moeda aplicada. O preço relativo das maçãs pode ser expresso em laranjas se o consumidor resolve optar entre os dois bens em análise. Os preços relativos podem ser expressos graficamente pela reta da restrição orçamentária.

PREÇO UNITÁRIO — Proposta de preço feita por um operador de pregão para negociação de uma ação.

PREÇO-ALVO — É o cálculo do valor de determinada ação usado pelos analistas fundamentalistas para definir se uma ação está barata ou cara. O preço-alvo é calculado através do fluxo de caixa descontado.

PRECONCEBIDO — Concebido antecipadamente. Planejado sem fundamento sério.

PRECONCEITO — Opinião ou sentimento injusto e, às vezes, desfavorável com relação a pessoas, coisas, lugares ou situações. É o conceito, a opinião ou julgamento que se forma *a priori*, sem conhecimento ou ponderação dos fatos. Desconsiderar e subjulgar um ser humano em decorrência de alguma característica deste (cor, raça, sexo etc.). A Constituição Federal inclui entre os objetivos fundamentais do Brasil a promoção do bem de todos, sem preconceitos de origem, raça, sexo, cor, idade e quaisquer outras formas de discriminação. E informa que será considerado crime inafiançável e imprescritível a prática de racismo, sujeito à pena de reclusão na forma da lei. A Lei nº 7.437, de 1985, incluiu entre as contravenções penais a prática de atos que resultem de preconceito de raça, de cor, de sexo ou de estado civil. As penas variam de prisão simples, de 15 dias até um ano e perda do cargo, quando se tratar de servidor público que obste o acesso de alguém a um cargo público civil ou militar ou negue emprego ou trabalho a alguém em autarquia, sociedade de economia mista, empresa concessionária de serviço público ou empresa privada, por preconceito de raça, de cor, sexo ou estado civil. Nos casos de reincidência em estabelecimentos particulares, o juiz poderá determinar a pena adicional de suspensão do funcionamento por prazo não superior a três meses.

PRÉ-CONTRATO — Ver Antecontrato.

PREÇOS MÁXIMOS — Em economia representam o nível de preços tabelados pelo Estado num determinado mercado (de produtos ou de fatores) que se situam abaixo do preço de equilíbrio e que geram excesso de procura.

PREÇOS MÍNIMOS — Em economia representam o nível de preços tabelados pelo Estado num determinado mercado (de produtos ou de fatores) que se situam acima do preço de equilíbrio e que geram excesso de oferta (Exemplo: Salário mínimo no mercado de trabalho).

PREDIÇÃO — Saber o ocorrerá no futuro; conclusão sobre o futuro. Dizer o que vai acontecer com grande margem de acerto. Saber com antecipação o que pode acontecer através de variáveis presentes ou observáveis, já conhecidas, de uma determinada conseqüência. A boa predição é guiada pela observação e controle de condições de regularidade e as suas variações.

PRÉDIO SERVIENTE — Prédio de passagem obrigatória por aqueles que provêm de prédio encravado.

PREDISPOSIÇÃO — Tendência ou propensão de um organismo para contrair uma enfermidade.

PRÉ-DUNAS — Áreas que surgem a partir dos sedimentos arenoquartzosos depositados pelo mar na faixa de praia e que através dos ventos dominantes (SE e NE) são transportados e depositados num processo contínuo.

PREEMPÇÃO — É uma espécie de preferência no contrato de compra e venda. Trata-se de uma das cláusulas especiais em que o comprador tem a obrigação de oferecer ao vendedor a coisa que aquele vai vender, ou dar em pagamento, para que este use de seu direito de prelação na compra, tanto por tanto. O vendedor pode também exercer o seu direito de prelação, intimando-o ao comprador, quando lhe constar que este vai vender a coisa.

PREFEITO — É o chefe do Poder Executivo Municipal, competindo-lhe a administração e governo do Município, de que é o legítimo representante. Como delegado do povo, que o elegeu ou escolheu, o prefeito pode exercer atos de império e atos de gestão, sendo o mandatário legal do Município, ativa e passivamente, em juízo ou fora dele. Exerce o Poder Executivo, com o auxílio dos secretários de Governo. Sua posse se dá em sessão do Câmara Municipal, quando presta o compromisso constitucional. Em caso de impedimento ou vacância, o cargo de prefeito Municipal será preenchido pelo vice-prefeito; na hipótese de impedimento dos dois cargos, será chamado o presidente da Câmara Municipal. O prefeito municipal não pode se ausentar do Município por período superior a 15 dias, nem do Território Nacional por qualquer prazo, sem pedir licença do cargo e, só poderá fazê-lo, com autorização prévia da Câmara Municipal, sob pena de perda do cargo. (Ver: Atos Administrativos de Império // Atos Administrativos de Gestão // Município // Prefeito – Crimes de Responsabilidade.)

PREFEITO - ELEIÇÃO — No Brasil a eleição de prefeito se realiza no primeiro domingo de outubro do ano anterior ao término do mandato em vigor e implica automaticamente a eleição também do vice-prefeito com ele registrado. Atualmente são 5.562 prefeitos - um em cada Município. O prefeito se elege pela maioria absoluta de votos (sistema majoritário), não computados os brancos e nulos. Nos Municípios com mais de 200 mil eleitores, caso nenhum dos candidatos consiga maioria absoluta na primeira votação, renova-se a eleição no último domingo de outubro, concorrendo os dois candidatos que obtiverem o maior número de votos, considerando-se afinal eleito aquele que obtiver a maioria dos votos válidos. Seu mandato é de quatro anos, tendo início no dia 1º de janeiro do ano subseqüente. Atualmente é permitida sua reeleição, uma única vez, para o período subseqüente. (Ver: Eleição - Sistema majoritário.)

PREFEITO - SUBSÍDIOS — Os subsídios do prefeito, do vice-prefeito e dos secretários municipais serão fixados por lei de iniciativa da Câmara Municipal, observado o que dispõem os arts. 37, XI, 39, § 4º, 150, II, 153, III, e 153, § 2º, I, da Constituição Federal.

PREFEITOS - CRIMES DE RESPONSABILIADE — O art. 1º do Decreto-Lei nº 201, de 27 de fevereiro de 1967, definiu em 23 incisos (os de XVI a XXIII foram acrescentados pelo art. 4º da Lei nº 10.028, de 2000) os crimes de responsabilidade dos prefeitos municipais, sujeitos ao julgamento do Poder Judiciário, independentemente do pronunciamento da Câmara dos Vereadores. O julgamento do prefeito municipal será realizado perante o Tribunal de Justiça do Estado onde o Município estiver inserido. Os crimes definidos no art. 1º são de ação pública - através do Ministério Público -, punidos os dos itens I e II, com a pena de reclusão, de dois a 12 anos, e os demais, com a pena de detenção, de três meses a três anos. A condenação definitiva em qualquer dos crimes acarreta a perda de cargo e a inabilitação, pelo prazo de cinco anos, para o exercício de cargo ou função pública, eletivo ou de nomeação, sem prejuízo da reparação civil do dano causado ao patrimônio público ou particular. O processo dos crimes no art. 1º é o comum do juízo singular, estabelecido pelo Código de Processo Penal, com as modificações introduzidas pelo art. 2º do Decreto-Lei nº 201, de 1967. O art. 4º do Decreto-Lei nº 201, de 1967, prevê dez casos de infrações político-administrativas dos prefeitos municipais sujeitas ao julgamento pela Câmara dos Vereadores e sancionadas com a cassação do mandato. A Lei nº 10.028, de 2000, além de introduzir oito novos casos de infração no código penal (arts. 359A a 359G) e outros oito no Decreto-Lei nº 201, de 1967 (incisos XVI a XXIII do art. 1º), criou, pelo seu art. 5º, quatro casos em que serão aplicadas multas de 30% dos vencimentos anuais do agente que causar a infração, sendo o pagamento da multa de sua responsabilidade pessoal, ou seja, será paga com seus próprios recursos e não pelo cofre público. A infração será processada e julgada pelo Tribunal de Contas a que competir a fiscalização contábil, financeira e orçamentária da pessoa jurídica de direito público envolvida.

PREFEITURA — É o conjunto de órgãos e entidades encarregados da administração municipal. É, ainda, atribuída a denominação para designar o edifício em que se acham instalados os serviços de uma administração municipal. É a Sede do Poder Executivo municipal.

PREFERÊNCIA — 1) Ato ou efeito de preferir. Predileção. Manifestação de agrado ou distinção. Vantagem assegurada por lei a certos direitos creditórios, de serem pagos em primeiro lugar, preterindo os créditos quirografários concorrentes à execução dos bens do devedor comum; antelação. Necessidades específicas e particulares dos clientes ou das demais partes interessadas, normalmente não explicitadas por eles. 2) Conceito estudado em economia pela teoria do consumidor que se opõe ao conceito de indiferença. Representa as combinações de bens que o consumidor atribui utilidade diferente: a) em detrimento dos outros bens, que atribui utilidade inferior; b) em benefício de outros bens, que atribui utilidade superior. 3) No Legislativo, anteposição, precedência, a primazia na discussão, ou na votação, de uma proposição sobre outra, ou outras.

PREFERÊNCIA PELA LIQUIDEZ — Em economia representa a correlação inversa entre a variação da quantidade de moeda e a variação das taxas de juros. Nesse sentido, quanto maior for a taxa de juro, menor a procura de moeda e, inversamente, quanto menor for a taxa de juro, maior a procura de moeda.

PREFIXADO — 1) É a aplicação cuja rentabilidade é conhecida previamente, ao contrário da pós-fixada. O investidor já sabe, ao fazer a aplicação, o valor em percentual da rentabilidade a ser recebida. 2) Refere-se à taxa de remuneração de um contrato financeiro que é previamente acordada entre as partes anteriormente ao seu período de vigência, independentemente da variação das taxas de curtíssimo prazo da economia.

PREGÃO — 1) Processo licitatório especial adotado pela Administração Pública para aquisição de bens e serviços comuns, pelo menor preço, que possam ser objetivamente definidos por meio de especificações usuais no mercado. 2) Declaração pelo corretor, das condições em que vende ou compra certos títulos. 3) Local em que se efetuam negócios em Bolsas de Valores. 4) Anúncio em voz alta pelo qual o leiloeiro, o porteiro do auditório ou oficial de Justiça leva a leilão, ou hasta pública, bem a ser arrematado, anunciando os lances oferecidos e o vencedor. Diz-se também do anúncio feito pelo oficial de Justiça, ou pelo escrivão, ou escrevente no início das audiências, convocando as partes, procuradores, testemunhas etc. (Ver: Licitação Pública - Pregão.)

PREGÃO ELETRÔNICO — Sistema eletrônico de negociação por terminais, que permite a realização de negócios, por operadores e corretoras credenciados, nos mercados à vista, a termo e de opções, com papéis e horários definidos pela BOVESPA.

PRÉ-INVESTIMENTO — Estudos e projetos que se caracterizam pela capacidade de racionalizar investimentos, seja na área do planejamento público ou privado, seja em obras de infra-estrutura econômica e social, seja na manufatura, seja nos serviços. Outra característica do pré-investimento é seu conteúdo intelectual. Inclui a elaboração de estudos de viabilidade e anteprojetos, engenharia de projeto básico, engenharia de detalhamento, estudo de impacto ambiental e outros regulados através de legislação específica.

PREJUDICIALIDADE — Declaração, pelo presidente da Casa Legislativa, ou de Comissão, de que determinada matéria pendente de deliberação está prejudicada em virtude da perda de oportunidade de apreciação ou de prejulgamento pelo Plenário ou comissão; da declaração de prejudicialidade cabe recurso para o Plenário.

PREJUÍZO — 1) Medida de perda relacionada com o valor econômico, social e patrimonial de um determinado bem. 2) É qualquer dano ou perda que reduz, na quantidade, qualidade ou interesse o valor dos bens. 3) Ocorrência de despesas de uma empresa superiores às suas receitas.

PREJUÍZO ACUMULADO — É quando uma empresa apresenta prejuízos por mais de um exercício contábil. Na contabilidade, prejuízo acumulado é um subitem do patrimônio líquido que surge quando a empresa acumula prejuízos.

PREJULGADO — Pronunciamento do Tribunal Superior do Trabalho (TST), prévio e de caráter interpretativo, sobre direito em tese, que vinha estatuído no art. 902 da CLT. Foi extinto por suposta inconstitucionalidade, tendo sido substituído pelo "enunciado", de acordo com a Resolução Administrativa nº 44, de 1985 do TST. (Ver: Enunciado.)

PRELAÇÃO — Preempção, preferência. Ordem de preferência em relação a determinados créditos.

PRELIMINAR — Defesa indireta de caráter exclusivamente formal ou processual. Toda questão que impede o julgamento do mérito de defesa indireta que deve ser alegada antes da defesa de mérito. Questão processual a ser resolvida antes do julgamento do mérito da causa. Um processo pode ser extinto, sem julgamento do mérito, se algum requisito processual deixar de ser atendido.

PREMEDITAÇÃO — Determinação deliberada, consciente, tomada com antecedência, dolosa, pelo agente do crime antes de o consumar. É agravante qualificativa do delito.

PREMÊNCIA — Urgência na reação.

PRÊMIO — É um termo usado em vários sentidos associado ao ganho; vitória; conquista etc. No mercado de opções, é o valor pago por quem compra o contrato para o emissor deste contrato. Como é o emissor que fica com o risco, a palavra está associada a um ganho que se tem pela tomada de um risco. Assim, o prêmio é a indenização previamente combinada que o comprador a prazo de um valor em bolsa paga ao vendedor no dia da liquidação, em caso de desistência de uma operação já contratada.

PRÊMIO DA OPÇÃO — É o preço de negociação, por ação-objeto, de uma opção de compra ou venda.

PRÊMIO DE RISCO — É a diferença entre a taxa de juros de uma aplicação sem risco e uma aplicação de risco. O conceito básico é que para investir em alguma aplicação de maior risco, o investidor deve receber um prêmio por isso. Esse prêmio vem na forma de uma melhor remuneração que compense este risco. Em muitos países, os títulos do governo são considerados ativos sem risco. O retorno desses títulos é utilizado como *benchmarks* (parâmetros) para avaliar outros títulos. Quando um país tem sua capacidade de solvência questionada, seus títulos representam maior risco para os investidores em relação aos *benchmarks*. Como o risco é maior, os agentes que demandam títulos públicos exigem um prêmio, ou seja, um retorno maior sobre os títulos, que se reflete na elevação das taxas de juros. Na metodologia de cálculo do índice de *Sharpe*, para avaliação de fundos de investimento, o termo representa a rentabilidade acima da taxa livre de risco (*riskfree*) ou do *benchmark* (parâmetro de mercado usado como medida de desempenho). O prêmio de risco é sempre definido em relação a uma aplicação alternativa. No índice de *Sharpe*, este prêmio é a rentabilidade média do fundo que supera à da caderneta de poupança, no período de cálculo considerado. É de se esperar que o fundo pague uma rentabilidade adicional sobre a poupança, considerada um ativo sem risco. (Ver: Índice de *Sharpe*.)

PRÊMIO DO SEGURO — É a quantia paga pelo segurado à seguradora, para que esta assuma a responsabilidade de um determinado risco. E o custo do seguro. O cálculo é feito com base no prazo do seguro, importância segurada e exposição ao risco.

PRÊMIO NACIONAL DA QUALIDADE (PNQ) — É o prêmio instituído no Brasil em 1991 pelo Comitê Nacional da Qualidade e da Produtividade. O Prêmio Nacional da Qualidade é o reconhecimento público e notório à excelência do desempenho das organizações e busca promover a aplicação do estado da arte da gestão com vistas ao aumento da competitividade das empresas sediadas no Brasil. As empresas premiadas são consideradas como modelos de organizações competentes e suas estratégias de desempenho para alcançar o sucesso, assim como os benefícios decorrentes da utilização dessas estratégias, são apreciadas como *benchmarking* e replicadas por outras empresas na busca da melhoria da gestão. O Prêmio é concedido anualmente a cinco categorias de organizações, a saber: grandes empresas; médias empresas; pequenas e microempresas; organizações sem fins lucrativos; e organizações da Administração Pública.

PRÊMIO NOBEL — Instituído por Alfred Nobel, um industrial sueco, inventor da dinamite, em seu testamento. São atribuídos, anualmente, no dia 10 de dezembro, aniversário da morte de Nobel, às pessoas que fizeram pesquisas importantes, inventaram técnicas pioneiras, ou deram contribuições destacadas à sociedade, mais propriamente àqueles que proporcionaram à Humanidade benefícios no campo da física, química, fisiologia ou medicina, literatura e paz. Os prêmios são concedidos numa cerimônia formal em Estocolmo, exceto o Nobel da Paz, que é entregue em Oslo. Entretanto, os nomes das pessoas laureadas são anunciados em outubro pelos diferentes comitês e instituições que realizam a seleção para os prêmios. A Fundação Nobel, a entidade administradora dos fundos do prêmio, com sede em Estocolmo, não está envolvida na seleção dos vencedores. O prêmio consiste numa medalha de ouro, um diploma com a citação da condecoração e uma soma em dinheiro que varia de acordo com os rendimentos da Fundação Nobel, mas que ronda os 10 milhões de Coroas suecas (mais de um milhão de euros ou dólares). A idéia original era permitir que as pessoas laureadas continuassem a trabalhar ou pesquisar, sem pressões financeiras. Os prêmios são concedidos anualmente desde 1901 para realizações em: Prêmio Nobel da Física; Prêmio Nobel da Química; Prêmio Nobel da Medicina ou Fisiologia; Prêmio Nobel da Literatura; Prêmio Nobel da Paz. Nobel nunca criou um prêmio para economia, embora muitos economistas famosos afirmem terem recebido o Nobel de Economia (essa confusão acontece devido ao Prêmio de Ciências Econômicas em memória de Alfred Nobel).

PREMISSA — É a proposição ou proposições que sustentam a conclusão de um argumento. Um argumento pode ter uma ou mais premissas.

PREMONIÇÃO — Sensação psíquica de um acontecimento futuro, sem explicação parcimoniosa.

PREMONITÓRIA — Autorização judicial que supre a falta de consentimento necessário à validade de um ato jurídico.

PRENOTAÇÃO — É o ato pelo qual o oficial do registro público procede à anotação ou registro prévio e provisório, em título ou documento apresentado à inscrição ou transcrição. A anotação ou o registro garantem a prioridade ou preferência em favor da pessoa que primeiro o levou a registro, para inscrição ou transcrição. A prenotação ocorre no Livro A ou livro-protocolo ou no livro de entrada do oficial. Desde que anotada ou registrada a entrega, concretiza-se a prenotação. Sendo requerida previamente, a prenotação chama-se premonitória ou acauteladora.

PREOCUPAÇÃO — Inquietação oriunda de uma possibilidade futura, ocupando-se previamente ou preparando-se para o evento por ter como certa a sua ocorrência.

PREPARO — Pagamento das custas judiciais devidas e necessárias para o recebimento e processamento de um recurso.

PREPONDERÂNCIA — Qualidade do que é preponderante; supremacia; predomínio; superioridade; hegemonia.

PREPOSTO — Representante de alguém em uma ação. Pessoa colocada à frente de uma operação para conduzi-la e dirigi-la; é o substituto com poderes legais para a prática de atos em nome de outrem (preponente), conforme disposições dos arts. 1.169 e seguintes do Código Civil. Na Justiça do Trabalho é nome dado à pessoa que dirige negócio ou operação de outrem.

PREPOTÊNCIA — Opressão e abuso de poder. Abuso de autoridade. Geralmente o prepotente é também arrogante.

PRÉ-QUESTIONAMENTO — Suscitação obrigatória, no recurso extraordinário, de questão já ventilada no curso da demanda. Requisito exigido no STF e no STJ para o conhecimento de matéria recursal, consistente no exame, em instância inferior, de alegação de que determinada norma legal tenha sido desrespeitada, justificando-se, assim, que o recurso de revista invoque essa suposta violação da lei.

PRERROGATIVA — Concessão ou vantagem com que se distingue uma pessoa ou uma corporação: privilégio, regalia. Faculdade ou vantagem de que desfrutam os seres de um determinado grupo ou espécie. Atributo conferido a agente político ou integrante de uma dada corporação, com vistas a assegurar-lhe condições para o pleno e desembaraçado exercício de seu dever institucional, tendo como exemplos: a vitaliciedade, inamovibilidade e irredutibilidade salarial dos magistrados, a imunidade parlamentar e a inviolabilidade do Deputado por suas opiniões, palavras e votos.

PRESCREVER — Perder a validade, ou a vigência; incidir em prescrição; ser atingido por prescrição.

PRESCRIÇÃO — Efeito jurídico de não mais se reconhecer um direito, em razão da inércia do titular por lapso de tempo previsto em lei, ou perda do prazo para aplicação de penalidade administrativa. É a extinção de direito por não se ter exercido em tempo, ou de obrigação por não ter exigido o cumprimento dela. Refere-se ao exercício da ação. O direito de agir é que prescreve. O decurso de tempo é um acontecimento natural de importância inigualável para o Direito. A prescrição requer dois elementos: a inércia do titular de um direito e o decurso de tempo. Para que ocorra a prescrição, é preciso que o titular de um direito não o exerça e, a seguir, que a inatividade se prolongue por algum tempo. Se o prazo dentro do qual o direito deve ser exercido transcorrer sem que seu titular pratique ato para conservá-lo, a lei o declara extinto, impedida a ação judicial normalmente cabível. O fundamento da prescrição do direito de ação reside, segundo alguns autores, na negligência do titular de um direito; sua inércia seria a presunção de seu desinteresse. Três conseqüências decorrem da natureza da prescrição: a) os particulares não podem declarar imprescritível qualquer direito; b) antes de consumada, a prescrição é irrenunciável; c) os prazos prescricionais não podem ser dilatados pela vontade dos particulares. Não se confunde com a decadência. Na prescrição o direito se extingue pela falta de ação de seu titular. (Ver: Caducidade // Decadência // Preclusão // Perempção).

PRESCRIÇÃO ADMINISTRATIVA — A prescrição administrativa opera a preclusão da oportunidade de atuação do Poder Público sobre matéria sujeita à sua atuação. Não se confunde com prescrição civil nem estende seus efeitos às ações judiciais, pois é restrita à atividade interna da Administração e se efetiva no prazo que a norma legal estabelecer.

PRESCRIÇÃO DA DÍVIDA — Perda do direito de cobrar um crédito.

PRESCRIÇÃO DO CHEQUE — Ver Cheque, Prescrição do.

PRESCRIÇÃO QÜINQÜENAL — Prazo para o trabalhador propor ação trabalhista. A prescrição qüinqüenal foi introduzida pela vigente Constituição Federal, que derrogou o art. 11 da CLT, que dizia: "Não havendo disposição especial em contrário nesta Consolidação prescreve em dois anos o direito de pleitear a reparação de qualquer ato infringente de dispositivo nela contido." A Constituição Federal, no art. 7º, XXIX, assim determina: "Ação, quanto a créditos resultantes das relações de trabalho, com prazo prescricional de cinco anos para trabalhadores urbanos e rurais, até o limite de dois anos após a extinção do contrato de trabalho". Fica suprimida, portanto, a chamada prescrição bienal, e o prazo de prescrição da ação trabalhista, para o trabalhador, passa para cinco anos, contados da data da lesão ao direito, como o que o empregado tem o prazo de cinco anos, no transcurso do contrato de trabalho, para pleitear seus direitos.

PRESERVAÇÃO — Conjunto de métodos, procedimentos e políticas que visem à ação de proteger, contra a destruição e qualquer forma de dano ou degradação, determinados patrimônios históricos, artísticos, um ecossistema, uma área geográfica definida ou espécies animais e vegetais ameaçados de extinção, adotando-se as medidas preventivas legalmente necessárias e as medidas de vigilância adequadas.

PRESIDÊNCIA — Cargo de presidente. Período de duração de uma administração ou de um governo presidencial.

PRESIDENCIALISMO — Forma de governo em que o Poder Executivo é exercido pelo chefe de Estado, o qual pode ser eleito diretamente pelo povo, ou indiretamente, por um colégio eleitoral. O Brasil adota o Presidencialismo, mas já teve duas experiências parlamentaristas que não ofereceram condições suficientes para aquilatar das vantagens dos dois sistemas de governo: a primeira, no tempo do império, durando de 1825 a 1889, quando foi proclamada a República; a segunda, em 1961, após a renúncia do presidente Jânio Quadros; teve duração efêmera por ausência de características autênticas, terminou pelo plebiscito de 1963 que restaurou o presidencialismo.

PRESIDENCIALISMO DE COALIZÃO — É o modelo institucional peculiar dos países da América Latina na qual o presidente constrói base de apoio, concedendo postos ministeriais a membros dos partidos com representação no Parlamento, e esses, em troca, fornecem os votos necessários para aprovar sua agenda no Legislativo.

PRESIDENTE — Pessoa responsável por uma reunião, comitê, comissão, organização etc. Pessoa que dirige os trabalhos de uma corporação deliberativa. No âmbito legislativo, parlamentar que representa a instituição e é responsável pela direção dos trabalhos e por sua ordem.

PRESIDENTE DA REPÚBLICA — Designa aquele que exerce a função tanto de chefe de Estado, como de chefe de Governo nos países onde vigora a forma pura de Presidencialismo, ou seja, não compartilha o poder com o primeiro-ministro como ocorre na França. Exerce a chefia do Poder Executivo, como delegado do povo, que o elegeu ou escolheu com o auxílio dos ministros de Estado.

PRESIDENTE DA REPÚBLICA - ELEIÇÃO — No Brasil a eleição do presidente da República se realiza no primeiro domingo de outubro antes do término do mandato presidencial em vigor e implica automaticamente a eleição também do vice-presidente com ele registrado. O presidente se elege pela maioria absoluta de votos (sistema majoritário), não computados os brancos e nulos. Caso nenhum dos candidatos consiga maioria absoluta na primeira votação renova-se a eleição no último domingo de outubro, concorrendo os dois candidatos que obtiverem o maior número de votos, considerando-se afinal eleito aquele que obtiver a maioria dos votos válidos. Sua posse se dá em sessão do Congresso Nacional, quando presta o compromisso constitucional. Seu mandato é de quatro anos, tendo início em 1º de janeiro do ano subseqüente. Atualmente é permitida sua reeleição, uma única vez, para o período subseqüente. Em caso de impedimento ou vacância, o cargo de presidente da República será preenchido pelo vice-presidente; na hipótese de impedimento dos dois cargos, serão chamados, pela ordem, o presidente da Câmara dos Deputados, o do Senado Federal e o do Supremo Tribunal Federal. O presidente da República não pode se ausentar do País por período superior a 15 dias sem pedir licença do cargo e só poderá fazê-lo com autorização prévia do Congresso Nacional, sob pena de perda do cargo. Acusação contra o presidente da República, admitida por dois terços da Câmara dos Deputados, será julgada perante o Supremo Tribunal Federal, nas infrações penais comuns, ou perante o Senado Federal, nos crimes de responsabilidade. (Ver: Eleição – Sistema majoritário.)

PRESIDENTE DE CÂMARA LEGISLATIVA — Ver Câmara Legislativa, Presidente de.

PRESIDENTES DO BRASIL — Manoel Deodoro da Fonseca, de 15/11/1889 a 23/11/1891, vice: Floriano Vieira Peixoto • Floriano Vieira Peixoto, de 23/11/1891 a 15/11/1894 • Prudente José de Morais e Barros, de 15/11/1894 a 15/11/1898, vice: Manoel Victorino Pereira • Manuel Ferraz de Campos Salles, de 15/11/1898 a 15/11/1902, vice: Francisco de Assis Rosa e Silva • Francisco de Paula Rodrigues Alves, de 15/11/1902 a 15/11/1906, vice: Afonso Augusto Moreira Pena • Afonso Augusto Moreira Pena, de 15/11/1906 a 14/6/1909, vice: Nilo Procópio Peçanha • Nilo Procópio Peçanha, de 14/6/1909 a 15/11/1910 • Hermes Rodrigues da Fonseca, de 15/11/1910 a 15/11/1914, vice: Venceslau Brás Pereira Gomes • Venceslau Brás Pereira Gomes, de 15/11/1914 a 15/11/1918, vice: Urbano Santos da Costa Araújo • Delfim Moreira da Costa Ribeiro, de 15/11/1918 a 28/7/1919 • Epitácio da Silva Pessoa, de 28/7/1919 a 15/11/1922, vices: Delfim Moreira da Costa Ribeiro (até 10/7/1920) e Francisco Álvaro Bueno de Paiva • Artur da Silva Bernardes, de 15/11/1922 a 15/11/1926, vice: Estácio de Albuquerque Coimbra • Washington Luís Pereira de Sousa, de 15/11/1926 a 24/10/1930, vice: Fernando de Melo Vieira • Junta Militar Governativa Provisória, de 24/10/1930 a 3/11/1930, formada pelos generais Augusto Tasso Fragoso, João de Deus Menna Barreto e almirante José Isaías de Noronha • Getúlio Dornelles Vargas, de 3/11/1930 a 29/10/1945 • José Linhares, de 29/10/1945 a 31/1/1946 • Eurico Gaspar Dutra, de 31/1/1946 a 31/1/1951, vice: Nereu de Oliveira Ramos • Getúlio Dornelles Vargas, de 31/1/1951 a 24/8/1954, vice: João Fernandes Campos Café Filho • João Fernandes Campos Café Filho, de 24/8/1954 a 9/11/1955 • Carlos Coimbra de Luz, de 9/11/1955 a 11/11/1955 • Nereu de Oliveira Ramos, de 11/11/1955 a 31/1/1956 • Juscelino Kubitschek de Oliveira, de 31/1/1956 a 31/1/1961, vice: João Belchior Marques Goulart • Jânio da Silva Quadros, de 31/1/1961 a 25/8/1961, vice: João Belchior Marques Goulart • Pascoal Ranieri Mazzilli, de 25/8/1961 a 7/9/1961 • João Belchior Marques Goular, de 7/9/1961 a 10/4/1964 • Pascoal Ranieri Mazzilli, de 10/4/1964 a 15/4/1964 • Humberto de Alencar Castello Branco, de 15/4/1964 a 15/3/1967, vice: José Maria Alkmin • Arthur da Costa e Silva, de 15/3/1967 a 31/8/1969, vice: Pedro Aleixo • Junta Militar, de 31/8/1969 a 30/10/1969, formada por Augusto Hamann Rademaker Grünewald (ministro da Marinha), Aurélio de Lira Tavares (Exército) e Márcio de Sousa e Melo (Aeronáutica) • Emílio Garrastazu Médici, de 30/10/1969 a 15/3/1974, vice: Augusto Hamann Rademaker Grünewald • Ernesto Geisel, de 15/3/1974 a 15/3/1979, vice: Adalberto Pereira dos Santos • João Baptista de Oliveira Figueiredo, de 15/3/1979 a 15/3/1985, vice: Antônio Aureliano Chaves de Mendonça • José Sarney (nascido José Ribamar Ferreira de Araújo Costa), de 15/3/1985 a 15/3/1990 (até 22/4/1985 como interino). Com a morte do presidente eleito Tancredo de Almeida Neves, assume o cargo definitivamente • Fernando Afonso Collor de Mello, de 15/3/1990 a 2/10/1992, vice: Itamar Augusto Cautiero Franco • Itamar Augusto Cautiero Franco, de 2/10/1992 a 10/1/1995. Interino durante o processo de *impeachment* de Collor. Com a renúncia, em 29/12/1992, assume o cargo definitivamente • Fernando Henrique Cardoso, de 10/1/1995 a 10/1/1999, vice: Marco Antônio de Oliveira Maciel • Fernando Henrique Cardoso, de 10/1/1999 a 10/1/2003, quando toma posse de seu segundo mandato, vice: Marco Antônio de Oliveira Maciel • Luiz Inácio Lula da Silva, eleito para o período de 10/1/2003 a 10/1/2007, vice: José Alencar Gomes da Silva.

PRESS KIT — É o conjunto de informações dirigido à imprensa.

PRESS RELEASE — Ver *Release*.

PRESSÁGIO — Sensação psíquica de um acontecimento próximo, sem explicação parcimoniosa.

PRESSÃO ATMOSFÉRICA — Pressão do peso do ar e do vapor de água na superfície da terra. A pressão normal medida ao nível do mar é de aproximadamente 101 kPa ou 760 mm (76 cm) de mercúrio, a uma temperatura de 15º C. Varia em função da altitude, das condições meteorológicas e da latitude.

PRESSÃO INFLACIONÁRIA — Pressão na economia para o aumento de preços.

PRESSÃO SOCIAL — A expressão se refere ao conjunto de eventos, movimentos e situações promovidos pela iniciativa popular (seja através de um grande desejo coletivo ou pela ação de grupos isolados) que possui alguma intenção sobre um determinado assunto, em geral de ordem pública e política. Momentos de crise na história dos governos normalmente envolvem a presença da pressão da sociedade por mudanças. (Ver: Movimento social.)

PRESSENTIMENTO — Sensação psíquica de determinado acontecimento tempestivo em função de um sentimento prévio, sem explicação plausível, mas, certamente relacionado com experiências anteriores. Sentir antes uma situação possível de acontecer.

PRESSOSTATO — Dispositivo sensor de pressão, projetado para fornecer um sinal de saída em função de um valor predeterminado.

PRESSUPOSTOS — 1) São situações, acontecimentos, condições ou decisões necessárias ao sucesso de um programa, mas que se encontram fora de controle de sua gestão. 2) São suposições ou premissas que a pessoa acredita como verdadeiras, frutos das suas crenças, valores ou experiência de vida.

PRESSUPOSTOS PROCESSUAIS — Requisitos exigidos para a constituição e o desenvolvimento válido e regular do processo, como a capacidade civil das partes e a sua representação por advogado.

PRESTAÇÃO — Ato de dar, conceder, desobrigar-se, de fazer, de cumprir. É a parcela de uma dívida. Conduta a que o devedor está obrigado. Pagamento a prazo para liquidar uma dívida. É também a própria quantia em dinheiro paga periodicamente. No caso dos financiamentos imobiliários, as prestações são compostas de uma parcela de amortização e outra de juros, mais as parcelas do seguro pessoal e do imóvel.

PRESTAÇÃO DE CONTAS — Apresentação, por pessoas responsáveis pela gestão de recursos públicos, de documentos que expressem a situação financeira e o resultado das operações realizadas sob a sua responsabilidade. Informação sobre o uso e gastos do dinheiro público, fornecida pelo governo ao fim do exercício financeiro e ao fim do mandato. (Ver: Contas, Prestação de.)

PRESTAÇÃO DE CONTAS DE ADMINISTRAÇÃO FINANCEIRA — Ver Contas de Gestão, Prestação de.

PRESTAÇÃO DE CONTAS DE GESTÃO — Ver Contas de Gestão, Prestação de.

PRESTAÇÃO DE CONTAS, AÇÃO DE — Procedimento especial de jurisdição contenciosa com competência para sua propositura aquele que tem o direito de exigi-las em face de quem tem a obrigação de prestá-la. É a ação de quem possui bens de terceiro em seu poder, para guarda ou administração, em razão de mandato expresso, ou a do terceiro contra o detentor, para prestar contas da guarda ou administração.

PRESTAÇÃO DE GARANTIA GRACIOSA — Tipifica crime do agente público prestar garantia em operação de crédito sem que tenha sido constituída contragarantia em valor igual ou superior ao valor da garantia prestada, na forma da lei. Pena: detenção, de três meses a um ano. A pena será aumentada da terça parte quando os autores dos crimes forem ocupantes de cargos em comissão ou de função de direção ou assessoramento de órgão da administração direta, sociedade de economia mista, empresa pública ou fundação instituída pelo poder público. Lei nº 10.028, de 2000 que acrescentou artigos ao Código Penal.

PRESTAÇÃO DE SERVIÇO — 1) Atividade desenvolvida na Administração Pública, por prazo determinado, mediante contrato e sem vínculo empregatício. 2) Atividades do fornecedor necessárias ao provimento do serviço.

PRESTAÇÃO JURISDICIONAL — Ocorre quando o juiz decide a causa aplicando o direito ao caso concreto.

PRESUNÇÃO — É a dedução, conclusão, ou a conseqüência, que se tira de um fato conhecido, para se admitir como certa, verdadeira e provada a existência de um fato desconhecido ou duvidoso. É um juízo antecipado e provisório que se considera válido até prova em contrário. São as conjecturas ou juízos formados sobre a existência do fato probando, conjeturas pressupostas pela lei como verdades absolutas (presunções legais, ou induzidas pelo juiz, segundo a ordem natural das coisas - presunções comuns). Não se deve confundir com indícios que são elementos sensíveis, reais, que indicam um objeto. (Ver: Indício.)

PRESUNÇÃO DE CULPA — Juízo de culpabilidade mantido até que não tenha sido aduzida uma prova em contrário.

PRESUNÇÃO DE INOCÊNCIA — Direito que tem o acusado de não ser considerado culpado até o trânsito em julgado da sentença.

PRESUNÇÃO DE PERICULOSIDADE — Suposição, decorrente de circunstâncias, de que alguém venha a praticar ou torne a praticar crimes.

PRESUNÇÃO LEGAL — É a mesma presunção jurídica ou de direito, assim denominada em oposição à presunção de fato ou do Homem. Diz-se legal porque é a lei que estabelece o princípio em virtude do qual se tem como provado o fato pela dedução tirada de outro fato ou de um direito por outro direito.

PRETENSÃO — É a exigência da subordinação de um interesse de outrem ao próprio.

PRETERDOLO — Ação do agente que ultrapassa o resultado desejado. Intenção de praticar uma ação criminosa cujo resultado vem a ser mais grave do que o desejado. As conseqüências vão além da intenção dolosa.

PRETERIÇÃO — É passar um para trás em preferência de outro, por descombinação simples ou por interesse. Ausências de lealdade, fidelidade e de cumplicidade. Leviandade. Desqualificação e desconsideração total quando não há prévio aviso. Diz-se ainda como figura de pensamento pela qual se finge omitir aquilo que de fato se está dizendo. Exemplo: Em vamos tocar os abusos cometidos por você... Falemos de outras coisas.

PRETERINTENCIONALIDADE — Qualidade do fato delituoso (misto de dolo e culpa) em que o efeito produzido quase sempre imprevisível vai além da intenção do agente e do seu conhecimento do mal que poderia causar.

PRETOR — Magistrado com competência limitada. Desde a Constituição Federal de 1988, passam a compor quadro em extinção, à medida que os cargos vagarem.

PREVALECER — É ter mais valor, sobrelevar, preponderar, ter preferência, exercer maior influência, dominar.

PREVALÊNCIA — Corresponde àquilo que é o principal ou que se sobrepõe à alguma coisa. Número de casos que ocorrem em uma comunidade, num período de tempo considerado. A prevalência refere-se aos casos já existentes somados aos casos novos que vão aparecendo em uma determinada população em um determinado espaço de tempo. É usada para aquelas situações que tendem a se cronificar (tornar crônica). Como exemplo, a prevalência de obesos em um determinado ano são todos os obesos que já existiam acrescidos daqueles que ficaram obesos naquele ano.

PREVARICAÇÃO — É um dos crimes praticados por servidor público ou agentes públicos contra a administração em geral que consiste em retardar ou deixar de praticar, indevidamente, ato de ofício, ou praticá-lo contra disposição expressa de lei, para satisfazer interesse ou sentimento pessoal. A pena prevista é de detenção, de três meses a um ano, e multa.

PREVENÇÃO — 1) Ato ou efeito de prevenir-se. Modo de ver antecipado ou precaução, cautela, medida de segurança. 2) Na doutrina da competência define um fenômeno processual pelo qual, dada a existência de vários juízes igualmente competentes, se firma a competência daquele que em primeiro lugar tomar conhecimento da causa, terá a sua jurisdição preventa. A prevenção, portanto, firma, assegura a competência de um juiz, já competente. Não é, pois, critério determinativo da competência, visto que aquele juiz, conforme os critérios determinativos da competência, ao conhecer da causa já era competente. 3) Estratégia orientada para o futuro, objetivando a melhoria da qualidade, direcionando análises e ações para a correção dos processos de produção. A prevenção é a base da filosofia da melhoria contínua.

PREVENÇÃO DE CONFLITOS — Conjunto de ações empreendidas a curto, médio e longo prazos com o objetivo de evitar a emergência de um conflito latente ou, no caso de este se manifestar, impedir a sua passagem para uma situação de violência aberta ou seu reaparecimento.

PREVENÇÃO E PROGRAMAS HIV/SIDA E OUTRAS IST (INFECÇÕES SEXUALMENTE TRANSMISSÍVEIS) — Ver Saúde - Prevenção e Programas Hiv/Sida.

PRÉVIAS ELEITORAIS OU ELEIÇÕES PRIMÁRIAS — Ver Eleição - Prévias eleitorais ou eleições primárias.

PREVIDÊNCIA — É a qualidade do previdente; antevidência; cautela; prudência; precaução.

PREVIDÊNCIA - BENEFÍCIOS DECORRENTES DE ACIDENTES DE TRABALHO — São devidos ao segurado acidentado, ou ao (s) seu (s) dependente (s), quando o acidente ocorre no exercício do trabalho a serviço da empresa, equiparando-se a este a doença profissional ou do trabalho, ou, ainda, quando o mesmo é sofrido no percurso entre a residência e o local de trabalho, provocando lesão corporal ou perturbação funcional que cause a morte ou redução da capacidade para o trabalho.

PREVIDÊNCIA - REGIME DE ORIGEM — É o regime previdenciário ao qual o segurado ou servidor público esteve vinculado sem que dele receba aposentadoria ou tenha gerado pensão para seus dependentes.

PREVIDÊNCIA - REGIME INSTITUIDOR — É o regime previdenciário responsável pela concessão e pagamento de benefício de aposentadoria ou pensão dela decorrente a segurado ou servidor público ou a seus dependentes com cômputo de tempo de contribuição no âmbito do regime de origem.

PREVIDÊNCIA PRIVADA — É uma instituição paralela à Previdência Social, diferindo no fato de que a Previdência Social é de caráter público e obrigatório, e a Previdência Privada (Supletiva) é opcional e voluntária com benefícios sob a forma de pecúlio ou renda. Foi criada com o objetivo de suplementar os benefícios do Seguro Social. A Previdência Privada foi legalmente instituída pela Lei nº 6.435, de 15.7.1977 atualmente substituída pela Lei Complementar nº 109, de 29.5.2001. Como nos fundos de investimento, as empresas cobram taxas que incidem sobre a reserva dos planos e remuneram a gestão do fundo de previdência.

PREVIDÊNCIA PRIVADA - APORTES — São as contribuições que os investidores fazem nos planos de previdência. Em geral, referem-se a valores aplicados além da contribuição normal.

PREVIDÊNCIA PRIVADA - BENEFÍCIO DEFINIDO — Plano de previdência complementar criado pelas empresas em benefício de seus funcionários, onde o que está definido é o benefício a ser recebido na aposentadoria. Como o saldo das contribuições não está dividido em contas individuais, pode haver déficit, sendo que esse risco fica a cargo da empresa patrocinadora do plano.

PREVIDÊNCIA PRIVADA - BENEFÍCIO PROPORCIONAL DIFERIDO (BPD) — Tipo de regime em que o participante de um fundo de pensão pode permanecer no fundo mesmo que deixe de efetuar contribuições. Nesse caso, ao se aposentar terá direito aos benefícios proporcionais ao tempo de contribuição. Ainda que nem todo participante possa ter direito ao BPD, já que é preciso comprovar que contribuiu por pelo menos três anos ao fundo de pensão, todos os planos de previdência complementar devem estar preparados para oferecer o benefício a quem tiver direito.

PREVIDÊNCIA PRIVADA - BLINDAGEM — É a separação nos planos de previdência, entre os recursos depositados pelos investidores e o patrimônio da seguradora. Os antigos FAPIs (Fundo de Aposentadoria Programada Individual) não são mais vendidos no mercado. A partir de janeiro de 2006 os PGBLs e VGBLs passaram a contar com a blindagem dos recursos. Com a blindagem, o investidor é nominalmente dono das cotas do fundo. Isso fará que, em caso de falência da instituição, seus recursos fiquem protegidos e não corram o risco de ser usados para arcar com dívidas trabalhistas ou tributárias, por exemplo. Antes da blindagem das PGBLs e VGBLs, o cotista dos planos era a seguradora, onde reunia os recursos de todos os participantes e os aplicava num fundo exclusivo em seu nome. (Ver: Previdência Privada - Plano Gerador de Benefício Livre (PGBL) // Previdência Privada - Vida Gerador de Benefício Livre (VGBL).

PREVIDÊNCIA PRIVADA - DATA DE CONCESSÃO DE BENEFÍCIO — É a data prevista para concessão do benefício de um plano de previdência.

PREVIDÊNCIA PRIVADA - ENTIDADE ABERTA — É toda entidade constituída com a finalidade única de instituir planos de pecúlios e/ou rendas para quaisquer pessoas, mediante contribuição regular de seus participantes, segundo normas gerais e técnicas aprovadas pelo órgão normativo do Sistema Nacional de Seguros Privados. Quando tem fins lucrativos, é organizada como Sociedade Anônima; caso contrário, adota a forma de sociedade ou fundação. Para garantia de todas as suas obrigações, a entidade deve construir reservas técnicas, fundos especiais e provisões. Parte destes recursos deverá ser aplicada na formação de uma carteira de ações. (Ver: Sociedades Civis e Sociedades Comerciais // Sociedade simples // Sociedade empresária.)

PREVIDÊNCIA PRIVADA - ENTIDADE FECHADA — É toda entidade constituída sob a forma de sociedade ou fundação, com a finalidade de instituir planos privados de concessão de benefícios complementares ou assemelhados ao da previdência social, acessíveis aos empregados ou dirigentes de uma empresa ou grupo de empresas, as quais, para os efeitos do regulamento que as regem, são denominadas patrocinadoras. Essas entidades são investidores institucionais porquanto a regulamentação determina que parte dos seus recursos seja aplicada na manutenção de carteiras de ações. Esses recursos provêm de contribuição de seus participantes, dos empregados ou de ambos. São os chamados fundos de pensão. (Ver: Sociedades Civis e Sociedades Comerciais // Sociedade simples // Sociedade empresária.)

PREVIDÊNCIA PRIVADA - PLANO ABERTO — Plano de aposentadoria vendido no mercado, em geral por seguradoras, bancos e entidades de previdência aberta. Alguns exemplos são os planos PGBL, VGBL. (Ver: Previdência Privada - Plano Gerador de Benefício Livre -PGBL // Previdência Privada - Vida Gerador de Benefício Livre - VGBL.)

PREVIDÊNCIA PRIVADA - PLANO FECHADO — Plano de previdência complementar criado pelas empresas em benefício de seus funcionários. Normalmente, há, também, contribuição da empresa.

PREVIDÊNCIA PRIVADA - PLANO GERADOR DE BENEFÍCIO LIVRE (PGBL) — Produto de previdência privada que serve para complementar a renda de aposentados pelo Instituto Nacional de Securidade Social (INSS). Quem compra um plano desses paga uma mensalidade calculada sobre o valor final do benefício que pretendem receber. Esse dinheiro é aplicado em fundo de investimento que vai crescendo ao longo dos anos. As contribuições podem ser feitas esporadicamente ou de uma só vez. Em geral, os participantes contribuem durante 30 anos. É o modelo de previdência voltado para quem declara Imposto de Renda (IR) no formulário completo, pois permite deduzir as contribuições da base de cálculo do IR até o limite de 12% da renda bruta anual. O diferimento fiscal feito durante o período de acumulação é compensado no futuro: quando o investidor resgatar os recursos deverá pagar o IR sobre o valor total (aplicações mais a rentabilidade obtida no plano). É possível sacar o dinheiro a qualquer momento, mas paga-se imposto de renda na hora do saque. Mas, ao contrário das demais aplicações do mercado financeiro, o governo não cobra imposto sobre os rendimentos dos PGBLs. (Ver: Previdência Privada - Vida Gerador de Benefício Livre - VGBL.)

PREVIDÊNCIA PRIVADA - PORTABILIDADE — Mecanismo que permite ao participante de um fundo transferir total ou parcialmente os recursos de um plano para outro. A transferência pode ser entre planos de uma mesma instituição ou de uma instituição para outra.

PREVIDÊNCIA PRIVADA - PROPOSTA DE INSCRIÇÃO — É o documento mediante o qual o interessado expressa a intenção de aderir ao Plano de Previdência Privada, manifestando ter pleno conhecimento das condições estabelecidas no Regulamento e no Contrato.

PREVIDÊNCIA PRIVADA - RESERVA — Total acumulado pelo investidor no plano de previdência.

PREVIDÊNCIA PRIVADA - TAXA DE CARREGAMENTO — São taxas cobradas sobre aplicações feitas pelos investidores nos planos de previdência. As empresas cobram taxas diferenciadas. Os percentuais costumam variar até 5% e os recursos são usados para arcar com os custos administrativos.

PREVIDÊNCIA PRIVADA - VIDA GERADOR DE BENEFÍCIO LIVRE (VGBL) — É o modelo de previdência voltado para quem declara Imposto de Renda (IR) no formulário simplificado, já que não permite a dedução das contribuições. Também é indicado para quem quer ir além do limite de 12% da renda bruta anual, aumentando sua contribuições em previdência. Embora não permita a dedução de valores, o produto tem vantagens em relação ao PGBL: no resgate o investidor pagará menos imposto. Isso ocorre porque, neste caso, o IR incide apenas sobre a rentabilidade da aplicação. As contribuições podem ser feitas esporadicamente ou de uma só vez. (Ver: Previdência Privada - Plano Gerador de Benefício Livre - PGBL.)

PREVIDÊNCIA SOCIAL — É o conjunto de políticas públicas que tem por finalidade assegurar aos seus beneficiários meios indispensáveis de manutenção da inatividade por idade avançada, tempo de serviço, desemprego involuntário, encargos de família e reclusão ou morte dos segurados. As questões relativas à Previdência Social e à seguridade social em geral são decididas pela justiça comum (federal) e não pela Justiça do Trabalho.

PREVIDÊNCIA SOCIAL - COMPONENTE DA DLSP — Resultado líquido do sistema de previdência social junto ao sistema financeiro, decorrente dos pagamentos de benefícios, recebimentos de contribuições e repasses entre os entes envolvidos.

PREVIDÊNCIA, BENEFÍCIOS DA — Consistem em prestações pecuniárias pagas aos segurados ou aos seus dependentes de forma que assegurem aos beneficiários da Previdência Social Brasileira meios indispensáveis para a sua manutenção, por motivo de incapacidade, desemprego involuntário, idade avançada, tempo acumulado de serviço, encargos familiares e prisão ou morte daqueles de quem dependiam economicamente.

PREVIDÊNCIA, CONTRIBUIÇÃO À — É o valor de aporte efetuado ao plano de previdência.

PREVIDÊNCIA, CONTRIBUIÇÃO A ENTIDADES FECHADAS DE — Despesas com encargos da entidade patrocinadora no regime de previdência fechada, para complementação de aposentadoria.

PREVIDÊNCIA, RENDA DO PLANO DE — É o benefício do plano representado por uma série de pagamentos mensais ao participante ou ao(s) beneficiário(s), calculado de acordo com a Nota Técnica Atuarial e com o tipo de renda mensal contratado.

PREVIDÊNCIA, SERVIÇOS DA — São aqueles prestados pela Previdência Social a seus segurados, e aos dependentes desses, como serviços de assistência reeducativa e de readaptação profissional, em casos de incapacidade parcial ou total para o trabalho, e de orientação e apoio na melhoria de uma inter-relação com a Previdência Social e na solução de problemas pessoais e familiares.

PREVISÃO — Antecipação sem certeza sobre o futuro, aposta na ocorrência de eventos futuros ou ainda, visão de uma conseqüência, antecipadamente, por indícios conhecidos e conhecimento das variáveis e os motivos que levam à sua ocorrência num determinado prazo. Antevisão de uma ocorrência, tempestivamente, por motivos conhecidos, com ótima margem de acerto.

PREVISÃO CLIMATOLÓGICA — Previsão de médio e longo prazo baseada em estudos de séries históricas de variações climatológicas de uma determinada região. Não se deve confundir com previsão de tempo, que se ocupa das variações meteorológicas de curto prazo.

PREVISÃO DE LIQUIDEZ NO MERCADO DE RESERVAS BANCÁRIAS — Mapas atualizados diariamente pelo Banco Central contendo informações sobre os principais fatores que impactam as condições de liquidez no mercado de reservas bancárias. Estimativas com periodicidade diária e mensal.

PREVISÃO DE TEMPO — Predição das condições meteorológicas para prazos curtos de tempo, em uma área específica. A previsão de tempo geralmente tem um grau de certeza maior que a de clima e é importante na prevenção de desastres relacionados com a geodinâmica terrestre externa.

PREVISÃO DEMOGRÁFICA OU PROJEÇÃO PREDITIVA — É uma projeção de população baseada em hipóteses muito prováveis sobre o comportamento futuro dos fenômenos demográficos. O período coberto pela projeção ou pela previsão chama-se prazo ou alcance cronológico (ou horizonte da projeção) e, mesmo sendo variável, na maioria das vezes trabalha-se com projeção (previsão) de curto prazo, porque o risco de erro cresce consideravelmente na medida em que o prazo aumenta. O procedimento mais freqüentemente usado para o cálculo da projeção é o denominado Método por componentes ou Método das componentes, mediante o qual, a partir de uma distribuição por sexo e idade de uma população inicial ou população-base (ou população de partida), se calcula a população futura de cada geração ou grupo de gerações, aplicando-se separadamente os supostos sobre a fecundidade, a mortalidade e as migrações.

PREVISÃO HIDROLÓGICA — Define uma expectativa de ocorrências ou situações futuras de fenômenos hídricos.

PREVISÃO ORÇAMENTÁRIA — Princípio orçamentário segundo o qual deve-se antever as ações num certo lapso de tempo em função de objetivos almejados, recursos disponíveis e possibilidade de controle. Num sentido mais amplo, é prever a direção e a extensão, partindo do conhecimento do presente, do passado, e com base em certas hipóteses, sobre o futuro. Utiliza a probabilidade e exclui a certeza absoluta. Na Administração Pública é a previsão anual, de todas as despesas e receitas, previamente elaborada pelo Poder Executivo, através de proposta orçamentária para o exercício seguinte que, apresentada para discussão e aprovação pelo Poder Legislativo, se constituirá na Lei Orçamentária Anual (LOA).

PRGF *(POVERTY REDUCTION AND GROWTH FACILITY)* — Linha de Crédito do Fundo Monetário Internacional (FMI) destinada a países pobres. Usualmente está ligada às estratégias de combate à pobreza e retomada do crescimento. É também denominado o documento de país-membro contendo as estratégias para combate à pobreza.

PRIMA FACIE — [Latim]. Expressão que significa à primeira vista.

PRIME — Taxa de juros do mercado interbancário norte-americano.

***PRIME RATE* (TAXA PREFERENCIAL DE JUROS)** — Taxa de juros bancária cobrada dos clientes com as melhores avaliações de crédito. É determinada pelas forças de mercado que afetam o custo dos recursos de um banco e pelas taxas aceitáveis pelos tomadores de empréstimos. A taxa preferencial de juros tende a se tornar padrão em todo o setor bancário quando um banco importante muda sua taxa preferencial para um patamar mais alto ou mais baixo. É uma taxa de juros de importância fundamental, uma vez que empréstimos para clientes com avaliações de créditos inferiores estão freqüentemente atrelados a uma taxa preferencial.

PRIMEIRA INSTÂNCIA — É a instância onde têm início os processos; equivale à jurisdição de 1º grau.

PRIMEIRO MUNDO — Também chamado de grupo dos países desenvolvidos ou dos países do norte, é composto por países que possuam fortes economias e altos indicadores sociais, tais como qualidade de vida, por exemplo. É formado pelos países industrializados da Europa Ocidental (integrantes da União Européia), Estados Unidos, Canadá, Japão, Austrália e Nova Zelândia. Deve-se notar que o termo "Primeiro Mundo", segundo a Teoria dos Mundos, foi originalmente usado para descrever países com fortes economias capitalistas, sendo o termo Segundo Mundo usado para descrever países comunistas em geral, embora o uso deste último termo tenha quase desaparecido após a queda do comunismo na ex-União Soviética e na Europa Oriental. (Ver: Teorias dos mundos // Países desenvolvidos.)

PRIMEIRO SETOR — É composto pelas organizações que representam o governo, seja na esfera municipal, estadual ou federal, Legislativo, Executivo ou Judiciário. (Ver: Segundo setor // Terceiro setor.)

PRIMEIRO-MINISTRO — Nos sistemas parlamentaristas ou semipresidencialistas o primeiro-ministro ou premiê (*premier*, "primeiro" em francês) desempenha a função de chefe de Governo. Normalmente o primeiro-ministro é indicado pelo partido detentor da maioria no parlamento e tende a continuar no poder enquanto sua base parlamentar se mantiver majoritária. Conforme as épocas e os países, a função de primeiro-ministro pode ser designada de outras maneiras: a) presidente do Conselho de Ministros; b) presidente do Ministério; c) presidente do Governo; d) chanceler.

PRIMEIROS SOCORROS — Medidas específicas de socorro imediato a uma vítima, executadas por pessoal capacitado, enquanto se aguarda a chegada do médico ou equipe especializada que o conduza ao hospital.

PRIMOGÊNITO — É a designação jurídica e comum atribuída ao primeiro filho varão de um casal. Corresponde ao filho mais velho.

PRINCIPAL — É o valor de uma operação de crédito, não incluindo os juros a serem pagos.

PRINCIPAL CORRIGIDO DA DÍVIDA MOBILIÁRIA REFINANCIADO — Ver Dívida Mobiliária, Principal Corrigido da – Refinanciamento.

PRINCIPAL DA DÍVIDA CONTRATUAL RESGATADO — Ver Dívida Contratual, Principal da – Resgatado.

PRINCIPAL DA DÍVIDA MOBILIÁRIA RESGATADO — Ver Dívida Mobiliária, Principal da – Resgatado.

PRINCIPAL DA DÍVIDA POR CONTRATO — Despesas com a amortização da dívida pública interna e externa efetivamente contratada e parcelamento de dívidas reconhecidas junto a órgãos federais.

PRINCÍPIO — Momento em que uma coisa tem início, começo ou origem. Causa primária; base; razão. Regra; lei; preceito moral. Teoria.

PRINCÍPIO AUTORIZATIVO — Princípio orçamentário que confere às disposições constantes do orçamento caráter de autorização para realizações, não se constituindo em obrigatoriedade. Nesse caso, os montantes e o programa de trabalho definidos no orçamento não constituem valores e ações que devem ser gastos e implementados, mas, sim, que podem ser gastos e implementados conforme os limites estabelecidos pela Lei do Orçamento Anual.

PRINCÍPIO DA "*SAISINE*" — Princípio de origem francesa, pelo qual se estabelece que a posse dos bens do *de cujus* (o falecido) se transmite aos herdeiros, imediatamente, na data de sua morte. Esse princípio foi consagrado em nosso ordenamento jurídico pelo art. 1.784, do Código Civil.

PRINCÍPIO DA AMPLA DEFESA — Ver Princípio do Contraditório e Ampla Defesa.

PRINCÍPIO DA ANTERIORIDADE DA LEI PENAL — Ver Princípio da anterioridade e da noventena.

PRINCÍPIO DA ANTERIORIDADE E DA NOVENTENA — Princípio constitucional que proíbe a cobrança de tributo no mesmo ano da publicação da lei que o instituiu ou aumentou. Por esse dispositivo, nada impedia que o ato normativo fosse publicado no dia 31 de dezembro e já pudesse ter sua cobrança iniciada no dia seguinte. Todavia, com a publicação da Emenda Constitucional nº 42, de 2003, que acrescentou a alínea c, ao inciso III, do art. 150 da Constituição Federal, além da necessidade de aguardar o início do exercício seguinte, também será necessário o transcurso do prazo de 90 dias a partir da data da publicação da lei instituidora ou majoradora, para que o tributo instituído ou majorado possa ter sua cobrança iniciada.

PRINCÍPIO DA ANUALIDADE — Princípio orçamentário da Administração Pública que define a periodicidade de um ano civil para as estimativas da receita e fixação da despesa no orçamento.

PRINCÍPIO DA AUTONOMIA DA VONTADE DAS PARTES — Princípio que orienta a arbitragem. Ele expressa o consenso e a determinação das partes durante todo o procedimento arbitral.

PRINCÍPIO DA AUTOTUTELA — Princípio que exige que a Administração reveja seus atos, se praticados com ilegalidade, e, ainda, que analise seu mérito, quanto à conveniência e oportunidade de sua manutenção ou desfazimento. Todo o ato administrativo é obrigatoriamente vindo de ordenamento jurídico voltado para o bom desempenho da função pública, de seus órgãos ou agentes. Daí o dever de policiar tais atos, em relação ao mérito e à legalidade, para retirar de seu ordenamento os ilegítimos ou inconvenientes, através da revogação ou anulação. Se por erro, culpa, dolo ou interesses escusos de seus agentes a atividade do Poder Público se separa da lei, da moral ou do bem comum, é dever da Administração invalidar espontaneamente ou mediante provocação, o próprio ato.

PRINCÍPIO DA CAPACIDADE CONTRIBUTIVA — Dispõe que a maneira justa de tributar é distribuir o ônus de forma tal que os cidadãos paguem em função de sua correspondente capacidade econômica – paga mais quem pode mais, e paga menos quem pode menos. Indicadores tradicionais de capacidade contributiva são a riqueza (estoque), a renda (fluxo), o nível e/ou o tipo de consumo (uso ou disposição). Esse princípio respalda e estabelecimento de impostos, que têm como fatos geradores a renda, o consumo, a propriedade etc. Não há qualquer condicionalidade ao uso dos recursos gerados por eles, e como o nome indica, trata-se de um tributo que é imposto aos cidadãos, por meio de regras genéricas e impessoais, sempre que se configurar um fato gerador, indicando existência de capacidade contributiva. (Ver: Impostos.)

PRINCÍPIO DA CELERIDADE — Princípio que leva em conta as licitações que objetivam a contratação de terceiros para atender à determinada necessidade de interesse público, deve este objeto ser atingido da maneira mais rápida possível, não sendo justificáveis demoras desnecessárias nos procedimentos que levarão à contratação.

PRINCÍPIO DA CERTEZA DO DIREITO — Princípio implícito em todas as constituições, indispensável à convivência social organizada.

PRINCÍPIO DA COMPETIVIDADE — É aquele que, sempre que possível, ou seja, desde que não comprometam o interesse público, as normas dos editais serão interpretadas no sentido de garantir a ampliação da disputa entre os interessados.

PRINCÍPIO DA CONTINUIDADE DOS SERVIÇOS PÚBLICOS — São aqueles preconizados pela importância de não-interrupção das ações praticadas pela Administração quando da alternância do poder e da conseqüente mudança de seus dirigentes. As atividades essenciais definidas por lei como imprescindíveis nos dão a idéia exata deste princípio. Essas atividades não podem parar, não se pode admitir a paralisação dos serviços de segurança pública, de distribuição da justiça, de saúde, de transporte, de extinção de incêndios, dos funerários etc. Nenhum órgão ou agente público pode, por livre-arbítrio interromper o ato administrativo sem a sua conclusão.

PRINCÍPIO DA DATA DA REMESSA — Refere-se à data em que a renda obtida fora do país de residência deve ser considerada para fins de tributação: o imposto só é devido no ano em que a renda é remetida para o país no qual o contribuinte é residente e não quando a renda é obtida. Isto possibilita que a pessoa escape do imposto indefinidamente no seu país de residência desde que sua renda seja obtida e gasta no exterior. Como o *Princípio de Tributação Mundial da Renda* (*worldwide taxation*). tem relevância no contexto de cobrança de imposto de base de residência.

PRINCÍPIO DA ECONOMIA PROCESSUAL — Alternativa menos onerosa economicamente, para a regular tramitação do processo.

PRINCÍPIO DA EFICIÊNCIA — Consiste na busca e utilização racional dos recursos ou meios, para atingir os objetivos ou metas.

PRINCÍPIO DA EXCLUSIVIDADE — Princípio segundo o qual a despesa pública obedecerá à lei orçamentária anual, que não conterá dispositivo estranho à fixação da despesa e à previsão da receita. Não se incluem na proibição: a autorização para abertura de créditos suplementares e operações de créditos por antecipação da receita e as disposições sobre a aplicação do saldo que houver.

PRINCÍPIO DA FINALIDADE — É aquele decorrente do anterior e indicando que a ação da administração deve, sempre, ser decorrente da necessidade de atendimento a um interesse difuso ou específico. O interesse público impõe ao ato administrativo o princípio da finalidade, para que a Administração Pública não destitua ou preordene seus atos, desviando-os para outros interesses ou finalidades. A doutrina aponta dois tipos de desvios: o *desvio genérico*, que é o que proporciona atender a interesses privados, e o *desvio específico*, que ocorre quando o ato desatenta ao fim precípuo da lei. O interesse público é o que se refere a toda a sociedade, o todo social, da comunidade considerada por inteiro, é o que se assenta em fatos ou direito de proveito coletivo ou geral. O proveito geral é o único que pode ser perseguido pela Administração Pública pois, a lei consagra e entrega à competência do Estado como representante do corpo social. Portanto, não pode ser de interesse público o relativo a certos grupos de pessoas, a uma família, a uma sociedade civil, mercantil ou industrial ou a um sindicato. A finalidade do ato administrativo é a coletividade, o povo por inteiro. Todo o poder emana do povo. (Ver: Sociedade Civil // Sociedades Civis e Sociedades Comerciais // Sociedade simples // Sociedade empresária.)

PRINCÍPIO DA FUNGIBILIDADE — O termo "fungibilidade" significa a substituição de uma coisa por outra. O princípio da fungibilidade, em linhas gerais, recomenda seja um recurso conhecido por outro se ausente a má-fé e se houver divergência, doutrinária e/ou jurisprudencial, sobre o qual é cabível contra a decisão impugnada.

PRINCÍPIO DA IGUALDADE — Estabelece a Constituição Federal, que "todos são iguais perante a lei", também são perante a Administração Pública. O tratamento dispensado pela Administração Pública deve ser igual para todos, sem privilégios ou discriminação. Deve ser aplicado à luz do princípio da isonomia: aos iguais, tratamento igual, como por exemplo: Numa licitação, se a qualidade do produto é a mesma, as empresas concorrentes devem obter a mesma oportunidade pela Administração Pública. Mesmo tratamento dado a pessoas em situações distintas pode ser gerador de injustiça. (Ver: Princípio da Isonomia.)

PRINCÍPIO DA IGUALDADE DE OPORTUNIDADES — Princípio segundo o qual a posição que as pessoas ocupam na sociedade deve resultar de uma competição justa entre indivíduos.

PRINCÍPIO DA IGUALDADE NA CONSIDERAÇÃO DE INTERESSES — Princípio usado para formular o utilitarismo. A idéia é que, numa perspectiva ética, deve-se dar o mesmo peso aos interesses de todos os seres afetados pelas ações, seja qual for o seu sexo, raça ou espécie.

PRINCÍPIO DA IMPESSOALIDADE — É agir de forma objetiva, tendo em vista o interesse público tipificado, sem se deixar por opiniões pessoais e subjetivas, sem tratamento discriminatório ou concessão de privilégios. Sua adoção é essencial no julgamento das propostas dos licitantes.

PRINCÍPIO DA INDISPONIBILIDADE — Princípio que leva em conta que os bens e interesses públicos não pertencem à Administração nem a seus agentes, e, sim, à coletividade, as práticas administrativas terão como objeto geri-los, preservá-los, aprimorá-los e guardá-los. A Administração Pública não age em nome próprio; não tem, assim, a livre disposição dos bens e interesses públicos. Portanto, somente através a Lei se pode alienar bens, outorgar concessão de serviço público, transigir, renunciar, confessar, relevar a prescrição etc. Se a lei não prevê, não se pode dispor da coisa pública.

PRINCÍPIO DA INDIVIDUALIZAÇÃO DA PENA — Por esse princípio, a pena deve ser individualizada nos planos Legislativo, Judiciário e Executório, evitando-se a padronização da sanção penal. Para cada crime tem-se uma pena que varia de acordo com a personalidade do agente, o meio de execução etc.

PRINCÍPIO DA INICIATIVA DA PARTE — Princípio pelo qual o juiz deve prestar a tutela jurisdicional determinada pela CF (art. 5º, XXXV) somente quando a parte ou o interessado a requerer, nos casos e forma legais.

PRINCÍPIO DA ISONOMIA — Consiste em dar idêntico tratamento para os que se encontram na mesma situação e tratamentos diferenciados para os que se encontram em situações diferentes, ou seja, tratar igualmente os iguais e desigualmente os desiguais, na medida de suas diferenças. (Ver: Princípio da Igualdade.)

PRINCÍPIO DA LEGALIDADE — É agir de acordo com o estabelecido na lei, através de sucessão ordenada de atos que vinculam tanto a Administração quanto o particular. Estabelece para o administrador público que somente é lícito executar o que lei especifica, enquanto o particular pode fazer tudo aquilo que a lei não proíbe.

PRINCÍPIO DA MAIOR VANTAGEM — Consiste no dever da Administração Pública em buscar a melhor prestação possível por parte do licitante, arcando com o menor ônus possível. Trata-se de uma relação custo/benefício em que se busca minimizar o numerador e maximizar o denominador, evidentemente sem violar os direitos e garantias individuais e a exigência constitucional (art. 37, XXI) da manutenção das condições efetivas da proposta.

PRINCÍPIO DA MORALIDADE — É agir com legitimidade, com ética administrativa, de acordo com as regras da boa conduta, assim consideradas e aceitas pela coletividade. (Ver: Moralidade administrativa.)

PRINCÍPIO DA MOTIVAÇÃO — Estabelece que os atos praticados pelo agente devem estar sempre motivados, ter um motivo, uma fundamentação; devem ser formalizados, constituindo, assim, o respectivo processo administrativo.

PRINCÍPIO DA NOVENTENA — Ver Princípio da Anterioridade e da Noventena.

PRINCÍPIO DA ORALIDADE — Princípio do direito processual que reconhece a importância da manifestação oral dos participantes do processo, bem como da prova formulada oralmente, na formação da convicção do juiz. O princípio da oralidade sobrepõe a palavra falada à escrita, devendo esta ser empregada apenas quando indispensável.

PRINCÍPIO DA PROBIDADE ADMINISTRATIVA — É o princípio indicador que o administrador público deve ser probo, não se utilizar do cargo para auferir vantagens indevidas para si ou pessoas que lhe são próximas. Deve conduzir-se segundo as exigências da legalidade e da boa-fé para com a Administração e os licitantes. Ser honesto.

PRINCÍPIO DA PUBLICIDADE — Princípio que assegura que todos os atos dos Poderes devem ser praticados publicamente, com a participação de todos os interessados.

PRINCÍPIO DA PUBLICIDADE (ORÇAMENTO) — É o princípio pelo qual a lei do orçamentária deverá ter a mais ampla divulgação, além da publicação obrigatória no *Diário Oficial*, de forma a tornar transparentes as ações previstas. Refere-se ao necessário conhecimento que deve ser dado aos atos praticados pela Administração Pública.

PRINCÍPIO DA RESERVA LEGAL — Princípio constitucional garantidor de que ninguém poderá sofrer pena se não existir, anteriormente, lei que puna o fato como crime. Chama-se, também, princípio da anterioridade da lei penal.

PRINCÍPIO DA SELETIVIDADE — Leva em conta que a licitação busca a melhor proposta para a Administração, não necessariamente a mais barata. Deve estabelecer especificações quantitativas mínimas para o objeto, de sorte que a proposta vencedora efetivamente produza o resultado esperado.

PRINCÍPIO DA SIMETRIA - É uma relação de correspondência dos princípios normativos que regem o eixo central da federação (a União) como regras norteadoras para os demais entes federados. Existe também o federalismo assimétrico, como nos Estados Unidos da América.

PRINCÍPIO DA SUBSIDIARIEDADE DA AÇÃO ESTATAL — Princípio da sociologia política que preconiza a limitação da ação estatal de auxílio aos grupos sociais menores: família, sociedades civis, sindicatos e outros.

PRINCÍPIO DA SUCUMBÊNCIA — Princípio pelo qual o perdedor da demanda é obrigado ao ônus dos honorários advocatícios da parte vencedora e custas processuais. A sucumbência pode ser total ou parcial, que, no caso, recorrível por todas as partes prejudicadas.

PRINCÍPIO DA SUPREMACIA DO INTERESSE PÚBLICO — É o interesse da sociedade por inteiro, o interesse geral, a vontade coletiva é esta a razão de ser e do agir da Administração Pública. Com exceção do direito adquirido, da coisa julgada e do ato jurídico perfeito, que não podem ser tocados pelo ato administrativo, o interesse público prevalece sempre que confrontado com qualquer interesse privado.

PRINCÍPIO DA TRANSPARÊNCIA — Princípio assegurado à participação popular na discussão das leis orçamentárias e na apreciação das contas das autoridades e a divulgação, inclusive por meios eletrônicos de acesso público. Este princípio não se confunde com o princípio da publicidade, mas o complementa, pois mais do que levar a todos o conhecimento dos atos da Administração, pretende efetivar a participação do cidadão no estabelecimento das prioridades e dos programas do governo e no controle do resultado de suas ações.

PRINCÍPIO DA TUTELA AO LICITANTE — Estabelece que, em casos de omissão ou justificadas dúvidas a respeito das regras estabelecidas pela Administração no procedimento licitatório, devem ser aceitas as interpretações dotadas de razoabilidade apresentadas pelo licitante.

PRINCÍPIO DA UNIDADE (ORÇAMENTO) — É o princípio pelo qual a lei do orçamento compreenderá todos os Poderes, seus fundos, órgãos e entidades da administração indireta, inclusive fundações instituídas e mantidas pelo Poder Público, significando um único orçamento.

PRINCÍPIO DA UNIDADE DE CAIXA — Princípio de administração financeira segundo o qual não devem existir recursos financeiros separados e independentes, devendo todos os recursos desta natureza fluírem para um único órgão da estrutura do setor público (chamado Caixa ou Tesouro), responsável pelo gerenciamento de todas as disponibilidades, exceto quando a lei dispuser ao contrário.

PRINCÍPIO DA UNIVERSALIDADE (ORÇAMENTO) — É o princípio pelo qual a lei do orçamento público compreenderá todas a receitas, inclusive as de operações de crédito e todas as despesas relativas à Administração Direta e Indireta, que deverão constar pelos totais, vedadas quaisquer deduções.

PRINCÍPIO DA VINCULAÇÃO AO INSTRUMENTO CONVOCATÓRIO — Refere-se ao edital (ou convite) que, ao estipular as regras do procedimento licitatório, não poderá ser modificado no curso da licitação, tampouco pelo contrato que será firmado com o licitante vencedor, salvo situações excepcionais que atendam ao interesse público, sem prejuízo para o particular.

PRINCÍPIO DE COMPETÊNCIA — Ver Regime de Competência.

PRINCÍPIO DE OCCAM — Lógica que em dadas duas explicações, refere-se a escolha da mais simples; explicação que requer um menor número de hipóteses.

PRINCÍPIO DE PARETO — Estabelece que para todo problema existem poucos itens (ou causas) vitais e muitos triviais. As principais e maiores causas dos problemas estão concentradas em poucos itens vitais e não em muitos itens triviais.

PRINCÍPIO DE RESPONSABILIZAÇÃO — Ou princípio poluidor-pagador; válido para produtores e consumidores em qualquer tipo de relação com o meio; estabelece que todo aquele que contribuir para deteriorar o ambiente, em qualquer modo, deve arcar com os custos da descontaminação e da recomposição do estado original.

PRINCÍPIO DE TRIBUTAÇÃO MUNDIAL DA RENDA (*WORLDWIDE TAXATION*) — É a tributação dos residentes de um território, considerando toda a renda obtida em qualquer parte do mundo, usualmente com um crédito tributário do que já foi pago em território estrangeiro. O objetivo é desencorajar residentes de investir em território estrangeiro com impostos mais baixos, assegurando que a renda é taxada no país de residência se esta for mais alta. (Ver: Base na fonte e base unitária.)

PRINCÍPIO DE TRIBUTAÇÃO NO LOCAL DE RECEBIMENTO — É o princípio que estabelece que o tributo é devido no local onde a renda é auferida. Sob os acordos de dupla tributação, a renda que pode ser atribuída para um estabelecimento permanente é cobrada na fonte e o valor recolhido pode ser utilizado para abater o total apurado no seu país de residência. Em alguns países os impostos somente incidem sobre a fonte e consideram a renda obtida fora do país isenta; mas alguns países tributam sobre a fonte e residência. (Ver: Base unitária e de residência.)

PRINCÍPIO DE TRIBUTAÇÃO SOBRE OS CIDADÃOS — É o imposto cobrado sobre a renda de todos os cidadãos de um Estado, independentemente de eles residirem ou não no território durante o período em que os impostos são cobrados. O maior exemplo é o caso dos Estados Unidos.

PRINCÍPIO DE UNIDADE DE TESOURARIA — Consiste no recolhimento de todas as receitas a apenas uma tesouraria, vedada qualquer fragmentação para criação de caixas especiais. Observado o mesmo princípio, os recursos vinculados deverão ser movimentados através de conta específica, a fim de possibilitar a prestação de contas.

PRINCÍPIO DISPOSITIVO — Princípio pelo qual o julgador deve limitar sua decisão ao que for alegado e provado pelas partes.

PRINCÍPIO DO BENEFÍCIO — Princípio segundo o qual um tributo é justo quando o montante pago corresponde aos benefícios que são proporcionados pela ação do Estado ao contribuinte. Esse princípio respalda a cobrança de taxas e contribuições de melhoria, onde o tributo é pago em contrapartida a um serviço público. Assim, quem se utiliza de um serviço público paga por ele, e aqueles não beneficiados não são onerados. Esse princípio respalda o estabelecimento de taxas e contribuições de melhoria, que constituem contrapartida a benefícios reais ou potenciais proporcionados pelo Poder Público. (Ver: Contribuições de Melhoria // Princípio da Capacidade Contributiva // Taxas.)

PRINCÍPIO DO CONTRADITÓRIO E AMPLA DEFESA — Princípio constitucional que garante oportunidades iguais para as partes se manifestarem, contradizendo o que foi dito sobre elas. É assegurado no art. 5º, LV, da Constituição Federal: "Aos litigantes, em processo judicial ou administrativo, e aos acusados em geral são assegurados o contraditório e ampla defesa, com os meios a ela inerentes."

PRINCÍPIO DO DEVIDO PROCESSO LEGAL — Princípio constitucional (art. 5º, LIV) que garante ao indivíduo ser processado nos termos de normas jurídicas anteriores ao fato ensejador do processo. Pelo princípio do devido processo legal (*due process of law*) qualquer impostação que atinja a liberdade ou os bens de uma pessoa deve estar sujeita ao crivo do Poder Judiciário, que atuará mediante juiz natural, em processo contraditório que assegure às partes ampla defesa.

PRINCÍPIO DO EQUILÍBRIO (ORÇAMENTO) — É o princípio pelo qual a despesa autorizada não pode ser superior à estimativa da receita.

PRINCÍPIO DO JULGAMENTO OBJETIVO — Refere-se ao julgamento do procedimento licitatório que não poderá ser feito com base em critérios subjetivos, variando de acordo com o opinião de cada membro da comissão de licitação, mas, sim, com base em critérios que inexoravelmente, sem sobra de dúvidas, levem a comissão a escolher a melhor oferta para a Administração.

PRINCÍPIO DO PREÇO JUSTO — Aquele que serve como balizador do princípio da maior vantagem, ou seja, a busca da maior vantagem terá sempre como limite a manutenção de uma justa relação entre o objeto produzido e a remuneração daí decorrente.

PRINCÍPIO GERAL ANTIELISÃO — É o princípio legal que busca prevenir um contribuinte de obter o benefício fiscal gerado a partir de qualquer transação desenvolvida por ele somente ou principalmente com o intuito de obter tal benefício. Isto é feito observando-se o motivo pelo qual o contribuinte realizou a transação, por esta razão o conceito de conformidade fiscal é importante. Se a pessoa busca ser um cumpridor fiscal então deve, provavelmente, manter o benefício obtido com a transação. Se o contribuinte não era cumpridor fiscal então não deve manter o benefício.

PRINCÍPIOS — 1) É o conjunto de regras ou preceitos, que se fixam para servir de norma a toda espécie de ação jurídica, traçando, assim, a conduta a ser tida em qualquer operação pública ou privada. 2) Princípios ou crenças e valores que constituem a base de sustentação de todas as ações de administradores e empregados de uma empresa. Representam o que se acredita como certo, correto e leal.

PRINCÍPIOS ADMINISTRATIVOS — A Constituição Federal, em seu art. 37 *caput*, elenca cinco princípios básicos da Administração Pública, que o administrador deve observar em todos os seus atos para atender ao interesse público. São eles: *Legalidade, Impessoalidade, Moralidade, Publicidade* e *Eficiência*. Portanto, impõe-se ao administrador público a obrigação de cumprir fielmente os preceitos do direito, da ética e da moral. No entanto, são doutrinados pela maioria dos juristas outros princípios que ampliam o conceito do Direito Administrativo, que são: *Finalidade, Continuidade, Indisponibilidade, Autotutela, Supremacia do interesse público* e *Igualdade.*

PRINCÍPIOS CONTÁBEIS — É o conjunto de conceitos e procedimentos usados na montagem e apresentação das contas de uma empresa.

PRINCÍPIOS DO EQUADOR — Conjunto de princípios desenvolvidos e adotados voluntariamente por algumas instituições financeiras internacionais e brasileiras - na área de *project finance*, visando compatibilizar investimentos e operações financeiras com a sustentabilidade (sócio)ambiental. Incluem: exigência de elaboração de estudos ambientais e sociais; elaboração de planos de gestão ambiental; divulgação de informações relevantes e consulta pública em prazos adequados, envolvendo todos os atores pertinentes, de forma culturalmente apropriada; acompanhamento e monitoramento de projetos; capacitação de *staff* em matérias sócio-ambientais.

PRINCÍPIOS E OBJETIVOS DA ORÇAMENTAÇÃO PÚBLICA — São os princípios básicos que disciplinam a ação orçamentária pública. São eles: *universalidade* - todas as receitas e despesas devem ser incluídas no orçamento e estão sujeitas ao processo orçamentário comum, ou seja, elaboração, aprovação, execução e controle; *unidade* -para cada instituição deve existir somente um único orçamento; reunião de todas as receitas e despesas da gestão econômica em um único orçamento, evitando dessa forma pluralidade orçamentária; *periodicidade* - para gastos correntes a periodicidade deve ser anual e para investimentos, plurianual; *equilíbrio* - balanço relativo entre receitas e despesas; *especificação* - a discriminação dos dados deve ser precisa e clara; *publicidade*: a proposta orçamentária e os resultados de sua execução devem ser divulgados para conhecimento público.

PRINCÍPIOS GERAIS DE DIREITO PÚBLICO — Referem-se aos princípios da Federação; da República, da igualdade; da legalidade; irretroatividade das leis; universalidade da jurisdição; ampla defesa e do devido processo legal; autonomia dos municípios; indisponibilidade dos bens públicos; da supremacia do interesse público sobre o particular.

PRINCÍPIOS GERAIS DE DIREITO TRIBUTÁRIO — Referem-se aos princípios estrita legalidade; anterioridade; competência privativa dos entes políticos para instituir impostos; competência geral para instituir taxas e contribuições de melhoria; indelegabilidade da competência tributária; isonomia recíproca das pessoas políticas; não cumulativa do ICMS e do IPI; territorialidade da tributação; princípio da irretroatividade da lei tributária.

PRINCÍPIOS GERAIS DO DIREITO — Preceitos gerais e abstratos de direito que decorrem do próprio fundamento da legislação positiva, constituindo os pressupostos lógicos necessários das normas legislativas. Premissas éticas extraídas da legislação e do ordenamento jurídico em geral. Princípios comuns aos grandes sistemas de direito contemporâneos e aplicáveis a nível internacional. Eles constituem uma das fontes do direito internacional.

PRINCÍPIOS JURÍDICOS — São os pontos básicos, que servem de ponto de partida ou de elementos vitais do próprio Direito. Indicam o alicerce do Direito. E, nessa acepção, não se compreendem somente os fundamentos jurídicos, legalmente instituídos, mas todo axioma derivado da cultura jurídica universal. Compreendem, pois, os fundamentos da ciência jurídica, aos quais se firmaram as normas originárias ou as leis científicas do Direito, que traçam as noções em que se estrutura o próprio Direito.

PRINCÍPIOS ORÇAMENTÁRIOS — Regras que cercam a elaboração orçamentária, visando a dar-lhe consistência. Os principais são: *universalidade, unidade, exclusividade, especificação, periodicidade, autorização prévia, exatidão, clareza, publicidade, equilíbrio e transparência.*

PRIORIDADE — 1) Ação apontada como mais importante segundo critérios comparativos objetivos (valor, prazo, população beneficiada, antiguidade do problema etc.) ou subjetivos (avaliação política, capacidade de mobilização comunitária etc.). É o grau de prevalência de um projeto ou atividade dentro da programação estabelecida. Segundo a Constituição Federal, cabe à Lei de Diretrizes Orçamentárias explicitar as prioridades da Administração Pública. 2) No Legislativo é a dispensa de exigências regimentais para que determinada proposição seja incluída na Ordem do Dia da sessão seguinte, logo após as proposições em regime de urgência. 3) É a ordem no julgamento de processos no plenário do Supremo Tribunal Federal que segue a seguinte prioridade: *Habeas-corpus*; Pedidos de extradição; causas criminais, em primeiro lugar as de réu preso; conflitos de jurisdição; recursos oriundos do Tribunal Superior Eleitoral (TSE); mandados de segurança; reclamações; representações; pedidos de avocação e causas avocadas.

PRIORIZAÇÃO — Processo de definição de prioridades.

PRISÃO — 1) Estabelecimento para segregação de delinqüentes. 2) É o ato pelo qual se priva a pessoa de sua liberdade de locomoção, isto é, da liberdade de ir-e-vir, recolhendo-se a um lugar seguro ou fechado, de onde não poderá sair. É o ato ou efeito de prender ou encarcerar. Um cidadão só pode ser preso se for maior de 18 anos e incorrer nas hipóteses previstas em lei: em flagrante delito ou por ordem escrita de autoridade judicial. Em diversos casos, é admitido o pagamento de fiança para recolocar o preso em liberdade. Prisão ilegal é punida pela lei n. 4.898, de 1965, que cuida dos abusos de autoridade. O termo para designar prisão de menor de 18 anos é internação, de acordo com o Estatuto da Criança e do Adolescente. Nenhum adolescente pode ser privado da liberdade, exceto quando pego em flagrante no ato da infração ou por ordem do juiz de menores. A internação abrange apenas maiores de 12 anos e só pode ser cumprida em lugar destinado exclusivamente a adolescentes, pelo prazo máximo de três anos. (Ver: Privação de liberdade.)

PRISÃO ADMINISTRATIVA — É qualquer privação de liberdade determinada pela autoridade competente, e que, conforme o art. 324, II, do Código de Processo Penal (CPP) não admite a fiança.

PRISÃO CIVIL — Sanção coercitiva destinada a compelir o devedor ao cumprimento de uma obrigação civil, por exemplo, no caso de negativa de prestar alimentos. Não tem o caráter de pena criminal, mas de pressão para obrigar o punido a satisfazer seu débito. Satisfeito este, a prisão é levantada. A Constituição Federal, no art. 52, LXVII, adverte: Não haverá prisão civil por dívida, salvo a do responsável pelo inadimplemento voluntário e inescusável de obrigação alimentícia e a do depositário infiel.

PRISÃO EM DOMICÍLIO — É a prisão efetuada no domicílio do capturado ou de terceira pessoa, pois qualquer indivíduo pode entrar ou permanecer na casa alheia durante o dia, observando-se os requisitos legais, para efetuar prisão ou outra diligência; ou durante o dia ou noite, quando um crime estiver sendo praticado ou na iminência de o ser.

PRISÃO EM FLAGRANTE — É uma medida cautelar de natureza processual que dispensa ordem escrita da autoridade judicial. Aquele que está cometendo o crime, acabou de praticar a infração, que é perseguido em situação que se faça presumir ser o autor do crime, ou que é encontrado com instrumentos, armas ou demais objetos do delito, encontra-se em flagrante delito próprio, impróprio, quase flagrante ou flagrante presumido e deve ser preso pelas autoridades ou pode ser detido por qualquer um do povo.

PRISÃO ESPECIAL — É a prisão realizada em quartéis ou prisão especial de pessoas que, devido ao cargo que exercem ou nível cultural que possuem, devem ser recolhidas em locais especiais quando presas provisoriamente. No Brasil, antes de a condenação criminal se tornar definitiva, determinadas pessoas, como os detentores de diploma de curso superior, os religiosos e os professores do ensino fundamental e médio, devem ser mantidas em prisão especial (quartéis da Polícia Militar ou celas separadas), para que não entrem em contato com presos comuns.

PRISÃO PREVENTIVA — É a prisão cautelar por excelência, bem como a mais utilizada hoje no processo penal brasileiro. Encontra-se disciplinada nos arts. 311 e seguintes do Código de Processo Penal. É aquela que se decreta em qualquer fase do inquérito policial ou da instrução criminal, pelo juiz, de ofício, a requerimento do Ministério Público, ou do querelante. A prisão preventiva poderá ser decretada como garantia da ordem pública, por conveniência da instrução criminal ou para assegurar a aplicação da lei penal, quando houver prova da existência do crime e indícios suficientes da autoria. É a medida excepcional que deve ser somente efetivada em casos extremos, posto que constrange direitos do indivíduo garantidos constitucionalmente. No Brasil, a regra é que o acusado responda ao processo em liberdade.

PRISÃO PREVENTIVA PARA EXTRADIÇÃO — Processo que garante a prisão preventiva do réu em processo de extradição, como forma de assegurar a aplicação da lei. É condição para se iniciar o processo de extradição.

PRISÃO PROVISÓRIA — É a que, conforme o art. 301, do Código de Processo Penal (CPP), decorre da prisão em flagrante feita por qualquer do povo, ou pelas autoridades policiais, quando alguém é encontrado em fragrante delito, como também aquela que decorre da sentença de pronúncia, nos processos cujo julgamento está afeto ao tribunal do Júri.

PRISÃO TEMPORÁRIA — Medida decretada pelo juiz, por representação da autoridade policial ou de requerimento do Ministério Público, nas hipóteses fixadas em lei, com duração máxima de cinco dias, prorrogável por igual período em caso de extrema e comprovada necessidade, quando imprescindível para investigações de inquérito policial em casos de homicídio doloso, roubo e outros crimes previstos na Lei nº 7.960, de 1989.

PRISÃO-ALBERGUE DOMICILIAR — Segundo a Lei nº 7.210, de 1984 (Lei de Execução Penal), a prisão-albergue (Casa do Albergado) destina-se ao cumprimento de pena privativa de liberdade em regime aberto e da pena de limitação de fim de semana. O recolhimento desses presos em residência particular só será admitido para condenado maior de 70 anos, aquele acometido de doença grave, a condenada com filho menor ou deficiente físico ou mental e a condenada gestante.

PRISÕES CAUTELARES — No direito brasileiro, previsto no Código de Processo Penal, são admitidas as seguintes modalidades de prisões cautelares: prisão em flagrante (art. 301 e ss.), prisão preventiva (art. 311 e ss.), prisão temporária (Lei nº 7.960, de 1989), prisão decorrente de sentença de pronúncia, nos crimes do Tribunal do Júri (art. 408) e prisão decorrente de sentença condenatória recorrível (art. 393, I).

PRIVAÇÃO — Necessidade não saciada por força das circunstâncias (perda, cessação, destituição, infortúnio, escassez, catástrofe etc.). Ausência do necessário à vida, levando à prorrogação forçada da saciação ou suprimento, tempestivamente. Destituição do necessário.

PRIVAÇÃO DE LIBERDADE – MEDIDA SOCIOEDUCATIVA DE INTERNAÇÃO — É requerida nos casos em que a gravidade do ato infracional ou o comportamento do adolescente a exigem como condição para a ressocialização do adolescente. Na internação, o único direito restringido ao adolescente é o de ir-e-vir, sem prejuízo dos demais. Toda medida socioeducativa aplicada a adolescentes que praticam infrações penais tem um componente educativo e um componente chamado de punitivo ou de coercitivo nos meios jurídicos. A privação de liberdade é o aspecto coercitivo da medida socioeducativa de internação.

PRIVACIDADE — Direito que tem um indivíduo de manter sua vida íntima inviolável.

PRIVATE BANKING — Segmento dos bancos que faz atendimento diferenciado e exclusivo a clientes pessoa física que possuem grande volume de investimento. É um banco altamente confidencial no interior de um banco, que oferece serviços bancários e de investimentos (nacional e internacional) para indivíduos ricos, possuidores de grande volume de dinheiro para investimento. Cada instituição define qual o patamar mínimo de investimentos ou patrimônio para que o cliente seja atendido no *private banking*. Tais serviços incluem as tradicionais contas de poupança e conta-corrente, investimentos em carteira individualizados, estratégias de investimento, fundos de *hedge*, fundos fiduciários, apoio à contabilidade e pagamento de impostos, seguro, proteção de ativos, transferência de fundos de pais para pais. Tornou-se um dos setores que mais cresce nos negócios bancários globais. A indústria de *private banking* não existia antes da década de 1980, a não ser na Suíça e na Inglaterra. Atualmente, grandes bancos como o suíço UBS Warburg, firmas de corretagem em Miami, firmas nas ilhas do canal da Mancha (Jersey, Man, Guernsey) ou em Andorra competem por esse mercado de serviços bancários individualizados.

***PRIVATE EQUITY* (PE)** — É o termo relacionado ao tipo de capital empregado nos fundos de PE, que em sua maioria são constituídos em acordos contratuais privados entre investidores e gestores, não sendo oferecidos abertamente no mercado e sim através de colocação privada. Além disso, empresas tipicamente receptoras desse tipo de investimento ainda não estão no estágio de acesso ao mercado público de capitais, ou seja, não são de capital aberto, tendo composição acionária normalmente em estrutura fechada.

PRIVATE PLACEMENT — É a alienação de títulos a um pequeno grupo de investidores (geralmente menos de 35), em que os investidores acordam que os títulos são adquiridos como um investimento, sem intenção de proceder à sua distribuição posterior.

PRIVATIZAÇÃO — Ou desestatizar é o processo de transferência do controle governamental de uma estatal para uma companhia ou consórcio de empresas do setor privado. Esse processo de venda, chamado de privatização ou desestatização, envolve grande polêmica, pois setores da sociedade, geralmente comprometidos com uma visão de esquerda, acreditam tratar-se de uma simples transferência de recursos do Estado para as mãos da iniciativa privada, que objetiva o lucro, e nem sempre o bem-estar da população. Esta política, dirigida primordialmente (mas não só) aos países em desenvolvimento, é imposta pelas grandes potências, através de seus agentes financeiros FMI – Fundo Monetário Internacional e Banco Mundial. As empresas desses países acabam por ser as grandes beneficiárias do processo de privatização. Suas diretrizes teriam sido traçadas pelo chamado Consenso de Washington, como aponta, entre outros, Emir Sader. John Perkins, em sua obra *Confissões de um Assassino Econômico*, mostra que, após dominarem os setores industrial e financeiro, as empresas multinacionais e os grandes fundos de investimento tiveram sua cobiça voltada para as empresas prestadoras de serviço público (eletricidade, telefonia, ferrovias etc.).

PRIVILEGIADO — Que tem ou goza de privilégio. Distinto; elevado; excepcional.

PRIVILÉGIO — 1) Vantagem concedida a alguém com exclusão de outrem e contra o direito comum. 2) Prerrogativa, imunidade.

PRIVILEGIUM FORI — [Latim]. Expressão que significa privilégio de foro.

PRIVILEGIUM IMMUNITATIS — [Latim]. Expressão que significa privilégio de imunidade.

PRO FORMA — [Latim]. Expressão que significa por mera formalidade.

PRO LABORE — [Latim]. Expressão que significa pelo trabalho. Remuneração que alguém recebe por serviço eventual que presta para outrem. Retirada mensal por parte dos sócios dirigentes ou titulares de pessoa jurídica.

PRO RATA — [Latim]. Expressão que significa rateio; divisão equânime de despesas ou débito. Na razão do que deve caber, proporcionalmente a cada uma das partes.

PRO RE NATA — [Latim]. Expressão que significa conforme as circunstâncias.

PRO TEMPORE — [Latim]. Expressão que significa temporariamente; segundo as circunstâncias.

PRÓ-ATIVIDADE — Capacidade de tomar a iniciativa e autonomia para antecipar-se aos fatos com ações preventivas.

PROBABILIDADE — Conceito que mede as chances de ocorrência de um evento. Medida baseada na relação entre o número de casos favoráveis e o número total de casos possíveis.

PROBIDADE — É a atitude de respeito total aos bens e direitos alheios e constitui ponto essencial para a integridade do caráter. O ser humano probo é firme às promessas que faz, sincero com os outros e incapaz de se aproveitar da ignorância ou da fraqueza alheia.

PROBLEMA — Resultado indesejável de um processo. É a diferença entre o resultado desejado e o resultado real alcançado. Resultado de um item de controle com o qual não estamos satisfeitos, ou qualquer situação que incomoda e que deve ser mudada.

PROBLEMA SOCIAL — É considerado como problema de relações humanas que ameaça seriamente a própria sociedade ou impede as aspirações importantes de muitas pessoas. Um problema social existe quando a capacidade de uma sociedade organizada, para ordenar as relações entre as pessoas, parece estar falhando.

PROCEDÊNCIA — Conformidade com o Direito, contendo fundamento legal; que atende aos requisitos da ação; acolhimento, deferimento. Origem.

PROCEDIMENTO — 1) Constitui-se no conjunto de atos que realizam a finalidade do processo propriamente dito. Forma ou modo especificado para executar tarefa ou atividade. 2) Forma que a lei estabelece para se tratarem as causas em juízo; formas a que está subordinado o cumprimento dos atos e trâmites do processo; maneira pela qual o processo se realiza; seqüência dos atos do processo.

PROCEDIMENTO ADMINISTRATIVO — Conjunto de formalidades que devem ser observadas para a prática de certos atos administrativos.

PROCEDIMENTO COMUM — Forma pela qual devam andar todos os processos a que a lei não tenha dado rito especial.

PROCEDIMENTO COMUM ORDINÁRIO — Aplicável a todas as demandas, salvo as de rito especial ou comum sumário.

PROCEDIMENTO COMUM SUMÁRIO — Rito aplicável às causas cujo valor não exceder a vinte vezes o valor do maior salário mínimo vigente no País e outras enumeradas no art. 275 do Código de Processo Civil.

PROCEDIMENTO JUDICIAL — É a própria atuação em juízo ou o curso de uma demanda. E esta atuação tanto se refere a do autor, como a do réu e a do juiz, desde que exprima o provimento da ação, seguindo os trâmites que foram traçados pela lei processual.

PROCEDIMENTO SEMIJUDICIAL — Procedimento perante um órgão que considera casos de modo semelhante a um órgão judicial, mas que não é composto por juízes e cujas decisões não são, por si sós, legalmente vinculantes.

PROCEDIMENTO SUMÁRIO — O âmbito do procedimento sumário é determinado pelo art. 275 do Código de Processo Civil. Tal procedimento tem como principais características a rapidez e a concentração dos atos, para causas de pequeno valor.

PROCEDIMENTO SUMARÍSSIMO — A Lei nº 9.957, de 12/1/2000 instituiu esse procedimento nos processos trabalhistas cujo valor não ultrapasse 40 salários mínimos. Nesses casos, os dissídios individuais devem ser resolvidos no prazo máximo de 15 dias, em audiência única. Se houver interrupção da audiência, a solução deve ser dada no prazo máximo de 30 dias. Se houver recurso, este terá tramitação também especial e rápida no Tribunal.

PROCEDIMENTOS CAUTELARES — Conjunto de medidas que podem ser tomadas pelo cidadão, de forma a evitar a lesão de um direito. (Ver: Medida Cautelar.)

PROCEDIMENTOS DE AUDITORIA — Ver Auditoria, Procedimentos de.

PROCEDIMENTOS ESPECIAIS EM PROCESSOS — Estão previstos no Código de Processo Civil (CPC) e também em leis avulsas. Dividem-se, em geral, em duas fases, a primeira de andamento diverso das demais, a segunda obedecendo ao procedimento comum ordinário. São de jurisdição contenciosa, como a consignação em pagamento, a anulação de títulos, as prestações de contas, o usucapião, o inventário, a reserva de domínio; e de jurisdição voluntária, como as alienações judiciais, a separação consensual, os testamentos, a tutela, a curatela, a herança jacente, a retificação de nome, e outros. Procedimentos especiais regidos pelo CPC de 1939 são mantidos pelo art. 1.218 do CPC atual, como o que diz respeito à dissolução e liquidação de sociedades ou os salvados marítimos. Há procedimentos especiais regulados por leis avulsas, como na desapropriação nas falências.

PROCESSAR — Instaurar processos, autuar, intentar demanda, propor ação, dar queixa ou dar denúncia. Ir a juízo civil, comercial ou penal, intentar processo contra alguém.

PROCESSO — 1) Conjunto de fenômenos interligados que mostram mudanças contínuas. 2) É a reunião de todos os feitos ou atos, que se indicam necessários e assinalados em lei, para que se investigue, para que se esclareça a controvérsia, e, afinal, para que se solucione a pendência. Extensivamente, denomina-se processo, os autos ou papéis e documentos em que se materializam os atos, que dão cumprimento ao processo. 3) Conjunto organizado de preceitos legais que dão forma e movimento à ação; compõe-se de peças, termos e atos com que se instrui, disciplina e promove a lide em juízo para efetivação do direito pela pleiteada.

PROCESSO ADMINISTRATIVO — Processo relativo a servidor no exercício de suas atribuições. Pode ser um pedido de benefício ou a apuração de denúncia por infração praticada. A autoridade que tiver conhecimento de alguma irregularidade no serviço público é obrigada a promover a sua apuração imediata, por meio de um processo administrativo disciplinar. O acusado tem direito de ampla defesa. O processo administrativo pode iniciar-se de ofício ou a pedido de interessado.

PROCESSO CAPAZ — Aquele cuja faixa de variação das características de qualidade, efeito do processo, atende aos limites de especificação para estas características.

PROCESSO CAUTELAR — Ver ação cautelar.

PROCESSO CONTROLADO — Tipo de processo cujo resultado final - em termos de desempenho e eficácia - é previsível ao longo do tempo.

PROCESSO DE EXECUÇÃO — Processo pelo qual o ente, através do órgão jurisdicional e tendo por base um título judicial ou extrajudicial, empregando medidas coativas, efetiva e realiza a sanção. Aquele por meio do qual o Estado, tendo por base um titulo judicial ou extrajudicial, efetiva e realiza a execução dos bens bastantes para solver a dívida.

PROCESSO DE INOVAÇÃO — Procedimento interativo para o qual contribuem vários agentes econômicos e sociais e que consiste na conjugação de oportunidades técnicas com as necessidades de um empreendimento e tem por finalidade a introdução ou modificação de produtos ou processos para comercialização.

PROCESSO DE INVENTÁRIO — Ver Herança - Processo de Inventário.

PROCESSO DE MELHORAMENTO CONTÍNUO — Busca de níveis cada vez mais elevados da qualidade, isolando as fontes de defeitos. A meta é atingir o nível "Zero Defeitos". Os japoneses chamam esse processo de Kaizen.

PROCESSO DE QUALIFICAÇÃO — Processo que demonstra se uma entidade é capaz de atender aos requisitos especificados. O termo "qualificação" é usado às vezes para designar este processo.

PROCESSO ECOLÓGICO — Caminho que a dinâmica ecológica segue e que é regulado pela interação entre energia, força e resistência da natureza, ou seja, é uma relação sistemática em que a biosfera é produzida por fenômenos naturais, como luz, água e nutrientes.

PROCESSO JUDICIAL — Começa quando o juiz recebe a denúncia ou a petição inicial em uma ação civil pública. Tramita na Justiça. Termina em geral com a sentença, mas pode haver recurso. O mesmo que Ação Judicial.

PROCESSO JUDICIAL DE INVENTÁRIO — É o processo ou série de atos praticados com o objetivo de ser apurada a situação econômica de uma pessoa ou de uma instituição, ou pelo relacionamento de todos os seus bens e direitos, ao lado de um rol de todas as suas obrigações ou encargos.

PROCESSO LEGISLATIVO — Conjuntos de atos (iniciativa, emenda, votação, sanção, veto) realizados pelos órgãos legislativos visando à formação de leis constitucionais, complementares e ordinárias, resoluções e decretos legislativos.

PROCESSO LEGISLATIVO FEDERAL — Compreende a elaboração de emendas à Constituição, leis complementares, leis ordinárias, leis delegadas, medidas provisórias, decretos legislativos e resoluções. O tempo que um projeto de lei leva para ser debatido e votado na Câmara dos Deputados e no Senado depende de sua complexidade, da demora para sua discussão e da sobrecarga de propostas em tramitação nas duas Casas. Depois de discutido nas comissões respectivas, o projeto é votado no plenário da Câmara e depois no do Senado. Se aprovado, segue para a sanção (aprovação) do presidente. Em caso de veto, o mesmo projeto pode voltar para o Legislativo, que decide se mantém ou não a decisão do chefe do Executivo.

PROCESSO LICITATÓRIO — O processo licitatório pode ser entendido como o conjunto de procedimentos legais a ser observados pela Administração Pública, quando da realização de contratações de obras, serviços, compras e alienações. (Ver: Licitação Pública.)

PROCESSO ORÇAMENTÁRIO — Conjunto das funções a serem cumpridas pelo orçamento em termos de planejamento (decisão quanto aos objetivos, recursos e políticas sobre aquisição, utilização e disposição desses recursos), controle gerencial (obtenção e utilização eficaz e eficiente dos recursos no atingimento dos objetivos) e controle operacional (eficácia e eficiência na execução das ações específicas). Na Administração Pública é constituído do Plano Plurianual, Diretrizes Orçamentárias e do Orçamento Anual.

PROCESSOS DE PRODUÇÃO — Processos relacionados às atividades-fim, aqueles que geram os produtos finais da organização e geram valor direto para os clientes. Envolvem tanto a fabricação de bens como a prestação de serviços.

PROCESSOS ORGANIZACIONAIS — São outros processos importantes, além dos relacionados ao produto, às áreas de apoio e aos fornecedores, que sustentam as práticas de gestão relatadas em outros itens que não os do Critério de Processos, bem como todas as práticas do ciclo de aprendizado dos itens de enfoque e aplicação.

PROCESSUALÍSTICA — Teoria do processo judicial.

PROCLAMAR — Aclamar ou anunciar em público e com solenidade; decretar pública e oficialmente; apregoar; publicar.

PROCON, FUNDAÇÃO (FUNDAÇÃO DE PROTEÇÃO E DEFESA DO CONSUMIDOR) — Instituição de proteção e defesa do consumidor, encarregada de defender as pessoas contra o abuso econômico.

PROCRASTINAR — Ver protelar.

PROCURA — Em economia representa o conjunto das atitudes típicas de quem se dirige ao mercado para satisfazer as suas necessidades, pela aquisição de um bem ou utilização de um serviço a um determinado preço, ponderada a utilidade que se retira de um bem e conhecendo os restantes preços praticados no mercado. Reporta-se a procura, assim, às quantidades máximas que os sujeitos estão dispostos a adquirir a um determinado preço; ao valor marginal atribuído ao bem em face de diversas quantidades, a uma escala que depende da dimensão do mercado - do número de consumidores abrangidos (curva da procura individual e da procura coletiva).

PROCURA AGREGADA — Representa, em macroeconomia, a correlação inversa entre o nível de preços e o nível da procura agregada, em virtude da verificação de três efeitos: a) o efeito de *Pigou*, na medida em que uma quebra no nível dos preços gera um aumento do consumo; b) o efeito de *Keynes*, na medida em que uma quebra no nível de preços gera um aumento do investimento, associado ao aumento da oferta de fundos mutuáveis e c) o efeito de *Mundell-Fleming*, na medida em que uma quebra no nível de preços gera um aumento das exportações líquidas, associado ao aumento da procura de moeda estrangeira e à desvalorização da moeda nacional. Já, por seu lado, as deslocações da procura agregada encontram outros fundamentos, tais como: expectativa na evolução dos rendimentos futuros, alteração do montante dos lucros, alteração do montante dos impostos ou das taxas de juro, alteração da massa monetária e da inflação, alteração da despesa pública e alteração no valor das divisas estrangeiras ou alteração do rendimento nos países estrangeiros.

PROCURAÇÃO — É o instrumento por escrito particular ou por escritura pública, através do qual uma pessoa (mandante) confere a outra (mandatário) poderes para agir ou praticar atos, em seu nome e por sua conta. Usualmente a expressão procuração é empregada para designar o próprio mandato que ela confere.

PROCURAÇÃO *AD JUDICIA* — Com o Código de Processo Civil vigente, a procuração *ad judicia* passou a ter *a* denominação de Procuração Geral para Foro. Por essa procuração, o advogado fica habilitado a praticar todos os atos judiciais em qualquer foro ou instância. (Ver: Mandato *Ad Judicia*.)

PROCURAÇÃO *APUD ACTA* — A que o réu outorga ao defensor mediante simples indicação verbal feita ao juiz do processo.

PROCURAÇÃO PARTICULAR — Elaborada particularmente pela pessoa que vai assinar e outorgar poderes ao seu procurador. Não fica via nenhuma arquivada no tabelionato. O tabelião reconhece a firma do outorgante, com a finalidade de dar segurança para aquela pessoa que exige a procuração.

PROCURAÇÃO PÚBLICA — É feita por um Tabelião de Notas, em livro próprio. A via original permanece arquivada no Tabelionato, enquanto a outra (traslado) é entregue ao mandante.

PROCURADOR — 1) É toda pessoa que trata ou administra negócios de outrem, em virtude de mandato escrito, que lhe foi conferido por esse documento. 2) Representante de qualquer governo ou órgão público nas questões judiciais.

PROCURADOR DA REPÚBLICA — É o representante do Ministério Público Federal.

PROCURADOR DE JUSTIÇA — É agente do Ministério Público que atua no Segundo Grau de jurisdição.

PROCURADOR DO ESTADO — É o bacharel em direito devidamente inscrito na Ordem dos Advogados e concursado, que exerce a representação judicial e a consultoria jurídica da respectiva unidade federada.

PROCURADOR ESPECIAL — Ver Ministério Público Especial junto ao Tribunal de Contas.

PROCURADOR FEDERAL — Representante de órgãos da administração indireta da União - autarquias e de fundações - em questões judiciais e extrajudiciais.

PROCURADOR-GERAL DA REPÚBLICA — Chefe do Ministério Público Federal e do Ministério Público da União. É escolhido pelo presidente da República, entre os integrantes da carreira de procurador da República maiores de 35 anos, e aprovado pelo Senado Federal. Tem mandato de dois anos, permitidas reconduções. Sua destituição, pelo presidente da República, depende de autorização do Senado. O procurador-geral da República é processado e julgado pelo STF. No Supremo Tribunal Federal, o procurador-geral da República tem assento no plenário. É ouvido na maioria dos processos e pode atuar como parte em ação.

PROCURADORIA — Denominação dada ao departamento público chefiado por um procurador. Conjunto de advogados que defendem principalmente os interesses da Administração Pública, no âmbito Municipal, Estadual ou Federal. Como os bens naturais são classificados como patrimônio público, a procuradoria pode ser acionada em casos de atos lesivos ao meio ambiente, à Procuradoria Geral da República; à Procuradoria Geral do Estado, no caso em que tais bens estejam sob proteção estadual.

PROCURADORIA DA REPÚBLICA — Instância do Ministério Público Federal, onde atuam os procuradores da República perante a Justiça Federal de primeiro grau.

PROCURADORIA ESPECIAL — Ver Ministério Público Especial junto ao Tribunal de Contas.

PROCURADORIA GERAL DA JUSTIÇA — Ministério Público da unidade federada.

PROCURADORIA GERAL DA REPÚBLICA — Terceira instância do Ministério Público Federal, onde atuam os subprocuradores-gerais da República, perante o Superior Tribunal de Justiça, e o procurador-geral da República, perante o Supremo Tribunal Federal e Tribunal Superior Eleitoral.

PROCURADORIA GERAL DO ESTADO — É o órgão que defende os interesses da unidade federada.

PROCURADORIA PARLAMENTAR — Órgão que tem por finalidade promover, em colaboração com a Mesa, a defesa da Câmara dos Deputados, de seus órgãos e membros quando atingidos em sua honra ou imagem perante a sociedade, em razão do exercício do mandato ou de suas funções institucionais.

PROCURADORIA REGIONAL DA REPÚBLICA — Segunda instância do Ministério Público Federal, onde atuam os procuradores regionais da República perante os Tribunais Regionais Federais.

PRODIGALIDADE — Qualidade ou caráter de pessoa pródiga. Esbanjamento; desperdício. Superabundância.

PRÓDIGO — O que esbanja a sua fortuna. Aquele que dilapida seus bens de forma compulsiva, esbanjadora, inconseqüente, levando à ruína seu patrimônio, a ponto de arruinar-se, prejudicando, indiretamente, a própria família. O pródigo está relacionado entre os relativamente incapazes para os atos da vida civil. Sua interdição limita-se à esfera patrimonial, mas para casar-se em regime diverso do da separação de bens ele precisa do consentimento do seu curador, visto que o casamento pode envolver disposição de bens.

PRODUÇÃO — 1) Ato ou efeito de produzir, criar, gerar, elaborar, realizar. 2) Aquilo que é produzido ou fabricado pelo ser humano, e, especialmente, por seu trabalho associado ao capital e à técnica. 3) O volume da produção de um indivíduo ou de um grupo, levando-se em consideração fatores circunstanciais, como tempo, qualidade, procura etc. 4) A(s) obra(s) de um escritor, de um artista, ou de uma escola, ou de um período. 5) Atividade ou setor de uma agência de propaganda, casa editora etc., responsável pela transformação de uma obra projetada em obra acabada, pronta. 6) Realização de espetáculo de certo vulto, para a qual são necessários recursos financeiros e equipe especializada. 7) Criação de bens e de serviços capazes de suprir as necessidades econômicas do ser humano.

PRODUÇÃO DA PROVA — Fazer prova, no curso do processo, realizar provas.

PRODUÇÃO DE BENS ECONÔMICOS — É a produção de bens materiais com valor econômico. Pode ser bens de consumo, quando é destinado ao consumo das famílias, e bens de produção, quando é destinado ao aumento da capacidade de produção.

PRODUÇÃO EFICIENTE — É aquela que maximiza os resultados obtidos com um dado nível de recursos ou minimiza os recursos necessários para obter determinado resultado. Analisa os efeitos ou resultados finais obtidos em relação ao esforço despendido em termos de dinheiro, recursos e tempo. (Ver: Análise de eficiência.)

PRODUÇÃO EM ESCALA — Expressão utilizada em economia para definir a capacidade de a empresa poder aumentar todos os fatores de produção disponíveis, sendo isso normalmente possível no longo prazo. Da produção em escala resulta uma alteração do nível de produção, que pode representar, alternativamente: a) um aumento mais do que proporcional relativamente ao aumento dos fatores de produção (rendimentos crescentes à escala ou economias de escala); b) um aumento proporcional ao aumento dos fatores de produção (rendimentos constantes à escala); ou c) um aumento menos do que proporcional relativamente ao aumento dos fatores de produção (rendimentos decrescentes à escala ou perdas de escala).

PRODUÇÃO INDUSTRIAL — É o movimento do produto da indústria em termos físicos. O IBGE realiza pesquisa mensal sobre as quantidades produzidas e, após analise do crescimento ou redução, fornece um índice de variação.

PRODUÇÃO INTERNA — É o conjunto dos bens e serviços produzidos pela economia nacional, em território nacional, qualquer que seja a nacionalidade dos produtores.

PRODUTIVIDADE — É basicamente definida como a relação entre o esforço (em termos de custo econômico, tempo demorado, trabalho executado etc.) para se produzir algo, e o resultado obtido com esse esforço. Quanto menor é o esforço e maior o resultado, maior é a produtividade. O grau de produtividade de um agente econômico (pessoa, empresa, país etc.) é, regra geral, um dos melhores indicadores para a medição do nível de eficiência e eficácia do mesmo.

PRODUTIVIDADE DO ECOSSISTEMA — Taxa de acumulação de biomassa em uma dada área em um dado período de tempo. Geralmente é medida em toneladas por hectare (10.000 m^2).

PRODUTIVIDADE GLOBAL — Também denominada fator de produtividade total, é calculada pela combinação da produtividade dos diferentes recursos utilizados para obtenção de um produto. Essa combinação geralmente requer uma média ponderada dos indicadores de produtividade, compondo um único fator. Normalmente, os pesos atribuídos são proporcionais aos custos de cada recurso. A utilização de um indicador composto, como o fator de produtividade total, permite determinar se o efeito global das mudanças no processo é benéfico ou não, possivelmente envolvendo interação dos recursos. Enfoques eficazes para a gestão do desempenho requerem que a produtividade com um único fator ou a produtividade total seja compreendida e medida, especialmente quando o caso for complexo, existindo grande variedade de custos e de benefícios potenciais.

PRODUTO — 1) É um bem ou serviço que resulta da execução de uma ação de uma entidade pública ou privada. Deve ter uma relação de coerência com o objetivo do programa e com o objetivo específico da ação. 2) Resultado de atividades ou processos. Deve ser considerado que: a) o termo produto pode incluir serviços, materiais e equipamentos, informações ou uma combinação desses elementos; b) um produto pode ser tangível (como, por exemplo, equipamentos ou materiais) ou intangível (por exemplo, conhecimento ou conceitos), ou uma combinação dos dois; c) um produto pode ser intencional (por exemplo, oferta aos clientes), ou não-intencional (por exemplo, um poluente ou efeitos indesejáveis). 3) Para o Código de Defesa do Consumidor - Lei nº 8.078, de 1990, é qualquer bem, móvel ou imóvel, material ou imaterial. 4) É a soma daquilo que foi produzido em um país durante um determinado período de tempo, expressa em valor monetário (dólar, real etc.). (Ver: PIB.)

PRODUTO AGROPECUÁRIO — Qualquer produto resultante de um agronegócio.

PRODUTO BRUTO (PB) — É a produção de bens e serviços finais realizados pela economia, durante um período de tempo.

PRODUTO INOVADOR — É aquele cujas características e/ou usos pretendidos diferem daqueles de produtos já existentes, como resultado da aplicação de novas tecnologias de processo ou produto, combinação de tecnologias existentes em novos usos, ou derivadas do uso de novo conhecimento.

PRODUTO INTERNO BRUTO — Ver PIB (Produto Interno Bruto).

PRODUTO INTERNO LÍQUIDO — Ver PIL.

PRODUTO MANUFATURADO — Aquele resultante do processo de produção industrial.

PRODUTO NACIONAL — Agregado que reúne o conjunto dos produtos dos diversos ramos de uma economia nacional durante um determinado período, normalmente, um ano.

PRODUTO NACIONAL BRUTO (PNB) — Em economia mede o nível de crescimento de um país, por referência à nacionalidade da produção. O PIB distingue-se do Produto Nacional Bruto (PNB), porque este inclui os pagamentos do Exterior e exclui os pagamentos para o Exterior (PNB = PIB (+) Pagamentos do Exterior (-) Pagamentos do Exterior).

PRODUTO NACIONAL LÍQUIDO (PNL) — O PNB distingue-se do Produto Nacional Líquido (PNL), por este excluir a depreciação do capital, ou seja, o consumo do capital fixo.

PRODUTO NACIONAL LÍQUIDO A CUSTO DE FATORES (PNLCF) — É o Produto Interno Líquido menos (-) a renda líquida enviada ao exterior.

PRODUTO NOMINAL — É aquele medido a preços correntes. Como a moeda está sujeita à perda de valor ao longo do tempo, devido à inflação, é necessário retirar os efeitos da desvalorização monetária sobre a medida do produto.

PRODUTO PERIGOSO - CORROSIVOS — Substâncias que, por ação química, causam severos danos quando em contato com tecidos vivos ou, em caso de vazamento, danificam ou mesmo destroem outras cargas ou o veículo; podem, também, apresentar outros riscos. A classificação das substâncias nos Grupos de Risco da Classe 8 foi feita experimentalmente, levando em conta outros fatores, como o risco à inalação de vapores e reatividade com água (inclusive a formação de produtos perigosos decorrentes de decomposição). Classificação de substâncias novas, inclusive misturas, pode ser avaliada pelo intervalo de tempo necessário para provocar visível necrose em pele intacta de animal. Segundo esse critério, os produtos desta Classe podem ser distribuídos em três grupos de risco: I - Substâncias muito perigosas: provocam visível necrose da pele, após um período de contato de até 3 minutos; II - Substâncias que apresentam risco médio: provocam visível necrose da pele, após período de contato superior a 3, mas não maior que 60 minutos; III - Substâncias de menor risco, incluindo: a) as que provocam visível necrose da pele num período de contato inferior a 4h; b) aquelas com uma taxa de corrosão sobre a superfície do aço ou de alumínio superior a 6,25 mm por ano, a uma temperatura de teste de 5ºC. (Ver: Produto perigoso.)

PRODUTO PERIGOSO - EXPLOSIVOS — Compreendem: a) Substâncias explosivas, exceto as que forem demasiadamente perigosas para serem transportadas e aquelas cujo risco dominante indique ser mais apropriado considerá-las em outra classe (uma substância que, não sendo ela própria um explosivo, possa gerar uma atmosfera explosiva de gás, vapor ou poeira; não está incluída na classe 1); b) Artigos explosivos, exceto os que contenham substâncias explosivas em tal quantidade ou de tal tipo que uma ignição ou uma iniciação acidental ou involuntária, durante o transporte, não provoque qualquer manifestação externa ao dispositivo, seja projeção, fogo, fumaça, calor ou ruído alto; c) Substâncias e artigos não mencionados em "a" e "b", que sejam manufaturados com o fim de produzir, na prática, um efeito explosivo ou pirotécnico. É proibido o transporte de substâncias explosivas excessivamente sensíveis ou tão reativas que estejam sujeitas à reação espontânea, exceto sob licença das autoridades competentes. (Ver: Produto perigoso.)

PRODUTO PERIGOSO - GASES COMPRIMIDOS, LIQUEFEITOS, DISSOLVIDOS SOB PRESSÃO OU ALTAMENTE REFRIGERADOS — Compreendem: a) gases permanentes: os que não podem ser liquefeitos à temperatura ambiente; b) gases liquefeitos: aqueles que podem tornar-se líquidos sob pressão, à temperatura ambiente; c) gases dissolvidos: os dissolvidos sob pressão em um solvente, que podem ser absorvidos em material poroso; d) gases permanentes altamente refrigerados: ar líquido, oxigênio etc. Os gases venenosos (tóxicos), comprimidos, poderiam ter sido incluídos na subclasse 6.1, uma vez que seu caráter venenoso pode ser considerado risco principal. Foram colocados nessa classe, porque são transportados nos mesmos tipos de recipientes que os demais gases e devem atender às mesmas exigências quanto à segurança. (Ver: Produto perigoso.)

PRODUTO PERIGOSO - LÍQUIDOS INFLAMÁVEIS — Misturas de líquidos ou líquidos contendo sólidos em solução ou em suspensão (exclusive substâncias que tenham sido classificadas de forma diferente, em função de suas características perigosas) que produzem vapores inflamáveis a temperaturas de até 60,5ºC, em teste de vaso fechado, ou até 65,6°C, em teste de vaso aberto. (Ver: Produto perigoso.)

PRODUTO PERIGOSO - PERÓXIDOS ORGÂNICOS — Substâncias orgânicas que contêm a estrutura bivalente e podem ser consideradas derivadas do peróxido de hidrogênio, onde um ou ambos os átomos de hidrogênio foram substituídos por radicais orgânicos. Peróxidos orgânicos são substâncias termicamente instáveis e podem sofrer uma decomposição exotérmica e auto-acelerável. Além disso, podem apresentar uma ou mais das seguintes propriedades: ser sujeitos à decomposição explosiva, queimar rapidamente, ser sensíveis a choque ou atrito, reagir perigosamente com outras substâncias e causar danos aos olhos. (Ver: Produto perigoso.)

PRODUTO PERIGOSO — Produto cujo manuseio e tráfego apresentam risco à vida, ao meio ambiente e ao patrimônio individual ou público. Na relação de produtos considerados perigosos, foi adotada a classificação das Nações Unidas, que agrupa tais produtos em nove classes de risco: Classe 1 - Explosivos. Classe 2 - Gases comprimidos, liquefeitos, dissolvidos sob pressão ou altamente refrigerados. Classe 3 -Líquidos inflamáveis. Classe 4 - Sólidos Inflamáveis; Substâncias sujeitas a combustão espontânea; Substâncias que, em contato com a água, emitem gases inflamáveis. Classe 5 - Substâncias Oxidantes; Peróxidos Orgânicos. Classe 6 - Substâncias Tóxicas; Substâncias Infectantes. Classe 7 - Substâncias Radioativas. Classe 8 - Corrosivos. Classe 9 - Substâncias perigosas diversas.

PRODUTO PERIGOSO - SÓLIDOS INFLAMÁVEIS — Sólidos, exceto os classificados como explosivos, que, em condições encontradas no transporte, são facilmente combustíveis, ou que, por atrito, podem causar ou contribuir para o fogo. Incluem-se produtos auto-reagentes, isto é, passíveis de sofrerem temperaturas normais ou elevadas, decomposição fortemente exotérmica, provocada por elevação de temperatura, durante o transporte ou contaminação. Em caso de ignição, esses produtos podem reagir perigosamente, mesmo sem a participação do ar. Na eventualidade de decomposição sem chamas, alguns podem desprender gases ou vapores tóxicos. Esse grupo de produtos compreende azocompostos alifáticos, sulfo-hidrazidas aromáticas, compostos N-nitrosos e sais de diazônio. (Ver: Produto perigoso.)

PRODUTO PERIGOSO – SUBSTÂNCIAS INFECTANTES — Dividem-se em: a) aquelas que contêm microorganismos viáveis ou suas toxinas, os quais provocam ou há suspeita de que possam provocar doenças em seres humanos ou animais; b) produtos biológicos acabados para uso humano ou animal, fabricados de acordo com as exigências estabelecidas pelo Ministério da Saúde e transportados sob licença especial das autoridades sanitárias; ou produtos biológicos acabados, expedidos para fins de desenvolvimento ou de investigação, antes de licenciados para uso em pessoas ou animais, ou produtos para tratamento experimental de animais e que são manufaturados, de acordo com as exigências estabelecidas pelo Ministério da Saúde. Incluem, também, produtos biológicos semiprocessados, preparados de acordo com procedimentos de órgãos governamentais especializados. Vacinas ativas, humanas e para animais são consideradas produtos biológicos e não substâncias infectantes; c) espécimes para diagnóstico: são quaisquer materiais humanos ou animais, incluindo, mas não limitando a dejetos, secreções, sangue e seus componentes, tecidos ou fluidos, expedidos para fins de diagnóstico, mas excluindo animais vivos infectados. "Produtos biológicos e espécimes para diagnóstico não são considerados perigosos, caso não contenham, ou se possa razoavelmente supor que não contenham uma substância infectante, nem contenham qualquer outra substância perigosa". (Ver: Produto perigoso.)

PRODUTO PERIGOSO - SUBSTÂNCIAS OXIDANTES — Substâncias que, embora não sendo elas próprias necessariamente combustíveis, podem, em geral, por liberação de oxigênio, causar a combustão de outros materiais ou contribuir para isto. (Ver: Produto perigoso.)

PRODUTO PERIGOSO - SUBSTÂNCIAS PERIGOSAS DIVERSAS — Substâncias que, durante o transporte, apresentam um risco não coberto por qualquer das outras classes. (Ver: Produto perigoso.)

PRODUTO PERIGOSO - SUBSTÂNCIAS QUE, EM CONTATO COM A ÁGUA, EMITEM GASES INFLAMÁVEIS — Substâncias que, por interação com a água, podem tornar-se espontaneamente inflamáveis ou produzir gases inflamáveis em quantidades perigosas. Ainda não se dispõe de critério para determinar os graus de risco dos produtos desta classe; por enquanto, o grau de risco deve ser avaliado por analogia com as substâncias incluídas na relação de produtos perigosos, alocando-os a grupos de risco I (alto), II (médio), III (baixo). (Ver: Produto perigoso.)

PRODUTO PERIGOSO - SUBSTÂNCIAS RADIOATIVAS — Definem-se como qualquer substância cuja atividade específica seja superior a 70 kBq/kg. Nesse contexto, atividade específica significa a atividade por unidade de massa de um radionuclídeo ou, para um material em que o radionuclídeo é essencialmente distribuído de maneira uniforme, a atividade por unidade de massa do material. As recomendações internacionais relativas ao transporte dessas substâncias consideram principalmente suas propriedades radioativas e físseis; para efeito de transporte, entretanto, é necessário levar em conta propriedades que possam significar um risco adicional. (Ver: Produto perigoso.)

PRODUTO PERIGOSO - SUBSTÂNCIAS SUJEITAS A COMBUSTÃO ESPONTÂNEA — Substâncias sujeitas a aquecimento espontâneo nas condições normais de transporte, ou que se aquecem em contato com o ar, sendo, então, capazes de se inflamar. (Ver: Produto perigoso.)

PRODUTO PERIGOSO - SUBSTÂNCIAS TÓXICAS — Substâncias capazes de provocar a morte ou danos à saúde humana, se ingeridas, inaladas ou por contato com a pele. (Ver: Produto perigoso.)

PRODUTO QUÍMICO PERSISTENTE — Substância resistente à biodegradação e/ou à oxidação química, quando vaza para o meio ambiente e tende a acumular-se na terra, no ar, na água ou em material orgânico.

PRODUTO REAL — É medido a preços constantes. Para tanto, é usado um índice de preços específico para fazer o deflacionamento. No caso do Brasil, o mais difundido é o Índice Geral de Preços - Disponibilidade Interna (IGP-DI), calculado pela Fundação Getúlio Vargas.

PRODUTO SEMI-ACABADO — Aquele que é resultado de um processo manufatureiro e é usado como insumo na produção de outro bem.

PRODUTO TECNOLOGICAMENTE APERFEIÇOADO — É um produto já existente cujo desempenho tenha sido aprimorado pela substituição de componentes, processo de fabricação ou materiais ou por modificação parcial em algum dos seus subsistemas.

PRODUTO TECNOLOGICAMENTE NOVO — É um produto cujas características tecnológicas ou usos pretendidos diferem daqueles dos produtos produzidos anteriormente. Tais inovações podem envolver tecnologias radicalmente novas, podem basear-se na combinação de tecnologias existentes em novos usos, ou podem ser derivadas do uso de novo conhecimento.

PRODUTOR — Pessoa que cultiva, colhe, pesca, garimpa, cria, caça, manufatura, processa ou monta um produto.

PRODUTOS DERIVADOS — Instrumentos financeiros cujo valor está relacionado com o de algum outro instrumento.

PRODUTOS PERIGOSOS - CAMINHÃO-TANQUE — Veículo rodoviário destinado ao transporte de produtos químicos líquidos a granel. O INMETRO especifica seis desenhos distintos de caminhões-tanque para rodovias: RT-1: para cloro líquido; RT-2: para gasolina, álcool, querosene e outros; RT-3: para produtos criogênicos, oxigênio e hidrogênio; RT-4: para ácido sulfúrico; RT-6: para amônia, GLP e outros; RT-7: para acetona, benzeno, tolueno, xileno e outros. Os caminhões RT-5 foram suspensos pelo INMETRO.

PRODUZIR PROVA — É apresentar as razões jurídicas ou explanações de motivos, justificativos do direito em litígio. Reunir argumentos e outros meios, indicados em lei, para realizar a demonstração de veracidade daquilo que se alega.

PROER — Programa de Estímulo à Reestruturação e ao Fortalecimento do Sistema Financeiro Nacional. Teve como parâmetros legais a Resolução 2.208, de 3/11/95 do CMN - Conselho Monetário Nacional, e as Circulares BACEN de nºs 2.636/95, 2.672/96, 2.681/96, 2.713/96, que tratam da reestruturação da carteira de ativos e passivos; as circulares 2.636/95 e 2.681/96, que tratam das fusões, transferência de controle acionário e modificação do objeto social; e, por fim, as circulares 2.369/97 e 2.748/97, que dispõem de créditos junto ao Fundo Garantidor de Créditos. A princípio, foi um mecanismo salutar para a salvaguarda de instituições fragilizadas financeiramente. No entanto, se visto sob outra óptica, com o período inflacionário, inúmeras instituições bancárias e financeiras realizavam desvios monetários, que eram normalmente "acobertados" pela inflação, ou seja, a desvalorização da moeda se processava de forma tão rápida que qualquer valor era quase que imediatamente absorvido, impedindo as auditorias de descobrir facilmente tais acontecimentos. Com a estabilidade inflacionária, inúmeros balanços se viram a descoberto, e as instituições débeis financeiramente. Pode-se dizer, por esse ponto de vista, que o PROER foi um prêmio à corrupção. No período de 1995 a aproximadamente 2000, foram destinados mais de R$ 30 bilhões a bancos brasileiros, aproximadamente 2,5% do PIB. A preços de 2005, equivaleria a aproximadamente R$ 44,23 bilhões.

PROEX (PROGRAMA DE FINANCIAMENTO ÀS EXPORTAÇÕES) — Foi criado em 1991, com o objetivo de proporcionar às empresas brasileiras condições de financiamento equivalentes às do mercado internacional, sendo administrado pelo Banco do Brasil S.A., na qualidade de Agente Financeiro da União.

PROFESSAR — Reconhecer ou confessar publicamente. Ensinar na qualidade de professor. Ter a convicção de. Pôr em prática. Seguir, orientar-se nos ditames de. Fazer profissão de; dedicar-se a uma arte. Abraçar (uma doutrina, uma religião etc.). Proferir votos solenes; tomar o hábito de uma ordem religiosa. Ensinar.

PROFESSOR — Ver Educação - Professor.

PROFILAXIA — Ver Saúde - Profilaxia.

PROFISSÃO — 1) Ato ou efeito de professar. 2) Declaração ou confissão pública de uma crença, sentimento, opinião ou modo de ser. 3) Atividade ou ocupação especializada, e que supõe determinado preparo. 4) Ofício. 5) Profissão que encerra certo prestígio pelo caráter social ou intelectual. 6) Carreira. 7) Meio de subsistência remunerado, resultante do exercício de um trabalho, de um ofício.

PROFISSIONAIS DO MAGISTÉRIO DA EDUCAÇÃO — Ver Educação - Profissionais do Magistério.

PROFISSIONAL — Pessoa especialmente qualificada.

PROGENITOR — Indivíduo envolvido na produção de uma descendência. Na acepção usual refere-se ao pai, mas originalmente referia-se ao avô, a pessoa que procria antes do pai. Deve-se usar com mais acerto, a palavra genitor quando se referir ao pai.

PROGRAMA — 1) É instrumento de organização da ação de governo visando à concretização dos objetivos pretendidos, sendo mensurado por metas estabelecidas no plano plurianual, nas diretrizes orçamentárias e no orçamento anual. Constitui-se do detalhamento no plano em que se definem os projetos e as atividades. Um preparativo para ação, através de uma série de medidas. 2) Conjunto de ações e projetos coordenados que tem como objetivo atingir, em prazo determinado e com recursos humanos, materiais e financeiros definidos, um resultado em termos da solução de um problema ou do aproveitamento de uma oportunidade. 3) Exposição resumida das intenções ou projetos de uma organização ou de seus setores; seqüência de etapas a serem seguidas para a execução de objetivos pré-definidos. 4) Escrito ou publicação em que se anunciam e/ou descrevem os pormenores de um espetáculo, festa ou cerimônia, das condições dum concurso etc. 5) Indicação geral da(s) matéria(s) para estudar num curso. 6) Exposição sumária das intenções ou projetos dum indivíduo, dum partido político, duma organização etc. 7) Plano, intento, projeto. 8) Apresentação, sistemática ou não, de audições radiofônicas ou espetáculos televisionados. 9) Diversão, recreação, previamente planejada. 10) Seqüência de etapas que devem ser executadas pelo computador para resolver um problema determinado. (Ver: Orçamento Programa // Subprograma.)

PROGRAMA 5S — Programa de gerenciamento participativo que objetiva criar condições de trabalho adequadas a todas as pessoas em todos os níveis hierárquicos da organização. É um bom programa para iniciar o melhoramento do Gerenciamento da Rotina do Trabalho do Dia-a-Dia. A sigla 5S deriva das iniciais de cinco palavras japonesas: *SEIRI* - (senso de utilização). Classificar e selecionar os utensílios, materiais e equipamentos adequados para o trabalho, incluindo também informações e dados. Corresponde, pois, a identificar o necessário e descartar o desnecessário. *SEITON* - (senso de ordenação). Ter o lugar certo para guardar os objetos, organizando o local de trabalho. É também organizar o sistema de armazenamento e reposição de dados e informações. É ordenar o necessário para acesso rápido. *SEISOU* - (senso de limpeza). Manter o local de trabalho limpo. Limpar e não sujar. É também ter apenas as informações e dados necessários para as decisões e tarefas específicas. *SEIKETSU* - (senso de saúde). Manter boas condições de higiene e sanitárias verificando itens como: iluminação, ventilação, poluição atmosférica, ruído, temperatura ambiente etc. É também manter boa apresentação de dados e informações para fácil assimilação e compreensão. Exercitar os 3S anteriores e preocupar-se com sua saúde física e mental. *SHITSUKE* - (senso de autodisciplina). Hábito de observar preceitos, normas, exercício do autocontrole e autodireção, buscando manter aquilo que foi conseguido.

PROGRAMA ALIMENTAR MUNDIAL (PAM) — Ver Saúde - Programa Alimentar Mundial (PAM).

PROGRAMA AMPLIADO DE IMUNIZAÇÃO (PAI OU EPI) — Ver Saúde - Programa Ampliado de Imunização (PAI ou EPI)

PROGRAMA ANUAL DE COOPERAÇÃO — Conjunto de projetos negociados/acordados anualmente com cada parceiro do programa de cooperação.

PROGRAMA BETA — São produtos de informática não finalizados, liberados por seus fabricantes para testes, comentários e sugestões dos usuários. Como não são cópias finais, costumam apresentar defeitos que podem, eventualmente, prejudicar o desempenho de outros programas instalados no computador do usuário.

PROGRAMA BOLÍVAR — Programa voltado para o desenvolvimento de empresas na América Latina, foi criado pelo BIRD (Banco Interamericano de Desenvolvimento) e pelo governo da Venezuela, com o objetivo de apoiar a internacionalização das empresas latino-americanas e aportar recursos para pesquisa e desenvolvimento de empresas.

PROGRAMA BOLSA FAMÍLIA — É um programa destinado às ações de transferência de renda às famílias carentes e tem por finalidade a unificação dos procedimentos de gestão e execução das ações de transferência de renda do Governo Federal, especialmente as do Programa Nacional de Renda Mínima vinculado à Educação (Bolsa Escola), do Programa Nacional de Acesso à Alimentação (PNAA), do Programa Nacional de Renda Mínima Vinculada à Saúde (Bolsa Alimentação), do Programa Auxílio-Gás e do Cadastramento Único do Governo Federal. A concessão do benefício é de responsabilidade do Ministério do Desenvolvimento Social e Combate à Fome. O município é responsável apenas pelo cadastramento das famílias, devendo estar atento à veracidade das informações, pois é a partir delas que será feita a seleção. Base Legal: Lei nº 10.836, de 9/1/2004, que Cria o Programa Bolsa Família e dá outras providências.

PROGRAMA BRASILEIRO DE QUALIDADE E PRODUTIVIDADE (PBQP) — Instituído em 1990 para incentivar a modernização das organizações brasileiras através da melhoria da qualidade e da produtividade, sendo orientado pelo Comitê Nacional da Qualidade e da Produtividade.

PROGRAMA DAS NAÇÕES UNIDAS PARA O DESENVOLVIMENTO (PNUD) — É a principal agência de cooperação do sistema das Nações Unidas, coordenando a maior parte da assistência técnica multilateral. Criada em 1965, pela fusão de duas agências (o Programa Ampliado de Assistência Técnica, de 1950, e o Fundo Especial para o Desenvolvimento, de 1956), tem como objetivo a erradicação da pobreza, a promoção de um crescimento acelerado e eqüitativo e o desenvolvimento sustentável, através do reforço das capacidades humanas e institucionais. Desenvolve atividades em mais de 170 países, dando apoio financeiro e técnico nas mais diversas áreas, das quais são prioritárias: o governo democrático, a redução da pobreza, a prevenção de conflitos e reabilitação, energia e ambiente, informação e tecnologias de informação e HIV/SIDA. Freqüentemente assume o papel de promotor e coordenador de mesas-redondas de doadores nos países onde atua. Desde 1990, publica o Relatório do Desenvolvimento Humano (IDH), difundindo e aprofundando o conceito de Índice de Desenvolvimento Humano. Publica, também, relatórios nacionais sobre os progressos realizados em matéria de desenvolvimento humano, nos países onde atua.

PROGRAMA DAS NAÇÕES UNIDAS PARA O MEIO AMBIENTE (PNUMA) — Com sede em Nairóbi, no Quênia, o Programa, estabelecido pela ONU em 1972, a partir de acordos discutidos durante a Conferência de Estocolmo de 1972 sobre Ambiente Humano. O PNUMA é uma unidade das Nações Unidas, e não uma de suas agências especializadas, portanto é mantido por doações voluntárias e não pelas contribuições dos diversos governos. O PNUMA se reporta diretamente à Assembléia Geral através do Conselho Econômico e Social da ONU (UNEP). O PNUMA presta serviços ao meio ambiente, particularmente na difusão das preocupações ambientais dentro da comunidade internacional. Proporciona apoio aos países no desempenho de seus objetivos na área ambiental, colaborando com os governos no desenvolvimento de projetos e atividades. Atua, também, com instituições acadêmicas e ONG's que possuem reconhecida experiência na área.

PROGRAMA DAS NAÇÕES UNIDAS PARA OS ESTABELECIMENTOS HUMANOS - HÁBITAT — Programa das Nações Unidas que tem como missão promover o desenvolvimento de hábitats humanos sustentáveis, social e ambiental, e conseguir abrigos adequados para todos. Anteriormente conhecido como Centro das Nações Unidas para os Estabelecimentos Humanos, foi criado em 1978 e é uma agencia da ONU que coordena as atividades em matéria de povoamentos humanos. É o ponto de foco para implementação da Agenda Hábitat - um plano global de ação adotado pela comunidade internacional na Conferência Hábitat II, Istambul, Turquia, em 1996. Suas atividades contribuem para o objetivo global de redução da pobreza e promoção do desenvolvimento sustentável, num contexto de mudanças e rápida urbanização mundial.

PROGRAMA DE AJUSTAMENTO ESTRUTURAL (PAE) — Conjunto de medidas que têm como objetivo a redução dos déficits internos e externos, a diminuição das despesas do governo e o aumento da eficácia da economia. Os PAEs surgem na seqüência da crise da dívida dos anos 80. As instituições internacionais, sobretudo FMI e Banco Mundial, propõem aos países em desenvolvimento com problemas graves de dívida externa políticas de estabilização que têm objetivos imediatos: desvalorização da moeda, rigor na cobrança e aumento da arrecadação de impostos, limitação da impressão da moeda, não geração de novas despesas públicas, limitação do crédito. Outras medidas incluem: a privatização ou desmantelamento das empresas estatais, o aumento dos preços dos produtos agrícolas para a exportação e a redução dos subsídios destinados aos bens de consumo.

PROGRAMA DE ALIMENTAÇÃO DO TRABALHADOR — Ver PAT (Programa de Alimentação do Trabalhador).

PROGRAMA DE APOIO A ESTADOS E MUNICÍPIOS PARA A EDUCAÇÃO FUNDAMENTAL DE JOVENS E ADULTOS (EJA) — Ver Educação - Programa de apoio a Estados e Municípios para a Educação Fundamental de jovens e adultos (EJA).

PROGRAMA DE APOIO TECNOLÓGICO ÀS MICRO E PEQUENAS EMPRESAS (PATME) — Mecanismo criado pelo SEBRAE e pela FINEP (Financiadora de Estudos e Projetos) para permitir elevação do patamar tecnológico daquelas empresas através de consultorias e acesso ao conhecimento.

PROGRAMA DE AUDITORIA — Ver Auditoria, Programa de.

PROGRAMA DE BOLSA ESCOLA — Ver Programa Bolsa família.

PROGRAMA DE CAPACITAÇÃO TECNOLÓGICA — Conjunto de ações e projetos para a qualificação dos recursos humanos com a finalidade de permitir a utilização de conhecimentos e informações técnicas que favoreçam o processo de inovação tecnológica da empresa.

PROGRAMA DE COMBATE ÀS CARÊNCIAS NUTRICIONAIS — Ver Saúde - Programa de combate às carências nutricionais.

PROGRAMA DE COMPUTADOR — É a expressão de um conjunto organizado de instruções em linguagem natural ou codificada, contida em suporte físico de qualquer natureza, de emprego necessário em máquinas automáticas de tratamento da informação, dispositivos, instrumentos ou equipamentos periféricos, baseados em técnica digital ou analógica, para fazê-los funcionar de modo e para fins determinados.

PROGRAMA DE DEMISSÃO VOLUNTÁRIA — Ver PDV (Programa de Demissão Voluntária).

PROGRAMA DE DURAÇÃO CONTINUADA — Ações permanentes da Administração Pública que não se referem à manutenção de suas atividades, como programas sociais ou prestação de serviços públicos, a serem incluídos no Plano Plurianual.

PROGRAMA DE ERRADICAÇÃO DO TRABALHO INFANTIL (PETI) — É um programa do Governo Federal que visa a eliminar, em parceria com os diversos setores dos governos estaduais, municipais e da sociedade civil, o trabalho infantil em atividades perigosas, insalubres ou degradantes (tais como carvoaria, extração de sisal, pedreira e outros) e ainda aproximar essas crianças da escola. Para a família que retirar a criança do trabalho, o Governo Federal paga uma bolsa mensal, em dinheiro, por criança em atividade na área rural ou urbana. O valor da bolsa tem duas faixas que variam conforme o número da população do Município: inferior e superior a 250.000 habitantes. São os beneficiários do programa as famílias com renda de até meio salário mínimo por pessoa e com filhos na faixa etária de 7 até 15 anos que trabalhem em atividades perigosas, insalubres ou degradantes. Para que o Município participe do programa é necessário que nele existam casos de trabalho infantil de natureza perigosa, insalubre ou degradante. Esse levantamento é feito pelos estados, por meio de seus órgãos gestores de assistência social. Base Legal: Portaria MPAS n° 2.917, de 12/9/2000, que estabelece as diretrizes e normas do Programa de Erradicação do Trabalho Infantil (PETI). (Ver: Sociedade Civil.)

PROGRAMA DE FORMAÇÃO DO PATRIMÔNIO DO SERVIDOR PÚBLICO — Ver PASEP.

PROGRAMA DE GARANTIA DE RENDA MÍNIMA — Ver Educação - Programa de garantia de renda mínima.

PROGRAMA DE GESTÃO DE POLÍTICAS PÚBLICAS — Programa que abrange ações de Governo, relacionadas à formulação, coordenação, supervisão, avaliação e divulgação de políticas públicas.

PROGRAMA DE GOVERNO — Corresponde a idéias e propostas mencionadas no Plano de Governo.

PROGRAMA DE SAÚDE DA FAMÍLIA (PSF) — Ver Saúde - Programa de saúde da família (PSF).

PROGRAMA DE TRABALHO — É um conjunto de ações da Administração Pública que concorrem para um objetivo comum preestabelecido, mensurado por indicadores instituídos no Plano Plurianual (PPA), visando à solução de um problema ou ao atendimento de determinada necessidade ou demanda da sociedade. O programa é o nível integrador entre o PPA e o orçamento. Em termos de estruturação, o plano termina e o orçamento começa no programa, designando o elenco de projetos, atividades ou operações especiais que identificam as ações a serem realizadas por um Órgão ou Unidade Orçamentária, em determinado exercício, podendo também se referir à programação de todo setor público. Cada administração tem a liberdade de definir os títulos de seus programas. No orçamento é uma classificação funcional-programática de projetos/atividades orçamentárias de abrangência intermediária, abaixo de função, que designam os objetivos gerais da ação governamental. Ex.: 07 - Administração; 09 - Planejamento Governamental; 30 - Segurança Pública; 42 - Ensino Fundamental; 43 - Ensino Médio. Designando o elenco de projetos, atividades ou operações especiais que identificam as ações a serem realizadas por um Órgão ou Unidade Orçamentária, em determinado exercício, podendo também se referir à programação de todo setor público.

PROGRAMA DE TREINAMENTO — São cursos, seminários, *workshops* de atualização de conhecimentos e preparação de recursos humanos para atividades de gerência, planejamento e desenvolvimento de empresas.

PROGRAMA DINHEIRO DIRETO NA ESCOLA (PDDE) — Ver Educação - Programa dinheiro direto na escola.

PROGRAMA FINALÍSTICO — Programa que resulta em bens e serviços ofertados à sociedade ou ao Estado, por instituições criadas para este fim específico.

PROGRAMA NACIONAL DE ALIMENTAÇÃO ESCOLAR — Ver Educação - PNAE.

PROGRAMA NACIONAL DO MEIO AMBIENTE (PNMA) — Conduzido pelo Ministério do Meio Ambiente. Gerencia recursos financeiros oriundos de arrecadação interna e ajuda externa.

PROGRAMAÇÃO — Fase de um ciclo em que se definem as orientações e princípios gerais da ajuda a um país e/ou região, para atendimento de programas/projetos a executar.

PROGRAMAÇÃO DA DESPESA — Ver Despesa, Programação da.

PROGRAMAÇÃO DA EXECUÇÃO ORÇAMENTÁRIA — Detalhamento da execução física do programa de trabalho ao longo do exercício, tendo em conta as características, exigências e interdependência das ações, visando sua compatibilização com o fluxo da receita, a maximização dos resultados e a minimização dos desperdícios e ociosidade dos recursos. A contrapartida da programação física deve ser a programação financeira. É estabelecida no regime de competência.

PROGRAMAÇÃO FINANCEIRA — Quantificação do conjunto de ações desenvolvidas com o objetivo de estabelecer o fluxo de caixa da Administração Pública para um determinado período, tendo como parâmetros, principalmente: a previsão de comportamento das receitas, os limites dos créditos orçamentários, as demandas por despesas ou inadiáveis (atendimento a compromissos internacionais) e as tendências em termos de resultados agregados (déficit, superávit ou equilíbrio). É estabelecida no regime de caixa.

PROGRAMAÇÃO FINANCEIRA E CRONOGRAMA MENSAL DE DESEMBOLSO — É o planejamento da realização das despesas em face da estimativa da receita, com o objetivo de estabelecer o fluxo de caixa mensal. No prazo de 30 (trinta) dias após a publicação da lei orçamentária, o Poder Executivo deverá estabelecer, por decreto, a programação financeira e o cronograma mensal de desembolso, bem como o desdobramento da estimativa da receita em metas bimestrais de arrecadação. É conveniente que a lei do orçamento seja aprovada pela Câmara Municipal, sancionada pelo Executivo e publicada antes do início do ano a que se referir. Caso contrário, poderá desestruturar todo o processo de apuração e controle na gestão fiscal. Na programação financeira deverão ser estabelecidas as metas bimestrais de arrecadação das receitas previstas. Neste caso, as receitas previstas para o exercício deverão ser desdobradas em quantitativos que o Executivo pretende arrecadar a cada dois meses. Cabe à Câmara Municipal acompanhar o cumprimento das metas fiscais. Essa obrigatoriedade busca romper com a inércia do Executivo no combate à sonegação e na cobrança da dívida ativa, evitando a ocorrência de prescrições dos créditos não pagos.

PROGRAMAÇÃO LINEAR — É uma técnica de planejamento que vem se constituindo como das mais poderosas em quase todo ramo da atividade humana. Seus benefícios são exatamente aqueles procurados por qualquer empresa: diminuição dos custos e aumento dos lucros. Em algumas empresas ela está, inclusive, embutida em suas rotinas informatizadas de planejamento diário dos processos de operação.

PROGRAMAÇÃO MONETÁRIA — Projeção das variações nas contas consolidadas das autoridades monetárias e dos bancos comerciais para um determinado período de tempo. Essas projeções resumem, para o período em consideração, a forma como se pretende conduzir a política monetária, em termos de aumento de empréstimos ao governo e ao setor privado, de acumulação de reservas cambiais, de expansão dos meios de pagamento etc.

PROGRAMAÇÃO ORÇAMENTÁRIA — Identificação dos produtos finais de uma organização, representados pelos seus programas e subprogramas, fixados a partir dos objetivos constantes dos planos de governo, segundo o regime de competência além da determinação dos recursos reais e financeiros exigidos, segundo o regime de caixa e das medidas de coordenação e compatibilização necessárias ao equilíbrio.

PROGRAMAS DE INVESTIMENTO — Programas implantados em período determinado, cujo resultado, em geral, se traduz por uma valorização do patrimônio da Cidade.

PROGRAMAS ESPECIAIS DE TRABALHO — Despesas que resultam em investimentos, as quais, por sua natureza, não podem cumprir-se subordinadamente às normas gerais de execução das mesmas.

PROGRAMAS PARTICIPATIVOS — Programas que promovem o crescimento do ser humano ao nível dos operadores, estimulando a participação efetiva de todos no sentido de satisfazer as necessidades básicas humanas especialmente a social e a de estima e a de auto-realização. Compreendem: - Círculos de Controle de Qualidade - CCQ; - Programa de Reuniões Relâmpago; - Sistema de Sugestões e Programa 5S.

PROGRESSIVIDADE DO IMPOSTO — Ver Imposto, Progressividade do.

PROGRESSO — Movimento para diante. Desenvolvimento gradual de um ser ou de uma atividade. Adiantamento; melhoramento; aperfeiçoamento.

PROIBIÇÃO — Forma de controle fácil por coação.

PROIBITIVO — Princípio, disposição ou determinação que não conduz uma proibição positiva, mas estabelece uma mediada ou condição, que de certo modo restringe ou impede que se faça aquilo a que se refere.

PROJEÇÃO — Transferência patológica. É um mecanismo de defesa, projetando seus próprios impulsos e conflitos como provenientes de outrem. Também há a projeção no sentido daquele hábito de colocar-se, sem se notar ou querer, na situação do outro como se pudesse ocorrer a mesma coisa consigo e, assim, reagir conforme o seu próprio paradigma, desqualificando a si e ao outro, simultaneamente, sem a menor necessidade desse desgaste, uma vez que a situação de impasse, na realidade, é do outro e não a própria.

PROJEÇÃO DE POPULAÇÃO — Entende-se por projeção de população ao conjunto de resultados provenientes de cálculos relativos à evolução futura de uma população, partindo-se, usualmente, de certos supostos com respeito ao curso que seguirá a fecundidade, a mortalidade e as migrações. Geralmente são cálculos formais que mostram os efeitos dos supostos adotados.

PROJEÇÃO DE RESULTADOS — Termo usado para definir as estimativas elaboradas pelo próprio empresário de quanto espera vender, gastar e, conseqüentemente, ganhar nos próximos meses ou anos.

PROJECT FINANCE — É um sistema complexo de parceria, através de um projeto estruturado, com baixa ou nenhuma solidariedade dos patrocinadores, focado por todas as partes envolvidas no atendimento das condições para se atingir um fluxo de caixa projetado, utilizado principalmente na análise de grandes projetos industriais ou de infra-estrutura, baseado em obrigações contratuais e ligado a um contexto internacional. Do ponto de vista de um credor, é uma modalidade de financiamento cujo processo de avaliação, estruturação e concessão dos recursos está calcado, primordialmente, na capacidade financeira do projeto e nos seus ativos.

PROJETO — 1) Plano de trabalho ou atividade a ser completado em um tempo determinado e com um propósito específico. 2) Esboço, rascunho. 3) Proposição do processo legislativo. 4) Materialização dos meios, através de princípios técnicos e científicos, visando à consecução de um objetivo ou meta, adequando-se aos recursos disponíveis e às alternativas que conduzem à viabilidade da decisão. 5) Consiste em uma combinação de recursos organizacionais para se criar algo que não existia anteriormente e que irá fornecer uma melhora na capacidade de desempenho. Os projetos têm um ciclo de vida definido, que começa com o surgimento de uma idéia na fase conceptual e vai até a apresentação dos resultados do projeto ao usuário ou cliente. 6) Conjunto de operações limitadas no tempo, que concorre para a expansão ou aperfeiçoamento governamental. É o instrumento de programação para alcançar o objetivo de um programa, envolvendo um conjunto de operações, limitadas no tempo, das quais resulta um produto que concorre para a expansão ou aperfeiçoamento da ação dos governos. Tem objetivos que podem ser avaliados física e financeiramente. Cada administração tem a liberdade de definir os títulos de seus projetos. Ex.: 1001 – Construção, Ampliação e Modernização de Creche. (Ver: Atividade.)

PROJETO BÁSICO — Conjunto de elementos que definem a obra ou serviço, ou complexo de obras e serviços, objeto de uma licitação, e que possibilita a estimativa de seu custo final e prazo de execução.

PROJETO DE DECRETO LEGISLATIVO — Ver Decreto Legislativo, Projeto de.

PROJETO DE LEI — Ver Lei, Projeto de.

PROJETO DE LEI COMPLEMENTAR — Ver Lei Complementar, Projeto de.

PROJETO DE LEI DE CONVERSÃO — Ver Lei de Conversão, Projeto de.

PROJETO DE LEI ORÇAMENTÁRIA ANUAL — É o projeto de lei elaborado pelo Poder Executivo, contendo a estimativa da receita e a fixação da despesa para determinado exercício financeiro. Depois de aprovado pelo Legislativo, sancionado pelo chefe do Poder Legislativo e publicado na imprensa oficial, converte-se na lei orçamentária anual. Nos termos da Constituição, a proposta orçamentária deve observar as disposições do Plano Plurianual em vigor, bem como da Lei de Diretrizes Orçamentárias para o exercício. (Ver: Proposta Orçamentária.)

PROJETO DE RESOLUÇÃO — Em uma Casa Legislativa é a proposição que visa regular matéria de caráter político ou administrativo e assuntos de economia interna do Poder Legislativo. Sua tramitação é idêntica à do Projeto de Lei Ordinária e não depende de sanção e promulgação do chefe do Poder Executivo.

PROJETO DE RESOLUÇÃO — Ver Resolução, Projeto de.

PROJETO DE *SOFTWARE* — Envolve tipicamente análise, especificação, projeto (*design*), desenvolvimento, teste e/ou manutenção dos componentes de *software* e da documentação associada.

PROJETO ESPECIAL — É um dos instrumentos urbanísticos de intervenção no solo urbano para o cumprimento da função social da cidade definidos pelo Plano Diretor de Desenvolvimento Urbano e Ambiental (PDDUA), que possibilita a análise diferenciada de empreendimentos que por suas características necessitam de ajustes ou normas próprias, devendo observar acordos ou condicionantes específicos.

PROJETO EXECUTIVO — Conjunto dos elementos necessários e suficientes à execução da obra.

PROJETO OU DOTAÇÃO "GUARDA-CHUVA" — Termo que designa as dotações genéricas. Podem ser alocadas por Estado ou, ainda, em dotação única de âmbito nacional, e cujo detalhamento fica a critério do órgão executor. Normalmente, abrigam recursos que posteriormente serão transferidos, mediante convênio, aos Estados e Municípios, ou, ainda, executados de acordo com os planos e a programação do órgão.

PROJETO RONDON — Inspira-se nos princípios consagrados pelo Marechal Cândido Mariano da Silva Rondon, Caracteriza-se por ser o esforço concertado do Governo e das Instituições de Ensino Superior, pela aliança entre os estudantes universitários e as comunidades pela busca de soluções participativas e emancipadoras, que contribuam para o desenvolvimento local sustentável e ampliem o bem-estar comunitário. A missão do Projeto Rondon, orientado pelos princípios da democracia, da responsabilidade social e da defesa dos interesses nacionais, é viabilizar a participação do estudante universitário brasileiro nos processos de desenvolvimento local sustentável e de fortalecimento da cidadania. Objetivos: a) contribuir para a formação do universitário como cidadão; b) integrar o universitário ao processo de desenvolvimento nacional, por meio de ações participativas sobre a realidade do País; c) consolidar no universitário brasileiro o sentido de responsabilidade social coletiva em prol da cidadania, do desenvolvimento e da defesa dos interesses nacionais; d) estimular no universitário a produção de projetos coletivos locais, em parceria com as comunidades assistidas.

PROJETOS DE EMPREENDEDORISMO SOCIAL — São projetos que visam "empoderar" a comunidade. Seu foco é levantar as demandas, e, sobretudo, os potenciais individuais e coletivos (econômicos, sociais, políticos, mentais, psíquicos, espirituais) e propor ações para desenvolvê-las na extensão possível.

PROJETOS SOCIAIS — Projetos que visam solucionar problemas sociais que afetam agrupamentos sociais específicos e/ou segmentos populacionais em situação de risco social. Suas ações geram produtos (bens, serviços, informação) que buscam satisfazer demandas sociais insatisfeitas. Seu escopo de atuação é restrito ao elenco dessas ações e ao seu processo de gestão.

PROLATOR — juiz que prolata ou profere uma sentença.

PROLEGÔMENOS — Exposições preliminares dos princípios gerais de uma ciência ou arte; prefácio longo; introdução geral de uma obra.

PROLETÁRIO — A origem do termo proletário vem de "prole" (filhos). Com a revolução industrial surge uma classe que não tem mais do que os recursos que provêm do seu trabalho e da sua prole (o proletário não é detentor de meios de produção: fábricas, máquinas, terras). No final do séc. XVIII, a exploração era ainda mais acentuada e o número de filhos (única "posse" do proletário) era importante para a sobrevivência da família. Assim, pode-se definir proletário como a pessoa cujo patrimônio é a prole.

PROLIXO — Muito longo ou difuso (antônimo de conciso).

PROMESSA DE COMPRA E VENDA — Compromisso, assumido em cartório, em que se engajam um promitente comprador e um promitente vendedor, os quais, por preço fixo e ajustado em condições previamente estipuladas, prometem efetuar uma transação imobiliária realizável somente entre os signatários do compromisso. O promitente comprador não pode vender o bem; mas pode ceder os seus direitos referentes à promessa de compra e venda, com a anuência (concordância expressa) do promitente vendedor. Surge, assim, a figura do cessionário, que assume todos os direitos e obrigações do antigo promitente comprador ou cedente. (Ver: Compromisso de compra e venda.)

PROMISSÁRIO — É a pessoa a favor de quem é feita certa promessa, ou que se pode beneficiar de uma promessa.

PROMITENTE — Aquele que promete ou assume obrigação de fazer ou não fazer. É a pessoa que faz ou assume o compromisso de contratar uma obrigação ou desempenhar um ato jurídico. Aquele que se obriga com o estipulante a realizar certa prestação em benefício de terceiro. Também se diz compromitente.

PROMOÇÃO — 1) Ato ou efeito de promover. 2) Elevação ou acesso a cargo ou categoria superior; ascensão. 3) Manifestação do promotor nos autos (requerimentos, pareceres etc.), em que funciona. 4) Tarefa de informar, persuadir e influenciar os indivíduos na escolha de certo produto ou serviço.

PROMOÇÃO DE DIREITOS — Entende-se por promoção de direitos o conjunto de ações, eventos, serviços, benefícios e atividades que se destinam a promover os direitos de todos e, particularmente, dos idosos, das crianças e adolescentes do país. A expressão é usada de maneira complementar com o conceito de Defesa de Direitos, pois uma depende da outra: para promover os direitos é preciso defendê-los e vice-versa.

PROMONTÓRIO — Denominação dada aos cabos quando terminam por afloramentos rochosos escarpados.

PROMOTOR DE JUSTIÇA OU PROMOTOR PÚBLICO — É o bacharel em direito concursado pelo Ministério Público que promove os atos judiciais no interesse da sociedade, segundo os ditames constitucionais.

PROMOTOR PÚBLICO — Ver Promotor de Justiça.

PROMOTORIA — Setor do Ministério Público que atua nas ações públicas; o promotor é o defensor dos interesses da sociedade e fiscaliza a execução da lei; em muitos estados brasileiros já existem promotorias especializadas na área de meio ambiente, algumas vezes chamadas de curadorias de meio ambiente.

PROMULGAÇÃO — Ato final do Legislativo mediante o qual se comunicam aos destinatários da lei a sua feitura e respectivo conteúdo. Por ele, um projeto transforma-se em lei ou em dispositivo constitucional. Uma vez promulgada, a lei entra em vigor a partir da data de sua publicação no *Diário Oficial*. (Ver: Sanção // Rejeição de veto.)

PRONTIDÃO — Estado de vigilância para agir prontamente quando a situação exigir.

PRONTUÁRIO — Cadastro, ficha de registro de uma pessoa ou de uma atividade. É também a ficha policial onde estão registrados antecedentes e fatos da vida pregressa de criminosos e contraventores suas condenações e prisões. Registro, igualmente, da vida carcerária do condenado.

PRONÚNCIA — Em sentido geral (*lato sensu*), é a decisão pela qual o juiz estabelece a existência de um crime e quem seja o seu autor. É a decisão declaratória de se achar o acusado incurso na sanção penal cuja prática lhe é imputada, mandando, ao mesmo tempo, que o seu nome seja incluído no rol dos culpados, sujeitando-o à prisão e livramento. Em sentido restrito (*stricto sensu*), é a decisão interlocutória mediante a qual o magistrado declara a viabilidade da acusação por se convencer da existência do crime e de indícios de que o réu seja o seu autor. A pronúncia não é despacho, mas sentença. (Ver: Impronúncia.)

PRONUNCIAMENTO — 1) Ato ou efeito de pronunciar-se ou manifestar a opinião. Fazer um discurso. 2) Anúncio ou mensagem oficial. Falar à nação. 3) Discursos parlamentares. 4) Discurso ou oração, formal, em linguagem elaborada. 5) Palestra, conferência.

PRONUNCIAR — É o ato pelo qual o juiz proclama a autoria do delito para encaminhar o réu ao Tribunal do júri.

PROOF — Processo especial de cunhagem em que a moeda apresenta fundos espelhados e relevos fosqueados.

PROPAGAÇÃO — Multiplicação dos seres vivos por meio de reprodução sexuada ou assexuada; proliferação.

PROPAGANDA — 1) Apresentação de venda impessoal, estabelecida em um nível predeterminado, visando a um público dentro de um período especificado de tempo, e paga por um patrocinador identificável. Qualquer forma paga de apresentação impessoal de idéias, produtos ou serviços efetuada por um patrocinador identificado. 2) Comunicação comercial paga, de caráter persuasivo, em massa, que se manifesta através de diversas formas nas quais quem anuncia se identifica na mensagem; é realizada nas várias mídias existentes.

PROPAGANDA ELEITORAL GRATUITA — Ver Eleição - Propaganda eleitoral gratuita.

PROPAGANDA NEGATIVA — Ver Eleição - Propaganda negativa.

PROPAGANDA SUBLIMINAR — Diz-se de um estímulo que não é suficientemente intenso para que o indivíduo tome conhecimento dele. Método proibido de se promover um produto, pois se utiliza de processos subconscientes

PROPANO — Hidrocarboneto saturado com três átomos de carbono e oito de hidrogênio (C_3H_8), gasoso, incolor e possui cheiro característico. Empregado como combustível doméstico e como iluminante; utilizado como fonte de calor industrial em caldeiras, fornalhas e secadores. É um dos componentes do GLP, o gás de cozinha.

PROPENSÃO MARGINAL PARA A POUPANÇA — Representa a alteração da poupança em face do aumento do rendimento marginal. Numa economia fechada, se somadas a propensão marginal para a poupança e a propensão marginal para o consumo o resultado é igual à unidade. Uma economia com uma elevada propensão marginal para a poupança tem pouco campo para a expansão do multiplicador.

PROPENSÃO MARGINAL PARA O CONSUMO — Representa a alteração de consumo em face do aumento do rendimento marginal. Por exemplo, se todo o rendimento marginal é aplicado no consumo a propensão marginal para o consumo é igual a 1, se metade do rendimento marginal é aplicado no consumo a respectiva propensão é de 0,5 e daí em diante. Quanto maior for o rendimento de um indivíduo, a partir de um determinado nível, menor será a propensão marginal para o consumo.

PROPILENO — Hidrocarboneto composto de moléculas com três átomos de carbono e seis de hidrogênio (C_3H_6), usado principalmente para aquecimento e resfriamento residencial e comercial, como combustível de transporte e insumo petroquímico.

PROPINA — A despeito da generalidade, pode ser definida como o pagamento, financeiro ou patrimonial, para se transformar relações impessoais em pessoais, geralmente visando à transferência de renda ilegal dentro da sociedade ou a simples apropriação indevida de recursos de terceiros ou a garantia de tratamento privilegiados. (Ver: Corrupção.)

PROPONENTE — O que propõe, quem faz uma proposta. Aquele que faz uma proposta a outrem sobre determinado negócio, estabelecendo, ou não, as condições em que o mesmo deve se realizar. Pessoa que apresenta na instituição financeira um pedido para obter financiamento.

PROPORÇÃO AMOSTRAL — É uma variável aleatória, função dos valores da amostra, é definida como o quociente resultante entre o número de casos favoráveis e o número de casos possíveis na amostra. Serve para estimar a proporção populacional.

PROPORÇÃO POPULACIONAL — É um valor, resultante do quociente entre o número de casos favoráveis e o número de casos possíveis na população. Por exemplo: proporção de eleitores que votarão no candidato A nas próximas eleições.

PROPORCIONALIDADE DO IMPOSTO — Ver Imposto, Proporcionalidade do.

PROPOSIÇÃO — 1) Ato ou efeito de oferecer a exame, submeter à apreciação, apresentar, indicar. 2) Oferta, proposta. 3) É o pensamento que uma frase declarativa exprime literalmente. 4) Toda matéria sujeita à deliberação da Câmara dos Deputados, conforme dispõe o Regimento Interno. Considera-se proposição a proposta de emenda à Constituição, os projetos, a emenda, a indicação, o requerimento, o recurso, o parecer, e a proposta de fiscalização e controle.

PROPÓSITO — Intenção específica de um projeto, programa, plano ou política, escolhido para produzir impacto na direção de um objetivo maior que o justifique. Não é inerente à função ou à estrutura ou organização de um sistema ou unidade.

PROPOSTA — Ato ou efeito de propor. Aquilo que se propõe, se apresenta; proposição. Representa uma vontade, um interesse, um oferecimento.

PROPOSTA DE EMENDA CONSTITUCIONAL (PEC) — Ver Emenda Constitucional, Proposta de.

PROPOSTA ORÇAMENTÁRIA — Compatibilização e consolidação dos programas de trabalho contidos nas propostas parciais apresentadas por órgão da Administração Pública, formando um documento de unidade técnica e expressão monetária que será encaminhado à apreciação do Legislativo. Compõe-se da mensagem, projeto de Lei do Orçamento Anual, quadros explicativos contendo receita e despesa arrecadadas nos exercícios anteriores e previstas para o seguinte e a especificação dos programas de trabalho, custeados por dotações globais. Se não for enviada ao Legislativo no prazo fixado nas Constituições ou Leis Orgânicas dos Municípios, este considerará como proposta a Lei do Orçamento Anual vigente. (Ver: Lei do Orçamento Anual // Lei do Orçamento Anual - Projeto.)

PROPOSTA DE FISCALIZAÇÃO E CONTROLE — Proposição do Legislativo que tem o objetivo de fiscalizar os atos do Poder Executivo, incluídos os da administração indireta. Instrumento através do qual o Deputado ou a Comissão pode promover a fiscalização e o controle de unidades administrativas e de entidades sujeitas à fiscalização do Congresso Nacional.

PROPRIEDADE — 1) Qualidade de próprio; qualidade inerente. Possessão. Aquilo que se possui. É o direito de usar, gozar e dispor dos bens, bem como de reavê-los do poder de quem quer que injustamente os possua. É Relação de direito entre a pessoa e o bem tangível ou intangível, certo e determinado, podendo dela usar, gozar ou dispor, submetendo-a de maneira absoluta, exclusiva e direta à sua vontade e poder. Quando a propriedade sofre limitação em alguns de seus direitos elementares em virtude de ônus real que sobre ela recai, é classificada como propriedade limitada, ou nua-propriedade. (Ver: Posse.)

PROPRIEDADE DE UM SISTEMA — É qualquer característica exibida.

PROPRIEDADE EXTENSIVA — Propriedade que depende da quantidade de matéria considerada.

PROPRIEDADE FIDUCIÁRIA — Considera-se fiduciária a propriedade resolúvel de coisa móvel infungível que o devedor, com escopo de garantia, transfere ao credor. É constituída com o registro do contrato, celebrado por instrumento público ou particular, que lhe serve de título, no Registro de Títulos e Documentos do domicílio do devedor, ou, em se tratando de veículos, na repartição competente para o licenciamento, fazendo-se a anotação no certificado de registro. Com a constituição da propriedade fiduciária, dá-se o desdobramento da posse, tornando-se o devedor possuidor direto da coisa.

PROPRIEDADE FÍSICA — Qualquer propriedade de uma substância que pode ser observada sem transformar uma substância em outra. Ex.: ponto de fusão, ponto de ebulição, densidade, dureza, solubilidade. Essas propriedades ou constantes físicas são de grande utilidade na determinação da pureza das substâncias, sendo seu conjunto chamado de "critérios de pureza".

PROPRIEDADE INDUSTRIAL — Conjunto de direitos relacionados com atividades industriais ou comerciais do indivíduo ou da empresa relativos a marcas e patentes.

PROPRIEDADE INTELECTUAL — Toda espécie de propriedade que provenha de concepção ou produto da inteligência para exprimir um conjunto de direitos que competem ao intelectual (escritor, artista ou inventor) como autor de obra imaginada, elaborada ou inventada. No sentido lato, o poder irrestrito de autor ou criador sobre bem imaterial. Torna-se restrita, se condicionada a prerrogativas de tempo e espaço. O privilégio pode ser concedido nas categorias artística, técnica e científica. Direitos concedidos pelo Estado aos indivíduos ou instituições que produzem inventos, bem como obras artísticas e técnico-científicas inéditas; concessão de patentes ou do reconhecimento de autoria para exploração comercial segundo legislação específica.

PROPRIEDADE INTENSIVA — Propriedade que não depende da quantidade de matéria considerada.

PROPRIEDADE PLENA — É plena a propriedade quando todos os seus direitos elementares se acham reunidos no do proprietário, que são os direitos de usar, gozar e dispor de seus bens e de reavê-los do poder de quem quer injustamente os possua.

PROPRIEDADE QUÍMICA — Qualquer propriedade de uma substância que não pode ser estudada sem ocorrer a transformação de uma substância em outra, através de reações químicas.

PROPRIEDADE RESOLÚVEL — Instituída mediante cláusula resolutória, tem como característica a possibilidade de ser revogada, passando a propriedade ao antigo dono. A propriedade resolúvel não tem, portanto, caráter permanente.

PROPRIEDADE RURAL FAMILIAR — Imóvel rural que, direta e pessoalmente explorado pelo agricultor e sua família, lhes absorva toda a força de trabalho, garantindo-lhes a subsistência e o progresso social e econômico, com área máxima fixada para cada região e tipo de exploração e eventualmente trabalhado com a ajuda de terceiros.

PROPRIEDADES APERIÓDICAS — São aquelas cujos valores numéricos crescem ou decrescem à medida que o número atômico aumenta. Ex.: massa atômica e calor específico.

PROPRIEDADES DA MATÉRIA — São as propriedades que dependem do comportamento coletivo de um grande número de átomos. Ex.: ponto de fusão, pressão de vapor, energia interna, densidade, solubilidade.

PROPRIEDADES ESPECÍFICAS — São propriedades características de cada tipo de matéria. São as propriedades físicas, organolépticas, químicas e funcionais.

PROPRIEDADES MECÂNICAS — São as determinadas pela execução de experimentos cuidadosamente projetados nos laboratórios que reproduzem tanto quanto possível as condições de trabalho de uma peça. O comportamento mecânico dos materiais reflete a correlação entre sua resposta à deformação ou a uma carga/força aplicada. Fatores a serem considerados incluem a natureza da carga aplicada e a sua duração, bem como as condições ambientais. É possível que a carga seja de tração, compressão, ou cizalhamento, e sua intensidade pode ser constante com o tempo, ou pode variar continuamente. O tempo de aplicação pode ser apenas uma fração de segundo ou ele pode estender-se por um período de muitos anos. A temperatura de serviço pode ser um importante fator.

PROPRIEDADES MICROSCÓPICAS — Propriedades que não podem ser medidas diretamente sem a ajuda de um microscópio ou outro instrumento especial.

PROPRIEDADES PERIÓDICAS — São propriedades que se repetem numa certa ordem de grandeza, crescem e decrescem, à medida que o número atômico aumenta. Ex.: eletronegatividade, raio atômico, potencial de ionização, reatividade.

PROPRIO SENSU — [Latim]. Expressão que significa em sentido próprio.

PRORROGAÇÃO — É a dilatação do espaço de tempo, cujo fim não ocorreu, para que se continue a fazer o que dentro dele se permitia. E, portanto, deve ser promovida antes que termine o prazo ou aquele que quer se propagar, para que o tempo prefixado se dilate ou se amplie. Aumento de tempo, a ampliação do prazo, o espaçamento do tempo, prestes a extinguir, para que certas coisas possam continuar, em seguimento, sem solução de continuidade.

PROSCRITO — Que sofreu proscrição; proibido; aquele que foi desterrado; exilado; degredado.

PROSOPAGNOSIA — Incapacidade de identificar as feições humanas. Esta deficiência deve ser gravemente considerada por ocasião da prova testemunhal, em se tratando de reconhecimento de pessoas.

PROSOPOPÉIA OU PERSONIFICAÇÃO — É uma figura de pensamento. Atribuição de qualidades animadas a seres inanimados. Exemplo: Os sinos choravam a tarde que morria.

PROSPECÇÃO — São estudos conduzidos para se obter mais informação sobre eventos futuros de tal forma que as decisões de hoje sejam mais solidamente baseadas no conhecimento tácito e explícito disponível. É um termo usado para se referir a tipos bastante diferentes de análises, que vão desde as de curto prazo, focadas em análises de setores específicos, até as de longo prazo, de avaliação mais ampla das mudanças sociais, políticas, econômicas e tecnológicas.

PROSPECÇÃO TECNOLÓGICA — O termo designa atividades de prospecção centradas nas mudanças tecnológicas, em mudanças na capacidade funcional ou no tempo e significado de uma inovação. Visa incorporar informação ao processo de gestão tecnológica, tentando predizer possíveis estados futuros da tecnologia ou condições que afetam sua contribuição para as metas estabelecidas. São tentativas sistemáticas para observar, a longo prazo, o futuro da ciência, da tecnologia, da economia e da sociedade, com o propósito de identificar as tecnologias emergentes que provavelmente produzirão os maiores benefícios econômicos ou sociais.

PROSPECTIVA — Designação dada ao conjunto de investigações que dizem respeito à evolução da humanidade. Reflexão sobre o futuro desenvolvimento de uma sociedade tendo em conta a situação atual e os fatores que a afetam. O termo vem sendo usado para designar estudos prospectivos ou estudos do futuro.

PROTEÇÃO — Obstáculo ou anteparo, natural ou artificial, que impede que um organismo ou bem seja danificado.

PROTEÇÃO AMBIENTAL — Salvaguarda dos atributos ou amostras de um ecossistema com vistas a objetivos específicos definidos. É a regulamentação da atividade humana para que os ecossistemas e espécies não sofram grandes impactos. Preservação e conservação são duas formas distintas de proteção.

PROTEÇÃO CONTRA OS ABUSOS DE PODER — É o direito indispensável que protege os direitos fundamentais e os interesses básicos dos cidadãos.

PROTEÇÃO INTEGRAL — Expressão que visa designar a plenitude do exercício de direitos pelas crianças e adolescentes em razão da sua condição peculiar que lhes impede de garantir sua aplicação.

PROTECIONISMO — Doutrina, teoria ou política econômica que preconiza ou põe em prática um conjunto de medidas que favorecem as atividades domésticas de produção e circulação de bens e serviços e penalizam a concorrência estrangeira (pela criação de tarifas aduaneiras, quotas de importação e toda a forma de regulação aduaneira). O termo é usado para denominar uma situação de mercado em que uma empresa não enfrenta competição, pois a entrada de concorrentes no setor em que atua está protegida. É ainda usado para denominar situações em que uma ou poucas empresas dominam um determinado mercado, e podem com isto determinar de forma desigual os preços, oferta de produtos etc.

PROTEÍNA — Ver Saúde - Proteína.

PROTELAR — Procrastinar, prolongar abusivamente, deixar para depois, usar de delongas, adiar propositadamente, enfim utilizar meios para passar o tempo, para vir além do prazo ou do justo tempo de se cumprir a coisa.

PROTESTO — Expressão de desaprovação, oposição ou desacordo. Reclamação.

PROTESTO CAMBIÁRIO — Protesto promovido perante o Cartório de Protestos de Títulos, motivado pela falta de aceite ou falta de pagamento de título cambiário (nota promissória, letra de câmbio, cheque e duplicata). (Ver: Sustação de protesto de título.)

PROTESTO DE TÍTULO — Ver Protesto cambiário.

PROTESTO JUDICIAL — Medida de caráter preventivo que não suscita efeitos coercitivos ao destinatário, limitando-se a tornar pública a manifestação de vontade do interessado.

PROTESTO POR NOVO JÚRI — Ver Júri, Protesto por novo.

PROTOCOLO — Designa o local e a forma em que se registram ou se anotam, em certa ordem, documentos apresentados em um ofício ou repartição, ou os fatos e deliberações ocorridos em uma reunião, em uma assembléia ou numa audiência. Em relação ao Cerimonial, é o que determina os lugares na estrutura política e administrativa em um evento.

PROTOCOLO DE *KYOTO* — Instrumento legal para obrigar os países signatários da Convenção de Kyoto (Japão) sobre Mudanças Climáticas a reduzir os níveis de emissão de gases de efeito estufa. O protocolo, de 1992, estipula a criação de um fundo anual de quase US$ 500 milhões, abastecido pelos países industrializados, para facilitar a adaptação das nações pobres às exigências do protocolo. Também determina regras para a compra e venda de créditos obtidos por cortes nas emissões de dióxido de carbono, apontado como o grande vilão do efeito estufa.

PROTOCOLO DE MONTREAL (*MONTREAL PROTOCOL*) — O Protocolo Montreal, assinado em 1987, estabelece normas para proteção da camada de ozônio.

PRÓTON — Partícula subatômica que tem uma carga elétrica unitária positiva. A massa do próton é 1840 vezes maior que a massa do elétron.

PROTOTIPAÇÃO — Método de desenvolvimento que prevê a execução de vários ciclos de análise, especificação e codificação de um sistema. No primeiro ciclo, gera-se um produto simplificado em pouco tempo, de modo que o usuário possa examiná-lo e refinar as suas demandas. Nos ciclos seguintes, o produto é aperfeiçoado e novas funções são sucessivamente implementadas, até se chegar ao produto final.

PROTÓTIPO — Significa, literalmente, "o primeiro de um tipo". Modelo original representativo de alguma criação nova, do qual todos os objetos ou utensílios do mesmo tipo são representações ou cópias. É um modelo básico detentor de características essenciais do produto pretendido. No projeto de produtos, a palavra protótipo referese a dois tipos de representação dos produtos. Primeiro, no sentido mais preciso refere-se à representação física do produto que será eventualmente produzido industrialmente. Em segundo lugar, usa-se o termo protótipo no sentido mais lato, para qualquer tipo de representação física construída com o objetivo de realizar testes físicos.

PROTUTOR — Aquele que, nomeado por juiz de Direito, tem por missão fiscalizar os atos do tutor propriamente dito.

PROVA — É a demonstração de existência ou da veracidade daquilo que se alega como fundamento do direito que se defende ou que se contesta. Todo meio lícito e apto a firmar a convicção do juiz na sua decisão. É a denominação que se faz, pelos meios legais, da existência ou veracidade de um fato material ou de um ato jurídico, em virtude da qual se conclui por sua existência do fato ou do ato demonstrado. A prova, por isso, constitui, em matéria processual, a própria alma do processo ou a luz que vem esclarecer a dúvida a respeito dos direitos disputados.

PROVA DE CORREÇÃO — Exame de uma especificação descrita segundo regras formais preestabelecidas, de modo a provar matematicamente a sua correção, através do uso de axiomas, teoremas e procedimentos algébricos.

PROVA DOCUMENTAL — Prova feita por meio de documento, público ou particular. O autor deverá juntar os documentos no momento de ajuizamento da ação, e o réu, na resposta.

PROVA EMPRESTADA — É aquela produzida num processo e trasladada para outro, por meio de certidão extraída daquele.

PROVA IMPERFEITA — Prova insuficiente para firmar convicção.

PROVA PERICIAL — Avaliação técnica do fato em litígio, quando a questão depender de um juízo técnico. É uma prova onerosa e demorada.

PROVA PLENA — Aquela que evidencia a certeza do fato.

PROVA PRÉ-CONSTITUÍDA — Aquela constituída por antecipação, por determinação legal ou para preservar a integridade. É produzida com o objetivo de provar um fato ou um negócio que acontecerá no futuro.

PROVA TESTEMUNHAL — É uma espécie do gênero da prova oral. Os incapazes não podem depor, nem que o depoimento deles seja estritamente necessário. Por ser falível é sempre usada com grande reserva pelos julgadores. Não se confunde rol de testemunhas com proposta de testemunha; esta tem o prazo peremptório (protestar pelas provas), aquela 10 (dez) dias antes da audiência.

PROVENTOS — 1) Dividendos, bonificações e/ou direitos de subscrição distribuídos por uma empresa a seus acionistas. 2) Remuneração devida ao servidor aposentado.

PROVIDÊNCIAS PRELIMINARES — São determinações do juiz, feitas após a resposta do réu, para a regularização de qualquer falha no processo, se necessário.

PROVIMENTO — 1) Ato ou efeito de preencher cargo público. 2) Manifestação dos Tribunais Superiores ao julgarem favoravelmente recurso interposto contra decisões de juízes de instâncias inferiores; instruções ou determinações administrativas baixadas pelo corregedor. 3) Manifestação de um Tribunal de Contas ao julgar favoravelmente recurso interposto por jurisdicionado contra decisão do plenário.

PROVISÃO — 1) Operação descentralizadora de crédito orçamentário, em que a unidade orçamentária de origem possibilita a realização de seus programas de trabalho por parte de unidade administrativa diretamente subordinada, ou por outras unidades orçamentárias ou administrativas não subordinadas, dentro de um mesmo Ministério, Secretaria ou Órgão. 2) No conceito comercial é a existência de um crédito representado em dinheiro à disposição de alguém, em virtude do que, como titular desse direito creditório, pode sacar contra o respectivo devedor ordens de pagamento, até o total da soma ou do valor pecuniário constante da provisão. 3) Em contabilidade é a escrituração para débitos futuros.

PROVISÃO DE CRÉDITO ORÇAMENTÁRIO — Ato administrativo do órgão central responsável pela gerência do orçamento, confirmando a disponibilização de créditos orçamentários para as unidades orçamentárias, para que elas possam promover sua execução orçamentária. A provisão é contínua à definição das cotas orçamentárias e, normalmente, é formalizada através de uma nota de provisão e da liberação dos créditos no sistema informatizado de execução orçamentária.

PROVISÃO MÉDIA — Representa a média das provisões atribuídas às operações de um cliente de uma instituição financeira no Sistema Financeiro Nacional, ponderada pelo valor das operações.

PROVISÃO PARA CRÉDITO DUVIDOSO — Conta do demonstrativo de resultado de uma instituição que expressa a provisão anual feita para cobrir o risco de crédito classificado como duvidoso pela instituição. Em geral, analistas verificam a relação entre a provisão para crédito duvidoso e o total de operações de crédito no balanço para estimar o grau de risco da carteira de empréstimos.

PROVISÃO PARA PERDAS — Conta de ativo no balanço de instituições financeiras que expressa todos as provisões feitas pela instituição para potenciais perdas com as suas operações de crédito. A relação entre a provisão para perdas e o total de créditos duvidosos da instituição indica o grau de conservadorismo na sua política de cessão de créditos.

PROVISÃO, NOTA DE — É o documento pelo qual uma unidade orçamentária descentraliza seus créditos dentro do próprio órgão, para realização de seus programas de trabalho, a uma unidade administrativa diretamente subordinada ou outras unidades orçamentárias ou administrativas não subordinadas.

PROVISIONAMENTO — Ato de se vincular Registro de Exportação – RE a contrato de câmbio de exportação, com a finalidade de possibilitar o embarque de mercadorias ao exterior para empresas que se encontrem impedidas pelo Banco Central do Brasil. (Ver: Provisão de Crédito Orçamentário.)

PRUDÊNCIA — Qualidade e virtude cultivada por qualquer pessoa evoluída para evitar as más conseqüências dos seus atos.

PRUMO DE MÃO — Instrumento de navegação. Era uma sonda que servia para medir a altura da água por debaixo da quilha, o que era essencial para se navegar sem encalhar. Foi também utilizando este tipo de sondas que os cartógrafos conseguiram desenhar as cartas como relevo submarino.

PSEUDO — Exprime a idéia de falso. Diz-se do que julga ou diz saber mais do que aquilo que realmente sabe.

PSEUDOPROPOSIÇÃO — Algo que parece uma proposição mas na realidade não é. As frases absurdas exprimem literalmente pseudoproposições.

PSICOPATA — Ou personalidade psicopata o psicopática, (do grego *psyché*, alma + *path, r. de páscho*, sofro) designa "enfermo da psique" ou doente mental, sendo no entanto, esta uma definição disputada por outros pontos de vista. Segundo a teoria pela qual uma pessoa psicopata é uma pessoa perversa, supõe-se que nesta classe de doença, o doente é um sujeito que se mantém a par da realidade mas que carece de Superego. Isto faz com que a pessoa psicopata possa cometer atos criminosos sem sentir culpa. Do ponto de vista penal, existe o dilema, amplamente discutido, sobre se uma personalidade doente é imputável, especialmente se é de origem psicótica. Mesmo que se trate de uma personalidade doente (exemplos: pessoas sádicas, estupradoras etc.) há tendência para sustentar que há uma punição correspondente, dado que, mesmo doente, a pessoa mantém consciência dos seus atos e pode evitar cometê-los.

PSICOSE — É um tipo de psicopatia, transtorno psiquiátrico, e uma das principais características evidente num indivíduo com esse distúrbio é a desconexão com a realidade, que se revela em alucinações, delírios e comportamento inadequado. Essa forma psicopatia revela distúrbios graves da personalidade em que o funcionamento mental está alterado de tal forma que a pessoa freqüentemente não consegue responder às demandas cotidianas da vida, temporária ou definitivamente, chegando ao nível de invalidez e necessitando de cuidados especializados permanentes.

PSICOSE PARANÓICA — Paranóia. Falsas crenças. Ilusões organizam-se sistemática e "logicamente". Graves delírios. Os delírios são de perseguição e de grandeza.

PSICOSSOMATIZAÇÃO — Ou psicossomatismo e, ainda, doença psicossomática. São conhecidas por estes nomes quaisquer lesões, alterações e perturbações orgânicas produzidas por influências psíquicas.

PSICOTRÓPICO — Droga que atua sobre o organismo como calmante ou estimulante, produzindo dependência psíquica.

PSÍQUICO — Relativo à alma, ou às faculdades intelectuais e morais de um indivíduo.

PTAX — Taxa de câmbio calculada ao final de cada dia; é a taxa média de todos os negócios com dólares realizados naquela data no mercado interbancário de câmbio, com liquidação em D2.

PUBLICAÇÃO — 1) Ato ou efeito de tornar público, de dar conhecimento, de editar. 2) No processo de elaboração legislativa, é o ato mediante o qual se transmite a promulgação da lei aos seus destinatários, por publicação no *Diário Oficial*. É condição de eficácia e de vigência da lei.

PUBLICIDADE — Ato de tornar público, de dar a conhecer um fato, um acontecimento. Ato ou efeito de publicar. Conjunto de meios e ações utilizados para chamar a atenção sobre determinado produto, bem ou situação. A publicidade tem um elemento informativo que incrementa o conhecimento do público sobre determinada realidade ou situação.

PUBLICIDADE ENGANOSA — Qualquer comunicação, inteira ou parcialmente falsa, capaz de induzir a erro o consumidor, quanto às características do produto.

PUBLICIZAÇÃO — É a transferência da gestão de serviços e atividades, não exclusivas do Estado, para o setor público não-estatal, assegurando o caráter público à entidade de direito privado, bem como autonomia administrativa e financeira.

PÚBLICO — 1) Do povo, relativo ao povo, destinado ao povo ou à coletividade. 2) Relativo ou pertencente ao governo de um país. 3) Aberto a quaisquer pessoas, não secreto. Conhecido de todos. 4) Qualquer grupo que tem interesse real ou potencial, ou impacto, na habilidade de uma organização alcançar seus objetivos. 5) Componentes de um segmento de consumidores que se quer atingir ou avaliar. 6) Sistema cujo processo de comunicação não tem endereço específico, ou é acessível a todos os membros de uma comunidade.

PÚBLICO-ALVO — Universo (pessoas, comunidades, categorias da sociedade, instituições, setores etc.) que possui em comum algum atributo, necessidade ou potencialidade, que se pretende atingir diretamente com os resultados esperados pela execução de um programa.

PUDOR — Sentimento de acanhamento ou embaraço motivado pelo que pode ferir a decência, a honestidade ou a modéstia.

***PULL* —** Estratégia de puxar os consumidores finais para os pontos de venda para que eles adquiram determinados produtos, através de propaganda e promoção de vendas agressivas

PÚLPITO — Tribuna para pregadores, nos templos religiosos. (Ver: Tribuna.)

PULVERIZAR O RISCO — Significa distribuir ou dividir as responsabilidades do risco assumido.

PUNIÇÃO — Técnica do controle mais fácil de ser obtido de imediato.

PUNÍVEL — Aquele sujeito a processo administrativo ou judicial.

PUPILO — Órfão a cargo de tutor; menor; protegido.

PURGAÇÃO DA MORA — Termo substituído pela expressão Emenda da Mora, conforme Lei n°8.245, de 1991, Lei do Inquilinato. (Ver: Emenda da mora.)

PURO — Que não tem mistura. Que não sofreu alteração. Transparente; límpido. Imaculado. Inocente. Virginal. Tranqüilo; sereno. Verdadeiro. Natural. Incontestável.

***PUSH* —** Estratégia de pressionar os atacadistas e distribuidores através de vendedores e de promoções, a fim de levá-los a empurrar as mercadorias aos consumidores finais.

PUT — Opção que pode ser exercida pelo credor numa operação de empréstimo com lançamento de títulos no exterior.

PUTATIVO — Reputado, havido. Designa a qualidade que se pensa ter (crida, imaginada), ou que se deveria ter, e que, em realidade, não se tem. (Ver: Casamento putativo.)

Q

QDD — Ver Despesa, Quadro e Detalhamento de.

QS 9000 — Sistema da Qualidade que define as fundamentais expectativas das companhias associadas para fornecimento interno e externo de produção e serviço de peças e materiais.

QUADRA — É a distância entre uma esquina e a seguinte do mesmo lado da rua.

QUADRANTE — Instrumento utilizado em astronomia e náutica para medir os ângulos.

QUADRILHA — Grupo de pessoas que se associam com o objetivo de praticar atos criminosos, geralmente com o intuito de lucro e sob a supervisão de um chefe. Na cultura é uma dança das festas juninas. (Ver: Bando // Organização criminosa.)

QUADRO — Conjunto de cargos efetivos de carreira, em comissão e função gratificada, integrados nas estruturas organizacionais de órgãos ou entidades.

QUADRO DE COTAÇÕES (BOLSA) — Local no recinto de negociações das bolsas de valores onde os diversos preços e quantidades de ações negociadas são apresentados

QUADRO DE DETALHAMENTO DE DESPESA (QDD) — Ver Despesas, Quadro de Detalhamento de.

QUADRO DE PESSOAL — Ver Pessoal, Quadro de.

QUADRO DE RESULTADOS — Representação lógica que explica como um objetivo pode ser alcançado tendo em conta as relações causais e os pressupostos.

QUADRO LÓGICO — Instrumento que visa melhorar a concepção das ações planejadas, mais freqüentemente ao nível dos projetos. Isso inclui a identificação dos elementos estratégicos (recursos, resultados imediatos, efeitos, impactos) e suas relações causais, dos indicadores, assim como dos fatores externos (riscos) que podem influenciar o sucesso ou fracasso da intervenção.

QUADRO SETORIAL DE LOTAÇÃO — Representa a força de trabalho em seus aspectos qualitativo e quantitativo, necessária ao desempenho das atividades normais e específicas de um órgão. O Quadro Setorial de Lotação é fixado em Decreto.

QUAESTIO FACTI — [Latim]. Expressão que significa questão de fato.

QUAESTIO JURIS — [Latim]: Expressão que significa questão de direito.

QUALIDADE — 1) Característica de uma coisa. Maneira de ser, boa ou má, de uma coisa. Caráter; índole; propriedade; excelência. 2) Totalidade de características de uma entidade (atividade ou um processo, um produto, uma organização ou uma combinação destes), que lhe confere a capacidade de satisfazer as necessidades, procedimentos, os critérios e a maneira como as principais decisões são tomadas, comunicadas e conduzidas, em todos os níveis da organização. 3) A totalidade dos desempenhos em função e características de um produto ou serviço que se sustenta em sua possibilidade efetiva para atender às necessidades especificadas ou implícitas.

QUALIDADE AMBIENTAL — Termo empregado para caracterizar as condições do ambiente segundo um conjunto de normas e padrões ambientais preestabelecidos. A qualidade ambiental é utilizada como valor referencial para o processo de controle ambiental. O resultado dos processos dinâmicos e interativos dos elementos do sistema ambiental define-se como o estado do meio ambiente, numa determinada área ou região, conforme é percebido objetivamente, em função da medição da qualidade de alguns de seus componentes, ou mesmo subjetivamente, em relação a determinados atributos, como a beleza, o conforto, o bem-estar.

QUALIDADE ATRATIVA — É o "algo mais" que se acrescenta ao produto ou serviço e que se constitui em fator atrativo para o cliente.

QUALIDADE DA ÁGUA — Parâmetros físicos, químicos e biológicos que caracterizam a amostra, relacionados com o seu uso para um determinado fim. Exemplo: cor, turbidez, íons dissolvidos (resíduo seco (RS), dureza, índice de coliformes (NMP), plâncton. A mesma água pode ser de boa qualidade para um determinado fim e de má qualidade para outro, dependendo de suas características e das exigências requeridas pelo uso específico. A qualidade da água está em relação com os usos múltiplos dos recursos hídricos.

QUALIDADE DE VIDA — Conceito que avalia as condições da existência do ser humano em relação ao ambiente que o cerca. A qualidade de vida representa algo mais que um nível de vida particular mais elevado, pois pressupõe uma infra-estrutura social pública capaz de atuar em benefício do bem comum (condições gerais de habitação, saúde, educação, cultura, alimentação, lazer etc.) e manter o meio ambiente adequado à reprodução e desenvolvimento da sociedade, respeitando a capacidade de reposição dos recursos naturais. Meio ambiente limpo e ecologicamente equilibrado é essencial à sadia qualidade de vida; nesse caso não se refere ao nível de vida privado.

QUALIDADE EXIGIDA — É a dominação dos itens exigidos que se referem à qualidade intrínseca do produto.

QUALIDADE INTRÍNSECA — No contexto da Qualidade Total são as características técnicas específicas asseguradas ao produto (bem ou serviço) que conferem sua habilidade de satisfazer as necessidades do cliente. É uma das cinco dimensões da Qualidade Total.

QUALIDADE PROJETADA DO PRODUTO — Pode ser entendida como a definição inteligente dos valores-meta para as características da qualidade do produto, levando-se em consideração a importância de cada uma (o seu peso relativo), a comparação com as características da qualidade dos produtos da concorrência e os objetivos do projeto. Estabelecer a qualidade projetada significa traçar o plano de melhoria para as características da qualidade do produto e buscar garantir o *input* correto para as demais etapas do desdobramentos da qualidade, confiabilidade, custo e tecnologia.

QUALIDADE REPORTÁVEL — Quantidade mínima de substância perigosa descarregada no meio ambiente, que deverá ser comunicada aos órgãos competentes, no período de 24 horas.

QUALIDADE TOTAL — Conjunto de conceitos relacionados aos processos de gestão da qualidade. Abrange as cinco dimensões da qualidade dos produtos e das pessoas, que afetam a satisfação das necessidades dos clientes: a) qualidade intrínseca do produto (bem ou serviço). b) custo (preço); c) entrega/atendimento (prazo certo, local certo, quantidade certa); d) moral: nível médio de satisfação de um grupo de pessoas que trabalham na organização; e) segurança do usuário do produto e das pessoas da organização.

QUALIDADES ESTÉTICAS — Conjunto de características de certos objetos, as quais permite atribuir-lhes valor estético.

QUALIFICAÇÃO — 1) Reconhecimento dado a uma organização ou indivíduo após ter sido demonstrado que ela é capaz de atender aos requisitos especificados. 2) Ato escrito, ou assentada, lavrado pelo escrivão do feito, pelo qual se estabelece, no começo de cada declaração ou depoimento, a identidade pessoal do acusado, do ofendido ou da testemunha, e se verificam os impedimentos legais desta, mencionando-se o nome, idade, estado civil, filiação, profissão, naturalidade, grau de instrução, residência e relações de parentesco, amizade ou inimizade, ou dependência do qualificado para com as partes interessadas na causa.

QUALIFICAÇÃO PROFISSIONAL — Perfil de requisitos, competências, conhecimentos, atitudes que um posto de trabalho exige - ou que são demandadas da pessoa que o ocupa. Significa também ações de educação profissional, que visam dotar a pessoa de determinados requisitos exigidos para o trabalho.

QUANTIA PECUNIÁRIA — Soma em dinheiro. Soma representada por dinheiro.

QUANTIDADE DE EQUILÍBRIO — A quantidade oferecida e a quantidade demandada registradas na situação em que oferta e demanda coincidem.

QUANTIDADE DEMANDADA — Quantidade do bem que os compradores desejam e podem comprar.

QUANTIDADE OFERECIDA — Quantidade de um bem ou serviço que os vendedores querem e podem vender.

QUANTUM — [Latim]. Expressão que significa quantia (em pecúnia pedido em condenação).

QUARENTENA — 1) Situação ou estado de restrição para pessoas ou animais suspeitos de contato com doenças transmissíveis, por prazo determinado pela autoridade competente, com a finalidade de restringir o contágio. Aplica-se normalmente à febre amarela, peste e cólera. 2) Período de observação, confinamento e inspeção aplicado a plantas e animais ou suas partes, normalmente de 40 dias, para que sejam cumpridas as normas de segurança fitossanitárias, como forma de prevenção da disseminação de pragas, doenças ou a proliferação de espécies indesejadas. 3) Segundo dispositivo da Emenda Constitucional nº 45, de 2004, é período em que é vedado aos juízes exercer a advocacia no juízo ou tribunal do qual se afastou, antes de decorridos três anos do afastamento do cargo por aposentadoria ou exoneração.

QUARTA — Uma das 32 partes em que a rosa-dos-ventos está dividida. Corresponde a 11º15'.

QUARTO MUNDO — De acordo com a Teoria dos Mundos são as nações internacionalmente reconhecidas, mas não independentes, por exemplo, a Palestina e o Tibet. (Ver: Teorias dos mundos // Primeiro mundo // Segundo mundo // Terceiro mundo // Quinto Mundo.)

QUASE-CONTRATO — Expressão que denomina o instituto que, não sendo um contrato, isto é, não tendo todos os atributos concernentes a este, gera obrigações. A doutrina do quase-contrato hoje está em descrédito. São exemplos de quase-contrato a aceitação de herança e a tutela.

QUASE-CRIME — Expressão que identifica o comportamento do agente que, embora não tendo cometido crime, revela alto grau de periculosidade, devendo ficar submetido à medida de segurança.

QUASE-FLAGRÂNCIA — Ato de prisão de autor de delito quando, após praticá-lo, é perseguido sem interrupção pelo clamor público ou autoridade. Diz-se também flagrância imprópria.

QUASE-MOEDA — Expressão utilizada em economia para definir moeda com disponibilidade próxima que é considerada nas transações futuras (Ex.: depósitos a prazo).

QUEBRA DE CAIXA — Diferença havida entre a quantia em caixa e o que, pelas notas de controle, devia haver, e que, até determinado *quantum*, é relevada como gratificação ao servidor ou empregado responsável.

QUEBRA DO COMPROMISSO — É a falta ou não cumprimento ou transgressão aos deveres jurídicos derivados do compromisso ou da fidelidade.

QUEDA DE ARRECADAÇÃO — Ver Arrecadação, Queda de.

QUEIMADA — Procedimento utilizado por agricultores no preparo da terra para o plantio. As queimadas devem ser desencorajadas, por reduzirem a fertilidade natural do solo e intensificarem o processo de degradação ambiental.

QUEIMADURA — Lesão produzida pelo fogo, por material aquecido ou por agente corrosivo.

QUEIXA SUBSIDIÁRIA — É o ato que dá início à ação criminal quando o Promotor Público se conserva inerte, sem oferecer denúncia, sem pedir arquivamento ou requisitar diligências.

QUEIXA-CRIME — Exposição do fato criminoso, feita pela parte ofendida ou por seu representante legal, para iniciar processo contra o autor ou autores do crime. A queixa-crime pode ser apresentada por qualquer cidadão. É um procedimento penal de caráter privado, que corresponde à Denúncia na ação penal pública. A queixa não está sujeita a formalidades especiais, podendo ser feita oralmente (Lei nº 9099, de 1995) ou por escrito. O prazo de apresentação da queixa é de seis meses, a contar da data em que o denunciante tomou conhecimento do crime e dos seus autores. A queixa-crime corresponde à denúncia na ação penal pública. Não se confunde com a notícia do crime ou *notitia criminis*, mera comunicação da prática de um delito feita à autoridade policial. Enquanto a notícia do crime pode ser levada à autoridade policial, ao órgão do Ministério Público ou ao juiz competente, a queixa-crime somente pode ser endereçada ao juiz competente. Promovida dolosamente, dará origem a fato ilícito indenizável e ao crime de denunciação caluniosa.

QUERELADO — Aquele contra quem se move ação penal privada.

QUERELANTE — Autor da ação penal privada.

QUERELAR — Ajuizar ação penal privada contra alguém.

QUESITO — É a questão que deve ser resolvida ou respondida.

QUESITOS DO TRIBUNAL DO JÚRI — Ver Quesitos dos jurados.

QUESITOS DOS JURADOS — Perguntas formuladas aos jurados sobre o crime e suas circunstâncias essenciais, e por meio das quais eles decidem de fato. Os quesitos versam, evidentemente, sobre questões de fato, vedada a apreciação do mérito do processo, das razões das partes ou de questões de direito, porque qualquer menção a estas envolveria apreciação de mérito, inadmitida para juízes de fato que são os jurados.

QUESÍVEL — Diz-se da dívida a ser paga na residência ou domicílio do devedor. A expressão sinônima em desuso é quérable.

QUESTÃO — Caso que sofre contestação. Conflito de interesses que se submete à decisão dos tribunais; litígio, processo, ação. Ponto básico de uma discussão.

QUESTÃO AGRÁRIA — Conjunto de problemas suscitados pelo nível de desempenho da agricultura num país que atravessa um processo de industrialização, e no qual o setor agrário se mostra incapaz de atender às necessidades sociais inerentes às transformações em curso. O que se necessita da agricultura é: fornecimento de alimentos crescente para a população urbana; matérias-primas necessárias às indústrias em expansão; liberação de mão-de-obra para as atividades urbanas; aumento da produção com um número cada vez menor de trabalhadores; geração de divisas para a importação de equipamentos e acumulação de capitais que devem ser drenados para o setor secundário e terciário.

QUESTÃO DE ORDEM — Em assembléias deliberativas, dúvida relativa ao encaminhamento dos trabalhos. Decidir a questão de ordem em relação ao regimento. Em uma Casa Legislativa considera-se questão de ordem toda dúvida sobre a interpretação do regimento, na sua prática exclusiva ou relacionada com a Constituição Federal. Na Câmara dos Deputados, da decisão do presidente cabe recurso ao Plenário, ouvida a Comissão de Constituição e Justiça, no caso de apresentação em sessão. Em Comissão, a questão de ordem será resolvida pelo seu presidente, cabendo recurso a ser dirigido à Presidência da Câmara dos Deputados.

QUESTÃO PREJUDICIAL — Aquela que deve ser resolvida, necessariamente, antes da decisão de mérito. É a questão que não está em julgamento, nem faz parte do mérito, mas se coloca como antecedente lógico da decisão a ser proferida, cuja solução influi decisivamente na resolução deste e que poderá, por si só, ser objeto de um processo autônomo. (Ver: Ação Declaratória Incidental.)

QUESTIONAMENTO — Argüição para esclarecimentos. Levantamento de questões para dissipar dúvidas. Posicionamento ou postura crítica para evitar enganos ou para apurar argumentos obscuros. Conjunto das perguntas específicas, quesitos, ou indagações restritas à solução do impasse ou esclarecimento concreto do fenômeno, fato, ou idéia em questão.

QUESTIONÁRIO — Formulário impresso, usado por entrevistadores, que contém perguntas na ordem em que devem ser feitas, com espaços para anotações das respostas.

QUESTÕES ABERTAS — Questões que permitem aos entrevistados responderem com suas próprias palavras.

QUESTÕES FECHADAS — Questões que incluem todas as respostas possíveis e permitem aos entrevistados escolher apenas entre estas.

QUI PRO QUO — [Latim]. Expressão que significa uma coisa por outra.

QUIETUDE — Qualidade de quieto. Tranqüilidade, paz, sossego.

QUILATE (KARAT=K) — Unidade especial de medida de peso das pedras preciosas, em que 1K (ou quilate) equivale a 20 gramas. A forma de dizermos a proporção de ouro que entra numa liga. O ouro mais puro é denominado ouro 1.000 ou 24 quilates (24K). Na realidade, o ouro nunca tem uma pureza total, e a classificação mais alta cai para 999 pontos. O ouro 24K que chamamos de 100% puro equivale a 999 pontos na escala européia. O ouro 18K, que tem uma pureza de 75%, equivale a 750 pontos.

QUILOGRAMA (kg) — É uma unidade de medida de massa do Sistema Internacional de Unidades (*SI*). O quilograma é a massa equivalente a um padrão composto por irídio e platina que está localizado no Museu Internacional de Pesos e Medidas na cidade de Sèvres, França. Originalmente se definiu como unidade de massa, a massa de um litro de água a 15º C. Essa massa foi chamada de um quilograma (1 kg). Mais tarde percebeu-se o inconveniente desta definição, já que o volume da água varia com a pureza da mesma. Passou-se, então, a adotar como padrão de massa um certo objeto chamado "padrão internacional de massa". Tal padrão é conservado no Museu Internacional de Pesos e Medidas, em Sèvres, Paris. A massa deste objeto é de 1 kg. Dentro do possível, fez-se que a massa deste padrão fosse igual à massa de 1 litro de água destilada a 15ºC. Os submúltiplos mais comuns do quilograma são o grama (g) e o miligrama (mg), sendo 1 kg = 1.000 g e 1g = 1.000 mg. O múltiplo mais usual do quilograma é a tonelada (t), sendo 1 t = 1.000 kg. (Ver: Litro // Metro.)

QUILÔMETRO (km) — É uma unidade de medida derivada do metro. Um quilômetro equivale a mil metros. O quilômetro é uma unidade de medida derivada das dimensões da terra reconhecida pelo sistema internacional de unidades que define o padrão de metro. Alguns países, por conveniência, ainda não o adotam, preferindo usar outras unidades, como a milha terrestre, que corresponde a 1.609,34 metros.

QUILÔMETRO QUADRADO (km²) — É uma unidade de superfície, ou área, que corresponde à área de um quadrado com um quilômetro de lado. É uma unidade de área bastante usada, tendo sido adotada para o SI como unidade derivada. 1 km² corresponde a: 100 hectares (ha); 1.000.000 metros quadrados (m²); 0,386 102 milhas quadradas; 247,105 381 acres. Inversamente: 1 ha = 0,01 km²; 1 m² = 0,000 001 km²; 1 milha quadrada = 2,589 988 km²; 1 acre = 0,004 047 km². 3 km² é igual a 3.000.000 m², não 3.000 m².

QUÍMICA FINA — Ramo da química associado a coordenação de reações para produção de fármacos, perfumes etc.

QUIMIOPROFILAXIA — Administração de substâncias químicas, inclusive antibióticos, a pessoas suscetíveis, portadores ou pessoas contaminadas e com infecção ainda inaparente, com a finalidade de prevenir o desenvolvimento de uma infecção ou sua evolução para a forma ativa e manifesta da doença.

QUINHÃO — A parte de um todo que cabe a cada um dos indivíduos pelos quais se divide; partilha, cota; sorte, destino, fado. Cota-parte de cada herdeiro na partilha.

QUINTA-FEIRA NEGRA — É o dia 24 de outubro de 1929, quando teve início a queda na Bolsa de Valores de Nova York, desencadeando a Grande Depressão que se estenderia pela década de 30 do século XX.

QUINTO CONSTITUCIONAL — Disposição constitucional que reserva a membros do Ministério Público e a advogados na composição de alguns Tribunais. Num Tribunal constituído, por exemplo, de 20 juízes, quatro lugares devem ser preenchidos por integrantes do Ministério Público (dois) e por advogados (dois).

QUINTO MUNDO — De acordo com a Teoria dos Mundos é a designação dada a fantasias nacionais, como as micronações, por analogia com a hierarquia habitual das nações do planeta, divididas em primeiro, segundo e terceiro mundos. (Ver: Teorias dos mundos // Primeiro mundo // Segundo mundo // Terceiro mundo // Quarto mundo.)

QUIROGRAFÁRIO — Escrito do próprio punho, autógrafo. Diz-se do documento firmado apenas pelo devedor. Síngrafo dir-se-ia do texto assinado tanto pelo devedor como pelo credor. O vocábulo, contudo, é polissêmico, vale dizer, tem sentidos diversos, no caso, equívocos e, assim, denomina, também, o credor que, na falência ou na Recuperação Judicial, não possui garantia real para o pagamento de seu crédito. Relativo a documento particular de obrigações que não gozam de direito de preferência, privilégio ou garantia concreta. Distingue-se dos credores privilegiados ou preferenciais.

QUITAÇÃO — O ato de quitar, pagar integralmente, uma dívida. É também a declaração de que a dívida foi inteiramente paga (recibo de pagamento, termo de quitação).

QUIZÍLIA — Ou quizila. Repugnância, aborrecimento, desavença.

QUORUM — [Latim]. Expressão que significa número mínimo de participantes para realização de um determinado evento colegiado para que sejam válidas as suas decisões.

QUÓRUM DE ABERTURA DE SESSÃO — Número mínimo exigido para início de uma sessão. Na Câmara dos Deputados, para que as sessões plenárias sejam abertas, é necessária a presença mínima de um décimo dos deputados - ou seja, 52.

QUÓRUM DE APROVAÇÃO — Número mínimo de votos necessários para que determinada matéria seja aprovada. Na Câmara dos Deputados, salvo disposição constitucional em contrário, as deliberações são tomadas por maioria de votos, presente a maioria absoluta de seus membros (257 deputados). No caso de proposta de emenda à Constituição, o quórum de aprovação é de três quintos, ou seja, 308 votos; já os projetos de lei complementar precisam ser aprovados pela maioria absoluta dos parlamentares.

QUÓRUM DE PRESENÇA — Número de presença mínima exigida numa Casa Legislativa para que se dê a abertura da sessão ou seu prosseguimento.

QUÓRUM DE PRESENÇA PARA DELIBERAÇÃO — Número mínimo de parlamentares que devem estar presentes em uma reunião de comissão ou sessão do Plenário para que se possa deliberar sobre qualquer matéria. No Congresso Nacional esse número é fixado constitucionalmente e corresponde à maioria absoluta do total de membros da comissão ou da Câmara dos Deputados, conforme o caso. (ver Maioria absoluta.)

QUÓRUM ESPECIAL — Ver Quórum qualificado

QUÓRUM QUALIFICADO — Número mínimo de parlamentares para votação de determinadas matérias previstas na Constituição.

QUOTA — Parte de algo que é expresso por uma fração.

QUOTA DE FUNDO — Fração de um fundo, com base no seu patrimônio líquido. Ela varia de produto para produto e de banco para banco, porque cada fundo tem um número de quotista e um patrimônio líquido diferente. Todo valor aplicado em um fundo é transformado em uma quantidade de quotas que irão evoluir de acordo com o desempenho da carteira do fundo. Todo investidor de um fundo é proprietário de quotas desse fundo. Multiplicando sua quantidade de quotas pelo valor atualizado da quota (publicado diariamente pelos jornais), o investidor obtém o valor atualizado do seu investimento inicial.

QUOTA IDEAL MÍNIMA — É um dos dispositivos de controle adotados pelo Plano Diretor de Desenvolvimento Urbano e Ambiental (PDDUA). Define a quantidade de terreno por economia e destina-se ao controle da densificação na Área de Ocupação Rarefeita (AOR) e nas áreas predominantemente residenciais, chamadas de Áreas de Ocupação Intensiva (AOI).

QUOTA-PARTE — Parcela que cada pessoa de um determinado grupo deve receber ou pagar em uma partilha, como por exemplo, as despesas em um condomínio.

R

R2 — É uma medida do grau de relacionamento entre a rentabilidade do fundo e a do mercado de ações (medido pelo IBA - Índice Brasileiro de Ações). Um R2 de 0,9, por exemplo, indica que 90% das variações do fundo são explicadas pelo comportamento do IBA. O valor máximo que o R2 pode atingir é 1 (equivalente a 100%). Neste caso, toda e qualquer variação ocorrida seria explicada pelo comportamento do IBA.

RÁBULA — Quem podia exercer a advocacia, mesmo sem ser bacharel em direito. Termo em desuso pela extinção da classe.

RAÇA — Conjunto dos ascendentes e descendentes de uma mesma família ou de um mesmo povo. Cada uma das grandes famílias em que se costuma dividir a espécie humana. O tronco comum em que têm origem as várias classes de animais. Grupo de seres caracterizados por qualidades análogas.

RACIOCÍNIO — Faculdade do pensamento para estabelecer relações lógicas conclusivas. Encadeamento de argumentos ou juízos para chegar a uma demonstração. Exemplos: abdução, intuição, indução, dedução, comparação, analogia, exclusão, inferência, raciocínio hipotético-dedutivo, dialética, análise, síntese etc.

RACIOCÍNIO DEDUTIVO — Operação mental pela qual se deduz, ou se induz, de uma ou mais proposições ou premissas, uma conclusão lógica ou silogismo.

RACIOCÍNIO LÓGICO — É aquele pelo qual o espírito adquire um novo conhecimento por meio daquilo que já conhece. Pela argumentação de um fato anterior se infere outro, conseqüente.

RACIOCÍNIO POR ANALOGIA — Processo de generalização fundado em semelhança de relação apresentada por elementos de totalidade diferentes, e que consiste em passar, de uma ou mais propriedades já observadas em um dos elementos, à atribuição das mesmas propriedades a outro elemento de outra totalidade no qual ainda não tenham sido observadas. (Ver: Analogia // Argumento por analogia.)

RACIOCÍNIO PRÁTICO — Raciocínio que justifica uma ação. Numa cadeia de raciocínio prático, as premissas do raciocínio exibem os motivos, desejos, crenças, preferências etc., à custa dos quais se racionaliza a ação, que é enunciada na conclusão desse raciocínio.

RACIONAL — Que é dotado e faz uso da razão. Que raciocina. Conforme a razão.

RACIONALISMO — Ver Racionalista.

RACIONALISTA OU RACIONALISMO — Fundamenta-se em uma lógica construtiva, na qual procedimentos operacionais são estabelecidos sob o comando dos conceitos; que adere ao racionalismo.

RACIONALIZAÇÃO — Série de explicações, justificações e raciocínios que permanecem tão-somente na área das hipóteses. Opiniões hipotéticas fundamentadas em fatos verdadeiros, subjetivos ou objetivos, aparentemente realizáveis ou reproduzíveis, mas impossíveis de ocorrer no aqui e agora por inexistência das suas condições geradoras. Crença em realidade inexistente com base em conjecturas. Reação por deformação cognitiva para dar boas razões infundadas ou irreais na justificação de fracassos, erros, recusas e manipulações desmascaradas.

RACIONAMENTO — Fixação prévia e obrigatória do consumo de certos gêneros de larga demanda, feita pelo Poder Público, a fim de, pela parcimônia, garantir o suprimento.

RACISMO — Crença de que as diferenças raciais influem no caráter, na capacidade e no comportamento das pessoas. Sentimento ou tratamento diferenciado dado às pessoas de outras raças. Forma extremada de preconceito que leva à segregação certas minorias étnicas. Segregacionismo. A crença da existência de raças superiores e inferiores foi utilizada muitas vezes para justificar a escravidão, o domínio de determinados povos por outros, e os genocídios que ocorreram durante toda a história da humanidade. A Constituição Federal inclui entre os objetivos fundamentais do Brasil a promoção do bem de todos, sem preconceitos de origem, raça, sexo, cor, idade e quaisquer outras formas de discriminação. E informa que será considerado crime inafiançável e imprescritível a prática de racismo, sujeito à pena de reclusão na forma da lei.

RAD (RADIATION ABSORBED DOSE) — Ver Radiação Absorvida, Dose de.

RADIAÇÃO — Ação ou efeito de radiar. Emissão de energia eletromagnética ou corpuscular ou sua propagação no espaço. Energia emitida ou que se desloca na forma de ondas eletromagnéticas, fótons, ondas acústicas ou partículas subatômicas; forma de transferência de calor. Emissão de partículas atômicas rápidas ou raios pelo núcleo de um átomo. As radiações emitidas podem ser naturais ou artificiais. Os raios do sol, por exemplo, ou os materiais radiativos naturais das jazidas estão entre as radiações naturais do planeta. Dejetos nucleares de centrais ou bombas de cobalto utilizadas em hospitais estão entre as fontes de radiação produzidas artificialmente.

RADIAÇÃO - DOSE LETAL 50 (LD-50) — Exposição a radiações ou substâncias tóxicas que, num tempo determinado, mata até 50% da população vulnerável. O mesmo que Dose Letal Média.

RADIAÇÃO ABSORVIDA, DOSE DE — Unidade básica da dose de radiação ionizante absorvida. Uma dose de 1 rad significa a absorção de 100 ergs de energia de radiação por grama do material absorvedor.

RADIAÇÃO CÓSMICA — É a radiação proveniente do espaço e que resulta de interações nucleares entre partículas altamente energéticas emitidas pelo sol e outras estrelas e as moléculas de gás da atmosfera.

RADIAÇÃO ELETROMAGNÉTICA — Ondas de energia que podem viajar através do espaço e da matéria. A radiação eletromagnética vem do Sol, estrelas e galáxias, propagando-se através do espaço até nos atingir. Ela também pode ser produzida artificialmente. Consiste em ondas eletromagnéticas com uma larga banda de freqüências e comprimentos de onda. Algumas delas são, em ordem crescente de freqüência (ou decrescente de comprimento de onda): ondas de rádio, microondas, raios infravermelhos, raios de luz, e as ondas ou raios podem penetrar nos materiais. A banda completa de freqüências da radiação eletromagnética é o espectro eletromagnético.

RADIAÇÃO IONIZANTE — Qualquer radiação que retira ou desloca elétrons dos átomos ou moléculas, produzindo íons. Pode causar danos severos à pele e aos tecidos.

RADIAÇÃO NUCLEAR — Energia resultante da desintegração atômica. É aquela emitida de núcleos atômicos nas várias reações nucleares, incluindo radiações alfa, beta, gama e nêutrons.

RADIAÇÃO RESIDUAL — Radiação nuclear emitida pelo material radioativo depositado depois de uma explosão nuclear ou de um ataque por agentes de guerra radiológica.

RADIATIVO — Que tem radioatividade; o mesmo que radiativo. Referente a transformações em que há emissão de radiações.

RADICAIS LIVRES — Define-se como toda molécula que tem um elétron ímpar em sua órbita externa. Os radicais livres são altamente instáveis e reativos, reagindo com outras moléculas criam novos componentes com muita rapidez. Efeitos nocivos da poluição, energia de alta radiação, raios UV, raios gama, agentes químicos ou medicamentos quebram a paridade da órbita externa das moléculas, criando os radicais livres. Os radicais livres desencadeiam vários processos patológicos, como: envelhecimento precoce, processos isquêmicos, inflamação, rejeição de órgãos transplantados.

RADICAL — Literalmente envolve a raiz ou essência de algo.

RADIESTESIA — Emprego de técnicas adivinhatórias na procura de água subterrânea (ex.: utilização de varinha).

RADIOATIVIDADE — É a ruptura espontânea de um átomo por emissão de partículas e/ou radiação. Fenômeno em que alguns núcleos atômicos emitem partículas ou raios como beta (elétron) e alfa (núcleo do átomo de hélio) ou ondas eletromagnéticas chamadas raios-gama ou radiação-gama.

RADIOATIVOS — Substâncias que possuem radiatividade, em decorrência da desintegração de núcleos atômicos, com emissão de partículas alfa, elétrons, pósitrons e radiação eletromagnética.

RADIODIFUSÃO — Emissão e transmissão por meio da radiofonia; radiocomunicação; rádio.

RADIOLOGIA — Disciplina que estuda os efeitos das radiações ionizantes sobre os sistemas ecológicos. Uma parte importante da radiologia referente ao ambiente causada pelos subprodutos das centrais nucleares e suas conseqüências ecológicas. Esse estudo se concentra nos efeitos de bioampliação e bioacumulação nas cadeias alimentares, principalmente nos alimentos consumidos pelo ser humano.

RADIOLÓGICO — Que permite radiação apenas quando conectado à corrente elétrica; usado em diagnóstico de tratamentos médicos.

RADIOMETEOROLOGIA — Estuda as manifestações da natureza elétrica da atmosfera. Seu campo de ação compreende o estudo da eletricidade atmosférica e os fenômenos elétricos que nela ocorrem.

RADIOTOXIDADE — Efeitos tóxicos residuais decorrentes da radioatividade, provocados pela presença de substâncias radioativas no organismo.

RAIDER — Pessoa física ou jurídica que se torna adquirente de sociedades sem a concordância de seu conselho de administração, utilizando a técnica da oferta pública de compra.

RAIO — É uma descarga elétrica que se produz entre nuvens de chuva ou entre uma destas nuvens e o planeta Terra. A descarga é visível com trajetórias sinuosas e de ramificações irregulares às vezes com muitos quilômetros de distância, fenômeno conhecido como relâmpago. Ocorre também uma onda sonora chamada trovão. Estes fenômenos são produzidos pelas diferenças de potencial nas atmosferas do Planeta Terra e de outros planetas. Um exemplo de ocorrência de raios em outros planetas é em Júpiter cujas tempestades são detectadas da Terra através de radiotelescópios tal sua magnitude. Em geral os raios ocorrem para restabelecer o equilíbrio das massas elétricas entre as nuvens entre si, entre as nuvens e o solo ou entre o solo e as nuvens.

RAIOS GAMA — Radiação eletromagnética com alta energia e pequeno comprimento de onda. A radiação gama freqüentemente acompanha as emissões ALFA e BETA e sempre acompanha a fissão. Os raios gama são muito penetrantes, podendo ser bloqueados por materiais densos, como o chumbo ou urânio. Tem características essencialmente similares aos raios X, mas são usualmente mais energéticos e de origem nuclear.

RAIOS X — Forma penetrante de radiação eletromagnética emitida quando os elétrons orbitais internos de um átomo excitado retornam ao seu estado normal (estes são os raios X característicos), ou quando um alvo de metal é bombardeado com elétrons de alta velocidade (raios X devido à radiação de frenagem - Bremsstrahlung). Os raios X são sempre de origem não nuclear.

RAIS (RELAÇÃO ANUAL DE INFORMAÇÕES SOCIAIS) — Informações que devem ser fornecidas periodicamente, pelas empresas, contendo elementos destinados a suprir as necessidades de controle, estatística e informações das entidades governamentais da área social.

RAIVA — 1) Emoção natural destinada a preservar o organismo através de reação no aqui e agora, própria de enfrentamento, com recurso apenas da força física. A reação característica da raiva, portanto, é de agressividade imediata contra estímulos presentes, ofensivos à integridade física. Quanto mais intensa a raiva, maior é a força física. 2) Encefalite aguda quase invariavelmente fatal, causada pelo vírus *rhabdovírus*, transmitido ao ser humano por canídeos domésticos (no meio urbano) e silvestres (no meio rural) e também por morcegos e outros animais carnívoros domésticos ou silvestres. O ser humano e os animais mamíferos de sangue quente (bois, cavalos etc.) são suscetíveis a esta virose.

RALLY — Termo utilizado nas Bolsas de Valores dos países de língua inglesa para designar uma alta nas cotações seguida de um súbito declínio.

RAMALLAH — Cidade palestina com cerca de 180.000 habitantes dividida em dois setores, de tamanhos semelhantes: Ramallah, que é predominantemente cristão, e Al Birah, de maioria islâmica. Fica a 872 metros acima do nível do mar e 1.267 metros acima do Mar Morto, distante 15 quilômetros ao norte de Jerusalém. É a sede da Autoridade Nacional Palestina e abriga a principal universidade palestina, Bir Zeit.

RAMOS DO DIREITO — São todas as variantes ou formas, devidamente disciplinadas, sob as quais ele se apresenta, num conjunto harmônico, tecnicamente sistematizado. Sua classificação moderna é deste modo estabelecida:a) Direito público: direito constitucional; direito administrativo; direito tributário; direito penal; direito processual; direito internacional público; direito ambiental. b) Direito privado: direito civil; direito comercial (terrestre, aéreo, marítimo); direito internacional privado; direito do trabalho.

RANCOR — Ressentimento profundo decorrente de mágoa que se sofreu sem protesto. Ódio oculto, não manifestado.

RAPACIDADE — Tendência ou hábito de roubar.

RAPINA — Diz-se de roubo praticado com violência.

RAPTO — Crime contra os costumes previsto no Código Penal de 1940, revogado pela Lei nº 11.106, de 28.3.2005. Consistia o crime na subtração violenta da mulher da esfera da proteção legal, com finalidade libidinosa. Era o seqüestro para fins libidinosos. Foram revogados tanto o delito de rapto violento quanto o de rapto consensual, assim como as disposições pertinentes a eles (CP, arts. 219, 220, 221 e 222). Agora, quem raptar (seqüestrar) qualquer pessoa - seja mulher ou homem - com fim libidinoso vai responder pelo crime de seqüestro qualificado (CP, art. 148, § 1º, inc. V). A finalidade do agente é marcante nesse caso (pois reside nela a diferenciação dos delitos): quem seqüestra uma pessoa com o fim de privá-la da liberdade responde por seqüestro simples; se a finalidade é libidinosa, há seqüestro qualificado; se a finalidade é extorquir vantagem econômica, crime de extorsão. (Ver: Rapto consensual // Sedução.)

RAPTO CONSENSUAL — Crime contra os costumes previsto no Código Penal de 1940, revogado pela Lei nº 11.106, de 28.3.2005. Os objetivos jurídicos do crime de rapto consensual consistia no pátrio poder e na autoridade tutelar exercidos com relação à mulher maior de 14 anos e menor de 21 anos de idade, sendo que o rapto tinha que se dar necessariamente com o seu consentimento. Ao punir esse comportamento, procurava-se proteger diretamente a autoridade tutelar e a moralidade sexual, resguardando a inviolabilidade carnal da mulher. O crime de rapto consensual, assim como o de sedução, mesmo vigentes no Código Penal de 1940, eram de rara comprovação, tendo em vista as mudanças culturais pelas quais a nossa sociedade passou. Isso somado às dificuldades de se obterem provas concretas sobre a finalidade libidinosa da conduta do agente, o que era essencial para a configuração do crime, acabaram por tornar desnecessária a previsão desse delito. (Ver: Rapto // Sedução.)

RASA — Diz-se das custas judiciais, tomando por base o número de linhas escritas no documento. Pagamento por extração de certidões etc.

RASTEJO — Movimento gravitacional de massa, caracteristicamente lento, que pode ser medido em centímetros por ano. Pode ser contínuo ou pulsante. Este último se associa a alterações climáticas sazonais, intensificando-se nos períodos de chuva e estacionando nos períodos secos. O processo não apresenta superfície de ruptura bem definida, e os limites entre a massa em movimento e o terreno estável são transicionais. O rastejo afeta grandes áreas e atua tanto nos horizontes superficiais das encostas, como nos planos profundos, promovendo a abertura de fendas no solo residual e na rocha-matriz.

RASTREABILIDADE — Capacidade de investigar o histórico, a aplicação ou a localização de um item ou de uma atividade (ou itens ou atividades semelhantes) por meio de informações devidamente registradas.

RASURA — Risco ou raspagem feita em documento para apagar o que estava escrito ou para nele inserir outro dado. Se não houver ressalva expressa e clara, o ato constitui vício ou defeito do documento.

RATA — Proporção, percentagem, taxa. Divisão proporcional, entre co-devedores ou co-credores. *Pro rata*: proporcionalmente em partes iguais.

RATEIO — Divisão das despesas realizadas de acordo com a fração ideal de cada unidade. Divisão proporcional de dinheiro, despesas, bens etc. entre determinado número de pessoas. Procedimento muito utilizado em contabilidade de custos, indicando uma base cujo valor total será dividido em partes iguais as sugeridas no planejamento do custo das mercadorias vendidas.

RATIFICAÇÃO — 1) Confirmação, aprovação, consentimento expresso ou tácito pelo qual se confirma ou se valida o ato anterior, suscetível de nulidade. 2) Na gestão de negócios, a ratificação pura e simples do dono retroage ao dia do começo da gestão e produz todos os efeitos do mandato. 3) Procedimento que pode ser adotado quanto ao casamento de incapaz quando ele adquire a capacidade.

RATIFICAÇÃO DE POSSE — É um instituto próprio para as transferências do domínio útil, que não se processe através de venda e compra ou dação em pagamento.

RATIFICAÇÃO DE UM TRATADO - ACORDO, CONVENÇÃO — Ato pelo qual se confirma tratado entre dois países. A ratificação de um acordo internacional representa a promessa de um Estado em cumprir o acordo e aderir às normas legais que especifica. (Ver: Reserva a um tratado.)

RATING — É a avaliação e a classificação de ativos, fundos de investimento, empresas ou mesmo países, com base principalmente no critério de risco, feitas por companhia independente, especializada neste processo. O *rating* é expresso numa espécie de nota, sendo que cada instituição tem seu próprio sistema de notas, que não é comparável às demais. O *rating* soberano é o que avalia o risco de países, considerando, por exemplo, o risco de não pagamento de dívidas do governo, nível de endividamento, cumprimento de metas fiscais etc. Quanto maior o risco de uma moratória, por exemplo, quando o país não tem condições de honrar seus compromissos, menor o *rating*. O *rating* soberano influencia a confiança dos investidores estrangeiros na decisão de encaminhar ou não seus investimentos ao país. E também está intimamente ligado com o nível de juro cobrado pelo investidor para emprestar seu dinheiro. Quanto maior o risco, maior a taxa de juro exigida.

***RATING* DE CRÉDITO** — São os riscos agregados a cada tipo de operação, de acordo com as suas características de liquidez, resultando no *Rating* de crédito do cliente, sendo considerado para tanto: natureza e finalidade da transação; tipos de garantias, qualidade e controle sobre elas; adequação entre prazo da operação, esquema de amortização e fluxo de caixa do cliente; formalização da operação.

RATIO AGENDI — [Latim]. Expressão que significa razão de agir.

RATIO DECIDENDI — [Latim]. Expressão que significa razão de decidir.

RATIO JURIS — [Latim]. Expressão que significa razão do direito.

RATIO LEGIS — [Latim]. Expressão que significa em razão da lei.

RATIONE MATERIAE — [Latim]. Expressão que significa em razão da matéria.

RATIONE OFFICII — [Latim]. Expressão que significa em razão do ofício.

RAVINA — Do francês *ravine*, que também significa enxurrada, barroca. Curso de água que cai de lugar elevado. Depressão alongada, na superfície do solo, geralmente em forma de V, maior do que uma garganta e menor do que um vale. Sulcos produzidos nos terrenos devido à erosão das águas de escoamento das chuvas.

RAVINAMENTO — Fenômeno erosivo, causado pela água proveniente do escoamento superficial, que provoca erosão e conseqüente incisão no manto de intemperismo ou rocha sedimentar da superfície do terreno. É um tipo de erosão relativamente comum, resultante geralmente da ação antrópica.

RAZÃO — 1) É a faculdade de raciocinar, de apreender, de compreender, de ponderar, de julgar; a inteligência. Utilizado, na acepção de fundamento, procedência, legitimidade ter razão é estar apoiado em um direito, ou ser protegido pela lei, desde que apresenta, em favor da pretensão pleiteada, justo motivo ou motivo legítimo. 2) Na terminologia do Direito Comercial é um livro legal e obrigatório de escrituração contábil destinado ao registro sistemático dos fatos patrimoniais que reúne as contas em seus débitos e créditos, servindo de base para o levantamento do balancete, através dos saldos apurados. (Ver: Livro razão.)

RAZÃO DE CAIXA — É o resultado do fluxo de caixa de uma empresa. É o saldo de caixa.

RAZÃO DE RESERVA — Fração dos depósitos que o banco mantém como reserva.

RAZÃO DE SEXO — Utilizado em pesquisa de população, expressa o número de pessoas do sexo masculino para cada grupo de 100 pessoas do sexo feminino. É obtida através do quociente entre as populações masculina e feminina por grupos de idade.

RAZÃO PRÁTICA — É a faculdade responsável pelos raciocínios cujas conclusões nos dizem como agir.

RAZÃO PURA — Designação dada à faculdade responsável por produzir raciocínios sem quaisquer premissas empíricas.

RAZÃO SOCIAL — É o nome devidamente registrado sob o qual uma pessoa jurídica se individualiza e exerce suas atividades. A razão social diferencia-se do nome dado a um estabelecimento ou do nome comercial com que a empresa pode ser reconhecida junto ao público. O nome usado pelo comerciante ou industrial, pessoa natural ou jurídica, registrado oficialmente para o exercício de sua atividade, faz parte do patrimônio da empresa.

RAZÕES DE DEPENDÊNCIA — Utilizado em pesquisa de população, é uma medida que expressa o peso da população em idade potencialmente inativa sobre a população em idade potencialmente ativa. No caso da razão de dependência total, é o resultado do quociente entre as populações de 0 a 14 anos, mais a de 65 anos ou mais, e o segmento populacional com idades entre 15 a 64 anos. O resultado é expresso em percentual.

RAZÕES DE RECURSO — Peça escrita na qual se pleiteia a reforma de uma sentença ou acórdão.

RAZÕES FINAIS — Exposição, por escrito, que cada uma das partes tem direito a fazer, após a instrução do processo e antes da prolação da sentença, debatendo as questões de direito e de fato apontadas nos autos.

RCL — Ver Receita Corrente Líquida.

RDB (RECIBO DE DEPÓSITO BANCÁRIO) — É uma promessa de pagamento, à ordem da importância do depósito, acrescida dos juros convencionais, se forem prefixados, e dos juros mais correção monetária, se forem pós-fixados. O RDB não permite retirada antecipada e nem negociação no mercado secundário.

RÉ — A mulher acusada e condenada em justiça ou a que é parte em demanda civil ou comercial. (Ver: Réu.)

REABILITAÇÃO — 1) Conjunto de técnicas visando à recuperação de faculdades físicas ou psíquicas de pacientes incapacitados. 2) Conjunto de ações a serem desenvolvidas após a ocorrência de desastre natural ou provocados pelo ser humano. Tem por finalidade iniciar a restauração da área afetada, para permitir o retorno dos moradores desalojados.

REABILITAÇÃO CRIMINAL — Benefício que a lei concede ao condenado por sentença definitiva, depois de transcorrido cinco anos da extinção da pena, no sentido de ser-lhe assegurado o sigilo sobre seu processo e condenação, desde que preenchidos certos requisitos, entre eles o dano causado pelo crime.

REABILITAÇÃO PROFISSIONAL — Valorização da liberdade e autonomia das pessoas com deficiência, tornando-se gestores de seu próprio processo e responsáveis de maneira significativa pelo êxito do mesmo.

REAÇÃO — Legítima defesa, própria ou de outrem, para repelir injusta agressão atual ou iminente.

REAÇÃO EM CADEIA — Processo físico-químico em que uma transformação gera outra. O calor gerado por uma combustão provoca mais desprendimento de gases ou vapores combustíveis, que mantêm a combustão.

REAÇÃO NUCLEAR — Mudança na composição do núcleo atômico. Pode ocorrer espontaneamente nos elementos radioativos ou ser provocada pelo bombardeio de partículas atômicas, como nêutrons e prótons.

REAÇÃO QUÍMICA — Interação de duas ou mais substâncias, produzindo alterações químicas que resultam na composição de um novo corpo. Ocorre geralmente em uma das seguintes formas: combinação, decomposição, substituição e dupla substituição. O regime em que corre uma reação química depende dos seguintes fatores: área superficial dos reativos disponíveis no local da reação, estado físico do reativo (sólido, líquido ou gasoso), concentração dos reativos, temperatura, pressão e presença de um catalisador.

REACIONÁRIO — Formado de reação, no sentido político, é a expressão usada para designar a pessoa retrógrada, adepta do regime antidemocrático e antiliberal.

READEQUAÇÃO URBANA — Melhorias físico-operacionais no sistema de infra-estrutura e na urbanização de uma área, inclusive com adequação viária.

READMISSÃO — Nova admissão de pessoa, que já funcionara ou exercera função no estabelecimento, de que se afastara definitivamente.

REAGENTE QUÍMICO — Substância que, agregada a uma solução, nesta produz fenômenos característicos, indicativos da presença de determinados corpos.

REAJUSTAMENTO SOCIAL — Ação tendente a fazer o indivíduo desajustado readquirir condição para viver em sociedade.

REAJUSTE — Aplicação de juro e correção monetária ao saldo devedor e ao encargo mensal, de acordo com o índice estipulado em contrato. Em investimento é movimento de baixa, usualmente de curta duração, que ocorre durante um processo de alta de preços a que está submetido determinado título.

REAL — 1) Atual padrão monetário brasileiro. Em vigor desde 1º.7.1994, originalmente com a paridade de US$ 1.00 (um dólar norte-americano), correspondia a uma URV (Unidade Real de Valor) que, por sua vez, equivalia, naquela data, a CR$ 2.750,00 (dois mil, setecentos e cinqüenta cruzeiros reais), o padrão monetário nacional imediatamente anterior. 2) Referência aos atos ou fatos jurídicos para exprimir os que são efetivos, materiais, positivos, presentes. Uma entrega real ou uma tradição real, assim, é a que se cumpre materialmente, positivamente. Ação real é a que tem por objeto coisa móvel ou imóvel - direito real, o que versa sobre a propriedade mobiliária ou imobiliária.

REALIDADE — A realidade pertence ao campo das escolhas, isto é, determinamos parte do que consideramos fato, ato ou possibilidade a partir dos sentidos. Dessa forma construção das coisas e nossas relações dependem de um intrincado meio, que ao longo da existência cria a lente entre a aprendizagem e o desejo; o que vamos aceitar como real? A verdade pode, às vezes, encontrar-se perto da realidade, contudo depende das situações e contextos das premissas de pensamento, para termos as dúvidas reflexivas. Às vezes tudo o que observamos está preso a escolhas que são mais um conjunto de normas do que evidências.

REALIDADE VIRTUAL — Tecnologia de informação que apresenta as imagens e movimentos de forma interativa com o usuário, como se fossem reais.

REALIZAÇÃO — Ato de apropriação ou liquidação de receitas e despesas de responsabilidade de um Órgão/Entidade.

REALIZAÇÃO DE LUCRO — Venda das ações quando as cotações permitem ao investidor obter boa margem de lucro.

REALIZAÇÃO DO ATIVO — Fase inicial da liquidação em matéria de falência, constante da venda dos bens em massa, para efeito do pagamento do passivo.

REALIZAÇÃO DOS DIREITOS HUMANOS — É quando os indivíduos usufruem das liberdades abrangidas por seus direitos e esse usufruto é seguro. Os direitos humanos de uma pessoa são realizados se e somente se os arranjos sociais estão suficientemente estabelecidos para protegê-la das ameaças normais ao usufruto das liberdades abrangidas por esses direitos.

REALIZAÇÕES — São os produtos, bens ou serviços, que resultam da execução de uma ação.

REALIZÁVEL — Grupo de contas que registra os valores de capacidade de reversão em moeda, a maior ou menor prazo.

REALIZÁVEL A CURTO PRAZO — Divisão do realizável que representa os valores que se convertem em moeda no prazo de 12 meses.

REALIZÁVEL A LONGO PRAZO — Divisão do realizável que representa os valores que se convertem em moeda somente depois de 12 meses. Valores conversíveis em dinheiro somente no prazo de mais de um exercício.

REAPLICAÇÃO — Nova aplicação do capital e/ou rendimentos recebidos por um investimento feito em um período anterior.

REATOR NUCLEAR - COMBUSTÍVEL FÉRTIL — É o combustível nuclear que pode transformar-se em físsil. A transformação do combustível fértil em físsil é denominada regeneradora; quando um reator nuclear produz mais combustível físsil do que o fértil que consome é denominado reator regenerador, ou superconversor.

REATOR NUCLEAR - COMBUSTÍVEL FÍSSIL — É aquele com o qual é possível obter-se uma reação de fissão em cadeia auto-sustentável, isto é, uma vez iniciada é capaz de manter-se sem necessidade de agente externo e vem a ser o combustível nuclear principal.

REATOR NUCLEAR — É um dispositivo onde ocorre uma reação de fissão nuclear que pode ser iniciada, mantida e controlada. Seu componente essencial é o núcleo contendo combustível físsil. Possui usualmente um moderador, um refletor, blindagem, líquido refrigerante e mecanismos de controle. Reatores nucleares são usados para fins militares, científicos, medicinais e na indústria de energia para produzir vapor para eletricidade.

REBELDIA — Ato de opor-se e resistir com raiva. É um mecanismo de defesa manifestando contrariedade a um estímulo-padrão de controle, com certo teor de raiva ou inconformismo.

REBELIÃO — Revolta, sedição, motim, insurreição, movimento popular armado, de cunho político, visando a conquistar o governo ou operar mudanças nas instituições.

RECALL — O termo significa revogar, reparar, anular. É uma medida tomada por uma empresa quando é constatado que um produto ou equipamento, já lançado no mercado, pode causar danos ao consumidor. Algumas montadoras de automóveis já foram obrigadas a fazer *recall* de alguns de seus modelos por terem sido detectadas falhas em alguns equipamentos. Nesses casos, a empresa convoca todos os consumidores que adquiriram um dos veículos "defeituosos" e efetua a manutenção (ou troca da peça com defeito) necessária para maior segurança do consumidor e, é claro, sem nenhum custo adicional. O termo *recall* é também empregado como memória e recordação, em teste de pesquisa de mercado baseada na recordação espontânea de uma mensagem publicitária. Serve para medir sua eficácia.

RECÂMBIO — Exprime o segundo câmbio ou a segunda troca ou permuta de moedas, pertinente a uma mesma operação ou relativa a uma operação anteriormente realizada. É o direito que tem o portador de letra de câmbio, não paga e protestada, de sacar sobre os obrigados regressivos nova letra, descontando o título na praça indicada, para reembolsar-se de seu valor e acessórios. O mesmo que ressaque.

RECAPITALIZAÇÃO — Alteração na estrutura do capital de uma empresa como, por exemplo, a troca de debêntures (*bonds*) por ações (*stocks*).

RECAPTURA — Ato de tornar a capturar réu evadido.

RECATO — Cautela, prudência, resguardo, nas atividades e comportamentos.

RECEBER — Entrar na posse, recobrar, reaver, admitir, acolher, permitir, aceitar, reconhecer. Assim, receber o recurso é o admitir ou o permitir, para que seja objeto de discussão e julgamento. Receber o débito é reaver ou recobrar o que era devido. Receber a coisa é entrar na posse da mesma.

RECEBÍVEIS — Termo usado para denominar todos os ativos que uma empresa tem direito de receber, como, por exemplo, notas promissórias.

RECEBÍVEIS IMOBILIÁRIOS — Expressão usada no meio financeiro, que corresponde aos créditos imobiliários das entidades financiadoras com pessoas físicas e jurídicas, mutuários dos empréstimos concedidos para aquisição ou produção de imóveis.

RECEDE — Termo utilizado para indicar um declínio nas cotações das ações, títulos e *commodities*. Quando aplicado à atividade econômica em geral, significa uma recessão suave e não um período cíclico mais forte de contração.

RECEIO — Sentimento de apreensão - medo controlado - ante a possibilidade de dano, perigo ou perda. Suspeita fundada de que possa ocorrer uma lesão de direito.

RECEITA — 1) É o valor recebido pela venda de bens ou prestação de serviços. 2) Toda quantia recebida e que, uma vez escriturada, corresponde a um crédito da conta que a originou e, reversivamente, acusa débito de que a recebeu. 3) Recursos auferidos na gestão pública, a serem computados na apuração do resultado do exercício, desdobrados nas categorias econômicas de correntes e de capital. Nas empresas podem ser operacionais, administrativas e financeiras. (Ver: Receita Pública.)

RECEITA - SISTEMA DE PARTILHA E DE REDISTRIBUIÇÃO — Além das competências para instituir e cobrar impostos, a Constituição estabelece sistemas de partilha e de redistribuição da receita tributária, sempre a partir dos níveis hierárquicos mais elevados e em benefício dos mais baixos. A receita de um imposto é dita partilhada quando parte do que é recolhido por um nível de governo é transferida a outro. Ex.: IPVA que é cobrado pelos estados, mais que tem metade da receita repassada aos municípios onde foram licenciados os veículos. A redistribuição de receita ocorre, por exemplo, no caso do

Fundo de Participação dos Estados - FPE, onde um percentual, atualmente 21,5%, da receita de dois impostos da União - Imposto de Renda e Imposto sobre Produtos Industrializados - é dividido entre os estados em função de critérios redistributivos (não com base na receita gerada em seus respectivos territórios), que beneficiam, proporcionalmente, os estados mais pobres. O mesmo critério de redistribuição de receita é adotado pela União em relação ao Fundo de Participação dos Municípios - FPM, onde, atualmente, são divididos entre todos os municípios, 22,5% daqueles impostos.

RECEITA AGROPECUÁRIA — Fonte de receita da Administração Pública que corresponde à atividade ou exploração de origem vegetal ou animal.

RECEITA ARRECADADA — É aquela arrecada pelo ente público, proveniente da execução do Orçamento.

RECEITA BRUTA — Total recebido pela venda dos produtos ou serviços da empresa, sem qualquer dedução de impostos.

RECEITA CONDICIONADA — É o valor incluído como item de receita, cuja realização está condicionada à aprovação de uma lei, já encaminhada ao Legislativo. Normalmente, quando não ocorre a aprovação tempestiva da lei, as dotações que são financiadas por esse tipo de receita devem ser automaticamente canceladas.

RECEITA CORRENTE LÍQUIDA (RCL) — É o somatório das receitas tributárias, de contribuições, patrimoniais, industriais, agropecuárias, de serviços, transferências correntes e outras receitas correntes, deduzidos: a) na União, os valores transferidos aos Estados e Municípios por determinação constitucional ou legal, e as contribuições para o regime geral de previdência, para o Programa de Integração Social e para o Programa de Formação do Patrimônio do Servidor Público; b) nos Estados, as parcelas entregues aos Municípios por determinação constitucional; c) na União, nos Estados e nos Municípios, a contribuição dos servidores para o custeio do seu sistema de previdência e assistência social e as receitas provenientes de compensação financeira entre os regimes de previdência. Serão computados na receita corrente líquida os valores pagos e recebidos em decorrência da compensação financeira do ICMS nas exportações (Lei Kandir) e o resultado líquido do FUNDEF. A receita corrente liquida será apurada somando-se as receitas arrecadadas no mês de referência e nos 11 anteriores, excluídas as duplicidades. A RCL é o parâmetro de verificação dos principais limites que deverão ser observados e cumpridos pelos municípios. Despesas com pessoal, dívida, serviço da dívida, serviços de terceiros, além das operações de crédito e as garantias concedidas, estarão limitados a um determinado percentual da RCL. Certamente que os municípios deverão observar com atenção a mensuração deste parâmetro, de forma a demonstrarem com exatidão e transparência a real situação das finanças municipais. Do ponto de vista contábil, a RCL para os municípios corresponde simplesmente à receita corrente total deduzidos os valores recebidos a título de contribuição previdenciária (para o caso dos regimes próprios), as compensações financeiras da Lei nº 9.796, de 1999 (Lei Hauly), além do resultado líquido do FUNDEF: o retorno menos as transferências para o fundo. Deve-se observar que para o cálculo correto da RCL, apenas o resultado líquido do FUNDEF deve ser considerado, evitando-se desta forma a dupla contagem. Ressalte-se que, de acordo com a Lei nº 4.320, de 1964, os itens de receita devem ser contabilizados pelo valor bruto. Neste caso, o FPM, por exemplo, deve ser lançado pelo valor total, não devendo ser subtraída a transferência para o FUNDEF. O FUNDEF será substituído pelo FUNDEB, que aumentará a retenção compulsória. Entretanto, o procedimento para cálculo da RCL será o mesmo do FUNDEF. (Ver: FUNDEF // Receitas Correntes.)

RECEITA DAS OPERAÇÕES DE CRÉDITO — São as receitas que possuem como origem fatos administrativos ou de operações realizadas, como meio de conseguir recursos a fim de suprir a deficiência de caixa ou para atender às despesas que a arrecadação normal orçamentária não comporta. As operações de crédito podem ser "reais" ou "compensativas". As reais gravam o patrimônio e as compensativas não afetam o mesmo nem o modificam. Tal título de conta é utilizado na contabilidade pública para expressar fatos como: a) emissão de títulos da dívida externa fundada ou consolidada; b) emissão de títulos da dívida interna fundada ou consolidada; c) emissão de títulos da dívida flutuante; d) conversões de espécie; e) suprimentos de exercício. As emissões de títulos geram apólices, obrigações do tesouro, letras do tesouro, bilhetes do tesouro, notas promissórias, papel-moeda etc.

RECEITA DE DIREITO PRIVADO — Ver Receita Originária.

RECEITA DE ECONOMIA PRIVADA — Ver Receita Originária.

RECEITA DE SERVIÇOS — Fonte de receita pública que corresponde às atividades caracterizadas pela prestação de serviços tais como de transporte, saúde, comunicação, portuários, armazenagem, de inspeção e fiscalização, judiciários, de processamento de dados, entre outros.

RECEITA ESTIMADA — Ver Receita Prevista, Estimada ou Orçada.

RECEITA EXTRA-ORÇAMENTÁRIA — Designação atribuída aos valores que dão entrada no Caixa do setor público sem se enquadrarem nas categorias de receitas previstas no orçamento ou nas rendas típicas do ente. Seu trânsito pelo Caixa do setor público é marcado pela ocasionalidade e transitoriedade, não constituindo, propriamente, receitas públicas, mas sim depósitos de terceiros. Tais receitas são constituídas pelos valores que o setor público é obrigado a arrecadar, mas que não lhe pertencem, figurando o Erário apenas como um depositário temporário dos ingressos a esse título. São exemplos típicos dessa receita: as cauções, as fianças, os depósitos judiciais e as consignações. No Balanço Financeiro constará os Restos a Pagar do exercício para compensar sua inclusão na despesa orçamentária.

RECEITA INDUSTRIAL — São aquelas oriundas de atividades industriais exploradas pelo poder público, entre as quais estão a extrativa mineral, de transformação, editorial, gráfica, produção de energia elétrica e serviços de saneamento.

RECEITA INTERGOVERNAMENTAL — Ver Receitas - Transferências Correntes. // Receitas - Transferências de Capital.

RECEITA INTRAGOVERNAMENTAL — Ver Receitas - Transferências Correntes. // Receitas - Transferências de Capital.

RECEITA LÍQUIDA — É a receita total deduzidas as aplicações financeiras, as operações de créditos, amortização de empréstimos e a alienação de ativos.

RECEITA LÍQUIDA DISPONÍVEL — Na União é aquela apurada deduzindo-se, da receita total do Tesouro, as operações de crédito, convênios, ajustes e acordos administrativos, transferências constitucionais aos municípios e a receita proveniente da contribuição social do salário-educação.

RECEITA LÍQUIDA REAL — É a receita realizada nos 12 meses anteriores ao mês imediatamente anterior àquele em que estiver apurando, excluídas as receitas provenientes de operações de crédito, de alienação de bens, de transferências voluntárias ou doações recebidas com o fim específico de atender às despesas de capital e, no caso dos Estados, as transferências aos Municípios, por participações constitucionais e legais.

RECEITA NÃO-OPERACIONAL — Receita não advinda do processo produtivo.

RECEITA OPERACIONAL — Receita que provém da exploração do objeto da empresa, durante um período ou exercício; provento oriundo de uma operação produtiva.

RECEITA ORÇADA — Ver Receita Prevista, Estimada ou Orçada.

RECEITA ORÇAMENTÁRIA — São todas as receitas arrecadadas, excetuados os Depósitos de Terceiros e as operações de crédito por antecipação da receita orçamentária.

RECEITA ORIGINÁRIA — São os rendimentos que os governos auferem, utilizando os seus próprios recursos patrimoniais, industriais e outros, não entendidos como tributos. As receitas originárias correspondem às rendas, como os foros, laudêmios, aluguéis, dividendos, participações (se patrimoniais) e em tarifas (quando se tratar de rendas industriais).

RECEITA PATRIMONIAL — Na Contabilidade Pública corresponde ao resultado financeiro decorrente da fruição de bens mobiliários, imobiliários ou de participações societárias. Incluem-se, aqui, os aluguéis, arrendamentos, juros e correção monetária de títulos de renda e investimentos financeiros, dividendos e outras receitas resultantes da participação no capital de empresas, bem como ágios na colocação de títulos.

RECEITA PREVISTA, ESTIMADA OU ORÇADA — Volume de recursos, previamente estabelecido, a ser arrecadado em um determinado exercício financeiro, de forma a melhor fixar a execução da despesa. É essencial o acompanhamento da legislação específica de cada receita onde são determinados os elementos indispensáveis à formulação de modelos de projeção, com base de cálculo, as alíquotas e os prazos de arrecadação.

RECEITA PRÓPRIA — São as arrecadações pelas entidades públicas em razão de sua atuação econômica no mercado. Estas receitas são aplicadas pelas próprias unidades geradoras. Classificada sob o título "Recursos Diretamente Arrecadados", compreende as receitas das entidades da Administração Pública indireta (autarquias, fundações e empresas públicas) e dos fundos. Após transitar pelo Tesouro, essas receitas retornam à Unidade Orçamentária de origem, para serem aplicadas em sua programação de despesas.

RECEITA PÚBLICA — É o recolhimento de bens aos cofres públicos. Ingresso, entrada ou receita pública são, na verdade, expressões sinônimas, na terminologia de finanças públicas.

RECEITA PÚBLICA, CLASSIFICAÇÃO ECONÔMICA DA — Compreende o conjunto de receitas previstas, composto de contas que melhor as expressam. Cada conta é composta por um título que estabelece a hierarquia da classificação, a partir da categoria econômica até o menor nível do detalhe da receita, que é o subitem.

RECEITA TRIBUTÁRIA — É arrecadação de tributos - impostos, taxas e contribuição de melhoria - e respectivos adicionais.

RECEITA VINCULADA — Receita arrecadada com destinação específica estabelecida na legislação vigente. Se a receita vinculada é instrumento de garantia de recursos à execução do planejamento, por outro lado, o aumento da vinculação introduz maior rigidez na programação orçamentária.

RECEITA, ACOMPANHAMENTO DA EXECUÇÃO DA — Consiste no acompanhamento bimestral da execução da receita para cumprimento das metas de resultado primário ou nominal estabelecidos no Anexo de Metas Fiscal. (Ver: Arrecadação da Receita, acompanhamento.)

RECEITA, ARRECADAÇÃO DA - ACOMPANHAMENTO — Ao Tribunal de Contas compete acompanhar a arrecadação da receita a cargo do Estado e dos Municípios sob sua jurisdição e das fundações e sociedades instituídas e mantidas pelo Poder Público, mediante inspeções e auditorias, ou por meio de demonstrativos próprios, observando-se, ainda, as disposições dos arts. 52 a 57 da Lei nº 4.320, de 1964, e arts. 53, I e II, e 58 da Lei Complementar nº 101, de 4 de maio de 2000 - LRF. (Ver: Receita, Acompanhamento da Execução da.)

RECEITA, ARRECADAÇÃO DA — É o processo pelo qual, após o lançamento dos tributos, se realiza seu recolhimento aos cofres públicos. (Ver: Arrecadação, Queda de.)

RECEITA, AUMENTO PERMANENTE DE — É o proveniente da elevação de alíquotas, ampliação da base de cálculo, majoração ou criação de tributo ou contribuição.

RECEITA, AUMENTO VEGETATIVO DA — São os acréscimos de receita pública derivados do simples crescimento econômico, isto é, os adicionais que não derivam de modificações nas leis tributárias, de alterações na aplicação destas ou de uma atuação mais rigorosa por parte dos órgãos de fiscalização.

RECEITA, DISTRIBUIÇÃO DA — Despesa decorrente da entrega a outras esferas de governo de receitas tributárias, de contribuições e de outras receitas vinculadas, cuja competência de arrecadação, conforme previsto na legislação vigente, é do órgão transferidor. (Ver: Fundo de Participação e Repartição da Receita Tributária.)

RECEITA, ENCARGOS SOBRE OPERAÇÕES DE CRÉDITO POR ANTECIPAÇÃO DE — Despesas com o pagamento de encargos, decorrentes de operações de crédito por antecipação da receita, conforme o art. 165 da Constituição Federal.

RECEITA, ESPELHO DA — Relatório contendo as informações de receita, em seus menores detalhes, da mesma forma que foram inseridos na base de dados. O menor nível de informação da receita, para inserção de dados, é o da unidade orçamentária.

RECEITA, ESTÁGIOS DA — São as etapas ou fases da realização da receita. Os estágios da receita são: o lançamento; a cobrança; a arrecadação.

RECEITA, ESTIMATIVA DA — A estimativa da receita é realizada visando determinar antecipadamente o volume de recursos a ser arrecadado num dado exercício financeiro, possibilitando uma programação orçamentária equilibrada. É essencial o acompanhamento da legislação específica de cada receita onde são determinados os elementos indispensáveis à formulação de modelos de projeção, como a base de cálculo, as alíquotas, os prazos de arrecadação e os fatores econômicos.

RECEITA, FONTE DA — Classificação da origem da receita a qual cada crédito orçamentário por elemento de despesa corresponde, definida e codificada a critério de cada esfera governamental, no próprio projeto de Lei do Orçamento Anual, normalmente segundo grandes agrupamentos. Visa identificar a origem dos recursos (do Tesouro, Operações de Créditos, Transferências Voluntárias, FUNDEF etc.) que financiam os elementos de despesa; um elemento de despesa pode dispor de mais de uma fonte distinta para seu financiamento; cada ente público (União, Estado e Município) define sua classificação. Ex.: 0 = Recursos do Tesouro, 1 = Transferências Federais, 2 = Transferências Estaduais; 3 = Recursos Vinculados; 4 = Financiamento Externo.

RECEITA, LANÇAMENTO DA — É ato da repartição competente que verifica a procedência do crédito fiscal e a pessoa que lhe é devedora e inscreve o débito desta.

RECEITA, OBJETO DE LANÇAMENTO DE — São os lançamentos de execução da receita, identificando a sua origem. São objetos de lançamentos os impostos diretos e quaisquer outras rendas com vencimento determinado em lei, regulamento ou contrato.

RECEITA, REESTIMATIVA DA — Poderão ser realizadas reestimativas de receita orçamentária por parte do Poder Legislativo - através de emendas - apenas quando ocorrer erro ou omissão de ordem técnica ou legal. As eventuais emendas, quando for possível a sua inserção, necessariamente deverão atender a pressupostos imprescindíveis que deverão constar da Lei de Diretrizes Orçamenárias (LDO). Tal ausência implicará em impossibilidade de emendas para reestimar receita.

RECEITA, RENÚNCIA DE — Ver Renúncia de receita.

RECEITA/FONTE, INTEGRIDADE DA NATUREZA DA — Rege a consistência entre a natureza das receitas e suas respectivas fontes.

RECEITAS - TRANSFERÊNCIAS CORRENTES — Categoria de detalhamento das receitas públicas na qual são consolidados os valores recebidos de outras entidades de direito público e/ou privado para atender às despesas classificáveis como Despesas Correntes (art.11, § 1º, da Lei nº 4.320, de 1964). Tais transferências, independentemente de contraprestação direta em bens e serviços, podem ocorrer em nível intragovernamental (entre órgãos do mesmo nível de governo) ou intergovernamental (entre órgãos de diferentes níveis de governo).

RECEITAS - TRANSFERÊNCIAS DE CAPITAL — Categoria de detalhamento das receitas públicas na qual são consolidados os valores recebidos de outras entidades de direito público ou privado para atender despesas classificáveis como Despesas de Capital (art. 11, § 2º, da Lei nº 4.320, de 1964). Tais transferências, independentes de contraprestação direta em bens e serviços, podem ocorrer em nível intragovernamental (entre órgãos do mesmo nível de governo) ou intergovernamental (entre órgãos de diferentes níveis de governo).

RECEITAS CORRENTES — São as receitas tributárias, de contribuições, patrimonial, agropecuária, industrial, de serviços e outras e, ainda as provenientes de recursos financeiros recebidos de outras pessoas de direito público ou privado, quando destinadas a atender às despesas classificáveis em despesas correntes. São as que aumentam a disponibilidade, afetando positivamente o Patrimônio Líquido. (Ver: Receita Corrente Líquida.)

RECEITAS DE ALIENAÇÃO DE ATIVOS — É o mesmo que receita de alienação de títulos mobiliários. É a receita proveniente da conversão em espécie de títulos mobiliários, incluindo privatizações e demais participações, decorrente de sua alienação.

RECEITAS DE CAPITAL — São as provenientes da realização de recursos financeiros oriundos da constituição de dívidas; da conversão, em espécie, de bens e direitos; os recursos recebidos de outras pessoas de direito público ou privado, destinados a atender às despesas classificáveis em Despesas de Capital. Aumentam a disponibilidade, não afetando o Patrimônio Líquido. As receitas de capital são: Operações de Crédito; Alienação de Bens; Amortização de Empréstimos; Transferências de Capital; Outras Receitas de Capital.

RECEITAS DE DIREITO PÚBLICO — Ver Receitas Derivadas.

RECEITAS DE ECONOMIA PÚBLICA — Ver Receitas Derivadas.

RECEITAS DE TRANSFERÊNCIAS — Valores provenientes do repasse de recursos captados e transferidos por outras instituições.

RECEITAS DERIVADAS — Procedem do setor privado da economia, isto é, de famílias, empresas e do resto do mundo; são devidas por pessoas físicas ou jurídicas de direito privado, que desenvolvam atividades econômicas, exceto as que desfrutem de imunidade ou isenção, que correspondem aos tributos. De um lado, como sujeito ativo da relação jurídica, estará o fisco; de outro, como sujeito passivo, o contribuinte (pessoa física ou jurídica, pertencente ao setor privado).

RECEITAS DIVERSAS — São aquelas oriundas de indenizações, multas, restituições e também da cobrança da dívida ativa.

RECEITAS NÃO-FINANCEIRAS — É o somatório das receitas correntes e receitas de capital, subtraídas as aplicações financeiras e as operações de crédito. Além disso, devem ser subtraídas as receitas de alienações por configurarem receitas de caráter eventual.

RECENSEAMENTO — É um método de estudo das populações, sendo, à semelhança da sondagem, uma espécie de fotografia que capta a realidade da população em determinado instante espaço-temporal. A diferença com a sondagem é a de que é uma fotografia de todos os elementos da população e não de uma amostra daqueles. Permite conhecer o essencial sobre o estado geral da população através do recolhimento de informação, sobretudo fatos para a qual se exige maior atenção e rigor.

RECEPÇÃO — Fenômeno pelo qual as leis e atos normativos se tornam automaticamente válidos e permanecem em vigor, com o advento de uma nova constituição política, se com seus princípios não colidirem.

RECEPTAÇÃO — Crime contra o patrimônio, de natureza comissivo e autônomo. Consiste em adquirir, receber ou ocultar em proveito próprio ou alheio, coisa que sabe ser produto de crime ou influir para que terceiro, de boa-fé, a adquira, receba ou oculte. A lei penal classifica a receptação de dolosa ou culposa.

RECESSÃO ECONÔMICA — Termo utilizado para designar o crescimento negativo da economia de um país, ou seja, tecnicamente representa uma queda no PIB que perdure mais de seis meses. É resultante de um estado de descompasso da economia, em que a capacidade aquisitiva se retrai e os volumes de produção e consumo entram em estagnação; ou, ao contrário, o volume de produção se reduz deixando sem atendimento a capacidade aquisitiva, e em ambas as alternativas provocando desemprego. (Ver: Depressão Econômica.)

RECESSO — Período em que são suspensas as atividades de um órgão colegiado público ou privado.

RECESSO DO JUDICIÁRIO — Ver Férias Forenses.

RECESSO PARLAMENTAR — Período em que os Deputados Federais e Senadores suspendem temporariamente suas atividades. No Congresso Nacional o recesso é de 55 dias, assim distribuídos: 14 dias em julho (de 18 a 31) e 31 dias, entre 23 de dezembro e 1º de fevereiro.

RECIBO — Declaração por escrito passado pelo recebedor e que comprova o pagamento da quantia ou a entrega de objeto nele expresso.

RECIBO DE CARTEIRA SELECIONADA DE AÇÕES (RCSA) — É um recibo representativo de um conjunto de ações, cujas quantidades são previamente fixadas e conhecidas antes de sua constituição. Uma vez constituídos, os recibos são negociados na BOVESPA como se fossem um único título. Podem ser constituídas carteiras com variadas composições, de acordo com o perfil do investidor.

RECIBO DE SUBSCRIÇÃO — Documento que comprova o exercício do direito de subscrição (de receber novas ações emitidas por uma sociedade anônima). Ele pode ser negociado em bolsa.

RECIBO DE TÍTULO — Documento provisório que prova a posse de determinado titulo e, em alguns casos, pode ser negociado na Bolsa de Valores.

RECIBOS DE DEPÓSITO A PRAZO FIXO — São promessas de pagamento de importância depositada e constituem exigibilidade das instituições que os emitem. São autorizados a receber esse tipo de depósito os bancos comerciais e os bancos de investimento. São nominativos e intransferíveis.

RECICLAGEM — Processo de conversão de restos de material, objetos obsoletos ou descartados, em matéria-prima.

RECICLAGEM DO LIXO — Ver Lixo reciclável.

RECIDIVA — Na linguagem do Direito Penal é aplicado no mesmo sentido de reincidência. (Ver: Reincidência.)

RECIFE — Formação rochosa localizada próximo da costa marítima, sendo os mais comuns os de arenito ou de corais (formações orgânicas).

RECIPIENDÁRIO — Emprega-se no mesmo sentido de recepcionário, para designar a pessoa que é solenemente ou festivamente recebida no seio de uma corporação.

RECLAMAÇÃO — 1) Ato ou efeito de reclamar; reclamo, clamor. Queixa, protesto. 2) Reivindicação legal; vindicação. Pedido para o reconhecimento da existência de um direito ou a queixa contra atos que prejudicam direitos do reclamante. A reclamação é feita contra o ato injusto, para que seja desfeito ou para que se repare a injustiça. A reclamação pode ser dirigida contra a própria autoridade que praticou o ato, desde que em função administrativa. Medida de natureza correicional, normalmente prevista nas leis de organização judiciária, mediante a qual a parte que sofreu gravame por ato ou omissão judicial de que não caiba recurso, reclama ao órgão superior competente. Denominação considerada por alguns advogados como a mais apropriada para a petição inicial no processo do trabalho. Em via de regra, emprega-se o termo reclamação para denominar, indistintamente, a petição inicial e a própria ação trabalhista, o que acarreta certa confusão terminológica. 3) Uso da palavra pelo parlamentar, durante sessão plenária ou reunião de comissão, para reclamar a observância de expressa disposição regimental. (Ver: Reclamatória.)

RECLAMAÇÃO ADMINISTRATIVA — Faculdade do servidor público em reivindicar, através de ação reclamatória, possível direito junto ao Contencioso Administrativo.

RECLAMAÇÃO CORREICIONAL — Meio assegurado ao interessado para pedir providências à Corregedoria-Geral da Justiça para corrigir erros, abusos ou atos contrários à boa ordem processual.

RECLAMAÇÃO TRABALHISTA — Ver Reclamatória.

RECLAMADO — Pessoa natural ou jurídica contra quem se propõe reclamação. Nome dado ao réu no processo trabalhista. (Ver: Reclamatória.)

RECLAMANTE — O que reclama, propõe reclamação contra alguém (pessoa física) ou um ente jurídico. Denominação dada ao autor no processo trabalhista. (Ver: Reclamatória.)

RECLAMATÓRIA — Denominação da reclamação trabalhista, que é o início do processo trabalhista. Manifestação em forma escrita ou verbal, que abre o dissídio, e por meio da qual o reclamante pede a tutela judicial contra ato do reclamado, perante o órgão competente da Justiça do Trabalho. Em lugar de reclamação trabalhista, alguns advogados empregam o termo reclamatória, por entenderem ser o mais indicado. (Ver: Reclamante // Reclamado.)

RECLUSÃO — Pena de privação de liberdade mais severa que a detenção, por aplicar-se a atos puníveis mais graves, e que é cumprida em regime fechado, semi-aberto ou aberto.

RECOBRAR — Adquirir novamente. Recuperar o que se tinha perdido. Retomar; voltar à posse de.

RECOLHIMENTO PREVIDENCIÁRIO — Pagamento feito à Seguridade Social.

RECOLHIMENTOS COMPULSÓRIOS/ENCAIXES OBRIGATÓRIOS — São valores recolhidos pelas instituições financeiras ao Banco Central e/ou mantidos na forma de encaixe para fins de cumprimento das diversas normas prudenciais e de controle monetário, estabelecidas pelo Conselho Monetário Nacional. Os recolhimentos "em espécie" correspondem aos valores que foram transferidos das contas "Reservas Bancárias" para outras contas de depósitos no Banco Central e que têm movimentação limitada aos períodos regulamentares, geralmente semanais, mediante demonstrativo de evolução da base de cálculo. Esses recolhimentos podem ser remunerados ou não. Os recolhimentos "em títulos" correspondem aos valores dos títulos públicos federais que foram vinculados no SELIC, e que ficaram indisponíveis para negociações enquanto mantida a vinculação. Os recolhimentos "em títulos" são considerados remunerados em função da rentabilidade implícita no valor atualizado do título, não recebendo qualquer remuneração adicional por parte do Banco Central.

RECOMENDAÇÃO — Conduta ou ações sugeridas. Texto desprovido, em princípio, de força obrigatória que fornece apenas as diretrizes a serem seguidas e as medidas a serem tomadas. As recomendações não têm caráter legalmente vinculante. São propostas que têm por objetivo promover a eficácia, qualidade ou eficiência na execução de ações planejadas, reorientar os objetivos, e/ou redistribuir/reafetar recursos. As recomendações devem estar relacionadas com as conclusões do relatório.

RECOMPOSIÇÃO — Restauração natural do ambiente, sem interferência do ser humano.

RECOMPRA — É comprar de novo. Termo utilizado para identificar o resgate de um ativo financeiro pelo emissor. No *factoring*, a recompra ocorre quando o cedente-faturizado, espontaneamente ou por obrigação contratual (estipulação no contrato de fomento mercantil a obrigação de recomprar no prazo determinado) recompra os títulos cedidos, ou porque não foram adimplidos pelo sacado, ou por arrependimento, ou por encontrarem-se os títulos viciados.

RECONCILIAÇÃO — Termo peculiar ao direito de família, referente à restauração da sociedade conjugal após a separação judicial, requerida ao juiz para a devida homologação.

RECONDUÇÃO — 1) Prorrogação de contrato, nas mesmas condições e sem preceder um novo ajuste. 2) Ato pelo qual o servidor público não efetivo é renomeado para cargo que já vinha exercendo. Novo provimento em cargo ou em ofício que vinha sendo exercido. Pode ser expressa ou tácita.

RECONHECIMENTO — Identificação da pessoa ou coisa feita na presença da autoridade.

RECONHECIMENTO DA ASSINATURA — É o ato pelo qual o tabelião certifica que a assinatura aposta num documento particular é da lavra da pessoa que declara firmá-lo ou, em outras palavras, a assinatura é autêntica. Trata-se do reconhecimento de firma. A modalidade de reconhecimento de firma usual é a por semelhança, ou por assemelhação, ou comparado, na qual o tabelião declara por comparação que a firma tem os caracteres análogos à do signatário, que tem visto ou consta de ficha arquivada em cartório. Assim, presume-se verdadeira a firma reconhecida. Todavia, trata-se de presunção *juris tantum*, ou seja, que admite prova em contrário, a ser feita por perícia grafotécnica, salvo no reconhecimento autêntico (ou por certeza, ou verdadeiro), em que o tabelião reconhece assinatura feita em sua presença por pessoa conhecida.

RECONHECIMENTO DE FIRMA — Ver Reconhecimento de assinatura.

RECONHECIMENTO DO PEDIDO — Admissão, pelo réu, da procedência de fato e de direito do pedido. Não se confunde com a confissão, pois esta é um meio de prova e refere-se apenas aos fatos.

RECONSIDERAÇÃO — Ato de tomar nova posição. Ato de retirar decisão anterior, proferindo nova decisão ou desfazendo um ato, voluntariamente ou por provimento de agravo.

RECONVENÇÃO — É uma ação inversa, incidente à ação principal, que o réu pode mover contra o autor, no mesmo prazo da contestação da primeira ação. Formulada na própria contestação, a reconvenção é uma nova ação, promovida pelo próprio demandado, contra o demandante. O pedido da reconvenção deve ter conexão com o pedido do demandante. A reconvenção não se confunde com a contestação, pois vai além desta, incluindo uma pretensão que não se limita a negar o pedido do demandante, mas em invocar um novo pedido contra este. Por exemplo, A pretende receber uma importância em dinheiro de B; este não se limita a contestar o pedido de A, mas vai além, pedindo, em sua reconvenção, que A lhe pague tal importância, pois é ele o credor e não A. O principal fundamento da reconvenção é a economia processual, e a sua natureza é o "contra-ataque". (Ver: Contestação.)

RECONVENIENTE — É a pessoa que reconvém do demandado que requereu reconvenção contra o demandante.

RECONVIDO — É usada para designar a pessoa contra quem se propôs à reconvenção. É o réu da reconvenção e autor da ação.

RECORDAÇÃO — Energização de um registro no banco da memória, por repetição ou concentração para efeito de lembrança rápida e eficaz.

RECORRÊNCIA — Processo de recorrer; que se aplica sobre um objeto sucessivamente.

RECORRENTE — É a pessoa que interpõe qualquer recurso ou usa de recurso, permitido legalmente, para que se modifique ou se altere o teor de uma sentença, ou de uma decisão. O requerente, dependendo do recurso, será apelante, embargante, agravante etc.

RECORRER — Interpor recurso; apelar, agravar.

RECORRIDO — É o juiz ou o tribunal para que se recorreu, o adversário ou a parte contrária favorecida pela sentença ou pela decisão, cujo recurso se interpôs.

RECOVAGEM — Denominação do contrato de transporte por terra ou água, indistintamente de pessoas ou mercadorias.

RECRUTAMENTO — Procedimento de busca de pessoas dentro e fora da empresa para ocupar posições em aberto.

RECUO OU AFASTAMENTO — Medida obrigatória de afastamento das divisas, em virtude de restrição legal que disciplina o uso do imóvel.

RECUPERAÇÃO — Caracteriza-se quando ocorre uma tendência secundária em um mercado de ações em baixa.

RECUPERAÇÃO AMBIENTAL — Restituição de um ecossistema, ou de uma população silvestre degradada, a uma condição não degradada, que pode ser diferente de sua condição original. (Ver: Restauração.)

RECUPERAÇÃO EXTRAJUDICIAL — Com a previsão expressa deste instituto na Lei nº 11.101, de 9.2.2005 (Lei de Falência e Recuperação - LFR), as empresas poderão convocar os credores mais expressivos para negociar créditos com garantias reais até o limite do valor do bem gravado, créditos com privilégio especiais e gerais, quirografários e aqueles subordinados (aqueles previstos em lei ou contrato, bem como os créditos dos sócios e dos administradores sem vínculo empregatício), com objetivo de possibilitar a reestruturação da empresa, sem comprometer suas características, prazo e valores dos créditos dos demais credores, de menor expressão no passivo da empresa. Além destes credores, poderão ser objeto de negociação outros créditos decorrentes da mesma natureza e sujeitos a semelhantes condições de pagamento. Esta convocação, ao contrário do que previa a antiga Lei de Falência e Concordatas (Decreto-Lei nº 7.661 de 1945), não mais configura comportamento conducente a pedido de falência propriamente dito da empresa. Dessa negociação não poderá ocorrer com: a) titulares de créditos de natureza tributária; b) derivados da legislação do trabalho; c) decorrentes de acidente de trabalho, nem de credor; d) titular de posição de proprietário fiduciário de bens móveis ou imóveis; e) de arrendador mercantil; f) de proprietário ou promitente vendedor de imóvel cujos respectivos contratos contenham cláusula de irrevogabilidade ou irretratabilidade, inclusive em incorporações imobiliárias; g) de proprietário em contrato de compra de venda com reserva de domínio. (Ver: Recuperação Extrajudicial, Plano de // Recuperação Judicial.)

RECUPERAÇÃO EXTRAJUDICIAL, PLANO DE — É aquele produzido da negociação com os credores mais expressivos da empresa, que poderá ser homologado em juízo, juntamente com a exposição da situação patrimonial do devedor e as demonstrações contábeis relativas ao último exercício social. Após a respectiva distribuição judicial, os credores que tenham assinado o respectivo termo não poderão mais desistir da adesão ao plano, salvo anuência expressa dos demais acordantes. Se mais de 3/5 (três quintos) dos credores representantes de créditos de determinada classe aprovarem o plano, o devedor poderá requerer que essa obrigação vincule a todos os credores desta classe, mesmo aqueles não aderentes. Com o requerimento da distribuição do plano de recuperação, todos os credores serão chamados a se manifestar sobre o plano, de modo que o termo de acordo não deve priorizar o mesmo tratamento entre os credores das respectivas classes. O plano somente fará efeito após a homologação judicial e, caso não seja homologado, poderá o devedor apresentar novo plano de recuperação extrajudicial. Com a decisão, o plano será título executivo judicial e a quebra terá o efeito de converter falência. Deve ser ressaltado que aqueles devedores que tenham se beneficiado de pedido de recuperação judicial ou homologação de outro plano de recuperação extrajudicial há menos de dois anos não poderão requerer nova homologação. (Ver: Recuperação Extrajudicial.)

RECUPERAÇÃO JUDICIAL — É o processo que tem por objetivo viabilizar a superação da situação de crise econômico-financeira da empresa devedora, a fim de permitir a manutenção da fonte produtora, do emprego dos trabalhadores e dos interesses dos credores, promovendo, assim, a preservação da empresa, sua função social e o estímulo à atividade econômica. Tal conceito extraído do art. 47 da Lei nº 11.101, de 9.2.2005 (Lei de Falência e Recuperação - LFR), deixa bem claro que as motivações da mudança da legislação falimentar, principalmente no tocante à criação do instituto de recuperação de empresas, estão ancoradas na busca de prevalência do interesse coletivo da sociedade. Não se quis com tais alterações (pelo menos ao que se declara) facilitar a vida do empresário, mas sim propiciar a preservação da empresa como unidade produtiva, visando aos interesses da sociedade no tocante à preservação de empregos, produção de riquezas e arrecadação de tributos. O novo diploma legal dá ênfase especial para recuperação das empresas. Assim, as empresas em dificuldades de liquidez poderão fazer um projeto de recuperação, sem solução de continuidade de suas atividades, e sem comprometimento das características, prazo e valores dos créditos constituídos. Esse procedimento, ao contrário do que previa a antiga Lei de Falência e Concordatas (Decreto-Lei nº 7.661 de 1945), não mais configura comportamento conducente a pedido de falência propriamente dito da empresa.

RECUPERAÇÃO JUDICIAL - PRAZO — A Lei nº 11.101, de 9.2.2005 (Lei de Falência e Recuperação - LFR) não estabelece um prazo para a recuperação judicial da empresa, podendo este ser projetado no plano de recuperação judicial aprovado por 2/3 dos credores e homologado pelo juiz.

RECUPERAÇÃO JUDICIAL DA MICRO E PEQUENAS EMPRESAS — A recuperação da micro e pequena empresa abrangerá apenas os chamados créditos quirografários, que poderão ser parcelados em até 36 meses, mas corrigidos monetariamente e acrescidas de juros de 12% ao ano. A primeira parcela deverá ser paga no prazo máximo de 180 dias contados da distribuição do pedido de recuperação judicial. O pedido de recuperação judicial com base nesse plano especial não se aplica na suspensão da prescrição das ações e execuções por créditos não abrangidos pelo plano. (Ver: Credor quirografário // Quirografário.)

RECUPERAÇÃO JUDICIAL, CONTEÚDO DO PLANO DE — O plano de recuperação judicial deverá conter a estratégia que se pretende utilizar para recuperar a empresa em crise. Nesse passo, o art. 53, incisos I a III da Lei nº 11.101, de 9.2.2005 (Lei de Falência e Recuperação - LFR) obriga que este contenha: a) discriminação detalhada dos meios de recuperação a serem utilizados, e seu resumo; b) demonstração de viabilidade econômica; c) laudo econômico-financeiro e de avaliação dos ativos do devedor, subscrito por profissional legalmente habilitado ou empresa especializada.

RECUPERAÇÃO JUDICIAL, CRÉDITOS SUJEITOS À — Estão sujeitos à recuperação judicial todos os créditos que se tenha contra o devedor recuperando na data do pedido de recuperação, ainda que não vencidos. Esta é a regra geral, inserta no art. 49 da Lei nº 11.101, de 9.2.2005 (Lei de Falência e Recuperação - LFR). Entretanto, esta regra possui exceções, visto não estarem sujeitos à recuperação judicial os seguintes créditos: a) no qual o credor tenha a posição de credor fiduciário de bens móveis ou imóveis. É o caso, por exemplo, da alienação fiduciária em garantia, forma contratual muito utilizada em nossos dias; b) relativos a arrendamento mercantil (*leasing*); c) no qual o credor seja proprietário ou promitente vendedor de imóvel cujos respectivos contratos contenham cláusula de irrevogabilidade ou irretratabilidade, inclusive em incorporações imobiliárias; d) cujo credor seja proprietário de bem objeto de venda com reserva de domínio; e) decorrentes de adiantamento de contrato de câmbio para exportação onde o recuperando seja devedor; f) os créditos fiscais (*vide* art. 191-A do CTN, acrescentado pela LC nº 118, de 2005).

RECUPERAÇÃO JUDICIAL, DEFERIMENTO DO PEDIDO DE — Estando em termos a documentação exigida para o pedido de recuperação judicial, e percebendo que este é feito por parte legítima, o juiz deferirá o seu processamento. Logo, no exame inicial do pedido de recuperação judicial o juiz não irá se deter em apreciar o mérito do mesmo, limitando-se apenas a verificar se este atende às exigências de ordem processual impostas pela legislação processual comum (CPC) e pela Lei nº 11.101, de 9.2.2005 (Lei de Falência e Recuperação - LFR). Assim, quando o juiz defere o processamento da recuperação judicial não está concedendo ao devedor a recuperação em si, está apenas admitindo tal pedido como processualmente idôneo, deixando o exame de mérito, após o qual irá deferir ou não a recuperação judicial, para um momento futuro. (Ver: Recuperação Judicial, Plano de.)

RECUPERAÇÃO JUDICIAL, PEDIDO DE — Podem requerer a recuperação judicial: a) o próprio devedor; b) o cônjuge sobrevivente, herdeiros do devedor ou inventariante, em caso de falecimento do devedor; c) sócio remanescente. Cabe-se postular a recuperação judicial somente antes da falência, ou seja, antes da decretação, pois mesmo após o pedido, no prazo da defesa, ainda pode o devedor requerer o benefício legal, consoante expressa o art. 95 da Lei nº 11.101, de 9.2.2005 (Lei de Falência e Recuperação - LFR): "Dentro do prazo de contestação, o devedor poderá pleitear sua recuperação judicial."

RECUPERAÇÃO JUDICIAL, PETIÇÃO INICIAL DE — Como toda petição inicial que se sujeite ao processamento no juízo cível em sentido *lato*, a exordial da recuperação judicial deve, a princípio, atender aos requisitos do art. 282 do Código de Processo Civil (CPC) e, especialmente, ser instruída com os previstos no art. 51 da Lei nº 11.101, de 9.2.2005 (Lei de Falência e Recuperação - LFR). (Ver: Recuperação Judicial, Deferimento do Pedido de.)

RECUPERAÇÃO JUDICIAL, PLANO DE — O art. 53 da Lei nº 11.101, de 9.2.2005 (Lei de Falência e Recuperação - LFR) é enfático em estabelecer que: "O plano de recuperação será apresentado pelo devedor em juízo no prazo improrrogável de 60 (sessenta) dias da publicação da decisão que deferir o processamento da recuperação judicial, sob pena de convolação em falência [...]." Logo, o devedor tem um termo final para apresentação do plano de recuperação judicial, não podendo realizar tal ato a qualquer tempo. A pena para o descumprimento do prazo é a decretação de sua falência; ou, nos termos utilizados pela LFR, a convolação da recuperação em falência. (Ver: Falência.)

RECUPERAÇÃO JUDICIAL, REQUISITOS PARA SE TER ACESSO À — Poderá requerer recuperação judicial o devedor empresário que atenda aos seguintes requisitos: a) no momento do pedido, exerça regularmente suas atividades há mais de 2 (dois) anos; b) não ser falido e, se o foi, estejam declaradas extintas, por sentença transitada em julgado, as responsabilidades daí decorrentes; c) não ter, há menos de 5 (cinco) anos, obtido concessão de recuperação judicial; d) não ter, há menos de 8 (oito) anos, obtido concessão de recuperação judicial com base no plano especial de recuperação judicial para microempresas e empresas de pequeno porte; e) não ter sido condenado ou não ter, como administrador ou sócio controlador, pessoa condenada por qualquer dos crimes previstos na pela Lei nº 11.101, de 9.2.2005; salvo se referidas pessoas já foram reabilitadas na forma da lei, somente o empresário (coletivo ou individual) pode ter acesso à recuperação judicial. As restrições, contudo, não param por aí. Mesmo sendo empresário o interessado, este ainda tem que atender a certos requisitos impostos pela Lei nº 11.101, de 9.2.2005 (Lei de Falência e Recuperação - LFR).

RECURSO - DESISTÊNCIA — É a faculdade que tem o recorrente, a qualquer tempo e independentemente do recorrido ou dos litisconsortes, de desistir do recurso por ele interposto.

RECURSO — É o meio, dentro da mesma relação processual, de que se pode servir a parte vencida ou quem se julgue prejudicado, para obter a anulação ou reforma, total ou parcial, de uma decisão na mesma instância ou em instância superior. Existem vários tipos de recursos: embargos, agravo, apelação, recurso especial, recurso extraordinário etc.

RECURSO - RENÚNCIA — É o ato pelo qual a parte manifesta no contrato sua intenção de não interpor recurso de que poderia valer-se, contra decisão judicial.

RECURSO - VARIAÇÃO — É a substituição, por outro, do recurso já interposto

RECURSO ADESIVO — Modalidade de recurso de natureza civil que se aplica aos casos em que autor e réu sejam vencidos parcialmente. É assim chamado porque, quando uma das partes a interpõe, a outra a ele adere. Recurso subordinado, que pode ser interposto no prazo das contra-razões.

RECURSO ADMINISTRATIVO — Expediente que visa provocar, administrativamente, a modificação de uma decisão que prejudica direito ou interesse do servidor.

RECURSO AMBIENTAL — São os elementos naturais bióticos e abióticos de que dispõe o ser humano, para satisfazer suas necessidades econômicas, sociais e culturais, ou seja, recurso natural constituído pela atmosfera, águas interiores, superficiais e subterrâneas, estuários, mar territorial, solo, subsolo, elementos da biosfera, como fauna e flora.

RECURSO BIOLÓGICO — Conjunto dos organismos vivos existentes na natureza.

RECURSO CARIMBADO — É a dotação constante da lei orçamentária, em nível de subprojeto ou subatividade, identificada com o nome da localidade que receberá os recursos alocados. Exemplo típico é o subprojeto incluído na Lei de Diretrizes Orçamentárias (LOA) federal ou estadual por meio de emenda parlamentar, e que identifica o Município destinatário dos recursos. A sua não-execução implica em cancelamento da dotação, podendo, ainda ser utilizada como fonte para atendimento adicional.

RECURSO COMUM — Ver Bem público (puro).

RECURSO DE OFÍCIO — Ver Recurso *ex officio* ou Reexame Obrigatório.

RECURSO DE REVISTA — É o recurso que cabe contra decisão que contenha interpretação de norma legal divergente entre Tribunais ou entre o Tribunal e o Tribunal Superior, ou contra decisões que contrariem literalmente dispositivo de lei federal ou da Constituição. Neste recurso não se discute questão de fato, mas apenas o direito em tese, pois seu objetivo é a uniformização. Da decisão proferida pelo Tribunal Regional do Trabalho (TRT) no recurso ordinário cabe recurso de revista para o Tribunal Superior do Trabalho (TST).

RECURSO EM SENTIDO ESTRITO — É aquele interposto contra decisões elencadas no art. 581 do Código de Processo Penal. Nesse recurso existe o juízo de retratação, que consiste no reexame da decisão pelo juiz prolator, antes que o recurso seja julgado pela instância superior.

RECURSO ESPECIAL — Recurso de competência do Superior Tribunal de Justiça, instituído pela Constituição de 1988 (art. 105, III). É cabível das causas decididas em única ou última instância pelos Tribunais Regionais Federais ou pelos Tribunais dos Estados, do Distrito Federal, quando a decisão recorrida: a) contrariar tratado ou lei federal, ou negar-lhes vigência; b) julgar válida lei ou ato de governo local contestado em face de lei federal; e c) der a lei federal interpretação divergente de que lhe haja atribuído outro tribunal.

RECURSO *EX OFFICIO* OU REEXAME OBRIGATÓRIO — Ocorre quando o próprio juiz que prolatou a sentença submete-a à instância superior para reapreciação, existindo ou não recurso das partes. São determinadas hipóteses estabelecidas em lei, em que cumpre ao juiz determinar a subida dos autos ao Tribunal, independentemente da interposição de recurso pelas partes. A coisa julgada não ocorre senão a partir da confirmação da sentença pelo Tribunal (anulação de casamento, sentença proferida contra a União, Estado ou Município, decisão de improcedência em execução de dívida ativa).

RECURSO EXTRAORDINÁRIO — Recurso de caráter excepcional de qualquer pessoa para o Supremo Tribunal Federal contra decisões de outros tribunais, em única ou última instância, quando a decisão recorrida: a) contrariar dispositivo da Constituição; b) declarar a inconstitucionalidade de tratado ou lei federal; c) julgar válida lei ou ato de governo local contestado em face da Constituição.

RECURSO GENÉTICO — Variabilidade de espécies de plantas, animais e microorganismos integrantes da biodiversidade, de interesse socioeconômico atual e potencial para utilização em programas de melhoramento genético, biotecnologia e outras ciências afins.

RECURSO NÃO-RENOVÁVEL — Ver Recursos Naturais Não-Renováveis.

RECURSO NATURAL — Qualquer elemento, matéria e energia que não tenha sofrido processo de transformação, que seja usado diretamente para assegurar necessidades fisiológicas, socioeconômicas ou culturais. Um recurso renovável pode se auto-renovar ou ser renovado a um ritmo constante, porque se recicla rapidamente, ou porque está vivo e pode propagar-se ou ser propagado. Um recurso não-renovável ou inexauríveis é aquele cujo consumo envolve necessariamente seu esgotamento, pois não tem mecanismos físico-químicos ou biológicos de geração, regeneração ou de propagação. (Ver: Recursos Naturais Não-Renováveis // Recursos Naturais Renováveis.)

RECURSO ORDINÁRIO — É o que cabe para o Supremo Tribunal Federal (STF) das decisões de Tribunais Superiores em certas matérias e no crime político, ou para o Superior Tribunal de Justiça (STJ) em certas matérias decididas por tribunais de segunda instância. Também pode-se interpor Recurso Ordinário ao Tribunal Regional do Trabalho (TRT) da decisão de 1º grau que é julgado por uma das turmas do tribunal a que pertence a Vara do Trabalho onde foi protocolado o processo e, ainda, contra decisão de TRT em processo de sua competência (dissídios coletivos, agravos regimentais, ações rescisórias).

RECURSO ORDINÁRIO CRIMINAL — Cabe recurso ao Supremo Tribunal Federal de decisão única ou de última instância da Justiça Militar. O prazo para apresentação do recurso é de três dias.

RECURSO ORDINÁRIO EM *HABEAS-CORPUS* — O recurso só subirá ao Supremo, vindo de Tribunais Superiores, quando o pedido for negado naquelas instâncias. Não cabe Recurso Ordinário ao STF de decisão que tenha concedido o *habeas-corpus*, apenas Recurso Especial.

RECURSO RENOVÁVEL — Ver Recursos Naturais Renováveis.

RECURSO RENOVÁVEL/ENERGIA RENOVÁVEL — É uma fonte energética constante ou ciclicamente renovada pela natureza. Exemplos: solar, eólica, hidrelétrica, geotérmica, biomassa ou fontes energéticas similares.

RECURSÓRIA — Ver Ação regressiva.

RECURSOS — 1) É o numerário. O disponível. Na Administração Pública, para fins de abertura de créditos suplementares ou especiais, consideram-se recursos, desde que não comprometidos: o superávit financeiro apurado em balanço patrimonial do exercício anterior; os provenientes de excesso de arrecadação; os resultantes de anulação parcial ou total de dotações orçamentárias ou de créditos adicionais autorizados em lei; e o produto de operações de créditos autorizados, em forma que juridicamente possibilite ao Poder Executivo realizá-las. 2) Meios financeiros, humanos e materiais usados na execução de uma ação planejada, para produzir determinados resultados. São as máquinas, trabalhadores, dinheiro, terra, produtos primários e outras coisas que um país pode usar para produzir mercadorias e serviços e fazer sua economia crescer. Os recursos podem ser renováveis e não-renováveis.

RECURSOS ADMINISTRADOS — Valores sobre os quais as decisões de investimento são centralizadas na figura de um gestor ou de uma administradora. Os valores podem ser próprios ou de terceiros.

RECURSOS AMBIENTAIS — Compreendem a atmosfera, as águas interiores, superficiais e subterrâneas, os estuários, o mar territorial, o solo, o subsolo, os elementos da biosfera, a fauna e a flora.

RECURSOS COMPENSATÓRIOS — Na Administração Pública são os recursos para abertura de créditos suplementares e especiais, desde que não comprometidos: o superávit financeiro apurado no balanço patrimonial do exercício anterior; os provenientes de excesso de arrecadação, inclusive de receitas com destinação específica; anulação parcial ou total de dotações orçamentárias, com a mesma fonte de recursos; operações de crédito não previstas ou insuficientemente previstas no orçamento e a Reserva de Contingência.

RECURSOS CONCESSIONAIS — Recursos concedidos em condições mais favoráveis que as condições de mercado.

RECURSOS DE TERCEIROS — Expressão habitualmente empregada por profissionais de finanças e do mercado financeiro, para designar valores de propriedade de outras empresas ou pessoas. No popular, significa "dinheiro dos outros".

RECURSOS DIFERIDOS — Saldo financeiro no final do exercício originário de cotas, repasses, sub-repasses e recolhimentos não utilizados, que passa para o exercício seguinte como antecipação de cota, repasse ou sub-repasse.

RECURSOS DISPONÍVEIS — Recursos sobre os quais o Poder Executivo mantém autonomia no sentido de prover sua alocação em programas prioritários, em face das decisões de política econômica global. (Ver: Despesa adequada com a lei orçamentária anual.)

RECURSOS EXCEDENTES — Excesso sobre os recursos necessários para compor a conta margem, isto é, aqueles com os quais o corretor operará em nome do cliente e que podem ser retirados em dinheiro da conta.

RECURSOS FINANCEIROS — Quantidade de recursos materiais e monetários disponíveis para produzir bens e serviços. Conjunto de ações relativas ao manejo do dinheiro público. (Ver: Recursos Orçamentários e Recursos Financeiros.)

RECURSOS FINANCEIROS, DESCENTRALIZAÇÃO DE — Movimentação de recursos financeiros do ente público entre as diversas unidades orçamentárias e administrativas, compreendendo: Cota; Repasse; e Sub-repasse. (Ver definições nos itens próprios.)

RECURSOS GRÁFICOS — Expressão no jargão orçamentário que designa as autorizações de gastos público contidos nas leis orçamentárias, especificadas através de dotações, enquanto não lhes for assegurada a viabilização financeira.

RECURSOS HÍDRICOS — É a quantidade de águas superficiais ou subterrâneas, disponíveis para qualquer uso numa determinada região ou bacia.

RECURSOS HUMANOS — Qualidade e quantidade do esforço humano disponível para produzir bens e serviços.

RECURSOS INTANGÍVEIS — São valores que não têm representação física imediata como as mercadorias em geral. Ex.: Patentes, franquias, nomes e marcas. (Ver: Recursos Tangíveis.)

RECURSOS LOCAIS — Quantidade e qualidade dos recursos locais utilizados na execução de uma ação planejada para produzir bens e serviços.

RECURSOS MINERAIS — Qualquer recurso natural que seja de origem mineral.

RECURSOS NATURAIS DO MAR — Recursos minerais e outros recursos não-vivos do leito do mar e subsolo, bem como os organismos vivos pertencentes às espécies sedentárias, isto é, aquelas que no período de captura estão imóveis no leito do mar ou no seu subsolo, ou que só podem mover-se em constante contato físico com esse leito ou subsolo.

RECURSOS NATURAIS NÃO-RENOVÁVEIS — Qualquer recurso natural finito que, em escala de tempo humana, uma vez consumido, não possa ser renovado. Ex.: Recursos provenientes da decomposição da matéria orgânica acumulada há milhões de anos e que se encontram no interior das rochas e do subsolo (petróleo, carvão fóssil).

RECURSOS NATURAIS RENOVÁVEIS — Recursos que podem ser utilizados pelo ser humano e que podem ser recolocados na natureza (ex.: árvores, animais) ou já existem à disposição sem que seja necessária a reposição (ex.: energia solar, ventos, água). Potencialmente podem durar indefinidamente porque são substituídos por processos naturais, desde que respeitadas suas características. Alguns recursos naturais renováveis, como a água doce, própria para consumo, podem ter sua capacidade de reposição afetada por alterações externas; a poluição das fontes naturais de abastecimento torna a água potável um produto cada vez mais raro.

RECURSOS ORÇAMENTÁRIOS — Na Administração Pública são valores estabelecidos na Lei Orçamentária Anual, observada a especificidade estabelecida na Lei nº 4.320, de 1964, e sobre a qual o governo tem poder de disponibilidade na forma da Lei. (Ver: Recursos Orçamentários e Recursos Financeiros.)

RECURSOS ORÇAMENTÁRIOS E RECURSOS FINANCEIROS — Não se confundem. Na Administração Pública recursos orçamentários é uma previsão de gastos estabelecidos na lei orçamentária. Recursos financeiros refere-se à efetiva existência de numerário disponível para pagamento no momento oportuno.

RECURSOS ORDINÁRIOS — Ver Receita Ordinária.

RECURSOS ORDINÁRIOS (LIVRES) — Designa, de modo genérico, as propostas de programação de que o Governo pode dispor livremente, ou seja, pode alocar e realocar em qualquer tipo de despesa legalmente permitida.

RECURSOS PECUNIÁRIOS — Recursos na forma de numerário.

RECURSOS PESQUEIROS — São os recursos da fauna e flora de origem aquática.

RECURSOS PRODUTIVOS — Também denominados fatores de produção, são elementos utilizados no processo de fabricação dos mais variados tipos de mercadorias as quais, por sua vez, serão utilizadas para satisfazer necessidades. Os recursos produtivos podem ser classificados em quatro grandes grupos: Terra, Trabalho, Capital e Capacidade Empresarial.

RECURSOS PRÓPRIOS — Classificação gerencial das receitas referentes à disponibilidade da receita própria menos as transferências constitucionais, procurando demonstrar a parcela de recursos sobre a qual o ente público possui governabilidade direta na gestão.

RECURSOS REAIS — Recursos humanos, materiais e institucionais que, juntamente com os serviços de terceiros, são utilizados no desenvolvimento de um projeto ou atividade.

RECURSOS TANGÍVEIS — Bens representados pela propriedade de edifícios, máquinas, equipamentos e estoques. (Ver: Recursos Intangíveis.)

RECURSOS VINCULADOS — 1) Na Administração Pública designa, de modo genérico, as dotações (recursos gráficos) que, por serem relacionadas a fontes derivadas de receitas vinculadas – em razão de dispositivo Constitucional ou de outra norma legal – só podem ser aplicadas em determinadas esferas, órgãos, programas ou tipos de gasto. 2) São valores relativos a depósitos e cauções, depósitos judiciais e outros depósitos prestados pelo Estado, Entidade ou Instituições, exigidas em vinculações de contrato ou conversões para garantias de operações especiais.

RECUSAR — É o ato pelo qual a pessoa não quer aceitar, não quer fazer, ou não quer dar alguma coisa.

RED HERRING PROSPECT — Expressão em inglês que significa prospecto preliminar descrevendo títulos a serem colocados no mercado sem, entretanto, mencionar dados referentes a preços.

REDAÇÃO DO VENCIDO — Na Câmara dos Deputados é a redação de um projeto com as emendas aprovadas no primeiro turno de votação.

REDAÇÃO FINAL — Versão final do texto de uma proposição legislativa. Fase final de tramitação, na qual a proposição não pode mais ser emendada quanto ao conteúdo, mas somente quanto à forma, restringindo-se as alterações à adequação da redação à técnica legislativa e à correção de eventuais vícios de linguagem e erros materiais.

REDE ALIMENTAR OU TRÓFICA, TEIA ALIMENTAR — É o conjunto formado por várias cadeias tróficas que, por força de suas estruturas, naturezas e disposições no ecossistema, se sobrepõem e se interligam parcialmente, apresentando-se como uma trama sem início nem fim, em razão de sua complicada aparência, imposta pelas relações entre seus níveis tróficos. (Ver: Cadeia alimentar.)

REDE DE DRENAGEM — Sistemas de canais numa bacia de drenagem. Disposição dos cursos de água. Distinguem-se vários tipos de rede de drenagem: dendrítica, retangular, em grade, radial e anular. A rede de drenagem dendrítica caracteriza-se pelo fato de os rios correrem em todas as direções, como os ramos de uma árvore; a retangular é o tipo de drenagem que apresenta rios fortemente angulares, ajustados aos sistemas de juntas e falhas; a rede de drenagem em grade é própria das regiões intensamente dobradas, a radial é típica das regiões de domos e vulcões; a anular é própria das regiões de domos maturos, é aquela em que se estabelecem redes circulares.

REDE DO SISTEMA FINANCEIRO NACIONAL (RSFN) — Estrutura de comunicação de dados implementada por intermédio de tecnologia de rede, com a finalidade de suportar o tráfego de mensagens entre as instituições financeiras, as câmaras e os prestadores de serviços de compensação e de liquidação, a Secretaria do Tesouro Nacional e o Banco Central, no âmbito do Sistema de Pagamentos Brasileiro. Os participantes da RSFN interagem por meio de mensagens.

REDEMOCRATIZAÇÃO — É o processo de restauração da democracia e do estado de direito em países ou regiões que passaram por um período de autoritarismo ou ditadura. A redemocratização pode acontecer de maneira gradual, onde o poder restaura os direitos civis lentamente, ou abrupta, como é em geral o caso quando isso acontece através de revoluções.

REDES DE SEGURANÇA SOCIAL — Medidas do setor público para proteger os pobres e os vulneráveis e que incluem esquemas de trabalho público, segurança alimentar, benefícios para os desempregados etc. Há também redes de segurança do setor privado implementadas por Instituições Privadas de Solidariedade Social e/ou por ONGs.

REDESCONTO — É um instrumento de política monetária utilizado pelo Banco Central para regularizar o sistema de liquidez do sistema bancário. É um empréstimo de última instância que o Banco Central concede, na modalidade de compra, com compromisso de revenda, de títulos, créditos e direitos creditórios integrantes do ativo dos bancos múltiplos com carteira comercial, bancos comerciais e caixas econômicas.

REDESCONTO DE LIQUIDEZ — É um empréstimo feito pelo agente financeiro oficial (Banco Central) a participantes do sistema bancário, descontando os papéis de efeitos comerciais (duplicatas) desses bancos, mantidos em carteira. Trata-se de uma operação eventual, para cobrir o caixa de bancos com problemas momentâneos de liquidez. O Banco Central (BACEN) empresta o valor necessário, cobrando uma taxa de juros superior à taxa média cobrada no mercado financeiro.

REDESCONTO INTRADIA — Operação de compra com compromisso de revenda de títulos públicos federais selicados, sem custo, por um período menor que um dia útil. Os títulos são apreçados de forma conservadora pelo Banco Central de modo a minimizar o seu risco de crédito.

REDESCONTO SELETIVO — Consiste em linhas de crédito abertas pelo Banco Central para atender a determinados setores considerados prioritários. Enquadram-se neste tipo de operação os refinanciamentos de custeio e comercialização agrícola, os refinanciamentos de custeio de produtos manufaturados exportáveis.

REDIBIÇÃO — 1) Termo que designa a devolução de mercadoria vendida, na qual foi constatada avaria, defeito ou estrago. 2) É o ato judicial pelo qual o comprador de uma coisa móvel ou semovente anula o contrato de compra e venda por ter a coisa adquirida um vício ou defeito oculto que não sabia existir.

REDIBITÓRIO — Refere-se a redibição – ação redibitória; vício redibitório, ou seja, possui o significado de vício ou defeito, capazes de fundarem o pedido de diminuição de preço ou anulação da venda, quando são trazidos pela coisa comprada.

REDIMIR — O mesmo que remir.

REDUÇÃO — 1) Simplificação, projeção ao paradigma vigente. 2) Procedimento pelo qual a Assembléia Geral de uma S.A. poderá deliberar a redução do capital social, se houver perda, até o montante dos prejuízos acumulados ou se julgá-lo excessivo.

REDUÇÃO A TERMO — Tornar escrito manifestação oral, constituindo-se um ato processual.

REDUÇÃO CERTIFICADA DE EMISSÕES (RCE) — Um RCE é uma unidade emitida em conformidade com o art. 12 do Protocolo de Kyoto e é igual a uma tonelada métrica equivalente de dióxido de carbono, calculada com o uso dos potenciais de aquecimento global ou conforme revisados subseqüentemente de acordo com o art. 5 do Protocolo de Kyoto. As empresas dos países signatários do Protocolo que não conseguirem (ou não desejarem) reduzir as emissões de gases causadores do efeito estufa poderão comprar esses CERs em países em desenvolvimento e usá-los para cumprir suas obrigações, embora o uso desse mecanismo esteja limitado apenas a uma parcela de seus compromissos de redução. (Ver: Comércio de emissões.)

REDUÇÃO DAS DESPESAS DOS PODERES E DO MINISTÉRIO PÚBLICO — A redução das despesas dos Poderes e do Ministério Público deve ocorrer quando, ao final de um bimestre, o Poder Executivo constatar que a realização da receita poderá não comportar o cumprimento das metas de resultado primário ou nominal estabelecidas no Anexo das Metas Fiscais. A redução das despesas deve ser promovida por ato próprio dos Poderes e do Ministério Público (MP) nos trinta dias subseqüentes, com limitação de empenho e movimentação financeira. Caso a redução das despesas não seja promovida de *per se* pelos Poderes e o

MP, o Poder Executivo poderá limitar os valores financeiros a eles destinados.

REDUÇÃO DE SALÁRIO — Ver Salário, Redução de.

REDUCIONISMO — Limitação de conceitos, hipóteses e teorias mais sofisticadas para outra mais simples. Processo que mantém todos os objetos e eventos, suas propriedades, experiências e conhecimentos compostos de partes indivisíveis e independentes.

REDUNDÂNCIA — Existência de estruturas e elementos repetidos ou iguais; repetição de um mesmo elemento; diminui a diversidade; introduzida para diminuir a probabilidade de erros de interpretação de uma mensagem; que excede a quantidade de informação mínima necessária à decodificação de uma mensagem; transmissão repetitiva de uma mesma mensagem ou de parte desta.

REEMBOLSO — Qualquer tipo de pagamento a titulo de indenização ou de restituição de importância anteriormente emprestada.

REENGENHARIA — Estratégia de redefinição dos processos utilizados por uma organização, já tornados obsoletos, morosos e dispendiosos, com o objetivo de obter melhorias drásticas no mesmo ritmo e velocidade da eficácia das transformações que se nota e se verifica no mundo atual. Podem ser, por exemplo, nas áreas: de custos; de serviços; e de tempo.

REENGENHARIA DE *SOFTWARE* — Técnica de reestruturação ou modificação de um código existente, ou de desenvolvimento de um novo código, preservando-se inalterada a especificação ou o projeto do *software*.

REEQUILÍBRIO — Recuperação do equilíbrio.

REESCALONAMENTO DA DÍVIDA — Ver Reestruturação da dívida.

REESTIMATIVA DA RECEITA — Ver Receita, Reestimativa da.

REESTIMATIVA DA RECEITA POR PARTE DO PODER LEGISLATIVO — Ver Poder Legislativo - Reestimativa da Receita.

REESTRUTURAÇÃO DA DÍVIDA — Também utilizado o termo renegociação da dívida, é qualquer ação oficial acordada entre credor e devedor que altera os termos previamente estabelecidos para o pagamento. Pode incluir perdão da dívida (extinção do empréstimo), ou redefinição do calendário de pagamentos que pode ser implementado quer revendo o calendário quer fazendo novo empréstimo de refinanciamento. O processo se realiza quando um devedor não está em condições de pagar os compromissos assumidos ou quando ambas as partes, por motivos diversos, preferem modificar os termos da dívida previamente contraída. A reestruturação da dívida inclui, quase sempre, a modificação dos prazos de vencimento, fazendo com que se elimine assim a acumulação de dívidas a curto prazo e estas de convertam em dívidas consolidadas a longo prazo; o reescalonamento da dívida, ou seja, a mudança dos montantes anuais a pagar, de forma que estes se tornem mais uniformes ou graduais; a modificação das taxas de juro e outras cláusulas semelhantes. Também se procede ao refinanciar a dívida previamente contraída, ou seja, emitem-se novos empréstimos, em condições mais acessíveis, com os quais se pagam os anteriores. O processo de reestruturação da dívida foi freqüente nos anos 80 do século XX, quando muitos países em desenvolvimento se encontravam em incapacidade técnica de honrar os seus compromissos, devido à subida das taxas de juro e ao escasso retorno dos projetos financiados pelos empréstimos internacionalmente contraídos. Nestas atividades participaram ativamente o Fundo Monetário Internacional (FMI) e o Banco Mundial (BM).

REESTRUTURAÇÃO LEGAL — Série de procedimentos que se configuram numa reorganização ou liquidação de uma empresa.

REESTRUTURAÇÃO PRODUTIVA — Adaptação de um setor às novas condições de economia aberta. Envolve mudanças gerais nas empresas como especialização nos nichos de mercado para os quais se tem vantagem comparativa, treinamento da força de trabalho, reforma gerencial, modernização do equipamento, reformulação das parcerias e fusões e incorporações para geração de economias de escala, mudança na distribuição do produto e procura de atendimento de máxima qualidade aos clientes.

REEXAME NECESSÁRIO — Ver Recurso *ex officio*.

REEXAME OBRIGATÓRIO — Ver Recurso *ex officio*.

REFATURAMENTO — Envolve o faturamento de uma venda para um agente, tipicamente localizado em um paraíso fiscal ou Centros Financeiros *Offshore* (CFO), que, em seguida, vende para o comprador final. Na prática, o agente paga parte do aumento de preço ao vendedor inicial ou para o comprador, normalmente em uma conta *offshore*. Este é um processo amplamente usado na lavagem de lucros para um paraíso fiscal. O processo depende do sigilo para ser bem-sucedido.

REFERÊNCIA DE NÍVEL (RN) — É o ponto do terreno natural a partir do qual se mede a altura do prédio.

REFERENCIADO CÂMBIO — Procuram acompanhar o mais próximo possível a variação das taxas oficiais de câmbio do Real e do dólar norte-americano, estando sujeitos também às oscilações das taxas de juros domésticas (do Brasil) sobre o dólar.

REFERENCIADO DI — Pelo menos 95% dos recursos dos fundos DI (Depósito Interbancário) são aplicados em títulos públicos federais ou em títulos de renda fixa de emissores com baixo risco de crédito. Na prática, 95% da carteira acompanha a variação dos Certificados de Depósito Interbancário (CDI) e a taxa SELIC, o que garante baixíssimo risco para o investidor. (Ver: Depósitos Interbancários - DI).

REFERENCIADOS RENDA FIXA — Buscam retorno através de investimentos em ativos de renda fixa (também podem ser incluídos títulos sintetizados através de uso de derivativos). Ficam fora dessa categoria estratégias que impliquem em risco de índices de preço (IGPM, por exemplo), de moeda estrangeira ou de renda variável (ações). Estes fundos enquadram-se como "não referenciados".

REFERENDO — Confirmação de um ato por um órgão ou instância superior. No âmbito constitucional, é manifestação direta da cidadania a respeito de medida já tomada pelo Governo. É a consulta ao povo para que este aprove ou rejeite ato legislativo ou norma constitucional. Não se confunde com plebiscito que é uma manifestação prévia, anterior à medida do Governo. (Ver: Plebiscito.)

REFINAÇÃO — Conjunto de processos destinados a transformar matéria-prima em estado bruto em produtos adaptados às necessidades dos consumidores.

REFINANCIAMENTO — Pode ser um sinal de fracasso ou de sucesso. Se uma empresa tem um fraco desempenho pode necessitar de fundos adicionais. Da mesma forma, se o desempenho for muito bom, os acionistas podem decidir refinanciar o negócio.

REFINANCIAMENTO DA DÍVIDA MOBILIÁRIA — Ver Dívida Mobiliária - Refinanciamento.

REFIS (PROGRAMA DE RECUPERAÇÃO FISCAL) — Programa destinado a promover a regularização de créditos da União, decorrentes de débitos de pessoas jurídicas, relativos a tributos e contribuições, administrados pela Secretaria da

Receita Federal e pelo Instituto Nacional do Seguro Social - INSS, com vencimento até 29 de fevereiro de 2000, constituídos ou não, inscritos ou não em dívida ativa, ajuizados ou a ajuizar, com exigibilidade suspensa ou não, inclusive os decorrentes de falta de recolhimento de valores retidos.

REFLEXÃO — Retorno das consciências sobre si mesmo para compreender e entender o seu próprio conteúdo.

REFLORESTAMENTO — Processo de replantio de árvores em áreas que anteriormente eram de floresta. Tem por finalidade proteger os mananciais, reduzir a erosão, a perda dos solos, o assoreamento dos rios e os deslizamentos de encostas; facilitar a infiltração da água no solo e reduzir os fenômenos de evapotranspiração; intensificar os processos de humificação do solo e participar do metabolismo de consumo de gás carbônico e da recuperação do oxigênio, dentre outras funções de recuperação ecológica.

REFORÇO — Operação na qual o custodiante, mediante autorização prévia, retira dinheiro em espécie no Banco Central, sensibilizando positivamente o saldo custodiado.

REFORMA — 1) Na linguagem forense, seria a modificação de uma sentença ou despacho, pelo mesmo juízo prolator ou por instância superior. 2) Em Direito Administrativo a palavra é tomada no sentido de aposentadoria ou jubilação. 3) Prorrogação do prazo de vencimento de um titulo ou sua substituição por outro de valor igual ou diferente. 3) Recuperação de uma parte ou do todo de uma obra, alterando ou não algumas características da mesma.

REFORMA AGRÁRIA — É o conjunto de medidas que visem a promover melhor distribuição da terra, mediante modificações no regime de posse e uso, a fim de atender aos princípios de justiça social e o aumento da produtividade. Seu objetivo visa estabelecer um sistema de relações entre o ser humano, a justiça social, o progresso e o bem-estar do trabalhador rural e o desenvolvimento econômico do País, com a gradual extinção do minifúndio e do latifúndio.

REFORMA MILITAR — É a aposentadoria do servidor militar.

REFORMA ORGANIZACIONAL / REESTRUTURAÇÃO INTERNA — Processo de revisão que visa mudar determinadas atividades e serviços; reestruturação detalhada de uma agência, empresa ou órgão.

REFORMA TRIBUTÁRIA — Reestruturação da metodologia de tributação sobre as empresas, com base na racionalização do número de impostos e reorganização das competências e interferências dos impostos entre os Estados, especialmente.

REFORMATIO IN PEJUS — [Latim]. Expressão utilizada para designar reforma de decisão judicial contra o recorrente, prejudicando-o em relação à primeira sentença, o que não é admitido pelo nosso direito positivo.

REFRATÁRIO — Corpo que não se funde e não se decompõe sob a ação do fogo.

REFUGIADOS — São indivíduos que deixam seu país para fugir de situações adversas, como guerras e perseguições políticas ou raciais. Apesar de não ter tradição como país de asilo, o Brasil recebe cada vez mais imigrantes na situação de refugiados. O Ministério da Justiça, de acordo com a Resolução Normativa nº 6, de 1997, concede a permanência definitiva ao estrangeiro asilado ou refugiado que comprove no mínimo seis meses de residência, além de qualificação profissional. (Ver: Migrante.)

REFÚGIO — Área protegida, visando à proteção da biota. (Ver: Biota.)

REFUNDING — Termo do mercado financeiro que significa a colocação (venda) de novos títulos de dívida externa que substituem uma emissão de títulos de dívida anterior (mais velha).

REFUTAR — É o ato de contestar ou argumentar sustentado para destruir ou anular as alegações contrárias. Refutar uma idéia é mostrar que essa idéia é falsa; ou mostrar que a sua negação é verdadeira.

REGENERAÇÃO — Adquirir de novo; tirar do poder ou domínio alheio; redimir; resgatar; livrar; salvar; tornar esquecido; reabilitar-se; livrar-se de um encargo.

REGER — Dirigir; governar; guiar; encaminhar; lecionar.

REGIÃO — Porção de território contínua e homogênea em relação a determinados critérios pelos quais se distingue das regiões vizinhas. As regiões têm seus limites estabelecidos pela coerência e homogeneidade de determinados fatores, enquanto uma área tem limites arbitrados de acordo com as conveniências.

REGIÃO ADMINISTRATIVA — Subdivisão do território do Município para fins administrativos, de planejamento e de informação.

REGIÃO ÁRIDA — Aquela onde a precipitação é escassa ou nula. Também se diz das zonas onde a evaporação é superior às precipitações.

REGIÃO CENTRO-OESTE DO BRASIL - DADOS GERAIS — Com 1.612.044,26 km^2 de área - 18,95% dos 8.505.552,76 km^2 do território brasileiro - a Região Centro-Oeste é formada pelos Estados de Goiás, Mato Grosso do Sul, Mato Grosso e o Distrito Federal. A Região possuía, em 2000, 11.636.728 habitantes e, em 2005, segundo estimativa do IBGE, 13.020.767 habitantes, o que representa 7,06% do total do País. A expectativa de vida nesta região é de 67,80 anos e tem uma taxa de analfabetos de 15,35%. Com 465 municípios, a densidade demográfica de é 8,08 habitantes por km^2 e 81,3% dos habitantes se concentra na zona urbana. Em 2006 o percentual de participação no total do "bolo" distribuído pela União ao Fundo de Participação dos Estados (FPE) e ao Fundo de Participação dos Municípios (FPM) foi de: FPE = 7,1732%; FPM capital = 8,458078%; FPM municípios do interior = 7,1271%. Das cinco regiões do Brasil, a Região Centro-Oeste ocupa a quarta posição no Produto Nacional Bruto (PNB) e a terceira posição na renda *per capita* brasileira. Entretanto, pelos critérios da legislação, a Região está colocada em quinto lugar como beneficiária na distribuição do FPE e FPM, entre as cinco regiões brasileiras. Representação política - governadores: quatro (um é governador do Distrito Federal); prefeitos: 465; vereadores: 4.285. O Distrito Federal não tem vereador e sim deputado distrital); deputados estaduais: 113 (inclusive 24 deputados distritais); deputados federais: 41 (inclusive oito deputados do DF); senadores: 12 (inclusive três senadores do DF). Localizada em extenso Planalto Central, seu relevo caracteriza-se pela predominância de terrenos antigos e aplainados pela erosão, que deram origem a chapadões. Na parte oeste do Estado de Mato Grosso do Sul e sudoeste do Estado de Mato Grosso encontra-se a depressão do Pantanal Matogrossense, cortada pelo rio Paraguai e sujeita a cheias durante parte do ano. A vegetação do Pantanal é extremamente variada e sua fauna de uma riqueza muito grande. Já na região de planalto, predomina a vegetação de cerrado. O clima da região é tropical semi-úmido, com freqüentes chuvas de verão. A vegetação é de cerrado nos planaltos. No Pantanal, os campos cerrados dividem o espaço com a floresta, que se torna mais fechada e úmida na região norte de Mato Grosso. A economia baseou-se, inicialmente, na exploração de garimpos de ouro e diamantes e foi, gradativamente, sendo substituída pela pecuária. A transferência da capital federal do Rio de Janeiro para Brasília, em 1960, e a construção de ferrovias que facilitaram o acesso em direção ao oeste, aceleraram o povoamento da região, contribuindo para o seu desenvolvimento. Encontram-se nesta região as maiores reservas de manganês do País, localizadas no maciço do Urucum, no Pantanal. Devido ao difícil acesso ao local, tais reservas ainda são pouco exploradas. O turismo como atividade econômica vem se desenvolvendo rapidamente na região, atraindo visitantes de várias partes do mundo, que procuram desfrutar da riqueza da flora e da fauna do Pantanal, bem como da paisagem das chapadas encontradas nos Estados de Goiás e Mato Grosso. A região tem sua área dominada basicamente pelo Planalto Central Brasileiro e pode ser dividida em três porções: maciço goiano-mato-grossense, bacia de sedimentação do Paraná e as depressões. Formado por quatro Estados, esta região vem sofrendo alterações significativas na sua cobertura vegetal, com o cerrado sendo substituído gradativamente por plantações ou criação de gado em função do processo de ocupação nesta parte do Brasil. (Ver: FPE // FPM // Estados Brasileiros // Estado – ... (seguido da Unidade da Federação correspondente. Ex.: Estado - Goiás) // Distrito Federal // Deputado Estadual // Deputado Federal // Senador // Vereador // Municípios Brasileiros.)

REGIÃO ESTUARIANA — Área costeira na qual a água doce se mistura com a salgada.

REGIÃO HIDROGRÁFICA DO PARAGUAI — A região é constituída pela bacia brasileira do rio Paraguai e abriga a grande planície úmida do Pantanal, patrimônio nacional desde 1988 e Reserva da Biosfera da Organização das Nações Unidas para a Educação, a Ciência e a Cultura (UNESCO) a partir de 2000. Com sua nascente em território brasileiro, na serra do Araporé, próxima a Cuiabá (MT), o rio Paraguai tem uma bacia de 1 milhão de quilômetros quadrados, um terço no Brasil e o restante na Argentina, na Bolívia e no Paraguai. É utilizado em larga escala para a navegação.

REGIÃO HIDROGRÁFICA DO PARANÁ — Concentrando quase um terço da população brasileira em uma das áreas com o maior desenvolvimento econômico do país, a região é constituída pela bacia do rio Paraná, com cerca de 880 mil quilômetros quadrados. O rio Paraná tem quase 3 mil quilômetros e nasce na junção dos rios Paranaíba e Grande, na divisa entre Mato Grosso do Sul, Minas Gerais e São Paulo. Apresenta o maior aproveitamento hidrelétrico do Brasil, abrigando, por exemplo, a Usina de Itaipu e a hidrelétrica de Porto Primavera, a segunda maior usina do Estado de São Paulo. Os afluentes do Paraná, como o Tietê e o Paranapanema, também contam com grande potencial para a geração de energia. A hidrovia do Tietê-Paraná é a mais antiga do país.

REGIÃO HIDROGRÁFICA DO PARNAÍBA — No total, essa região ocupa uma área de cerca de 330 mil quilômetros quadrados, entre os estados do Ceará, do Maranhão e do Piauí. Os rios Balsas, Uruçuí-Preto, Gurguéia, Longá, Poti e Canindé são todos afluentes do Parnaíba, que em sua foz apresenta uma vazão média de 800 metros cúbicos por segundo. Ao desembocar na divisa do Piauí com o Maranhão, o rio Parnaíba forma o único delta oceânico das Américas. A piscicultura é a principal atividade econômica praticada no rio. A beleza do delta também atrai um número crescente de turistas para a região, transformada em área de proteção ambiental.

REGIÃO HIDROGRÁFICA DO RIO AMAZONAS — Possui a maior bacia hidrográfica do mundo, a do rio Amazonas, com cerca de 7 milhões de quilômetros quadrados, dos quais quase 4 milhões estão em terras brasileiras. Seu rio principal nasce no Peru, com o nome de Vilcanota, e recebe depois as denominações de Ucaiali, Urubamba e Marañón. Quando entra no Brasil, vira Solimões, até o encontro com o rio Negro, próximo de Manaus. Desse ponto até a foz recebe o nome de Amazonas. Esse percurso, reconhecido oficialmente por autoridades internacionais como sendo de 6.570 quilômetros, é o segundo maior do planeta em extensão, menor apenas que o do rio Nilo, no continente africano. É o maior em vazão de água, com largura média de 5 quilômetros. Conta com grande número de cursos de água menores e canais fluviais criados pelos processos de cheia e vazante. Localizada em uma região de planície, a bacia Amazônica tem cerca de 23 mil quilômetros de rios navegáveis, que possibilitam o desenvolvimento do transporte hidroviário. A navegação é importante nos grandes afluentes do Amazonas. Em 1997 é inaugurada a hidrovia do rio Madeira, que opera de Porto Velho a Itacoatiara. O Corredor Binacional Iténez-Guaporé deverá proteger as bacias hidrográficas do Guaporé-Madeira, no lado brasileiro, e Iténez, no boliviano, numa região que reúne a maior diversidade de peixes do mundo. Estudo divulgado recentemente pelo Instituto Nacional de Pesquisas Espaciais (INPE), que utilizou tecnologia de observação do Planeta Terra por satélites para medir as bacias hidrográficas, apontou que Rio Nilo, medido desde o delta no Mar Mediterrâneo até o Lago Vitória, em Uganda, tem 6.614 quilômetros, um pouco menos extenso, portanto, que os 6.670 quilômetros oficiais. Utilizando-se a mesma tecnologia para medir a extensão do Rio Amazonas, o INPE fez duas medições distintas, considerando-se que seu leito principal é facilmente confundido com cursos alternativos na forma de paranás e enlaces com outro tributários. Nas duas medições - considerando-se apenas o leito principal e a outra com cursos alternativos - o INPE apontou, respectivamente, 6.627 quilômetros e 6.992 quilômetros, dependendo do percurso escolhido. De toda forma, superior à medida oficial do Amazonas, de 6.570 quilômetros e à extensão do Nilo. O estudo será encaminhado aos órgãos oficiais nacional e internacional que, após análise, poderão usá-las para atualizar as informações sobre os rios.

REGIÃO HIDROGRÁFICA DO SÃO FRANCISCO — Possui uma área de quase 646 mil quilômetros quadrados e seu principal rio é o São Francisco. O Velho Chico, como é conhecido, nasce em Minas Gerais e percorre Bahia, Pernambuco, Alagoas e Sergipe até a foz, na divisa desses dois últimos estados. É o maior rio totalmente brasileiro e é fundamental na economia das regiões que percorre, pois permite a atividade agrícola em suas margens e oferece condições para a irrigação artificial de áreas mais distantes, o que vem sendo discutido. Tem afluentes permanentes, como os rios Cariranha, Pardo, Grande e das Velhas, e temporários, como os rios das Rãs, Paramirim e Jacaré. Seu maior trecho navegável se encontra entre as cidades de Pirapora (MG) e Juazeiro (BA), com extensão de quase 1,4 mil quilômetros. O potencial hidrelétrico do São Francisco é aproveitado, principalmente, pelas usinas de Xingó e Paulo Afonso.

REGIÃO HIDROGRÁFICA DO TOCANTINS/ARAGUAIA — Ocupando 767 mil quilômetros quadrados, a região é definida pela bacia do rio Tocantins. O rio nasce em Goiás e desemboca na foz do Amazonas, mas o único trecho navegável fica entre Belém (PA) e Peixe (GO); parte de seu potencial hidrelétrico é aproveitada pela Usina de Tucuruí. O rio Araguaia nasce em Mato Grosso, na divisa com Goiás, e une-se ao rio Tocantins no extremo norte do estado de mesmo nome.

REGIÃO HIDROGRÁFICA DO URUGUAI — Com cerca de 175 mil quilômetros quadrados, a região é constituída pela parte brasileira da bacia do Uruguai, rio que surge da união dos rios Peixe e Pelotas. Tem grande importância tanto pelo seu potencial hidrelétrico como pela grande concentração de atividades agroindustriais. O trecho navegável do rio Uruguai fica entre São Borja e Uruguaiana (RS).

REGIÃO METROPOLITANA — É um grande centro populacional, que consiste em uma (ou, às vezes, duas ou até mais) grande cidade central, e sua zona adjacente de influência. Geralmente regiões metropolitanas formam aglomerações urbanas, uma grande área urbanizada formada pela cidade núcleo e cidades adjacentes, formando uma conurbação. Porém, uma região metropolitana não precisa ser obrigatoriamente formada por uma única contígua área urbanizada, podendo designar uma região com duas ou mais áreas urbanizadas intercaladas com áreas rurais. O necessário é que as cidades que formam uma região metropolitana possuam um alto grau de integração entre si. Uma região formada por diversas regiões metropolitanas localizadas próximas entre si são, por vezes, chamadas de megalópole. Atualmente, as regiões mais populosas do mundo, que possuem até 30 milhões de habitantes, incluem Tóquio, Cidade do México, Seul, Nova Iorque e São Paulo. (Ver: Metrópole.)

REGIÃO NORDESTE DO BRASIL – DADOS GERAIS — Com 1.558.400,40 km² de área – 18,23% dos 8.505.552,76 km² do território brasileiro – a Região Nordeste é formada pelos Estados do Maranhão, Piauí, Ceará, Rio Grande do Norte, Paraíba, Pernambuco, Alagoas, Sergipe e Bahia. A Região possuía, em 2000, 47.941.711 habitantes e, em 2005, segundo estimativa do IBGE, 51.319.091 habitantes, o que representa 27,82% do total do País. A expectativa de vida nesta região é de 64,22 anos – a menor do País – e tem uma taxa de analfabetos de 22,71%. Com 1.792 municípios, sua densidade demográfica é de 32,93 habitantes por km² e a maior parte da população concentra-se na zona urbana (60,6%). Em 2006 o percentual de participação no total do "bolo" distribuído pela União ao Fundo de Participação dos Estados (FPE) e ao Fundo de Participação dos Municípios (FPM) foi de: FPE = 52,4528%; FPM capital = 44,867772%; FPM municípios do interior = 34,0732%. Das cinco regiões do Brasil, a Região Nordeste ocupa a terceira posição no Produto Nacional Bruto (PNB) e a quinta posição na renda *per capita* brasileira. Entretanto, pelos critérios da legislação, a Região está colocada em primeiro lugar como beneficiária na distribuição do FPE e FPM, entre as cinco regiões brasileiras. Representação política – governadores: nove; prefeitos: 1.792; vereadores: 16.551; deputados estaduais: 341; deputados federais: 151; senadores: 27. A região Nordeste pode ser considerada a mais heterogênea do País. A maior parte de seu território é formada por extenso planalto, antigo e aplainado pela erosão. As principais metrópoles regionais são as cidades de Salvador, capital do Estado da Bahia, Recife, capital do Estado de Pernambuco, e Fortaleza, capital do Estado do Ceará. A economia da Região Nordeste baseia-se primordialmente na agroindústria do açúcar e do cacau. Há alguns anos, teve início o desenvolvimento de lavouras de fruticultura para exportação na área do vale do rio São Francisco, nos Estados da Bahia e Pernambuco. O petróleo é explorado no litoral e na plataforma continental e processado na refinaria Landulfo Alves, em Candeias, e no Pólo Petroquímico de Camaçari, ambos no Estado da Bahia. O setor de turismo, que tem demonstrado grande potencialidade de desenvolvimento na região, vem crescendo consideravelmente nos últimos anos e apresenta perspectivas promissoras para o futuro. Em função das diferentes características físicas que apresenta, a região Nordeste encontra-se dividida em quatro sub-regiões: meio-norte, zona da mata, agreste e sertão. A faixa de transição entre o sertão semi-árido do Nordeste e a região Amazônica denomina-se meio-norte, apresentando clima bem mais úmido e vegetação exuberante à medida que avança para o oeste. A vegetação natural dessa área é a mata dos cocais, onde se encontra a palmeira babaçu, da qual é extraído óleo utilizado na fabricação de cosméticos, margarinas, sabões e lubrificantes. A zona da mata estende-se do Estado do Rio Grande do Norte ao sul do Estado da Bahia, numa faixa litorânea de até 200 km de largura. Possui clima tropical úmido, com chuvas mais freqüentes na época do outono e inverno, exceto no sul do Estado da Bahia, onde se distribuem uniformemente por todo o ano. O solo dessa área é fértil e a vegetação natural é a Mata Atlântica, já praticamente extinta e substituída por lavouras de cana-de-açúcar, desde o início da colonização do País. O agreste é a área de transição entre a zona da mata, região úmida e cheia de brejos, e o sertão semi-árido. Nessa sub-região os terrenos mais férteis são ocupados por minifúndios, onde predominam as culturas de subsistência e a pecuária leiteira. Já o sertão, uma extensa área de clima semi-árido, chega até o litoral, nos Estados do Rio Grande do Norte e Ceará. Os solos dessa sub-região são rasos e pedregosos, as chuvas escassas e mal distribuídas e as atividades agrícolas sofrem grande limitação. A vegetação típica do sertão é a caatinga. Nas partes mais úmidas existem bosques de palmeiras, especialmente a carnaubeira, que tem todas as suas partes aproveitadas pelos habitantes locais. O rio São Francisco é o maior da região e única fonte de água perene para as populações que habitam as suas margens. A economia do sertão nordestino baseia-se na pecuária extensiva e no cultivo de algodão em grandes propriedades de terra, com baixa produtividade. (Ver: FPE // FPM // Estados Brasileiros // Estado – ... (seguido da Unidade da Federação correspondente. Ex.: Estado – Alagoas) // Deputado Estadual // Deputado Federal // Senador // Vereador // Municípios Brasileiros.)

REGIÃO NORTE DO BRASIL – DADOS GERAIS — Com 3.839.637,90 km² de área – 45,14% dos 8.505.552,76 de km² do território brasileiro - a Região Norte é formada pelos Estados do Acre, Amapá, Amazonas, Pará, Rondônia, Roraima e Tocantins. A Região possuía, em 2000, 12.900.704 habitantes e, em 2005, segundo estimativa do IBGE, 14.698.878 habitantes, representando 7,97% do total do País. A expectativa de vida na região é de 67,35 anos e tem uma taxa de analfabetos de 22,71%. Com 449 municípios, sua densidade demográfica é a mais baixa dentre todas as regiões geográficas, com 3,83 habitantes por km². A maior parte da população da região Norte (57,8%) é urbana, sendo Belém, capital do Estado do Pará, sua maior metrópole. Em 2006 o percentual de participação no total do "bolo" distribuído pela União ao Fundo de Participação dos Estados (FPE) e ao Fundo de Participação dos Municípios (FPM) foi de: FPE = 25,3717%; FPM capital = 28,906649%; FPM municípios do interior = 7,0692%. Das cinco regiões do Brasil, a Região Norte ocupa a quinta posição no Produto Nacional Bruto (PNB) e a quarta posição na renda *per capita* brasileira. Entretanto, pelos critérios da legislação, a Região está colocada em 2º lugar como beneficiária na distribuição do FPE e FPM, entre as cinco regiões brasileiras. Representação política – governadores: sete; prefeitos: 449; vereadores: 4.186; deputados estaduais: 185; deputados federais: 65; senadores: 21. A Região Norte está localizada entre o maciço das Guianas, ao norte; o Planalto Central, ao sul; a Cordilheira dos Andes, a oeste; e o Oceano Atlântico, a noroeste. De clima equatorial, é banhada pelos grandes rios das bacias Amazônica e do Tocantins. A economia baseia-se no extrativismo vegetal de produtos como látex, açaí, madeiras e castanha; no extrativismo mineral de ouro, diamantes, cassiterita e estanho; e na exploração de minérios em grande escala, principalmente o ferro, na Serra dos Carajás (Pará), e o manganês, na Serra do Navio (Amapá). No rio Tocantins, no Estado do Pará, encontra-se a usina hidrelétrica de Tucuruí, a maior da região. Existem ainda usinas menores, como Balbina, no rio Uatumã (Amazonas), e Samuel, no rio Madeira (Rondônia). O Governo Federal oferece incentivos fiscais para a instalação de indústrias no Estado do Amazonas, especialmente montadoras de produtos eletroeletrônicos. Esse processo é administrado pela Superintendência da Zona Franca de Manaus e os incentivos deverão permanecer em vigor até pelo menos o ano de 2013. (Ver: Estados Brasileiros // Estado – ... (seguido da Unidade da Federação correspondente. Ex.: Estado – Acre) // Deputado Estadual // Deputado Federal // Senador // Vereador // Municípios Brasileiros.)

REGIÃO SUDESTE DO BRASIL – DADOS GERAIS — Com 918.256,20 km² de área – 10,80% dos 8.505.552,76 km² do território brasileiro – a Região Sudeste é formada pelos Estados do Espírito Santo, Minas Gerais, Rio de Janeiro e São Paulo, apresenta grandes diferenças sob o aspecto físico, com litoral, serras e planícies. É a Região brasileira de maior população tendo apresentado, em 2000, 72.412.411 habitantes e, em 2005, segundo estimativa do IBGE, 78.472.017 habitantes, o que representa 42,54% do total do País. A expectativa de vida da região é de 67,53 anos e tem uma taxa de analfabetos de 13,45%. Com 1.668 municípios, é também a região com maior densidade demográfica (85,46 habitantes por km²) e mais alto índice de urbanização: 88%. Em 2006 o percentual de participação no total do "bolo" distribuído pela União ao Fundo de Participação dos Estados (FPE) e ao Fundo de Participação dos Municípios (FPM) foi de: FPE = 8,4822%; FPM capital = 11,648893%; FPM municípios do interior = 32,9440%. Das cinco regiões do Brasil, a Região Sudeste ocupa a primeira posição no Produto Nacional Bruto (PNB) e na renda *per capita* brasileira. Entretanto, pelos critérios da legislação, a Região está colocada em terceiro lugar como beneficiária na distribuição do FPE e FPM, entre as cinco regiões brasileiras. Representação política – governadores: quatro; prefeitos: 1.668; vereadores: 15.842; deputados estaduais: 271; deputados federais: 179; senadores: 12. A Região Sudeste situa-se na parte mais elevada do Planalto Atlântico, onde estão as serras da Mantiqueira, do Mar e do Espinhaço. Sua paisagem típica apresenta formações de montanhas arredondadas, chamadas "mares de morros" e os "pães-de-açúcar", que são montanhas de agulhas graníticas. O clima predominante no litoral é o tropical atlântico e nos planaltos o tropical de altitude, com geadas ocasionais. A mata tropical que existia originalmente no litoral foi devastada, em especial nos séculos XVIII e XIX, período de ocupação do território, dando lugar a plantações de café. Na serra do Mar, a dificuldade de acesso ajuda a preservar parte dessa mata. No estado de Minas Gerais predomina a vegetação de cerrado, com arbustos e gramas, sendo que no vale do rio São Francisco e no norte do estado se encontra a caatinga, vegetação típica do sertão nordestino. Abriga as duas mais importantes metrópoles nacionais, as cidades de São Paulo e do Rio de Janeiro, localizadas em Estados que levam os mesmos nomes. A cidade de Belo Horizonte, capital do Estado de Minas Gerais, é considerada importante metrópole regional. A economia da Região Sudeste é a mais desenvolvida e industrializada dentre as economias das cinco regiões, nela se concentrando mais da metade da produção do País. Possui ainda os maiores rebanhos bovinos, além de significativa produção agrícola, que inclui o cultivo de cana-de-açúcar, laranja e café, em lavouras de bom padrão técnico e alta produtividade. Tem ainda reservas de ferro e manganês na serra do Espinhaço, em Minas Gerais, e petróleo em quantidade razoável na bacia de Campos, no Estado do Rio de Janeiro. O relevo planáltico do Sudeste fornece grande potencial hidrelétrico à região, quase todo aproveitado. A maior usina existente é a de Urubupungá, localizada no rio Paraná, divisa dos Estados de São Paulo e Mato Grosso do Sul. Encontram-se ainda na região Sudeste as nascentes de duas importantes bacias hidrográficas do País: a bacia do rio Paraná, que se origina da união dos rios Paranaíba e Grande, próxima à região conhecida como Triângulo Mineiro, no Estado de Minas Gerais, e a do rio São Francisco, que nasce na serra da Canastra, também no Estado de Minas Gerais. (Ver: Estados Brasileiros // Estado – ... (seguido da Unidade da Federação correspondente. Ex.: Estado – Espírito Santo) // Deputado Estadual // Deputado Federal // Senador // Vereador // Municípios Brasileiros.)

REGIÃO SUL DO BRASIL - DADOS GERAIS — Com 577.214,00 km² de área – 6,79% dos 8.505.552,76 km² do território brasileiro – a Região Sul é a que apresenta menor área dentre as demais regiões do País. É formada pelos Estados do Paraná, Santa Catarina e Rio Grande do Sul. A Região possuía, em 2000, 25.107.616 habitantes e, em 2005, segundo estimativa do IBGE, 26.973.511 habitantes, o que representa 14,62% do total do País. A expectativa de vida de é 68,68 anos, a maior do Brasil e tem uma taxa de analfabetos de 11,52%. Com 1.188 municípios, a densidade demográfica é de 46,43 habitantes por km² e 74,1% da população vivem no meio urbano. Em 2006 o percentual de participação no total do "bolo" distribuído pela União ao Fundo de Participação dos Estados (FPE) e ao Fundo de Participação dos Municípios (FPM) foi de: FPE = 6,5178%; FPM capital = 6,118600%; FPM municípios do interior = 18,7865%. A Região Sul ocupa a segunda posição no Produto Nacional Bruto (PNB) e a mesma posição na renda *per capita* brasileira. Entretanto, pelos critérios da legislação, a Região está colocada em 4º lugar como beneficiária na distribuição do FPE e FPM, entre as cinco regiões brasileiras. Representação política – governadores: três; prefeitos: 1.188; vereadores: 10.967; deputados estaduais: 149; deputados federais: 77; senadores: nove. Rio Grande do Sul, Santa Catarina e Paraná são reconhecidos pela qualidade de vida e têm, respectivamente, o primeiro, o terceiro e o quinto IDH do Brasil. A região apresenta os ótimos indicadores de mortalidade infantil, educação e saúde. A Região Sul do Brasil tem clima subtropical, exceto na região Norte do Estado do Paraná, onde predomina o clima tropical. Caracteriza-se pela diversidade de temperaturas nas diferentes áreas que a compõem. O clima subtropical é responsável pelas temperaturas mais baixas registradas no Brasil durante o inverno. Os planaltos mais elevados da região central do Paraná e no planalto serrano de Santa Catarina e do Rio Grande do Sul, o inverno costuma registrar temperaturas negativas, com ocorrência de geada e até de neve em alguns municípios. A região da planície dos Pampas, mais ao sul, apresenta temperaturas mais elevadas. A vegetação acompanha essa variação da temperatura, ou seja, nos locais mais frios predominam as matas de araucárias (pinhais) e nos pampas, os campos de gramíneas. As matas de araucária, no entanto, estão reduzidas a apenas 2% da área original. Na região encontram-se traços marcantes da influência da imigração alemã, italiana e açoriana. Inicialmente baseada na agropecuária, a economia da Região Sul desenvolveu nas últimas décadas importante parque industrial, cujos centros se encontram nas áreas metropolitanas das cidades de Porto Alegre, capital do Estado do Rio Grande do Sul, e Curitiba, capital do Estado do Paraná. A produção agrícola utiliza modernas técnicas de cultivo, destacando-se o trigo, soja, arroz, milho, feijão e tabaco, entre os principais produtos comercializados. Na pecuária encontram-se rebanhos de linhagens européias (*hereford* e *charolês*). A suinocultura é praticada no oeste do Estado de Santa Catarina e no Estado do Paraná. Neste último também é significativa a prática do extrativismo, com extração de madeira de pinho. No Estado de Santa Catarina existem reservas de carvão mineral e indústrias de processamento de carnes, que produzem não apenas para o mercado interno, mas também para exportação. Os rios que cortam sua área formam a bacia do Paraná em quase toda sua totalidade e são de grande importância para o País, principalmente pelo seu potencial hidrelétrico, destacando-se a usina de Itaipu, localizada no rio Paraná, na fronteira com o Paraguai. (Ver: Estados Brasileiros // Estado – ... (seguido da Unidade da Federação correspondente. Ex.: Estado – Paraná) // Deputado Estadual // Deputado Federal // Senador // Vereador // Municípios Brasileiros.)

REGIME — 1) Regimento. 2) Sistema de governo pelo qual é regido um país. 3) Modo de viver, de exercer uma atividade. 4) Dieta. 5) Administração de certos estabelecimentos públicos ou particulares. 6) O conjunto das imposições jurídicas e fiscais que regem certos produtos. 7) O conjunto das variações na forma de escoamento de um líquido, ou no volume deste. 8) Método de cultivo ou de exploração a que está sujeito um maciço ou mata. 9) Dependência entre palavras ou entre uma palavra e uma oração, num enunciado. 10) Velocidade de rotação de um motor.

REGIME ABERTO — Execução da pena em casa de albergado ou estabelecimento adequado.

REGIME CAMBIAL — Regime adotado para controle do câmbio. É a política de câmbio que prevê uma banda para a flutuação do real frente ao dólar.

REGIME CELETISTA — Normas jurídicas que disciplinam o relacionamento entre o Estado e os empregados públicos, conforme a Consolidação das Leis do Trabalho - CLT.

REGIME DE ADIANTAMENTO — É um processamento especial da despesa pública orçamentária, através do qual se coloca o numerário à disposição de um servidor, a fim de dar-lhe condições de realizar gastos que, por sua natureza, não possam obedecer ou depender de trâmites normais. É aplicável aos casos de despesas expressamente definidos em lei e sempre precedida de empenho na dotação própria. Não se fará adiantamento a servidor em alcance nem a responsável por dois adiantamentos.

REGIME DE BENS - COMUNHÃO PARCIAL DE BENS — O regime da comunhão parcial é o regime que vigora no casamento caso os habilitantes não se manifestem em contrário ao oficial do Registro Civil quando dão entrada ao processo de habilitação. Esse regime consiste na disposição da lei de que a propriedade comum dos bens do casal é aquela adquirida após a data do casamento e com os rendimentos do trabalho de um e outro cônjuge. Cônjuge é cada uma das pessoas ligadas pelo casamento em relação à outra. Nesse regime, o da comunhão parcial, os bens que cada um dos cônjuges leva para o casamento, ou seja, um imóvel adquirido por qualquer forma no estado civil anterior, não é considerado patrimônio comum do casal. Também não entra no patrimônio comum do casal os bens havidos, mesmo depois da data do casamento, por doação como adiantamento de herança sem a contemplação do cônjuge por afinidade, e por herança em inventário. Os bens havidos nessas condições, mesmo depois da data do casamento, são por lei considerados patrimônio exclusivo do cônjuge que o recebeu.

REGIME DE BENS - COMUNHÃO UNIVERSAL DE BENS — O regime da comunhão universal de bens, que deve ser adotado mediante a lavratura de escritura pública como condição para sua validade e deve sua eficácia se efetivamente se lhe seguir o casamento, tem essa denominação porque universaliza o patrimônio do casal, ou seja, torna comum tudo o que o casal possui, tanto patrimônio trazido para o casamento, havido por qualquer forma de aquisição no estado civil anterior, quanto patrimônio havido após a data do casamento, havido por compra, por doação como adiantamento de herança, por herança em inventário ou por qualquer outra forma de aquisição.

REGIME DE BENS — É o conjunto de determinações legais ou convencionais, obrigatórios e alteráveis, que regem as relações patrimoniais entre o casal, enquanto durar o casamento. No Brasil, o regime de bens que é antecipadamente determinado por lei para vigorar durante o casamento e se chama Pacto antenupcial. Atualmente o § 2º do art. 1.639 do Código Civil prevê que é admissível alteração do regime de bens, mediante autorização judicial em pedido motivado de ambos os cônjuges, apurada a procedência das razões invocadas e ressalvados os direitos de terceiros. O novo código civil prevê - somente para o casamento - quatro tipos de regimes de bens: A separação total, a comunhão universal, a comunhão parcial e o novo regime, a participação final nos aqüestos. Se os habilitantes ao casamento não se manifestarem quanto ao regime bens, será da comunhão parcial. Quando as pessoas simplesmente vivem juntas, presume-se que o seu regime é o da comunhão parcial de bens. Outra inovação na lei civil recente é que, ao contrário do que determinava o código de 1916, com suas alterações subseqüentes, quando o casamento é realizado no regime da separação de bens, a disposição de patrimônio para alienação (venda, por exemplo) ou oneração real é de livre execução do cônjuge que os possui. Isso implica que o possuidor, nesse caso, não necessita de anuência para transmissão ou gravação de ônus real. Continua, porém, existindo, a exigibilidade de que, para os casamentos existente sob os demais regimes (comunhão parcial, comunhão universal e participação final nos aqüestos), haja a obrigatoriedade de concessão de ambos os cônjuges para a alienação ou oneração de bens imóveis. Isso continua existindo no direito civil brasileiro com o propósito de afirmar que, exceto no regime da separação de bens - ainda que com alguma ressalva - tanto a atuação do marido como da mulher na sociedade conjugal não é discricionária, e assim também, o de impedir a prática de atos que possam prejudicar, ou, de qualquer forma, comprometer ou afetar a estabilidade econômica da família. E o fruto da alienação não é dividido entre o casal se o regime não for o da comunhão parcial, apesar de um ter que consentir que o outro disponha de bens imóveis. Acertada toda a documentação, o oficial registrador processa a habilitação, afixa o edital de proclamas e leva o processo ao Ministério Público para seu parecer, que deve ser favorável, para o seu curso normal.

REGIME DE BENS - PARTICIPAÇÃO FINAL NOS AQÜESTOS — Bens aqüestos são os adquiridos na vigência do matrimônio. Inovação do capítulo V do Título II do Código Civil, o regime de participação final nos aqüestos, instituído pelo art. 1.672 é o que determina que à época da dissolução da sociedade conjugal cabe a cada cônjuge o direito à metade dos bens adquiridos pelo casal, a título oneroso, na constância do casamento.

REGIME DE BENS - SEPARAÇÃO TOTAL DE BENS — O regime da separação total de bens tem duas condições básicas para a sua efetivação: a manifestação de vontade dos habilitantes (por escritura pública conforme o da comunhão universal) e a imposição legal. O regime da separação é obrigado por lei quando o casamento ocorre por força de sentença judicial (quando é necessário a intervenção do juiz de direito para suprir idade inferior à autorizada pela lei, para suprir consentimento de pais e quando o consentimento é dado ao nubente menor, por tutor legalmente nomeado), quando um ou outro habilitante - seja o homem, seja a mulher - tem idade superior a 60 anos, dentre outras hipóteses de mais complexidade e que não ocorrem com freqüência. Quando um dos pretendentes ao casamento for viúvo, e do casamento anterior existir patrimônio a partilhar, e não tiver sido concluído o inventário devido, a lei obriga também ao casal pretendente, a se casar sob o regime da separação de bens; para não prejudicar os direitos dos herdeiros do casamento anterior. O regime da separação é também disponível à manifestação de vontade dos habilitantes quando eles próprios outorgam entre si a escritura pública de pacto antenupcial. E tem que ser por escritura pública, estipulando-o. Tanto no regime imposto por lei como no estipulado por vontade livre dos habilitantes, o patrimônio de um e outro não se comunica, ou seja, cada um é dono de si na questão patrimonial.

REGIME DE CAIXA — Também chamado Regime de Gestão Anual, é a modalidade de regime contábil em que são consideradas como receitas e despesas do exercício tudo o que se receber ou pagar durante o exercício financeiro, mesmo que se tratem de créditos e débitos referentes a outros exercícios. Esse regime dispensa a apuração de resíduos ativos (créditos) e de restos a pagar (débitos), visto que nele, encerrado o exercício, as receitas e despesas não realizadas são transferidas para o orçamento do ano seguinte.

REGIME DE COMPETÊNCIA — Também denominado Princípio de Competência ou Regime Jurídico, é a modalidade de regime contábil em que as receitas e despesas são apropriadas como do exercício em razão da data do respectivo fato gerador (ocorrência do fato que cria a obrigação) e não da época em que ocorre a arrecadação ou o pagamento. Sob este regime, os tributos lançados e não arrecadados e as despesas empenhadas e não pagas no exercício são contabilmente apropriados nos resultados do exercício como se tivessem sua execução completamente realizadas no ano de referência. Esse regime requer a apuração, no final do exercício, das transações que devem ser apropriadas como resíduos ativos e restos a pagar. (Ver: Regime misto (contábil).)

REGIME DE COMUNHÃO PARCIAL DE BENS — Ver Regime de Bens - Comunhão Parcial de Bens.

REGIME DE COMUNHÃO UNIVERSAL DE BENS — Ver Regime de Bens - Comunhão Universal de Bens.

REGIME DE EXECUÇÃO ESPECIAL — Dotações globais previstas em programas especiais de trabalho que, por sua natureza, não possam cumprir-se subordinadamente às normas gerais de execução da despesa pública e que resultem em investimentos. A programação de despesas neste elemento somente é possível em caso de guerra, comoção interna e calamidade pública, estando, porém, a sua realização, subordinada à aprovação de Plano de Aplicação que discrimine a despesa a ser realizada.

REGIME DE GESTÃO ANUAL — Ver Regime de Caixa.

REGIME DE SEPARAÇÃO TOTAL DE BENS — Ver Regime de Bens - Separação total de Bens.

REGIME DE TRAMITAÇÃO — No Legislativo é o rito previsto para a tramitação de uma proposição. A tramitação normal das proposições é a ordinária. Em alguns casos e condições específicos, entretanto, as proposições tramitam em regime de urgência ou de prioridade. Os prazos de tramitação nas comissões variam, na forma prevista no art. 52: cinco sessões, quando se tratar de matéria em regime de urgência; dez sessões, quando se tratar de matéria em regime de prioridade; quarenta sessões, quando se tratar de matéria em regime de tramitação ordinária. As emendas apresentadas em Plenário seguem o prazo da proposição principal, correndo, nesse caso, em conjunto para todas as comissões.

REGIME DE TRAMITAÇÃO ORDINÁRIA — No Legislativo é o regime mais comum de tramitação de proposições, no qual são observadas todas as formalidades, exigências e interstícios previstos no Regimento Interno da Casa legislativa.

REGIME DE URGÊNCIA — Procedimento adotado por solicitação do chefe do Executivo, para projeto de sua autoria, ou a requerimento de parlamentar, em que todos os prazos regimentais para tramitação de uma proposição legislativa são reduzidos. No Legislativo é a dispensa de prazos ou formalidades regimentais para que determinada proposição seja de logo considerada, até sua decisão final.

REGIME ECONÔMICO — Características institucionais que determinam, no âmbito de um sistema econômico, as condições de organização prática do funcionamento da economia.

REGIME ESTATUTÁRIO — Normas estabelecidas em estatuto e legislação complementar, que definem a relação entre o Estado e o Servidor, sendo aplicadas na Administração Direta, Autarquias e Fundações Públicas.

REGIME FECHADO — Regime de cumprimento da pena privativa de liberdade em estabelecimento de segurança máxima ou média.

REGIME FINANCEIRO DE CAPITALIZAÇÃO — É aquele em que as contribuições são capitalizadas, acumulando um fundo financeiro que fará frente às obrigações futuras e que prevê resgates durante o prazo de diferimento de contrato.

REGIME FINANCEIRO DE REPARTIÇÃO SIMPLES — É aquele através do qual se repartem ou se dividem entre os participantes, num período considerado, os encargos decorrentes das sinistralidades ocorridas.

REGIME HIDROLÓGICO — Comportamento do leito de um rio durante um certo período, levando em conta os seguintes fatores: descarga sólida e líquida, largura, profundidade, declividade, formas dos meandros e progressão do movimento da barra etc.; condições variáveis do escoamento num aqüífero; modelo-padrão de distribuição sazonal de um evento hidrológico, por exemplo, vazão.

REGIME JURÍDICO — Ver Regime de Competência.

REGIME JURÍDICO ÚNICO — Norma constitucional que obrigava a União, os Estados, o Distrito Federal e os Municípios, a optarem por um único regime jurídico para seus servidores da administração direta, autárquica e fundacional. Norma alterada pela Emenda à Constituição nº 19, de 1998.

REGIME LEGAL DE BENS — Todo casamento é regido por um regime de bens. Quando os noivos não discutem antes o que desejam para a vida de casados, a lei presume que escolheram o regime da comunhão parcial de bens, isto é, o que tinham antes do casamento continua sendo de cada um, e o que adquirem na constância do casamento é dos dois, em igualdade de condições. (Ver: Regime de bens.)

REGIME MILITAR DE 1964 — Regime instaurado pelo golpe de Estado de 31 de março de 1964. Estende-se até o final do processo de abertura política, em 1985. É marcado por um forte autoritarismo e centralismo político, supressão dos direitos constitucionais, perseguição policial e militar, prisão e tortura dos opositores e pela censura prévia aos meios de comunicação. Governos: Castello Branco (1964-1967); Arthur Costa e Silva (1967-1969); Junta Militar (31/8/1969-30/10/1969); Emílio Garrastazu Médici (1969-1974); Ernesto Geisel (1974-1979); João Baptista Figueiredo (1979-1985). Em 15 de janeiro de 1985, o Colégio Eleitoral elege o candidato Tancredo Neves como novo presidente da República. Ele integra a Aliança Democrática - a frente de oposição formada pelo PMDB e pela Frente Liberal, dissidência do PDS. A eleição marca o fim da ditadura militar, mas o processo de redemocratização só se completa em 1988, no governo José Sarney, com a promulgação da nova Constituição.

REGIME MISTO (CONTÁBIL) — É a modalidade de regime contábil que adota a combinação dos princípios do regime de caixa e do regime de competência para a apuração dos resultados do exercício. É o regime adotado pela contabilidade pública brasileira, por força do que dispõe a Lei Federal nº 4.320, de 1964, que estabelece: "Art. 35 - Pertencem ao exercício financeiro: I - as receitas nele arrecadadas; II - as despesas nele legalmente empenhadas." Como se pode depreender dessa norma, a regra legal, no setor público brasileiro, é a do Regime de Competência para as despesas (pois em relação a estas o que importa é a época do fato gerador ou empenho) e do Regime de Caixa para as receitas (pois em relação a estas o fator importante é a arrecadação ou entrada no caixa).

REGIME PENITENCIÁRIO — É assim chamado o conjunto de normas que regulam a vida dos reclusos, em estabelecimentos penais. (Ver: Sistema Penitenciário.)

REGIME POLÍTICO — É a organização do Estado de acordo com certos princípios que determinam as relações entre governantes e governados e seus respectivos direitos e deveres. Os regimes políticos contemporâneos podem ser classificados em democráticos, autoritários e totalitários. Os regimes políticos democráticos, situados em sua maioria mundo ocidental, se caracterizam por eleições livres, liberdade de imprensa, respeito aos direitos civis constitucionais, garantias para a oposição e liberdade de organização e expressão do pensamento político. Os regimes políticos autoritários, localizados na América Latina nos anos 1960/1970 e em alguns países do mundo nos dias de hoje, operam através da suspensão das garantias individuais e das garantias políticas. No regime político autoritário as normas constitucionais são manipuladas ou reeditadas conforme os interesses do grupo ou partido que detêm o poder. Os regimes políticos totalitaristas diferem fundamentalmente dos dois regimes citados. No totalitarismo, o regime político está concentrado em uma pessoa que representa a figura de um "*fürher*" (comandante supremo). Nos regimes políticos totalitários não há nenhuma instituição política que possa representar qualquer vestígio de democracia. Tais regimes ocorreram entre os anos 1920/ 1945 na forma de fascismo na Itália e Espanha, nazismo na Alemanha e stalinismo na União Soviética.

REGIME SEMI-ABERTO — É o que determina a execução da pena em colônia agrícola, industrial ou estabelecimento similar.

REGIME URBANÍSTICO — É o conjunto de normas sobre densidade, atividades, dispositivos de controle das edificações e parcelamento contidas no Plano Diretor de Desenvolvimento Urbano e Ambiental (PDDUA) com vistas a regular o uso e ocupação do solo urbano.

REGIMENTOS — São atos administrativos normativos de atuação interna, dado que se destinam a reger o funcionamento de órgãos e entidades, inclusive colegiados e corporações legislativas. Como ato regulamentar interno, o regimento só se dirige aos que devem executar o serviço ou realizar a atividade funcional regimentada, sem obrigar aos particulares em geral.

REGIÕES DE GESTÃO DO PLANEJAMENTO — São divisões do território do Município criadas para permitir que a população participe diretamente dos assuntos que dizem respeito ao ordenamento e desenvolvimento urbanos. Englobam o conjunto de bairros cujos limites externos devem coincidir com o limite da respectiva região.

REGIÕES HIDROGRÁFICAS ATLÂNTICAS — São compostas de várias pequenas e médias bacias costeiras formadas por rios que deságuam no oceano Atlântico, exceto os do Amapá, que fazem parte da região hidrográfica amazônica. O trecho Nordeste Ocidental abriga os rios situados entre a foz do rio Gurupi e a do rio Parnaíba. O trecho Nordeste Oriental fica entre a foz dos rios Parnaíba e São Francisco. O trecho Leste vai da Região Hidrográfica do São Francisco ao rio Mucuri. No trecho Sudeste, destacam-se as bacias dos rios Paraíba do Sul e Doce. As bacias conjugadas dos rios Itajaí, Capivari e aquelas ligadas ao rio Guaíba e ao sistema lagunar formam o trecho Sul das regiões hidrográficas atlânticas.

REGISTRO — Conjunto de dados relacionados entre si, organizados e mantidos por qualquer meio de armazenamento. Assentamento de ato jurídico praticado ou de documento passado. O registro confere ao ato ou documento autenticidade, publicidade e perpetuidade. O registro pode ser obrigatório ou facultativo. O registro obrigatório deriva da própria lei (o registro de casamento), e dele o ato jurídico retira sua eficácia, ao passo que o registro facultativo depende do próprio interessado. Os atos de registro incluem inscrição, transcrição, arquivamento e averbação. O termo registro denomina, também, a própria instituição Registros Públicos ou serviços destinados à autenticação, publicidade e perpetuidade de atos jurídicos e documentos e, neste caso, os registros podem ser civis e comerciais.

REGISTRO CIVIL DE PESSOAS JURÍDICAS — Para prova de sua existência legal, as pessoas jurídicas de direito privado (sociedades civis, religiosas, científicas, culturais, associações de utilidade pública, fundações, sociedades mercantis) devem inscrever seus contratos, atos constitutivos, estatutos ou compromissos no seu registro peculiar, regulado por lei especial, ou com autorização e aprovação do Governo, quando necessária; averbam-se, ainda, as alterações que esses atos sofrerem.

REGISTRO CIVIL DE PESSOAS NATURAIS — Incumbe-se de registros e averbações de atos jurídicos e títulos de pessoas naturais, conferindo-lhes autenticidade e publicidade. São anotados os nascimentos, os casamentos, óbitos, a emancipação por outorga dos pais ou sentença do juiz, interdição de loucos, surdos-mudos e pródigos; sentença declaratória de ausência, opções de nacionalidade, sentença que deferir legitimação adotiva, as que decidirem nulidade ou anulação do casamento, o divórcio, o restabelecimento da sociedade conjugal, as sentenças que legitimam filhos concebidos na constância do casamento e as que declararem a filiação legítima, casamentos de que resultem legitimações de filhos havidos ou concebidos anteriormente, atos judiciais ou extrajudiciais de reconhecimento de filhos ilegítimos; as escrituras de adoção e os atos que as dissolverem; as alterações ou abreviaturas de nomes. Todo nascimento ocorrido em território nacional deve ser registrado, por imposição de lei, no local onde ocorreu o parto, no prazo de 15 dias. Este prazo pode ser prorrogado. Promover inscrição, no registro civil, de nascimento inexistente é crime apenado com reclusão de dois a seis anos.

REGISTRO DE BOLETA — Registro feito em um posto de negociação do pregão da Bolsa, após o fechamento de uma operação de compra e venda de ações entre representantes de sociedades corretoras. É uma prova de que a Bolsa, após efetuado o registro, está de acordo com a operação realizada.

REGISTRO DE EXPORTAÇÃO — Documento formalizado por meio do Sistema Integrado de Comércio Exterior – SISCOMEX, que contém o conjunto de informações de natureza comercial, cambial, financeira e fiscal da operação de exportação de uma mercadoria e que define o seu enquadramento. É realizado diretamente pelo exportador ou por seu representante legal em um terminal interligado ao SISCOMEX.

REGISTRO DE EXPORTADORES E IMPORTADORES (REI) — Cadastro de Exportadores e Importadores que contém dados dos usuários, sendo sua inscrição condição básica para realização de operações de comércio exterior. A inscrição no REI se processará automaticamente, através do Sistema Integrado de Comércio Exterior - SISCOMEX, na primeira operação de comércio exterior.

REGISTRO DE IMÓVEIS — Espécie de registro público cujas atribuições estão definidas no art. 167 da Lei nº 6.015, de 1973.

REGISTRO DE MARCA — Assentamento feito no Departamento Nacional da Propriedade Industrial, visando ao uso exclusivo da marca.

REGISTRO DE NASCIMENTO — Ver Registro civil de pessoas naturais.

REGISTRO DE OPERAÇÃO DE CRÉDITO — Documento de caráter cambial e financeiro, processado pelo Sistema Integrado de Comércio Exterior - SISCOMEX, que caracteriza venda externa com prazo de pagamento superior a 180 dias, com recursos da União (por meio do Programa de Financiamento às Exportações - PROEX) ou sem qualquer ônus para a União (nos financiamentos próprios do exportador ou de terceiros). Cabe ao exportador, diretamente ou por seu representante legal, por meio do SISCOMEX, prestar as informações necessárias ao exame e efetivação do Registro de Crédito (RC). Cada RC corresponde a um "pacote" financeiro e pode abranger a exportação de diversas mercadorias ou serviços, com previsão para um ou para múltiplos embarques.

REGISTRO DE OPERAÇÕES FINANCEIRAS (ROF) — É um módulo do sistema Registro Declaratório Eletrônico – RDE, do Banco Central que permite registrar as operações de crédito, de serviço e de transferência de tecnologia contratadas com residentes ou domiciliados no exterior, como por exemplo: empréstimo em moeda, lançamento de títulos, pagamento antecipado de exportação, importação financiada, serviço de assistência técnica, aluguel, afretamento, arrendamento mercantil financeiro (*leasing*), arrendamento simples operacional.

REGISTRO DO COMÉRCIO — Registro público de atos e fatos do comércio, que qualquer interessado pode consultar sem precisar justificar-se. Da mesma forma, não pode ser recusado pedido de certidão com os emolumentos pagos. O fundamento desse registro é, exatamente, a publicidade dos fatos e atos nele inscritos, cuja falta enseja a própria nulidade do ato em sua validade entre terceiros. Neste caso, mesmo válido entre as partes, não produz efeitos com relação a terceiros. São seus órgãos centrais: o Departamento Nacional de Registro do Comércio (DNRC), com funções supervisoras, orientadoras e coordenadoras no plano técnico; a Divisão Jurídica do Registro do Comércio (DJRC), com funções consultiva e fiscalizadora no plano jurídico. São órgãos regionais: as Juntas de Comércio de todas as circunscrições do País, com funções administradora e executiva. São órgãos locais: as Delegacias das Juntas Comerciais nas zonas das circunscrições a que pertencerem, com funções iguais.

REGISTRO FACULTATIVO — Ver Registro.

REGISTRO OBRIGATÓRIO — Ver Registro.

REGISTROS ESSENCIAIS — Registros mantidos para salvaguardar e controlar a propriedade pública, garantir uma verificação eficaz das tributações, coleta e dotação apropriada da receita e assegurar que as despesas sejam efetuadas conforme autorizada em lei.

REGISTROS PÚBLICOS — São os serviços que têm por finalidade autenticar e dar publicidade ao Estado e à capacidade das pessoas, bem como autenticar e perpetuar documentos destinados à prova de atos jurídicos.

REGRA — É a norma, sistema, preceito, governo, poder. É o modo de proceder, é a imposição de forma ou conduta imposta no texto legal.

REGRA DA ZERO HORA — Uma cláusula na lei de falências de alguns países mediante a qual as operações de uma instituição liquidada que tenham sido celebradas depois da meia-noite na data em que se ordena o fechamento da instituição podem ser declaradas como não válidas de forma retroativa.

REGRA DE REPARTIÇÃO DE PERDAS — Um acordo entre os participantes de um sistema de transferência ou arranjo de uma câmara de compensação em relação à distribuição de quaisquer perdas que surjam quando um ou mais participantes não cumprem com suas obrigações; o arranjo estipula como se repartirá as perdas entre as partes envolvidas no evento deste acordo ser ativado. Também é chamado de acordo de repartição de perdas.

REGRA DO PERÍODO DE *PAYBACK* — É o tempo necessário para que o investimento se pague. A regra do período de *payback* estipula que só serão aceitos aqueles investimentos com *payback* iguais ou inferiores a um determinado período. Os investimentos que superam este limite são descartados.

REGRA DO QUATRO POR CENTO — Regra específica dos países desenvolvidos onde a inflação é reduzida, indicando que a oferta monetária deveria crescer numa taxa regular correspondente à média anual dos aumentos observados na capacidade produtiva.

REGRA DO VALOR PRESENTE LÍQUIDO — Determina que o investimento só será realizado se seu valor presente líquido for positivo.

REGRAS DE PROCEDIMENTO — As regras pormenorizadas que um órgão judicial ou semijudicial adota, estabelecendo o modo como se darão os procedimentos perante tal órgão.

REGRAS ELEITORAIS — Ver Eleição - Regras eleitorais.

REGRESSIVIDADE DO IMPOSTO EM RELAÇÃO À RENDA — Ver Imposto - Regressividade em Relação à Renda.

REGULAÇÃO — Ajuste; controle.

REGULAÇÃO ECONÔMICA — Regras econômicas que substituem os mecanismos de mercado. São impostas quando as soluções de mercado se mostram incapazes de conduzir a uma situação eficiente.

REGULAMENTAÇÃO — Disciplinamento normativo de atribuição exclusiva do Poder Executivo, consistente na expedição de normas que visam explicar a lei e torná-la exeqüível. Não cria regra nova, de caráter substancial, nem estabelece princípio ou regra divergente da lei regulamentada. Por determinação do art. 175 da Constituição Federal a regulamentação dos serviços concedidos compete ao Poder Público.

REGULAMENTO — 1) É o ato administrativo posto em vigência por decreto, para especificar os mandamentos da lei, ou prover situações ainda não disciplinadas. É ato administrativo e não legislativo. 2) É o instrumento jurídico que disciplina direitos e obrigações das partes envolvidas num contrato de benefícios, bem como define as características gerais de um plano previdenciário.

REGULAMENTO TÉCNICO — Regulamento que estabelece requisitos técnicos de caráter obrigatório seja diretamente, seja pela referência ou incorporação do conteúdo de uma norma, de uma especificação técnica ou de um código de prática.

REGULAR — É legislar ou estabelecer nova ordem jurídica, mediante instituição de regras ou princípios disciplinadores dos fatos ou das coisas.

REINCIDÊNCIA — Em matéria penal, é a prática de novo delito pelo mesmo agente que, portanto, incide, novamente, reincide, na prática delituosa, após trânsito em julgado da sentença que, no país ou no exterior, tenha-o condenado por crime anterior. O mesmo que recidiva.

REINTEGRAÇÃO — Ato ou efeito de reintegrar(-se); reintegro; readmissão em cargo público com ressarcimento de todas as vantagens a ele inerentes, por força de decisão judicial ou administrativa.

REINTEGRAÇÃO DE POSSE, AÇÃO DE — É a ação pela qual o possuidor, a título legal, de coisa móvel, de coisa móvel, de que fora espoliado por violência, clandestinidade ou precariedade, com o fim de recuperá-la, promove contra o esbulhador, ou de terceiro que a recebeu, ciente do esbulho. É a ação que o vendedor da coisa com reserva de domínio promove contra o comprador, que não a pagou, com o fim de reavê-la. Tem também a denominação de esbulho, interdito de reintegração e ação de força espoliativa.

REIVINDICAÇÃO — Procedimento para obter o reconhecimento de um direito. É a ação real que compete ao proprietário da coisa, quando perdida ou de que perdeu o domínio, para persegui-la, até recuperá-la ou lhe ser restituída.

REIVINDICAÇÃO DE POSSE, AÇÃO DE — É a ação do proprietário com justo título, para que seja reconhecido o seu direito à coisa e à sua posse, contra quem a detenha sob qualquer título.

REJEIÇÃO — 1) Ato ou efeito de recusar, não aprovar. Sentimento de desqualificação, desconsideração ou de desprezo. 2) Tomada de decisão contrária a proposição, que encerra a fase deliberativa no âmbito do Poder Legislativo. Rejeição de um projeto de lei. 3) Tomada de decisão desfavorável de comissão técnica, relativamente ao parecer nela produzido sobre determinada proposição.

REJEIÇÃO DE VETO — Manifestação do Legislativo contrária ao veto oposto pelo chefe do Executivo a uma proposição de lei.

RELAÇÃO CUSTOS E BENEFÍCIOS — São critérios que podem dimensionar os benefícios diretos ou indiretos de empreendimentos governamentais. Diretos são aqueles que incidem ou se originam dos objetivos principais do empreendimento. Indiretos são aqueles que indicam as influências secundárias que podem surgir da implantação do empreendimento.

RELAÇÃO DE CAUSALIDADE — É toda relação específica de derivação em que um fenômeno constitui causa do outro. Por exemplo, a relação entre o número de nascimentos legítimos e o número de matrimônios.

RELAÇÃO DE TRABALHO — Vínculo existente entre duas ou mais pessoas decorrente de contrato de prestação de serviço, de mandato ou de empreitada.

RELAÇÃO JURÍDICA — Conjunto de obrigações de deveres recíprocos sancionados pelo Direito.

RELAÇÃO JURÍDICA ABSTRATA — Aquela que está definida em termos genéricos.

RELAÇÃO JURÍDICA CONCRETA — Refere-se a uma situação bem definida.

RELAÇÃO JURÍDICA EM SENTIDO AMPLO — É toda e qualquer relação da vida social disciplinada pelo Direito, isto é, juridicamente relevante.

RELAÇÃO JURÍDICA EM SENTIDO RESTRITO — É a relação da vida social disciplinada pelo Direito, mediante a atribuição a um sujeito de um direito subjetivo e a imposição a outro de um dever jurídico ou sujeição.

RELAÇÃO JURÍDICA PROCESSUAL — É o conflito de interesse regulado pelo Direito. Nela se compreendem duas situações jurídicas: uma subordinante ou protegida, também dita ativa, e a outra subordinada, também dita passiva.

RELAÇÕES COMERCIAIS — São os negócios recíprocos, de ordem comercial, estabelecidos e mantidos entre os comerciantes ou entre praças de comércio.

RELAÇÕES DE TRABALHO — É o conjunto de fatos, atitudes e estruturas, no tempo e espaço, resultante do universo do trabalho subordinado.

RELAÇÕES PRIVADAS — Podem ser entendidas como relações entre pessoas jurídicas de direito privado assim como entre pessoas físicas.

RELÂMPAGO — Ver Raio.

RELATIVIDADE — Teoria da Física, desenvolvida por Albert Einstein, que revolucionou a ciência do século XX. Esta Teoria, desenvolvida matematicamente por Einstein, leva a conclusões tais como: a) velocidade da luz no vácuo é constante e independe da velocidade relativa da origem e do observador; b) a velocidade da luz é um máximo que a velocidade de um corpo material nunca poderá atingir; c) as formas matemáticas das leis da Física são invariáveis em todos os sistemas inertes; d) a massa de um corpo depende da sua velocidade, ou seja, existe equivalência de massa e energia e de mudança de massa, dimensão e tempo com o aumento de velocidade; e) o tempo é uma quarta dimensão, relativa ao espaço.

RELATIVISMO MORAL — Teoria segundo a qual todos os fatos morais são relativos a sociedades particulares. Assim, os fatos morais resultam daquilo que uma dada sociedade aprova ou reprova, que pode não ser aquilo que outra sociedade aprova ou reprova. Quando uma sociedade aprova uma prática (como o infanticídio, por exemplo) e outra a reprova, não se pode dizer que uma delas tenha razão e a outra não.

RELATIVISTA — Corrente que procura relacionar o conhecimento com os fatores históricos e socioculturais, questionando neste terreno as teorias que são formuladas para interpretação e descrição dos fatos observados.

RELATO *AMICUS CURIAE* — Apresentação, por uma pessoa que não é parte de um processo judicial, destinada a informar o órgão judicial sobre uma matéria específica relativa ao processo.

RELATOR — Aquele que é encarregado de emitir parecer ou relatório de uma proposição e expor, perante outros, os fundamentos da questão a ser decidida. Parlamentar responsável pela elaboração de parecer ou de relatório de uma proposição.

RELATOR DE PROCESSO — Membro de um Tribunal a quem foi distribuído um feito, cabendo-lhe estudar o caso em suas minúcias e explaná-lo em relatório, na sessão de sua câmara, turma ou outro órgão colegiado do Tribunal ao qual pertença, em cuja pauta tiver sido incluído, e proferir decisões isoladas no processo, quando a lei o autorize. Ministro ou Conselheiro de Tribunal de Contas sorteado para dirigir um processo. Também pode ser escolhido por prevenção, quando já for o relator de processo relativo ao mesmo assunto. O ministro relator decide ou, conforme o caso, leva seu voto para decisão pela turma ou pelo plenário. No Tribunal de Contas, o Conselheiro submete seu relatório e voto à aprovação do plenário.

RELATOR SETORIAL — Parlamentar que tem a atribuição de analisar o projeto de lei orçamentária ou projeto de lei do plano plurianual dos órgãos afetos à área temática atribuída ao seu setor, propondo parecer à Comissão Mista de Planos, Orçamentos Públicos e Fiscalização (CMO). O Relator é designado obedecendo-se o critério de proporcionalidade partidária e rodízio entre os membros da Comissão, vedada recondução no ano subseqüente. (Ver: Relator-geral.)

RELATOR-GERAL — Parlamentar que tem a atribuição regimental exclusiva da análise, no projeto de lei orçamentária anual, da receita (LOA), da reserva de contingência e do texto da lei, além de adequar os pareceres setoriais, preliminarmente apreciados pela Comissão Mista de Planos, Orçamentos Públicos e Fiscalização (CMO), propondo à mesma comissão o parecer final do projeto de lei do plano plurianual e orçamentária anual, que, após aprovação, é encaminhado à apreciação pelo Plenário de Congresso Nacional. Restrições no processo orçamentário são fixadas à atuação do relator, como vedação à apresentação de emendas criando programação nova. A designação do relator-geral e do presidente da CMO deve observar critérios como proporcionalidade partidária e alternância entre as Casas legislativas, vedado serem ambos da mesma Casa. (Ver: Relator setorial.)

RELATORIA — Tarefa atribuída ao parlamentar, por designação do presidente de comissão, de analisar proposição, dar seu parecer, elaborar relatório e propor seu voto quanto à matéria a ser apreciada pela comissão. O relator pode apresentar emendas alterando o projeto e deve se pronunciar quanto às emendas apresentadas. (Ver: Relator.)

RELATÓRIO — 1) Exposição e relação dos principais fatos colhidos por comissão encarregada de estudar determinado assunto. 2) Exposição resumida do processo, lida pelo Relator no início da sessão de julgamento. Após a leitura, é dada a palavra aos representantes das partes e, em seguida, o Relator pronuncia seu voto.

RELATÓRIO AMBIENTAL PRELIMINAR (RAP) — Instrumento utilizado nos preâmbulos do procedimento licenciatório, com um conteúdo similar ao do EIA, porém menos aprofundado e detalhado. O RAP possibilita uma identificação preliminar dos potenciais impactos ambientais e possíveis medidas mitigadoras associadas a um empreendimento ou atividade em processo de licenciamento.

RELATÓRIO DE ANÁLISE DE ANOMALIA — Relatório contendo: uma descrição sucinta da anomalia observada, do resultado esperado e do obtido; possíveis causas e causas fundamentais e finalmente o Plano de Ação.

RELATÓRIO DE ATIVIDADES — Exposição escrita e minuciosa do conjunto de ações de cooperação desenvolvidas pelos respectivos organismos no âmbito da sua atividade.

RELATÓRIO DE AUDITORIA — Ver Auditoria, Relatório de.

RELATÓRIO DE CONTAS — Documento referente a um determinado período em que figuram o balanço e a demonstração dos resultados, bem como os anexos destes.

RELATÓRIO DE CUMPRIMENTO DAS METAS FISCAIS — Corresponde a uma verificação quadrimestral das metas acertadas no Anexo de Metas Fiscais. Tem por objetivo demonstrar se o ente da Federação (a União, cada Estado, o Distrito Federal e cada Município) está conseguindo cumprir com as metas fiscais programadas para o exercício em curso. Em geral o ente da Federação deverá a cada quadrimestre cumprir cerca de 1/3 da meta anual. O desenquadramento em um quadrimestre exigirá um esforço maior no(s) quadrimestre(s) seguinte(s). Não haverá punição para o ente da Federação que não cumprir com pelo menos 1/3 da meta a cada quadrimestre. Mas será necessário um maior esforço na arrecadação tributária e uma limitação dos empenhos até o encerramento do exercício. O Relatório Quadrimestral será publicado até o final dos meses de maio, setembro e fevereiro. A apuração dos resultados será feita dentro do exercício (quadrimestre civil). (Ver: Metas fiscais // Metas fiscais, Verificação do cumprimento das // Relatório de gestão fiscal.)

RELATÓRIO DE EXECUÇÃO — É o documento que tem por fim coletar dados sobre a execução de convênios e ajustes, no âmbito da Administração Direta, sob os aspectos financeiros, gerenciais, aporte de insumos e execução física.

RELATÓRIO DE GESTÃO FISCAL — É um relatório de elaboração obrigatória por parte dos entes da Federação (a União, cada Estado, o Distrito Federal e cada Município) de periodicidade quadrimestral, emitido pelos titulares dos Poderes, contendo o comparativo com os limites das despesas totais com pessoal e das dívidas consolidadas e mobiliária em relação à Receita Corrente Líquida (RCL), da concessão de garantias, das operações de crédito, inclusive por antecipação da receita. Como a verificação da RCL deve ser feita para um período de 12 meses, o Relatório de Gestão Fiscal é quadrimestral na divulgação mas anual na apuração, o Poder Executivo e o Poder Legislativo emitirão seus Relatórios de Gestão Fiscal separadamente, observando, nos dois casos, os limites individuais por poder para os gastos com pessoal: 54% da RCL para o Executivo e 6% da RCL para o Legislativo (no caso dos municípios). O não cumprimento dos limites de pessoal e de endividamento significará punição para o ente da Federação (a União, cada Estado, o Distrito Federal e cada Município), conforme previsto na Lei Complementar (LC) nº 101. Para cada caso de descumprimento de limites existem prazos para adequação e o retorno aos limites, conforme definidos no art. 23 da LC nº 101. O relatório deverá ser publicado até um mês após o encerramento de cada quadrimestre pelo chefe do Poder Executivo e pelos representantes do Poder Legislativo (presidente, membros da Mesa Diretora). Para os Municípios com população inferior a 50.000 habitantes é facultada a periodicidade semestral. (Ver: Metas fiscais // Metas fiscais, Verificação do cumprimento das // Relatório de cumprimento das metas fiscais.)

RELATÓRIO DE IMPACTO AMBIENTAL (RIMA) — É o documento que apresenta os resultados técnicos e científicos de avaliação de impacto ambiental. Constitui um documento do processo de avaliação de impacto ambiental e deve esclarecer todos os elementos da proposta em estudo, de modo que possam ser divulgados e apreciados pelos grupos sociais interessados e por todas as instituições envolvidas na tomada de decisão. O RIMA tornou-se documento essencial para exame dos Conselhos de Meio Ambiente, assim como para a tomada de decisão das autoridades ambientais.

RELATÓRIO DE QUALIDADE AMBIENTAL — Relatório instituído como um dos instrumentos da Política Nacional do Meio Ambiente, divulgado anualmente pelo IBAMA.

RELATÓRIO RESUMIDO DA EXECUÇÃO ORÇAMENTÁRIA — Previsto no art. 165, § 3º da Constituição Federal, é um relatório que o Poder Executivo deve publicar e demonstrar no prazo de 30 (trinta) dias após o encerramento de cada bimestre, com um demonstrativo orçamentário, contendo aspectos de previsão e execução de receitas e despesas, abrangendo todas as entidades pertencentes ao ente. Será acompanhado da apuração da receita corrente líquida, das receitas e despesas previdenciárias, dos resultados nominal e primário, das despesas com juros e dos pagamentos de Restos a Pagar. O descumprimento dos prazos impedirá, até que a situação seja regularizada, que os estados federados e os municípios recebam transferências voluntárias (da União aos estados e municípios e dos estados, aos seus municípios), que não seja de mandamento constitucional. Implica, ainda, a proibição de operação de crédito, exceto as destinadas ao refinanciamento do principal atualizado da dívida mobiliaria.

RELEASE — Também chamado de *press release*, constitui uma sugestão de pauta enviada à imprensa em forma de texto informativo. Pode divulgar empresas privadas, instituições públicas, eventos e fatos relevantes que digam respeito a alguma personalidade e tem como objetivo atrair os jornalistas para uma cobertura do acontecimento. O *release* costuma ser produzido por assessorias de imprensa, profissionais de relações públicas ou, até, agências de publicidade e é enviado ao encarregado da pauta de um veículo ou, ainda, ao titular de alguma coluna impressa, *site* ou programa de tevê ou rádio, preferencialmente precedido por uma conversa direta com o destinatário, de maneira a fisgar a atenção para o acontecimento.

RELEVÂNCIA — Qualidade que um assunto tem de influenciar as decisões. A relevância é normalmente considerada em função do valor monetário, mas a natureza ou as características de um elemento ou grupo de elementos também podem tornar um assunto relevante.

RELEVÂNCIA/PERTINÊNCIA — Medida segundo a qual os objetivos correspondem às expectativas dos beneficiários, às necessidades, às prioridades, às políticas dos parceiros. Retrospectivamente, a questão da relevância consiste freqüentemente em colocar a questão de saber se os objetivos ou a sua concepção continuam adequados tendo em conta a evolução do contexto.

RELEVO — Designação dos vários acidentes de terreno. Distinção, evidência, realce. Ação ou efeito de relevar. Aresta, saliência, ressalto. Trabalho arquitetônico ou lavor que sobressai. Obra de escultura ou pintura, em que os objetos ressaltam da superfície da construção ou da tela.

RELIABILITY — Margem de segurança, em pesquisa de mercado.

RELIGIÃO — Pode ser definida como um conjunto de crenças relacionadas com aquilo que a humanidade considera como sobrenatural, divino e sagrado, bem como o conjunto de rituais e códigos morais que derivam dessas crenças.

RELÓGIO BIOLÓGICO — Mecanismo interno de marcação do tempo que governa o ritmo biológico natural de um organismo.

REMANESCENTE — Restante; aquilo que sobra. Ex.: após a venda de parte do terreno, o que resta é o terreno remanescente.

REMÉDIOS CONSTITUCIONAIS — São, entre outros, o direito de petição, o direito a certidões, o *habeas-corpus*, o mandado de segurança individual, o mandado de segurança coletivo, o mandado de injunção, o *habeas-data* e a ação popular.

REMEMBRAMENTO — Reagrupamento de lotes contíguos para constituição de uma única gleba que poderão ou não ser desmembrados em novos lotes.

REMESSA DOS AUTOS — É a saída dos autos de cartório e o envio dos mesmos ao juiz da causa, ao advogado, ao perito, ao contador ou ao grau de jurisdição superior.

REMESSAS DE RECURSOS AO EXTERIOR — Toda operação de remessa ou envio de recursos ao exterior com fins de investimento em quotas de fundos ofertados por instituições estrangeiras caracteriza-se por uma operação simples de fechamento de câmbio que, por medida de prevenção à evasão de recursos e fiscal, tem sobre ela a ação de fortes instrumentos de governança corporativa. Seus aspectos operacionais versam sobre a ação do Banco Central do Brasil e da Secretaria da Receita Federal, principais mecanismos de governança existentes no mercado financeiro e órgãos do Governo Federal com instrumentos dispositivos sobre as remessas em questão.

REMIÇÃO — Ato ou efeito de remir(-se). Libertação, resgate. Salvação de pecados ou de crimes por meio da expiação. Remição é resgate de dívida; liberação de ônus, de obrigação, de um direito. É a liberação do bem penhorado, pelo pagamento do valor da dívida. Não se confunde com a remissão (com "ss") que é o perdão total ou parcial da dívida pelo credor. (Ver: Remissão // Remido.)

REMIÇÃO DE EXECUÇÃO — É o resgate da execução, desobrigando o devedor.

REMIÇÃO DE PENA — Ver Pena - Remissão pelo Trabalho.

REMIDO — É aquele que se acha desobrigado de uma prestação mediante o pagamento desta. (Ver: Remição.)

REMINISCÊNCIA — Capacidade de fixação e reprodução pela memória; aquilo que fica de memória; recordação vaga; lembrança apagada.

REMIR — Adquirir de novo. Tirar do poder ou domínio alheio. Livrar; salvar. Tornar esquecido. Indenizar. O mesmo que redimir.

REMISSÃO — Consiste na liberação graciosa da dívida, ou seja, no perdão da dívida. A remissão é uma das hipótese de extinção do crédito tributário. Ao contrário da anistia, a remissão atinge a dívida como um todo, impondo o seu perdão, remindo o crédito tributário e extinguindo-o total ou parcialmente. A sua concessão deve ser feita por lei específica e que atenda aos critérios de interesse público, observando-se as regras para a renúncia fiscal. Não se confunde com a remição (com "ç") que representa o resgate de uma dívida. (Ver: Anistia fiscal // Remição.)

REMOÇÃO — É o afastamento da pessoa que está investida no cargo ou encargo, para que, em seu lugar ou substituição, se nomeie ou se designe outra pessoa.

REMONETIZAÇÃO — Processo pelo qual um metal que deixou de ser cunhado (monetizado) em determinado momento volta a ser cunhado de acordo com normas estabelecidas pelas autoridades monetárias. (Ver: Meios de pagamento.)

REMORSO — Sentimento de culpa angustiante revivido na lembrança de erro que resultou dano em outrem.

REMUNERAÇÃO — 1) O que é percebido por um indivíduo, ou por uma coletividade, como fruto do capital ou da remuneração do trabalho. A remuneração compreende: a) salário-base; b) adicional de insalubridade; c) adicional de periculosidade; d) adicional noturno; e) adicional de transferência, nunca inferior a 25% do salário que o empregado percebia naquela localidade, enquanto durar essa situação; f) anuênios, biênios, triênios, qüinqüênios e decênios; g) comissões e gratificações; h) descanso semanal remunerado; i) diárias para viagens em valor superior a cinqüenta por cento do salário; j) horas extras, segundo sua habitualidade; l) prêmios, pagos em caráter de habitualidade; m) prestação *in natura*. 2) Para a Previdência Social, é o salário-base acrescidas das vantagens pessoais. (Ver: Salário.)

REMUNERAÇÃO DO DEPUTADO ESTADUAL — Será fixada em cada legislatura para a subseqüente pela Assembléia Legislativa de cada Estado, na razão de, no máximo, 75% (setenta e cinco por cento) daquela estabelecida, em espécie, para os deputados federais.

REMUNERAÇÃO DO VEREADOR — Ver Câmara Municipal - Remuneração do Vereador.

RENDA — 1) Proventos que se auferem periodicamente pelo trabalho ou pela exploração econômica de coisa ou pela aplicação ou investimento de capital. 2) Preço da coisa arrendada. 3) Prestação do devedor no contrato de renda sobre imóveis. Renda de imóvel constitui título executivo extrajudicial. Renda vinculada a imóvel é direito real de fruição sobre coisa alheia. 4) Tudo quanto o Estado arrecada em tributos e na exploração de terras, empresas e bens patrimoniais, o que vem a constituir a receita pública. Dar às rendas públicas aplicação diversa da especificada em lei é crime. 5) É a série de pagamentos periódicos ao participante ou ao beneficiário, na forma estipulada no plano de previdência.

RENDA BRUTA (RB) — É o somatório das remunerações brutas dos fatores de produção empregados na economia, durante uma período de tempo.

RENDA ECONÔMICA (MERCADO DE FATORES) — É o resultado da diferença positiva entre o montante salarial auferido e o vencimento de transferência de um trabalhador.

RENDA ECONÔMICA (MERCADO DE PRODUTOS) — É o resultado da diferença positiva entre o preço do bem e os custos de produção suportados pela empresa (normalmente monopolista).

RENDA FIXA — É um tipo de aplicação na qual a rentabilidade pode ser determinada previamente ou que segue taxas conhecidas do mercado financeiro. São exemplos de renda fixa: CDB, Certificado de Depósito Bancário e debêntures. Buscam retorno através de investimentos em ativos de renda fixa (também podem ser incluídos títulos sintetizados através de uso de derivativos). Ficam fora dessa categoria estratégias que impliquem em risco de índices de preço (IGPM, por exemplo), de moeda estrangeira ou de renda variável (ações). Estes fundos se enquadram como "não referenciados".

RENDA FIXA COM ALAVANCAGEM — Buscam retorno através de investimentos em ativos de renda fixa de qualquer espectro de risco de crédito, incluindo-se estratégias que impliquem em risco de índices de preço, excluindo-se porém investimentos que impliquem em risco de oscilações de moeda estrangeira e de renda variável (ações etc.). Diferenciam-se dos fundos de renda fixa multiíndices apenas pela possibilidade de fazer alavancagem.

RENDA FIXA CRÉDITO — Busca retorno no mercado de juros doméstico, investindo em títulos de renda fixa de qualquer espectro de risco de crédito, excluindo-se estratégias que impliquem em risco de índices de preço, de moeda estrangeira ou de renda variável (ações, opções etc.), não sendo admitida alavancagem da carteira. Diferencia-se do Fundo de Renda Fixa apenas pela possibilidade de investimentos com risco de crédito acima do limite previsto na legislação dos "não referenciados".

RENDA FIXA MULTIÍNDICES — Busca retorno através de investimentos em ativos de renda fixa de qualquer espectro de risco de crédito, incluindo-se estratégias que impliquem em risco de índices de preço. Incluem-se nesta categoria os fundos de renda fixa com risco de indexadores (fundos IGPM etc.) sem alavancagem, entre outros. São vedados investimentos que impliquem em risco de renda variável (ações) e de dólar.

RENDA LÍQUIDA ENVIADA AO EXTERIOR — É a diferença entre aquilo que é pago por fatores de produção externos utilizados internamente e aquilo que é recebido do exterior por fatores de produção nacionais empregados em outros países. No caso do Brasil, a renda líquida enviada ao exterior é positiva, principalmente em função dos pagamentos de juro relativos à dívida externa.

RENDA NACIONAL – CONCEITO MACROECONÔMICO — É o somatório de todos os rendimentos de residentes em um determinado país. Incluem-se salários, pensões, rendas (de aluguéis, juros, dividendos etc.), transferências do exterior a residentes no país, subtraindo-se as transferências feitas por pessoas que moram no país para residentes no exterior e as contribuições para a previdência social (que constituem poupança). Retirando-se ainda o montante pago em impostos, tem-se a renda disponível. As variações da renda dão-se basicamente pelo aumento ou diminuição do nível de emprego.

RENDA *PER CAPITA* — A renda *per capita* representa quanto cada habitante receberia se o valor do produto nacional bruto (PNB) de um país fosse distribuído igualmente entre todos sem considerar a concentração de riquezas. A renda *per capita*, obtida a partir da divisão da renda total de um país pela população, é um indicador usado para medir o grau de desenvolvimento de um país. Utilizado como índice, apresenta a desvantagem de esconder disparidades na distribuição de renda por se tratar de média. Por exemplo, um país pode ter uma renda *per capita* bastante elevada mas uma distribuição de renda desigual; ou, ao contrário, apresentar renda *per capita* "baixa" pelo fato de a riqueza ser bem distribuída, não registrando grandes disparidades entre pobres e ricos.

RENDA PERMANENTE — É a renda normal de uma pessoa.

RENDA PÓS-FIXADA — É o rendimento que paga correção monetária no período da aplicação mais juros (% ano), sobre o valor corrigido da aplicação. Nesta aplicação o investidor só fica sabendo qual será o seu rendimento no vencimento do título.

RENDA PREFIXADA — É o rendimento que o investidor fica sabendo no ato da aplicação quanto vai ganhar e quando terá o seu dinheiro de volta.

RENDA REAL — Renda atribuída que não é recebida em dinheiro nem em espécie. Por exemplo: a renda que seria recebida pelo dono de um imóvel se ele fosse, também, seu ocupante.

RENDA VARIÁVEL — Tipo de investimento no qual a rentabilidade não pode ser determinada na data da realização do investimento. Uma aplicação é considerada renda variável quando o retorno ou rendimento desta aplicação é pouco previsível, pois está sujeita a variações de acordo com o mercado. Ações de empresas são exemplos de renda variável.

RENDAS MENSAIS VITALÍCIAS — Também denominada amparo previdenciário, é devida ao idoso maior de 65 anos e ao inválido, com qualquer idade, que não exerce atividade remunerada e que comprove não possuir meios de prover sua própria subsistência, ou de tê-la provida por sua família.

RENDEIRO — Proprietário da casa dada à renda. O que dá ou toma de arrendamento uma propriedade, recebendo ou pagando renda por seu uso. Arrendador ou arrendatário; parceiro agrícola.

RENDIMENTO — Provento em dinheiro, bens ou serviços que uma pessoa ou empresa aufere de suas atividades profissionais ou de transações mercantis ou civis. Em economia representa a criação de riqueza nova pelo sujeito econômico, traduzível nos fluxos monetários resultantes da participação do mesmo no mercado de fatores.

RENDIMENTO DISPONÍVEL — Em economia representa o somatório do rendimento do sujeito, deduzidos os impostos e as despesas correntes.

RENDIMENTO FAMILIAR *PER CAPITA* — É somatório da renda de cada integrante de uma família, dividida pelo número de familiares dependentes.

RENDIMENTO MARGINAL — Em economia representa os ganhos que a empresa aufere em virtude da última unidade vendida.

RENDIMENTO MÉDIO — 1) Em economia representa os ganhos que a empresa aufere por unidade vendida. O rendimento médio da empresa iguala o preço dos produtos. 2) Utilizado no levantamento Sistemático da Produção Agrícola, é obtido pela quantidade de um produto (kg), por unidade de área (ha).

RENDIMENTO MENSAL FAMILIAR — Utilizado em pesquisa de rendimento familiar, consiste na soma dos rendimentos mensais dos componentes da família, excluindo as pessoas cuja condição na família é de pensionista, empregado doméstico ou parente do empregado doméstico.

RENDIMENTO NOMINAL — São ganhos auferidos em uma operação sem descontar as perdas decorrentes da inflação.

RENDIMENTO NOMINAL MÉDIO MENSAL — Termo utilizado por órgãos oficiais de pesquisa que consiste na investigação do rendimento nominal médio mensal limitando-se aos chefes dos domicílios. Considera-se como rendimento nominal médio mensal a soma de todos os rendimentos do chefe do domicílio, do qual foram investigados: o rendimento bruto da ocupação habitual, o rendimento bruto de outras ocupações, o rendimento bruto proveniente de aposentadoria e/ou pensão e o rendimento bruto ou a média dos últimos 12 meses corrigida monetariamente, para outros rendimentos que não se enquadrem em nenhuma categoria relacionada anteriormente.

RENDIMENTO REAL — São ganhos auferidos em uma operação já descontadas as perdas com a inflação.

RENDIMENTO SUSTENTADO — Situação alcançada, por exemplo, em uma floresta submetida a práticas de manejo, onde se tenta obter o equilíbrio entre a produção de matéria-prima e o corte.

RENDIMENTO TOTAL — Em economia é somatório do produto das vendas que a empresa pode alcançar em virtude da sua atividade de combinação de fatores de produção (Rendimento total = Preço x Quantidade).

RENDIMENTOS BRUTOS — São ganhos auferidos em uma operação sem descontar o imposto de renda.

RENDIMENTOS LÍQUIDOS — São ganhos auferidos em uma operação já descontado o imposto de renda.

RENEGOCIAÇÃO DA DÍVIDA — Ver Reestruturação da dívida.

RENQUE — Alinhamento. Disposição de um grupo de árvores em fila, ala, linha ou fileiras.

RENTABILIDADE — Nível de ganho real (de retorno econômico) que é propiciado por um investimento. O nível de rentabilidade é normalmente expresso sob a forma de percentagem do ganho (lucro) sobre o valor do investimento total realizado, devidamente considerado o período de tempo de aplicação. Os níveis de rentabilidade costumam ser inversamente proporcionais aos níveis de segurança e de liquidez dos investimentos (quanto maior a perspectiva de lucro, menor a segurança para o capital investido). No âmbito do setor público o termo é empregado, com freqüência, com o sentido de expressar que um determinado empreendimento deverá propiciar um retorno favorável, isto é, grande satisfação para os seus beneficiários diretos.

RENTABILIDADE FIXA — Rendimento sobre operações no mercado financeiro, com títulos de renda fixa.

RENTABILIDADE VARIÁVEL — Rendimento sobre operações no mercado financeiro, com títulos de renda variável.

RENTAL — Aluguel.

RENÚNCIA — Desistência voluntária do mandato, abandono ou abdicação a uma posição de autoridade. No sentido jurídico, designa o abandono ou desistência do direito que se tem sobre alguma coisa por vontade de seu titular, ou transferência para outrem. Ato de deixar, espontaneamente, cargo público. Causa de extinção de direitos subjetivos. Desistência, por parte do enfiteuta, do domínio útil em favor do senhorio. Caducidade de recurso, no juízo *a quo,* por não ter sido preparado e remetido a tempo a superior instância. No Direito Penal como no Processual Penal, nos casos de crimes de ação privada, a renúncia ao direito de queixa é um dos modos de extinção da punibilidade. É expressa, quando feita pelo ofendido ou por seu representante legal; e tácita, quando resulta da prática de ato que não se compatibiliza com o propósito de iniciar a ação; diverge do perdão, porque é unilateral, decorrendo apenas da manifestação de vontade do ofendido. No processo civil, a procuração geral para o foro não permite ao advogado renunciar ao direito, sobre que se funda a ação; mas pode, a qualquer tempo, renunciar ao mandato, notificando o mandante para que lhe dê sucessor e continuando a representá-lo nos 10 dias seguintes à notificação. A parte pode renunciar ao prazo estabelecido exclusivamente em seu favor. O processo extingue-se com o julgamento de mérito quando o autor renunciar ao direito sobre que se funda a ação. Reputar-se-á renunciado o agravo se a parte não pedir expressamente, nas razões e contra-razões da apelação, sua apreciação pelo tribunal.

RENÚNCIA DE RECEITA — São benefícios que correspondem a tratamento diferenciado a contribuintes, que importem em redução de valores de tributos. A renúncia de receita compreende: a anistia, remissão, subsídio, crédito presumido, concessão de isenção em caráter não geral, alteração de alíquota ou modificação de base de cálculo que implique redução discriminada de tributos ou contribuições e outros benefícios que correspondam a tratamento diferenciado. (Ver: Renúncia de Receita, Concessão de Benefícios que Importem em.)

RENÚNCIA DE RECEITA, CONCESSÃO DE BENEFÍCIOS QUE IMPORTEM EM — A concessão ou ampliação de incentivo ou benefício de natureza tributária da qual importem em renúncia de receita, além de atender a pressupostos de interesse público justificadores, deverá: estimar o impacto orçamentário-financeiro da medida no exercício em que deva iniciar sua vigência e nos dois seguintes; atender, obrigatoriamente, ao disposto na LDO; comprovar de que a renúncia de receita foi considerada na estimativa da receita da Lei Orçamentária Anual e demonstrar que a medida não afetará as metas de resultados fiscais previstos no Anexo de Metas Fiscais. Alternativamente à demonstração relativa às metas de resultados fiscais, poderá adotar medidas de compensação exclusivamente na área tributária. (Ver: Renúncia de Receita.)

RENÚNCIA FISCAL — Ver Renúncia de Receita.

REORGANIZAÇÕES SOCIETÁRIAS — É uma denominação genérica para alterações como incorporação, fusão e cisão.

REPACTUAÇÃO — Ver Contrato Administrativo - Repactuação.

REPARAÇÃO — Conserto, compensação de prejuízos, indenização que se pode exigir de alguém por violação do direito alheio, por ação ou por omissão voluntária, negligência ou imprudência. Satisfação por injúria ou ofensa.

REPARAÇÃO DE DANO, AÇÃO DE — É o procedimento judicial que tem por objetivo obrigar aquele que, por ação ou omissão voluntária, negligência, ou imprudência, violar direito, ou causar prejuízo a outrem, fica obrigado a reparar o dano. A ação se formula diante do direito de exigir reparações, contra a pessoa obrigada a prestá-las.

REPARTIÇÃO — Parte indivisível da Administração Pública. Em linguagem da Administração Pública, repartição é a palavra empregada para designar os órgãos administrativos que desempenham funções de ordem administrativa indispensáveis à realização das finalidades do ente.

REPARTIÇÃO DA RECEITA TRIBUTÁRIA — Divisão da receita pública de acordo com a disposto na Constituição Federal e legislação própria.

REPASSE — Distribuição, pelo Órgão, dos recursos financeiros correspondentes ao seu crédito, para utilização pelas unidades orçamentárias. (Ver: Contrato de Repasse.)

REPASSE CONCEDIDO — Transferência de recurso financeiro entre Ministérios, Secretarias ou órgãos. Refere-se à movimentação entre eles, na mesma esfera de governo.

REPASSE INTERFINANCEIRO — São operações em que uma instituição financeira transfere recursos para outra, para atendimento de necessidades imediatas de caixa da instituição tomadora ou para repasse para operações de crédito a cliente final.

REPASSE RECEBIDO — Recebimento de recurso financeiro procedente de outro Ministério, Secretaria ou outro órgão.

REPATRIAMENTO — Termo utilizado em relação à moeda estrangeira. Define a recuperação e o retorno ao País, de valores remetidos ao exterior, em pagamentos diversos.

REPERCUSSÃO DO IMPOSTO — Em economia reporta-se à transmissão subjetiva do sacrifício do imposto que cabia inicialmente a um sujeito. Não obstante a lei poder estabelecer o contrário, quanto menor for à elasticidade, menor será a repercussão e quanto maior for a elasticidade, maior a repercussão.

REPETÊNCIA ESCOLAR — Ver Educação - Repetência Escolar.

REPETIÇÃO DE ATO PROCESSUAL — Ao pronunciar a nulidade, o juiz declarará que atos são atingidos e ordenará providências para que sejam repetidos ou retificados, não ocorrendo se a falta não prejudicar a parte ou se o juiz puder decidir do mérito a favor da parte a quem aproveite a nulidade. As custas caberão a quem der causa à repetição.

REPIQUE — Movimento de alta, usualmente de curta duração, que ocorre durante processo de baixa de preços a que está submetido determinado título.

REPLAY — Repetição.

RÉPLICA — No judiciário penal é a contradita complementar da acusação, oral e fundamentada, que o órgão da justiça opõe aos argumentos da defesa. Contracontestação. Direito do promotor, no Júri, de rebater as alegações da defesa contra sua primeira manifestação acusatória. A réplica tem ensejo quando a acusação considerar conveniente ou necessário contestar afirmações do defensor ou esclarecer, novamente, fatos que argüiu e que a defesa apresentou sob novas roupagens. No processo civil, é a manifestação do autor sobre argüição do réu em matéria que impede, altera ou extingue o fato sobre o qual se baseia a lide. (Ver: Tréplica.)

REPORTAR — Dar conta dos resultados de uma investigação. Descrever. Passar, por escrito, detalhes de procedimento, para registro ou publicação. Investigar, observar, examinar, verificar.

REPORTE — Compra de uma posição para vencimento mais próximo - à vista ou a futuro - e concomitante venda de posição igual para vencimento mais distante. Pode ser realizado visando tirar proveito de um esperado estreitamento dos diferenciais de preço, em alta ou em baixa. Pode ainda corresponder ao encerramento de uma compra anterior a futuro feita como operação técnica defensiva a ser compensada pela venda final agora realizada à vista. Além dos seus objetivos, o "reportador" beneficia o mercado como um todo, aumentando o número de parceiros e a liquidez dos negócios, colaborando na redução de diferenciais de preços indevidamente afastados etc. Se atuando com o objetivo único de auferir o diferencial de preços no vencimento acresce o benefício de correlação que estabelece com as demais alternativas financeiras. (Ver: Financiamento.)

REPOSIÇÃO — Reconstituição de níveis de suprimento.

REPOUSO SEMANAL REMUNERADO — Descanso de um dia por semana, em regra aos domingos, assegurado ao trabalhador, salvo se houver necessidade ou conveniência pública.

REPRESENTAÇÃO — 1) Delegação de poderes conferidos pelo povo, por meio de votos, a certas pessoas, a fim de que exerçam em nome dele as funções próprias dos órgãos eletivos da Administração Pública. 2) Direito que cabe ao cidadão de se dirigir aos Poderes Públicos para reclamar contra abusos de autoridades e promover a responsabilidade delas. Reclamação escrita contra um fato ou pessoa, encaminhada geralmente ao Ministério Público, quando a lei exige que o ofendido noticie a ofensa para que o MP possa dar início à ação penal. É condição de procedibilidade para propositura de ação penal pública condicionada à representação do ofendido ou de seu representante legal. Sem ela o Ministério Público não possui legitimidade para oferecer denúncia nos casos em que o interesse da vítima se sobrepõe ao público. Que substitui algo. Consiste em ser admitida a agir outra pessoa (representante legal) em nome e no interesse do incapaz. Juridicamente é como se fosse o incapaz a agir. Na sucessão legítima, direito dos descendentes em linha reta, ou colateral, do falecido, de suceder em todos os direitos que a ele competiam.

REPRESENTAÇÃO POLÍTICA — Ver Eleição - Representação política.

REPRESENTANTE — É a pessoa que exerce uma representação ou a quem se atribuem os poderes de representação.

REPRESENTATIVIDADE DEMOCRÁTICA — Ver Eleição - Representatividade democrática.

REPRESSÃO — É o ato de reprimir, conter, deter, impedir e punir um indivíduo, um objeto, uma idéia ou um desejo. Em Política, a repressão é um tipo de ação pública, geralmente (mas nem sempre), tomado por parte do Estado para conter e calar manifestações de oposição e dissidência ao regime estabelecido. A repressão política é típica de regimes de força como o autoritarismo, o absolutismo, as ditaduras militares e o totalitarismo. Métodos de repressão política incluem freqüentemente práticas violentas como a tortura, o espancamento e execuções da pena de morte. Outros métodos mais brandos são a censura e a prisão, além de tiros com balas de borracha e bombas de efeito moral, como as de gás lacrimogêneo. A repressão civil é também efetuada por agentes privados, como efetivos de segurança particular nas empresas, ou milícias (no Brasil, *jagunços*) a serviço de chefes oligárquicos locais.

REPRINT — Reprodução.

REPRISTINAÇÃO — A repristinação ocorre quando uma norma posterior revalida uma norma anteriormente invalidada. Instituto pelo qual se restabelece a vigência de uma lei revogada pela revogação da lei que a tinha revogado. Ex.: a lei "A" é revogada pela lei "B"; advém a lei "C", que revoga a lei "B" e diz que a lei "A" volta a viger. Deve haver dispositivo expresso, não existindo repristinação automática (nem a Constituição Federal pode repristinar automaticamente uma lei).

REPRODUÇÃO/EFEITO MULTIPLICADOR — Efeito de repetição de um acontecimento ou fato sem alterar o essencial.

REPÚBLICA — Forma de governo de um país em que a sucessão é feita através de eleição e não por perpetuação ou herança. É caracterizada pela temporariedade dos mandatos políticos. Forma de Estado em que o povo é visto como fonte originária do poder político. No mundo contemporâneo a idéia de República está fortemente associada à democracia e ao Estado de Direito, o que pressupõe a prática de eleições livres, a supremacia das normas constitucionais sobre o poder estatal e o reconhecimento de que os recursos públicos devem ser utilizados na promoção do bem geral dos cidadãos.

REPÚBLICA VELHA — Primeiro período republicano no Brasil, também chamado de Primeira República, que dura de 1889 a 1930. É controlado pelas oligarquias agrárias de São Paulo, Minas Gerais e Rio de Janeiro, fortemente ligadas à agricultura cafeeira. De 1889 a 1894, o Brasil é dominado pelos setores militares envolvidos diretamente na proclamação da República. Chefe do governo provisório, o marechal Deodoro da Fonseca assume a Presidência em fevereiro de 1891, em eleição indireta pelo Congresso Constituinte. Desfavorecido pelas críticas feitas no parlamento à sua política econômica e à sua atuação política em geral, Deodoro renuncia em novembro do mesmo ano. Seu vice, Floriano Peixoto, assume o governo e usa o apoio popular para radicalizar a luta contra os setores monarquistas, acusados de conspirar contra o novo regime.

REPUBLICANO — Partidário da república ou referente a ela.

REPÚDIO — A negação, feita por uma das partes de uma operação, de sua participação no todo ou em parte de tal operação ou dos conteúdos da comunicação.

REPUGNÂNCIA — Sensação de náusea e aversão. Tende ao sentimento de indignação moral, de oposição.

REPUGNAR — Reagir contra; contrariar. Recusar; rejeitar; não aceitar.

REPULSA — Sensação de aversão acompanhada de raiva e repugnância.

REPULSÃO — Força em virtude da qual alguns corpos se repelem mutuamente. Ação ou efeito de repelir.

REQUALIFICAÇÃO PROFISSIONAL — Preparação de pessoal para ampliar/renovar seu perfil de competências, envolvendo mudança de setor, ramo, ocupação, posto.

REQUERENTE — Pessoa que faz, nos termos de um procedimento, uma solicitação ou queixa individual. É o autor de um requerimento (equivale a peticionário, postulante).

REQUERER — Pedir ou solicitar a feitura ou execução de alguma coisa ou a satisfação de alguma pretensão.

REQUERIDO — Aquele a quem se requereu ou o que é objeto ou conteúdo de um requerimento; o réu.

REQUERIMENTO — 1) Pedido, reivindicação, pretensão. Documento com suposto amparo legal, utilizado para fazer solicitação a autoridade competente. Nos crimes de ação pública incondicionada o inquérito pode ser iniciado por requerimento da vítima ou de seu representante legal. A autoridade policial não pode indeferir o requerimento, sob pena de ser criminalmente responsabilizada, a menos que a punibilidade já esteja prescrita; se o fato narrado não configurar crime, que o requerimento não forneça dados suficientes para a investigação ou se dirija à autoridade incompetente. 2) No âmbito legislativo, qualquer pedido feito por Deputado ou Comissão, que verse sobre matéria de expediente ou de ordem, dirigido ao Presidente da Casa ou de Comissão. Proposição por meio da qual o parlamentar pede a adoção de alguma providência. 3) Solicitação, redigida dentro das formalidades legais, que pode estar sujeita a despacho do presidente da Câmara; do presidente ouvida a Mesa ou à deliberação do Plenário. (ex.: solicitação para ter a palavra ou desistir dela durante a sessão; requerer informações a ministro de Estado, entre outras.)

REQUISIÇÃO — 1) Solicitação legal de pessoal, suprimento ou serviços. 2) Método de suprimento que consiste em fornecer os suprimentos a cada unidade consumidora, mediante pedido que essa faz, à medida que deles necessita. 3) Pedir com autoridade ou exigir. Nesse sentido, é a exigência legal ou a ordem emanada da autoridade para que se cumpra, para que se faça, ou para que se preste o que é exigido, ordenado ou pedido; 4) É a modalidade de intervenção através da qual o Poder Público utiliza bens (móveis e imóveis) e serviços de particulares, quando estes representam perigo público iminente, assegurando aos proprietários uma indenização posterior, se tiver havido algum dano. 5) No Direito Administrativo é a utilização, por força coativa de bens ou serviços particulares pelo Poder Publico, por ato de execução mediata e direta da autoridade requisitante e indenização ulterior, para atendimento de necessidades coletivas, de caráter urgente e transitório. A Constituição Federal autoriza o uso da propriedade particular na iminência de perigo público, pelas autoridades competentes, civis e militares. É ato de império do Poder Público, discricionário, que independe da intervenção prévia do Poder Judiciário como ato de urgência. 6) No Cível, o juiz pode requisitar certidões e procedimentos administrativos às repartições públicas, no interesse da justiça, assim como pode requisitar servidor público ou militar que figure no rol de testemunhas. Também requisitará força policial para efetivar a execução, para auxiliar os oficiais de Justiça na penhora de bens, na prisão de quem resistir à ordem, e para atender a pedido de depositário na entrega a este de bens seqüestrados. Se os bens a serem penhorados estiverem em repartição pública, precederá a penhora à requisição do juiz ao respectivo chefe da repartição. 7) No Direito Penal, pode haver requisição de ação pública pelo Ministro da Justiça.

RE-RATIFICAÇÃO — É o contrato que simultaneamente retifica alguns elementos contidos no contrato original e ratifica os demais.

RES — [Latim]. Expressão que significa coisa.

RES ADVERSAE — [Latim]. Expressão que significa coisa adversa; infortúnio.

RES FURTIVA — [Latim]. Expressão que significa coisa objeto do furto.

RES JUDICATA — [Latim]. Expressão que significa coisa julgada.

RES JUDICATA PRO VERITABLE HABETUR — [Latim]. Expressão que significa a coisa julgada é tida como verdade.

RES NULLIUS — [Latim]. Expressão que significa coisa nula.

RES PETITA — [Latim]. Expressão que significa coisa pedida.

RES PUBLICA — [Latim]. Expressão que significa coisa pública.

RESCALDO — Última fase de uma operação de controle de incêndios, quando se aniquilam os últimos focos e se coloca o ambiente na sua melhor apresentação e segurança. Por extensão, última fase de uma operação de controle de qualquer sinistro, quando a guarnição permanece concluindo detalhes e pronta para evitar novos surtos de intensificação.

RESCISÃO CONTRATUAL — No sentido jurídico é o ato pelo qual se anulam ou se retiram os efeitos jurídicos de um ato, convenção ou sentença. A rescisão, estritamente considerada, significa a anulação, por decisão judicial, da eficácia jurídica do que é rescindido. Expressão vulgarmente empregada como distrato que é a anulação do ajuste por mútuo consentimento das partes. (Ver: Contrato de trabalho, Verbas rescisórias em.)

RESCISÓRIO — Que rescinde; que comporta rescisão; próprio para rescindir.

RESERVA A UM TRATADO (ACORDO, CONVENÇÃO) — A reserva a um tratado indica que o Estado participante não aceita agir de acordo com uma ou mais das suas cláusulas. As reservas destinam-se, em princípio, a ser usadas apenas temporariamente, quando os Estados não estão em condições de realizar uma cláusula de um tratado mas concordam, em princípio, vir a fazê-lo.

RESERVA BIOLÓGICA — Área essencialmente não perturbada por atividades humanas, que compreende características e/ou espécies da flora ou fauna de significado científico e tem por objetivo a proteção de amostras ecológicas do ambiente natural para estudos científicos, monitoramento ambiental, educação científica e manutenção dos recursos genéticos em estágio dinâmico e evolucionário.

RESERVA DA BIOSFERA — Instrumento de conservação criado pela UNESCO em 1972. São áreas de importância internacionalmente reconhecida para a conservação do ambiente, o conhecimento científico e a manutenção de valores humanos e do conhecimento tradicional, na busca de modelos de desenvolvimento sustentável. Estão espalhadas por 110 países e fazem parte do programa "O Homem da Biosfera" (MAB) da UNESCO, desenvolvido com o PNMA - Programa das Nações Unidas para o Meio Ambiente, com a UICN - União Internacional para a Conservação da Natureza e com agências de desenvolvimento.

RESERVA DE CAPITAL — Valor que se deverá poupar para aplicação em outros investimentos. Constituem reservas de capital: a) a contribuição do subscritor de ações que exceder o valor nominal e a parte do preço de emissão das ações sem valor nominal que ultrapassar a importância destinada à formação do capital social, inclusive nos casos de conversão em ações e debêntures ou partes beneficiárias; b) o produto da alienação de partes beneficiarias e bônus de subscrição; c) o prêmio recebido na emissão de debêntures; d) as doações e as subvenções para investimento; e) o resultado da correção monetária do capital realizado, enquanto não capitalizado.

RESERVA DE CONTINGÊNCIA - SETOR PRIVADO — Parte do lucro líquido destinado pela assembléia geral à formação de reserva, com a finalidade de compensar, em exercício futuro, a diminuição do lucro decorrente de perda julgada provável, cujo valor possa ser estimado.

RESERVA DE CONTINGÊNCIA - SETOR PÚBLICO — É uma dotação global, sem programação, correspondente a um percentual da Receita Corrente Líquida, de acordo com o que for estabelecido anualmente da Lei de Diretrizes Orçamentárias, que poderá ser utilizada como fonte de recursos para abertura de créditos adicionais oriundos do atendimento de passivos contingentes e outros riscos e eventos fiscais imprevistos. A Reserva de Contingência é identificada nos orçamentos de todas as esferas de Governo pelo código"99.999.9999.xxxx.xxxx", no que se refere às classificações por função e subfunção e estrutura programática, onde o "x" representa a codificação da ação e o respectivo detalhamento. Quanto à natureza da despesa, será identificada com o código "9.9.99.99.99".

RESERVA DE CONTINGÊNCIA CONTÁBIL — É o registro contábil da reserva autorizada pela assembléia geral. (Ver: Reserva de Contingência - Setor Privado.)

RESERVA DE DESENVOLVIMENTO SUSTENTÁVEL — Unidade de conservação de uso sustentável; área natural de domínio público que abriga populações tradicionais, cuja existência baseia-se em sistemas sustentáveis de exploração dos recursos naturais, desenvolvidos ao longo de gerações e adaptados às condições ecológicas locais e que desempenham um papel fundamental na proteção da natureza e na manutenção da diversidade biológica.

RESERVA DE DOMÍNIO — Dispositivo contratual pelo qual o vendedor mantém a propriedade de um bem vendido a prazo, enquanto o comprador não quitar totalmente a dívida. Durante esse período, o comprador detém a posse e a utilização do bem, mas não pode vendê-lo a terceiros.

RESERVA DE PROPRIEDADE — Direito dado ao vendedor, em compromissos de compra e venda, de se manter proprietário do bem que está sendo vendido, até que o comprador cumpra as obrigações previstas no contrato.

RESERVA DE RISCOS NÃO EXPIRADOS — Trata-se do nome dado a uma reserva legal constituída pelas seguradoras que reflete o montante que as seguradoras teriam que devolver se todos os segurados cancelassem imediatamente todos os seus seguros.

RESERVA DE VALOR — Aquilo que as pessoas usam para transferir poder aquisitivo do presente para o futuro.

RESERVA ECOLÓGICA — Floresta e as demais formas de vegetação natural de preservação permanente relacionadas no art. 2° do Código Florestal: o pouso das aves de arribação protegidas por convênios, acordos ou tratados assinados pelo Brasil com outras nações; a que for estabelecida por ato do Poder Público. Executa-se a área na qual o Poder Público estabeleça estação ecológica, na forma do disposto nas Leis n.°s 6.938, de 31 de agosto de 1981 e 6.902, de 27 de abril de 1981. A reserva ecológica pode ser pública ou particular, de acordo com a sua situação dominal.

RESERVA ESTRATÉGICA — Quantidade de suprimento especificamente estabelecida e mantida para propósitos estratégicos.

RESERVA EXTRATIVISTA — Unidade de conservação de uso sustentável, de domínio público; área utilizada por populações extrativistas tradicionais, cuja subsistência baseia-se no extrativismo e, complementarmente, na agricultura de subsistência e na criação de animais de pequeno porte; tem como objetivos básicos proteger os meios de vida e a cultura dessas populações, e assegurar o uso sustentável dos recursos naturais da unidade.

RESERVA FLORESTAL — Áreas de grande extensão territorial, não habitadas, de difícil acesso e ainda em estado natural. (Ver: Reserva florestal legal.)

RESERVA FLORESTAL LEGAL — Área da propriedade rural onde não é permitido o corte raso, prevista no Código Florestal Legal; varia segundo a região: na Região Amazônica corresponde a 50% da área total da propriedade; na Região Sul, 20%. Deve ser averbada à margem da inscrição de matrícula do imóvel, no registro de imóveis competente, sendo vedada a alteração de sua destinação, nos casos de transmissão, a qualquer título, ou de desmembramento da área. Não é o mesmo que reserva florestal, termo que costuma ser usado apenas para designar áreas voluntariamente reservadas pelos proprietários, com finalidades ecológicas ou econômicas.

RESERVA LEGAL — Lucro retido com o objetivo de garantir integridade do capital de uma sociedade.

RESERVA MATEMÁTICA DE BENEFÍCIOS A CONCEDER — 1) É o saldo individualizado, apurado durante o período de diferimento, decorrente da movimentação de recursos de cada participante e/ou das contribuições da Instituidora, sendo seu valor atualizado diariamente em função da valorização das quotas do Fundo de Investimento Financeiro (FIF). 2) Reservas obrigatoriamente constituídas pelas seguradoras que administram planos de previdência, obtida através da contribuição dos participantes do plano, e no caso dos planos fechados, da empresa patrocinadora. Através dos recursos desta reserva que os benefícios dos participantes do plano serão pagos quando este se aposentar.

RESERVA MATEMÁTICA DE BENEFÍCIOS CONCEDIDOS — É o montante de recursos destinado a garantir o pagamento de benefício do plano de previdência, constituído pela movimentação e remuneração de recursos transferidos da reserva matemática de benefícios a conceder, na data de concessão do benefício.

RESERVA MENTAL — Há a reserva mental quando um dos contratantes reserva-se, secretamente, a intenção de não cumprir o contrato. Alguns doutrinadores a chamam de "Simulação Unilateral". Exemplo: Um autor declara que o produto da venda de seus livros será para fins filantrópicos, mas faz isto unicamente para granjear simpatia e assim fazer com que a venda seja boa; não poderá depois voltar atrás e não destinar o valor auferido para o fim anunciado.

RESERVA MILITAR — Situação de inatividade do servidor militar, após dois anos de afastamento de exercício ou por limite de idade, transferido para o Quadro de Oficiais da Reserva, podendo ser remunerada ou não, compulsória ou voluntária.

RESERVA PARTICULAR DO PATRIMÔNIO NATURAL — Categoria de manejo em que o proprietário não perde o direito de posse da área e a conservação dela tem a sua perpetuidade assegurada através de averbação do registro de propriedade em cartório, aprovada pelo órgão ambiental competente.

RESERVAS — 1) Recursos que um país tem disponíveis para gastar imediatamente, caso tenha urgência. São usadas, principalmente, para cobrir déficits nas contas internacionais, como o pagamento de juros de dívidas, e garantir a estabilidade da moeda, evitando ataques especulativos. 2) Chamadas de capital, quando representam a contrapartida do aumento do ativo em substituição a saída de numerário ou o reconhecimento da obrigação. São constituídas, de acordo com a legislação fiscal, com o objetivo de preservar o patrimônio dos proprietários. Podem também ser calculadas sobre os resultados positivos, de acordo com os estatutos sociais.

RESERVAS BANCÁRIAS — Conta que os bancos mantêm no Banco Central, cujo saldo é afetado pelas operações de saques e depósitos realizadas junto ao Departamento do Meio Circulante, junto às suas representações regionais ou junto à custódia no Banco do Brasil.

RESERVAS CAMBIAIS — Meios de pagamento que as autoridades monetárias de um país podem dispor para saldar os *déficits* das suas balanças de pagamentos para com o estrangeiro. Refletem o montante de moeda estrangeira e ouro acumulado pelo país em poder do Banco Central. É o resultado do Balanço de Pagamentos, que reflete o resultado monetário das transações de bens e serviços realizadas pelos brasileiros com o exterior (saldo em transações correntes), assim como o fluxo de capitais entre o país e o exterior (sejam empréstimos, financiamentos, aplicações em mercado financeiro, investimento direto em plantas industriais etc.). Vai exprimir se houve acúmulo ou perda de moeda estrangeira no período, refletindo, portanto, a variação das reservas cambiais. Vale lembrar que o Balanço de Pagamentos registra somente um fluxo monetário dentro de um determinado período (em geral os resultados são apresentados em trimestres ou anuais), enquanto que as Reservas Cambiais revelam o estoque de moedas estrangeiras em um determinado momento. Em síntese, o procedimento é o seguinte: Quando um exportador vende suas mercadorias lá fora, ele não embolsa dólares. O Banco Central fica com os dólares e paga ao exportador o equivalente em moeda brasileira. Por isso a desvalorização cambial favorece as exportações e o câmbio sobrevalorizado facilita as importações. Os investimentos de curto prazo que vêm de fora para as bolsas de valores ficam, em dólares, no Banco Central, e são aplicados como reais, recebem juros em reais. Quando saem do Brasil, no entanto, o Banco Central é obrigado a substituí-los por dólares, para enviá-los aos investidores externos. Quando o BC fica sem reservas suficientes para garantir investimentos externos, pagar importações etc., temos aí a temida crise cambial.

RESERVAS INTERNACIONAIS – LÍQUIDA AJUSTADA — Haveres no Banco Central do Brasil em moeda estrangeira, ouro, direitos especiais de saque e posição junto ao Fundo Monetário Internacional menos as obrigações de curto prazo em moeda estrangeira do Banco Central do Brasil e as obrigações junto ao FMI.

RESERVAS INTERNACIONAIS - LIQUIDEZ INTERNACIONAL — Haveres no Banco Central do Brasil em moeda estrangeira, ouro, Direitos Especiais de Saque (DES) e posição junto ao Fundo Monetário Internacional.

RESERVAS INTERNACIONAIS — Refletem o montante de moeda estrangeira e metais preciosos acumulado por um país. É o total de moeda estrangeira (principalmente dólares, no caso brasileiro) mantido pelo Banco Central (BC), disponível para uso imediato. As reservas internacionais têm origem nos *superávits* do balanço de pagamentos: toda vez que há uma entrada de moeda estrangeira, o BC realiza o câmbio, ficando com os dólares e pagando os exportadores em reais. Quando há mais entradas de dólares que saídas, o BC acumula reservas. Inversamente, quando o país é deficitário, há uma saída de divisas que o BC cobre, fazendo uso das reservas acumuladas. Além dessa função, de cobrir os eventuais *déficits* nas contas externas, as reservas internacionais também podem ser usadas para evitar ataques especulativos contra a moeda. Assim, quando especuladores do mercado financeiro tentam provocar fortes altas ou baixas do dólar no mercado, o BC pode usar as reservas para neutralizar esses movimentos. Há dois critérios para o cálculo do volume de reservas internacionais: a) O descrito anteriormente, conhecido pelo termo "reservas internacionais conceito caixa", b) o "conceito de liquidez internacional", que, além dos já descritos, também considera títulos em dólar e outros recursos de médio e longo prazos em poder do BC.

RESERVAS NACIONAIS — As regiões estabelecidas para a conservação e utilização, sob a vigilância, das riquezas naturais, nas quais se protegerá a flora e a fauna tanto quanto compatível com os fins para os quais estas reservas são criadas. (Ver: Reservas // Reservas cambiais.)

RESERVAS POSSÍVEIS — Estimativa das reservas possíveis de recursos minerais naturais não renováveis, baseada em dados geológicos e de engenharia de áreas não testadas ou não perfuradas.

RESERVAS PROVADAS — Quantidades estimadas de recursos minerais naturais não renováveis que podem ser recuperadas de reservatórios conhecidos, nas condições econômicas e de operação atuais.

RESERVAS PROVÁVEIS — Estimativa das reservas de recursos minerais naturais não renováveis, baseada nos trabalhos de perfuração, a ser confirmada para efeito de classificação como reservas provadas.

RESERVAS RECUPERÁVEIS — Proporção de recursos minerais naturais não renováveis que pode ser recuperada de um reservatório com as técnicas atuais.

RESERVATÓRIO — 1) Onde a energia, informação e matéria podem ser acumulados ou armazenados. 2) Acumulação de petróleo e/ou gás numa rocha porosa tal como arenito. Um reservatório de petróleo contêm normalmente três fluidos (óleo, gás e água), separados em seções distintas, em função de suas diferentes densidades. Mais leve, o gás ocupa a parte superior do reservatório, o óleo ocupa a seção intermediária, enquanto a água e rochas ocupam a seção inferior. 3) Represa. Corpo artificial de água de superfície que é retido por uma represa. Massa de água formada por retenção; por exemplo, a montante de uma barragem. Pequena massa de água calma relativamente profunda. Lago natural ou artificial, para acumulação, regularização e controle de água. 4) Qualquer pessoa, animal, vegetal ou matéria inanimada, onde um agente infeccioso sobrevive, se reproduz e pode ser transmitido a um hospedeiro suscetível.

RESERVATÓRIO DE AGENTES INFECCIOSOS — Ser humano ou animal, artrópode, planta, solo ou matéria inanimada ou combinação de dois ou mais elementos, onde um agente infeccioso encontra condições propícias para sobreviver, desenvolver, reproduzir e se multiplicar. Pode ser transmitido a um hospedeiro suscetível.

RESERVATÓRIO DE CONTROLE DE CHEIAS — Reservatório que reduz as pontas de cheia de um curso d'água, mediante uma acumulação temporária. É utilizado para acumulação temporária das águas de cheia liberadas logo que as condições do canal a jusante o permitam. (Ver: Jusante.)

RESERVATÓRIO DE RETENÇÃO — Reservatório de controle de cheias com saídas não reguláveis.

RESGATAR — Obter o resgate de; livrar do cativeiro; remir; expiar; executar.

RESGATE — 1) O ato de retirada, pelo investidor, do total ou parte dos recursos investidos em determinada aplicação. 2) Restituição, parcial ou total, ao participante, do montante acumulado na reserva matemática de benefícios a receber, durante o período de diferimento. 3) Evacuação de um paciente em situação de alto risco e em condições de suporte vital básico até uma instalação de emergência, para tratamento de paciente de alto risco.

RESGATE AUTOMÁTICO — É um tipo de resgate previamente programado pela instituição financeira, não necessitando da ordem ou comando por parte do investidor, no momento do resgate.

RESGATE DO PLANO DE PREVIDÊNCIA — É o pagamento, total ou parcial, ao participante ou beneficiário(s), da reserva matemática de benefícios a conceder, durante o período de diferimento.

RESGATE MÍNIMO — É o valor mínimo que pode ser retirado (sacado) pelo investidor de uma determinada aplicação. Resgates inferiores a esta quantia não são permitidos pelo fundo de investimento. O valor do resgate mínimo varia de fundo para fundo.

RESIDÊNCIA — 1) Lugar onde a pessoa fixa, temporariamente, a sua morada com ou sem a intenção de nela permanecer. Chama-se residência de fato em oposição à residência de direito ou domicílio. Presume-se residente o indivíduo que permaneceu em determinado país por seis meses ou 183 dias em um ano fiscal. É possível ser residente em mais de um país ao mesmo tempo (apesar dos acordos de dupla taxação tentarem impedir isso). Alguns indivíduos tentam evitar serem residentes em qualquer lugar. 2) Na esfera corporativa, residência é usualmente baseada no local onde está estabelecida a corporação, mas também pode estar onde a matriz da companhia está localizada, se forem diferentes. Companhias em paraísos fiscais criadas para proprietários não-residentes são normalmente definidas como não residentes no país da matriz. 3) Período de dois anos de prática hospitalar que deve ser cumprido pelo formando de Medicina, como parte obrigatória de sua formação profissional.

RESIDÊNCIA PERMANENTE — É o lugar em que a pessoa habita tido com o ânimo de ser conservado permanentemente e que se apresenta no caráter de domicílio, para estabelecer a situação de direito que, por ele, se determina.

RESIDÊNCIA TEMPORÁRIA — É o lugar em que a pessoa habita em caráter temporário, não mantendo a sede real e efetiva de suas atividades, com a intenção de dela se mudar, e por essa razão, em nenhuma hipótese, pode gerar o domicílio.

RESIDENTE — 1) Exprime o que reside ou habita em determinado lugar. 2) Indivíduo que viveu a maior parte do ano precedente (12 meses) no seu alojamento habitual, normalmente em comunhão com a sua família direta e onde possui a totalidade ou a maior parte dos seus bens. 3) Na linguagem administrativa, designa o servidor ou empregado que tem a obrigação de residir ou permanecer no lugar onde exerce suas atividades ou funções.

RESÍDUO DE PRAGUICIDA — Qualquer substância especificada presente em alimentos, rações animais e produtos agrícolas, como conseqüência do uso de um praguicida. O termo inclui não só os praguicidas, como também derivados do seu metabolismo, desde que tenham importância toxicológica, mesmo que potencial.

RESÍDUO SÓLIDO — Material inútil, indesejável ou descartado, com conteúdo líquido insuficiente para poder fluir livremente.

RESÍDUOS — 1) Relativo ao que subsiste; ao que está por pagar. A expressão tem o sentido de saldo, resto, algo que sobra. 2) Na linguagem jurídica também possui o mesmo significado, ao denominar os bens que, por morte do legatário, devem passar para o patrimônio da pessoa indicada no testamento. 3) Substância ou mistura de substâncias remanescentes ou existentes em alimentos ou no meio ambiente, decorrente do uso ou não de agrotóxicos e afins, inclusive qualquer derivado específico, tais como produtos de conversão e de degradação, metabólicos, produtos de reação e impurezas, considerados toxicológica e ambientalmente importantes.

RESÍDUOS ATIVOS — Expressão pertencente à contabilidade pública: receitas provenientes de impostos lançados e não arrecadados durante o respectivo exercício. São direitos do Estado sobre contribuintes retardatários para serem arrecadados em qualquer tempo antes da prescrição.

RESÍDUOS PASSIVOS — São as despesas empenhadas e não pagas dentro do exercício.

RESIGNAÇÃO — Perda de esperança de atingir certo objetivo admitindo como inútil persegui-lo. Renúncia espontânea a um objetivo. Submissão paciente aos sofrimentos da vida.

RESILIÇÃO — É o ato de resilir, dissolver. Tem o mesmo sentido de dissolução (de um contrato, uma obrigação) seja por acordo entre as partes ou por provocação de uma delas a que é reservado o direito de requerê-la. Palavra empregada na linguagem jurídica no mesmo sentido que rescindir, desfazer, distratar resolver ou dissolver, por acordo de vontades ou por vontade de apenas uma das partes, um contrato por tempo indeterminado.

RESILIÊNCIA — Medida da capacidade do sistema de permanecer estável em resposta a flutuações; habilidade de realizar transições suaves de um estado para outro em resposta a distúrbios externos.

RESILIR — Voltar atrás; regressar ao ponto de partida.

RESISTÊNCIA — 1) É um dos crimes praticados por particular contra a Administração Pública em geral. Consiste em opor-se à execução de ato legal, mediante violência ou ameaça a servidor público ou agente da autoridade, ou contra quem lhe presta auxílio, na prática de ato legal, no exercício regular de suas funções e no cumprimento de ordem, mandado de natureza administrativa, policial ou judicial, emanado de superior hierárquico. A pena prevista é de detenção, de dois meses a dois anos. Se o ato, em razão da resistência, não se executa, a pena será de reclusão, de um a três anos. Estas penas são aplicáveis sem prejuízo das correspondentes à violência. 2) Oposição do Estado à pessoa física ou jurídica que atente ao seu direito, patrimônio ou soberania. 3) Direito de todo cidadão de opor-se em defesa própria, ou de outrem, a ordens ilegais ou injustas, ou a constrangimentos de que seja vítima por parte de agentes da autoridade. Pode ser ativa, se exercida com violência contra ato tido como ilegal ou injusto; e passiva, se consiste na inexecução do ato pretendido ou na recusa a obedecê-lo. 4) Termo usado pelos Analistas Técnicos ao analisar um gráfico quando percebem que ele apresenta topos e fundos. A esses topos, é dado o nome de resistência. Uma ação atinge a sua resistência quando as vendas feitas pelos investidores são suficientemente fortes para interromper o processo de alta durante algum tempo e, possivelmente até revertê-lo. É o ponto onde as vendas estão superando as compras. 5) Em ecologia, esse termo é usado em dois contextos diversos. Um ecossistema pode apresentar vários fatores que opõem resistência ao crescimento de uma população, ocorrendo a resistência do meio, que pode ser medida e representada graficamente. Essa palavra também pode ser empregada à resistência desenvolvida por uma população por um agressor químico. 6) Conjunto de mecanismos orgânicos que defendem o organismo contra a invasão e multiplicação de agentes infecciosos ou contra a agressão e efeito nocivo de seus produtos tóxicos.

RESISTÊNCIA CULTURAL — É uma forma de resistência às mudanças com base na oposição às possíveis conseqüências sociais.

RESOLUÇÃO — 1) É empregado no sentido de extinção ou revogação, quando se refere aos direitos ou obrigações. E como dissolução, quando aplicado aos contratos. 2) Decisão oficial de um órgão internacional, freqüentemente adotada mediante votação. Geralmente é uma recomendação e, portanto, não é legalmente vinculante.

RESOLUÇÃO DE CONFLITOS — Processo através do qual um conflito é resolvido por meios não violentos e de forma relativamente estável, primeiro através da análise e identificação das causas subjacentes ao conflito e, depois, pelo estabelecimento de condições estruturais em que as necessidades e interesses de todas as partes envolvidas possam ser satisfeitas simultaneamente.

RESOLUÇÃO, PROJETO DE — Destina-se a regular, com eficácia de lei ordinária, matéria de competência exclusiva da Câmara dos Deputados, de caráter político, processual, legislativo ou administrativo, ou quando a Casa deva pronunciar-se em um dos seguintes casos: perda de mandato de deputado; criação de comissão parlamentar de inquérito; conclusões de comissão parlamentar de inquérito; conclusões de comissão permanente sobre proposta de fiscalização e controle; conclusões sobre as petições, representações ou reclamações da sociedade civil; matéria de natureza regimental; assuntos de sua economia interna e dos serviços administrativos. (Ver: Sociedade Civil.)

RESOLUÇÕES — São atos administrativos normativos expedidos pelas altas autoridades do Executivo (mas não pelo chefe do Executivo, que só expede decretos), ou pelos presidentes do Legislativo e dos Tribunais, para disciplinar matéria de sua competência privativa e/ou outras de caráter processual, legislativo ou administrativo. É empregada no sentido de extinção ou revogação, quando se refere aos direitos ou obrigações e como dissolução, quando aplicado aos contratos. Em Direito Internacional, texto votado por um órgão deliberativo internacional; decisão oficial de um órgão internacional, freqüentemente adotada mediante votação. Geralmente é uma recomendação e, portanto, não é legalmente vinculante. Por exceção admitem-se resoluções individuais.

RESPEITO — Sentimento de responsabilidade, consideração, disciplina, estima e apreço.

RESPEITO MÚTUO — É o dever e obrigação que se impõem à conduta de todas as pessoas no convívio familiar, nas relações de trabalho e nos vínculos religiosos, somente assim é que se torna possível a vida em sociedade.

RESPONSABILIDADE — Qualidade de quem responde pelos próprios atos e pelos cuidados de uma determinação aceita de livre e espontânea vontade.

RESPONSABILIDADE ADMINISTRATIVA — Obrigação jurídica que tem o agente público de responder pelos atos ou omissões praticados no desempenho do cargo ou função. A responsabilidade deriva da autoridade, não podendo ser delegada.

RESPONSABILIDADE AMBIENTAL CORPORATIVA — É agir para a manutenção e melhoria das condições ambientais, minimizando ações próprias potencialmente agressivas ao meio ambiente e disseminando para outras empresas as práticas e conhecimentos adquiridos neste sentido.

RESPONSABILIDADE AQUILIANA — É a responsabilidade extracontratual.

RESPONSABILIDADE CIVIL — 1) Obrigação que uma pessoa tem de assumir, por determinação legal, as conseqüências jurídicas advindas dos seus atos. Pode ser oriunda de negócio jurídico, de ato ilícito ou de lei. Na responsabilidade civil o direito lesado tem natureza patrimonial e deve ser indenizado. É assim chamada para que não se confunda com a responsabilidade criminal. Implica uma reparação civil consistente na indenização do prejuízo causado de natureza patrimonial. Esta reparação não se confunde com a sanção criminal, que, decorrendo da imputabilidade criminal, resulta em pena previamente estabelecida na lei, ao passo que a reparação civil limita-se ao prejuízo a ser apurado. A responsabilidade civil exige, na sua configuração, três elementos: a) um fato ilícito; b) um prejuízo causado a outrem; c) um nexo causal entre os dois elementos precedentes. A responsabilidade civil, conforme o seu fundamento, pode ser subjetiva ou objetiva. 2) Obrigação que se impõe ao servidor civil de reparar o dano causado à Administração por culpa ou dolo, no desempenho de suas funções.

RESPONSABILIDADE CIVIL CONTRATUAL — Consiste na infração de uma relação obrigacional ou direito de crédito que existia entre o lesante e o lesado.

RESPONSABILIDADE CIVIL DOS MENORES DE IDADE — O novo Código Civil determina (art. 180) que o menor entre 16 e 18 anos não pode eximir-se de uma obrigação, invocando a sua idade, tendo-a intencionalmente ocultado ou a declarado maior.

RESPONSABILIDADE CIVIL EXTRACONTRATUAL — Resulta da infração de um dever ou vínculo jurídico geral, isto é, daqueles deveres gerais de abstenção impostos a todas as pessoas e que correspondem aos direitos absolutos.

RESPONSABILIDADE CIVIL OBJETIVA — É o que a lei impõe, em determinadas situações, a obrigação de reparar o dano independentemente de culpa. É a teoria dita objetiva ou do risco, que prescinde de comprovação da culpa para a ocorrência do dano indenizável. Basta haver o dano e o nexo de causalidade para justificar a responsabilidade civil do agente. Em alguns casos presume-se a culpa (responsabilidade objetiva imprópria), noutros a prova da culpa é totalmente prescindível (responsabilidade civil objetiva propriamente dita).

RESPONSABILIDADE CIVIL PELO FATO DO PRODUTO — Termo genérico usado para descrever os ônus que recaem sobre um fornecedor, ou outros, para fazer compensações por perdas relativas a danos pessoais, materiais ou outros, causados por um produto (Lei nº 8078, de 11.9.90, Código de Defesa do Consumidor - Título I, cap. IV, Seção II, arts. 12 e 14). As implicações legais e financeiras de responsabilidade civil pelo fato do produto podem variar de uma jurisdição para outra.

RESPONSABILIDADE CIVIL SUBJETIVA — Diz-se subjetiva quando a responsabilidade se baseia na culpa do agente, que deve ser comprovada para gerar a obrigação indenizatória. A responsabilidade do causador do dano, pois, somente se configura se ele agiu com dolo ou culpa. Trata-se da teoria clássica, também chamada teoria da culpa ou subjetiva, segundo a qual a prova da culpa *lato sensu* (abrangendo o dolo) ou *stricto sensu* se constitui num pressuposto do dano indenizável.

RESPONSABILIDADE CONTRATUAL — Exprime a obrigação assumida pelas partes contratantes, em virtude da qual se acham no dever de fazer ou cumprir tudo que tenham convencionado ou ajustado.

RESPONSABILIDADE DO ESTADO — Obrigação que cabe a um Estado e pela qual este pode ser responsabilizado conforme previsto no direito internacional.

RESPONSABILIDADE FISCAL — É um código de conduta, estabelecido pela Lei Complementar nº 101, de 2000, destinado aos administradores públicos que devem obedecer às normas e limites para administrar as finanças, prestando contas sobre quanto e como aplicam os recursos. A Lei estabelece normas de finanças públicas voltadas para a responsabilidade na gestão fiscal, com amparo no Capítulo II do Título VI da Constituição. A responsabilidade na gestão fiscal pressupõe a ação planejada e transparente, em que se previnem riscos e corrigem desvios capazes de afetar o equilíbrio das contas públicas, mediante o cumprimento de metas de resultados entre receitas e despesas e a obediência a limites e condições no que tange à renúncia de receita, geração de despesas com pessoal, da seguridade social e outras, dívidas consolidada e mobiliária, operações de crédito, inclusive por antecipação de receita, concessão de garantia e inscrição em Restos a Pagar.

RESPONSABILIDADE NEGATIVA — Doutrina segundo a qual somos responsáveis não só pelos acontecimentos que provocamos, mas também pelos acontecimentos que poderíamos ter evitado.

RESPONSABILIDADE OBJETIVA DO ESTADO — Ver Estado - Responsabilidade Objetiva.

RESPONSABILIDADE PENAL — Conseqüência jurídica do cometimento de crimes funcionais, definidos em legislação própria, que resulta em processo crime. Consiste na sujeição às sanções impostas ao autor de um fato considerado punível pela lei penal.

RESPONSABILIDADE POR FATOS LÍCITOS — Resulta da prática de um ato lícito que, entretanto, obriga o seu autor a reparar o prejuízo que possa ter causado a terceiros.

RESPONSABILIDADE SOCIAL — Ver Responsabilidade Social da Empresa.

RESPONSABILIDADE SOCIAL CORPORATIVA — É uma empresa socialmente responsável quando vai além da obrigação de respeitar as leis, pagar impostos e observar as condições adequadas de segurança e saúde para seus trabalhadores, e o faz por plena consciência que estará contribuindo para a construção de uma sociedade mais justa.

RESPONSABILIDADE SOCIAL DA EMPRESA — Define o grau de amadurecimento de uma empresa privada em relação ao impacto social de suas atividades. É socialmente responsável a empresa que possui a capacidade de ouvir os interesses das diferentes partes (acionistas, funcionários, prestadores de serviço, fornecedores, consumidores, comunidade, governo e ONGs de meio ambiente) e conseguir incorporá-los no planejamento de suas atividades, buscando atender às demandas de todos e não apenas dos acionistas ou proprietários. Abrangem, em termos gerais, o desenvolvimento comunitário, o equilíbrio ambiental, o tratamento justo aos funcionários, as comunicações transparentes, a sinergia com parceiros, a satisfação do consumidor e o retorno aos investidores ou proprietários.

RESPONSABILIDADE SOCIAL EMPRESARIAL — Ver Responsabilidade Social da Empresa.

RESPONSABILIDADE SOCIAL, DIMENSÕES DA — É um conceito amplo que se relaciona à obrigação de uma organização maximizar seus impactos positivos na sociedade enquanto minimiza seus impactos negativos. A responsabilidade social consiste em quatro dimensões: econômica, legal, ética e filantrópica.

RESPONSABILIDADE TOTAL — Para um determinado cliente representa o Total do seu Endividamento (carteira de crédito) + Coobrigações assumidas em operações próprias ou de terceiros.

RESPONSABILIDADE TRIBUTÁRIA — Expressa atribuição legal da responsabilidade pelo crédito tributário a terceira pessoa, vinculada ao fato gerador da respectiva obrigação, excluindo a responsabilidade do contribuinte ou atribuindo-a a este em caráter supletivo do cumprimento total ou parcial da referida obrigação.

RESPONSABILIZAÇÃO — Para que a lei se torne eficaz, é preciso garantir a responsabilização efetiva e ágil de seus transgressores, sob pena de caírem em descrédito. Isso foi previsto na chamada Lei dos Crimes de Responsabilidade Fiscal, Lei nº 10.028, de 19 de outubro de 2000, que acrescentou artigos ao Código Penal.

RESPONSÁVEL — É o administrador ou dirigente encarregado das atividades de gestão orçamentária, financeira e patrimonial, definidas em ato próprio.

RESPONSÁVEL E MEMBROS NÃO-REMUNERADOS DA FAMÍLIA — É o produtor ou administrador responsável pela direção do estabelecimento, recebendo quantia fixa ou cota-parte da produção, e os membros da sua família que ajudam na execução dos trabalhos, sem receber qualquer tipo de remuneração pelos serviços prestados.

RESPONSÁVEL PELO COMODATO — Ver Comodato, Responsável pelo.

RESPONSÁVEL SOLIDÁRIO — É a situação em que cada um dos devedores é responsável pelo pagamento total de uma dívida.

RESPONSÁVEL SUBORDINADO — É o servidor que isoladamente arrecada, movimenta ou se ocupa da guarda de valores e outros bens públicos, sob a direção ou supervisão do responsável.

RESPONSIVIDADE — Ver Eleição - Responsividade.

RESPOSTA — Comportamento que responde a um evento anterior ou a um posterior contingente. Manifestação escrita do réu num processo, dirigida ao juiz, dentro de determinado prazo. Pode consistir em: contestação, exceção ou reconvenção.

RESPOSTA DO RÉU — Abrange três atos do réu em conseqüência do pedido do autor: reconvenção, contestação e execução.

RESSACADO — Aquele contra quem se ressaca nova letra de cambio à vista, por recusa de aceite ou de pagamento no título primitivo.

RESSALVA — 1) Ato pelo qual, em instrumento público, a parte contraente restringe ou modifica condição de contrato. Reserva de direito quanto a certo ato, às vezes secreto, modificando, conservando ou resguardando direito. 2) Repetição, escrita e rubricada pelo escrivão, tabelião, juiz, no final ou à margem de um ato, das palavras emendadas ou entrelinhadas no texto para validá-las. 3) É a impropriedade de natureza formal apontada em um relatório e que será objeto de determinação para sua regularização na conclusão da análise.

RESSAQUE — Ver Recâmbio.

RESSARCIMENTO — Reparação de dano, indenização, satisfação de prejuízo ou despesa de outrem. É o ato pelo qual se cumpre a indenização, ou satisfaz-se o pagamento das perdas ou danos, a que se está sujeito. Pagar o dano ou satisfazer a obrigação, resultante ou fundada na responsabilidade.

RESSARCIR — Reparar o mal ou dano causado a outrem. Indenizar; compensar; dar uma satisfação a. Refazer.

RESSEGURO — Repartição ou partilha dos riscos de um seguro assumido por uma empresa seguradora, em outras. Muitas vezes as seguradoras são obrigadas a transferir parte do risco da sua carteira, pois excederam sua capacidade de retenção de risco. Estes riscos são transferidos para outras empresas, chamadas resseguradoras, e esta operação é chamada de resseguro. Na maioria dos grandes seguros corporativos a seguradora é obrigada a recorrer às resseguradoras, pois não têm como arcar com o risco total desta cobertura. Algumas situações onde as seguradoras optam pelo resseguro: Resseguro de catástrofe; Resseguro de excesso de danos; Resseguro facultativo; Resseguro proporcional.

RESSENTIMENTO — Repetição de sentimento indesejável. Sentimento de mágoa profunda.

RESSURGÊNCIA — Reaparição, ao ar livre, ao fim de um percurso subterrâneo, de um curso d'água superficial desaparecido à montante.

RESTAURAÇÃO — 1) Recuperação total da obra mantendo as características iniciais da mesma. 2) Restituição de um ecossistema ou de uma população silvestre degradada ao mais próximo possível da sua condição original. (Ver: Recuperação.)

RESTAURAÇÃO AMBIENTAL — Restituição de um ecossistema, ou de uma população silvestre degradada, à situação mais próxima possível da sua condição original.

RESTAURAÇÃO DE AUTOS — Restabelecer, recompor, reconstituir, refazer ou repor. Reconstituição que se faz de autos quando não houver autos suplementares. Processo incidente instaurado por qualquer das partes a fim de reconstituir um processo, total ou parcialmente, cujos autos foram inutilizados, extraviados, indevidamente retidos ou destruídos, uma vez constatado tal fato.

RESTINGA — Faixa ou língua de areia depositada paralelamente ao litoral onde estão localizadas lagoas e dunas, fechando ou tendendo a fechar uma reentrância mais ou menos extensa da costa. As restingas são características do litoral brasileiro e sustentam comunidades vegetais próprias. Mata de restinga: floresta de zona costeira, resistente à salinidade, caracteriza-se por associações vegetais mistas, com grande presença de plantas tropicais como as bromélias. Restingas em alto-mar são associadas a recifes de coral.

RESTITUIÇÃO — Juridicamente, restituição significa, em geral, o ato de devolver a coisa ou seu retorno ao estado anterior. Significa, ainda, a reintegração ou restituição da coisa por inteiro, restabelecida ou posta em seu estado primitivo, importando na obrigação de ressarcimento ou reparação das perdas e danos, quando não é mais possível restabelecê-la ao seu antigo ou primitivo estado.

RESTITUIÇÃO DA POSSE — Expressão empregada no sentido de devolução ou retorno da posse a seu legítimo possuidor, ou seja, a reintegração ou a recomposição da posse.

RESTITUIÇÃO DE CAPITAL — Consiste na distribuição aos acionistas, a título de antecipação, de quantia que lhes poderia tocar em caso liquidação da empresa.

RESTITUIÇÃO DOS AUTOS — Devolução dos autos ao cartório pelo advogado. Se não a fizer no prazo legal, a parte contrária ou qualquer outro interessado pode cobrar a restituição.

RESTOS A PAGAR — Consideram-se restos a pagar as despesas empenhadas mas não pagas até o dia 31 de dezembro, distinguindo-se as processadas das não-processadas. Portanto, uma vez empenhada a despesa e não sendo paga até o dia 31 de dezembro, será considerada como restos a pagar, para efeito do encerramento do exercício financeiro. Em outras palavras, uma vez empenhada a despesa, ela pertence ao exercício financeiro, onerando as dotações orçamentárias daquele exercício. Os Restos a Pagar são considerados e escriturados como dívida flutuante.

RESTOS A PAGAR - INSCRIÇÃO DE DESPESAS NO FINAL DO MANDATO DE TITULARES DOS PODERES E ÓRGÃOS — O art. 42 da Lei de Responsabilidade Fiscal (LRF) fixou regras mais específicas para o final do mandato dos titulares dos Poderes e órgãos referidos no art. 20 da LRF. Veda ao titular de Poder ou órgão contrair obrigações de despesas nos dois últimos quadrimestres do seu mandato, desde que não possam ser cumpridas integralmente nesse período ou que tenham parcelas a ser pagas no exercício seguinte, sem que haja suficiente disponibilidade de caixa para pagamento. Em resumo, o artigo disciplina a realização de despesas nos oito meses que antecedem o final do mandato do titular de Poder, ou seja, a inscrição de despesas em restos a pagar. Para o Executivo, a vedação contida no art. 42 acorrerá de quatro em quatro anos em decorrência da duração do mandato do prefeito. No Legislativo, na maioria dos casos, ocorrerá de dois em dois anos e, em casos excepcionais, de um ano, naqueles municípios onde se optou ser esse o mandato para o exercício da Presidência da Câmara. O mesmo ocorrerá nos órgãos referidos no art. 20 da Lei de Responsabilidade Fiscal.

RESTOS A PAGAR, INSCRIÇÃO DE DESPESAS NÃO EMPENHADAS EM — Tipifica crime do agente público ordenar ou autorizar a inscrição em restos a pagar, de despesa que não tenha sido previamente empenhada ou que exceda limite estabelecido em lei. Pena: detenção, de seis meses a dois anos. A pena será aumentada da terça parte quando os autores dos crimes forem ocupantes de cargos em comissão ou de função de direção ou assessoramento de órgão da administração direta, sociedade de economia mista, empresa pública ou fundação instituída pelo poder público. Lei nº 10.028, de 2000, que acrescentou artigos ao Código Penal.

RESTOS A PAGAR, NÃO CANCELAMENTO DE — Tipifica crime do agente público deixar de ordenar, de autorizar ou de promover o cancelamento do montante de restos a pagar inscrito em valor superior ao permitido em lei. Pena: detenção, de seis meses a dois anos. A pena será aumentada da terça parte quando os autores dos crimes forem ocupantes de cargos em comissão ou de função de direção ou assessoramento de órgão da administração direta, sociedade de economia mista, empresa pública ou fundação instituída pelo Poder Público. Lei nº 10.028, de 2000, que acrescentou artigos ao Código Penal.

RESTRIÇÃO — Limitação imposta por lei.

RESTRITO — É aplicado para exprimir o que é exato, o que é estreito, limitado, rigoroso, certo, que se restringe. É o mesmo que estrito e, se opõe ao sentido de lato ou de extensivo.

RESULTADO — Conseqüência de um processo; resposta a um estímulo; estado final de um processo; informações obtidas de uma experiência ou de uma operação. É a mudança da realidade social, econômica, administrativa ou cultural resultante da realização de um programa. O resultado é objetivado pela variação dos índices dos indicadores num período determinado.

RESULTADO APURADO — Conta transitória utilizada no encerramento do exercício para demonstrar a apuração do resultado.

RESULTADO BRUTO — Indicador que faz parte do demonstrativo de resultado de uma empresa, e que é determinado como sendo o lucro obtido pela empresa depois de se deduzir da receita líquida de vendas o custo de mercadorias vendidas. No caso dos bancos também pode se referir ao resultado bruto de intermediação financeira.

RESULTADO DA CONTA-CORRENTE — É a diferença entre a Receita Corrente e Despesa Corrente. Reflete a relação entre a arrecadação decorrente dos compromissos sociais dos indivíduos para manterem a esfera pública em condições de realizar seus objetivos e os gastos do Governo que não contribuem para o aumento da capacidade produtiva. Se o saldo for positivo, ocorreu a poupança governamental.

RESULTADO DE EXERCÍCIOS FUTUROS — Contas representativas de receitas de exercícios futuros, bem como as despesas a elas correspondentes.

RESULTADO DO EXERCÍCIO — É constituído pelo resultado orçamentário, resultado extra-orçamentário, financeiro e patrimonial. Categoria de agregação do Plano de Contas Único, que consolida, tanto do lado das operações ativas quanto do das operações passivas o Resultado das Contas.

RESULTADO EXTRA-ORÇAMENTÁRIO — Categoria de agregação do Plano de Contas Único que expressa um detalhamento do Resultado do Exercício. Sua finalidade é consolidar as contas relativas a decréscimos, interferências ativas e mutações patrimoniais passivas, cujas transações tenham se verificado independentemente da execução orçamentária.

RESULTADO FINANCEIRO — Resultado que evidencia todas as entradas e saídas de numerário num determinado período, mesmo que tais entradas ou saídas não representem receitas efetivas ou despesas efetivas. Quando os ingressos recebidos forem maiores que os desembolsos efetuados, teremos um superávit financeiro; quando os ingressos forem menores que os desembolsos, teremos um déficit financeiro.

RESULTADO LÍQUIDO — É o resultado bruto somando-se as receitas não operacionais, menos as despesas operacionais e outras não vinculadas à atividade fim. Base de cálculo do imposto de renda, quando o resultado for positivo.

RESULTADO NOMINAL — É o resultado que expressa o valor da variação da dívida fiscal líquida de um determinado setor público em um período de tempo. Entende-se como dívida líquida, os saldos da dívida consolidada apurada contabilmente, deduzindo-se as Disponibilidades de Caixa, Aplicações Financeiras e Demais Ativos Financeiros.

RESULTADO NOMINAL COM DESVALORIZAÇÃO CAMBIAL — Resultado nominal com desvalorização cambial sobre o estoque de dívida mobiliária. Este era o conceito tradicional do resultado nominal até 2001. A diferença entre o atual resultado nominal está no tratamento da dívida interna indexada ao câmbio. Neste conceito, o tratamento da dívida indexada é o mesmo da dívida interna. Assim, o resultado nominal com desvalorização é definido como a variação nominal dos saldos da dívida interna líquida, mais a variação da dívida externa líquida em dólares, convertida para reais pela taxa de câmbio.

RESULTADO NOMINAL DO SETOR PÚBLICO — É a diferença da Dívida Fiscal Líquida apurada em um bimestre em relação ao bimestre anterior ou ao sexto bimestre do exercício anterior. (Ver: Déficit Nominal.)

RESULTADO NOMINAL OU NECESSIDADES DE FINANCIAMENTO — O resultado nominal é o mais tradicional dentro das necessidades de financiamento. Ele é calculado pela variação do endividamento líquido. O resultado nominal é constituído da variação da DLSP, descontada a variação da taxa de câmbio sobre os estoques de dívida interna indexada ao câmbio, de dívida externa e das reservas internacionais. Esses valores, que fazem parte da variação da DLSP e não constituem resultado nominal, são classificados como ajustes metodológicos da área interna e externa.

RESULTADO OPERACIONAL DO SETOR PRIVADO — Conceito mais utilizado para instituições não financeiras, o resultado operacional é o lucro restante à empresa após deduzir da receita líquida de vendas o custo com mercadorias vendidas, as despesas de vendas, administrativas e financeiras. Em alguns países, o resultado operacional é calculado antes das despesas. No caso de uma instituição financeira, é o lucro obtido depois de se deduzir as receitas líquida de vendas.

RESULTADO OPERACIONAL DO SETOR PÚBLICO — Resultado que expressa, na apuração das necessidades de financiamento do setor público (NFSP), o valor mais realista da variação da dívida líquida de um determinado setor público num certo período de tempo. Para tanto, exclui dos gastos totais com os encargos da dívida as parcelas de correção monetária e/ou de correção cambial embutida nos juros nominais. Quando esse resultado é positivo diz-se que existe um *Superávit Operacional*; quando negativo, um *Déficit Operacional*.

RESULTADO ORÇAMENTÁRIO — Categoria de agregação do Plano de Contas, que expressa um detalhamento do Resultado do Exercício. Sua finalidade é consolidar as contas relativas a transações realizadas no contexto da execução orçamentária regular da instituição (despesas, interferências e mutações patrimoniais).

RESULTADO PATRIMONIAL — Item da *Demonstração das Variações Patrimoniais* que integra as demonstrações de resultados gerais do exercício (balanços) exigidas das entidades do setor público pelo art. 101 da Lei nº 4.320, de 1964, nos termos do art. 104 dessa Lei, que estabelece: "A Demonstração das Variações Patrimoniais evidenciará as alterações verificadas no patrimônio, resultantes ou independentes da execução orçamentária, e indicará o resultado patrimonial do exercício." Esse Resultado Patrimonial, expresso pelos conceitos Déficit e Superávit, corresponde à diferença entre as Variações Ativas e as Variações Passivas.

RESULTADO PRIMÁRIO DO SETOR PÚBLICO — É o resultado da subtração da Receita Total, deduzidas as receitas de Aplicações Financeiras, Operações de Créditos, Amortização de Empréstimos e Alienação de Ativos, pela Despesa Total, excluídos os gastos com juros e Encargos da Dívida, Amortização da Dívida, Concessão e Empréstimos e Aquisição de Título de Capital Integralizado. Seu objetivo é avaliar como as contas públicas estão sendo organizadas, do ponto de vista do montante das disponibilidades financeiras antes da repercussão dos encargos financeiros, decorrentes dos compromissos assumidos pelo Governo. É considerado um dos melhores indicadores da saúde financeira dos entes públicos. A análise do resultado primário demonstra o quanto o ente público (União, Estados, Distrito Federal e Municípios) depende de recursos de terceiros para a cobertura das suas despesas. É um indicador, portanto, de "auto-suficiência". O Resultado primário pode apontar déficit ou superávit. (Ver: Receita Líquida // Receitas não-financeiras // Despesas não-financeiras // Despesa Líquida // Superávit Primário // Déficit Primário.)

RESULTADOS — Produtos, efeitos ou impactos (esperados ou não, positivos e/ou negativos) de uma execução de uma ação.

RETALIAÇÃO — Consiste em revidar o mal sofrido, impondo ao ofensor um castigo rigorosamente proporcional àquele.

RETARDATÁRIO — Que ou aquele que está atrasado.

RETENÇÃO — 1) Termo usado na indústria de seguros que determina o valor básico da retenção que a seguradora deve adotar em cada ramo ou modalidade de seguro em que opera. O percentual de retenção é determinado através de cálculos atuariais. 2) Parte da precipitação caída sobre uma bacia de drenagem que não se escoa imediatamente, ficando retida sobre o solo durante um certo período de tempo.

RETENÇÃO DE BENFEITORIAS — Procedimento alegado em defesa, num processo possessório, quando houver boa-fé na ocupação, visando à indenização por elas. A Lei do Inquilinato (Lei n°8.245, de 1991) prevê a retenção do imóvel locado, em face da realização de benfeitorias.

RETENÇÃO DE SALÁRIO — Ver Salário, Retenção de.

RETER — É a conservação da coisa, em garantia ao que se exige licitamente. É a segurança da mesma até que se satisfaça o que é de direito do retentor.

RETIFICAÇÃO — Correção de alguma coisa tida como eventualmente imperfeita ou inexata. Exemplo: a publicação oficial com o propósito de corrigir erros técnicos de ato ou lei já aprovada.

RETOMBO — 1) Ato do escrivão que, em revista em seu cartório, recolhe documentos, autos e livros findos, que deposita nos arquivos. 2) Restauração de limites demarcados de propriedade agrária.

RETÓRICA — Eloqüência; oratória. Estudo do uso persuasivo da linguagem, em especial para o treinamento de oradores. Tradicionalmente cinco são as partes do estudo retórico: a) descoberta de argumentos; b) arranjo das idéias; c) descoberta da expressão apropriada para cada idéia; d) memorização do discurso; e e) apresentação oral do discurso para uma audiência. No sentido original, a retórica inclui qualquer discurso ou texto escrito eficaz. Modernamente, a retórica implica uma tentativa de persuadir por meio de palavras, faladas ou escritas.

RETORNO — Contabilmente corresponde ao lucro sobre o montante de capital investido. Mostra o ganho do investidor na operação como porcentagem do dinheiro investido.

RETORNO DA CARTEIRA — Taxa de rentabilidade de uma carteira de crédito, representado pela comparação entre o valor do resultado obtido e o valor total da carteira.

RETORNO DE DIVIDENDO — Indicador que expressa a relação entre os proventos pagos em dinheiro por uma empresa e a cotação das ações desta empresa no mercado de ações. De maneira geral, as empresas em crescimento tendem a apresentar um índice mais baixo de retorno de dividendo do que as demais empresas. O retorno total da ação de uma empresa para os seus acionistas pode ser dividido em duas partes: valorização do preço da ação acrescida do retorno de dividendo, de forma que pode ser expresso como sendo: Retorno Total = (P1/Po)*(1+DY%), onde P1 é o preço no final do período; Po é o preço no início do período; DY% é o retorno de dividendo (ou *dividend yield*) da ação no período.

RETORNO DE INVESTIMENTO — Indicador usado na análise de projetos, que é calculado dividindo-se o ganho obtido com o projeto sobre o montante aplicado neste projeto. Na área de marketing, refere-se ao retorno em termos de vendas sobre o investimento em propaganda, publicidade, anúncios.

RETORNO SOBRE ATIVO — Indicador de análise financeira que mede o lucro gerado pelo uso dos ativos da empresa e que varia muito, dependendo da indústria em que a empresa atua. Este indicador pode ser calculado como sendo o quociente entre o lucro líquido obtido pela empresa e seus ativos totais.

RETORNO SOBRE CAPITAL INVESTIDO — Indicador de análise financeira que mede o retorno sobre o capital total investido na empresa (pelos acionistas e por terceiros). O capital investido é definido como a soma do patrimônio líquido (acionistas) e da dívida de longo prazo (de terceiros) da empresa.

RETORNO SOBRE PATRIMÔNIO — Indicador de análise financeira que mede o retorno do capital investido pelos acionistas (patrimônio líquido). O indicador é calculado como sendo o quociente entre o lucro líquido da empresa e o seu patrimônio líquido.

RETORNOS DECRESCENTES — Propriedade pela qual o benefício de uma unidade adicional de insumo diminui com o aumento da quantidade de insumo.

RETORSÃO — 1) Represália verbal instantânea da pessoa injuriada, que pode ser considerada outra injúria. O mesmo que réplica. 2) Sistema pelo qual um país recusa ao estrangeiro que reside em seu território a fruição dos mesmos direitos que seu país de origem nega aos nacionais daquele.

RETRATABILIDADE — Qualidade do ato ou contrato sujeito a retrovenda ou que pode ser renovado ou desfeito pela vontade apenas das partes.

RETRATAÇÃO — 1) Revogação, desfazimento, desmentido. Retirada voluntária da declaração de vontade, cessando seus efeitos. Ato de declarar nula ou retirar, por arrependimento ou qualquer outro motivo, uma proposta. 3) Confissão espontânea de erro que faz o acusado de crime de calúnia, injúria ou difamação antes de proferida a sentença, quando se desdiz e afirma a falsidade da imputação, por meio de termo nos autos, ficando isento da pena. Declaração perante o juiz da causa, ratificando confissão anteriormente feita por erro ou sob violência ou coação.

RETRO — A primeira página ou a página frontal de uma folha, ou o anverso. É também empregado para exprimir a volta ao estado anterior ou a restituição ao estado anterior.

RETROAÇÃO / ASSIMILAÇÃO DE ENSINAMENTOS (*FEEDBACK*) — Transmissão das constatações resultantes do processo de avaliação a todos os que podem tirar lições úteis e pertinentes com o objetivo de facilitar a aprendizagem. Isto pode implicar reunir e difundir as constatações, conclusões, recomendações e lições aprendidas.

RETROATIVIDADE — 1) Atividade no passado, efeito que abrange o tempo anterior. 2) Influência de lei nova, decisão ou negócio jurídico sobre situações passadas. Na falência, há retroatividade da sentença que a decreta.

RETROCESSÃO — 1) É o direito que tem o expropriado de exigir de volta o seu imóvel caso o mesmo não tenha o destino para o qual se desapropriou. 2) Operação de que se socorre o ressegurador para repassar ao mercado segurador nacional os excessos e responsabilidades que vão além dos limites de sua capacidade de indenizar.

RETROGRADAR — Andar para trás; recuar; retroceder; agir em oposição ao progresso.

RETRÓGRADO — Que retrograda; que é adversário do progresso; indivíduo retrógrado.

RETROVENDA — Cláusula especial dos contratos de compra e venda em que o vendedor se reserva o direito de reaver, dentro de um prazo determinado (máximo de três anos), o imóvel transferido, restituindo o mesmo preço ou diverso, previamente convencionado, mais as despesas feitas pelo comprador. O pacto de retrovenda é uma condição expressa no contrato e, desfeita a venda, não há uma outra venda e sim distrato.

RÉU — Parte contra quem é intentada demanda judicial. Aquele contra quem é ajuizada ação cível ou penal; sujeito passivo da relação jurídico-processual. É toda pessoa que é chamada ou trazida a juízo para responder sobre alguma coisa. É chamado de acusado durante a investigação e instrução criminal e de indiciado durante a fase persecutória. É a pessoa contra quem se apresenta denúncia por fato criminoso, que lhe é imputado, ou de que é, criminalmente, responsável. Neste caso, réu exprime a mesma significação de acusado, denunciado, condenado. (Ver: Ré.)

RÉU CONFESSO — Ver Confesso.

RÉU PRIMÁRIO — É o criminoso que praticou pela primeira vez uma infração.

RÉU RECONVINTE — É o réu da ação principal e o autor da reconvenção.

REUNIÃO — 1) Agrupamento ou encontro de pessoas para tratar de qualquer assunto. 2) Encontro de parlamentares, no Plenário ou nas Comissões, para apreciar a matéria da pauta ou para cumprir o determinado em edital de convocação.

REUNIÃO CONJUNTA — No Legislativo, aquela que se realiza com a participação de mais de uma comissão.

REUNIÃO ESPECIAL — Aquela que se realiza para comemorações ou homenagens.

REUNIÃO EXTRAORDINÁRIA — Aquela que se realiza em horário ou dia diversos dos fixados para as reuniões ordinárias.

REUNIÃO INFORMAL — No Legislativo, encontro entre membros de um partido.

REUNIÃO ORDINÁRIA — Aquela que se realiza regularmente, em horário e dias prefixados pelo calendário legislativo.

REUNIÃO PREPARATÓRIA — No Legislativo aquela que precede a instalação da legislatura, destinada à posse dos parlamentares e à eleição da Mesa.

REUNIÃO RESERVADA — No Legislativo, as reuniões poderão ser reservadas, a juízo da Comissão, para apreciação de matéria na qual, além de seus integrantes, somente podem estar presentes funcionários em serviço e autoridades convidadas.

REUNIÃO SECRETA — No Legislativo, aquela em que só é permitida a presença dos parlamentares. São secretas as reuniões do Plenário nos casos previstos na Constituição Federal ou por decisão dos deputados, a requerimento de um décimo dos membros da Casa (52 parlamentares) ou de líderes que representem esse número. Também são secretas as reuniões em que as comissões sejam chamadas a deliberar sobre declaração de guerra, acordo de paz ou passagem de forças estrangeiras pelo território nacional ou sua permanência nele.

REUNIÃO SOLENE — No Legislativo, aquela que se realiza para instalação e encerramento de sessão legislativa e para posse do governador e do vice-governador do Estado.

REVALIDAÇÃO — Ato de revalidar, confirmar, pelo qual se legitima ou legaliza outro ato ou se dá a ele nova validade e maior efeito jurídico.

REVEL — Diz-se da parte que, citada legalmente, não contestou a ação; deixa de comparecer em juízo. Réu ou reconvindo que não comparece quando deveria apresentar a sua defesa, a despeito de ter sido legalmente citado.

REVELAÇÃO — Conjunto de verdades manifestadas por alguém ou algo ao homem mediante inspiração ou pelo ensino oral, comunicação aos profetas, apóstolos e demais homens.

REVELAÇÃO PÚBLICA (*PUBLIC DISCLOSURE*) — Colocar informação à disposição do público, por exemplo, publicando-a em uma página da internet ou fazendo cópias a que o público pode ter acesso.

REVELADOR — Que ou aquele que revela, que denuncia, declara, descobre, patenteia.

REVELAR — Declarar, denunciar, descobrir, patentear. É a divulgação de fato ou coisa que se mantinha em segredo ou que era ignorada. Fazer conhecer o que era secreto ou ignorado.

REVELIA — Rebeldia. Ao acaso. Diz-se da omissão absoluta do réu que legalmente intimado ou citado deixa de comparecer em juízo para se defender, deixando assim de contestar o pedido do autor. É a rebeldia de alguém, que deixa, intencionalmente, de comparecer ao curso de um processo, para que foi citado ou intimado; é assim, o estado do revel, em virtude do qual o processo prossegue o seu curso, mesmo sem a presença dele.

REVERÊNCIA — Sentimento misto de respeito, admiração e obediência saudável.

REVERSÃO — 1) Retorno do servidor aposentado compulsoriamente ou do militar reformado ao serviço ativo, após processo regular. 2) Volta ao doador de bens que havia doado com a cláusula resolutiva de que retornassem a ele com a morte do donatário e de seus descendentes.

REVERSO — Que está situado na parte posterior ou oposta. Revirado. Que voltou para o ponto de partida. Face da cédula ou da moeda oposta ao anverso. Na moeda é o lado onde se encontra o valor facial.

REVERTER — Regressar; voltar ao ponto de partida. Retroceder. Voltar para a posse de alguém.

REVÉS — Contrariedade; vicissitude. Infortúnio; fatalidade.

REVEZAMENTO — Espécie de jornada de trabalho em que o empregado presta serviços por turno, com objetivo de preservar o funcionamento contínuo da empresa.

REVIDE — Forma de revanche com certa vingança.

REVISÃO — Reexame, releitura. Análise de lei ou decreto com o propósito de reformar, retificar ou anular. Reconsideração de alguém ou alguma coisa.

REVISÃO CONTÁBIL — É uma ação de rever uma escrita ou documento contábil.

REVISÃO CRIMINAL — Meio processual que permite ao condenado pedir a qualquer tempo aos tribunais que a sentença seja reexaminada e obter, assim, a respectiva anulação ou modificação da pena, ou mesmo a sua absolvição. São hipóteses de cabimento da revisão: novas provas, decisão contrária à lei ou às evidências dos autos, ou, ainda, decisão apoiada em documentos falsos. A Revisão criminal é ajuizada quando já não cabe outro recurso contra a decisão.

REVISIONAL — O mesmo que ação revisional.

REVISOR — A quem compete examinar o processo, depois do Relator, e sugerir alterações, confirmar, completar ou retificar o relatório e voto.

REVITALIZAÇÃO URBANA — Reconstrução sócio-geográfica da área urbana para o desenvolvimento econômico.

REVOCATÓRIA FALIMENTAR, AÇÃO — Ação que objetiva pronunciar, em relação à massa, a ineficácia ou revogação do ato jurídico do devedor, praticado antes da falência, para que entrem na massa os bens indevidamente retirados do seu patrimônio. A ação revocatória pode ser promovida: I - contra todos os que figuraram no ato ou que por efeito dele foram pagos, garantidos ou beneficiados; II - contra os terceiros adquirentes, se tiveram conhecimento, ao se criar o direito, da intenção do devedor de prejudicar os credores; III - contra os herdeiros ou legatários das pessoas indicadas nos incisos I e II.

REVOGAÇÃO — 1) Ato ou efeito de anular, invalidar, tornar sem efeito uma lei, sentença, autorização etc. 2) Ato ou efeito de cassar poderes, autorizações. O ato pelo qual se desfaz, se anula ou se retira à eficácia ou efeito de ato anteriormente praticado.

REVOGAÇÃO DA DOAÇÃO — Ver Ingratidão.

REVOGAÇÃO DA LICITAÇÃO — Ver Licitação Pública - Revogação.

REVOGAÇÃO DE DOAÇÃO, AÇÃO DE — É a ação que o doador propõe contra o donatário para revogar doação por ingratidão ou descumprimento de encargo.

REVOGAÇÃO POR INGRATIDÃO — Ver Ingratidão.

REVOGAR — Ver Revogação.

REVOGÁVEL — Diz-se daquilo que pode ser revogado ou tornado sem efeito.

REVOLTA — Insubmissão com agressão e raiva intensa por inconformação e intolerância.

REVOLTA DOS TENENTES — Ver Revoltas Tenentistas.

REVOLTAS TENENTISTAS — Movimentos de insurreição que explodem no Rio de Janeiro, em 1922; em São Paulo, em 1924; e continuam até 1927, com a luta da Coluna Prestes no interior do Brasil. Expressam a insatisfação de setores militares com os governos e a República Velha. Manifestando os interesses da baixa e média oficialidade e das camadas médias urbanas, os tenentes tornam-se importante núcleo de oposição às oligarquias e ao sistema republicano vigente. Pregam a moralização da política e a volta das liberdades públicas, defendem o capital nacional e exigem a restauração das forças militares. (Ver: Intentona comunista.)

REVOLUÇÃO — Reação que provoca grandes mudanças. Ato de rebelião e revolta para uma grande mudança. O termo denomina a mudança brusca e radical de convicções sociais. Tais convicções podem ter a mais variada natureza: política, econômica, jurídica, artística.

REVOLUÇÃO DE 1930 — Movimento político-militar que derruba o presidente Washington Luís em outubro de 1930 e acaba com a República Velha, levando Getúlio Vargas ao poder. A crise da República Velha, oligárquica, agrava-se na década de 1920. Ganha visibilidade e amplitude com a mobilização do operariado, as revoltas tenentistas e as dissidências políticas que enfraquecem as oligarquias, ameaçando a aliança entre São Paulo e Minas Gerais. Em 1926, setores descontentes do Partido Republicano Paulista (PRP) fundam o Partido Democrático (PD), que defende um programa reformista de oposição. Mas o maior sinal do desgaste republicano é a superprodução cafeeira, alimentada pelo governo com valorizações cambiais e subsídios públicos.

REVOLUÇÃO INDUSTRIAL — Processo de mudança de uma economia agrária e baseada no trabalho manual para uma dominada pela indústria mecanizada. Teve início na Inglaterra por volta de 1760 e alastrou-se para o resto do mundo. Caracterizou-se pelo uso de novas fontes de energia, pela invenção de máquinas que aumentaram a produção, pela divisão e especialização do trabalho, pelo desenvolvimento do transporte e da comunicação e pela aplicação da ciência na indústria. Provocou profundas transformações na sociedade: o declínio da terra como fonte de riqueza, o direcionamento da produção em larga escala para o mercado internacional, a afirmação do poder econômico da burguesia, o surgimento do operariado e a consolidação do capitalismo como sistema dominante na sociedade.

REVOLUÇÃO POLÍTICA — Subversão político-social caracterizada pela substituição quase sempre violenta da forma de Estado, forma de Governo, Regime de Governo e dos próprios governantes. Tudo é subvertido, ao contrário do que ocorre no golpe de Estado, no qual os próprios governantes são quem subvertem a ordem constituída para reforçar seu poder.

REVOLVING — Ver Crédito rotativo.

RHAE — Programa de capacitação de recursos humanos para atividades estratégicas do setor produtivo.

RIACHO — Curso d'água natural, normalmente pequeno e tributário (afluente) de um rio. (Ver: Rio.)

RIBEIRO — Termo usado para designar um pequeno rio ou curso d'água nas áreas superiores de uma vertente.

RIO — 1) Curso de água de grande dimensão que serve de canal natural para a drenagem de uma bacia. 2) Canal natural de drenagem de superfície que tem uma descarga anual relativamente grande. Um rio geralmente termina no oceano. (Ver: Riacho.)

RIO INTERMITENTE — Rio temporário. Tipo de rio que possui regime hidrológico intermitente, caráter torrencial e permanece seco a maior parte do ano. Seu deflúvio é irregular e ocorre durante a estação chuvosa.

RIO SUBTERRÂNEO — Massa de água corrente que passa por uma grande cavidade subterrânea: gruta, caverna ou conjunto de grandes interstícios em comunicação.

RIO *YAZOO* — Pequeno rio tributário (afluente) que flui paralelamente à corrente principal numa planície de aluvião. Um rio *yazoo* é separado da ribanceira do rio principal por um dique.

RIO-92 — Conferência das Nações Unidas sobre Meio Ambiente e Desenvolvimento (em inglês UNCED), realizada no Rio de Janeiro, em 1992. A primeira conferência desta natureza, realizada em 1972, também recebeu o nome da cidade onde se realizou, Estocolmo. (Ver: Agenda 21.)

RIPÁRIO — Termo concernente às questões do uso da terra ao longo das margens de um curso d'água ou rio.

RIQUEZA — Expressão utilizada em economia para definir o patrimônio acumulado por um sujeito econômico ao longo da sua vivência. Diverge do conceito de rendimento.

RISCO — 1) Medida de dano potencial ou prejuízo econômico expressa em termos de probabilidade estatística de ocorrência e de intensidade ou grandeza das conseqüências previsíveis. 2) Probabilidade de ocorrência de um acidente ou evento adverso, relacionado com a intensidade dos danos ou perdas, resultantes dos mesmos. 3) Probabilidade de danos potenciais dentro de um período especificado de tempo e/ou de ciclos operacionais. 4) Fatores estabelecidos, mediante estudos sistematizados, que envolvem uma probabilidade significativa de ocorrência de um acidente ou desastre. 5) Relação existente entre a probabilidade de que uma ameaça de evento adverso ou acidente determinado se concretize e o grau de vulnerabilidade do sistema receptor a seus efeitos. 6) É o ato incerto ou de data que independe da vontade das partes contratantes e contra o qual é feito o seguro. 7) Na teoria da decisão significa incerteza, probabilidade de que um evento resulte desfavorável; probabilidade de falha; possibilidade de perda; característica dos processos de inovação tecnológica. 8) Nível de incerteza quanto ao rendimento esperado de um investimento. No mercado financeiro, existem o risco de mercado e o risco de crédito. O risco de mercado é aquele relacionado com as oscilações de preço do investimento escolhido. O risco de crédito é o relacionado com a probabilidade de um título financeiro ser pago (risco de inadimplência do tomador do crédito). Regra geral, o nível de rentabilidade está associado ao nível de risco. Quanto maior o risco aceito pelo investidor maior deve ser a rentabilidade potencial deste investimento. Naturalmente, algumas aplicações envolvem maior risco. O investidor somente deve aplicar seu dinheiro num investimento quando conseguir entender o nível de risco que está assumindo. Não existe de fato investimento sem risco, embora o mercado até trabalhe com algumas taxas como se elas não tivessem risco algum. (Ver: Perfil do Investidor // Rentabilidade // Diversificação.)

RISCO ACEITÁVEL — Risco muito pequeno, cujas conseqüências são limitadas, associado a benefícios percebidos ou reais tão significativos, que grupos sociais estão dispostos a aceitá-lo. A aceitabilidade do risco diz respeito a informações científicas, fatores sociais, econômicos e políticos, assim como aos benefícios decorrentes desta condição.

RISCO AGRAVADO — É aquele que, em virtude de qualquer deficiência ou característica intrínseca, apresenta maiores probabilidades de sinistro.

RISCO AMBIENTAL — Relação existente entre a probabilidade de que uma ameaça de evento adverso ou acidente determinado se concretize, com o grau de vulnerabilidade do sistema receptor e seus efeitos. Possibilidade de dano, enfermidade ou morte resultante da exposição de seres humanos, animais ou vegetais a agentes ou condições ambientais potencialmente perigosas.

RISCO CAMBIAL — As operações financeiras que envolvem transação ou indexação cambial possuem o risco de perdas se houver uma variação cambial não esperada. Se um turista faz compras no exterior com cartão de crédito, corre o risco de, entre o ato da compra e o pagamento da fatura, ter ocorrido uma desvalorização cambial e ter que pagar mais do que o esperado, em reais, pela fatura do cartão. As empresas e pessoas físicas que tomam empréstimos indexados ao dólar também correm risco cambial.

RISCO DE BOLSA — É o risco de variações nos preços dos ativos negociados em Bolsa (ações, futuros, opções etc.).

RISCO DE CRÉDITO — Termo que associa determinado título à probabilidade do mesmo não poder ser honrado, pelo emissor, no caso de um evento imprevisto.

RISCO DE CUSTÓDIA — O risco de perda nos valores mobiliários mantidos sob custódia ocasionado por insolvência, negligência ou por uma ação fraudulenta do custodiante ou de um subcustodiante.

RISCO DE EMISSOR — Risco de não ser honrado compromisso relacionado com a emissão ou o resgate do principal e acessórios do título ou valor mobiliário, no vencimento previsto.

RISCO DE INFLAÇÃO — Um aumento na inflação acima das expectativas dos agentes econômicos pode corroer os ganhos da aplicação, especialmente para os títulos com rentabilidade prefixada.

RISCO DE LIQUIDAÇÃO — Risco de que uma liquidação em um sistema de transferência não se realize segundo o esperado. Este risco pode incluir tanto o risco de crédito como o de liquidez.

RISCO DE LIQUIDAÇÃO DE CÂMBIO — Risco de que uma das partes de uma negociação de moedas estrangeiras pague a divisa que vendeu, mas que não receba a que comprou. É também denominado risco de liquidação entre moedas ou risco de principal; também se faz referência a este risco como risco *Herstatt*, ainda que este termo seja inadequado dadas as circunstâncias mutáveis nas quais este risco tem se materializado.

RISCO DE LIQUIDEZ — É o risco associado à retenção de um ativo que não se consegue vender com facilidade (ativo sem ou com pouca liquidez), ou à necessidade de se fazer um empréstimo ou rolar uma dívida em um momento de escassez de recursos no mercado. (Ver: Liquidez.)

RISCO DE LIQUIDEZ DE MERCADO — Este tipo de risco está associado às condições econômicas (normalmente durante crises). Os mercados de ativos podem passar por períodos em que haja uma limitação da sua liquidez, ou seja, não há compradores e/ou vendedores para alguns desses ativos, dificultando a execução de ordens ou impactando os preços dos ativos negociados.

RISCO DE MERCADO — Tipo de risco associado à possibilidade de desvalorização ou de valorização de um ativo, devido a alterações políticas e econômicas gerais tanto nacionais como internacionais ou em decorrência da situação individual de uma empresa ou banco. É o risco que todo ativo financeiro corre de ter seu preço valorizado ou desvalorizado, em conseqüência de alterações políticas, econômicas, sociais etc. – nacionais e/ou internacionais.

RISCO DE OSCILAÇÃO DE TAXAS DE JUROS — Este risco está ligado à possibilidade da variação da taxa de juros durante o período de um investimento. Por uma exigência do Banco Central do Brasil, a rentabilidade dos fundos prefixados é calculada pela variação do preço dos títulos em carteira de cada fundo. Se o Banco Central aumentar as taxas de juros, o valor atual desses títulos prefixados sofre uma redução. Isto ocorre porque o valor de resgate dos títulos prefixados não se altera, mas o valor atual sofre uma redução para adequar-se à nova taxa de juros. Esta redução do valor dos títulos é repassada ao valor da cota e, conseqüentemente, à rentabilidade do fundo. De forma contrária, no caso de uma redução das taxas de juros, o valor dos títulos em carteira subirá.

RISCO DE PRINCIPAL — Risco de o vendedor de um título entregar o ativo, mas não receber o pagamento, ou de o comprador de um título efetuar o pagamento, mas não receber o ativo.

RISCO DIVERSIFICÁVEL — Parcela de risco de um investimento que é inerente ao próprio investimento. No caso de uma ação ou debênture de uma empresa, são os riscos inerentes a esta empresa, que não afetam o desempenho de outras empresas. Os investidores procuram eliminar ou reduzir tais riscos por meio da diversificação dos investimentos, daí a denominação risco diversificável.

RISCO FINANCEIRO — Termo que cobre uma variedade de riscos em que se incorre nas operações financeiras, tanto riscos de liquidez quanto riscos de crédito.

RISCO FISCAL — Corresponde à avaliação dos passivos contingentes e outros riscos capazes de afetar as contas públicas. Consta como anexo na Lei de Diretrizes Orçamentárias.

RISCO LEGAL — O risco de que uma parte sofra uma perda porque as leis ou regulações não dão suporte às regras do sistema de liquidação de valores mobiliários, à execução dos arranjos de liquidação relacionados ou aos direitos de propriedade e outros interesses que são mantidos pelo sistema de liquidação. O risco legal também surge se a aplicação das leis ou regulações é pouco clara.

RISCO MORAL — É um problema de risco pós-contratual, suscitado originalmente pelas companhias seguradoras. Segurando uma vida ou um imóvel, o beneficiário sabe que pode assumir um comportamento mais negligente relativamente ao objeto do contrato – isto encoraja o chamado otimismo pós-contratual. Ex.: nos seguros de veículos que abrangem riscos múltiplos – o condutor irá desleixar-se na sua condução automóvel (ou até mesmo provocar a destruição propositada do seu veículo), porque sabe que caso surja algum problema a seguradora cobrirá os custos.

RISCO SISTÊMICO — 1) O risco de que a inadimplência de um participante com suas obrigações em um sistema de transferência, ou em geral nos mercados financeiros, possa fazer com que outros participantes ou instituições financeiras não sejam capazes, por sua vez, de cumprir com suas obrigações (incluindo as obrigações de liquidação em um sistema de transferência) no vencimento. Tal inadimplência pode causar problemas significativos de liquidez ou de crédito e, como resultado, poderia ameaçar a estabilidade dos mercados financeiros. Risco de a incapacidade de uma instituição liquidar suas obrigações no vencimento implicar incapacidade de as demais liquidarem, também, suas obrigações no vencimento. 3) Risco inerente às variações das economias nacional e internacional, afetando as taxas de juros, câmbio e os preços dos ativos em geral.

RISCO TOTAL — É o somatório da Responsabilidade Total + Risco Indireto + Créditos a Liberar.

RISCO VARIAÇÃO CAMBIAL OU DE MOEDA — Este tipo de risco está associado à oscilação da taxa de câmbio, principalmente no dólar. Estas oscilações podem valorizar ou desvalorizar as cotas de fundos, dependendo da estratégia assumida.

RISCO-PAÍS — Definido por instituições privadas como o banco JP Morgan, o risco-país indica a possibilidade de um país dar calote em sua dívida externa. É medido pela relação entre o juro pago pelo país e a taxa de juros dos títulos do Tesouro norte-americano, considerados aplicações de segurança máxima. Quanto maior for essa diferença, maior será o risco-país. Quanto mais baixa for a taxa de risco, maior as vantagens para o país, pois caem os juros que tem de pagar para obter empréstimos estrangeiros, diminui a aversão de investidores internacionais com perfil mais conservador, que não gostam de correr riscos altos, e aumenta o número de investidores dispostos a manter seu capital no país.

RISCOS AMBIENTAIS — Ações indesejáveis que possam ocorrer no meio ambiente; em nível empresarial, podem estar relacionados com a saúde dos funcionários, contaminação de populações circunvizinhas por resíduos industriais, produtos contaminados etc.

RISK MANAGEMENT — Ou Gestão do Risco, visa antecipar, analisar e valorizar os riscos de funcionamento da empresa de modo a minimizá-los. Implica otimizar a qualidade/custo dos diferentes seguros da companhia. O método inclui todos os tipos de riscos clássicos (caso da segurança de pessoas e bens) e também alguns cuja freqüência ou amplitude cresceu nos últimos anos, tais como riscos de cópias, os ligados ao meio ambiente ou as despesas médicas dos empregados).

RISKMETRICS — Modelo desenvolvido pelo JP Morgan para cálculo de valor em risco (risco de mercado).

RITMO DE CRESCIMENTO — É a mudança (aumento, diminuição, estável) de um indicador em um período de tempo, expresso como uma percentagem do indicador no começo do período. O ritmo de crescimento contém vários conjuntos de informação. O primeiro é se houve mudança; o segundo é em que direção se dá à mudança (aumento, decréscimo); e o terceiro é quão rápida a mudança está ocorrendo. Por exemplo, se o ritmo de crescimento do PIB de um país em um ano é mais ou menos que zero, houve uma mudança na quantidade de bens e serviços produzidos naquele ano. Se o ritmo de crescimento do PIB é positivo, o país está produzindo mais bens e serviços no final do que no começo do ano. Se o ritmo é negativo, o país está produzindo menos bens e serviços do que no começo do ano. Observa-se que a mudança no ritmo de crescimento do PIB de 2% num ano para 1% no ano seguinte não significa que a produção total de mercadorias e serviços diminuiu. Contanto que o ritmo de crescimento seja positivo, o PIB está crescendo. A única situação em que a produção de bens e serviços de fato decresceu é quando o ritmo de crescimento do PIB é negativo.

RITO — Procedimento legal pelo qual se exteriorizam os atos processuais. Seqüência de fases de um processo, seu andamento, procedimento. É o modo pelo qual o processo tramita. Conjunto de formalidade ou de regras instituídas para que sirvam de forma ou de modelo à execução de um ato ou de uma diligência.

RITO SUMÁRIO — Ver Procedimento Sumário.

RITUAL — Relativo a ritos. Regra e cerimônia praticada num culto ou religião. Qualquer cerimonial; praxe. Livro de ritos de qualquer culto. Protocolo.

RIVALIDADE — É a propriedade de uma bem por meio da qual sua utilização por uma pessoa impede a outra de o utilizar.

RIXA — Crime consistente na desavença entre três ou mais pessoas, com risco de incolumidade física.

RIZÓBIO — Bactéria do gênero *Rhizobium*, que entra em simbiose com raízes de plantas da família das leguminosas, capaz de fixar o nitrogênio molecular atmosférico.

RNA (ÁCIDO RIBONUCLÉICO) — Ácido nucléico envolvido na transferência da informação genética e sua decodificação em uma cadeia polipeptídica. Em alguns vírus ele é o material genético primário.

ROAD SHOWS — São apresentações dos Planos de Negócios (BP's) dos empreendedores para investidores nacionais ou internacionais com vistas a levantar os recursos necessários para o financiamento de suas atividades ou o estabelecimento de alianças estratégicas.

ROBÓTICA — Tecnologia dos robôs e autômatas.

ROCHA — Agregado natural de um ou mais minerais, incluindo vidro vulcânico e caracteristicamente consolidado. Os três grandes grupos de rocha são: as sedimentares, as ígneas ou magmáticas e as metamórficas.

ROCHAS INTRUSIVAS OU PLUTÔNICAS — Ver Magma.

RODADA DE NEGÓCIOS — Encontros empresariais nacionais e internacionais, com a finalidade de aproximar compradores e vendedores de produtos e serviços, gerando negócios entre empresas.

ROGATIO LEGIS — [Latim]. Expressão que significa propositura da lei.

ROGATÓRIA — Ver Carta Rogatória.

ROL DE RESPONSÁVEIS - CADASTRO — Trata-se de relação de responsáveis por dinheiros, valores e bens públicos, cujo rol deverá ser transmitido anualmente aos respectivos Tribunais de Contas, comunicando-se sempre que ocorrer alterações.

ROL DE TESTEMUNHAS — É a lista ou a menção dos nomes das testemunhas indicadas para que prestem depoimento acerca dos fatos de uma questão ou de um processo. Indicação das dez testemunhas, no máximo, que cada parte fará para oitiva na audiência.

ROL DOS CULPADOS — Relação escrita das pessoas condenadas pelo juízo criminal. Esse registro deve constar obrigatoriamente da sentença condenatória irrecorrível. A relação daqueles que foram condenados criminalmente é transmitida aos órgãos competentes para registro dos antecedentes na folha penal.

ROLAGEM DA DÍVIDA — Significa tomar emprestado para pagar um empréstimo que está vencendo.

ROLAGEM DA DÍVIDA PÚBLICA — É o refinanciamento de papéis emitidos para cobrir rombos no Orçamento do Governo. Quando um Governo (União, estado ou um município) rola suas dívidas, na verdade emite títulos, que são lançados no mercado para, com o dinheiro arrecadado, abater dívidas que estão vencendo. Estas dívidas são, em geral, decorrentes do lançamento anterior de outros títulos, com prazos pré-fixados. Nas contas do Tesouro, o aumento dos juros tem impacto negativo (aumento) na dívida pública e a diminuição dos juros tem impacto positivo (diminuição). O Senado tem a prerrogativa constitucional de aprovar ou rejeitar as rolagens de dívida e os empréstimos.

ROLAGEM DE POSIÇÃO — Encerramento de uma posição a futuro através de uma operação inversa (compra ou venda) e simultaneamente retomada de posição igual inicial, para outro vencimento normalmente posterior (rolagem para a frente) mas também possível para um anterior (rolagem para trás).

ROLL OVER — Extensão de um empréstimo para além da sua data de vencimento original.

ROMANEIO — Ver *Packing List*.

ROSA-DOS-VENTOS — Mostrador onde estão gravados os pontos cardeais, colaterais e mais 16 pontos intermediários. Os pontos intermediários são norte (N), sul (S), leste (L) ou este (E) e oeste (O) ou west (W). Os pontos colaterais são: nordeste (NE), localizado entre o N e o L ou E; sudeste (SE), localizado entre o S e o L ou E; noroeste (NO), localizado entre o N e o O ou W; sudoeste (SO), localizado entre o S e o O ou W. Os pontos subcolaterais são: nor-nordeste (NNE); és-nordeste (ENE); és-sudeste (ESE); su-sudeste (SSE); su-sudoeste (SSO); oes-sudeste (OSO); oes-noroeste (ONO); nor-noroeste (NNO). A rosa-dos-ventos é um diagrama com "pétalas" radiais elaborado para mostrar as freqüências e, às vezes, a velocidade dos ventos que sopram sobre os oito ou os 12 pontos cardeais, colaterais e subcolaterais. O comprimento de cada "pétala" mostra a ocorrência de ventos registrada em dado período de tempo, e as gradações sobre as pétalas mostram a freqüência da velocidade dos ventos. Estas informações vêm da época em que a navegação era feita à vela e por meio dos ventos.

ROSC — Documento do FMI com resultados da supervisão efetuada sobre os países-membros, referente à observância de padrões de conduta previamente estabelecidos.

ROTAS DE DISPERSÃO — Caminho percorrido por um produto perigoso, através do meio ambiente (água superficial, água subterrânea, correntes aéreas).

ROTATIVIDADE — É a indicação do número de vezes que um estoque se renovou (Ra = Ca/Em), onde Ca é o consumo total anual e Em é a média aritmética dos 12 estoques mensais.

ROTINA — Prática do controle da qualidade baseada na padronização e consta de: estabelecer padrões para a satisfação das necessidades das pessoas, manter padrões e melhorar estes padrões. Significa, também, obedecer normas, evitar alterações ou mudanças. Se a rotina estiver bem montada, o produto ou serviço apresentará o mesmo padrão de qualidade.

ROTINA DE OTIMIZAÇÃO — Processos de rotina em um sistema de pagamento para determinar a ordem em que os pagamentos são aceitos para a liquidação. As rotinas de otimização são utilizadas para melhorar a liquidez do sistema e para incrementar a eficiência da liquidação.

ROUBO — Crime contra o patrimônio. Subtração clandestina de coisa alheia ou a tirada de coisa alheia, contra a vontade do dono, para si ou para outrem, com grave ameaça ou violência à pessoa que a tem, ou contra a coisa. Roubo não é sinônimo de furto. (Ver: Furto.)

ROUNDS OF FINANCING — São as primeiras rodadas de investimentos feitas pelos empreendedores, onde são levantados os recursos necessários para a expansão e desenvolvimento de seus negócios.

ROYALTIES — 1) O termo *royalty*, apropriado pela língua portuguesa, provém do inglês *royal*, que significa "da realeza" ou "relativo ao rei". Originalmente, designava o pagamento que o rei recebia pela exploração mineral nas terras do reino. 2) É o direito assegurado ao proprietário, inventor ou assistente técnico, de receber pagamentos pela exploração de patentes de invenção ou uso de marcas de indústria e comércio ou outros títulos de sua propriedade, bem como por prestação de serviços de assistência técnica, científica, administrativa ou similar. Também se entendem pela parte do produto ou lucro obtidos na exploração de minas, florestas etc., que é reservada ao proprietário das mesmas, a fim de que este permita sua exploração ou uso. Ainda tem o sentido de taxa que se deve sobre produtos manufaturados, pelo seu uso ou venda. No caso da exploração petrolífera, os *royalties* constituem uma compensação financeira paga à sociedade (representada pela figura do Estado) pela exploração de recursos escassos e não-renováveis.

***ROYALTIES* DO PETRÓLEO** — Compensações financeiras pagas pelos concessionários, cujos contratos estão na etapa de produção de petróleo e/ou gás natural, incluindo-se também os contratos que estão na fase de exploração ou realizando testes de longa duração. No Brasil, os *royalties* do setor petrolífero são pagos mensalmente pelos concessionários de exploração e produção, em moeda nacional, diretamente à União, em montante correspondente a dez por cento da produção de petróleo e/ou gás natural. O valor arrecadado é distribuído, no prazo de 60 dias, entre Estados, Municípios, Comando da Marinha e Ministério de Ciência e Tecnologia nos termos dos arts. 47 a 49 da Lei Federal nº 9.478, de 6 de agosto de 1997, e dos critérios definidos pelo Decreto nº 2.705, de 3 de agosto de 1998.

RUBRICA — 1) Assinatura abreviada; firma; nome ou título sob o qual se faz anotação. 2) O mesmo que crédito orçamentário, dotação orçamentária ou verba.

RUBRICA DE DESPESA — Ver Despesa, Rubrica de.

RUFIANISMO — Crime consistente em tirar proveito da prostituição alheia, participando diretamente de seus lucros ou fazendo-se sustentar, no todo ou em parte, por quem a exerça.

RUMO — Vocábulo empregado no sentido de direção ou de orientação.

RUP (*RATIONAL UNIFIED PROCESS*) — É o processo de engenharia de *software* que define tarefas e responsabilidades em uma equipe de desenvolvimento. Seu objetivo é garantir a produção de um *software* de alta qualidade que atenda aos requisitos do usuário final dentro dos prazos e orçamentos estipulados.

RV — Conjunto de informações que caracterizam instrumento de venda de "*commodities*" ou de produtos negociados em Bolsa, que deve ser objeto de registro no SISCOMEX previamente à solicitação de registro de exportação.

S

S&P 500 — Índice elaborado pela consultoria americana *Standard & Poor´s*, que reflete o desempenho na Bolsa de Valores de Nova York. Um comitê da Standard & Poor's elege as 500 companhias líderes nos setores mais importantes da economia norte-americana para compor este índice. Juntamente com o *Dow Jones*, o S&P 500 está entre os indicadores mais usados para acompanhar o mercado de capitais dos Estados Unidos.

S.O.S. — Sinal de pedido de socorro. No alfabeto MORSE, é uma seqüência de sinais constituída por três pontos, três traços e três pontos (três breves, três prolongados, três breves; ···‑‑‑···).

SA 8000 (*SOCIAL AUDITING 8000*) — Auditoria Social 8000 regulamenta questões referentes ao trabalho infantil, ao trabalho forçado, à saúde e à segurança, à liberdade de sindicalização e o direito de negociação coletiva, à discriminação, às práticas disciplinares, às horas de trabalho, à remuneração, ao sistema de gestão de responsabilidade social etc. Sua certificação constitui a materialização de um consenso ético-normativo sobre a responsabilidade social das empresas, sob as prerrogativas da Declaração dos Direitos Humanos das Nações Unidas. A responsabilidade dessa iniciativa partiu do "CEPA - *Council on Economic Priorities Agency* (Conselho da Agência de Prioridades Econômicas dos EUA)", e representa um novo padrão de certificação que, embora recente, já é conhecido mundialmente.

SABEDORIA — Conhecimento extenso e profundo das coisas. Ciência. Qualidade de quem é sabedor, de quem tem muita instrução. Grande circunspeção e prudência; juízo; bom senso; razão; retidão. Conhecimento inspirado das coisas divinas.

SABER PROFUNDO — Ver Conhecimento Profundo.

SABOTAGEM — É toda ação tendente a impedir ou dificultar o curso normal do trabalho, ou, com o mesmo fim, danificar estabelecimento ou instrumento útil à produção. No Direito Penal, é crime contra a organização do trabalho. A pena é de reclusão, de um a três anos, e multa.

SACADO — Banco ou pessoa contra quem é sacada letra de câmbio, cheque ou qualquer ordem de pagamento. É a instituição financeira que atua como intermediária em uma operação de financiamento apondo seu aceite em um título.

SACADO-DEVEDOR — É aquele que adquiriu mercadoria ou serviços do faturizado e, em face do pagamento ser a prazo, contra ele foi sacada duplicata, em que figura como sacado-devedor.

SACADOR — É pessoa que saca, extrai letra de câmbio, tira cheque, contra outra pessoa, em cujo poder tenha provisões ou fundos disponíveis, a favor de um terceiro (tomador ou portador), ou a seu próprio favor.

SACIAÇÃO — Extinção da necessidade premente. Vontade atendida.

SADISMO — Satisfação erótica e orgasmo obtido somente quando se pratica violência física ou agressão moral ao parceiro sexual.

SADOMASOQUISMO — Conjugação do sadismo e do masoquismo.

SALA DE NEGOCIAÇÕES — Local adequado ao encontro dos representantes de corretoras de valores e à realização, entres eles, de transações de compra e venda de ações/opções, em mercado livre e aberto.

SALA SECRETA — No Tribunal do Júri é a sala especial onde os juízes de fato (os jurados) se reúnem para deliberarem sobre o caso submetido ao seu julgamento, podendo consultar os autos, examinar elementos materiais de prova e procederem às respostas dos quesitos, em cédulas com palavras sim ou não, que representam os votos do Conselho de Sentença, absolvendo ou condenando o acusado.

SALÁRIO — É o valor pago a determinada pessoa com vínculo empregatício, como retribuição por seu trabalho específico. Não poderá ser inferior ao mínimo legal e deve ser pago até o quinto dia do mês subseqüente ao vencido. O salário não pode ser reduzido a não ser por convenção ou acordo coletivo. Só podem ser efetuados descontos no salário com expressa autorização do empregado. Não se confunde com remuneração que inclui todas as vantagens e benefícios. Para a Previdência Social, é a contraprestação paga diretamente pelo empregador ao trabalhador. Considera-se salário qualquer fração superior ou igual à remuneração de um dia de trabalho no mês. (Ver: Remuneração.)

SALÁRIO-BASE — É o menor salário que, acordado entre os sindicatos de empregado e empregador, deve ser pago a uma categoria de trabalhador.

SALÁRIO DE BENEFÍCIO — É a base para o cálculo dos auxílios e das aposentadorias na Previdência Social. O seu valor não pode ser inferior ao de um salário mínimo nem superior ao limite máximo do salário de contribuição vigente na data do início do beneficio. Calcula-se pela média aritmética simples dos últimos 36 salários de contribuição dos meses anteriores ao afastamento das atividades ou da entrada do requerimento do benefício, corrigidos mês a mês.

SALÁRIO DE CONTRIBUIÇÃO — Para a Previdência Social o salário de contribuição do empregado, temporário e avulso, é a soma das importâncias que recebeu, efetivamente, a qualquer título, durante o mês, em uma ou mais empresas, respeitados os limites em vigor. Para os demais segurados, é o salário-base. Todos os salários de contribuição considerados no cálculo de benefício da Previdência Social serão corrigidos monetáriamente.

SALÁRIO-HORA — Salário que o empregado ganha por hora de trabalho.

SALÁRIO *IN NATURA* / SALÁRIO EM ESPÉCIE — Salário *in natura* consistente na entrega de alimentação, habitação, higiene etc., como adicional ao salário principal, pago em dinheiro.

SALÁRIO MÍNIMO — Menor salário fixado por lei, nacionalmente unificado, definido como capaz de atender às necessidades vitais básicas do assalariado e às de sua família com moradia, alimentação, educação, saúde, lazer, vestuário, higiene, transporte e Previdência Social, com reajustes periódicos que lhe preservem o poder aquisitivo, sendo vedada sua vinculação para qualquer fim.

SALÁRIO NOMINAL — Soma em dinheiro que o trabalhador recebe em troca de sua força de trabalho.

SALÁRIO PROFISSIONAL — É o mínimo que pode ser pago aos integrantes de uma categoria profissional, consoante o estabelecido por sentença ou convenção coletiva. O mesmo que piso salarial, que, para algumas categorias de profissionais liberais, é fixado por lei.

SALÁRIO REAL — Nível do salário em relação a seu próprio poder de compra em determinado momento. Se os salários nominais aumentam na mesma proporção do custo de vida, o salário real mantém seu poder de compra em 100%. Mas, quando o índice geral de preços é mais elevado que os aumentos salariais, ocorre uma queda do salário real na mesma proporção.

SALÁRIO, REDUÇÃO DE — A Constituição Federal (art. 7º, VI) só admite a redução de salário se resultante de acordo ou convenção coletiva de trabalho. Porém, admite-se a redução de salários e do horário de trabalho em face de difícil conjuntura econômica, mediante negociações com os sindicatos.

SALÁRIO, RETENÇÃO DE — A retenção de salário é crime previsto pela Constituição Federal no art. 7º, X. Consiste em atrasar o pagamento do salário do empregado por vontade consciente do empregador.

SALÁRIO-EDUCAÇÃO — Contribuição social que as empresas privadas recolhem mensalmente no valor correspondente a 2,5% da folha de pagamento de seus funcionários. Os recursos arrecadados são direcionados para a melhoria do Ensino Fundamental público, sendo que dois terços do total são investidos nos próprios Estados onde foi recolhida e um terço é utilizado para financiar os programas do Fundo Nacional de Desenvolvimento da Educação (FNDE).

SALÁRIO-FAMÍLIA — É o benefício da Previdência Social concedido ao segurado de baixa renda para ajuda à manutenção de seu(s) filho(s). Esse benefício é pago aos trabalhadores que tenham filhos com até 14 anos de idade ou inválidos de qualquer idade, e não depende de carência mínima. Para fins de salário-família são equiparados aos filhos, os enteados e os tutelados que não possuem bens suficientes para o próprio sustento. O salário-família terá início a partir da comprovação do nascimento da criança ou da apresentação dos documentos necessários para requerer o benefício e será suspenso se não forem apresentados atestados de vacinação e freqüência escolar dos filhos. Somente os trabalhadores empregados e os avulsos têm direito ao salário-família. Os empregados recebem o salário-família mensalmente diretamente da empresa empregadora, sendo este valor deduzido pela empresa do recolhimento das contribuições devidas à Previdência Social sobre a folha de salários. Os trabalhadores avulsos recebem dos sindicatos, mediante convênio com a Previdência Social. O salário-família é pago diretamente pela Previdência Social quando o segurado estiver recebendo auxílio-doença, quando o trabalhador já recebia o salário-família em atividade. Também é pago pela Previdência Social o salário-família devido aos aposentados por invalidez e aos demais aposentados a partir dos 60 anos (mulheres) e 65 anos (homens). Na Administração Pública consiste na Despesa com o pagamento desta vantagem ao servidor público estatutário, civil ou militar, ativo ou inativo, pela manutenção de dependentes, na forma da lei.

SALÁRIO-MATERNIDADE — É o benefício da Previdência Social concedido à segurada gestante. A trabalhadora que contribui para a Previdência Social tem direito ao salário-maternidade nos 120 dias em que ficar afastada do emprego em decorrência de parto. Havendo comprovação por meio de atestado médico, o período de repouso poderá ser prorrogado por duas semanas antes do parto e ao final dos 120 dias de licença. A mãe adotiva ou à trabalhadora que obtiver guarda judicial para fins de adoção, também recebe o salário-maternidade, nesses caso o salário-maternidade será concedido de acordo com a idade da criança, sendo: criança de até 1 ano de idade, o salário-maternidade será de 120 dias; criança de 1 ano a 4 anos de idade, o salário-maternidade será de 60 dias; criança de 4 a 8 anos de idade, o salário-maternidade será de 30 dias. A concessão do salário-maternidade não depende de carência mínima para trabalhadora empregada, empregada doméstica e trabalhadora avulsa, devendo ser comprovada a afiliação à Previdência Social na data do afastamento para fins de salário maternidade ou na data do parto. No caso da contribuinte facultativa e individual a carência mínima é de dez contribuições para recebimento do benefício. A segurada especial fará jus ao recebimento do salário-maternidade desde que comprove, no mínimo, dez meses de trabalho rural, e, no caso de nascimento prematuro, a carência será reduzida pelo número de meses que o parto foi antecipado. Para fins do salário-maternidade é considerado parto, o nascimento ocorrido a partir da 23ª semana de gestação, inclusive natimorto. Em caso de aborto espontâneo ou previsto em lei, o salário-maternidade será pago por duas semanas. A trabalhadora que tem mais de um emprego simultâneo receberá salário-maternidade relativo a cada emprego, desde que haja contribuição para a Previdência Social relativa a cada um dos empregos. O salário-maternidade é devido a partir do oitavo mês de gestação, ou da data do parto.

SALÁRIO-UTILIDADE - HABITAÇÃO — Componente de salário do empregado. A habitação fornecida como salário-utilidade deverá atender ao fim a que se destina e não poderá exceder a 25% do salário contratual (CLT, art. 458, *caput*, e § 3.º).

SALÁRIO-UTILIDADE - HIGIENE — Componente de salário do empregado. Poderá ser contratualmente previsto o desconto de todo material de toalete pessoal fornecido pelo empregador ao empregado. Consideradas as Unidades da Federação, os porcentuais para efeito de desconto – para o empregado que recebe o salário mínimo – são os seguintes: 4% - Sergipe; 5% - Amapá; Amazonas; Bahia; Ceará; Espírito Santo; Maranhão; Pará; Paraíba; Pernambuco (e Distrito Estadual de Fernando de Noronha); Rondônia; Roraima; Santa Catarina; 6% - Alagoas; Distrito Federal; Goiás (e Tocantins); Minas Gerais; Paraná; Piauí; Rio de Janeiro; Rio Grande do Norte; São Paulo; 7% - Mato Grosso; Mato Grosso do Sul; Rio Grande do Sul; 9% - Acre. Para o empregado que recebe salário superior ao mínimo, deverá ser apurado o real valor da utilidade (Súmula nº 258 do TST).

SALDO COMERCIAL — Resultado das exportações menos as importações. Se o saldo é positivo, chama-se de superávit; se negativo, chama-se de déficit.

SALDO CONTÁBIL DE CAIXA — É o resultado do fluxo de caixa de uma empresa.

SALDO DEVEDOR — O que resta pagar de uma dívida. Nos financiamentos imobiliários, é reajustado mensalmente de acordo com o índice e a taxa de juro estipulados em contrato.

SALDO DEVEDOR INICIAL — É o saldo devedor do principal, na data inicial, considerando que todas as parcelas de amortização, vencidas até a referida data, tenham sido pagas. Saldos com essas características são considerados como "teóricos" ou "virtuais".

SALDO DO ORÇAMENTO CORRENTE — É resultante do balanceamento dos totais das receitas e despesas correntes, não constituindo item da receita orçamentária. O saldo positivo ou Superávit do Orçamento Corrente indica a poupança do governo, prevista para um exercício financeiro.

SALDO EM TRANSAÇÕES CORRENTES — É o resultado de todas as operações do país com o exterior. Nessa conta, estão incluídas as receitas e despesas da balança comercial (exportações e importações), da conta de serviços (juros, viagens internacionais, transportes, seguros, lucros e dividendos, serviços diversos) e das transferências unilaterais.

SALDO MIGRATÓRIO — O saldo migratório de um país, ou qualquer subdivisão geográfica do mesmo, para um determinado período de tempo, é obtido pela diferença entre o volume de entradas e saídas no mesmo período.

SALDO NÃO-NEGOCIADO — Quantidade de ações resultantes de ordem parcialmente executada. Se o prazo de validade da ordem não estiver vigente, a negociação do saldo exigirá novas instruções.

SALDO PATRIMONIAL (PATRIMÔNIO LÍQUIDO) — Categoria do Balanço Patrimonial, das entidades do setor público regidas pela Lei nº 4.320, de 1964, que expressa o resultado do confronto entre o Ativo Real e o Passivo Real. O Saldo Patrimonial será positivo quando o Ativo Real for maior que o Passivo Real, situação em que é denominado Ativo Real Líquido e lançado como item do Passivo (a fim de que a soma deste e a do Ativo sejam iguais). Se o Saldo Patrimonial for negativo (Ativo Real menor que o Passivo Real), sua denominação é Passivo Real a Descoberto, sendo o valor respectivo lançado como item do Ativo (a fim de que a soma deste e a do Passivo sejam iguais). O Saldo Patrimonial é o item do Balanço que indica a vitalidade da instituição, sinalizando problemas quando é negativo, por significar que esta não dispõe de ativos suficientes para fazer frente aos seus compromissos com terceiros.

SALDO RESIDUAL — É o que resta a mais ou a menos de uma dívida quando vencido o prazo contratado. Se o saldo é negativo, pagou-se a mais e deve receber a quantia de volta. Se positivo, pagou-se a menos (por erros de cálculo) e ainda deve ao credor.

SALE — Venda.

SALINIDADE — Medida de concentração de sais minerais dissolvidos na água. Concentração de sais dissolvidos na água, quando a matéria orgânica já foi oxidada, os carbonatos convertidos a óxidos e o bromo e o iodo substituídos pelo cloro. É expressa em g/kg ou ppm de cloro.

SALINIZAÇÃO — Aumento do teor de substâncias salinas no solo, que resulta geralmente da má aplicação das tecnologias de irrigação em zonas áridas e semi-áridas. As águas das chuvas contêm sempre sais minerais dissolvidos, que se depositam no solo quando ele evapora. A drenagem deficiente das culturas aliada à elevação do lençol freático no nível do solo também pode gerar a salinização dos terrenos, tornando-os impróprios para agricultura.

SALMONELOSE — Ver Saúde - Salmonelose.

SALVADO — 1) Todo material encontrado em situação de abandono em área atingida por desastre, ainda suscetível de ser utilizado em suas finalidades originais (com ou sem reparação prévia) ou que possa ser aproveitado para outras finalidades diferentes destas, mesmo que só tenha valor como sucata. 2) Diz-se, também, do que escapa ileso de acidente de grandes proporções, como mercadorias recolhidas de naufrágio, incêndio, inundação. Tem privilégio especial sobre a coisa salvada o credor por despesa de conhecimento. Paga-se sobre estas mercadorias o imposto de salvagem.

SALVAGUARDAS COMERCIAIS — Medidas adotadas por um governo que objetivam proteger temporariamente a indústria doméstica contra surtos de importação. Podem ser tarifas diferenciadas ou a imposição de quotas de importação.

SALVAMAR — 1) Designação dada à Organização Militar do Ministério da Marinha, responsável pelas atividades de socorro e salvamento no mar, nos portos e nas vias navegáveis interiores. 2) O termo também designa equipes especializadas em salvamento de afogados nas praias e, até mesmo, em águas interiores.

SALVO ERRO OU OMISSÃO — Juridicamente importa na inserção da cláusula "salvo erro ou omissão", em virtude da qual fica assente que pode a conta ou a fatura em referência ser revisionada a qualquer tempo, para que se corrija os erros anotados, ou que se supram as omissões verificadas.

SALVO-CONDUTO — Documento que possibilita o livre trânsito, em zona de beligerência, sem risco de prisão de seu portador, documento assinado pelo juiz, ordenando *habeas corpus* em favor de uma pessoa para frustrar ameaça de violência ou coação ilegal.

SAMBAQUIS — São monumentos arqueológicos compostos de acúmulo de moluscos marinhos, fluviais ou terrestres, feitos pelos índios. Nesses jazidos de conchas se encontram, correntemente, ossos humanos, objetos líticos e peças de cerâmica. Os sambaquis são objetos de especial proteção, dado o seu múltiplo significado.

SAMURAI BONDS — Bônus de dívida soberana emitidos em ienes no mercado japonês. São títulos de renda fixa denominados em yen (moeda do Japão), emitidos por não-residentes no Japão e vendidos naquele país. Estes títulos ficam sujeitos à legislação japonesa, condição que os diferencia dos títulos emitidos em yen no euromercado. O mercado de títulos de renda fixa no Japão é hoje o segundo maior do mundo, em boa parte devido à alta capacidade de poupança da população.

SANAR — É o verbo empregado no sentido de tornar são, curar, remediar o mal, tornar perfeito. É tornar sadio ou sem efeito o ato jurídico que se fez imperfeito, vicioso, por desatenção à forma, ou omissão ao requisito legal. Quando os defeitos ou vício não se podem remover, os atos que os trazem, não podendo ser sanados, subsistem como improfícuos ou inoperantes.

SANÇÃO — É o ato típico de concordância do Executivo pelo qual um projeto aprovado pelo Legislativo é transformado em lei e, com a publicação, entra em vigor. Não confundir com promulgação, que tem o mesmo efeito, mas é ato privativo do Poder Legislativo. (Ver: Promulgação // Rejeição de veto.)

SANÇÃO ADMINISTRATIVA — Considera-se aquela decorrente da ação do poder executivo ou das agências delegadas por meio de procedimentos administrativos ordinários (advertências, multas, interdições parciais e ou temporárias ou interdições definitivas, dentre outros).

SANÇÃO CIVIL — São sanções de finalidade reparatória, satisfativa, porquanto visam a desfazer os efeitos da inobservância do imperativo legal, repondo as coisas, de modo mais aproximado ou equivalente possível, no estado em que estariam se se não verificasse aquela inobservância. Tendem a restabelecer os interesses da pessoa ofendida, a restituí-la, tanto quanto possível, ao estado anterior à lesão.

SANÇÃO DISCIPLINAR — Pena disciplinar, ou pena administrativa. Conjunto de medidas reservadas à administração, a serem aplicadas contra servidor público que infringir a lei ou regulamento. São aquelas que vão desde a mera repreensão até à suspensão ou à demissão. Visam proteger valores de coesão ou de relações internas na empresa e Administração Pública.

SANÇÃO DO EXECUTIVO — Ver Sanção.

SANÇÃO PATRIMONIAL — Diz-se que toda sanção, de natureza civil ou penal, que, sem incidir diretamente sobre a pessoa, grava seu patrimônio. Ex.: multa, os juros de mora, a correção monetária, a condenação às custas e sucumbência, a interdição do estabelecimento, a suspensão do exercício profissional.

SANÇÃO PENAL — É a medida punitiva ao transgressor, não se destina a repor as coisas conforme o eram anteriormente ao ato ilícito, mas tão-só a recompor a ordem jurídica violada. É uma defesa contra os autores do ato e a defesa dos interesses da sociedade. Têm por fim a reprovação e regeneração de pessoas que, pelos seus atos, põem em perigo e lesam bens relevantes sob o ponto de vista social, e a prevenção de futuras práticas ilícitas.

SANÇÃO PRESIDENCIAL — Ver Sanção.

SANÇÃO TÁCITA — Presunção, prevista na Constituição, segundo a qual se considera sancionada a proposição de lei sobre que não tenha o chefe do Executivo se manifestado, expressamente, no prazo de 15 dias.

SANÇÕES CRIMINAIS OU PENAIS — Ver Sanção penal.

SANÇÕES POR INFRAÇÃO DA LEGISLAÇÃO — Compete ao Plenário do Tribunal de Contas impor multas por infração da legislação contábil, financeira, orçamentária, operacional e patrimonial, de normas estatutárias correlatas, por inobservância de prazos legais, regulamentares ou por ele fixado, por descumprimento de sua decisão, em caso de ilegalidade das despesas, de irregularidade de contas ou atraso em sua prestação de contas, bem como propor a aplicação, aos responsáveis, de outras penalidades administrativas.

SANÇÕES PUNITIVAS — Visam infligir um castigo ao infrator e não propriamente reconstituir a situação que existiria se o fato não se houvesse verificado.

SANCTIO JURIS — [Latim]. Expressão que significa sanção do direito.

SANEADOR — Ver Despacho saneador.

SANEAMENTO — Ato de sanear. (Ver: Saneamento ambiental // Saneamento básico // Saneamento do dinheiro em circulação // Saneamento do processo.)

SANEAMENTO AMBIENTAL — É o conjunto de ações que tendem a conservar e melhorar as condições do meio ambiente com modificações originárias da proteção e das medidas porventura desejáveis ou necessárias para instituir as condições ótimas de saúde e bem-estar. Em gestão ambiental, aplica-se principalmente aos recursos naturais que servem de corpos receptores dos impactos produzidos pela ação do ser humano, a saber: ar, água e solo.

SANEAMENTO BÁSICO — Ver Saúde – Saneamento básico.

SANEAMENTO DO DINHEIRO EM CIRCULAÇÃO — É o conjunto de atividades voltadas para manter o dinheiro em circulação em boas e seguras condições de uso. É constituído por dois processos: expurgo das cédulas falsas e substituição das cédulas desgastadas e/ou descaracterizadas.

SANEAMENTO DO PROCESSO — Providências exigidas ou tomadas entre a fase inicial e a instrução do processo para elidir vícios, irregularidades e nulidades, mediante um despacho saneador. O Código de Processo Civil trata do saneamento do processo como despacho saneador. Não sendo caso de extinção imediata nem de antecipação da lide, o juiz dará a decisão de saneamento, que é decisão interlocutória, e determinará que o feito prossiga regularmente. (Ver: Despacho saneador // Sobrestamento do processo.)

SANIDADE — Condição de estar são, de saúde ou saudável.

SAQUE — 1) Ordem por escrito e assinada por meio da qual uma parte – o sacador ou emissor – dá instruções a outra – sacado – para que pague uma soma especifica a uma terceira – beneficiário. O emissor e beneficiário podem ser a mesma pessoa. Nas operações internacionais, a cambial e geralmente chamada Letra de Câmbio. 2) Ato de emitir, contra alguém, um título de crédito. 3) Operação na qual um banco retira dinheiro em espécie no Bacen/Custodiante, sensibilizando negativamente o saldo da sua conta "reservas bancárias". Pode ser, também, apropriação violenta, pelas tropas em guerra de bens situados em territórios inimigo ou por ele ocupado.

SAQUE A DESCOBERTO — Situação que ocorre quando se emite uma ordem de pagamento de valor maior que o existente em uma determinada conta.

SARAMPO — Ver Saúde – Sarampo.

SARCASMO — Zombaria.

SATÉLITE ARTIFICIAL — Engenho espacial fabricado pelo ser humano, que gira em torno do Planeta Terra ou de outro astro, em virtude da velocidade que lhe foi imprimida. Satélites artificiais são utilizados em atividades de monitorização.

SÁTIRA — Composição mordaz, que ridiculariza os vícios ou defeitos de alguém, de forma irônica ou jocosa.

SATISFAÇÃO — Extinção da privação. Bom êxito no suprimento das necessidades prorrogadas com os desejos atendidos. A satisfação é obtida pela ação tempestiva com os subsídios do conhecimento e da experiência anterior.

SAÚDE – ABORTO — Ver Aborto // Aborto eugênico // Aborto inseguro.

SAÚDE – AÇÕES BÁSICAS DE VIGILÂNCIA SANITÁRIA — Programa do Governo Federal que consiste em destinar recursos financeiros voltados para a modernização das ações de fiscalização e controle sanitário em produtos, serviços e ambientes sujeitos à vigilância sanitária, bem como nas atividades educacionais sobre vigilância sanitária. Os recursos destinados aos municípios habilitados, conforme a NOB-SUS, para as ações básicas de vigilância sanitária são calculados multiplicando-se R$ 0,25 (vinte e cinco centavos) por habitante/ano.

SAÚDE – AÇÕES E SERVIÇOS PÚBLICOS DE SAÚDE — A Lei Complementar reguladora da Emenda Constitucional nº 29, de 2000 irá definir as Ações e Serviços Públicos de Saúde. Mas, desde já, pode-se identificar três grandes áreas em que o Poder Público deve atuar: a) assistência – em que as atividades são prestadas no âmbito hospitalar, ambulatorial e domiciliar; b) ambientais – que compreende as condições sanitárias nos ambientes de casa e de trabalho, o controle de vetores e hospedeiros e a operação de sistemas de saneamento básico; c) políticas externas à saúde – emprego, habitação, educação, lazer e disponibilidade e qualidade dos alimentos. As aplicações em Ações e Serviços Públicos de Saúde serão feitas por meio de Fundo de Saúde – Fundo Especial, conforme determina o § 3.º do art. 7º da Emenda Constitucional nº 29, de 2000, que já tem a função de aplicar os repasses do SUS – Sistema Único de Saúde.

SAÚDE – ADMINISTRAÇÃO SANITÁRIA — Ciência e arte de organizar e dirigir os esforços coletivos destinados a proteger, fomentar e recuperar a saúde de uma comunidade.

SAÚDE – AGENTE INFECCIOSO (MICROORGANISMO) — Vírus, rickéttsia, bactéria, fungo, protozoário ou helminto capaz de produzir infecção ou doença infecciosa.

SAÚDE – AGENTE NOCIVO — Todo agente que altera o ambiente e que representa um risco significativo para a saúde do indivíduo ou da população ou que pode repercutir negativamente, mesmo que de forma indireta, sobre o próprio ser humano ou sobre o seu patrimônio natural, cultural ou econômico.

SAÚDE – AIDS — Doença provocada pelo vírus da imunodeficiência humana (HIV, sigla em inglês). Ele ataca as células de defesa do organismo, enfraquece o sistema imunológico e dá chance a infecções oportunistas, como a pneumonia, uma das principais causas de morte de pessoas contaminadas pelo HIV. As formas de transmissão mais comuns são o contato sexual e o ato de compartilhar seringas entre os viciados em drogas. No Brasil, esse tipo de contágio diminuiu e programas de redução de danos distribuem seringas descartáveis aos usuários. Na transmissão por via sexual, a forma mais eficaz de prevenção é o uso de preservativo. (Ver: Aidético.)

SAÚDE - ALCOOLISMO — É uma doença caracterizada pela dependência física ou psicológica de bebidas alcoólicas associada a complicações socioeconômicas causadas pelo vício e pelos efeitos tóxicos do álcool. O tratamento do alcoolismo é complexo e depende do estado do paciente. Considera-se que o tratamento mais adequado do alcoolismo é o realizado por equipe multidisciplinar em associação com a família do paciente. Outra opção de tratamento muito utilizada é a participação de grupos de autoajuda como o Alcoólicos Anônimos, que geralmente se baseiam no programa de 12 passos. Recentemente foram desenvolvidos tratamentos farmacológicos eficazes contra o alcoolismo, em especial a naltrexona. Não há nenhum estudo cientificamente adequado comparando os tratamentos disponíveis. (Ver: Droga // Vício.)

SAÚDE - ALEITAMENTO MATERNO — Forma natural e a mais adequada para a nutrição dos recém-nascidos até os 6 meses de idade. O aleitamento materno é, isoladamente, a mais importante medida para reduzir a mortalidade infantil.

SAÚDE - ALÉRGENO — Substância que altera a reatividade do organismo, após exposição repetida. Substância normalmente estranha ao organismo (corpo estranho) e que, ao ingressar neste, é capaz de induzir no seu sistema imunitário a síntese de uma substância (anticorpo) capaz de interferir especificamente em suas características químicas e gerar uma sensibilização do organismo ao corpo estranho e a outras substâncias de estrutura similar.

SAÚDE - ALERGIA — Síndrome (conjuntos de sinais e sintomas, quadro clínico relacionado a uma entidade mórbida) que se caracteriza por uma reação de sensibilidade do organismo a um determinado alérgeno, anteriormente inofensivo, o que caracteriza um mau funcionamento do sistema imunológico.

SAÚDE - ALIMENTAÇÃO ARTIFICIAL — Alimentação do recém-nascido, até os 6 meses de vida, com outro alimento diferente do leite materno. Antes dos 6 meses, deve ser sistematicamente desencorajada e somente indicada em casos excepcionais, quando justificados pela medicina.

SAÚDE - ALIMENTAÇÃO BÁSICA — Alimentação usual num país ou comunidade, responsável pelo mais importante aporte diário de calorias. Por já estar adaptada à população, deve ser distribuída, quando for o caso, em situações de desastre. No Brasil, a alimentação básica é constituída por: arroz, feijão, carne, milho, tubérculos, farinha de mandioca ou de milho, frutas e verduras.

SAÚDE - ALIMENTO - LEVEDURA (LÊVEDO) — Designação genérica de certos fungos unicelulares da família das sacaromicetáceas, agentes de fermentação empregados na preparação de bebidas alcoólicas, como o vinho e a cerveja, e do próprio álcool etílico, a partir da garapa de cana. Embora existam lêvedos patogênicos para o ser humano, os de fermentação são extremamente úteis, como o *Saccharomyces cerevices,* utilizado na fermentação da cerveja. As leveduras fermentadoras, quando purificadas, transformam-se em alimentos riquíssimos em proteínas de alto valor alimentício, com todos os aminoácidos essenciais e vitaminas do complexo B. A levedura é subutilizada como alimento protetor no Brasil. Caso apenas um quarto do potencial da produção de levedura do Brasil (maior produtor mundial de álcool) fosse utilizado, não haveria carência protéica nem de vitaminas do complexo B, no País.

SAÚDE - ALIMENTO *DIET* — São os produtos isentos de açúcar, gordura ou glútem. A princípio, foram desenvolvidos especialmente para pessoas que têm diabetes. Por isso, deve-se ter atenção ao doce: uma sobremesa *diet* pode até engordar. (Ver: Saúde - Alimento *Light*.)

SAÚDE - ALIMENTO ENRIQUECIDO — Alimento no qual se acrescentam, intencionalmente, elementos nutritivos, com a finalidade de incrementar o seu valor nutritivo no combate ou na prevenção de enfermidades causadas por carência. Os enriquecimentos mais freqüentes são: sal com iodo, leite com vitamina "A"; farinhas enriquecidas com tiamina.

SAÚDE - ALIMENTO *LIGHT* — São produtos que têm redução de, ao menos, 25% de gordura. Segundo especialistas, alimentos *light* são em geral, mais saudáveis do que suas versões tradicionais. (Ver: Saúde - Alimento *Diet*.)

SAÚDE - ALIMENTO PROTETOR — Alimento com valor nutritivo especial para promover o desenvolvimento físico e proteger a saúde, por ser rico em nutrientes essenciais. A levedura de cerveja é considerada como alimento protetor de extrema importância, por ser rica em aminoácidos essenciais e em vitaminas do complexo B.

SAÚDE - ALIMENTO TRADICIONAL (CONVENCIONAL) — Alimento obtido através de métodos tradicionais de agricultura, pecuária, pesca, coleta ou caça e preparado de forma convencional pela comunidade. Estão excluídos da definição os alimentos submetidos a procedimentos "não-convencionais" de processamento.

SAÚDE - AMEBÍASE — Doença parasitária do trato intestinal provocada por um protozoário (*Entamoeba histolytica*). Pode produzir disenterias e, ocasionalmente, complicações hepáticas. Está associada à pobreza, à contaminação fecal de águas e de alimentos e ao clima quente. Pode incrementar-se em situações de desastre, quando existem portadores crônicos eliminando cistos.

SAÚDE - ANCILOSTOMÍASE — Doença parasitária intestinal bastante debilitante causada por verme (*Necator americanus*, *Ancylostoma duodenalis*, *Ancylostoma brasiliensis* e *Ancylostoma caninum*) - prevalente em áreas tropicais. Causa anemia e produz manifestações faríngeas. Penetra através da planta dos pés de pessoas que andam habitualmente descalças.

SAÚDE - ANEMIA — Redução dos glóbulos vermelhos (hemácias) e da quantidade de hemoglobina circulante (pigmento vermelho que transporta o oxigênio) no sangue. Pode ter múltiplas causas, como malária, hemólise (lise ou destruição das hemácias), ancilostomíase, hemorragias, deficiência de ferro e de outros princípios nutritivos. As mulheres são as mais vulneráveis a essa disfunção.

SAÚDE - ANFETAMINA — Droga sintética utilizada como vasoconstritor. Poderoso energético estimulante, que leva o paciente a forte dependência psicológica. Foi descoberta em 1927 e tem como fórmula $C^9H^{13}N$.

SAÚDE - ANTICORPOS — Agentes constituídos de proteínas que têm como função o combate aos agentes de doenças. Imunoglobulina sérica, proteína de grande peso molecular encontrada no plasma, que se desenvolve no organismo como uma resposta antigênica específica contra um "corpo estranho" ou antígeno, conferindo-lhe proteção.

SAÚDE - ANTÍDOTO — Agente capaz de reduzir o efeito danoso de uma intoxicação. Os antídotos que controlam os efeitos de um agente tóxico se denominam antídotos farmacológicos. Os que atuam sobre a lesão bioquímica são denominados específicos.

SAÚDE – ANTÍGENOS — Qualquer substância orgânica nociva, de natureza protéica, que, inoculada no organismo, é capaz de desenvolver a formação de um antagonista específico para defender o indivíduo exposto, e que pode produzir uma resposta imunológica específica, com a formação de anticorpos. A vacinação é um método artificial de introduzir antígenos produtores de anticorpos no organismo, para que este desenvolva imunidade contra doenças.

SAÚDE – ANTRACOSE — Fibrose pulmonar que se desenvolve como conseqüência da inalação prolongada de pó de carvão.

SAÚDE – ASSEPSIA — Técnica utilizada para prevenir a introdução de fungos, bactérias, vírus ou outros microorganismos em células, tecidos ou órgãos.

SAÚDE – ASSÉPTICO — Diz-se da substância ou local onde não existam germes, impurezas ou outros microorganismos vivos.

SAÚDE – ASSISTÊNCIA FARMACÊUTICA BÁSICA — Programa do Governo Federal que consiste em destinar recursos financeiros e ações destinados, exclusivamente, à aquisição de medicamentos básicos, contribuindo para a garantia da integralidade na prestação da assistência básica à saúde. As ações financiadas com esses recursos asseguram o fornecimento de medicamentos básicos à população do País, dentro das diversas propostas pela Política Nacional de Medicamentos. Pelo programa, foi definido um valor de, no mínimo, dois reais/habitante/ano, sendo o repasse federal de um real/habitante/ano, mais os recursos estaduais e municipais, que somados são iguais ou superiores a um real/habitante/ano.

SAÚDE – ATENDIMENTO DE EMERGÊNCIA — Conjunto de ações empregadas para recuperação de pacientes, cujos agravos à saúde necessitam de assistência imediata, por apresentarem risco de vida.

SAÚDE – ATREPSIA — Desordem nutritiva da infância que se caracteriza por emagrecimento progressivo e enfraquecimento de todas as funções orgânicas. Severa forma de deficiência protéico-calórica, infecção e infestação que, associadas à fome, contribuem para agravar esse estado. (Ver: Marasmo infantil e caquexia.)

SAÚDE – BACILO COLIFORME — Bactérias de vários grupos que vivem como comensais nos intestinos, mas que, sob certas condições, podem tornar-se patológicas. O número de colônias de bacilos coliformes desenvolvidas a partir do volume definido da amostra de água é usado como índice de contaminação fecal.

SAÚDE – BARTONELOSE (FEBRE DE OROYA-VERRUGA PERUANA) — Doença infecciosa endêmica transmitida por picada de insetos flebótomos que pode intensificar-se em desastres, quando se organizam centros de refugiados em áreas endêmicas. Apresenta-se com dois quadros clínicos distintos – anemia febril ou erupção dérmica – produzida pela *Bartonella baciliformes*, prevalente em altos vales andinos (Peru, Equador e Colômbia).

SAÚDE – BERIBÉRI — Doença nutricional severa, provocada por carência de tiamina (vitamina B_1). Caracteriza-se por neurite, edema, atrofia muscular e insuficiência cardíaca.

SAÚDE – BÓCIO ENDÊMICO — Doença endêmica da tireóide, caracterizada por sua hiperplasia (crescimento) difusa e benigna, causada por carência de iodo na dieta.

SAÚDE – CAMPOS DE ATENÇÃO DO ENTE PÚBLICO — A atenção à saúde, que encerra todo o conjunto de ações levadas a efeito em todos os níveis de governo, para o atendimento das demandas pessoais e das exigências ambientais, compreende três grandes áreas, a saber: I) a da assistência, em que as atividades são dirigidas às pessoas, individual ou coletivamente, e que é prestada no âmbito ambulatorial e hospitalar, bem como em outros espaços, especialmente o domiciliar; II) a das intervenções ambientais, no seu sentido mais amplo, incluindo as relações e as condições sanitárias nos ambientes de vida e de trabalho, o controle de vetores e hospedeiros e a operação de sistemas de saneamento ambiental (mediante o pacto de interesses, as normalizações, as fiscalizações e outros); e III) a das políticas externas ao setor saúde, que interferem nos determinantes sociais do processo saúde-doença das coletividades, de que são partes importantes questões relativas às políticas macroeconômicas, ao emprego, à habitação, à educação, ao lazer e à disponibilidade e qualidade dos alimentos.

SAÚDE – CAQUEXIA — Estado de desnutrição profunda. O mesmo que atrepsia e marasmo.

SAÚDE – CARÊNCIA NUTRICIONAL — Deficiência nutricional de elementos indispensáveis à nutrição de pessoas, grupos populacionais, nos alimentos disponíveis. Define também o estado das pessoas submetidas a dietas carentes.

SAÚDE – CÓLERA — Infecção aguda e severa do trato intestinal, caracterizada por diarréia aquosa profunda, vômitos, desidratação, adinamia (impotência muscular) e colapso periférico. Causada pelo Vibrião Colérico (*Vibrio cholerae*). Doença de contaminação fecal (ingestão de água e alimentos contaminados). Em casos de calamidade, o risco de surto é alto em áreas endêmicas, quando pessoas são aglomeradas em instalações inadequadas. A reidratação precoce é medida heróica e salvadora. A prevenção depende de educação sanitária, higiene da alimentação, desinfecção da água, asseio corporal e saneamento básico. (Ver: Cólera.)

SAÚDE – CUIDADO INTENSIVO — Conjunto de ações de saúde destinadas ao atendimento de pacientes em estado crítico, normalmente monitorizados, que exigem assistência médica e de enfermagem imediata e ininterrupta em dispositivo de prontidão permanente, além de pessoal e equipamento especializado.

SAÚDE – CUIDADO INTERMEDIÁRIO — Conjunto de ações destinadas ao atendimento de paciente que, se não necessita de tratamento intensivo, apresenta situação preocupante e carece de um ambiente de tratamento que funcione como um patamar intermediário entre uma unidade de tratamento intensivo e uma unidade de internação comum.

SAÚDE – DEFICIÊNCIA DA VITAMINA C (ÁCIDO ASCÓRBICO) — Escorbuto. O quadro de deficiência de ácido ascórbico caracteriza-se por: hemorragias não relacionadas com anormalidades hematológicas (o defeito primário estaria nas paredes vasculares) – gengivas esponjosas e sangrantes, bolsões de sangue (hematomas) sob a pele e subperiósticos; dificuldade de cicatrização e perda de resistência às infecções, perda de peso, dores ósseas (principalmente em crianças) e anemia. Caracteriza o quadro uma melhora dramática com o tratamento pela vitamina C. Fontes naturais: frutas cítricas, como laranja, limão, tangerina, pomelo, outras frutas como goiaba, araçá, caju, acerola, morango, camu-camu, melão, banana, tomate e verduras cruas, pimentão, batata-doce, melão, outras. Tratamento – Vitamina C, demais vitaminas e complexo B e dieta balanceada.

SAÚDE – DEFICIÊNCIA DE ÁCIDO FÓLICO (ÁCIDO PTEROILGLUTÂMICO) — Da mesma forma que a vitamina B_{12}, o ácido fólico intervém no metabolismo dos glóbulos vermelhos, ajuda a corrigir as anemias macrocíticas, mas não os sintomas neurológicos da anemia perniciosa. Biotina – Ácido Pantotênico – Colina e Inositol – todos eles, componentes do complexo B, têm efeitos metabólicos importantes, mas suas deficiências não caracterizam quadros clínicos definidos. Colina e inositol reduzem a acumulação de gorduras no fígado.

SAÚDE - DEFICIÊNCIA DE ÁCIDO NICOTÍNICO (NIACINA, NICOTINAMIDA, VITAMINA PP) - PELAGRA — O quadro de deficiência caracteriza-se principalmente por: sintomas digestivos, como reação inflamatória da língua (glossite) caracterizada por dor, rubor e tumefação; pode ulcerar e recobrir com membrana grizácea; reação inflamatória do esôfago (esofagite), com dificuldade de deglutição (disfagia), do estômago (gastrite atrófica), com redução do ácido clorídrico, dos intestinos (enterite), com intumecimento e ulceração apresentando diarréia, e do reto (proctite) com dor, incômodo ao defecar (tenesmo) e perdas sangüíneas; alterações da pele - dermatite - principalmente quando exposta à luz solar, com lesões descamativas, ulcerações e característico tom bronzeado; sintomas mentais, como apatia, irritabilidade, desorientação e perda de memória. Como antes os quadros graves evoluíam para a morte, a pelagra era conhecida como a síndrome das quatro "D" - diarréia, dermatite, demência e morte (*Death* em inglês). Principais fontes naturais de niacina: fígado, carne de boi, aves, porco, peixe, cordeiro e cabrito; levedura de cerveja; tubérculos (batata, batata-doce, inhame) cereais integrais (milho e trigo), leguminosas (feijão, favas, soja, vagem da algarobeira) e leite. Tratamento: nicotinamida, complexo B (levedura e extrato hepático), outras vitaminas e dieta balanceada.

SAÚDE - DEFICIÊNCIA DE CIANOCOBALAMINA (VITAMINA B_{12}) — A deficiência de vitamina B_{12} causa alterações na medula óssea, anemia de padrão macrocítico (glóbulos vermelhos maiores que os normais) e alterações neurológicas características das anemias perniciosas. A fonte natural mais importante é o fígado. (Ver: Hipovitaminose.)

SAÚDE - DEFICIÊNCIA DE PIRIDOXINA (VITAMINA B_6) E OUTRAS DEFICIÊNCIAS DO COMPLEXO B — Da mesma forma que a riboflavina, é rara a deficiência isolada de piridoxina. Nos quadros de deficiência de complexo B, os sinais de deficiência de piridoxina são: insônia, irritabilidade, debilidade e adinamia muscular, náuseas e dores abdominais. Estes sinais, quando presentes, se beneficiam com o tratamento com piridoxina. Fontes naturais: fígado e levedura de cerveja.

SAÚDE - DEFICIÊNCIA DE RIBOFLAVINA (VITAMINA B_2) - ARRIBOFLAVINOSE — É rara a carência isolada de riboflavina. Nos quadros de deficiência do complexo B, os sinais de arriboflavinose são muito precoces e se caracterizam por: sintomas oculares - ardor, lacrimejamento, incômodo produzido por iluminação intensa (fotofobia), má visão a distância e à meia-luz, sensação de areia nos olhos, inflamação das conjuntivas (conjuntivite); aumento da vascularização da córnea e ceratite intersticial; inflamação da língua (glossite) com aspecto áspero e cor púrpura; fissuras e ulcerações da pele em áreas de pregueamento - (muito típicas) nos cantos da boca (comissuras labiais), asas do nariz (pregas nasolabiais), região retroauricular e nos cantos dos olhos. Principais fontes naturais de riboflavina: levedura de cerveja, fígado, rins, queijos, ovos, presuntos, carne bovina, leite. Tratamento: riboflavina, complexo B, outras vitaminas e dieta balanceada.

SAÚDE - DEFICIÊNCIA DE TIAMINA (VITAMINA B_1) - BERIBÉRI — O quadro de deficiência caracteriza-se principalmente por: sintomas neuromusculares, como dor, debilidade e espasmo muscular, principalmente nas pernas, ardor, intumecimento e dificuldades para andar; sintomas mentais, já que muitos dos sintomas do alcoolismo, como "*delirium tremis*" e síndrome de *Korsakoff*, melhoram com tiamina; alterações cardiovasculares, como insuficiência cardíaca congestiva, com grande aumento da área cardíaca (cardiomegalia); sintomas gastrintestinais, como perda de apetite, náuseas, vômitos, diarréias ou prisões de ventre e dificuldades de deglutição (disfagia). Principais fontes naturais: levedura de cerveja, carne magra de porco, carne de cordeiro e de cabrito, pão de milho, fígado, aveia, leite, carne de vaca, de galinha e de peixe, pão integral. No tratamento dos quadros mais avançados, além da tiamina, prescrever complexo B, levedura de cerveja e dieta balanceada.

SAÚDE - DEFICIÊNCIA DE VITAMINA A - HIPOVITAMINOSE A — O quadro de deficiência concretiza-se principalmente por: deficiente acomodação à visão noturna (nictalopia - cegueira noturna); espessamento e queratinização da córnea (xeroftalmia); áreas de amolecimento da córnea (xerotomalácia); reações inflamatórias das conjuntivas; sequidão, escamação e crescimento de pápulas junto aos folículos pilosos (ceratose folicular); alterações descamativas das mucosas, principalmente brônquicas, com predisposição à pneumonia. Principais fontes naturais de vitamina A ou de caroteno (provitamina): extratos oleosos de fígado de peixes, como o atum ou bacalhau, fígado de outros animais, pequi, dendê, pupunha, batata-doce, cenoura, folhas verdes (couve, espinafre, outras), abóbora, tomate, margarina, manteiga, leite e queijos gordurosos, ovos (gema), banana.

SAÚDE - DEFICIÊNCIA DE VITAMINA D - (CALCIFEROL, 7 DEHIDROCOLESTEROL) - RAQUITISMO — Esta avitaminose é mais encontrada em populações pobres de países de clima temperado e de pouca insolação. Por ser importante no metabolismo do cálcio e dos fosfatos, a deficiência de vitamina D caracteriza-se pelas típicas alterações ósseas do raquitismo infantil ou pela osteomalácia nos adultos. Dentre os sinais mais importantes do raquitismo, destacamos: aspecto da cabeça - intensificação das convexidades frontais e aplainamento occipital; rosário raquítico - típico das articulações das cartilagens costais (das costelas) com o esterno; flexão de ossos longos - com espessamento de suas extremidades; dentição retardada. Fontes de vitamina D: Os raios ultravioletas existentes na luz solar transformam substâncias de existência normal no organismo em vitamina D_3 (7 dehidrocolesterol). A vitamina existe concentrada no fígado de peixes marinhos, como o atum e o bacalhau. Tratamento - além de preparados de vitamina D, acrescer às demais vitaminas, principalmente as lipossolúveis, sais de cálcio e dieta balanceada.

SAÚDE - DEFICIÊNCIA DE VITAMINA E (ALFATOCOFEROL) — Também amplamente difundida na natureza, é extremamente difícil caracterizar quadros clínicos de deficiência desta vitamina. Há evidências de sua ação benéfica sobre o aparelho reprodutor. Fontes naturais: vegetais verdes (folhas), cereais integrais, ovos, leite, milho, carne, manteiga e outros.

SAÚDE - DEFICIÊNCIA DE VITAMINA K — Amplamente difundida na natureza, é produzida pela flora bacteriana normal dos intestinos. Pode ocorrer deficiência de vitamina K nos recém-nascidos e em pacientes com graves lesões hepáticas (hepatopatias graves).

SAÚDE - DEFICIÊNCIA DO COMPLEXO VITAMÍNICO B — Mais de 15 (quinze) princípios vitamínicos integram o complexo B e costumam se apresentar intimamente associados na natureza. Salvo em condições experimentais, é pouco provável a carência exclusiva de um único fator do grupo. As deficiências a seguir especificadas devem ser entendidas e tratadas como deficiências do complexo B, com predominância da vitamina destacada. Principais fontes naturais: levedura de cerveja e extratos de fígado (hepáticos), como preparações medicinais; fígado, carne magra, cereais integrais e nozes, como fontes naturais mais importantes; peixes, leite, queijos, leguminosas (soja, feijão, ervilha, favas, vagens da algarobeira, outras), ovos e verduras folhosas. (Ver: Hipovitaminose.)

SAÚDE - DENGUE — Causada por quatro tipos de vírus, a dengue é transmitida pelos mosquitos *Aedes aegypti* e *Aedes albopictus*. Os tipos identificados no Brasil são o Den 1, Den 2 e Den 3, responsáveis pela doença em sua forma clássica e na hemorrágica. Não se contrai dengue duas vezes pelo mesmo subtipo, mas a variedade viral torna possível sua reincidência na forma hemorrágica. Os sintomas aparecem de três a 15 dias após a picada do mosquito. Na dengue clássica, as manifestações mais comuns são febre alta, dor de cabeça intensa, dores retro-orbitárias, dores musculares e nas articulações e várias erupções cutâneas. A forma hemorrágica acresce o quadro com queda de pressão, dificuldade para respirar e hemorragias internas que podem levar à morte. A primeira epidemia documentada no Brasil foi em 1982, em Boa Vista (RR). A partir de então, a dengue é um problema de Saúde Pública.

SAÚDE - DENGUE HEMORRÁGICO — Caracteriza-se por alterações no mecanismo de coagulação, com queda de plaquetas. Além das dores descritas no quadro anterior, apresenta, às vezes, quadro gastrointestinal com dores abdominais, vômitos e diarréias; quadro de pontos hemorrágicos nas mucosas e na pele; hemorragia de gengivas, nariz, pulmões, útero e intestino; urina com sinais de hemorragia; febre alta e constante (5 a 11 dias). Os agentes causadores e transmissores são os mesmos do dengue comum. Normalmente, o quadro hemorrágico ocorre em pacientes sensibilizados por episódio anterior.

SAÚDE - DESCENTRALIZAÇÃO — Processo de transferência de poder e responsabilidades do nível central aos níveis periféricos de um sistema. No caso do sistema de serviços de saúde brasileiro, trata-se da redefinição de funções e responsabilidades do Ministério da Saúde e das Secretarias Estaduais e Municipais de Saúde, paralelamente à transferência de recursos (financeiros, humanos e materiais) que passam do controle federal para o controle estadual e municipal.

SAÚDE - DESIDRATAÇÃO — Depleção do organismo, com graves repercussões para o metabolismo celular, em conseqüência do incremento das perdas líquidas (diarréias, vômitos, febre e transpiração intensificada), por ingresso insuficiente (desnutrição, sede), por doenças metabólicas ou pela combinação desses fatores. Pode causar danos irreversíveis e morte a crianças ou a pessoas debilitadas. As desidratações podem ser: moderadas, quando a perda de líquidos é de até 10%; médias, quando acima do nível de 10% até um limite máximo de 15%; e severas, quando acima do nível de 15%.

SAÚDE - DESNUTRIÇÃO — É uma síndrome associada ao baixo consumo de nutrientes e atinge mais as crianças e mulheres grávidas. A fome, ou deficiência energética crônica, é um dos fatores que levam a esse quadro. Dietas desbalanceadas e pouco diversificadas também produzem milhões de desnutridos. A falta de energia e de proteínas, conhecida como desnutrição energético-protéica, é letal entre as crianças. O risco de morrer de diarréia, uma das principais causas de mortalidade infantil, é nove vezes maior em crianças com baixo peso. Esse risco é duas ou três vezes maior para mortes por malária ou infecções respiratórias agudas.

SAÚDE - DESNUTRIÇÃO PROTÉICO-CALÓRICA — Conjunto de condições patológicas relacionadas com uma deficiente disponibilidade na dieta ou com dificuldades relacionadas com a absorção ou mesmo intensificação do consumo de proteínas e calorias. Muito freqüente em lactantes ou crianças jovens (pré-escolar) e comumente associada ao pauperismo, às infestações por vermes intestinais e às infecções.

SAÚDE - DIARRÉIA — Enfermidade gastrintestinal provocada por uma variedade de agentes, algumas vezes difíceis de se definir. Comum em crianças de países em desenvolvimento, pode intensificar-se em circunstâncias de desastre, quando o controle de qualidade da água e dos alimentos é comprometido. As crianças submetidas prematuramente à alimentação artificial são vulneráveis às diarréias.

SAÚDE - DIFTERIA — Doença contagiosa, aguda, causada pela bactéria *Corynebacterium diphteriae*, prevalente em crianças, caracterizada por pseudomembranas na laringe e nasofaringe. É transmitida por contato direto e prevenida por vacinação. Pode intensificar-se em circunstâncias de desastre por aglomeração em abrigos mal aerados.

SAÚDE - DISENTERIA — Termo aplicado às síndromes diarréicas em geral. Pode definir especificamente as disenterias amebianas ou bacilares. Disenteria amebiana: a produzida por *Entamoeba histolytica*. Disenteria bacilar: doença aguda de contaminação fecal produzida por bacilos do gênero *shigella*. Caracteriza-se por febre, diarréia com depósitos de sangue. Freqüente em crianças de países em desenvolvimento, pode intensificar-se em circunstâncias de desastre. O mesmo que *shigelose*.

SAÚDE - DOENÇA — Denominação genérica dada a qualquer desvio do estado normal de saúde causada por um patógeno em animais ou vegetais e que se manifesta por meio do funcionamento anormal de células e tecidos através de um conjunto de sinais e/ou sintomas que têm uma só causa.

SAÚDE - DOENÇA CARENCIAL — Termo geral que define uma disfunção fisiológica provocada por insuficiência qualitativa de fatores indispensáveis ao metabolismo celular e às defesas orgânicas, com repercussões para a saúde e o bem-estar. Pode depender de fatores relacionados com a nutrição e compreende: a) Carência calórica, quando o ingresso total de caloria é insuficiente para as necessidades diárias. b) Carência protéica, quando as carências são especificamente relacionadas com o metobolismo protéico. c) Carência vitamínica, quando relacionada com deficiências vitamínicas. d) Carências minerais, quando relacionadas com o balanço mineral do organismo. Dentre as deficiências crônicas, ressaltam-se as de ferro (nas anemias ferroprivas) e as de iodo (e no bócio e outras formas de hipotireoidismo). e) Carências relacionadas com o sistema imunológico - deficiências imunológicas genéticas ou adquiridas.

SAÚDE - DOENÇA DE CHAGAS — Infecção crônica causada por tripanossomo. Apresenta uma fase de ataque (aguda) com febre, mal-estar, crescimento de gânglios, do fígado e do baço (hepatoesplenomegalia), com reação inflamatória no local da picada. O edema unilateral das pálpebras é muito freqüente. Produz, cronicamente, alterações cardíacas, no esôfago e no intestino grosso. Transmitida por inseto hematófago, popularmente conhecido por barbeiro (Família *Reduvidae*).

SAÚDE - DOENÇA DE VEICULAÇÃO HÍDRICA — Doença em que a água serve de veículo de transmissão do agente infeccioso.

SAÚDE - DOENÇA DO SONO — Doença crônica, freqüentemente fatal, transmitida pela mosca tsé-tsé; ocorre na África Tropical. É causada por um protozoário flagelado de estrutura semelhante à do causador da doença de chagas (*Trypanossoma brucei gambiense* e *T. b. Rhodesiense*).

SAÚDE - DOENÇA INFECCIOSA — Doença do ser humano ou de animais resultante de uma infecção. (Ver: Infecção.)

SAÚDE - DOENÇA NOTIFICÁVEL — Epidemiologia para os Municípios - Doença que, de acordo com exigências legais e médicas, deve ser notificada à autoridade de Saúde Pública.

SAÚDE - DOENÇA PARASITÁRIA — Doença manifestada no ser humano ou em animais, produzida por infestação de parasitas de origem animal (protozoários, vermes ou artrópodes). As mais freqüentes no Brasil são: Malária, Tripanossomíase (D. Chagas), Leishmaniose, Amebíase, Esquistossomíase, outras verminoses, Escabiose (sarna), Pediculose (piolho).

SAÚDE - DOENÇA PROFISSIONAL — Enfermidade adquirida pelo trabalhador ou servidor em razão do exercício de suas atribuições, comprovada por junta médica oficial.

SAÚDE - DOENÇA TRANSMISSÍVEL — Doença causada por agente infeccioso ou suas toxinas, através da transmissão do agente ou de seus produtos de pessoa infectada ou de um "reservatório" para um hospedeiro suscetível, direta ou indiretamente, mediante outro hospedeiro, vetor ou através de meios inanimados.

SAÚDE - DOENÇAS SEXUALMENTE TRANSMISSÍVEIS (DST) — Doenças venéreas. Transmitidas por contato sexual, são as de maior potencial de transmissão do mundo. Algumas são específicas, outras não específicas e compreendem a gonorréia, a sífilis, o cancróide (cancro mole), tricomoníase, candidíase, granuloma inguinal, uretrites inespecíficas, SIDA, hepatite a vírus B e outras.

SAÚDE — É o estado de completo bem-estar físico, mental e espiritual da pessoa; não é apenas a ausência de doenças. O art. 196 da CF assim dispõe: "A saúde é um direito de todos e dever do Estado, garantido mediante políticas sociais e econômicas que visem à redução do risco de doença e de outros agravos e ao acesso universal e igualitário às ações e serviços para a sua promoção, proteção e recuperação."

SAÚDE - EDUCAÇÃO SANITÁRIA — Ação educativa que objetiva preservar a saúde e reduzir as vulnerabilidades culturais da sociedade às enfermidades.

SAÚDE - ENCEFALITE — Doença neurológica grave causada por reação inflamatória do tecido cerebral, como conseqüência de infecções virais, microbianas ou por parasitos.

SAÚDE - ENDEMIA — Ocorrência habitual de uma doença ou agente infeccioso em uma área geográfica determinada.

SAÚDE - EPIDEMIA — Aumento brusco, significativo e transitório da ocorrência de uma determinada doença em uma população. Quando a área é restrita e o número de pacientes é pequeno, denomina-se surto. Quando tal ocorrência tem dimensões globais, denomina-se Pandemia. (Ver: Saúde - Pandemia.)

SAÚDE - EQÜIDADE — Diz respeito à necessidade de se "tratar desigualmente os desiguais" de modo a se alcançar a igualdade de oportunidades de sobrevivência, de desenvolvimento pessoal e social entre os membros de uma dada sociedade. A construção da eqüidade em saúde implica a identificação das necessidades sociais e das necessidades de serviços de saúde dos diversos grupos da população e na reorganização dos serviços e redistribuição dos recursos de modo a atender, de forma diferenciada, aos diversos grupos.

SAÚDE - EQUINOCOCOSE — Doença causada pela fase larvária do equinococo (verme de animais carnívoros), através da ingestão de carne crua de animais herbívoros infestados com as larvas. A sintomatologia varia em função da localização dos cistos, que podem ser caracterizados por ultra-sonografia, radiografias ou tomografias computadorizadas e confirmados por testes sorológicos. Ocorre no sul do Brasil e em áreas pastoris do Cone Sul.

SAÚDE - ESCABIOSE — Doença pruriginosa causada por penetração de um ácaro na pele (*Sarcoptes scabiei*), com reação inflamatória conseqüente. Doença que denota baixos índices de higiene individual e pode intensificar-se em populações aglomeradas em abrigos. O mesmo que sarna ou acaríase.

SAÚDE - ESCORBUTO — Doença nutricional grave causada por deficiência de vitamina C (ácido ascórbico). Caracteriza-se por gengivite e tendências a hemorragias. Controlada pela ingestão de frutas cítricas, goiaba, caju, acerola e outras frutas e vegetais frescos. A fruta com maior concentração de vitamina C já comprovada em laboratório é o camu-camu, das várzeas amazônicas.

SAÚDE - ESQUIZOFRENIA — Ver Esquizofrenia.

SAÚDE - FEBRE AMARELA — Arbovirose (virose transmitida por artrópodes) bastante grave (letalidade inferior a 5% nas populações autóctones, que pode alcançar 50% em epidemias e em pessoas não-autóctones). Quadro semelhante ao do dengue (febre e muita dor), pode evoluir para hemorragia e subictericia, que aumenta nas formas graves terminais. Há duas espécies, em função da distribuição: urbana, normalmente transmitida pelo *Aedes aegypti*, e silvestre, por mosquito silvestre (*Haemagogus* na Amazônia). A vacina proporciona proteção por 10 anos. Nas cidades, o controle do *aedes* é também indicado.

SAÚDE - FEBRE PARATIFÓIDE — Produzida pelo *Salmonella paratyphi*, é clinicamente semelhante à febre tifóide, porém de letalidade mais baixa. Possui as mesmas características epidemiológicas da primeira.

SAÚDE - FEBRE TIFÓIDE — Grave doença infecciosa do trato intestinal, transmitida por contaminação fecal. O agente infeccioso é um bacilo (*Salmonella tyfhi*). O quadro clínico típico caracteriza-se por febre contínua, dor de cabeça, mal-estar, freqüência cardíaca baixa, sintomas intestinais (constipação ou diarréia) - manchas róseas no tronco, tosse sem catarro (não produtiva) - comprometimento do baço (esplenomegalia ou crescimento) e de órgãos linfáticos. O diagnóstico é confirmado por isolamento ou cultura de sangue, fezes ou urina e, a partir da segunda semana, por reação sorológica. Ocorre em países subdesenvolvidos, e podem surgir surtos em circunstâncias de desastre. A vacinação em massa é contra-indicada.

SAÚDE - FOME — Estado de carência de alimentos. Do ponto de vista bioquímico e médico, inicia-se logo abaixo do consumo de 2.500 calorias diárias para um adulto de estatura mediana e que não seja trabalhador braçal. A deficiência calórica soma-se a falta de proteínas, vitaminas e sais minerais. Sociologicamente, a fome resulta de uma desigual distribuição das riquezas socialmente produzidas.

SAÚDE - FONTE DE INFECÇÃO — Pessoa, animal, objeto ou substância através dos quais o agente infeccioso passa diretamente a um hospedeiro.

SAÚDE - GASTOS OBRIGATÓRIOS PELO ENTE PÚBLICO — Determina a Emenda Constitucional Federal nº 29, de 13.9.2000, que os Estados apliquem, até 2004, pelo menos 12% (doze por cento) das suas receitas de impostos e transferências de impostos em Ações e Serviços Públicos de Saúde, e os Municípios, pelo menos, 15% (quinze por cento). Para os Estados e Municípios que estão abaixo do patamar fixado, a Emenda Constitucional nº 29 dispõe que deverão elevá-los gradualmente até o exercício financeiro de 2004, reduzida a diferença a razão de, pelo menos, um quinto por ano, sendo que, a partir de 2000, a aplicação mínima será de, pelo menos, 7% (sete por cento). Na ausência da Lei Complementar a que se refere a E.C. 29, a partir do exercício financeiro de 2005, serão mantidos os percentuais mínimos de 2004, ou seja, 12% para os Estados e de 15% para os Municípios. O cálculo da receita de impostos e de transferências de impostos, que serve de base para se determinar os percentuais, segue o mesmo método aplicado à manutenção e desenvolvimento do ensino, exceto a compensação do ICMS/Exportação (Lei Kandir) e a transferência da Dívida Ativa Tributária. (Ver: Gastos Obrigatórios em Educação e com Saúde - Exclusão dos Realizados com Recursos Recebidos de Outras Fontes / / Saúde - Não aplicação dos percentuais mínimos // Saúde - Receitas que compõem a base de cálculo dos recursos destinados a ações e serviços públicos de saúde.)

SAÚDE - GRUPOS BÁSICOS DE ALIMENTOS — Alimentos mais utilizados no Brasil, para compor um regime alimentar ideal, de acordo com os grupos básicos seguintes: vegetais amarelos de folhas verdes; frutas cítricas e outros vegetais ricos em vitamina "C"; tubérculos, raízes, verduras, vegetais cozidos, frutas, mel e açúcar; leite e laticínios; carnes, pescados, ovos, leveduras e leguminosas; cereais, farinha de cereais, pães e bolos; óleos de vegetais; margarinas e gorduras de origem animal.

SAÚDE - GRUPOS BÁSICOS DE ALIMENTOS — Carnes, pescados, ovos, leveduras e leguminosas: ricos em proteínas de alta qualidade (com aminoácidos essenciais), hidratos de carbono, complexo "B", cálcio, fósforo e sais de ferro. Principais alimentos: carnes, preferencialmente magras, de bovinos, aves, suínos, pescados, ovinos, caprinos e coelhos; vísceras desses animais, especialmente fígado, língua, moela, coração, tripas, estômago; mocotó, sangue, rins e miolos; ovos em espécie ou na composição de inúmeros alimentos; leguminosas, como feijão, ervilha, lentilha, amendoim, grão-de-bico, fava, soja, algaroba e outras; leveduras dessecadas e purificadas, especialmente as utilizadas na fermentação da cerveja, do álcool e do vinho. É bom recordar que os miolos, a gema do ovo e as carnes gordas são ricos em colesterol e triglicerídeos e devem ser ingeridos com cautela e sem exageros.

SAÚDE - GRUPOS BÁSICOS DE ALIMENTOS — Cereais, farinha de cereais, pães e bolos: ricos em hidratos de carbono, tiamina, niacina, vitamina "E" e proteínas vegetais de menor qualidade que as do grupo anterior. Principais alimentos: milho, arroz integral, trigo, centeio, amaranto, aveia e sorgo, sob a forma de grãos, farinha e farinhas enriquecidas com sais de ferro; massas, como macarrão, espaguete, lasanha, canelone e outras; fubás, pamonhas, polenta, curau, angu, canjica, cuscuz, broa de milho e outros; pães e bolos fabricados com farinha de cereais. Os pães fabricados com farinhas não purificadas e com mesclas de cereais são mais ricos e nutritivos. O aproveitamento de farelos de trigo, arroz e de outros cereais, transformados em farinhas torradas e mesclados com outros alimentos, têm apresentado resultados altamente promissores, na recuperação de pessoas desnutridas.

SAÚDE - GRUPOS BÁSICOS DE ALIMENTOS — Frutas cítricas e outros vegetais: ricos em vitamina "C" e hidratos de carbono. Principais alimentos: laranja, lima, limão, tangerina, poncã e pomelo; camu-camu, acerola, araçá, goiaba e caju; repolho cru. As frutas podem ser comidas em espécie ou sob a forma de suco e sorvete.

SAÚDE - GRUPOS BÁSICOS DE ALIMENTOS — Leites e laticínios: ricos em proteínas de alta qualidade, riboflavina (vitamina "B_{12}"), cálcio e fósforo. Principais alimentos: leite materno, que deve constituir a alimentação exclusiva da criança, até completar 6 meses de idade; além de ser o alimento mais completo para essa fase do desenvolvimento, aumenta a resistência imunológica e reduz a mortalidade infantil; queijo, requeijão, iogurte e coalhada; leite de vaca, cabra e ovelha.

SAÚDE - GRUPOS BÁSICOS DE ALIMENTOS — Óleos vegetais, margarinas e gorduras de origem animal: ricos em lipídios, de elevado poder calórico e importantes para a absorção das vitaminas lipossolúveis, como as "A", "D", "E" e "K". Principais alimentos: óleos vegetais, como os de canola, girassol, arroz, milho, oliva e soja, considerados como os mais saudáveis; óleos vegetais ainda recomendáveis, como os de coco, dendê (purificados) e amendoim; óleos e gorduras pouco recomendáveis, como os de caroço de algodão, toucinho e a banha de porco; as margarinas de origem vegetal, consideradas como mais saudáveis que a manteiga; óleos de peixe, ricos em ácidos graxos não saturados, especialmente quando provenientes de peixes de águas profundas; nozes, castanha-do-pará, castanha de caju, avelãs e outros, altamente recomendados como alimentos ricos em gorduras vegetais, muito saudáveis; o abacate, o cacau e seus derivados também são alimentos ricos em gorduras vegetais.

SAÚDE - GRUPOS BÁSICOS DE ALIMENTOS — Tubérculos, raízes, verduras, vegetais cozidos, frutas, mel e açúcar: ricos em hidratos de carbono, sais minerais e hemiceluloses. Principais alimentos: arroz polido e cozido, farinha de mandioca e tapioca; mel, melado, açúcar mascavo, rapadura e açúcar refinado; mandioca (aipim ou macaxeira), batata-doce, inhame, cará e nabo, em espécie ou sob a forma de sopas, purês, suflês e nhoques; repolho cozido, beterraba, couve-flor, aipo, cebola, tomate, pepino, alface, rabanete, quiabo, maxixe, jiló, berinjela, manga, jaca, fruta-do-conde, sapoti, abacaxi, uva, pêra, maçã, pêssego, amora, pitanga, jabuticaba e outras, sob a forma de doces, geléias, passas, frutas cristalizadas e sorvetes. Este grupo é conhecido como dos alimentos energéticos.

SAÚDE - GRUPOS BÁSICOS DE ALIMENTOS — Vegetais amarelos de folhas verdes: ricos em vitamina "A", sais de ferro, hidratos de carbono e hemiceluloses. Principais alimentos: pequi, dendê, pupunha; cenoura, abóbora, vagem, aspargo, feijão-verde e ervilhas verdes em casca; banana e caqui; couve, brócolis, espinafre, couve-de-bruxelas, folhas de nabo, bredo ou cariru e maniva de mandioca.

SAÚDE - HANSENÍASE — Causada pela bactéria *Mycobacterium leprae* ou bacilo de *Hansen*, a doença é comum em países menos avançados e em desenvolvimento. Provoca lesões na pele, a maioria nos braços e nas pernas, e atinge o sistema nervoso. O Brasil é o segundo em casos de hanseníase. Perde apenas para a Índia. Apesar da expressiva queda nos últimos anos, a taxa de incidência no Brasil é quase quatro vezes maior que a meta estabelecida pela OMS – um caso por 10 mil habitantes até 2005. Em 2003 registraram-se mais de 45 mil ocorrências no país. O tratamento é feito em ambulatório especializado, mas demora entre seis meses e dois anos, e muitos pacientes desistem.

SAÚDE - HEPATITE — É uma inflamação que ataca o fígado, provocada por vírus classificados nos subtipos A, B, C, D e E. A transmissão da hepatite A e E ocorre por meio de água e alimentos contaminados. Nos tipos B e C, o contágio se dá pelo sangue e em relações sexuais. As variações dos tipos B e C podem evoluir e causar cirrose hepática, insuficiência hepática e câncer de fígado. O tipo D desenvolve-se só em pessoas que têm hepatite B na forma aguda. Segundo a Organização Pan-Americana da Saúde (OPAS), o Brasil registra anualmente cerca de 130 novos casos de hepatite A por 100 mil habitantes. A hepatite C, considerada a "aids do século 21", atinge 3 milhões de brasileiros, dos quais 2,4 milhões ignoram ter a doença. Em 2002, o governo determinou que os hemocentros brasileiros adotem um novo teste de sangue que reduz o tempo de detecção do vírus C de 70 para 20 dias.

SAÚDE - HIERARQUIZAÇÃO — É uma forma de organização das unidades de saúde segundo grau de complexidade tecnológica dos serviços e implica o estabelecimento de uma rede que articula as unidades mais simples às unidades mais complexas, através de um sistema de referência e contra-referência de usuários e de informações.

SAÚDE - HIGIENE DOS ALIMENTOS — Parte da higiene que se ocupa dos métodos e princípios de saúde pública relacionados com a qualidade e quantidade de alimentos, de seu processamento, estocagem, preparação, conservação, distribuição e consumo. Uma correta higiene de alimentação, além de concorrer para o controle das doenças de contaminação fecal, previne as enfermidades carenciais e muitas das degenerativas.

SAÚDE - HIGIENE INDIVIDUAL — Parte da higiene que se refere especialmente ao indivíduo e tem por objetivo promover a saúde e limitar a transmissão de doenças infecto-contagiosas, principalmente as de contágio direto. Uma parte importante da higiene individual diz respeito ao asseio corporal e ao uso da água e do sabão. Além das medidas relacionadas com o asseio corporal, a higiene individual também diz respeito à higiene sexual e da alimentação.

SAÚDE - HIPOVITAMINOSE — Doenças carenciais provocadas pela deficiência de vitaminas no organismo. As causas mais freqüentes dessas carências são: redução da oferta através da alimentação; problemas relacionados com a absorção intestinal ou com o armazenamento; intensificação do consumo (infecções, hipertireodismo, câncer, diabete e outras doenças consumptivas); combinação de dois ou mais fatores. Normalmente, as carências vitamínicas ocorrem associadas entre si e com outras carências alimentares. Segundo sua solubilidade, em gorduras ou em água, as vitaminas são divididas em dois grupos: vitaminas lipossolúveis, como as vitaminas A, D, F e K; vitaminas hidrossolúveis, como as do complexo B e a vitamina C. (Ver: Deficiência de... // Hipovitaminose.)

SAÚDE - HOSPEDEIRO — Pessoa ou animal que oferece, em condições normais, substância e alojamento a um agente infeccioso.

SAÚDE - HOSPITAL — Estabelecimento de saúde destinado a prestar assistência médica a uma determinada clientela, inclusive em regime de internação. É de pequeno porte, quando tem capacidade para até 50 leitos; de médio porte, quando a capacidade instalada vai de 51 a 150 leitos; de grande porte, de 151 a 500 leitos; e especial, quando possui capacidade para mais de 500 leitos.

SAÚDE - HOSPITAL FILANTRÓPICO — Hospital privado que reserva para a população carente serviços gratuitos, respeitando a legislação em vigor. Não remunera os membros de sua diretoria nem de seus órgãos consultivos, e os resultados financeiros revertem exclusivamente para a manutenção da instituição.

SAÚDE - HOSPITAL LOCAL — Hospital que presta assistência sanitária imediata a uma população de uma área geográfica restrita, dentro de uma região de saúde.

SAÚDE - HOSPITAL REGIONAL — Hospital que presta assistência sanitária à população de uma região de saúde, podendo receber pacientes referenciados por hospitais locais.

SAÚDE - HOSPITAL SECUNDÁRIO — Hospital que apóia pacientes nas quatro especialidades básicas; Clínica Médica, Clínica Cirúrgica, Pediatria, Ginecologia e Obstetrícia.

SAÚDE - HOSPITAL TERCIÁRIO — Hospital que presta assistência a pacientes, na maioria das especialidades, além das básicas.

SAÚDE - ICTERÍCIA — Síndrome clínica que se caracteriza pelo aparecimento de tonalidade amarela, mais ou menos intensa, nas escleróticas oculares, na pele e nas mucosas. Deve-se ao aumento de bilirrubina, pigmento derivado do metabolismo da hemoglobina, no plasma e nos tecidos. As icterícias podem ser subdivididas em: Icterícia obstrutiva, quando relacionada com obstáculos nas vias biliares (cálculos na árvore biliar, compressões extrínsecas por câncer de pâncreas e outras causas) - já que a bile desempenha importante papel na excreção da bilirrubina. Icterícia hemolítica, quando o aumento da bilirrubina se deve a uma intensificação da degradação da hemoglobina por destruição intensificada dos glóbulos vermelhos, como na malária e nas anemias hemolíticas. Icterícia hepatocelular, quando doenças hepáticas (hepatopatias), como as hepatites a vírus, hepatopatias tóxicas e outras, alteram a circulação intracanalicular ou reduzem a capacidade das células hepáticas de participarem do metabolismo das bilirrubinas.

SAÚDE - INANIÇÃO — Estado resultante de extrema privação de alimentos, por drástica redução da oferta ou por defeito metabólico, resultando numa deficiente absorção dos princípios alimentares ou, ainda, por doenças consumptivas que se traduzem por uma exacerbação das atividades de consumo (catabólicas).

SAÚDE - INFECÇÃO — Ataque agressivo a um ser vivo por agente patogênico. É o princípio ou origem de uma enfermidade ou doença. Penetração, desenvolvimento ou multiplicação de um agente infeccioso no organismo humano ou de outro animal.

SAÚDE - INTEGRAÇÃO — É um processo de articulação das práticas e serviços de saúde que contempla o desenvolvimento equilibrado de ações de promoção e proteção da saúde ao lado de ações de assistência e recuperação, o que exige a articulação dos serviços realizados em diversos níveis de complexidade.

SAÚDE - INTEGRALIDADE — Diz respeito ao leque de ações possíveis para a promoção da saúde, prevenção de riscos e agravos e assistência a doentes, implicando sistematização do conjunto de práticas que vêm sendo desenvolvidas para o enfrentamento dos problemas e o atendimento das necessidades de saúde dos diversos grupos da população.

SAÚDE - INTERMAÇÃO — Estado mórbido causado pela exposição ao calor intenso ou por obstáculos aos mecanismos de perda de calor orgânico por aumento da temperatura e umidade ambiental. Assemelha-se à insolação, só que, na última, a fonte de calor é o Sol.

SAÚDE - INTERVENÇÕES AMBIENTAIS — No seu sentido mais amplo, incluindo as relações e as condições sanitárias nos ambientes de vida e de trabalho, é o controle de vetores e hospedeiros e a operação de sistemas de saneamento ambiental.

SAÚDE - *KALA-AZAR* — É uma doença rural de áreas tropicais e subtropicais, endêmica nas Américas do Sul, Central e América do Norte, no Oriente Médio e em alguns países africanos e na Índia. É transmitida ao ser humano por insetos do gênero *phlebotomus*, a partir de cães domésticos, canídeos silvestres e roedores. É uma doença infecciosa generalizada, produzida por um protozoário flagelado (*Leishmania donovani*). Caracteriza-se por febre, aumento do fígado (hepatomegalia), reação inflamatória dos gânglios linfáticos (linfoadenopatia), anemia, queda dos glóbulos brancos (leucopenia), emagrecimento e debilidade progressiva. A mortalidade (letalidade) é alta em casos não tratados.

SAÚDE - *KWASHIORKOR* — Forma séria de desnutrição protéico-calórica de maior ocorrência em crianças e adultos jovens, em situações de fome generalizada. Caracteriza-se por inchação (edema) nutricional com despigmentação da pele e do cabelo, anemia, diarréia e apatia.

SAÚDE - LEISHMANIOSE — Doença causada pelo protozoário da família *Tripanosomatidae* e transmitida pelo mosquito *Lutzomia longipalpis* ao ser humano a partir de roedores, canídeos silvestres, marsupiais, cães domésticos e outros animais. Manifesta-se de forma visceral (no intestino) ou tegumentar (na pele). É caracterizada pela presença de lesões ulcerativas da pele e de mucosas, podendo apresentar-se sob a forma de lesões delimitadas ou difusas. A leishmaniose tegumentar, que tem o cão como hospedeiro, é a mais comum. A Região Nordeste e o norte dos estados de São Paulo e Minas Gerais são as áreas mais afetadas. A doença atinge mais crianças desnutridas e que vivem em bolsões de pobreza. De acordo com a Fundação Nacional de Saúde (FUNASA), isso resulta do desmatamento de florestas, da migração da zona rural para a urbana e da ampliação da rede de assistência à saúde, o que facilita o diagnóstico de mais casos. São registrados cerca de 33 mil casos anuais de leishmaniose tegumentar e 3,7 mil de visceral, segundo o Ministério da Saúde.

SAÚDE - LEPTOSPIROSE — É uma doença infecciosa produzida por bactérias da espécie *Leptospira interrogans*, com mais de 170 variedades sorológicas, dentre as quais, no Brasil, as mais importantes são as de variedades *icterohemorrhagie*. A leptospirose é um problema potencial, após as enchentes, principalmente em cidades onde o controle de roedores é deficiente. Os hospedeiros mais comuns, não exclusivos, são os roedores, principalmente ratos, que eliminam o agente infectante através da urina. A doença apresenta manifestações multiformes, incluindo febre, dor de cabeça, intenso mal-estar, dores musculares, vômitos e conjuntivite, ocasionalmente meningite e erupção cutânea, insuficiência renal, às vezes, anemia por destruição de glóbulos vermelhos na corrente sangüínea (hemólise), com coloração amarelada da pele e mucosas (icterícia) e pequenas hemorragias. A letalidade baixa aumenta com a idade e pode atingir 20% nos casos de icterícia e insuficiência renal.

SAÚDE – MALÁRIA — Doença infecciosa produzida por protozoários do gênero *plasmodium* (*P. vivax,* P. *malariae,* P. *falciparum e P. ovale*). Caracteriza-se por mal-estar seguido de intensos calafrios e rápido aumento da temperatura, acompanhados de dor de cabeça e náuseas, terminando o episódio febril em lise abrupta com sudorese profusa. O ciclo se repete a intervalos de três, dois dias ou mesmo diariamente, sempre com as características já descritas. A duração global de um episódio varia de semana a mês ou mais, na ausência de tratamento. Episódios recorrentes podem persistir por anos. Os quadros mais graves, produzidos por *P. falciparum*, podem evoluir para icterícia (coloração amarelada da pele e mucosas), distúrbios nos mecanismos de coagulação (coagulopatias), quadro de choque, insuficiência renal e hepática, encefalite aguda e coma, desorientação ou delírio. Em pessoas não tratadas quando crianças ou adultos não imunes, a letalidade a *P. falciparum* pode chegar a 10%. A malária é endêmica em regiões tropicais e subtropicais. É transmitida por mosquitos do gênero *anopheles,* e os hospedeiros humanos são os únicos realmente importantes. Qualquer calamidade que aumente a disponibilidade de água nos criadores de mosquitos ou reduza a eficiência dos serviços de Saúde Pública que combatem a endemia contribui para intensificar surtos de malária. (Ver: Lise.)

SAÚDE – *MANAGED CARE* — Ver *Managed care.*

SAÚDE – MARASMO NUTRICIONAL — Forma severa de desnutrição protéico-calórica infantil, caracterizada por emagrecimento, retardo no desenvolvimento físico e mental e outros sinais de profunda desnutrição (caquexia). Normalmente, se inter-relaciona com outros fatores como infecções, infestações, especialmente com gastroenterites e infecções respiratórias agudas, que contribuem para o aumento da mortalidade infantil em grupos populacionais subdesenvolvidos.

SAÚDE – MEDICINA COMUNITÁRIA — Movimento de reforma da organização dos serviços de saúde, surgido nos EUA na década de 1960. Seus conceitos básicos e estratégicos foram progressivamente incorporados aos processos de formulação de políticas em vários países, inclusive o Brasil, que, nos anos 70 do século XX, criou os Programas de Extensão de Cobertura voltados ao fortalecimento da Atenção Primária de Saúde - APS, entendida como nível básico de atenção e estratégia de mudança na organização dos sistemas de saúde, a partir da regionalização, hierarquização e integração dos serviços, com participação da comunidade.

SAÚDE – MEDICINA FAMILIAR — Movimento de reforma médica, surgido nos EUA e México nos anos 70 do século XX, que propunha o resgate da unidade familiar como objeto do cuidado médico, em reação à excessiva especialização e superespecialização da prática médica. No Brasil esse movimento inspirou a criação de Residências em Medicina Geral e Comunitária, voltadas à formação do "clínico-geral", nos anos 80. Já na década de 1990, a proposta de Saúde da Família redefine. (Ver: Saúde da família.)

SAÚDE – MEDICINA INTEGRAL — Movimento ideológico (surgido nas primeiras décadas do século XX na Europa) que propunha fundamentalmente a busca de integralidade do cuidado à saúde, levando em conta as várias dimensões do ser humano, como ser dotado de uma materialidade biológica, uma dimensão psicológica e uma dimensão social.

SAÚDE – MEDICINA PREVENTIVA — Movimento de reforma do ensino médico, surgido nos EUA no pós-guerra e difundido amplamente na América Latina e Brasil, principalmente a partir da Reforma Universitária de 1968. Incorpora a noção de integração entre a medicina e a saúde pública, propondo a incorporação do modelo da História Natural da Doença para o entendimento do processo saúde-doença e a adoção de uma "atitude preventivista" na prática médica que implica o desenvolvimento de ações em diversos níveis, abarcando desde a promoção da saúde (prevenção primária) à proteção específica e o diagnóstico precoce (prevenção secundária) ao tratamento, recuperação e reabilitação (prevenção terciária).

SAÚDE – MENINGITE BACTERIANA — Doença bacteriana causada por meningococo (*Neisseria meningitidis*, *Haemophilus influenzae* e *Streptococcus pneumoniae)* e mais raramente por *Streptococcus* hemolíticos, estafilococos, salmonelas, klebsielas, proteus, pseudomonas, listeria e outros. O quadro clínico pode ser indistinguível da meningite meningocócica. O diagnóstico diferencial é feito a partir de estudos bacteriológicos, principalmente do liquor (obtido por punção).

SAÚDE – MENINGITE MENINGOCÓCICA — Doença bacteriana aguda e grave causada por um meningococo (*Neisseria meningitidis*). Caracteriza-se por início súbito com febre, dor de cabeça intensa, rigidez da nuca, náuseas e vômitos freqüentes, muitas vezes reação com manchas de pequena dimensão na pele (exantema petequial), com manchas maiores (máculas), áreas de reação de cor rósea e mais raramente vesículas. O delírio e o coma (perda de consciência) são freqüentes. Nos casos fulminantes, problemas hemorrágicos e choque ocorrem logo no início da doença. O reservatório é o ser humano; ocorre mais no inverno e na primavera, entre crianças e adultos-jovens, mais em homens que em mulheres. As aglomerações humanas em abrigos de deslocados, quartéis e outros facilitam a disseminação, que normalmente ocorre por inalação de gotículas e nasofaringite, evoluindo para a doença sistêmica, quando intensa.

SAÚDE – MODELO ECOLÓGICO — Articula os fatores causais do processo saúde-doença em uma tríade constituída pelo Agente, Hospedeiro e Ambiente, de cujo equilíbrio depende a ocorrência ou não de doenças em indivíduos e populações. Este modelo foi e é largamente utilizado na explicação da ocorrência e distribuição de doenças infecto-contagiosas.

SAÚDE – MODELO MÉDICO-ASSISTENCIAL PRIVATISTA — Modo de organização da prestação de serviços de saúde que privilegia o atendimento individual e curativo, prestado pelo médico e profissionais "paramédicos". Este modelo se concretiza nos hospitais e clínicas privadas (conveniadas ou não com o SUS) e também nos hospitais unidades de saúde do SUS nos quais se reproduz a lógica de atendimento à "demanda espontânea".

SAÚDE – MODELO SANITARISTA — Constituído pelas campanhas e programas de Saúde Pública, este modelo ainda predomina no SUS como forma de organização das ações de caráter coletivo voltadas ao controle de doenças ou riscos à saúde em grupos populacionais específicos.

SAÚDE – MOLÉSTIA DE TRABALHO — É a doença que se adquire ou se desencadeia em razão de condições especiais em que o trabalho é realizado e está diretamente relacionado a ele. Chama-se mesopatia, do grego *mesos,* meio, e *pathos,* sofrimento. Classificada ou não como profissional, equipara-se a acidente de trabalho para fins de indenização decorrente de infortunística. O trabalhador recebe 92% do salário de contribuição do dia do acidente. São beneficiários (também das moléstias profissionais) os empregados rurais e urbanos, os temporários, os avulsos, os segurados especiais, os presidiários que exerçam trabalho remunerado. Não são beneficiários os domésticos, os empresários urbanos ou rurais, os autônomos, os eclesiásticos, os facultativos.

SAÚDE - MOLÉSTIA PROFISSIONAL — Causada ou desencadeada pelo exercício do próprio trabalho peculiar a certa atividade, como as doenças provocadas por inalação de sílica (silicose). Alguns as denominam de idiopatias, ou tecnopatias, isto é, doenças da arte, do ofício. Caracteriza-se como acidente do trabalho e o trabalhador recebe da Previdência Social a prestação de 50% do salário-de-benefício que deu origem ao auxílio-doença do segurado, corrigido até o mês anterior ao do início do auxílio-acidente. Também se diz doença profissional.

SAÚDE - NÃO APLICAÇÃO DOS PERCENTUAIS MÍNIMOS — Os Estados e Municípios estão sujeitos à retenção de repasses e transferências constitucionais de impostos e ao não recebimento de transferências voluntárias previstas na Lei de Responsabilidade Fiscal, caso não sejam aplicados os percentuais mínimos em Ações e Serviços Públicos de Saúde. (Ver: Saúde - Gastos obrigatórios por ente público.)

SAÚDE - NARCOSE — Efeito exercido pelos gases inertes, principalmente o nitrogênio, ao se difundir pelo sistema nervoso central, provocando sono, embriaguez ou tontura, ao terem sua pressão parcial aumentada por uma elevação da pressão ambiente.

SAÚDE - NECESSIDADE NUTRICIONAL — Quantidade média de energia (calculada em calorias) e dos diferentes nutrientes, definida para atender às necessidades básicas de um grupo de indivíduos saudáveis, em condições de manter o funcionamento normal de seus organismos.

SAÚDE - NUTRIÇÃO — 1) Compreende a fisiologia, assimilação e metabolismo dos princípios alimentares necessários ao desenvolvimento e à manutenção das funções vitais de todos os seres vivos. 2) Em Saúde Pública, nutrição ou nutrologia é a disciplina que estuda as interações entre os alimentos, a saúde e enfermidades e a prevenção e tratamento das doenças nutricionais. (Ver: Nutriente.)

SAÚDE - OFERTA ORGANIZADA — A oferta organizada de ações e serviços de saúde leva em conta a delimitação da área de abrangência de uma unidade básica de saúde e implica a adequação do processo de trabalho dos profissionais envolvidos nos diversos programas e serviços em função das necessidades e problemas de saúde da população da área.

SAÚDE - OMS (ORGANIZAÇÃO MUNDIAL DE SAÚDE) — Criada em 1946, só começou a funcionar em 1948. Tem como finalidades principais: erradicar epidemias e endemias; fixar padrões internacionais para produtos biológicos e farmacêuticos e métodos de diagnóstico; oferecer auxílios aos governos, para realização de seus programas de saúde; colaborar no aperfeiçoamento do ensino médico. Em síntese, tem por fim a melhoria do nível de saúde no mundo. Tem sua sede em Genebra, mantendo escritórios regionais em vários países.

SAÚDE - ONCOCERCOSE — Doença crônica, normalmente benigna, causada por uma filária (verme nematóide) - a *Onchocerca volvulus*. Caracteriza-se por nódulos fibrosos sob a pele, mais comuns na cabeça, ombros e membros superiores, nas Américas, e na cintura pélvica e membros inferiores, na África. As fêmeas expelem microfilas que, além da coceira e atrofia na pele, podem causar perturbações visuais e cegueira. Nas Américas, ocorre no México, Guatemala e norte da América do Sul (Amazonas e Roraima, no Brasil). Transmitida de ser humano a ser humano por um mosquito borrachudo (simulídeo).

SAUDE - OPAS (ORGANIZAÇÃO PAN-AMERICANA DA SAÚDE) — É um organismo internacional de saúde pública com um século de experiência, dedicado a melhorar as condições de saúde dos países das Américas. Ela também atua como Escritório Regional da Organização Mundial da Saúde para as Américas e faz parte dos sistemas da Organização dos Estados Americanos (OEA) e da Organização das Nações Unidas (ONU).

SAÚDE - PANDEMIA — Epidemia generalizada de amplas proporções, atingindo grande número de pessoas, em vasta área geográfica. (Ver: Saúde - Epidemia.)

SAÚDE - PARTICIPAÇÃO SOCIAL — É o envolvimento ativo da população organizada no processo de decisão e no controle social sobre as políticas e o sistema de saúde. A participação social em saúde no SUS é garantida mediante a atuação dos Conselhos de Saúde em todos os níveis - nacional, Estadual, Municipal - bem como através das Conferências de Saúde, realizadas periodicamente.

SAÚDE - PAUTA DE ALIMENTAÇÃO — Relação dos alimentos consumidos por um determinado grupo populacional, examinados, qualitativa e quantitativamente, durante um período definido.

SAÚDE - PEDICULOSE — Infestação da cabeça, de outras regiões pilosas do corpo e do vestuário por piolhos adultos, suas larvas e seus ovos (lêndeas). Ocorre freqüentemente em todo o mundo, entre escolares e em aglomerados humanos. Os piolhos podem ser vetores de enfermidades como o tifo epidêmico.

SAÚDE - PESSOA IMUNE — Pessoa que possui anticorpos protetores específicos ou mesmo imunidade celular, cujo organismo reage eficazmente para prevenir a infecção ou as manifestações clínicas da doença, quando em contato com o agente infeccioso específico. A imunidade pode ser conseqüência de uma infecção ou imunização artificial anterior e normalmente é relativa, dependendo do estado nutricional e de condições de estresse. Pode ser afetada por terapia com medicamentos imunossupressores, por enfermidades concomitantes e pelo processo de envelhecimento. A inoculação maciça do agente infeccioso ou sua introdução por porta de entrada inusitada pode ser causa de redução das resistências orgânicas.

SAÚDE - PESSOA INFECTADA — Pessoa que alberga um agente infeccioso, podendo ter uma infecção inaparente (portador) ou uma doença manifesta.

SAÚDE - PESSOA INFECTANTE — Pessoa de quem o agente infeccioso pode ser contraído em condições naturais.

SAÚDE - PESTE — Zoonose específica (doença de seres humanos e de animais) que envolve o ser humano, roedores e pulgas, produzida pelo bacilo da peste (*Pasteurella pestis ou Yersinia pestis*). A reação inicial (peste bubônica) é comumente uma reação inflamatória dos glânglios linfáticos (linfoadenite), que drenam a rede linfática do local da picada da pulga. Os glânglios apresentam tumefação, dor e podem supurar. Nessa fase, pode já haver febre; numa segunda, há disseminação pela corrente sangüínea (peste septicêmica) para vários órgãos, inclusive meninge. O comprometimento pulmonar (peste pneumônica) evolui com derrames pleurais e comprometimento dos glânglios do mediastino. A peste não tratada possui uma taxa de letalidade de cerca de 50%. O tratamento com cloranfenicol, estreptomicina e tetraciclina, desde que precoce, tem se mostrado eficaz. Quando há convulsão social, queda dos padrões de higiene e da qualidade dos serviços de Saúde Pública e confinamento, a peste pode tornar-se um desastre significativo em áreas endêmicas.

SAÚDE - PISO DE ATENÇÃO BÁSICA (PAB) — Programa do Governo Federal que consiste em um valor mínimo de recursos financeiros destinados a investimentos de procedimentos e ações de assistência básica, tipicamente municipal. Esses recursos financiam: a) consultas médicas em especialidades básicas; b) atendimento odontológico básico; c) atendimentos básicos por outros profissionais de nível superior e nível médio; d) visita e atendimento ambulatorial e domiciliar do Programa de Saúde da Família (PSF); e) vacinação; f) atividades educativas a grupos da comunidade; g) assistência pré-natal e ao parto domiciliar; h) atividades de planejamento familiar; i) pequenas cirurgias; j) atividades dos agentes comunitários de saúde; k) pronto atendimento em unidade básica de saúde.

SAÚDE – PLANEJAMENTO FAMILIAR — Conjunto de cuidados de saúde que visa ajudar as mulheres e os homens a planejarem o nascimento dos seus filhos e a viverem a sua sexualidade de uma forma gratificante, sem o receio de uma gravidez que naquele momento não desejem. Constitui uma forma de assegurar que as pessoas tenham acesso à informação, métodos de contracepção eficazes e seguros, serviços de saúde adequados que permitam a vivência da sexualidade segura e saudável, bem como a uma gravidez e parto nas condições mais adequadas. Entre outros, devem ser objetivos do planejamento familiar: a) Informar e aconselhar sobre a saúde sexual e reprodutiva; b) Reduzir a incidência das infecções de transmissão sexual e as suas conseqüências, principalmente a infertilidade; c) Reduzir a mortalidade e a morbilidade materna, perinatal e infantil; d) Permitir que o casal decida quantos filhos quer, se os quer e quando os quer, ou seja, planejar a sua família; e) Preparar e promover uma maternidade e paternidade responsáveis; f) Melhorar a saúde e o bem-estar da família e daquela pessoa, em particular; g) Rastreamento de doenças com prevalência na população, principalmente, do câncer do colo do útero e mama; h) Promoção de comportamentos saudáveis (sexuais e reprodutivos) ao nível individual e social.

SAÚDE – POLIOMIELITE — O mesmo que paralisia infantil. Infecção viral aguda causada por polivírus de tipos 1, 2 ou 3. Apresenta-se com grau variável de gravidade, desde infecção inaparente, doença febril sem sintomas neurológicos e meningite asséptica (meningite a vírus) até doença paralítica de intensidade variável ou mesmo morte. Os sintomas mais freqüentes são: febre, mal-estar, dor de cabeça, náuseas, vômitos, rigidez da nuca, rigidez lombar, com ou sem paralisias que podem se apresentar em várias combinações. O vírus tem sido isolado na rinofaringe, que parece ser a porta de entrada mais freqüente no organismo. Em locais de saneamento deficiente, há possibilidade de contaminação fecal. O reservatório é o próprio ser humano, especialmente crianças com infecções inaparentes (PVO). Campanhas bem planejadas e persistentes de vacinação oral podem controlar e mesmo erradicar a enfermidade. Em situações sanitárias deficientes, pode ser causa de surgimento de surtos.

SAÚDE – POLÍTICAS EXTERNAS AO SETOR SAÚDE — São ações que interferem nos determinantes sociais do processo saúde-doença das coletividades, de que são partes importantes questões relativas às políticas macroeconômicas, ao emprego, à habitação, à educação, ao lazer e à disponibilidade e qualidade dos alimentos.

SAÚDE – PREVENÇÃO E PROGRAMAS HIV/SIDA E OUTRAS IST (INFECÇÕES SEXUALMENTE TRANSMISSÍVEIS) — São programas de prevenção que contemplam além da prevenção primária, a prestação de cuidados a pessoas e famílias afetadas pelo HIV e a integração social das mesmas, evitando medidas discriminatórias de qualquer tipo e promovendo a formação e o autocuidado de profissionais e população afetada. Estes programas incluem todos os pressupostos acordados pelas agências internacionais. Além de outros grupos, a mulher deve ser alvo específico na luta contra a transmissão do HIV, baseada em estratégias de promoção da saúde e de direitos humanos, tendo em vista não só a prevenção individual, mas também o seu papel de educadora nos comportamentos dos mais jovens. Um programa orientado para as mulheres reforça o seu poder de garantir sexo mais seguro e a utilização de preservativo pelo seu parceiro.

SAÚDE – PROFILAXIA — Parte da medicina que trata das medidas preventivas contra as enfermidades. Emprego dos meios para evitar as doenças.

SAÚDE – PROGRAMA ALIMENTAR MUNDIAL (PAM) — Programa das Nações Unidas, criado em 1963, objetivando combater a fome, que afeta um em cada sete pessoas no mundo. A Agencia do PAM tem sede em Roma, na Itália, trabalhando em situações de emergência, fornecendo alimentos para salvar vítimas da guerra, conflitos civis e desastres naturais. No pós-emergência o PAM usa a ajuda alimentar para ajudar as populações a reconstruir as suas vidas. Os recursos do PAM resultam das contribuições voluntárias, dos governos e da iniciativa privada, em dinheiro e em espécies (alimentos e outros bens básicos para produzir, armazenar e cozinhar alimentos). (Ver: Segurança alimentar.)

SAÚDE – PROGRAMA AMPLIADO DE IMUNIZAÇÃO (PAI OU EPI) — Programa recomendado pela Organização Mundial da Saúde (OMS) e implementado em todos os estados brasileiros. Tem por objetivo a vacinação sistemática de todas as crianças contra as seis doenças seguintes: difteria, coqueluche e tétano (através da vacina tríplice – DPT), poliomielite (através de vacinação oral – SABIN), tuberculose (através da vacina BCG intradérmica) e sarampo (através da vacina contra sarampo). O PAI, juntamente com o incentivo ao aleitamento materno, durante os seis primeiros meses de vida, com os programas de controle das gastroenterites e outras causas de desidratação, de controle das infecções respiratórias agudas (IRA) e de acompanhamento do estado nutricional das crianças, é, sem dúvida nenhuma, importante fator de redução da mortalidade infantil.

SAÚDE – PROGRAMA BOLSA FAMÍLIA — Ver Programa Bolsa família.

SAÚDE – PROGRAMA DE ALIMENTAÇÃO COMPLEMENTAR — Programa que tem por objetivo suplementar dietas incompletas, através da adição de alimentos apropriados que assegurem um balanço energético e de princípios nutritivos necessários à prevenção ou correção de estados nutricionais deficientes. Esses programas são estabelecidos normalmente para corresponder a desastres e a situações emergenciais que resultem em estagnação econômica e redução das atividades produtivas de subsistência e são dirigidos em apoio às populações de baixa renda ou a grupos mais vulneráveis (crianças, idosos, gestantes e enfermos), dentro de um conjunto populacional definido.

SAÚDE – PROGRAMA DE COMBATE ÀS CARÊNCIAS NUTRICIONAIS — É um programa do Ministério da Saúde que tem por objetivo reduzir e controlar a desnutrição infantil em geral e as carências nutricionais específicas, principalmente a anemia ferropriva e a hipovitaminose A, e incentivar o aleitamento materno. O público-alvo do programa são as crianças desnutridas de 6 a 23 meses, crianças de 2 a 5 anos com deficiência de ferro ou vitamina A e gestantes e idosos com risco nutricional; excepcionalmente, crianças com idade inferior a 6 meses, filhas de mães soropositivas para o HIV, às quais o aleitamento materno não é recomendado. Os recursos financeiros do programa são repassados aos Municípios habilitados.

SAÚDE – PROGRAMA DE SAÚDE DA FAMÍLIA (PSF) — O Programa de Saúde da Família, juntamente com o Programa de Agentes Comunitários de Saúde (PACS), é um programa criado pelo Ministério da Saúde cujo principal propósito é reorganizar a prática da atenção à saúde em novas bases e substituir o modelo tradicional, levando a saúde para mais perto da família e, com isso, melhorar a qualidade de vida dos brasileiros. O programa age, principalmente, na promoção da saúde de maneira preventiva e educativa em vez do exclusivo combate às doenças.

SAÚDE - PROGRAMAS ESPECIAIS — Os "programas especiais de saúde" têm sido elaborados pelo Ministério da Saúde, principalmente a partir de meados dos anos 70 e contemplam tanto o controle de doenças específicas (Tuberculose, hanseníase, esquistossomose, AIDS, hipertensão e diabetes) quanto a atenção da grupos populacionais considerados prioritários (mulher, criança, adolescente, idoso) e incluem campanhas e programas caracterizados pela utilização de uma tecnologia específica (PAI - Programa Ampliado de Imunização, por ex.).

SAÚDE - PROTEÍNA — Classe de compostos orgânicos que, além do hidrogênio, oxigênio e carbono, possui outros elementos como o nitrogênio e enxofre. Desdobram-se em ácidos aminados e são importantes para o metabolismo celular e dos tecidos orgânicos, constituindo-se nos principais componentes estruturais dos seres vivos. São importantes na regeneração celular e no desenvolvimento dos processos anabólicos, e sua falta é causa de graves estados desnutritivos. As fontes de proteínas na natureza são de duas classes: fontes vegetais e fontes animais. Dentre os vegetais, as mais importantes são as leguminosas, como feijão, soja, lentilhas, ervilhas e outros. Dentre as fontes animais, além da própria carne, são importantes o leite, ovos e a levedura de cerveja.

SAÚDE - QUALIDADE DE VIDA — Ver Qualidade de vida.

SAÚDE - QUARENTENA — Ver Quarentena.

SAÚDE - RECEITAS QUE COMPÕEM A BASE DE CÁLCULO DOS RECURSOS DESTINADOS A AÇÕES E SERVIÇOS PÚBLICOS DE SAÚDE — Estado: Produto da arrecadação dos impostos a que se refere o art. 155 e dos recursos de transferências, de impostos, de que tratam os arts. 157 e 159, inciso I, alínea "a", e inciso II, da Constituição Federal, deduzidas as parcelas que forem transferidas aos respectivos Municípios. Municípios: O produto da arrecadação dos impostos a que se refere o art. 156 e dos recursos de transferências, de impostos, de que tratam os arts. 158 e 159, inciso I alínea "b" e § 3º da Constituição Federal. (Ver: Saúde - Gastos obrigatórios pelo ente público.)

SAÚDE - REGIONALIZAÇÃO DOS SERVIÇOS — Implica delimitação de uma base territorial para o sistema de saúde, que leva em conta a divisão político-administrativa do país, mas também contempla a delimitação de espaços territoriais específicos para a organização das ações de saúde, subdivisões ou agregações do espaço político-administrativo. No Brasil, a regionalização foi adotada pelas Secretarias Estaduais de Saúde nos anos 70/80 do século XX, gerando a subdivisão do território estadual em Diretorias ou Escritórios Regionais de Saúde e vem sendo proposta novamente hoje como forma de reorganização dos sistemas municipais e locais.

SAÚDE - SALMONELOSE — Infecção por salmonela; salmonelíase. Existem numerosos tipos de salmonelas patogênicas para o ser humano. As *S. typhi* e *S. paratyphi* são individualizadas. Classicamente, além destas salmonelas, enquadram-se também neste grupo aquelas que têm hospedeiros entre roedores e animais domésticos e que podem ocasionalmente infectar o ser humano. O quadro clínico é de gastroenterite (dor abdominal, diarréia, náuseas e vômitos), e a desidratação é uma complicação temida em crianças. Muitas vezes, o quadro é classificado como intoxicação alimentar e é freqüente, mesmo em países desenvolvidos.

SAÚDE - SANEAMENTO BÁSICO — É o conjunto de medidas adotadas em relação ao meio, com a finalidade de criar condições favoráveis à manutenção do meio e da saúde das populações. Ação ou efeito de tornar são, isto é, favorável à vida e à saúde, um elemento qualquer. A Organização Mundial da Saúde define saneamento básico como o controle de todos os fatores, do meio físico do ser humano, que exercem ou podem exercer efeitos nocivos sobre a saúde, incluídas as medidas que visam prevenir e controlar doenças, sejam elas transmissíveis ou não. De modo geral, consideram-se como saneamento básico os sistemas de abastecimento de água e esgotamento sanitário e a coleta de resíduos sólidos, colocados à disposição da população, bem como o controle da poluição do ar e sonora.

SAÚDE - SARAMPO — Doença viral, altamente aguda e contagiosa. Inicia-se com febre, conjuntivite, coriza (catarro nasal), bronquite e manchas características na mucosa oral (manchas de Koplie). Entre o terceiro e sétimo dia, aparece uma erupção cutânea vermelha e irregular que se generaliza a partir da face. Dura de quatro a sete dias e termina por descamação. É uma doença muito grave em crianças subnutridas, com taxa de letalidade de 5% a mais de 10%, por intensificação da infecção viral (encefalites, hemorragias...) ou por complicações e superinfecção bacteriana. A vacinação é indicada a partir dos 6 meses, especialmente entre 9 e 10 meses. Implicações em calamidades - a introdução de sarampo em populações isoladas com altas taxas de suscetíveis pode provocar epidemias devastadoras com alta letalidade.

SAÚDE - SEGURANÇA ALIMENTAR — A segurança alimentar existe quando todas as pessoas, em todos os momentos, têm acesso físico e econômico a uma alimentação que seja suficiente, segura, nutritiva e que atenda a necessidades nutricionais e preferências alimentares, de modo a propiciar vida ativa e saudável e sem risco de o perder. É a garantia de que as famílias tenham acesso físico e econômico regular e permanente a conjunto básico de alimentos em quantidade e qualidade significantes para atender aos requerimentos nutricionais. (Ver: Programa alimentar mundial.)

SAÚDE - SÍFILIS — Doença contagiosa de difusão mundial, normalmente, mas não exclusivamente, transmitida por contato sexual. Causada pelo *Treponema pallidum*, produz reação sorológica específica. Sua incidência vem aumentando desde 1957.

SAÚDE - SÍNDROME DE IMUNODEFICIÊNCIA ADQUIRIDA (SIDA) — Doença altamente infecciosa, de proporções pandêmicas e elevado índice de letalidade, causada por vírus transmitido por relações sexuais, seringas contaminadas, transfusões com sangue infectado e por mães infectadas aos fetos, através da circulação placentária. Inicialmente os maiores grupos de risco eram homossexuais masculinos, pessoas dependentes de drogas injetáveis, pessoas que necessitavam de transfusões freqüentes, pessoas sexualmente promíscuas e crianças geradas por mães contagiadas. A conceituação moderna tende a caracterizar condutas de risco e não mais grupos de risco, já que é cada vez maior o número de heterossexuais contaminados. Caracteriza-se por uma perda da capacidade do organismo infectado pelo HIV (vírus da SIDA) para reagir eficazmente a agentes infecciosos.

SAÚDE - *STRESS* — Ou estresse. É a perturbação da homeostase por constantes reações ou respostas a estímulos internos provocados pelas pressões do meio, agressões morais ou físicas, doenças e, principalmente, pelos excessos de atividades físicas e psíquicas.

SAÚDE - SUBSISTEMA DE VIGILÂNCIA SANITÁRIA — Tem âmbito nacional e integra o Sistema Único de Saúde. Foi concebido e estruturado com a finalidade de estabelecer parâmetros, normas e procedimentos de interesse sanitário; elaborar códigos e regulamentos sanitários; estudar, propor e fazer cumprir legislação pertinente. Tem poder de polícia sanitária e competência para fiscalizar e compulsar as instituições a cumprir a legislação sanitária e os códigos e procedimentos estabelecidos. Seu amplo espectro de atuação compreende atividades relacionadas com: controle sanitário de aeroportos, portos e outros terminais de transporte que possam receber passageiros e cargas de áreas com focos de infecção; ecologia humana, controle da sanidade ambiental, da qualidade da água e das intoxicações alimentares; importação, produção, armazenamento, transporte e comercialização de produtos perigosos, especialmente psicoativos, radioativos e tóxicos; controle, fiscalização, licenciamento e certificação de produtos, substâncias e de equipamentos de uso médico e de interesse para a saúde individual e coletiva, com especial atenção para medicamentos imunobiológicos, sangue e hemoderivados, reativos, material de penso, bolsas de coleta de sangue, invólucros e aplicadores, além de saneantes, desinfetantes e praguicidas.

SAÚDE – SUPERALIMENTAÇÃO — Hiperalimentação. Técnica de nutrição utilizada em unidades de tratamento de pacientes em situação de alto risco, principalmente quando atingidos por doenças consumitivas. Pode ser enteral (quando utiliza a via normal) ou parenteral (quando introduzida por uma veia). Normalmente produz muito bons resultados, contribuindo para aumentar as defesas orgânicas.

SAÚDE – TABAGISMO — É uma toxicomania caracterizada pela dependência psicológica do consumo de tabaco. De acordo com a Organização Pan-americana da Saúde o tabagismo é o responsável por cerca de 30% das mortes por câncer, 90% das mortes por câncer de pulmão, 25% das mortes coronarianas, 85% das mortes por doença pulmonar obstrutiva crônica e 25% das mortes por derrame cerebral. Ainda de acordo com a organização, não existem níveis seguros de consumo do tabaco. O método de avaliação de Fagerström é, hoje, empregado por especialistas, para ajudar a definir a melhor estratégia para quem quer largar o cigarro. Este questionário é utilizado por médicos a fim de determinar se uma pessoa está seriamente viciada na nicotina. (Ver: Droga // Vício.)

SAÚDE – TRANSMISSÃO DE AGENTES INFECCIOSOS — Forma pela qual um agente infeccioso é disseminado de um hospedeiro para um organismo suscetível, através do meio. A transmissão pode ser direta ou indireta.

SAÚDE – TRANSMISSÃO DE AGENTES INFECCIOSOS – TRANSMISSÃO DIRETA — A transmissão direta de agentes infecciosos pode ocorrer por contato físico direto – mordida (raiva), beijo, contato de pele ou ato sexual (doenças sexualmente transmissíveis); projeção direta de gotículas de muco ou saliva – ao espirrar, tossir, escarrar, cantar ou falar, geralmente de até um metro de distância, nas mucosas rino-oro-faríngeas ou nas conjuntivas de suscetíveis; exposição direta de tecidos suscetíveis a partículas contaminadas em suspensão – em salas cirúrgicas, laboratórios, salas de autópsia, matadouros industriais ou a partir de vestuários, roupas de cama, solo ou pisos contaminados.

SAÚDE – TRANSMISSÃO DE AGENTES INFECCIOSOS – TRANSMISSÃO INDIRETA — A transmissão indireta de agentes infecciosos pode ocorrer através de veículo (inanimado) de transmissão – água, alimentos, especialmente leite contaminado, produtos biológicos como sangue, plasma e hemoderivados contaminados ou instrumento cirúrgico e material de penso mal esterilizados, peças do vestuário, lenço, roupas de cama, utensílios de mesa e de cozinha infectados, qualquer outro objeto, substância ou agente infectante transportado e introduzido através de porta de entrada apropriada, em organismo suscetível; vetores animados – mecânicos, biológicos e aerossóis microbianos.

SAÚDE – TUBERCULOSE — A tuberculose ressurgiu como epidemia na década de 1990. Essa infecção em geral se manifesta nos pulmões e é causada pela bactéria *Mycobacterium tuberculosis* – conhecida como bacilo de Koch. Segundo a OMS, um terço da população mundial é portador do bacilo e 9 milhões desenvolvem a moléstia a cada ano. Supõe-se que um terço dos casos registrados no mundo desde 1999 esteja relacionado à AIDS. No Brasil, a taxa de infecção estabilizou-se a partir da década de 1980. Calcula-se haver 45 milhões de brasileiros contaminados. Destes, de 5% a 10% desenvolvem a doença. O Brasil é o único país das Américas a figurar entre as 22 nações responsáveis pela maior parte de todos os casos de tuberculose no mundo, na 15ª posição.

SAÚDE – UNIVERSALIDADE — É um ideal a ser alcançado no Sistema Único de Saúde, qual seja, o de que todos os cidadãos brasileiros possam usufruir do seu direito à saúde e ao acesso às ações e serviços necessárias para sua proteção e recuperação.

SAÚDE – VACINA — Agente imunogênico capaz de produzir imunidade, quando introduzido no organismo. Substância de origem microbiana (micróbios mortos ou de virulência abrandada) que se ministra a um indivíduo com fim preventivo, curativo ou paliativo. Qualquer espécie de vírus atenuado que, introduzido no organismo, determina certas reações e a formação de anticorpos capazes de tornar este organismo imune ao germe utilizado.

SAÚDE – VENÉREO — Qualificativo dos males, ou doenças infecto-contagiosas, geralmente transmissíveis por contato sexual, o que dá lugar ao crime de contágio venéreo.

SAÚDE – VETOR — Animal capaz de transmitir um agente causador de doença (patógeno) de um hospedeiro para outro.

SAÚDE – VIGILÂNCIA DOS FATORES DE RISCO — Conjunto de ações relacionadas com: identificação das características, condicionantes de aspectos situacionais que dizem respeito aos fatores de risco; medição e observação sistemática das variações e das tendências dos fatores de risco identificados.

SAÚDE – VIGILÂNCIA EPIDEMIOLÓGICA — Estudo epidemiológico de uma enfermidade considerada como um processo dinâmico que abarca a ecologia do agente infeccioso, do hospedeiro, dos reservatórios, dos vetores, bem como dos complexos mecanismos que intervêm na propagação da infecção e na intensidade com que a mesma se propaga. A vigilância epidemiológica permite reunir informações, para que se conheça a cada momento a história natural da enfermidade, detectar e prever quaisquer modificações que possam ocorrer, por alterações dos fatores condicionantes, e recomendar medidas oportunas e eficientes que levem à prevenção e controle da enfermidade.

SAÚDE – VIROSE — Enfermidade causada por vírus.

SAÚDE – VIRULÊNCIA — Grau de patogenicidade de um agente infeccioso indicado por sua capacidade de invadir, multiplicar-se e causar danos a organismo suscetível ou pelas taxas de letalidade relacionadas com o mesmo agente.

SAÚDE – VIRULENTO — Organismo capaz de causar doença severa.

SAÚDE – VÍRUS — Agente infeccioso microscópico que não tem capacidade metabólica autônoma e apenas se reproduz no interior de células vivas. Assim como outros organismos, pode multiplicar-se com continuidade genética e é passível de mutação, podendo apresentar formas diversas.

SAÚDE – ZOONOSE — Doença infecciosa que, em condições naturais, é transmissível de animais vertebrados ao ser humano. Pode ser enzoótica, endêmica, ou epizoótica, quando epidêmica.

SAÚDE DA FAMÍLIA — Ver Saúde – Programa de Saúde da Família (PSF.)

SAÚDE PÚBLICA — Conjunto de atividades técnico-científicas destinadas a melhorar os níveis de saúde psíquica dos grupos humanos, identificando, prevenindo e combatendo as causas perturbadoras.

SAÚDE REPRODUTIVA E SAÚDE SEXUAL — Termo que se refere aos direitos relativos à proteção contra a doença e o abuso, acesso a contraceptivos e ao direito da mulher fazer escolhas relativamente à gravidez e ao parto. Estado geral de bem-estar físico, mental e social, e não de mera ausência de doenças, em todos os aspectos relacionados com o sistema reprodutivo suas funções e processos. A saúde reprodutiva é o estado de completo bem-estar físico, mental e social. É um termo holístico que inclui informação e serviços de planejamento familiar, cuidados da saúde materna, prevenção e monitoramento das infecções sexualmente transmissíveis, VIH/SIDA e o desencorajamento da mutilação genital feminina (FGM), problema que afeta mais de 80 milhões de mulheres e meninas no mundo. A FGM é praticada por muitos grupos étnicos em mais de trinta países e consiste em uma circuncisão primária para meninas jovens, normalmente entre 5 e 12 anos de idade, ou uma circuncisão secundária, por exemplo, depois de parto. É também prática comum entre imigrantes, refugiados, pessoas que fugiram da fome e da guerra. A prevenção e tratamento das Infecções Sexualmente Transmissíveis, incluindo o VIH/SIDA, é parte integrante da saúde reprodutiva. A Saúde Reprodutiva corresponde à integração dos aspectos somáticos, emocionais, intelectuais e sociais, em formas positivas e enriquecedoras para as pessoas.

SAÚDE, ASSISTÊNCIA À — São atividades dirigidas às pessoas, individual ou coletivamente; são as prestadas no âmbito ambulatorial e hospitalar, bem como em outros espaços, inclusive o domiciliar.

SAÚDE, ATENÇÃO À — É todo o conjunto de ações levadas a efeito em todos os níveis de governo, para o atendimento das demandas pessoais e das exigências ambientais. Compreende três grandes áreas, a saber: da assistência; das intervenções ambientais; e das políticas externas ao setor saúde.

SAÚDE, ATENÇÃO PRIMÁRIA DE (PHC ou APS) — A atenção primária de saúde constitui a base e o mais importante escalão do Sistema Integrado de Saúde. Garante o acesso de todos os indivíduos e famílias de uma comunidade e, mediante métodos simples mas comprovadamente eficazes de medicina preventiva e curativa integradas, promove a saúde, o bem-estar e contribui para o desenvolvimento econômico e social da comunidade. Os pacientes que não tenham solucionado cabalmente seus problemas de saúde são referenciados para centros de apoio que disponham de maiores recursos.

SAÚDE, AVALIAÇÃO DE IMPACTO NA — Pode ser definida como qualquer combinação de procedimentos ou métodos através dos quais se possibilita julgar os efeitos que uma política ou um programa poderiam ter na saúde da população. O principal objetivo da avaliação de impacto na saúde é garantir que seja considerado como parte do processo de tomada de decisão para implantação e continuidade de políticas, programas e projetos. A avaliação de impacto na saúde é uma metodologia bastante nova, basicamente da última década. A sua origem vem da avaliação de impacto ambiental de onde a saúde era um dos componentes e com a avaliação de impacto na saúde ela se torna o ponto central. Ao se estimarem os efeitos dos projetos, programas e políticas na saúde das populações, pode-se maximizar os efeitos positivos e evitar os negativos.

SAÚDE, CAMPO DA — É constituído pela confluência de um conjunto heterogêneo de fatores causais do processo saúde-doença em indivíduos e populações, sendo representado esquematicamente por um diagrama quadripolar que inclui os fatores ligados à Biologia Humana, ao ambiente, aos estilos de vida e ao sistema de serviços de saúde. O modelo do campo da saúde busca ser abrangente o suficiente para dar conta da explicação de padrões epidemiológicos complexos, onde se conjugam doenças crônico-degenerativas, infecto-contagiosas, acidentes e outros agravos à saúde cuja determinação é complexa, envolvendo múltiplos fatores em interação.

SAÚDE, CENTRO DE — Unidade de saúde destinada a prestar assistência sanitária a uma determinada comunidade, pelo menos nas quatro especialidades médicas básicas: Clínica Médica, Clínica Cirúrgica, Clínica Pediátrica e Clínica Gineco-Obstétrica. Deve ser permanente e, sempre que possível, dirigido por médico generalista.

SAÚDE, CONSELHO DE — Órgão ou instância colegiada de caráter permanente e deliberativo, em cada esfera de governo, integrante da estrutura básica da Secretaria ou Departamento de Saúde dos Estados e Municípios, com composição, organização e competência fixadas em lei. O Conselho consubstancia a participação da sociedade organizada na administração do Sistema de Saúde, propiciando o controle social desse sistema. O ato de criação do Conselho de Saúde, bem como sua composição, organização, estrutura e competência deverá ser estabelecido por lei estadual ou municipal, e referendados pelo Poder Executivo correspondente, que nomeará os conselheiros indicados pelos órgãos e entidades.

SAÚDE, EDUCAÇÃO PARA A - PROMOÇÃO — A Promoção da Saúde é o processo que visa aumentar a capacidade dos indivíduos e das comunidades para controlarem a sua saúde, no sentido de a melhorar. Para atingir um estado de completo bem-estar físico, mental e social, o indivíduo ou o grupo devem estar aptos a identificar e realizar as suas aspirações, a satisfazer as suas necessidades e a modificar ou adaptar-se ao meio. Assim, a saúde é entendida como um recurso para a vida e não como uma finalidade de vida. A saúde é um conceito positivo, que acentua os recursos sociais e pessoais, bem como as capacidades físicas. Em conseqüência, a Promoção da Saúde não é uma responsabilidade exclusiva do setor da saúde, pois exige estilos de vida saudáveis para atingir o bem-estar. Esta definição incluída na Carta de Ottawa (1986) foi baseada nos progressos decorrentes da Declaração sobre os Cuidados de Saúde Primários de Alma-Ata e no documento As Metas da Saúde para Todos da Organização Mundial da Saúde bem como no debate sobre a ação intersetorial para a saúde, realizado na Assembléia Mundial de Saúde. A Saúde Sexual e Reprodutiva é parte integrante da Saúde. Assim os pré-requisitos (condições e recursos básicos) para a Saúde, principalmente: paz, abrigo, educação, alimentação, recursos econômicos, ecossistema sustentável, recursos sustentáveis, justiça social e eqüidade são comuns à Saúde Sexual e Reprodutiva. A promoção da saúde pretende reduzir as desigualdades existentes nos níveis de saúde das populações e assegurar a igualdade de oportunidades e recursos, com vista a capacitá-las para a completa realização do seu potencial de saúde. Para atingir este objetivo, torna-se necessária uma sólida implantação num meio favorável, acesso à informação, estilos de vida e oportunidades que permitam opções saudáveis. As populações não podem realizar totalmente o seu potencial de saúde sem que sejam capazes de controlar os fatores que a determinam. A este princípio deve aplicar-se a perspectiva de gênero.

SAÚDE, ESTABELECIMENTO DE — É aquele que presta serviços de saúde com um mínimo de técnica apropriada, segundo critérios estabelecidos pelo Ministério da Saúde, para o atendimento rotineiro à população, como posto de saúde, centro de saúde, clínica ou posto de assistência médica, unidade mista, hospital, unidade de complementação diagnóstica e terapêutica, clínica radiológica, clínica de reabilitação, ambulatório e clínica odontológica.

SAÚDE, FUNDO ESPECIAL DE — Determina o § 3º do art. 7º da Emenda Constitucional nº 29 que os recursos dos Estados e dos Municípios destinados às Ações e Serviços Públicos de Saúde e os recursos transferidos pela União para a mesma finalidade serão aplicados por meio de Fundo de Saúde - Fundo Especial. Portanto, não somente os recursos recebidos como repasses do SUS serão aplicados por meio de um Fundo Especial, mas também aqueles com origem na receita de impostos próprios arrecadados e os impostos transferidos por mandamento constitucional. É administrado por um Conselho de Saúde composto por representação do Poder Público, usuários, trabalhadores da saúde e prestadores de serviço.

SAÚDE, FUNDO NACIONAL DE — É um fundo administrado pelo Ministério da Saúde que concentra os recursos financeiros originários do Orçamento da Seguridade Social e de outros orçamentos da União, além de outras fontes, e que será aplicado em ações e serviços públicos de saúde, tais como atendimento ambulatorial, vigilância sanitária, fornecimento de medicamentos e outros. Base Legal: Lei nº 8.080, de 19/9/1990, que dispõe sobre as condições para a promoção, proteção e recuperação da saúde, a organização e o funcionamento dos serviços correspondentes e dá outras providências, e Lei nº 8.142, de 28/12/1990, que dispõe sobre a participação da comunidade na gestão do Sistema Único de Saúde (SUS) e sobre as transferências intergovernamentais de recursos financeiros na área da saúde e dá outras providências.

SAÚDE, MODELO DE ATENÇÃO À — É a forma de organização tecnológica do processo de trabalho em saúde, podendo-se identificar a existência de vários modelos, de acordo com a concepção adotada acerca da finalidade do trabalho (prevenir e/ou curar), à natureza do objeto (processo saúde-doença no plano individual ou coletivo) de trabalho, às características do sujeito (profissionais e trabalhadores de saúde) e da tecnologia empregada, configurando-se distintas relações técnicas e sociais de acordo com a forma de organização do processo de produção de serviços nas diversas sociedades. No Brasil predomina o modelo médico-assistencial privatista e o modelo sanitarista, ponto de partida do processo de reforma que pretende construir um modelo de atenção integral à saúde que contemple as distintas práticas (promoção, prevenção e assistência) em diversos níveis de complexidade organizacional dos serviços (atenção básica e atenção de media e alta complexidade).

SAÚDE, MUNICIPALIZAÇÃO DAS AÇÕES E SERVIÇOS DE — Forma de descentralização político-administrativa do sistema de saúde, adotada no Brasil nos anos 90 do século XX. Contempla a transferência de poder de decisão e de recursos aos municípios de acordo com determinados estágios equivalentes ao grau de responsabilidade assumido pelo município com relação ao sistema de serviços de saúde.

SAÚDE, PROMOÇÃO DA — Ver Saúde, Educação para a saúde.

SAÚDE, SECRETARIAS MUNICIPAIS DA – RESPONSABILIDADES — São responsabilidades das SMS, no Serviço Único de Saúde (SUS): O planejamento, organização, controle, avaliação e gestão dos serviços públicos de saúde; planejamento, programação e organização da rede hierarquizada de saúde, juntamente com o Estado; execução de serviços de vigilância epidemiológica, vigilância sanitária, alimentação e nutrição, saneamento básico, saúde do trabalhador e saúde ambiental; execução da política de insumos e equipamentos; fiscalização das agressões contra o meio ambiente que repercutam na saúde humana; formação de consórcios intermunicipais; gestão de hemocentros e laboratórios; efetivação de contratos e convênios com prestadores privados, seu controle e fiscalização; normatização das ações e serviços públicos de saúde.

SAÚDE, SISTEMA DE SERVIÇOS DE — Pode ser definido, genericamente, como um conjunto de instituições envolvidas direta ou indiretamente na prestação de serviços de saúde a uma dada população em um território específico (país, estado, município). A análise de um sistema de saúde pode ser feita distinguindo-se seus componentes, quais sejam sua infra-estrutura (recursos físicos, humanos e materiais), a forma de organização (unidades, redes), o financiamento (fontes, volume e forma de distribuição e utilização dos recursos financeiros), a gestão (pública, privada ou "mista", centralizada ou descentralizada, autoritária/democrática, tecnocrática/participativa) e o perfil de prestação de serviços à população (relação oferta/demanda/necessidades de saúde).

SAÚDE, SISTEMA ÚNICO DE (SUS) — Vários princípios e características do SUS guardam uma relação direta com a dimensão econômico-financeira. A principal delas é a descentralização de atividades e responsabilidades para o nível municipal e local. Outras características importantes incluem a articulação entre as diversas esferas de governo e a conseqüente fusão dos recursos financeiros num fundo único em cada nível de governo; descentralização e flexibilização na contratação e pagamento dos prestadores contratados; repasse de recursos de acordo com critérios objetivos (demográficos, epidemiológicos e/ou outros) em vez de tendências históricas.

SAÚDE, UNIDADE DE — Estabelecimento de saúde responsável pela assistência sanitária a uma população de uma área definida, executando basicamente ações programadas. Tem caráter dinâmico e desenvolve suas ações com a comunidade, programando, inclusive, visitas domiciliares.

SAÚDE, VIGILÂNCIA DA — É uma proposta de reorganização das práticas de saúde que leve em conta, por um lado, a busca de integralidade do cuidado à saúde e por outro, a necessidade de adequar as ações e serviços à situação concreta da população de cada área territorial definida em função das características sociais, epidemiológicas e sanitárias, seja um Distrito sanitário, um Município ou uma Microrregião de saúde.

SAVANA — São grandes planícies cobertas de vegetação, limitadas em geral pela zona das florestas equatoriais, de clima mais seco e caracterizado pela alternância da estação seca e da úmida. Em geral a seca que tem a duração de cinco a seis meses, exclui das savanas as formas arbóreas da vegetação. Esta se reduz então a grandes ervas, geralmente gramíneas de desenvolvimento rápido, que constituem por vezes espessas moitas. Essas formas de vegetação existem no Sudão, ao norte do México e ao sul da floresta Amazônica (aqui conhecida como cerrados ou campos sujos).

SAVE — Economia.

SAZONAL — Relativo à estação do ano, à sazonalidade. Evento não contínuo, porém que se repete sempre na mesma época do ano.

SAZONALIDADE — É a denominação do período do ano com maior atividade de determinado setor da economia. A indústria tem maior nível de atividade nos meses de setembro e outubro, quando a produção aumenta para atender às encomendas do comércio para as vendas de Natal. Também conhecida em economia como sazionalidade.

SBPC (SOCIEDADE BRASILEIRA PARA O PROGRESSO DA CIÊNCIA) — Sociedade que representa os interesses da comunidade científica brasileira, a exemplo das organizações semelhantes existentes em outros países.

SCRIPT — É o roteiro, texto (de peça teatral, radiofônica etc.).

SDR — 1) Moeda de curso internacional criada pelo FMI em 1969 em complemento às reservas existentes. Baseia-se numa cesta de moedas e tem cotação diária no *site* do FMI. 2) O mesmo que DES, a sigla em português.

SEBE — Cerca, tapume, inerente ao direito de tapagem conferido ao proprietário de prédio urbano ou rural, nas condições previstas na lei. A sebe viva é aquela feita com vegetais vivos ou plantas que se prestam as cortes especiais.

SEBRAE (SERVIÇO BRASILEIRO DE APOIO A MICRO E PEQUENAS EMPRESAS) — Desenvolve atividades de apoio a micro e pequenas empresas e, também, funciona como agente de desenvolvimento tecnológico.

SEC (*SECURITIES & EXCHANGE COMISSION*) — É a instituição de regulamenta o mercado de capitais norte-americano. É o órgão correspondente à Comissão de Valores Mobiliários (CVM) dos Estados Unidos.

SECA — Ausência prolongada, deficiência acentuada ou fraca distribuição de precipitação ou período de tempo seco, suficientemente prolongado, para que a falta de precipitação provoque grave desequilíbrio hidrológico. Do ponto de vista meteorológico, a seca é uma estiagem prolongada, caracterizada por provocar uma redução sustentada das reservas hídricas existentes. Numa visão socioeconômica, a seca depende muito mais das vulnerabilidades dos grupos sociais afetados que das condições climáticas.

SECA CONTINGENTE OU CONTINGENCIAL — É a seca eventual, duvidosa, incerta, que pode ou não ocorrer durante o período normalmente chuvoso. Constitui um sério risco para a agropecuária devido a sua imprevisibilidade. É resultante da irregularidade e da variabilidade espacial e temporal das precipitações pluviométricas durante a estação normalmente chuvosa. Ocorre quando o suprimento de umidade das precipitações é insuficiente para atender às necessidades hídricas das plantas.

SECA SAZONAL — Período do ano no qual não ocorrem, normalmente, precipitações pluviométricas significativas. As chuvas desse período dificilmente ultrapassam 10% do total de precipitações registrada durante todo o ano. É previsível e bem definida quanto ao período de ocorrência natural, com duração aproximada de seis meses, podendo chegar até oito meses em algumas áreas. Ocorre em áreas com estações seca e úmida bem definidas, como na maior parte dos trópicos.

SEÇÃO — Porção ou espaço de um todo. Em Direito Administrativo, parte de um órgão à qual é atribuída atividade específica. Em direito legal, é a subdivisão de um capítulo na composição das leis.

SECEX (SECRETARIA DE COMÉRCIO EXTERIOR) — (Antiga CACEX). É órgão responsável pela condução das operações de comércio exterior, pela aplicação dos mecanismos de defesa comercial, pelo acompanhamento de acordos de integração regional e pelo desenvolvimento de políticas de comércio exterior.

SECOND STAGE — Capital para a expansão inicial de uma empresa que já está produzindo e distribuindo e tem contas a receber e estoque crescentes. Embora a empresa tenha progredido, pode não estar dando lucros ainda.

SECONDARY PUBLIC OFFERING — Refere-se a uma oferta pública subseqüente a uma oferta pública inicial. Pode ser feita pelo emitente ou por quem tenha comprado as ações nos mercados públicos.

SECONDARY PURCHASE — Aquisição de capital de uma empresa a um acionista em vez de ser comprado diretamente à empresa.

SECRETARIA — 1) Repartição pública ou privada onde se desenvolve o expediente de uma administração e onde são guardados documentos. 2) Ministério, departamento, agência ou setor oficial. 3) Na esfera estadual, é a unidade administrativa de primeiro grau na hierarquia.

SECRETARIA DA RECEITA FEDERAL (SRF) — Órgão do Ministério da Fazenda encarregado da administração e arrecadação de tributos federais.

SECRETARIADO — Conjunto dos secretários de um governo.

SECRETARIAS MUNICIPAIS DA SAÚDE – RESPONSABILIDADES — Ver Saúde, Secretarias Municipais da.

SECRETÁRIO — 1) Funcionário de empresa, instituição etc., ou outra pessoa designada para exercer funções de transcrever atas, redigir cartas e documentos, organizar agendas, entre outras. 2) Numa Casa Legislativa, parlamentar eleito para administrar algumas atividades, como: elaboração da ata, controle de presença nas reuniões, recebimento de correspondência oficial, entre outras.

SECRETÁRIO-GERAL — Encarregado-chefe, em geral, de uma organização internacional ou partido político.

SECRETISMO — Qualidade ou condição do que é secreto, confidencial; utilização habitual do segredo em política, nos negócios ou em matérias consideradas reservadas.

SECTÁRIO — Partidário radical de uma ideologia política, religiosa, artística, jurídica, por suas próprias razões, não admitindo contradita.

SECUNDUM JUS — [Latim]. Expressão que significa segundo o direito.

SECURITÁRIO — Relativo a seguros. Empregado da companhia de seguros.

SECURITIES — No sentido amplo, documentos que dão título de propriedade ou direitos de alocação para obtenção de empréstimo bancário; ações e outros papéis trocados na bolsa de valores. A característica essencial é sua liquidez (facilidade de venda).

SECURITIES LENDING — Empréstimo de títulos em carteira contra recebimento de garantia em busca.

SECURITIZAÇÃO — Operação financeira que faz a conversão de um empréstimo (dívida) e outros ativos, em títulos negociáveis (*securities*). Operação que, na prática, significa trocar uma dívida por outra. Muito usada por países com dívidas externas, consiste na emissão de títulos em valor correspondente ao da dívida que está para vencer. Chamamos de securitização o ato de, por exemplo, pegar um empréstimo, dividir em partes, transformar em títulos negociáveis e vender estes títulos a investidores. Esses papéis são lançados no mercado e quem os compra terá a garantia de receber em longo ou médio prazo seu dinheiro de volta corrigido com uma taxa de juros vantajosa. O dinheiro obtido com esta operação é então usado para quitar a dívida que bate à porta.

SECURITIZAÇÃO DE EXPORTAÇÕES — Operação de captação de recursos no mercado externo com o estabelecimento de vínculo a exportações da própria tomadora, de sua controladora, de suas controladas, de outras empresas que tenham a mesma controladora, ou de outras empresas, podendo ser realizadas como empréstimo externo ou como importação financiada.

SECURITIZAÇÃO DE RECEBÍVEIS — É a transformação de um recebível (um título cujo valor será recebido no futuro) em títulos negociáveis para vendê-los a investidores. Um dos objetivos da securitização de recebíveis é a redução do risco da carteira de investimentos, ao mesmo tempo que aumenta a possibilidade de rentabilidade para o investidor.

SECURITIZAÇÃO DE RECEBÍVEIS IMOBILIÁRIOS — Operação pela qual créditos imobiliários, adquiridos de entidades financiadoras de imóveis no mercado primário, são expressamente vinculados à emissão de uma série de Certificados de Recebíveis Imobiliários (CRIs). A securitização é formalizada mediante a lavratura, por uma companhia securitizadora, de um "termo de securitização". A operação conclui-se com a venda do CRI aos investidores.

SEDE — Lugar onde funcionam os órgãos centrais da pessoa jurídica ou onde uma empresa tem seu estabelecimento principal. Em direito administrativo, o município ou cidade onde a repartição pública estiver instalada e onde o servidor tiver exercício.

SEDIÇÃO — Revolta de grupo de pessoas com perturbação da ordem pública. (Ver: Amotinação.)

SEDIMENTAÇÃO — É um processo de separação em que a mistura é deixada em repouso. A fase mais densa, por ação da gravidade, deposita-se no fundo do recipiente, ou seja, sedimenta. O sedimento, detrito rochoso resultante da erosão, é depositado quando diminui a energia do fluido que o transporta. O mecanismo da deposição, cujo principal fator é a gravidade, é denominado sedimentação. As características dos sedimentos dependem da composição da rocha erosionada (erodida), do agente de transporte, da duração do transporte e das condições físicas da bacia de sedimentação.

SEDUÇÃO — Crime contra os costumes previsto no Código Penal de 1940, revogado pela Lei nº 11.106, de 28.3.2005. O crime consistia em alguém ter conjunção carnal com mulher virgem menor de 21 anos e maior de 14 anos, aproveitando-se de sua experiência ou justificável confiança. A inexperiência estava ligada à formação e à cultura da vítima, condizia com sua incapacidade de compreensão do valor ético-social da relação sexual e de suas conseqüências, ou seja, sua ingenuidade em relação ao sexo. A justificável confiança, por sua vez, se dava quando a jovem, embora não ingênua, confiava nas boas intenções do agente que praticava o crime de sedução. Como se vê, era um dispositivo que via a mulher como virgem desprotegida. Esse delito, com o correr do tempo, passou a ser de difícil configuração, tendo em vista a evolução dos costumes e dos conceitos vigentes na sociedade moderna. A questão da moralidade sexual tem evoluído de tal forma que se torna dispensável a presença desse tipo penal. (Ver: Rapto // Rapto consensual.)

SEDUNDUM LEGEM — [Latim]. Expressão que significa de acordo com a lei. Espécie de costume que consiste em regras sobre a uniforme interpretação e aplicação da lei.

SEED MONEY — É o capital fornecido à empresa num estágio pré-operacional para, por exemplo, a construção de um protótipo, a condução de uma pesquisa de mercado, a elaboração de um plano de negócios e a contratação dos executivos que vão tocar a empresa. (Ver: Capital Semente.)

SEGMENTAÇÃO — Separação e classificação por algum critério preestabelecido. Ex.: a segmentação dos fundos de investimento do banco é feita por grau de risco.

SEGMENTO DE MERCADO — Conjunto de consumidores específicos de um determinado produto ou serviço.

SEGMENTO ECONÔMICO — Grupo de empresas que atuam numa mesma atividade econômica.

SEGREDO — Aquilo que não pode ser revelado, que se oculta à vista; sigilo. Aquilo que não se divulga; assunto conhecido de poucos, reservado. Mistério, enigma, razão secreta. É ato delituoso alguém tornar público conteúdo de documento particular ou de correspondência confidencial, de que é destinatário ou detentor e cuja divulgação possa produzir dano a outrem.

SEGREDO DE ESTADO — Assunto sigiloso de um Estado, cuja divulgação pode prejudicar sua segurança ou interesses, incorrendo em crime quem o fizer.

SEGREDO DE JUSTIÇA — Característica de certos atos processuais desprovidos de publicidade, por exigência do decoro ou interesse social. Nesses casos o direito de consultar os autos e de pedir certidão fica restrito às partes e seus advogados. É decretada apenas em casos excepcionais, para resguardar o interesse público e para não constranger os interessados em processos relativos a casamento, filiação, separação dos cônjuges, quebra de sigilo bancário etc.

SEGREGAÇÃO DE FUNÇÕES — Princípio básico do sistema de controle interno que consiste na separação de funções, nomeadamente de autorização, aprovação, execução, controle e contabilização das operações.

SEGUNDA INSTÂNCIA — Designação do conjunto de órgãos judiciários que julgam recursos. Tribunal.

SEGUNDAS NÚPCIAS — A viúva, ou mulher cujo casamento se desfez por ser nulo ou por ter sido anulado, não pode casar-se até dez meses depois do início da viuvez ou da dissolução da sociedade conjugal, salvo se antes de findo esse prazo der à luz algum filho. Também não podem contrair segundas núpcias: as pessoas casadas; o viúvo ou a viúva que tiver filho do cônjuge falecido enquanto não fizer o inventário dos bens do casal e der partilha aos herdeiros.

SEGUNDO GRAU — Na relação de parentesco, a posição do avô em relação ao neto, na linha ascendente, e desse em relação aos seus netos em relação a descendente. Na colateral na posição.

SEGUNDO MUNDO — De acordo com a Teoria dos Mundos o segundo mundo são as nações do antigo bloco socialista. Constituiriam o Segundo Mundo, por exemplo, a antiga União Soviética. (Ver: Teorias dos mundos // Primeiro Mundo // Terceiro Mundo // Quarto Mundo // Quinto Mundo.)

SEGUNDO SETOR — É o setor ocupado pelas empresas privadas, que são organizações de direito privado e que atuam com fins lucrativos. (Ver: Primeiro setor // Terceiro setor.)

SEGURADO — É a pessoa física ou jurídica que, tendo interesse segurável, contrata o seguro mediante a paga de um prêmio e que, conseqüentemente, está garantido por este por possíveis prejuízos resultante de riscos futuros, previstos no contrato.

SEGURADOR — Aquele que, em um seguro, se obriga a uma indenização, no caso de ocorrer um prejuízo determinado.

SEGURANÇA — 1) Confiança, autoconfiança, certeza, firmeza, convicção, firmeza. 2) Condição de algo em que se pode confiar. 3) É garantia que o investimento proporciona de ser recuperado o capital aplicado. 4) No contexto da Qualidade Total é uma das cinco dimensões da Qualidade e envolve a segurança física das pessoas que trabalham na organização e a dos usuários do produto. 5) Diz-se também de pessoa encarregada da segurança pessoal de alguém ou um condomínio ou empresa. 6) Estado de confiança individual ou coletivo, baseado no conhecimento e no emprego de normas de proteção e na convicção de que os riscos de desastres foram reduzidos, em virtude da adoção de medidas minimizadoras.

SEGURANÇA ALIMENTAR — Ver Saúde - Segurança alimentar.

SEGURANÇA COLETIVA — É dever do Estado zelar pela independência nacional e pela integridade do território, prevenindo as ameaças estrangeiras do mesmo modo que lhe compete a luta contra a criminalidade.

SEGURANÇA DA MOEDA — Compreende o expurgo do dinheiro falso detectado e as ações de emissão de laudos, de monitoramento das técnicas de falsificação, de divulgação das características do dinheiro autêntico, de treinamento de caixas e de colaboração com as autoridades no combate à falsificação.

SEGURANÇA DO TRABALHO — Estado de condições de trabalho ligado à prevenção de acidentes e doenças, que objetiva a eliminação dos efeitos de fatores perigosos e insalubres, causadores de danos aos trabalhadores, no processo produtivo, melhorando, conseqüentemente, o nível de produção do trabalhador.

SEGURANÇA E QUALIDADE DOS ALIMENTOS — Atributos referentes à inocuidade dos alimentos e seu valor nutritivo; garantir a segurança e qualidade dos alimentos é atribuição da Vigilância Sanitária.

SEGURANÇA EXTERNA — Integrada à Segurança Nacional, é o grau de garantia que o Estado proporciona à Nação contra os antagonismos ou pressões de qualquer origem, forma ou natureza, que se manifestam ou possam manifestar-se no domínio das relações internacionais.

SEGURANÇA GLOBAL DA POPULAÇÃO — Conjunto de medidas objetivando garantir o direito à vida, à saúde, à segurança pública e à incolumidade das pessoas e do patrimônio, em todas as circunstâncias e, em especial, em circunstâncias de desastre. A segurança global da população é dever do Estado, direito e responsabilidade da cidadania.

SEGURANÇA INDIVIDUAL — É a necessidade do cidadão de ter a certeza de que através de normas jurídicas executadas pelos órgãos do Estado lhe são reconhecidos direitos e deveres.

SEGURANÇA INTERNA — Integrada à Segurança Nacional, é o grau de garantia que o Estado proporciona à Nação contra os antagonismos ou pressões de qualquer origem, forma ou natureza, que se manifestem ou produzam efeitos no âmbito interno do País.

SEGURANÇA MARÍTIMA — Conjunto de normas internacionais e de procedimentos que tem por finalidade aumentar a segurança da navegação marítima e o salvamento de vidas pela prevenção ou socorro.

SEGURANÇA NACIONAL — Grau de garantia que - através de ações políticas, econômicas, psicossociais e militares - o Estado, em determinada época, proporciona à Nação que jurisdiciona, para a conquista ou manutenção dos Objetivos Nacionais, a despeito dos antagonismos ou pressões existentes ou potenciais.

SEGURANÇA PÚBLICA — Ausência de prejuízo aos direitos do cidadão, pelo eficiente funcionamento dos órgãos do Estado. Dever do Estado, direito e responsabilidade de todos, é exercida para a preservação da ordem pública e da incolumidade das pessoas e do patrimônio, através dos seguintes órgãos: polícia federal; polícia rodoviária federal; polícia ferroviária federal; polícias civis; polícias militares e corpos de bombeiros militares.

SEGURIDADE SOCIAL — Conjunto integrado de ações de iniciativa dos Poderes Públicos e da sociedade destinadas a assegurar os direitos relativos à saúde, à previdência e à assistência social.

SEGURO — Modalidade de contrato em que uma das partes se obriga para com a outra, mediante a paga de um prêmio, a indenizá-la do prejuízo resultante de riscos futuros, previstos no contrato. A celebração do contrato pauta-se por alguns limites, como: a) a incerteza não é abrangida pelo contrato, porquanto se reporta ao conhecimento empresarial (condições de mercado, evolução dos preços, fatores disponíveis, financiamento); b) a seleção adversa pré-contratual e c) o risco moral pós-contratual.

SEGURO DE ACIDENTES PESSOAIS COLETIVOS — É a garantia de um capital contratado, a ser pago ao(s) beneficiário(s) designado(s) pelo participante, no caso de morte acidental deste, ou a ser pago ao próprio, no caso de sua invalidez permanente, total ou parcial, causada por acidente, observadas as condições gerais e contratuais. Os seguros, ao contrário do Pecúlio por morte natural, não tem carência e o início da cobertura do risco individual se dará a partir do primeiro dia do mês subseqüente ao do pagamento da primeira contribuição mensal.

SEGURO DE DANOS FÍSICOS AO IMÓVEL (DFI) — Apólice obrigatória, junto com a de morte e invalidez permanente (MIP), quando se contrai financiamento com uma instituição financeira. O DFI, que cobre danos causados por incêndio, inundação etc., é pago em parcelas ao longo de todo o financiamento.

SEGURO DE FIANÇA LOCATÍCIA — Uma das garantias locatícias previstas pela Lei do Inquilinato (Lei nº 8.245, de 1991), que tem por objetivo garantir o locador (segurado-beneficiário) dos prejuízos que venha a sofrer, em decorrência de inadimplemento do contrato de locação pelo locatário, reconhecido em face da decretação do despejo e/ou da imissão na posse do imóvel, em razão do não pagamento dos aluguéis e/ou encargos legais. São partes contratantes: a) Seguradora - sociedade autorizada a operar tal ramo de seguro; b) Segurado-beneficiário - locador, pessoa física ou jurídica, proprietário ou não do imóvel urbano, objeto do contrato de locação e de seguro, em favor de quem é concedido esta garantia, podendo acumular a condição de estipulante; c) Garantido - pessoa física ou jurídica que, na condição de locatário é a razão do contrato e de sua execução; d) Estipulante - pessoa física ou jurídica em nome da qual poderá ser emitida apólice coletiva em favor do Segurado e a quem cabe proceder a todas as obrigações previstas para este.

SEGURO DE MORTE E INVALIDEZ PERMANENTE (MIP) — Apólice obrigatória, como a de danos físicos ao imóvel (DFI), ao se contrair financiamento com uma instituição financeira. Se duas pessoas contraíram um financiamento imobiliário e uma delas morre, a companhia seguradora paga o saldo devedor proporcionalmente.

SEGURO DE PESSOAS E BENS — É o que garante à Administração Pública o reembolso de quanto venha a gastar com indenização de danos a vizinhos e a terceiros, nos contratos administrativos cuja execução seja, particularmente perigosos. Sua finalidade é a garantia da Administração e do empreiteiro nas obras e serviços públicos, indenizáveis independentemente de culpa do executor.

SEGURO DE VIDA — Tem por objeto garantir, mediante o prêmio anual que se ajustar, o pagamento de certa soma a determinada ou determinadas pessoas, por morte do segurado, podendo estipular-se igualmente o pagamento dessa soma ao próprio segurado, ou terceiro, se aquele sobreviver ao prazo de seu contrato.

SEGURO DE VIDA EM GRUPO — É a garantia de um capital contratado, a ser pago ao(s) beneficiário(s) designado pelo participante do plano, em caso se seu falecimento, por morte natural ou acidental, observadas as condições gerais e contratuais.

SEGURO MÚTUO — Aquele no qual se associam segurados, pondo em comum entre si o prejuízo que advenha a qualquer deles, do risco corrido por todos. Em lugar do prêmio, os segurados contribuem com cotas necessárias para as despesas da Administração e os prejuízos verificados. O conjunto dos segurados constitui a pessoa jurídica a que pertencem as funções de segurador.

SEGURO OBRIGATÓRIO DE DANOS PESSOAIS — Tipo de seguro que cobre todos os danos pessoais, incluídos os sofridos pelo próprio segurado em acidentes de automóvel. Não tem conteúdo apenas reparatório, mas cobre a morte e lesões sofridas pelos indivíduos, sem qualquer atenção à reparação dos danos materiais. Os danos pessoais compreendem indenização por morte, invalidez permanente, despesas de assistência médica e suplementar. É, portanto, seguro especial de acidentes pessoais, decorrente de causa súbita e involuntária, destinado a pessoas transportadas ou não, lesadas por veículos em circulação, automotores, de via terrestre, ou por sua carga. Há imposição legal da obrigatoriedade de seu pagamento até cinco dias após a apresentação dos documentos reveladores do sinistro e da qualidade do titular do direito.

SEGURO SAÚDE — O seguro que cobre despesas com médicos, hospitais, exames laboratoriais etc.

SEGURO-DESEMPREGO - CANCELAMENTO — Ocorrerá o cancelamento do benefício nos seguintes casos: pela recusa, por parte do trabalhador desempregado, de outro emprego condizente com sua qualificação e remuneração anterior; por comprovação de falsidade na prestação das informações necessárias à habilitação; por comprovação de fraude visando à percepção indevida do benefício do Seguro-Desemprego; por morte do segurado.

SEGURO-DESEMPREGO — É um benefício temporário concedido pelo governo federal ao trabalhador desempregado dispensado sem justa causa. É devido a todo trabalhador dispensado sem justa causa que comprovar: a) haver recebido salários consecutivos nos últimos 6 (seis) meses; b) haver trabalhado pelo menos 6 (seis) meses nos últimos 36 (trinta e seis) meses; c) não estar recebendo nenhum benefício da Previdência Social de prestação continuada, exceto auxílio-acidente ou pensão por morte; d) não possuir renda própria para o seu sustento próprio e de seus familiares.

SEGURO-DESEMPREGO - EMPREGADO DOMÉSTICO — O empregado doméstico para receber o seguro-desemprego, ao ser dispensado sem justa causa, deverá dirigir-se aos Postos de Atendimento do Ministério do Trabalho e Emprego no prazo de até 90 dias da data da dispensa, munido de documentos que comprovem: haver sido demitido sem justa causa; haver trabalhado como empregado doméstico por no mínimo 15 meses no últimos 24 meses; estar inscrito como Contribuinte Individual da Previdência Social e possuir, no mínimo, 15 contribuições ao INSS; ter, no mínimo, 15 recolhimentos ao FGTS como empregado doméstico; não estar recebendo nenhum benefício da Previdência Social, exceto auxílio-acidente e pensão por morte; não possuir renda própria para seu sustento próprio e de seus familiares; ser inscrito no PIS ou PASEP. O valor máximo de cada parcela do seguro-desemprego para o empregado doméstico será de um salário mínimo, tendo direito ao recebimento por um período máximo de três meses, de forma contínua ou alternada, a cada período aquisitivo de 16 meses. O benefício é pago nas agências da Caixa Econômica Federal, no prazo de aproximadamente 30 (trinta) dias da data do requerimento.

SEGURO-DESEMPREGO - NÚMERO DE PARCELAS — O trabalhador poderá receber até cinco parcelas do benefício, de forma contínua ou alternada, a cada período aquisitivo de 16 meses, sendo: três parcelas, se o trabalhador comprovar vínculo empregatício de no mínimo seis meses e no máximo 11 meses, nos últimos 36 meses; quatro parcelas, se o trabalhador comprovar vínculo empregatício de no mínimo 12 meses e no máximo 23 meses, nos últimos 36 meses; cinco parcelas, se o trabalhador comprovar vínculo empregatício de no mínimo 24 meses, nos últimos 36 meses. Período aquisitivo é o limite de tempo que estabelece a carência para recebimento do benefício. A partir da data da última dispensa que habilitar o trabalhador a receber o Seguro-Desemprego, deve-se contar os dezesseis meses que compõem o período aquisitivo

SEGURO-DESEMPREGO - PESCADOR ARTESANAL — É devido ao pescador profissional que, mediante critério especial de comprovação e habilitação, exerça sua atividade de forma artesanal, individualmente ou em regime de economia familiar, sem contratação de terceiros, durante o período de proibição da pesca para a preservação da espécie marinha, fluvial ou lacustre, a cuja captura o pescador se dedique. O Seguro-Desemprego é concedido em número igual de parcelas relativas aos meses de duração do defeso. O valor de cada parcela será igual a um salário mínimo. Caso o período de defeso seja em caráter excepcional, prorrogado além da duração usual para a espécie sob controle, conforme classificação do IBAMA, a concessão do Seguro-Desemprego será limitada ao período usual, acrescido de um mês.

SEGURO-DESEMPREGO - SUSPENSÃO — Será suspenso o pagamento do benefício nas seguintes situações: admissão do trabalhador em novo emprego; início de percepção de benefício de prestação continuada da Previdência Social, exceto o auxílio-acidente e a pensão por morte. Caso o motivo da suspensão tenha sido a admissão em novo emprego, o que implica em não recebimento integral do Seguro-Desemprego, o trabalhador poderá receber as parcelas restantes, referentes ao mesmo período aquisitivo, desde que venha a ser novamente dispensado sem justa causa.

SEGURO-DESEMPREGO - VALOR — O valor do seguro-desemprego é calculado com base no salário mensal do último vínculo empregatício na seguinte ordem: Tendo o trabalhador recebido três ou mais salários mensais a contar desse último vínculo empregatício, a apuração considerará a média dos salários dos últimos três meses. Caso o trabalhador, em vez dos três últimos salários daquele vínculo empregatício, tenha recebido apenas dois salários mensais, a apuração considerará a média dos salários dos dois últimos meses. Caso o trabalhador, em vez dos três ou dois últimos salários daquele mesmo vínculo empregatício, tenha recebido apenas o último salário mensal, este será considerado, para fins de apuração. Caso o trabalhador não tenha trabalhado integralmente em qualquer um dos últimos três meses, o salário será calculado com base no mês de trabalho completo. Para aquele que recebe salário-hora, semanal ou quinzenal, o valor constante no requerimento deverá ser o do salário mensal equivalente.

SEGURO-FIANÇA — Seguro que substitui o fiador nos contratos de locação e garante o pagamento do aluguel e dos encargos.

SEGURO-GARANTIA DE OBRIGAÇÃO CONTRATUAL — É a garantia que uma companhia seguradora oferece para a plena execução do contrato. Na linguagem empresarial é conhecido por *performance bond.* A seguradora obriga-se, na apólice, a completar a sua custa o objeto do contrato ou a pagar à Administração o necessário para que esta o transfira a terceiro ou o realize diretamente. De uso generalizado na América do Norte, o seguro-garantia, com outras denominações e variantes, já se difundiu na América do Sul. No Brasil, começou a ser utilizado nos contratos de construção do Metrô de São Paulo.

SEGUROS, AÇÃO DE — Promovida pelo segurado contra o segurador para indenizar-se do valor da coisa que pereceu, sofreu dano ou se extraviou, na vigência do contrato e cujo risco fora assumido pelo segurador.

SEIS SIGMA — Atualmente é o programa mais importante de melhoria de processos e redução de custos. Trata-se de uma estratégia gerencial de mudanças para acelerar o aprimoramento em processos, produtos e serviços. O conceito Seis Sigma é uma nova forma de medir a eficiência dos processos internos das empresas. Quando um processo tem qualidade Seis Sigma a probabilidade de produzir defeitos (itens fora de especificação) é extremamente baixa. Isto é conseqüência do emprego de toda uma cultura de estratégias, ferramentas e metodologias estatísticas para melhorar o processo de análise e tomada de decisão das empresas.

SEITA — Doutrina ou sistema que se afasta da crença geral. Facção. Reunião de pessoas que professam uma religião diversa da geralmente seguida. Partido. Bando.

SELADOS E PREPARADOS — Expressão usada pelo juiz, em despacho, já consagrada na prática forense, pela qual ordena que, antes de o feito subir a julgamento, sejam pagos os emolumentos e selos devidos.

SELEÇÃO ADVERSA — Situação em que uma das partes detém mais informações sobre a transação do que outra. Essa assimetria de informação faz com que o produto seja subvalorizado. Um bom exemplo é o mercado de carros usados, em que os vendedores detêm mais informação sobre o produto que vendem do que os compradores. Nessa situação, o veículo usado de boa qualidade tenderia a desaparecer do mercado.

SELEÇÃO COMPETITIVA INTERNA — Concurso interno que se realizava entre funcionários públicos para provimento de cargo efetivo. Forma de provimento vedada atualmente pela Constituição Federal de 1988, pela inexigência de concurso público para servidores públicos.

SELEÇÃO DE CARTEIRA — É a principal etapa do processo de administração de carteira de títulos. Tem como objetivo selecionar uma carteira ótima, de modo a satisfazer um plano de investimento estabelecido.

SELF-SERVICE — Ver Auto-Serviço.

SELIC (SISTEMA ESPECIAL DE LIQUIDAÇÃO E DE CUSTÓDIA) — Sistema criado em 1979, pela Associação Nacional das Instituições do Mercado Aberto (ANDIMA), e administrado pelo Banco Central. Destina-se ao registro, custódia e liquidação financeira das operações realizadas com títulos públicos emitidos pelo Tesouro Nacional ou Banco Central, títulos estaduais e/ou municipais e depósitos interfinanceiros. Tais operações ocorrem por meio de equipamento eletrônico de teleprocessamento, em contas abertas em nome dos participantes. Além disso, o sistema processa as operações de movimentação, resgates, ofertas públicas de títulos e suas respectivas liquidações financeiras. (Ver: Demab.)

SELO NACIONAL — Ver Símbolos Nacionais - Selo Nacional.

SEM EMBARGO — Nada obstante.

SEMANA — Os dias da semana estão ordenados da seguinte maneira: dia do Sol, dia da Lua, dia de Marte, dia de Mercúrio, dia de Júpiter, dia de Vênus e dia de Saturno. No sistema aristotélico, a ordem de afastamento dos "planetas" da Terra era: Lua, Mercúrio, Vênus, Sol, Marte, Júpiter e Saturno. Esta ordem foi corretamente deduzida pela velocidade destes astros na esfera celeste. A língua portuguesa não dividiu os dias segundo o nome dos planetas, porque no começo do Cristianismo a Páscoa durava uma semana, sendo o trabalho reduzido ao mínimo possível e o tempo destinado exclusivamente a orações. Esses dias eram os *feriaes*, ou seja, feriados. Para enumerar os *feriaes*, começou-se pelo sábado, como os hebreus faziam. O dia seguinte ao sábado seria o *Feria-prima* (domingo), depois seria o *segunda-feria* (segunda-feira), e assim por diante. O sábado origina-se de *Shabbath*, dia do descanso para os hebreus. O imperador Flávio Constantino (280-337 d.C.), após se converter ao Cristianismo, substituiu a denominação de *Dies Solis* ou *Feria-prima* para *Dominica* (dia do Senhor), que por sua vez foi adotada por povos latinos".

SEMI-ÁRIDO — Tipo de clima seco e de chuvas irregulares que proporciona o desenvolvimento de uma cobertura vegetal mais ou menos contínua e que exige uma irrigação complementar, durante a estação de crescimento das culturas, como cereais, leguminosas e outras, para garantir uma boa produtividade e colheitas regulares.

SEMOVENTES — Diz-se da coisa animada que, movendo-se por si, é suscetível de se afastar de determinado lugar. São os animais. Bem que é dotado de movimento próprio.

SENAC (SERVIÇO NACIONAL DE APRENDIZAGEM COMERCIAL) — Criado em 10 de janeiro de 1946, o SENAC é uma instituição de educação profissional aberta a toda a sociedade. Sua missão é desenvolver pessoas e organizações para o mundo do trabalho com ações educacionais e disseminando conhecimentos em Comércio de Bens e Serviços. Cabe à Confederação Nacional do Comércio (CNC) sua administração, em cumprimento aos Decretos-Leis n°s 8.621 e 8.622, que deram origem à instituição.

SENADO — Órgão colegiado legislativo composto pelos 81 Senadores, o qual, ao lado da Câmara dos Deputados (513 Deputados), integra o Congresso Nacional. Também chamado Câmara Alta, o Senado é, no Brasil, um dos órgãos do Congresso, sendo o outro, a Câmara dos Deputados, ou Câmara Baixa. O Senado é constituído por representantes dos Estados e do Distrito Federal, em número de três por unidade da Federação, eleitos pelo sistema majoritário para um mandato de oito anos. A renovação se faz de quatro em quatro anos, alternadamente por um e por dois terços do número. No caso de impedimento ou vaga, o Senador é substituído pelo Suplente, com ele eleito. (Ver: Congresso Nacional // Câmara dos Deputados.)

SENADOR — Membro de câmara alta (Senado) numa Casa Legislativa. Cada Estado e o Distrito Federal são representados no Senado por 3 (três) Senadores eleitos pelo sistema majoritário. Daí se dizer que os Senadores são representantes dos Estados. O mandato do Senador é de oito anos, permitidas reeleições. O senado é renovado de quatro em quatro anos, alternadamente um e dois terços da casa. Nas eleições de dois Senadores, serão eleitos os mais votados. Se empate: primazia ao mais velho. O Senador é eleito juntamente com seu Suplente. Ou seja, em caso de impedimento ou vaga, o Senador é substituído pelo Suplente, com ele eleito e não por um suplemente eleito em ordem cronológica. Na maioria das vezes, o candidato ao Senado omite a informação ao seu eleitor de que o seu voto elege também o suplente que o substituirá em caso de impedimento ou vaga. A Lei Eleitoral proíbe esta prática. (Ver: Eleição - Sistema majoritário.)

SENAI (SERVIÇO NACIONAL DE INDÚSTRIA) — Criado em 1942, o SENAI é uma entidade do sistema CNI - Confederação Nacional da Indústria que além de formar e treinar mão-de-obra especializada para a indústria nacional, mantém vários pólos de geração e difusão de conhecimento aplicado ao desenvolvimento industrial.

SENHA — Palavra ou som distinto, secreto, usado como resposta à chamada à fala, para identificar pessoas ou elementos.

SENHORIO — Proprietário de um prédio ou imóvel alugado ou arrendado.

SENIL — Relativo à velhice. Próprio de velho. Resultante da velhice.

SENSAÇÃO — Processo sensorial correlacionado com a impressão fisiológica na conexão estímulo/consciências. Impressão sentida no organismo, causada por um estímulo interior ou exterior. Forma a conexão estímulo/sensações/consciências.

SENSAÇÃO TÉRMICA — Índice que descreve como a temperatura é fisiologicamente percebida pelos seres humanos. Quando associada ao calor, considera a temperatura e a umidade relativa do ar. Quando associada ao frio, considera os efeitos do vento e temperatura. Este índice não expressa a temperatura real do ar.

SENSIBILIDADE — Menor unidade de resposta que responde a um estímulo de sinal. Em sentido econômico representa o grau de reação dos consumidores e das empresas em face de uma alteração de preços, do rendimento, da utilidade e do decurso do tempo. Se, por exemplo, o consumidor é sensível em face de uma alteração de preços de um bem, reage no sentido de não o adquirir. Se, inversamente o consumidor não é sensível em face de uma alteração de preços, não reage, continuando a adquirir o bem que sofreu a referida subida de preço.

SENSIBILIZAÇÃO/LOBBY — Defesa de uma política, causa ou idéia.

SENSO — Faculdade de apreciar, julgar, discernir, entender, sentir. Sentido da razão e a razão das emoções e dos sentimentos. O sentido da razão no estado consciente. Depurador das emoções, sentimentos e paixões. Equilíbrio racional dos sentidos das paixões nas interações objetivas. Censo (com "c") refere-se a levantamento de dados estatísticos, por exemplo, a população de um Município. (Ver: Censo.)

SENSO COMUM — Conjunto de opiniões predominantes em determinada época. Quem tem senso comum acompanha o pensamento da maioria.

SENSO MORAL — Senso de discernimento. Senso de reconhecimento intuitivo do bem e do mal, sobretudo nos fatos concretos. Senso ético.

SENSORIAMENTO REMOTO — Coleta e análise de dados relativos a fenômenos ocorridos sobre a superfície terrestre, acima ou abaixo dela, e ainda nos oceanos; os dados são transmitidos na forma de imagens, que podem ser obtidas através de fotografias aéreas, radares ou satélites. Análise das condições geológicas, climáticas e ambientais do planeta Terra com utilização de sensores a distância; o termo é mais usado para os satélites ambientais, mas existem outras formas de sensoriamento remoto, como as fotos aéreas ou as imagens de radar.

SENTENÇA — É a decisão feita por juiz competente da questão que se controverte em juízo entre as partes litigantes. É o ato processual que põe termo, julgando ou não o mérito, ao processo de conhecimento de primeira instância. A sentença propriamente dita não se confunde com a mera decisão interlocutória, que é "o ato pelo qual o juiz, no curso do processo, resolve questão incidente". Não é o teor da sentença ou do despacho interlocutório que distingue entre estes dois atos processuais, mas, sim o seu efeito. Se, ao decidir o incidente processual, o juiz puser termo ao processo sem versar o mérito, o ato decisório será considerado sentença; se a decisão não encerrar a relação processual, teremos mero despacho interlocutório. No processo penal, sentença é o ato do juiz pelo qual decide pela condenação ou absolvição do acusado (sentença absolutória e sentença condenatória). Na Justiça do Trabalho, existe a figura da sentença normativa, que não é proferida por juiz singular e sim por um colegiado, nos casos de dissídio coletivo.

SENTENÇA ABSOLUTÓRIA — É aquela que reconhece a improcedência do pedido, a inculpabilidade do réu ou extingue a instância. A Lei nº 11.277, de 8.2.2006, em vigor a partir de 9.5.2006, deu aos juízes poderes para decidir rapidamente os conflitos sobre os quais já há entendimento consolidado no mesmo juízo. Pela nova norma, quando a matéria controvertida for unicamente de direito e no juízo já houver sido proferida sentença de total improcedência em outros casos idênticos, poderá ser dispensada a citação e proferida sentença, reproduzindo-se o teor da anteriormente prolatada.

SENTENÇA ADMINISTRATIVA — É aquela proferida por autoridade pública ou pelos tribunais administrativos, com poder e jurisdição para decidir e julgar questões contenciosas de ordem administrativa.

SENTENÇA ARBITRAL — É a decisão proferida em processo de arbitragem.

SENTENÇA *CITRA PETITA* — É aquela que decide em favor do autor, atribuindo, contudo, a este menos do que foi pedido. (Ver: Sentença *Extra Petita* // Sentença *Ultra Petita.*)

SENTENÇA CONDENATÓRIA — É aquela que afirma a condenação do réu, conferindo ao autor o direito de fazer valer o seu direito ou, no âmbito criminal, declara o réu culpado, impondo-lhe e arbitrando-lhe uma pena.

SENTENÇA CONSTITUTIVA — É aquela que, sem se limitar a uma declaração, cria, modifica ou extingue um estado ou relação jurídica.

SENTENÇA DE MÉRITO — Questão de direito ou de fato que dispense prova, julgamento antecipado.

SENTENÇA DE PRIMEIRO GRAU — Após o término da fase de instrução é prolatada a sentença. Na verdade a sentença de primeiro grau marca o término da fase de instrução e o início da fase recursal.

SENTENÇA DECLARATÓRIA — É aquela que se limita à declaração da existência ou inexistência de um direito.

SENTENÇA DEFINITIVA OU DE MÉRITO — É aquela que acolhe ou rejeita o pedido. Não quer dizer que o processo acaba, pois pode caber recurso. Não é definitiva no sentido temporal, é definitiva no mérito (coisa julgada material). O recurso sempre será a Apelação.

SENTENÇA ESTRANGEIRA CONTESTADA — Quando a sentença estrangeira é a solução para um conflito envolvendo duas partes, a parte contrária deve ser citada para tomar conhecimento do processo de homologação no Brasil e, caso queira, contestar a ação. Qualquer interessado pode solicitar a homologação da sentença. O Supremo Tribunal Federal deve homologar (confirmar) as sentenças judiciais dadas por cortes estrangeiras para que tenham validade no Brasil. A competência para a homologação da Sentença Estrangeira é do presidente do Supremo Tribunal Federal. Entretanto, quando houver contestação, seja pela outra parte, seja por impugnação do Ministério Público, é designado um ministro-relator, e a decisão final fica a cargo do plenário da corte. Outros requisitos para a homologação: que a sentença estrangeira tenha sido dada por um juiz competente; que a citação no processo tenha sido regular; e que dela não caiba mais recurso. Também não pode ser homologada decisão que ofenda a soberania nacional, a ordem pública e os bons costumes. Homologada a sentença, sua execução é feita por meio de um documento chamado "carta de sentença", composto de cópias selecionadas e autenticadas do processo.

SENTENÇA *EXTRA PETITA* — É aquela que decide matéria estranha ao pedido. Sentença que ultrapasse os limites do pedido será válida até aqueles limites. Nulas são as sentenças incursas no vício de *Extra Petitio* ou de *Ultra Petitio*. Mas nulas somente no que excederem o pedido ou dele se alhearem porque só nesses limites se ressente de incompetência o ato do juiz, A jurisprudência dos tribunais tem oscilado entre reconhecer a nulidade total da sentença que haja decidido além do pedido, e a anulação apenas da parte que constitua o excesso. Nada justifica o anulamento de toda a sentença quando, através da apreciação do recurso, se pode conformá-la ao âmbito do pedido. (Ver: Sentença *Citra Petita* // Sentença *Ultra Petita.*)

SENTENÇA ILÍQUIDA — É aquela que não delimita o montante a ser pago a título de condenação.

SENTENÇA JULGADA — É aquela que ainda pode ser questionada através de recursos.

SENTENÇA LÍQUIDA — É aquela que determina o exato montante a ser pago pela parte condenada, por exemplo, a que condena o réu em quantia certa ou à entrega de coisa certa.

SENTENÇA NORMATIVA — É a decisão judicial proferida em processo de dissídio coletivo de trabalho.

SENTENÇA OU LAUDO ARBITRAL — Ato decisório que põe fim ao processo e encerra a atividade dos árbitros.

SENTENÇA RESCINDENDA — É aquela submetida à ação rescisória.

SENTENÇA TERMINATIVA — É aquela que encerra o processo sem decisão da lide. Pode ser proferida a qualquer momento do processo, sem julgamento de mérito. Não tem fases: postulatória, instrutória e decisória.

SENTENÇA TRANSITADA — Quando não cabe mais recursos, exauriram-se os questionamentos sobre o mérito.

SENTENÇA *ULTRA PETITA* — É aquela que decide além do pedido. Sentença que ultrapasse os limites do pedido será válida até aqueles limites. Nulas são as sentenças incursas no vício de *Extra Petitio* ou de *Ultra Petitio*. Mas nulas somente no que excederem o pedido ou dele se alhearem porque só nesses limites se ressente de incompetência o ato do juiz, A jurisprudência dos tribunais tem oscilado entre reconhecer a nulidade total da sentença que haja decidido além do pedido e a anulação apenas da parte que constitua o excesso. Nada justifica o anulamento de toda a sentença quando, através da apreciação do recurso, se pode conformá-la ao âmbito do pedido. (Ver: Sentença *Citra Petita* // Sentença *Extra Petita*.)

SENTENÇAS - CLASSIFICAÇÃO — As sentenças apresentam várias classificações: Terminativa; definitiva ou de mérito; absolutória; condenatória; constitutiva; declaratória; líquida; ilíquida; rescindenda; *citra petita*; *ultra petita*; *extra petita*.

SENTENÇAS JUDICIÁRIAS, PAGAMENTOS DE — Despesas em virtude de sentenças judiciárias. Far-se-ão exclusivamente na ordem cronológica de apresentação dos precatórios e à conta dos créditos respectivos.

SENTENCIAR — É o ato de julgar, prolatar a sentença ou dar a sentença.

SENTIMENTO — Ato ou efeito de sentir. Predisposição à comoção ou impressão. Conjunto de qualidades morais ou de caráter que formam a mentalidade do indivíduo e lhe norteiam a conduta; atitude moral; índole.

SEPARAÇÃO CONSENSUAL — Aquela que decorre de acordo de vontades entre os cônjuges casados há mais de dois anos. O novo Código Civil estabelece completa igualdade entre homens e mulheres. Pai e mãe têm as mesmas chances de ficar com a guarda dos filhos. O marido também poderá pedir pensão alimentícia em caso de necessidade.

SEPARAÇÃO DE CORPOS — É uma proteção jurídica, requerida por um dos cônjuges, suspendendo os deveres do casamento, enquanto corre uma ação de separação litigiosa. É uma medida cautelar que serve, por exemplo, para aqueles casos onde foi cometida uma infidelidade ou quando acontecem agressões físicas, enfim, casos nos quais é impossível continuar sob o mesmo teto. O pedido pode tanto ser formulado para que se possa deixar o lar quanto para que o juiz ordene a saída do outro. Quem simplesmente sai de casa comete abandono de lar. Pode ser requerida por ambos os cônjuges, pelo prazo necessário, para que possam requerer a separação consensual. O pedido de Afastamento Temporário do Lar é um pouco mais abrangente que o de Separação de Corpos. (Ver: Abandono de lar.)

SEPARAÇÃO DE FATO — Estão separados de fato aqueles que não estão juntos sob o mesmo teto, embora casados ou conviventes. A separação de fato ocorre quando um dos cônjuges deixa o lar conjugal, seja de comum acordo, seja contra a vontade daquele que permanece no lar. Aos casados, após o decurso de um ano da separação, pode ser requerida a separação judicial litigiosa, sob alegação de falência do casamento, e após dois anos da separação de fato pode ser requerido o divórcio direto.

SEPARAÇÃO DE PODERES — Princípio que preconiza a divisão do poder do Estado em três funções básicas e independentes: a executiva, a legislativa e a judiciária, no intuito de evitar a indesejável concentração do poder nas mãos de um único órgão, caracterizando o despotismo e o arbítrio. Tal princípio foi definitivamente sistematizado por Montesquieu, embora anteriormente já fizessem referência a ele Aristóteles e John Locke.

SEPARAÇÃO JUDICIAL — A separação judicial pode ser consensual, quando os cônjuges conseguem tomar as decisões concernentes à dissolução da sociedade conjugal, e separação litigiosa, quando um dos cônjuges atribui culpa ao outro, cabendo ao juiz decidir se é caso de decretação da separação e o modo de reorganização da família. A dissolução legal da sociedade conjugal, ou seja, a separação legal do marido e da mulher, desobriga as partes de certos compromissos, como o dever de vida em comum ou coabitação, mas não permite o direito de novo casamento civil, religioso e/ou outras cláusulas de acordo com a legislação de cada país. (Ver: Divórcio.)

SEPARAÇÃO JUDICIAL CONSENSUAL, AÇÃO DE — A separação judicial se dá por mútuo consentimento dos cônjuges, casados há mais de um ano, perante o juiz, para a necessária homologação. A petição inicial deve ser assinada por advogados. Os cônjuges podem advogar em causa própria, se forem advogados.

SEPARAÇÃO LITIGIOSA — Aquela que extingue a sociedade conjugal por vontade e iniciativa de um dos cônjuges, nos casos previstos em lei.

SEQÜENCIAL — É o código numérico que identifica cada dotação constante do projeto de lei orçamentária, utilizado para facilitar o processamento das alterações introduzidas pelo Congresso Nacional.

SEQÜESTRO — 1) Apreensão judicial de um bem determinado, objeto da lide. É uma das medidas destinadas a conservar os direitos dos litigantes. Constitui-se na apreensão e no depósito de bens móveis, semoventes ou imóveis, ou de frutos e rendimentos destes. Nisto, distingue-se do arresto, que incide sobre quaisquer bens do devedor. O seqüestro pressupõe questão sobre uma coisa determinada; o arresto indica débito, obrigação. O termo seqüestro refere-se, também, à apreensão judicial de documento indispensável à formulação de prova processual. 2) Crime contra a liberdade individual que tem por rubrica seqüestro e cárcere privado, consistente em privar alguém, injustamente, de sua liberdade de locomoção. Excluem o delito a prisão em flagrante, a internação de enfermo mental, o isolamento de pessoas acometidas de moléstias contagiosas. Não há que confundir entre seqüestro e cárcere privado, pois no seqüestro, embora ocorra a privação da liberdade de locomoção, o âmbito de locomoção da vítima é maior; por exemplo, todas as dependências de um imóvel; no cárcere privado, todavia, a vítima permanece simplesmente trancafiada ou manietada numa única dependência. Se o agente pratica o seqüestro para receber vantagem indevida, ocorre extorsão mediante seqüestro; se a vantagem é devida, ocorre exercício arbitrário das próprias razões, por exemplo, retenção de paciente em hospital, para recebimento das despesas de internação. Ocorrendo lesão corporal, configura-se concurso material entre seqüestro ou cárcere privado e lesão corporal.

SERASA — Empresa criada em 1968 pelos Bancos com a finalidade de gerar análises e informações econômico-financeiras e cadastrais do mundo, atuando com cobertura nacional e internacional. Mantém intercâmbio de experiências com centros de referência em crédito de outros países. Presta informações precisas e confiáveis para os Bancos, entidades de classe e empresas de todos os portes e ramos, através da utilização de tecnologia em crédito, informática e telecomunicações. Possui o maior banco de dados sobre pessoas, empresas e grupos econômicos e participa da maior parte das decisões de crédito realizadas no país.

SERENIDADE — Suavidade, tranqüilidade, paz. Estado ou qualidade de sereno. Prudência; reflexão. Tranqüilidade de espírito; suavidade de ânimo. Calma; sangue-frio. Paz; quietude.

SÉRIE — Conjunto de cada 100.000 unidades de cédulas de mesmo valor e estampa.

SÉRIE DE OPÇÕES — São opções do mesmo tipo, seja de compra ou de venda, que se referem à mesma ação-objeto e possuem a mesma data de vencimento e preço de exercício.

SÉRIE ESPECIAL OU DE REPOSIÇÃO — Série de cédulas impressas para substituição de cédulas defeituosas das séries normais, antes de sua entrada em circulação. O número da série especial pode ser acompanhado de um asterisco (*).

SÉRIE HISTÓRICA — Conjunto de dados de eventos que ocorreram no passado. Em estatística usa-se o termo série temporal.

SÉRIE TEMPORAL — É uma coleção de observações feitas seqüencialmente ao longo do tempo. Em modelos de regressão linear a ordem das observações é irrelevante para a análise, em séries temporais a ordem dos dados é fundamental. Uma característica muito importante deste tipo de dados é que as observações vizinhas são dependentes e o interesse é analisar e modelar esta dependência.

SERÔDIO — (do latim *serotinu*). Que vem tarde; fora do tempo; fora do prazo. O mesmo que intempestivo. Que se manifesta ou exterioriza fora do tempo, do prazo próprio ou da idade normal; extemporâneo.

SERPRO (SERVIÇO FEDERAL DE PROCESSAMENTO DE DADOS) — Órgão responsável pelo processamento eletrônico de dados na esfera pública Federal.

SERRA — Vocábulo usado de maneira ampla para terrenos acidentados com fortes desníveis, freqüentemente aplicados a escarpas assimétricas, possuindo uma vertente abrupta e outra menos inclinada.

SERRA DO MAR — Conjunto de montanhas costeiras que se estende desde o Espírito Santo até Santa Catarina.

SERRAS SECAS — Serras que aparecem no semi-árido nordestino e que, em virtude de sua baixa altitude ou de suas posições em relação à direção dos ventos, não proporcionam a ocorrência de chuvas orográficas, pouco diferindo da planície seca ao redor.

SERRAS ÚMIDAS — Diz-se das serras que aparecem na área semi-árida do Nordeste brasileiro e que apresentam microclima de altitude, constituindo verdadeiras ilhas de umidade em contraste com a sequidão da planície ao redor. Apresentam altitudes superiores a 600 metros, porém raramente alcançam mais de 1.000 metros. Durante o período seco anual (verão), as serras úmidas são verdadeiros oásis em relação à caatinga caducifólia e seca circundante. A vegetação é de porte alto e não perde as folhas na época do estio anual.

SERRILHA — Acabamento trabalhado do bordo da moeda, destinado a impedir o cerceio (raspagem).

SERVENTIA — De servir. Gramaticalmente exprime o préstimo das pessoas ou a utilidade das coisas. Assim, em relação aos serventes, serventia individualiza o cargo e as funções que exerce. Serventia é a soma de serviços prestados por um servente. Na linguagem forense e na administrativa, exprime ofício ou a função de quem serve num ofício público. Assim, o cartório, a escrivania, podem ser tidos como serventias.

SERVENTIA REGISTRÁRIA — Ver Cartório de Registro de Imóveis

SERVIÇO — É a prestação de assistência ou realização de tarefas que contribuem para a satisfação das necessidades individuais ou coletivas, de outro modo que não seja pela transferência da propriedade de um bem material. Para o Código de Defesa do Consumidor, Lei nº 8.078, de 1990, é qualquer atividade fornecida no mercado de consumo mediante remuneração, inclusive as de natureza bancária, financeira, de crédito e securitária, salvo as decorrentes das relações de caráter trabalhista.

SERVIÇO ADEQUADO — É o que satisfaz as condições de regularidade, continuidade, eficiência, segurança, atualidade, generalidade, cortesia na sua prestação e modicidade das tarifas. Toda concessão ou permissão de serviço público pressupõe a prestação de serviço adequado ao pleno atendimento dos usuários, conforme estabelecido na legislação, nas normas pertinentes e no respectivo contrato.

SERVIÇO DA DÍVIDA — Expressão genérica que, em sentido amplo, designa todas as despesas (principal e juros) com o pagamento das obrigações da dívida pública interna ou externa e, em sentido restrito, refere-se apenas ao pagamento dos juros. Na classificação oficial por Grupo de Despesas desdobra-se em duas categorias: Juros e Encargos da Dívida (código 2 que corresponde a despesas com o pagamento de juros, comissões e outros encargos de operações de crédito internas e externas contratadas, bem como da dívida pública mobiliária) e Amortização da Dívida (código 6 que corresponde a despesas com o pagamento e/ou refinanciamento do principal e da atualização monetária ou cambial da dívida pública interna e externa, contratual ou mobiliária). A expressão ainda surge para designar as subfunções 843 - Serviço da Dívida Interna e 844 - Serviço da Dívida Externa, ligadas à função 28 - Encargos Especiais, que se destina à classificação das ações governamentais. (Ver: Encargos da dívida.)

SERVIÇO DE COMPENSAÇÃO DE CHEQUES E OUTROS PAPÉIS — Serviço executado pelo Banco do Brasil que consiste em centralizar em um local todos os cheques depositados em todas as praça de pagamento, consolidando os valores a serem transferidos entre as instituições financeiras e viabilizando a transferência apenas do valor líquido, decorrente da diferença entre todos cheques emitidos contra clientes da instituição financeira e todos os cheques emitidos a favor desses clientes.

SERVIÇO EXTRAORDINÁRIO — Aquele exercido fora da jornada normal de trabalho e acrescido entre 20% e 50% do que é pago nas horas normais.

SERVIÇO MILITAR OBRIGATÓRIO — O alistamento militar é obrigatório para todo brasileiro do sexo masculino no ano em que completa 18 anos. As punições para o jovem que não se alista vão desde o impedimento para obter passaporte e carteira profissional até a impossibilidade de prestar exame em qualquer estabelecimento de ensino. As mulheres e os sacerdotes são isentos do serviço obrigatório.

SERVIÇO VOLUNTÁRIO — É a atividade não remunerada, prestada por pessoa física a entidade pública de qualquer natureza ou instituição privada de fins não lucrativos que tenha objetivos cívicos, culturais, educacionais, científicos, recreativos ou de assistência social, inclusive mutualidade.

O serviço voluntário não gera vínculo empregatício nem obrigação de natureza trabalhista, previdenciária ou afim.

SERVIÇO, ABANDONO DE — Ver Abandono de Serviço.

SERVIÇOS AMBIENTAIS — Conjunto de benefícios gerados por ecossistemas naturais ou cultivados que, freqüentemente, não tem valor de mercado. São também conhecidos como externalidades ambientais. São funções executadas pela natureza, imprescindíveis aos seres humanos: regulação hídrica, de gases, climática e de distúrbios físicos, abastecimento d'água, controle de erosão e retenção de sedimentos, formação de solos, ciclos de nutrientes, tratamento de detritos, polinização, controle biológico, refúgio de fauna, produção de alimentos, matéria-prima, recursos genéticos, recreação e cultura, entre outras; esses serviços estão sendo usados como base para cálculo do valor da natureza.

SERVIÇOS DA PREVIDÊNCIA — Ver Previdência, Serviços da.

SERVIÇOS DE CONSULTORIA — São os serviços prestados por pessoa física ou jurídica, prestadoras de serviço nas áreas de consultorias técnicas ou auditorias financeiras ou jurídicas, ou outras assemelhadas.

SERVIÇOS DE CONTABILIDADE — Representam as atividades contábeis que podem ser praticadas por qualquer órgão do sistema de controle. Não se confunde com o Serviço de Contabilidade ou Departamento de Contabilidade. (Ver: Contabilidade.)

SERVIÇOS DE MEIO CIRCULANTE — Compreendem o provimento de cédulas e moedas aos bancos e a manutenção do dinheiro em circulação em boas e seguras condições de uso.

SERVIÇOS DE TERCEIROS E ENCARGOS — São Despesas com serviços prestados à Administração Pública, por pessoa física ou jurídica, sem que haja vínculo empregatício, sendo apenas prestação de serviços (de natureza eventual), sob a forma de retribuição mediante recibo ou contrato e encargos.

SERVIÇOS PÚBLICOS — É o conjunto de atividades e bens que são exercidos ou colocados à disposição da coletividade, visando abranger e proporcionar o maior grau possível de bem-estar social e prosperidade. É todo aquele prestado pela Administração Pública ou por seus delegados sob normas e controles estatais para satisfazer necessidades essenciais (saúde, segurança etc.) ou secundárias da coletividade ou simples conveniência do Estado.

SERVIÇOS SOCIAIS — São serviços geralmente oferecidos pelo Governo, que ajudam a melhorar o padrão de vida da população; exemplos são: hospitais e clínicas públicas; boas estradas; oferta de água limpa; coleta de lixo; saneamento; eletricidade; e telecomunicações.

SERVIÇOS SOCIAIS AUTÔNOMOS — Criados mediante lei, têm personalidade jurídica de direito privado, finalidade não lucrativa e objetivo de auxiliar o Estado na prestação de assistência social, médica e ensino à população em geral ou a categorias profissionais específicas. Recebem oficialização do Estado e são mantidos por dotações orçamentárias ou por contribuições parafiscais, as quais são arrecadadas ao ente, mediante autorização legal, junto a empresas e aos beneficiários dos serviços. Como exemplos, podem ser citados o SESC, SENAC, SENAI, entre outros.

SERVIÇOS TÉCNICOS ESPECIALIZADOS — Referem-se às despesas realizadas pela Administração Pública com serviços laboratoriais de aferição e calibração, dosagens, determinações e testes de desempenho para qualificação de produtos e processos industriais, padronizados e fundamentados em normas técnicas ou procedimentos sistematizados.

SERVIDÃO — São restrições que o proprietário sofre no seu direito de uso e gozo do prédio em favor de outro proprietário, para favorecê-lo, aumentando-lhe a utilidade. Direito real, desmembrado da propriedade, que dá ao proprietário de um imóvel a possibilidade de tirar certas vantagens de imóvel vizinho; é um ônus real, gravando o próprio imóvel, sem ter em atenção o seu proprietário; é uma característica da propriedade, passando com ela para quem quer que a venha adquirir; é, pois, uma limitação ao direito de propriedade; pode ser, dentre outras, de acesso, de água, de luz, de passagem, de vista.

SERVIDÃO ADMINISTRATIVA — É um direito real (incide sobre uma coisa), através do qual o Poder Público pode usar uma propriedade imóvel particular (em casos especiais, também pode ser pública), em caráter permanente, para fins de interesse público. Se do uso do imóvel decorrer um prejuízo para o particular, terá este direito a uma indenização.

SERVIDÃO DE PASSAGEM — Direito concedido ao proprietário do prédio dominante de trafegar pelo prédio serviente, se não houver outro caminho.

SERVIDÃO FLORESTAL — Direito dos habitantes de uma comunidade de se abastecer de lenha numa floresta. Antigamente, eram concedidos pelos monarcas verdadeiros privilégios ou direitos de servidão em certas florestas, como retirada de lenha, de árvores mortas, pastoreiro etc., os quais ainda hoje são observados em determinadas regiões. O direito de servidão existe nas ferrovias, com relação ao eixo das faixas laterais, nas linhas de transmissão de energia elétrica em alta tensão, nos oleodutos, aqueodutos etc.

SERVIDÃO MÚLTIPLA — Aquela que, embora instituída sobre a mesma parte de um imóvel, se destina a usos de naturezas diversas.

SERVIDÃO PERPÉTUA (OU PERMANENTE) — Aquela instituída por prazo indeterminado.

SERVIDÃO PREDIAL — A que se impõe a um prédio em favor de outro, pertencente a dono diverso, não exigindo que sejam contíguos; o proprietário do prédio serviente perde o exercício de alguns de seus direitos dominiais, ou fica obrigado a tolerar que dele se utiliza, para determinado fim, o dono do prédio dominante; são exemplos as servidões de passagem ou de água.

SERVIDÃO URBANA — A que se refere a imóveis urbanos; pode ser convencionada segundo as conveniências dos proprietários, se não bastarem as regras estabelecidas pelo direito de vizinhança; são exemplos: escoamento de águas, de luz e de vista.

SERVIDÃO VOLUNTÁRIA — Aquela que decorre de ato espontâneo de vontade.

SERVIDOR PÚBLICO - ABANDONO DE CARGO — Ausência intencional do servidor ao trabalho por mais de 30 dias consecutivos ou 60 dias intercalados no prazo de 12 meses. O abandono tipifica o delito de abandono de função, previsto no art. 323 do CP.

SERVIDOR PÚBLICO - ABANDONO DE FUNÇÃO — É um dos crimes praticados por servidor público contra a administração em geral. Consiste em abandonar cargo público fora dos casos permitidos em lei. A pena prevista é de detenção, de 15 dias a um mês, ou multa. Se do fato resulta prejuízo público, a pena será de detenção, de três meses a um ano, e multa. Se o fato ocorre em lugar compreendido na faixa de fronteira, a pena é de detenção, de um a três anos, e multa.

SERVIDOR PÚBLICO - ABONO — É a vantagem pecuniária concedida além do vencimento ou remuneração do cargo.

SERVIDOR PÚBLICO - ABONO DE FAMÍLIA — É o valor pecuniário atribuído ao servidor, ativo ou inativo, por dependente econômico.

SERVIDOR PÚBLICO - ABSENTEÍSMO OU ABSENTISMO — Comparecimento inconstante, irregular ou descontínuo do servidor ao local onde tem que desempenhar suas atribuições. Ausência ou falta ao trabalho.

SERVIDOR PÚBLICO - ABSORÇÃO DE PESSOAL — É o aproveitamento do servidor oriundo de órgão extinto ou desativado em outro órgão público.

SERVIDOR PÚBLICO - ABSORÇÃO DE VANTAGENS — Incorporação ao vencimento de valores pecuniários concedidos ao servidor.

SERVIDOR PÚBLICO - ACESSO — O acesso, por se caracterizar provimento derivado, sem a observância de concurso público (art. 37, II da Constituição Federal), não é mais aplicado pela Administração Pública, por ter sido considerado inconstitucional, conforme reiteradas decisões dos Tribunais. Seria a passagem do servidor, mediante seleção competitiva interna, de cargo efetivo de classe final de um segmento para cargo de classe inicial de outro segmento.

SERVIDOR PÚBLICO - ACUMULAÇÃO DE CARGOS — É a possibilidade legal que tem o servidor público de ocupar, ao mesmo tempo, dois cargos públicos e receber vencimentos correspondentes, nas hipóteses e condições estabelecidas em lei.

SERVIDOR PÚBLICO - ADICIONAIS — São vantagens pecuniárias que a administração concede aos servidores em razão do tempo de exercício ou em face da natureza peculiar da função, que exige conhecimentos especializados em regime próprio de trabalho ou em outras atividades especificadas em lei.

SERVIDOR PÚBLICO - ADICIONAL DE ATIVIDADE PENOSA — Ver Servidor Público - Adicional de Insalubridade, Periculosidade ou por Atividade Penosa.

SERVIDOR PÚBLICO - ADICIONAL DE INSALUBRIDADE, PERICULOSIDADE OU POR ATIVIDADE PENOSA — É a vantagem pecuniária concedida ao servidor que habitualmente trabalha em locais insalubres ou em contato permanente com substâncias tóxicas, radioativas, com risco de contágio ou que ainda exerça atividade penosa.

SERVIDOR PÚBLICO - ADICIONAL DE LOCAL DE TRABALHO — É a vantagem pecuniária concedida ao servidor em efetivo exercício em estabelecimento penitenciário que, no desempenho de suas funções, exerça atividade permanente junto à população carcerária de sentenciados e adolescentes infratores, expondo-se a situações de desgaste psíquico ou risco de agressão física.

SERVIDOR PÚBLICO - ADICIONAL DE SERVIÇO NOTURNO — É a vantagem pecuniária concedida ao servidor pelo serviço noturno prestado no horário compreendido entre 22 horas de um dia e 5 horas do dia seguinte.

SERVIDOR PÚBLICO - ADICIONAL POR TEMPO DE SERVIÇO — É a vantagem pecuniária concedida ao servidor sobre seu vencimento básico, após determinado período de efetivo exercício de função.

SERVIDOR PÚBLICO - ADMISSÃO — É o ingresso de alguém no serviço público para ocupar cargo, função ou emprego público.

SERVIDOR PÚBLICO - ADVOCACIA ADMINISTRATIVA — É um dos crimes praticados por servidor público contra a administração em geral. Consiste em patrocinar, direta ou indiretamente, interesse privado perante a Administração Pública, valendo-se da qualidade de servidor público. A pena prevista é de detenção, de um a três meses, ou multa. Se o interesse for ilegítimo, a pena será de detenção, de três meses a um ano, além da multa.

SERVIDOR PÚBLICO - AFASTAMENTO PARA ATIVIDADE POLÍTICO-PARTIDÁRIA — É o afastamento do servidor para candidatar-se a cargo eletivo observado o que dispuser a legislação eleitoral.

SERVIDOR PÚBLICO - AFASTAMENTO PARA DESEMPENHO DE MANDATO SINDICAL — É a liberação do servidor do exercício de cargo, função ou emprego público para exercer mandato eletivo em diretoria de entidade sindical sem prejuízo da remuneração, na forma do regulamento.

SERVIDOR PÚBLICO - AFASTAMENTO PARA EXERCÍCIO DE CARGO EM COMISSÃO — É a retirada automática do exercício de cargo ou função pelo servidor investido em cargo de provimento em comissão da administração direta, autárquica ou fundacional, enquanto durar o comissionamento.

SERVIDOR PÚBLICO - AFASTAMENTO PARA EXERCÍCIO DE MANDATO ELETIVO — É a retirada do servidor do exercício do cargo efetivo, função ou emprego público, quando investido em mandato eletivo.

SERVIDOR PÚBLICO - AFASTAMENTO PARA SERVIR A OUTRO ÓRGÃO OU ENTIDADE — É a cessão do servidor para ter exercício em outro órgão ou entidade do Estado ou dos Poderes da União, de outro Estado, do Distrito Federal e dos Municípios.

SERVIDOR PÚBLICO - AFASTAMENTO PRELIMINAR — Direito do servidor de se afastar do exercício de cargo ou função, quando do requerimento de sua aposentadoria.

SERVIDOR PÚBLICO - AJUDA DE CUSTO — É aquela destinada a compensar as despesas de instalação do servidor que, no interesse do serviço, passar a ter exercício em nova sede, com mudança de domicílio em caráter permanente.

SERVIDOR PÚBLICO - AJUSTAMENTO DE PROVENTOS — Ver Servidor Público - Revisão de Proventos.

SERVIDOR PÚBLICO - APOSENTADORIA — Inatividade remunerada, reconhecida aos servidores que já prestaram o tempo de serviço previsto em lei ou se tornaram incapacitados para suas funções. Pode ser: compulsória, voluntária ou por invalidez.

SERVIDOR PÚBLICO - APOSENTADORIA - REGRAS DE TRANSIÇÃO - SERVIDOR EFETIVO ANTES DE 16/12/98 — Integral, desde que tenha cinco anos de efetivo exercício no cargo, após 35 anos de contribuição e 53 de idade, e mulher, com 30 anos de contribuição e 48 de idade, com um período adicional de contribuição equivalente a 20% do tempo que em 16/12/98 faltaria para atingir o limite de tempo constante deste item; proporcional, com 30 anos de contribuição e 53 de idade, se homem e 48 de idade e 25 de contribuição se mulher e um período adicional de contribuição equivalente a 40% do tempo que, na data de 16/12/98 faltaria para atingir o limite de tempo constante deste item. Em se tratando de ocupante do cargo de Professor, o tempo de serviço exercido até 15/12/98 terá contado com o acréscimo de 17%, se homem e de 20% se mulher, desde que se aposente, exclusivamente, com tempo de efetivo exercício em atividade de magistério; compulsoriamente, aos 70 anos de idade com proventos proporcionais ao tempo de contribuição.

SERVIDOR PÚBLICO - APOSENTADORIA - REGRAS DE TRANSIÇÃO - SERVIDOR EFETIVO APÓS 16/12/98 — Voluntariamente, desde que cumprido tempo mínimo de 10 anos no serviço público e cinco anos no cargo efetivo: a) proporcional, homens, aos 65 anos de idade, e mulheres, aos 60 anos; b) integral, homens, após 35 anos de contribuição e 60 anos de idade, e, mulheres, após 30 anos de contribuição e 55 anos de idade; compulsoriamente, aos 70 anos de idade com proventos proporcionais ao tempo de contribuição; por invalidez comprovada, nos casos previstos em Lei Complementar; em se tratando de ocupante de cargo de professor, o tempo será reduzido em cinco anos, desde que exclusivamente em exercício nas funções do magistério (em sala de aula), na educação infantil e no ensino fundamental e médio.

SERVIDOR PÚBLICO – APOSENTADORIA COMPULSÓRIA — É a passagem para a inatividade quando o servidor completar 70 (setenta) anos de idade, com proventos proporcionais ao tempo de serviço.

SERVIDOR PÚBLICO – APOSENTADORIA POR INVALIDEZ — É a passagem do servidor para a inatividade com proventos integrais quando ocorrer acidente em serviço, moléstia profissional ou doença grave, contagiosa ou incurável, especificadas em lei e proporcionais nos demais casos.

SERVIDOR PÚBLICO – APOSENTADORIA POR TEMPO DE SERVIÇO — É a passagem do servidor, voluntariamente, para a inatividade, ao completar o tempo de serviço exigido em lei.

SERVIDOR PÚBLICO – APOSENTADORIA VOLUNTÁRIA — É a passagem do servidor para a inatividade, mediante manifestação de vontade, quando requerida nas condições previstas em lei.

SERVIDOR PÚBLICO – APOSENTADORIA VOLUNTÁRIA POR IDADE — É a passagem do servidor para a inatividade, mediante manifestação da vontade, quando completar 65 (sessenta e cinco) anos se homem e 60 (sessenta) se mulher, com proventos proporcionais ao tempo de serviço.

SERVIDOR PÚBLICO – APOSTILAMENTO — É a garantia de continuidade da percepção da remuneração de cargo comissionado, quando o ocupante de cargo efetivo é exonerado sem ser a pedido e conte com tempo de exercício previsto em lei.

SERVIDOR PÚBLICO – APROVEITAMENTO — Reingresso no serviço público ativo do servidor em disponibilidade.

SERVIDOR PÚBLICO – ATOS DE PESSOAL — Atos administrativos praticados pela administração relacionados ao servidor público. Ao Tribunal de Contas compete apreciar, para fins de registro, a legalidade dos atos de admissão de pessoal, a qualquer título, na administração direta e indireta, incluídas as fundações e sociedades instituídas e mantidas pelo Poder Público, excetuadas as nomeações para cargos de provimento em comissão, bem como a legalidade dos atos de concessão de aposentadorias, reformas e pensões, ressalvadas as melhorias posteriores que não alterem o fundamento legal do ato concessório.

SERVIDOR PÚBLICO – AUMENTO DE SALÁRIO, VANTAGENS E BENEFÍCIOS — São procedimentos que geram despesas para o ente Público, portanto deve o ato estar acompanhado com a estimativa de impacto orçamentário-financeiro e de demonstrativo da origem dos recursos para custeio da despesa criada ou aumentada.

SERVIDOR PÚBLICO – AUXÍLIO DOENÇA — É o direito que tem o servidor à percepção de mais 1 (um) mês de vencimento após 12 (doze) meses ininterruptos de licença para tratamento de saúde.

SERVIDOR PÚBLICO – AUXÍLIO FUNERAL — É a vantagem pecuniária devida à família do servidor, em atividade ou aposentado, por ocasião do seu falecimento, em valor equivalente a 1 (um) mês de remuneração ou provento.

SERVIDOR PÚBLICO – AUXÍLIO MORADIA — Vantagem pecuniária concedida ao servidor para fazer frente às despesas com sua moradia, nos termos da lei.

SERVIDOR PÚBLICO – AUXÍLIO NATALIDADE — É o benefício previdenciário devido ao servidor por motivo de nascimento de filho, em quantia equivalente ao menor vencimento do serviço público, inclusive no caso de natimorto.

SERVIDOR PÚBLICO – AUXÍLIO RECLUSÃO — É o benefício financeiro mensal atribuído à família do servidor preso em flagrante ou preventivamente, enquanto durar a prisão ou durante o período em que estiver preso em virtude de condenação, cuja pena não determine a perda do cargo.

SERVIDOR PÚBLICO – BOLSA DE ESTUDO — É a concessão feita pelo Estado ao servidor, que consiste em patrocinar curso de aperfeiçoamento ou treinamento, voltado para as atribuições do cargo ocupado ou da habilitação do bolsista.

SERVIDOR PÚBLICO – CARGO DE PROVIMENTO EFETIVO — É o conjunto de atribuições e responsabilidades, criado por lei, com denominação própria, vencimento pago pelos cofres públicos mediante habilitação em concurso público.

SERVIDOR PÚBLICO – CARGO DE PROVIMENTO EM COMISSÃO — É o conjunto de atribuições e responsabilidades, provido pelo critério de confiança, declarado em lei de livre nomeação e exoneração.

SERVIDOR PÚBLICO — Considera-se servidor público – chamado de funcionário público até a Constituição de 1988 – aquele que exerce cargo, emprego ou função pública.

SERVIDOR PÚBLICO – CONVERSÃO EM ESPÉCIE — É o direito do servidor de converter em dinheiro as férias-prêmio não gozadas.

SERVIDOR PÚBLICO – CORRUPÇÃO ATIVA — Crime de servidor público, o qual consiste em oferecer ou promover, em razão do cargo ou função, para si ou para outrem, vantagens indevidas, mediante pagamento ou recompensa.

SERVIDOR PÚBLICO – CORRUPÇÃO PASSIVA — Crime que consiste em o servidor público solicitar ou receber, para si ou para outrem, paga ou recompensa para praticar ato do seu ofício, ou com ele relacionado, lícito ou não.

SERVIDOR PÚBLICO – DÉCIMO TERCEIRO SALÁRIO — É a vantagem pecuniária concedida ao servidor por ocasião do Natal, correspondente a um mês de remuneração integral.

SERVIDOR PÚBLICO – DEMISSÃO — Desligamento, em caráter punitivo, de servidor publico. Desinvestidura de cargo público, a título de penalidade funcional, simples ou a bem do serviço público, sempre precedida de processo administrativo. (Ver: Servidor público – Exoneração.)

SERVIDOR PÚBLICO – DESCONTO EM FOLHA DE PAGAMENTO — Autorização feita pelo servidor a órgão ou entidade que lhe paga os vencimentos, para descontar parte destes a fim de atender a certo pagamento em favor de terceiro.

SERVIDOR PÚBLICO – DESIGNAÇÃO — É a indicação do servidor para exercer, temporariamente, cargo em comissão, função gratificada ou função pública, bem como para o exercício de determinadas atividades.

SERVIDOR PÚBLICO – DESTITUIÇÃO DE FUNÇÃO — É a desinvestidura do exercício de função que o servidor vinha exercendo, como medida punitiva.

SERVIDOR PÚBLICO – DESVIO DE FUNÇÃO — É o exercício de atividade diversa da específica do cargo ocupado pelo servidor.

SERVIDOR PÚBLICO – DIÁRIAS — O servidor que se deslocar eventualmente em objeto de serviço, da localidade onde tem exercício para outra cidade do território nacional, fará jus a passagens e diárias para cobrir as despesas de pousada, alimentação e locomoção urbana.

SERVIDOR PÚBLICO - DIREITO DE PETIÇÃO — É a faculdade assegurada ao servidor de requerer aos poderes públicos, em defesa de direito ou interesse legítimo.

SERVIDOR PÚBLICO - DIREITO DE REPRESENTAÇÃO — É a faculdade atribuída ao servidor de representar, formalmente, contra ato de autoridade que seja exorbitante ou eivado de irregularidade ou ilegalidade.

SERVIDOR PÚBLICO - DISPENSA — Desinvestidura de servidor, detentor de função pública, função gratificada ou cargo em comissão ocupado por designação.

SERVIDOR PÚBLICO - DISPENSA DE PONTO — É a faculdade do servidor de se ausentar do serviço sem perda da remuneração, nos casos previstos em lei ou por determinação superior.

SERVIDOR PÚBLICO - DISPONIBILIDADE — Situação do servidor estável ocupante de cargo extinto ou declarado desnecessário, até o seu aproveitamento em outro cargo, sem perda da remuneração.

SERVIDOR PÚBLICO - DISPOSIÇÃO — É a cessão do servidor, por prazo determinado, para exercício em outro órgão ou entidade que não a de seu quadro de lotação, observada a conveniência do serviço.

SERVIDOR PÚBLICO - EFETIVAÇÃO — Provimento derivado não mais usado na Administração Pública após 5 de outubro de 1988 (promulgação da Constituição Federal), em razão de reiteradas decisões dos Tribunais. Consistia na modalidade de provimento de cargo público, sem a exigência de concurso, observado o preenchimento dos requisitos de habilitação e tempo de serviço.

SERVIDOR PÚBLICO - ENQUADRAMENTO — Esta forma de provimento não mais é usada na Administração Pública após 5 de outubro de 1988 (promulgação da Constituição Federal), em razão de reiteradas decisões dos Tribunais. Consistia na forma de provimento derivado de cargo público decorrente da transformação de cargos.

SERVIDOR PÚBLICO - EQUIPARAÇÃO DE VENCIMENTOS — Consiste em pagar idêntico vencimento a servidores que desempenham funções distintas. Isto é absolutamente vedado. (Ver: Servidor público - Isonomia de vencimentos.)

SERVIDOR PÚBLICO - ESTABILIDADE — Garantia de permanência no serviço público outorgada ao servidor que, nomeado em cargo efetivo, por concurso público, tenha cumprido as exigências do estágio probatório. Atualmente a estabilidade do servidor é adquirida com três anos de efetivo exercício no cargo. Com a posse e exercício, o servidor é efetivo, mas não estável, ficando em estágio probatório pelo período acima citado.

SERVIDOR PÚBLICO - ESTABILIDADE EXCEPCIONAL — É a garantia de permanência no serviço público outorgada ao servidor que não tenha sido admitido por concurso público, mas que prove 5 (cinco) anos continuados e ininterruptos de exercício até a data de promulgação da Constituição Federal, de 5 de outubro de 1988.

SERVIDOR PÚBLICO - ESTÁGIO PROBATÓRIO — É o período de avaliação de efetivo exercício na função do servidor público nomeado em virtude de concurso, com o objetivo de adquirir a estabilidade.

SERVIDOR PÚBLICO - EXERCÍCIO FUNCIONAL ILEGAL ANTECIPADO OU PROLONGADO — Entrar na função pública antes de satisfeitas as exigências legais, ou continuar a exercê-la, sem autorização, depois de saber que foi exonerado, removido, substituído ou suspenso.

SERVIDOR PÚBLICO - EXONERAÇÃO — É o desligamento de servidor público sem caráter punitivo. Ocorre a pedido do servidor ou por iniciativa da autoridade hierarquicamente superior. (Ver: Servidor público - Demissão.)

SERVIDOR PÚBLICO - EXTRANUMERÁRIO — Esta figura jurídica não mais existe no serviço público. Consistia no servidor legalmente admitido no serviço público para desempenho de determinada função, a título precário.

SERVIDOR PÚBLICO - FÉRIAS — É o período de descanso anual do servidor, observada a escala organizada de acordo com a conveniência do serviço. (Ver: Férias.)

SERVIDOR PÚBLICO - FÉRIAS PROPORCIONAIS — É a expressão usada no caso de acerto financeiro quando da exoneração ou dispensa do servidor.

SERVIDOR PÚBLICO - FREQÜÊNCIA — É o comparecimento e permanência do servidor no trabalho, durante o expediente normal da repartição, apurados por meio de ponto.

SERVIDOR PÚBLICO - FUNÇÃO DE CONFIANÇA — É a função e responsabilidade definida com base na estrutura organizacional atribuída, por critério de confiança, a servidor ocupante de cargo efetivo.

SERVIDOR PÚBLICO - GRATIFICAÇÃO — É a retribuição pecuniária concedida ao servidor, por determinados serviços, podendo ou não ser incorporada ao vencimento conforme determinação legal.

SERVIDOR PÚBLICO - INDENIZAÇÃO REMUNERATÓRIA — É o valor pecuniário concedido ao servidor, ocupante de cargo efetivo ou função pública, quando optar por desligamento voluntário, cujo valor será proporcional ao tempo de serviço público.

SERVIDOR PÚBLICO - INGRESSO — É a forma de entrada do servidor para ocupar cargo ou função na Administração Pública.

SERVIDOR PÚBLICO - INQUÉRITO ADMINISTRATIVO — É o meio de apuração de faltas graves dos servidores públicos e demais pessoas sujeitas ao regime funcional da Administração. Pelo apurado, se decidirá sobre a punição. Ver: Servidor Público - Sindicância.

SERVIDOR PÚBLICO - INSERÇÃO DE DADOS FALSOS — É um dos crimes praticados por servidor ou agentes públicos contra a administração em geral. Consiste em inserir ou facilitar, o servidor autorizado, a inserção de dados falsos, alterar ou excluir indevidamente dados corretos nos sistemas informatizados ou bancos de dados da Administração Pública com o fim de obter vantagem indevida para si ou para outrem ou para causar dano. A pena prevista é de reclusão, de dois a 12 anos, e multa.

SERVIDOR PÚBLICO - INVESTIDURA — É o ato pelo qual a autoridade competente empossa o servidor em um cargo ou função.

SERVIDOR PÚBLICO - ISONOMIA DE VENCIMENTOS — Isonomia de vencimento é pagar idêntico vencimento a servidores que exercem cargos de atribuições iguais. Não se confunde com equiparação de vencimentos. A isonomia de vencimentos é perfeitamente admitida. (Ver: Servidor Público - Equiparação de Vencimentos.)

SERVIDOR PÚBLICO - JORNADA DE TRABALHO — Duração do trabalho normal do servidor, estabelecida por lei ou regulamento.

SERVIDOR PÚBLICO - LICENÇA — É o ato pelo qual a Administração concede ao servidor o afastamento do exercício de cargo ou função, durante período determinado, conforme os requisitos previstos em norma legal.

SERVIDOR PÚBLICO – LICENÇA À GESTANTE — Ver Licença Maternidade.

SERVIDOR PÚBLICO – LICENÇA MATERNIDADE — Ver Licença Maternidade.

SERVIDOR PÚBLICO – LICENÇA PARA ACOMPANHAR MARIDO — É o afastamento não remunerado concedido à servidora casada com servidor federal, estadual ou militar que foi mandado servir, independentemente de solicitação, em outro ponto do Estado, do Território Nacional, no estrangeiro ou quando for cumprir mandato eletivo.

SERVIDOR PÚBLICO – LICENÇA PARA DESEMPENHO DE MANDATO CLASSISTA — É assegurado ao servidor o direito à licença sem remuneração para o desempenho de mandato em confederação, federação, associação de classe ou sindicado representativo da categoria.

SERVIDOR PÚBLICO – LICENÇA PARA SERVIÇO MILITAR — É o afastamento concedido ao servidor convocado para serviço militar e outros encargos de segurança nacional, com vencimentos e demais vantagens.

SERVIDOR PÚBLICO – LICENÇA PARA TRATAMENTO DE SAÚDE — É o afastamento do servidor por motivo de doença, acidente em serviço ou moléstia profissional, a pedido ou de ofício, com base em perícia médica e sem prejuízo da remuneração.

SERVIDOR PÚBLICO – LICENÇA PARA TRATAR DE INTERESSES PARTICULARES — É o ato pelo qual a Administração pode conceder afastamento ao servidor estável, sem remuneração, pelo prazo máximo de 2 (dois) anos consecutivos.

SERVIDOR PÚBLICO – LICENÇA PATERNIDADE — Ver Licença Paternidade.

SERVIDOR PÚBLICO – LICENÇA POR MOTIVO DE DOENÇA EM PESSOA DA FAMÍLIA — É o afastamento não remunerado concedido ao servidor, por recomendação médica, em razão de doença na pessoa de pai, mãe, filhos ou cônjuge.

SERVIDOR PÚBLICO – LOTAÇÃO — É o número de servidores que devem ter exercício em cada repartição.

SERVIDOR PÚBLICO – OPÇÃO — É a manifestação do servidor por situação que lhe for mais conveniente, dentre aquelas estabelecidas pela Administração Pública.

SERVIDOR PÚBLICO – OPÇÃO REMUNERATÓRIA — É o direito do servidor de escolher a remuneração que mais lhe aprouver, nas hipóteses previstas em lei.

SERVIDOR PÚBLICO – PARIDADE — É O Tratamento igualitário dispensado ao servidor aposentado em relação ao servidor da ativa, previsto no § 8º, do art. 40 da Constituição Federal, com a redação dada pela Emenda à Constituição nº 20, de 1998.

SERVIDOR PÚBLICO – PERMUTA — É a troca de servidores por transferência ou remoção, quando pedido, por escrito, pelos interessados ou por conveniência do serviço.

SERVIDOR PÚBLICO – PISO DE VENCIMENTO — É o valor mínimo atribuído a uma classe de servidor público.

SERVIDOR PÚBLICO – PLANO DE CARREIRAS, CARGOS E VENCIMENTOS — É o conjunto de diretrizes e normas que disciplina a estrutura do Quadro de Pessoal e a Progressão Funcional, define as atribuições dos Cargos e estabelece os vencimentos.

SERVIDOR PÚBLICO – POSICIONAMENTO — É a colocação do servidor em cargo de quadro de pessoal, correlato ao cargo anteriormente ocupado.

SERVIDOR PÚBLICO – POSSE — É a investidura do servidor no cargo para o qual foi nomeado, finalizando a admissão.

SERVIDOR PÚBLICO – PROGRESSÃO FUNCIONAL — É o deslocamento funcional de servidor, entre referências e/ou níveis, por promoção no mesmo cargo, geralmente com aumento de responsabilidade.

SERVIDOR PÚBLICO – PROMOÇÃO — É a passagem do servidor para cargo imediatamente superior da classe a que pertence, podendo ocorrer por antiguidade ou merecimento.

SERVIDOR PÚBLICO – PROVENTO DE PESSOAL DISPONÍVEL — É a retribuição percebida pelo servidor colocado em disponibilidade em virtude da extinção do cargo respectivo ou de declaração de sua desnecessidade.

SERVIDOR PÚBLICO – PROVENTOS — É a retribuição percebida pelo servidor estatutário aposentado ou em disponibilidade.

SERVIDOR PÚBLICO – QÜINQÜÊNIO — É o adicional concedido ao servidor a cada período de 5 (cinco) anos de efetivo exercício, calculado sobre o vencimento básico.

SERVIDOR PÚBLICO – READAPTAÇÃO — É a colocação do servidor em função mais compatível com a sua capacidade física naquele momento.

SERVIDOR PÚBLICO – READMISSÃO — É a forma de provimento de cargo público, sem concurso, considerado inconstitucional pelos Tribunais. Consiste em ato pelo qual o Estado reconduz ao serviço público, sem qualquer ressarcimento, o servidor que se encontrava afastado do cargo, em razão de dispensa ou exoneração.

SERVIDOR PÚBLICO – REASSUNÇÃO — Retorno do servidor ao exercício do cargo que ocupa, e do qual se encontrava afastado.

SERVIDOR PÚBLICO – RECONDUÇÃO — É o retorno do servidor estável ao cargo anteriormente ocupado, decorrente de inabilitação em estágio probatório ou de reintegração a cargo anteriormente ocupado.

SERVIDOR PÚBLICO – REDISTRIBUIÇÃO — É o deslocamento do servidor, com o respectivo cargo, para quadro de pessoal do mesmo Poder, observado o interesse da administração.

SERVIDOR PÚBLICO – REINTEGRAÇÃO — É o reingresso do servidor estável no cargo anteriormente ocupado, ou no cargo resultante de sua transformação, quando invalidada a sua demissão por decisão administrativa ou judicial, com ressarcimento de todas as vantagens.

SERVIDOR PÚBLICO – REMANEJAMENTO — É a relotação do servidor, com o respectivo cargo, em outro quadro de pessoal, motivada por extinção ou transformação de órgão ou entidade, ou por excesso de servidores em determinas áreas.

SERVIDOR PÚBLICO – REMOÇÃO — É o deslocamento do servidor com o respectivo cargo, a pedido ou de ofício, no âmbito do mesmo órgão ou Poder, com ou sem mudança de sede.

SERVIDOR PÚBLICO – REMUNERAÇÃO — É a quantia percebida pelo servidor ou empregado, como retribuição de seu trabalho, compreendendo o salário-base e todas as demais vantagens.

SERVIDOR PÚBLICO – REPREENSÃO — É a pena disciplinar branda aplicada ao servidor, por escrito, em caso de desobediência ou falta do cumprimento de deveres funcionais.

SERVIDOR PÚBLICO – REPRESENTAÇÃO ADMINISTRATIVA — É o direito do servidor de representar junto à Administração contra atos que julgar irregulares, exorbitantes ou ilegais.

SERVIDOR PÚBLICO - RETRIBUIÇÃO PECUNIÁRIA TEMPORÁRIA — É a gratificação paga ao servidor pelo exercício de cargos de direção da administração direta do Poder Executivo.

SERVIDOR PÚBLICO - REVERSÃO — É o reingresso do servidor aposentado no serviço público, após verificação por junta médica oficial, de que não subsistem os motivos que determinaram a aposentadoria por invalidez. A reversão far-se-á no mesmo cargo ou no que foi transformado.

SERVIDOR PÚBLICO - REVISÃO DE PROCESSO ADMINISTRATIVO — É o direito do servidor de, a qualquer tempo, requerer revisão de processo no qual foi condenado, desde que se aduzam fatos ou circunstâncias susceptíveis de justificar a sua inocência.

SERVIDOR PÚBLICO - REVISÃO DE PROVENTOS — É o direito do servidor aposentado de solicitar à Administração que sejam revistos os seus proventos, objetivando a correção de erros de cálculo ou concessão de novas vantagens, por força da regra constitucional da paridade.

SERVIDOR PÚBLICO - SUBSTITUIÇÃO — É o processo pelo qual o servidor ocupa, temporariamente, cargo de provimento em comissão até o retorno do titular.

SERVIDOR PÚBLICO - SUSPENSÃO ADMINISTRATIVA — É a pena imposta ao servidor através de processo administrativo, afastando-o do exercício do cargo ou função, sem remuneração e por prazo determinado.

SERVIDOR PÚBLICO - TRANSFERÊNCIA — É a movimentação de servidor de um quadro setorial de lotação para outro.

SERVIDOR PÚBLICO - TRANSFORMAÇÃO DE CARGOS — É a alteração da denominação de um cargo existente, mantidas as atribuições.

SERVIDOR PÚBLICO - TRANSPOSIÇÃO DE CARGOS — É o deslocamento de um cargo existente para outro de atribuições correlatas do novo sistema.

SERVIDOR PÚBLICO - VENCIMENTO — É a retribuição pelo exercício de cargo efetivo correspondente aos níveis de classificação, fixados em lei, bem assim de cargos de natureza especial.

SERVIDOR PÚBLICO - VERBA DE REPRESENTAÇÃO — Valor pecuniário concedido a servidor pelo desempenho de missão fora do Estado, ou pelo exercício de determinados cargos, de acordo com previsão em lei.

SERVIDOR PÚBLICO - VINCULAÇÃO DE VENCIMENTOS — É atrelar uma remuneração à outra, de maneira que a modificação da remuneração de um cargo leve, automaticamente, à modificação da remuneração do outro. É sujeitar a remuneração do pessoal a índices ou fatores automáticos de atualização monetária.

SERVIDOR PÚBLICO - VIOLAÇÃO DE SIGILO FUNCIONAL — É um dos crimes praticados por servidor ou agentes públicos contra a administração em geral. Consiste em revelar fato de que tem ciência em razão do cargo e que deva permanecer em segredo ou facilitar-lhe a revelação. A pena prevista é de detenção, de seis meses a dois anos, ou multa, se o fato não constitui crime mais grave. Nas mesmas penas deste artigo incorre quem a) permite ou facilita, mediante atribuição, fornecimento e empréstimo de senha ou qualquer outra forma, o acesso de pessoas não autorizadas a sistemas de informações ou banco de dados da Administração Pública; b) se utiliza, indevidamente, do acesso restrito. Se da ação ou omissão resulta dano à Administração Pública ou a outrem, a pena será de reclusão, de dois a seis anos, e multa.

SERVIDOR PÚBLICO - VIOLAÇÃO DO SIGILO DE PROPOSTA DE CONCORRÊNCIA — Crime praticado pelo servidor público contra a Administração Pública previsto no Código Penal, que consiste em devassar ou dar o ensejo de devassar o sigilo de proposta de concorrência pública. Pena: detenção, de três meses a um ano, e multa.

SERVIDOR PÚBLICO - VIOLÊNCIA ARBITRÁRIA — É um dos crimes praticados por servidor ou agentes públicos contra a administração em geral. Consiste na prática de violência, no exercício de função ou a pretexto de exercê-la. A pena prevista é de detenção, de seis meses a três anos, além da pena correspondente à própria violência.

SERVIDOR PÚBLICO - VITALICIEDADE — Ver Vitaliciedade.

SERVIDOR PÚBLICO EFETIVO — É o agente público nomeado em virtude de concurso público, adquirindo estabilidade após o cumprimento de estágio probatório.

SERVIDOR PÚBLICO MILITAR — É o agente público, ocupante de posto ou graduação dos quadros militares, regido por estatuto próprio.

SERVIDOR PÚBLICO TEMPORÁRIO — É o agente público contratado por tempo determinado, para atender necessidade temporária de excepcional interesse público.

SESI (SERVIÇO SOCIAL DA INDÚSTRIA) — O SESI foi criado em julho de 1946 pela Confederação Nacional da Indústria - CNI e, hoje, é uma entidade de direito privado, nos termos da lei civil, estruturada em base federativa para prestar assistência social aos trabalhadores industriais e de atividades assemelhadas em todo o país.

SESSÃO — Período em que os membros de um Parlamento, Tribunal, associação ou qualquer outro corpo colegiado reúnem-se para deliberar ou simplesmente ouvir uma explanação. As sessões da Câmara dos Deputados podem ser: preparatórias, ordinárias, extraordinárias e solenes.

SESSÃO CONJUNTA — Reunião conjunta do Congresso Nacional (Câmara dos Deputados e Senado), podendo ser convocada para inaugurar a sessão legislativa; elaborar o regimento comum e regular a criação de serviços comuns às duas Casas; receber o compromisso do presidente e do vice-presidente da República; conhecer do veto e sobre ele deliberar.

SESSÃO DE DEBATES — Reunião dos Parlamentares em Plenário sem que haja matérias a serem objeto de deliberação. Normalmente, é realizada às segundas e sextas-feiras e constam de pequeno expediente, grande expediente e comunicações parlamentares. Esse período também pode ser aproveitado para comunicações de liderança.

SESSÃO DELIBERATIVA — Reunião dos parlamentares em Plenário para deliberação de matérias. Normalmente, é realizada às terças, quartas e quintas-feiras. É constituída de pequeno expediente, grande expediente, ordem do dia e comunicações parlamentares.

SESSÃO EXECUTIVA — Parte da reunião do Conselho de Administração na qual o executivo principal ou integrantes da Diretoria não participam.

SESSÃO LEGISLATIVA — Conjunto de reuniões realizadas em determinado período. Designa o período em que o Congresso Nacional funciona, ou seja, excluído os recessos. (Ver: Recesso parlamentar.)

SESSÃO LEGISLATIVA EXTRAORDINÁRIA — Aquela que se realiza em período diverso do fixado para a sessão legislativa ordinária, em caso de urgência ou de interesse público relevante. A Constituição Federal dispõe que para a convocação da Sessão Extraordinária é necessário o aval da maioria absoluta das duas Casas Legislativas (Câmara e Senado), seja a convocação feita pelos presidentes das Casas ou pelo presidente da República e ainda veda o pagamento de qualquer parcela indenizatória se houver convocação.

SESSÃO LEGISLATIVA ORDINÁRIA — Leva esse nome qualquer reunião legislativa, realizada apenas uma vez ao dia, em todos os dias úteis, de segunda a sexta-feira. A sessão ordinária tem a duração de cinco horas e consta de: Pequeno Expediente, Grande Expediente, Ordem do Dia, Comunicações Parlamentares.

SESSÃO PÚBLICA — É assim conhecida toda sessão que não seja secreta ou reservada. Além dos Parlamentares, é permitida a presença, em Plenário, dos parlamentares, dos suplentes, de ex-parlamentares, de senadores e dos servidores públicos em serviço. A imprensa deve ficar em local próprio e o público em geral no lugar que lhe for reservado, conservando-se em silêncio e sem qualquer sinal de aplauso ou reprovação ao que nela se passar.

SESSÃO SECRETA — Aquela realizada somente com a presença dos Parlamentares. É obrigatória no caso de declaração de guerra, acordo de paz, perda do mandato ou suspensão de imunidade parlamentar ou a requerimento dos parlamentares e deliberação do Plenário, para outros fins.

SESSÃO SOLENE — A que se realiza para grandes comemorações ou homenagens especiais, ou, ainda, recepção de altas personalidades.

SESSÕES PREPARATÓRIAS — Precedem a inauguração dos trabalhos das Casas do Congresso, na primeira e terceira sessões legislativas, com vista à solenidade de posse dos novos parlamentares e à eleição da Mesa de cada Casa.

SETE DOENÇAS MORTAIS DA ADMINISTRAÇÃO — Ver Administração, sete doenças mortais da.

SETOR — Grupo interligado de atividades quer ao nível macro, quer micro, bem delimitado em termos orçamentários e institucionais e para o qual o governo desenvolve uma política.

SETOR INFORMAL — Parte da economia de um país constituída por trabalhadores por conta própria e pequenas empresas que não estão plenamente integradas no quadro institucional que regula as atividades econômicas. No setor informal não só não se cumprem as leis do trabalho nem outras regras que o Estado impõe ao setor privado como não se pagam impostos e taxas que as finanças públicas exigem. O setor informal tem grande amplitude nos países em desenvolvimento e é muito importante para as estratégias de sobrevivência de muitas famílias que freqüentemente desenvolvem atividades no setor formal, mas, devido aos baixos salários, necessitam completar o rendimento familiar com outras atividades.

SETOR PRIVADO — Expressão que designa o conjunto de empresas com fins lucrativos, de instituições (sociedades e associações) e de propriedades urbanas e rurais que pertencem a pessoas físicas e jurídicas de direito privado (aquelas que não integram a estrutura do Estado). Nos países de economia capitalista o setor privado constitui o principal segmento da vida econômica nacional.

SETOR PRODUTIVO — Termo utilizado para a produção de bens e serviços. Num contexto de desenvolvimento cobre as atividades secundárias (manufatura ou pequena escala) e as atividades terciárias (ou serviços). No contexto da cooperação inclui a produção orientada para as atividades (muitas vezes de pequena escala) que criam emprego e geram rendimento através da venda de bens e serviços nos setores primário, secundário e terciário.

SETOR PÚBLICO — Expressão que designa o conjunto de órgãos, entidades (autarquias, fundações e assemelhadas) e empresas estatais (empresas públicas, sociedades de economia mista e assemelhadas), pertencentes a um determinado nível de Governo (União, Estado ou Município). Tal setor constitui hoje, na maior parte dos países de sociedade complexa, um grande provedor de serviços essenciais às coletividades como segurança, justiça, saúde, saneamento, educação e assistência social.

SETOR PÚBLICO NÃO FINANCEIRO — São assim consideradas as administrações diretas e indiretas nas esferas federal, estaduais e municipais, o sistema público de previdência social e as empresas públicas não-financeiras federais, estaduais e municipais, além da empresa Itaipu Binacional. Incluem-se também no conceito de setor público não financeiro, os fundos públicos que não possuem característica de intermediários financeiros, isto é, aqueles cuja fonte de recursos é constituída de contribuições fiscais ou parafiscais.

SETORES ECONÔMICOS — Setor primário: O setor primário (ou agricultura em geral) abrange a agricultura em sentido restrito (isto é, a lavoura), a pecuária, a caça, a pesca, a extração de minerais e de madeira - ou seja, todas as atividades de exploração direta dos recursos naturais de origem vegetal, animal e mineral. Setor secundário: O setor secundário (ou indústria em geral) compreende todas as atividades de transformação de bens e divide-se em três subsetores: a indústria da construção civil, a indústria de serviços públicos (geração e distribuição de energia elétrica, beneficiamento e distribuição de água à população, produção e distribuição de gás encanado) e a indústria manufatureira, também chamada de indústria de transformação, o que é uma redundância, visto toda indústria implicar uma transformação de produtos. Setor terciário: O setor terciário (ou de serviços em geral) se refere a todas as demais atividades econômicas que se caracterizam por não produzirem bens materiais e sim prestarem serviços.

SEVÍCIA — Agressão física, violência corporal, maus-tratos.

SEXISMO — É uma discriminação sexual que pode ocorrer em diferentes esferas da vida, como a familiar e a profissional. O sexismo se manifesta principalmente como preconceito contra a mulher. Apesar de sua participação crescente no mercado de trabalho, as mulheres ainda enfrentam condições piores que as dos homens. Pesquisas mostram que as mulheres no Brasil ganham, em média, 20% menos que os homens. Cerca de 12 milhões de mulheres trabalham em condições precárias e 4,8 milhões são empregadas domésticas.

SHAREWARE — Programa criado por autor independente. Pode ser utilizado com liberdade por qualquer pessoa, durante um determinado período, antes de ser adquirido. Na maioria das vezes, esses programas exibem, de tempos em tempos, uma mensagem avisando que ele deve ser registrado, pagando-se uma taxa ao seu criador. Outros tipos de *sharewares* têm tempo de vida limitado. Depois de expirado o limite de teste, só funcionam com uma senha, obtida junto ao autor do programa mediante o pagamento de uma taxa de registro.

SHELL BANKS — São bancos de fachada, que podem ser *booking offices*, ou seja, escritórios que não apresentam quadro administrativo e diretivo na jurisdição onde estão localizados e licenciados, atuando como representante ou agente para um ou mais bancos, colocando apenas uma "placa" de identificação, sem que exista nenhum tipo de operação bancária de origem local. (Ver: *Booking offices*; bancos de propriedade paralela.)

SHELL COMPANIES — Companhia de fachada que assume a forma de IBC, de um fundo fiduciário, de uma fundação, de uma companhia "caixa de correio". Estão geralmente localizadas em centros *offshore* e paraísos fiscais. Podem fazer parte de complexas operações transnacionais para mascarar sonegação fiscal, esquemas de corrupção, tráfico de drogas e de armas, roubo. Exemplo: caso da família Pahlavi do ex-Shah do Irã, da família Marcos da Filipinas, de Papadoc Duvalier do Haiti. (Ver: *International Business Corporations* - IBC.)

SHOPPING CENTER — Centro comercial planejado, sob a administração única e centralizada, no qual os locatários estão sujeitos a normas contratuais padronizadas.

SHORT — Diz-se do investidor que vende um ativo que não possui no intuito de especular com o preço.

SHORT-SELLING — Venda a descoberto. Mecanismo operacional para venda à vista de ações tomadas emprestadas para posterior reposição.

SIAFEM (SISTEMA INTEGRADO DE ADMINISTRAÇÃO FINANCEIRA PARA ESTADOS E MUNICÍPIO) — É um sistema de execução orçamentária, financeira, patrimonial e contábil por meio eletrônico.

SIAFI — Ver Sistema Integrado de Administração Financeira do Governo Federal.

SIAL — Camada externa da crosta terrestre de até 50 km de espessura, constituída principalmente de silício e alumínio, representada pelas rochas de constituição granítica. Sua densidade é de 2,7. A profundidade do seu contato com o sima subjacente varia entre 50 km, sob os continentes, e praticamente zero, sob o oceano Pacífico.

SIAPE — Ver Sistema Integrado de Administração de Recursos Humanos.

SIC — [Latim]. Expressão que significa assim, tal; como está. Vocábulo consignado entre parênteses, para indicar que a referência está feita como no original, ainda que errônea ou singular.

SIDAP (SISTEMA INFORMATIZADO DE ACOMPANHAMENTO DE PROJETOS) — 1) Modalidade de acompanhamento das atividades relacionadas com a administração financeira dos recursos da União, que centraliza ou uniformiza o processamento da execução orçamentária, recorrendo a técnicas de elaboração eletrônica de dados, com o envolvimento das unidades executoras e setoriais, sob a supervisão do Tesouro Nacional e resultando na integração dos procedimentos concernentes, essencialmente à programação financeira, à contabilidade e à administração orçamentária. 2) Sistema informatizado criado especialmente para registro e acompanhamento da execução dos projetos das unidades do Banco Central, vinculados aos objetivos estratégicos definidos pela Diretoria Colegiada.

SIDOR — Ver Sistema Integrado de Dados Orçamentários.

SÍFILIS — Ver Saúde - Sífilis.

SIGFIS (SISTEMA INTEGRADO DE GESTÃO FISCAL) — É um sistema informatizado utilizado pelo Tribunal de Contas do Estado do Rio de Janeiro que captura elementos orçamentários, contábeis e financeiros nas respectivas áreas de processamento de cada órgão jurisdicionado.

SIGILO BANCÁRIO — É a proibição de revelar a identidade de um depositante ou sua residência efetiva. As legislações diferem assim como sua eficácia. Existem países que permitem contas numeradas ou sob pseudônimo e existem países que não permitem as autoridades monetárias fazerem sindicâncias em contas bancárias. A primeira legislação nacional contra o sigilo bancário surgiu nos Estados Unidos, em 1970 (*Bank Secrecy Law*). O Brasil introduziu em sua legislação no final da década de 1990 a possibilidade de quebra do sigilo bancário em casos determinados. As leis de sigilo bancário têm como função fortalecer as obrigações contratuais formais de confidencialidade entre o banco e seus clientes. Em caso de não cumprimento prevêem penalidades criminais para os bancos que revelarem a existência de uma conta, bem como seus dados sem o consentimento de seu titular. Podem ser usadas para bloquear pedidos de informação feitos por autoridades fiscais estrangeiras. Uma das características dos centros financeiros *offshoree* e paraísos fiscais é a existência de sigilo bancário, que pode dificultar a supervisão pelas autoridades monetárias de um país sobre as filiais de instituições financeiras deste mesmo país localizadas nesses territórios.

SIGILO PROFISSIONAL — Dever de todo profissional de manter segredo sobre os assuntos confidenciais de sua profissão.

SIGNATÁRIO — Pessoa que assina ou subscreve um escrito ou um documento.

SIGNIFICÂNCIA — É o elemento atribuído de algum tipo de valor. Este valor é dado de acordo com o sujeito que observa ou faz uso de tal elemento. Usando de sua subjetividade, o sujeito "carrega" o elemento ou objeto de uma carga afetiva, dando-lhe um valor a partir do seu ponto de vista.

SILEPSE — Figura de construção de uma frase. É a figura que consiste em se efetuar a concordância com palavras implícitas na mente do falante, e não com as que estão explícitas na frase. A silepse subclassifica-se em: silepse de gênero: (Vossa Excelência é pouco conhecido); silepse de número (*Os Lusíadas* glorificou nossa literatura); silepse de pessoa (Os alunos sois culpados do que ocorreu).

SILOGISMO — É uma forma de raciocínio dedutiva. Na sua forma padronizada é constituído por três proposições: As duas primeiras denominam-se premissas e a terceira conclusão: premissa maior, que é o enunciado de um juízo; premissa menor, que é a declaração de caso particular contido na premissa maior e a conclusão, que deriva de maneira lógica e cabal das duas primeiras. Exemplo: Todos os homens são mortais (premissa maior); A é homem (premissa menor); logo A é mortal (conclusão).

SILVESTRE — Que está relacionado com a floresta; que é próprio da floresta.

SILVÍCOLA — Que nasce ou vive nas selvas.

SILVICULTURA — Arte de cultivar e manter uma floresta através de manipulações no estabelecimento, composição e crescimento da vegetação para melhor atender aos objetivos de seu proprietário. Isso pode incluir ou não a produção de madeira; plantio de árvores para lenha ou para fins comerciais; exploração orientada de recursos florestais; cultivo de monoculturas com espécies arbóreas para fins de exploração.

SIMBIOSE — Relação favorável a todos; relação de interdependência e complementaridade.

SIMBIÓTICOS — Atributo de uma relação de complementaridade entre dois sistemas essencialmente distintos de tal forma que ambos são beneficiados.

SÍMBOLO — Sinal ou ícone que informa por convenção.

SÍMBOLO DE VENCIMENTO — Código utilizado para definir o vencimento dos cargos públicos.

SÍMBOLOS NACIONAIS - ARMAS NACIONAIS — É um escudo redondo, pousado sobre uma estrela de cinco pontas com bordas em ouro e vermelho. Cada uma das pontas está dividida em dois gomos: o da esquerda verde e o da direita ouro. O escudo possui, no centro, cinco estrelas de prata, formando a constelação do Cruzeiro do Sul; na borda do círculo, debruado em ouro, há 27 estrelas de prata. O escudo e a estrela repousam sobre uma espada na vertical, com punho em ouro e guardas azuis (exceto o centro da guarda, que é vermelho e contém uma estrela de prata) e que está disposta sobre uma coroa formada por um ramo de café frutificado (à direita) e outro de fumo florido (à esquerda), ambos verdes com frutos vermelhos, unidos por uma faixa azul. O conjunto fica sobre um resplendor de ouro, cujos contornos formam uma estrela de 20 pontas. Numa faixa azul estendida sobre o punho da espada aparece, em ouro, a legenda "República Federativa do Brasil" no centro, e as expressões "15 de novembro" (na extrema direita) e "de 1889" (à esquerda). O uso das armas nacionais é obrigatório no palácio da Presidência da República, na residência do presidente, nos edifícios-sede dos ministérios, na Câmara dos Deputados, no Senado Federal, no Supremo Tribunal Federal, nos Tribunais Superiores, nos Tribunais Federais de Recursos, nos edifícios-sede dos poderes Executivo, Legislativo e Judiciário dos estados e Distrito Federal, nas Prefeituras e Câmaras Municipais, nos edifícios das repartições públicas federais, nos quartéis das forças federais de terra, mar e ar, das forças policiais, nos seus armamentos, nas fortalezas e nos navios de guerra, nas escolas públicas, e nos papéis de expediente, convites e publicações oficiais de nível federal.

SÍMBOLOS NACIONAIS - BANDEIRA NACIONAL — Um dos símbolos nacionais, a bandeira do Brasil foi projetada em 1889 por Raimundo Teixeira Mendes e Miguel Lemos, com desenho de Décio Vilares. Ela é inspirada na bandeira do Império, desenhada pelo pintor francês Jean-Baptiste Debret, com a esfera azul-celeste e a divisa positivista "Ordem e Progresso" no lugar da coroa imperial. Dentro da esfera está representado o céu do Rio de Janeiro, com a constelação do Cruzeiro do Sul, às 8h30 de 15 de novembro de 1889, dia da Proclamação da República. Em 1992, uma lei altera a bandeira para permitir que todos os 26 estados brasileiros e o Distrito Federal estejam representados por estrelas. O Dia da Bandeira é comemorado em 19 de novembro, data em que ela foi adotada em 1889. Como símbolo da pátria, a Bandeira Nacional fica permanentemente hasteada na Praça dos Três Poderes, em Brasília. Mesmo quando é substituída, o novo exemplar deve ser hasteado antes que a bandeira antiga seja arriada. Diariamente ela tem de ser hasteada no palácio da Presidência da República e na residência do presidente; nos ministérios; no Congresso Nacional; no Supremo Tribunal Federal; nos tribunais superiores e federais; nos edifícios-sede dos poderes Executivo, Legislativo e Judiciário; nas missões diplomáticas, em delegações com organismos internacionais e repartições consulares; em repartições federais, estaduais e municipais situadas na faixa de fronteira; e em unidades da Marinha Mercante. O hasteamento e o arriamento podem ser feitos a qualquer hora do dia ou da noite, mas, tradicionalmente, a bandeira é hasteada às 8 horas e arriada às 18 horas. Quando permanece exposta durante a noite, ela deve ser iluminada.

SÍMBOLOS NACIONAIS - HINO À BANDEIRA NACIONAL — Apresentado pela primeira vez a 9/11/1906, é de autoria de Francisco Braga (música) e Olavo Bilac (letra). É composto por determinação do então prefeito do Distrito Federal (Rio de Janeiro), Francisco Pereira Passos.

SÍMBOLOS NACIONAIS - HINO DA INDEPENDÊNCIA — Originalmente composto como Hino Constitucional, tinha letra e música de autoria do então príncipe-regente dom Pedro e é apresentado pela primeira vez no Rio de Janeiro em 24 de agosto de 1821. A melodia recebe novos versos em 16 de agosto de 1822, de autoria de Evaristo da Veiga, que são a letra atual. Curiosamente, esse hino foi composto antes da proclamação da independência.

SÍMBOLOS NACIONAIS - HINO DA PROCLAMAÇÃO DA REPÚBLICA — De autoria de Leopoldo Miguez (música) e Joaquim Medeiros de Albuquerque (letra) é apresentado pela primeira vez em 20/1/1890, durante um concurso promovido pelo governo da recém-proclamada República para a escolha de um novo hino nacional, que substituísse o do Império. Como o público insistisse na manutenção do antigo hino, o vencedor do concurso é escolhido para homenagear o novo regime.

SÍMBOLOS NACIONAIS - HINO NACIONAL — A melodia foi composta por Francisco Manuel da Silva (1795-1865) em 1831, com letra de Ovídio Saraiva de Carvalho, e substituída em 1909 pelo poema de Joaquim Osório Duque Estrada. Oficializado em 6/9/1922, às vésperas do centenário da Independência, é sempre executado com o mesmo andamento (uma semínima igual a 120) e o canto em uníssono; deve-se cantar as duas partes do poema, exceto em execuções instrumentais, quando se toca a música integral, mas sem repetição. É executado em continência à bandeira nacional e ao Supremo Tribunal Federal, quando incorporados, e nos demais casos previstos nos regulamentos de continência ou cerimônia de cortesia internacional. Fora dos casos determinados na lei, sua execução em continência é proibida, mas facultativa na abertura de sessões cívicas, nas cerimônias religiosas de caráter patriótico, no início ou encerramento das transmissões de rádio e TV e em ocasiões festivas.

SÍMBOLOS NACIONAIS - SELO NACIONAL — É formado por um círculo representando uma esfera celeste, idêntica à da bandeira nacional, tendo em volta as palavras República Federativa do Brasil. É usado para autenticar os atos do governo e os diplomas e certificados expedidos por escolas oficiais ou reconhecidas.

SIMILI MODO — [Latim]. Expressão que significa do mesmo modo.

SIMILI RATIONE — [Latim]. Expressão que significa da mesma razão.

SIMPLES — O Sistema Integrado de Pagamento de Impostos e Contribuições das Microempresas e Empresas de Pequeno Porte é um sistema tributário simplificado que favorece as pessoas jurídicas enquadradas como Microempresas e Empresas de Pequeno Porte. Este sistema abrange uma série de impostos e contribuições, resumidos a uma alíquota que incide sobre a receita bruta mensal. (Lei nº 9.317, de 1996.)

SIMULAÇÃO — 1) Defeito do ato jurídico consistente em não manifestar a vontade real. Pela simulação as partes, mediante um concerto, buscam deliberadamente atingir fim diverso do exteriorizado no negócio, visando prejudicar terceiros ou burlar a lei. Esta a síntese do que seja simulação. A simulação pode esconder negócio real, vedado pela lei; como também pode não ocultar nenhum outro ato. Conforme a hipótese, a simulação receberá o nome de relativa ou absoluta. 2) Imitação; funcionamento semelhante ao real; teste em condições artificiais. Experiência ou ensaio realizado com o auxílio de modelos.

SIMULAÇÃO ABSOLUTA — Ocorre a simulação absoluta quando, por detrás do ato simulado, nenhum ato existe. O exemplo clássico é o do devedor que – ciente da execução que lhe bate às portas – elabora documento de confissão de dívidas com oferecimento de garantia real a amigo, objetivando assim subtrair seus bens dos efeitos constritivos da execução. Não há dívida com o amigo, não há outro negócio que se busque esconder. De verdadeiro há apenas a intenção de prejudicar os verdadeiros credores.

SIMULAÇÃO HISTÓRICA — Metodologia para cálculo do valor em risco que utiliza dados passados para criar cenários de mercado e, por meio destes, levantar a distribuição dos valores da carteira sem fazer *a priori* hipóteses sobre a distribuição dos ativos que compõem a carteira.

SIMULAÇÃO RELATIVA — Diz-se da simulação que esconde outro ato proibido pela lei. O exemplo tradicional é o do marido que – impossibilitado de efetuar doação à concubina – simula com ela contrato de venda e compra. Note que por detrás deste último contrato há outro ato real e desejado pelas partes, a despeito da vedação legal. Mais freqüente ainda a declaração de valor abaixo do realmente acordado visando menor recolhimento de imposto aos cofres públicos. Nesta espécie de simulação, o Código Civil dispõe: "Subsistirá o que se dissimulou se válido for na substância e na forma." Os parágrafos do art. 167 do novo Código Civil tratam de exemplos em que haverá simulação.

SINAL — Quantia ou valor que o comprador entrega ao vendedor para assegurar a conclusão do negócio e com a função de primeira parcela. Sinônimo de entrada e arras.

SINALAGMÁTICO — Diz-se daquilo que é bilateral, recíproco, importando em igualdade de direitos e deveres para as partes contratantes.

SINALÉTICA — São características físicas que permitem identificar os criminosos.

SINAPI (SISTEMA NACIONAL DE PESQUISA DE CUSTOS E ÍNDICES DA CONSTRUÇÃO CIVIL) — Criado em 1969, o SINAPI tem como objetivo a produção de informações de custos e índices de forma sistematizada e com abrangência nacional, visando à elaboração e avaliação de orçamentos, acompanhamento de custos, adequação de materiais e programação de investimentos. Estes resultados são calculados mensalmente pelo IBGE através de convênio com a Caixa Econômica Federal.

SINCERIDADE — Expressa a verdade com precisão, desembaraço e nada omite.

SINCRESTISMO — Sistema filosófico que combinava as opiniões e os princípios de diversas escolas; ecletismo; amálgama de concepções diferentes; fenômeno psicológico que caracteriza uma fase do desenvolvimento da criança durante a qual ela tem a precepção dos objetos no seu conjunto, sem os individualizar, só conseguindo distinguir os elementos do todo num período mais avançado do seu desenvolvimento mental.

SINCRÔNICO — Atributo ou descrição ou teorias que focalizam aspectos permanentes de um sistema (estrutura ou organização).

SINDICALISMO — Movimento que preconiza a organização das categorias profissionais de todos os trabalhadores em sindicatos e suas federações. (Ver: Sindicato.)

SINDICÂNCIA — 1) Ato de reunir informações para formar prova sobre uma ocorrência. Apuração. Investigação. Corresponde ao inquérito policial. 2) Na Administração Pública é o meio sumário de elucidação de irregularidades no serviço público para subseqüente instauração de inquérito administrativo que visará à punição do culpado. Nessa fase não pode haver punição.

SINDICÂNCIA ADMINISTRATIVA — Meio sumário de elucidação de irregularidades no serviço público para subseqüente instauração de processo e punição do infrator.

SINDICATO — Associação laboral que objetiva defender e coordenar os interesses econômicos e profissionais daqueles que, na qualidade de empregadores, empregados ou trabalhadores autônomos, exerçam atividades profissionais idênticas ou similares. (Ver: Sindicalismo.)

SÍNDICO — 1) Responsável pela administração de um condomínio de imóveis. 2) Antes da nova Lei de Falência e Recuperação Judicial (Lei Federal nº 11.101, de 9.2.2005), era o administrador da falência escolhido dentre os maiores credores do falido. (Ver: Administrador Judicial.)

SÍNDROME DA CHINA — Termo popular para qualificar o risco potencial de um acidente nuclear: imagina-se que o combustível de um reator nuclear seria tão quente que poderia atravessar o globo terrestre, dos Estados Unidos da América até a China.

SÍNDROME DE DOWN — É um erro genético que se caracteriza principalmente por sinais físicos e desenvolvimento motor e mental diferentes. Síndrome significa conjunto de sinais e sintomas que caracterizam uma condição e Down é o sobrenome do cientista que descreveu essa síndrome com estas características. Termos como "mongol", ou "mongolóide" não são admitidos.

SÍNDROME DE IMUNODEFICIÊNCIA ADQUIRIDA (SIDA) — Ver Saúde - Síndrome de imunodeficiência adquirida (SIDA).

SINE CURA — [Latim]. Expressão que significa sem preocupações.

SINE DIE — [Latim]. Expressão que significa sem fixar dia certo.

SINE QUA NON — [Latim]. Expressão que significa indispensável. Sem o que não. Designa a circunstância indispensável à validade ou realização de um ato ou fato.

SINECOLOGIA — Estudo das relações de uma comunidade com o ambiente e das relações das populações entre si.

SINECURA — Ver Cargo Público - Sinecura.

SINECURISMO — Ver Cargo Público - Sinecurismo.

SINERGIA — Associação simultânea de vários fatores que contribuem para uma ação coordenada. É o efeito ou força ou ação resultante da conjunção simultânea de dois ou mais fatores, de forma que o resultado é superior à ação dos fatores individualmente, sob as mesmas condições. O conceito pode ser aplicado em áreas, como alianças estratégicas, *joint-ventures*, acordos de cooperação, relações das empresas com fornecedores ou clientes e equipes de trabalho pluridisciplinares.

SINISTRO — 1) É o acontecimento involuntário e casual de evento decorrente de risco. 2) Ocorrência de prejuízo ou dano (incêndio, acidente etc.) em algum bem sobre o qual se fez seguro e que, legalmente, obriga a seguradora a indenizar.

SÍNODO — Assembléia de eclesiásticos convocados pelo seu prelado ou por outro superior; antigo nome dos concílios.

SINTÉTICO — Feito em síntese, resumido.

SINTOMA — Evidência externa de uma deficiência da qualidade de um produto ou serviço.

SINTONIA — Simultaneidade. Acordo mútuo (de sentimentos, idéias etc.); reciprocidade; simpatia.

SISBACEN (SISTEMA DE INFORMAÇÕES DO BANCO CENTRAL) — Complexo institucional formado por equipamentos, processos e conhecimentos de tecnologia de informação e negócio destinado ao tratamento eletrônico de informações de interesse do Banco Central. Apóia os macroprocessos de Formulação e Gestão da Política Monetária e Cambial, de Regulação e Supervisão do Sistema Financeiro Nacional e de Administração do Sistema de Pagamentos Brasileiro e Meio Circulante. É nele que são registradas saídas e entradas de dólares do País e por onde são feitos vários avisos, entre eles a liquidação de instituições financeiras etc. Abrange um conjunto de 160 subsistemas interdependentes subdivididos em 213 rotinas, 20.000 programas, 2.700 transações e 780 bases de dados. Está interligado a 2.000 sedes e 9.000 dependências de instituições financeiras e a redes e sistemas do Governo tais como SIAFI, SISCOMEX, SERPRO, TCU, IBGE, IPEA, PRODASEN, SELIC, CETIP e à rede internacional de transferência de fundos SWIFT.

SISBEX — Sistema eletrônico de negociação secundária de títulos públicos e de dólares da Bolsa de Mercadorias & Futuros.

SISCOMEX (SISTEMA INTEGRADO DE COMÉRCIO EXTERIOR) — É a sistemática administrativa do comércio exterior brasileiro que integra as atividades afins da Secretaria de Comércio Exterior, da Secretaria da Receita Federal e do Banco Central do Brasil no registro, acompanhamento e controle das diferentes etapas das operações de exportação e importação. O Banco Central é responsável pelo tratamento dos aspectos cambiais. O sistema ao mesmo tempo que preserva as funções básicas dos órgãos envolvidos, elimina a coexistência de controles paralelos e sistemas de coleta de dados paralelo, ao adotar o fluxo único de informações tratado pela via informatizada, o que permite, também, harmonizar conceitos e uniformizar códigos e nomenclaturas.

SÍSMICA — Técnica de obtenção de informações geológicas através da captação de sinais sonoros, refletidos nas camadas subterrâneas.

SISMICIDADE — Grau de freqüência e intensidade sísmica de uma zona determinada. De acordo com a sismicidade, distinguem-se: a) regiões sísmicas - sujeitas a terremotos freqüentes e intensos, como o Chile e Japão; b) regiões assísmicas, freqüentemente livres de terremotos, como o Brasil. (Ver: Zona sísmica.)

SISMÓGRAFO — Aparelho usado para registrar terremotos ou sismos. Por meio do sismograma, pode-se saber o tipo de onda vibratória e sua intensidade.

SISMOLOGIA — Ramo da Geofísica que se ocupa do estudo dos terremotos e da estrutura do Planeta Terra, através do estudo das ondas sísmicas e daquelas geradas artificialmente.

SISMÔMETRO — Instrumento que transforma as vibrações do terreno em impulsos elétricos. Esses sinais são enviados a um sistema de registro ou sismógrafo.

SISTEMA — Conjunto de elementos, materiais ou ideais, entre os quais se possa encontrar ou definir alguma relação.

SISTEMA ABERTO — Um sistema é considerado aberto quando mantém uma relação de interdependência com o ambiente no qual está envolvido; troca energia, matéria e informações para manter-se funcionando ao longo do tempo.

SISTEMA AMBIENTAL — Conjunto dos processos e interações dos elementos que compõem o meio ambiente, incluindo-se, além dos elementos físicos, biológicos e socioeconômicos, os fatores políticos, institucionais e ética (natureza antrópica). Os sistemas ambientais incluem os ecossistemas, porém, não se confundem com eles.

SISTEMA AUXILIAR DE TRANSPORTES — Sistema voltado para o atendimento dos pedestres, cumpre, sobretudo, a função de facilitar a acessibilidade aos diversos modos de transporte, vencendo percursos verticais, a exemplo de: elevadores, plano inclinado e escadas rolantes.

SISTEMA BANCÁRIO — Principal mecanismo através do qual o suprimento de dinheiro de um país é criado e controlado. Existem várias categorias de bancos, cada vez menos excludentes: bancos comerciais, bancos mercantis, caixas de poupança, bancos de investimento, além dos bancos centrais.

SISTEMA CÂMBIO — Registro de todas as operações de câmbio realizadas pelas instituições financeiras autorizadas a operar em câmbio e por seus intermediadores (corretoras de câmbio).

SISTEMA CGS DE UNIDADES — É um sistema de unidades de medidas físicas onde as unidades de base são o centímetro para o comprimento, o grama para a massa e o segundo para o tempo. Foi adotado em 1881 no Congresso Internacional de Elétricos.

SISTEMA COMPLEMENTAR DE TRANSPORTES — Sistema que atende à população das áreas/bairros localizados fora das áreas de influência do transporte de maior capacidade, integrando-os à rede estrutural, ou operando ligações diretas não atendidas pela rede estrutural.

SISTEMA CONSTITUCIONAL TRIBUTÁRIO — É o conjunto dos tributos que compõem o ordenamento jurídico, e também as normas tributárias de um determinado país. É um conceito do Direito Civil. No Brasil, o sistema tributário é constitucional, e portanto rígido. É conhecido pela sigla STN - Sistema Tributário Nacional, nome que recebeu quando da sua primeira estruturação em 1965. A Constituição Federal (CF) não deixa lacunas no Sistema Constitucional Tributário, ou seja, a sua alteração impõe um procedimento mais solene e complexo do que o exigido na confecção de Leis ordinárias.

SISTEMA CONTÁBIL — É o mais importante sistema de informação quantitativa de quase todas as organizações, que deve fornecer informações para três importantes finalidades: relatórios internos à administração, para planejamento e controle de operações rotineiras; relatórios internos à administração, para tomada de decisões não-rotineiras e formulação de planos e políticas de maior importância; relatórios externos aos acionistas, ao governo etc.

SISTEMA DA COOPERAÇÃO — Conjunto de elementos da cooperação, reunidos de maneira a formar um todo intimamente relacionado.

SISTEMA DA QUALIDADE — É o controle e a rede de procedimentos necessários para produzir e entregar os produtos dotados de padrão de qualidade especificada.

SISTEMA DE ALARME — Dispositivo de vigilância permanente e automática de uma área ou planta industrial, que detecta variações de constantes ambientais e informa os sistemas de segurança a respeito.

SISTEMA DE ALERTA — Conjunto de equipamentos ou recursos tecnológicos para informar a população sobre a ocorrência iminente de eventos adversos.

SISTEMA DE ALERTA PRÉVIO — Instrumento de prevenção de conflitos baseado na aplicação sistemática de procedimentos padronizados de recolha, análise e processamento de dados relativos a situações potencialmente violentas, destinado a alertar os centros de decisão política para a adoção antecipada de medidas que evitem o eclodir do conflito assim como a sua intensificação ou alastramento.

SISTEMA DE AMORTIZAÇÃO CONSTANTE (SAC) — Método de pagamento de uma dívida em que a parcela de amortização (um dos componentes da prestação) é constante e a parcela de juros, que incide sobre o saldo devedor, é decrescente ao longo do prazo de financiamento.

SISTEMA DE AMORTIZAÇÃO CRESCENTE (SACRE) — Método de cálculo e reajuste de prestações de financiamento, o SACRE é muito parecido com o Sistema de Amortização Constante. A diferença está no modo de aplicar a taxa referencial (TR) à fórmula que define a prestação, provocando a variação da amortização. (Ver: TR.)

SISTEMA DE AMORTIZAÇÃO MISTO — Método de cálculo de prestações de financiamentos que utiliza a média aritmética da prestação calculada pela Tabela *Price* e pelo Sistema de Amortização Constante.

SISTEMA DE AVALIAÇÃO DE DESEMPENHO URBANO — É um mecanismo de avaliação e monitoramento da cidade e instrumento de suporte da tomada das decisões do Poder Municipal, na medida em que poderá prever, antecipadamente, quais as conseqüências que uma determinada obra (ou a falta dela) poderá provocar na cidade.

SISTEMA DE COMPENSAÇÃO — Sistema que congrega as contas nas quais são registrados os atos praticados pela Administração que não afetam o patrimônio de imediato, mas que poderão vir a afetá-lo no futuro de curto ou médio prazo, bem como aqueles que demandam acompanhamento sistemático, em razão de suas possíveis implicações no campo legal, financeiro ou patrimonial; portanto o sistema de compensação reúne as contas que expressam os compromissos contratuais da instituição para com terceiros e vice-versa, bens e valores e valores a título de garantia ou de empréstimo e responsabilidades assemelhadas.

SISTEMA DE CONTAS — Designação que se dá ao conjunto de contas que são especificamente relacionadas a objetos complexos (patrimônio, gestão financeira, garantias e outros atos potenciais), organizados com vistas a propiciar o registro sistematizado dos atos, fatos e ocorrências de uma mesma natureza, gerar elementos de apoio a tomadas de decisões pelas estruturas gerenciais das instituições e facilitar a elaboração de Balanços e Demonstrativos. Na Administração Pública brasileira, o Sistema de Contas costuma ser organizado em quatro subsistemas, denominados: Sistema Orçamentário, Sistema Financeiro, Sistema Patrimonial e Sistema de Compensação.

SISTEMA DE CONTAS FINANCEIRO — Registra a arrecadação da receita e o pagamento da despesa orçamentária e extra-orçamentária. A fonte alimentadora do sistema financeiro é o caixa, que movimenta a entrada e a saída de numerário, evidenciando a disponibilidade.

SISTEMA DE CONTAS ORÇAMENTÁRIO — Registra a receita prevista e as autorizações legais de despesa constantes da Lei Orçamentária Anual e dos créditos adicionais, demonstrando a despesa fixada e a realizada no exercício, bem como compara a receita prevista com a arrecadada. As fontes alimentadoras do sistema orçamentário são: os orçamentos e suas alterações, o caixa e os atos administrativos.

SISTEMA DE CONTROLE — De um modo geral podem ser caracterizados como tal os sistemas orientados para medir e avaliar os resultados e para compará-los com objetivos previamente estabelecidos, organizados de maneira a permitir o estabelecimento de medidas corretivas quando surgirem evidências de que tais objetivos, não irão ser alcançados na forma originalmente estabelecida.

SISTEMA DE CONTROLE INTERNO — Conjunto de unidades técnicas, articuladas a partir de um órgão central de coordenação, orientadas para o desempenho das atribuições de controle interno indicados na Constituição e normatizados em cada nível de Governo.

SISTEMA DE EDUCAÇÃO E TREINAMENTO — Conjunto de pré-requisitos de autodesenvolvimento, habilidades para o exercício do trabalho e habilidades técnicas e gerenciais que permitem o crescimento/desenvolvimento funcional dos empregados.

SISTEMA DE FINANCIAMENTO IMOBILIÁRIO (SFI) — Criado em 1997 pela Lei nº 9.514, de 20.11.1997, como alternativa ao Sistema Financeiro da Habitação e à Carteira Hipotecária, o sistema autoriza a securitização dos créditos imobiliários e introduz a alienação fiduciária no mercado imobiliário. (Ver: Securitização.)

SISTEMA DE GESTÃO AMBIENTAL — Conjunto de procedimentos para gerir ou administrar uma organização, de forma a obter o melhor relacionamento com o meio ambiente.

SISTEMA DE GESTÃO E DE CONTROLE INTERNO — Conjunto constituído pela organização interna, pelos procedimentos e/ou pelas práticas que permitem à entidade alcançar os seus objetivos. Incluem: a) os sistemas de planejamento que permitem preparar as decisões políticas ou administrativas; b) os sistemas de execução que permitem transmitir ordens dos órgãos de gestão superior da organização até aos níveis inferiores, com indicação da divisão de responsabilidades; e c) os sistemas de controle interno que permitem verificar, por intermédio de um conjunto de procedimentos e práticas, se a entidade funciona em conformidade com os princípios de controle interno.

SISTEMA DE INFORMAÇÃO SOBRE COMÉRCIO EXTERIOR (SICE) — Organismo criado pela OEA (Organização dos Estados Americanos) com a finalidade de fornecer informações sobre comércio exterior aos setores público e privado dos países-membros e facilitar a colocação de seus produtos e serviços nos mercados internacionais.

SISTEMA DE INFORMAÇÕES DE CRÉDITO (SCR) — Sistema criado pelo Conselho Monetário Nacional e gerido pelo Banco Central com o objetivo de supervisão que, obedecidas determinadas condições, permite a troca de informações sobre operações de crédito entre os integrantes do Sistema Financeiro Nacional.

SISTEMA DE INOVAÇÃO — Sistema Nacional, Regional ou Local de Inovação que pode ser visto como uma rede de instituições dos setores público (universidades, centros de Pesquisa e Desenvolvimento - P&D, agências governamentais de fomento e financiamento, empresas públicas e estatais, dentre outros) e privado (empresas, associações empresariais, ONGs etc.) cujas atividades e interações geram, adotam, importam, modificam e difundem novas tecnologias, sendo a inovação e o aprendizado seus aspectos cruciais.

SISTEMA DE IRRIGAÇÃO — Sistema por meio do qual a água se torna disponível para a irrigação. Compreende os diversos elementos, instalações e dispositivos de controle.

SISTEMA DE LIVRE INICIATIVA — Ver Economia de mercado.

SISTEMA DE LOGÍSTICA — Forma de gestão da cadeia de suprimentos de uma empresa. É através do seu sistema de logística que uma empresa planeja e controla o fluxo e armazenagem de bens, serviços e informações, desde o ponto de origem até o ponto de consumo, de forma a atender às exigências dos clientes.

SISTEMA DE MOBILIZAÇÃO NACIONAL — Conjunto de órgãos funcionando segundo uma estrutura organizada, harmônica, integrada, ordenadamente e de acordo com uma doutrina, com o objetivo de planejar, preparar e executar a Mobilização Nacional.

SISTEMA DE PAGAMENTO — Um sistema de pagamento consiste de uma série de instrumentos, procedimentos bancários e, em geral, sistemas interbancários de transferência de fundos que asseguram a circulação do dinheiro.

SISTEMA DE PAGAMENTOS BRASILEIRO (SPB)— É um sistema que permite transferências de recursos, bem como o processamento e a liquidação de pagamentos para pessoas, empresas, governo, Banco Central e instituições financeiras - praticamente todos os agentes atuantes na economia. O cliente bancário utiliza-se do Sistema de Pagamentos toda vez que emite cheques, faz compras com o cartão de débito ou ainda quando envia um DOC - Documento de Crédito.

SISTEMA DE PLANEJAMENTO — É uma das estratégias do Plano Diretor de Desenvolvimento Urbano e Ambiental (PDDUA) que objetiva um processo de planejamento dinâmico e contínuo, que articule as políticas públicas com os diversos interesses da sociedade, promovendo instrumentos para o monitoramento do desenvolvimento urbano. 2) Sistema que agrega órgãos que elaboram o PPA, a LDO e a LOA.

SISTEMA DE REPRESENTAÇÃO PROPORCIONAL — Ver Eleição - Sistema Proporcional.

SISTEMA DE RESERVAS FRACIONÁRIAS — Sistema bancário em que o banco mantém apenas uma parte de seus depósitos como reserva.

SISTEMA DE TRANSFERÊNCIA DE CRÉDITO — É um sistema de transferência de fundos no qual as ordens de pagamento se movem do (banco do) iniciador da mensagem de transferência ou pagador ao (banco do) receptor da mensagem ou beneficiário.

SISTEMA DE TRANSPORTE COLETIVO — São as linhas e itinerários dos diversos tipos de ônibus, integrados ou não com outros sistemas de transporte de passageiros.

SISTEMA DE TRANSPORTE URBANO — É o conjunto das diferentes modalidades de transporte de passageiros ou de cargas e seu inter-relacionamento com a cidade.

SISTEMA DISTRITAL — Ver: Eleição - Sistema Distrital.

SISTEMA ECONÔMICO — É o conjunto de instituições jurídicas e sociais afins, em que são empregados certos meios técnicos, organizados em função de determinadas causas dominantes, para assegurar a realização do equilíbrio econômico. É a forma como a sociedade está organizada para desenvolver as atividades econômicas de produção, circulação, distribuição e consumo de bens e serviços.

SISTEMA ELEITORAL — Conjunto de regras, técnicas e procedimentos a que se submetem as eleições, com vistas a organizar a representação do povo no território nacional. (Ver: Eleição.)

SISTEMA ELÉTRICO — Instalações fisicamente ligadas de geração, transmissão e distribuição, operadas como uma unidade integrada sob um gerenciamento central, ou supervisão operacional. A geração, transmissão, distribuição e outros equipamentos operados como uma "concessionária" elétrica, ou parte desta. (Ver: ANAEL.)

SISTEMA FECHADO — Aqueles que não trocam informação ou energia com o ambiente que lhe é externo; obedecem ao segundo princípio da termodinâmica, isto é, que apresentam a propriedade da entropia sempre crescentes.

SISTEMA FINANCEIRO DA HABITAÇÃO (SFH) — É gerido pelo governo e fiscalizado pelo Banco Central. O SFH é caracterizado por emprestar recursos da poupança para o financiamento imobiliário. Foi criado em 1964 para viabilizar de maneira permanente a captação e aplicação de recursos na área habitacional. No entanto, o financiamento deve obedecer a certas condições, definidas por legislação. Pode financiar, entre outros, a aquisição e construção de imóveis habitacionais.

SISTEMA FINANCEIRO NACIONAL (SFN) — Conjunto de instituições financeiras, públicas e privadas, voltadas para a política monetária do Governo, sob a orientação do Conselho Monetário Nacional, e à intermediação de recursos financeiros entre os agentes poupadores e o setor produtivo com o objetivo de financiar a produção dos bens e serviços necessários a satisfazer as necessidades da população. Em resumo, é constituída do Conselho Monetário Nacional, do Banco Central do Brasil, do Banco do Brasil S/A, do Banco Nacional de Desenvolvimento Econômico e Social e das instituições financeiras públicas e privadas.

SISTEMA FRANCÊS DE AMORTIZAÇÃO — Ver Tabela Price.

SISTEMA INTEGRADO DE ADMINISTRAÇÃO DE RECURSOS HUMANOS (SIAPE) — Compreende o controle e acompanhamento dos gastos realizados com pessoal, à conta do Tesouro Nacional, abrangendo o planejamento, a organização, a supervisão e o controle da realização do pagamento de pessoal civil dos órgãos federais que recebam transferências de recursos à conta do Tesouro Nacional, bem como dos inativos e pensionistas.

SISTEMA INTEGRADO DE ADMINISTRAÇÃO FINANCEIRA DO GOVERNO FEDERAL (SIAFI) — Modalidade de acompanhamento das atividades relacionadas com a administração financeira dos recursos da União, que centraliza ou uniformiza o processamento da execução orçamentária, recorrendo a técnicas de elaboração eletrônica de dados, com o envolvimento das unidades executoras e setoriais, sob a supervisão do Tesouro Nacional e resultando na integração dos procedimentos concernentes, essencialmente, à programação financeira, à contabilidade e à administração orçamentária.

SISTEMA INTEGRADO DE DADOS ORÇAMENTÁRIOS (SIDOR) — Conjunto de procedimentos, justapostos entre si, com a incumbência de cuidar do processamento de cunho orçamentário, através de computação eletrônica, cabendo sua supervisão à Secretaria de Orçamento Federal (SOF).

SISTEMA MAJORITÁRIO — Ver Eleição - Sistema Majoritário.

SISTEMA MONETÁRIO — Conjunto de cédulas e moedas adotado por um país.

SISTEMA MONETÁRIO EUROPEU — Sistema de acordos concluídos pelos países-membros da União Européia para criar entre si uma zona de taxas de câmbio estáveis.

SISTEMA NACIONAL DE AVALIAÇÃO DA EDUCAÇÃO BÁSICA (SAEB) — Sistema de análise do desempenho dos alunos e dos diversos fatores que determinam a qualidade e efetividade do ensino, por meio de pesquisa envolvendo 700 municípios, 3 mil escolas públicas e privadas, 25 mil professores, 3 mil diretores e 220 mil alunos da 4ª série do Ensino Fundamental à 3ª série do Ensino Médio, nas disciplinas Língua Portuguesa, Matemática, Ciências, História e Geografia. A proposta é corrigir distorções e aperfeiçoar práticas que resultem na melhoria do sistema de ensino brasileiro. É realizado a cada dois anos, sob coordenação do Instituto Nacional de Estudos e Pesquisas Educacionais.

SISTEMA NACIONAL DE DEBÊNTURES (SND) — Parte do sistema CETIP e sua função é manter registros e cadastros de todas as debêntures emitidas e negociadas no mercado.

SISTEMA NACIONAL DE DEFESA CIVIL (SINDEC) — Tem por competência planejar e promover a defesa permanente contra desastres, naturais ou provocados pelo ser humano, e atuar em situações de emergência e em estados de calamidade pública, integrando, no território nacional, ações de órgãos e entidades públicas e privadas, em interação com a comunidade, objetivando prevenir ou minimizar danos, socorrer e assistir populações atingidas e recuperar áreas deterioradas por eventos adversos. O Decreto nº 5.376, de 17 de fevereiro de 2005 dispõe sobre o Sistema Nacional de Defesa Civil - SINDEC e o Conselho Nacional de Defesa Civil, e dá outras providências.

SISTEMA NACIONAL DE INOVAÇÃO — É o conjunto de instituições públicas e privadas que, no âmbito de um país, formulam, planejam, executam, financiam, apóiam atividades de Tecnologia e Informação (T&I), bem como os usuários e beneficiários dessas atividades.

SISTEMA NACIONAL DE UNIDADES — Conjunto organizado de áreas naturais protegidas através de Unidades de Conservação federais, estaduais, municipais e particulares que, planejado, manejado e gerenciado como um todo e constituído de forma a abranger comunidades bióticas geneticamente sustentáveis, é capaz de viabilizar os objetivos nacionais de conservação.

SISTEMA NACIONAL DO MEIO AMBIENTE (SISNAMA) — Instituído pela Lei nº 6.938, de 31.8.1981, que dispõe sobre a Política Nacional do Meio Ambiente, o SISNAMA reúne os órgãos e entidades da União, dos Estados, do Distrito Federal e dos Municípios, que estejam envolvidos com o uso dos recursos ambientais ou que sejam responsáveis pela proteção e melhoria da qualidade ambiental. Constituem o SISNAMA: o Conselho Nacional do Meio Ambiente, denominado Órgão Superior, com a função de assistir o presidente da República na formulação das diretrizes da Política Nacional do Meio Ambiente; a SEMA, Órgão Central, encarregada de promover, disciplinar e avaliar a implementação dessa Política; os órgãos, entidades e fundações da Administração Pública Federal, chamados Órgãos Setoriais cujas atividades estejam associadas ao uso dos recursos ambientais ou à preservação da qualidade ambiental; os órgãos, entidades e fundações estaduais, Órgãos Seccionais responsáveis pelo planejamento e execução das ações de controle ambiental; os órgãos e entidades municipais, Órgãos Locais, responsáveis, em suas áreas de jurisdição, pelo controle e fiscalização das atividades modificadoras do meio ambiente.

SISTEMA ORGANIZACIONAL — Conjunto de elementos que têm um objetivo em comum, e que se relacionam entre si, de forma dinâmica. O sistema organizacional se refere ao sistema aplicado por uma determinada empresa ou organização na execução de suas tarefas.

SISTEMA PATRIMONIAL — Sistema que congrega as contas nas quais são registrados os atos que tenham repercussão sobre o patrimônio público, bem como as que demonstram a posição consolidada do patrimônio. É nesse sistema que são evidenciadas as variações patrimoniais provocadas pela execução do orçamento ou ocasionadas por transações de outras origens. Sua alimentação é realizada a partir de fatos de natureza extracaixa ou não-financeira.

SISTEMA PENITENCIÁRIO — É entendido como as diretrizes e elementos essenciais da execução das penas privativas de liberdade.

SISTEMA PRODUTIVO LOCAL — Rede de *clusters* implantada em região bem estruturada, que apresenta planejamento territorial com alto nível de interação público-privado, respeito à cultura local e tem por objetivo assegurar a qualidade de vida dos habitantes.

SISTEMA SOLAR — Parte do espaço que envolve e compreende o Sol e os astros que estão sob a influência do seu campo de gravitação, que são os oito planetas, Mercúrio, Vênus, Terra, Marte, Júpiter, Saturno, Urano e Netuno, os 31 satélites naturais conhecidos destes planetas e muitos milhares de outros planetas inferiores, cometas etc. Em agosto de 2006 a União Astronômica Internacional rebaixou oficialmente o *status* de Plutão, que passa a ser chamado "planeta anão". Antes, era o nono planeta do sistema solar.

SISTEMA TAXAS — Controle e Informações das Taxas de Câmbio. Acompanha e divulga para o mercado a variação da taxa média das moedas de câmbio livre.

SISTEMA TAYLOR — Gerenciamento com base na separação das etapas de planejamento e de execução (o chefe planeja, o operário executa). (Ver: Taylor, F.W.)

SISTEMA VIÁRIO — É o conjunto de vias integrantes de um determinado espaço, em que são estruturadas de modo hierárquico, resultando em um sistema integrador das funções urbanas principalmente pela circulação de veículos motorizados.

SISTEMAS DE PATENTE — É um conjunto de regras que tratam da proteção das invenções e dos modelos industriais. A patente é o direito outorgado pelo Governo de uma Nação a uma pessoa, o qual confere a exclusividade de exploração do objeto de uma invenção, ou de um modelo industrial, durante um determinado período em todo o território nacional. Além do direito de industrial, assegura a publicação de novas tecnologias, garante o retorno do investimento na pesquisa, desenvolvimento e produção de uma nova tecnologia, domínio do mercado onde vai ser desenvolvido e de outros mercados potenciais (principalmente onde a patente tenha sido expandida) e disponibilidade da informação técnica, que, além da exclusividade, tem também a característica principal de completeza por estar fundamentada na revisão do estado da arte. O Sistema de Patentes está estruturado à luz de quatro aspectos: do direito, da economia, da técnica, do progresso.

SISTEMAS DE SUPORTE A DECISÃO — Sistemas desenvolvidos com técnicas de Tecnologia e Informação (TI) com algoritmos e rotinas que apóiam a tomada de decisões; muito úteis para tomada de decisões relativas a situações complexas, com muitas variáveis.

SISTEMAS TECNOLÓGICOS — Conjuntos de tecnologias interagindo entre si e oriundos de diversas inovações radicais e inovações incrementais mas, em geral, com origem em apenas uma delas. Ex.: Petroquímica.

SISTEMÁTICA — Estudos dos tipos e da diversidade de organismos, sua distribuição, classificação e evolução.

SÍTIO ARQUEOLÓGICO — Área de domínio público destinada a proteger vestígios de ocupação pré-histórica humana contra quaisquer alterações e onde as atividades são disciplinadas e controladas de modo a não prejudicar os valores a serem preservados.

SÍTIOS PALENTOLÓGICOS — Áreas, geralmente cortes-de-estrada e barrancas de rios, onde são encontrados os fósseis, nas rochas das épocas em que eles viveram.

SITUAÇÃO DE EMERGÊNCIA — Reconhecimento (legal) pelo Poder Público de situação anormal, provocada por desastre, causando danos superáveis (suportáveis) pela comunidade atingida. É um nível abaixo da Calamidade Pública.

SITUAÇÃO DO DOMICÍLIO — Utilizado em pesquisa, a população é classificada segundo a localização do domicílio nas áreas urbanas ou rurais, definidas por lei municipal. Na situação urbana, consideram-se as pessoas e os domicílios recenseados nas cidades, vilas e áreas urbanas isoladas, conforme delimitado pelas respectivas posturas municipais à época de realização dos Censos Demográficos; a situação rural abrange a população e os domicílios recenseados fora dos limites daquelas áreas, inclusive nos aglomerados rurais (povoados, arraiais etc.).

SITUAÇÃO ECONÔMICA — É o montante de recursos próprios aplicados em diferentes ativos, inclusive e principalmente no ativo permanente.

SITUAÇÃO ECONÔMICO-FINANCEIRA — Avaliação da Instituição Financeira ou empresas quanto a sua solvência e capacidade de atuação no seu segmento, baseada em dados objetivos, tais como liquidez corrente, rentabilidade do ativo, rentabilidade do patrimônio líquido e outros. Utiliza também dados subjetivos como controle interno, capacidade organizacional, gestão etc.

SITUAÇÃO FINANCEIRA — É a capacidade de pagamento das obrigações (passivo) com as disponibilidades monetárias (ativo), explicitando a capacidade da entidade em saldar ou não seus compromissos.

SITUAÇÃO LÍQUIDA PATRIMONIAL — É aquela que surge da diferença aritmética existente entre o ativo e o passivo real. É o patrimônio líquido.

SKUNK — Ver Entorpecente - *Skunk*.

SLIDE — Fotografia para projeção parada.

SLOGAN — Frase curta, de efeito, de fácil memorização, que identifica ao produto anunciado.

***SLUSH FUNDS; CAISSE-NOIR* (OU CAIXA-DOIS)** — São fundos obtidos através de operações financeiras de uma empresa, cuidadosamente administrados de modo que os montantes não apareçam em sua contabilidade ou apareçam de forma mascarada. Não necessitam estar na forma dinheiro, podendo existir sob a forma de ações, participações societárias, e outros bens de valor (obras de arte, jóias, pedras preciosas, barcos etc.). Essas reservas secretas são estabelecidas para: 1) pagar custos não-justificados de qualquer tipo; 2) enriquecimento dos principais sócios, ou dos diretores ou dos funcionários; 3) violar leis de competição; 4) pagar grupos mafiosos ou terroristas; 5) proteção contra atos de vandalismo, sabotagem, seqüestro; 6) esquemas de corrupção de políticos e administradores públicos. No caso dos esquemas de corrupção, esses fundos atendem à necessidade de ter grande quantidade de dinheiro constantemente disponível, principalmente sob a forma de depósitos em conta-corrente, com freqüência através da criação de companhias *offshore*.

SMALL CAPS — Ações com baixa liquidez, também conhecidas como ações de segunda linha.

SMART CARDS — Cartões inteligentes, assim chamados por conterem valores (dinheiro) impressos eletronicamente, usados para pagamentos diversos por seus portadores. Seu *chip* (memória) tem capacidade de reter grande número de informações, tais como, qualificação do portador, carteira de identidade, CPF, placa do carro e chassi, plano de saúde, contas bancárias, grupo sangüíneo, alergias, senhas codificadas etc. Podem ser, também, cartões magnetizados através dos quais pode o cliente movimentar, a distância, sua conta bancária, com o débito instantâneo de suas despesas e o crédito *on-line* aos recipiendários desses valores.

SMOG — Termo que combina as palavras inglesas "*smoke*" e "*fog*" (fumaça e neblina). O *smog* ocorre quando a poluição acontece em combinação com gotículas de vapor de água. Em geral, usado como um equivalente à poluição do ar, particularmente associado a oxidantes. O *smog* é prejudicial para a saúde.

SND — Ver Sistema Nacional de Debêntures.

SOBERANIA DA NAÇÃO — É o poder absoluto de autodeterminação, e que não conhece outro poder concorrente. A soberania de uma nação é inalienável e imprescritível.

SOBERANIA DO ESTADO — Ver Estado soberano.

SOBERANO — Que tem soberania; supremo; absoluto. Excelente. O que exerce poder supremo. Potentado. Dominador.

SOBERBA — Altivez, orgulho excessivo, arrogância, presunção.

SOBRAS DE SUBSCRIÇÃO — Direitos pelo não exercício de preferência em uma subscrição de ações do capital de uma sociedade anônima.

SOBRENATURAL — Superior às forças da natureza; fora das leis naturais. Extraordinário; miraculoso.

SOBREPAGA — É a importância paga além do convencionado. Gratificação.

SOBREPARTILHA — Nova partilha, feita nos mesmos autos do inventário, para distribuição de bens remanescentes que não tinham sido descritos ou partilhados, por não se saber que o *de cujus* os tinha, ou eram remotos, litigiosos, sonegados ou de difícil e morosa liquidação.

SOBREPUJAR — Exceder. Superar. Ultrapassar. Sobressair.

SOBRESSEGURO — É o seguro no qual o valor da apólice é maior que o valor do bem segurado. Seguro a maior.

SOBRESTAMENTO — Suspensão temporária de deliberação de matéria constante da pauta, em virtude da ocorrência de fato motivador.

SOBRESTAMENTO DE DECISÃO EM PROCESSO — Parar, deter-se até que ocorra decisão em processo correlato ou similar, até que sejam cumpridas medidas necessárias ao saneamento do processo. (Ver: Despacho saneador // Saneamento do processo.)

SOBRESTAR — Suspender, deter, paralisar o curso, deixar de dar andamento a.

SOBREVALORIZAÇÃO — Termo utilizado para expressar que determinado ativo está valendo mais do que seu valor real.

SOBREVIVÊNCIA — Qualidade ou estado de sobrevivente. Condição de quem consegue escapar vivo de uma catástrofe. Técnica e treinamento que prepara as pessoas para aumentar suas chances de sobreviver a condições extremamente adversas.

SOCIALDEMOCRACIA — Surge no século XIX, com os movimentos trabalhistas e políticos que pressionam os governos europeus a estender a cidadania plena a todos, sem distinção de renda. Em sua origem crítica a democracia representativa retoma a discussão da democracia direta e defende o autogoverno e a autogestão. Após a II Guerra Mundial, os partidos socialdemocratas chegam ao poder em diversas nações do Leste Europeu, na Suíça e na Inglaterra, com o Labour Party (Partido Trabalhista). Inicia-se, assim, a criação dos programas do estado de bem-estar social (*welfare state*). Atualmente, a socialdemocracia adota o princípio de que o Estado é responsável apenas pela regulamentação, não pela posse dos negócios e indústrias do país.

SOCIALISMO — Corrente de pensamento que se desenvolve a partir do século XIX em oposição ao liberalismo e ao capitalismo. Propõe uma organização social na qual são abolidos a propriedade privada, os meios de produção e a sociedade de classes. Preconiza a organização de uma sociedade igualitária, livre das relações de exploração entre as classes sociais, e que assegura a primazia do interesse coletivo sobre os individuais. Há diferentes formas de socialismo. Como doutrina, o socialismo traduz a primazia do social sobre a pessoa em termos imanentistas, isto é, o fim e a razão de ser da pessoa é a sociedade ou o grupo social na qual vive. Como sistema, o socialismo traduz a primazia do social sobre a pessoa, numa organização na qual o Estado, órgão de um partido único, detém a totalidade do poder político, econômico e social.

SOCIALISMO CIENTÍFICO — Criado por Karl Marx e Friedrich Engels, é chamado assim por não se apresentar mais como um ideal, mas como uma necessidade histórica que deriva da crise do capitalismo. Está fundamentado numa análise científica da sociedade capitalista, baseada na concepção materialista da história (o modo de produção determina as relações sociais). Essas idéias estão presentes nas obras *Contribuição à Crítica da Economia Política* (1859) e *O Capital* (1867), entre outras. Marx e Engels criticam os partidários do socialismo utópico e defendem a organização da classe trabalhadora como força revolucionária. Em 1848, Marx e Engels lançam *O Manifesto do Partido Comunista*, que analisa a história como o resultado da luta entre as classes sociais. No capitalismo a oposição se dá entre burgueses - proprietários dos meios de produção - e proletários, que vendem sua força de trabalho. O Manifesto afirma que a classe operária é internacional e instiga o proletariado de todo o mundo a se unir para tomar o poder. Traduzido para várias línguas, tem forte influência nos movimentos operários e revolucionários.

SOCIALIZAÇÃO — Processo pelo qual os indivíduos participam ou se tornam membros de sociedades e organizações; processo mutuamente adaptativo que se realiza pela interação dos membros de um grupo social e que resulta na reprovação de comportamentos individuais fora das convenções socialmente aceitas (*ethos* de uma comunidade).

SOCIEDADE — 1) Estrutura formada pelos grupos principais, ligados entre si, considerados como uma unidade e participando, todos, de uma cultura comum. 2) União de pessoas (físicas e/ou jurídicas) que, reciprocamente, se obrigam a contribuir, com bens ou serviços, para o exercício de atividade econômica e a partilhar, entre si, os resultados. Por ter fins lucrativos, não se qualifica como organização do Terceiro Setor. (Ver: Sociedade e Associação - Distinção.)

SOCIEDADE - ESTRUTURA — De acordo com o novo Código Civil, as sociedades terão a seguinte estrutura: a) Sociedades não personificadas, aquelas em que a pessoa dos sócios ainda não é diferenciada da personalidade da sociedade por não terem ainda os atos constitutivos devidamente registrados no órgão competente (Registro Público de Empresas Mercantis ou Registro Civil das Pessoas Jurídicas), subdivididas em sociedade em comum (abrangendo as chamadas sociedades irregulares e as sociedades de fato) e sociedade em conta de participação; e, b) Sociedades personificadas, subdivididas em sociedades simples (incluindo as cooperativas) e sociedades empresárias (abrangendo a sociedade limitada, a sociedade em nome coletivo, a sociedade em comandita simples, a sociedade em comandita por ações e a sociedade anônima).

SOCIEDADE - TRANSFORMAÇÃO — É a mudança do tipo social sem haver dissolução e extinção (por exemplo, a mudança de sociedade anônima para limitada, ou vice-versa). A passagem de companhia aberta para fechada, ou vice-versa, ou mudanças estatutárias ou contratuais, mesmo que seja de objeto social, não se constituem em transformação.

SOCIEDADE ANÔNIMA — Espécie mais utilizada nos casos de grandes empresas, onde o capital se encontra dividido em ações e cada acionista é responsável apenas pelo preço de emissão de suas próprias ações (responsabilidade limitada e não solidária). Os acionistas controladores respondem por abusos. Não está regulamentada no Novo Código Civil, mas em lei esparsa (Lei 6.404, de 1976). Na sociedade anônima, a autoridade decisória de cada sócio é proporcional à parcela de ações com direito a voto que possuir. Na sociedade anônima podem, em princípio, exercer atividades em quaisquer dos setores econômicos. No entanto para fazê-lo em certos ramos de atividades - bancos, seguradoras, corretoras etc. - necessitam prévia autorização de órgãos públicos responsáveis pela regulação e fiscalização das mesmas. A denominação ou nome fantasia (não utiliza firma ou razão social) deve ser acrescida da expressão "S/A" ou antecedido da expressão "Companhia" ou "Cia.".

SOCIEDADE ANÔNIMA DE CAPITAL ABERTO — É uma companhia cujas ações são negociadas em uma bolsa de valores. As ações estão disponíveis para compra e venda por qualquer indivíduo que deseje, sem a necessidade de consentimento por parte da companhia. É exigido que esta seja mais transparente do que companhias limitadas ou de capital fechado.

SOCIEDADE CIVIL (CIÊNCIA POLÍTICA) — O termo possui leque amplo de definições. Em uma definição abrangente, é a esfera das relações entre indivíduos, entre grupos, entre classes sociais, que se desenvolvem à margem das relações de poder típicas das instituições estatais. (Ver: Sociedades Civis e Sociedades Comerciais // Sociedade simples // Sociedade empresária.)

SOCIEDADE CIVIL (DIREITO) — Antes do novo Código Civil era definido como a pessoa jurídica formada pela associação entre indivíduos com finalidade de tirar lucros das atividades exercidas. (Ver: Sociedades civis e sociedades comerciais.)

SOCIEDADE CIVIL DE FIM LUCRATIVO — Sociedade cujo objetivo é o exercício de uma profissão liberal, por exemplo, sociedades de médicos, advogados ou cirurgiões-dentistas. Como advento da Lei nº 8.245, de 1991, tais sociedades podem propor ação renovatória da locação do prédio em que funcionam, nos moldes da ação proposta pelas sociedades mercantis.

SOCIEDADE COMERCIAL — Sociedade feita por meio de contrato no qual as pessoas acordam em contribuir com seus bens ou sua indústria para a formação do capital social com o fim de desenvolver atividade comercial. Associação que tem por objetivo o lucro mediante a prática de atos de comércio. (Ver: Sociedades civis e sociedades comerciais.)

SOCIEDADE CONTROLADA — Entende-se por aquela em que a sociedade controladora, diretamente ou por intermédio de outras controladas, se torna titular de direitos de sócio que lhe assegurem, de modo permanente, preponderância nas deliberações sociais e o poder de eleger a maioria dos administradores.

SOCIEDADE COOPERATIVA — A sociedade cooperativa não apresenta caráter mercantil e tem a peculiaridade de dispensar a existência do capital social, que, ainda quando presente, poderá ser variável. A responsabilidade dos sócios pode ser limitada ou ilimitada, conforme estipule o ato constitutivo. O número de sócios deve ser o mínimo para compor a administração da sociedade. As cotas do capital são intransferíveis a terceiros, ainda que por força de sucessão hereditária, e cada sócio tem direito a um voto em assembléia, independentemente das suas relações com a sociedade, as quais servem de parâmetro para a distribuição dos resultados. Aplicam-se subsidiariamente as disposições da sociedade simples. As sociedades cooperativas, que eram regidas apenas pela Lei nº 5.764, de 1971, tiveram impressionante incremento nos últimos anos com as cooperativas de prestação de serviços. Anteriormente, sua maior incidência se dava no meio rural. O Novo Código Civil estabelece regras gerais, de modo que a lei especial nº 5.764 continua vigendo. (Ver: Cooperativa // Sociedade Simples.)

SOCIEDADE CORRETORA DE TÍTULOS E VALORES MOBILIÁRIOS — É a instituição habilitada à prática das atividades que lhe são atribuídas pelas leis nºs 4.728, de 14.7.1965 (disciplina o mercado de capitais), e 6.385, de 7.12.1976 (dispõe sobre o mercado de valores mobiliários), e regulamentação aplicável. Tem por objetos, dentre outros: comprar, vender e distribuir títulos e valores mobiliários; operar em bolsas de mercadorias e de futuros; e operar em recinto ou em sistema mantido por bolsa de valores. Distingue-se da sociedade distribuidora de títulos e valores mobiliários que não têm acesso às bolsas de valores. Deve ser constituída sob a forma de sociedade anônima ou por quotas de responsabilidade limitada. O Banco Central do Brasil somente concederá autorização para funcionamento à instituição que comprovar a aquisição de título patrimonial de bolsa de valores.

SOCIEDADE DA INFORMAÇÃO — Configuração de padrão sócio-técnico-econômico em que as atividades humanas estão baseadas e organizadas em torno de atividades de geração, recuperação e uso de informação e conhecimento. Na Sociedade da informação, o sucesso das empresas está relacionado ao volume dos seus ativos intangíveis. (Ver: Recursos Intangíveis.)

SOCIEDADE DE ARRENDAMENTO MERCANTIL — É a instituição que pratica operações de arrendamento mercantil (*leasing*) de bens móveis, de produção nacional ou estrangeira, e bens imóveis adquiridos pela entidade arrendadora para fins de uso próprio da arrendatária. Deve ser constituída sob a forma de sociedade anônima, devendo constar obrigatoriamente na sua denominação social a expressão "arrendamento mercantil", que é privativa da sociedade de que se trata.

SOCIEDADE DE CAPITAIS — É aquela em que o vínculo mais importante entre os sócios é a participação sob a forma de capital. O afastamento de qualquer deles (por venda, por exemplo) não afeta o prosseguimento dos negócios.

SOCIEDADE DE CAPITAL ABERTO — Denomina-se aquela cujas ações se encontram distribuídas entre um grande número de acionistas, consoante determinações legais específicas. Não se confunde com Companhia Aberta.

SOCIEDADE DE CAPITAL AUTORIZADO — Sociedade anônima cujo capital foi aprovado como meta futura pela Assembléia Geral.

SOCIEDADE DE CAPITAL DE RISCO — São sociedades cujo objetivo social exclusivo é a aplicação de capital na subscrição, integralizada em dinheiro, de ações ou quotas de Pequenas e Médias empresas ou ainda, debêntures conversíveis em ações.

SOCIEDADE DE CAPITAL E INDÚSTRIA — Tipo de sociedade abolida pelo Novo Código Civil. Era aquela que se contraía entre pessoas que entravam por uma parte com os fundos necessários para uma negociação comercial em geral, ou para alguma operação mercantil em particular, e por outra parte com a sua indústria somente.

SOCIEDADE DE CAPITAL FECHADO — Sociedade anônima com propriedade restrita.

SOCIEDADE DE CRÉDITO AO MICROEMPREENDEDOR — Tem por objeto social exclusivo a concessão de financiamentos e prestação de garantias a pessoas físicas, bem como a pessoas jurídicas classificadas como microempresas, com vistas a viabilizar empreendimentos de natureza profissional, comercial ou industrial de pequeno porte. Deve ser constituída sob a forma de companhia fechada ou de sociedade por quotas de responsabilidade limitada, adotando obrigatoriamente em sua denominação social a expressão "sociedade de crédito ao microempreendedor", vedada a utilização da palavra "banco".

SOCIEDADE DE CRÉDITO IMOBILIÁRIO — É instituição financeira especializada em operações de financiamento imobiliário. Depende de autorização do Banco Nacional de Habitação para funcionar. Opera em financiamento para a construção, venda ou aquisição de habitação. Deve ser constituída sob a forma de sociedade anônima, adotando obrigatoriamente em sua denominação social a expressão "crédito imobiliário".

SOCIEDADE DE CRÉDITO, FINANCIAMENTO E INVESTIMENTO — É a instituição financeira privada que tem como objetivo básico a realização de financiamento para a aquisição de bens de consumo duráveis a médio prazo e de serviços, e para capital de giro. Deve ser constituída sob a forma de sociedade anônima e na sua denominação social constar a expressão "crédito, financiamento e investimento".

SOCIEDADE DE ECONOMIA ABERTA — É a entidade dotada de personalidade jurídica de direito privado, criado por lei para exploração de atividade econômica, cujas ações com direito a voto pertencem em sua maioria à União, Estados ou Municípios ou entidades da Administração Indireta.

SOCIEDADE DE ECONOMIA MISTA — Entidade dotada de personalidade jurídica de direito privado, criada por lei para o exercício de atividade econômica, sob a forma de sociedade anônima, cujas ações com direito a voto pertencem em sua maioria ao Poder Público. A sociedade de economia mista não tem privilégios das pessoas públicas, não usufruindo de isenções fiscais ou de foro privilegiado. O pessoal que trabalha nesse tipo de instituição é regido pela legislação trabalhista, por não se tratar de servidores públicos. Os litígios de trabalho serão resolvidos pela Justiça do Trabalho. Podem seus funcionários participar de greves. Exemplo: Banco do Brasil S.A., Petrobras.

SOCIEDADE DE FATO — É a sociedade que não se firmou através de formalidade legal. Este tipo de união deu origem ao Concubinato. Quando um homem e uma mulher passam a morar juntos eles formaram uma sociedade de fato, que pode ser judicialmente dissolúvel, inclusive com a partilha de bens.

SOCIEDADE DE PESSOAS — É aquela em que o vínculo mais importante entre os sócios é a relação pessoal. O afastamento de qualquer um deles pode significar o fim do interesse dos demais naquela sociedade específica.

SOCIEDADE DE PROPÓSITO ESPECÍFICO — É qualquer companhia, seja ela *trust,* PRL, parceria ou outra entidade legal criada para alcançar determinado propósito no decorrer de uma transação, ou uma série de transações, tipicamente com a intenção única ou principal de obter vantagens fiscais.

SOCIEDADE DISTRIBUIDORA DE TÍTULOS E VALORES MOBILIÁRIOS — É a instituição habilitada à prática das atividades que lhe são atribuídas pelas Leis 4.728, de 14.7.1965 (disciplina o mercado de capitais), e 6.385, de 7.12.1976 (dispõe sobre o mercado de valores mobiliários), e regulamentação aplicável. Tem por objetivos, dentre outros: comprar, vender e distribuir títulos e valores mobiliários, e operar em bolsas de mercadorias e de futuros. Distingue-se da sociedade corretora de títulos e valores mobiliários por não ter acesso às bolsas de valores. Deve ser constituída sob a forma de sociedade anônima ou por quotas de responsabilidade limitada, devendo constar na sua denominação social a expressão "distribuidora de títulos e valores mobiliários".

SOCIEDADE DO CONHECIMENTO — O conceito da Sociedade do Conhecimento assenta em pessoas inteligentes, dinâmicas e versáteis, com capacidade para recorrerem à informação e aos conhecimentos de que necessitam para desenvolver a sua atividade de forma criativa, em contextos bem definidos e em saudável articulação com os sistemas em que se integram.

SOCIEDADE E ASSOCIAÇÃO - DISTINÇÃO — Segundo a regra do art. 981 do novo Código Civil, a sociedade consiste na união de pessoas (físicas e/ou jurídicas) que, reciprocamente, se obrigam a contribuir com bens e/ou serviços, para o exercício de atividade econômica e a partilhar, entre si, os resultados. A sociedade, seja simples, seja empresária, procura alcançar lucros e distribuí-los entre seus sócios. É constituída por pessoas que se reúnem com o objetivo de conseguir para si benefícios materiais, de modo que, por sua finalidade, tem caráter privado e a anima um interesse econômico particular. Daí diferenciar-se da associação que se propõe a outras finalidades que não as econômicas ou, quando visa vantagens materiais, elas não se destinam precipuamente aos seus associados. Colima objetivos altruístas, morais, religiosos, de interesse geral, em benefício de toda a comunidade ou de parte dela e não dos sócios particularmente. A associação não pode ter proveito econômico imediato, o que não impede, contudo, que determinados serviços que preste sejam remunerados e que busque auferir renda para preenchimento de suas finalidades. Enfim, qualquer atividade lícita, sem intuito econômico e que não seja contrária, nociva ou perigosa ao bem público, à segurança do Estado e da coletividade, à ordem pública ou social, à moral e aos bons costumes pode ser buscada por uma associação.

SOCIEDADE E EMPRESA - DISTINÇÃO — Sociedade e empresa não são expressões sinônimas, embora utilizadas, como tal, constantemente, na prática. A sociedade é constituída para o exercício da atividade, contrariamente à sociedade que é, justamente, o exercício da atividade.

SOCIEDADE EM COMANDITA POR AÇÕES — A sociedade em comandita por ações tem seu capital dividido em ações e opera sob firma ou denominação. É regida pelas normas relativas às sociedades anônimas (arts. 280 e seguintes da Lei nº 6.404, de 1976). Somente sócio comanditado (sócio acionista) pode administrar e em tal condição responde subsidiária e ilimitadamente pelas obrigações da sociedade, enquanto os sócios comanditários (demais acionistas não gerentes ou diretores) possuem responsabilidade limitada ao capital social. Em caso de mais de uma administrador a responsabilidade é solidária e ilimitada. A nomeação do sócio administrador não comporta prazo certo e deverá ocorrer no ato constitutivo. Somente poderá haver destituição por acionistas que representem 2/3 do capital social. A responsabilidade do administrador exonerado ou destituído relativa às obrigações contraídas em sua administração perdura por dois anos. A denominação ou nome fantasia, firma ou razão social, deve ser acrescida da expressão "Comandita por Ações" ou "C/A". Assim como as S/As, pode ser empresa de capital aberto (ações em Bolsa de Valores). Tipo societário pouquíssimo utilizado.

SOCIEDADE EM COMANDITA SIMPLES — Esta modalidade de sociedade se caracteriza pela presença de sócios de duas categorias, quais sejam os comanditários e os comanditados. Também tinha previsão na legislação comercial modificada. Os comanditados são pessoas físicas que participam com capital e trabalho e são responsáveis solidária e ilimitadamente pelas obrigações sociais. Os comanditários obrigam-se somente pelo valor da quota do capital (possuindo responsabilidade limitada ao capital empregado) e não podem praticar qualquer ato de gestão ou ter o nome na firma social, sob pena de responsabilização equivalente ao dos comanditados. Não são obrigados a restituírem os lucros que tiverem recebido de boa-fé. A falta de qualquer das duas categorias induz à dissolução da sociedade se não suprida em 180 dias. No nome da firma ou razão social devem figurar apenas os sócios comanditados, sob pena de responsabilidade solidária e ilimitada do sócio que constar na razão social. Empresa de capital fechado (não negociável em Bolsa). Tipo societário pouquíssimo utilizado.

SOCIEDADE EM CONTA DE PARTICIPAÇÃO — É um tipo de sociedade sem personificação (oculta) prevista no novo Código Civil. Quando duas ou mais pessoas, sendo ao menos uma comerciante, se reúnem, sem firma social, para lucro comum, em uma ou mais operações de comércio determinadas, trabalhando um, alguns ou todos, em seu nome individual para o fim social, a associação toma o nome de sociedade em conta de participação, acidental, momentânea ou anônima; esta sociedade não está sujeita às formalidades prescritas para a formação das outras sociedades, e pode provar-se por todo o gênero de provas admitidas nos contratos comerciais. O sócio ostensivo é o único que se obriga para com terceiro; os outros sócios ficam unicamente obrigados para com o mesmo sócio por todos os resultados das transações e obrigações sociais empreendidas nos termos precisos do contrato.

SOCIEDADE EM NOME COLETIVO — É a primeira das sociedades especiais previstas no novo código Civil. Esta modalidade de sociedade já tinha tipificação no Código Comercial, art. 315. Na feição do Código Civil é uma sociedade da qual somente podem participar pessoas físicas, na qual todos os sócios respondem solidária e ilimitadamente perante terceiros (entre si pode haver limitação da responsabilidade por disposição contratual) pelas obrigações sociais, as quais são levadas a efeito sob a égide de uma firma social, vale dizer um nome representativo. Tendo os sócios responsabilidade solidária e ilimitada por todas as dívidas da empresa, pode o credor executar os bens particulares dos sócios, mesmo sem ordem judicial. O nome da firma ou razão social é composta pelo nome dos sócios, podendo ser acrescentada a expressão "& Cia" ao final. Não pode ser utilizado nome fantasia ou denominação. Exemplo: Manoel e Joaquim ou Manoel, Joaquim & Cia. Tipo societário pouquíssimo utilizado.

SOCIEDADE EMPRESÁRIA — Prevista no novo Código Civil, não define a nova lei o que seja "sociedade empresária", mas seu conceito resulta da definição dada à figura do empresário, assim considerado quem exerce profissionalmente atividade econômica organizada para a produção ou a circulação de bens ou de serviços. Assim, considera-se empresária a sociedade que tem por objeto o exercício de atividade própria do empresário sujeito a registro na Junta Comercial. A sociedade empresária deve constituir-se segundo um dos tipos regulados nos arts. 1.039 a 1.092 do Código Civil. É pessoa jurídica, sujeito de direito e obrigações em atividades organizadas para a produção, como um instrumento de trabalho dirigido à atividade econômica, em uma relação de funcionalidade. Uma sociedade empresária responderá ilimitadamente com todo o seu patrimônio pelas obrigações contraídas. Caso não possa fazê-lo, estará sujeita à falência, se não puder obter o favor legal da recuperação judicial ou da recuperação extrajudicial. As obrigações genéricas da sociedade empresária são: a) registro no registro público de empresas mercantis (registro de comércio, que deveria ser agora mais propriamente denominado registro empresarial); b) escrituração regular de seus negócios; e c) demonstrações contábeis periódicas e sua publicidade. Os direitos genéricos das sociedades empresárias são: a) sigilo empresarial; b) fé pública em sua escrituração regular; e c) emissão de duplicatas mercantis ou de prestação de serviços. Pode ser empresário qualquer pessoa capaz (maior de 18 anos ou emancipado), que possa exprimir validamente suas vontades (mentalmente são), sem impedimento legal (ex: juízes, certos servidores públicos etc). O NCC trouxe uma polêmica novidade, marido e mulher podem ser sócios de uma mesma empresa, desde que não sejam casados sob o regime de comunhão universal ou de separação obrigatória de bens (ex: maiores de 65 anos). Para as sociedades já constituídas, cabe aos sócios discutir a validade dessa norma ou alterar o regime matrimonial de bens. (Ver: Sociedade Simples.)

SOCIEDADE ESTRANGEIRA — É a que ou não tenha sido organizada de acordo com as leis brasileiras ou não tenha no país a sede de sua administração (art. 1.126 do novo Código Civil). Toda sociedade estrangeira precisa de autorização do Poder Executivo federal para funcionar no Brasil. Se usar o nome da matriz, deverá acrescer a expressão "Brasil" ou "para o Brasil".

SOCIEDADE FINANCEIRA INTERNACIONAL — Instituição financeira, criada em 1955, que faz parte do Grupo do Banco Mundial, destinada a mobilizar fundos para o investimento no setor privado dos países em desenvolvimento, sobretudo através da mobilização de capitais no mercado financeiro internacional. Também dá apoio técnico e aconselhamento a governos e empresários nos Países em desenvolvimento. Todos os seus créditos são concessionais. A lista de países elegíveis é estabelecida pelo Banco Mundial.

SOCIEDADE LEONINA — Aquela que beneficia um dos sócios em detrimento dos demais.

SOCIEDADE LIMITADA - ADMINISTRAÇÃO — Pelo novo Código Civil, o diretor de uma sociedade limitada não é mais chamado de sócio-gerente, mas de administrador. Se o contrato social permitir administradores não-sócios, a designação deles dependerá de aprovação unânime dos sócios (nos casos de capital não totalmente integralizado) ou de 2/3 do capital social (após efetuada a integralização). Para a destituição do cargo de administrador, também é necessário 2/3 do capital social (entretanto, incoerentemente, o novo Código Civil exige 3/4 do capital para modificar o contrato social).

SOCIEDADE LIMITADA — As sociedades limitadas eram antes ditas sociedades por cotas de responsabilidade limitada e eram reguladas pelo Decreto nº 3.708, de 1919, o qual restou revogado pelo novo código civil. Pode-se dizer que a sociedade limitada é, na atualidade, o tipo mais comum e usual de organização e estruturação da empresa coletiva. A denominação ou nome fantasia, firma ou razão social deve ser acrescida da expressão "Ltda.". A sociedade limitada caracteriza-se pela limitação da responsabilidade de cada sócio ao valor de suas cotas, ficando, porém, todos solidariamente responsáveis pela integralização do capital social. Este capital é dividido em cotas, iguais ou não, que não poderão consistir em contribuições de serviços, e que podem ser atribuídas em número ilimitado a cada sócio. Pela exata estimação dos bens conferidos ao capital respondem os sócios solidariamente até cinco anos após o registro. A cota, que é indivisível perante a sociedade, salvo para efeito de transferência, poderá ser cedida para sócio ou para terceiro, salvo, neste último caso, se houver oposição de titulares de mais de 1/4 do capital. A cessão somente terá eficácia após a respectiva averbação, inclusive no que tange aos sócios. A cota não integralizada pode ser tomada pelos demais sócios ou transferida a terceiros. O capital é intangível, de modo que, ressalvadas as reduções contratuais, os sócios são obrigados a restituir lucros ou quantias retirados a qualquer título, ainda quando autorizados a tanto se tais valores se distribuírem com prejuízo do capital (art. 1.059 do novo Código Civil).

SOCIEDADE LIMITADA - CASOS OMISSOS — Pelo novo Código Civil, aos casos omissos à sociedade limitada aplicam-se as normas referentes às Sociedades Simples. Como alternativa, podem adotar as normas da Lei das S/As, desde que expresso no contrato social (é somente nesta hipótese em que surge a obrigatoriedade da publicação dos atos, como prevê o art. 289 da Lei das S/As).

SOCIEDADE LIMITADA - CONSELHO FISCAL — Novidade introduzida no Novo Código Civil, consistente na faculdade das sociedades limitadas (Ltdas), assim como ocorre nas S/As, instituírem o referido conselho (no contrato social), composto por três membros (eleitos anualmente entre os sócios ou terceiros), cuja função é analisar as demonstrações financeiras da empresa, apresentadas pelo administrador. Os acionistas minoritários, que representem pelo menos 1/5 do capital social, têm o direito de indicar um dos três membros desse conselho

SOCIEDADE LIMITADA - DELIBERAÇÕES — Pelo novo Código Civil, as deliberações da sociedade limitada deverão ter quórum mínimo de presença representando 3/4 do capital social (primeira convocação) ou com qualquer número de sócios (segunda convocação). Ao contrário da legislação anterior (que exigia maioria simples do capital), hoje são necessários: a) mais de 3/4 do capital para modificar o contrato social (inclusive incorporação, fusão, dissolução da sociedade); b) mais da 1/2 do capital para pedido de concordata, designação, remuneração e destituição de administradores (na nomeação de administrador não-sócio, 2/3 ou a unanimidade caso o capital não estiver totalmente integralizado); c) maioria dos votos dos presentes, nos demais casos (salvo estipulação diversa em contrato);

SOCIEDADE LIMITADA - EXCLUSÃO DE PLENO DIREITO DE SÓCIO — Pelo novo Código Civil, em uma sociedade limitada, a exclusão de pleno direito de sócio dá-se no caso de ser ele declarado falido, ou ter sua quota liquidada em razão de execução judicial.

SOCIEDADE LIMITADA - EXCLUSÃO DE SÓCIO — Pelo novo Código Civil, a exclusão de sócio pode ocorrer desde que a maioria dos sócios (representando mais de 1/2 do capital social) entenda que o sócio a ser expulso está pondo em risco a continuidade da empresa e que haja previsão de exclusão por justa causa no contrato social, podendo eles tomarem a cota do sócio expulso para si ou repassá-la a terceiros, devendo o sócio excluído receber o valor que houver integralizado de sua cota, descontadas eventuais despesas (ex: juros pelo atraso na integralização). Deve ser realizada a exclusão em assembléia convocada exclusivamente para essa finalidade, respeitada a obrigatoriedade da ciência do acusado em tempo hábil para comparecer e se defender.

SOCIEDADE LIMITADA - EXCLUSÃO DE SÓCIO EXTRAJUDICIAL — Pelo novo Código Civil, em uma sociedade limitada, a exclusão extrajudicial de sócio ocorrerá através de alteração contratual, desde que previsto no contrato social a exclusão por justa causa: no caso de um ou mais sócios colocar em risco a continuidade da empresa, em virtude de atos de inegável gravidade. Quórum: maioria dos sócios representativa de mais da metade do capital social). A exclusão extrajudicial deverá ser determinada em Assembléia Geral ou Reunião convocada especialmente para esse fim, ciente o sócio acusado, em tempo hábil, para possibilitar o seu comparecimento a fim de se defender. O registrador deverá acautelar-se de que tais providências foram adotadas. No tocante à sociedade simples, só não se aplica a exclusão extrajudicial.

SOCIEDADE LIMITADA - EXCLUSÃO DE SÓCIO REMISSO — Pelo novo Código Civil, em uma sociedade limitada, a exclusão de sócio remisso (ou seja, que deixar de realizar sua contribuição para o capital social estabelecida no contrato social nos 30 dias seguintes ao da notificação pela sociedade de sua mora), mediante deliberação da maioria dos demais sócios.

SOCIEDADE LIMITADA - EXCLUSÃO JUDICIAL DE SÓCIO — Pelo novo Código Civil, em uma sociedade limitada, a exclusão judicial de sócio ocorrerá a pedido dos demais sócios, no caso de falta grave no cumprimento de obrigações ou incapacidade superveniente; e, b) exclusão de pleno direito, no caso de o sócio ser declarado falido, ou ter sua quota liquidada em razão de execução judicial.

SOCIEDADE LIMITADA - MAJORAÇÃO DO CAPITAL SOCIAL — Pelo novo Código Civil, a majoração do capital social da sociedade limitada é possível somente quando já integralizado todo o capital subscrito, tendo os sócios preferência sobre as novas cotas, mas existe a possibilidade de aquisição por terceiros, desde que não haja oposição de mais de 1/4 do capital social.

SOCIEDADE LIMITADA - REDUÇÃO DO CAPITAL SOCIAL — Pelo novo Código Civil, a redução do capital social na sociedade limitada é permitido somente em dois casos, ou seja, quando houver perdas irreparáveis (prejuízos subseqüentes, corroendo o capital da empresa) ou quando se considerar que o capital é excessivo em relação ao negócio da empresa (capital social alto demais para a atividade da empresa). Se algum credor se sentir prejudicado, poderá se opor em até 30 dias da publicação na imprensa (obrigatória) da ata da assembléia em que se decidir pela redução.

SOCIEDADE LIMITADA - RESPONSABILIDADE DE SÓCIO EXCLUÍDO — Pelo novo Código Civil, o sócio excluído de uma sociedade limitada responde pelas obrigações sociais anteriores, até 2 (dois) anos após averbada a decisão de sua exclusão (parágrafo único do art. 1.057 do Código Civil). O mesmo ocorre na sociedade simples (art.1.032).

SOCIEDADE LIMITADA - RESPONSABILIDADE DOS SÓCIOS — Pelo novo Código, a Responsabilidade dos sócios da sociedade limitada, apesar de limitada ao capital social, poderá ser ilimitada nos casos de desvio de finalidade da empresa, confusão patrimonial entre a empresa e os sócios, ilegalidade e abuso dos administradores, casos em que haverá a desconsideração da pessoa jurídica, respondendo os sócios com seus bens particulares. Mesmo em se tratando de transferência de cotas, até dois anos após oficializada essa transferência, o sócio responde, juntamente com o beneficiário, pelas dívidas contraídas pela empresa quando ele ainda fazia parte da sociedade.

SOCIEDADE LIMITADA - REUNIÕES E ASSEMBLÉIAS — Novidade trazida no novo Código Civil, quanto à obrigatoriedade da realização de assembléia para sociedades limitadas com mais de 10 sócios (salvo nos casos em que todos os sócios chegarem a um acordo, por escrito e assinado, sobre o assunto debatido), convocada por meio do *Diário Oficial* e de um jornal de grande circulação (publicação por três vezes). Nas empresas com até dez sócios, pode ser feita uma reunião comum, com regras estipuladas no contrato social (na omissão do contrato, vigora a obrigatoriedade da assembléia).

SOCIEDADE MEMBRO — Sociedade de corretora filiada a uma Bolsa de Valores e que se subordina às exigências da Bolsa, quanto às normas e padrões éticos.

SOCIEDADE NACIONAL OU BRASILEIRA — É organizada de conformidade com a lei brasileira e que tenha no país a sede de sua administração, de acordo com os arts. 1.126 e seguintes do novo Código Civil. A lei poderá exigir a nacionalidade brasileira de sócios em casos especiais, assim como a unanimidade dos sócios para mudança de nacionalidade da sociedade.

SOCIEDADE POR AÇÕES — Aquela em que o capital está dividido em ações.

SOCIEDADE SIMPLES — Tipo de sociedade prevista nos arts. 997 a 1.038 do novo Código Civil. Entende-se como sendo a sociedade não empresária, ou seja, aquela sociedade que explora atividade econômica de produção de bens e serviços sem alguns dos fatores de produção (capital, mão-de-obra, insumos e tecnologia). São as sociedades de fins econômicos em que a estrutura e métodos de trabalho não prevalecem sobre a atuação pessoal dos sócios. Portanto, a sociedade que desenvolver uma atividade pelos próprios sócios, de forma pessoal, praticando eles mesmos atos do objeto social e executando o núcleo de sua atuação, não será considerada empresária; tem-se, neste caso, a configuração de uma sociedade simples, registrável perante o Registro Civil das Pessoas Jurídicas. Exemplo típico de sociedade econômica não-empresária é aquela constituída por profissionais do mesmo ramo como, por exemplo, a dos advogados, médicos ou engenheiros, configurando-se como sociedade simples (arts. 966 e 981), cujo contrato social é inscrito no Registro Civil das Pessoas Jurídicas, salvo quando se tratar de sociedade de advogados que se inscreve apenas na OAB (art. 16 da Lei 8.906/94). Dessa forma, o indivíduo que trabalha por conta própria, mesmo com a ajuda de colaboradores e de outros profissionais do mesmo ramo, como ocorre em um consultório médico, um escritório de contabilidade ou advocacia (sociedades de profissionais), se enquadra no conceito de sociedade simples, enquanto o hospital, a empresa de contabilidade que ministra cursos e a empresa do ramo imobiliário (atividade organizada) caracterizam sociedades empresariais. (Ver: Sociedade Empresarial.)

SOCIEDADE SUSTENTÁVEL — São coletividades onde o consumismo é substituído pelo crescente montante de recursos destinados à inserção e ao reinvestimento na própria comunidade. E onde existe uma vontade política forte e direcionada para o desenvolvimento auto-sustentável do local e da região, e cujo resultado final é o bem-estar social.

SOCIEDADE UNIPESSOAL — É aquela que tem um único sócio, controlada seja por pessoa natural ou jurídica (por exemplo, uma subsidiária integral). Nossa legislação prevê a existência de sociedades unipessoais nas seguintes hipóteses legais: transitoriamente em caso de liquidação, subsidiária integral sob a forma de sociedade anônima e empresas públicas. No exterior, pode haver, mais pragmaticamente, sociedades unipessoais na legislação anglo-saxônica, enquanto em legislações originárias do direito romano, como a nossa, elas costumam ser proibidas formalmente, embora se admitam simulações, chamadas de "laranjas, testas-de-ferro e homens-de-palha" (sócios com 99,9% do capital e outro com 0,1% e sem poderes reais, por exemplo).

SOCIEDADES ACIDENTAIS — São assim consideradas as sociedades constituídas para um único negócio. Não se pode atribuir a qualidade de empresária à sociedade que, constituída, permanece inerte, sem desenvolver objeto social.

SOCIEDADES CIVIS E SOCIEDADES COMERCIAIS — O novo Código Civil (NCC) acabou com a dicotomia até então existente entre sociedades civis e sociedades comerciais. Pela nova definição do código, as sociedades são empresárias ou não-empresárias. Se empresárias devem ter seus atos constitutivos inscritos no Registro Público de Empresas Mercantis (Junta Comercial), se não-empresárias, devem ter seu contrato social inscrito no Registro Civil das Pessoas Jurídicas (Cartórios de Títulos e Documentos). As antigas sociedades civis deverão enquadrar o seu objeto social como empresarial ou não-empresarial, conforme a definição já exposta. Caso desempenhem atividade empresarial, deverão constituir-se segundo um dos tipos societários regulados nos arts. 1.039 a 1.092 do novo Código Civil (CC), quais sejam, sociedade em nome coletivo, sociedade em comandita simples, sociedade limitada e sociedade em comandita por ações. Caso não desempenhe atividade empresarial, a sociedade será considerada simples, sendo regulada pelos arts. 997 a 1038 do novo CC. Contudo, a lei dá às sociedades simples a possibilidade de constituírem-se segundo um dos tipos societários mencionados acima. Dessa forma, poderá existir uma sociedade não-empresária constituída sob a forma de sociedade limitada e registrada no Cartório de Registro de Títulos e Documentos. Concluindo, as sociedades prestadoras de serviços são consideradas empresárias pelo novo CC, devendo os seus atos constitutivos ser registrados na Junta Comercial do Estado. Somente encontram-se fora do conceito de empresas aquelas sociedades que não exercerem profissionalmente atividade econômica organizada para a prestação de serviços. (Ver: Sociedade Simples // Sociedade Empresária.)

SOCIEDADES COLIGADAS — Os arts. 1.097 a 1.101 do Código Civil tratam das sociedades coligadas, que podem ocorrer em três hipóteses: controle, filiação ou participação. O controle ocorre quando a sociedade controladora dispõe da maioria do poder de representação do capital da controlada, podendo eleger os administradores. A coligação ou filiação ocorre quando uma sociedade participa com 10% ou mais do capital de outra sem, contudo, estabelecer controle. A participação se dá quando a participação de uma em outra é de menos de 10%. Consoante o art. 1.101 do Código Civil, salvo disposição especial de lei, a sociedade não pode participar de outra, que seja sua sócia, por montante superior, segundo o balanço, ao das próprias reservas, excluída a reserva legal. Se isso ocorrer, não poderá ser exercido o direito de voto relativo ao excesso e estas cotas deverão ser alienadas em 180 dias.

SOCIEDADES DE NEGÓCIOS INTERNACIONAIS (*INTERNATIONAL BUSINESS CORPORATIONS* - IBCS) — Instituições financeiras não-bancárias e corporações, menos sujeitas a controles e regulamentos do que bancos internacionais, e que são registradas em país estrangeiro para poderem conduzir transações financeiras e negócios em qualquer lugar do mundo, exceto no país ou lugar onde está registrada. Uma IBC só requer o mínimo de um diretor, que pode ser também o único acionista. O objetivo dessas empresas é garantir o anonimato e responsabilidade jurídica nula de seus proprietários. Tem pouca justificativa comercial ou financeira, exceto: dissimular a origem e o destino de mercadorias no comércio internacional; escapar de leis sobre o controle de armas; escapar do fisco para a transferência de lucros e ativos. A presença de IBCs é uma das características principais de vários centros financeiros *offshore* e paraísos fiscais.

SOCIEDADES SEGURADORAS — São constituídas sob a forma de S.A. Caracterizam-se pelo recebimento de uma taxa de prêmio, assumindo em troca a obrigação de pagar uma determinada indenização se ocorrer perda ou dano do que foi assegurado. (Ver: Sociedade Anônima.)

SÓCIO COMANDITÁRIO — É o sócio que, na sociedade em comandita, entra apenas com o dinheiro e não tem qualquer responsabilidade adicional.

SÓCIO REMISSO — É aquele sócio que não contribui para a formação do capital social com os valores a que se obrigara. Para excluir o sócio da empresa, deve ser feita modificação no contrato social, o que não implica a constituição de uma nova sociedade. A exclusão requer deliberação da maioria, com o integral pagamento dos haveres do sócio excluído.

SÓCIO SOLIDÁRIO — É o sócio que, na sociedade em comandita, responde sempre integralmente pelas dívidas da empresa.

SOCIOBIOLOGIA — Estudo das bases biológicas do comportamento social de uma espécie e de sua evolução.

SOCIOGENIA — Ciência que estuda a formação da sociedade.

SOCIOLOGIA — É uma ciência que estuda as sociedades humanas e os processos que interligam os indivíduos em associações, grupos e instituições. Enquanto o indivíduo isolado é estudado pela Psicologia, a Sociologia estuda os fenômenos que ocorrem quando vários indivíduos se encontram em grupos de tamanhos diversos, e interagem no interior desses grupos.

SOFISMA — Argumento falso para induzir outrem em erro de forma intencional. Diferente do paralogismo cuja intenção é o contrário. (Ver: Paralogismo.)

SOFRIMENTO — Ato ou efeito de sofrer; padecimento. Desgraça; amargura.

SOFTWARE — É o mesmo que programa de computador. É a expressão de um conjunto organizado de instruções em linguagem natural ou codificada, contida em suporte físico de qualquer natureza, de emprego necessário em máquinas automáticas de tratamento da informação, dispositivos, instrumentos ou equipamentos periféricos, baseados em técnica digital ou análoga, para fazê-los funcionar de modo e para fins determinados.

SOLDO — Quantia paga mensalmente ao pessoal militar, à qual se acrescentam vantagens que variam com a categoria hierárquica, especialidade, tempo de serviço etc.

SOLIDARIEDADE — 1) Qualidade de solidário; 2) Laço ou vínculo recíproco de pessoas ou coisas independentes; 3) Adesão ou apoio à causa, empresa, princípio etc., de outrem; 4) Sentido moral que vincula o indivíduo à vida, aos interesses e às responsabilidades dum grupo social, duma nação, ou da própria humanidade; 5) Relação de responsabilidade entre pessoas unidas por interesses comuns, de maneira que cada elemento do grupo se sinta na obrigação moral de apoiar o(s) outro(s); 6) Sentimento de quem é solidário; 7) Vínculo jurídico que ocorre quando, na mesma obrigação, há pluralidade de credores, cada qual com direito à dívida toda, ou pluralidade de devedores, cada um destes obrigado a ela por inteiro. 8) Relação de responsabilidade, sentimento moral que vincula pessoas unidas por interesses comuns, de modo que cada elemento da comunidade se sinta obrigado a apoiar o(s) outro(s).

SOLIDARIEDADE TRIBUTÁRIA — É aquela que ocorre entre as pessoas que tenham interesse comum na situação que constitua o fato gerador da obrigação principal; São as pessoas legalmente designadas. Seus efeitos, salvo disposição de lei em contrário, são os seguintes: o pagamento efetuado por um dos obrigados aproveita aos demais; a isenção ou remissão de crédito exonera todos os obrigados, salvo se outorgada pessoalmente a um deles, substituindo, nesse caso, a solidariedade quanto aos demais pelo saldo; a interrupção da prescrição, em favor ou contra um dos obrigados, favorece ou prejudica aos demais. Para a solidariedade tributária não se aplica o benefício de ordem.

SOLIDEZ — Qualidade daquilo que é sólido, ou resistente, ou durável.

SOLO CRIADO — É conceituado como toda área edificável além do coeficiente único de aproveitamento do lote, legalmente fixado para o local. O Solo Criado será sempre um acréscimo ao direito de construir além do coeficiente básico de aproveitamento estabelecido pela lei; acima desse coeficiente, até o limite que as normas edilícias admitirem, o proprietário não terá o direito originário de construir, mas poderá adquiri-lo do Município, nas condições gerais que a lei local dispuser para a respectiva zona. (Ver: Outorga onerosa do direito de construir.)

SOLVÊNCIA — É a capacidade das Instituições Financeiras em honrar seus compromissos financeiros.

SOMA (SOCIEDADE OPERADORA DO MERCADO DE ACESSO) — É o mercado de acesso para as empresas que pretendem lançar seus papéis na Bolsa de Valores de São Paulo. A empresa lança seu papel na SOMA para tentar atingir a liquidez de mercado (facilidade de negociação da ação) necessária para entrar na Bolsa paulista. É uma espécie de primeira etapa para ganhar a confiança do mercado. Assim como as bolsas, a SOMA também está sob a fiscalização da Comissão de Valores Mobiliários (CVM). (Ver: Meta.)

SOMA ZERO — Ocorre quando o resultado líquido global é nulo; quando para um ganhar outro tem que perder.

SONEGAÇÃO DE BENS — Ocultação dolosa de bens que deveriam constar do inventário.

SONEGAÇÃO DE COBERTURA CAMBIAL — Expressão que designa a não realização do ingresso dos valores em moeda estrangeira relativos a exportações brasileiras.

SONEGAÇÃO FISCAL — Toda ação ou omissão dolosa tendente a impedir ou retardar, total ou parcialmente, o conhecimento, por parte do fisco, da ocorrência do fato gerador.

SONEGAR — Ocultar dolosamente, desviar, encobrir, deixar de relacionar algo exigido por lei, com intuito fraudulento.

SOPÉ — Parte inferior de uma encosta.

SOROPOSITIVO — Diz-se do indivíduo cujo soro contém anticorpos específicos de um determinado agente patológico; diz-se do indivíduo cuja análise sanguínea revela a presença do vírus da AIDS.

SORTEIO — Forma aleatória de distribuir os processos aos relatores.

SOSSEGO PÚBLICO — Direito que tem cada indivíduo de gozar de tranqüilidade, silêncio e repouso necessários, sem perturbações sonoras abusivas de qualquer natureza. A violação do sossego público ou alheio é infração contravencional, configurada por gritaria ou algazarra; exercício de profissão incômoda ou ruidosa, contrariando normas legais; abuso de instrumentos sonoros ou de sinais acústicos; provocando (ou não procurando impedir) barulho produzido por animal de que se tem a guarda. É apenado com prisão simples, de 15 dias a três meses ou multa.

SOTERRAMENTO — É a asfixia mecânica causada pela penetração de sólidos (qualquer material sólido).

SPECIAL ACCOUNT — Contas em moeda estrangeira destinadas a acolher os desembolsos de empréstimos ou créditos especiais concedidos por Organismos Financeiros Internacionais ou por Agências Governamentais Estrangeiras a Instituições da Administração Direta ou Indireta das áreas federal, estadual, municipal e do Distrito Federal.

SPIN-OFF — Empresa impulsionada por outra já estabelecida no mercado, para atuar na mesma área de negócio, mas com produto ou serviço diferente daquele que a empresa original comercializa.

SPIN-OUT — Empresa constituída por um grupo ou unidade de uma grande empresa para explorar novos desenvolvimentos ou oportunidades de mercado recentes e onde a equipe de gestão e o capitalista de risco também têm uma quota do capital.

SPLIT — Elevação do número de ações representantes do capital de uma empresa através do desdobramento. Diz-se que uma ação dará um *split* quando a empresa irá distribuir uma certa quantidade de papéis para cada um existente.

***SPLIT* INVERTIDO** — Mecanismo no qual o número total de ações é diminuído. Por exemplo, quando duas ações se transformam em uma.

SPOT — Mercado à vista ou disponível.

SPREAD — Diferença entre o preço de compra e de venda de um título ou moeda. É, em última instância, o lucro da operação financeira. Também vale para as taxas de juros. Especifica o prêmio adicional que deve ser pago por um devedor em relação a uma taxa de referência. No caso de bônus globais, por exemplo, as condições de mercado determinam que o país X paga um *spread* de 4% (ou 400 *basis points*) acima da taxa referencial de prazo equivalente (Títulos do Tesouro norte-americano, por exemplo) ou seja, reflete a percepção de risco que os investidores têm em relação ao emissor - risco país. O *spread* varia de acordo com uma série de variáveis, sobretudo qualidade de crédito do emissor, condições de mercado, volume e liquidez da emissão ou empréstimo, prazo etc. Para cálculo do *spread*, a taxa interna de retorno dos fluxos de um título é deduzida da taxa interna de retorno de um referencial. Em resumo: representa a diferença entre as taxas de juros de aplicação e de captação, compreendendo o lucro e o risco relativos às operações de crédito.

***SPREAD* BANCÁRIO** — Diferença entre o custo de captação de um recurso e o custo do empréstimo.

SRF — Linha de Crédito do Fundo Monetário Internacional (FMI) com o objetivo de apoiar as reservas internacionais dos países-membros por ocasião de crises, em especial as relacionadas com fluxos rápidos de capitais. (Ver: Secretaria da Receita Federal.)

STAFF — Grupo qualificado de pessoas que assistem a um chefe ou dirigente, em empresas públicas ou privadas.

STAKEHOLDER — Acionista. Pessoa ou grupo de pessoas que possuem ações de uma empresa.

STAND — Peça de metal ou madeira que serve como expositor.

STAND BY — Acordo entre o FMI e um país-membro, autorizando este a efetuar, durante um certo período e por um valor determinado, retiradas do Fundo, em divisas.

***STAND BY*/GARANTIA PARALELA (COMÉRCIO EXTERIOR)** — 1) Consiste numa garantia dada separadamente, por instrumento autônomo, para assegurar o pagamento de uma cambial oriunda de um contrato de venda a prazo. Seria como oferecer um aval separado, daí chamar-se "garantia paralela".

STANDARD — Padrão.

***STANDARD* JURÍDICO** — Expressão que denomina a conduta da média das pessoas, e que atua como referencial para decisão judicial sobre fatos novos, não previstos na lei. O art. 335 do CPC enseja a invocação, pelo juiz, dos *standards*.

START-UP — São empresas em fase embrionária que se encontram no processo de implementação e organização de suas operações. Nesse estágio a empresa pode não ter iniciado a comercialização em massa de seus produtos, mas já desenvolveu e testou o protótipo inicial. São raras as *start-ups* que conseguem obter caixa ou lucros nesse estágio de desenvolvimento, mas podem representar boas oportunidades de investimento em função de seu potencial de crescimento.

***START-UP* CAPITAL** — É o capital utilizado para implantação das atividades de uma empresa: localização, aquisição de equipamentos e instalações, contratação de pessoal.

STATU QUO (ANTE) — [Latim]. Expressão que significa no estado em que se encontrava anteriormente.

STATUS — [Latim]. Expressão que significa posição.

STATUS QUO — [Latim]. Expressão que significa no estado, na situação em que encontra.

STF — Ver Supremo Tribunal Federal.

STJ — Ver Superior Tribunal de Justiça.

STM — Ver Superior Tribunal Militar.

STOCK SPLIT — Operação de desmultiplicação do valor nominal da totalidade das ações representativas do capital de uma empresa.

STORE IN STORE — Tipo de franquia, na qual uma loja é instalada dentro de outra atividade comercial.

STRADDLE — Compra ou venda, por um mesmo investidor, de igual número de opções de compra e de venda sobre a mesma ação-objeto, com idênticos preços de exercício e datas de vencimento.

STRESS — Ver Saúde - *Stress*.

STRICTO JURE — [Latim]. Expressão que significa ao rigor do Direito, ao rígido formalismo legal do ato jurídico, que não permite a ampliação do sentido da norma que o regulamenta; aquilo que deve ser feito dentro da rigorosa expressão da lei.

STRICTO SENSU — [Latim]. Expressão que significa no sentido literal, estrito, exato, que não admite interpretação extensiva.

STRIKE — Conhecido como preço de exercício, representando o preço de compra ou de venda de um determinado ativo, válido para a data de vencimento de uma opção.

STRIPPED SPREAD — Prêmio adicional pago por um título com colateral sobre uma taxa de referência, excluindo-se o colateral. Para cálculo do *stripped spread*, deduz-se do fluxo de caixa do título, o valor presente dos fluxos do colateral. O *stripped spread* é utilizado para comparar o *spread* de um papel colateralizado com o *spread* de um papel sem colateral.

STRIPPED YIELD — Rendimento sobre um determinado bônus, retirando-se as garantias nele embutidas.

SUB CENSURA — [Latim]. Expressão que significa debaixo de censura; sujeito à crítica de outrem.

SUB CONDITIONE — [Latim]. Expressão que significa sob condição.

SUB EXAMINE — [Latim]. Expressão que significa sob exame.

SUB JUDICE — [Latim]. Expressão que significa que está sob exame, pendente de decisão judicial, em juízo. Uma controvérsia em juízo.

SUBARRENDAMENTO — Contrato em que o próprio arrendatário transfere os direitos e obrigações a outrem.

SUBATIVIDADE — É um detalhamento da atividade em nível de governo. É uma ação interna de programação e execução orçamentária utilizada pela instituição pública para alcançar suas finalidades. Também denominada de atividade interna ou ação programática, está sempre vinculada a uma unidade orçamentária.

SUBCAPITALIZAÇÃO — É financiar uma companhia com uma alta proporção de empréstimos em relação ao seu capital. Este sistema é usado por corporações transnacionais para reduzir os lucros de uma subsidiária, já que os juros sobre empréstimos são geralmente passíveis de dedução enquanto dividendos sobre ações são pagos depois da cobrança do imposto de renda. Os juros são normalmente pagos para outra subsidiária da corporação transnacional localizada em um paraíso fiscal, onde não há imposto sobre o seu recebimento, resultando em uma redução geral no pagamento de impostos por parte da corporação internacional.

SUBCOMISSÃO — Em uma Casa Legislativa é formada por uma parte dos membros de uma comissão, destinada ao desempenho de determinada tarefa ou ao exame de assuntos específicos. A Subcomissão não tem poder decisório e é constituída no âmbito de comissão temática. Pode ser permanente, quando lhe é reservado parte das matérias do respectivo campo temático ou área de atuação; ou temporária, quando destinada ao desempenho de atividades específicas ou ao trato de assuntos definidos no respectivo ato de criação. (Ver: Turma.)

SUBCONSCIENTE — É o depósito de todos os conhecimentos adquiridos e das vivências. Valores, padrões, paradigmas, parâmetros e normas socioculturais, censuras, diretrizes, conselhos, determinações, motivações, modelos, admiração, sentimentos, desejos, elogios, dúvidas e críticas são alguns de seus elementos caracterizadores.

SUBCONSCIENTE SOCIAL — Subconsciente de grupo social coeso. (Ver: Consciência social.)

SUBCONTRATADO — Organização que fornece um produto ao fornecedor. O subcontratado pode ser chamado também de subfornecedor.

SUBCUSTODIANTE — Quando um custodiante (ex., um custodiante global) mantém valores mobiliários por meio de outro custodiante (ex., um custodiante local), este último é chamado de subcustodiante.

SUBDISTRITOS — São unidades administrativas municipais, divisão do distrito, normalmente estabelecidas nas grandes cidades, criadas através de leis ordinárias das Câmaras Municipais e sancionadas pelo Prefeito.

SUBEMENDA — Em uma Casa Legislativa é a emenda apresentada em Comissão a outra emenda e que pode ser, por sua vez, supressiva, substitutiva, aditiva ou modificativa, desde que não incida, a supressiva, sobre emenda com a mesma finalidade.

SUBENFITEUSE — Sujeita às mesmas disposições que a enfiteuse, o foreiro não pode vender nem dar em pagamento o domínio útil, sem prévio aviso ao senhorio direto, para que este exerça o direito de opção. A subenfiteuse mantém os direitos do senhorio direto e as obrigações do enfiteuta para com ele. Assim, o enfiteuta fica investido em seus demais direitos e recebe o foro, como se não tivesse havido a subenfiteuse. O art. 2.038 do Código Civil de 2002 proíbe constituição de enfiteuses e semienfiteuse. As existentes antes da vigência do CC de 2002 ficam subordinadas, até a sua extinção, às disposições do CC anterior e leis que então as regulavam. (Ver: Enfiteuse.)

SUBFATURAMENTO — Mecanismo ilegal geralmente vinculado à exportação. Consiste no registro doméstico da venda de mercadorias a preço artificialmente baixo, a diferença entre o preço real e o preço fictício sendo depositada em conta secreta num banco estrangeiro, geralmente localizado no exterior, de preferência em paraíso fiscal ou centro financeiro *offshore*.

SUBFUNÇÃO — Classificação funcional-programática de projetos/atividades orçamentários públicos que designa finalidades específicas da ação governamental. Representa uma partição da função, visando agregar determinado subconjunto de despesas e identificar a natureza básica das ações que se distribuem em torno das funções. Podem ser combinadas com funções diferentes, sendo chamadas de subfunções cruzadas: a programação de um órgão, via de regra, será classificada em uma única função, ao passo que a subfunção será escolhida de acordo com a especificidade de cada ação ou projeto/atividade. É padronizada para a União, Estados e Municípios. Ex.: 306 – Alimentação e Nutrição. (Ver: Despesa por função.)

SUBFUNÇÃO CRUZADA — Na Administração Pública é a expressão usada para designar a classificação por meio da aplicação de uma subfunção em correlação com uma função que não aquela a partir da qual foi definida. Ex.: Função: 12 – Educação com Subfunção Cruzada: 126 – Tecnologia da Informação (pertencente originalmente à Função 03 – Administração e Planejamento).

SUBJETIVO — Aquilo que depende da perspectiva de um sujeito e que, portanto, pode variar de pessoa para pessoa.

SUBLEVAÇÃO — Misto de rebelião e revolta.

SUBLIMAÇÃO — Mudança de fase diretamente do estado sólido para o gasoso.

SUBLIME — Elevado; excelso; muito nobre; grandioso. Magnífico; esplêndido. Elevado nas suas palavras ou nos seus atos. Poderoso; majestoso. O que há de mais belo e elevado nos pensamentos e nas ações.

SUBLOCAÇÃO — É derivada do contrato de locação, que é o contrato-base, em outras palavras, a sublocação é um subcontrato de locação, onde o locatário do contrato principal transfere de forma onerosa, total ou parcialmente, seus direitos de uso e gozo do imóvel. O locatário do contrato principal quando subloca, passa a se denominar no segundo contrato de sublocador, aquele que toma a posição de locatário na sublocação é chamado de sublocatário. Somente poderá ocorrer a sublocação se houver consentimento do locador. Não sendo consentida a sublocação, o locatário estará cometendo infração de obrigação legal, ficando sujeito ao pagamento de indenização, além da denúncia do contrato com o despejo do imóvel. Quando o imóvel locado for destinado a habitações coletivas, ou multifamiliares, a autorização para a sublocação é presumida. (Lei nº 8245, de 1991.)

SUBLOCAÇÃO DO IMÓVEL — Ver Sublocação.

SUBLOCADOR — Ver Sublocação.

SUBLOCATÁRIO — Ver Sublocação.

SUBORDINAÇÃO — Submissão a regras; sujeição; subalternidade hierárquica; estado de dependência de uma pessoa a outra em razão de contrato ou lei; obediência; ato ou efeito de subordinar-se.

SUBORNO — Peita; pagamento em dinheiro ou oferta de vantagem para que alguém pratique ou se abstenha de praticar ato em prejuízo de terceiro. Delito de quem, no exercício de função ou cargo público, ou em razão dele, exige ou aceita, por si ou por interposta pessoa, vantagem ou recompensa para agir com ilicitude, fazendo ou deixando de fazer um determinado ato. No Direito Penal, o crime está configurado no caso de falso testemunho ou falsa perícia, se o crime é praticado mediante suborno, quando as penas são aumentadas de um terço. O suborno do juiz é uma das causas de nulidade processual.

SUBPRODUTO — É o produto resultante de outro produto manufaturado.

SUBPROGRAMA — É a subdivisão de um programa, objetivando detalhamento das atividades específicas e de suas partes componentes. Na contabilidade pública é a categoria de programação utilizada no âmbito da "Classificação Funcional-Programática" para o detalhamento do "Programa". Os subprogramas se destinam a expressar os agregados singulares das partes do conjunto de ações dotadas de características próprias e que sejam tipicamente necessárias ao atingimento de produtos finais ou parciais relacionados aos objetivos de um programa. Exemplo - Função: Educação; Programa: Ensino Fundamental; Subprograma: Informática.

SUB-REPASSE — Redistribuição do repasse recebido, pelas unidades orçamentárias, às unidades administrativas ou a outras unidades orçamentárias incumbidas de fazer os pagamentos necessários à realização de seus programas de trabalho. 2) Importância, parte de um repasse recebido que a unidade orçamentária transfere a outra unidade orçamentária ou administrativa do mesmo Órgão cuja figura está ligada à provisão.

SUB-REPÇÃO — Fraude para obtenção de vantagem indevida, com a ocultação da verdade de fato que, revelado, daria motivo à recusa. O mesmo que ab-repção.

SUB-ROGAÇÃO — Substituição, mudança ou sucessão de direitos e deveres de uma pessoa para outra. Transferência dos direitos do credor para o terceiro que resgata a obrigação. Há duas espécies: a legal, decorrente de lei, e a convencional, decorrente do próprio contrato. Na compra de um imóvel com sub-rogação de dívida hipotecária, por exemplo, o comprador sucede o vendedor na sua obrigação e assume a dívida.

SUBSCRIÇÃO — 1) Lançamento de novas ações por uma sociedade anônima, com a finalidade de obter os recursos necessários para investimento. 2) Preferência garantida aos acionistas de uma empresa na hora de comprar novos papéis da companhia emitidos para aumentar o seu capital.

SUBSCRIÇÃO DE AÇÕES — É um direito estendido aos acionistas para aquisição de ações da empresa, quando esta decide emitir novas ações para aumentar seu capital. O preço e prazo oferecido aos acionistas são preestabelecidos.

SUBSCRIÇÃO INCENTIVADA — Tipo de subscrição em que as ações ficam impedidas de negociação por um prazo legal de indisponibilidade.

SUBSCRITOR — É a pessoa que escreve qualquer espécie de documento, na intenção de ligar-se obrigatoriamente a ele, ou para autenticá-lo ou ter como certo e verdadeiro o que nele contém.

SUBSIDIÁRIA — Empresa subordinada à outra que mantém o controle acionário. É o mesmo que controlada. É considerada brasileira a sociedade controlada por pessoas naturais residentes no Brasil, por pessoa de direito público interno ou sociedade ou sociedades brasileiras que, direta ou indiretamente, estejam sob o controle de tais pessoas.

SUBSIDIARIDADE — Um dos princípios que são aplicados para resolver os conflitos aparentes das normas, isto é, quando dois preceitos legais parecem incidir sobre um fato delituoso, sendo necessário escolher o mais adequado. Sendo o fato delituoso mais grave descrito na lei principal, esta absorve o fato menos grave da lei subsidiária. A subsidiaridade é explícita quando a própria norma determina que só será aplicada se o fato não constitui delito mais grave; e implícita, quando deverá ser reduzida. Na aplicação da lei penal no tempo, o atual Código Penal manteve-se fiel ao critério da lei mais benigna.

SUBSÍDIO — 1) Concessão de auxílio financeiro feito pelo governo às empresas para lhes aumentar a renda ou baixar os preços ou para estimular as exportações do país. Podem, também, ser concedidas diretamente ao consumidor. Em termos orçamentários, caracteriza uma subvenção econômica. 2) Contribuição pecuniária ou de outra ordem que se dá a uma empresa ou a particular a título de auxílio ou ajuda. 3) Quantia ou auxílio que um Estado concede a outro em virtude de acordos ou convenções; 4) Vencimentos dos membros do Poder Legislativo Federal, estadual ou municipal e dos respectivos chefes do Poder Executivo. 5) No plural, refere-se a dados, informações, elementos; contribuição. 6) É a imposição de custos a um consumidor ou classe de consumidores que são atribuíveis a serviços fornecidos a outros consumidores ou classes de consumidores, que pagam, portanto, menos do que os custos efetivos apropriados pelos serviços que recebem.

SUBSÍDIO A AGENTE POLÍTICO — Remuneração total constituída de uma parcela única, vedado o acréscimo de qualquer gratificação, adicional, abono, prêmio, verba de representação ou outra espécie remuneratória. O subsídio do governador do Estado e deputados estaduais é fixado pela Assembléia Legislativa na legislatura anterior para a seguinte e, da mesma forma, o subsídio dos prefeitos e vereadores é fixado pela Câmara de Vereadores, observados os limites constitucionais. (Ver: Agentes políticos.)

SUBSÍDIO DOS VEREADORES - LIMITES — Ver Câmara Municipal - Remuneração do vereador.

SUBSISTEMA — É um sistema que faz parte de um outro sistema.

SUBSOLO — Camada de solo, imediatamente inferior à que se vê ou se pode arar. Construção abaixo do rés-do-chão.

SUBSTABELECER — Transferir para terceiro, total ou parcialmente, os poderes outorgados no mandato, para que substitua o mandatário.

SUBSTABELECIMENTO — É o mesmo que substabelecer.

SUBSTÂNCIA DA OBRIGAÇÃO — É aquela que se materializa tanto pelos requisitos intrínsecos e necessários à sua validade, como pelos requisitos extrínsecos ou formais, dispostos como partes, a capacidade e a licitude do objeto e a possibilidade desse. A substância extrínseca é a que se deriva de forma especial determinada pela lei.

SUBSTÂNCIA DO ATO — Conjunto de elementos necessários ou essenciais à existência e à validade do ato ou negócio jurídico. Tais elementos podem ser gerais, se comuns à generalidade dos negócios jurídicos, dizendo respeito à capacidade do agente, ao objeto lícito e possível e ao consentimento dos interessados; e particulares, peculiares a determinadas espécies por serem concernentes à sua forma.

SUBSTÂNCIA EXPLOSIVA — Substância sólida ou líquida (ou mistura de substâncias) que, por si mesma, através de reação química, seja capaz de produzir gás a tal temperatura e pressão e a tal velocidade, que possa causar danos nas imediações. Substâncias pirotécnicas incluem-se nesta definição, mesmo que não desprendam gases.

SUBSTÂNCIA NOCIVA OU PERIGOSA — Tipo de substância que, por sua natureza ou pelo uso que o ser humano faz dela, representa um risco de dano. Compreende substâncias inflamáveis, explosivas, corrosivas, tóxicas, radioativas e outras. Qualquer substância que, se descarregada nas águas, é capaz de gerar riscos ou causar danos à saúde humana, ao ecossistema aquático ou prejudicar o uso da água e de seu entorno.

SUBSTÂNCIA PIROTÉCNICA — Substância ou mistura de substâncias concebidas para produzir um efeito de calor, luz, som, gás ou fumaça, ou combinação desses, como resultado de reações químicas exotérmicas auto-sustentáveis e não detonantes.

SUBSTÂNCIAS TÓXICAS — São substâncias químicas de vários tipos que apresentam caráter venenoso que, em determinadas concentrações, podem danificar imediata ou retardadamente a saúde das pessoas atingidas, podendo inclusive produzir a morte ao meio ambiente (que compreende comunidade e biodiversidade das espécies animais e vegetais), pessoas e propriedades.

SUBSTITUIÇÃO — Permuta, troca, colocação de pessoa ou de coisa, no lugar de outra. No Direito das Sucessões, é a disposição adjeta do testador em designar a pessoa que deverá receber a herança ou legado, na ausência de beneficiário direto. A novação dá-se, também, quando o novo devedor substitui o antigo, ficando este quite com o credor; e quando em razão de obrigação nova, outro credor é substituído ao antigo, ficando o devedor quite com este.

SUBSTITUIÇÃO PROCESSUAL — É a demanda de uma parte para a tutela de direito controvertido de terceira pessoa. Somente ocorre a substituição quando a lei habilita a intervir no processo, como parte legítima, pessoa estranha à relação jurídica que se debate. O substituto ingressa em juízo em seu próprio nome, por um direito alheio, o que diferencia a substituição da representação, pois nesta o representante processual age em nome de outro. A substituição processual pode ser legal, se decorre de lei; e voluntária, se decorre da vontade individual. A lei determina que ninguém poderá pleitear, em nome próprio, direito alheio, salvo quando autorizado por lei. E ainda mais: Só é permitida no curso do processo, a substituição voluntária das partes nos casos expressos em lei. Ocorrendo a morte do qualquer das partes, dar-se-á substituição pelo seu espólio ou pelos seus sucessores atendido o que dispõe o art. 265 do Código de Processo Civil que, entretanto, não se aplica se a ação for personalíssima (art. 267, IX). Feita a citação, proíbe-se ao autor modificar o pedido ou a causa de pedir, sem a aprovação do réu, mantendo-se as mesmas partes, salvo as substituições permitidas por lei. Na confissão, cabe ao confitente o direito de propor ação anulatória ou rescisória, porém, uma vez iniciada, passa aos seus herdeiros.

SUBSTITUTIVO — Em uma Casa Legislativa é a proposição acessória que altera "substancialmente" a proposição inicial. O substitutivo, apresentado em forma de projeto, uma vez aprovado, prejudica a proposição principal.

SUBSTITUTO — Nas sucessões ou nas disposições de bens, o substituto é a pessoa que sucede outra na herança ou no legado, ou é a que se beneficia no fideicomisso, substituindo o fiduciário. É, assim, o novo herdeiro, o novo legatário, ou o fideicomissário.

SUBSTITUTO PROCESSUAL — Aquele que pleiteia em nome próprio direito alheio.

SUBSUNÇÃO — Enquadramento do caso concreto à norma legal em abstrato aplicável. Raciocínio consistente em descobrir que um fato jurídico reproduz a hipótese contida na norma jurídica. É a revelação do liame lógico de uma situação concreta, específica, com a previsão genérica, hipotética da norma, revelada pelo aplicador da lei.

SUBTERFÚGIO — Meio artificioso, evasivo. Ardil para livrar-se de uma dificuldade.

SUBTÍTULO — No orçamento público são desdobramentos especialmente para especificar a localização física integral ou parcial das respectivas atividades, projetos e operações especiais, não podendo haver, por conseguinte, alteração da finalidade e da denominação das metas estabelecidas. (Ver: Subatividade.)

SUBTRAÇÃO — No Direito Penal define-se como desvio sub-reptício de coisas ou de pessoas, do poder ou do lugar em que estão.

SUBTROPICAL — Região, clima ou vegetação das áreas limítrofes aos trópicos; zonas temperadas mais próximas do Equador.

SUBUMANO — Que está abaixo do nível humano. Desumano, inumano.

SUBÚRBIO — É um termo utilizado para as áreas circunscritas às áreas centrais, seja de municípios, distritos ou outra qualquer instância política; porém, este termo é mais usual quando se refere ao município, e também para descrever cidades circunscritas a um núcleo metropolitano central. Nas grandes cidades da América Latina, um subúrbio, comumente, é uma área que não possui todos os recursos das áreas centrais - principalmente infra-estrutura urbana (como energia elétrica, água encanada, esgoto, coleta de lixo etc.) - ou até possuem, mas em escala inferior. Estas são mais aparentes nas grandes cidades, onde vários fatores como especulação imobiliária, força de trabalho etc., levam à ocupação de áreas mais distantes pela população mais pobre. Exemplos típicos de subúrbios ricos no Brasil são o Recreio dos Bandeirantes, no Rio de Janeiro, e Alphaville, em São Paulo.

SUBVENÇÃO — Ver Subsídio.

SUBVENÇÕES — São transferências destinadas a cobrir despesas de custeio das entidades beneficiadas, distinguindo-se em *subvenções sociais* e *subvenções econômicas*. Consideram-se, ainda, como subvenções econômicas: a) as dotações destinadas a cobrir a diferença entre os preços de mercado e os preços de venda, pelo Governo, de gêneros alimentícios ou outros materiais; e b) as dotações destinadas ao pagamento a produtores de determinados gêneros ou materiais. (Lei nº 4.320, de 1964.) (Ver: Subvenções econômicas // Subvenções sociais.)

SUBVENÇÕES ECONÔMICAS — Trata-se de transferência de recursos destinados à cobertura dos déficits de manutenção das empresas públicas de natureza autárquica ou não. Consideram-se, igualmente, como subvenções econômicas: as dotações destinadas a cobrir a diferença entre os preços de mercado e os preços de revenda, pelo Governo, de gêneros alimentícios ou outros materiais e as dotações destinadas ao pagamento de bonificações a produtores de determinados gêneros ou materiais. A destinação de recursos para, direta ou indiretamente, cobrir necessidades de pessoas físicas ou déficits de pessoas jurídicas deverá ser autorizada por lei específica, atender às condições estabelecidas na Lei de Diretrizes Orçamentárias (LDO) e estar prevista no orçamento ou em créditos adicionais, conforme determina a Lei de Responsabilidade Fiscal (LRF). (Ver: Subvenções sociais.)

SUBVENÇÕES SOCIAIS — Suplementação dos recursos de origem privada aplicados na prestação de serviços de assistência social ou cultural sem finalidade lucrativa. Fundamentalmente e nos limites das possibilidades financeiras, a concessão de subvenções sociais visará à prestação de serviços essenciais de assistência social, médica e educacional sempre que a suplementação de recursos de origem privada aplicados a esses objetivos revelar-se mais econômica. São concedas para cobrir exclusivamente despesas de custeio, como forma de suplementação e incentivo às suas atividades. Despesas de custeio envolvem gastos com manutenção e pessoal em geral, não podendo a subvenção ser utilizada para cobrir despesas de capital, que são aquelas que geram riqueza ou aumento de patrimônio para a entidade. A destinação de recursos para, direta ou indiretamente, cobrir necessidades de pessoas físicas ou déficits de pessoas jurídicas deverá ser autorizada por lei específica, atender às condições estabelecidas na Lei de Diretrizes Orçamentárias (LDO) e estar prevista no orçamento ou em créditos adicionais, conforme determina a Lei de Responsabilidade Fiscal (LRF). (Ver: Subvenções econômicas.)

SUCESS FEE — É sinônimo de taxa de performance. Percentual cobrado pelos bancos sobre uma parcela da rentabilidade do fundo de investimento, que exceder a variação de um determinado índice previamente estabelecido. Ex.:

Se a taxa de performance é de 25% sobre o IGP-M, significa que este percentual será cobrado sobre os rendimentos que ultrapassarem a variação do IGP-M no período.

SUCESSÃO — 1) Transmissão de direitos, feita por ato *inter vivos* ou *mortis causa*. No primeiro caso é a substituição do titular do direito, como no caso da compra e venda. No segundo caso, a transmissão se dá em razão da morte do titular. No direito das sucessões, emprega-se a palavra sucessão em um sentido restrito, para designar tão-somente a transferência da herança ou do legado, por morte de alguém, ao herdeiro ou legatário, seja por força de lei, ou em virtude de testamento. 2) É a substituição de um mandatário por outro ocorrendo de forma mais nítida nas eleições para os cargos executivos (presidente da República, governador, prefeito). A sucessão significa o encerramento de um mandato ou de um governo e o início de outro. No caso do mandato de presidente da República, o momento da sucessão é simbolizado pela transmissão da Faixa Presidencial do presidente em exercício para o presidente eleito.

SUCESSÃO HEREDITÁRIA - CONCORRÊNCIA COM ASCENDENTES — No direito das sucessões, não existindo descendentes, porém havendo ascendentes, o cônjuge concorrerá com esses em toda a herança em qualquer dos regimes de bens. O Código Civil não insere nenhum regime de bens como condição para o direito do sobrevivente e a intenção da lei não encontra qualquer obscuridade. O art. 1.837 traz as "quotas de participação". Havendo pai e mãe do *de cujus*, a lei reserva ao supérstite um terço dos bens. Qualquer que seja outra hipótese de ascendentes (apenas o pai, apenas avós, ambos os avôs...) metade dos bens será destinada ao cônjuge e a outra metade terá como destinatário os ascendentes, sejam quantos e quem for. Uma regra já prevista no Código Civil de 1916 e repetida no art. 1.836, § 2° do novo Código Civil que se refere à sucessão ascendente. Nesta hipótese, havendo igualdade em grau (por exemplo: primeiro grau, pais; segundo grau, avós) e diversidade na linha (materna ou paterna), faz-se a divisão ao meio, entregando metade à linha paterna e metade à linha materna. Lembrando que metade do patrimônio do *de cujus* já foi entregue ao sobrevivente.

SUCESSÃO HEREDITÁRIA — É a transmissão de bens e de direitos integrantes de um patrimônio deixado por uma pessoa falecida a uma ou mais pessoas.

SUCESSÃO HEREDITÁRIA - ORDEM DE VOCAÇÃO HEREDITÁRIA — A ordem de vocação hereditária é a seqüência de pessoas que a lei estabelece como destinatários da herança deixada pelo *de cujus* (o falecido). É a ordem que a lei presume seja a vontade do falecido. A ordem de vocação hereditária doravante se apresenta nos seguintes moldes afirmados pelo art. 1.829 do novo Código Civil: I - aos descendentes, em concorrência com o cônjuge sobrevivente, salvo se casado este com o falecido no regime da comunhão universal, ou no da separação obrigatória de bens (art. 1.640, parágrafo único); ou se, no regime da comunhão parcial, o autor da herança não houver deixado bens particulares; II - aos ascendentes, em concorrência com o cônjuge; III - ao cônjuge sobrevivente; IV - aos colaterais. É também denominado sucessão legitima.

SUCESSÃO HEREDITÁRIA - QUOTAS DE PARTICIPAÇÃO NA HERANÇA — Concorrendo com os descendentes comuns a lei (art. 1.832 do Código Civil) preserva o chamado "piso da herança". É o mínimo de um quarto da herança garantido ao cônjuge. Isso significa que havendo mais de três descendentes, e sendo todos comuns, no mínimo a quarta parte ficará para o cônjuge e o restante divide-se entre os descendentes. Concorrendo com descendentes exclusivos do *de cujus* cai a regra da quarta parte e o cônjuge herda como se fosse mais um deles. Assim, havendo cinco filhos do *de cujus* concorrendo com o sobrevivente, divide-se o montante em seis partes.

SUCESSÃO HEREDITÁRIA - SUCESSÃO DO COMPANHEIRO — Em termos simples, o companheiro terá direito à herança dos bens adquiridos na constância da união e a título oneroso. Os demais bens estão fora de sua alçada. Note-se que sobre esses bens o companheiro já fez a meação. Agora ele voltará para herdar sobre esses mesmos bens. Herdará concorrendo com descendentes, ascendentes e colaterais na ordem estabelecida no Código Civil. As regras são claras. Concorrendo com filhos comuns, herdará como se fosse mais um deles, dividindo em partes iguais a herança; concorrendo com descendentes só do *de cujus*, recebe apenas a metade do que àqueles caiba e por fim, concorrendo com outros parentes sucessíveis (primos, por exemplo) terá direito apenas a um terço, ficando os outros dois terços destinados a primos, tios etc.

SUCESSÃO HEREDITÁRIA - SUCESSÃO DO CÔNJUGE — No novo Código Civil, o cônjuge foi alçado a categoria de herdeiro necessário e concorrerá (obedecidos alguns requisitos) com descendentes e (sem nenhum requisito) com ascendentes logo nas primeiras convocações sucessórias. Ademais, qualquer que seja o regime de bens e sendo ou não herdeiro terá assegurado o direito real de habitação relativamente ao imóvel destinado à moradia da família, desde que seja o único daquela natureza a inventariar. Pela letra fria da lei se o cônjuge supérstite se casar novamente ele remanesce com tal direito real sobre coisa alheia e o proprietário (descendente do *de cujus*, por exemplo, que pode inclusive não ser descendente da sobrevivente) continuará privado de sua fruição.

SUCESSÃO HEREDITÁRIA - SUCESSÃO DO CÔNJUGE INEXISTINDO ASCENDENTES E DESCENDENTES — Nessa hipótese, pelo novo Código Civil, tudo pertence ao cônjuge como, aliás, era a regra do art. 1.603 do Código Civil de 1916, independente de regime de bens. Era assim também com o companheiro na Lei n° 8.971, de 1994, no art. 2°, III.

SUCESSÃO HEREDITÁRIA - SUCESSÃO LEGÍTIMA — Pelo novo Código Civil é deferida na seguinte ordem hereditária: I - aos descendentes, em concorrência com o cônjuge sobrevivente, salvo se casado este com o falecido no regime da comunhão universal, ou no da separação obrigatória de bens (art. 1.640, parágrafo único); ou se, no regime da comunhão parcial, o autor da herança não houver deixado bens particulares; II - aos ascendentes, em concorrência com o cônjuge; III - ao cônjuge sobrevivente; IV - aos colaterais.

SUCESSÃO TESTAMENTÁRIA — É a que resulta de disposição de última vontade, isto é, de testamento, que se repute válido. Opõe-se ao sentido de sucessão "*ab intestato*", que se regula por força da lei.

SUCESSIVIDADE — Qualidade de contínuo.

SUCESSIVO — Relativo à sucessão; que sucede sem interrupção; contínuo; consecutivo; repetido; seqüente; antecedente hereditário.

SUCESSO — Bom êxito, ótimo resultado, solução definitiva, final feliz. Resultado positivo de um projeto ou programa apreciado do ponto de vista da eficácia, do impacto, da sustentabilidade e da sua contribuição para o reforço das capacidades locais.

SUCUMBÊNCIA — É o princípio que atribui à parte vencida em um processo judicial de pagar os honorários de advogado da parte vencedora e as custas ou despesas processuais.

SUCUMBÊNCIA RECÍPROCA — É aquela atribuída tanto à parte vencida como à parte vencedora em um processo judicial. Caberá a cada litigante recíproca e proporcionalmente distribuídos e compensados entre eles os honorários e as despesas decorrentes.

SUCUMBIR — Cair sob o peso de; cair debaixo; abater-se; vergar-se. Ceder; deixar-se vencer ou abater; não agüentar mais.

SUFICIÊNCIA FINANCEIRA — Ocorre quando o ativo financeiro se apresenta maior do que o passivo financeiro.

SUFRÁGIO — Do latim *suffragium*, é o mesmo que voto. É o processo através do qual uma democracia outorga o mandato político a seus representantes. Consiste em consulta à opinião da coletividade, cuja resposta se compõe de votos individuais. O sufrágio universal consta como um dos pontos da Declaração Universal dos Direitos Humanos, das Nações Unidas. No Brasil adota-se o sufrágio universal, *ex vi* do art. 14 da Constituição Federal.

SUI GENERIS — [Latim]. Expressão que significa de seu gênero, único no gênero, especial, original, sem comparação.

SUI JURIS — [Latim]. Expressão que significa pessoa capaz. Indica quem tem capacidade jurídica para praticar, por si, os atos da vida civil.

SUICÍDIO — Conduta antijurídica, consistente no fato de alguém destruir voluntariamente a própria vida. É um conflito interno travado por dois grandes sentimentos interiorizados na primeira infância que ressurgem evoluídos. O medo de enfrentar, que vira sentimento de covardia, e o medo de não poder fugir, que torna o sentimento de opressão invencível. A questão de coragem não entra na história do suicida. Nem quando desiste e nem quando se suicida de fato.

SUJEIÇÃO — 1) Jugo; submissão; subordinação; dependência; vassalagem; ato ou efeito de sujeitar-se; ato de permanecer sob o domínio alheio. 2) Situação em que o titular passivo da relação se encontra de não poder evitar que determinadas conseqüências se produzam na sua esfera jurídica.

SUJEITO — Aquele que participa da infração penal; pode ser ativo e passivo.

SUJEITO ATIVO — É o agente da infração penal, o que a comete.

SUJEITO PASSIVO — É a vítima da infração penal.

SUJEITO PASSIVO DA OBRIGAÇÃO TRIBUTÁRIA — Ver Obrigação Tributária - Sujeito Passivo.

SUJEITOS — São as pessoas entre as quais se estabelece o vínculo jurídico.

SUMÁRIO DE INFORMAÇÕES — Relato disponível sobre a situação, transmitido a intervalos, de acordo com as circunstâncias.

SUMÁRIO EXECUTIVO — Síntese não-técnica elaborada com o objetivo de fornecer uma visão rápida do conteúdo do respectivo relatório.

SUMIDOURO — Em hidrologia, cavidade em forma de funil na superfície do solo que se comunica com o sistema de drenagem subterrânea, em regiões calcárias, causada pela dissolução da rocha. Em engenharia sanitária, poço destinado a receber o efluente da fossa séptica e a permitir sua infiltração subterrânea

SÚMULA — Ementa que revela a orientação jurisprudencial de um tribunal para casos análogos. É o conjunto de, no mínimo, três acórdãos de um mesmo tribunal adotando a mesma interpretação de preceito jurídico em tese. A súmula não tem efeito obrigatório, apenas persuasivo. É um padrão da jurisprudência do Tribunal, sintetizando a orientação daquele órgão na matéria a que se refere.

SÚMULA - ENUNCIADO — Ver Enunciado de Súmula.

SÚMULA DA ANDIMA — É a publicação da ANDIMA que contém toda a legislação referente a produtos, ativos e operações específicas do mercado financeiro. São atualizadas à medida que a legislação é modificada. Nesta súmula estão inclusos, entre outros, os seguintes títulos: *swap*, derivativos, debêntures, notas promissórias.

SÚMULA IMPEDITIVA DE RECURSO — Introduzida no ordenamento pátrio após a promulgação de Emenda Constitucional nº 45, de 2004, e regulamentada pela Lei nº 11.276, de 8.2.2006, em vigor a partir de 9 de maio de 2006, a súmula impeditiva de recurso dispõe que não mais caberá recurso contra a decisão de juiz de 1º grau que estiver em conformidade com matéria sumulada no Superior Tribunal de Justiça ou no Supremo Tribunal Federal. O juiz de primeiro grau poderá estar, ou não, de acordo com a súmula do STJ ou do STF. Se ele optar por aplicar a súmula, a parte não pode recorrer mais. (Ver: Súmula vinculante.)

SÚMULA VINCULANTE — Ementa que revela a orientação jurisprudencial de um tribunal para casos análogos. A finalidade da súmula não é apenas conferir maior estabilidade à jurisprudência, como facilitar a atividade dos advogados e do tribunal, simplificando-se o julgamento das questões mais correntes. A Súmula Vinculante seria uma interpretação eleita por tribunais superiores que passaria a ter que ser observada rigorosamente pelos juízes inferiores. Entretanto a Súmula Vinculante, introduzida no ordenamento pátrio após a promulgação de Emenda Constitucional nº 45 de 2004, apenas atendeu ao Supremo Tribunal Federal, impedindo a interposição de recursos em casos análogos a outros que tenham decisões definitivas de mérito proferidas com a concordância de pelo menos dois terços dos membros do STF. Ou seja, a súmula vinculante vale apenas para as ações de inconstitucionalidade e nas ações declaratórias de constitucionalidade de lei ou ato normativo federal e alcança tanto os demais órgãos do Poder Judiciário como também a Administração Pública direta e indireta, nas esferas federal, estadual e municipal. A súmula vinculante ainda não foi adotada totalmente no Brasil para as demais decisões proferidas nas instâncias superiores, devido à resistência da magistratura sob alegação que reduziria a independência na primeira instância. Depende de lei regulamentadora. (Ver: Súmula impeditiva de recurso.)

SUPERÁVIT — [Latim]. Expressão que significa o que sobra. É o excesso da receita ou do ativo, respectivamente, sobre a despesa ou o passivo. Em orçamentos públicos o superávit significa uma receita superior à despesa decorrente de um aumento da arrecadação ou um decréscimo dos gastos. Na balança comercial, significa um valor das exportações superior ao das importações. No balanço de pagamentos, significa que a soma de todas as entradas de divisas decorrentes das várias operações com o resto do mundo é superior às saídas de divisas originadas nessas mesmas operações. É o oposto do déficit. É o saldo positivo.

SUPERÁVIT COMERCIAL — Quando o valor das exportações supera o valor das importações de um país.

SUPERÁVIT DO ORÇAMENTO CORRENTE — É a diferença positiva entre os totais das receitas e despesas correntes previstas no orçamento. Não se constitui um item da receita.

SUPERÁVIT FINANCEIRO — Resultado apurado ao final do exercício financeiro que aponta saldo positivo no confronto entre a soma de todas as receitas e de todas as despesas pagas, indicando que as receitas arrecadadas foram maiores do que as despesas realizadas. Difere do superávit orçamentário, pois significa que o Poder Público realizou menos pagamentos do que o efetivo ingresso de receitas. São recursos provenientes da diferença positiva entre o ativo financeiro e o passivo financeiro apurados no

Balanço Patrimonial, conjugando-se, ainda, os saldo dos créditos adicionais transferidos e as operações de créditos a eles vinculados.

SUPERÁVIT NOMINAL — Ver Resultado Nominal do Setor Público.

SUPERÁVIT ORÇAMENTÁRIO — Resultado apurado ao final do exercício que aponta saldo positivo no confronto entre a soma de todas as receitas e de todas as despesas empenhadas, indicando que as receitas orçamentárias foram maiores do que as despesas orçamentárias. Difere do superávit financeiro, pois não significa necessariamente que o Poder Público gastou, de fato, menos dinheiro do que dispunha, mas, sim, que autorizou, no ano, menos gastos do que os recursos que se encontravam disponíveis no exercício. Quando se refere apenas ao confronto entre receitas correntes e despesas correntes, é chamado de superávit do Orçamento Corrente.

SUPERÁVIT PRIMÁRIO — É saldo positivo do Resultado Primário. Ocorre quando, na apuração das receitas e despesas do governo, sobram recursos para serem destinados ao pagamento dos juros da dívida e até mesmo para sua amortização. Se o superávit primário for suficiente ao menos para impedir o crescimento da dívida como proporção do PIB, considera-se que a situação fiscal/financeira do governo está equilibrada. Dessa maneira mantém-se a confiança dos credores na capacidade de pagamento do país e, portanto, o acesso deste ao crédito privado. (Ver: Resultado Primário do Setor Público // Déficit Primário.)

SUPERÁVIT SECUNDÁRIO DE CAIXA — É caracterizado quando o investidor (institucional ou pessoa física) consegue que sua receita líquida supere suas despesas. A poupança, medida em percentual nas empresas como margem de contribuição, é direcionada para investimentos com taxas de retorno compatíveis com as necessidades futuras de caixa.

SUPEREGO — Instância (elemento dinâmico do psiquismo) da personalidade formadora de ideais, agindo sobre o ego contra as pulsões suscetíveis de provocar culpa. Censor e moralista da personalidade.

SUPERFATURAMENTO — Mecanismo ilegal vinculado à importação. Consiste no registro doméstico da compra de mercadoria no exterior a preços inflados, a diferença entre o preço real e o preço inflado sendo depositado em conta bancária secreta em paraíso fiscal. Tanto este mecanismo quanto o subfaturamento têm sido utilizados para a lavagem de dinheiro.

SUPERIOR HIERÁRQUICO — Aquele que ocupa cargo mais elevado do que os outros.

SUPERIOR TRIBUNAL DE JUSTIÇA (STJ) — Tribunal de superior instância, instituído pela CF de 1988 para substituir o extinto TFR e assumir as atribuições conferidas anteriormente ao TFR. O Superior Tribunal de Justiça é um órgão do Poder Judiciário com jurisdição em todo o território nacional constituído de, no mínimo, 33 ministros, nomeados pelo presidente da República, dentre brasileiros com mais de 35 e menos de 65 anos, de notável saber jurídico e reputação ilibada, depois de aprovada a escolha pelo Senado Federal, com atribuição básica de conhecer, originariamente, os conflitos de competência entre quaisquer tribunais, em recurso especial, as causas decididas em única e última instância pelos Tribunais Regionais Federais ou pelos Tribunais dos Estados, do Distrito Federal. Sua função precípua é a de defender a lei federal. A competência do STJ está definida no art. 105 da Constituição Federal.

SUPERIOR TRIBUNAL MILITAR — É órgão da Justiça Militar composto de 15 Ministros vitalícios, nomeados pelo presidente da República, depois de aprovada a indicação pelo Senado Federal, sendo três dentre oficiais-generais da Marinha, quatro dentre oficiais-generais do Exército, três dentre oficiais-generais da Aeronáutica, todos da ativa e do posto mais elevado da carreira, e cinco dentre civis. Os ministros civis serão escolhidos pelo presidente da República dentre brasileiros maiores de 35 anos, sendo: três dentre advogados de notório saber jurídico e conduta ilibada, com mais de dez anos de efetiva atividade profissional; dois, por escolha paritária, dentre juízes auditores e membros do Ministério Público da Justiça Militar. Tem por competência processar e julgar os crimes militares definidos em lei.

SUPERIORIDADE — Qualidade do que é superior. Autoridade. Excelência. Ascendente, no sentido de predomínio, influência.

SUPERNOVA — Estrela que sofre uma explosão catastrófica deixando atrás de si, como resto do seu núcleo, um pulsar, e atrás das suas camadas exteriores, uma nebulosa.

SUPERORGANISMO — Uma associação de indivíduos na qual o funcionamento de cada um promove o bem-estar do sistema inteiro.

SUPERSTIÇÃO — Sentimento religioso excessivo ou errôneo, que consiste em atribuir a certas práticas uma eficácia sem razão, arrastando as pessoas à prática de atos indevidos e absurdos. Falsa idéia a respeito do sobrenatural; crendice. Temor absurdo de coisas imaginárias; excessiva credulidade.

SUPÉRSTITE — Expressão que denomina o cônjuge sobrevivente, empregada especialmente no direito sucessório e, neste, quanto à meação dos bens deixados pelo *de cujus* (o morto).

SUPERVENIÊNCIA — Circunstância de um fato ocorrer após outro tomado como referência. É o fato verificado no patrimônio que se caracteriza pelo aumento ou redução patrimonial, podendo ser ativa quando se referir ao acréscimo patrimonial e passiva quando se referir ao decréscimo patrimonial. A lei garante que a incapacidade superveniente não invalida o testamento eficaz, nem o testamento do incapaz se valida com a superveniência da capacidade. No Direito Penal, a superveniência de causa relativamente independente exclui a imputação quando, por si só, produziu o resultado; os fatos anteriores, porém, imputa-se a quem os praticou.

SUPERVENIÊNCIAS ATIVAS — São movimentações que ocorrem por fatos inesperados, que acontecem até por serem inevitáveis, mas sempre aumentam o patrimônio. Exemplos: inscrição de dívida ativa, incorporação de bens (doações), heranças vacantes etc.

SUPERVENIÊNCIAS PASSIVAS — São movimentações que ocorrem por fatos inesperados e que acontecem até por serem inevitáveis, mas sempre diminuindo o patrimônio. Exemplos: inscrição/encampação de dívidas passivas, aumento da dívida por elevação da taxa cambial etc.

SUPERVENIENTE — É o fato ou acontecimento que vem inesperadamente, ou que se registra depois, ou posteriormente a outro fato, ou acontecimento a que se liga ou em que interfere.

SUPERVISÃO — Procedimento exercido por um supervisor que consiste na revisão de um trabalho realizado ou acompanhamento do planejamento ou da execução de uma ação planejada.

SUPERVISÃO BANCÁRIA CONSOLIDADA — O primeiro regulamento do *Minumum Standards* do Banco para Pagamentos Internacionais (BIS) é que todos os grupos bancários internacionais ou bancos internacionais devem estar sujeitos à supervisão da autoridade do país-sede, responsável pela supervisão consolidada. (Ver: Banco para Pagamentos Internacionais.)

SUPERVISÃO DA AUDITORIA — Ver Auditoria, Supervisão da.

SUPERVISOR — Palavra de origem latina que significa aquele que vê de cima.

SUPLEMENTAÇÃO — Aumento de recursos por crédito adicional, para reforçar as dotações que constam na Lei orçamentária. (Ver: Créditos Adicionais.)

SUPLEMENTO DE RECURSOS — Ver Suplementação.

SUPLÊNCIA — Posição de suplente.

SUPLENTE — 1) Que supre; substituto. 2) Pessoa que supre; substituto. 3) Pessoa que pode ser chamada a exercer certas funções, na falta daquela a quem elas cabiam efetivamente. 4) Reserva.

SUPLENTE DE COMISSÃO — Em uma Casa Legislativa é o membro de comissão designado para substituir qualquer dos titulares da respectiva bancada na comissão.

SUPLENTE DE DEPUTADO — Todo candidato não eleito, constante da lista de partido político ou coligação que tenha elegido deputado na última eleição. Os suplentes são convocados a assumir o cargo de deputado na ordem decrescente de votação obtida, durante o impedimento ou ausência ocasional ou temporária do titular.

SUPLICANTE — Expressão arcaica e incabível na moderna terminologia jurídica, que indicava, em Portugal, aquele que dirigia seu recurso à Casa da Suplicação. Melhor empregar os adjetivos requerente ou postulante.

SUPLÍCIO — Grave castigo corporal ordenado por sentença; tortura; pena de morte; execução capital; pessoa ou coisa que aflige muito; sofrimento cruel; grande tormento.

SUPORTE — É uma linha de preços históricos indicativa de uma potencial interrupção de uma tendência de baixa e/ou um potencial início de um movimento de alta dos preços de um ativo.

SUPORTE VITAL — Ações padronizadas de apoio às funções vitais de pacientes, em situação de alto risco.

SUPPLIER'S CREDIT — É a operação em que o exportador, após contratada a venda externa com o importador, embarca suas mercadorias ou fatura os serviços e emite os documentos de créditos (Letra de câmbio, notas promissórias, cartas de fiança, cartas de crédito etc.) correspondentes ao principal e juros. Após a constituição das garantias, os refinancia junto ao Banco do Brasil (descontos/cessão de direitos creditórios).

SUPRA SUMMUN — [Latim]. Expressão que significa o mais alto grau.

SUPRANATIONAL — Entidade formada por dois ou mais governos centrais, através de tratados internacionais. O propósito de criação de uma supranacional é a promoção do desenvolvimento econômico dos países-membros. Exemplos de supranacionais são o BIRD (Banco Internacional para Reconstrução e Desenvolvimento) e o BID (Banco Interamericano de Desenvolvimento). Muitas supranacionais são emissoras de títulos que constituem opções de investimento, fornecendo bons índices de retorno com riscos relativamente baixos.

SUPREMACIA — 1) Superioridade, preeminência, hegemonia. 2) Poder supremo.

SUPREMO — Que está acima de tudo. O primeiro, o principal, o mais alto, ou o mais elevado.

SUPREMO TRIBUNAL FEDERAL (STF) — Instância máxima da organização judiciária brasileira. Órgão do Poder Judiciário constituído por 11 ministros, escolhidos dentre cidadãos com mais de 35 e menos de 65 anos de idade, de notável saber jurídico e reputação ilibada. Os ministros do Supremo Tribunal Federal serão nomeados pelo presidente da República, depois de aprovada a escolha pela maioria absoluta do Senado Federal. Sua principal atribuição é a guarda da Constituição Federal considerada como expressão dos valores sociais e políticos brasileiros. A competência do STF está definida no art. 102 da Constituição Federal.

SUPRIMENTO — 1) É o ato ou a diligência, executada com o objetivo de preencher uma formalidade, ou atender a uma exigência, que se mostra indispensável ou necessária à validade de certo ato, ou com o objetivo de remover uma falta, ou sanar um defeito, para que se revalide, ou corrija-se o ato; 2) É o estágio da despesa em que o Tesouro Público entrega aos agentes pagadores os meios de pagamento para liquidação dos compromissos financeiros marcados para determinado período. 3) Atividade logística que compreende a determinação de necessidades, obtenção, armazenamento, distribuição e administração dos suprimentos. 4) Itens necessários para o equipamento, manutenção e operação de uma força, incluindo alimentação, vestuário, equipamento, armamento, munição, combustível, forragem, material e máquinas de toda espécie.

SUPRIMENTO DE FUNDOS — É a modalidade de pagamento de despesas permitida em casos excepcionais ao qual pode recorrer o ordenador de despesas para, através de servidor subordinado, realizar despesas que, a critério da administração e consideradas as limitações previstas em lei, não possam ou não devam ser realizadas por via bancária. Nenhuma autoridade concederá mais de dois suprimentos de fundos para atender a despesas de pronto pagamento e pequeno vulto, em cada mês.

SUPRIMENTO DO CONSENTIMENTO, AÇÃO DE — É a ação daquele que, por lei ou contrato, depende do consentimento de alguém para a prática de determinado ato que lhe é recusado injustificadamente.

SUPRIMIR — Cancelar; anular; invalidar. Impedir de continuar.

SURPRESA — Sobressalto por susto. Saber de bom êxito, inesperadamente. Acontecimento repentino inesperado. A surpresa pode ser agradável ou desagradável.

SURSIS — É o mesmo que Suspensão Condicional da Pena. É um direito do sentenciado que preencher os requisitos indispensáveis à concessão de ter a aplicação de sua pena suspensa. Trata-se de dar um crédito de confiança ao criminoso, estimulando-o a que não volte a delinqüir e, além disso, é, também, uma medida profilática de saneamento, evitando-se que o indivíduo que resvalou para o crime fique no convívio de criminosos irrecuperáveis. Aplica-se a execução da pena privativa de liberdade, não superior a dois anos, podendo ser suspensa, por dois a quatro anos, desde que: o condenado não seja reincidente em crime doloso; a culpabilidade, os antecedentes, a conduta social e personalidade do agente, bem como os motivos e as circunstâncias autorizem a concessão do benefício; não seja indicada ou cabível a substituição por penas restritivas de direitos.

***SURSIS* ETÁRIO** — É a suspensão condicional da execução da pena privativa de liberdade, não superior a quatro anos, aplicada ao condenado maior de 70 anos de idade. A suspensão pode ser de quatro a seis anos. Critério semelhante pode ser utilizado para condenados tais que razões de saúde justifiquem a suspensão.

SURTO — Ver Saúde - Epidemia.

SUS — Ver Saúde, Sistema Único de.

SUSCETIBILIDADE — Predisposição de um organismo vivo em sofrer os efeitos de um patógeno ou condições adversas.

SUSCITADO — Denominação que se dá ao reclamado na Justiça do Trabalho. O mesmo que réu.

SUSCITANTE — Levantar, erguer, despertar, excitar, animar. Denominação que se dá ao autor na reclamatória trabalhista. O mesmo que reclamante.

SUSCITAR — Na linguagem jurídica, em geral significa: impedir; fazer surgir; produzir; promover; sugerir; provocar providência da autoridade competente; levantar como impedimento.

SUSEP (SUPERINTENDÊNCIA DE SEGUROS PRIVADOS) — A SUSEP é o órgão responsável pelo controle e fiscalização dos mercados de seguro, previdência privada aberta, capitalização e resseguro. É uma Autarquia vinculada ao Ministério da Fazenda, criada pelo Decreto-Lei nº 73, de 21 de novembro de 1966, que também instituiu o Sistema Nacional de Seguros Privados, do qual fazem parte o Conselho Nacional de Seguros Privados - CNSP, o IRB Brasil Resseguros S.A. - IRB Brasil Re, as sociedades autorizadas a operar em seguros privados e capitalização, as entidades de previdência privada aberta e os corretores habilitados. Com a edição da Medida Provisória nº 1940-17, de 6.1.2000, o CNSP teve sua composição alterada.

SUSPEIÇÃO — Situação, expressa em lei, que impede os juízes, representantes do Ministério Público, advogados, testemunhas, peritos, assistentes técnicos, intérpretes, serventuários ou qualquer outro auxiliar da Justiça de, em certos casos, funcionarem no processo em que ela ocorra, em face da dúvida de que não possam exercer suas funções com a imparcialidade ou independência que lhes competem.

SUSPEITA — Descrença e desconfiança em nível de acusação com base na livre convicção. Geralmente, a suspeita provoca precipitação.

SUSPEITO — Aquele que é passível de suspeição; que inspira receio ou desconfiança; aquilo que é visto com reserva ou com suspeita.

SUSPENSÃO — Ato ou efeito de suspender. Interrupção temporária do exercício de cargo, atividade, função, direito. Uma das mais graves penalidades impostas ao servidor público, de natureza pecuniária, que consiste em privá-lo de direitos e vantagem, e do cargo, por prazo não excedente 90 dias. Diz-se preventivo, quando se faz necessária para apuração de faltas que lhe são imputadas. A suspensão do empregado por mais de 30 dias consecutivos importa a rescisão imposta do contrato de trabalho. O empregado acusado de falta grave pode ser suspenso, mas só pode ser despedido após inquérito em que assume a procedência da acusação.

SUSPENSÃO CONDICIONAL DA PENA — (Ver: Sursis.)

SUSPENSÃO DE DIREITOS POLÍTICOS — Perda temporária dos direitos políticos, nos termos da Constituição Federal, resultante de condenação criminosa transitada em julgado, enquanto durarem seus efeitos, ou da recusa de cumprir obrigação a todos imposta ou prestação alternativa.

SUSPENSÃO DE SEGURANÇA — Pedido feito aos presidentes de tribunais para que seja cassada liminar ou decisão de outros tribunais, em única ou última instância, em Mandado de segurança. A Suspensão só poderá ser concedida por meio de despacho fundamentado, nos casos de lesão à ordem, à saúde, à segurança e à economia pública.

SUSPENSÃO DO PÁTRIO PODER — A expressão Pátrio Poder foi abolida pelo novo Código Civil passando a denominar-se Poder Familiar. (Ver: Abuso do Poder familiar // Pátrio poder // Suspensão do Poder familiar.)

SUSPENSÃO DO PODER FAMILIAR — Medida judicial, reclamada pela segurança da criança e do adolescente e de seus haveres, em que incorre o pai ou a mãe por abuso de poder, falta aos deveres paternos, dissipação dos bens do filho, com condenação por sentença irrecorrível. (Ver: Abuso do poder familiar.)

SUSTAÇÃO DE PROTESTO DE TÍTULO — Interrupção de protesto de título. Deferida a sustação, o autor da ação cautelar terá um prazo de 30 dias para ingressar em juízo com uma ação ordinária de desconstituição ou de anulação de título. (Ver: Protesto cambiário.)

SUSTAR EXECUÇÃO DE ATO IMPUGNADO — Compete ao Plenário do Tribunal de Contas sustar, se não atendido, a execução do ato por ele impugnado, comunicando a decisão à Assembléia Legislativa ou às Câmaras Municipais. Nos contratos, o ato da sustação será adotado pela Assembléia Legislativa ou pela respectiva Câmara Municipal que solicitará ao Poder respectivo as medidas cabíveis. Decorridos 90 dias, e se não efetivarem as medidas, o Tribunal de Contas decidirá a respeito.

SUSTENTABILIDADE — Qualidade, característica ou requisito do que é sustentável. Capacidade de sustentação e continuidade. É a possibilidade de uma organização garantir a sua continuidade. Num processo ou num sistema, a sustentabilidade pressupõe o equilíbrio entre "entradas" e "saídas", de modo que uma dada realidade possa manter-se continuadamente com suas características essenciais. Na abordagem ambiental, a sustentabilidade é um requisito para que os ecossistemas permaneçam iguais a si mesmos, assim como os recursos podem ser utilizados somente com reposição e/ou substituição, evitando-se a sua depleção, de maneira a manter o equilíbrio ecológico, uma relação adequada entre recursos e produção, e entre produção e consumo ou, como um conceito político que limita o crescimento em função da dotação de recursos naturais, da tecnologia aplicada no uso desses recursos naturais, da tecnologia aplicada no uso desses recursos e do nível efetivo de bem-estar da coletividade.

SUSTENTABILIDADE AMBIENTAL — É o desafio de unir o crescimento econômico à justiça social e à conservação ambiental. Relaciona-se com a expressão Desenvolvimento Sustentável, aquele que atende às necessidades do presente sem comprometer a possibilidade de as gerações futuras atenderem às suas próprias necessidades.

SUSTENTABILIDADE EMPRESARIAL — Para o setor empresarial, o conceito de sustentabilidade representa uma nova abordagem de se fazer negócios que, simultaneamente, promove inclusão social (com respeito à diversidade cultural e aos interesses de todos os públicos, direta e indiretamente, envolvidos no negócio), reduz – ou otimiza – o uso de recursos naturais e o impacto sobre o meio ambiente, preservando a integridade do planeta para as futuras gerações, sem desprezar a rentabilidade econômico-financeira do empreendimento. Esta abordagem, ao lado das melhores práticas de governança corporativa, cria valor ao acionista e proporciona maior probabilidade de continuidade do negócio no longo prazo (perenidade), ao mesmo tempo em que contribui para o desenvolvimento sustentável para toda a sociedade neste planeta.

SUSTENTAÇÃO ORAL — É a soma de argumentos, ou de alegações expendidas em confirmação e reforço de idéias ou de proposições já afirmadas, promovidas na oração, pronunciada perante tribunal, juiz ou a quem é dirigida. Perante Tribunal ou juiz, a exposição oral, em grau de recurso, é realizada pelos procuradores, das alegações do recorrente e do recorrido, na sessão de julgamento. A sustentação oral cabe na apelação, nos embargos infringentes e no recurso extraordinário.

SUSTENTÁVEL — São os funcionamentos que asseguram a legitimidade e a procedência de uma decisão, ou de um requerimento, quando outrem a ele se opõe, impugnando-o.

SWAP **—** Operação de câmbio ou de tesouraria que consiste de transação simultânea em duas moedas diferentes. Num país, em moeda local, e no outro, em moeda forte, com prazos e valores idênticos. Permuta.

***SWAP* DE CRÉDITO (CRÉDITO *DEFAULT*) —** Derivativo que tem como objetivo a proteção contra o risco de crédito de uma contraparte.

SWITCH **—** Categoria especial de operações de corretagem internacional cuja realização associa a compra-venda de mercadorias à arbitragem de divisas. O campo de aplicação das operações *switch* limita-se aos intercâmbios efetuados dentro do âmbito de acordos bilaterais com países de divisas não conversíveis ou de conversibilidade limitada. Estas operações são realizadas geralmente por firmas comerciais dotadas de meios financeiros importantes e que dispõem de relações internacionais potentes e bem articuladas.

T

T&D (TREINAMENTO E DESENVOLVIMENTO) — Designa a área da empresa que é responsável pelas atividades de treinamento e desenvolvimento de pessoas. Pode se referir, também, à atividade educacional que tanto enfatiza a tarefa quanto a pessoa que vai executá-la, buscando um aprimoramento no resultado final dessa execução.

TABAGISMO — Ver Saúde - Tabagismo.

TABELA *PRICE* (TP) — Assim como o Sistema de Amortização Constante (SAC), a tabela *price* é um dos tipos de amortização utilizados em financiamentos imobiliários. Nesse sistema, é a parcela (amortização + juros) que é constante, de forma que, ao contrário do SAC, o saldo devedor não se reduz desde o início do financiamento, mas apenas do meio para o final do contrato e os juros decrescem. A Tabela Price é também chamada Sistema Francês de Amortização.

TABELIÃO — O mesmo que notário. O titular dos cartórios extrajudiciais. É o oficial público (Servidor Público), a quem se comete a missão de redigir e instrumentar os atos e contratos ajustados entre as pessoas, atribuindo-lhes autenticidade e fé pública. Tabelião não é Serventuário da Justiça, mas está sujeito à jurisdição do juiz da comarca. (Ver: Notário ou Tabelião.)

TABLE OF INTERESTS — Tabela de juros.

TABULEIRO — O mesmo que chapada.

TAC — Ver Termo de Ajustamento de Conduta.

TÁCITA — Forma feminina de tácito. (Ver: Tácito.)

TACITAMENTE — De Tácito, exprime tudo o que se faz, se aceita, ou se pratica de modo presumido, ou tácito. Diferente da manifestação direta da vontade, o tacitamente importa no mesmo sentido de presumidamente, implicitamente, dedutivamente, ou por conclusão ou como conseqüência.

TÁCITO — Do latim *tacitus* (calado, passado em silêncio), a rigor etimológico é o que não é expresso por palavras. Assim, juridicamente, tácito exprime tudo o que, embora não expresso por palavras, orais, ou escritas, supõe uma afirmativa, ou uma negativa, de que se extrai, ou se conclui um consentimento, ou uma manifestação da vontade, de tal maneira que se equipara ao que se dá, ou ao que se manifesta expressamente. Em resumo: É tudo o que se de modo implícito, isto é, sem uma manifestação expressa da vontade, mas de um modo indireto, por atos inequívocos, que redundam em uma aprovação, ou em um consentimento.

TAG ALONG — Direito que garante aos acionistas minoritários, no caso de venda do controle da companhia, as mesmas condições de oferta dadas aos controladores. Em caso de privatização, por exemplo, os acionistas minoritários teriam direito a receber por suas ações o mesmo prêmio pago em leilão aos controladores. Este direito foi retirado da Lei das Sociedades Anônimas na reforma de 1997, com o objetivo de facilitar o processo de privatizações. Está prevista em projeto, no entanto, a sua inclusão na nova lei das S.As.

TAKE ONE — Proposta de adesão para um cartão encontrado em diversos estabelecimentos. O cliente o preenche com seus dados e envia pelo correio para a instituição.

TAKE OVER — Termo para referir a aquisição de uma empresa por outra.

TAKE-OR-PAY — Cláusula contratual na qual o comprador assume a obrigação de pagar por uma certa quantidade de gás contratada, independentemente de retirá-la.

TALENTO — Nascida na Grécia, a palavra "talento", originalmente "*Tátanon*", servia como uma referência de peso em ouro e prata. Com os romanos, passou por pequenas alterações e logo virou "*talentum*", para finalmente se transformar em "talento", que era utilizado a princípio pelos antigos hebreus, egípcios e romanos. De certa forma, sem se distanciar da sua designação original, tal como hoje, quem tivesse muitos talentos na época era considerada pessoa poderosa. Mais tarde passou a ser utilizada como moeda corrente, mas foi a partir do cristianismo que passou a ter o sentido atual. Pessoas de talento são pessoas com dons e/ou habilidades especiais em uma ou várias áreas. Talento é uma palavra de rico e extenso significado e embora tenha sinônimos, nenhum é seu substitutivo à altura: Dom, habilidade, competência, capacidade, conhecimento... Ou um pouco de tudo isso. Para ilustrar, pode-se dizer que: a) Quando nascemos com ele, podemos chamá-lo de dom; b) Quando o desenvolvemos, podemos chamá-lo de habilidade; c) Quando o exercitamos, podemos chamá-lo de competência; d) Quando o cultivamos, podemos chamá-lo de capacidade; e) Quando o ensinamos, podemos chamá-lo de sabedoria e... f) Quando o buscamos em outras pessoas, podemos chamá-lo de humildade. O talento não é autosuficiente; necessita estar associado à capacidade de exposição e transmissão para outras pessoas.

TALIÃO — Pena existente no Código de Hamurabi que consistia em impor ao delinqüente um castigo rigorosamente proporcional ao dano que causou. Assim, ao ladrão, amputam-se-lhe as mãos, ao alcoviteiro corta-se a língua etc. A Bíblia também menciona a pena de talião no Capítulo XXI do Êxodo, Versículos 23 a 25.

TALUDE — Terreno inclinado, escarpa ou rampa. Superfície inclinada do terreno na base de um morro ou de uma encosta do vale. Superfície de uma escavação ou aterro. Inclinação de uma superfície expressa em fração ou percentagem. Também obra de contenção. (Ver: Obra de estabilização de encostas.)

TALVEGUE — Linha de maior profundidade do leito de um rio. Resulta da interseção dos planos das vertentes com dois sistemas de declives convergentes, sendo o oposto da crista, que é o ponto mais alto da interseção. O termo talvegue significa caminho dos vales.

TANATOGNOSE — É a parte da Tanatologia Forense que estuda o diagnóstico da realidade da morte. Esse diagnóstico é elaborado por um perito que deverá observar determinados fenômenos. Antes do surgimento dos fenômenos transformativos do cadáver, não existe sinal patognomônico de morte. Então, o perito observará dois tipos de fenômenos cadavéricos: a) os abióticos, avitais ou vitais negativos (imediatos ou consecutivos); b) os transformativos (destrutivos ou conservadores).

TANGÍVEL — Que se pode tanger, tocar ou apalpar. Sensível; palpável.

TAPAGEM — Direito de cercar ou murar um prédio urbano ou rural. (Ver: Direto de tapagem.)

TAPUME — De tapar, é a denominação genérica dada a toda espécie de construção, seja cerca, muro, ou qualquer outro meio, realizada pelo proprietário em um prédio, ou terreno, seja com a intenção de separá-lo, em seus limites, de um prédio vizinho, seja para impedir que nele tenham ingresso pessoas, ou animais. (Ver: Direto de tapagem.)

TAQUIGRAFIA — Escrita abreviada e simplificada, na qual se empregam sinais que permitem escrever com a mesma rapidez com que se fala.

TAQUÍGRAFO — Aquele que utiliza a taquigrafia.

TARA — Peso de uma unidade de transporte intermodal ou veículo sem carga expresso em quilogramas. Ao se pesar o total subtrai-se a tara, chegando-se assim ao peso da carga.

TAREFA — Forma do trabalho em que o contrato é estipulado por serviço executado. Conjunto de atividades distintas realizadas em um posto de trabalho, com o objetivo de cumprir uma função. Um conjunto de tarefas constitui um processo.

TAREFA DE AUDITORIA — Ver Auditoria, Tarefa de.

TAREFEIRO — Diz-se daquele que trabalha por tarefa. Sua remuneração depende de sua produção.

TARGET — Alvo, objetivo.

TARGET MARKETING — Objetivo mercadológico.

TARIFA — Originalmente, relação oficial das taxas pagas sobre mercadorias importadas. Posteriormente, seu uso estendeu-se aos direitos de importação e exportação, aos preços cobrados nas ferrovias pelo transporte de carga e, de modo geral, às pautas de preços correspondentes a qualquer prestação de serviço público concedido, e que a empresa concessionária cobra para fornecer o serviço a seus consumidores e/ou usuários. O valor deve ser previamente homologado pelo Poder Público Concedente. (Ver: Taxa.)

TÁTICA — Ações de curto prazo conduzidas sobre os meios para que se atinjam as metas desejadas.

TAX — Palavra inglesa que significa imposto, contribuição.

***TAX HEAVEN* (PARAÍSO FISCAL)** — Cidade ou país que não cobra impostos ou tem taxas muito baixas e algum sigilo nos depósitos bancários.

TAXA — 1) Medida da freqüência de um fenômeno. 2) Freqüência com a qual ocorre um evento numa população definida. 3) É também aplicada como percentagem, em relação ao juro, ou como índice de uma comissão, importa sempre em ser a determinação de um preço. 4) Espécie de tributo cobrado pelas três instâncias de Governo - União, Estados e Municípios - desde que o fato gerador esteja dentro de suas respectivas atribuições, conforme determinadas na Constituição Federal, Constituições dos Estados e Leis Orgânicas dos Municípios. Os fatos geradores podem ser: a) o exercício regular do poder de polícia, e b) a utilização, efetiva ou potencial, de serviços públicos específicos e divisíveis, prestados ao contribuinte ou postos à sua disposição. Sob determinadas condições, as taxas também podem ser usadas para custeio de serviços públicos. Entretanto, é necessário que eles sejam utilizados pelos contribuintes para que possam ser cobrados. Esse uso, contudo, tanto pode ser efetivo, quando usufruído pelo contribuinte, quanto meramente potencial, desde que o serviço público seja de uso compulsório e esteja disponível para ele. Adicionalmente, os serviços públicos devem ser - devem poder ser - destacados em unidades autônomas de intervenção, de utilidade ou de necessidade pública - além de divisíveis -, suscetíveis de utilização em separado para cada um dos seus usuários. A exigência de que a taxa esteja vinculada a um serviço público específico impede a imposição genérica de taxas, como de urbanização, por exemplo, por se tratar de um amplo conjunto de serviços. Em resumo: as taxas podem ser cobradas em razão do poder de polícia (fiscalização) ou pela prestação de serviços públicos específicos, não podendo ter a mesma base de cálculo dos impostos. (Ver: Contribuições de Melhoria // Poder de Polícia // Princípio do Benefício // Princípio da Capacidade Contributiva // Tarifa.)

TAXA BÁSICA — Taxa de juro anual fixada por um banco, que serve de referência para o cálculo das diferentes condições oferecidas por esse banco.

TAXA BÁSICA DE JUROS (SELIC) — É a taxa referencial dos juros básicos praticados pelo Governo, divulgada pelo Comitê de Política Monetária (COPOM).

TAXA BÁSICA DE JUROS DO BACEN — Ver TBC.

TAXA BRUTA DE MORTALIDADE — Indicador que representa a freqüência com que ocorrem os óbitos em uma determinada população. É o quociente entre os óbitos ocorridos em um determinado ano e a população ao meio do ano, vezes 1.000.

TAXA BRUTA DE NATALIDADE — Indicador que representa a freqüência com que ocorrem os nascimentos em uma determinada população. É o quociente entre os nascidos vivos ocorrido em um determinado ano e a população ao meio do ano, vezes 1.000.

TAXA BRUTA DE REPRODUÇÃO — Indicador que expressa o número de filhas que, em média, teria uma mulher, pertencente a uma coorte hipotética de mulheres, que durante sua vida fértil tiveram suas filhas de acordo com as taxas de fecundidade por idade do período em estudo e não estiveram expostas a riscos de mortalidade desde o nascimento até o término do período fértil.

TAXA CENTRAL DE MORTALIDADE POR IDADES OU INTERVALOS DE IDADE — Indicador obtido mediante o quociente entre os óbitos de uma determinada idade ou intervalo de idade, em um determinado ano ou período, e a população naquela idade ou intervalo de idade, ao meio do ano ou período.

TAXA DE ADMINISTRAÇÃO — Taxa cobrada pela instituição financeira pela administração de um fundo de investimento. Como se trata da remuneração do serviço prestado pela instituição, fica a critério dela estabelecer o valor percentual dessa taxa, que no entanto está preestabelecida no regulamento do fundo. Todo fundo de investimento tem uma taxa de administração. Fundos diferentes têm taxas diferentes.

TAXA DE ALFABETIZAÇÃO — Ver Educação - Taxa de Alfabetização.

TAXA DE ANALFABETISMO DA POPULAÇÃO, POR FAIXA ETÁRIA — Ver Educação - Taxa de analfabetismo da população, por faixa etária.

TAXA DE ANALFABETISMO FUNCIONAL — Ver Educação - Taxa de analfabetismo funcional.

TAXA DE ATENDIMENTO EM EDUCAÇÃO — Ver Educação - Taxa de Atendimento em educação.

TAXA DE CÂMBIO — É o total de moeda nacional necessário para pagar a compra de uma unidade monetária de outro país. A taxa de câmbio reflete, assim, o custo de uma moeda em relação a outra, dividindo-se em taxa de venda e taxa de compra. A taxa de venda é o preço que o banco cobra para vender a moeda estrangeira, enquanto a taxa de compra reflete o preço que o banco aceita pagar pela moeda estrangeira que lhe é ofertada. As transações são realizadas no mercado cambial. Em regime de câmbio flutuante, a taxa é determinada pelas condições de oferta e procura das moedas mais importantes no mercado (no Brasil e em grande parte do mundo é o dólar). Essas condições dependem do déficit ou superávit da balança de pagamentos das economias mais importantes e da demanda local por moeda estrangeira para cumprir obrigações e expectativas quanto ao movimento futuro da taxa.

TAXA DE CÂMBIO A TERMO — É a taxa de câmbio entre duas moedas numa data futura.

TAXA DE CÂMBIO COMERCIAL — É a taxa de conversão de moedas estrangeiras por Real equivalentes e são utilizadas nas operações comerciais e financeiras referente a exportação, importação, juros, dividendos etc.

TAXA DE CÂMBIO FIXA — É valor de moeda de um país em relação a algum padrão comum. São determinadas pelas autoridades monetárias do país.

TAXA DE CÂMBIO FLUTUANTE — É a liberação da taxa cambial fazendo com que o valor das moedas estrangeiras flutuem de acordo com o interesse que despertam no mercado, seguindo a oferta e a procura.

TAXA DE CÂMBIO NOMINAL — É a taxa à qual se pode trocar a moeda de um país pela moeda de outro país. Descreve, no caso do Brasil, o preço de um dólar em reais.

TAXA DE CÂMBIO REAL — É a taxa à qual se pode trocar os bens e serviços de um país pelos bens e serviços de outro país.

TAXA DE CÂMBIO TURISMO — É também chamada de Câmbio Flutuante, sendo utilizada nas operações de despesas de saúde, estudos, doações, pensões, turismo etc.

TAXA DE CONTROLE E FISCALIZAÇÃO AMBIENTAL (TCFA) — É a taxa que tem como fato gerador o exercício regular do poder de polícia conferido ao Instituto Brasileiro do Meio Ambiente e dos Recursos Naturais Renováveis - IBAMA para controle e fiscalização das atividades potencialmente poluidoras e utilizadoras de recursos naturais.

TAXA DE CRESCIMENTO — É a taxa que expressa a variação de um determinado indicador durante um período de tempo. Um dos indicadores mais usados é o PIB: taxa de crescimento do PIB, significando a taxa de crescimento da economia de um país.

TAXA DE CRESCIMENTO DA POPULAÇÃO — Indicador que expressa o ritmo de crescimento populacional. A variação da taxa de crescimento demográfico é fundamental para a formulação de políticas públicas de natureza econômica, social e ambiental.

TAXA DE CUSTÓDIA — É a taxa cobrada pela corretora de valores mobiliários pela manutenção das ações de seus clientes sob sua guarda (responsabilidade).

TAXA DE DESCONTO — É a taxa usada para descontar valores futuros para o presente. Na análise custo-benefício é costume distinguir-se a taxa de desconto privada da social. A taxa de desconto privada representa o tempo de preferência dos consumidores privados; a taxa de desconto social considera uma visão mais alongada temporalmente, de forma a abranger as gerações futuras.

TAXA DE DESEMPENHO/PERFORMANCE — É a taxa que se cobra desde que se tenha obtido o retorno preestabelecido para aplicação.

TAXA DE DESEMPREGO — Indicador que mede a utilização dos recursos na economia, especialmente no mercado de trabalho. O desemprego apura-se em face da força de trabalho (Taxa de Desemprego = Número de Desempregados/Força de Trabalho). É desempregado quem ainda está à procura de trabalho por motivos: a) involuntários; b) cíclicos; c) estruturais; d) sazonais; e) friccionais; e f) regionais. (Ver: Desemprego // Taxa natural de desemprego.)

TAXA DE DESEMPREGO ABERTO — Indicador que expressa a relação entre o número de pessoas procurando trabalho e o número de pessoas economicamente ativas, medida durante o mês em referência. A taxa de desemprego aberto é um dos indicadores de análise sobre o mercado de trabalho e reflete a incapacidade do sistema econômico em prover ocupação produtiva a todos os que a desejam. (Ver: Desemprego // Taxa de desemprego // Taxa natural de desemprego.)

TAXA DE DISTORÇÃO IDADE/SÉRIE — Ver Educação - Taxa de distorção idade/série

TAXA DE EMPREGO — Indicador que mede a utilização dos recursos na economia no mercado de trabalho. O emprego apura-se em face da força de trabalho (Taxa de emprego = Número de empregados/Força de trabalho.)

TAXA DE ESCOLARIZAÇÃO — Ver Educação - Taxa de escolarização.

TAXA DE ESCOLARIZAÇÃO BRUTA — Ver Educação - Taxa de escolarização bruta.

TAXA DE ESCOLARIZAÇÃO LÍQUIDA — Ver Educação - Taxa de escolarização líquida.

TAXA DE EVASÃO — Ver Educação - Taxa de evasão.

TAXA DE FALHA — Freqüência em que um componente, equipamento ou sistema apresenta falha. Freqüência com que as falhas ocorrem em um intervalo de tempo definido, em horas de operação ou em seqüência de operação.

TAXA DE FECUNDIDADE POR IDADE — Geralmente calculada por grupo qüinqüenal de idade, desde os 15 até os 49 anos, o Indicador percentual resulta da divisão do número de filhos nascidos vivos de mulheres do grupo de idade, em um período de tempo próximo à data do censo demográfico, usualmente os últimos 12 meses, pelo total de mulheres do mesmo grupo etário.

TAXA DE FECUNDIDADE TOTAL — Indicador que expressa o número de filhos que, em média, teria uma mulher, pertencente a uma coorte hipotética de mulheres, que durante sua vida fértil tiveram seus filhos de acordo com as taxas de fecundidade por idade do período em estudo e não estiveram expostas aos riscos de mortalidade desde o nascimento até o término do período fértil.

TAXA DE INFLAÇÃO OU CORREÇÃO MONETÁRIA — Indicador percentual determinado, de um período qualquer, pela relação entre o valor da medida (índice de preços) selecionada, verificado na data final e na data inicial do período de cálculo (ou final do período anterior).

TAXA DE INVESTIMENTO — É a razão entre o nível de investimento e o Produto Interno Bruto (PIB). Mede o incremento da capacidade produtiva da economia em determinado período. A taxa de investimento mede o estímulo ao desenvolvimento econômico, ao refletir o aporte de capital público e privado destinado a financiar o desenvolvimento. As informações utilizadas para construção de um indicador são a formação bruta de capital fixo (gastos em investimento público e privado) e o Produto Interno Bruto - PIB. O resultado do indicador expressa, em percentual, a relação entre a formação bruta de capital fixo e o PIB, a preços correntes.

TAXA DE JURO — Percentual da remuneração do capital. É a taxa cobrada para empréstimos de dinheiro e seu valor expressa o custo do dinheiro no mercado, conforme ou ao arrepio da lei. É um ganho para o emprestador e uma despesa para o tomador do empréstimo. A Constituição Federal adverte, no art. 192, § 3º, que as taxas de juros reais, nelas incluídas comissões e quaisquer outras remunerações, direta ou indiretamente referidas à concessão de crédito, não poderão ser superiores a 12% ao ano; a cobrança acima deste limite será conceituada como crime de usura, punido, em todas as suas modalidades, nos termos que a lei determinar. Tal norma, que ainda se discute ser ou não auto-aplicável, é corroborada pelo art. 173, § 4º da CF, que diz: A lei reprimirá o abuso do poder econômico que vise à dominação dos mercados, à eliminação da concorrência e ao aumento arbitrário dos lucros. O BACEN é o órgão regulador da política de juros. Quando a taxa de juros está alta é sinônimo de falta de dinheiro no mercado. Ao contrário, quando está baixa, é porque está sobrando dinheiro no mercado. A taxa de juros é um dos mais importantes indicadores de política monetária.

TAXA DE JUROS DE EQUILÍBRIO — É a taxa de juros que equilibra o mercado de moeda, ou seja, que iguala a quantidade de moeda que se deseja emprestar e a quantidade que se deseja tomar emprestada.

TAXA DE JUROS NOMINAL — É uma taxa de juros não deflacionada por mudanças nos níveis de preços, embute uma expectativa inflacionária e uma taxa de juros. É a taxa de juros sem o desconto dos efeitos da inflação.

TAXA DE JUROS REAL — É a taxa obtida subtraindo-se o índice de inflação de determinado período da taxa de juros nominal. Ela reflete a correção monetária necessária para compensar a desvalorização da moeda.

TAXA DE MORTALIDADE INFANTIL — Indicador que expressa o número de óbitos de menores até 1 ano de idade (por mil nascidos vivos), em determinada área geográfica e período, e interpreta-se como a estimativa do risco de um nascido vivo morrer durante o seu primeiro ano de vida. Altas taxas de mortalidade infantil refletem, de maneira geral, baixos níveis de saúde, de condições de vida e de desenvolvimento socioeconômico. O índice considerado aceitável pela Organização Mundial da Saúde (OMS) é de 10 mortes/mil nascimentos.

TAXA DE OCUPAÇÃO — Equivale a valores cobrados pelo uso e utilização de bens imóveis de propriedade de terceiros. Não se confunde com o aluguel, visto ter legislação própria. É um dos elementos que definem a volumetria da edificação, é o percentual das áreas que podem ser ocupadas e as que devem ficar livres no lote.

TAXA DE PERFORMANCE — É a taxa percentual cobrada pelos bancos sobre uma parcela da rentabilidade do fundo de investimento que exceder a variação de um determinado índice previamente estabelecido.

TAXA DE POBREZA — Ver Pobreza, Taxa de.

TAXA DE PREVALÊNCIA — Taxa de incidência de uma enfermidade ou atributo, num período definido.

TAXA DE REDESCONTO — É a taxa de juros sobre empréstimos que o Banco Central de um país concede aos bancos. É um dos instrumentos de política monetária que o Banco Central tem à disposição.

TAXA DE RENTABILIDADE — É uma taxa percentual que exprime a lucratividade de um determinado ativo.

TAXA DE REPETÊNCIA — Ver Educação - Taxa de repetência.

TAXA DE RISCO — Ver *SPREAD.*

TAXA DE URBANIZAÇÃO — Indicador percentual que mostra o grau de urbanização de determinada área ou região, e é medido pela relação entre a população urbana e a total.

TAXA DE VALOR AGREGADO — Ver Produtividade.

TAXA DI — É a taxa média de juros para operações interbancárias de um dia (*overnight*) registradas na CETIP (Central de Custódia e Liquidação Financeira de Títulos Privados).

TAXA EFETIVA — É a taxa que determina a rentabilidade final de um investimento, indicando o ganho/perda do investidor. É resultante da aplicação periódica do juro previsto na taxa nominal. Por exemplo, a uma taxa nominal de 12% ao ano, a taxa efetiva será de 1% ao mês. Como a aplicação desse percentual é feita mês a mês, juro sobre juro, a taxa total, no final de um ano, não será mais os 12% contratados, e sim 12,68%.

TAXA INTERNA DE RETORNO — É uma taxa que visa determinar a rentabilidade de um investimento ou projeto. É a taxa que iguala o valor presente líquido (VPL) de um investimento ao valor do investimento inicial de um projeto.

TAXA INTRÍNSECA DE CRESCIMENTO POPULACIONAL — É a taxa de crescimento que se observa nas populações quando as taxas de fecundidade e de mortalidade permanecem constantes por um período prolongado de tempo (normalmente não inferior ao tempo de substituição de uma geração).

TAXA LÍQUIDA DE MIGRAÇÃO — Indicador percentual obtido pela diferença entre a taxa de emigração e de imigração ou o quociente entre o saldo migratório em um determinado período e a população ao meio do período, vezes mil.

TAXA LÍQUIDA DE REPRODUÇÃO — Indicador percentual que expressa o número de filhas que, em média, teria uma mulher, pertencente a uma coorte hipotética de mulheres, que durante sua vida fértil tiveram suas filhas de acordo com as taxas de fecundidade por idade do período em estudo e estiveram expostas a riscos de mortalidade desde o nascimento até o término do período fértil.

TAXA MÉDIA GEOMÉTRICA DE INCREMENTO ANUAL DA POPULAÇÃO — Indicador percentual que mostra o ritmo de crescimento anual experimentado pela população num determinado período de tempo.

TAXA MÉDIA SELIC (TMS) — É a taxa média ajustada dos financiamentos diários apurados no SELIC, praticada nas operações compromissadas por um dia, tendo como lastro títulos públicos federais, estaduais e municipais negociados no mercado secundário.

TAXA NATURAL DE DESEMPREGO — Indicador que representa a taxa de desemprego que não é acelerada pela inflação. A taxa de desemprego de longo prazo em torno do qual a economia flutua em resultado das expectativas de salários e alterações de preços. Qualquer tentativa em combater o desemprego abaixo do nível natural, na medida em que as expectativas geram um aumento dos preços que faz retornar o desemprego à taxa natural. (Ver: Desemprego // Taxa de desemprego.)

TAXA NOMINAL DE JUROS — Ver de juros real.

TAXA *OVER* — É uma metodologia de cálculo para a taxa de juros, utilizada apenas no Brasil, remanescente do período de taxas inflacionárias altas. Atualmente é utilizada como padrão para empréstimos entre bancos.

TAXA PÓS-FIXADA — Taxa de remuneração a ser paga em virtude de aplicação em determinado ativo, que será divulgada apenas no vencimento da aplicação.

TAXA PREFIXADA — Taxa de remuneração estabelecida com antecedência, a ser paga em virtude da aplicação em determinado ativo.

TAXA REAL DE JUROS — Ver Taxa de juros real.

TAXA REFERENCIAL SELIC — Taxa de juro básica, definida pelo COPOM (Comitê de Política Monetária). Funciona como parâmetro das taxas de juros brasileiras, devendo estar próxima das taxas pagas pelos títulos públicos.

TAXA TOBIN — Proposta que consiste na taxação das transações de todo o capital especulativo que circula pelo planeta. A Taxa TOBIN ou Imposto sobre Transações Monetárias (ITM) foi proposta pelo economista James Tobin, premiado com o Nobel de economia em 1972.

TAXAÇÃO — Ação de fixar um preço ou de estabelecer um valor.

TAXAS DE BOLSAS — Taxas e emolumentos cobrados pela Bolsa de Valores ou pelas sociedades corretoras a seus clientes quando da utilização de seus serviços.

TAXAS DE JUROS DE APLICAÇÃO — Percentual cobrado pelas instituições financeiras nas operações de crédito realizadas com seus clientes.

TAXAS DE JUROS DE CAPTAÇÃO — Utiliza-se como taxa de referência a taxa de captação média dos certificados ou recibos de depósitos bancários (CDB/RDB) para modalidades cujo prazo médio se situa em torno de 30 dias, e, para as demais modalidades, de prazo superior a 30 dias, a taxa referencial de contratos realizados no mercado de derivativos que expressa a expectativa para a taxa básica de juros correspondente aos respectivos prazos (contratos de *swap* DI x pré.)

TAXIONOMIA JURÍDICA — Disciplina que se ocupa da correta classificação dos ramos do Direito.

TAYLOR, F.W. (1856/1915) — Engenheiro norte-americano, promotor da organização racional do trabalho notável sob o ponto de vista técnico mas discutível e muito criticado sob o ponto de vista humano. Taylor estabeleceu os princípios da administração científica. "...ciência, em lugar de empirismo; harmonia, em vez de discórdia; cooperação, não individualismo; rendimento máximo, em lugar de produção reduzida; desenvolvimento de cada Homem, no sentido de alcançar maior eficiência e prosperidade".

TAYLORISMO — Ver Sistema Taylor.

TBAN (TAXA DE ASSISTÊNCIA DO BANCO CENTRAL) — É o teto das taxas de juros no mercado, nas operações entre instituições financeiras. O percentual é fixado pelo COPOM.

TBC (TAXA BÁSICA DE JUROS DO BACEN) — É o piso das taxas de juros no mercado. O percentual é fixado pelo COPOM.

TBC/TBAN (TAXA BÁSICA DO BANCO CENTRAL E TAXA DE ASSISTÊNCIA DO BANCO CENTRAL) — São utilizadas nos empréstimos de liquidez dos bancos junto ao Banco Central e por este definidas no final do mês anterior ao de suas vigências, em reunião específica do Comitê de Política Monetária (COPOM). A freqüência de utilização e o tipo de garantia dado pela instituição financeira é que determinarão o custo do empréstimo de liquidez (redesconto). Nas melhores condições será utilizada a TBC (piso da taxa do BACEN) e nas piores a TBAN (teto da taxa do Bacen).

TBF (TAXA BÁSICA FINANCEIRA) — Criada com o objetivo de alongar o perfil das aplicações em títulos com uma taxa de juros de remuneração superior à TR. Sua metodologia de cálculo é idêntica à da TR, com a diferença fundamental de que não se aplica nela o redutor. A taxa é calculada a partir da remuneração mensal média dos depósitos a prazo fixo - CDBs e RDBs com taxas prefixadas e prazos de 30 a 35 dias - negociados pelos bancos com maior volume de captação. Para cada dia do mês - dia de referência - o BACEN calcula e divulga a TBF para o período de um mês, com início no dia de referência e término no dia de referência do mês seguinte.

TÉCNICA — Destreza; habilidade; conhecimentos empíricos ou práticos; métodos e procedimentos relacionados com a realização de operações específicas; cultura empírica, que se justifica ou é validada por sua utilidade e adequação; conhecimentos que podem ser adquiridos por experiência ou transmitidos pela literatura especializada; sistema simbólico construído como resultado da interação do ser humano com os seus produtos e instrumentos de trabalho.

TÉCNICA DE AUDITORIA — Ver Auditoria, Técnica de.

TÉCNICA DE ELABORAÇÃO DE LEIS E DECRETOS — A técnica apresentada a seguir foi divida em sete partes, sendo que na parte 5 (dispositivos), para melhor compreensão, foi utilizada seqüência de artigos, parágrafos, incisos, alíneas, números e letras. PARTE 1 - Epígrafe: A epígrafe de um decreto pode ou não ser numerada. Deve ser numerada quando se tratar de atos normativos de caráter geral e abstrato e não numeradas aquelas referentes aos atos que contenham regras de caráter singular, dentre eles os decretos relativos à abertura de crédito, declaração de utilidade pública, reforma agrária, doação e aceitação de imóvel, luto oficial, concessão de rádio e televisão, criação de embaixadas e consulados, delegações, calamidade pública. Os Decretos pessoais e os relativos a provimento ou vacância de cargo público não serão numerados nem conterão ementa. PARTE 2 - Ementa: É a parte do preâmbulo que sintetiza o conteúdo da lei ou decreto, a fim de permitir, de modo imediato, o conhecimento da matéria legislada, devendo guardar estreita correlação com a idéia central do texto, bem assim com o art. 1º do ato proposto. Deve ser evitada apenas a menção genérica do tópico da Lei ou Decreto acompanhado do clichê "e dá outras providências". Forma: Tamanho: ± 9 cm alinhando à direita. Padrão de Formatação *Word*: Formatar, parágrafo, esquerdo 3,2", direito 0". PARTE 3 - Autoria e fundamento legal: É a parte do preâmbulo que contém a declaração do nome da autoridade, do cargo em que se acha investida e da atribuição constitucional ou legal em que se funda para promulgar o ato. Padrão de Formatação *word*: Um tab. de 2,5 cm, nome da autoridade em negrito e caixa alta, seguido de vírgula e sua fundamentação. PARTE 4 - Ordem de execução: A ordem de execução ou mandado de cumprimento é a parte do preâmbulo em que se prescreve a força coativa da lei ou decreto. Padrão de formatação *word*: Um tab. de 2,5 cm, caixa alta, negrito, seguido de dois pontos. PARTE 5 - Dispositivos: Art. 1º Os artigos devem ser designados pela forma abreviada "Art.", seguido de algarismo arábico e do símbolo de número ordinal "º" até o de número 9, inclusive ("Art. 1º", "Art. 2º" etc.); a partir do de número 10, segue-se o algarismo arábico correspondente, seguido de ponto ("Art. 10.", "Art. 11." etc.). Parágrafo único. Quando necessária remissão ao texto, esta deve ser feita indicando diretamente o número do dispositivo afetado, vedado o uso das expressões, "artigo anterior, artigo seguinte". Art. 2º A indicação de artigo será separada do texto por um espaço em branco, sem traços ou outros sinais. § 1º O texto de artigo inicia-se sempre por maiúscula e termina por ponto, salvo nos casos em que contiver incisos, quando deverá terminar por dois-pontos: I - os incisos dos artigos devem ser designados por algarismos romanos seguidos de hífen, e iniciados por letra minúscula, a menos que a primeira palavra seja nome próprio; II - ao final, os incisos são pontuados com ponto-e-vírgula, exceto o último, que se encerra em ponto; III - aquele que contiver desdobramento em alíneas, encerra-se em dois-pontos: a) as alíneas ou letras de um inciso deverão ser grafadas com a letra minúscula correspondente, seguida de parêntese: "a)", "b)" etc.; b) caso necessário, a alínea poderá ser desdobrada em números, neste caso, encerra-se com dois-pontos: 1) os números que correspondem ao desdobramento de alíneas deverão ser grafados em algarismos arábicos, seguidos de ponto ("1.", "2." etc.); 2) o texto dos números e das alíneas inicia-se por minúscula e termina em ponto-e-vírgula, salvo o último, que se deve encerrar por ponto. § 2° O parágrafo único de artigo deve ser designado pela expressão "Parágrafo único", não podendo ser abreviado, seguida de ponto. § 3° Quando um artigo contiver mais de um parágrafo, estes serão designados pelo símbolo "§", seguido do algarismo arábico correspondente e do símbolo de numeral ordinal, até o nono parágrafo, inclusive ("§ 1°", "§ 2°"etc.). § 4° A partir do número 10, a designação deve ser feita pelo símbolo "§", seguido do algarismo arábico correspondente e de ponto ("§ 10.", §"11." etc.); quando necessário os parágrafos podem ser subdivididos em incisos, estes em alíneas, e, estas em números: I - as alíneas ou letras de um parágrafo deverão sér grafadas com a letra minúscula correspondente, seguida de parêntese: "a)", "b)" etc.; II - caso necessário, a alínea poderá ser desdobrada em números, neste caso, encerra-se com dois-pontos: a) os números que correspondem ao desdobramento de alíneas de parágrafos deverão ser grafados em algarismos arábicos", seguidos de ponto ("1.", "2." etc.). b) o texto dos números inicia-se por minúscula e termina em ponto-e-vírgula, salvo o último, que se deve encerrar por ponto. PARTE 6 - Cláusula de vigência: Art. 3° Caso a lei não consigne data ou prazo para a sua entrada em vigor aplica-se o preceito constante do art. 1° da Lei de Introdução ao Código Civil, segundo o qual, salvo disposição em contrário, a lei começa a vigorar em todo o país 45 dias após a sua publicação. PARTE 7 - Cláusula revogatória: Art. 4° A revogação do ato deverá ser específica, devendo ser evitada a cláusula revogatória geral "Revogam-se as disposições em contrário". As disposições a serem revogadas terão suas datas grafadas por extenso ainda que já tenham sido expressas desta forma, em artigos anteriores, a fim de que não paire dúvidas quanto à revogação e facilite sua indexação. - Formatação: O texto a ser editado deverá ser datilografado com o tipo *courier* (de *pich* 10, corpo 12) ou digitado em *word times roman* (de corpo 12). Margens: superior 4 cm; esquerda 2 cm; direita 1 cm - Borda do papel: cabeçalho 2 cm; rodapé 1 cm.

TÉCNICA JURÍDICA — Conjunto de preceitos instrumentais, dando origem a um método de realização das normas jurídicas, atualmente previstas na Lei Complementar nº 95, de 1998, e em seu Decreto regulamentador nº 2.954, de 1999.

TÉCNICA LEGISLATIVA — Em sentido amplo, expressão que designa todo processo evolutivo de elaboração das leis, desde a iniciativa, passando pela discussão, votação, sanção, promulgação e publicação. Em sentido restrito, significa a arte de redigir leis. (Ver: Técnica de Elaboração de Leis e Decretos.)

TECNOCRACIA — Seria um regime no qual o poder é controlado por cientistas e técnicos. Governo dos técnicos, com afastamento dos políticos do poder de mando. A tecnocracia tem como fundamento a idéia de que governar, como administrar, é uma simples questão técnica. Basta conhecer cientificamente os mecanismos que determinam o funcionamento dos processos sociais, para exercer sobre eles um controle preciso.

TECNOLOGIA — 1) Método para transformar insumos (*inputs*) em resultados (*outputs*). 2) Tipo específico de conhecimento, processo ou técnica exigido para fins práticos. 3) Conhecimentos de que uma sociedade dispõe sobre ciências e artes industriais, incluindo os fenômenos sociais e físicos, e sua aplicação à produção de bens e serviços. Identificam-se duas grandes categorias de tecnologia: tecnologia de produto (componentes tangíveis e facilmente identificáveis) e tecnologia de processo (técnicas, métodos e procedimentos). 4) Conjunto de conhecimentos técnicos e científicos utilizados para dominar a energia e a matéria e as suas múltiplas combinações a serviço da facilitação e simplificação da vida humana no sentido da felicidade geral dos seres viventes, sem exceção.

TECNOLOGIA ALTERNATIVA — Tecnologia apropriada. Tecnologia baseada nas condições locais de desenvolvimento tecnológico.

TECNOLOGIA APROPRIADA — Em seu sentido mais amplo consiste na aplicação sistemática de conhecimentos (métodos, técnicas, processos e produtos) para a solução de problemas identificados pela própria comunidade, de forma a se evitarem efeitos negativos sobre a sociedade, a economia, a cultura e o meio ambiente onde será aplicada. O conceito de tecnologia apropriada se relaciona com a infra-estrutura de um país, com as necessidades de seus usuários e com o meio ambiente onde ela flui e que, dependendo dos objetivos, características, atuação, dá a ela funções específicas.

TECNOLOGIA AVANÇADA — Aquela que utiliza conhecimentos das áreas de biotecnologia, informática, química fina, novos materiais e mecânica de precisão.

TECNOLOGIA DA INFORMAÇÃO — Aquela que se aplica às áreas da informática, telecomunicações, comunicações, ciência da computação, engenharia de sistemas e de *software*.

TECNOLOGIA DE GESTÃO — Tecnologia aplicada à administração de empresas.

TECNOLOGIA DE PROCESSOS — Tecnologia aplicada ao processo de organização da produção de uma empresa.

TECNOLOGIA DE PRODUTOS — Tecnologia aplicada à produção de um bem ou serviço.

TECNOLOGIA ESSENCIAL — Tecnologia responsável pela competitividade da empresa.

TECNOLOGIA ESTRATÉGICA — Ver Tecnologia essencial.

TECNOLOGIA INDUSTRIAL BÁSICA — Tecnologia aplicada ao processo de manufatura de uma indústria. Engloba as atividades de metrologia, normalização técnica, regulamentação técnica, avaliação da conformidade, tecnologias de gestão e propriedade intelectual, bem como os serviços de assistência técnica, difusão tecnológica, informação tecnológica e de organização e gestão de projetos de Pesquisa e Desenvolvimento (P&D).

TECNOLOGIAS DE INFORMAÇÃO E COMUNICAÇÃO (TIC) — Todos os meios de recolha, conservação, processamento, transmissão e apresentação de informação (voz, dados, texto, imagem). As tecnologias de informação e comunicação (TIC) são cada vez mais centrais no esforço de redução da pobreza. As TICs possibilitam o acesso à informação que pode criar oportunidades, melhorar o acesso aos serviços básicos ou aumentar o impacto das intervenções na educação e na saúde. As TICs também dão aos pobres uma voz para exigir reformas e apoio governamental.

TECNOLOGIAS LIMPAS — Define-se por tecnologias limpas a utilização contínua de uma estrutura ambiental integrada, preventiva e aplicada visando a aumentar a eco-eficiência e reduzir riscos para os seres humanos e para o meio ambiente. As inovações de caráter preventivo que consistem tanto na redefinição dos processos de produção quanto na de composição de insumos e aquelas que substituem os produtos altamente tóxicos por outros menos tóxicos constituem exemplos de Tecnologias Limpas.

TECNOLOGIAS SOCIAIS — Tecnologias que atendem aos requisitos de maior inclusão, menores riscos ou reversibilidade dos impactos ambientais, maior intensidade de trabalho em relação ao capital e conservação de recursos naturais não renováveis.

TECNÓPOLIS — Cidades tecnológicas; cidades que organizam um ambiente variado de pólos e parques tecnológicos; cidades organizadas para o desenvolvimento tecnológico; objetivam aumentar a rapidez de apropriação de conhecimentos técnico-científicos na produção de bens e serviços, ou seja, intensificar a difusão e a introdução de inovações tecnológicas.

TECTONISMO — Forças oriundas do interior do Planeta Terra que atuam sobre a crosta terrestre, podendo originar dobramentos ou enrugamentos do relevo e também falhamentos, fossas etc.

TÉDIO — Aborrecimento originado por não ter o que fazer, porque nada há para fazer ou porque nada pode ser feito para mudar uma situação. (Ver: Ócio.)

TEIA ALIMENTAR — Ver Rede alimentar ou trófica // Cadeia alimentar.

TEIMOSIA — Crença obstinada no mesmo padrão de respostas custe o que custar. Reação ou resistência passiva contra agente aversivo quando não é possível o enfrentamento para obter situação favorável, tal a birra e a pirraça. Na teimosia tem raiva embutida.

TELEMÁTICA — Estudo e tecnologias relacionadas com as redes de comunicações entre computadores ou sistemas de computação; teleprocessamento de informação por computador; comunicação entre computadores.

TELEMETRIA — Transmissão para um ponto distante, para registro ou demonstração, de informações relativas ao estado do sistema do qual é derivado.

TELETRABALHO — Termo novo para definir o tipo de trabalho que pode ser realizado fora do escritório de trabalho, através de telefone, fax ou e-mail e Internet. Significa uma outra dimensão para os ambientes e lugares, pois possibilita uma pessoa trabalhar em sua casa usando os aparelhos citados sem a necessidade de sua presença física no local físico de seu trabalho (escritório).

TEMERÁRIO — Ousado, imprudente, abusivo. Diz-se temerária a lide incabível, absurda, destinada apenas a causar incômodo ou prejuízo a terceiro, e que sujeita o seu autor a penalidades.

TEMERIDADE — Do latim *temeritas*, de *temere*, de temível, e temer, exprime a qualidade do que é temível, ou temido é o estado de tudo que se faz impensadamente, sem um exame meticuloso, ou sem atender, ou prevenir, os riscos e as conseqüências que possam resultar de semelhante imprudência ou irreflexão. Ação ou atitude arriscada, perigosa e atrevida de lançar-se a um empreendimento aventureiro. No conceito penal, a temeridade possui sentido equivalente à periculosidade. A temeridade revela o receio de que ainda seja ou venha a ser nocivo. E, em realidade, quer significar o receio ou a ameaça de perigo, que ainda possa vir.

TEMOR — Sentimento leve de medo sem recuo, fuga ou afastamento imediato. Acompanhado, normalmente, da coragem.

TEMOR REVERENCIAL — Receio de desgostar o pai, a mãe ou outras pessoas, a quem se deve obediência e respeito.

TEMPERATURA — Estado atmosférico do ar medido em graus; referente a calor ou a frio.

TEMPERATURA AMBIENTE — Temperatura do ar no meio circundante a uma estrutura ou um equipamento. Em termos laboratoriais, é a temperatura situada entre 21–23 graus Celsius (69–73 Fahrenheit ou 294–296 Kelvin). Também pode ser considerada como a temperatura do ar de um determinado local, medida por um termômetro de bulbo seco.

TEMPERATURA DE FULGOR — Mínima temperatura, na qual um corpo começa a desprender gases que se queimam em contato com uma fonte externa de calor, não havendo, contudo, constância na chama, por não serem os gases suficientes para tal.

TEMPERATURA MÉDIA DAS MÁXIMAS — É a média das temperaturas mais elevadas, ocorridas num determinado período (dia, mês ou ano).

TEMPERATURA MÉDIA DAS MÍNIMAS — É a média das temperaturas mais baixas, ocorridas num determinado período (dia, mês ou ano).

TEMPESTADE — Vento de velocidade compreendida entre 23 e 26 m/s (força 10 na Escala de Beaufort). Precipitação forte de chuva, neve ou granizo, acompanhada ou não de vento e associada a um fenômeno meteorológico que se pode manifestar separadamente. Perturbação violenta da atmosfera, acompanhada de vento e, geralmente, de chuva, neve, granizo, raios e trovões. Aguaceiro. (Ver: Escala de Beaufort.)

TEMPESTADE DE IDÉIAS — Ver *Brainstorming.*

TEMPESTADE TROPICAL — O tipo mais fraco de furacão. Sua velocidade máxima chega a 100 km/h. Há casos de tempestades tropicais no interior de São Paulo e no Rio Grande do Sul.

TEMPESTIVIDADE — Fazer no tempo certo ou previamente marcado. Em tempo de fazer o que tem que ser feito sem pressa.

TEMPESTIVO — Que se realiza no prazo estabelecido; legal, oportuno ou próprio.

TEMPO — A concepção comum de tempo é indicada por intervalos ou períodos de duração. As unidades de tempo mais usuais são o dia, dividido em horas e estas, por sua vez, em minutos e estes em segundos. Os múltiplos do dia são a semana, o mês, o ano e este último pode agrupar-se em décadas, séculos e milênios. Na linguagem jurídica, em princípio, exprime duração, percurso, período, ou prazo, em que as coisas se cumprem ou ainda o momento, a oportunidade, ou a época, em que as coisas e os fatos se registram.

TEMPO ATMOSFÉRICO — Estado do ar quanto à temperatura, à umidade, ao vento, às nuvens etc., num determinado momento.

TEMPO DE CICLO — Desempenho em função do tempo, ou seja, o tempo necessário para completar tarefas, o tempo requerido para atender compromissos ou o tempo requerido para providenciar respostas. Os indicadores que se referem ao tempo têm papel relevante nos critérios por sua grande importância na melhoria da competitividade. O tempo de ciclo é utilizado nesta publicação para referir-se a qualquer aspecto de desempenho que inclua tempo. Alguns exemplos de indicadores de desempenho do tempo de ciclo são: tempo de preparação do equipamento, tempo de execução de processos, tempo de troca de ferramental, prazo de entrega e tempo para lançamento de produto novo no mercado etc.

TEMPO DE RESPOSTA — Tempo que um sistema responde a um estímulo ou mudança em uma ou mais variáveis.

TEMPO DE SERVIÇO — Período em que o servidor esteve em exercício de cargo ou função e o empregado, comprovadamente, trabalhou.

TEMPORAL — Fenômeno meteorológico caracterizado por chuvas fortes. Tempestade. Aguaceiro.

TEMPORÁRIO — Do latim *temporarius*, ao contrário do efetivo, ou do permanente, exprime o que é passageiro, momentâneo, por tempo limitado. Assim, as coisas temporárias estabelecem-se, ou vêm por um tempo limitado, ou somente por algum tempo.

TENAZ — Aferrado; pertinaz; teimoso; obstinado. Constante; firme; perseverante; persistente.

TENÇA — Pensão periódica e perpétua, ordinariamente em dinheiro, que alguém recebe do Estado ou de particular, para seu sustento.

TENDÊNCIA — Intenção, desejo e vontade de favorecer um lado a qualquer custo. Movimento de longa duração que afeta a evolução de um fenômeno.

TENDENCIOSIDADE — Tendência cuja intenção premeditada é mantida em segredo.

TENDER OFFER FOR CASH — Oferta pública de recompra de um bônus já existente no mercado secundário, via pagamento em dinheiro.

TENEBROSO — Muito escuro; envolto em trevas; sombrio; malévolo; infernal; misterioso; difícil de entender; pungente; aflito; magoado; dolorido.

TENSÃO — Estimulação contínua e intensa provocando grande concentração de energia psíquica que pode terminar numa violenta explosão de emoção.

TENTATIVA — A tentativa ocorre quando, iniciada a execução, não se consuma por circunstâncias alheias à vontade do agente.

TENTATIVA IMPOSSÍVEL — Aquela com que, por ineficácia absoluta do meio ou por absoluta impropriedade do objetivo, é impossível consumar-se o crime.

TEOLOGIA — Doutrina acerca do que é divino; tratado de Deus. Curso de estudos teológicos.

TEOR — Do latim *tenor*, no sentido jurídico é o mesmo que disposição, contexto, texto, modo de ser, norma, sistema. Tecnicamente, teor designa o texto ou o conteúdo escrito, ou a escritura. Em qualquer circunstância, teor revela o que está escrito, ou o que vem escrito.

TEOREMA DA EQUIVALÊNCIA RICARDIANA — Teorema no qual se sustenta que as finanças deficitárias têm o mesmo impacto econômico que a tributação. Isto porque os sujeitos econômicos consideram a tributação futura - isto é, os títulos criados para financiar os déficits públicos constituem meio de pagamento de tributos para as gerações futuras. Assim, a poupança é tanto maior: a) quanto maior for a redução da carga tributária ou b) quanto maior for a despesa pública.

TEOREMA DE COASE — É a proposição de que se os agentes privados puderem negociar sem custos a respeito da alocação de recursos, eles podem resolver por si próprios o problema das externalidades.

TEORIA — Ver, enxergar além das aparências das coisas e dos sentidos; construções racionais e consistentes da realidade; sistematização ou formalização organizada do conhecimento científico; forma de abordagem e de descrição da realidade; síntese do diálogo do cientista com seu objeto de investigação. É um conjunto de proposições estruturadas. Especulação que procura esclarecer um problema nas diversas áreas do conhecimento humano, humanas e exatas.

TEORIA DA CAUSALIDADE ADEQUADA — Ver Dever de indenizar.

TEORIA DA IMPREVISÃO — Teoria que admite a alteração nos contratos firmados com a Administração Pública, em decorrência de casos de força maior. Corresponde à cláusula *rebus sic stantibus* do direito privado.

TEORIA DA RELATIVIDADE — Ver Relatividade.

TEORIA DAS FILAS — Teoria das Filas e a Teoria da Simulação são técnicas de planejamento que permitem a modelagem de um sistema, seja ele de produção, logística, fluxo de papéis em um escritório, de clientes em um banco etc. Estas técnicas surgiram no início do século XX e seu uso manual teve relativo sucesso enquanto o computador não dominou totalmente estas áreas. Elas constituem a base teórica de programas de computador relacionados com simulação.

TEORIA DESCRITIVA — Teoria que descreve como as coisas são e não como devem ser.

TEORIA DO CONHECIMENTO — É o estudo das diversas modalidades de conhecimento tais como o conhecimento sensorial, sensação e percepção, memória, imaginação, conhecimento intelectual, idéia de verdade ou falsidade, ilusão, realidade, formas de conhecer espaço e tempo, relações, conhecimento ingênuo, científico e filosófico.

TEORIA DO CONSUMIDOR — Capítulo da microeconomia que estuda as principais condicionantes do comportamento dos consumidores (no mercado dos produtos e dos fatores), a saber: a restrição orçamentária e a indiferença.

TEORIA DO REENVIO — É a expressão empregada, na terminologia jurídica, para designar a teoria acerca do conflito entre as regras de preferência das leis estrangeiras.

TEORIA DOS MERCADOS — Parte da microeconomia que estuda os vários tipos de mercados, por referência às suas condições estruturais, aos tipos de lucro e às condições de eficiência e de bem-estar.

TEORIA DUALISTA DA PARTICIPAÇÃO — Há delito único entre os autores e outro crime único entre os partícipes.

TEORIA ECONÔMICA DA REGULAÇÃO — Teoria que sustenta a existência de um mercado de regulação, no qual se confrontam os agentes econômicos privados (que procuram regulação) e os políticos e burocratas (que oferecem regulação). É sustentável um equilíbrio no mercado da regulação, no nível a partir do qual ninguém tem incentivo a mudar os níveis de procura e de oferta de regulação.

TEORIA NORMATIVA — Teoria que diz o que as coisas devem ser e não o que, de fato, são.

TEORIA PLURALISTA DA PARTICIPAÇÃO — Ocorre a pluralidade de agentes e também a de crimes.

TEORIA PURA DO DIREITO — Doutrina desenvolvida por Hans Kelsen (1881-1973), expoente do positivismo jurídico. Para esta teoria, o Direito deve ser tido, essencialmente, como norma isenta de quaisquer apreciações de caráter ideológico. Daí a denominação simplista da doutrina kelseniana: teoria pura do Direito, despojando-se o Direito das impurezas ou contaminações de apreciações subjetivas de natureza filosófica, política ou sociológica. Kelsen, já se percebe, não aceitava o direito natural.

TEORIA QUANTITATIVA DA MOEDA — Teoria segundo a qual o nível dos preços é determinado pela quantidade de moeda em circulação e pela sua velocidade de circulação.

TEORIA TRIDIMENSIONAL DO DIREITO — Teoria que assenta o fenômeno jurídico num tripé: o fato, o valor e a norma. Daí a própria denominação desta doutrina. Para o tridimensionalismo, o fenômeno jurídico se mostra uma síntese orgânica, integradora, dos três fatores referidos: o fato, como o acontecimento social a ser descrito pelo direito positivo, enquanto o valor é o elemento moral, ambos complementados pela norma, ou seja, o comportamento social imposto pelo Estado.

TEORIA UNITÁRIA OU MONISTA DA PARTICIPAÇÃO — Todos os que contribuem para a integração do delito cometem o mesmo crime.

TEORIAS DO CRESCIMENTO — Respondem à seguinte questão: existem limites ao crescimento econômico? Três respostas são possíveis, com base em três teorias que foram surgindo: a) de acordo com a teoria clássica (*Malthusiana*) não é possível o crescimento do PIB real, porquanto o aumento do PIB *per capita* que ultrapasse o limiar da sobrevivência resulta em explosão demográfica que novamente faz regressar o PIB *per capita* àquele mínimo de subsistência; b) de acordo com a teoria neoclássica, que se baseia no modelo de *Solow*, as limitações clássicas são superadas por saltos qualitativos, porquanto há independência entre progresso tecnológico e crescimento econômico - enquanto o nível de poupança e de investimento depende do grau de tecnologia alcançado, a adequação da poupança ao investimento depende da taxa natural de juro (acima da qual a poupança aumenta e abaixo da qual a poupança diminui); c) de acordo com a Nova Teoria do Crescimento, defendida por *Romer*, a inovação é uma variável endógena (causas internas) e não exógena (causas externas) - assim, sendo a inovação um bem público, sendo as necessidades ilimitadas, as taxas de juro reais não declinam, porquanto há sempre atividades que reclamam juros superiores.

TEORIAS DOS MUNDOS — Foi uma designação dada às subdivisões do mundo por grandeza econômica entre os anos de 1945 a 1990. Depois deste período as diferenças entre os mundos se combinam em vários aspectos bons e ruins. (Ver: Primeiro Mundo // Segundo Mundo // Terceiro Mundo // Quarto Mundo // Quinto Mundo.)

TEORIAS ECONÔMICAS — A ciência econômica visa entender como as sociedades utilizam seus recursos materiais e humanos para produzir e distribuir bens e serviços que atendam às necessidades dos indivíduos. As principais teorias econômicas são: mercantilismo, fisiocracia, economia clássica, marxismo, economia neoclássica e escola keynesiana.

TERAPÊUTICA — Ciência que estuda os meios de combater e curar doenças.

TERAWATT-HORAS (TWh) — Corresponde a 109 quilowatt-horas. Um mil Gigawatt-horas.

TERCEIRIZAÇÃO — Contratação de terceiros para realizar atividades que não sejam o objetivo principal da contratante ou para suprir deficiências momentâneas. (Ver: Despesa com Pessoal [Terceirização] - Contabilização da Despesa // Despesa com Pessoal [Terceirização]).

TERCEIRO — É a pessoa física ou jurídica que é estranha a uma relação jurídica, isto é, não é parte nem intervém originariamente na feitura de um ato jurídico, ou, em matéria processual, quando é um estranho à demanda ajuizada. Diz-se também da pessoa que não tem relação de parentesco ou nenhum tipo de relacionamento ou dependência econômico-financeira com os principais envolvidos.

TERCEIRO EMBARGANTE — Denominação dada a toda pessoa que, sendo prejudicada por ação de outrem, de que não é parte, para a qual se trouxe coisa, que é de sua posse, ou de sua propriedade, ou sobre a qual tem direitos reais, vem defender judicialmente a sua posse, a sua propriedade, ou os seus direitos, por via de embargos.

TERCEIRO MUNDO — De acordo com a Teoria dos Mundos é uma designação genérica usada para designar nações de economia subdesenvolvida ou em desenvolvimento. Aplica-se, geralmente às nações pobres da América Latina, da África e da Ásia. A origem do nome está na chamada "Velha Ordem Mundial", a divisão geopolítica de poderes e blocos de influência durante o período da Guerra Fria (1945-1989). O "Primeiro Mundo" seria o dos países capitalistas desenvolvidos, enquanto o "Segundo Mundo" seria o dos países socialistas industrializados. Restariam no "Terceiro Mundo" os países capitalistas economicamente subdesenvolvidos e geopoliticamente não-alinhados. Com o fim da Guerra Fria, o termo "Segundo Mundo" caiu em desuso - embora nunca tenha sido de aplicação freqüente. Alguns autores não mais usam a expressão após a dissolução da União Soviética. Além disso, as expressões Países do Norte ou Norte Desenvolvido e Países do Sul ou Sul Subdesenvolvido estão em voga atualmente. Atualmente o termo Terceiro Mundo caiu em desuso, em seu lugar é utilizado países emergentes, para designar países de capacidade industrial incipiente. (Ver: Teorias dos Mundos // Primeiro Mundo // Segundo Mundo // Quarto Mundo // Quinto Mundo.)

TERCEIRO SETOR — Espaço institucional que abriga um conjunto de ações de caráter privado, associativo e voluntarista, em geral estruturadas informalmente, voltadas para a geração de bens e serviços públicos de consumo coletivo; se houver lucro, deve ser reinvestido nos meios para se chegar aos fins definidos. É assim chamado porque engloba instituições com fins públicos, porém de caráter privado, que não se enquadram, portanto, no Primeiro Setor (Estado). São regidas pelo direito privado, mas não possuem objetivos mercantis, também não sendo qualificadas como instituições do Segundo Setor (Mercado). Fazem parte do denominado espaço público não estatal. Qualificam-se como entidades do Terceiro Setor as Organizações Não-Governamentais (ONGs) e as Organizações da Sociedade Civil de Interesse Público (OSCIPs) que são as associações, fundações, entidades de assistência social, educação, saúde, esporte, meio ambiente, cultura, ciência e tecnologia, entre outras várias organizações da sociedade civil. Organizações a serviço de interesses corporativos, a exemplo de sindicatos e clubes, não são consideradas como integrantes do Terceiro Setor. O Terceiro Setor abrange ações públicas que saem do domínio estatal e passam a ser encampadas por organizações da sociedade civil. É o surgimento da iniciativa privada com fins públicos, com o objetivo de combater grandes problemas do mundo atual, como a pobreza, violência, poluição, analfabetismo, racismo etc. São instituições com grande potencial de representatividade, podendo ser vistas como legítimas representantes dos interesses da sociedade civil. O novo Código Civil trouxe importantes inovações no tocante às entidades organizadas com fins não econômicos que compõem o terceiro setor. Destaca-se, dentre as inovações, a supressão da sociedade civil sem fins lucrativos. Esta deixa de existir juridicamente, passando o novo Código Civil a disciplinar apenas dois tipos de entidades com fins não econômicos: a associação e a fundação, elencando para cada qual exigências estatutárias distintas no tocante à sua constituição, funcionamento e extinção. (Ver: Sociedade Civil // Sociedades Civis e Sociedades Comerciais // Sociedade simples // Sociedade empresária // Primeiro setor // Segundo setor.)

TERGIVERSAÇÃO — Ver Patrocínio simultâneo.

TERGIVERSAR — Do Latim *tergum*, dorso + *vertere*, virar, recuar. Siguinifica voltar as costas; virar de costas; no sentido figurativo, usar de subterfúgios, de rodeios; buscar evasivas; inventar desculpas.

TERMINAL — Instalação de despacho ou recebimento de produtos ou serviços para distribuição. Em processamento de dados é o equipamento que introduz dados no computador, para seu processamento, recebendo depois as informações elaboradas.

TERMINOLOGIA — Nomenclatura; conjunto dos termos técnicos ou próprios de uma profissão, arte ou ciência.

TERMO — Condição prevista no ato; ato administrativo; fim do prazo contratual. Extremidade, limite, alcance máximo de algo. Tem a mesma significação de término, o fim, limite e o marco. Originário do grego *terma*, exprimindo o sentido de marco, com que se demarcam as terras, por isso a denominação de fim e marco. Marco divisório que inicia ou encerra a eficácia do negócio jurídico. Prazo para cumprimento de ordens judiciais. Ato pelo qual o Escrivão registra uma transação, descreve um fato, registra uma declaração de vontade, que deve produzir efeitos jurídicos. Termo de audiência: contém o registro do que se passou na audiência.

TERMO ADITIVO — Ver Contrato Administrativo - Aditivo.

TERMO DE AÇÕES — Ver Ações, Termo de.

TERMO DE ADESÃO — Instrumento jurídico previsto na Lei do Voluntariado - Lei nº 9.608, de 1998 - com o objetivo de regulamentar e especificar o trabalho dos voluntários, estabelecendo as condições em que o serviço será prestado junto às entidades públicas ou privadas sem fins lucrativos.

TERMO DE AJUSTAMENTO DE CONDUTA (TAC) — Compromisso assinado entre partes visando à correção de uma conduta realizada com infração às determinações legais vigentes, podendo ser tomado no curso da ação ou independente da existência de qualquer ação judicial relativa ao fato, suspendendo ou não a aplicação das penalidades administrativas. O termo exige que sejam adotadas precauções e cautelas de cunho formal para a sua lavratura e conseqüente validade legal. O chamado "Termo de Compromisso de Ajustamento de Conduta" é um instrumento destinado a adaptar a conduta dos interessados às exigências legais, mediante cominações, e que terá eficácia de título executivo extrajudicial. A figura jurídica do TAC foi introduzida no § 6º, do inciso II, do art. 5º da chamada Lei da Ação Civil Pública (Lei Federal nº 7.347, de 24 de julho de 1985). (Ver: Inquérito Civil.)

TERMO DE *NON DISCLOSURE* — Compromisso acionado por investidores e empreendedores de não revelar ao mercado as informações relevantes obtidas de ambos os lados durante o processo de negociação para a efetivação de um processo de investimento de risco.

TERMO DE PARCERIA — Tipo de contrato definido pela Lei nº 9790, de 1999, é o instrumento que pode ser firmado entre o Poder Público e as OSCIPs com o objetivo de formar vínculo de cooperação entre as partes, visando apoiar e executar atividades de interesse público; permite a negociação de objetivos e metas e o monitoramento e avaliação de projetos baseado nos princípios constitucionais da Administração Pública (Ver: OSCIP // Transparência.)

TERMO EM DÓLAR — Operação do mercado a termo tradicional, com a diferença de que o preço contratado é corrigido diariamente pela variação entre a taxa de câmbio média de reais por dólar norte-americano, para o período compreendido entre o dia da operação, inclusive, e o dia de encerramento, exclusive.

TERMOCLIMA — É a camada de água na qual a temperatura muda rapidamente entre a camada de água quente superior (eplímnion) e a camada de água fria inferior (hipolímnion).

TERMODINÂMICA — Relativo ao calor e ao movimento; parte da Física que investiga a transformação da energia, particularmente dos processos que envolvem energia térmica.

TERMOELÉTRICA — Usinas que produzem eletricidade a partir da queima de combustível como o carvão, o óleo e a lenha.

TERMÔMETRO — Qualquer instrumento destinado a medir temperaturas.

TERMOS DE REFERÊNCIA — Documento escrito que apresenta o objetivo e âmbito da avaliação, os métodos a serem utilizados, as referências que permitem apreciar o desempenho ou conduzir a análise, os recursos e o tempo necessários, assim como as condições de apresentação e difusão dos resultados.

TERMOSCÓPIO — Qualquer dispositivo capaz de acusar uma variação de temperatura.

TERRA DO FOGO — (*Tierra del Fuego*, em espanhol) é um arquipélago na extremidade sul da América do Sul, formado por uma ilha principal (*Isla Grande de Tierra del Fuego*, muitas vezes chamada igualmente *Tierra del Fuego*) e um grupo de ilhas menores. Está separado do continente pelo Estreito de Magalhães. A ponta mais a sul do arquipélago é o Cabo Horn. Em 1881 o território foi dividido entre a Argentina e o Chile.

TERRACEAMENTO — Prática de conservação do solo, através da construção de diques ao longo das curvas de nível em terrenos agrícolas, para diminuir a energia de escoamento superficial e transporte de sedimentos das águas, evitando, assim, a erosão acentuada.

TERRAS DEVOLUTAS — Terras que, incluídas no domínio público, não receberam qualquer uso público, Nacional, Estadual ou Municipal. Terras vagas, não aproveitadas, que podem ser alienadas ou concedidas a particulares. Estão sujeitas à devolução aos governos municipal, estadual ou federal. São bens públicos dominiais inafetados.

TERRAS E TERRITÓRIOS INDÍGENAS — Terras tradicionalmente ocupadas pelos índios. Dividem-se em quatro grupos: a) as habitadas em caráter permanente; b) as utilizadas para as atividades produtivas; c) as imprescindíveis à preservação dos recursos ambientais necessários a seu bem-estar; e d) as necessárias a sua reprodução física e cultural, segundo seus usos, costumes e tradições. As terras indígenas constituem bens da União. É da competência exclusiva do Congresso Nacional autorizar, em terras indígenas, a exploração e o aproveitamento de recursos hídricos e pesquisa e lavra de riquezas minerais. São reconhecidos aos índios, entre outros, os direitos originários sobre as terras que tradicionalmente ocupam, competindo a União demarcá-las, proteger e fazer respeitar todos os seus bens. As terras ocupadas pelos índios destinam-se a sua posse permanente, cabendo-lhes o usufruto exclusivo das riquezas do solo, dos rios e dos lagos nelas existentes. O Estado proíbe atividade garimpeira em terras indígenas; essas terras são inalienáveis e indisponíveis e o direito sobre elas imprescritíveis. A Constituição Federal de 1988 determinou que a União deveria terminar a demarcação das terras indígenas em cinco anos, a contar da promulgação da Carta Magna.

TERRAS GRILADAS — A grilagem de terras tem origem na falta de controle e fiscalização sobre os registros públicos. Isso ocorre muitas vezes com a conivência de funcionários de cartórios de registro imobiliário que registram áreas sobrepostas ou criam registros sem procedência, podendo derivar também de decisões judiciais equivocadas. Depois de obter o registro irregular no cartório, o fraudador utiliza-se do título ilegítimo para cadastramento no Instituto de Terras do Estado, no INCRA e na Receita Federal, e obtenção direta de financiamentos públicos e junto a entidades privadas, bem como a realização de transações imobiliárias, causando prejuízo a terceiros.

TERRAS PÚBLICAS FEDERAL - ALIENAÇÃO E CONCESSÃO — Compete exclusivamente ao Congresso Nacional aprovar, previamente, a alienação ou concessão de terras públicas com área superior a 2,5 mil hectares. Excetuam-se alienações ou concessões para fins de reforma agrária.

TERREMOTO — Vibração ou tremor da crosta terrestre. Movimento súbito do terreno, ocasionado pela passagem de ondas sísmicas. Os terremotos mais freqüentes são originados por processos naturais, como a ruptura de um bloco de rochas, através de uma falha geológica. Explosões artificiais, erupções vulcânicas, deslocamento de terrenos e escorregamento de taludes podem provocar sismos menores. Os terremotos podem ser causados por explosões, impacto de meteoritos, grandes escorregamentos ou erupções vulcânicas. Os terremotos naturais, de efeito mais destrutivo, estão associados a processos tectônicos, quando ocorrem pela liberação repentina de tensões acumuladas no interior da crosta terrestre. Pode ser registrado por meio de aparelhos denominados sismógrafos. Quando a vibração é relativamente intensa, faz-se perceptível diretamente pelos sentidos. As vibrações fracas, apenas registráveis com instrumentos sensíveis, denominam-se microssismos. (Ver: Abalo sísmico.)

TERRENOS DE MARINHA — São os que, banhados pelas águas do mar ou dos rios navegáveis, vão até 33 metros para a parte da terra, contados desde o ponto a que chega o preamar médio de 1831, que estejam situados no continente, na costa marítima e nas margens dos rios e lagoas até onde se faça sentir a influência das marés ou estejam contornando as ilhas situadas em zona onde se faça sentir a influência das marés; a influência das marés é caracterizada pela oscilação periódica de 5 centímetros, pelo menos, do nível das águas, que ocorra em qualquer época do ano. (Dec. nº 24.643, de 1934 - Código de Águas e Decreto-Lei nº 9.760, de 1946.)

TERRÍGENO — Depósito formado por material de destruição, erosão etc., da superfície da terra firme e sedimentada, tanto no continente como no fundo dos mares.

TERRITORIAL — É designado para o que concerne como território, ou tudo o que pertence a terra. É imposto territorial aquele que incide sobre as terras, ou sobre os terrenos, divisões territoriais entendendo-se os distritos, ou as circunscrições de uma região, ou de uma zona, dividida em território.

TERRITORIALIDADE — Diz-se daquilo que faz parte de um território de um Estado ou que está sob sua jurisdição.

TERRITÓRIO — 1) Região um tanto populosa, mas sem habitantes em número suficiente para constituir um Estado, sendo pois administrada pela União. 2) Área certa da superfície de terra que contém a nação, dentro de cujas fronteiras o Estado exerce a sua soberania, e que compreende o solo, rios, lagos, mares interiores, águas adjacentes, golfos, baías e portos. 3) É toda extensão da superfície terrestre ocupada por um povo, servindo de lugar para a fixação de uma coletividade política. De modo que o território não se pode compreender como uma extensão geográfica em que se implanta uma nação, como qualquer porção de terra, em que se fixa uma jurisdição, ou se estabelece uma unidade administrativa.

TERRITÓRIO AÉREO — Abrange todo o espaço aéreo compreendido entre as verticais traçadas a partir das fronteiras e, no caso do Estado ribeirinho (com mar), inclui ainda o espaço sobre o mar territorial.

TERRITÓRIO BRASILEIRO — O Brasil é o quinto maior país do mundo em extensão territorial. São 8.514.876 quilômetros quadrados, localizados na porção centro-oriental do continente sul-americano. Banhado a leste pelo oceano Atlântico em 7.367 quilômetros de costa, o país possui 15.719 quilômetros de fronteiras terrestres com todos os países do continente, com exceção do Chile e do Equador.

TERRITÓRIO DO ESTADO — Um dos elementos materiais do Estado, definido como o âmbito geográfico de atuação do Estado. A aplicação da lei de um Estado no território de outro se chama extraterritorialidade.

TERRITÓRIO DOS DEZ MAIORES PAÍSES — Os dez maiores países do mundo em extensão territorial são: 1º) Rússia - 17.075.400 km²; 2º) Canadá - 9.976.139 km²; 3º) China - 9.596.960 km²; 4º) Estados Unidos - 9.519.666 km²; 5º) Brasil - 8.514.876 km²; 6º) Austrália - 7.682.300 km²; 7º) Índia - 3.287.590 km²; 8º) Argentina - 2.776.889 km²; 9º) Casaquistão - 2.717.300 km²; 10º) Sudão - 2.505.813 km².

TERRITÓRIO DOS DEZ MENORES PAÍSES — Os dez menores países do mundo em extensão territorial são: 1º) Vaticano - 0,44 km²; 2º) Mônaco - 1,89 km²; 3º) Nauru - 21 km²; 4º) San Marino - 60,5 km²; 5º) Liechtenstein - 160 km²; 6º) Maldivas - 298 km²; 7º) Malta - 316 km²; 8º) Granada - 344 km²; 9º) São Vicente - 398 km²; 10º) Seychelles - 404 km².

TERRITÓRIO MARÍTIMO — Abrange atualmente uma extensão de doze milhas, contadas a partir da linha da baixa-mar ao longo da costa. A zona econômica exclusiva de cada país compreende uma extensão de 200 milhas, onde o Estado apenas exerce certos poderes limitados, sendo eles: a) O direito à exploração econômica dos recursos marítimos; b) O controle da pesca por barcos estrangeiros; c) Preservação e investigação científica dos recursos naturais.

TERRITÓRIO NACIONAL — Deve ser entendido como as terras delimitadas pelas fronteiras geográficas, com rios, baías, golfos, ilhas, bem como espaço aéreo e o mar territorial, formando o território propriamente dito; os navios e aeronaves de guerra, onde quer que se encontrem; os navios mercantes em alto mar ou de passagem em mar territorial estrangeiro; as aeronaves civis em vôo sobre o alto mar ou de passagem sobre as águas territoriais ou espaços aéreos estrangeiros

TERRITÓRIO TERRESTRE — É aquele delimitado pelas fronteiras naturais do Estado e engloba todo o subsolo que lhe corresponde.

TERRORISMO — Modo de coagir, ameaçar ou influenciar outras pessoas, ou de impor-lhes a vontade pelo uso sistemático do terror. Forma de ação política que combate o poder estabelecido mediante o recurso ao terror despertado por atos de violência e de sabotagem. Sistema de governo imposto pelo terror e mantido através de perseguições, muitas vezes dirigidas contra os expoentes da cultura ou contra os detentores dos recursos econômicos privados. Cerceia a liberdade de pensamento, submete a vexames e maus-tratos os detentores do poder da situação deposta, busca firmar-se através da intimidação permanente, ameaças e violências. (Ver: Grupo terrorista.)

TESE — Argumento; resultado que se pretende confirmar ou demonstrar ou defender.

TESOURARIA — Local destinado a receber e efetuar pagamentos. O objetivo da tesouraria não é pagar o mais adequadamente possível aos fornecedores, mas sim pagá-los regularmente, no prazo correto, de acordo com o calendário previamente fixado.

TESOURARIA, PRINCÍPIO DE UNIDADE DE — Ver Princípio de Unidade de Tesouraria.

TESOURO — É o dinheiro público administrado pelo Governo, o caixa do governo.

TESOURO NACIONAL — Conjunto de repartições incumbidas da arrecadação e distribuição das rendas públicas. Sua estrutura geral constitui o Ministério da Fazenda. A Secretaria do Tesouro, que administra o dinheiro do Orçamento Federal, foi criada em 1985. Antes, o Governo lançava mão de todo o dinheiro que precisava através da chamada "conta movimento" no Banco do Brasil. A criação da Secretaria do Tesouro foi um grande avanço modernizador na administração das contas públicas.

TESTADA — O mesmo que frente. Parte de terreno ou edificação que confina com rua, avenida, praça ou qualquer outro logradouro público.

TESTADOS — É a pessoa que dispõe de seus bens por testamento, a fim de que seja cumprida a sua vontade depois de sua morte.

TESTAMENTÁRIO — Revela o que pertence ao testamento, ou dele vem de direito.

TESTAMENTEIRO — É a pessoa a quem se cometem os encargos de uma testamentária, para que cumpra as disposições de um testamento. É o executor do testamento; é, pois, função remunerada. Somente o herdeiro ou legatário a exercerá desinteressadamente. O testamenteiro tem direito a um prêmio que se chama *vintena* pelos serviços prestados. O seu montante é fixado livremente pelo testador. Na falta de *quantum* exato, será arbitrado judicialmente entre 1% e 5 % sobre toda a herança líquida, conforme a importância e o grau de dificuldade da execução do testamento, sendo deduzido da metade disponível se houver a legítima. A vintena etimologicamente designa a vigésima parte de alguma coisa, é o feminino de vigésimo. (Ver: Vintena testamentária.)

TESTAMENTO — É o ato pessoal, solene, unilateral, gratuito e revogável, pelo qual alguém, de conformidade com a lei, dispõe de seus bens para depois da morte, ou faz outras declarações de última vontade. Pode ser público, cerrado ou particular. A lei diz que "quando morre uma pessoa sem testamento, transmite-se a herança a seus herdeiros". Os não-herdeiros só podem ser contemplados com o patrimônio do *de cujus* (falecido) através de testamento. O testamento pode ser feito por advogado e levado a registro público. É uma medida simples, mas onerosa e que pode evitar futuras brigas judiciais entre os herdeiros e até mesmo entre estes e outras pessoas, por exemplo, uma companheira. (Ver: Testamento - tipos.)

TESTAMENTO - TIPOS — O testamento poderá ser público, cerrado, ou particular.

TESTAMENTO CERRADO — É o testamento que pode ser redigido pelo testador em caráter sigiloso ou secreto, mas para ter validade depende de um instrumento de aprovação lavrado por oficial público, assinado por cinco testemunhas.

TESTAMENTO PARTICULAR — Conhecido como testamento aberto e privado, deve ser escrito e assinado pelo próprio testador e lido perante cinco testemunhas que também o assinam, sendo estas imprescindíveis para a sua validade.

TESTAMENTO PÚBLICO — É o testamento realizado perante tabelião de registro de notas.

TESTAMENTO (INCAPAZES) — São incapazes de testar: os menores de 16 anos; os loucos de todo o gênero; os que, ao testar, não estejam em seu juízo perfeito; os surdos-mudos que não puderem manifestar sua vontade.

TESTEMUNHA — Pessoa que presta esclarecimento sobre um fato em juízo. É a pessoa natural que, não sendo parte diretamente interessada no objeto de direito, é convocada para atestar, judicial ou extrajudicialmente, a existência ou esclarecimento de ato ou fato de que tem conhecimento. A pessoa que participar de uma lide, como testemunha, atenderá aos seguintes pressupostos caracterizadores da testemunha para efeitos jurídicos: a) deve ser pessoa física, inadmitido o testemunho de pessoa jurídica, cujas informações integram a prova documental; b) deve ser pessoa estranha ao feito, não se confundindo com as partes; c) deve ter conhecimento dos fatos, direta ou indiretamente, para atestar sobre sua existência; d) deve ter capacidade jurídica para depor, preenchendo os respectivos pressupostos legais. (Ver: Crime de desobediência.)

TESTEMUNHA DE VIVEIRO — A que é industriada para prestar depoimento falso.

TESTEMUNHA INFORMANTE — A que é autorizada por lei a depor no juízo criminal sem prestar compromisso de dizer a verdade.

TESTEMUNHA INSTRUMENTÁRIA — Aquela que assiste aos atos formalizados num instrumento, cuja validade depende da presença dela.

TESTEMUNHA NUMERÁRIA — A que se compromete, no juízo criminal, sob palavra de honra, a dizer a verdade do que souber e lhe for perguntado.

TESTEMUNHA OCULAR — A que presenciou um fato.

TESTEMUNHA SUSPEITA — Aquela que, por ser parenta, amiga ou inimiga duma das partes, não merece fé em juízo.

TESTEMUNHO — É o próprio depoimento prestado por uma testemunha, como o atestado, certificado, ou documento, que comprova algum ato jurídico.

TETE-A-TETE — Em francês, "*Tête*", significa cabeça. A tradução "cabeça-com-cabeça" quer significar frente a frente, ou seja, estar juntos fisicamente.

TETRAEDRO DE FOGO — São os elementos essenciais à existência do fogo, compreendem o combustível, o comburente, calor e a existência de condições para uma reação exotérmica (produtora de calor e energia) em cadeia.

TETRAVÔ — Ascendente em linha reta, masculino, no quinto grau.

TEÚDA — Mulher que vive em união estável, com o homem que a sustenta.

TEXTO — Parte da mensagem que contém o assunto da comunicação.

TIMBRE — Selo, impresso, sinete, rubrica, sinal gravado em sinete para firmar ou autenticar papéis oficiais ou particulares.

TIME DEPOSITS — Depósitos interbancários no mercado internacional. Tem prazo fixo e são inegociáveis até o vencimento.

TIMING — Tempo, duração de tempo, planejamento de tempo. Jargão utilizado no mercado financeiro para indicar o momento mais adequado para realizar determinada ação financeira - investir, resgatar, comprar, vender.

TIMOCRACIA — Designa a forma de governo, cujo poder é exercido pelos ricos, isto é, pela classe, ou grupo, constituído pelos cidadãos de maior fortuna, ou renda.

TIPICIDADE — Qualidade de um fato real que, após definido, serve como modelo, conduta típica. É típico o fato que se enquadra perfeitamente na descrição legal de um crime; é a reunião de todos os elementos de um crime. É a concretização daquele fato abstratamente descrito como criminoso pela lei.

TIPO PENAL — É a descrição abstrata, estabelecida em norma penal incriminadora, de comportamentos do agente capazes de violar bem juridicamente protegido.

TIPOLOGIAS DE OCUPAÇÃO DO SOLO — Categorias nas quais foram classificadas no Plano Diretor as situações de ocupação do solo do Município, a partir de critérios como padrão de urbanização, densidade de ocupação, tipologia predominante das edificações, uso do solo, entre outros. São elas: Ocupação Rarefeita, Ocupação Predominantemente Horizontal I, Ocupação Predominantemente Horizontal II, Ocupação Predominantemente Horizontal III, Ocupação Predominantemente Horizontal IV, Ocupação Predominantemente Horizontal V, Ocupação Predominantemente Vertical I, Ocupação Predominantemente Vertical II, Conjunto Habitacional Horizontal, Conjunto Habitacional Vertical I, Conjunto Habitacional Vertical II, Concentração de Galpões e/ou de Naves Industriais e Grandes Edificações e Complexos Urbanos.

TIPOS DE MERCADO — Ver Mercado, Tipos de.

TIRANIA — Forma autocrática de exercício do poder político que tem origem asiática, passando para a Grécia a partir do século VI a.C. A palavra tirania não é grega; designa, antes de mais nada, a forma de governo da moda existente na Ásia Menor, em dado momento histórico, não tendo absolutamente, como sugere o vocábulo, sentido pejorativo, malévolo. A tirania não indicava uma idéia de dominação necessariamente opressiva, mas a forma de poder exercida por um homem cujo direito de governar era fundado não mais na religião ou na hereditariedade, como a antiga monarquia, porém no prestígio pessoal, no apoio dos estamentos inferiores, comerciantes e gente humilde. Acrescente-se a isto um forte aparato militar. Claro, houve abusos por parte de inúmeros tiranos; muitos, contudo, criaram constituições democráticas, defendendo os interesses dos menos favorecidos, exercendo uma forma política em muito semelhante à denominada ditadura proletária a que se refere *Burdeau*.

TIRANO — Opressor. Aquele que usurpa o poder de um Estado. Soberano injusto e cruel que governa sem limitação legal. Pessoa cruel, desumana.

TITULAR — Expressão usada sobre a forma substantiva e sob forma verbal, em ambos os casos, tendo definição apropriada. Designa pessoa que possui um título sobre alguma coisa, ou de alguma coisa.

TITULAR DE OPÇÃO — Aquele que tem o direito de exercer ou negociar uma opção.

TITULARIDADE — Aquele que tem a propriedade de um determinado ativo. Exprime o estado ou a qualidade de titular de alguma coisa, em virtude de título conferido, ou outorgado.

TITULARIZAÇÃO OU SECURITIZAÇÃO — Emissão, por um estabelecimento que concede empréstimos, de títulos negociáveis representativos de créditos que detém, e cuja propriedade é assim transferida para o adquirente dos títulos.

TÍTULO — 1) Palavras escritas como título para um texto ou divisões dele. 2) Designação dada a um livro, capítulo, artigo, canção etc. 3) Denominação honorífica ou funcional. 4) Conjunto formado pela epígrafe e pela ementa de uma norma jurídica. 5) Parte de uma lei extensa, composta de um conjunto de capítulos. 6) Subdivisão de código, orçamento etc. 7) Documento que autentica um direito. Empregado para designar a origem, causa, ou o fundamento jurídico de um direito. O título mostra-se o modo de transmissão, o fundamento de aquisição, ou a própria causa dos direitos, a título gratuito ou, título de crédito. 8) Qualquer papel negociável - ação, letra de câmbio, promissória etc. Quando utilizado como sinônimo do termo anglo-saxão *Bonds* é o certificado de que o indivíduo ou empresa emprestou dinheiro a um governo ou corporação; os termos do empréstimo estão descritos no certificado (por exemplo, renda fixa). Tais certificados podem ser emitidos por corporações ou governos, enquanto ações só podem ser emitidas por corporações. Também utilizados como sinônimo de *securits* e debêntures.

TÍTULO DE CAPITALIZAÇÃO — Existem duas modalidades de Títulos: os tradicionais e os de compra programada. Na tradicional, o foco são os prêmios até 4 mil vezes mais do que foi aplicado. Sem ajuda da sorte, o rendimento será provavelmente inferior ao da tradicional caderneta de poupança. Do valor aplicado pelo investidor, a instituição financeira separa um percentual para poupança, outro para os sorteios e um terceiro para cobrir suas despesas. Esses títulos são interessantes para quem gosta de jogar, com a vantagem de que caso não ganhe, uma parte do investimento será recuperada. Já na de compra programada, todo o investimento é recuperado. Em compensação, não há sorteios de grandes prêmios - o foco é a poupança de determinado valor visando comprar um bem ou serviço.

TÍTULO DE CRÉDITO — Papel que formaliza um direito, possibilitando sua tradução em dinheiro. É um documento formal representativo da dívida líquida e certa, tendo força executiva, e de circulação independente do negócio que lhe deu origem. São características dos títulos de créditos: a) literalidade; b) cartularidade; c) autonomia. Para alguns títulos ainda são consideradas duas outras características: a) independência; e b) abstração. Título de crédito é, na verdade, o instrumento de uma obrigação de dar coisa certa independente do negócio que lhe deu origem.

TÍTULO DE UTILIDADE PÚBLICA — Título concedido pelo Poder Público como forma de reconhecimento às entidades que prestam serviços de natureza social ou assistencial de forma desinteressada à coletividade, suprindo-lhe determinadas necessidades, e sem finalidade lucrativa. Inicialmente, o título de utilidade pública possuía mais uma função honorífica, não significando necessariamente a obtenção de alguma vantagem pela entidade. Atualmente, significa, em muitos casos, requisito obrigatório para a obtenção de vantagens fiscais ou financeiras concedidas pelo Poder Público. (Ver: Utilidade pública.)

TÍTULO DECLARATÓRIO — Ver Apostilamento.

TITULO EXECUTIVO EXTRAJUDICIAL — Documentos, públicos ou particulares, sempre sob forma escrita, a que a lei reconhece a eficácia executiva. Ex. Cheque, Nota Promissória. A sua função é autorizar a execução.

TITULO NOMINATIVO — Aquele que possui expresso em seu texto o nome da pessoa a favor de quem foi emitido.

TÍTULO PATRIMONIAL DA BOLSA — Desde que autorizada pelo Banco Central, onde deverá previamente se registrar, a sociedade corretora deverá adquirir um título patrimonial da Bolsa de Valores em que desejar ingressar como membro.

TÍTULOS (OU VALORES) MOBILIÁRIOS — São títulos emitidos por empresas para captar recursos no mercado. É o caso de debêntures e quotas de fundos de investimento em renda variável. Outros títulos que estão nesta categoria são: bônus de subscrição; notas promissórias; certificados de depósitos de valores mobiliários; índices representativos de carteira de ações; opções de compra e venda de valores mobiliários; direitos de subscrição; recibos de subscrição; quotas de fundos imobiliários; certificados de investimento audiovisual; contratos de parceria para engorda de animais; certificados representativos de contratos mercantis de compra e venda a termo de energia elétrica; recibos de depósitos (*depositary receipts*, instrumento utilizado na colocação de ações de companhias brasileiras no exterior); e certificados de recebíveis imobiliários (CRI). Instituições financeiras também podem emitir valores mobiliários.

TÍTULOS DA DÍVIDA AGRÁRIA (TODA) — Título de responsabilidade do Tesouro Nacional, emitido para a promoção da reforma agrária, exclusivamente sob a forma escritural, na CETIP. Título de rentabilidade pós-fixada pela variação da TR. É uma das chamadas "moedas podres".

TÍTULOS DA DÍVIDA EXTERNA — São títulos que o Governo Federal vende a investidores estrangeiros a uma taxa de juros definida, visando obter dinheiro no exterior para financiar suas operações. O IDU (*interest due unpaid*) é um exemplo de um título da dívida externa. Sigla: DIVEX.

TÍTULOS DA DÍVIDA PÚBLICA - CRIME — Tipifica crime do agente público ordenar, autorizar ou promover a oferta pública ou a colocação no mercado financeiro de títulos da dívida pública sem que tenham sido criados por lei ou sem que estejam registrados em sistema centralizado de liquidação e de custódia. Pena: reclusão de um a quatro anos. A pena será aumentada da terça parte quando os autores dos crimes forem ocupantes de cargos em comissão ou de função de direção ou assessoramento de órgão da administração direta, sociedade de economia mista, empresa pública ou fundação instituída pelo poder público. (Lei nº 10.028, de 2000 que acrescentou artigos ao Código Penal.)

TÍTULOS DA DÍVIDA PÚBLICA — Designação genérica atribuída aos títulos emitidos e garantidos pelo governo (da União, de Estado ou de Município) na implementação de suas políticas econômicas ou na captação de recursos nos mercados interno e externo para financiar sua programação. Na esfera federal esses títulos são emitidos como instrumentos de política monetária - para assegurar equilíbrio no mercado de dinheiro e manter uma apropriada velocidade na circulação da moeda - ou de política econômico-financeira - para viabilizar a antecipação de receitas ou o financiamento de déficit do orçamento público. Em nível dos estados e municípios, a emissão de títulos públicos se vincula exclusivamente ao financiamento do gasto público - inclusive pagamento de precatórios -, devendo ocorrer dentro de limites e condições definidos pelo Governo Central a fim de não interferir, de forma desarticuladora, sobre as políticas monetárias. Normalmente, o título da dívida pública traz indicado o prazo de resgate e a taxa de juros incidente.

TÍTULOS DE RENDA FIXA — São os títulos em que se conhece, *a priori,* a lucratividade proporcionada.

TÍTULOS DE RENDA VARIÁVEL — São os títulos em que a lucratividade só será determinada pela diferença entre o preço de compra acrescidos dos benefícios, menos o preço de venda.

TÍTULOS ESTADUAIS — Título da Dívida Pública emitido pelos Estados na captação de recursos destinado, exclusivamente, ao financiamento do gasto público, inclusive pagamento de precatórios. O título rende uma taxa de juros sobre o valor emprestado. (Ver: Letra Financeira do Tesouro do Estado de...)

TÍTULOS INEGOCIÁVEIS — São títulos com cláusula de inalienabilidade, por força de lei ou contrato.

TÍTULOS MUNICIPAIS — São títulos da Dívida Pública emitidos pelos Municípios na captação de recursos destinados, exclusivamente, ao financiamento do gasto público, inclusive pagamento de precatórios. O título rende uma taxa de juros sobre o valor emprestado. (Ver: Letra Financeira do Tesouro do Município de...)

TÍTULOS NEGOCIÁVEIS — São títulos com livre circulação no mercado.

TÍTULOS PÓS-FIXADOS — Modalidade de investimento cuja rentabilidade varia de acordo com a variação de um índice específico. Ex.: As NTNs (Notas do Tesouro Nacional) estão pagando uma taxa de juros + TR (Taxa Referencial).

TÍTULOS PRÉ-FIXADOS — Modalidade de investimento cuja rentabilidade é conhecida no momento da aplicação. Ex.: As LTNs (Letras do Tesouro Nacional).

TÍTULOS PRIVADOS — São títulos emitidos por empresas privadas, vendidos a investidores, visando conseguir dinheiro para investimentos ou qualquer outra finalidade. Os investidores recebem uma taxa de juros sobre o dinheiro emprestado. Ex.: debêntures.

TÍTULOS PÚBLICOS — Ver Títulos da Dívida Pública.

TÍTULOS PÚBLICOS, EMISSÃO DIRETA DE (NÃO COMPETITIVA) — São emissões de títulos públicos realizadas diretamente para atender a diversas finalidades, nos termos da lei. Destina-se, principalmente, a securitização de dívidas da União, operações financeiras estruturadas, assunção e refinanciamento das dívidas de estados, municípios e das estatais.

TJLP (TAXA DE JUROS DE LONGO PRAZO) — Taxa regulada pela Lei nº 9.365, de 16 de dezembro de 1996, com as alterações introduzidas pela Lei nº 10.183, de 12 de fevereiro de 2001. Utilização prevista em lei e em regulamentação expedida pelo Banco Central do Brasil e pela Comissão de Valores Mobiliários. Foi criada para estimular os investimentos nos setores de infra-estrutura e consumo. A TJLP é válida para os empréstimos de longo prazo, seu custo é variável mas permanece fixo por períodos mínimos de três meses.

TODA — Ver Título da Dívida Agrária.

TOGA — Vestes talares, igualmente de cor negra, trazidas pelos juízes nos atos em que se administra a justiça. É assim, a própria beca, a vestimenta negra que se põe sobre a roupa de uso comum.

TOGADO — Que usa toga; Designa a pessoa que se investe em uma toga. Extensivamente, porém, menciona a qualidade do juiz que é diplomado em direito, para o distinguir do juiz leigo.

TOLERÂNCIA — 1) Estado ou situação de suportar sensações ou estímulos indesejáveis, aversivos e nauseabundos. Há um limite para a tolerância. 2) É a indiferença de comportamento de uma espécie em relação à presença de outra, a um tipo de manejo ou uma condição do meio ambiente. 3) Capacidade do organismo de suportar condições adversas sem se desviar das suas funções ou desenvolvimento. 4) São limites estabelecidos para os erros de medição. No caso das balanças, a legislação estabelece a tolerância em número de divisões. Quanto menor for a divisão da balança, menor será a possibilidade de desvio do peso real.

TOMADA — Exprime apreensão, a tirada, a ocupação, o apossamento, a captura, a recapturação de algo. No sentido jurídico, designa a ação de trazer algo para a posse, ou domínio de outrem, não importando os meios.

TOMADA DE CONTAS — Ver Contas, Tomada de.

TOMADA DE CONTAS ESPECIAL — Ver Contas, Tomada Especial de.

TOMADA DE EMPRÉSTIMO — É o empréstimo que se efetiva ou se obtém.

TOMADA DE PREÇOS — Ver Licitação Pública - Tomada de Preços.

TOMADOR — É o poupador que aplica suas disponibilidades financeiras adquirindo, no mercado financeiro, letras de câmbio. Beneficiário original de cheque ou letra de câmbio.

TOMADORES DE PREÇOS — Empresas que competem em mercados em concorrência perfeita. Trata-se de um mercado onde há muitas empresas e nenhuma delas é grande demais para alterar os preços.

TOMBAMENTO — É a modalidade de intervenção através do qual o Poder Público, para preservar bens (móveis e imóveis) de valor histórico, cultural, artístico ou turístico, em poder de particulares, impõe restrições ao seu uso. Os bens tomados, móveis ou imóveis, permanecem sob domínio e posse particulares, mas sua utilização passa a ser disciplinada.

TOMBAR — Significa inventariar, arrolar, inscrever, ou registrar terras, fazendo suas descrições e dando suas limitações. Desse modo, tombar não é demarcar. É registrar, ou fazer inventário, ou a inscrição de terras, mencionando sua demarcação ou seus limites, para que bem se individualizem, ou bem se identifiquem nesse registro, ou nesse tombo.

TONEL — Medida de capacidade de carga usada na antiga construção naval. Tinha um *rumo* de comprimento e 4 palmos de *goa* de largura (1,5 m x 1 m).

TONELADA — Antiga medida de peso que valia 13,5 quintais, cerca de 793 kg. A tonelada de arqueação corresponde a um volume de 100 pés cúbicos ingleses, cerca de 2,832 m^3. A tonelada de frete equivalia a 40 pés cúbicos ingleses, cerca de 1,44 m^3 e tem origem no espaço ocupado por 4 barris de vinho de Bordéus. A tonelada de deslocamento de peso é de 1.000 kg.

TOP — Ponto mais alto.

TOP MANAGER — Administrador encarregado de conduzir as atividades gerais da empresa.

TOPOGRAFIA — Topos (lugares) + grafia (descrição). Descrição minuciosa de uma localidade; topologia. Arte de representar no papel a configuração duma porção do terreno com todos os acidentes e objetos que se achem à sua superfície.

TOPOLOGIA — Relações espaciais existentes entre as entidades: conectividade, contigüidade, proximidade.

TOPONÍMIA — Estudo lingüístico ou histórico da origem dos topônimos; relato dos nomes de lugar de um país, estado, município, lugar etc.

TOPÔNIMO — Nome próprio de um acidente topográfico natural ou artificial.

TORMENTO — Suplício, tortura, angústia, aflição, desgraça, miséria.

TORNADO — Redemoinho de vento formado na baixa atmosfera, que desce das nuvens até o solo em forma de tuba, com grande velocidade de rotação e forte sucção, destruindo tudo o que encontrar em sua trajetória. É o mais forte dos fenômenos meteorológicos, menor e mais intenso que os demais tipos de ciclone. Com alto poder de destruição, seus ventos atingem até 490 km/h. O tornado ocorre geralmente em zonas temperadas do hemisfério norte. (Ver: Tufão // Furacão // *Willy-Willy*.)

TORNASSOL — 1) Indicador de pH extraído de certos liquens, azul em meio alcalino, vermelho em meio ácido. 2) Papel corante que muda de cor, quando em contato com um ácido.

TORPEZA — Indica a qualidade de tudo o que é torpe, ou contra moral. Resulta de qualquer ato vergonhoso, imoral ou desonesto, de todo ato que possa ofender o decoro e os bons costumes, de toda ação de maldade de infâmia. Pode formular-se por atos, por fatos, ou por palavras, onde se destile a ignomínia, a vergonha, a desonestidade. Os atos torpes não podem ser objetos de relações jurídicas. As coisas torpes não merecem apoio legal, sendo nulos os atos fundados na torpeza.

TORPOR — Entorpecimento. Indiferença ou inércia moral.

TORTURA — Suplício ou tormento violento. É ato desumano, o qual não se coaduna com as idéias da era presente, sendo atentatório à dignidade humana. Nem mesmo como correção, nem como castigo corpóreo, a tortura e os maus-tratos merecem proteção legal. Bem ao contrário, a lei não os permite nem como corretivo dos pais para com os filhos. (Ver: Crime de tortura.)

TOTAL LOSS — Prejuízo ou perda total.

TOTALITARISMO — Como doutrina, se baseia na premissa da soberania absoluta do coletivo sobre a pessoa, porque se inspira na idéia errada de que a pessoa é parte de um todo. Como concepção política exalta o Estado, a nação ou uma classe social, às quais o indivíduo deve estar totalmente submetido, vale dizer, todos as aspectos de sua vida privada passam para o segundo plano, imolando-se o indivíduo no altar do coletivismo grosseiro.

TOXICIDADE — Propriedade de uma substância para produzir danos, uma vez que alcança o local suscetível no corpo.

TÓXICO — Toda substância que produz alterações físicas e psíquicas, causando dependência. Substância nociva ao organismo que, quando absorvida pelo ser vivo animal ou vegetal pode causar envenenamento. É a denominação dada a toda substância ou a todo ingrediente que, por ser venenoso, possa produzir no organismo humano uma alteração grave, ou mesmo a morte.

TOXICOLOGIA — Disciplina que estuda os efeitos nocivos dos agentes químicos e físicos nos sistemas biológicos e estabelece a magnitude do dano, em função da intensidade da exposição dos organismos vivos a esses agentes. Ocupa-se da natureza e dos mecanismos das lesões e da avaliação das modificações biológicas produzidas pelos agentes nocivos.

TOXINA — Substância orgânica, normalmente de estrutura complexa e altamente tóxica, produzida por um organismo vivo.

TPM (*TOTAL PRODUCTIVE MAINTENANCE*) — Ver Manutenção Produtiva Total.

TR (TAXA REFERENCIAL DE JUROS) — A TR foi criada no Plano Collor II com a intenção de ser uma taxa básica referencial dos juros a serem praticados no mês. Atualmente é utilizada no cálculo do rendimento de vários investimentos, tais como títulos públicos, caderneta de poupança. E também em outras operações, tais como empréstimos do Sistema Financeiro da Habitação (SFH), pagamentos a prazo e seguros em geral. A metodologia de cálculo da TR tem como base a taxa média mensal ponderada ajustada dos CDs prefixados das 30 instituições financeiras selecionadas, sendo eliminadas as duas de menor e as duas de maior taxa média. A base de cálculo da TR é o dia de referência, sendo calculada no dia útil posterior. Sobre a média apurada das taxas dos CDs é aplicado um redutor que varia mensalmente.

TRABALHADOR — Considera-se empregado toda pessoa física que prestar serviços de natureza não eventual a empregador, sob a dependência deste e mediante salário. (Ver: Conflitos Entre Trabalhadores e Empregadores.)

TRABALHADOR AVULSO — Trabalhador que presta serviços a inúmeras empresas, vinculado a entidade de classe, por intermédio desta e sem vínculo empregatício. Não tem, o trabalho avulso, o caráter eventual, pois se refere a uma necessidade normal da empresa, que se repete periódica e sistematicamente.

TRABALHADOR EVENTUAL — Caracteriza-se pela acidentalidade, isto é, depende das contingências do momento e, portanto, não caracteriza relação de emprego, razão pela qual as relações advindas do trabalho eventual ficam sob a égide da justiça comum.

TRABALHADOR TEMPORÁRIO — Aquele que presta serviços a uma empresa para atender à necessidade transitória de substituição do pessoal regular e permanente ou acréscimo extraordinário de serviços.

TRABALHADOR VOLUNTÁRIO (HUMANITÁRIO) — O que exerce trabalho em caráter humanitário, sem retribuição pecuniária; Não é objeto de contrato de trabalho.

TRABALHADORES E EMPREGADORES, CONFLITOS ENTRE — Tudo o que se relacionar com conflitos entre trabalhadores e empregadores, no plano individual ou coletivo, resultante da relação de emprego, é da competência da Justiça do Trabalho. Cabe a seus órgãos decidir sobre tais conflitos. Os servidores públicos, porém, por decisão do Supremo Tribunal Federal, estão fora da competência da Justiça do Trabalho (ADIN nº 492, de 12.11.92).

TRABALHISMO — Designa o conjunto de doutrinas que procuram estabelecer princípios de ordem econômica e política, tendo como base a intervenção do Estado para proteger, organizar e regulamentar o trabalho, visando, principalmente, ao bem-estar e a melhoria do trabalhador.

TRABALHO — Ato ou efeito de trabalhar. Qualquer ocupação manual ou intelectual. Serviço; lida. Atividade consciente e voluntária, esforço humano para a produção de riqueza. Atividade física e/ou intelectual do ser humano aplicada na realização de um empreendimento. É remunerado pelo salário e representa todo o esforço e tempo empreendido pelo ser humano na produção de bens e serviços. O trabalho pode ser diurno, no período das 5 às 22 horas nas cidades e das 5 às 21 horas na atividade agrícola; e entre 4 e 20 horas na pecuária; e noturno o realizado entre 22 horas e 5 horas. Cada hora noturna tem a duração de 52 minutos e 20 segundos e é paga com adicional mínimo de 20%. O trabalho é o segundo fator de produção (antes de capital e depois da terra). Quando utilizado em pesquisa de emprego se refere ao exercício de ocupação econômica com remuneração em dinheiro, produtos, mercadorias ou benefícios, ou sem remuneração.

TRABALHO ADOLESCENTE — De acordo com a Emenda Constitucional nº 20 e a convenção da Organização Internacional do Trabalho (OIT), a profissionalização de adolescentes como aprendizes pode acontecer a partir dos 14 anos, e a partir dos 16 anos já pode ter carteira de trabalho assinada. Entretanto, os adolescentes devem ser protegidos de qualquer trabalho perigoso, insalubre ou penoso, em locais prejudiciais à sua formação e ao seu desenvolvimento físico, psíquico, moral e social, ou em horários que não permitam a freqüência à escola. (Ver: Adolescente // Jovem // Trabalho Infantil.)

TRABALHO DO MENOR — Ver Trabalho adolescente.

TRABALHO EM REVEZAMENTO — Determina o art. 7º da CF (Diretos Sociais): São direitos dos trabalhadores urbanos e rurais, além de outros que visem à melhoria de sua condição social:...XIV – jornada de 6 (seis) horas para o trabalho realizado em turnos ininterruptos de revezamento, salvo negociação coletiva.

TRABALHO FORÇADO OU COMPULSÓRIO — A Convenção 29, de 1930 (Trabalho forçado) da Organização Internacional do Trabalho (OIT), dispõe sobre a eliminação do trabalho forçado ou obrigatório em todas as suas formas. Admitem-se algumas exceções, tais como o serviço militar, o trabalho penitenciário adequadamente supervisionado e o trabalho obrigatório em situações de emergência, como guerras, incêndios, terremotos etc. A Convenção 105, de 1957 (Abolição do trabalho forçado), da Organização Internacional do Trabalho (OIT), proíbe o uso de toda forma de trabalho forçado ou obrigatório nas formas de: meio de coerção ou de educação política; castigo por expressão de opiniões políticas ou ideológicas; mobilização de mão-de-obra; medida disciplinar no trabalho, punição por participação em greves, ou medida de discriminação.

TRABALHO INFANTIL — A legislação proíbe que crianças sejam submetidas a qualquer forma de trabalho. O Estado e a sociedade são obrigados a proteger as crianças de qualquer forma de trabalho infantil. Várias convenções da Organização Internacional do Trabalho (OIT) obrigam os países signatários a promoverem a abolição do trabalho infantil. Em particular, a Convenção nº 138, sobre idade mínima, objetiva a abolição do trabalho infantil, ao estipular que a idade mínima de admissão ao emprego não deverá ser inferior à idade de conclusão do ensino obrigatório. A Convenção nº 182, por sua vez, trata das Piores Formas de Trabalho Infantil e defende a adoção de medidas imediatas e eficazes que garantam a proibição e a eliminação das piores formas de trabalho infantil. (Ver: Criança // Jovem // Trabalho Adolescente.)

TRABALHO INFORMAL — São trabalhadores que se encontram no setor não estruturado, composto de empregados sem carteira assinada, autônomos, trabalhadores não remunerados (geralmente em atividades econômicas de natureza familiar) e trabalhadores no setor de subsistência (na produção para o autoconsumo). No entanto, é importante ressaltar que nem todos esses trabalhadores estão em situação precária. Alguns autônomos atuam em setores de alta produtividade, possuem qualificação profissional invejável e recebem salários bem acima da média.

TRABALHO QUALIFICADO — Conjunto dos recursos humanos habilitados para o exercício de determinada função.

TRABALHO VOLUNTÁRIO — Atividade não remunerada, prestada por pessoa física a entidade pública de qualquer natureza ou a instituição privada de fins não lucrativos. Foi regulamentado pela Lei nº 9.608, de 1998, que instituiu o Termo de Adesão ao Trabalho Voluntário e a possibilidade de ressarcimento de despesas efetuadas pelo voluntário no desempenho de suas atividades. O trabalho voluntário não gera vínculo empregatício, não havendo qualquer obrigação de natureza trabalhista ou previdenciária para as entidades. É considerado como de suma importância para o desenvolvimento e a consolidação da cidadania participativa, através da implantação e cultivo de uma cultura moderna de voluntariado.

TRADEMARK — Marca registrada. Nome, símbolo, lema ou desenho que identifica legalmente uma organização e/ou seus produtos e, em alguns casos, previne o uso indevido de marcas similares ou idênticas.

TRADENTE — Aquele que transfere, entrega, a outrem, bem de sua propriedade, em face da respectiva alienação.

TRADE-OFF — Solução de compromisso; troca de ganha/perde ou positivo/negativo entre aspectos de uma mesma questão.

TRADER — Negociador, comerciante, exportador, mas também o operador que negocia por conta própria.

TRADIÇÃO — Ato de transmitir ou integrar. Transmissão oral, fatos, lendas, dogmas. Coisa transmitida. Uso; hábito. Entrega da coisa pela qual a pessoa adquire o domínio do bem. Entrega de um bem que seu proprietário faz a outrem, com intenção recíproca de transferir e adquirir direitos.

TRADICIONAL — Relativo à tradição. Conservado na tradição.

TRADING — Comércio.

TRADING COMPANY — Empresa de comercialização especializada em comércio exterior ocupando-se da importação e exportação.

TRADING DOWN — Técnica mercadológica que consiste na colocação de variedades de preços mais baixos visando capitalizar conceito de um produto mais caro.

TRADING POST — Sistema de negociações contínuas realizadas através de postos de negociações, tendo como objetivo dar homogeneidade aos trabalhos, em função da quantidade de negócios, permitindo, assim, distribuir uniformemente o fluxo de operações pelo recinto – sala de negociações.

TRÁFEGO — Exprime comércio, negócio, intercâmbio, troca, permuta e, notadamente, toda operação ou todo fato econômico que tenha como base, ou objetivo, um trato comercial ou o dinheiro.

TRAFICANTE — Comerciar com fraude, ou negociar de má-fé, empregado para designar pessoa que se entrega a comércio desonesto ou a comércio ilícito. Negocia coisas proibidas, introdutor de mercadorias contrabandeadas, mercador de mulheres trazidas de outras paragens.

TRÁFICO — Comércio, conjunto de relações, ou de transações fundamentais da economia política, derivadas do câmbio ou da troca. Na terminologia jurídica, porém, tráfico exprime igualmente negociações, ou o comércio ilícito.

TRÁFICO DE DROGAS — É o tráfico de substâncias ilícitas, entorpecentes. No Brasil, é a Lei nº 6.368 de 1976 que rege as normas contra o tráfico de drogas, e tais crimes são de responsabilidade da Polícia Federal.

TRÁFICO DE INFLUÊNCIA — É um dos crimes praticados por particular contra a Administração Pública em geral. Consiste em solicitar, exigir, cobrar ou obter, para si ou para outrem, vantagem ou promessa de vantagem, a pretexto de influir em ato praticado por servidor público no exercício da função. A pena prevista é de reclusão, de dois a cinco anos, e multa. A pena é aumentada da metade, se o agente alega ou insinua que a vantagem é também destinada ao servidor.

TRÁFICO DE MULHERES — Antes da Lei nº 11.106, de 28.3.2005, o Código Penal de 1940 só cuidava do tráfico internacional de mulher, para o fim do exercício da prostituição, definindo como crime promover ou facilitar a entrada, no território nacional, de mulher que nele viesse exercer a prostituição ou saída de mulher que iria exercê-la no estrangeiro. A Lei nº 11.106, de 2005, alterou este dispositivo, falando agora em pessoa, isto é, mulheres e homens. Aproveitou o legislador a ocasião, de outro lado, para criar o delito de tráfico interno (dentro do País) de pessoas, para o exercício da prostituição. Sabe-se que a prostituição não é crime, mas em torno dela ainda existem vários delitos. De qualquer modo, para o reconhecimento de qualquer infração envolvendo a prostituição, o fundamental é identificar não só a "exploração", como também a clara ofensa a outros bens jurídicos da vítima (liberdade individual, liberdade sexual etc.). Renomados juristas têm manifestado o seguinte entendimento sobre tráfico internacional e interno de pessoas: sempre que se tratar de vítima maior, que de modo algum tenha sido ludibriada ou iludida, isto é, sempre que a vítima tenha aderido livremente (não coagida) ao tráfico, conquistando ela mesma certa vantagem com esse ato, não se vislumbra delito algum. Todos os bens jurídicos envolvidos nesse tráfico são disponíveis. O consentimento válido da vítima elimina a situação de risco proibido. Logo, pela teoria da imputação objetiva, não havendo risco proibido, não há imputação objetiva da conduta, isto é, não há tipicidade, não há crime. (Ver: Tráfico interno de pessoas // Tráfico internacional de pessoas.)

TRÁFICO INTERNACIONAL DE PESSOAS — Crime consistente em promover, intermediar ou facilitar a entrada, no território nacional, de pessoa que venha exercer a prostituição ou a saída de pessoa para exercê-la no estrangeiro. A expressão "pessoa" abrange mulher e homem. A pena é de reclusão, de três a oito anos, e multa. Lei nº 11.106, de 28.3.2005. (Ver: Tráfico de mulheres // Tráfico interno de pessoas.)

TRÁFICO INTERNO DE PESSOAS — Crime consistente em promover, intermediar ou facilitar, no território nacional, o recrutamento, o transporte, a transferência, o alojamento ou o acolhimento da pessoa que venha exercer a prostituição. A expressão "pessoa" abrange mulher e homem. A pena é de reclusão, de três a oito anos, e multa. Lei nº 11.106, de 28.3.2005. (Ver: Tráfico de mulheres // Tráfico internacional de pessoas.)

TRAIÇÃO — Perfídia, aleivosia. Dolo, falsidade. Em sentido amplo exprime toda ação que contravém à infidelidade, à fé jurada ou a lealdade devida. Resulta, assim, na quebra de um dever imposto, seja a que título for, pelo qual era defeso à pessoa praticar o ato, ou executar a ação, a que legal ou moralmente estava impedido, por vir a infligir ou ofender o mesmo dever. A traição, assim, sob qualquer aspecto, revela a perfídia, traduz ignomínia, ou mostra a deslealdade.

TRAINEE — Estagiário. Profissional em fase de treinamento durante processo de admissão por uma empresa.

TRAJETO — Em sentido amplo, entende-se todo percurso, ou todo itinerário, feito pelas pessoas, ou pelos veículos de transporte, entre dois pontos.

TRAMA — Designa toda maquinação, confabulação, ou conluio, consertado com má-fé, ou fraude, na intenção de prejudicar alguém. É tido, igualmente, no sentido de conspiração. Assim, tramar é conspirar, é maquinar meios de fazer algo contra alguém, ou contra os poderes constituídos.

TRAMITAÇÃO — Ato ou efeito de seguir os trâmites, cumprir as etapas de um processo. Na terminologia processual entende-se o próprio curso da ação ou da demanda, ou o seu seguimento processual. Constitui, pois, a série de atos prescritos para o andamento do processo, ou o desenvolvimento dos trâmites legais. A tramitação, ação de tramitar ou seguir os trâmites, é, por esta razão, a série de atos, medidas ou diligências que se devem executar ou cumprir na marcha, procedimento ou instrução de um processo, consoante as regras dispostas na lei e na prática e técnica adotadas pela praxe no foro.

TRÂMITE(S) — Curso de um processo, segundo as regras; via. Entende-se cada um dos estados ou diligências, que, em determinado procedimento, deve ser seguido até o final. Assim trâmites processuais entendem-se os diversos e conseqüentes atos e diligências, que, em determinado procedimento, devem ser seguidos até o final.

TRANCAMENTO DAS CONTAS — Ver Contas, Trancamento das.

TRANCAR A PAUTA — Ver Medida provisória.

TRANSAÇÃO — 1) Todo ato por meio do qual uma unidade econômica manifesta sua participação na vida econômica. 2) É a convenção em que duas ou mais pessoas ajustam certas cláusulas e condições para que previnam litígio, que se possa suscitar entre elas, ou ponham fim a litígio já suscitado, desde que por escrito e homologada pelo juiz.

TRANSAÇÃO DE AJUSTE — É a convenção feita por duas ou mais pessoas sobre a coisa, ou fato duvidoso e incerto de que as contratantes têm opiniões diversas, em virtude da qual assumem o compromisso de uma delas pagar certa soma em dinheiro, ou entregar certa coisa, ao que tiver a razão ou estiver com a verdade.

TRANSAÇÃO *ON-LINE* — Conjunto de procedimentos destinados à operação de um terminal de computador ligado a um sistema central aberto a processamento.

TRANSAÇÕES CORRENTES — É o resultado conjunto da balança comercial, da balança de serviços e das transferências unilaterais. A balança comercial indica a diferença entre as exportações e as importações. A balança de serviços refere-se às receitas e às despesas envolvidas no uso de recursos de transporte, capital, turismo e seguro, quando ocorrem transações como viagens internacionais e pagamentos de fretes, indenizações, *royalties*, lucros e juros. Países em desenvolvimento, como o Brasil, são estruturalmente deficitários (apresentam despesa superior à receita) na balança de serviços, porque hospedam grande número de empresas multinacionais, que enviam grande remessa de lucros ao exterior. Finalmente, as transferências unilaterais registram o movimento de divisas decorrentes do envio de recursos a fundo perdido (sem contrapartida de produtos ou serviços recebidos) ao exterior – manutenção de embaixadas e serviços consulares, por exemplo – e do recebimento de valores, como os remetidos por imigrantes a familiares no Brasil. O saldo em transações correntes é, desta forma, um importante indicador das relações comerciais de um país com o resto do mundo. (Ver: Migrantes)

TRANSCRIÇÃO — Denominação usada anteriormente à Lei nº 6.015, de 1973, que exprime a ação de transcrever o texto, ou a escritura, isto é, de reproduzir, ou trasladar para o próprio livro, ou papel, com os mesmos caracteres, ou palavras, o que está escrito em outro livro ou papel. Depois da citada lei, passou ser feita em "Matrículas". Em conceito jurídico, porém, transcrição não exime simplesmente a cópia, ou a reprodução com o documento, mas o registro que se deve fazer desse documento, ou escrito, na intenção de lhe assegurar a autenticidade, indispensáveis para que possa valer *erga omnes*, isto é, contra terceiros, e para que certos negócios jurídicos ou contratos, por ele realizados, notadamente se versam sobre a aquisição de propriedade imobiliária, possam surtir os necessários efeitos legais.

TRANSCURSO — É geralmente empregado para designar a passagem do tempo, o tempo, o tempo decorrido ou o espaço de tempo que se decorreu. Assim, o transcurso do prazo, ou a extinção do prazo, pois que é terminado ou passado o seu curso ou sua fluência.

TRANSDISCIPLINARIDADE — Que transcende às disciplinas científicas; conceitos válidos para várias disciplinas.

TRANSEUNTE — Entende-se toda pessoa que anda pelas ruas ou que passa pelas vias públicas. É que está em trânsito ou de passagem para algum lugar.

TRANSEXUAL — Diz-se da disfunção sexual daquele que repudia o sexo que ostenta fisicamente.

TRANSFERÊNCIA — Ato pelo qual uma pessoa concede a outra, coisas ou direitos que lhe pertencem.

TRANSFERÊNCIA DE CAPITAL — Dotação para investimentos ou inversões financeiras que outras pessoas de direito público ou privado devam realizar, independentemente de contraprestação direta em bens ou serviços, constituindo essas transferências auxílios ou contribuições, segundo derivem diretamente da Lei Orçamentária ou de lei especial anterior, bem como as dotações para amortização da dívida pública.

TRANSFERÊNCIA DE EMPREGADO — Ato unilateral ou consensual que enseja a mudança do local de trabalho e da residência do empregado.

TRANSFERÊNCIA DE INCIDÊNCIA — Ver Impostos, Transferência de Incidência.

TRANSFERÊNCIA DE POTENCIAL CONSTRUTIVO — É um dos instrumentos urbanísticos de intervenção no solo para cumprimento da função social da cidade. Consiste na transferência do Índice de Aproveitamento das áreas atingidas por desapropriações (praças, escolas, alargamentos de ruas etc.) ou tombamento (bens a preservar) para outro terreno como forma de pagamento pelo Poder Público.

TRANSFERÊNCIA DE QUOTAS — É um dos caminhos para se trocar o titular das quotas de um determinado fundo.

TRANSFERÊNCIA DE TECNOLOGIA — Contrato mercantil em que se transfere o conhecimento da tecnologia industrial. A transferência de tecnologia só acontece quando no processo os pré-requisitos necessários são estabelecidos e respeitados, ou seja: motivação para que seja de fato transferida; recursos financeiros suficientes para assegurar a viabilidade do projeto; recursos humanos adequados (mão-de-obra que garanta habilidades técnicas, gerenciais e de produção). Envolve atividades voltadas para a compra/absorção de tecnologias nacionais ou estrangeiras consideradas de interesse para a capacitação tecnológica da empresa nacional e que contribui para o desenvolvimento econômico e social do país. No Brasil a transferência de tecnologia se efetua através de contratação tecnológica e para que surta determinados efeitos econômicos, o contrato deve ser avaliado e averbado pelo INPI. Todos os contratos que impliquem transferência de tecnologia, sejam entre empresas nacionais e empresas sediadas ou domiciliadas no exterior, por disposição legal, devem ser averbados pelo INPI.

TRANSFERÊNCIA DEFINITIVA — É uma transferência irrevogável e incondicional que tem como efeito a extinção da obrigação de fazer a transferência. Os termos entrega e pagamento são definidos cada um como uma transferência definitiva.

TRANSFERÊNCIA DO DIREITO DE CONSTRUIR — Instituto mediante o qual o Poder Público municipal poderá autorizar o proprietário de imóvel urbano, privado ou público, a exercer em outro local, ou alienar, mediante escritura pública, o direito de construir previsto no Plano Diretor, ou em legislação urbanística dele decorrente, quando o referido imóvel for considerado de interesse público em conformidade com a Lei.

TRANSFERÊNCIA ELETRÔNICA — Processo que transfere dinheiro de um banco para outro eletronicamente, sem o uso de cheques, e sem o intermédio do correio.

TRANSFERÊNCIA ELETRÔNICA DISPONÍVEL (TED) — Modalidade de transferência de valores instituída pelo Sistema de Pagamentos Brasileiro. Trata-se da transferência de valores que os bancos processarão pela CIP - Câmara Interbancária de Pagamentos ou pelo STR - Sistema de Transferência de Reservas do Banco Central. Funciona de forma análoga a um DOC ou transferência, podendo ser liquidado *on-line*. Assim, a disponibilidade dos recursos ocorrerá no mesmo dia, dependendo apenas do tempo necessário para o processamento da operação pelos bancos envolvidos na operação.

TRANSFERÊNCIA IRREVOGÁVEL E INCONDICIONAL — Uma transferência que, com respaldo da base legal existente, não pode ser revogada pela parte que a enviou e que é incondicional.

TRANSFERÊNCIA LÍQUIDA — São fluxos líquidos menos o pagamento das taxas de juros.

TRANSFERÊNCIAS A INSTITUIÇÕES MULTIGOVERNAMENTAIS — Despesas realizadas mediante transferência de recursos financeiros a entidades criadas e mantidas por dois ou mais níveis de governo.

TRANSFERÊNCIAS A INSTITUIÇÕES PRIVADAS SEM FINS LUCRATIVOS — Despesas realizadas mediante transferência de recursos financeiros a entidades sem fins lucrativos que não tenham vínculos com a Administração Pública. Depende de autorização específica em lei.

TRANSFERÊNCIAS AO EXTERIOR - FUNDOS INTERNACIONAIS — Despesas realizadas mediante transferência de recursos financeiros a fundos instituídos por diversos países, em decorrência de lei específica.

TRANSFERÊNCIAS AO EXTERIOR - GOVERNOS — Despesas realizadas mediante transferência de recursos financeiros a órgãos e entidades governamentais pertencentes a outros países.

TRANSFERÊNCIAS AO EXTERIOR - ORGANISMOS INTERNACIONAIS — Despesas realizadas mediante transferência de recursos financeiros a órgãos e organismos internacionais, decorrente de compromissos firmados anteriormente.

TRANSFERÊNCIAS AUTOMÁTICAS — São aquelas realizadas pelo Governo sem a utilização de convênio, ajuste, acordo ou contrato. São realizadas mediante o depósito em conta-corrente específica, para a descentralização de recursos em determinados programas na área de educação (disciplinadas pela Medida Provisória nº 2.178-36, de 24/8/2001). Atualmente, no orçamento da União abrange os seguintes programas: Programa Nacional de Alimentação Escolar (PNAE); Programa Dinheiro Direto na Escola (PDDE) e Programa de Apoio a Estados e Municípios para a Educação Fundamental de Jovens e Adultos (EJA).

TRANSFERÊNCIAS CONSTITUCIONAIS — Receitas tributárias de competência de uma determinada esfera governamental, seja União ou Estados, transferida em parte por determinação da Constituição Federal, para outra esfera (Estados ou Municípios).

TRANSFERÊNCIAS CORRENTES (DESPESAS) — Ver Despesas - Transferências Correntes.

TRANSFERÊNCIAS CORRENTES (RECEITAS) — Ver Receitas - Transferências Correntes.

TRANSFERÊNCIAS DE CAPITAL (DESPESAS) — Ver Despesas - Transferências de Capital.

TRANSFERÊNCIAS DE CAPITAL (RECEITAS) — Ver Receitas - Transferências de Capital.

TRANSFERÊNCIAS DIRETAS DO GOVERNO AO CIDADÃO — Compreendem programas que concedem benefício monetário mensal, sob a forma de transferência de renda diretamente à população-alvo do programa. Em linhas gerais, cabe ao município a missão de operacionalizar os programas com ações como seu credenciamento junto ao Governo Federal, realizar e manter o cadastro das pessoas beneficiadas pelos programas, instituir os conselhos de controle social dos programas e outros. Entre os programas nesta modalidade, destacamos: a) Programa Bolsa Família (que unificou os Programas Bolsa Escola, Bolsa Alimentação, Programa Nacional de Acesso à Alimentação [PNAA] e Programa Auxílio-Gás); b) Programa de Erradicação do Trabalho Infantil (PETI).

TRANSFERÊNCIAS FUNDO A FUNDO — As transferências fundo a fundo caracterizam-se pelo repasse, por meio da descentralização, de recursos diretamente de fundos da esfera federal para fundos da esfera Estadual, Municipal e do Distrito Federal, dispensando a celebração de convênios. As transferências fundo a fundo são utilizadas nas áreas de assistência social e de saúde.

TRANSFERÊNCIAS INTERGOVERNAMENTAIS — Transferências feitas de um nível de governo a outro, ou seja, entre a União, Estados, Distrito Federal e Municípios.

TRANSFERÊNCIAS INTERNACIONAIS EM MOEDA NACIONAL — Caracterizam-se pelo débito ou crédito realizado, em moeda nacional, em uma conta de não residente (antiga CC5).

TRANSFERÊNCIAS INTRAGOVERNAMENTAIS — Transferências feitas no âmbito de cada governo. Podem ser a autarquias, fundações, fundos, empresas e a outras entidades autorizadas em legislação especifica.

TRANSFERÊNCIAS LEGAIS — São aquelas previstas em leis específicas. Essas leis determinam a forma de habilitação, a transferência, a aplicação dos recursos e como deverá ocorrer a respectiva prestação de contas.

TRANSFERÊNCIAS UNILATERAIS — Montante de dinheiro que deixa o país sem contrapartida. Por exemplo, residentes de um país que enviam recursos para seus parentes em outros países. Doações de países mais desenvolvidos para países mais pobres na forma de dinheiro ou de mercadorias.

TRANSFERÊNCIAS VOLUNTÁRIAS — Entende-se por Transferência Voluntária a entrega de recursos correntes ou de capital a outro ente da Federação, a título de cooperação, auxílio ou assistência financeira, que não decorra de determinação constitucional, legal ou os destinados ao Sistema Único de Saúde. Na transferência voluntária de recursos de capital não podem ser utilizados os decorrentes de operação de crédito, em face do disposto no inciso III do art. 167 da Constituição Federal. (Ver: Transferências Voluntárias - Exigências.)

TRANSFERÊNCIAS VOLUNTÁRIAS - EXIGÊNCIAS — São exigidas para a realização de transferência voluntária, além das estabelecidas na Lei de Diretrizes Orçamentárias: I - existência de dotação específica; II - que não se destinem ao pagamento de despesas com pessoal ativo, inativo e pensionistas, dos estados, do Distrito Federal e dos municípios, mesmo sob a forma de concessão de empréstimos, inclusive por antecipação de receita; III - comprovação, por parte do beneficiário, de: a) que se acha em dia quanto ao pagamento de tributos, empréstimos e financiamentos devidos ao ente transferidor, bem como quanto à prestação de contas de recursos anteriormente dele recebidos; b) cumprimento dos limites constitucionais relativos à educação e à saúde; c) observância dos limites das dívidas consolidada e mobiliária, de operações de crédito, inclusive por antecipação da receita, de inscrição em Restos a Pagar e de despesa total com pessoal; d) previsão orçamentária de contrapartida. É vedada a utilização de recursos transferidos em finalidade diversa da pactuada. Para fins de aplicação das sanções de suspensão de transferências voluntárias, excetuam-se aquelas relativas a ações de educação, saúde e assistência social. A LRF distinguiu as Transferências para Órgãos Públicos - Transferências Voluntárias, da destinação de recursos públicos para pessoas físicas e jurídicas privadas.

TRANSFERÊNCIAS VOLUNTÁRIAS DA UNIÃO AOS MUNICÍPIOS - SOLICITAÇÃO — Para solicitação de transferência, devem ser identificadas duas situações possíveis: a) O município foi contemplado no Orçamento Geral da União: Nesse caso, o órgão ou entidade municipal deve elaborar um plano de trabalho ou de atendimento e apresentá-lo na sede do órgão federal no qual está prevista a descentralização do recurso. b) O município não foi contemplado no Orçamento Geral da União: Para essa situação, o município deverá: b.1) avaliar suas necessidades nas diversas áreas, tais como saúde, educação, cultura, infra-estrutura, saneamento etc; b.2) verificar quais projetos, atividades ou eventos podem ser implementados no município, identificando os órgãos concedentes (ministério, autarquias etc.); b.3) verificar se o orçamento do município destinou recursos orçamentários em montante suficiente para a contrapartida; b.4) elaborar a solicitação da transferência mediante a apresentação do Plano de Trabalho ou Plano de Atendimento, conforme o caso; b.5) encaminhar o Plano de Trabalho ou de Atendimento ao órgão concedente ou à instituição financeira federal. Os modelos necessários à celebração de convênios estão disponíveis no Adendo I, anexo à Instrução Normativa nº 01, de 1997, da Secretaria do Tesouro Nacional.

TRANSFERIDORA — Ver Unidade Transferidora.

TRANSFIGURAÇÃO — Ato ou efeito de transfigurar; mudança de uma figura noutra.

TRANSFORMAÇÃO MECANIZADA — Processo de transformação que se caracteriza pelo uso de máquinas, pela produção em série, pela crescente divisão do trabalho e pelo emprego de operários qualificados e não-qualificados.

TRÂNSFUGA — Na técnica do direito penal militar assinala o soldado, ou o militar que, desertando das fileiras do exército de seu país, passa a servir no exército inimigo, em tempo de guerra.

TRANSGÊNICOS — São organismos geneticamente modificados (OGMs), são seres vivos criados em laboratórios. Eles jamais existiriam na natureza se não fosse a interferência humana. Um ser vivo se torna transgênico quando, através da engenharia genética, recebe genes de outra espécie e sofre alterações em seu código genético. O gene inserido confere novas características a esse ser. Por exemplo: o salmão transgênico recebeu um gene do porco para engordar mais rápido.

TRANSGREDIR — Ir ou passar além de. Infringir; quebrantar; violar.

TRANSIGÊNCIA — Tolerância, condescendência.

TRANSIGIR — Chegar a acordo. Ceder; condescender. Conciliar.

TRANSITAR — É caminhar, percorrer, anda de um lugar para outro, em vias públicas. Extensivamente, é viajar ou estar de passagem por algum lugar.

TRANSITAR EM JULGADO — Ver Trânsito em Julgado.

TRÂNSITO — É a utilização das vias por pessoas, veículos e animais, isolados ou em grupos, conduzidos ou não, para fins de circulação, parada, estacionamento e operação de carga ou descarga. O trânsito de qualquer natureza nas vias terrestres do território nacional, abertas à circulação, é regido pelo Código de Trânsito Brasileiro, Lei nº 9.503, de 1997.

TRÂNSITO EM JULGADO — Situação da sentença que se tornou indiscutível, por não mais sujeita a recurso, originando a coisa julgada. O mesmo que passar em julgado, ou seja, esgotar-se o prazo para a interposição de qualquer recurso da decisão judicial. Decisão judicial, de qualquer instância, contra a qual não tenha sido apresentado recurso dentro do prazo legal. Nesse caso, dá-se o trânsito em julgado, e a decisão pode ser executada.

TRANSITÓRIO — Diz-se daquilo de pouca duração; que vigoram por determinado tempo.

TRANSLADO — Transcrição fiel de documento, feita por oficial público legalmente autorizado, e extraída de livro próprio, onde está inserido o original;

TRANSMISSÃO — 1) Cada uma das transferências de propriedade, de direitos ou de obrigações entre pessoas ou por herança. 2) Transferência, através de um meio, de um agente patógeno causador de doença, para outro, seja ele uma planta ou animal.

TRANSMISSÃO DE AGENTES INFECCIOSOS — Ver Saúde - Transmissão de agentes infecciosos.

TRANSNEPOTISMO — Ver Nepotismo - Transnepotismo.

TRANSPARÊNCIA — Princípio do Direito Administrativo e da Administração Pública, obriga que todos os atos de entidades públicas sejam praticados com plena publicidade (aberto a todos) e com ampla prestação de contas. É concretizada com a divulgação ampla por todos os veículos de comunicação, inclusive pela Internet, de relatórios de acompanhamento da gestão fiscal, que permitem identificar receitas e despesas: os planos, orçamentos e leis de diretrizes orçamentárias; Relatório Resumido da Execução Orçamentária e Relatório de Gestão Fiscal.

TRANSPARÊNCIA/RESPONSABILIDADE DE PRESTAR CONTAS — Obrigação de demonstrar que a gestão foi conduzida de acordo com as regras e as normas estabelecidas, ou obrigação de demonstrar de forma clara e imparcial os resultados e o desempenho em face do estipulado e/ou dos objetivos fixados e do respeito de uma gestão prudente dos recursos.

TRANSPLANTE — A lei garante a retirada e transplante de tecidos, órgãos e parte de cadáver para fins terapêuticas e científicos, desde que não haja manifestação de vontade em contrário. A expressão não-doador de órgãos e tecidos deverá ser gravada de forma indelével e inviolável na cédula de identidade civil e na carteira nacional de habilitação (Lei nº 9.434, de 1997), podendo ser reformulada a qualquer tempo. Feita a retirada, o cadáver será condignamente recomposto e entregue aos responsáveis pelo sepultamento (art. 19, da Lei nº 9.434, de 1997). A infração ao artigo será punida com pena de detenção de seis meses a dois anos. No que se refere a transplante não autorizado, acarretará ao agente pena de reclusão de dois a seis anos e multa de 100 a 360 dias-multa, sem prejuízo das agravantes tipificadas na lei referida (arts. 14 a 17) e no seu Decreto regulamentador (Decreto nº 2.268, de 1997). É vetada a remoção (*post mortem*) de tecidos, órgãos ou partes do corpo de pessoas não identificadas. A remoção *post mortem* de tecidos, órgãos ou parte do corpo de pessoa juridicamente incapaz poderá ser feita, desde que permitida, expressamente, por ambos os pais ou por seus representantes legais. É permitida à pessoa juridicamente capaz dispor gratuitamente de tecidos, órgãos e partes do corpo humano vivo para fins de transplante ou tratamento.

TRANSPORTE — Atividade logística referente ao movimento de pessoal e material de uma região para outra, compreendendo emprego do equipamento e de meios necessários à sua execução e ao seu controle. Navio, trem, aeronave, viatura ou qualquer meio especializado para o transporte de tropas, equipamentos, suprimentos e material militar.

TRANSPORTE - DENSIDADE DE MOVIMENTO — Expressão do número de veículos que trafegam por uma via de transporte, na unidade de tempo, apresentada, normalmente, em número de veículos por hora ou por dia.

TRANSPORTE - PASSAGEIROS/QUILÔMETRO — Produto do número de passageiros transportados numa viagem, pela distância de percurso, em quilômetros, num mesmo sentido.

TRANSPORTE - TONELADA BRUTA — Expressão do peso do veículo somado ao peso da carga transportada (não se aplica ao transporte hidroviário).

TRANSPORTE - TONELAGEM/DIA — Tonelagem total transportada num dia por um veículo, através de uma via de transporte.

TRANSPORTE DE ALTA CAPACIDADE — Modalidade de transporte de passageiros que opera em corredores, em vias segregadas, alimentado por estações de integração, atendendo a altas demandas, levando-se em conta passageiros/hora/sentido.

TRANSPORTE DE BAIXA CAPACIDADE — Modalidade de transporte de passageiros, complementar ao sistema de alta e média capacidade, que opera garantindo a microacessibilidade do sistema de transporte, circulando em tráfego misto.

TRANSPORTE DE MÉDIA CAPACIDADE — Modalidade de transporte de passageiros que opera em vias segregadas ou faixas exclusivas, atendendo a médias demandas, levando-se em conta passageiros/hora/sentido.

TRANSPORTE HIDROVIÁRIO — Aquele que possui como via o elemento aquático e, como meio, normalmente uma embarcação. Pode ser marítimo (oceânico e costeiro ou de cabotagem) e o de águas interiores (fluvial ou lacustre).

TRANSPORTE INTERMODAL — É a integração dos serviços de mais de um modo de transporte, com emissão de documentos independentes, onde cada transportador assume responsabilidade por seu transporte. São utilizados para que determinada carga percorra o caminho entre o remetente e seu destinatário, entre os diversos modais existentes, com a responsabilidade do embarcador. (Ver: Transporte multimodal.)

TRANSPORTE LOCAL — É o caracterizado pelo pequeno tempo de percurso em relação ao tempo de carregamento e descarga, medido em tonelada/dia.

TRANSPORTE MULTIMODAL — É a integração dos serviços de mais de um modo de transporte, utilizados para que determinada carga percorra o caminho entre o remetente e seu destinatário, entre os diversos modais existentes, sendo emitido apenas um único conhecimento de transporte pelo único responsável pelo transporte, que é o OTM - Operador de Transporte Multimodal. (Ver: Transporte intermodal.)

TRANSPORTE TERRESTRE — Aquele que se desenvolve ligado ao solo; o transporte terrestre pode ser: ferroviário, rodoviário e dutoviário.

TRANSPORTE TONELADA/QUILÔMETRO — Produto da tonelagem transportada pela distância de percurso, em quilômetros, num mesmo sentido.

TRANSPORTE, CAPACIDADE DE UM MEIO DE — Expressão numérica das possibilidades de a via escoar veículos ou cargas, durante 24h, em um sentido, apresentada em número de veículos/dia ou tonelada/dia.

TRANSPORTE, PLANEJAMENTO DE — Estudo que visa à otimização do emprego das diferentes modalidades e meios de transporte para as necessidades identificadas.

TRANSPORTE, TERMINAIS DE — Locais como estações, portos, aeródromos, dotados de meios e instalações adequadas, destinados ao início ou conclusão de operações de transporte. Os terminais de transporte tomam o nome do principal modo de transporte empregado.

TRAPAÇA — Vulgarmente tomando o mesmo sentido de "trampa", entende-se toda ação fraudulenta dolosa, executada com a finalidade de enganar, ou de tirar vantagens ilícitas de outrem. É negócio desonesto e por vezes ilícito, fundado sempre em má-fé e na intenção de um locupletamento à custa alheia. Para realizá-lo, em regra, o executor da trapaça usa manobras ou artifícios ardilosos, a fim de por eles iludir a boa-fé de pessoas com quem ele vai contratar.

TRASLADAR — É, no sentido jurídico, a expressão usada no mesmo conceito de escrever, transcrever, copiar.

TRASLADO — É a primeira cópia de um documento original lavrado no livro de notas.

TRATADO INTERNACIONAL — É o convênio, acordo, declaração ou ajuste firmado entre duas ou mais nações, ou outras estruturas da sociedade internacional, em virtude do que os signatários se obrigam a cumprir e respeitar as cláusulas e condições que nele se inscrevem com vistas a produzir efeitos de direito em suas relações mútuas.

TRATAMENTO AERÓBIO — O mesmo que tratamento por oxidação biológica, em presença de oxigênio.

TRATAMENTO BIOLÓGICO — Forma de tratamento de água residuária na qual a ação de microorganismos é intensificada para estabilizar e oxidar a matéria orgânica.

TRATAMENTO CURATIVO — Conjunto de medidas adotadas após o aparecimento ou constatação de uma doença, praga ou deficiência que visam eliminar as causas que as deram origem.

TRATAMENTO DA ÁGUA — É o conjunto de procedimentos para converter água impura em água potável ou utilizável pela indústria ou agricultura. As instalações destinadas para tratamento são denominadas depuradoras ou purificadoras, e recebem o nome de dessalinizadoras quando tratam a água do mar.

TRATAMENTO DE LIXO — É o conjunto de procedimentos destinados à redução e eliminação ou ao reaproveitamento dos resíduos procedentes da indústria, comércio ou das residências. Em geral, o lixo é separado, comprimido, triturado e incinerado. Os detritos radioativos, por sua vez, são enterrados em áreas especiais.

TRATAMENTO FISCAL PREFERENCIAL — É uma condição na qual indivíduos ou empresas recebem um tratamento fiscal especial no Estado no qual eles têm responsabilidade fiscal. Originado na Suíça em 1920, sendo uma situação comum no "mundo" *offshore*.

TRATAMENTO PREVENTIVO — Conjunto de medidas adotadas antes do aparecimento ou constatação de uma doença, praga ou deficiência que tem por objetivo impedir que um organismo seja atacado por seus agentes causadores.

TRATAMENTO QUÍMICO — Qualquer processo envolvendo a adição de reagentes químicos para a obtenção de um determinado resultado.

TRATAMENTO SINTOMÁTICO — Conjunto de medidas que visam dificultar o ataque de um organismo por seus agentes causadores, feito antes da instalação de uma doença, praga ou deficiência, porém só após o aparecimento dos primeiros sintomas.

TRATANTE — É o mesmo que tratador quando especialmente empregado para designar a pessoa a quem se comete um tratamento, isto é, o encargo de cuidar de uma pessoa.

TRAUMATISMO — Lesão interna ou externa produzida direta e instantaneamente por um agente externo (agente traumático), mecânico, físico ou químico.

TRAVA — São mecanismos utilizados em operações financeiras e tem por objetivo limitar perdas ou ganhos.

TRAVA DE BAIXA — Estratégia utilizada para limitar o prejuízo, que combina a venda de uma opção de compra (*call*) simultaneamente com a compra de uma outra opção de compra (*call*).

TRAVELER'S CHECKS — Cheques de Viagem. São cheques, com o respectivo valor já impresso, que são "vendidos" através da rede bancária para uso no exterior.

TRE — Ver Tribunal Regional Eleitoral.

TREINAMENTO — Procedimento que visa melhorar o desempenho das pessoas em uma tarefa específica ou aprimorar as habilidades dos recursos humanos adequando-as às novas necessidades e objetivos. O treinamento é uma atividade de inovação quando for necessária para implantação de um produto ou processo tecnologicamente novo ou aprimorado.

TREINAMENTO E DESENVOLVIMENTO — Ver T&D.

TREINAMENTO EM GRUPO — Educação e treinamento conduzidos por toda a empresa ou orgão. Tipo de educação e treinamento planejado pelo Departamento de Treinamento ou por áreas especializadas.

TREINAR — Favorecer a aquisição de habilidades e aptidões através da prática orientada. É a fase que se segue à "educação".

TRÉPLICA — Na terminologia jurídica entende-se a alegação articulada, em oposição, ou em resposta, à réplica, isto é a alegação, ou as razões, formuladas em refutação à contrariedade feita às proposições iniciais do treplicante. (Ver: Réplica.)

TRIAGEM — Método de definição de prioridade no atendimento e na referenciação, que inclui um diagnóstico básico, uma avaliação rápida e prognóstico imediato.

TRIANGULAÇÃO — Utilização de pelo menos três teorias, fontes ou tipos de informação, ou tipos de análise para verificar e sustentar uma apreciação ou um ponto de vista. Através da combinação de várias fontes, métodos, análises ou teorias, os avaliadores visam superar as distorções que surgem quando se trabalha com uma única fonte de informação, um único observador, um único método ou uma única teoria.

TRIBUNA — É o lugar elevado de onde falam os oradores. Lugar reservado para autoridades e pessoas importantes por ocasião de reunião pública. (Ver: Púlpito.)

TRIBUNAIS E JUÍZES - FORMAS DE TRATAMENTO — Ver Juízes e Tribunais - Formas de tratamento.

TRIBUNAL — Conjunto de magistrados que compõe um órgão judiciário. Corpo de juízes, de superior instância, que se reúnem para julgar, cumulativamente, causas originárias e recursos de decisões de instância inferior. Quando completo, com participação de todas as câmaras, diz-se tribunal pleno. Diz-se também do edifício onde esses juízes desempenham as suas funções. A Constituição Federal garante que não haverá no Brasil juízo ou tribunal de exceção. Também cuida do Poder Judiciário, da composição e atribuições dos tribunais, organização, manutenção, competência etc.

TRIBUNAL ARBITRAL — É aquele destinado a resolver as controvérsias ocorridas por meio pacífico. É um colegiado de árbitros, indicado pelas partes em disputa para decidirem a questão. São profissionais de confiança das partes e, em geral, com larga experiência na matéria em discussão. O Tribunal é estabelecido sempre em número ímpar, com o intuito de evitar o impasse.

TRIBUNAL CIVIL — Órgão colegiado de segundo grau do que cabe recurso ao tribunal supremo. Denominação vulgar dada ao Tribunal cuja competência para julgar se restringe às questões de ordem civil, em distinção ao Tribunal Criminal.

TRIBUNAL DE ALÇADA — A reforma do Judiciário, aprovada pelo Congresso em dezembro de 2004, extingue os Tribunais de Alçada, que era a segunda instância da Justiça em alguns estados da federação.

TRIBUNAL DE CONTAS — Ver Contas, Tribunal de.

TRIBUNAL DE CONTAS DO ESTADO DO RIO DE JANEIRO - COMPETÊNCIA — (Ver: Contas, Tribunal de - Estado do Rio de Janeiro - Competência.)

TRIBUNAL DE JUSTIÇA - TRIBUNAL PLENO — É constituído pela totalidade dos desembargadores, sendo presidido pelo presidente do Tribunal de Justiça, e, nos seus impedimentos, sucessivamente, pelos vice-presidentes ou pelo desembargador mais antigo, competindo-lhe eleger o presidente, os vice-presidentes e o corregedor-geral da Justiça e seu vice, em votação secreta, dentre os integrantes da terça parte mais antiga do Colegiado.

TRIBUNAL DE JUSTIÇA (TJ) — Órgão de segundo grau, de criação obrigatória, em cada Estado da federação, estruturados segundo os princípios estabelecidos na Constituição Federal. A competência dos tribunais é definida na Constituição de cada Estado, sendo, normalmente, a de julgar recursos das decisões dos juízes de primeiro grau. A lei de organização judiciária é de iniciativa do Tribunal de Justiça. Cabe aos Estados a instituição de representação de inconstitucionalidade de leis ou atos normativos estaduais ou municipais em face da Constituição Estadual, vedada a atribuição da legitimação para agir a um único órgão. A lei estadual pode criar, mediante proposta do Tribunal de Justiça, a Justiça Militar estadual, constituída, em primeiro grau, pelos Conselhos de Justiça e, em segundo, pelo próprio Tribunal de Justiça, ou por Tribunal de Justiça Militar nos Estados em que o efetivo da polícia militar seja superior a 20 mil integrantes (CF, art. 125, § 3º).

TRIBUNAL DO JÚRI — Tribunal popular competente para o julgamento dos crimes contra a vida, consumados ou tentados. O Tribunal do Júri é composto de um juiz de direito, que é o seu presidente, e de 21 jurados que se sortearão dentre os alistados, sete dos quais constituirão o conselho de sentença em cada sessão de julgamento. O serviço do júri será obrigatório, devendo os jurados, escolhidos dentre cidadãos de notória idoneidade, serem cidadãos maiores de 21 anos. Constitucionalmente são assegurados para as atividades do Tribunal do Júri: a) a plenitude de defesa; b) o sigilo das votações; c) a soberania dos veredictos; d) a competência para o julgamento dos crimes dolosos contra a vida. (Ver: Jurado // Membro do Grande Júri.)

TRIBUNAL INTERNACIONAL DE JUSTIÇA — Principal órgão judiciário das Nações Unidas. Resolve conflitos jurídicos entre Estados e dá opiniões consultivas em matéria jurídica, quando solicitadas pela Assembléia Geral, Conselho de Segurança e/ou outro órgão das Nações Unidas. Com sede em Haia, o Tribunal é constituído por 15 juízes independentes dos Estados de origem, eleitos por nove anos e reelegíveis pela Assembléia Geral.

TRIBUNAL MILITAR — Órgão da Justiça Militar.

TRIBUNAL REGIONAL DO TRABALHO (TRT) — É órgão da Justiça do Trabalho, devendo haver pelo menos um em cada Estado e no Distrito Federal. Os TRT's têm por competência, entre outras, o julgamento de recursos ordinários contra decisões de Varas do Trabalho, agravos de instrumento, ações originárias, dissídios coletivos de categorias de sua área de jurisdição - sindicatos patronais ou de trabalhadores organizados em nível regional, mandados de segurança, ações rescisórias de decisões suas ou das Varas do Trabalho. Há 24 TRTs no País. Eles se ligam diretamente ao Tribunal Superior do Trabalho. Os Tribunais Regionais são compostos de Varas do Trabalho, que formam a Primeira Instância, e do Pleno do próprio TRT, que julga em Segunda Instância.

TRIBUNAL REGIONAL ELEITORAL (TRE) — Tribunal de âmbito estadual formado por juízes indicados pela OAB, juízes de direito e desembargadores, indicados pelo Tribunal de Justiça, e membros do Ministério Público Federal, nomeados pelo presidente da República para atender à jurisdição eleitoral.

TRIBUNAL REGIONAL FEDERAL — Órgão do Poder Judiciário, os Tribunais Regionais Federais compõem-se de, no mínimo, sete juízes, recrutados, quando possível, na respectiva região e nomeados pelo presidente da República dentre brasileiros com mais de 30 e menos de 65 anos. Compete aos Tribunais Regionais Federais: I - processar e julgar, originariamente: a) os juízes federais da área de sua jurisdição, incluídos os da Justiça Militar e da Justiça do Trabalho, nos crimes comuns e de responsabilidade, e os membros do Ministério Público da União, ressalvada a competência da Justiça Eleitoral; b) as revisões criminais e as ações rescisórias de julgados seus ou dos juízes federais da região; c) os mandados de segurança e os "*habeas data*" contra ato do próprio Tribunal ou de juiz federal; d) os "*habeas corpus*", quando a autoridade coatora for juiz federal; e) os conflitos de competência entre juízes federais vinculados ao Tribunal; II - julgar, em grau de recurso, as causas decididas pelos juízes federais e pelos juízes estaduais no exercício da competência federal da área de sua jurisdição.

TRIBUNAL REGIONAL FEDERAL (TRF) — É o Tribunal que se constitui na Segunda Instância dos processos que correm perante a Justiça Federal.

TRIBUNAL SUPERIOR DO TRABALHO (TST) — É órgão máximo da Justiça do Trabalho no Brasil, composto de 27 ministros (E.C nº 45, de 17.11.2004), togados e vitalícios, escolhidos dentre brasileiros com mais de 35 e menos de 65 anos, nomeados pelo presidente da República, após aprovação pelo Senado Federal, dos quais 4/5 escolhidos dentre juízes dos Tribunais Regionais do Trabalho, integrantes da carreira da magistratura trabalhista e 1/5 dentre advogados e membros do Ministério Público do Trabalho. O Tribunal Superior do Trabalho integra o Poder Judiciário. Compete ao TST uniformizar a jurisprudência trabalhista; julga recursos de revista, recursos ordinários e agravos de instrumento contra decisões dos TRT's e dissídios coletivos de categorias organizadas em nível nacional, além de mandados de segurança, embargos opostos a suas decisões e ações rescisórias.

TRIBUTAÇÃO — Ação ou feito de tributar, em que se incluem todas as verbas, mesmo as que se arrecadam como taxas de melhoramentos, pedágios, emolumentos, que não podem ser tidos como impostos propriamente.

TRIBUTO — É toda prestação pecuniária compulsória, em moeda ou cujo valor nela se possa exprimir, que não constitua sanção de ato ilícito, instituída em lei e cobrada pela União, pelos Estados, Distrito Federal e Municípios mediante atividade administrativa plenamente vinculada, na forma de imposto, taxa, contribuição de melhoria, empréstimo compulsório e contribuição parafiscal. A natureza jurídica específica do tributo é determinada pelo fato gerador da respectiva obrigação a qual são aplicadas as normas gerais de legislação tributária e os princípios da legalidade, irretroatividade, anterioridade e noventena, cujo sujeito ativo é uma pessoa de direito público e o sujeito passivo uma pessoa física ou jurídica passível de enquadramento nessa situação por vontade de lei.

TRIPLE HELIX — Modelo de interação coordenada e ações integradas entre três agentes sociais (instituições governamentais, do setor empresarial e de pesquisa) com a finalidade de promover o desenvolvimento socioeconômico.

TRIPLICATA — Tem sua emissão com base na perda ou extravio da duplicata que terá os mesmos efeitos e obedecerá aos mesmos requisitos daquela. Tanto a duplicata como a triplicata deverão conter os requisitos do art. 2º e 25 da Lei nº 5.474, de 1968.

TRIPULAÇÃO — Totalidade do pessoal que guarnece um navio: Comandante, Oficialidade, Guarnição. Grupo de pessoas que trabalham juntos na operação de uma aeronave no ar ou de um veículo terrestre.

TRIVIALIDADE — Qualidade do que é trivial; vulgaridade. Banalidade.

TROCA — Operação na qual os bancos se dirigem ao Banco Central/custodiante para cambiar dinheiro de determinada denominação por dinheiro de outra. Exemplo: um banco entrega duas notas de R$ 50,00 (troca - recebimento) e leva dez notas de R$ 10,00 (troca - fornecimento). As moedas são colocadas em circulação exclusivamente por meio da troca. Essa operação não afeta o saldo na conta "reservas bancárias".

TROCA DE FUTUROS POR FÍSICOS — É uma cláusula de contrato futuro pela qual o produto físico é entregue de um participante do mercado para outro, com uma hipótese simultânea de posições futuras iguais e opostas entre os dois participantes.

TROMBA D'ÁGUA — Massa de nuvens rodopiantes sobre um lago ou oceano. Coluna giratória que consiste em ar e névoa aquosa. Na base dessa coluna, a água do lago ou do mar pode ser sugada para cima.

TROPICAL — Região, clima ou vegetação das áreas entre os trópicos; na Linha do Equador. Pertencente ou referente aos trópicos. Situado entre os trópicos. Que vive nos trópicos. Relativo aos trópicos ou às regiões da zona tórrida. Relativo ao clima dessas regiões. Abrasador (calor).

TRÓPICO — Cada um dos dois círculos menores do planeta Terra paralelos ao Equador (paralelos terrestres); o do Hemisfério Norte é denominado Câncer e o do Hemisfério Sul, Capricórnio.

TROVÃO — Som emitido pela rápida expansão de gases, ao longo de um canal de descarga elétrica, gerado por um raio. Mais de três quartos da descarga elétrica são utilizados no aquecimento de gases no interior e ao redor da área visível do relâmpago. As temperaturas podem elevar-se a mais de 10.000 graus Celsius em microssegundos, resultando em uma violenta onda de pressão, composta de compressão e expansão. O estrondo do trovão é criado quando nossos ouvidos são atingidos por diferentes ondas, resultantes de uma mesma descarga, porém com origens localizadas a diferentes distâncias do observador.

TRT — Ver Tribunal Regional do Trabalho.

TRUST — É um fundo mantido por pessoa ou entidade que age como curadora (*trustee*) por contrato ou força de lei. Por esta relação contratual o instituidor (o *trust settlor*) transfere a propriedade legal de um ativo (propriedade do *trust*) para outra pessoa ou organização (o chamado *trustee* ou curador) sob a condição de que este último aplique as rendas e os ganhos provenientes do ativo em benefício de uma terceira pessoa (o beneficiário). Os *trusts* podem ser estabelecidos apenas verbalmente, mas é comum serem escritos (formais). *Trustees* são freqüentemente profissionais ou firmas que cobram taxas. Geralmente, os *trusts* são de três tipos: a) *trust* discricionário b) *trust* filantrópico c) benefício pela posse do *trust* (*interest in possession trust*)

***TRUST* DISCRICIONÁRIO** — A maioria dos *trusts offshore* permite que pagamentos sejam feitos sem que haja a identificação do beneficiário. Na prática, os responsáveis pelo *trust*, os instituidores, normalmente fornecem ao *trustee* (pessoa responsável ou curador) uma carta de intenções, instruindo-o a quem pagar (beneficiário), quando e como.

***TRUST* FILANTRÓPICO** — É um *trust* estabelecido com propósitos aceitos por lei como filantrópicos.

***TRUSTEE* OU CURADOR** — É a pessoa ou firma que tem o controle legal do ativo formador do *trust* e o administra. (Ver: *Trust*.)

TRUSTES — Controle de mercado. Forma de concentração conducente à constituição de um grupo de empresas sujeito a uma unidade de direção. Prática econômica geralmente levada a efeito com a utilização de artifícios de natureza jurídica, consistindo em dominar os mercados por meio de processos destrutivos da concorrência. A mesma palavra, especialmente nos países de língua inglesa, costuma ter sentido menos condenável, significando, sobretudo o tipo de sociedades administradoras de fundos, valores etc. Como prática lícita, o *truste* é então admitido. Mas como prática destrutiva de concorrência por expedientes que se chocam com a Ordem Econômica Jurídica vigente, passa a constituir ilícito, identificado com as normas de abuso do poder econômico e reprimido pelo Direito Econômico ou, como outros preferem, pelo Direito Penal Econômico. (Ver: *Trust*.)

TST — Ver Tribunal Superior do Trabalho.

TSUNAMI — De origem japonesa, o termo *tsunami* é adotado universalmente para designar as perigosas ondas sísmicas marinhas ou maremotos ocorrentes, principalmente na região do Pacífico. Embora sejam erroneamente denominadas ondas de marés, as *tsunamis* não são causadas por influência das forças de maré (forças astronômicas de atração do Sol e da Lua). Os *tsunamis* são ondas de grande período (energia) e pequenas amplitudes, produzidas por abalos sísmicos com origem em erupção vulcânica submarina e nos diversos tipos de movimentos das placas do fundo submarino, que podem viajar milhares de quilômetros. Essas ondas, embora tenham comprimentos de onda de 160 a 200 km, possuem amplitudes de ondas no mar aberto inferiores a 1 m, podendo, porém, alcançar mais de 30 m de altura ao atingir enseadas costeiras afuniladas e o seu efeito destruidor advém da grande velocidade de propagação que, em mares profundos, pode atingir 700 a 900 km/h. É um dos fenômenos geológicos de efeito mais devastador.

TUFÃO — É o nome que se dá aos ciclones formados no sul da Ásia e na parte ocidental do oceano Índico, entre julho e outubro. É o mesmo que furacão, só que na região equatorial do Oceano Pacífico. Os tufões surgem no mar da China e atingem o leste asiático. (Ver: Ciclone.)

TURBAÇÃO DA POSSE — Ato externo ou fato material que, injustamente praticado, impede ou atenta o normal exercício da posse pelo seu legítimo possuidor. É positiva quando o turbador invade imóvel, ocupando-o parcial ou totalmente, não desapossando o legítimo possuidor, porém praticando atos sem o seu consentimento: e negativa, quando o intruso impede que o possuidor do terreno dele se utilize livremente, lavrando-o, fazendo construções.

TURBIDEZ — Medida da transparência de uma amostra ou corpo d'água, em termos da redução de penetração da luz, devido à presença de matéria em suspensão ou substâncias coloidais. Mede a não propagação da luz na água. É o resultado da maior ou menor presença de substâncias coloidais na água.

TURBULÊNCIAS — Manifestações de situações caóticas; fenômenos aparentemente desordenados.

TURFA — Depósito inconsolidado de restos vegetais semicarbonizados, originados em ambientes saturados de água, tais como pântanos e alagadiços. É um material mole, de coloração marrom-escuro a preta, não plástico, e de cheiro característico, devido à alta concentração de matéria orgânica. Representa a primeira base na formação do carvão natural, apresentando cerca de 60% de carbono e 30% de oxigênio. É combustível e, quando seco, queima livremente.

TURISMO EMISSOR — Turismo praticado por residentes de um determinado país noutros países. Este conceito se aplica igualmente a uma região.

TURISMO INTERNACIONAL — Turismo praticado por residentes de um determinado país por visitantes residentes no estrangeiro (turismo receptor), e por residentes desse país que viajam para outros países (turismo emissor).

TURISMO INTERNO — Turismo praticado por residentes de um determinado país que viajam unicamente no interior desse país. Este conceito se aplica igualmente a uma região.

TURISMO RECEPTOR — Turismo praticado num determinado país por visitantes residentes no estrangeiro. Este conceito aplica-se igualmente a uma região.

TURISTA — Visitante que permanece, pelo menos uma noite, num alojamento coletivo ou particular no lugar visitado.

TURMA — Divisão de um Tribunal ou de qualquer órgão colegiado. Na Câmara Legislativa, é constituída no âmbito de Comissão temática, desde que a Comissão não tenha constituído subcomissão permanente. Não tem poder decisório. Cada Comissão poderá se dividir em duas turmas. (Ver: Subcomissão.)

TURNO — 1) Etapa. 2) Cada uma das divisões de um horário de trabalho. 3) Numa Casa Legislativa, cada uma das etapas de tramitação de uma proposição. 4) Numa eleição, cada uma das etapas de votação.

TURNO ÚNICO — Ver dois turnos.

TURNOVER — Movimentação; giro comercial. O número de vezes que os valores e recursos de uma empresa — como estoques, matérias-primas, pessoal etc. — são substituídos num dado período. Rotação.

TUTELA — Encargo legal ou judicial que se atribui a alguém para administrar os bens ou de guardar e representar a pessoa daquele que não estando sob o poder familiar, é incapaz de dirigir-se por si mesmo (menor, deficiente físico ou mental, analfabeto, pessoa impedida por ação judicial etc.). A tutela é dativa - decorrente de nomeação de juiz, à falta de tutor legítimo ou testamentário, ou se algum destes for excluído da tutela ou removido por inidôneo; é supletiva da tutela legal; legal ou legítima - quando recai, por lei, nos parentes consangüíneos do menor; testamentária - aquela instituída por ato de vontade do testador (pai ou mãe) e válida se ao tempo de seu desenlace estiver ele ainda de posse do poder familiar em relação ao menor. A Lei nº 10.444, de 2002, acrescenta ao art. 273 do Código de Processo Civil (CPC) dois parágrafos, nos quais se retira a excludência entre dois mecanismos processuais semelhantes, o da tutela antecipada e o de tutela cautelar. O juiz pode, agora, deferir o pedido de um no bojo de outro, já que ambos visam prevenir direitos das partes, antes que se percam pela demora da decisão judicial. O art. 461 permite ao juiz fixar multa caso haja atraso no cumprimento de tutela antecipada. A mesma lei citada deu nova redação ao art. 287 do CPC, cominando pena não só para o descumprimento da sentença, mas impondo-a também ao não-cumprimento da decisão antecipatória da tutela.

TUTELA ADMINISTRATIVA — Aquela que está a cargo das forças policiais.

TUTELA ANTECIPADA — A conceituação mais simples do instituto jurídico é o de ser a tutela antecipada, decisão interlocutória, de caráter mandamental, que adianta ao postulante da antecipação, total ou parcialmente, os efeitos do julgamento de mérito, quer em primeira instância quer em sede de recurso, visto ser o instituto jurídico utilizável a qualquer momento. A antecipação da prestação da tutela jurisdicional enseja ao juiz, mediante requerimento da parte, antecipar, total ou parcialmente, os efeitos da tutela pretendida no pedido inicial, desde que, existindo prova inequívoca, se convença da verossimilhança da alegação e: I - haja fundado receio de dano irreparável ou de difícil reparação; ou II - fique caracterizado o abuso de direito de defesa ou o manifesto propósito ou protelatório do réu. Por outro lado, não se concederá a antecipação da tutela quando houver perigo de irreversibilidade do provimento antecipado, sendo que a tutela antecipada poderá ser revogada ou modificada a qualquer tempo, em decisão fundamentada. Concedida ou não a antecipação da tutela, prosseguirá o processo até final julgamento.

TUTELA CAUTELAR — Ver Tutela // Tutela antecipada.

TUTELA JUDICIÁRIA — Aquela que está a cargo dos tribunais.

TUTELA JURISDICIONAL — Princípio constitucional que garante a apreciação, pelo Poder Judiciário, de lesão ou ameaça de lesão a direitos subjetivos.

TUTELA PREVENTIVA — Conjunto de medidas destinadas a impedir a violação da ordem jurídica ou a evitar a inobservância das regras jurídicas.

TUTELA PRIVADA — É aquela que é levada a cabo pelo próprio titular do direito violado e só é ilícita a título subsidiário.

TUTELA PÚBLICA — É aquela que é realizada pelo Estado.

TUTELA REPRESSIVA — Organização de sanções aplicáveis em conseqüência da violação das normas jurídicas.

TUTELA, AÇÃO DE — Ação que cabe ao curatelado ou tutelado e visa obter a prestação de contas e indenização por danos que seus curadores ou tutores tenham causado. (Ver: Tutela.)

TUTELA, DESTITUIÇÃO DE — É o ato pelo qual o juiz afasta o tutor da função, quando negligente, prevaricador ou incurso em incapacidade.

TUTELADO — Menor de 18 anos que possui tutor em substituição aos pais. (Ver: Emancipação.)

TUTOR — Pessoa que é investida da tutela, por lei, nomeação em testamento ou por determinação judicial. É o representante legal do menor de 18 anos enquanto perdurar a menoridade. (Ver: Emancipação.)

U

UFANIA — É a característica daqueles que se gloriam ruidosamente de suas qualidades e méritos, reais ou imaginários. É também uma forma simplista de vaidade, que consiste em exaltar os próprios aspectos positivos e em desconhecer ou subestimar os negativos.

UFIR (UNIDADE FISCAL DE REFERÊNCIA) — Criada pela Lei Federal nº 8.383, de 1991, foi extinta em 27.10.2000 pela Medida Provisória (MP) nº 2.095-7, de 2000. Destinava-se a balizar a atualização monetária dos tributos e os valores pertinentes a multas e penalidades de qualquer natureza.

ÚLTIMA INSTÂNCIA — Aquela que põe termo final ao processo e de cuja decisão não cabe mais recurso, salvo o extraordinário, na forma da lei.

ULTIMA RATIO — [Latim]. Expressão que significa a última razão; último argumento.

ULTIMAÇÃO — Término; conclusão definitiva de um negócio.

ÚLTIMAS DECLARAÇÕES — Ver Herança - Últimas declarações.

ULTIMATO — Documento apresentado por um Estado a outro com o qual disputa, contendo, em caráter peremptório e final, suas condições, à falta de cujo atendimento dar-se-á a ruptura das relações diplomáticas e abertas às hostilidades ou a declaração de guerra.

ÚLTIMO ANO DO MANDATO OU LEGISLATURA, ASSUNÇÃO DE OBRIGAÇÃO NO — Tipifica crime do agente público ordenar ou autorizar a assunção de obrigação, nos dois últimos quadrimestres do último ano do mandato ou legislatura, cuja despesa não possa ser paga no mesmo exercício financeiro ou, caso reste parcela a ser paga no exercício seguinte, que não tenha contrapartida suficiente de disponibilidade de caixa. Pena: reclusão, de um a quatro anos. A pena será aumentada da terça parte quando os autores dos crimes forem ocupantes de cargos em comissão ou de função de direção ou assessoramento de órgão da administração direta, sociedade de economia mista, empresa pública ou fundação instituída pelo poder público. (Lei nº 10.028, de 2000, que acrescentou artigos ao Código Penal.)

ÚLTIMO ANO DO MANDATO OU LEGISLATURA, AUMENTO DE DESPESA TOTAL COM PESSOAL NO — Tipifica crime do agente público ordenar, autorizar ou executar ato que acarrete aumento de despesa total com pessoal, nos 180 dias anteriores ao final do mandato ou da legislatura. Pena: reclusão, de um a quatro anos. A pena será aumentada da terça parte quando os autores dos crimes forem ocupantes de cargos em comissão ou de função de direção ou assessoramento de órgão da administração direta, sociedade de economia mista, empresa pública ou fundação instituída pelo Poder Público. (Lei nº 10.028, de 2000, que acrescentou artigos ao Código Penal).

ULTRA PETITA — [Latim]. Expressão que significa fora do pedido; decisão judicial que vai além do pedido; que ultrapassa o interesse manifestado pelas partes na ação. A sentença não deve decidir além daquilo que foi pedido pelo autor, nem aquém (*citra petita*) nem fora da questão proposta na inicial (*extra petita*).

ULTRAJE — Insulto, afronta, ofensa gravíssima, difamação, injúria, calúnia. Tratamento injurioso, desrespeitoso ou acintoso com que alguém procura ofender, por palavras, atos, ou gestos, a dignidade de uma pessoa ou instituição.

ULTRAJE PÚBLICO AO PUDOR — Delito que incorre em quem pratica ato obsceno em lugar público; faz, importa, exporta, adquire ou tem sob sua guarda, para fim de comércio, de distribuição ou de exposição pública, escrito, desenho, pintura, estampa ou qualquer objeto obsceno.

ULTRAJUDICIAL — Além do permitido pelo direito ou pela lei; não conforme a justiça. Feito fora de juízo.

ULTRAPARTES — Locução aplicada à sentença cujos efeitos vinculatórios ultrapassam as partes da relação processual, para abranger um grupo, categoria ou classe de pessoas assimiladas por interesses afins.

ULTRATIVIDADE DA LEI — Ver Lei, Ultratividade da.

UMIDADE — Diz respeito à quantidade de vapor d'água no ar. É freqüentemente confundida com umidade relativa ou ponto de orvalho.

UMIDADE RELATIVA — Razão entre a quantidade de vapor d'água contida no ar e a quantidade máxima que o ar pode conter sob as mesmas condições de temperatura e pressão. É expressa em percentagem. Valores abaixo de 40% favorecem a ocorrência de incêndios.

UNÂNIME — Exprime a condição e qualidade de que se fez, ou se tem a fazer, sem divergência, sem oposição, sem dissidência, revelando-se assim, harmonioso, concorde de aprovação geral. Assim, o que é unânime recebeu aprovação ou foi deliberado por todos, sem qualquer exceção. A unanimidade, assentando no pressuposto de uma decisão, uma deliberação, uma resolução ou na execução de ato, por um grupo, ou por várias pessoas, importa em haver sido o ato ou a decisão aprovada por todas as pessoas presentes e necessárias a esta resolução.

UNANIMIDADE — Qualidade daquilo sobre que há geral consenso, ou acordo sem qualquer discrepância. Voto unânime; sem manifestação contrária.

UNCITRAL — Órgão da ONU responsável pela harmonização e unificação de leis relativas ao comércio internacional.

UNDERWRITERS — Instituições financeiras especializadas em operações de lançamento de ações no mercado primário. No Brasil, tais instituições são, em geral: bancos múltiplos ou bancos de investimentos, sociedades distribuidoras e corretoras que mantêm equipes formadas por analistas e técnicos capazes de orientar os empresários, indicando-lhes as condições e a melhor oportunidade para que uma empresa abra seu capital ao público investidor, através de operações de lançamento.

UNDERWRITING — Esquema de lançamento de ações mediante subscrição pública para o qual uma empresa encarrega um intermediário financeiro que será responsável por sua colocação no mercado.

***UNDERWRITING* FIRME** — No *underwriting* firme, o intermediário subscreve integralmente a emissão para revendê-la posteriormente ao público. Nesta forma de contrato, a empresa não tem risco algum, pois tem certeza da entrada de recursos, já que o intermediário subscreve para si o total da emissão. O risco da aceitação ou não do lançamento pelo mercado fica por conta de intermediário financeiro.

UNDERWRITING* TIPO *BEST-EFFORTS — É uma operação na instituição financeira que apenas se compromete a realizar "os melhores esforços", no sentido de colocação junto ao mercado das sobras de subscrição. Não há nenhum comprometimento por parte do intermediário para a colocação efetiva de todas as ações do lançamento. Por outro lado, a empresa não tem a certeza de conseguir aumentar seu capital na proporção pretendida, nem no tempo envolvido para a sua concretização, já que assume todos os riscos da aceitação ou não das ações lançadas por parte do mercado.

UNDERWRITING* TIPO *STANDY-BY — Reúne as características do *best-efforts* e do "*underwriting* firme". Neste caso, o intermediário se compromete a colocar as sobras junto ao público em determinado espaço de tempo, após o qual ele próprio subscreve o total das ações não colocadas. Isto significa que, após decorrido o prazo no qual o intermediário se compromete a vender as sobras de subscrição ao público, o *underwriting* se torna do tipo firme.

UNESCO (ORGANIZAÇÃO DAS NAÇÕES UNIDAS PARA A EDUCAÇÃO, CIÊNCIA E CULTURA) — Criada em 16 de novembro de 1945 a UNESCO tem como objetivo principal contribuir para a manutenção da paz e da segurança no mundo, através da educação, ciência, cultura e comunicação para a promoção da justiça, dos direitos humanos e do reforço dos laços entre os povos. Tem sede em Paris (França). Sendo uma agência especializada das Nações Unidas conta, atualmente, com 188 Estados membros. Na época de sua criação eram apenas 20 os seus Estados membros.

UNIÃO — Adesão, pacto, coesão, esforço conjunto, unidade coesa. Pessoa jurídica de direito público interno que representa o Estado Federal. Uma das partes componentes da organização político-administrativa da República Federativa do Brasil, a que se completa com os Estados, o Distrito Federal, e os Municípios, todos autônomos. São poderes da União, independentes e harmônicos entre si, o Legislativo, o Executivo e o Judiciário. A Constituição Federal fixa os bens e as competências que cabem à União e prevê a não-intervenção nos Estados nem no Distrito Federal, a não ser para manter a integridade nacional; repelir invasão estrangeira ou de uma unidade da Federação em outra; pôr termo a grave comprometimento da ordem pública, e outras medidas de preservação de direitos. A União tem autonomia para instituir tributos, competindo-lhe, ainda, instituir impostos sobre vários itens. A União pode, em certos casos, receber a herança do ausente ou aquela à qual não concorra nenhum parente sucessível ou à qual tenham renunciado os herdeiros. A sentença contra a União está obrigatoriamente sujeita ao duplo grau de jurisdição, não surtindo efeito enquanto não for confirmada pelo tribunal.

UNIÃO DE FATO — São três as modalidades de União de Fato: União estável, União não-Estável e concubinato.

UNIÃO ENTRE PESSOAS DO MESMO SEXO — Ou parceria civil, não é união estável. O casamento entre pessoas do mesmo sexo é proibido no Brasil. Todavia, os homossexuais que vivem juntos possuem direitos, que agora já estão abraçados pelo direito de família.

UNIÃO ESTÁVEL — Quando o casal vive junto mesmo sem casamento. É a entidade familiar caracterizada pela convivência duradoura, pública e contínua, de um homem e uma mulher, estabelecida com objetivo de constituição de família. Os direitos e deveres iguais dos conviventes: respeito e consideração mútuos; assistência moral e material recíproca; e a guarda, sustento e educação dos filhos comuns. Na união estável os bens móveis e imóveis adquiridos por um ou por ambos os conviventes são considerados fruto do trabalho e da colaboração comum, passando a pertencer a ambos, em condomínio e em partes iguais, salvo estipulação contrária em contrato escrito. Não se aplica, no entanto, se a aquisição patrimonial ocorrer com o produto de bens adquiridos anteriormente ao início da união. Compete aos conviventes a administração do patrimônio comum, salvo estipulação contrária em contrato escrito. Dissolvida a união estável por rescisão, a assistência material prevista em Lei será prestada por um dos conviventes ao que dela necessitar, a título de alimentos. Dissolvida a união estável por morte de um dos conviventes, o sobrevivente terá direito real de habitação, enquanto viver ou não constituir nova união ou casamento, relativamente ao imóvel destinado à residência da família. É possível, de comum acordo e a qualquer tempo, a conversão da união estável em casamento, por requerimento ao oficial do Registro Civil da Circunscrição de seu domicílio. Toda a matéria relativa à união estável é de competência do juízo da Vara de Família, assegurado o segredo de justiça. Com a entrada em vigor do novo Código Civil a partir de 2003, a união estável passou a fazer parte do código, que lhe deu um capítulo, garantindo, por exemplo, direitos aos companheiros que convivem por dois anos. (Ver: Casamento // Separação de fato // Novo Código Civil.)

UNIÃO EUROPÉIA — A União Européia (UE) resulta do processo de integração européia que foi lançado a 9 de maio de 1950, quando França propôs oficialmente a criação da "primeira fundação concreta de uma federação européia". Foram seis os países fundadores (Bélgica, Alemanha, França, Itália, Luxemburgo e Países Baixos). Após quatro vagas de adesão (1973: Dinamarca, Irlanda e Reino Unido; 1981: Grécia; 1986: Espanha e Portugal; 1995: Áustria, Finlândia e Suécia). Atualmente reúne 25 Estados membros (Alemanha, Áustria, Bélgica, Chipre, Dinamarca, Eslováquia, Eslovênia, Espanha, Estônia, Finlândia, França, Grécia, Hungria, Irlanda, Itália, Letônia, Lituânia, Luxemburgo, Malta, Países Baixos, Polônia, Portugal, Reino Unido, República Checa, Suécia). Para 2007 está previsto o ingresso da Bulgária e da Romênia. A União Européia assenta no princípio do Estado de direito e na democracia. Não se trata nem de um novo Estado que pretende substituir os Estados atuais, nem é comparável com outras organizações internacionais. Os seus Estados membros delegam soberania em instituições comuns que representam os interesses de toda a União em questões de interesse comum, entre as quais a da cooperação para o desenvolvimento internacional. Todas as decisões e procedimentos decorrem dos tratados de base, ratificados pelos Estados membros. Os principais objetivos da União são: a) *Instituir uma cidadania européia* - Os direitos fundamentais; Liberdade de circulação; Direitos civis e políticos; b) *Criar um espaço de liberdade, de segurança e de justiça* - Cooperação nas áreas da Justiça e dos assuntos internos; c) *Promover o progresso econômico e social* - Mercado Único; Euro, a moeda comum; Criação de emprego; Desenvolvimento regional; Proteção do ambiente; d) *Afirmar o papel da Europa no mundo* - Política externa e de segurança comum; A União Européia no Mundo. A UE é gerida com base no princípio do Estado de direito, por cinco instituições, desempenhando cada uma delas o seu papel específico: a) o Parlamento Europeu - eleito pelos cidadãos dos Estados membros; b) o *Conselho da União* - composto pelos governos dos Estados membros; c) *a* Comissão Européia - força motora e órgão executivo; d) o *Tribunal de Justiça* - garantia do respeito pela legislação; e) *o Tribunal de Contas* - garante a boa gestão do orçamento da UE. Também fazem parte da União Européia os seguintes órgãos: a) *Comitê Econômico e Social Europeu* - que representa as posições da sociedade civil organizada sobre questões econômicas e sociais; b) *Comitê das*

Regiões - que representa as posições das autoridades regionais e locais em matéria de política regional, de ambiente, de educação etc.; c) *Provedor de Justiça Europeu* - que instrui as queixas dos cidadãos acerca de casos de má administração por parte de uma instituição ou órgão da UE; d) *Banco Europeu de Investimento* - que contribui para a realização dos objetivos da EU através do financiamento de investimentos públicos e privados a longo prazo; e) *Banco Central Europeu* - responsável pela política monetária e pelas operações de câmbio. O sistema é completado por uma série de agências e organismos. (Ver: Comunidade Econômica Européia // Conselho da União Européia.)

UNIÃO MONETÁRIA — Consiste na etapa mais avançada de um processo de integração em que os países-membros adotam uma moeda única em todo o território do bloco econômico. A única experiência deste tipo de integração é a União Européia.

UNIÃO NÃO-ESTÁVEL — Difere da União estável pois não preenche os requisitos de duração ou de prole (filhos) comum. Com a edição do novo código civil, entendem muitos juristas que deixa de existir a união não-estável. O que não se enquadrar como união estável, será concubinato, exceto a relação de amantes e o namoro, que não têm qualquer perfil jurídico, não geram direitos nem deveres. (Ver: União estável // Conviventes.)

UNIAWFUI ENTRY — Expressão inglesa que significa violação de domicílio.

ÚNICA INSTÂNCIA — O juízo exclusivo de julgamento de uma causa, não podendo ser interposto recurso ordinário de sua decisão para outra instância gradativa.

UNICAMERAL — Diz-se do sistema de representação política que só estabelece uma câmara legislativa. (Ver: Bicameral.)

UNICEF (FUNDO DAS NAÇÕES UNIDAS PARA A INFÂNCIA) — Fundo das Nações Unidas criado em 1946, com sede em Nova Iorque. Originalmente criado para apoiar as crianças após a II Guerra Mundial, era conhecido como o Fundo Internacional de Emergência das Nações Unidas para as Crianças. Tornou-se um elemento permanente do sistema das NU e tem como principal missão ajudar as crianças que vivem na pobreza nos países em desenvolvimento. Trabalha com governos, Organização Não-Governamental de Desenvolvimento (ONGD), outras agências das Nações Unidas e parceiros do setor privado para proteger as crianças e ajudá-las a crescer melhor. Entre as suas atividades incluem-se a assistência ao planejamento e execução de serviços de apoio à criança e o financiamento de formação profissional na adolescência. Produz informes técnicos, financia e estimula projetos. No Brasil tem sede em Brasília e escritórios regionais em algumas capitais brasileiras.

UNICIDADE SINDICAL — Imposição constitucional (8º, II) de uma única organização sindical representativa numa determinada base territorial.

ÚNICO — Que é um só. Não tem par na sua espécie ou gênero. Sem igual; exclusivo. Que não tem competidor; o melhor.

UNIDADE — Princípio orçamentário segundo o qual o orçamento do setor público deverá ser único, compreendendo todos os Poderes, seus fundos, órgãos e entidades da administração direta e indireta, inclusive fundações instituídas e mantidas pelo Poder Público (§ 5º do art. 165 da CF), significando um único orçamento com plena sujeição à política governamental.

UNIDADE (DE MEDIDA) LEGAL — Unidade de medida cuja utilização é obrigatória ou admitida pela Lei relativa à metrologia legal. (Ver: Polegada // Metro quadrado // Metro cúbico.)

UNIDADE ADMINISTRATIVA — Órgão da Administração Pública, definido em lei, com estrutura e competências específicas para a implementação de ações governamentais. Pode se confundir com uma unidade orçamentária ou integrar mais de uma delas. Ex.: unidade administrativa: Secretaria de Educação; unidades orçamentárias: Departamento de Ensino Infantil e Departamento de Ensino Fundamental. (Ver: Unidade Orçamentária.)

UNIDADE APLICADORA — Unidade responsável pela aplicação de recursos orçamentários transferidos de outras unidades, com vistas ao desenvolvimento da programação objeto da transferência.

UNIDADE ASTRONÔMICA (UA) — Unidade de comprimento usada em astronomia que equivale à distância média entre o Planeta Terra e o Sol, isto é, 1 UA = 149.000.000 km.

UNIDADE AUTÔNOMA — Parte de uma edificação, com designação numérica para fins de identificação que está vinculada a uma fração ideal de terreno, mas possui dependências e instalações de uso privativo.

UNIDADE DE CAIXA — Ver Princípio da unidade de caixa.

UNIDADE DE CONSERVAÇÃO AMBIENTAL — Área representativa de um ecossistema destinada à sua conservação; área criada por ato do Poder Público com o objetivo de salvaguardar características relevantes de uma região, com limites definidos, sob regime especial de administração, ao qual se aplicam garantias adequadas de proteção. Denominam-se coletivamente Unidades de Conservação as áreas naturais protegidas e Sítios Ecológicos de Relevância Cultural, criadas pelo Poder Público: Parques, Florestas, Parques de Caça, Reservas Biológicas, Estações Ecológicas, Áreas de Proteção Ambiental, Reservas Ecológicas e Áreas de Relevante Interesse Ecológico, nacionais, estaduais ou municipais, os Monumentos Naturais, os Jardins Botânicos, os Jardins Zoológicos, os Hortos Florestais.

UNIDADE DE ENERGIA — Ver Unidades de medidas.

UNIDADE DE INTERESSE AMBIENTAL — Elemento pontual significativo para a preservação.

UNIDADE DE MANEJO FLORESTAL — Área contínua ou não, definida e submetida ao manejo florestal, pelo responsável pela unidade de manejo, correspondendo ou não à área total da propriedade ou posse, que inclui áreas de produção, manutenção, colheita e de preservação.

UNIDADE DE MEDIDA — Grandeza específica, definida e adotada por convenção com a qual outras grandezas de mesma natureza são comparadas para expressar suas magnitudes em relação àquela grandeza. (Ver: Polegada.)

UNIDADE DE POTÊNCIA — Ver Unidades de medidas.

UNIDADE DO ORÇAMENTO — Ver Princípio da unidade.

UNIDADE EXECUTORA — É o nível de detalhamento da classificação institucional onde ocorre a execução orçamentária da despesa pública. Pode ou não se constituir em uma unidade orçamentária.

UNIDADE GEOGRÁFICA REFERENCIAL (UGR) — Área abrangida por uma bacia hidrográfica ou no caso de águas marinhas e estuarinas, faixas de águas litorâneas compreendidas entre dois pontos da costa brasileira.

UNIDADE GESTORA — É a Unidade Orçamentária ou Administrativa investida do poder de gerir recursos orçamentários e financeiros, próprios ou sob descentralização.

UNIDADE GESTORA EXECUTORA — Unidade gestora que utiliza o crédito recebido da unidade gestora responsável. A unidade gestora que utiliza os seus próprios créditos passa a ser ao mesmo tempo unidade gestora executora e unidade gestora responsável.

UNIDADE GESTORA FINANCEIRA — É a unidade gestora com atributos de gerir e controlar os recursos financeiros, centralizando as operações e as transações de suas contas bancárias.

UNIDADE GESTORA ORÇAMENTÁRIA — É a unidade com atributos de gerir e controlar os recursos orçamentários, relacionada a uma unidade orçamentária, mediante a qual serão centralizadas todas as operações de natureza orçamentária, dentre as quais a distribuição de recursos às unidades de despesa e fundos especiais de despesa, controle de quota fixada e dotação contingenciada.

UNIDADE GESTORA RESPONSÁVEL — Unidade gestora responsável pela realização de parte do programa de trabalho por ela descentralizado.

UNIDADE IMOBILIÁRIA — Imóvel independente dos demais, com saída para a via pública, diretamente ou por processo de passagem comum, com designação numérica ou alfabética, para efeitos de identificação e discriminação, ao qual cabe, como parte inseparável, uma fração ideal do terreno e coisas comuns, quando parte de condomínio.

UNIDADE MONETÁRIA — Valor que serve de base ao sistema monetário.

UNIDADE MONETÁRIA DO BNDES (UMBNDES) — É um indexador calculado a partir do custo médio da Cesta de Moedas do BNDES.

UNIDADE ORÇAMENTÁRIA — Unidade da Administração Pública Direta a que o Orçamento consigna dotações específicas para a realização de seus programas de trabalho e sobre os quais exerce o poder de disposição. Constitui unidade orçamentária o agrupamento de serviços subordinados ao mesmo órgão ou repartição a que serão consignadas em dotações próprias. Em casos excepcionais, serão consignadas dotações a unidades administrativas subordinadas ao mesmo órgão.

UNIDADE TÉRMICA BRITÂNICA (BTU) — É a quantidade de energia calorífica necessária para uma libra de água aumentar a temperatura em um grau *Farenheit*.

UNIDADE TRANSFERIDORA — Figura que existe na estrutura orçamentária apenas para viabilizar a transferência de recursos para outras unidades que são, efetivamente, as responsáveis pelo desenvolvimento da programação objeto da transferência.

UNIDADES DE CONSERVAÇÃO DE PROTEÇÃO INTEGRAL — Aquelas destinadas à manutenção dos ecossistemas livres de alterações causadas por interferência humana, admitido apenas o uso indireto dos seus atributos naturais.

UNIDADES DE CONSERVAÇÃO DE USO SUSTENTÁVEL — Aquelas onde a exploração do ambiente é permitida de maneira a garantir a perenidade dos recursos ambientais renováveis e dos processos ecológicos, mantendo a biodiversidade e os demais atributos ecológicos de forma socialmente justa e economicamente viável.

UNIDADES DE ESTRUTURAÇÃO URBANA (UEUs) — São módulos estruturadores do Modelo Espacial limitados pela malha viária básica. Para cada um deles o Plano Diretor de Desenvolvimento Urbano Ambiental (PDDUA) define regime urbanístico, podendo constituir-se em subunidades quando englobarem regimes urbanísticos distintos.

UNIDADES DE MASSA — As unidades de massa utilizadas no Brasil pertencem ao sistema métrico. O correto é serem indicadas por letras minúsculas e no singular. As mais usadas são: Tonelada (t), Quilograma (kg), Grama (g) e Miligrama (mg).

UNIDADES DE MEDIDAS (COMERCIAIS) — São unidades que normalmente expressam as quantidades comercializadas das fontes de energia, por exemplo: para os sólidos a tonelada (t) ou libra (lb), para os líquidos, o metro cúbico (m^3) ou pé cúbico ($pé^3$), e para a eletricidade, o watt (W) para potência e watt-hora (Wh) para energia.

UNIDADES GEOMORFOLÓGICAS — São as principais unidades das paisagens.

UNIFICAÇÃO DAS PENAS — Ocorre quando o agente, mediante mais de uma ação ou omissão, pratica dois ou mais crimes da mesma espécie e pelas condições de tempo, lugar, maneira de execução e outras semelhantes, devendo os subseqüentes ser havidos como continuação do primeiro, aplicando-se-lhe a pena de um dos crimes, se idênticas, ou a mais grave, se diversas, aumentadas, em qualquer caso, de um sexto a dois terços.

UNIFICAR — Exprime reduzir várias coisas a uma, ou reunir diversas coisas em uma. Assim, unificar é reunir, totalizar, centralizar, consolidar, uniformizar ou dar forma única. No sentido fiscal, no tocante à divida unida, totalizada ou agrupadas sob um mesmo regime. (Ver: Unificação das penas.)

UNIFORMIZAÇÃO DA JURISPRUDÊNCIA — Trata-se de incidente no julgamento de recurso, ocorrendo divergência na interpretação da tese jurídica. Neste caso, poderá o Tribunal, reconhecendo a divergência do objeto submetido a julgamento, pedir a interpretação fundamentada dos seus pares para a controvérsia. Com a solução dada pelo Pleno, o tribunal deve completar o julgamento, aplicando no caso concreto a tese encontrada, esculpindo em súmula a decisão.

UNILATERAL — Diz-se do negócio jurídico cujo efeito obrigacional atinge apenas uma das partes na relação.

UNIVERSAL — É uma proposição da forma 'Todos os...", "Nenhum..." ou similares.

UNIVERSAL (AFIRMATIVA) — É uma proposição da forma "Todo o F é G" ou "Os F são G".

UNIVERSAL (NEGATIVA) — É uma proposição da forma "Nenhum F é G".

UNIVERSALIDADE — Ver Princípio da Universalidade.

UNIVERSALIDADE DOS DIREITOS HUMANOS — Os direitos humanos pertencem a todas as pessoas e todas têm o mesmo estatuto em relação a esses direitos. Falhar no respeito pelo direito humano de um indivíduo tem o mesmo valor que falhar no respeito pelo direito de qualquer outro - não é melhor ou pior, dependendo do gênero, raça, etnia, nacionalidade ou qualquer outra característica da pessoa.

UNIVERSIDADE EMPREENDEDORA — Instituição de ensino e pesquisa voltada para o desenvolvimento de programas que incentivem a criatividade, atividade empreendedora.

UNIVERSO — Conjunto ilimitado de todo o espaço existente e o seu conteúdo. Denominação que engloba a soma de tudo o que existe.

UNWRITTEN LAW — Expressão inglesa que serve para denominar o direito não escrito.

UPC (UNIDADE PADRÃO DE CAPITAL) — Considerada como a moeda do Sistema Financeiro da Habitação. Foi instituída com o objetivo de manter a uniformidade do valor unitário em moeda de todas as operações do sistema habitacional.

UPSIDE — Potencial de valorização das ações de uma empresa. Baseada na análise fundamentalista que calcula um preço justo para a empresa de acordo com o método de fluxo de caixa descontado. A diferença do preço de mercado para o preço justo é o potencial de valorização da empresa. Ele é calculado por meio de porcentagem. É a diferença entre os dois preços sobre o preço de mercado vezes 100.

URBANISMO — É a atividade de estudo, regulação, controle e planejamento da cidade (em seu sentido mais amplo) e da urbanização, incluindo um conjunto de medidas técnicas, administrativas, econômicas e sociais necessárias ao desenvolvimento. O Urbanismo mostra-se, portanto, como uma ciência humana aplicada inserida no contexto de um mundo em constante crescimento demográfico e respondendo a uma forte pressão de civilização e urbanidade, enfrentando suas demandas e problemas.

URBANIZAÇÃO — Ato ou efeito de urbanizar. Arte ou ciência de edificar cidades; urbanística. Concentração de população em cidades e a conseqüente mudança sociocultural dessas populações, ou ainda, aumento da população urbana em detrimento da rural. Aplicação dos conhecimentos e técnicas do planejamento urbano a uma determinada área; migração de idéias e gênero de vida da cidade (*status* urbano) para o campo. Através dos meios de comunicação de massa, rádio, televisão, os campos vão adquirindo modo de vida urbano.

URBANIZAÇÃO CONSORCIADA — É o conjunto de intervenções e medidas coordenadas pelo Poder Público Municipal, com a participação dos proprietários, moradores, usuários permanentes e investidores privados, com objetivos de alcançar em uma área transformações urbanísticas estruturais, melhorias sociais e valorização ambiental.

URBS — [Latim]. Expressão que significa cidade; habitantes de uma cidade.

URGÊNCIA — Situação que exige providências inadiáveis. Exprime a qualidade do que é urgente, isto é, premente, imperioso, é de necessidade imediata, não deve ser protelado, sob pena de provocar, ou ocasionar um dano, ou um prejuízo. Na Câmara dos Deputados é a dispensa de exigências, interstícios ou formalidades regimentais, salvo as referidas no Regimento Interno da Casa Legislativa, para que determinada proposição, nas condições previstas, seja de logo considerada, até sua decisão final. A Câmara dos Deputados pode adotar regime de urgência para acelerar a tramitação de proposições. Há quatro hipóteses para sua ocorrência: a) em projetos de lei de iniciativa do presidente da República, desde que a mensagem de encaminhamento expresse o desejo de que seja adotado esse rito de urgência. Essa disposição é constitucional e está prevista no art. 64 da Carta; é chamada de "urgência constitucional"; b) quando dois terços dos membros da Mesa a requererem, em se tratando de matéria de sua competência; c) quando houver apoio de um terço dos deputados (mínimo de 171 assinaturas) ou de líderes que representem esse número; d) a requerimento de dois terços dos membros de comissão competente para apreciar o mérito da proposição. Definido o regime de urgência, a matéria deverá tramitar no prazo máximo de 45 dias, após o que a Ordem do Dia será sobrestada ou seja, nada poderá ser votado antes dela.

URGÊNCIA CONSTITUCIONAL — A Constituição Federal concedeu no art. 64, §1º, ao presidente da República, em projetos de sua iniciativa, a faculdade de solicitar urgência ao Congresso Nacional. Cada uma das Casas Legislativas tem, então, o prazo de 45 dias, sucessivamente, para apreciar o projeto, e a apreciação de eventuais emendas da Casa Revisora pela Casa Inicial deverá ser feita no prazo de 10 dias.

URGÊNCIA URGENTÍSSIMA — Na Câmara dos Deputados é um mecanismo de deliberação instantânea de matéria considerada de relevante e inadiável interesse nacional. Por ele, são dispensadas todas as formalidades regimentais - exceto as exigências de quórum, pareceres e publicações - com o objetivo de conferir rapidez ao andamento da proposição. O requerimento para adoção do rito de urgência urgentíssima deve ser apresentado pela maioria absoluta dos deputados (mínimo de 257 assinaturas) ou por líderes que representem esse número. Aprovado o requerimento, a proposição, também por maioria absoluta, poderá entrar automaticamente na ordem do dia para discussão e votação imediata, ainda que tenha sido iniciada a votação de outra matéria.

URNA — Caixa ou sacola onde os eleitores depositam seus votos para posterior apuração. Na era da informática, a urna eletrônica também é uma caixa onde são inseridos os votos.

URV (UNIDADE REAL DE VALOR) — Instituída em 27.2.1994, passou a vigorar a partir de 1º.3.1994, equiparada não oficialmente ao dólar norte-americano (US$ 1.00). Em 1º.7.1994, quando foi instituído o padrão monetário Real (R$), com a paridade de uma URV, sua equivalência ao padrão monetário anterior era de CR$ 2.750,00 (dois mil, setecentos e cinqüenta cruzeiros reais).

US GAAP (*UNITED STATES GENERALLY ACCEPTED ACCOUNTING PRINCIPLES*) — São as normas de contabilidade conhecidas e utilizadas nos Estados Unidos da América, e que devem ser seguidas por todas as empresas de outros países que quiserem negociar suas ações e/ou títulos em Bolsas de Valores americanas.

US TREASURIES — Títulos de renda fixa emitidos pelo Tesouro dos Estados Unidos (*US Treasury*), representando uma obrigação do Governo Americano. Conforme o seu vencimento são chamadas de *Bills, Notes* ou *Bonds*, todas fazendo parte de carteiras de investimento de investidores no mundo todo, inclusive bancos centrais.

USABILIDADE — Conjunto de atributos que evidenciam o esforço necessário para se poder utilizar o *software*, bem como o julgamento individual desse uso, por um conjunto explícito ou implícito de usuários. Tem como subcaracterísticas: inteligibilidade, apreensibilidade e operacionalidade.

USETUL LIFE — Vida útil, duração de um produto em termos de utilidade para o comprador.

USINA DE RECICLAGEM — Processo de separação de materiais que podem ser reaproveitados do lixo.

USO — É o direito real sobre coisa alheia conferido ao usuário para fruir a utilidade da coisa dada em uso, quando exigirem as necessidades pessoais suas e de sua família. As necessidades da família do usuário abrangem as de seu cônjuge, as de seus filhos solteiros, ainda que ilegítimos e as das pessoas de seu serviço doméstico. O uso não é imutável; por isso, poderá ser ampliado ou diminuído; se houver aumento ou diminuição das necessidades pessoais do usuário. (Ver: Uso, Características Jurídicas do // Uso, Objeto do // Uso, Modos de Constituição do // Direitos e Deveres do Usuário.)

USO COLETIVO — De uso geral; possível de ser usado por todos.

USO COMPARTILHADO — Utilização de recursos tangíveis e intangíveis em parceria.

USO COMUM — Direito de uso por aqueles que fazem parte da sociedade como um todo. Seja o uso de ruas, avenidas etc. ou áreas destinadas ao uso comum em um condomínio.

USO DIRETO — Aquele que envolve coleta e uso, comercial ou não, dos recursos naturais.

USO DO SOLO — Aproveitamento de uma área, de acordo com a atividade prefixada para sua utilização.

USO E OCUPAÇÃO DA TERRA — Refere-se não só ao modo de usar a terra, em termos de tecnologia aplicada, como também a forma como é feita a ocupação espacial da propriedade, em função de fatores topográficos, pedológicos, ambientais, ou de preservação dos recursos naturais de água, flora e fauna.

USO ESPECIAL — De uso exclusivo, fora do comum.

USO INDIRETO — Aquele que não envolve consumo, coleta, dano ou destruição dos recursos naturais.

USO POTENCIAL DOS SOLOS — Principal utilização dos diversos solos existentes por municípios e indicação das principais culturas/potenciais a serem cultivadas.

USO PÚBLICO — De uso geral, pertencente ao Estado.

USO SUSTENTÁVEL — Exploração do ambiente de maneira a garantir a perenidade dos recursos ambientais renováveis e dos processos ecológicos; mantém a biodiversidade e os demais atributos ecológicos de forma socialmente justa e economicamente viável.

USO URBANO — Atividade ou finalidade para a qual uma construção ou um lote é destinado e ocupado, conforme a regulamentação da lei.

USO, CARACTERÍSTICAS JURÍDICAS DO — a) É um direito real sobre coisa alheia, visto recair diretamente sobre bem pertencente a outrem; b) É um direito temporário, porque terá, no máximo, a duração da vida de seu titular ou a do prazo estabelecido no seu título constitutivo; c) É um direito indivisível, porque não pode ser constituído por parte; d) É um direito intransmissível ou inacessível (que não pode ceder), visto que não podem ser cedidos o seu direito nem o seu exercício; e) É um direito personalíssimo, pelo qual é constituído para assegurar ao usuário a utilização imediata do bem segundo as suas necessidades e as de sua família. Morto o usuário, o uso não se transmitirá a seus herdeiros. (Ver: Uso // Uso, Objetivo do // Uso, Modos de Constituição do // Direitos e Deveres do Usuário.)

USO, MODOS DE CONSTITUIÇÃO DO — a) Por ato jurídico *intervivos* (contrato); b) Por ato jurídico *causa mortis* (testamento); c) Por sentença judicial. (Ver: Uso // Uso, Objetivo do // Uso, Características Jurídicas do // Direitos e Deveres do Usuário.)

USO, OBJETO DO — O direito real de uso sobre coisa alheia pode recair tanto em bens móveis infungíveis (corpóreos e incorpóreos), como em bens móveis. (Ver: Uso //Uso, Características Jurídicas do // Uso, Modos de Constituição do // Direitos e Deveres do Usuário.)

USOS E COSTUMES — São as normas decorrentes da prática reiterada de determinados atos aceitos pela sociedade, com natureza de normas gerais, que suprem a omissão da lei, incorporando-se ao direito consuetudinário.

USOS MÚLTIPLOS — Princípio de manejo de áreas visando a sua utilização simultânea para diversas finalidades. Nos processos de planejamento e gestão ambiental, a expressão usos múltiplos refere-se à utilização simultânea de um ou mais recursos ambientais por várias atividades humanas. Por exemplo, na gestão de bacias hidrográficas, os usos múltiplos da água (geração de energia, irrigação, abastecimento público, pesca, recreação e outros) devem ser considerados, com vistas à conservação da qualidade deste recurso, de modo a atender às diferentes demandas de utilização.

USQUE — [Latim]. Expressão que significa até.

USQUE AD FINEM — [Latim]. Expressão que significa até o fim.

USQUE AD TERMINUM — [Latim]. Expressão que significa até o limite.

USUÁRIO — 1) Cliente que executa ações positivas em relação ao produto; por exemplo: processamento ulterior ou uso final. 2) O indivíduo ou a coletividade a quem é oferecido certo serviço ou endereçada sua publicidade.

USUCAPIÃO — É uma das formas de aquisição do imóvel pela posse pacífica, pública, sem contestação e de maneira contínua, durante um determinado tempo fixado na lei, sem depender de título, porém com boa-fé. Típica aquisição de um imóvel abandonado, na qual ninguém aparece para reclamar direitos sobre a propriedade deste. Não são usucapíveis os bens públicos.

USUCAPIÃO ESPECIAL DE IMÓVEL URBANO — Modalidade de aquisição da propriedade de imóvel urbano. Aquele que possuir como sua área ou edificação urbana de até 250 metros quadrados, por cinco anos, ininterruptamente e sem oposição, utilizando-a para sua moradia ou de sua família, adquirir-lhe-á o domínio, desde que não seja proprietário de outro imóvel urbano ou rural. O título de domínio será conferido ao homem ou à mulher, ou a ambos, independentemente do estado civil. Este direito não será reconhecido ao mesmo possuidor mais de uma vez.

USUCAPIÃO EXTRAORDINÁRIO — É uma das modalidades de aquisição da propriedade imóvel. Aquele que, por 20 anos, sem interrupção, nem oposição, possuir como seu um imóvel, adquire o domínio, independentemente de título de boa-fé que, em tal caso, se presume, podendo requerer ao juiz que assim o declare por sentença, a qual lhe servirá de título para transcrição no Registro de Imóveis.

USUCAPIÃO ORDINÁRIO — É uma das modalidades de aquisição da propriedade imóvel. Trata-se da obtenção do domínio do imóvel aquele que, por dez anos entre presentes, ou 15 entre ausentes, o possuir como seu, contínua e incontestadamente, com justo título e boa-fé.

USUCAPIÃO RURAL OU ESPECIAL — É uma das modalidades de aquisição da propriedade imóvel. Aquele que, não sendo proprietário de imóvel rural ou urbano, possua como seu, por cinco anos ininterruptos, sem oposição, área de terra, em zona rural, não superior a 50 hectares, tornando-a produtiva por seu trabalho ou de sua família, tendo nela sua moradia, adquirir-lhe-á a propriedade. Os imóveis públicos não serão adquiridos por usucapião.

USUCAPIÃO URBANO — Ver Usucapião especial de imóvel urbano.

USUCAPIÃO, AÇÃO DE — É a ação movida pelo possuidor do bem móvel ou imóvel particular alheio, com ou sem título aquisitório, contra possíveis interessados, observados os requisitos legais, para que, por sentença, lhe seja reconhecido o domínio sobre ele, decorrido o prazo que a lei exige. (Ver: Usucapião.)

USUFRUTO — É o direito real sobre coisa alheia atribuído a alguém para que possa fruir das utilidades e frutos de um bem, de propriedade de outrem, enquanto temporariamente destacado da mesma propriedade. Significa ter a posse e o gozo de qualquer bem, no entanto, sem o poder de vendê-lo, aliená-lo ou danificá-lo de qualquer forma; logo, é um direito que determinada pessoa tem de, num espaço de tempo, extrair de um bem seus frutos, vantagens ou rendimentos, sem modificar a natureza ou finalidade do bem. Pode recair em um ou mais bens, móveis ou imóveis, abrangendo-lhe, no todo ou em parte, os frutos e utilidades. O usufruto de imóveis deve ser registrado no Cartório de Registro de Imóveis.

USUFRUTO CULPOSO — Beneficiário que aliena, deteriora ou deixa de arruinar bens sob usufruto, não lhes acudindo com os reparos de conservação e assim incidindo na extinção do benefício.

USUFRUTO DE TÍTULO — Benefício da espécie, que recai em títulos de crédito, dando direito ao usufrutuário não só a cobrar as respectivas dívidas, mas ainda a empregar em títulos de créditos as importâncias recebidas.

USUFRUTO EM FAVOR DE PESSOA JURÍDICA – EXTINÇÃO — O usufruto constituído em favor de pessoa jurídica extingue-se com esta, ou, se ela perdurar, aos 30 anos da data que começou a exercer.

USUFRUTO IMPRÓPRIO — É o que recai sobre coisas, cuja utilização ou fruição não se pode efetivar sem ofensa, ou mudança, na substância das mesmas. Assim o usufruto impróprio é o que se permite a consumação da coisa, ou um usufruto com poder de disposição.

USUFRUTO LEGAL — É o estabelecido na lei. É o que se concede aos pais, para que possam usufruir dos bens pertencentes aos menores.

USUFRUTUÁRIO — Indivíduo beneficiado com o usufruto.

USURA — Lucro avantajado, obtido em algum negócio. Consiste na prática de cobrar taxas de juros superiores às habituais ou às permitidas por lei, por ocasião de um empréstimo.

USURPAÇÃO — É a apoderação de bens, títulos, estado ou autoridade. Ato ilícito pelo qual alguém, sem título legítimo, se apropria de coisa por direito pertencente a outrem. Dessa forma, a usurpação se assenta na fraude, na má-fé, na violência, no engano, ou pose ou exercício do que é devido. E é crime. Bem por isso, a usurpação pode ser de direitos, de atribuições, de funções de poderes. Pode ser de marca, de nome, de poder, de águas.

UT — [Latim]. Expressão que significa como; posto que; de maneira que; assim como.

UT FIT — [Latim]. Expressão que significa como abaixo (está escrito).

UT PUTO — [Latim]. Expressão que significa segundo creio.

UT RETRO — [Latim]. Expressão que significa como atrás.

UT ROGAS — [Latim]. Expressão que significa como solicitas.

UT SUPRA — [Latim]. Expressão que significa como acima.

UTENTE — Denominação que se dá ao titular do direito de uso.

UTILIDADE — Qualidade daquilo cujo uso é apreciado pelo agente econômico. A noção de utilidade é uma das noções elementares da economia, como a de valor. A expressão pode ser utilizada, por exemplo, para definir a satisfação derivada de uma atividade econômica, usualmente denominada consumo. A satisfação retirada do consumo das várias unidades de um bem se denomina utilidade total, enquanto que a satisfação retirada do consumo da última unidade de um bem se denomina utilidade marginal. A utilidade tem três características: a) subjetividade, na medida em que não é inerente às coisas, mas que se reconduz a uma relação estabelecida pelo sujeito entre o bem e a necessidade; b) neutralidade, na medida em que não se identifica necessariamente com o proveito ou a conveniência objetiva para o indivíduo ou a coletividade; c) grandeza intensiva ou ordinal, já que não podemos relacioná-la com outra grandeza da mesma espécie em termos de uma unidade comum de medida.

UTILIDADE ESPERADA — É o resultado esperado. Obtém-se a utilidade esperada de um resultado multiplicando a utilidade ou valor atribuído à sua ocorrência pela probabilidade da sua ocorrência. Assim, um resultado bom mas quase garantido tem uma utilidade esperada maior que um resultado excelente mas extremamente improvável.

UTILIDADE PÚBLICA — É um dos casos ou motivos que ensejam a desapropriação, que estão elencados no art. 5º do Decreto-Lei nº 3.365, de 1941, com as alterações posteriores. A declaração de utilidade pública ou de interesse social pode atingir qualquer bem necessário ou conveniente ao serviço público ou à coletividade; pode recair sobre patrimônio material ou imaterial; pode incidir sobre a propriedade particular ou pública, com a só exigência de que, neste último caso, o poder expropriante seja de nível superior ao da Administração expropriada e esteja munido de prévia autorização legislativa para expedir o ato expropriatório. Qualquer entidade estatal pode expropriar bens particulares; a União pode desapropriar os dos Estados membros e dos municípios; e o Estado membro só pode expropriar os dos seus municípios, não cabendo a estes a desapropriação de bens de outros municípios ou de entidades políticas maiores. A lei penal pune como crime o atentado contra a segurança ou funcionamento de serviços de utilidade pública, como água, luz, força etc. A pena é de reclusão de um a cinco anos, e multa, aumentada de 1/3 até 1/2 se o dano ocorre pela subtração de material essencial ao funcionamento dos serviços.

UTILIDADE PÚBLICA – ISENÇÃO PREVIDENCIÁRIA DA COTA PATRONAL — É o ato declaratório expedido pelo INSS que reconhece à entidade beneficente de assistência social o direito ao não recolhimento da contribuição de 20% sobre a folha de salários da entidade, desde que atendidas todas as exigências contidas no art. 55 da Lei nº 8.212, de 1991. Para a obtenção da isenção da cota patronal a entidade deverá ser reconhecida como de utilidade pública federal e estadual ou do Distrito Federal ou municipal; ser portadora do Certificado de Entidade Beneficente de Assistência Social; promover a assistência social beneficente, inclusive educacional ou de saúde, a pessoas carentes, especialmente a crianças, idosos e portadores de deficiência; não remunerar seus diretores, conselheiros, sócios, instituidores ou benfeitores; vedando-se, ainda, a concessão de vantagens ou benefícios a qualquer título a esses dirigentes; aplicar integralmente o eventual resultado operacional de suas atividades na manutenção e desenvolvimento de seus objetivos institucionais. A isenção das contribuições previdenciárias deve ser requerida perante o INSS (Instituto Nacional do Seguro Social), único órgão competente para concedê-la.

UTILIDADE PÚBLICA, TÍTULO DE — O conceito de utilidade pública envolve a prestação de serviços de natureza social ou assistencial de forma desinteressada à coletividade, suprindo-lhe determinadas necessidades. A atuação da entidade é voltada para a sociedade ou um determinado setor dela e não para a obtenção de lucro ou de vantagens pessoais. Ao conceder os certificados de utilidade pública, o Estado reconhece os benefícios proporcionados pelas entidades e a importância de sua atuação junto à sociedade. (Ver: Título de utilidade pública.)

UTILITARISMO — Filosofia política segundo a qual o governo deveria escolher políticas destinadas a maximizar a utilidade total de todos na sociedade.

UTILIZAÇÃO DAS TERRAS – ESTABELECIMENTOS AGROPECUÁRIOS — Considera-se a utilização da área dos estabelecimentos agropecuários, as seguintes categorias: Lavouras permanentes – compreende-se a área plantada ou em preparo para o plantio de culturas de longa duração, que após a colheita não necessita de novo plantio, produzindo por vários anos sucessivos; Lavouras temporárias – abrange as áreas plantadas ou em preparo para o plantio de culturas de curta duração (via de regra, menor que um ano) e que necessita, geralmente, de novo plantio após cada colheita; Terras em descanso – terras habitualmente utilizadas para o plantio de lavouras temporárias, por prazo não superior a quatro anos em relação ao último ano de sua utilização; Pastagens naturais – constituídas pelas áreas destinadas ao pastoreio do gado, sem terem sido formadas mediante o plantio, ainda que tenham recebido algum trato; Pastagens plantadas – abrangem as áreas destinadas ao pastoreio e formadas mediante o plantio; Matas naturais - formadas pelas áreas de matas e florestas naturais utilizadas para extração de produtos ou conservadas como reservas florestais; Matas plantadas - compreendem as áreas plantadas ou em preparo para o plantio de essências florestais, incluindo as áreas ocupadas com viveiros de mudas de essências florestais; Terras produtivas não utilizadas - constitui as áreas que se prestam à formação de culturas, pastos ou matas, que não estiverem sendo utilizadas para tais finalidades. São incluídas as terras não utilizadas por período superior a quatro anos; Terras inaproveitáveis - formadas por áreas imprestáveis para formação de culturas, pastos ou matas, tais como: areias, pântanos, encostas íngremes, pedreiras etc., e as formadas pelas áreas ocupadas com estradas, caminhos, construções, canais de irrigação, açudes etc.

UXORICÍDIO — Morte da mulher pelo marido.

UXÓRIO — Relativo a mulher casada. Exprime qualidade de tudo o que promana ou provém da mulher casada: poder uxório, bens uxórios.

V

V.G. — Ver *Exempli Gratia*.

V.U. — Abreviatura usada, em instância superior, nos autos examinados, significando votação unânime.

VACÂNCIA — 1) Estado daquilo que se apresenta ou ficou vago. 2) Diz-se da herança jacente, quando não aparecem herdeiros para os bens. 3) Tempo durante o qual um cargo ou emprego não está preenchido.

VACÂNCIA DE CARGO PÚBLICO — Ver Cargo Público, Vacância de.

VACANTIA LEGIS — [Latim]. Expressão que significa vacância da lei.

VACATIO LEGIS — [Latim]. Expressão que significa dispensa da lei. Espaço de tempo entre a publicação de uma lei e a sua entrada em vigor.

VÁCUO — Que não contém nada; vazio. Espaço onde não existem moléculas nem átomos.

VADE MECUM — [Latim]. Expressão que significa vem comigo. Termo utilizado para designar livro ou manual com noções indispensáveis e essenciais, consultado tão amiúde que o consulente o leva sempre junto.

VADIAGEM — Contravenção penal que consiste em entregar-se alguém, por hábito, à ociosidade, apesar de ser apto para promover o trabalho e não contar com renda que lhe assegure a subsistência, ou em prover a esta por meio de ocupação ilícita.

VADIO — O termo vadio foi criado para definir o que ou aquele que não tem ocupação, que não quer trabalhar, um vagabundo, ocioso. O feminino pronuncia-se vadia. (Ver: Vadiagem.)

VAIDADE — Desejo imoderado de atrair admiração ou homenagem. Presunção.

VALE — Depressão topográfica alongada, aberta, inclinada numa direção em toda a sua extensão. Pode ser ocupada ou não por água. Não confundir com bacia, pois esta é limitada por todos os lados. São vários os tipos de vales: fluvial; glacial; suspenso; de falha etc.

VALE DO SILÍCIO — Região dos Estados Unidos da América onde surgiram as primeiras incubadoras de empresas e onde se encontra a maior concentração de pequenas empresas de tecnologia avançada do mundo.

VALE-TRANSPORTE — Ajuda concedida pelo empregador ao empregado que necessite utilizar-se de transporte público coletivo terrestre para deslocar-se da residência para o trabalhado e vice-versa. O empregador pode descontar do empregado até 6% do valor do benefício. Vale-transporte não é salário, porém o será, se pago em dinheiro.

VALIDAÇÃO — Confirmação, por exame e fornecimento de evidência objetiva, de que os requisitos específicos para um uso pretendido são atendidos. Informações cuja veracidade pode ser comprovada com base em fatos obtidos através da observação, medição, ensaios ou outros meios constituem evidência objetiva.

VALIDADE — Conjunto de elementos que dão legitimidade ao negócio jurídico entre as partes e o fazem eficaz contra terceiros. Qualidade ou condição de válido. Legitimidade, valência, valimento, valor. Propriedade que tem um argumento dedutivo quando é impossível que as suas premissas sejam verdadeiras e a sua conclusão falsa. No caso dos argumentos não dedutivos, são válidos quando é altamente improvável que as suas premissas sejam verdadeiras e a sua conclusão falsa. Só os argumentos podem ser válidos ou inválidos. As proposições não podem ser válidas nem inválidas.

VALIOSO — Demonstra a qualidade do que é válido, tem validade, está legal, é conforme a lei, está juridicamente perfeito, para que produza os efeitos jurídicos que lhe são atribuídos.

VALOR — Atributo que confere a qualquer produto a qualidade de bem econômico. Filosoficamente, aquilo que diz respeito à finalidade intrínseca do ser. Social e politicamente, aquilo que a sociedade reputa de importância fundamental para a consecução dos fins que o Estado pretende alcançar. Em economia, títulos disponíveis de crédito ou representativos de dinheiro.

VALOR ADICIONADO — Valor que é utilizado para cálculo de 3/4 (três quartos), no mínimo, incidente sobre a parcela de 25% do ICMS para distribuição aos Municípios. Entende-se que o valor adicionado para cada Município, apurado a cada ano, corresponderá à diferença entre o valor final constante da nota fiscal de venda (saída) das mercadorias comercializadas pela indústria, pelo comércio e pelo produtor, acrescido do valor das prestações de serviços realizadas no seu território, deduzido o valor final constante da nota fiscal de compra das mercadorias (entrada). Os valores são fornecidos pelas empresas à Secretaria Estadual de Fazenda, através da DECLAN anual. O VA serve para distribuição da cota-parte do ICMS; do *royalties* do petróleo distribuído pelo Estado a todos os Municípios e, recentemente, para distribuição da CIDE. Através do valor adicionado, chega-se ao Índice do Valor Adicionado. Em termos de fórmula matemática é sinônimo de PIB, uma vez que VA=VP-CI (PIB=VP-CP), onde VP é o valor da produção, ou seja, o que foi faturado com tudo que foi produzido; e o CI é o consumo intermediário, que dá conta daquilo que foi consumido no processo produtivo, ou, ainda, o valor de compra de um produto e o valor da revenda. (Ver: Índice do Valor Adicionado.)

VALOR AGREGADO — 1) É todo o valor que é agregado a um produto. Procedimento através do qual uma empresa adquire e melhora produto ou serviço antes de oferecê-lo a seus clientes. Conhecimento embutido num produto, serviço ou processo. 2) Termo usado em finanças públicas com referência ao total obtido na soma das contas (produto, receitas e despesas) de um determinado setor. O Valor Agregado de um país é tudo o que ele produziu em um período.

VALOR AGREGADO BRUTO (VAB) — É o valor da "produção sem duplicações". Obtém-se descontando-se do valor bruto da produção (VBP) o valor dos insumos utilizados no processo de produtivo. (Ver: Valor bruto da produção.)

VALOR AO PAR — É valor de face (o que está escrito no título. Está expresso no próprio título) de uma ação ou título. No caso de ações, o valor ao par é, meramente, um registro contábil e não serve a outro propósito.

VALOR BRUTO DE PRODUÇÃO (VBP) — Expressão monetária da soma de todos os bens e serviços produzidos em determinado território econômico, num dado período de tempo. Incorre no chamado erro de "dupla contagem", pois soma os produtos finais com os insumos usados em sua elaboração.

VALOR DA CAUSA — Valor que, para efeito da alçada, o autor dá à causa que não o tem, expresso em quantia certa de dinheiro. É menção obrigatória em todos os feitos civis, e serve em determinadas hipóteses para a verificação da competência objetiva dos juízes ou do tipo de procedimento.

VALOR DA COTA DE UM FUNDO DE INVESTIMENTO — É o quociente entre o patrimônio líquido do fundo e o número de cotas emitidas.

VALOR DA PRODUÇÃO — É o preço médio do produto multiplicado pela quantidade produzida.

VALOR DA SENTENÇA — Determinação da quantia certa, em dinheiro, que é objeto da decisão condenatória.

VALOR DE EMISSÃO (AÇÕES) — É o correspondente ao preço que os subscritores pagarão pelas ações da empresa. Poderá ser superior ao valor nominal, quando houver acréscimos do ágio destinado a formar a reserva de capital. Entretanto, o valor de emissão não poderá ser inferior a seu valor nominal.

VALOR DE EMPRESA (VE) — É utilizado no cálculo de indicadores fundamentalistas e calculado como a soma do valor de mercado da empresa mais a sua dívida líquida. Esse indicador expressa o valor da empresa pertencente não só aos acionistas (valor de mercado), mas também o pertencente aos credores (dívida líquida).

VALOR DE ESTIMAÇÃO — Avaliação ou cálculo do preço de uma coisa sobre a qual não está predeterminada uma quantia certa.

VALOR DE EXERCÍCIO DA OPÇÃO — Preço de exercício por opção, multiplicado pelo número de ações que compõem o lote-padrão de uma opção.

VALOR DE FACE — Valor de uma obrigação, nota ou outro título, como expresso no certificado ou instrumento. Apesar do preço das obrigações flutuar desde a data de emissão, eles são resgatados no prazo de vencimento pelo seu valor de face, a menos que tenha ocorrido *default*. O valor de face é o montante sobre o qual o pagamento de juros é calculado. (Ver: *Default.*)

VALOR DE MERCADO — 1) É o valor que a ação adquire quando negociada em bolsa ou mercado de balcão, variando, portanto, para mais ou para menos, em decorrência de determinados fatores sócio-político-econômicos, outros ligados à própria situação da empresa e demais que poderiam afetar a conjuntura econômica nacional, regional ou da própria sociedade. 2) Também definido como valor venal, representa o valor com que determinado produto pode ser comercializado, de acordo com a lei de oferta e procura. Por isso, não tem a ver com o valor real de um produto que incorpora, inclusive, os custos de fabricação. 3) Valor atualizado de um bem de acordo com emissão de laudo técnico emitido por agente qualificado e chancela do governo. Tratando-se de valor agregado, *market value added – MVA*, são formas consistentes de analisar a produtividade dos ativos da empresa ou ainda, maneira de medir eficiência com que a entidade usou os empréstimos ou o capital dos investidores.

VALOR DE MERCADO DA AÇÃO — Valor mais atualizado de uma ação negociada em Bolsa de Valores, podendo ser superior ou inferior ao seu valor patrimonial.

VALOR DE REFERÊNCIA — Valor unitário da ação ou quota, obtido dividindo-se o valor do capital social integralizado pela quantidade de ações ou quotas representativas do capital social integralizado.

VALOR DE TROCA — Em economia resulta da intersecção das escolhas que representam as preferências e a disposição de transacionar em cada um dos lados do mercado.

VALOR DE USO — Expressão utilizada em economia para definir o juízo subjetivo ou de mérito, por referência à apreciação relativa a uma característica intrínseca ou invariável de um bem, susceptível de graduação ordinal. Os economistas preferem denominar o valor de uso como utilidade. (Ver: Utilidade.)

VALOR DECLARADO — É o valor mencionado em dinheiro que alguém atribui às mercadorias que expede, por qualquer via, determinando, assim, previamente, a indenização que deverá reclamar no caso de extravio ou destruição das mesmas.

VALOR EM GARANTIA — Menção que, inserida na letra de câmbio ou na nota promissória, implica caução. Valor em penhor.

VALOR EM RISCO (VAR) — É a perda potencial máxima esperada de uma carteira de investimento, com uma dada probabilidade em um determinado horizonte de tempo.

VALOR EMPENHADO — Valores de créditos orçamentários que se encontram comprometidos no estágio de empenho, ou seja, que já foram autorizados para gasto.

VALOR FACIAL — Valor marcado na moeda ou na cédula; é por este valor que a peça tem circulação forçada, salvo determinação oficial em sentido diverso.

VALOR FUNDIÁRIO — Estimativa atribuída ao imóvel propício à cultura agrícola, mas que se apresenta como terra nua.

VALOR FUTURO — É o valor de um fluxo futuro de recebimentos, no valor nominal a ser recebido na data de vencimento.

VALOR HISTÓRICO DO BEM — É o valor de aquisição, ou seu custo de produção. Não se confunde com o valor corrigido (ou atual) do bem, que compreende o valor histórico crescido da atualização (correção) monetária deduzida a respectiva depreciação por uso.

VALOR INTRÍNSECO — Tem valor intrínseco aquilo que tem valor em si mesmo, independentemente da sua utilidade ou dos seus efeitos benéficos.

VALOR INTRÍNSECO DA OPÇÃO — Diferença, quando positiva, entre o preço à vista de uma ação-objeto e o preço de exercício da opção, no caso de uma opção de compra, e entre o preço de exercício e o preço à vista, no caso de uma opção de venda.

VALOR INTRÍNSECO DE UMA AÇÃO — É o método de avaliação que considera o chamado valor intrínseco da ação, ou de lucros capitalizados. Baseia-se no princípio de que o valor presente de uma ação é o resultado dos rendimentos futuros que se obterão com um investimento. O princípio se baseia no fato de que a capacidade da empresa em gerar lucros futuros é que irá aumentar o seu patrimônio e, conseqüentemente, o do acionista.

VALOR LIQUIDADO — Valores de créditos orçamentários que se encontram comprometidos no estágio de liquidação, ou seja, que já se encontram prontos para pagamento.

VALOR NOMINAL DA AÇÃO — É o valor que é mencionado no estatuto social da empresa e que determina o valor de uma ação representativa de seu capital. É importante lembrar que o valor nominal é uma medida puramente contábil e, portanto, nada tem a ver com o valor de mercado de uma ação, ou seja, o preço que os investidores pagam para comprá-la na bolsa de valores.

VALOR PAGO — Valores de créditos orçamentários que se encontram pagos. Também chamado de valor realizado.

VALOR PATRIMONIAL — Montante aplicado pelos sócios da empresa acrescido dos lucros retidos na empresa.

VALOR PATRIMONIAL DA AÇÃO OU QUOTA — É o resultado obtido mediante a divisão do valor do Patrimônio Líquido pela quantidade de ações ou quotas representativas do capital social integralizado, exclusive a quantidade de ações ou quotas em tesouraria.

VALOR PATRIMONIAL DA COTA DE UM FUNDO DE INVESTIMENTO — Ver Valor da Cota de um Fundo de Investimento.

VALOR PRESENTE — É valor atual (descontado) de um fluxo futuro de recebimentos monetários. Os valores futuros são descontados pela taxa de juro compatível com o risco do investimento. Desta forma, o valor presente de um título de renda fixa do Governo Federal é descontado para valor presente por uma taxa de juro menor do que o título de uma empresa que tenha dificuldades para honrar seus compromissos.

VALOR PRESENTE LÍQUIDO (VPL) — Expressão utilizada na área de finanças para analisar investimentos em projetos. O VPL é usado para se determinar quanto o projeto valeria hoje. No cálculo, desconta-se o fluxo de caixa gerado pelo projeto usando uma taxa representativa do risco.

VALOR PRINCIPAL — É o valor de um empréstimo, não incluindo os juros a serem pagos.

VALOR REAL DA AÇÃO — Aquele que resulta da divisão do valor efetivo do patrimônio líquido da sociedade pelo número de ações em que for dividido o capital social, usado apenas para fins de liquidação da empresa.

VALOR RESIDUAL — Termo usado para definir o valor de um ativo que sofre depreciação, ao final da sua vida útil. É utilizado no financiamento, através de *leasing*, que se refere ao valor do bem ao final do contrato. As operações de *leasing* ou arrendamento mercantil funcionam como uma espécie de aluguel onde se tem a opção de compra do bem no final do contrato. O valor pelo qual se pode comprar o bem é o chamado valor residual.

VALOR RESIDUAL DO ATIVO — Valor que representa o mínimo do valor real que pode alcançar um bem depois de utilizado totalmente; último valor de um bem de uso. Ele representa as chamadas "sucatas" ou "remanescentes" de um bem utilizado por uma empresa. Tem-se o caso das máquinas retiradas de uso pelo esgotamento total de sua capacidade de trabalho.

VALOR TRIBUTÁVEL — Quantia sobre a qual incide o tributo, base de cálculo.

VALOR UNITÁRIO DA AÇÃO — Quociente entre o valor do capital social realizado de uma empresa e o número de ações emitidas.

VALOR VENAL — Valor atribuído pela Prefeitura a cada imóvel, levando em conta sua metragem, localização, destinação e características. Literalmente, valor venal significa valor de venda. Referencial utilizado especialmente para bens imóveis, no cálculo da importância a pagar no IPTU.

VALORES — São os conceitos de ética e de conduta adotados pelos indivíduos e pelas organizações.

VALORES CONSTANTES — Expressão que designa valores financeiros corrigidos através de métodos apropriados, de modo a eliminar os efeitos da inflação no período considerado e torná-los comparáveis com os valores de um período adotado como base. Em países de moeda estável, a transformação de valores correntes em valores constantes é realizada pela simples divisão daqueles que se deseja corrigir por um índice de preços reputado como válido (ou pela sua multiplicação pelo deflator relativo ao exercício).

VALORES CORRENTES — Expressão que designa o valor de um bem, serviço ou de uma consolidação, no momento em que ocorreram ou na época do seu registro. Para que os valores expressos dessa forma, relativos a várias épocas, possam ser validamente comparados é preciso depurá-los do efeito da inflação. Para tanto é necessário transformá-los em valores constantes através de índices de preços válidos e de metodologia apropriada.

VALORES DE RENDA FIXA — São aqueles cuja renda é fixada de uma vez por todas, e cujo valor em capital varia: as obrigações, os títulos de rendas do Estado, ou empréstimos públicos. A renda é fixa, mas isso não quer dizer que, apesar da aparência, o juro também o seja: o valor do capital do título é suscetível de variar. O valor nominal do título não se modifica, mas o capital avaliado em bolsa varia. Conhecer-se-ia a taxa real dos valores de renda fixa considerando-se as variações de valores de capital. Se o valor do capital cai abaixo do par, haverá alta do juro. Se o valor do capital supera o par, haverá baixa do juro.

VALORES DISPONÍVEIS — É o conjunto da liquidez ou dos títulos de crédito da empresa que podem ser rapidamente convertidos em moeda.

VALORES EM GARANTIA — Valores que estão sob os cuidados de uma instituição financeira, como garantia de negócios efetuados em confiança.

VALORES MOBILIÁRIOS — A definição de valores mobiliários é bastante genérica, incluindo a maioria dos títulos emitidos por sociedades anônimas, desde que registrados junto a um órgão de regulamentação do mercado, como, por exemplo, a Comissão de Valores Mobiliários/CVM. Desta forma, podem ser considerados como valores mobiliários, entre outros, as ações, debêntures, além dos cupons destes títulos, os bônus de subscrição e os certificados de depósitos de valores mobiliários.

VALORES NORMAIS — Valores médios de características estabelecidos em um período de duração tal que a média de qualquer período mais longo não modifica significativamente os valores obtidos.

VALORES NUMÉRICOS — É representado pelas disponibilidades monetárias existentes em caixa ou Depósitos Bancários.

VALORIZAÇÃO DA CARTEIRA — Indicador divulgado em termos percentuais que visa traduzir o ganho de valor da carteira de investimento durante um determinado período de tempo.

***VALUE AT RISK* (VAR)** — É uma análise que permite medir a probabilidade de perda de determinada aplicação em diversos cenários adversos da economia. Busca medir, em termos financeiros, o impacto na carteira das variações de taxa de juros, dólar, preço das ações etc.

VÂNDALO — Indivíduo que destrói, inutiliza ou deteriora coisa de valor artístico, arqueológico ou histórico.

VANTAGEM ABSOLUTA — É a comparação entre produtores de um bem levando em conta sua produtividade.

VANTAGEM COMPARATIVA — Expressão utilizada para definir o conceito que resulta da ponderação do custo de oportunidade na produção de bens pela empresa. Tem vantagem comparativa àquele que evidencia um menor custo de oportunidade na produção de um bem. A ponderação resulta da relação de produtividade entre duas opções de produção: aquela que a empresa está a efetuar e a melhor alternativa possível.

VANTAGEM COMPETITIVA — Conjunto de fatores fundamentais que influem na diferenciação de produtos e processos num ambiente de concorrência econômica. As empresas bem-sucedidas obedecem a padrões definidos de comportamento que podem ser resumidos em três estratégias genéricas (as fontes de vantagem competitiva sobre os concorrentes): a) Liderança baseada no fator custo - Possuir custos mais baixos do que os rivais; b) Diferenciação - Criar um produto ou serviço que é visto na indústria como único; c) Focalização - Combinar as duas estratégias, direcionando-as para um alvo específico.

VANTAGEM DA COISA FEITA — Acréscimo ao valor de um bem, numa certa data, devido ao fato de ele estar pronto, em comparação com outro idêntico mas ainda por ser construído.

VANTAGEM TECNOLÓGICA — Capacidade da empresa de se manter na fronteira do conhecimento para o favorecimento do processo de inovação.

VANTAGENS PECUNIÁRIAS — São acréscimos de estipêndio do servidor público, concedido a título definitivo ou transitório, pela decorrência do tempo de serviço, ou pelo desempenho de funções especiais, ou em razão das condições anormais em que se realiza o serviço, ou, finalmente, em razão de condições pessoais do servidor. As duas primeiras espécies constituem os adicionais (adicionais de vencimento e adicionais de função), as duas últimas formam categorias das gratificações (gratificações de serviço e gratificações pessoais). Todas elas são espécies do gênero retribuição pecuniária, mas se apresentam com características próprias e efeitos peculiares. Não se incorporam ao vencimento ou salário, salvo nos casos e condições indicados em lei.

VAPORIZAÇÃO — Passagem do estado líquido para o estado gasoso.

VaR — Ver *Value at Risk.*

VARA — Órgão de primeiro grau dentro da mesma Comarca, em número conforme as necessidades dos serviços forenses locais, com competência privativa ou cumulativa, segundo a respectiva lei de organização judiciária. Cada uma das divisões de jurisdição de uma comarca confiada a um juiz de direito. Expressão que designa a própria Circunscrição em que o juiz exerce sua jurisdição. Ex. Vara Cível, Criminal, da Fazenda Pública.

VARA DO TRABALHO — Órgão jurisdicional de primeiro grau da Justiça do Trabalho (antiga Junta de Conciliação e Julgamento), sendo a jurisdição exercida pelo juiz singular (antigo juiz presidente), nos exatos termos do art. 116 da Constituição Federal.

VARA JUDICIAL OU CARTÓRIO — É o local onde são praticados os atos judiciais relativos ao processamento e procedimento dos feitos civis e criminais.

VARÃO — É o indivíduo do sexo masculino; homem, especificamente considerado. É o marido.

VAREJO — Venda feita pelo comerciante ao consumidor, a retalho ou em pequenas quantidades.

VARIABILIDADE — Estado de ser variável, em qualquer categoria considerada. Também denominada variação ou dispersão, é uma característica inerente a todo processo, segundo a qual a medição de qualquer item de controle nunca se repete com o mesmo valor. Para um conjunto de valores medidos, a variabilidade pode ser medida pela amplitude ou pelo desvio padrão. É o resultado de alterações nas condições sob as quais as observações são tomadas. Estas alterações podem refletir diferenças entre as matérias-primas, as condições dos equipamentos, os métodos de trabalho, as condições ambientais e os operadores envolvidos no processo. A variabilidade é a causa da fabricação de produtos (bens ou serviços) defeituosos. As causas da variação podem ser causas comuns ou causas especiais.

VARIAÇÃO — Diferença entre os preços de um determinado título ou produto em dois momentos considerados.

VARIAÇÃO CAMBIAL — Percentual divulgado que indica a variação da taxa de câmbio num determinado período de tempo.

VARIAÇÃO MONETÁRIA — É a recomposição do valor atual, através da atualização via variação de índices de preços ou afins de um período em relação a outro.

VARIAÇÃO NEGATIVA DA QUOTA — Percentual divulgado que indica a desvalorização (perda de valor) de uma quota, durante determinado período de tempo. Significa dizer o quanto o valor da cotação de um título ou fundo de investimento caiu.

VARIAÇÃO POSITIVA DA QUOTA — Percentual divulgado que indica a valorização (ganho de valor) de uma quota, durante determinado período de tempo. Significa dizer o quanto o valor da cotação de um título ou fundo de investimento aumentou.

VARIAÇÃO RELEVANTE — Grande diferença percentual ou absoluta entre variáveis numéricas em um período, normalmente entre duas datas-base sucessivas.

VARIAÇÕES PATRIMONIAIS — É o resultado das operações que evidenciam as alterações verificadas no patrimônio, resultantes ou independentes da execução orçamentária, e cujo saldo indicará o resultado patrimonial do exercício. Subdividem-se em Ativas e Passivas. As variações ativas representam resultado positivo ou lucro; as variações passivas representam resultado negativo ou prejuízo.

VARIAÇÕES PATRIMONIAIS (ALTERAÇÕES NO PATRIMÔNIO) INDEPENDENTES DA EXECUÇÃO ORÇAMENTÁRIA — São variações positivas ou negativas no patrimônio ocorridas no exercício, provocadas por fatos independentes da execução do orçamento.

VARIAÇÕES PATRIMONIAIS (ALTERAÇÕES NO PATRIMÔNIO) RESULTANTES DA EXECUÇÃO ORÇAMENTÁRIA — São variações ativas ou passivas do patrimônio, compreendendo: a) As receitas orçamentárias arrecadadas durante o exercício; b) As mutações patrimoniais da despesa, decorrentes da incorporação ou alienação de elementos ativos ao patrimônio ou da diminuição ou aumento de elementos do passivo do ente público.

VARIAÇÕES PATRIMONIAIS ATIVAS — Um dos grupos em que se estrutura a Demonstração das Variações Patrimoniais. São alterações positivas, ou seja, as que provocam aumento do patrimônio, como a compra de bens móveis ou imóveis, amortização de uma dívida ou a execução orçamentária da receita. Esse grupo se desdobra em duas categorias: variações *Resultantes da Execução Orçamentária* e variações *Independentes de Execução Orçamentária.*

VARIAÇÕES PATRIMONIAIS ATIVAS - VARIAÇÕES INDEPENDENTES DE EXECUÇÃO ORÇAMENTÁRIA — Detalha as variações que não resultam da execução orçamentária, mas que produzem oscilações quantitativas nos valores patrimoniais.

VARIAÇÕES PATRIMONIAIS ATIVAS - VARIAÇÕES RESULTANTES DA EXECUÇÃO ORÇAMENTÁRIA — Detalha as receitas orçamentárias arrecadadas durante o exercício, por categoria econômica e fonte, bem como as mutações patrimoniais da despesa, decorrentes da incorporação de elementos ativos ao patrimônio ou da diminuição de elementos do passivo permanente da entidade ou instituição.

VARIAÇÕES PATRIMONIAIS PASSIVAS — Um dos grupos em que se estrutura a Demonstração das Variações Patrimoniais. São alterações negativas, ou seja, aquelas que provocam redução do patrimônio, como a execução orçamentária da despesa, baixa de algum bem obsoleto, obtenção de empréstimo ou alienação de bens.Esse grupo se desdobra em duas categorias: variações *Resultantes da Execução Orçamentária* e variações *Independentes de Execução Orçamentária.*

VARIAÇÕES PATRIMONIAIS PASSIVAS - VARIAÇÕES INDEPENDENTES DE EXECUÇÃO ORÇAMENTÁRIA — Detalha as variações que não resultam da execução orçamentária, mas que produzem oscilações quantitativas nos valores patrimoniais.

VARIAÇÕES PATRIMONIAIS PASSIVAS - VARIAÇÕES RESULTANTES DA EXECUÇÃO ORÇAMENTÁRIA — Detalha as despesas orçamentárias realizadas durante o exercício, por categoria econômica e subcategoria, bem como as mutações patrimoniais da receita, decorrentes da incorporação de elementos passivos ou da desincorporação de elementos ativos do patrimônio da entidade.

VARIÂNCIA — É o quadrado da diferença média dos valores em relação a média.

VARIÂNCIA POPULACIONAL — Mede o grau de dispersão dos valores da variável, na população, em relação à média populacional. Definida como a soma dos quadrados dos desvios dos valores da variável em relação a sua média, dividido pelo número de observações: Soma[(X_i – média)^2]/n.

VARIANTES DO JOGO — Em planejamento estratégico situacional, são aqueles eventos de probabilidade significativa de ocorrência durante o jogo que não controlamos nem conhecemos; a lei de causalidade.

VARIAR DE AÇÃO — Ato do autor que pretende modificar os fundamentos do pedido formulado na inicial, mas somente permitido até a citação do réu. É a alteração do pedido.

VARIÁVEIS PORTADORAS DE FUTURO — São variáveis que influem fortemente na evolução de um processo; são fundamentais para o desenho de cenários.

VARIÁVEIS QUALITATIVAS — Variáveis baseadas nas qualidades e atributos da amostra que não podem ser quantificadas, como sexo, raça, nacionalidade, entre outros.

VARIÁVEIS QUANTITATIVAS — Variáveis que podem ser quantificadas por uma escala bem definida. Exemplo: renda, preços, despesas, entre outros.

VARIÁVEL — Grandeza suscetível de variar de maneira própria ou em função de outras variáveis. Define na pesquisa um número de construções teóricas que o pesquisador quer associar. O grau de operacionalização destas construções não faz parte de um consenso. Por essa razão, a seção que trata das definições das variáveis deve permitir ao leitor avaliar a adequação entre os instrumentos utilizados, as variáveis escolhidas e as construções teóricas descritas no quadro conceitual. Em estatística descritiva, característica quantitativa, discreta ou contínua.

VARIÁVEL QUALITATIVA (OU CATEGÓRICA) NOMINAL — São aquelas variáveis de pesquisa cujas respostas podem ser encaixadas em categorias, sendo que cada categoria é independente, sem nenhuma relação com as outras: sexo (masculino, feminino), raça (branco, preto, outro) etc.

VARIÁVEL QUALITATIVA (OU CATEGÓRICA) ORDINAL — É a variável de pesquisa cujas categorias mantêm uma relação de ordem com as outras, que podem ser regulares ou não (existe uma ordem natural nas categorias): classe social (alta, média, baixa), autopercepção de desempenho em Matemática (péssimo, ruim, regular, bom, ótimo) etc.

VARIÁVEL QUANTITATIVA CONTÍNUA — É a variável de pesquisa procedente de resultados de mensurações, que pode tomar infinitos valores: pontuação na escala de atitude, nota dada à administração de um prefeito, por exemplo, podendo variar de 0 a 10 e todos os valores intermediários contidos.

VARIÁVEL QUANTITATIVA DISCRETA — É a variável de pesquisa resultante de contagens. Constitui um conjunto finito de valores: número de filhos, número de reprovações.

VARIEDADE — Número de elementos distintos de um sistema.

VÁRZEA — Terrenos baixos e mais ou menos planos que se encontram junto às margens de rios. Constituem o leito maior dos rios. As regiões denominadas de várzea estão sujeitas à inundação.

VAZANTE — Que vaza; refluxo. Período em que um rio apresenta o menor volume de águas. Terreno baixo e úmido, grande vale ao longo dos rios, baixa próxima de aguadas e de lagoas em geral, qualquer terra baixa e plana, enfim, temporariamente alagada pelas enchentes dos rios.

VAZANTE DA MARÉ — Movimento de descida das águas do mar, após o preamar; refluxo da maré; maré descendente.

VAZIOS URBANOS — Espaços não ocupados e passíveis de serem incorporados ao assentamento urbano para fins residenciais ou não-residenciais.

VEDAÇÃO — Ato ou efeito de vedar; proibição.

VEDAR — Impedir; proibir; não consentir; não permitir.

VEEMÊNCIA — Vontade e desejo que se alternam para uma insistência vigorosa.

VEGETAÇÃO — Conjunto de vegetais que ocupam uma determinada área; tipo da cobertura vegetal; as comunidades das plantas do lugar; termo quantitativo caracterizado pelas plantas abundantes. Quantidade total de plantas e partes vegetais como folhas, caules e frutos que integram a cobertura da superfície de um solo. Algumas vezes o termo é utilizado de modo mais restrito para designar o conjunto de plantas que vivem em determinada área.

VEGETAÇÃO REMANESCENTE DE MATA ATLÂNTICA — Abrange a totalidade de vegetação primária e secundária, em estágio inicial, médio e avançado de regeneração, de acordo com a Resolução CONAMA nº 03, de 18 de abril de 1996.

VEGETAÇÃO SECUNDÁRIA — Vegetação que substitui a vegetação nativa após a sua retirada.

VELAR — Encobrir; esconder; ocultar. Tornar secreto. Encobrir, disfarçar, dissimular.

VELOCIDADE DA LUZ — Foi medida pela primeira vez por Olaf Römer (1644-1710) através de observações astronômicas. Em sua experiência, ele usou o intervalo de tempo com que ocorre o eclipse lunar de uma das luas de Júpiter e a variação da distância entre os planetas Terra e Júpiter, obtendo-se assim o valor de 214.000 km/s. Em 1849 Armand Hippolyte Louis Fizeau (1819-1896) fez a primeira medida terrestre da velocidade da Luz. Em sua experiência, ele usou um feixe de luz, passando através de uma roda dentada girante. Este feixe era então refletido por um espelho a uma distância de 8.633 m. A experiência foi montada nos subúrbios de Paris entre Suresnes e

Montemarte, obtendo o valor de 315.300 km/s para a velocidade da luz. De acordo com as condições tecnológicas da época, este valor representa um excelente resultado em comparação com os mais recentes resultados. Hoje o valor exato, por definição, da velocidade da luz é de 299.792,458 km/s. Este valor foi definido em função da definição do metro-padrão. (Ver: Ano-Luz.)

VELOCIDADE DE CRUZEIRO — Velocidade em que o navio ou aeronave tem o maior raio de ação.

VELOCIDADE DE ESCAPE — Velocidade mínima necessária que deve possuir um objeto para poder escapar do campo gravitacional de outro. Para o Planeta Terra é de 11,2 km/s, enquanto para a Lua é de 2,4 km/s.

VELOCIDADE DE FLUXO — Aquela com que se deslocam as frentes dentro do aqüífero. (Exemplo: frente de poluição.)

VELOCIDADE RADIAL — Aquela com que um objeto celeste se move ao longo da linha visual.

VENAL — Que pode ser vendido; exposto à veda; referente à venda. Valor venal; valor de venda. Diz-se do servidor de qualquer dos poderes públicos que se deixa corromper por toda modalidade de consecução, corrupção passiva, peculato ou prevaricação.

VENCIMENTO — Ato de determinar o prazo para o pagamento de um título ou para o cumprimento de qualquer encargo; data em que se extingue esse prazo. Fim da vigência dum contrato. Data-limite para a liquidação de um contrato. Data em que se há de cumprir certa obrigação.

VENCIMENTOS E VANTAGENS FIXAS - PESSOAL CIVIL — Na Administração Pública compreende as despesas com vencimentos do servidor público civil com subsídios e com vantagens, cuja temporalidade de pagamento tenha caráter permanente enquanto durar a situação do cargo, função, local e tempo de serviço, inclusive as despesas com abono de férias, 13º salário e as pagas por decisão judicial.

VENCIMENTOS E VANTAGENS FIXAS - PESSOAL MILITAR — Na Administração Pública compreende as despesas resultantes diretamente da prestação, de modo contínuo e sistemático, dos serviços de militares ou a eles assemelhados, tais como: Soldo, Gratificação Adicional por Tempo de Serviço, Gratificação de Função Militar, Substituições de Pessoal Militar, Abono de Férias, 13º Salário e outras determinadas por lei.

VENDA — Ato ou efeito de vender; vendagem.

VENDA A CONTENTO — Pacto adjeto ao contrato de compra e venda, pelo qual se prevê seja desfeita o negócio jurídico se a coisa não for do agrado do comprador.

VENDA A DESCOBERTO — A que se faz na bolsa sendo objeto dela valores que não se possuem, mas que se espera adquirir antes do dia fixado para a entrega.

VENDA A FUTURO — Operação na qual em princípio não interessa ao investidor entregar os títulos, já que, no momento mais adequado, ele encerrará a posição através de uma operação inversa (compra a futuro). Existe a possibilidade de substituir essa operação por outra (encerra-se a posição de venda através de uma compra a futuro e simultaneamente se vende para outro vencimento a futuro ou mesmo à vista).

VENDA A TERMO — Modalidade genérica do contrato de compra e venda, de que são espécies a venda a crédito, a venda a descoberto e a venda a termo propriamente dita.

VENDA ADMINISTRATIVA — Falsa denominação para venda de bens pertencentes ao domínio público; é assim, porque todo contrato de compra e venda, qualquer que seja a qualidade das pares, é de direito privado.

VENDA ALEATÓRIA — Venda subordinada aos preceitos do contrato aleatório, ou seja, os riscos que venham a existir, assume-os o comprador, dando direito ao vendedor receber todo preço, desde que de sua parte não tenha havido culpa.

VENDA CASADA — Situação em que o fornecedor de bens e serviços condiciona o fornecimento de um bem ou serviço à oferta de outro bem ou serviço. Um exemplo muito comum é a cobrança de estacionamento em *shopping centers*.

VENDA COM RESERVA DE DOMÍNIO — Aquela que determina que a coisa vendida voltará a integrar o patrimônio do vendedor se o preço avençado não for pago.

VENDA COMERCIAL — A venda de uma empresa a um comprador institucional. Esta é a forma de saída mais comum para as empresas financiadas por capital de risco.

VENDA CONDICIONAL — É a que subordina o efeito do negócio jurídico a evento futuro e incerto.

VENDA DE CÂMBIO — Negócio realizado entre uma pessoa física ou jurídica (cliente) com uma instituição autorizada e/ou credenciada a operar em câmbio pelo Banco Central do Brasil (instituição). Contra o recebimento de um determinado valor em moeda nacional a instituição entrega ao cliente, ou a quem por este for designado, o valor em moeda estrangeira vendida.

VENDA DE DISPONÍVEL — Venda de mercadorias que se acham em poder do vendedor ou de terceiro para pronta entrega.

VENDA DE SOBERANIA — São assim denominados os países que atraem novas instituições financeiras, permitindo que um individuo ou companhia adquira direitos especiais, abrindo mão de todo tipo de regulamentação e controle econômicos. Exemplos são: Belize, as ilhas de Granada, St. Vincent e Grenadines, Barbados, todos na região do Caribe.

VENDA EM MARGEM — Venda, à vista, de ações obtidas por empréstimo, pelo investidor, em uma sociedade corretora que opere em bolsa. É uma modalidade de operações da Conta Margem.

VENDA PÚBLICA — A que é feita por meio de leiloeiro oficial, em caráter voluntário, pelo vendedor da coisa de que pretende desfazer-se, ou em caráter forçado, quando por determinação judicial.

VENDAVAL — Deslocamento violento de uma massa de ar. Forma-se, normalmente, pelo deslocamento de ar de área de alta para baixa pressão. Ocorre, eventualmente, quando da passagem de frentes frias, e sua força será tanto maior quanto maior a diferença de pressão das "frentes". Também chamado de vento muito duro, corresponde ao número 10 da Escala de Beaufort, compreendendo ventos cuja velocidade varia entre 88,0 e 102,0 km/h. Os vendavais normalmente são acompanhados de precipitações hídricas intensas e concentradas, que caracterizam as tempestades. Além das chuvas intensas, os vendavais podem ser acompanhados de queda de granizo ou de neve, assim chamados de nevascas.

VENDER — Alienar ou ceder por certo preço; trocar por dinheiro. Ceder a outrem, mediante vantagem pecuniária, o direito de usar. Dispor do que possui ou do que outrem lhe confiou, a troco de dinheiro.

VENDIDO — Diz-se do investidor (ou de sua posição) que vende um ativo financeiro assumindo uma posição devedora no ativo.

VENDIDO A DESCOBERTO — Diz-se do investidor que vende um ativo que não possui no intuito de especular com o preço deste ativo. O mesmo que *short*.

VENDOR — É uma operação de financiamento de vendas, baseada no princípio da cessão de crédito, que permite a uma empresa vender seu produto a prazo e receber o pagamento à vista. O vendor supõe que a empresa compradora seja cliente tradicional da vendedora, pois esta é que irá assumir o risco do negócio, junto ao banco. Em resumo, é uma modalidade de financiamento de vendas para empresas, na qual quem contrata o crédito é o vendedor do bem, mas quem paga o crédito é o comprador.

VENENO — Qualquer substância química capaz causar transtornos funcionais e estruturais provocadores de danos ou até de morte, quer por ingestão, quer por absorção, quer de efeito agudo, quer de efeito lento, ou retardado, no ser humano, plantas ou animais.

VÊNIA — Pedido de licença, permissão.

VENTO — Massa de ar em movimento que se desloca de uma zona de alta pressão (ar frio) para outra de baixa pressão (ar quente). Os mais característicos são: Brisa marítima; Brisa terrestre; Brisa de vale; Brisa de montanha; Vento anabático; Vento catabático; Efeito fohen; Monção; Ventos alísios; *Williwau*; Xaroco.

VENTO ANABÁTICO — Vento que sopra ladeira acima, provocado pela mais baixa densidade do ar, ao longo da encosta, do que a do ar livre, localizado a alguma distância horizontalmente dela.

VENTO CATABÁTICO — Inverso do anabático; vento encosta abaixo, provocado pela descida do ar, a alguma distância horizontalmente dela. O vento está associado com o resfriamento de superfície da encosta.

VENTOS ALÍSIOS — Ventos constantes que sopram da faixa de alta pressão subtropical para a faixa de baixa pressão equatorial, numa direção constante. Estende-se além de 30º de latitude, abrangendo pouco mais da metade da superfície do Planeta Terra.

VERBA — Similar ao da expressão técnica "*dotação orçamentária*" é um termo popular para designar os valores disponíveis na Administração Pública para a implementação de ações governamentais. Dotação ou consignação de quantia para fins determinados. (Ver: Crédito Orçamentário // Dotação Orçamentária.)

VERBA LEGIS — [Latim]. Expressão que significa palavra da lei.

VERBA SECRETA — São créditos consignados no Orçamento para atender às despesas que se refiram a assuntos sigilosos. (Ver: Despesas de Caráter Secreto ou Reservado).

VERBAS RESCISÓRIAS EM CONTRATO DE TRABALHO — Ver Contrato de Trabalho, Verbas rescisórias em.

VERBI GRATIA (V.G.) — [Latim]. Expressão que significa por exemplo. O mesmo que *exempli gratia* (*e.g.*). São utilizadas nas formas abreviadas *v.g.* ou *e.g.*

VERBIS — [Latim]. Expressão que significa textual.

VERBO AD VERBUM — [Latim]. Expressão que significa palavra por palavra.

VERDADE — Conformidade da vontade declarada com os fatos. Qualidade do que se apresenta aos nossos sentidos como existente, de maneira inequívoca. Compete às partes e aos seus procuradores expor os fatos em juízo conforme a verdade; reputa-se litigante de má-fé aquele que alterar intencionalmente as verdades dos fatos.

VEREADOR — Membro da Câmara Municipal, representante do povo no Poder Legislativo Municipal, eleito pelo sistema proporcional para o mandato de quatro anos, permitidas reeleições. O mesmo que Edil. Legislador municipal. O número total de vereadores de cada Município é estabelecido a partir do mínimo de nove, aumentando proporcionalmente à população municipal, procedendo-se aos ajustes necessários, no ano anterior às eleições. Baseado no art. 29, inciso 4 da Constituição Federal, o Supremo Tribunal Federal criou e o Tribunal Superior Eleitoral acolheu pela Resolução TSE nº 21.702, de 2004, uma tabela fixando o número de vereadores para o período legislativo 2005/2008, levando-se em conta o número de habitantes dos municípios. O Número de vereadores varia do mínimo de nove vereadores (até 47.619 habitantes) ao máximo de 55 (acima de 6.547.612 habitantes). A Resolução nº 21.702, de 2004, reduziu o número de vereadores no país (nas atuais 5.562 Câmaras Municipais), de 60.276 para 51.831, um corte de 8.442 vagas (-14,1%). Tramita no Congresso Nacional Proposta de Emenda à Constituição (PEC) que estabelece critérios sobre o número de vereadores que cada Município pode ter a partir da próxima legislatura (2009/2012) que, se aprovado, restabelecerá cerca de 5.000 vagas das 8.442 cortadas pelo STF. No Distrito Federal não há vereadores e sim Deputados Distritais. (Ver: Eleição - Sistema proporcional.)

VEREDA — Nome dado no Brasil Central para caracterizar todo o espaço brejoso ou encharcado que contém nascentes ou cabeceiras de cursos d'água de rede de drenagem, onde há ocorrência de solos hidromórficos com renques de buritis ou formas de vegetação típica. Local onde o lençol freático aflora na superfície do solo onde o relevo dificulta o escoamento da água.

VEREDITO — Ato do juiz que põe termo ao processo penal; de emprego particular quanto à decisão do júri.

VERGONHA — Sentimento misto de receio, acanhamento, pudor e humilhação que nasce diante de outrem.

VERIFICAÇÃO — Função administrativa independente da gestão que é realizada para assegurar que a execução é feita de acordo com as regras e os procedimentos, sendo capaz de avaliar a qualidade da gestão.

VERITAS — [Latim]. Expressão que significa verdade pura.

VERNÁCULO — Idioma Nacional; linguagem correta e pura; obrigatório nos atos processuais; tradução de documento escrito em língua estrangeira; Idioma próprio de um povo, empregado com pureza e correção, livre de estrangeirismos e vícios. Nos atos e termos processuais, seu emprego é obrigatório, sendo que os documentos firmados em língua estrangeira e que acompanharem a petição inicial devem estar traduzidos para o vernáculo.

VERSUS — [Latim]. Expressão que significa contra.

VERTENTE — Declive de uma montanha, por onde derivam as águas pluviais. Nas planícies, as vertentes são mal esboçadas, e o rio divaga amplamente. Nas zonas montanhosas, as vertentes podem ser abruptas e formar gargantas.

VERTICALIZAÇÃO — Ver Eleição - Verticalização.

VETAR — Opor um veto a uma lei, pelo chefe do Poder Executivo. (Ver: Veto do Poder Executivo.)

VETO — Proibição, suspensão, oposição. (Ver: Vetar // Veto do Poder Executivo // Veto Popular // Veto Presidencial.)

VETO DO PODER EXECUTIVO — É o ato de negar sanção. Ato típico do chefe do Executivo, consistente na discordância com relação a proposição de lei aprovada pelo Poder Legislativo. Pode ser total ou parcial, desde que alcance somente texto integral de artigo, de parágrafo, de inciso ou de alínea, nunca de palavras, frases ou orações isoladas, e sempre motivado, a fim de que se conheçam as razões que levaram à discordância. Em caso de veto, o Poder Legislativo examina, podendo aceitá-lo, ou rejeitá-lo, pela maioria de dois terços dos legisladores. Na esfera federal, cabe ao Senado a convocação das duas Casas Legislativas (Senado e Câmara), as quais, em sessão conjunta, o examinam, podendo aceitá-lo, ou rejeitá-lo, pela maioria de dois terços dos Congressistas.

VETO POPULAR — Proibir, impedir, significa a rejeição, pelo povo, de uma medida governamental. Pode ocorrer no plebiscito ou no referendo.

VETO PRESIDENCIAL — Ver Veto do Poder Executivo.

VEXAME — Vergonha, afronta, ultraje.

VEXATA QUAESTIO — Locução latina que significa questão controvertida, que acaba gerando longas discussões.

VGBL (VIDA GERADOR DE BENEFÍCIO LIVRE) — Ver Previdência Privada - Vida Gerador de Benefício Livre (VGBL).

VIA ARTERIAL — Aquela caracterizada por interseções em nível, geralmente controlada por semáforo, com acessibilidade aos lotes lindeiros e às vias secundárias e locais, possibilitando o trânsito entre as regiões da cidade. De acordo com a sua função pode ser: Via arterial I - Tem a função de interligar as diversas regiões do Município, promovendo ligações intra-urbanas de média distância, articulando-se com as vias expressas e com outras, de categoria inferior; juntamente com as vias expressas, definem os bolsões onde se localizam os assentamentos residenciais e de atividades econômicas, os quais contornam, separando o tráfego de passagem do local; Via arterial II - Com a mesma função da Via Arterial I, dela difere pelas suas características geométricas, em razão da impossibilidade de implantação de via marginal.

VIA COLETORA — Aquela destinada a coletar e distribuir o trânsito que tenha necessidade de entrar ou sair das vias de trânsito rápido ou arteriais, possibilitando o trânsito dentro das regiões da cidade. De acordo com a sua função pode ser: Via coletora I - Tem a função de coletar e distribuir os volumes de tráfego local e de passagem em percursos interbairros; Via coletora II - Tem a função de coletar e distribuir os volumes de tráfego local dos núcleos dos bairros.

VIA CRUCIS — [Latim]. Expressão que significa caminho da cruz.

VIA DE CIRCULAÇÃO — Espaço destinado à circulação de veículos e de pedestres, sendo a via oficial aquela de uso público, aceita, declarada ou reconhecida como oficial pelo Poder Público.

VIA DE TRÂNSITO RÁPIDO — Aquela caracterizada por acessos especiais com trânsito livre, sem interseções em nível, sem acessibilidade direta aos lotes lindeiros e sem travessia de pedestres em nível.

VIA DE TRANSPORTE — Na exportação, modalidade utilizada para o transporte da mercadoria a partir do último local de embarque para o exterior. Na importação, configura-se através do meio de acesso da mercadoria ao primeiro local de entrada no território nacional.

VIA DE USO EXCLUSIVO DOS PEDESTRES — São logradouros com características de espaço aberto exclusivos para circulação de pessoas. Compreende: as calçadas de pedestres ("passeios"); os calçadões implantados em áreas de fluxo intenso de pedestres; as escadarias para acesso em regiões de topografia acentuada; e as passarelas e passagens subterrâneas, nas travessias de intenso fluxo de veículos.

VIA EXPRESSA — É aquela utilizada para promover a ligação entre o sistema rodoviário interurbano e o sistema viário urbano, constituindo-se no sistema de penetração urbana.

VIA LÁCTEA — É a galáxia onde está localizado o Sistema Solar da Terra. É uma estrutura constituída por cerca de 200.000.000.000 (duzentos bilhões) de estrelas (algumas estimativas colocam esse número no dobro, em torno de 400.000.000.000) e tem uma massa de cerca de 750 bilhões e um trilhão de massas solares. A idade da Via Láctea está calculada entre 13 e 20 bilhões de anos, embora alguns autores afirmem estar na faixa de 14 bilhões de anos.

VIA LOCAL — Aquela caracterizada por interseções em nível não semaforizadas, destinada apenas ao acesso local ou a áreas restritas. Tem a função de dar acesso às moradias, às atividades comerciais e de serviços, industriais, institucionais, e a estacionamentos, parques e similares. São vias utilizadas quase que exclusivamente pela população que nelas reside ou trabalha, com baixíssimo tráfego e próprias para transporte seletivo (lotações).

VIA ORDINÁRIA — É o procedimento comum, natural e legal, para determinada ação ou pedido.

VIA URBANA — São as ruas, avenidas, vielas, ou caminhos e similares abertos à circulação pública, situados na área urbana, caracterizados principalmente por possuírem imóveis edificados ao longo de sua extensão.

VIABILIDADE — Verificação até que ponto os recursos disponíveis permitem a realização de determinada atividade ou execução de uma ação planejada.

VIABILIDADE TÉCNICA — Característica das especificações de projeto ou processo que o tornam exeqüível.

VIAGEM INTERNACIONAL — É um dos itens que compõem a conta de serviços do governo. Do lado da despesa, são registrados os gastos de turistas brasileiros no exterior com passagens, cartões de crédito, hospedagem e ainda dólares levados para viagens. Do lado da receita, são contabilizadas as mesmas despesas que os turistas estrangeiros realizam no Brasil.

VIAGEM OFICIAL — Viagem feita para cumprimento de função inerente ao cargo, a expensas dos cofres públicos.

VIAS ARTERIAIS — São as principais avenidas da cidade, próprias para transporte de passageiros, para implantação de metrô, para transporte coletivo segregado (corredores exclusivos) e cargas.

VIAS COLETORAS — São avenidas e ruas de menor capacidade, que recebem e distribuem o tráfego entre as vias locais e arteriais, próprias para transporte coletivo (ônibus) e seletivo (lotações).

VIAS DE FATO — Diz-se do emprego da violência praticada por uma pessoa contra a outra.

VIAS DE TRANSIÇÃO — São as vias que estabelecem ligação entre um Município e os municípios vizinhos, próprias para transporte de alta capacidade de passageiros (trem) e transporte de cargas pesadas.

VIAS ORDINÁRIAS — Sinônimo de meios ordinários, ou modo como certas questões, pela complexidade e necessidade de provas, devem ser solvidas em processo regular.

VIAS SECUNDÁRIAS — São pequenas vias que ligam ruas internas dos bairros, dando acesso aos lotes.

VICÁRIO — Que faz as vezes de outrem ou de outra coisa. Diz-se do poder exercido por delegação de outrem.

VICE — Posição imediatamente inferior a outra.

VICIADO — Na linguagem jurídica, adjetivamente, determina a qualidade do que está, ou é produzido, com falha, defeito ou vício, que o tornam irregular, inoperante, nulo ou anulável.

VÍCIO — 1) Costume de proceder mal. Imperfeição grave pela qual uma pessoa ou uma coisa se afasta do tipo normal. Hábito profundamente enraizado de ações gravemente imorais. Defeito grave que torna uma pessoa ou coisa inadequada para certos fins ou funções. Vício de forma, libertinagem, desmoralização; defeito; mau hábito; devassidão, licenciosidade. Desregramento habitual. 2) Conduta ou costume censurável ou condenável vício processual. Vício de iniciativa. Defeito capaz de invalidar um ato jurídico. 3) Anomalias que afetam o desempenho de produtos ou serviços, ou os tornam inadequados aos fins a que se destinam, causando transtornos ou prejuízos materiais ou financeiros a outrem. Podem decorrer de falha de projeto, ou da execução, ou ainda da informação defeituosa sobre sua utilização ou manutenção. (Ver: Droga // Entorpecentes // Saúde - Alcoolismo // Saúde - Tabagismo.)

VÍCIO APARENTE — Quando o defeito é ostensivo, visível.

VÍCIO DE FORMA — Inobservância de exigência legal extrínseca para a formalização do negócio jurídico.

VÍCIO DE INCAPACIDADE — Quando quem o pratica não dispõe de aptidão legal.

VÍCIO DO PRODUTO — Espécie de vício corpóreo, ou físico, que torna imprestável a coisa destinada ao consumo, que por perda de validade, quer por seu uso nocivo.

VÍCIO EXTRÍNSECO OU EXTERNO — Quando o vicio afeta o ato jurídico na sua forma material.

VÍCIO INSANÁVEL — Quando a falha atinge o ato na sua forma própria. Defeito que fulmina o negócio jurídico, tornando-o nulo e sem efeito.

VÍCIO INTRÍNSECO OU INTERNO — Quando o ato jurídico é atingido na sua substância (incapacidade absoluta, simulacro, preterição da forma prescrita por lei).

VÍCIO OCULTO — Quando se acha encoberto, imperceptível ao exame do interessado.

VÍCIO SANÁVEL — Quando o defeito é relativo sem ofensa de norma jurídica.

VÍCIOS DO CONSENTIMENTO — São os defeitos que viciam a manifestação de vontades das partes, tais como o erro, a coação, a simulação e a fraude, tornando os atos jurídicos passíveis de serem anulados. Desvio da manifestação da vontade, provocado por influência estranha ou por violência capaz de levar a pessoa a consentir. É licito a parte inocente provar com testemunhas, nos contratos em geral, os vícios do consentimento.

VÍCIOS REDIBITÓRIOS — São vícios ou defeitos ocultos da coisa objeto de contrato cumulativo, que a tornem imprópria ao uso a que se destina ou lhe diminuam o valor. Salvo disposição expressa no contrato, a ignorância de tais vícios não exime o alienante da responsabilidade.

VICISSITUDE — Contingência. Revés. Alteração; instabilidade das coisas. Mudança ou variação de coisas que se sucedem; alternativa. Eventualidade, acaso, contingência. Mudança, transformação, alteração. Acidente desfavorável, revés. Instabilidade ou volubilidade das coisas.

VIDA — É o resultado da atividade comum às plantas e aos animais e que concorrem para o seu desenvolvimento e conservação. Existência; espaço de tempo decorrido entre o nascimento e a morte; modo de viver; profissão; emprego; conjunto de coisas necessárias à subsistência; biografia; movimento; calor; animação; expressão animada; subsistência; sustentáculo; origem.

VIDA MÉDIA BIOLÓGICA — Tempo requerido para que um organismo reduza em 50% a concentração de uma substância em um de seus tecidos ou em todo o corpo.

VIDA PREGRESSA — Ver Antecedentes.

VIDA ÚTIL — Prazo de utilização econômica de um bem.

VIDE — [Latim]. Expressão que significa veja; confira.

VIDEBIMUS INFRA — [Latim]. Expressão que significa veremos abaixo; depois.

VIÉS — Em sentido geral é um termo que designa tendência. Em sentido restrito é o mecanismo que permite ao Banco Central alterar as taxas de juros, antes mesmo da reunião do COPOM (Conselho de Política Monetária) que é o responsável pela divulgação, uma vez por mês, da taxa básica de juros (SELIC) e seu respectivo viés, que pode ser de alta ou de baixa. Neste caso, o viés indica o que pode ocorrer com a taxa no mês seguinte.

VIÉS DE ALTA — Mecanismo que permite ao Banco Central alterar para cima a taxa básica de juros (taxa SELIC) entre reuniões do COPOM, sem a necessidade de que seja convocada uma reunião extraordinária.

VIÉS DE BAIXA — Mecanismo que permite ao Banco Central alterar para baixo a taxa básica de juros (taxa SELIC) entre reuniões do COPOM, sem a necessidade de que seja convocada uma reunião extraordinária.

VIÉS OU ERRO SISTEMÁTICO — É a distorção sistemática entre a medida de uma variável estatística e o valor real da grandeza a estimar. A introdução de um viés no cálculo estatístico pode estar ligada quer a imperfeição ou deformação da amostra que serve de base para a estimativa, quer ao próprio método de avaliação.

VIGÊNCIA — Qualidade de vigente. Tempo durante o qual uma coisa vige ou vigora. É o tempo de duração de um instrumento normativo. Prazo de duração de um contrato. É empregado no mesmo sentido de vigor, eficácia, força. A vigência, assim, revela a qualidade, ou o estado do que está em vigor, permanece efetivo, exerce toda sua força, ou se encontra em plena eficácia ou efeitos.

VIGÊNCIA DA LEI — Ver Lei, Vigência da.

VIGÊNCIA DO CONTRATO DE TRABALHO — É a que revela o fato de o contrato estar produzindo seus efeitos, alcançando os objetivos pretendidos pelos contratantes, empregador e empregado.

VIGENTE — Que vige ou vigora; vigorante.

VIGER — Vigorar, estar em vigência, execução.

VIGILÂNCIA — 1) Direito-dever do Estado de tomar as medidas de prevenção adequadas a manter a garantia e a ordem, a segurança, a saúde e a economia públicas, bem como assegurar o cumprimento das tarefas que lhe incubem. 2) Precaução, cuidado, prevenção. Atividade técnica de controle e medição de parâmetros definidos como indicadores de um risco específico ou de um desastre.

VIGILÂNCIA AMBIENTAL — Observação sistemática, medição e interpretação das variáveis ambientais com um propósito definido. Compreende o conjunto das seguintes ações: a) medição sistemática da concentração de agentes ambientais nocivos, nos seguintes componentes do ambiente: ar, água, solo, alimentos, ambiente de trabalho, hábitat, produtos específicos e outros; b) observação e medição sistemática dos condicionantes macroambientais relacionados com o sistema; c) descrição, análise, comparação, avaliação e interpretação das medições sistemáticas dos agentes ambientais em relação com as variações dos condicionantes macroambientais do sistema.

VIGILÂNCIA, *OVERSIGHT* — Uma atividade de política pública, exercida pelo Banco Central, cujo propósito básico é o de promover a segurança e eficiência dos sistemas de pagamento e de liquidação de valores e, em particular, para reduzir o risco sistêmico.

VIGOR — É a força, a vigência, a eficácia das leis, dos contratos ou das obrigações, a fim de que se cumpram as disposições ou os encargos que nele se estabelecem.

VIGORAR — Dar vigor a. Tornar mais energético; imprimir vigor ou força a. Encorajar.

VILA — Em Portugal é um aglomerado populacional de tamanho intermédio entre a aldeia, ou povoação, e a cidade, dotado de uma economia em que o setor terciário (comércio e serviços) tem uma importância no mínimo razoável. No Brasil colonial, povoações eram elevadas a vilas, e vilas a cidades, de acordo com o sistema português. Por exemplo, em 1560, São Paulo foi elevada à categoria de Vila. Hoje, no entanto, por ter um sistema administrativo diferente do de Portugal, a palavra "vila" tem um significado distinto no Brasil, sendo usada mais no sentido informal. Assim, o termo "vila" pode designar um conjunto de casas individuais, construídas em um terreno contínuo com uma entrada única e uma espécie de pequena praça em comum. Também em muitas cidades brasileiras, o termo "vila" é usado como referência a bairros, inclusive em São Paulo (Vila Madalena, Vila Mariana, por exemplo). Em alguns outros Estados, designa bairros populares.

VILIPÊNDIO A CADÁVER — Crime consistente em profanar corpo humano sem vida ou suas cinzas.

VINCULAÇÃO — Expressão utilizada para definir a relação entre eventos de comércio exterior. Ato pelo qual o exportador ou o importador informam a operação de câmbio correspondente as suas operações de exportação ou importação.

VINCULAÇÃO DE DESPESA (*RINGFENCING*) — É o tratamento tributário diferenciado e preferencial dado pelos paraísos fiscais às companhias e *trusts* de propriedade de não residentes em comparação ao de residentes.

VINCULADA — Diz-se daquilo que é ligado, unido, preso, relacionado.

VÍNCULO JURÍDICO — Em regra tem o mesmo sentido de relação jurídica, exprimindo a ação que pode ser exercida por um sujeito ativo de direitos sob o respectivo objeto, e, ao mesmo tempo, fixando a extensão e a intensidade desta ação. Laço que, no domínio dos fatos jurídicos, une o sujeito, ou titular *ad* prerrogativa, à coisa ou à obrigação, ou seja, o objeto do poder de agir do sujeito.

VINCULUM JURIS — [Latim]. Expressão que significa vínculo jurídico.

VINDITA — É a represália, intentada como vingança e à guisa da justiça. É o desforço pessoal da vítima contra seu ofensor. A vindita não se justifica perante as leis penais, consoante o princípio de que não cabe a ninguém fazer justiça pelas próprias mãos. Em sentido penal, a vindita é propriamente a punição legal. É, por esta razão, chamada de vindita pública, que exprime a aplicação da pena imposta para exemplaridade pública, em razão da própria justiça.

VINGANÇA — Sentimento de desforra, retaliação, desforço.

VINHOTO — Resíduo de cor avermelhada, potencialmente poluente, proveniente da produção do álcool de cana-de-açucar. (Ver: Chorume.)

VINTENA — 1) Imposto calculado com base no quinto do valor do negócio. 2) Na linguagem testamentária, vintena vem, tradicionalmente, designando a retribuição, ou a comissão que cabe ao testamento, em compensação aos serviços que presta na execução do testamento. E, originariamente, assim se fixou à expressão porque era essa retribuição correspondente à vigésima parte do valor apurado no episódio. Testamento instituído como herdeiro não faz jus à vintena. O herdeiro necessário, porém, concorrendo à herança por direito próprio, não se priva à remuneração, porquanto, conforme é assente, doutrinária e jurisprudencialmente, a legítima que recebe por direito, não pode ser tida nem considerada pagamento aos serviços prestados na execução testamentária.

VINTENA TESTAMENTÁRIA — Ver Vintena.

VINTENÁRIA — É a certidão emitida pelo Cartório de Registro de Imóveis contendo o histórico do imóvel nos 20 anos anteriores.

VIOLAÇÃO — Ato ou efeito de violar. Estupro. Ofensa ao direito alheio. Infração de normas ou disposições legais e contratuais.

VIOLAÇÃO DE CORRESPONDÊNCIA — Crime consistente na apropriação de correspondência alheia ou na divulgação da mensagem contida na mesma.

VIOLAÇÃO DE DOMICÍLIO — Invasão ilegal de uma casa ou apartamento contra a vontade do proprietário.

VIOLAÇÃO DE OBRIGAÇÕES — Fato de um Estado deixar de respeitar suas obrigações assumidas nos termos do direito internacional.

VIOLAÇÃO DE SIGILO FUNCIONAL — Ver Servidor público, violação de sigilo funcional.

VIOLAÇÃO DO DIREITO — É a ofensa ou atentado ao direito alheio, a que se cumpre respeitar e não atacar. Em princípio a violação de direito alheio pode resultar de ação, ou omissão voluntária, como de negligência ou imprudência, configurando ato ilícito.

VIOLAÇÃO DO SIGILO DE PROPOSTA DE CONCORRÊNCIA — Ver Servidor público - violação do sigilo de proposta de concorrência.

VIOLAÇÕES GRAVES DOS DIREITOS HUMANOS — Violações de direitos humanos particularmente graves, tais como tortura ou extermínio.

VIOLAR — Ofender com violência. Infringir, transgredir: violar, ofender preceito de lei, ou cláusula contratual.

VIOLÊNCIA — Constrangimento físico ou moral; uso da força, coação. É toda ação atentatória à dignidade, à liberdade e à integridade física e psíquica do ser humano, produzindo-lhe sofrimento, dor ou qualquer forma de limitação ao seu bem-estar ou ao livre exercício dos seus direitos. Juridicamente, a violência é espécie de coação, ou forma de constrangimento, posto em prática para vencer a capacidade de resistência de outrem, ou para demovê-la à execução de ato, ou levar a executá-lo, mesmo contra sua vontade. É ato de força exercido contra as coisas na intenção de violentá-la devassá-las ou delas se apossar.

VIOLÊNCIA ARBITRÁRIA — Ver Servidor Público - Violência arbitrária.

VIOLÊNCIA DOMÉSTICA — Praticada no contexto da convivência familiar e no entorno familiar, normalmente praticada contra crianças, adolescentes e mulheres por pessoas de sua convivência e com quem possuem laços afetivos ou sanguíneos.

VIOLÊNCIA EM ARREMATAÇÃO JUDICIAL — A que consiste em impedir, perturbar, fraudar a arrematação ou afastar concorrente por meio de violência. É crime apenado com detenção de dois meses a um ano ou multa, além da pena correspondente à violência.

VIOLÊNCIA FÍSICA, MATERIAL OU REAL — Quando se emprega força material e outros meios que impossibilitem a resistência do paciente (*vis corporalis*).

VIOLÊNCIA IMINENTE — É a que se apresenta com perigo atual, traduzido na ameaça de consumação imediata.

VIOLÊNCIA MORAL OU FICTA — Quando o agente intimida o paciente com ameaça grave de mal iminente, ou se é juridicamente incapaz de livre consentimento (*vis compulsiva*).

VIOLÊNCIA PRESUMIDA — Ação atentatória à dignidade de uma pessoa independentemente de sua concordância ou não, em função de sua condição especial (em relação à idade, saúde psíquica...). Presume-se a violência, no rapto, se a vitima não é maior de 14 anos; se for alienada ou deficiente mental, e o agente sabia-o; se não pode, por qualquer razão, oferecer resistência.

VIOLÊNCIA PSICOLÓGICA — Não se caracteriza apenas por uma ação de caráter físico e pode se dar através da agressão verbal ou outras formas mais sutis de depreciação do indivíduo diante de si e dos outros, gerando sofrimento psicológico, depressão, perda da auto-estima e autoconfiança.

VIOLÊNCIA SEXUAL — Resultante de relacionamento interpessoal sexual forçado. (Ver: Abuso Sexual // Exploração sexual.)

VIRAR PÓ — Expressão utilizada no mercado de opções. Diz-se que as operações "viram pó" quando, ao se aproximar o prazo de exercício das operações, o valor no mercado à vista da ação-objeto da opção está em um nível de preços desvantajoso para o exercício (abaixo do preço de exercício, no caso das opções de compra, e acima do preço de exercício, no caso das opções de venda). Nesse caso, o investidor evitará a opção, perderá o prêmio (pago antecipadamente) e as opções vão deixar de existir, isto é, "vão virar pó".

VIRGEM — Diz-se da mulher que nunca manteve relações sexuais, tendo, portanto, o hímen intacto. A mulher virgem é protegida pelos Códigos Penal e Civil.

VIRTUAL — Meio eletrônico via INTERNET; que simula o real.

VISÃO — Corresponde ao sonho (meta) da alta administração, como ela vê as situações de sobrevivência de sua empresa após a definição dos cenários futuros do mercado e da concorrência. A visão tem a intenção de propiciar o direcionamento dos rumos de uma organização.

VISÃO SISTÊMICA — Consiste na compreensão do todo a partir de uma análise global das partes e da interação entre estas. Várias forças atuam num sistema em funcionamento, sejam estas internas ou externas.

VISITANTE — Indivíduo que se desloca a um lugar diferente da sua residência habitual, por uma duração inferior a 365 dias, desde que o motivo principal da viagem não seja o de exercer uma atividade remunerada no lugar visitado.

VISLUMBRAR — Entrever; lobrigar; enxergar; ver indistintamente; alumiar frouxamente; conhecer imperfeitamente.

VISTA — Termo através do qual é facultado o exame ou a consulta do processo, a quem seja de direito. Ato pelo qual alguém recebe os autos de um processo como direito de tomar conhecimento de tudo o que nele se contém e se pronuncie como lhe competir.

VISTA DOS AUTOS — Ver Vista.

VISTORIA — Exprime, gramaticalmente, o próprio exame, a verificação, ou a inspeção ocular, procedida em alguma coisa, a fim de que se verifique a sua existência, a sua realidade, a situação, ou o estado em que se encontra. Constatação de um fato, mediante exame circunstanciado e descrição minuciosa dos elementos que o constituem, sem a indagação das causas que o motivaram. Inspeção em um imóvel ou lugar com o objetivo de dar um parecer a respeito do mesmo. Na técnica jurídica entende-se a dilação que tem por objetivo a inspeção, ou um exame ocular, necessário à comprovação de certos fatos relativos ao estado, ou situação das coisas. É um meio de prova consistente no exame *in loco* de alguma coisa ou local, feito pessoalmente pelo juiz ou por perito, para o esclarecimento de fatos controvertidos.

VISTORIA DE SINISTRO — Inspeção feita por peritos habilitados pela seguradora, após o sinistro, para verificar e estabelecer os danos ou prejuízos sofridos pelo objeto segurado.

VISTORIA DO RISCO — Inspeção feita por peritos habilitados pela seguradora, para avaliar as condições do risco a ser segurado, com a finalidade de estabelecer o valor do risco.

VISTORIA JUDICIAL — É a inspeção feita em imóvel, por perito (judicial, se nomeado pelo juiz), para a verificação de seu estado ou de circunstâncias a ele concernentes, incluindo localização, solidez, atributos, defeitos e danos da edificação e de suas servidões.

VITAL — Relativo à vida; que pertence à vida. Próprio para conservar a vida. Que dá força; fortificante. Princípio e realidade energética, que deriva do Fluido Cósmico Universal, que é o responsável pelo fenômeno de vida nos seres orgânicos.

VITALICIEDADE — É a prerrogativa concedida pela Constituição a certos servidores públicos, a título de exceção, de ocuparem os respectivos cargos até atingirem a idade prevista para a aposentadoria compulsória, não podendo deles serem destituídos, salvo por sentença judiciária.

VITALÍCIO — Diz-se daquilo de que se tem a posse durante a vida. Em sentido genérico designa a situação de tudo o que perdura por uma vida, ou que tem eficácia durante a vida de uma pessoa. Assim, juridicamente, opõe ao sentido de temporário e de passageiro. (Ver: Cargo Vitalício.)

VÍTIMA — 1) Geralmente, entende-se por vítima a pessoa que tem sacrificado os seus interesses, que sofre um dano ou é atingida por qualquer mal. E sem fugir ao sentido comum, na linguagem penal designa o sujeito passivo de um delito ou de uma contravenção. É, assim, o ofendido, o ferido, o assassinado, o prejudicado, o burlado. 2) Pessoa que sofreu qualquer espécie de dano físico, psíquico, econômico ou social, em conseqüência de violência ou desastre.

VITIMOLOGIA — Disciplina que se ocupa de aferir a influência da própria vítima na prática do delito.

VITÓRIA — Ato de obter resultado favorável numa competição, luta, eleição etc. Condição daquele que vence.

VITUPÉRIO — Injúria, insulto.

VIVACIDADE — Qualidade de ativo, vigoroso, enérgico, forte e ligeiro.

VIVÊNCIA — Experiência de uma situação de vida.

VIZINHANÇA — Conceito amplo, que abrange todos que estão diretamente ligados ao uso das propriedades que os rodeiam.

VIZINHO — Aquele que mora próximo, em propriedade vizinha, e também imóvel das redondezas.

VOCAÇÃO — Convocação legal feita a alguém para comparecer a determinado ato processual.

VOCAÇÃO HEREDITÁRIA — Chamamento dos herdeiros legítimos à sucessão de alguém falecido para receber a herança.

VOCIFERAR — Proferir em voz alta ou clamorosa, clamar, bradar, exclamar. Dizer coisas desagradáveis; dirigir censuras ou reclamações.

VOÇOROCA — Escavação, rasgão, fenda profunda no solo ou rocha decomposta, oriunda de diversos e complexos mecanismos, tais como enxurradas e desmoronamentos provocados por erosão subterrânea e causados por águas pluviais que se infiltram em terrenos permeáveis e pouco consistentes, ao atingirem superfícies de menor permeabilidade. As voçorocas são de difícil contenção e geralmente causam graves danos econômicos. Constituem-se no estágio mais avançado da erosão linear e ocorrem quando o aprofundamento das ravinas atinge e ultrapassa o nível do lençol freático. A interseção do fundo da ravina com o nível do lençol freático incrementa o processo erosivo, inclusive da erosão interna, que remonta através do interior do terreno, carreando material em profundidade e intensificando a formação de veios ou tubos (pipes) vazios no interior do solo. Esses vazios, ao atingirem proporções significativas, provocam colapsos e desabamentos que intensificam o fenômeno. As voçorocas são freqüentes em países de clima tropical úmido caracterizado pela existência de uma estação chuvosa, na primavera-verão, e outra de estio, no outono-inverno.

VOGAL — Designa a pessoa que pertence ou faz parte de corporação ou órgão, tendo voto ou deliberando sobre os casos submetidos à apreciação das mesmas instituições. (Ver: Juiz classista.)

VOLÁTIL — Líquido que, nas condições ambientais, se torna gasoso.

VOLATILIDADE — Característica de aumento ou queda brusca do preço de um valor mobiliário, *commodity* ou mercado em um período curto. A volatilidade é uma das possíveis medidas de risco de um ativo. Em estatística, é o desvio-padrão.

VOLATILIDADE ELEITORAL — Ver Eleição - Volatilidade eleitoral.

VOLT (V) — É a unidade de medida da tensão ou força eletromotiva. É equivalente à força necessária para produzir uma corrente de 1 ampère através da resistência de 1 ohm. A unidade de medida do potencial elétrico. Geralmente medido em quilovolts, ou kV. Voltagens de transmissão típicas são 115 kV, 230 kV e 500 kV. (Ver: Watt.)

VOLUME — É a quantidade de espaço ocupada por um corpo. O volume de um corpo é a quantidade de espaço ocupada por esse corpo. Volume tem unidades de tamanho cúbicas (por exemplo, cm^3, m^3, in^3 etc.) Então, o volume de uma caixa (paralelepípedo retangular) de tamanho T, largura L, e altura A é: V = T x L x A. Sua unidade no Sistema internacional de unidades é o metro cúbico (m^3).

VOLUME DE RECURSOS FINANCEIROS — 1) É o volume financeiro, dinheiro, negociado por um determinado papel ou pela bolsa. 2) Dados sobre os fluxos de ajuda, normalmente expressos em dólares, para comparações internacionais. Dão uma idéia real da evolução dos fluxos ao longo do tempo. São normalmente expressos a preços e taxas de câmbio constantes, com a referência a um ano específico.

VOLUNTARIADO — Ação realizada por um voluntário. Conjunto de organizações que trabalham com voluntários. Ação de auxílio desenvolvida basicamente sem visar ganho financeiro ou por obrigação; pode ir além da ação individual e tornar-se atividade grupal.

VOLUNTÁRIO — Pessoa que exerce o voluntariado. Pessoa física que realiza atividade não remunerada junto à entidade pública de qualquer natureza ou a instituição privada de fins não lucrativos, que tenha objetivos cívicos, culturais, educacionais, científicos, recreativos ou de assistência social, inclusive mutualidade. Pessoas que trabalham na cooperação para o desenvolvimento de ações sem que nada lhes seja imposto e sem receber remuneração.

VOLUNTÁRIOS DAS NAÇÕES UNIDAS — Programa das Nações Unidas que apóia o desenvolvimento humano global através da promoção do voluntariado e da mobilização de voluntários, considerando que o voluntarismo dá uma importante contribuição, econômica e social, para a coesão das sociedades na construção/reforço da confiança e reciprocidade entre cidadãos. É administrado pelo PNUD. Cada não cerca de 5.000 voluntários originários de mais de 150 países diferentes apoiando ativamente o trabalho dos programas, fundos e agências especializadas das Nações Unidas.

VOLUNTAS LEGIS — [Latim]. Expressão que significa a vontade da lei.

VOLVER — Ato ou efeito de voltar. Regressar.

VONTADE — É a capacidade através da qual tomamos posição frente ao que nos aparece. Diante de um fato, podemos desejá-lo ou rejeitá-lo. Ante um pensamento, podemos afirmá-lo, negá-lo ou suspender o juízo. Juridicamente revela a própria intenção ou desejo de se fazer alguma coisa. Correspondente, pois, à deliberação ou à resolução intencionalmente tomada pela pessoa a fim de que se tenha como consentido na prática, ou na execução de um ato jurídico, de que se geram direitos e nascem obrigações.

VOTAÇÃO — Ato ou efeito de aprovar por meio de votos, eleger por meio de votos, dar ou emitir voto. Conjunto dos votos de uma assembléia eleitoral. Na Câmara dos Deputados é a fase do processo legislativo que completa o turno regimental da discussão. Pode ser ostensiva, adotando-se o processo simbólico ou nominal, ou secreta, por meio do sistema eletrônico ou de cédulas. Anunciada uma votação, é lícito o uso da palavra para encaminhá-la, ainda que se trate de matéria não sujeita à discussão ou que esteja em regime de urgência. Cada líder poderá manifestar-se para orientar sua bancada ou indicar deputado para fazê-lo em nome da Liderança.

VOTAÇÃO ELETRÔNICA — Processo de votação baseado em recursos eletrônicos (painel eletrônico, cartão magnético etc.).

VOTAÇÃO EM BLOCO — Votação de um conjunto de emendas a um só tempo.

VOTAÇÃO NOMINAL — Processo de votação em que, à medida que seus nomes são chamados, os parlamentares dizem sim ou não, conforme sejam favoráveis ou contrários à questão.

VOTAÇÃO SECRETA — Processo de votação em que são utilizadas cédulas, depositadas em urna.

VOTAÇÃO SIMBÓLICA — Processo de votação em que os favoráveis à matéria permanecem assentados.

VOTAÇÃO UNÃNIME — Ver V. U.

VOTANTE — Pessoa que vota ou exerce o direito de votar.

VOTO — 1) Meio pelo qual se manifesta uma vontade, em um julgamento ou deliberação coletiva. 2) Posição individual manifestada pelo juiz, ministro ou conselheiro do Tribunal de Contas no julgamento de um processo. 3) Direito que tem o proprietário de ações ordinárias - ou preferenciais não destituídas dessa faculdade - de participar das deliberações nas assembléias gerais. 4) Ato pelo qual o cidadão indica seus candidatos para o preenchimento de cargos eletivos, exercendo seu direito de sufrágio, num pleito eleitoral. A Constituição Federal de 1988 declara, em seu art. 14, que a soberania popular será exercida pelo sufrágio universal e pelo voto direto e secreto, com valor igual para todos. 5) Modo de manifestar a vontade ou opinião num numa assembléia.

VOTO DE CABRESTO — Ver Eleição - Voto de cabresto.

VOTO DE CONFIANÇA — Decisão das Câmaras Legislativas pela qual o governo fica autorizado a proceder livremente acerca de qualquer negócio; decisão de qualquer assembléia no sentido de autorizar as decisões tomadas pelo presidente.

VOTO DE DESCONFIANÇA — Ver Eleição - Voto de desconfiança.

VOTO DE MINERVA — Voto de desempate concedido aos presidentes dos corpos administrativos, judiciários, legislativos etc.

VOTO DE QUALIDADE — Sistema eleitoral em que o número de votos de cada eleitor varia de acordo com os títulos que ele possui.

VOTO DECISÓRIO — É aquele que se emite, ou se dá, nas corporações, ou nas assembléias, para solução, ou para decisão, de fatos submetidos ao seu veredicto. É o mesmo que voto deliberativo.

VOTO DELIBERATIVO — Direito de sufrágio, numa assembléia.

VOTO EM BRANCO — Ver Eleição - Voto em branco.

VOTO NOMINAL — Voto dado por indivíduo que se nomeia ou é nomeado; sufrágio em que o nome do votante não é mantido em segredo, mas sim indicado no ato de votar, geralmente por chamada.

VOTO PLURAL — Sistema eleitoral que atribui, em determinadas condições, várias vozes a uma mesma pessoa.

VOTO VENCIDO — O que é dado em separado, num tribunal judiciário ou em uma assembléia, pelo membro divergente da maioria, fundamentando ele ou não a divergência.

VOUCHER — Ver Nota de Lançamento (*Voucher*).

VOZ DE PRISÃO — Ordem verbal dada por autoridade, ou por qualquer pessoa do povo, no caso de flagrante delito, para determinar a prisão de alguém.

VULCÂNICA — Rocha eruptiva originada da consolidação de material magmático extravasado à superfície terrestre.

VULCANISMO — Conjunto de fenômenos e processos associados a vulcões e relacionados à ascensão de material magmático em estado sólido, líquido ou gasoso, à superfície terrestre.

VULCÃO — Formação, geralmente montanhosa, na qual, através de abertura ou fenda, é expelido, na superfície, material magmático (lavas, cinzas, gases quentes e fragmentos de rochas) existente no interior da terra.

VULGO — O comum das gentes; o povo; a plebe; a classe popular.

VULNERABILIDADE — Relação existente entre a magnitude da ameaça, caso ela se concretize, e a intensidade do dano conseqüente. Condição intrínseca ao corpo ou sistema receptor que, em interação com a magnitude do evento ou acidente, caracteriza os efeitos adversos, medidos em termos de intensidade dos danos prováveis. Probabilidade de uma determinada comunidade ou área geográfica ser afetada por uma ameaça ou risco potencial de desastre, estabelecida a partir de estudos técnicos. Corresponde ao nível de insegurança intrínseca de um cenário de desastre a um evento adverso determinado. Vulnerabilidade é o inverso da segurança.

W

WACC — Custo médio ponderado do capital empregado, calculado quando diferentes investidores (*players*) de um mesmo empreendimento possuem custos de capital diferenciados.

WAIVER OF LMMUNITY — Expressão inglesa que serve para designar a renúncia voluntária da testemunha ao direito de não ser obrigada a prestar depoimento autoacusatório.

WALL STREET — Termo que designa a comunidade financeira de Nova Iorque, concentrada na rua do mesmo nome, em Manhattan, onde se encontram a Bolsa de Valores de Nova Iorque (NYSE), várias bolsas de mercadorias e as sedes dos principais bancos, companhias de seguros, corretoras e outras instituições financeiras dos Estados Unidos.

WARRANT — É um título de crédito, emitido pelas empresas de armazéns gerais, companhias de docas, trapiches, alfândega, estações de estradas de ferro federais, relativo a mercadorias em depósito, destinado a atribuir, ao portador, direito real de penhor sobre as mesmas, até o valor nele enunciado. O *warrant* é emitido simultaneamente com o conhecimento de depósito. 2) Títulos que dão ao seu portador o direito, mas não a obrigação, de comprar ações ordinárias de uma empresa a preço fixo dentro de um certo período.

WATT (W) — É uma medida de potência, usada para medir a potência real do equipamento (que efetivamente é consumida). Esta medida determina o quanto se paga de conta de fornecimento de energia elétrica. O que vem na conta de energia é expresso em KWh (quilowatt-hora). (Ver: Medidas de potência por unidade de potência // Kilowatt-hora // Volt.)

WEB — Pronuncia-se véb. Sistema de hipermídia disponível na Internet, com documentos e outros objetos localizados em pontos diversos da rede e vinculados entre si. O conjunto das informações e recursos assim disponíveis.

WILLY-WILLY — Nome que os ciclones recebem na Austrália e demais países do sul da Oceania. (Ver: Tornado // Tufão.)

WORKSHOP — Reunião de pessoas com interesses ou problemas profissionais comuns, com o objetivo de melhorar sua habilidade ou eficiência, estudando e trabalhando juntos sob orientação de especialistas. O significado do nome inglês "*workshop*" equivale ao significado original da palavra "laboratório", isto é, "lugar de trabalho" (*laborare* = trabalhar). Isto indica a natureza eminentemente prática ou aplicada desta técnica, o que a distingue da Reflexão ou Círculo de Estudos. De fato, os objetivos do "laboratório" são muito específicos e se definem em termos do que os participantes aprenderão a fazer melhor durante a reunião.

WRIT — Termo inglês que significa mandado, ordem escrita, ordem judicial. Quando utilizado na terminologia jurídica brasileira, refere-se sempre ao mandado de segurança e ao *habeas corpus*.

WRITE-OFF — Escrituração de uma perda decorrente de uma dívida não paga. Em finanças internacionais, o *write-off* implica a eliminação ou na desvalorização da dívida externa de um país.

X

XENOFILIA — Diz-se daquele que tem simpatia por pessoas e coisas estrangeiras.

XENOFOBIA — É a aversão a coisas ou pessoas estrangeiras, muitas vezes provocada e alimentada por elementos interessados em promover desentendimentos internacionais, para alcançar fins políticos ou econômicos. É uma das facetas do nacionalismo pouco esclarecido e arma usada habilmente por demagogos. (Ver: Nacionalismo.)

XEROCÓPIA — Ver Fotocópia.

XERÓFILO — Vegetal que vive em lugares secos.

XERÓFITA — Planta adaptada a ambientes secos; Espécie vegetal cujos indivíduos têm uma estrutura especial, com reforço nas paredes celulares devido à abundância de tecidos mecânicos, o que lhe protege contra a carência de água do ambiente onde vive. Vegetal eficiente em reter água, que pode crescer nos desertos ou em ambientes com altas concentrações de sal.

XEROGRAFIA — Ramo da Geografia que trata da parte seca do globo terrestre.

XEROMÓRFICA — Planta semelhante às xerófitas; Espécie vegetal com morfologia semelhante às xerófitas e, por isso, não sofre com a escassez de água no ambiente onde vegeta (como é o caso da vegetação de cerrado, por exemplo).

XEROTÉRMICO — Clima caracterizado por seca e calor.

XIFOPAGIA — Irmãos que nascem unidos na altura do tórax ou da região xifóidea. Para o Direito brasileiro, haverá duas pessoas distintas, desde que haja duas cabeças e dois cérebros.

XISTO — Rocha metamórfica cujos minerais lamelares ou aciculares são visíveis a olho nu e dispostos com a mesma orientação, conferindo à rocha uma feição típica denominada foliação.

XISTOSA — Característica de minerais metamórficos que consiste na disposição em camadas nas rochas.

XUCRO — Diz-se do animal de sela ainda não domesticado, ou indivíduo bisonho (inexperiente) em qualquer tarefa, ou de coisa ainda imperfeita.

Y

YARDANG — Sulcos ou canaletes profundos que aparecem na superfície das rochas, escavados pela erosão eólica. Não se deve confundir os *Yardangs* com os Lápias. Os sulcos produzidos pela deflação aparecem no sentido do vento dominante, que ataca as rochas ao longo de linhas de menor resistência. Os tipos clássicos de Yardangs ou Chardangs são encontrados na Ásia Central - deserto de Lop e Tarim, no Turquestão.

YIELD — O rendimento anual de um título em dividendos ou juros expressos com uma percentagem da cotação do mesmo. Assim, por exemplo, uma obrigação com um valor nominal de 1.000 dólares, juros de 10% e uma cotação de 500 dólares, teria um *yield* de 20%.

YIELD CURVE — Gráfico contendo os rendimentos dos títulos de mesma categoria, mas diferentes vencimentos.

***YIELD* DO TÍTULO** — A taxa de desconto utilizada para se chegar ao valor presente do título, ou a taxa interna de retorno.

YIELD TO MATURITY — Taxa de retorno até o vencimento de um título de renda fixa que leva em consideração o total dos pagamentos periódicos de juros, o preço de compra, o valor de resgate e o tempo que falta até o prazo de vencimento da obrigação. É o indicador de rendimento mais utilizado.

YIELD, BLENDED — Taxa de retorno até o vencimento de um título de renda fixa com colateral, incluindo no cálculo o valor do colateral.

YIELD, CURRENT — *Current yield* pode ser traduzido como rendimento corrente de um título de renda fixa, ou seja, o rendimento não levando em consideração o prazo do título em questão. É calculado dividindo a taxa de juros do *coupon* pelo preço do título. Por exemplo se um título está sendo vendido a um preço de R$ 100,00 com um *coupon* de 10% ele oferece um *current yield* de 10%. Caso esse título estivesse cotado a R$ 80,00 o seu *current yield* seria de 12,50%.

YIELD, STRIPPED — Taxa de retorno até o vencimento de um título de renda fixa com colateral, deduzido o valor presente dos fluxos do colateral. O *stripped yield* é utilizado para comparar o *yield* de um papel colateralizado com o *yield* de um papel sem colateral.

Z

ZAIBATSU — Conglomerado japonês, na forma de associação de várias empresas industriais sob o controle acionário de um grande banco, vinculando dessa forma o capital industrial ao capital financeiro. Ex.: grupo Mitsubishi.

ZANGÃO — No Direito Comercial, é a pessoa que, sem estar matriculada como corretora de fundos públicos, realiza transação, fora do âmbito das Bolsas.

ZÊNITE — Ponto situado na vertical do observador e cuja altura é, portanto, de 90º.

ZEUGMA — Figura de construção de uma frase. É a omissão de termos que já ocorreram anteriormente no enunciado. Exemplo: Alguns aspiram à luz, outros, à escuridão.

ZODÍACO — Zona situada de ambos os lados da eclíptica e em que se encontram sempre situados o Sol, a Lua e os planetas e que contém as 12 constelações zodiacais. (Ver: Eclíptica.)

ZOMBARIA — Manifestação malévola, irônica ou maliciosa, por meio de uso, palavras ou gestos, com que se ridicularíza ou expõe ao desdém uma pessoa, instituição, atitude etc.; caçoada, chacota, desfrute, malhação, mofa, motejo, surriada, troça.

ZONA — 1) Divisão da área do Município em áreas reservadas a determinadas atividades e usos. É o espaço da Cidade perfeitamente delimitado por suas características ambientais, para o qual serão previstos controles de densidade demográfica e de limites de construção e a intensidade dos diversos usos e atividades econômicas, sociais e culturais. 2) Compreende as faixas da terra delimitadas pelos trópicos e pelos círculos polares. 3) Conjunto de imóveis de uma determinada região, ou de parte de um território, que apresenta características físicas, econômicas ou sociais homogêneas ou similares. Compreende uma área de menor abrangência se comparada ao conceito de região. 4) Divisão do espaço, quer se trate de espaço geográfico amplo, em nível planetário, quer espaço regional ou urbano. 5) Cada um das cinco grandes regiões da superfície terrestre delimitadas pelos trópicos e círculos polares.

ZONA AGRÍCOLA — Área do Município onde prevalecem atividades agrícolas e de criação animal e aquelas de apoio e complementação compatíveis entre si.

ZONA COMERCIAL E DE SERVIÇOS — Área do Município onde prevalecem as atividades comerciais e de prestação de serviços, classificadas de acordo com as intensidades dessas atividades, admitida a incidência de uso residencial e de atividades econômicas ligadas aos setores primário e secundário. Não se confunde com Zona de Uso Misto.

ZONA CONTÍGUA — Faixa entre o mar territorial e o alto mar, atualmente fixada por convenção internacional em 200 milhas, sobre a qual o Estado litorâneo exerce sua jurisdição sobre atividades pesqueiras e outras de interesse nacional.

ZONA COSTEIRA — O espaço geográfico de interação do ar, mar e terra, incluindo seus recursos renováveis ou não, abrangendo uma faixa marítima e outra terrestre. A Constituição Federal diz que a zona costeira é patrimônio nacional, devendo ser utilizada na forma da lei, dentro de condições que assegurem a preservação do meio ambiente, inclusive quanto ao uso dos recursos naturais.

ZONA DE AMORTECIMENTO — Área no entorno de uma unidade de conservação, onde as atividades humanas estão sujeitas a normas e restrições específicas, com o propósito de minimizar os impactos negativos sobre a unidade.

ZONA DE CONSERVAÇÃO AMBIENTAL — É aquela que apresenta características ambientais e paisagísticas relevantes para a proteção.

ZONA DE FRONTEIRA — Faixa ao longo das fronteiras terrestres, designada como faixa de terra fronteiriça com países vizinhos. É considerada essencial à segurança do Estado e por isso mesmo sujeita a limitações de uso. No Brasil, segundo prevê o art. 20, § 2º da Constituição Federal, a faixa de fronteira com os países vizinhos é de 150 quilômetros de largura, sendo sua ocupação e utilização reguladas por lei. É fundamental para a defesa do território nacional.

ZONA DE LIVRE COMÉRCIO OU ZONA FRANCA — Ver Zona Franca.

ZONA DE PRECIPITAÇÃO — Extensão geográfica afetada por uma dada chuva.

ZONA DE PROTEÇÃO SANITÁRIA — Território demarcado entre empresas industriais e áreas residenciais para proteger a saúde das comunidades adjacentes. Permite uma zona para o depósito seguro de despejos industriais, de acordo com normas higiênicas. Deve integrar-se à paisagem e está sujeita a regulamentos específicos, dentre os quais o de zona *non aedificandi*.

ZONA DE TRANSIÇÃO — É uma zona, periférica ao Parque Nacional ou reserva equivalente, onde restrições são colocadas sobre o uso dos recursos ou medidas especiais de desenvolvimento são tomadas para aumentar o valor da conservação da área.

ZONA DE USO MISTO — Área do Município onde as atividades residenciais, comerciais, de serviços e industriais, compatíveis entre si, coexistem, sem a predominância de qualquer dessas atividades.

ZONA ECONÔMICA EXCLUSIVA BRASILEIRA — Faixa que se estende das 12 às 200 milhas marítimas, contadas a partir das linhas de base que servem para medir a largura do mar territorial, onde o Brasil tem direitos de soberania para fins de exploração e aproveitamento, conservação e gestão dos recursos naturais, vivos ou não-vivos, das águas sobrejacentes ao leito do mar e seu subsolo, e no que se refere a outras atividades com vistas à exploração e ao aproveitamento da zona para fins econômicos e o direito exclusivo de regulamentar a investigação científica marinha, a proteção e preservação do meio marinho, bem como a construção, operação e uso de todos os tipos de ilhas artificiais, instalações e estruturas.

ZONA ELEITORAL — Divisão geográfica que abrange todos os eleitores de uma região ou território. Circunscrição legalmente delimitada para propósitos eleitorais.

ZONA FISIOGRÁFICA — Uma das várias divisões de um País, região ou Estado e que guarda certos caracteres próprios, distintos dos das demais.

ZONA FRANCA (ÁREA DE LIVRE-COMÉRCIO) — Ou *foreign trade zone; free trade zone*, os nomes são variáveis mas a função é similar. Nos Estados Unidos são chamadas de *foreign trade zone*; na China, de *special economic zone*; no Brasil e outros países da América do Sul, de zona franca; no México, de *maquiladoras*; no resto do mundo é comum a denominação de *free trade zone*. Podem ser áreas geograficamente delimitadas, separadas do resto da cidade ou do país por grades ou muros, ou podem ser empresas de serviços ou de produção de manufaturas sujeitas ao regime de zona franca, porém localizadas em qualquer lugar de um país. Gozam de incentivos especiais para exportação, incluindo isenção de impostos alfandegários e tratamento preferencial relativo a regulamentações fiscais, financeiras (autorização para repatriar capital, por exemplo), e/ou trabalhistas. Muitas zonas são lugares de armazenamento, transbordo ou venda *duty-free* (sem taxas) de mercadorias (*Shannon* na Irlanda, *Antalya* na Turquia; Santana no Brasil, onde o nome é área de livre-comércio porque não tem firmas de processamento industrial). Outras incluem importação de equipamento, de componentes e de matéria-prima para a montagem de produtos, sem pagamento de impostos de importação (Manaus no Brasil; maquiladoras mexicanas). Os Estados Unidos têm o maior número desse tipo de território especial e também é o mais diferenciado em termos de especialização setorial. No caso desse último, o estatuto de extraterritorialidade se limita ao não pagamento de direitos alfandegários.

ZONA INDUSTRIAL — Área do Município onde prevalece a existência de indústrias e de atividades correlatas do setor secundário e inclui aquelas de seu apoio, viabilidade e complementação, compatíveis entre si.

ZONA MONETÁRIA — É o conjunto constituído em seguimento a um acordo formal ou em conseqüência de um estado de fato, por um grupo de países ou territórios, que observam regras particulares nas suas relações monetárias e conferem à moeda do principal destes países um papel essencial nos pagamentos internos da zona e com o resto do mundo.

ZONA RESIDENCIAL — Área do Município onde prevalece o uso para moradias unifamiliares ou multifamiliares e as atividades de apoio ou complementaridade a esse uso, compatíveis entre si.

ZONAS DE PROCESSAMENTO DE EXPORTAÇÕES (ZPE) — São áreas criadas pelos Estados onde as operações comerciais e industriais se destinam à exportação e, por esta razão, deixam de ser tributadas.

ZONEAMENTO — 1) É a destinação factual ou jurídica da terra a diversas modalidades de uso humano. Como instituto jurídico, o conceito se restringe à destinação administrativa fixada ou reconhecida. 2) Legislação urbanística que estabelece as modalidades, a intensidade e a localização dos usos do solo e das atividades permitidas no Município. Divisão de uma área urbana em setores reservados a certas atividades. É o instrumento legal de que dispõe o Poder Público para controlar o uso da terra, as densidades de população, a localização, a dimensão, o volume dos edifícios e seus usos específicos, em prol do bem-estar social. 3) Definição de setores ou zonas em uma unidade de conservação com objetivos de manejo e normas específicas, com o propósito de proporcionar os meios e as condições para que todos os objetivos da Unidade possam ser alcançados de forma harmônica e eficaz.

ZONEAMENTO AMBIENTAL — Trata-se da integração harmônica de um conjunto de zonas ambientais com seu respectivo corpo normativo. Possui objetivos de manejo e normas específicas, com o propósito de proporcionar os meios e as condições para que todos os objetivos da Unidade possam ser alcançados. É instrumento normativo do Plano de Gestão Ambiental, tendo como pressuposto um cenário formulado a partir de peculiaridades ambientais diante dos processos sociais, culturais, econômicos e políticos vigentes e prognosticados para APA e sua região.

ZPE — Ver Zonas de Processamento de Exportações.

PRINCIPAIS FONTES CONSULTADAS

- ALENCAR, José Daniel. *Dicionário de Auditoria*. Brasiliana, 1984.
- Associação Brasileira de Orçamento Público. *Glossário de Termos Orçamentários e Afins*. Brasília: 1975. 1992: Revista ABOP. 13 (2)
- Banco do Brasil – http://www.bb.com.br
- BARROS, Carlos Ramos de. *Direito Constitucional e Administrativo*: Noções Básicas.
- BENASSE, Paulo Roberto. *Dicionário jurídico de bolso*. Campinas: Bookseller, 2000.
- Boletim Interno do TCU N. 34 de 23/07/92.
- Bolsa de Mercadorias & Futuros
- Bolsa de Valores do Estado de São Paulo.
- BUARQUE DE HOLANDA FERREIRA, Aurélio. *Novo Dicionário da Língua Portuguesa*. Rio de Janeiro: Nova Fronteira.
- Câmara dos Deputados – www2.camara.gov.br
- CARNEIRO, Luiz Orlando. Termos jurídicos. s/d. (Mimeo.)
- CHACHOLIADES, M. *Economia Internacional*. McGraw-Hill, 1982.
- Conhecendo o Judiciário. Brasília: Tribunal de Justiça do Distrito Federal e Territórios/ Associação dos Magistrados do Distrito Federal/ Escola Superior de Magistratura, s/d.
- Conhecendo o Judiciário. Campo Grande: Tribunal de Justiça do Estado do Mato Grosso do Sul, 2001.
- Constituição Federal, 1988 e Emendas Constitucionais seguintes.
- CRETELLA JÚNIOR, José. *Curso de Direito Administrativo*. 14ª ed. Rio de Janeiro: Forense, 1995.
- DE PLÁCIDO E SILVA. *Vocabulário jurídico*. Rio de Janeiro: Editora Forense, 1999.
- Decreto nº 24.643, de 1934 – Código de águas.
- Decreto-lei 200 de 1967.
- Decreto-Lei nº 2.848, de 1940 – Código Penal.
- Decreto-Lei nº 3.689, de 1941 – Código de Processo Penal.
- Decreto-Lei nº 5.452, de 1943 – Consolidação das leis do trabalho (CLT).
- *Diccionario de la Naturaleza, 1987.*
- Distribuição dos *royalties* do petróleo e de gás natural – Tribunal de Contas do Estado Rio de Janeiro.
- Eleições 2006 – Tribunal de Contas do Estado Rio de Janeiro.
- Eleições Municipais 2004 – Tribunal de Contas do Estado Rio de Janeiro.
- ELLSWORTH, P.T. Economia Internacional. New York: MacMillan, 1974.
- Fundação Estadual do Meio Ambiente/RJ – www.feema.rj.gov.br
- GLOSSÁRIO – Tribunal de Contas do Estado do Rio de Janeiro, edição 2003.
- ICMS – Tribunal de Contas do Estado Rio de Janeiro.
- Imposto sobre Serviços de Qualquer Natureza ISS e a Lei Complementar n.º 116, de 31.07.2003 – Tribunal de Contas do Estado Rio de Janeiro.
- Indicadores dos Municípios – Tribunal de Contas do Estado Rio de Janeiro.
- Instituto Brasileiro de Geografia e Estatística – www.ibge.gov.br
- IUDÍCIBUS, Sérgio de, MARTINS, Eliseu, GELBCKE, Rubens E. *Manual de Contabilidade das Sociedades por Ações*. 4ª ed. São Paulo: Atlas,1995.
- JOÃO ANGÉLICO. *Contabilidade Pública*, 5.ed., São Paulo: Atlas, 1981.
- JOÃO ANGÉLICO. *Contabilidade Pública*. São Paulo: Atlas, 1994.
- Jornais "Valor Econômico", "O Globo" "Folha de S. Paulo" e "Jornal do Brasil".
- KOHAMA, Heilio. *Balanços Públicos – Teoria e Prática*. São Paulo: Atlas, 1999.
- KOHAMA, Heilio. *Contabilidade Pública – Teoria e Prática*. 3ª ed. São Paulo: Atlas, 1991.
- Lei Complementar Estadual/RJ nº 63, de 01.08.1990 - Lei Orgânica do Tribunal de Contas do Estado do Rio de Janeiro.
- Lei Complementar Federal n.º 101 – (Lei de Responsabilidade Fiscal).
- Lei Complementar Federal nº 63, de 11.01.1990. Distribuição do ICMS.
- Lei Estadual/RJ nº 2666, de 27.12.1996. Distribuição do ICMS.
- Lei Federal 9.503, de 1997 – Código de Transito Brasileiro.
- Lei Federal nº 10.406. de 2002 – Novo Código Civel.
- Lei Federal nº 10.741, de 2003 – Estatuto do Idoso.
- Lei Federal nº 10.826, de 2003 – Estatuto do desarmamento.
- Lei Federal nº 3.071. de 1916 – Antigo Código Civil
- Lei Federal nº 4.737, de 1995 – Código Eleitoral.
- Lei Federal nº 4.771, de 1965 – Código Florestal.
- Lei Federal nº 5.172, de 1966 – Código Tributário Nacional.
- Lei Federal nº 5.869, de 1973 – Código de Processo Civil.
- Lei Federal nº 556, de 25.6.1850 (um mil oitocentos e cinqüenta) – Código Comercial.

- Lei Federal nº 8.069, de 1990 - Estatuto da Criança e do Adolescente,
- Lei Federal nº 8.666/ e leis de atualizações.
- Lei Federal nº 8.878, de 1990 - Código de Proteção e Defesa do Consumidor.
- Lei Federal nº 9.279, de 1996 - Código de Propriedade Industrial.
- Licitações e Contratos - TCU.
- LOPES DE SÁ, Ana M.Lopes de Sá. *Dicionário de Contabilidade*. São Paulo: Atlas, 1994.
- MACHADO, J.T.; Reis, H.C. *Lei 4.320 comentada*. 29ª ed. Rio de Janeiro: Ibam, 1999.
- MEIRELLES, Hely Lopes. *Direito Administrativo Brasileiro*. 17º ed. 1990.
- MENDES, Maria da Conceição Meirelles (Org.). *Manual básico de Direito para profissionais de comunicação*. 1º módulo. São Luís: Tribunal Regional do Trabalho da 16ª Região, 1999.
- Ministério da Fazenda. Secretaria do Tesouro Nacional - www.stn.fazenda.gov.br
- Ministério do Planejamento, Orçamento e Gestão, Portaria Interministerial n.º 163, de 04.05.2001.
- NASCIMENTO, José Olavo do. *O Orçamento público - Aspectos Relevantes*. 2ª ed. Porto Alegre: 1986.
- Noções de Direito para jornalistas. Guia Prático. São Paulo: Justiça Federal/Seção Judiciária do Estado de São Paulo, s.d.
- PISCITELLI, Roberto Bocaccio, TIMBÓ, Maria Zulene Farias, ROSA, Maria Berenice. *Contabilidade Pública - Uma Abordagem da Administração Financeira Pública*. 6ª ed. São Paulo: Atlas, 1999.
- Planejamento e Gestão das Ações de Governo - TCE/RJ.
- Regimento Interno do Supremo Tribunal Federal. www.stf.gov.br/abril, 2003
- Regimento Interno do Tribunal de Contas do Estado do Rio de Janeiro.
- Revistas semanais "Época" e "Veja".
- SÁ, Antonio Lopes de; SÁ, Ana M. Lopes de. *Dicionário de Contabilidade*. 9ª ed. São Paulo: Atlas, 1995.
- SANCHES, Osvaldo Maldonado. *Dicionário de Orçamento, Planejamento e Áreas Afins*. Brasília: Prisma, 1997.
- SANDRONI, Paulo. *Dicionário de Economia e Administração*. São Paulo: Nova Cultural, 1996.
- Secretaria do Tesouro Nacional - www.stn.fazenda.gov.br
- Senado Federal - www.senado.gov.br/sf
- SILVA, Lino Martins da. *Contabilidade Governamental - Um Enfoque Administrativo*. 3ª ed. São Paulo: Atlas, 1996.
- Subsídio dos Vereadores - Tribunal de Contas do Estado Rio de Janeiro
- Transferências de FPE e FPM a Estados e Municípios brasileiros - Tribunal de Contas do Estado Rio de Janeiro.
- Tribunal de Contas da União - www2.tcu.gov.br
- Tribunal de Contas do Estado Rio de Janeiro - www.tce.rj.gov.br
- União Européia - http://www.suapesquisa.com/uniaoeuropeia/
- VAZ, Marcos. *Cartilha da Justiça em quadrinhos*. Rio de Janeiro: Associação dos Magistrados Brasileiros, 1999.
- WALTER, Milton Augusto. *Introdução à Contabilidade*. Vol. I. São Paulo: Saraiva.
- www.planalto.gov.br //www.redegoverno.gov.br

CARACTERÍSTICAS DESTE LIVRO:

Formato: 17 x 24 cm

Mancha: 13,5 x 21 cm

Tipologia: Verdana 6,5/8

Papel: Ofsete 63g/m^2 (miolo)

1ª edição: 2007

Impressão: Sermograf